BÍBLIA SAGRADA

NVA
NOVA VERSÃO ALMEIDA
ATUALIZADA

EDIÇÃO COM
AS PALAVRAS DE DEUS EM AZÚL
AS PALAVRAS DE JESUS EM VERMELHO
PROMESSAS EM DESTAQUE
MAPAS COLORIDOS

CASA PUBLICADORA PAULISTA · CPP ·
BÍBLIA FULL COLOR

EDIFIQUE

São Paulo - SP - Brasil
2025

Prefácio

É com grande satisfação que a Casa Publicadora Paulista apresenta a você a NVA - Nova Versão João Ferreira de Almeida Atualizada. Esta versão representa o empenho de uma equipe teológica dedicada a tornar a Palavra de Deus acessível, clara e fiel às suas origens, preservando sua profundidade e beleza.

A Junta Teológica da Casa Publicadora Paulista, a partir do texto original da renomada tradução João Ferreira de Almeida, versão Revista e Corrigida, que por décadas tem sido referência na vida cristã no Brasil, conduziu um minucioso e criterioso processo de revisão. O resultado é esta versão que você tem em mãos: a NVA - Nova Versão João Ferreira de Almeida Atualizada, cuidadosamente aprimorada para proporcionar uma leitura mais fluida, compreensível e envolvente, sem abrir mão da riqueza teológica e literária das Escrituras.

Durante quatro anos de dedicação intensa, a Junta Teológica empenhou-se na na clareza e modernização da linguagem, facilitando o entendimento das mensagens bíblicas para todas as gerações. Esse esforço buscou manter o equilíbrio entre o formalismo reverente e a proximidade da linguagem, alternando harmoniosamente o uso da segunda e da terceira pessoa, de modo a preservar o respeito no diálogo entre Deus e o ser humano.

Desejamos que esta versão atualizada seja para você uma fonte constante de inspiração, crescimento espiritual e transformação de vida. Que a leitura desta Bíblia fortaleça sua fé, ilumine seus caminhos e aprofunde sua comunhão com Deus.

Boa leitura!

Direção Geral Vagner Rodrigues Rosa
Capa e Diagramação Casa Publicadora Paulista

Dados Internacionais de Catalogação na Publicação (CIP)
Câmara Brasileira do Livro, SP, Brasil

A Bíblia Sagrada, contendo o Velho e o Novo Testamento. [tradução: João Ferreira de Almeida]. Harpa Avivade e Corinhos. -- Jundiaí, SP : Casa Publicadora Paulista Editora e Gráfica, 2025.

ISBN 978-65-6003-026-8

1. Bíblia Sagrada 2. Velho Testamento 3. Novo Testamento 4. Harpa Avivada 5. Corinhos 1. Almeida, João Ferreira

220-B477 CDD-220

ÍNDICES PARA CATÁLOGO SISTEMÁTICO:

1. Bíblia sagradâ 220
2. Velho testamento 220
3. Novo testamento 220

CPP Editora
Avenida Marginal Leste da Rodovia Vice-Prefeito Hermenegildo Tonolli, n.º 1955 – Bairro Medeiros, CEP 13.213-086, Jundiaí/SP

11 2923-7600

vendas@cppeditora.com.br
www.cppeditora.com.br

Índice dos livros que contém

A
Bíblia Sagrada

Velho Testamento

Índice dos livros que contém

A
Bíblia Sagrada

Novo Testamento

O PRIMEIRO LIVRO DE MOISÉS CHAMADO

GÊNESIS

A Criação do Mundo

1 No princípio Deus criou os céus e a terra.
2 E a terra era sem forma e vazia e havia trevas sobre a face do abismo e o Espírito de Deus se movia sobre a face das águas.
3 E Deus disse: "Haja luz!" E houve luz.
4 E Deus viu que a luz era boa e fez separação entre a luz e as trevas.
5 E Deus chamou à luz Dia e chamou às trevas Noite. E foi a tarde e a manhã do primeiro dia.
6 E Deus disse: "Haja um firmamento no meio das águas e haja separação entre águas e águas!"
7 E Deus fez o firmamento e fez separação entre as águas que estavam debaixo do firmamento e as águas que estavam sobre o firmamento. E foi assim.
8 E Deus chamou o firmamento Céus e foi a tarde e a manhã do segundo dia.
9 E Deus disse: "Juntem-se as águas debaixo dos céus num só lugar; e apareça a porção seca!" E foi assim.
10 E Deus chamou à porção seca de terra e ao ajuntamento das águas chamou mares. E Deus viu que era bom.
11 E Deus disse: "Produza a terra ervas verdes, ervas que deem sementes, árvores frutíferas que deem frutos segundo as suas espécies, cujas sementes estarão nelas sobre a terra!" E foi assim.
12 E a terra produziu ervas, ervas dando sementes conforme a sua espécie e as árvores frutíferas, cujas sementes estão nelas conforme as suas espécies. E Deus viu que era bom.
13 E foi a tarde e a manhã do terceiro dia.
14 E Deus disse: "Haja luminares no firmamento dos céus, para fazerem separação entre o dia e a noite e eles sejam para sinais e para determinar tempos, dias e anos!
15 E sejam luminares no firmamento dos céus, para iluminar a terra." E foi assim.
16 E Deus fez os dois grandes luminares: o luminar maior para governar o dia e o menor para governar a noite e fez as estrelas.
17 E Deus os pôs no firmamento dos céus para iluminarem a terra,
18 e para governarem o dia e a noite e para fazerem separação entre a luz e as trevas. E Deus viu que era bom.
19 E foi a tarde e a manhã do quarto dia.
20 E Deus disse: "As águas produzam répteis abundantemente e as aves voem sob a face do firmamento dos céus!"
21 E Deus criou os grandes animais marinhos e todos os seres vivos que as águas abundantemente produziram conforme as suas espécies e todas as aves de asas conforme a suas espécies. E Deus viu que era bom.
22 E Deus os abençoou, dizendo: "Sejam férteis e se multipliquem e encham as águas dos mares e as aves se multipliquem na terra."
23 E foi a tarde e a manhã do quinto dia.
24 E Deus disse: "Produza a terra seres vivos conforme as suas espécies: gado, répteis e feras da terra conforme as suas espécies! E foi assim.
25 E Deus fez os animais ferozes da terra conforme a sua espécie e os animais domésticos conforme a sua espécie e todos os seres rastejantes da terra conforme a sua espécie. E Deus viu que era bom.
26 E Deus disse: "Façamos o homem à nossa imagem, conforme a nossa semelhança e domine sobre os peixes do mar, sobre as aves dos céus, sobre os animais domésticos, sobre toda a terra e sobre todos os seres rastejantes que se movem sobre a terra!"
27 E Deus criou o homem à sua imagem: à imagem de Deus o criou; criou homem e mulher.
28 E Deus os abençoou e lhes disse: "Sejam férteis e se multipliquem e encham a terra, a sujeitem e dominem sobre os peixes do mar e sobre as aves dos céus e sobre todos os animais que se movem sobre a terra!"
29 E Deus disse: "Estou lhes dando todas as ervas que deem sementes, que estão sobre a face de toda a terra; e todas as árvores, em que há frutos que deem sementes, lhes servirão de mantimento,
30 e todos os animais da terra e todas as aves dos céus e todos os répteis da terra, em que há fôlego de vida, todas as ervas verdes serão para mantimento!" E foi assim.
31 E Deus viu tudo que tinha feito e era muito bom e foi a tarde e a manhã do sexto dia.

2 Assim foram feitos os céus, a terra e tudo o que há.
2 E Deus acabou de fazer toda a sua obra no sétimo dia, e descansou.
3 E Deus abençoou o sétimo dia, e o santificou; porque nele descansou de toda a obra que tinha feito.

A Formação do Éden

4 Essas são as origens dos céus e da terra, quando foram criados; no dia em que o Senhor Deus fez a terra e os céus,
5 e toda planta do campo que ainda não estava na terra e toda erva do campo que ainda não havia brotado; porque o Senhor Deus ainda não tinha feito chover sobre a terra e não havia homem para lavrá-la.

6 Porém, um vapor subia da terra e regava toda a sua face.

7 E o Senhor Deus formou o homem do pó da terra e soprou em suas narinas o fôlego da vida e o homem foi feito ser vivente.

8 E o Senhor Deus plantou um jardim no Éden, do lado oriental, e pôs ali o homem que tinha formado.

9 E o Senhor Deus fez brotar da terra toda árvore agradável à vista e boa para comida; e a árvore da vida no meio do jardim e a árvore do conhecimento do bem e do mal.

10 E saía um rio do Éden para regar o jardim e dali se dividia em quatro braços.

11 O nome do primeiro é Pisom; esse é o rio que rodeia toda a terra de Havilá, onde há ouro.

12 E o ouro dessa terra é bom; ali há o bdélio e a pedra de ônix.

13 E o nome do segundo rio é Giom; esse é o rio que rodeia toda a terra de Cuxe.

14 E o nome do terceiro rio é Tigre; esse é o que vai para o lado oriental da Assíria; e o quarto rio é o Eufrates.

15 E o Senhor Deus pôs o homem no jardim do Éden para o lavrar e o guardar.

16 E o Senhor Deus ordenou ao homem, dizendo: "De toda árvore do jardim pode comer livremente,

17 mas da árvore do conhecimento do bem e do mal, dela não pode comer; porque no dia em que comer dela, certamente morrerá."

A Criação da Mulher

18 E o Senhor Deus disse: "Não é bom que o homem esteja só; farei uma companheira adequada para ele."

19 Havendo o Senhor Deus formado da terra todos os animais do campo e todas as aves dos céus, os trouxe a Adão, para ele ver como os chamaria e Adão deu nome a todos os seres vivos.

20 E Adão pôs os nomes a todo o gado, às aves dos céus e a todos os animais do campo; mas para o homem não se achava uma companheira adequada.

21 Então o Senhor Deus fez cair sobre Adão um sono pesado, e ele adormeceu; e tomou uma das suas costelas e fechou a carne em seu lugar;

22 e, da costela que o Senhor Deus tomou do homem, fez uma mulher e a trouxe a Adão.

23 E Adão disse: "Esta é agora osso dos meus ossos e carne da minha carne; esta será chamada mulher, porque foi feita do homem."

24 Portanto, o homem deixará o seu pai e a sua mãe, e se unirá à sua mulher e serão uma só carne.

25 E estavam nus, o homem e a sua mulher; e não se envergonhavam.

A Tentação e a Queda

3 A serpente era a mais astuta de todos os animais do campo que o Senhor Deus tinha feito. E ela disse à mulher: "É assim que Deus disse: Não coma de toda árvore do jardim?"

2 E a mulher disse à serpente: "Do fruto das árvores do jardim podemos comer,

3 mas do fruto da árvore que está no meio do jardim, Deus disse: 'Não comam dele, nem toquem nele para que não morram.'"

4 Então a serpente disse à mulher: "Certamente não morrerá!

5 Porque Deus sabe que no dia em que comerem desse fruto, os seus olhos se abrirão, e serão como Deus, conhecendo o bem e o mal."

6 E a mulher, vendo que o fruto daquela árvore era bom para se comer, agradável aos olhos e a árvore desejável para dar entendimento, pegou o seu fruto e comeu, e deu também a seu marido e ele comeu.

7 Então os olhos deles se abriram e perceberam que estavam nus; e costuraram folhas de figueira e fizeram aventais para si.

8 E ouviram a voz do Senhor Deus, que passeava no jardim no final do dia, e Adão e sua mulher se esconderam de sua presença, entre as árvores do jardim.

9 E o Senhor Deus chamou Adão, e lhe disse: "Onde você está?"

10 E Adão disse: "Ouvi a tua voz soar no jardim e tive medo, porque estava nu, e me escondi."

11 E Deus disse: "Quem lhe mostrou que estava nu? Você comeu da árvore que lhe ordenei que não comesse?"

12 Então Adão disse: "A mulher que me deste por companheira, ela me deu da árvore, e comi."

13 E o Senhor Deus disse à mulher: "Por que fez isso?" E disse a mulher: "A serpente me enganou e eu comi."

14 Então o Senhor Deus disse à serpente: "Porque fez isso, será maldita mais do que todos os animais ferozes e mais que todos os animais domésticos; rastejará sobre o seu ventre e comerá pó todos os dias da sua vida.

15 E porei inimizade entre você e a mulher e entre a sua descendência e o descendente dela; este lhe ferirá a cabeça e você lhe ferirá o calcanhar."

16 E Deus disse à mulher: "Multiplicarei grandemente a sua dor durante a sua gravidez; com dor dará à luz filhos; e o seu desejo será para o seu marido, e ele a dominará."

17 E Deus disse a Adão: "Por que deu ouvidos à voz de sua mulher e comeu da árvore sobre a qual lhe ordenei, dizendo: Não comam dela; maldita é a terra por causa de você; com sofrimento comerá dela todos os dias da sua vida.

18 Ela também produzirá espinhos e ervas daninhas; e
você comerá a erva do campo.
19 No suor do seu rosto comerá o seu pão, até que volte à
terra; porque foi tirado dela; porque é pó e pó se tornará."
20 E Adão deu o nome a sua mulher de Eva; pois ela era a
mãe de todos os seres humanos.
21 E o Senhor Deus fez para Adão e para a sua mulher
túnicas de peles, e os vestiu.
22 Então o Senhor Deus disse: "Agora o homem é como
um de nós, conhecendo o bem e o mal. Para que não es-
tenda a sua mão e pegue também da árvore da vida e coma
e viva eternamente."
23 O Senhor Deus o expulsou para fora do jardim do
Éden, para cultivar a terra da qual fora tirado.
24 E, depois de expulsar o homem para fora, pôs queru-
bins ao oriente do jardim do Éden e uma espada flamejante
que andava ao redor, para guardar o caminho da árvore
da vida.

Caim e Abel

4 E Adão teve relações com Eva, sua mulher, e ela en-
gravidou e deu à luz Caim, e disse: "Recebi do Senhor
um homem."
2 E deu à luz também a seu irmão Abel. Abel foi pastor de
ovelhas e Caim foi agricultor.
3 E, depois de uns tempos, Caim trouxe ao Senhor uma
oferta do fruto da terra.
4 Abel, porém, trouxe as melhores partes das primeiras
crias das suas ovelhas; e o Senhor se agradou de Abel e
de sua oferta.
5 Mas não se agradou de Caim e da sua oferta. E Caim se
irritou fortemente e se fechou o seu rosto.
6 E o Senhor disse a Caim: "Por que ficou irritado? E por
que fechou o rosto?
7 Se fizer o correto, não é certo que você será aceito?
E se não agir corretamente, o pecado está à sua porta, e
o desejo do pecado será contra você, mas sobre ele deve
dominar."
8 E Caim conversou com o seu irmão Abel; e, quando
eles estavam no campo, Caim se levantou contra Abel e
o matou.
9 E o Senhor disse a Caim: "Onde está Abel, seu irmão?"
E Caim respondeu: "Não sei; sou o responsável por ele?"
10 E Deus disse: "O que você fez? A voz do sangue do seu
irmão derramado na terra clama a mim.
11 Agora você é maldito na terra, que abriu a boca para
receber da sua mão o sangue do seu irmão.
12 Quando cultivar a terra, ela não lhe dará mais a sua
força; será fugitivo e errante na terra."
13 Então Caim disse ao Senhor: "É muito grande a minha
maldade para que possa ser perdoada.
14 Hoje me expulsas para longe, e me esconderei da tua
presença e serei fugitivo e errante na terra; e qualquer um
que me encontrar, me matará."
15 O Senhor, porém, lhe disse: "Quem matar Caim será
castigado sete vezes." E o Senhor pôs um sinal em Caim,
para que, se o encontrassem, não o matassem.
16 E Caim saiu da presença do Senhor e habitou na terra
de Node, do lado oriental do Éden.
17 E Caim teve relações com a sua mulher e ela engravi-
dou, e deu à luz a Enoque; e ele edificou uma cidade e deu
à cidade o nome de seu filho Enoque.
18 Enoque gerou Irade e Irade gerou Meujael e Meujael
gerou Metusael e Metusael gerou Lameque.
19 E Lameque se casou com duas mulheres; o nome de
uma era Ada e o nome da outra era Zilá.
20 E Ada deu à luz a Jabal; este foi o pai dos que habitam
em tendas e criam gado.
21 E o nome do seu irmão era Jubal; ele foi o pai de todos
os que tocam harpa e flauta.
22 E Zilá também deu à luz Tubalcaim, mestre de toda
obra de cobre e ferro, e sua irmã Naamá.
23 E Lameque disse a suas mulheres Ada e Zilá: "Vocês,
mulheres de Lameque, ouçam a minha voz, escutem as
minhas palavras; porque eu matei um homem porque me
feriu, e um jovem que me pisou.
24 Porque Caim será castigado sete vezes; mas Lameque
setenta vezes sete."

O Nascimento de Sete

25 E Adão teve relações novamente com sua mulher e
ela deu à luz a outro filho, e lhe deu o nome de Sete. Ela
disse: "Deus me deu outro filho em lugar de Abel, que foi
morto por Caim."
26 E Sete também gerou um filho e o chamou de Enos; a
partir daí se começou a invocar o nome do Senhor.

A Genealogia de Sete

5 Este é o livro das gerações de Adão. No dia em que
Deus criou o homem, o criou à sua semelhança.
2 Os criou homem e mulher. E Deus os abençoou e os
chamou de humanos, no dia em que foram criados.
3 E Adão viveu cento e trinta anos e gerou um filho à sua
semelhança, conforme a sua imagem, e lhe pôs o nome
de Sete.
4 E Adão viveu, depois que gerou Sete, oitocentos anos e
gerou filhos e filhas.
5 Adão viveu ao todo novecentos e trinta anos e morreu.
6 E Sete viveu cento e cinco anos e gerou Enos.
7 E Sete viveu, depois que gerou Enos, oitocentos e sete
anos e gerou filhos e filhas.
8 Sete viveu ao todo novecentos e doze anos e morreu.
9 E Enos viveu noventa anos e gerou Cainã.

10 E Enos viveu, depois que gerou Cainã, oitocentos e
quinze anos e gerou filhos e filhas.
11 Enos viveu ao todo novecentos e cinco anos, e morreu.
12 E Cainã viveu setenta anos e gerou Maalalel.
13 E Cainã viveu, depois que gerou Maalalel, oitocentos e
quarenta anos e gerou filhos e filhas.
14 Cainã viveu ao todo novecentos e dez anos e morreu.
15 E Maalalel viveu sessenta e cinco anos e gerou Jarede.
16 E Maalalel viveu, depois que gerou Jarede, oitocentos
e trinta anos e gerou filhos e filhas.
17 Maalalel viveu ao todo oitocentos e noventa e cinco
anos e morreu.
18 E Jarede viveu cento e sessenta e dois anos e gerou
Enoque.
19 E Jarede viveu, depois que gerou Enoque, oitocentos
anos e gerou filhos e filhas.
20 Jarede viveu ao todo novecentos e sessenta e dois anos
e morreu.
21 E Enoque viveu sessenta e cinco anos e gerou
Metusalém.
22 E Enoque andou com Deus, depois que gerou Metusa-
lém, trezentos anos e gerou filhos e filhas.
23 Enoque viveu ao todo trezentos e sessenta e cinco
anos.
24 E Enoque andou com Deus; e não foi visto mais, por-
quanto Deus o tomou para si.
25 E Metusalém viveu cento e oitenta e sete anos e gerou
Lameque.
26 E Metusalém viveu, depois que gerou Lameque, sete-
centos e oitenta e dois anos e gerou filhos e filhas.
27 Metusalém viveu ao todo novecentos e sessenta e nove
anos e morreu.
28 E Lameque viveu cento e oitenta e dois anos e gerou
um filho,
29 ao qual chamou Noé, dizendo: "Este nos consolará de
nossas obras e do trabalho de nossas mãos, por causa da
terra que o Senhor amaldiçoou."
30 E Lameque viveu, depois que gerou Noé, quinhentos e
noventa e cinco anos e gerou filhos e filhas.
31 Lameque viveu ao todo setecentos e setenta e sete anos
e morreu.
32 Aos quinhentos anos de idade, Noé já tinha gerado
Sem, Cam e Jafé.

A Corrupção da Humanidade

6 E como as pessoas começaram a se multiplicar sobre a
face da terra e lhes nasceram filhas,
2 os filhos de Deus viram que as filhas dos homens eram
formosas e tomaram para si mulheres de todas as que
quiseram.
3 Então o Senhor disse: "O meu Espírito não ficará com
o ser humano para sempre; porque ele também é carne;
então viverão somente cento e vinte anos."
4 Naqueles dias havia gigantes na terra e nasceram ou-
tros também, quando os filhos de Deus se casaram com
as filhas dos homens e geraram filhos delas; esses eram os
valentes que houve na antiguidade, os homens de fama.
5 E o Senhor viu que a maldade do homem se multiplicou
sobre a terra e que a tendência de seu coração é sempre
para o mal.
6 Então o Senhor se arrependeu de ter feito o ser humano
sobre a terra e lhe pesou em seu coração.
7 E o Senhor disse: "Destruirei o ser humano que criei da
face da terra, desde as pessoas até o animal, até ao réptil
e até à ave dos céus; porque me arrependo de os haver
feito."
8 Noé, porém, achou graça aos olhos do Senhor.
9 Estas são as gerações de Noé. No seu tempo, Noé era um
homem justo e íntegro; Noé andava com Deus.
10 Noé gerou três filhos: Sem, Cam e Jafé.
11 A terra, porém, estava corrompida aos olhos de Deus e
a terra se encheu de violência.
12 E Deus viu que a terra estava corrompida; porque toda
a humanidade havia se corrompido.

Deus Anuncia o Dilúvio

13 Então Deus disse a Noé: "O fim de toda a humanidade
está diante dos meus olhos; porque a terra está cheia de
violência e eu a destruirei com a terra.
14 Faça para você uma arca da madeira de cipreste; faça
compartimentos na arca e a revista com betume por den-
tro e por fora.
15 E a faça desta maneira: A arca terá cento e trinta e
cinco metros de comprimento, e a sua largura terá vinte e
dois metros e meio, e a sua altura terá treze metros e meio.
16 Faça na arca uma janela de quarenta e cinco centíme-
tros na parte de cima; e ponha a porta da arca ao seu lado;
faça a arca em três andares.
17 Porque eu trarei um dilúvio de águas sobre a terra, para
desfazer toda a humanidade e o que tem fôlego de vida
debaixo dos céus; tudo o que há na terra morrerá.
18 Mas com você estabelecerei a minha aliança e entrarão
na arca você e os seus filhos, sua mulher e as mulheres
de seus filhos.
19 E de todos os seres vivos, fará entrar na arca dois de
cada espécie, macho e fêmea, para os conservar vivos com
você.
20 Aves conforme a sua espécie, animais conforme a sua
espécie, todo réptil da terra conforme a sua espécie, virão a
você dois de cada espécie, para os conservar vivos.
21 Junte e leve com você todo tipo de mantimento, e será
para seu alimento e deles."

22 Assim Noé fez; tudo conforme o que Deus lhe man-
dou, assim ele fez.

Noé e sua Família Entram na Arca

7 Depois o Senhor disse a Noé: "Entre na arca você e
toda a sua família, porque vejo que você é justo diante
de mim nesta geração.
2 Pegue sete casais de todos os animais puros, o macho
e sua fêmea; e dois casais dos animais que são impuros, o
macho e sua fêmea.
3 Pegue também sete casais das aves dos céus, macho e
fêmea, para conservar viva a sua espécie sobre a terra.
4 Porque, daqui a sete dias, farei chover sobre a terra por
quarenta dias e quarenta noites e destruirei da face da terra
todos os seres vivos que fiz."
5 E Noé fez tudo conforme o que o Senhor lhe ordenou.
6 E Noé tinha seiscentos anos, quando veio o dilúvio das
águas sobre a terra.
7 Noé entrou na arca com os seus filhos, sua mulher e as
mulheres de seus filhos, por causa das águas do dilúvio.
8 Dos animais puros e dos animais impuros, das aves e de
todos os répteis da terra,
9 entraram de dois em dois junto de Noé na arca, macho
e fêmea, como Deus ordenou.
10 Então passados sete dias, vieram sobre a terra as águas
do dilúvio.
11 No ano seiscentos da vida de Noé, aos dezessete dias
do segundo mês, naquele mesmo dia se romperam todas
as fontes do grande abismo e se abriram as comportas dos
céus,
12 e houve chuva sobre a terra por quarenta dias e qua-
renta noites.
13 E no mesmo dia entraram na arca Noé, seus filhos
Sem, Cam e Jafé, sua mulher e as mulheres de seus filhos.
14 Eles e todos os animais conforme as suas espécies e
todo o gado conforme a sua espécie e todos os animais que
rastejam sobre a terra conforme as suas espécies e todas
as aves conforme as suas espécies e pássaros de todas as
espécies.
15 E todos os seres vivos entraram de dois em dois para
junto de Noé na arca.
16 E os que entraram eram machos e fêmeas de todas as
espécies, como Deus ordenou e o Senhor os fechou dentro
da arca.

O Dilúvio

17 E o dilúvio durou quarenta dias sobre a terra, e au-
mentaram as águas e levantaram a arca e ela se elevou
sobre a terra.
18 E as águas prevaleceram e aumentaram muito sobre a
terra e a arca flutuou sobre as águas.
19 E as águas aumentaram muito sobre a terra e todos os
altos montes que havia debaixo do céu foram cobertos.
20 As águas subiram sete metros acima deles e todos os
montes foram cobertos.
21 E morreram todos os seres vivos que havia sobre a ter-
ra, todos os seres humanos, aves, gados, animais ferozes e
todos os répteis que rastejam sobre a terra.
22 Todos os seres vivos, tudo o que havia em terra seca,
morreram.
23 Assim foram destruídos todos os seres vivos que havia
sobre a terra, desde o homem até os animais, répteis, e até
as aves dos céus, foram extintos da terra; ficando somente
Noé e os que estavam com ele na arca.
24 E as águas prevaleceram sobre a terra por cento e cin-
quenta dias.

As Águas Diminuem

8 E Deus se lembrou de Noé e de todos os seres vivos que
estavam com ele na arca e Deus fez soprar um vento
sobre a terra e as águas começaram a baixar.
2 As fontes do abismo e as comportas dos céus se fecha-
ram e as chuvas pararam.
3 E as águas se escoavam continuamente da face da terra e
ao fim de cento e cinquenta dias diminuíram.
4 E no dia dezessete do sétimo mês, a arca repousou sobre
os montes do Ararate.
5 E as águas foram diminuindo até o décimo mês; no
primeiro dia do décimo mês, apareceram os cumes dos
montes.
6 Assim, passados quarenta dias, Noé abriu a janela da
arca.

Noé Solta um Corvo e Uma Pomba

7 E soltou um corvo, que ficou indo e voltando, até que as
águas secaram da face da terra.
8 Depois soltou uma pomba, para ver se as águas tinham
diminuído da face da terra.
9 A pomba, porém, não achou lugar para pousar, voltou
para ele na arca; porque as águas cobriam a face de toda
a terra e ele estendeu a sua mão e a pegou, recolhendo-a
com ele na arca.
10 E esperou outros sete dias e tornou a enviar a pomba
para fora da arca.
11 E a pomba voltou para ele à tarde trazendo uma folha
de oliveira no seu bico; assim Noé entendeu que as águas
tinham baixado na terra.
12 Então esperou outros sete dias e enviou outra vez a
pomba; mas ela não retornou.
13 E, no primeiro dia do primeiro mês do ano seiscentos e
um, as águas secaram da face da terra. Então Noé tirou a
cobertura da arca e viu que a face da terra estava enxuta.

14 E, aos vinte e sete dias do segundo mês, a terra estava
seca.

A Saída da Arca

15 Então Deus disse a Noé:
16 "Saiam da arca você com sua mulher, seus filhos e as
mulheres de seus filhos,
17 e todos os animais que estão com você, aves, gados,
répteis; traga com você para fora; povoem abundantemen-
te a terra e sejam férteis e se multipliquem sobre a terra."
18 Então Noé saiu com seus filhos, sua mulher e as mu-
lheres de seus filhos.
19 E todos os animais saíram para fora da arca, todos os
répteis, aves e tudo o que se move sobre a terra, conforme
as suas espécies.
20 E Noé construiu um altar ao Senhor e pegou animais
puros e aves puras e ofereceu em holocausto sobre o altar.
21 E o Senhor sentiu o suave cheiro e pensou: "Nunca
mais vou amaldiçoar a terra por causa do homem; porque
o coração do homem é mau desde a sua infância; nunca
mais vou destruir os seres vivos, como fiz.
22 Enquanto a terra durar, não cessarão plantio e colheita,
frio e calor, verão e inverno, dia e noite."

A Aliança de Deus com Noé

9 E Deus abençoou Noé e seus filhos e lhes disse: "Sejam
férteis e se multipliquem e encham a terra.
2 Todos os animais da terra e todas as aves dos céus terão
medo e pavor de vocês; nas suas mãos entrego tudo o que
se move sobre a terra e todos os peixes do mar.
3 Tudo que se move, que é vivo, será para seu alimento;
lhe dei de tudo como lhe dei a erva verde.
4 Não coma, porém, carne com sangue, porque sangue
é vida.
5 Certamente requererei o seu sangue, o sangue das suas
vidas; requererei de todo animal; como também do ser hu-
mano o sangue de seu semelhante.
6 Quem derramar o sangue de uma pessoa, por outra pes-
soa o seu sangue será derramado; porque Deus fez o ser
humano conforme a sua imagem.
7 Mas vocês sejam férteis e se multipliquem; povoem
abundantemente a terra e se multipliquem nela."
8 E Deus falou a Noé e a seus filhos:
9 "Eu estabeleço a minha aliança com vocês e com seus
descendentes.
10 E com todos os seres vivos, que estão com vocês, aves,
gados, e todos os animais da terra; com todos que saíram
da arca.
11 E eu estabeleço a minha aliança com vocês; nunca
mais destruirei todos os seres vivos pelas águas do dilúvio
e não haverá mais dilúvio para destruir a terra."
12 E Deus disse: "Esse é o sinal da aliança que ponho
entre mim e vocês e entre todos os seres vivos, que estão
com vocês, por gerações eternas.
13 Tenho posto o meu arco nas nuvens; esse será o sinal
da aliança entre mim e a terra.
14 E acontecerá que, quando eu trouxer nuvens sobre a
terra, aparecerá o arco nas nuvens.
15 Então me lembrarei da minha aliança, que está entre
mim e vocês e entre todos os seres vivos de todas as es-
pécies, e as águas não se tornarão mais em dilúvio para
destruir todos os seres vivos.
16 E o arco estará nas nuvens e eu o verei, para me lem-
brar da aliança eterna entre Deus e todos os seres vivos,
que estão sobre a terra."
17 E Deus disse a Noé: "Esse é o sinal da aliança que
tenho estabelecido entre mim e todos os seres vivos, que
estão sobre a terra."
18 E os filhos de Noé, que saíram da arca, foram: Sem,
Cam e Jafé; e Cam é o pai de Canaã.
19 Esses três foram os filhos de Noé e desses se povoou
toda a terra.

Noé se Embebeda

20 E Noé começou a cultivar a terra e plantou uma vinha.
21 E bebeu vinho e se embriagou e ficou nu no meio da
sua tenda.
22 E Cam, pai de Canaã, viu a nudez do seu pai, e contou
a seus irmãos que estavam do lado de fora.
23 Então Sem e Jafé pegaram uma capa, e a puseram sobre
os seus ombros, e foram de costas, cobriram a nudez do
seu pai com seus rostos virados, de maneira que não viram
a nudez do seu pai.
24 E Noé despertou da sua embriaguez e soube o que seu
filho mais novo lhe fez.
25 E disse: "Maldito seja Canaã; seja servo dos servos de
seus irmãos."
26 E disse: "Bendito seja o Senhor Deus de Sem e Canaã
lhe seja servo.
27 Deus amplie as posses de Jafé e habite nas tendas de
Sem, e Canaã lhe seja servo."
28 Noé viveu, depois do dilúvio, trezentos e cinquenta
anos.
29 Noé viveu ao todo novecentos e cinquenta anos e
morreu.

Os Descendentes de Noé

10 Estas são as gerações dos filhos de Noé: Sem, Cam e
Jafé; e lhes nasceram filhos depois do dilúvio.
2 Os filhos de Jafé são: Gomer, Magogue, Madai, Javã,
Tubal, Meseque e Tiras.
3 E os filhos de Gomer são: Asquenaz, Rifate e Togarma.
4 E os filhos de Javã são: Elisá, Társis, Quitim e Dodanim.
5 Entre eles foram repartidas as ilhas das nações nas suas

terras, segundo as suas línguas, segundo as suas famílias,
entre as suas nações.
6 E os filhos de Cam são: Cuxe, Mizraim, Pute e Canaã.
7 E os filhos de Cuxe são: Sebá, Havilá, Sabtá, Raamá e
Sabtecá. E os filhos de Raamá são: Sabá e Dedã.
8 E Cuxe gerou Ninrode; este começou a ser poderoso
na terra.
9 E ele foi poderoso caçador diante do Senhor; por isso se
diz: Como Ninrode, poderoso caçador diante do Senhor.
10 E o princípio do seu reino foi Babel, Ereque, Acade e
Calné, na terra de Sinar.
11 Dessa mesma terra foi para a Assíria e edificou Nínive,
Reobote-Ir e Calá,
12 e Resém, entre Nínive e Calá (esta é a grande cidade).
13 E Mizraim gerou Ludim, Anamim, Leabim e Naftuim,
14 e Patrusim, Casluim (de onde saíram os filisteus) e
Caftorim.
15 E Canaã gerou Sidom, seu primogênito, e Hete;
16 e ao jebuseu, amorreu, girgaseu,
17 e ao heveu, arqueu, sineu,
18 e ao arvadeu, zemareu e ao hamateu; e depois as famí-
lias dos cananeus se espalharam.
19 E o limite dos cananeus foi desde Sidom, indo para
Gerar, até Gaza; indo para Sodoma e Gomorra, e Admá e
Zeboim, até Lasa.
20 Esses são os filhos de Cam segundo as suas famílias,
segundo as suas línguas, em suas terras, em suas nações.
21 E Sem teve filhos, sendo ele o pai de todos os filhos de
Éber, o irmão mais velho de Jafé.
22 Os filhos de Sem são: Elão, Assur, Arfaxade, Lude e
Arã.
23 E os filhos de Arã são: Uz, Hul, Geter e Más.
24 E Arfaxade gerou Salá; e Salá gerou Éber.
25 E Éber teve dois filhos: o nome de um foi Pelegue, e
nos seus dias se repartiu a terra e o nome do seu irmão
foi Joctã.
26 E Joctã gerou Almodá, Selefe, Hazar-Mavé e Jerá;
27 e Hadorão, Uzal e Dicla;
28 e Obal, Abimael e Sabá;
29 e Ofir, Havilá e Jobabe: todos esses foram filhos de
Joctã.
30 E habitou desde Messa, indo para Sefar, montanha do
oriente.
31 Esses são os filhos de Sem segundo as suas famílias,
segundo as suas línguas, nas suas terras, segundo as suas
nações.
32 Essas são as famílias dos filhos de Noé segundo as suas
gerações, nas suas nações, sendo que desses foram dividi-
das as nações na terra depois do dilúvio.

Uma Só Língua na Terra

11 E toda a terra falava uma mesma língua e de uma
só maneira.
2 Então, eles partiram do oriente, e acharam um vale na
terra de Sinar e habitaram ali.
3 E disseram uns aos outros: "Vamos fazer tijolos bem
queimados." E os tijolos serviram como pedras e o betume
como cimento.
4 E disseram: "Vamos edificar uma cidade e uma torre
cujo cume toque nos céus e vamos fazer nosso nome co-
nhecido, para não ficarmos espalhados sobre a face de toda
a terra."
5 Então o Senhor desceu para ver a cidade e a torre que os
filhos dos homens edificavam;
6 e o Senhor disse: "Vejo que o povo é unido e todos falam
uma mesma língua, e isto é só o começo; agora não haverá
restrição para tudo o que eles quiserem fazer.

A Confusão das Línguas

7 Vamos descer e confundir a sua língua, para que um não
entenda a língua do outro."
8 Assim o Senhor os espalhou dali sobre a face de toda a
terra e pararam de edificar a cidade.
9 Por isso aquele lugar foi chamado de Babel, porque ali
o Senhor confundiu a língua de todos os povos e dali o
Senhor os espalhou sobre toda a terra.
10 Estas são as gerações de Sem: Sem tinha cem anos de
idade e gerou Arfaxade, dois anos depois do dilúvio.
11 E Sem viveu, depois que gerou Arfaxade, quinhentos
anos e gerou filhos e filhas.
12 E Arfaxade viveu trinta e cinco anos e gerou Salá.
13 E Arfaxade viveu, depois que gerou Salá, quatrocentos
e três anos e gerou filhos e filhas.
14 E Salá viveu trinta anos e gerou Éber;
15 e Salá viveu, depois que gerou Éber, quatrocentos e três
anos e gerou filhos e filhas.
16 E Éber viveu trinta e quatro anos e gerou Pelegue.
17 E Éber viveu, depois que gerou Pelegue, quatrocentos
e trinta anos e gerou filhos e filhas.
18 E Pelegue viveu trinta anos e gerou Reú.
19 E Pelegue viveu, depois que gerou Reú, duzentos e
nove anos e gerou filhos e filhas.
20 E Reú viveu trinta e dois anos e gerou Serugue.
21 E Reú viveu, depois que gerou Serugue, duzentos e
sete anos e gerou filhos e filhas.
22 E Serugue viveu trinta anos e gerou Naor.
23 E Serugue viveu, depois que gerou Naor, duzentos
anos e gerou filhos e filhas.
24 E Naor viveu vinte e nove anos e gerou Terá.
25 E Naor viveu, depois que gerou Terá, cento e dezenove
anos e gerou filhos e filhas.

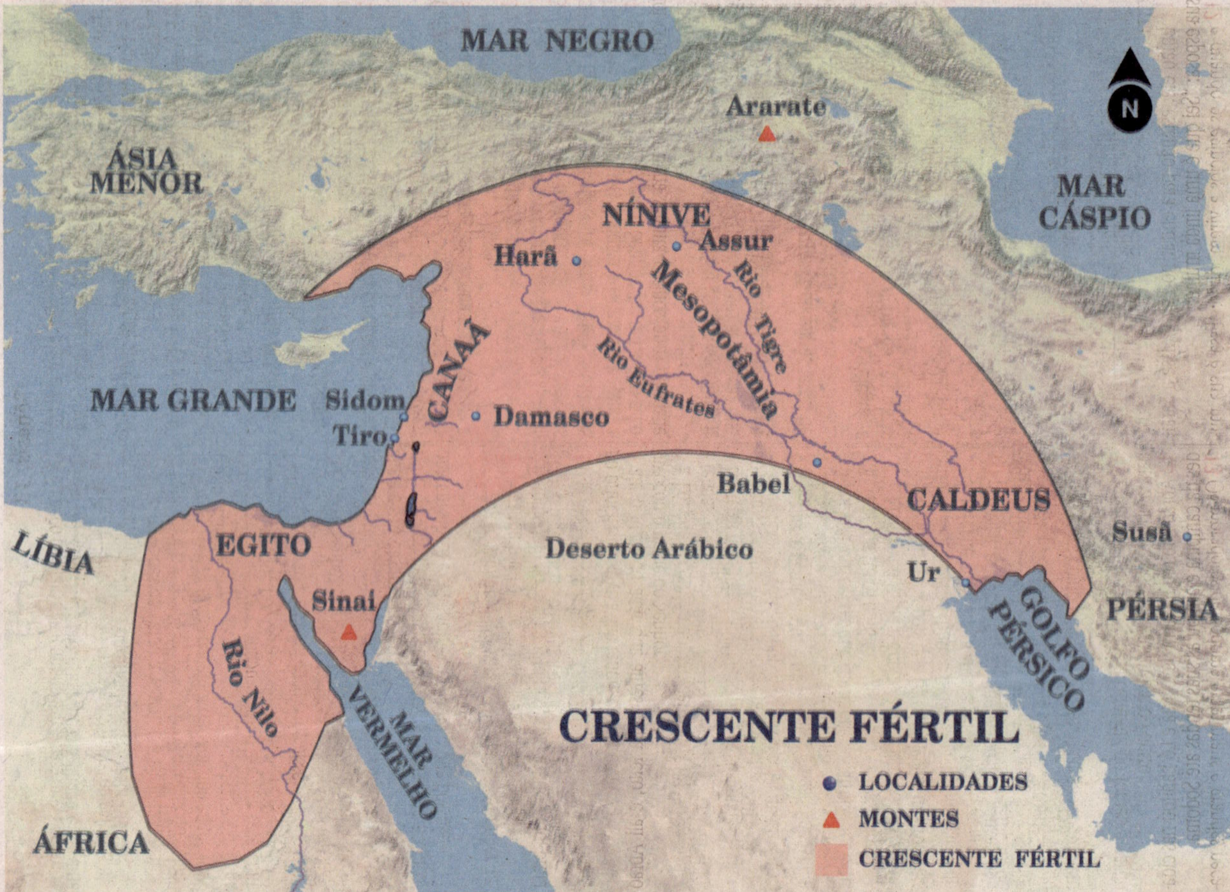
MAR NEGRO
Ararate
N
ÁSIA MENOR
MAR CÁSPIO
NÍNIVE
Assur
Harã
Mesopotâmia
Rio Tigre
Rio Eufrates
CANAÃ
MAR GRANDE
Sidom
Tiro
Damasco
Babel
CALDEUS
Susã
LÍBIA
EGITO
Deserto Arábico
Ur
Sinai
GOLFO PÉRSICO
PÉRSIA
Rio Nilo
MAR VERMELHO
CRESCENTE FÉRTIL
LOCALIDADES
MONTES
CRESCENTE FÉRTIL
ÁFRICA

26 E Terá viveu setenta anos e gerou Abrão, Naor e Harã.

27 E estas são as gerações de Terá: Terá gerou Abrão, Naor e Harã; e Harã gerou Ló.

28 E Harã morreu estando seu pai Terá ainda vivo, em Ur dos caldeus, na terra do seu nascimento.

29 E Abrão e Naor tomaram mulheres para si: O nome da mulher de Abrão era Sarai e o nome da mulher de Naor era Milca, filha de Harã, pai de Milca e pai de Iscá.

30 E Sarai, por ser estéril, não tinha filhos.

31 E Terá tomou Abrão, seu filho, e Ló, filho de Harã, seu filho e Sarai sua nora, mulher de seu filho Abrão e saiu com eles de Ur dos caldeus, para ir à terra de Canaã; e foram até Harã e habitaram ali.

32 Terá viveu ao todo duzentos e cinco anos; e morreu em Harã.

O Chamado de Abrão

12 O Senhor disse a Abrão: "Saia da sua terra, do meio dos seus parentes e da casa do seu pai, e vá para a terra que eu lhe mostrarei.

2 E farei de você uma grande nação, o abençoarei e engrandecerei o seu nome e você será uma bênção.

3 E abençoarei os que o abençoarem e amaldiçoarei os que o amaldiçoarem e em você serão benditas todas as famílias da terra."

4 Assim Abrão partiu como o Senhor lhe tinha dito e Ló foi com ele. Abrão tinha setenta e cinco anos de idade quando saiu de Harã.

5 E Abrão levou Sarai, sua esposa, e Ló, seu sobrinho, e todos os bens que haviam adquirido, mais as pessoas que nasceram em sua casa em Harã e saíram a caminho da terra de Canaã; e ali chegaram.

6 E Abrão passou por aquela terra até chegar às terras de Siquém, junto ao carvalho de Moré, onde os cananeus habitavam.

7 E o Senhor apareceu a Abrão e lhe disse: "Darei esta terra a sua descendência." E Abrão edificou ali um altar ao Senhor, que lhe apareceu.

8 E se mudou dali para a montanha do lado oriental de Betel, e armou ali a sua tenda, estando Betel ao ocidente e Ai ao oriente; nesse lugar edificou um altar ao Senhor e invocou o nome do Senhor.

9 Depois Abrão partiu, seguindo para o sul.

Abrão Peregrina no Egito

10 E havia fome naquela terra; por isso Abrão desceu ao Egito, para peregrinar ali, porque a fome era grande na terra.

11 Então ele, estando para entrar no Egito, disse a Sarai, sua esposa: "Sei que é uma linda mulher;

12 e quando os egípcios a virem, dirão: 'Essa é sua mulher.' E me matarão, porém deixarão você viver.

13 Eu peço que fale que é minha irmã, para que, por amor a você, me deixem viver."

14 Então, quando Abrão entrou no Egito, os egípcios viram a sua mulher, que era muito bonita.

15 E os príncipes do Faraó a viram, e a elogiaram diante do Faraó; por isso a mulher foi levada para a casa do Faraó.

16 E tratou bem a Abrão por amor de Sarai, lhe dando ovelhas, vacas, jumentos, servos e servas, jumentas e camelos.

17 Porém, o Senhor castigou o Faraó e a sua casa com grandes pragas, por causa de Sarai, a mulher de Abrão.

18 Então o Faraó chamou Abrão e lhe disse: "O que você fez comigo? Por que não me disse que ela era sua esposa?

19 Por que disse que ela era sua irmã? Por isso a tomei para ser minha mulher; agora, aqui está a sua mulher; pegue-a e saia das minhas terras."

20 E o Faraó deu ordens aos seus homens para acompanharem Abrão e sua mulher, e a tudo o que possuía.

Abrão Volta do Egito

13 Abrão saiu do Egito para o sul, ele e sua mulher, levando tudo o que tinha e levando também Ló.

2 E Abrão saiu do Egito muito rico, com muito gado, prata e ouro.

3 E fez as suas jornadas do sul até Betel, até o lugar onde, no princípio, esteve a sua tenda, entre Betel e Ai;

4 até o lugar do altar que antes tinha feito, e ali Abrão invocou o nome do Senhor.

5 E Ló, que ia com Abrão, também tinha rebanhos, gados e tendas.

6 E a terra não tinha capacidade para os sustentar habitando juntos, porque os seus bens eram muitos.

A Separação de Abrão e Ló

7 E houve desavença entre os pastores do gado de Abrão e os pastores do gado de Ló; os cananeus e os ferezeus habitavam aquela terra.

8 E Abrão disse a Ló: "Não pode haver desavenças entre nós e entre os nossos pastores, porque somos irmãos.

9 Toda a terra não está diante de você? Precisamos nos separar; assim, se você escolher a esquerda, eu vou para a direita e se você escolher a direita, eu vou para a esquerda."

10 E Ló levantou os seus olhos e viu toda a campina do Jordão, que era toda bem regada como antes de o Senhor ter destruído Sodoma e Gomorra, como era o jardim do Senhor, e era como a terra do Egito, quando se entra em Zoar.

11 Então Ló escolheu toda a campina do Jordão e partiu para o oriente e se separaram um do outro.

12 Abrão habitou na terra de Canaã e Ló habitou nas cidades da campina e armou as suas tendas até Sodoma.

13 Os moradores de Sodoma eram maus e grandes pecadores contra o Senhor.

14 E o Senhor disse a Abrão, depois que Ló se apartou dele: “Erga os seus olhos e olhe desde o lugar onde está, para o lado do norte, para o sul, para o oriente e para o ocidente;

15 porque toda essa terra que vê darei a você e à sua descendência, para sempre.

16 E farei a sua descendência como o pó da terra; como não se pode contar o pó da terra, também a sua descendência não poderá ser contada.

17 Levante-se e percorra essa terra, no seu comprimento e na sua largura; porque a darei a você.”

18 E Abrão mudou as suas tendas e foi habitar nos carvalhais de Manre, que estão junto a Hebrom; ali ele edificou um altar ao Senhor.

Quatro Reis Guerreiam Contra Cinco

14 E aconteceu nos dias de Anrafel, rei de Sinar, Arioque, rei de Elasar, Quedorlaomer, rei de Elão e Tidal, rei de Goim,

2 que estes fizeram guerra contra Bera, rei de Sodoma, Birsa, rei de Gomorra, Sinabe, rei de Admá, Semeber, rei de Zeboim e ao rei de Bela (esta é Zoar).

3 Todos esses reis se juntaram no vale de Sidim (que é o Mar Salgado).

4 Eles haviam servido a Quedorlaomer por doze anos, mas no décimo terceiro ano se rebelaram.

5 E ao décimo quarto ano, vieram Quedorlaomer e os reis que estavam com ele e feriram os refains em Asterote-Carnaim, os zuzins em Hã e os emins em Savé-Quiriataim,

6 e os horeus no seu monte Seir, até à campina de Parã, que fica junto ao deserto.

7 Depois, no retorno, vieram a En-Mispate (que é Cades) e conquistaram todas as terras dos amalequitas, e também as dos amorreus, que habitavam em Hazazom-Tamar.

8 Então saíram o rei de Sodoma e o rei de Gomorra, o rei de Admá, o rei de Zeboim e o rei de Bela (esta é Zoar) e declararam guerra contra eles no vale de Sidim,

9 contra Quedorlaomer, rei de Elão, Tidal, rei de Goim, Anrafel, rei de Sinar e Arioque, rei de Elasar; quatro reis contra cinco.

10 E o vale de Sidim estava cheio de poços de betume; assim, ao fugirem para lá, os reis de Sodoma e de Gomorra caíram neles, mas os restantes fugiram para um monte.

11 E tomaram toda a riqueza de Sodoma e de Gomorra, com todo o seu mantimento e se foram.

Ló é Levado Cativo

12 Também capturaram Ló, sobrinho de Abrão, que habitava em Sodoma, com todos os seus bens, e se foram.

13 Então um homem, que conseguiu escapar, veio e contou a Abrão, o hebreu, o qual habitava junto dos carvalhais de Manre, o amorreu, irmão de Escol e irmão de Aner; eles eram aliados de Abrão.

14 Abrão, ouvindo que o seu sobrinho estava preso, armou trezentos e dezoito dos seus criados, nascidos em sua casa, e os perseguiu até Dã.

15 E dividiu os seus criados em grupos e à noite os atacou e os feriu, perseguindo-os até Hobá, que fica à esquerda de Damasco.

16 E recuperou todos os seus bens e também a Ló, seu sobrinho, com os seus bens e também as mulheres, com todo o povo.

17 E o rei de Sodoma foi ao seu encontro (depois que voltou de ferir Quedorlaomer e os reis que estavam com ele) até ao vale de Savé, que é o vale do rei.

18 E Melquisedeque, rei de Salém, trouxe pão e vinho; sendo, ele, sacerdote do Deus Altíssimo.

19 E o abençoou dizendo: “Que Abrão seja abençoado pelo Deus Altíssimo, criador dos céus e da terra;

20 e bendito seja o Deus Altíssimo, que entregou os seus inimigos nas suas mãos.” E Abrão lhe deu o dízimo de tudo.

21 E o rei de Sodoma disse a Abrão: “Dê-me as pessoas, e fique com os bens para você.”

22 Abrão, porém, disse ao rei de Sodoma: “Levantei minha mão ao Senhor, o Deus Altíssimo, o criador dos céus e da terra,

23 jurando que, desde um fio até o cordão de um sapato, não tomarei nada do que é seu; para que não diga: Eu enriqueci Abrão;

24 exceto o que os jovens comeram, não quero mais nada, e a parte que cabe aos homens que foram comigo, Aner, Escol e Manre, eles que peguem a sua parte.”

Deus Promete um Filho a Abrão

15 Depois do que aconteceu, a palavra do Senhor veio a Abrão numa visão, dizendo: “Não tenha medo, Abrão, eu sou o seu escudo, a sua grandíssima recompensa.”

2 Então Abrão disse: “Senhor Deus, o que me darás, pois ainda não tenho filhos e o herdeiro da minha casa é o damasceno Eliézer?”

3 Abrão disse ainda: “Tu não me deste filhos, por isso, um nascido na minha casa será o meu herdeiro.”

4 Mas a palavra do Senhor veio a ele dizendo: “Esse não será o seu herdeiro e sim aquele que nascer de você, esse será o seu herdeiro.”

5 Então o levou para fora e disse: “Olhe agora para os céus e conte as estrelas, se é que as pode contar.” E lhe disse: “Assim será a sua descendência.”

6 E ele creu no Senhor, e isso foi lhe imputado para justiça.

7 Disse mais: "Eu sou o Senhor, que o tirei de Ur dos cal-
deus, para lhe dar esta terra como herança."
8 E ele disse: "Senhor Deus, como saberei que irei
herdá-la?"
9 E lhe disse: "Traga-me uma bezerra, uma cabra e um car-
neiro, todos com três anos, uma rolinha e um pombinho."
10 E lhe trouxe todos esses animais e os partiu ao meio,
pondo cada parte em frente da outra; mas as aves não
partiu.
11 E as aves desciam sobre os cadáveres; Abrão, porém,
as enxotava.
12 Ao pôr do sol, caiu sobre Abrão um profundo sono e ele
sentiu muito medo quando escureceu.
13 Então Deus disse a Abrão: "Saiba que a sua descendên-
cia viverá em terras estrangeiras e serão escravos e oprimi-
dos por quatrocentos anos.
14 Mas, também, eu julgarei a nação que servirão, e de-
pois sairão com grande riqueza.
15 E você morrerá em paz, em boa velhice, e será sepulta-
do junto de seus pais.
16 E a quarta geração voltará para cá; porque a medida da
injustiça dos amorreus ainda não está cheia."

Deus Faz Aliança com Abrão

17 E, ao pôr do sol, ficou escuro e, em meio à fumaça,
uma tocha de fogo passou por aquelas metades.
18 Naquele mesmo dia o Senhor fez uma aliança com
Abrão, dizendo: "Dei esta terra aos seus descendentes,
desde o rio do Egito até ao grande rio Eufrates;
19 e o queneu, quenezeu, cadmoneu,
20 e o heteu, ferezeu, os refains,
21 e o amorreu, cananeu, girgaseu e o jebuseu."

Agar e Ismael

16 Sarai, mulher de Abrão, não lhe dava filhos e ela
tinha uma serva egípcia chamada Agar.
2 E Sarai disse a Abrão: "O Senhor me impede de engra-
vidar; tome a minha serva; para que eu tenha filhos por
meio dela." E Abrão ouviu o pedido de Sarai.
3 Assim Sarai, esposa de Abrão, pegou a sua serva egípcia
Agar, e a deu como mulher para Abrão seu marido, depois
de dez anos que Abrão habitava na terra de Canaã.
4 E ele teve relações com Agar, e ela engravidou; porém,
vendo que ficou grávida, passou a desprezar Sarai.
5 Então Sarai disse a Abrão: "Sou ofendida por sua causa;
eu dei minha serva em seus braços e, agora que ela engra-
vidou, me despreza; o Senhor julgue entre mim e você."
6 E Abrão disse a Sarai: "Sua serva está em suas mãos;
faça o que quiser com ela." E Sarai a maltratou e ela fugiu.
7 E o anjo do Senhor a achou junto a uma fonte de água
no deserto, junto à fonte no caminho de Sur.
8 E perguntou-lhe: "Agar, serva de Sarai, de onde vem e
para onde você vai?" E ela respondeu: "Estou fugindo da
casa de Sarai, minha senhora."
9 Então o anjo do Senhor lhe disse: "Volte para sua senho-
ra e se humilhe debaixo de suas mãos."
10 O anjo do Senhor disse mais: "Multiplicarei muito a
sua descendência, que não será contada de tão numerosa
que será."
11 O anjo do Senhor também disse: "Você está grávida
e dará à luz um filho, que chamará de Ismael; porque o
Senhor ouviu a sua aflição.
12 Ele será um homem valente, e a sua mão será contra
todos e a mão de todos contra ele; mas ele habitará no
meio de todos os seus irmãos."
13 E ela invocou o nome do Senhor que falava: "Tu és
Deus que vê;" porque disse: "Não vi aquele que me viu?"
14 Por isso aquele poço se chama Laai-Roi; e está entre
Cades e Berede.
15 E Agar deu à luz um filho a Abrão e ele lhe deu o
nome de Ismael.
16 E Abrão tinha oitenta e seis anos de idade, quando Agar
deu à luz Ismael.

Deus Muda o Nome de Abrão

17 Abrão tinha noventa e nove anos de idade quando o
Senhor apareceu e lhe disse: "Eu sou o Deus Todo-
-Poderoso, ande em minha presença e seja íntegro.
2 E porei a minha aliança entre mim e você e o multiplica-
rei grandissimamente."
3 Então Abrão se prostrou e Deus falou com ele, dizendo:
4 "Quanto a mim, esta é a minha aliança com você: será o
pai de muitas nações;
5 e não se chamará mais Abrão, mas o seu nome agora
será Abraão; porque tenho feito de você pai de muitas
nações.
6 E o farei multiplicar-se grandissimamente, fazendo com
que nações e reinos saiam de você;
7 e estabelecerei a minha aliança entre mim e você e com
seus descendentes e suas gerações, por aliança perpétua,
para ser seu Deus e de seus descendentes.
8 E darei a você e à sua descendência a terra de suas pe-
regrinações, terão posse perpétua de toda a terra e serei
o seu Deus."

A Circuncisão

9 Deus disse mais a Abraão: "Você e os seus descendentes,
porém, guardarão a minha aliança, nas gerações futuras.
10 Esta é a minha aliança, que guardarei entre mim e você
e a sua descendência: Que todos os homens entre vocês
sejam circuncidados.
11 Circuncidarão a carne do seu prepúcio, em sinal da
aliança entre mim e vocês.
12 Serão circuncidados os meninos no oitavo dia de vida e

todos os homens nas suas gerações; o nascido na sua casa
e o comprado de qualquer estrangeiro, que não for da sua
descendência.
13 Serão circuncidados os nascidos em sua casa e os com-
prados por você; assim, a minha aliança estará na carne de
vocês para sempre.
14 E o homem que não for circuncidado será eliminado do
meio do povo; pois ele quebrou a minha aliança."

Deus Muda o Nome de Sarai

15 Deus disse ainda a Abraão: "Não chamará mais sua
mulher pelo nome de Sarai, mas o seu nome será Sara.
16 Porque eu a abençoarei e dela darei um filho a você e
a abençoarei; ela será mãe de nações; reis e povos sairão
dela."
17 Então Abraão baixou a cabeça e riu, pensando: "Nasce-
rá um filho de um homem de cem anos? E Sara dará à luz
com noventa anos de idade?"
18 E Abraão disse a Deus: "Como seria bom se Ismael
recebesse a tua bênção!"
19 E Deus disse: "Na verdade, Sara, sua mulher, lhe dará
um filho e seu nome será Isaque, e com ele e os seus des-
cendentes estabelecerei a minha aliança perpétua.
20 E quanto a Ismael, também ouvi você; eu também o
abençoarei e o farei multiplicar-se grandissimamente, e ele
gerará doze príncipes, e farei dele uma grande nação.
21 A minha aliança, porém, estabelecerei com Isaque, o
filho que Sara dará à luz no tempo determinado, no ano
seguinte."
22 Quando acabou de falar com Abraão, Deus se retirou
da frente dele.

A Prática da Circuncisão

23 Então Abraão pegou seu filho Ismael e todos os nas-
cidos na sua casa e todos os que ele comprou; e todos
os homens da casa de Abraão naquele mesmo dia foram
circuncidados, como Deus mandou.
24 E Abraão tinha noventa e nove anos de idade, quando
foi circuncidado.
25 E Ismael, seu filho, tinha treze anos de idade, quando
foi circuncidado.
26 Nesse mesmo dia foram circuncidados Abraão e Is-
mael, seu filho.
27 E todos os homens da sua casa foram circuncidados
com ele; os nascidos em sua casa, e os comprados do
estrangeiro.

Três Anjos Aparecem a Abraão

18 Depois o Senhor apareceu a Abraão nos carvalhais
de Manre, quando ele estava parado na porta da ten-
da, no calor do dia.
2 Abraão ergueu os seus olhos e viu três homens em pé
próximo dele, então, correu da porta da tenda ao encontro
deles e se inclinou até a terra,
3 e disse: "Meu Senhor, se achar que sou merecedor, peço-
-te que não passes sem ficar um pouco com este teu servo.
4 Posso pedir que tragam já um pouco de água para que
lavem os pés e descansem debaixo desta árvore;
5 e trarei pão, para que refaçam suas forças; depois sigam
em frente, porque é por isso que chegaram até esse seu
servo." E responderam a Abraão: "Faça como disse."
6 E Abraão se apressou em ir conversar com Sara na tenda
e disse: "Amasse depressa três medidas da melhor farinha
e faça pães."
7 E Abraão correu até o seu rebanho e pegou a melhor no-
vilha, e a deu ao seu servo, que se apressou em prepará-la.
8 E pegou também coalhada, leite e a novilha que tinha
preparado e pôs tudo diante deles; Abraão ficou em pé
junto deles enquanto comiam debaixo da árvore.

Deus Promete um Filho a Abraão

9 E lhe perguntaram: "Onde está Sara, sua mulher?" E ele
respondeu: "Ela está na tenda."
10 Então um deles disse a Abraão: "Certamente voltarei a
você daqui um ano e Sara sua mulher terá um filho." Sara
escutava à porta da tenda, que estava atrás dele.
11 E Abraão e Sara já eram velhos, com idade avançada; e
Sara já não menstruava mais.
12 Assim, Sara riu com ele, dizendo: "Ainda terei prazer
em ter filho depois de ter envelhecido, estando também o
meu senhor já velho?"
13 E o Senhor disse a Abraão: "Por que Sara riu dizen-
do: Será verdade que eu ainda darei à luz, já havendo
envelhecido?
14 Haveria alguma coisa difícil ao Senhor? Ao tempo de-
terminado voltarei a você; quando eu voltar, Sara terá um
filho."
15 E Sara negou, dizendo: "Não ri", porque teve medo. E
ele disse: "Não negue, porque você riu."
16 E aqueles homens se levantaram dali e olharam para o
lado de Sodoma e Abraão ia com eles os acompanhando.
17 E o Senhor disse: "Eu esconderei de Abraão o que farei,
18 visto que Abraão certamente será uma grande e pode-
rosa nação e nele serão benditas todas as nações da terra?
19 Porque eu o conheço e sei que ele guiará os seus filhos
e os seus descendentes, para que guardem o caminho do
Senhor, para agirem com justiça e juízo; para que o Senhor
cumpra a Abraão o que lhe prometeu."
20 O Senhor disse mais: "O clamor contra Sodoma e Go-
morra tem se multiplicado e o seu pecado tem se agravado
muito;
21 vou descer e ver se estão fazendo o que falam para mim
deles; caso contrário eu saberei."

22 Então aqueles homens viraram os rostos e foram para Sodoma; mas Abraão continuou em pé diante do Senhor.

Abraão Intercede por Sodoma

23 E Abraão se aproximou, perguntando: "Destruirás o justo com o ímpio?
24 Se houver cinquenta justos na cidade, também a destruirás e não pouparás o lugar por causa dos cinquenta justos que estão lá?
25 Longe de ti fazeres tal coisa, que mates o justo com o ímpio; que o justo seja tratado como o ímpio, longe de ti. Não faria justiça o Juiz de toda a terra?"
26 Então o Senhor disse: "Se em Sodoma eu achar cinquenta justos dentro da cidade, pouparei todo o lugar por amor a eles."
27 E Abraão respondeu: "Agora me atrevo a falar ao Senhor, ainda que eu seja pó e cinza.
28 Se faltarem cinco de cinquenta justos, destruirás toda a cidade por aqueles cinco?" E Deus respondeu: "Não a destruirei, se eu achar ali quarenta e cinco."
29 E Abraão continuou a perguntar: "Se achar ali quarenta?" E Deus respondeu: "Não o farei por amor aos quarenta."
30 E Abraão disse mais: "O Senhor não se ire, se eu perguntar de novo: Se achar ali trinta?" E Deus respondeu: "Não o farei, se achar ali trinta."
31 E Abraão disse novamente: "Agora me atrevo a perguntar ao Senhor: Se achar ali vinte?" E Deus respondeu: "Não a destruirei por amor aos vinte."
32 Abraão disse mais: "O Senhor não se ire, que pergunto só mais esta vez: Se achar ali dez?" E Deus respondeu: "Não a destruirei por amor aos dez."
33 E quando acabou de falar com Abraão, o Senhor se retirou e Abraão voltou a sua casa.

Dois Anjos visitam Ló

19 E os dois anjos chegaram a Sodoma à tarde e Ló estava sentado à porta; e, quando os viu, se levantou e foi ao encontro deles, e se inclinou com o rosto até a terra;
2 e Ló disse: "Meus senhores, entrem na casa do seu servo e passem a noite, lavem seus pés e de madrugada os acordarei e poderão seguir seu caminho." E eles disseram: "Não; passaremos a noite na rua."
3 E Ló insistiu muito com eles, então os anjos foram com ele e entraram em sua casa, e Ló lhes preparou um banquete com bolos sem fermento e comeram.
4 E antes que se deitassem, os homens de Sodoma, desde o mais novo até ao mais velho, cercaram a casa; todo o povo de todos os bairros.
5 E chamaram Ló e lhe disseram: "Onde estão os homens que vieram a vocês esta noite? Traga-os para fora até nós, para termos relações com eles."
6 Então Ló saiu para falar com eles e fechou a porta atrás de si,
7 e disse ao povo: "Meus irmãos, lhes peço que não façam mal a eles;
8 tenho duas filhas virgens aqui; as levarei para fora e façam delas o que quiserem; mas não façam nada a esses homens."
9 Eles, porém, disseram: "Saia daí, esse indivíduo veio morar aqui como estrangeiro e quer ser juiz em tudo? Agora faremos mais mal a você do que a eles." E avançaram sobre Ló e se aproximaram para arrombar a porta.
10 Porém, os anjos estenderam as suas mãos e puxaram Ló para dentro de casa e fecharam a porta;
11 e cegaram os homens que estavam à porta da casa, desde o mais novo até ao mais velho, e eles não conseguiam achar a porta.
12 Então os anjos perguntaram a Ló: "Há mais alguém aqui? Seu genro e seus filhos, suas filhas e tudo que é seu, tire-os desta cidade;
13 porque vamos destruir este lugar, porque o seu clamor tem aumentado diante da face do Senhor e o Senhor nos enviou para destruí-lo."
14 Então Ló saiu e falou a seus genros que se casariam com suas filhas e disse: "Levantem-se, saiam deste lugar, porque o Senhor irá destruir a cidade." Porém, não foi levado a sério por seus genros.
15 E ao amanhecer os anjos apressaram Ló, dizendo: "Levante-se, pegue a sua mulher e as suas duas filhas que estão aqui, para não morrerem junto com o restante da cidade."
16 Ele estava demorando e os anjos o pegaram pela mão, e pela mão sua mulher e suas duas filhas, por misericórdia do Senhor, os tiraram da cidade.
17 Então, tirando-os para fora, um deles disse: "Fujam para que vivam; não olhem para trás e não parem na campina; fujam para o monte, para não morrerem."
18 E Ló disse: "Não, meu Senhor!
19 Até agora tem me agraciado e sido misericordioso comigo, salvando a minha vida; mas eu não posso fugir para o monte antes que a destruição me atinja, e eu morra.
20 Veja, aquela pequena cidade que está perto daqui; é bem pequena, não é? Deixe-me fugir para lá, e ali estarei a salvo."
21 E o anjo disse: "Está bem, aceito sua proposta, para não destruir aquela cidade, de que me falou.
22 Apresse-se e fuja para lá; porque não farei nada enquanto não chegarem lá." Por isso, deram o nome à cidade de Zoar.
23 Estava amanhecendo quando Ló entrou em Zoar.

A Destruição de Sodoma e Gomorra

24 Então o Senhor fez chover enxofre e fogo dos céus,
sobre Sodoma e Gomorra;
25 e destruiu as duas cidades e todas as campinas e todos
os moradores, e tudo o que nascia daquela terra.
26 E a mulher de Ló olhou para trás e se transformou
numa estátua de sal.
27 Nessa mesma manhã, Abraão se levantou e foi para o
lugar onde esteve diante do Senhor;
28 e olhou para Sodoma e Gomorra e para toda a campina
e viu que a fumaça subia da terra como a fumaça de uma
fornalha.
29 Então, ao destruir as cidades, Deus se lembrou de
Abraão e tirou Ló do meio da destruição.
30 E Ló saiu da cidade de Zoar e foi morar no monte, com
suas duas filhas; porque tinha medo de morar lá, e morou
numa caverna, com as duas filhas.
31 Então a filha mais velha disse à mais nova: "Nosso pai
já é velho e não há homens na região para termos relações.
32 Venha, daremos vinho a nosso pai e teremos relações
com ele, para conservarmos viva a descendência de nosso
pai."
33 E naquela noite deram vinho a seu pai e a filha mais
velha teve relação com ele, e ele não percebeu quando ela
se deitou, nem quando se levantou.
34 E, no outro dia, a filha mais velha disse à mais nova:
"Ontem à noite eu tive relação com nosso pai; vamos dar
vinho esta noite também para você ter relação com ele,
para conservarmos viva a descendência de nosso pai."
35 E deram vinho a seu pai naquela noite e a filha mais
nova teve relação com ele, e Ló não percebeu quando ela
se deitou, nem quando se levantou.
36 E as duas filhas engravidaram de Ló, seu pai.
37 E a filha mais velha deu à luz um filho e lhe deu o
nome de Moabe; esse é o pai dos moabitas até os dias
de hoje.
38 E a filha mais nova também deu à luz um filho e lhe
deu o nome de Ben-Ami; esse é o pai dos amonitas até os
dias de hoje.

Abraão e Abimeleque

20 E Abraão partiu dali para o sul, e morou entre Cades
e Sur; depois peregrinou em Gerar.
2 E Abraão falou sobre Sara, sua mulher: "É minha irmã!"
Abimeleque, rei de Gerar, pegou Sara para ser sua mulher.
3 Então, Deus veio a Abimeleque em sonhos à noite, e
disse: "Você será morto por causa da mulher que pegou,
porque ela tem marido."
4 Mas Abimeleque ainda não havia tido relações com ela;
por isso ele disse: "Senhor, matarás uma nação inocente?
5 Não foi ele mesmo que me disse que ela era sua irmã? E
ela também me disse que ele era seu irmão! Fiz isso com o
coração sincero e com as minhas mãos limpas."
6 E Deus lhe respondeu: "Eu sei que na sinceridade do
seu coração você fez isso e também o impedi de pecar
contra mim; por isso não permiti que você tivesse relações
com Sara.
7 Agora, devolva a mulher ao seu marido, porque ele é
meu profeta e ele orará para que você viva; porém, se não
a devolver, certamente você morrerá com tudo o que é
seu."
8 E Abimeleque se levantou de madrugada, e pela manhã
chamou todos os seus servos e falou todas essas palavras
em seus ouvidos e seus servos tiveram muito medo.
9 Então Abimeleque chamou Abraão e disse: "O que nos
fez? E em que pequei contra você, para trazer tamanho
pecado ao meu reino? Você me fez o que não deveria ter
feito".
10 Abimeleque disse ainda a Abraão: "O que você viu,
para fazer isso?"
11 E Abraão respondeu: "Enquanto pensava comigo mes-
mo, tive certeza de que não temem a Deus neste lugar e
você me mataria pela minha mulher.
12 Na verdade, ela também é minha irmã, filha de meu
pai, mas não filha da minha mãe e se tornou minha
mulher;
13 então, quando Deus me fez sair sem destino da casa do
meu pai, eu disse à Sara: Faça-me um favor, em todo lugar
onde chegarmos, fale que sou seu irmão."
14 Então Abimeleque pegou ovelhas e vacas, servos e ser-
vas e os deu a Abraão; e lhe devolveu Sara, sua mulher.
15 E Abimeleque disse a Abraão: "A minha terra está dian-
te de você; habite onde for melhor para você."
16 E Abimeleque disse a Sara: "Dei ao seu irmão mil moe-
das de prata; em reparação ao que fiz com você diante de
todos, você está inocentada."
17 Então Abraão orou e Deus curou Abimeleque, a sua
mulher e as suas servas, e puderam ter filhos;
18 porque o Senhor tinha tornado estéreis todas as mu-
lheres da casa de Abimeleque, por causa de Sara, mulher
de Abraão.

O Nascimento de Isaque

21 E o Senhor visitou Sara como tinha falado, e cum-
priu o que tinha prometido.
2 E Sara engravidou e deu a Abraão um filho quando já
eram velhos, ao tempo determinado, como Deus lhe tinha
prometido.
3 E Abraão deu o nome de Isaque ao filho que teve com
Sara.
4 E Abraão circuncidou o seu filho Isaque, quando ele ti-
nha oito dias de vida, como Deus tinha ordenado.

5 Abraão tinha cem anos de idade, quando nasceu seu filho Isaque.

6 E Sara disse: "Deus me deu motivo para rir; todos aqueles que ouvirem a minha história rirão comigo."

7 Disse ainda: "Quem diria a Abraão que Sara daria de mamar a filhos? Pois lhe dei um filho na sua velhice."

8 E o menino cresceu e foi desmamado; então Abraão fez um grande banquete no dia em que Isaque foi desmamado.

Agar e Ismael são Mandados Embora

9 E Sara viu que o filho que Agar, a egípcia, deu a Abraão, zombava de Isaque.

10 Então Sara disse a Abraão: "Ponha para fora essa serva junto com seu filho; porque o filho dessa serva não será seu herdeiro com Isaque, meu filho."

11 E essa situação pareceu muito ruim a Abraão, por causa de seu filho Ismael.

12 Porém Deus disse a Abraão: "Não fique incomodado com isso; e faça tudo o que Sara pediu; porque de Isaque sairá a sua descendência.

13 Mas também farei uma nação do filho dessa serva, porque Ismael também é seu descendente."

14 Então Abraão se levantou de madrugada e pegou pão e um pouco de água em um odre e pôs sobre os ombros de Agar; e a despediu com o menino; então ela partiu, vagando pelo deserto de Berseba.

15 Quando acabou a água do odre, ela deixou o menino debaixo de uma das árvores.

16 E se sentou a alguns metros longe dali, pensando: "Não quero ver o menino morrer." E levantou a sua voz e chorou.

17 E Deus ouviu o choro do menino, e dos céus o anjo de Deus falou para Agar: "O que você tem, Agar? Não tenha medo, porque Deus ouviu o choro do menino que está debaixo da árvore.

18 Levante-se, pegue o menino pela mão e o levante, porque farei dele uma grande nação."

19 E Deus lhe abriu os olhos, e Agar viu um poço, onde foi encher o odre de água, e deu para o menino beber.

20 E Deus estava com o menino, que cresceu e habitou no deserto, e se tornou flecheiro.

21 Ismael habitou no deserto de Parã e sua mãe lhe deu como esposa uma mulher da terra do Egito.

Aliança com Abimeleque

22 E, naquele tempo, Abimeleque com Ficol, príncipe do seu exército, falou com Abraão, dizendo: "Deus está com você em tudo o que faz;

23 então, jure por Deus que não me enganará, e nem a meus filhos e netos; pelo bem que lhe fiz, assim fará por mim e pela terra onde peregrinou."

24 Abraão disse: "Eu juro."

25 Abraão, então, reclamou a Abimeleque por causa de um poço de água, que os servos de Abimeleque tomaram à força.

26 Então Abimeleque disse: "Eu não sei quem fez isso e você também não soube me dizer, e só fiquei sabendo agora sobre isso."

27 E Abraão pegou ovelhas e vacas e deu a Abimeleque; assim fizeram uma aliança.

28 Abraão, porém, separou sete ovelhas do rebanho.

29 E Abimeleque perguntou a Abraão: "Por que deixou essas sete ovelhas separadas?"

30 E Abraão respondeu: "Pegue essas sete ovelhas de minha mão, como testemunha de que eu cavei esse poço."

31 Por isso foi dado o nome àquele lugar de Berseba, porque ali fizeram o juramento.

32 Assim fizeram aliança em Berseba. Depois Abimeleque se levantou com Ficol, príncipe do seu exército, e voltaram para a terra dos filisteus.

33 E Abraão plantou uma tamargueira em Berseba e ali invocou o nome do Senhor, Deus eterno.

34 E Abraão peregrinou na terra dos filisteus por muitos dias.

Deus Manda Abraão Sacrificar Isaque

22 E, depois disso, Deus pôs Abraão à prova e o chamou: "Abraão!" E ele respondeu: "Eis-me aqui."

2 E Deus disse: "Pegue o seu filho Isaque, o seu único filho, a quem ama, e leve à terra de Moriá e o ofereça em holocausto sobre uma das montanhas que eu lhe indicarei."

3 Então Abraão se levantou de madrugada e pela manhã selou seu jumento, pegou dois dos seus servos e Isaque, seu filho, e cortou lenha para o holocausto, e foi ao lugar de que Deus lhe falou.

4 No terceiro dia, Abraão levantou os olhos e avistou o lugar de longe.

5 E Abraão disse aos seus servos: "Fiquem aqui com o jumento, eu e Isaque iremos até lá adorar a Deus, e voltaremos."

6 E Abraão pegou a lenha do holocausto e a colocou sobre Isaque, seu filho; pegou o fogo e a faca e seguiram juntos.

7 Então Isaque chamou Abraão: "Meu pai!" E ele respondeu: "Estou aqui, meu filho!" E Isaque perguntou: "Aqui estão o fogo e a lenha, mas onde está o cordeiro para o holocausto?"

8 E Abraão respondeu: "Deus proverá o cordeiro para o holocausto, meu filho." Assim caminharam juntos.

9 E chegaram ao lugar que Deus falou, e Abraão construiu um altar e arrumou a lenha, e amarrou e deitou seu filho Isaque sobre o altar em cima da lenha.

10 E Abraão estendeu a mão e pegou a faca para matar
o seu filho;
11 mas, do céu, o anjo do Senhor gritou e disse: "Abraão,
Abraão!" E ele disse: "Eis-me aqui."
12 Então o anjo disse: "Não toque em Isaque, e não lhe
faça nada, porque agora sei que teme a Deus e não me
negou o seu filho, o seu único filho."
13 Então, Abraão levantou os olhos e viu um carneiro pre-
so pelos chifres no mato atrás dele; então Abraão pegou o
carneiro e o ofereceu em holocausto no lugar do seu filho.
14 E Abraão deu o nome àquele lugar de "O Senhor pro-
verá"; por isso se diz até hoje: No monte do Senhor se
proverá.
15 Então do céu o anjo do Senhor chamou Abraão pela
segunda vez,
16 e disse: "Por ter feito essa ação e não tem me negado o
seu filho, o seu único filho, juro por mim mesmo
17 que o abençoarei grandissimamente e multiplicarei
a sua descendência como as estrelas do céu e como as
areias do mar; a sua descendência conquistará as cidades
dos seus inimigos;
18 e na sua descendência serão abençoadas todas as na-
ções da terra; porque você obedeceu à minha voz."
19 Então Abraão voltou para os seus servos e seguiram
juntos para Berseba e Abraão habitou ali.
20 Após algum tempo, falaram com Abraão: Milca tam-
bém deu filhos ao seu irmão Naor.
21 Uz, o primogênito, Buz, seu irmão, Quemuel, pai de
Arã,
22 e Quésede, Hazo, Pildas, Jidlafe e Betuel.
23 E Betuel gerou Rebeca. Milca deu à luz esses oito filhos
a Naor, irmão de Abraão.
24 E sua concubina, chamada Reumá, lhe deu também
Tebá, Gaã, Taás e Maaca.

A Morte de Sara

23 Sara viveu ao todo cento e vinte e sete anos; estes
foram os anos da vida de Sara.
2 E Sara morreu em Quiriate-Arba, que é Hebrom, na terra
de Canaã, e Abraão ficou de luto e chorou por ela.
3 Depois Abraão se levantou e falou aos filhos de Hete,
dizendo:
4 "Sou imigrante entre vocês; me deixem comprar um
local para fazer uma sepultura, para eu sepultar a minha
mulher."
5 E os filhos de Hete responderam a Abraão:
6 "Escute-nos, meu senhor; você é um príncipe de Deus
no meio de nós; enterre a sua esposa na sepultura que
escolher; ninguém recusará lhe ceder a sepultura, para
enterrar a sua mulher."
7 Então Abraão se levantou, se inclinou diante do povo
daquela terra, diante dos filhos de Hete,
8 e disse: "Se é da vontade de vocês que eu sepulte a
minha esposa nas suas terras, me ouçam e digam a Efrom,
filho de Zoar,
9 para ele me vender a cova de Macpela, que ele tem no
fim do seu campo; que me venda pelo preço justo essa
propriedade no meio de vocês."
10 Efrom, que habitava no meio dos filhos de Hete, res-
pondeu a Abraão, diante dos filhos de Hete e de todos os
que entravam pela porta da sua cidade, dizendo:
11 "Não, meu senhor, me ouça: Dou-lhe o campo e tam-
bém a cova que está nele, lhe dou diante do meu povo;
sepulte sua mulher."
12 Então Abraão se inclinou diante do povo daquela terra,
13 e disse a Efrom e ao povo daquele lugar: "Mas se con-
cordar, me escute, eu lhe peço. Vou pôr um preço pelo
campo; aceite e sepultarei ali a minha mulher."
14 E Efrom respondeu a Abraão, dizendo:
15 "Meu senhor, me escute, o preço da terra é de qua-
trocentas peças de prata; o que é esta quantia para mim e
você? Sepulte a sua esposa."
16 E Abraão concordou com Efrom, e separou a prata que
Efrom tinha falado aos filhos de Hete, quatrocentas peças
de prata, da forma como era aceita entre os comerciantes.
17 Assim o campo de Efrom e a cova que estava nele, em
Macpela, em frente de Manre, e todas as árvores que havia
no campo, que estavam em todo o seu contorno,
18 se tornaram propriedade de Abraão diante dos filhos
de Hete, e de todos os que entravam pela porta da cidade.
19 E Abraão sepultou Sara, sua mulher, na cova do campo
de Macpela, em frente de Manre, em Hebrom, na terra
de Canaã.
20 Assim o campo e a cova que estava nele foram trans-
feridos a Abraão, pelos filhos de Hete, como propriedade
para sepultura.

Uma Esposa para Isaque

24 E Abraão já tinha a idade avançada, e o Senhor o
havia abençoado em tudo.
2 E Abraão disse ao seu servo, o mais velho da casa, que
cuidava de tudo o que ele possuía: "Põe a sua mão debaixo
da minha coxa,
3 e jure pelo Senhor Deus dos céus e da terra que não pe-
gará mulheres das filhas dos cananeus, no meio dos quais
eu moro, para ser esposa do meu filho Isaque.
4 Mas jure que irá buscar na minha terra e no meio dos
meus parentes uma mulher para meu filho Isaque."
5 E o servo perguntou: "E se a mulher não quiser vir para
esta terra, devo fazer o seu filho retornar à terra de onde
você veio?"

6 E Abraão lhe respondeu: "Não deixe meu filho voltar
para lá.
7 O Senhor Deus dos céus, que me tirou da casa de meu
pai e da terra dos meus parentes e que me falou e jurou,
dizendo: 'À sua descendência darei essa terra;' ele enviará
o seu anjo na sua frente, para que traga uma mulher de lá
para o meu filho.
8 Porém, se a mulher não quiser segui-lo, você estará livre
desse juramento; somente não deixe o meu filho voltar
para lá."
9 Então o servo colocou a sua mão debaixo da coxa de seu
senhor Abraão e jurou.
10 E o servo pegou dez camelos de Abraão e partiu, levan-
do uma parte de seus bens; ele se levantou e partiu para a
cidade de Naor, na Mesopotâmia.
11 E, fora da cidade, à tarde, fez os camelos se ajoelharem
junto a um poço, no horário em que as moças vinham
para tirar água.
12 E disse: "Ó Senhor, Deus de meu senhor Abraão, me
dá hoje um bom encontro e usa de bondade para com o
meu senhor Abraão!
13 Estou em pé junto à fonte e as filhas dos homens desta
cidade vêm para tirar água.
14 A moça para quem eu pedir para abaixar o seu cântaro
para que eu beba, e ela disser: 'Beba, e também darei aos
seus camelos', esta será a mulher que escolheste para o
teu servo Isaque e eu verei, nisso, que tu fizeste o bem ao
meu senhor Abraão."
15 Então, antes que ele acabasse de falar, chegou Rebeca,
filha de Betuel, filho de Milca, mulher de Naor, irmão de
Abraão, com o seu cântaro sobre o seu ombro.
16 E a moça era muito bonita e virgem, e desceu até a
fonte, encheu o seu cântaro e subiu.
17 Então o servo de Abraão correu ao seu encontro e dis-
se: "Deixe-me beber um pouco de água do seu cântaro."
18 E ela disse: "Beba, meu senhor." Apressou-se e abaixou
o seu cântaro sobre a sua mão e lhe deu de beber.
19 E, acabando ela de lhe dar de beber, disse: "Também
tirarei água para os seus camelos, até todos beberem."
20 Rebeca, se apressando, despejou o seu cântaro na pia, e
correu outra vez ao poço para tirar mais água e tirou para
todos os camelos.
21 E o servo de Abraão estava admirado de vê-la, e ele
se calou para saber se o Senhor a tinha ou não escolhido.
22 Então, quando os camelos acabaram de beber, o servo
de Abraão pegou um pendente de ouro pesando meio siclo
e duas pulseiras para as suas mãos, pesando dez siclos de
ouro,
23 e perguntou a ela: "De quem você é filha? Diga-me,
por favor. Haveria lugar na casa de seu pai para nós pas-
sarmos a noite?"
24 E ela respondeu: "Eu sou a filha de Betuel, filho de
Milca, e filha de Naor."
25 Disse ainda: "Também temos palha e muito pasto e
lugar para vocês passarem a noite."
26 Então o servo de Abraão se inclinou e adorou ao
Senhor,
27 e disse: "Bendito seja o Senhor Deus de meu senhor
Abraão, que não retirou a sua bondade e a sua verdade de
meu senhor; quanto a mim, o Senhor me guiou no cami-
nho até a casa dos irmãos de meu senhor."
28 E Rebeca correu e contou essas coisas na casa de sua
mãe.
29 Rebeca tinha um irmão chamado Labão, que correu até
a fonte ao encontro daquele homem.
30 Então, vendo o pendente e as pulseiras sobre as mãos
de sua irmã, e quando ouviu as palavras que Rebeca falou
sobre aquele homem, foi conversar com ele, que estava
em pé junto à fonte e os camelos.
31 E disse: "Entre, bendito do Senhor; por que está aí
fora? Pois já preparei a casa e o lugar para os camelos."
32 Então o servo de Abraão foi até a casa, e desataram os
camelos e lhes deram palha e pasto; também recebeu água
para lavar seus pés e dos homens que o acompanhavam.
33 Depois serviram comida ao servo de Abraão. Ele, po-
rém, disse: "Não comerei, até dizer o que tenho para fa-
lar." E Labão disse: "Fale."
34 Então ele disse: "Eu sou o servo de Abraão.
35 E o Senhor abençoou muito o meu senhor, e ele se
tornou muito rico, e lhe deu ovelhas e vacas, prata e ouro,
servos e servas, camelos e jumentos.
36 E Sara, a mulher do meu senhor, já idosa, deu a ele um
filho, e ele é herdeiro de tudo.
37 E meu senhor me fez jurar, dizendo: Não pegue filhas
dos cananeus para ser mulher do meu filho, na mesma
terra que eu habito;
38 vá, porém, à casa de meu pai, à casa da minha família
e pegue uma mulher para o meu filho.
39 Então eu perguntei ao meu senhor: E se a mulher não
quiser me seguir?'
40 E ele me respondeu: 'O meu Senhor, na presença de
quem eu ando, enviará o seu anjo com você e guiará o seu
caminho, para que encontre uma mulher para o meu filho,
que seja da minha família e da casa de meu pai.
41 Quando for à minha família e lhe negarem a mulher,
então estará livre do juramento.'
42 E hoje cheguei à fonte, e disse: 'Ó Senhor, Deus de
meu senhor Abraão, se agora me guiar no caminho em
que eu me encontro,

43 agora estou junto à fonte; faça com que a moça que
vier para tirar água e à qual eu pedir: me dê um pouco de
água do seu cântaro;
44 e ela me disser: Beba, e também tirarei água para os
seus camelos; seja essa a mulher que o Senhor escolheu
para o filho de meu senhor.'
45 E antes de eu acabar de falar no meu coração, Rebeca
saiu com o cântaro sobre o ombro, desceu à fonte e tirou
água e eu lhe disse: 'Dê-me de beber.'
46 E ela se apressou, abaixou o cântaro e disse: 'Beba e
também darei aos seus camelos;' então bebi, e ela deu
também aos camelos.
47 Então lhe perguntei: 'De quem é filha?' E ela disse:
'Sou filha de Betuel, que é filho de Naor com Milca.' En-
tão eu pus o pendente no seu rosto e as pulseiras sobre as
suas mãos;
48 e me inclinei e adorei o Senhor e bendisse ao Senhor,
Deus do meu senhor Abraão, que me guiou pelo caminho
da verdade, para trazer para o seu filho a filha do irmão
de meu senhor.
49 Agora, se vocês forem bondosos e verdadeiros com
meu senhor, eu quero saber; se não forem, eu também
quero saber, para eu decidir o que vou fazer."
50 Então Labão e Betuel responderam: "Esse negócio veio
do Senhor; não podemos falar nada, nem a favor, nem
contra.
51 Rebeca está diante de você; pegue-a e a leve, para ser a
mulher do filho de Abraão, como o Senhor disse."
52 Então, o servo de Abraão ouviu as suas palavras e se
inclinou à terra diante do Senhor.
53 E o servo tirou joias de prata, de ouro e vestidos e deu
a Rebeca; também deu presentes valiosos a seu irmão e
à sua mãe.
54 Então, ele e os homens que estavam com ele comeram
e beberam, e passaram a noite. E se levantaram pela ma-
nhã e ele disse: "Deixem-me voltar ao meu senhor."
55 Então, o irmão de Rebeca e sua mãe falaram: "Deixe a
moça ficar alguns dias conosco, ou pelo menos dez dias,
depois podem ir."
56 Ele, porém, disse a eles: "Não me detenham, o Senhor
tem guiado o meu caminho; me deixem partir, para eu
voltar ao meu senhor."
57 E disseram: "Vamos chamar a moça, e perguntar a ela."
58 Então chamaram Rebeca e lhe perguntaram: "Você irá
com esse homem?" Ela respondeu: "Irei."
59 Então se despediram de sua irmã Rebeca e de sua ama,
do servo de Abraão e de seus homens.
60 E abençoaram Rebeca, e lhe disseram: "Ó nossa irmã,
seja você a mãe de milhares de milhares e que a sua des-
cendência conquiste as cidades dos seus inimigos!"
61 E Rebeca se levantou com as suas servas e montaram
os camelos e seguiram o servo de Abraão; e ele pegou Re-
beca e partiram.
62 Isaque vinha do caminho do poço de Laai-Roi; pois ha-
bitava na terra do sul.
63 E Isaque foi orar no campo, à tarde, quando levantou
os olhos e viu os camelos que se aproximavam.
64 Rebeca também levantou seus olhos e viu Isaque, en-
tão ela desceu do camelo.
65 E perguntou ao servo: "Quem é aquele homem que
vem pelo campo ao nosso encontro?" E o servo respondeu:
"Esse é meu senhor." Então ela pegou o véu e cobriu-se.
66 E o servo contou a Isaque todas as coisas que
aconteceram.
67 E Isaque a levou para a tenda de sua mãe Sara, se casou
com Rebeca e a amou. Assim Isaque foi consolado depois
da morte de sua mãe.

Abraão se Casa Outra Vez

25 E Abraão se casou com outra mulher chamada
Quetura;
2 e ela deu à luz Zinrã, Jocsã, Medã, Midiã, Jisbaque e Suá.
3 E Jocsã gerou Seba e Dedã; e os filhos de Dedã foram
Assurim, Letusim e Leumim.
4 E os filhos de Midiã foram Efá, Efer, Enoque, Abida e
Elda. Todos esses foram filhos de Quetura.
5 Abraão, porém, deu tudo o que tinha a Isaque;
6 mas aos filhos que Abraão teve com as concubinas, ele
deu presentes e, quando ele ainda estava vivo, os separou
do seu filho Isaque, e os enviou ao Oriente.
7 Abraão viveu cento e setenta e cinco anos; essas são as
histórias da sua vida.

A Morte de Abraão

8 E Abraão morreu bem velho, e foi reunido ao seu povo;
9 e Isaque e Ismael, seus filhos, o sepultaram na cova de
Macpela, no campo de Efrom, filho de Zoar, heteu, que
estava em frente de Manre.
10 Abraão foi sepultado junto com Sara, a sua mulher, no
campo que comprou dos filhos de Hete.
11 Depois da morte de Abraão, Deus abençoou Isaque,
seu filho, que habitava junto ao poço Laai-Roi.

Os Ismaelitas

12 Estas são as gerações de Ismael, filho de Abraão com
Agar, a serva egípcia de Sara.
13 E estes são os filhos de Ismael, em ordem de nascimen-
to: O primogênito era Nebaiote e depois Quedar, Adbeel
e Mibsão,
14 e Misma, Dumá e Massá,
15 e Hadade, Tema, Jetur, Nafis e Quedemá.
16 Esses são os filhos de Ismael e seus nomes em suas

terras e em suas casas; doze príncipes segundo as suas
famílias.
17 Ismael viveu ao todo cento e trinta e sete anos e mor-
reu, e foi reunido ao seu povo.
18 E habitou desde Havilá até Sur, que está em frente do
Egito, caminho de Assur, e fez o seu assento em frente do
acampamento de seus irmãos.

Os Descendentes de Isaque

19 E estas são as gerações de Isaque, filho de Abraão:
Abraão gerou Isaque;
20 e Isaque tinha quarenta anos de idade, quando se casou
com Rebeca, irmã de Labão, o arameu, filha de Betuel, o
arameu de Padã-Arã.
21 E Isaque orou insistentemente ao Senhor por sua mu-
lher, porque ela era estéril e o Senhor ouviu as suas orações
e Rebeca engravidou.
22 E os filhos lutavam dentro dela; e Rebeca pensou: "O
que há comigo?" E foi perguntar ao Senhor.
23 E o Senhor disse a ela: "Há duas nações no seu ventre
e dois povos se dividirão das suas entranhas; um povo será
mais forte do que o outro e o mais velho servirá ao mais
novo."

Esaú e Jacó

24 E chegou o dia de dar à luz; ela estava grávida de
gêmeos.
25 E o primeiro nasceu ruivo e todo coberto de pelos; por
isso lhe deram o nome de Esaú.
26 Em seguida nasceu o seu irmão, com sua mão agarra-
da ao calcanhar de Esaú; por isso lhe deram o nome de
Jacó. E Isaque tinha sessenta anos de idade quando eles
nasceram.
27 Os meninos cresceram; Esaú era um excelente caça-
dor, homem do campo; mas Jacó era simples, habitava em
tendas.
28 Isaque amava Esaú, porque ele gostava de suas caças,
mas Rebeca amava Jacó.
29 Jacó preparou um cozido quando Esaú veio do campo,
e estava cansado;
30 E Esaú disse a Jacó: "Deixe-me comer esse cozido ver-
melho, porque estou cansado e com fome." Por isso lhe
deram o nome de Edom.
31 Então Jacó disse a Esaú: "Pode comer se me vender
agora a sua primogenitura."
32 E Esaú disse: "Estou morrendo de fome; para que me
serve a primogenitura?"
33 Então Jacó disse: "Jure que venderá e pode comer." E
Esaú jurou e vendeu a Jacó a sua primogenitura.
34 E Jacó deu a Esaú pão e o cozido de lentilhas, e ele
comeu, bebeu, se levantou e saiu. Assim Esaú desprezou
a sua primogenitura.

Isaque na Terra dos Filisteus

26 Nesses dias, havia fome na terra, depois daquela
que houve nos dias de Abraão; por isso Isaque foi a
Abimeleque, rei dos filisteus, em Gerar.
2 E o Senhor apareceu a Isaque e disse: "Não desça ao
Egito; habite na terra que eu lhe disser;
3 permaneça nessa terra e estarei com você e o abençoa-
rei; porque darei todas essas terras para você e sua descen-
dência e cumprirei o juramento que fiz a Abraão, seu pai;
4 e multiplicarei a sua descendência como as estrelas dos
céus, darei todas essas terras aos seus descendentes, e por
meio deles abençoarei todas as nações da terra;
5 porque Abraão obedeceu à minha voz e guardou os
meus mandamentos, os meus preceitos, os meus estatutos
e as minhas leis."
6 Assim Isaque habitou em Gerar.
7 E os homens daquele lugar perguntaram sobre sua mu-
lher Rebeca, e ele respondeu: "É minha irmã", porque ti-
nha medo de dizer que era sua mulher; pois ele temia que
os homens daquele lugar o matassem por Rebeca; porque
ela era muito bonita.
8 Assim, como ele ficou ali por muito tempo, Abimeleque,
rei dos filisteus, olhou por uma janela e viu que Isaque
fazia carinho em Rebeca.
9 Então Abimeleque chamou Isaque e disse: "Vejo que na
verdade ela é sua mulher; por que me disse que ela era sua
irmã?" E Isaque respondeu: "Eu disse isso para não morrer
por causa dela."
10 E Abimeleque disse: "Não deveria ter feito isso, facil-
mente alguém desse povo poderia ter relações com a sua
mulher e recairia um pecado sobre nós."
11 E Abimeleque disse a todo o povo: "Quem tocar nesse
homem ou em sua mulher, morrerá."
12 E Isaque semeou naquela terra e colheu naquele ano
cem vezes mais, porque o Senhor o abençoava.
13 E Isaque prosperou e enriqueceu, e se tornou muito
poderoso.
14 Ele possuía ovelhas, vacas e muitos servos, por isso os
filisteus o invejavam.
15 E todos os poços, que os servos de seu pai Abraão antes
tinham cavado, os filisteus aterraram.
16 Abimeleque disse a Isaque: "Saia deste lugar; porque se
tornou mais poderoso do que nós."
17 Então Isaque saiu dali e foi morar no vale de Gerar.
18 E Isaque desaterrou novamente os poços de água que
os servos de seu pai Abraão haviam cavado e os filisteus
aterrado depois da sua morte, e Isaque deu os mesmos
nomes que seu pai tinha dado aos poços.
19 Os servos de Isaque cavaram naquele vale e acharam
uma nascente.

20 E os pastores de Gerar discutiram com os pastores
de Isaque, dizendo: "Esta água é nossa." Por isso deram
o nome à nascente de Eseque, porque discutiram pela
nascente.
21 Então cavaram outro poço e também brigaram por ele;
por isso deram o nome ao poço de Sitna.
22 Isaque foi para outro lugar e seus servos cavaram ou-
tro poço, e não houve mais brigas; por isso ele deu nome
de Reobote e disse: "Porque agora o Senhor nos livrou, e
prosperaremos nesta terra."
23 Depois foi para Berseba.
24 E o Senhor apareceu para ele naquela mesma noite e
disse: "Eu sou o Deus de Abraão, seu pai; não tenha medo,
porque eu estou com você; o abençoarei e multiplicarei a
sua descendência por amor de Abraão, meu servo."
25 Então Isaque construiu ali um altar e invocou o nome
do Senhor e armou a sua tenda; e seus servos cavaram
um poço.
26 E Abimeleque veio de Gerar para visitá-lo, com Ausate,
seu amigo, e Ficol, o príncipe do seu exército.
27 E Isaque perguntou: "Por que vieram me visitar, depois
de me aborrecerem e me expulsarem do meio de vocês?"
28 E eles responderam: "Percebemos que o Senhor está
com você, por isso agora, em juramento, queremos fazer
uma aliança.
29 Para não nos fazer mal, porque nós não tocamos em
você, e fizemos somente o bem e o deixamos ir em paz.
Agora você é o bendito do Senhor."
30 Então Isaque fez um banquete e todos comeram e
beberam;
31 e se levantaram de madrugada e juraram um ao outro;
depois se despediram de Isaque em paz.
32 Naquele mesmo dia, os servos de Isaque lhe disseram
que encontraram água no poço que tinham cavado.
33 E Isaque deu ao poço o nome Seba; por isso o nome
daquela cidade é Berseba até hoje.

As Mulheres de Esaú

34 Esaú tinha quarenta anos de idade, quando se casou
com Judite, filha de Beeri, heteu, e com Basemate, filha
de Elom, heteu.
35 E as duas mulheres foram um desgosto para Isaque
e Rebeca.

Isaque Abençoa Jacó

27 E, como Isaque envelheceu e não enxergava mais
direito, chamou Esaú, seu filho mais velho, e ele
respondeu: "Estou aqui."
2 E Isaque disse: "Eu já estou velho e não sei quando vou
morrer;
3 agora, pegue as suas armas, as suas flechas e o seu arco
e vá para o campo e cace algo para mim,
4 e me faça um guisado saboroso, como eu gosto, e traga
para eu comer; para eu o abençoar, antes de eu morrer."
5 E Rebeca escutou quando Isaque falava com seu filho
Esaú. E Esaú foi ao campo para caçar.
6 Então Rebeca disse a seu filho Jacó: "Ouvi seu pai pedir
para seu irmão Esaú:
7 Traga-me uma caça e me faça um guisado saboroso,
para eu comer e o abençoar diante do Senhor, antes de
eu morrer.
8 Agora, meu filho, faça o que eu digo:
9 Vá ao rebanho e me traga dois bons cabritos; vou fazer
um guisado saboroso para seu pai, como ele gosta;
10 e você levará a seu pai, para ele comer e o abençoar
antes da sua morte."
11 Então Jacó disse a Rebeca, sua mãe: "Esaú, meu irmão,
tem pelos no corpo, e eu não.
12 Se meu pai puser as mãos em mim, saberá que o estou
enganando; assim me amaldiçoará, e não me abençoará."
13 E sua mãe disse: "Meu filho, a maldição será contra
mim; faça o que falo; vá e traga os cabritos."
14 E Jacó pegou os cabritos e trouxe à sua mãe; que fez
um guisado saboroso, como seu pai gostava.
15 Então, Rebeca pegou as melhores roupas de Esaú, seu
filho mais velho, e vestiu em Jacó, seu filho mais novo;
16 e com as peles dos cabritos cobriu as suas mãos e o
seu pescoço liso;
17 e deu o guisado saboroso e o pão que tinha preparado,
na mão de Jacó.
18 E ele foi a seu pai e disse: "Meu pai!" E Isaque respon-
deu: "Estou aqui; quem é você, meu filho?"
19 E Jacó disse a seu pai: "Eu sou Esaú, seu primogênito;
fiz como me pediu; se levante e sente para comer o que
cacei, para me abençoar."
20 Então Isaque perguntou a seu filho: "Como assim?
Como caçou tão rápido?" E ele respondeu: "Porque o Se-
nhor seu Deus mandou a caça ao meu encontro."
21 E Isaque disse a Jacó: "Venha aqui para eu te apalpar,
quero sentir se você é meu filho Esaú mesmo, ou não."
22 Então Jacó foi até Isaque seu pai, que o apalpou e disse:
"A voz é de Jacó, porém as mãos são as mãos de Esaú."
23 E não o reconheceu, porque as suas mãos estavam ca-
beludas, como as mãos de Esaú, seu irmão; e o abençoou.
24 E perguntou: "Você é mesmo meu filho Esaú?" E ele
respondeu: "Sou eu."
25 Então disse: "Ponha a caça perto de mim para eu co-
mer, para eu o abençoar." Então Jacó pôs perto dele e ele
comeu; também lhe trouxe vinho e ele bebeu.
26 E Isaque disse: "Venha e me beije, meu filho."
27 E Jacó foi e o beijou; então Isaque sentiu o cheiro das

suas vestes, o abençoou e disse: "O cheiro do meu filho é
como o cheiro do campo que o Senhor abençoou;
28 assim, Deus lhe dê do orvalho dos céus e o melhor da
terra em abundância de trigo e de vinho.
29 Povos e nações o servirão e se curvarão a você; seus ir-
mãos o servirão e se curvarão a você; malditos sejam os que
o amaldiçoarem e benditos sejam os que o abençoarem."

A Bênção de Esaú

30 Então, quando Isaque acabou de abençoar Jacó, e ten-
do Jacó saído da sua presença, Esaú, seu irmão, chegou
da sua caçada;
31 e ele também fez um guisado saboroso e levou a seu
pai, dizendo: "Levante-se, meu pai, e coma da minha caça,
para me abençoar."
32 E perguntou Isaque, seu pai: "Quem é você?" E ele
respondeu: "Sou eu, seu filho Esaú, o seu primogênito."
33 Então Isaque estremeceu fortemente e perguntou:
"Quem pegou a caça e trouxe para mim? Eu comi de tudo
antes de você chegar e já abençoei quem trouxe e ele será
abençoado."
34 Ao ouvir as palavras de seu pai, Esaú gritou com grande
amargura, e pediu: "Abençoe-me também, meu pai."
35 E Isaque respondeu: "Seu irmão veio disfarçado em seu
lugar e tomou a sua bênção."
36 Então Esaú disse: "Seu nome não é justamente Jacó,
que já me enganou outras duas vezes? Tomou a minha
primogenitura, e agora tomou a minha bênção." E pergun-
tou: "Não reservou nenhuma bênção para mim?"
37 E Isaque respondeu a Esaú: "Fiz de você e de todos
os seus irmãos servos de Jacó e o enriqueci de trigo e de
vinho; o que farei por você agora, meu filho?"
38 E Esaú perguntou: "Não tem uma só bênção, meu
pai? Abençoe-me também." E Esaú levantou a sua voz e
chorou.
39 Então Isaque respondeu: "Você vai morar longe das
terras férteis e regadas pelas chuvas.
40 E terá que lutar para viver e servirá ao seu irmão. E um
dia se libertará, então não será mais servo dele."

A Ameaça de Esaú

41 E Esaú odiou Jacó por causa daquela bênção que Jacó
recebeu em seu lugar; e Esaú pensou: "Quando meu pai
morrer, vou matar meu irmão Jacó."
42 E Rebeca ficou sabendo das palavras de Esaú, seu fi-
lho mais velho, e ela mandou chamar Jacó, seu filho mais
novo, e lhe disse: "Esaú, seu irmão, quer matá-lo, ele se
consolará com a sua morte.
43 Agora, meu filho, ouça o que digo, pegue suas coisas e
vá para a casa de meu irmão Labão, em Harã,
44 e fique por lá alguns dias, até que passe a fúria de seu
irmão Esaú.
45 Quando passar a ira de seu irmão e ele esquecer o que
você fez, então mandarei trazer você de lá; por que eu
perderia meus dois filhos no mesmo dia?"
46 E Rebeca disse a Isaque: "Estou cansada da minha vida,
por causa das filhas de Hete; se Jacó se casar com alguma
mulher de Hete, do jeito que são as mulheres deste lugar,
que prazer terei em viver?"

A Fuga de Jacó

28 E Isaque chamou Jacó, o abençoou e lhe ordenou:
"Não se case com mulheres de Canaã;
2 vá a Padã-Arã, à casa de Betuel, pai de sua mãe, e se case
com uma das filhas de Labão, irmão de sua mãe.
3 Que o Deus Todo-Poderoso o abençoe, se multiplique,
para que seus descendentes sejam numerosos;
4 e Deus lhe dê a bênção de Abraão, a você e aos seus
descendentes, para que recebam as terras de suas pere-
grinações como herança, que Deus prometeu a Abraão."
5 Assim Isaque enviou Jacó para Padã-Arã, ao seu tio La-
bão, filho de Betuel, arameu, irmão de Rebeca, mãe de
Jacó e de Esaú.
6 Esaú viu que Isaque abençoou Jacó e o enviou a Padã-
-Arã, para se casar com uma mulher de lá, e ouviu que
Isaque, ao abençoar Jacó, lhe ordenou, dizendo: "Não se
case com mulheres de Canaã;"
7 e viu que Jacó obedeceu a seu pai e a sua mãe e foi para
Padã-Arã;
8 e Esaú ouviu que Isaque, seu pai, não gostava das filhas
de Canaã;
9 então, Esaú foi à casa de Ismael e, além das suas mu-
lheres, se casou com Maalate, filha de Ismael, filho de
Abraão, irmã de Nebaiote.
10 E Jacó partiu de Berseba e foi a Harã;

A Visão da Escada em Betel

11 E chegou a um lugar onde passou a noite, porque já
estava escuro, e pegou uma pedra e a usou como traves-
seiro e se deitou.
12 E sonhou com uma escada erguida da terra, e seu
topo chegava aos céus; por ela os anjos de Deus subiam
e desciam;
13 e o Senhor estava no topo dela e lhe disse: "Eu sou
o Senhor Deus de Abraão, seu pai, e o Deus de Isaque;
darei a você e à sua descendência esta terra, em que está
deitado;
14 os seus descendentes serão como o pó da terra e se
estenderão do Leste a Oeste e do Norte ao Sul, e em você
e na sua descendência serão benditas todas as famílias da
terra;
15 e eu estou com você, e o guardarei por onde for; depois
o farei voltar a esta terra; porque não o deixarei, até que eu
tenha cumprido o que lhe prometi."

16 Quando Jacó acordou do seu sono, disse: "Com certeza o Senhor está neste lugar e eu não sabia."

17 E, temendo, disse: "Como este lugar é temível! Este lugar é a casa de Deus e esta é a porta dos céus."

18 Então Jacó se levantou pela manhã bem cedo, e pegou a pedra que tinha usado como travesseiro e a usou como coluna e derramou azeite em cima dela.

19 E deu o nome àquele lugar de Betel; antes, o nome daquela cidade era Luz.

20 E Jacó fez um voto, dizendo: "Se Deus estiver comigo e me guardar nesta viagem, se me der pão e roupas;

21 e eu retornar em paz à casa de meu pai, o Senhor será o meu Deus;

22 e esta pedra que usei como coluna será casa de Deus e, de tudo que me der, certamente lhe darei o dízimo."

Jacó Chega a Harã

29 Então Jacó seguiu a caminho da terra do povo do Oriente;

2 e viu um poço no campo e três rebanhos de ovelhas que estavam deitados junto a ele; porque os rebanhos bebiam daquele poço e havia uma grande pedra sobre a boca do poço.

3 E ali se juntavam todos os rebanhos e então removiam a pedra para dar água às ovelhas, e tornavam a tampar a boca do poço com ela.

4 E Jacó perguntou: "Meus irmãos, de onde são?" E responderam: "Somos de Harã."

5 E Jacó perguntou novamente: "Conhecem Labão, filho de Naor?" E responderam: "Conhecemos."

6 E Jacó perguntou: "Ele está bem?" E responderam: "Está bem, e aquela mulher que vem com as ovelhas é sua filha Raquel."

7 E Jacó disse: "Ainda está claro, não está na hora de ajuntar o rebanho; deem água às ovelhas, e vão cuidar delas."

8 E disseram: "Não podemos, temos que esperar até que todos os rebanhos se ajuntem para removerem a pedra sobre a boca do poço, para darmos água às ovelhas."

O Encontro com Raquel

9 Jacó ainda estava falando com eles, e Raquel chegou com as ovelhas de seu pai; porque era pastora.

10 Então, quando Jacó viu Raquel, filha de Labão, irmão de sua mãe, e as ovelhas de Labão, Jacó chegou e retirou a pedra da boca do poço e deu água às ovelhas.

11 Então Jacó beijou Raquel e levantou a sua voz e chorou.

12 E Jacó disse a Raquel que era parente de seu pai e que era filho de Rebeca; então ela correu, e contou a seu pai.

13 Então, Labão ouviu as notícias sobre Jacó, filho de sua irmã, correu ao seu encontro e o abraçou, o beijou e o levou à sua casa; e Jacó contou a Labão tudo o que lhe aconteceu.

14 Então Labão disse: "Verdadeiramente você é o meu osso e a minha carne." E ficou com ele um mês inteiro.

15 Depois Labão perguntou a Jacó: "Porque você é meu parente, irá trabalhar de graça? Diga-me quanto será o seu salário."

16 E Labão tinha duas filhas; o nome da mais velha era Lia e o nome da mais nova era Raquel.

17 Lia, porém, tinha olhos meigos, mas Raquel era muito bonita e atraente.

18 E Jacó amava Raquel e disse a Labão: "Trabalharei por sete anos para você por Raquel, sua filha mais nova."

19 Então Labão disse: "É melhor que eu a dê a você, do que a outro homem; fique comigo."

20 Assim Jacó trabalhou por sete anos por Raquel e esses anos lhe pareceram poucos dias, pelo tanto que a amava.

Labão Engana Jacó

21 E Jacó disse a Labão: "Dê minha mulher, porque cumpri o acordo, para eu me casar com ela."

22 Então Labão reuniu todos os homens daquele lugar e fez um banquete.

23 E à noite, pegou a sua filha Lia e a entregou a Jacó, que teve relações com ela.

24 E Labão deu sua serva Zilpa a Lia, sua filha.

25 Então, pela manhã, Jacó viu que era Lia, e perguntou a Labão: "Por que me fez isso? Não trabalhei por Raquel? Por que me enganou?"

26 E Labão respondeu: "Não se faz assim na nossa terra, casamos a mais velha primeiro."

27 Fique com Lia pela semana que ela tem por direito; então também lhe darei Raquel, pelo trabalho de mais sete anos.

O Casamento com Raquel

28 E Jacó fez assim e cumpriu a semana de Lia, então Labão lhe deu Raquel sua filha mais nova como esposa.

29 E Labão deu sua serva Bila para Raquel, sua filha.

30 E Jacó também teve relações com Raquel e a amou mais do que a Lia; e trabalhou para Labão outros sete anos.

31 O Senhor, vendo que Lia era desprezada, fez Lia fértil para poder ter filhos; porém Raquel era estéril.

Os Filhos de Jacó

32 Lia engravidou e deu à luz um filho e lhe deu o nome de Rúben. Então disse: "Por ter o Senhor atendido à minha aflição, por isso, agora, meu marido me amará."

33 E engravidou outra vez e deu à luz outro filho, dizendo: "Porque o Senhor ouviu que eu era desprezada, deu-me também este filho e o seu nome será Simeão."

34 E engravidou outra vez e deu à luz outro filho, dizendo: "Agora desta vez meu marido se apegará a mim, porque lhe dei três filhos." Por isso lhe deu o nome de Levi.

35 E engravidou outra vez e deu à luz outro filho, dizen-

do: “Desta vez louvarei ao Senhor.” Por isso lhe deu o
nome de Judá e parou de dar à luz.

30 Raquel, vendo que não dava filhos a Jacó, teve inve-
ja de sua irmã e disse a Jacó: “Dê-me filhos, senão
eu morro.”
2 Então Jacó se irou com Raquel e disse: “Estou no lugar
de Deus, que a impediu de ter filhos?”
3 E ela disse: “Aqui está minha serva Bila; tenha relações
com ela para ter filhos para mim.”
4 Assim lhe deu Bila, a sua serva, por mulher, e Jacó teve
relações com ela.
5 Bila engravidou e deu a Jacó um filho.
6 Então Raquel disse: “Deus me fez justiça, ouviu a minha
voz e deu-me um filho; por isso lhe deu o nome de Dã.”
7 E Bila, serva de Raquel, engravidou outra vez e deu a
Jacó um segundo filho.
8 Então Raquel disse: “Lutei com minha irmã e venci; e
lhe deu o nome de Naftali.”
9 Porém, Lia viu que não engravidava mais, pegou Zilpa,
sua serva, e a deu a Jacó por mulher.
10 E Zilpa, serva de Lia, deu um filho a Jacó.
11 Então Lia disse: “Tenho sorte, e lhe deu o nome de
Gade.”
12 Depois Zilpa, serva de Lia, deu um segundo filho a
Jacó.
13 Então Lia disse: “Como sou feliz; porque dirão que sou
bem-aventurada e lhe deu o nome de Aser.”
14 E Rúben foi colher trigo e achou mandrágoras no cam-
po. E as trouxe a Lia, sua mãe. Então Raquel disse a Lia:
“dê-me um pouco das mandrágoras do seu filho.”
15 E Lia disse: “Já tomou o meu marido, vai tomar tam-
bém as mandrágoras do meu filho?” Então Raquel disse:
“Jacó irá deitar com você esta noite pelas mandrágoras de
seu filho.”
16 À tarde, quando Jacó voltava do campo, Lia saiu ao seu
encontro e disse: “Hoje teremos relações, porque o aluguei
com as mandrágoras do meu filho.” E Jacó teve relações
com Lia aquela noite.
17 E Deus ouviu Lia, e ela engravidou, e deu à luz um
quinto filho.
18 Então Lia disse: “Deus me recompensou, porque dei
minha serva ao meu marido.” E lhe deu o nome de Issacar.
19 Lia engravidou outra vez e deu a Jacó um sexto filho.
20 E disse: “Deus me deu uma dádiva; desta vez o meu
marido morará comigo, porque lhe dei seis filhos.” E lhe
deu o nome de Zebulom.
21 E depois teve uma filha, e lhe deu o nome de Diná.
22 E Deus lembrou-se de Raquel, a ouviu e a tornou fértil.
23 E ela engravidou e deu à luz um filho e disse: “Deus
tirou a minha vergonha.”
24 E lhe deu o nome de José, dizendo: “O Senhor me dê
outro filho.”

O Acordo com Labão

25 Então, como Raquel teve José, Jacó disse a Labão: “Dei-
xe-me voltar para meu lugar, para minha terra.
26 Dê-me as minhas mulheres e os meus filhos, pelos
quais trabalhei e irei; porque você sabe o serviço que fiz.”
27 Então Labão disse a Jacó: “Se você me considera, fique
comigo. Tenho visto que o Senhor me abençoou por amor
de você.”
28 E disse mais: “Determine o seu salário, que o pagarei.”
29 Então Jacó disse a Labão: “Você sabe como trabalhei e
como o seu gado aumentou com o meu trabalho.
30 Porque antes tinha pouco e hoje tem muito, porque
o Senhor o tem abençoado com o meu trabalho. Agora,
quando irei trabalhar pela minha casa?”
31 E Labão perguntou: “O que posso lhe dar?” Então Jacó
respondeu: “Não quero nada. Se me fizer isto, voltarei a
cuidar do seu rebanho.
32 Vou inspecionar hoje todo o seu rebanho, vou separar
todos os cordeiros salpicados e malhados e todos os ne-
gros, e vou separar as cabras malhadas e salpicadas; isto
será o meu salário.
33 Assim faremos o que é justo, quando o meu rebanho
estiver diante de você; todos os cordeiros que não forem
salpicados e malhados ou negros, e todas as cabras que não
forem malhadas e salpicadas, serão consideradas furtadas.”
34 Então Labão disse: “Está bem, será conforme a sua
palavra.”
35 E naquele mesmo dia Jacó separou os bodes listrados e
malhados e todas as cabras salpicadas e malhadas, e todos
com manchas brancas, e todos os cordeiros negros e entre-
gou aos seus filhos.
36 E Labão afastou o rebanho a uma distância de três dias
de viagem de Jacó e Jacó ficou cuidando do restante dos
rebanhos de Labão.
37 Então Jacó pegou varas verdes de álamo e de aveleira
e de castanheiro e as descascou, deixando aparentes as
listras brancas que havia nas varas.
38 E pôs as varas que tinha descascado em frente aos re-
banhos, nos bebedouros, aonde os rebanhos vinham beber
e acasalar.
39 E os rebanhos acasalavam diante das varas e as ovelhas
davam crias listradas, salpicadas e malhadas.
40 Então Jacó separava as crias e virava o restante do reba-
nho de Labão para os listrados e os negros e deixava o seu
rebanho à parte, separado do rebanho de Labão.
41 E cada vez que as ovelhas fortes iam acasalar, Jacó co-
locava as varas nos bebedouros, diante dos olhos do reba-
nho, para acasalarem diante das varas.

42 Mas, quando os animais do rebanho eram fracos, Jacó não colocava as varas. Assim os fracos eram de Labão e os fortes de Jacó.

43 Assim, Jacó prosperou e teve muitos rebanhos, servas e servos, camelos e jumentos.

Deus Manda Jacó Retornar

31 Então os filhos de Labão diziam: "Jacó tomou tudo o que era do nosso pai e, com o que era do nosso pai, fez toda a sua riqueza."

2 Jacó viu o rosto de Labão, e viu que ele não o tratava mais como antes.

3 E o Senhor disse a Jacó: "Volte para a terra dos seus pais e para os seus parentes e eu estarei com você."

4 Então Jacó mandou chamar Raquel e Lia ao campo, para junto do seu rebanho,

5 e lhes disse: "Seu pai já não me trata como antes; porém o Deus de meu pai está comigo;

6 e vocês sabem que com todo esforço eu servi a seu pai;

7 mas ele enganou-me e mudou dez vezes o meu salário; porém Deus não permitiu que ele me prejudicasse.

8 Quando Labão dizia: 'Os salpicados serão o seu salário', então todos os rebanhos davam salpicados. E quando ele dizia: 'Os listrados serão o seu salário', então todos os rebanhos davam listrados.

9 Assim Deus tirou o gado do pai de vocês e o deu a mim.

10 E, quando o rebanho dava cria, eu levantei os olhos e sonhei que os machos que cobriam as ovelhas eram listrados, salpicados e malhados.

11 E o anjo de Deus me falou no sonho: 'Jacó!' E eu disse: 'Eis-me aqui.'

12 E ele disse: 'Levante agora os seus olhos e veja todos os machos que cobrem o rebanho; são listrados, salpicados e malhados; porque tenho visto tudo o que Labão fez a você.

13 Eu sou o Deus de Betel, onde você levantou uma coluna, e me fez um voto; levante-se agora, saia desta terra e volte para a terra de seus parentes.'"

14 Então Raquel e Lia perguntaram: "Será que ainda sobrou alguma herança para nós na casa de nosso pai?

15 Ele não nos considera como estrangeiras? Pois nos vendeu e acabou com todo o dinheiro recebido.

16 Porque toda a riqueza que Deus tirou de nosso pai agora é nossa e de nossos filhos; agora, faça tudo o que Deus lhe mandou."

17 Então Jacó se levantou, e pôs os seus filhos e as suas mulheres sobre os camelos;

18 e levou todo o seu gado e todos os bens que havia adquirido, todo o gado que possuía, que acumulou em Padã-Arã, para ir a Isaque, seu pai, à terra de Canaã.

19 E, quando Labão foi tosquiar as suas ovelhas, Raquel furtou os ídolos que seu pai tinha.

20 E Jacó enganou Labão, o arameu, porque não o deixou saber que fugia.

21 E Jacó fugiu com tudo o que tinha e atravessou o rio Eufrates e se dirigiu para a montanha de Gileade.

Labão Persegue Jacó

22 E no terceiro dia Labão foi avisado de que Jacó tinha fugido.

23 Então ele pegou os seus irmãos e saiu atrás de Jacó, seguindo o seu caminho por sete dias, e o alcançou na montanha de Gileade.

24 Porém, à noite, Deus veio a Labão, o arameu, em sonhos, e lhe disse: "Cuidado, não fale a Jacó nem bem nem mal."

25 Labão alcançou Jacó porque este armou a sua tenda naquela montanha; Labão e seus irmãos também armaram suas tendas ali, na montanha de Gileade.

26 Então Labão perguntou a Jacó: "O que fez? Por que me enganou e levou as minhas filhas como prisioneiras?

27 Por que fugiu escondido, e me enganou e não me disse nada, para eu ter me despedido com alegria e com cânticos, com tamboril e com harpa?

28 Também não pude beijar os meus netos e as minhas filhas. Você agiu loucamente, fazendo isso.

29 Eu tinha poder para lhe fazer mal, mas o Deus do seu pai me falou em sonho ontem à noite, dizendo: 'Cuidado, não fale a Jacó nem bem nem mal.'

30 E, se queria ir embora, porque tinha saudade da casa de seu pai, por que furtou os meus deuses?"

31 Então Jacó respondeu e disse a Labão: "Porque tive medo; pensei que me tiraria as suas filhas.

32 Com quem você achar os seus deuses, este não ficará vivo; procure na presença de nossos parentes o que é seu e se achar pode levar." Pois Jacó não sabia que Raquel os tinha furtado.

33 Então Labão entrou na tenda de Jacó e na tenda de Lia e na tenda de suas servas e não os achou; então saiu da tenda de Lia, entrou na tenda de Raquel.

34 Mas Raquel tinha pego os ídolos e os tinha posto na sela de um camelo e sentou sobre eles; Labão revistou toda a tenda e não os encontrou.

35 E Raquel disse a seu pai: "Não fique irritado, meu pai, que não posso me levantar; porque estou menstruando." E ele procurou, mas não encontrou os ídolos.

36 Então Jacó se irou e discutiu com Labão, e Jacó perguntou a Labão: "Qual é a minha transgressão? Qual é o meu pecado, que me persegue com fúria?

37 Revistou todas as minhas coisas, encontrou o que procurava? Ponha-o aqui diante dos meus e dos seus parentes e deixe-os nos julgar.

38 Estive esses vinte anos com você; as suas ovelhas e

cabras nunca abortaram e nunca comi os carneiros do seu
rebanho.
39 Eu sempre lhe paguei os animais que eram mortos ou
furtados.
40 Assim eu vivia: durante o dia o calor me consumia e à
noite a geada; o sono fugia dos meus olhos.
41 Passei vinte anos na sua casa; servi você quatorze anos
por suas duas filhas e seis anos por seu rebanho; mas você
mudou o meu salário dez vezes.
42 Se não fosse o Deus de meu pai, o Deus de Abraão e o
temor de Isaque, por certo me enviaria de volta sem nada.
Deus atendeu à minha aflição, e o trabalho das minhas
mãos e o repreendeu em sonho ontem à noite."

A Aliança Entre Jacó e Labão

43 Então Labão respondeu a Jacó: "Estas mulheres são
minhas filhas e estes são meus netos, este rebanho é o
meu rebanho e tudo o que vê, é meu; e o que posso fa-
zer hoje por estas minhas filhas, ou a seus filhos, que elas
deram à luz?
44 Agora, vamos fazer uma aliança eu e você, que sirva de
testemunho entre nós dois."
45 Então Jacó pegou uma pedra e a usou como coluna.
46 E Jacó disse a seus parentes: "Juntem pedras." E pega-
ram pedras e fizeram um amontoado e comeram ao lado.
47 E Labão lhe deu o nome de Jegar-Saaduta; porém Jacó
o chamou Galeede.
48 Então Labão disse: "Este amontoado é hoje uma teste-
munha entre nós." Por isso o chamou Galeede,
49 e Mispá, pois disse: "O Senhor vigie a mim e a você,
quando nós estivermos longe um do outro.
50 Se maltratar as minhas filhas ou se casar com outras
mulheres além delas, quando estiver sozinho; lembre-se
que Deus é testemunha entre mim e você."
51 Disse Labão a Jacó: "Eis aqui este amontoado, e esta
coluna que levantei entre mim e você.
52 Este amontoado e esta coluna serão testemunhas de
que eu não passarei deles para lá, e você não passará deles
para cá, para fazer o mal.
53 O Deus de Abraão, e o Deus de Naor, o Deus de seu
pai, julgue entre nós." E Jacó jurou pelo temor de seu pai
Isaque.
54 E Jacó ofereceu um sacrifício na montanha e convidou
seus parentes para comer pão; e comeram e passaram a
noite na montanha.
55 E Labão se levantou de madrugada e beijou seus netos
e suas filhas e os abençoou e partiu; e voltou a sua terra.

Jacó Planeja o Encontro com Esaú

32 Jacó seguiu o seu caminho e os anjos de Deus o
encontraram.
2 E Jacó disse quando os viu: "Este é o exército de Deus."
E chamou aquele lugar de Maanaim.
3 E Jacó enviou mensageiros na sua frente a Esaú, seu
irmão, à terra de Seir, território de Edom.
4 E lhes ordenou, dizendo: "Sigam a meu senhor Esaú:
Assim diz Jacó, seu servo: Morei com Labão e permaneci
lá até agora;
5 tenho bois, jumentos, ovelhas, servos e servas; estou
mandando avisar a meu senhor, para que eu seja bem
recebido."
6 E os mensageiros voltaram a Jacó, dizendo: "Fomos a
Esaú, seu irmão; e ele vem com quatrocentos homens
encontrá-lo."
7 Então Jacó sentiu muito medo e se angustiou; por isso,
dividiu o povo que estava com ele em dois grupos, junto
com as ovelhas, as vacas e os camelos.
8 Porque pensou: "Se Esaú vier a um grupo e o ferir, o
outro escapará."
9 Jacó disse mais: "Deus de meu pai Abraão e Deus de
meu pai Isaque, ó Senhor, que me falaste: 'Volte à sua ter-
ra, aos seus parentes e lhe farei bem;'
10 sou indigno de todas as tuas bondades e de toda a fi-
delidade que fizeste ao teu servo; porque com meu cajado
passei esse Jordão, e agora me tornei em dois grupos.
11 Peço-te, livra-me das mãos de meu irmão Esaú; porque
tenho medo dele; que ele não venha e mate a mim e as
mães com seus filhos.
12 E tu disseste: 'Certamente lhe farei bem e farei a sua
descendência como a areia do mar, que, de tão numerosa,
não se pode contar.'"
13 E ficou ali aquela noite e separou de suas posses um
presente para seu irmão Esaú:
14 Duzentas cabras e vinte bodes; duzentas ovelhas e
vinte carneiros;
15 trinta camelas de leite com suas crias, quarenta vacas e
dez novilhos; vinte jumentas e dez jumentinhos;
16 e pôs na mão dos seus servos, cada rebanho à parte, e
disse a seus servos: "Passem à minha frente e deixem um
rebanho longe do outro."
17 E ordenou ao primeiro servo, dizendo: "Quando Esaú,
meu irmão, encontrá-lo e perguntar de quem é o rebanho
e para onde vai,
18 então responderá: 'São de seu servo Jacó, é presente ao
meu senhor Esaú; e ele está vindo também atrás de nós.'"
19 E ordenou também ao segundo, e ao terceiro servo e a
todos os que vinham atrás dos rebanhos, dizendo: "Digam
essas mesmas palavras a Esaú, quando o encontrarem:
20 'O seu servo Jacó vem atrás de nós.'" Porque pensou:
"Eu o acalmarei com o presente, que mandei na minha

frente e depois verei o seu rosto; quem sabe ele me aceitará."

21 Assim, mandou o presente à sua frente; ele, porém, ficou aquela noite no acampamento.

Jacó Luta com um Anjo

22 E levantou-se naquela mesma noite e pegou as suas duas mulheres, as suas duas servas, os seus onze filhos e atravessou o vale de Jaboque.

23 E os pegou e os fez passar o ribeiro; fez passar tudo o que tinha.

24 Jacó, porém, ficou sozinho e um homem lutou com ele, até o amanhecer.

25 E o homem, vendo que Jacó não se entregava, tocou a junta de sua coxa e a deslocou, lutando com ele.

26 E o homem disse: "Deixe-me ir, porque já amanheceu." Porém Jacó disse: "Não o deixarei ir, se não me abençoar."

27 E o homem lhe perguntou: "Qual é o seu nome?" E ele respondeu: "Jacó."

28 Então o homem disse: "Não se chamará mais Jacó, mas Israel; porque como príncipe você lutou com Deus e com os homens e você prevaleceu."

29 E Jacó lhe disse: "Diga-me o teu nome." E ele perguntou: "Por que pergunta pelo meu nome?" E o abençoou ali.

30 E Jacó deu o nome àquele lugar de Peniel, e disse: "Vi Deus face a face e a minha vida foi salva."

31 E quando atravessou Peniel o sol nasceu; e mancava por causa da sua coxa.

32 Por isso os israelitas não comem o nervo entre o quadril e a coxa, até os dias de hoje; porque Jacó foi ferido neste mesmo nervo pelo homem.

O Encontro com Esaú

33 E Jacó levantou os seus olhos, e viu que Esaú vinha com quatrocentos homens. Então dividiu os filhos entre Lia e Raquel e as duas servas.

2 E pôs as servas e seus filhos na frente e Lia e seus filhos atrás; porém Raquel e José foram os últimos.

3 E Jacó passou à frente deles e se inclinou à terra sete vezes, até que chegou seu irmão.

4 Então Esaú correu ao seu encontro e o abraçou, lançou-se sobre o seu pescoço e o beijou; e choraram.

5 Depois Esaú levantou os seus olhos, viu as mulheres e os meninos e perguntou: "Quem são estas pessoas com você?" E Jacó respondeu: "Os filhos que Deus graciosamente deu a seu servo."

6 Então chegaram as servas; elas e os seus filhos e se inclinaram.

7 E também chegou Lia com os seus filhos e se inclinaram; depois chegou José e Raquel e se inclinaram.

8 E Esaú perguntou: "Para que é todo esse rebanho que encontrei?" E Jacó respondeu: "Para ser bem recebido pelo meu senhor."

9 Mas Esaú disse: "Eu já tenho bastante, meu irmão; fique com você o que é seu."

10 Então Jacó disse: "Não, se estou sendo bem recebido, lhe peço que receba o presente de minhas mãos; porque estou vendo seu rosto, como se tivesse visto o rosto de Deus, e você me recebeu bem.

11 Aceite o presente que eu lhe trouxe; porque Deus graciosamente me deu; e porque tenho de tudo." E insistiu com ele, até que Esaú aceitou,

12 e disse: "Vamos partir, e eu seguirei à frente de você."

13 Porém Jacó lhe disse: "Meu senhor sabe que meus filhos são pequenos, e que tenho ovelhas e vacas de leite; se elas cansarem somente por um dia, todo o rebanho morrerá.

14 Passe o meu senhor à minha frente e eu irei devagar como guia, conforme o passo do gado que vai à minha frente e conforme o passo dos meninos, até chegarmos a meu senhor em Seir."

15 E Esaú disse: "Permita-me, então, deixar com você alguns da minha gente." E Jacó perguntou: "Para que isso? Basta que fui bem recebido pelo meu senhor."

16 Assim Esaú voltou aquele dia para Seir.

17 Jacó, porém, partiu para Sucote e construiu para si uma casa e fez cabanas para o seu gado; e deu o nome àquele lugar de Sucote.

18 E Jacó chegou a salvo à cidade de Siquém, que está na terra de Canaã, quando vinha de Padã-Arã e acampou perto da cidade.

19 E comprou uma parte do campo em que armou a sua tenda das mãos dos filhos de Hamor, pai de Siquém, por cem peças de dinheiro.

20 E levantou ali um altar e lhe deu o nome de: Deus, o Deus de Israel.

Diná é Desonrada

34 E Diná, a filha que Lia deu a Jacó, saiu para ver as mulheres daquela terra.

2 E Siquém, filho de Hamor, heveu, príncipe daquela terra, a viu e a pegou e teve relações com ela, e a humilhou.

3 E apaixonou-se por Diná, filha de Jacó, amou a moça e falou afetuosamente a ela.

4 Siquém falou a Hamor, seu pai: "Consiga esta moça para casar comigo."

5 Quando Jacó ouviu que Diná, sua filha, foi desonrada, seus filhos estavam no campo com o gado; e Jacó se calou até que voltassem.

6 E Hamor, pai de Siquém, saiu para falar com Jacó.

7 E quando os filhos de Jacó voltaram do campo, ouviram o que aconteceu, e ficaram tristes e muito irados, porque

cometeu-se uma insensatez contra Israel, tendo Siquém
relações com a filha de Jacó; o que não se faz.
8 Então Hamor falou com eles: "Siquém, meu filho, está
apaixonado por Diná; eu lhes peço, dê a ele a filha de
vocês por esposa.
9 E seremos parentes, nos deem as suas filhas e peguem as
nossas filhas para vocês;
10 e habitem conosco; a terra estará diante de vocês; habi-
tem, negociem, e tomem posse dela."
11 E Siquém disse ao pai e aos irmãos de Diná: "Se me
fizerem este favor, darei o que me pedirem;
12 aumentem quanto quiserem o dote e a dádiva e darei o
que me pedirem; me deem somente a moça por esposa."
13 Então, os filhos de Jacó, por Siquém ter violado a sua
irmã, falaram intencionalmente a Siquém e a Hamor, seu
pai,
14 e disseram: "Não podemos fazer isto, dar a nossa irmã
a um homem não circuncidado; porque isto seria uma ver-
gonha para nós;
15 mas, concordaremos com isto com uma condição: Que
se tornem como nós; circuncidem todos os machos entre
vocês;
16 então daremos a vocês as nossas filhas, e pegaremos as
suas filhas e habitaremos com vocês e seremos um povo;
17 mas se não nos ouvirem e não se circuncidarem, pega-
remos a nossa filha e iremos."
18 E suas palavras agradaram Hamor e seu filho Siquém.
19 E o jovem não demorou em fazer isto, porque amava
a filha de Jacó; e ele era o mais honrado de toda a casa
de seu pai.
20 Hamor e Siquém, seu filho, foram à porta da sua cidade
e falaram aos homens dizendo:
21 "Esses homens são pacíficos conosco; portanto habita-
rão nesta terra e negociarão nela; e a terra é espaçosa para
recebê-los; pegaremos as suas filhas como esposas e lhes
daremos as nossas filhas.
22 Mas aqueles homens só irão concordar em habitar co-
nosco, para sermos um só povo, se todos os homens entre
nós se circuncidarem, como eles são circuncidados.
23 E seu gado, as suas posses e todos os seus animais
não serão nossos? Vamos concordar com eles e habitarão
conosco."
24 E todos os que saíam pela porta da cidade ouviram
Hamor e Siquém, seu filho; e assim, circuncidaram todos
os homens, que saíam pela porta da sua cidade.

A Vingança de Simeão e Levi

25 Então, três dias depois, quando estavam com a mais
violenta dor, os dois filhos de Jacó, Simeão e Levi, irmãos
de Diná, pegaram cada um sua espada e entraram com
fúria na cidade e mataram todos os homens.
26 Mataram também ao fio da espada Hamor e seu filho
Siquém; então pegaram Diná da casa de Siquém e saíram.
27 Os filhos de Jacó foram aos mortos e saquearam a cida-
de; porque desonraram a sua irmã.
28 Pegaram as suas ovelhas e as suas vacas, os seus jumen-
tos e o que havia na cidade e no campo.
29 E todos os seus bens, levaram presas todas as suas
crianças e as suas mulheres, e saquearam tudo o que havia
nas casas.
30 Então Jacó disse a Simeão e a Levi: "Arrumaram-me
um problema, me fazendo ficar mal com os moradores
desta terra, entre os cananeus e ferezeus, somos poucos,
eles se ajuntarão e seremos destruídos."
31 E eles perguntaram: "Siquém devia tratar nossa irmã
como uma prostituta?"

Deus Manda Jacó para Betel

35 Depois Deus disse a Jacó: "Levante-se, suba a Betel
e habite lá; faça lá um altar ao Deus que lhe apare-
ceu, quando fugia de Esaú, seu irmão."
2 Então Jacó disse à sua família e a todos que estavam com
ele: "Tirem os deuses estranhos, que estão no meio de vo-
cês, se purifiquem e troquem as suas roupas.
3 Nós nos levantaremos e subiremos a Betel; ali farei um
altar ao Deus que me respondeu no dia da minha angústia
e que me acompanhou no caminho que andei."
4 Então, deram a Jacó todos os deuses estranhos que ti-
nham em suas mãos, e as argolas que estavam em suas
orelhas; e Jacó os escondeu debaixo do carvalho que está
junto a Siquém.
5 E quando eles partiram, o terror de Deus caiu sobre as
cidades que estavam ao redor deles, e não perseguiram os
filhos de Jacó.
6 Assim Jacó e todo o povo que estava com ele chegaram a
Luz, que é Betel, que fica na terra de Canaã.
7 E nesse lugar edificou um altar e lhe deu o nome de
El-Betel; porque ali Deus tinha se revelado a ele, quando
fugia de seu irmão.
8 E Débora, a ama de Rebeca, morreu e foi sepultada ao pé
de Betel, debaixo do carvalho cujo nome era Alom-Bacute.
9 E Deus apareceu outra vez a Jacó, quando voltou de
Padã-Arã e o abençoou.
10 E Deus disse: "O seu nome é Jacó; não se chamará
mais Jacó, mas Israel será o seu nome." E o chamou de
Israel.
11 Deus disse mais: "Eu sou o Deus Todo-Poderoso; seja
fértil e se multiplique; uma nação e outras muitas nações
sairão de você e reis descenderão de você;
12 e darei a você a terra que prometi a Abraão e a Isaque;
e à sua descendência darei a terra prometida."

13 E Deus se elevou, e se retirou do lugar onde falou com
Jacó.
14 E Jacó colocou uma coluna de pedra no lugar onde
Deus falou com ele; e derramou sobre ela uma libação e
azeite.
15 E Jacó chamou aquele lugar, onde Deus falou com ele,
de Betel.

A Morte de Raquel

16 E partiram de Betel, que ficava a uma pequena distân-
cia de Efrata, e no caminho Raquel entrou em trabalho
de parto.
17 Então, tendo ela dificuldades em seu parto, a parteira
lhe disse: "Não tenha medo, porque terá este filho."
18 Então, enquanto morria, Raquel lhe deu o nome de
Benoni; mas seu pai o chamou Benjamim.
19 Assim Raquel morreu e foi sepultada no caminho de
Efrata, que é Belém.
20 E Jacó colocou uma coluna sobre a sua sepultura; essa
é a coluna da sepultura de Raquel até os dias de hoje.
21 Então Israel partiu e armou a sua tenda depois de Mig-
dal Eder.
22 Então, quando Israel habitava naquela terra, Rúben foi
e teve relações com Bila, concubina de seu pai, e Israel
ficou sabendo. E os filhos de Jacó eram doze.
23 Os filhos de Lia: Rúben, o primogênito de Jacó, depois
Simeão e Levi, Judá, Issacar e Zebulom;
24 os filhos de Raquel: José e Benjamim;
25 os filhos de Bila, serva de Raquel: Dã e Naftali;
26 e os filhos de Zilpa, serva de Lia: Gade e Aser. Estes são
os filhos de Jacó, que nasceram em Padã-Arã.
27 E Jacó voltou para junto de seu pai Isaque, em Manre,
que fica em Quiriate-Arba, que é Hebrom, onde Abraão e
Isaque peregrinaram.
28 E Isaque viveu cento e oitenta anos.
29 E Isaque morreu bem velho, e foi reunido ao seu povo;
Esaú e Jacó, seus filhos, o sepultaram.

Os Descendentes de Esaú

36 E estas são as gerações de Esaú, que é Edom.
2 Esaú se casou com mulheres de Canaã: Ada, filha
de Elom, heteu, e Aolibama, filha de Aná, filho de Zibeão,
heveu.
3 E Basemate, filha de Ismael, irmã de Nebaiote.
4 E Ada teve de Esaú Elifaz e Basemate teve Reuel,
5 e Aolibama deu à luz Jeús, Jalão e Corá: estes são os
filhos de Esaú, que nasceram na terra de Canaã.
6 E Esaú pegou suas mulheres, seus filhos, suas filhas e
todas as pessoas de sua casa, o seu gado, todos os seus
animais e todos os seus bens, que havia adquirido na terra
de Canaã, e foi para outra terra, se separando de Jacó, seu
irmão;
7 porque os bens deles eram muitos para habitarem juntos
e a terra onde moravam não os podia sustentar por causa
da quantidade de seus gados.
8 Portanto Esaú habitou na montanha de Seir.
9 Estas são as gerações de Esaú, pai dos edomitas, na mon-
tanha de Seir.
10 Estes são os nomes dos filhos de Esaú: Elifaz, filho de
Ada, mulher de Esaú; Reuel, filho de Basemate, mulher
de Esaú.
11 E os filhos de Elifaz foram: Temã, Omar, Zefô, Gaetã
e Quenaz.
12 E Timna era concubina de Elifaz, filho de Esaú, e teve
de Elifaz Amaleque. Estes são os filhos de Ada, mulher
de Esaú.
13 E estes foram os filhos de Reuel: Naate, Zerá, Samá e
Mizá; estes foram os filhos de Basemate, mulher de Esaú.
14 E estes foram os filhos de Aolibama, filha de Aná, filho
de Zibeão, mulher de Esaú: Jeús, Jalão e Corá.
15 Estes são os príncipes dos filhos de Esaú: os filhos de
Elifaz, o primogênito de Esaú, o príncipe Temã, o príncipe
Omar, o príncipe Zefô, o príncipe Quenaz.
16 O príncipe Corá, o príncipe Gaetã, o príncipe Ama-
leque; estes são os príncipes de Elifaz na terra de Edom;
estes são os filhos de Ada.
17 E estes são os filhos de Reuel, filhos de Esaú: o príncipe
Naate, o príncipe Zerá, o príncipe Samá, o príncipe Mizá;
estes são os príncipes de Reuel, na terra de Edom; estes são
os filhos de Basemate, mulher de Esaú.
18 E estes são os filhos de Aolibama, mulher de Esaú: o
príncipe Jeús, o príncipe Jalão, o príncipe Corá; estes são
os príncipes de Aolibama, filha de Aná e mulher de Esaú.
19 Estes são os filhos de Esaú e estes são seus príncipes:
Ele é Edom.
20 Estes são os filhos de Seir, horeu, moradores daquela
terra: Lotã, Sobal, Zibeão e Aná,
21 e Disom, Eser e Disã; estes são os príncipes dos horeus,
filhos de Seir, na terra de Edom.
22 E os filhos de Lotã foram Hori e Homã; e a irmã de
Lotã era Timna.
23 Estes são os filhos de Sobal: Alvã, Manaate, Ebal, Sefô
e Onã.
24 E estes são os filhos de Zibeão: Aiá e Aná; este é o Aná
que achou as fontes termais no deserto, quando cuidava
dos jumentos de Zibeão, seu pai.
25 E estes são os filhos de Aná: Disom e Aolibama, a filha
de Aná.
26 E estes são os filhos de Disom: Hendã, Esbã, Itrã e
Querã.
27 Estes são os filhos de Eser: Bilã, Zaavã e Acã.
28 Estes são os filhos de Disã: Uz e Arã.

29 Estes são os príncipes dos horeus: o príncipe Lotã, o
príncipe Sobal, o príncipe Zibeão, o príncipe Aná.
30 O príncipe Disom, o príncipe Eser, o príncipe Disã:
estes são os príncipes dos horeus segundo os seus princi-
pados na terra de Seir.
31 E estes são os reis que reinaram na terra de Edom,
antes que houvesse rei sobre os israelitas.
32 Belá, filho de Beor, reinou em Edom e o nome da sua
cidade era Dinabá.
33 E Belá morreu; e Jobabe, filho de Zerá, de Bozra, rei-
nou em seu lugar.
34 E Jobabe morreu; e Husão, da terra dos temanitas, rei-
nou em seu lugar.
35 E Husão morreu, e Hadade, filho de Bedade, que der-
rotou Midiã, no campo de Moabe, reinou em seu lugar e o
nome da sua cidade era Avite.
36 E Hadade morreu; e Samlá de Masreca reinou em seu
lugar.
37 E Samlá morreu; e Saul de Reobote, junto ao rio, rei-
nou em seu lugar.
38 E Saul morreu; e Baal-Hanã, filho de Acbor, reinou em
seu lugar.
39 E Baal-Hanã morreu, filho de Acbor; e Hadar reinou
em seu lugar e o nome de sua cidade era Paú; o nome
de sua mulher era Meetabel, filha de Matrede, filha de
Me-Zaabe.
40 E estes são os nomes dos príncipes de Esaú, segundo
as suas gerações, segundo os seus lugares, com os seus no-
mes: o príncipe Timna, o príncipe Alva, o príncipe Jetete,
41 o príncipe Aolibama, o príncipe Ela, o príncipe Pinom,
42 o príncipe Quenaz, o príncipe Temã, o príncipe Mibzar,
43 o príncipe Magdiel, o príncipe Irã: estes são os prínci-
pes de Edom, segundo as suas habitações, nas terras que
possuíam. Este é Esaú, pai de Edom.

Os Sonhos de José

37 E Jacó habitou na terra das peregrinações de seu pai,
na terra de Canaã.
2 Estas são as gerações de Jacó. José tinha dezessete anos,
e cuidava das ovelhas com seus irmãos; sendo ainda jo-
vem, andava com os filhos de Bila e com os filhos de Zilpa,
mulheres de seu pai; porém, José trazia más notícias deles
a seu pai.
3 E Israel amava José mais do que a todos os seus filhos,
porque era filho da sua velhice e lhe fez uma túnica de
várias cores.
4 E seus irmãos viram que seu pai o amava mais do
que os outros, e o odiaram e não podiam falar com ele
pacificamente.
5 José teve um sonho, e contou a seus irmãos; por isso o
odiaram ainda mais.
6 E José disse: "Ouçam o que sonhei:
7 Estávamos amarrando os feixes no meio do campo, en-
tão vi que o meu feixe se levantava, e também ficava em
pé, sendo que os seus feixes o rodeavam e se inclinavam
diante do meu feixe."
8 Então seus irmãos lhe perguntaram: "Você acha que rei-
nará sobre nós? Você acha que terá domínio sobre nós?"
Por isso o odiaram mais ainda, por seus sonhos e por suas
palavras.
9 E José teve outro sonho e contou a seus irmãos: "Tive
outro sonho; eu vi que o sol, a lua e onze estrelas se incli-
navam diante de mim."
10 E quando contou o sonho a seu pai e a seus irmãos, seu
pai o repreendeu e lhe perguntou: "Que sonho é esse que
você teve? Eu, sua mãe e seus irmãos, iremos nos inclinar
perante você?"
11 Seus irmãos, o invejavam; seu pai, porém, guardava
isso no seu coração.
12 E seus irmãos foram cuidar do rebanho de seu pai,
junto de Siquém.
13 Israel perguntou a José: "Os seus irmãos não estão cui-
dando do rebanho perto de Siquém? Venha e o enviarei a
eles." E ele respondeu: "Estou aqui."
14 E Israel lhe disse: "Vá ver como estão seus irmãos e o
rebanho e me traga notícias." Assim, do vale de Hebrom
José foi a Siquém.

José é Vendido como Escravo

15 E um homem o achou, porque vagava pelo campo e o
homem lhe perguntou: "O que você procura?"
16 E José respondeu: "Procuro meus irmãos; me fale onde
eles cuidam do rebanho."
17 E aquele homem disse: "Foram-se daqui; porque os
ouvi dizerem: Vamos a Dotã." José seguiu atrás de seus
irmãos e os achou em Dotã.
18 Seus irmãos o avistaram de longe e, antes que José
chegasse perto, eles conspiraram para o matar.
19 E disseram um ao outro: "Lá vem o sonhador!
20 E, agora, vamos matá-lo e jogá-lo numa dessas covas e
depois diremos: 'Um animal feroz o comeu' e veremos o
que será dos seus sonhos."
21 E Rúben, ao ouvir isso, livrou José das suas mãos e
disse: "Não vamos lhe tirar a vida."
22 Rúben também lhes disse: "Não derramem sangue;
joguem-no nesta cova que está no deserto e não encostem
as mãos nele"; disse isso para livrar José das mãos de seus
irmãos e para o levar a seu pai.
23 Então, quando José chegou a seus irmãos, tiraram a sua
túnica, a túnica de várias cores que ele vestia.
24 Pegaram-no e o jogaram na cova; porém a cova estava
vazia, não tinha água nela.

25 Depois se sentaram para comer pão; então levantaram
os seus olhos e viram uma companhia de ismaelitas que
vinha de Gileade; e seus camelos traziam especiarias, bálsamo e mirra, para levá-los ao Egito.
26 Então Judá disse aos seus irmãos: "Que proveito teremos em matar nosso irmão e esconder a sua morte?
27 Venham, vamos vendê-lo a estes ismaelitas, assim seu
sangue não estará em nossas mãos; porque ele é nosso irmão, nossa carne." E seus irmãos concordaram.
28 Quando os mercadores midianitas passaram, tiraram
José da cova e o venderam aos ismaelitas por vinte moedas
de prata, e os ismaelitas levaram José ao Egito.
29 Quando Rúben voltou à cova, José não estava mais
nela; então rasgou as suas vestes.
30 E voltou a seus irmãos e perguntou: "O José não está
lá, o que farei agora?"
31 Então pegaram a túnica de José, mataram um cabrito e
tingiram a túnica no sangue.
32 E enviaram a túnica de várias cores a seu pai e disseram: "Achamos esta túnica; reconheça se é ou não a do
seu filho."
33 E Jacó a reconhecendo disse: "É a túnica de meu
filho; um animal feroz o comeu; certamente José foi
despedaçado."
34 Então Jacó rasgou as suas vestes, vestiu-se de pano de
saco e lamentou seu filho por muitos dias.
35 E todos os seus filhos e todas as suas filhas se levantaram para o consolar; ele, porém, recusou ser consolado e
disse: "Chorando descerei à sepultura para junto de meu
filho." Assim continuou a chorar.
36 E no Egito os midianitas o venderam a Potifar, eunuco
e capitão da guarda do Faraó.

Judá e Tamar

38 E aconteceu que, no mesmo tempo em que Judá
saiu da casa de sua família e foi morar na casa de um
homem de Adulão, chamado Hira,
2 Judá viu a filha de um homem cananeu, chamado Sua e
se casou e teve relações com ela.
3 Ela engravidou e deu à luz um filho, e lhe deu o nome
de Er.
4 E tornou a engravidar e deu à luz outro filho, e lhe deu
o nome de Onã.
5 E novamente engravidou e deu à luz mais um filho, e
lhe deu o nome de Selá; e Judá estava em Quezibe quando
ela deu à luz.
6 Judá pegou para Er, o seu primogênito, uma mulher
chamada Tamar.
7 Er, porém, era mau aos olhos do Senhor, por isso o Senhor o matou.
8 Então Judá disse a Onã: "Pegue a mulher do seu irmão,
se case com ela e dê uma descendência a seu irmão."
9 Onã, porém, soube que essa descendência não seria
dele; por isto, quando tinha relações com a mulher de seu
irmão, derramava o sêmen na terra, para não dar descendência a seu irmão.
10 E o que ele fazia era mau aos olhos do Senhor, por isto
o Senhor o matou.
11 Então Judá disse a Tamar, sua nora: "Permaneça viúva
na casa de seu pai, até que Selá, meu filho, seja adulto."
Porque pensou: "Para que este também não morra como
seus irmãos." Assim Tamar se foi e ficou na casa de seu
pai.
12 Depois de muitos dias, a filha de Sua e esposa de Judá
morreu; depois do luto, Judá foi aos tosquiadores das suas
ovelhas em Timna, ele e Hira, seu amigo, o adulamita.
13 E avisaram Tamar, dizendo: "O seu sogro foi a Timna,
para tosquiar as suas ovelhas."
14 Então ela tirou os vestidos de viúva e se cobriu com o
véu, e se sentou à entrada das duas fontes que ficavam no
caminho de Timna, porque ela viu que Selá já era adulto e
ela não lhe foi dada como esposa.
15 E quando Judá a viu, pensou que ela fosse uma prostituta, porque ela tinha coberto o seu rosto.
16 E se dirigiu a ela e disse: "Venha, deixe-me ter relações
com você." Ele não sabia que era sua nora. E ela perguntou: "O que você me dará para ter relações comigo?"
17 E ele respondeu: "Eu lhe enviarei um cabrito do meu
rebanho." E ela perguntou: "E me dará alguma coisa de
garantia até que o envie?"
18 Então ele disse: "O que você quer de garantia?" E ela
respondeu: "O seu selo, o seu lenço e o cajado que está
em sua mão." Então Judá teve relações com Tamar e ela
engravidou.
19 Ela se levantou e se foi, tirou o seu véu e vestiu os
vestidos de viúva.
20 E Judá enviou o cabrito pelas mãos do seu amigo, o
adulamita, e pediu para ele pegar as coisas que foram deixadas como garantia à mulher; porém ele não a encontrou.
21 Então perguntou aos homens daquele lugar: "Onde
está a prostituta que estava no caminho junto às duas
fontes?" E responderam: "Aqui não havia nenhuma
prostituta."
22 E Hira voltou a Judá e disse: "Não a encontrei; e os
homens daquele lugar me disseram que lá não havia nenhuma prostituta."
23 Então Judá disse: "Deixe-a ficar com as coisas que lhe
dei como garantia, para não passarmos vergonha; enviei
esse cabrito; mas você não a encontrou."
24 Então, quase três meses depois, avisaram Judá dizendo:

"Tamar, sua nora, adulterou, pois está grávida." Então Judá
disse: "Tragam-na para fora para que ela seja queimada."
25 E a trouxeram para fora, e ela mandou dizer a seu so-
gro: "Engravidei do homem que é dono destas coisas." E
ela disse mais: "Pergunte se ele reconhece de quem é este
selo, este lenço e este cajado."
26 Então Judá os reconheceu e disse: "Ela é mais justa do
que eu, porque não a dei a meu filho Selá." E Judá nunca
mais teve relações com ela.
27 E aconteceu que, quando ela foi dar à luz, havia gê-
meos em seu ventre;
28 e, durante o parto, um deles pôs a mão para fora, então
a parteira amarrou em sua mão um fio vermelho, dizendo:
"Este nasceu primeiro."
29 Mas ele recolheu a mão, e o seu irmão nasceu primei-
ro, então ela disse: "Você rompeu a saída." E lhe deram o
nome de Perez.
30 E depois nasceu o seu irmão que estava com o fio ver-
melho amarrado na mão, e lhe deram o nome de Zerá.

José na Casa de Potifar

39 José foi levado ao Egito e Potifar, eunuco do Faraó,
capitão da guarda, homem egípcio, o comprou dos
ismaelitas.
2 E o Senhor estava com José e ele foi próspero; e ficou na
casa do seu senhor egípcio.
3 Potifar viu que o Senhor estava com José e que tudo o
que ele fazia o Senhor fazia prosperar.
4 José foi bem aceito e o servia; então ele o fez como mor-
domo de sua casa e entregou nas mãos de José tudo o
que tinha.
5 Então, desde que o fez como mordomo para cuidar de
sua casa e de tudo o que tinha, o Senhor abençoou a casa
do egípcio por causa de José e a bênção do Senhor foi sobre
tudo o que tinha, na casa e no campo.
6 Potifar deixou tudo o que tinha nas mãos de José, e não
precisava se preocupar mais com nada, a não ser em se
alimentar. E José era bonito e forte.
7 E a mulher de Potifar sentiu desejos por José e disse:
"Deite-se comigo."
8 Porém ele recusou e disse à mulher: "O meu senhor não
precisa se preocupar com nada nesta casa e entregou em
minhas mãos tudo o que ele tinha;
9 ninguém está acima de mim nesta casa e não me proibiu
nada, exceto você, porque é sua esposa; como eu faria ta-
manha maldade e pecaria contra Deus?"
10 Então, ela falava com José todos os dias para ter rela-
ções com ela e ele não lhe dava ouvidos,
11 e, num certo dia, ele foi à casa para fazer os seus servi-
ços; e nenhum dos servos estava lá;
12 e ela o pegou pelas suas roupas, dizendo: "Deite-se co-
migo." E ele deixou as suas roupas nas mãos dela e fugiu.
13 Então, vendo que ele deixou as suas roupas e fugiu,
14 ela chamou os homens de sua casa e lhes falou: "Ve-
jam, meu marido trouxe um homem hebreu para nos in-
sultar; entrou para ter relações comigo e eu gritei,
15 então, ele, ouvindo que eu gritava, deixou as suas rou-
pas comigo e fugiu."
16 E ela ficou com as roupas de José perto de si, até que
Potifar retornou à sua casa.
17 Então ela lhe disse: "O servo hebreu que você nos trou-
xe, veio para me insultar;
18 então, eu gritei, e ele deixou as suas roupas comigo
e fugiu."
19 Assim, quando Potifar ouviu as palavras que sua mu-
lher falava, ficou irado.
20 E Potifar o pegou e o levou para a prisão, onde os pre-
sos do rei ficavam encarcerados; assim ficou na prisão.
21 O Senhor, porém, estava com José e com ele foi bondo-
so e ele foi bem recebido pelo carcereiro.
22 E o carcereiro entregou nas mãos de José todos os pre-
sos que estavam encarcerados ali, e ele controlava tudo o
que se fazia ali.
23 E o carcereiro não se preocupava com nada que estava
aos cuidados de José, porque o Senhor estava com ele e
tudo o que José realizava o Senhor fazia prosperar.

José Interpreta Sonhos na Prisão

40 E, depois dessas coisas, o copeiro o e o padeiro ofen-
deram o seu senhor, o rei do Egito.
2 E o Faraó se indignou muito contra os seus dois eunu-
cos, contra o copeiro e contra o padeiro.
3 E os entregou à prisão, na casa do capitão da guarda, no
lugar onde José estava preso.
4 E o capitão da guarda os colocou a cargo de José, para
que os servisse; assim ficaram muitos dias na prisão.
5 E os dois tiveram um sonho na mesma noite, cada um
conforme a interpretação do seu sonho.
6 E José veio a eles pela manhã e viu que estavam
perturbados.
7 Então perguntou aos eunucos do Faraó, que estavam
presos com ele, dizendo: "Por que estão tristes?"
8 E eles responderam: "Tivemos um sonho e não há nin-
guém que o interprete." E José perguntou: "Não são de
Deus as interpretações? Contem-me os sonhos."
9 E o copeiro contou o seu sonho a José e lhe disse: "Em
meu sonho havia uma videira diante de mim.
10 E na videira havia três brotos por onde saía a sua flor, e
os seus cachos produziam uvas maduras.
11 E o copo do Faraó estava na minha mão e eu pegava
as uvas e as espremia no seu copo, e dava em suas mãos."

12 Então José disse: Esta é a interpretação: "Os três brotos
são três dias;
13 dentro de três dias o Faraó o honrará e lhe devolverá
sua função e dará o copo do Faraó na sua mão, como quan-
do você era seu copeiro.
14 Porém, se lembre de mim quando estiver tudo bem
com você; tenha compaixão e fale de mim ao Faraó e me
tire desta prisão;
15 porque, na verdade, fui tirado da terra dos hebreus e
aqui não fiz nada para estar preso."
16 O padeiro, vendo que José tinha interpretado bem, dis-
se a ele: "Eu também sonhei, e vi que três cestos brancos
estavam sobre a minha cabeça;
17 e no cesto mais alto tinha todo tipo de comida feita
por padeiro, e as aves comiam no cesto, sobre a minha
cabeça."
18 Então José respondeu e disse: "Esta é a sua interpreta-
ção: Os três cestos são três dias;
19 dentro de três dias o Faraó tirará a sua cabeça e o pen-
durará num pau e as aves comerão a sua carne."
20 E aconteceu no terceiro dia, o dia do nascimento do
Faraó, que ele fez um banquete a todos os seus servos e
honrou o copeiro e condenou o padeiro diante dos seus
servos.
21 E o copeiro voltou ao seu ofício, e ele deu o copo na
mão do Faraó.
22 Mas enforcou o padeiro, como José havia interpretado.
23 Porém, o copeiro não se lembrou de José, e se esque-
ceu dele.

José Interpreta os Sonhos do Faraó

41 E, após dois anos, o Faraó sonhou que estava em
pé junto ao rio.
2 E saíram do rio sete vacas, bonitas e gordas, e pastavam
nos juncos.
3 E, atrás delas, saíam outras sete vacas, feias e magras;
que paravam junto às outras vacas à beira do rio.
4 E as vacas feias e magras comiam as sete vacas bonitas e
gordas. Então o Faraó acordou.
5 Depois dormiu e sonhou outra vez e viu que brotavam
de um mesmo pé sete espigas cheias e boas.
6 E que, depois delas, brotavam sete espigas miúdas e
queimadas pelo vento oriental.
7 E as espigas miúdas devoravam as sete espigas grandes
e cheias. Então o Faraó acordou e viu que era um sonho.
8 E pela manhã acordou com muita aflição, e chamou to-
dos os adivinhadores do Egito, e todos os seus sábios; e o
Faraó lhes contou os seus sonhos, mas não havia ninguém
que os interpretasse.
9 Então o copeiro falou ao Faraó: "Hoje me lembro de
algo.
10 Quando o Faraó estava muito indignado comigo e me
pôs na prisão, junto com o padeiro,
11 eu e o padeiro tivemos um sonho na mesma noite; so-
nhamos, cada um conforme a interpretação do seu sonho.
12 E estava lá conosco um jovem hebreu, servo do capitão
da guarda, e lhe contamos os nossos sonhos e ele os inter-
pretou, cada um conforme o seu sonho.
13 E aconteceu como ele os interpretou: fui reconduzido
ao meu cargo e ele foi enforcado."
14 Então o Faraó mandou chamar José e o tiraram logo do
cárcere; ele se barbeou e trocou de roupas e se apresentou
ao Faraó.
15 E o Faraó disse a José: "Eu tive um sonho e ninguém
consegue interpretá-lo; mas ouvi dizer que, quando você
ouve um sonho, o interpreta."
16 E José respondeu ao Faraó, dizendo: "Isso não está em
mim; Deus dará ao Faraó uma resposta favorável."
17 Então o Faraó disse a José: "Em meu sonho eu estava
em pé na margem do rio,
18 e saíam do rio sete vacas bonitas e gordas e pastavam
nos juncos.
19 E depois destas saíram outras sete vacas, feias e magras;
nunca vi vacas tão feias em toda a terra do Egito.
20 E as vacas magras e feias comiam as primeiras sete
vacas gordas;
21 as comiam, mas parecia que não as tinham comido;
porque continuavam feias e magras como no princípio.
Então acordei.
22 Depois vi em meu sonho que de um mesmo pé saíam
sete espigas cheias e boas;
23 e que, após elas, brotavam sete espigas secas, miúdas e
queimadas pelo vento oriental.
24 E as sete espigas miúdas devoravam as sete espigas
boas. E contei isso aos magos, mas não houve ninguém
que me interpretasse o sonho."
25 Então José disse ao Faraó: "O sonho do Faraó é um só;
Deus mostrou ao Faraó o que irá fazer.
26 As sete vacas gordas serão sete anos, as sete espigas
formosas também serão sete anos, o sonho é um só.
27 E as sete vacas magras, que saíram depois delas, serão
sete anos, e as sete espigas miúdas e queimadas pelo vento
oriental serão sete anos de fome.
28 Estas são as palavras que falo ao Faraó; Deus mostrou
ao Faraó o que irá fazer.
29 Haverá sete anos de grande fartura em toda a terra
do Egito.
30 E, depois deles, haverá sete anos de fome e será es-
quecida toda aquela fartura na terra do Egito e a fome
consumirá a terra;

31 e não será lembrada a abundância na terra, por causa
daquela fome que haverá depois; porque será gravíssima.
32 E como o sonho foi repetido duas vezes ao Faraó, é por-
que esta coisa é determinada por Deus, e Deus se apressa
em fazê-la.
33 Portanto, o Faraó deve escolher agora um homem en-
tendido e sábio para governar a terra do Egito.
34 O Faraó faça isso: Ponha governadores sobre a terra
e, nos sete anos de fartura, pegue a quinta parte do que
for produzido,
35 e juntem toda a comida desses bons anos e armazenem
o trigo sob a autoridade do Faraó, coloquem os mantimen-
tos nas cidades e os guardem.
36 Assim terá o mantimento para abastecer a terra, para os
sete anos de fome, que haverá na terra do Egito; para que
o povo não morra de fome."
37 E estas palavras foram bem aceitas pelo Faraó, e pelos
seus servos.

José Como Governador do Egito

38 E o Faraó perguntou aos seus servos: "Acharíamos um
homem como este que tenha o espírito de Deus?"
39 Depois o Faraó disse a José: "Já que Deus lhe mostrou
tudo isto, ninguém é tão qualificado como você.
40 Você administrará minha casa e governará todo o meu
povo, eu serei maior que você somente no trono."
41 E o Faraó disse mais a José: "Pus você no comando de
toda a terra do Egito."
42 E o Faraó tirou o anel da sua mão e o pôs na mão de
José e o vestiu de roupas de linho fino e pôs um colar de
ouro no seu pescoço.
43 E o fez subir no segundo carro que ele tinha e clama-
vam diante dele: "Ajoelhem." Assim o pôs sobre toda a
terra do Egito.
44 E o Faraó disse a José: "Eu sou o Faraó; mas sem a
sua ordem, ninguém fará nada em toda a terra do Egito."
45 E o Faraó chamou José de Zafenate-Paneia e lhe deu
por esposa Asenate, filha de Potífera, sacerdote de Om;
então José percorreu toda a terra do Egito.
46 José tinha trinta anos de idade quando se apresentou
ao Faraó, rei do Egito. E José saiu da presença do Faraó e
percorreu toda a terra do Egito.
47 E a terra produziu abundantemente nos sete anos de
fartura.
48 E ele juntou todo o mantimento dos sete anos pro-
duzido na terra do Egito e guardou nas cidades, guardou
também nas mesmas cidades os mantimentos produzidos
nos campos que estavam ao redor de cada cidade.
49 Assim José juntou muitíssimo trigo, como as areias do
mar, até que parou de contar; porque ultrapassava todas
as medidas.
50 E José teve dois filhos de Asenate, filha de Potífera,
sacerdote de Om, antes que viessem os anos de fome.
51 E José deu ao primogênito o nome de Manassés, por-
que disse: "Deus me fez esquecer de todo o meu sofrimen-
to, e de toda a casa de meu pai."
52 E ao segundo deu-lhe o nome de Efraim; porque disse:
"Deus me fez prosperar na terra da minha aflição."
53 Então se acabaram os sete anos de fartura que havia
na terra do Egito.
54 E começaram os sete anos de fome, como José tinha
falado, e havia fome em todos os lugares, mas em toda a
terra do Egito havia pão.
55 E quando o povo do Egito começou a sentir a fome,
pediu ao Faraó por pão; e o Faraó disse a todos os egípcios:
"Vão até José e façam o que ele lhes disser."
56 Enquanto toda a terra sofria pela fome, José abriu todos
os depósitos de mantimentos e vendeu aos egípcios; por-
que a fome aumentou na terra do Egito.
57 E povos de todos os lugares vinham ao Egito para com-
prar de José; porque a fome aumentou em toda a terra.

Os Irmãos de José Descem ao Egito

42 Então Jacó soube que havia mantimentos no Egito,
e perguntou a seus filhos: "Por que estão olhando
uns para os outros?"
2 Disse ainda: "Ouvi que há mantimentos no Egito; des-
çam até lá e comprem trigo para sobrevivermos."
3 Então os dez irmãos de José desceram para comprar
trigo no Egito.
4 Porém, Jacó não enviou Benjamim, irmão de José,
com os seus irmãos, para que não lhe acontecesse algum
desastre.
5 Assim, os israelitas foram ao Egito para comprar manti-
mentos, porque havia fome na terra de Canaã.
6 José era o governador do Egito; ele vendia a todos os
povos da terra e seus irmãos chegaram e se inclinaram a
ele, com o rosto em terra.
7 E quando José viu os seus irmãos, os reconheceu; porém
se mostrou indiferente a eles, e lhes falou asperamente e
perguntou: "De onde vocês vêm?" E eles responderam:
Da terra de Canaã, para comprarmos mantimentos.
8 José reconheceu os seus irmãos; mas eles não o
reconheceram.
9 Então José se lembrou dos sonhos que teve sobre eles e
lhes disse: "Vocês são espiões e vieram para ver os pontos
fracos da nossa terra."
10 E eles lhe disseram: "Não, meu senhor; seus servos
vieram comprar mantimentos.
11 Somos filhos de um mesmo homem; somos homens de
retidão; os seus servos não são espiões."

12 E José lhes disse: "Não; vieram antes para ver os pontos
fracos da nossa terra."
13 E eles disseram: "Nós, seus servos, somos doze irmãos,
filhos de um homem na terra de Canaã; o mais novo está
com nosso pai; mas um já não existe."
14 Então José lhes disse: "Estou dizendo; vocês são
espiões!
15 Serão postos à prova; pela vida do Faraó, não sairão
daqui até quando o irmão mais novo de vocês chegar.
16 Enviem um de vocês e traga seu irmão, mas vocês fi-
carão presos até que as suas palavras sejam provadas, se
estão falando a verdade; se não, pela vida do Faraó, vocês
são espiões."
17 E os pôs juntos, na prisão, durante três dias.
18 E no terceiro dia José lhes disse: "Façam isso e viverão;
porque eu temo a Deus.
19 Se vocês são homens de retidão, que fique preso um de
vocês; os demais poderão ir para casa, e levem mantimen-
tos para a fome de vocês,
20 e me tragam o seu irmão mais novo e suas palavras
serão provadas e não morrerão." E eles fizeram assim.
21 Então disseram uns aos outros: "Na verdade, somos
culpados pelo que fizemos com o nosso irmão José, porque
vimos a sua angústia, quando nos implorava; nós, porém,
não ouvimos, por isso veio sobre nós essa angústia."
22 E Rúben lhes respondeu: "Eu disse a vocês para não
tocarem no moço; mas vocês não ouviram; hoje o seu san-
gue nos é requerido."
23 E eles não sabiam que José os entendia, porque havia
intérprete entre eles.
24 E José se retirou e chorou. Depois voltou a eles e falou
tudo novamente; pegou Simeão do meio deles e o amar-
rou na presença dos seus irmãos.

Os Irmãos de José Voltam do Egito

25 E José ordenou que enchessem os seus sacos de trigo,
e que lhes devolvessem o dinheiro a cada um no seu saco
e lhes dessem comida para o caminho; e fizeram assim.
26 E carregaram o trigo sobre os seus jumentos e partiram
dali.
27 E um deles abriu o seu saco, para dar comida ao seu
jumento na estalagem, e viu o seu dinheiro; porque estava
na boca do saco.
28 E disse a seus irmãos: "Devolveram o meu dinheiro,
ele está aqui no saco." Então eles ficaram apavorados,
dizendo um ao outro: "O que é isto que Deus nos fez?"
29 E voltaram para a casa de seu pai Jacó, na terra de
Canaã e lhe contaram tudo o que lhes aconteceu, dizendo:
30 "O homem, o governador do Egito, falou conosco aspe-
ramente e nos tratou como espiões;
31 mas dissemos: Somos homens de retidão; não somos
espiões;
32 somos doze irmãos, filhos de nosso pai; um já não
existe mais e o mais novo está com nosso pai na terra de
Canaã.
33 E aquele homem, o governador, nos disse: 'Assim sabe-
rei se são homens de retidão; deixem comigo um de seus
irmãos e peguem mantimentos para amenizar a fome de
suas casas e partam,
34 e me tragam o irmão mais novo de vocês; assim saberei
que não são espiões, mas homens de retidão; então liber-
tarei o irmão de vocês e poderão negociar nesta terra.'"
35 Então, eles despejaram os seus sacos, e cada saco tinha
uma trouxinha com o dinheiro; então Jacó e seus filhos
viram o dinheiro e ficaram com medo.
36 Então Jacó disse: "Estão me deixando sem filhos; José
já não existe mais e Simeão não está aqui; agora levarão
Benjamim. Todas estas coisas acontecem contra mim."
37 Mas Rúben falou a seu pai: "Mate os meus dois filhos,
se eu não o trouxer de volta para você; entregue-o em
minhas mãos e eu o trarei de volta."
38 Jacó, porém, disse: "Meu filho não descerá ao Egito
com vocês; porque o seu irmão está morto e só ficou
Benjamim. Se lhe acontecer alguma coisa no caminho por
onde forem, morrerei de tristeza."

Os Irmãos de José Descem Outra Vez ao Egito

43 E a fome era gravíssima na terra.
2 Assim, como acabaram de comer o mantimento
que trouxeram do Egito, seu pai lhes disse: "Voltem e com-
prem mais um pouco de alimento."
3 Mas Judá respondeu: "Aquele homem nos advertiu ex-
pressamente dizendo: Vocês não verão o meu rosto se o
outro irmão não vier com vocês.
4 Se enviar conosco o nosso irmão, desceremos e compra-
remos alimento;
5 mas se não o enviar, não desceremos; porque aquele ho-
mem nos disse: 'Não verão o meu rosto, se o outro irmão
não vier com vocês.'"
6 E Israel perguntou: "Por que me fizeram tamanha mal-
dade, contando para aquele homem que vocês tinham
outro irmão?"
7 E eles responderam: "Aquele homem perguntou por nós
e pelos nossos parentes, dizendo: 'O pai de vocês ainda
vive? Vocês têm mais um irmão?' E lhe respondemos o
que nos perguntou. Como poderíamos saber que ele diria:
'Tragam o outro irmão de vocês?'"
8 Então Judá disse a Israel, seu pai: "Envie o jovem comi-
go, nos levantaremos e iremos, para vivermos e não mor-
rermos, nem nós, nem você, nem os nossos filhos.
9 Eu serei responsável por ele, da minha mão o requererá;

se eu não o trouxer e não o puser na sua frente, serei cul-
pado diante do senhor para sempre.
10 E se não tivesse nos impedido, certamente já estaría-
mos de volta pela segunda vez."
11 Então Israel, seu pai, disse: "Se é assim, façam isto;
peguem do mais precioso desta terra em seus vasos, e le-
vem de presente ao homem: Um pouco do bálsamo e um
pouco de mel, especiarias e mirra, pistache e amêndoas;
12 e levem dinheiro em dobro e devolvam o dinheiro que
voltou na boca dos seus sacos; isso pode ter sido um des-
cuido deles.
13 Peguem também Benjamim, e voltem àquele homem
no Egito;
14 e Deus, o Todo-Poderoso, lhes dê misericórdia diante
do homem, para que ele deixe voltar com vocês meus fi-
lhos Simeão e Benjamim; e, se eu perder os filhos, ficarei
sem eles."
15 E os homens pegaram os presentes, o dinheiro em
dobro e Benjamim; se levantaram e foram ao Egito e se
apresentaram diante de José.
16 Quando José viu Benjamim com eles, disse ao adminis-
trador da sua casa: "Leve estes homens para minha casa,
mate um animal e prepare tudo; porque estes homens co-
merão comigo ao meio-dia."
17 E o homem fez como José ordenou e os levou à casa
de José.
18 Então os irmãos de José sentiram medo, porque foram
levados à casa de José e diziam: "Por causa do dinheiro
que voltou nos nossos sacos, fomos trazidos aqui, para nos
incriminar e para nos fazer de escravos e também ficar
com nossos jumentos."
19 Por isso foram ao administrador da casa de José e fala-
ram com ele à porta da casa,
20 e disseram: "Meu senhor, certamente viemos antes
comprar mantimento;
21 então, quando chegamos à estalagem, abrimos os nos-
sos sacos, e o dinheiro, que cada um de nós tinha trazi-
do, estava na boca de nossos sacos, por isso, tornamos a
trazê-lo;
22 também trouxemos outro dinheiro, para comprar man-
timento; não sabemos quem colocou o nosso dinheiro de
volta nos nossos sacos."
23 E o homem disse: "Fiquem em paz, não tenham medo;
o seu Deus e o Deus do pai de vocês pôs um tesouro nos
seus sacos; o dinheiro de vocês chegou a mim." E lhes
trouxe Simeão para fora.
24 Depois levou os homens à casa de José, lhes deu água
e lavaram os seus pés; também deram comida aos seus
jumentos.
25 E prepararam o presente, para quando José viesse ao
meio-dia; porque tinham ouvido que comeriam com ele.
26 Quando José chegou à sua casa, lhe trouxeram o pre-
sente que tinham em suas mãos e se inclinaram a ele até
à terra.
27 E José perguntou como estavam e disse: "O pai de
vocês, o velho de quem falaram, está bem? Ainda vive?"
28 E eles responderam: "O seu servo está bem, nosso pai
ainda vive." E abaixaram a cabeça e se inclinaram.
29 E ele levantou os olhos e viu Benjamim, seu irmão,
filho de sua mãe, e perguntou: "Este é o irmão mais novo
de vocês de que me falaram?" Depois ele disse: "Deus lhe
dê a sua graça, meu filho."
30 E José se apressou, porque se comoveu por causa do
seu irmão e procurou um lugar para chorar; então entrou
em seu quarto e chorou.
31 Depois lavou o seu rosto e saiu; se conteve e disse:
"Sirvam a comida."
32 E serviram a comida a José à parte, e seus irmãos tam-
bém foram servidos à parte, e os egípcios que também
comiam com eles, também foram servidos à parte; porque
os egípcios não podem comer com os hebreus, porque é
abominação para os egípcios.
33 E se sentaram diante de José, por ordem de ida-
de; do mais velho ao mais novo, e os homens olhavam
impressionados.
34 E José lhes apresentou as porções que estavam diante
dele; porém a porção de Benjamim era cinco vezes maior
do que as porções dos outros. E eles beberam e se alegra-
ram com ele.

O Copo de José

44 E José deu ordem ao administrador da sua casa
dizendo: "Encha de mantimentos os sacos destes
homens o quanto puderem levar, e ponha o dinheiro de
cada um deles na boca do seu saco.
2 E ponha o meu copo de prata na boca do saco do mais
novo, junto com o dinheiro do seu trigo." E o administra-
dor fez conforme José ordenou.
3 Ao amanhecer, os homens partiram com os seus
jumentos.
4 E eles saíram da cidade e antes de tomar distância, José
disse ao administrador de sua casa: "Levante-se e persiga
aqueles homens; quando os alcançar, lhes pergunte: 'Por
que pagaram o bem com o mal?
5 Este não é o copo em que o meu senhor bebe, e o copo
que ele usa para fazer adivinhações? Agiram mal ao fazer
isso.'"
6 E os alcançou e lhes falou as mesmas palavras.
7 E eles perguntaram: "Por que meu senhor diz estas pala-
vras? Longe de nós, seus servos, de fazermos isto.

8 O dinheiro que achamos nas bocas dos nossos sacos, o
trouxemos da terra de Canaã; por que furtaríamos prata ou
ouro da casa do seu senhor?
9 Se algum de nós, seus servos, estiver com o copo, este
morrerá; e ainda seremos escravos do meu senhor."
10 E ele disse: "Seja conforme as suas palavras; aquele
com quem se achar será meu escravo, porém os outros
serão desculpados."
11 E eles se apressaram e cada um pôs em terra o seu
saco e o abriu.
12 E procuraram, começando pelo mais velho e acabando
no mais novo; e acharam o copo no saco de Benjamim.
13 Então rasgaram as suas roupas e carregaram novamen-
te cada um o seu saco no seu jumento e retornaram ao
Egito.
14 E Judá foi com os seus irmãos à casa de José, porque
ele ainda estava lá; e se prostraram diante dele em terra.
15 E José lhes perguntou: "O que é isto que fizeram?
Não sabem que um homem como eu pode, muito bem,
adivinhar?"

Judá Intercede por Benjamim

16 Então Judá disse: "O que diremos ao meu senhor? O
que falaremos? E como nos justificaremos? Deus mostrou
a nossa culpa; agora somos escravos do meu senhor, tanto
nós como aquele que estava com o copo."
17 Mas José disse: "Longe de mim fazer isso; o homem
com quem acharam o copo, será meu escravo; os demais
retornem em paz para a casa do seu pai."
18 Então Judá se aproximou de José e disse: "Meu senhor,
deixe este seu servo dizer algumas palavras para o meu
senhor e não fique irado contra este seu servo; porque o
senhor é como o Faraó.
19 O meu senhor perguntou a seus servos, dizendo: 'Vo-
cês têm pai, ou irmão?'
20 E respondemos ao meu senhor: 'Temos um velho pai
e um filho da sua velhice, o mais novo, cujo irmão está
morto; só ficou ele de sua mãe e seu pai o ama.'
21 Então o senhor disse a estes seus servos: 'Tragam-no
mim para que eu o veja.'
22 E nós dissemos a meu senhor: 'Aquele moço não pode-
rá deixar seu pai; se deixar seu pai, ele morrerá.'
23 Então disse a estes seus servos: 'Se o irmão mais novo
de vocês não vier, nunca mais verão o meu rosto.'
24 Então, fomos a meu pai e lhe contamos as palavras do
meu senhor,
25 e nosso pai disse: 'Voltem e nos comprem um pouco
de mantimento.'
26 E dissemos: 'Não podemos descer ao Egito; mas, se
nosso irmão mais novo for conosco, iremos; porém não
poderemos ver a face do homem se nosso irmão mais novo
não estiver conosco.'
27 Então seu servo, nosso pai, nos disse: 'Vocês sabem que
minha mulher me deu dois filhos;
28 e um se ausentou de mim e eu disse: Certamente foi
despedaçado e não o vi mais;
29 se agora também tirarem este de mim e lhe acontecer
algum desastre, morrerei de tristeza.'
30 Agora, quando eu voltar a seu servo, meu pai, e o moço
não for conosco, como a alma dele está ligada com a alma
do meu pai,
31 e ele vir que o moço não está conosco, morrerá; e fare-
mos o nosso pai morrer de tristeza.
32 Porque fiquei responsável por esse moço diante de
meu pai, dizendo: 'Se eu não o trouxer e não o puser na
sua frente, serei culpado diante do senhor para sempre.'
33 Agora, me faça escravo de meu senhor no lugar de
Benjamim e que ele volte com os seus irmãos.
34 Como voltarei a meu pai, se o moço não for comigo?
Para eu não ver o mal que abaterá ao meu pai."

José se Revela aos Seus Irmãos

45 Então, José não podia se conter diante de todos os
que estavam com ele, por isso ordenou: "Façam sair
daqui todos os homens"; assim ninguém ficou com ele,
quando José se deu a conhecer a seus irmãos.
2 E chorou alto, de maneira que os egípcios o ouviam e a
casa do Faraó também o ouviu.
3 E José disse a seus irmãos: "Eu sou José; meu pai ainda
vive?" E seus irmãos não lhe puderam responder, porque
ficaram pasmos diante dele.
4 E José disse a seus irmãos: "Cheguem perto de mim."
E se chegaram; então ele disse: "Eu sou José, irmão de
vocês, que vocês venderam ao Egito.
5 Agora, não fiquem tristes e aflitos por terem me vendido
para cá; porque, para conservação da vida, Deus me en-
viou na frente de vocês.
6 Porque já houve dois anos de fome na terra, e restam
ainda cinco anos em que não haverá lavoura nem colheita.
7 Deus me enviou na frente de vocês, para conservar a
vocês sucessão na terra e para os guardar em vida por um
grande livramento.
8 Então, não foram vocês que me enviaram para cá, mas
Deus, que me fez como pai do Faraó e senhor de toda
a sua casa e como governador em toda a terra do Egito.
9 Voltem depressa a meu pai e lhe digam: 'Assim disse
o seu filho José: Deus me fez senhor em toda a terra do
Egito; venha até mim e não demore;
10 e habite na terra de Gósen e fique perto de mim, você
e os seus filhos, os filhos dos seus filhos, as suas ovelhas,
as suas vacas e tudo o que tem.

11 E o sustentarei, porque ainda haverá cinco anos de
fome, para não perecer de pobreza, você e sua casa e tudo
o que tem.'
12 Vocês e meu irmão Benjamim estão vendo que sou eu
mesmo que estou falando.
13 E contem a meu pai toda a minha glória no Egito e tudo
o que vocês viram, se apressem e tragam meu pai para cá."
14 E José abraçou Benjamim seu irmão e chorou; e Benja-
mim também chorou ao seu pescoço.
15 E beijou todos os seus irmãos e chorou com eles; de-
pois seus irmãos falaram com ele.
16 E deram esta notícia ao Faraó: "Os irmãos de José
chegaram"; o Faraó e os seus servos viram isto com bons
olhos.

O Convite do Faraó

17 E o Faraó disse a José: "Fale a seus irmãos que carre-
guem os seus animais e voltem à terra de Canaã.
18 E venham para cá com o seu pai e suas famílias; e lhes
darei o melhor da terra do Egito e comerão da fartura da
terra.
19 Dê esta ordem aos seus irmãos: 'Pegue do Egito carros
para seus meninos, para suas mulheres, para o seu pai e
peça que voltem.'
20 E não tragam com vocês nenhum dos seus utensílios;
porque o melhor de todo o Egito será de vocês."
21 E os israelitas fizeram assim. E, conforme a ordem do
Faraó, José lhes deu carros e comida para a viagem.
22 E deu a cada um deles mudas de roupas; mas para
Benjamim deu trezentas peças de prata, e cinco mudas
de roupas.
23 E enviou a seu pai dez jumentos carregados do melhor
do Egito, e dez jumentos carregados de trigo, pão e comida
para a viagem.
24 E se despediu de seus irmãos dizendo: "Não discutam
pelo caminho."
25 E partiram do Egito e voltaram à terra de Canaã, para
Jacó, seu pai.
26 Então lhe disseram: "José está vivo e ele é o governador
de todo o Egito." E o seu coração quase parou, e ele não
acreditava.
27 Porém, eles lhe contaram todas as palavras que José ti-
nha falado e Jacó viu os carros que ele enviou para levá-lo,
e o espírito de Jacó reviveu.
28 Então Israel disse: "Basta; meu filho José está vivo; irei
e o verei antes que eu morra."

Jacó Desce ao Egito

46 E Israel partiu com tudo o que tinha e chegou a
Berseba, onde ofereceu sacrifícios ao Deus de seu
pai Isaque.
2 E Deus falou a Israel em visões de noite e disse: "Jacó,
Jacó!" E ele disse: "Eis-me aqui."
3 E disse: "Eu sou Deus, o Deus do seu pai; não tenha
medo de ir para o Egito, porque lá eu farei de você uma
grande nação.
4 Eu irei com você ao Egito e certamente o trarei de volta
e José fechará os seus olhos."
5 Então Jacó partiu de Berseba e foi levado pelos seus fi-
lhos junto com seus meninos e as suas mulheres, para os
carros que o Faraó enviou para os levar.
6 E pegaram o seu gado e os seus bens que tinham adqui-
rido na terra de Canaã e foram ao Egito, Jacó e toda a sua
descendência;
7 e levou com ele os seus filhos e filhas, e seus netos e
netas, e toda a sua descendência.
8 E estes são os nomes dos israelitas, que foram ao Egito,
Jacó e seus filhos: Rúben, o primogênito de Jacó.
9 E os filhos de Rúben: Enoque, Palu, Hezrom e Carmi.
10 Os filhos de Simeão: Jemuel, Jamim, Oade, Jaquim,
Zoar e Saul, filho de uma mulher cananeia.
11 E os filhos de Levi: Gérson, Coate e Merari.
12 Os filhos de Judá: Er, Onã, Selá, Perez e Zerá; Er e Onã
morreram na terra de Canaã e os filhos de Perez foram
Hezrom e Hamul.
13 E os filhos de Issacar: Tola, Puva, Jó e Sinrom.
14 E os filhos de Zebulom: Serede, Elom e Jaleel.
15 Estes são os filhos de Lia, que ela deu a Jacó em Padã-
-Arã, além de Diná, sua filha; ao todo, seus filhos e suas
filhas foram trinta e três.
16 E os filhos de Gade: Zifiom, Hagi, Suni, Esbom, Eri,
Arodi e Areli.
17 Os filhos de Aser: Imna, Isvá, Isvi, Berias e Será, irmã
deles; e os filhos de Berias: Héber e Malquiel.
18 Estes são os filhos de Zilpa, a qual Labão deu à sua filha
Lia; ela deu a Jacó dezesseis filhos.
19 Os filhos de Raquel, mulher de Jacó: José e Benjamim.
20 E a José nasceram, na terra do Egito, Manassés e
Efraim, que lhe deu Asenate, filha de Potífera, sacerdote
de Om.
21 E os filhos de Benjamim: Belá, Bequer, Asbel, Gera,
Naamã, Eí, Rôs, Mupim, Hupim e Arde.
22 Estes são os filhos de Raquel, que nasceram a Jacó, ao
todo quatorze filhos.
23 E o filho de Dã: Husim.
24 E os filhos de Naftali: Jazeel, Guni, Jezer e Silém.
25 Estes são os filhos de Bila, que Labão deu à sua filha
Raquel; e ela deu estes a Jacó, todos os filhos foram sete.
26 Todas as pessoas que foram com Jacó ao Egito, que
eram de seu sangue, sem as mulheres dos filhos de Jacó,
foram sessenta e seis pessoas.

27 E os filhos de José, que nasceram no Egito, foram dois.
Todas as pessoas da casa de Jacó, que foram ao Egito, eram
setenta.

O Encontro de Jacó e José

28 E Jacó enviou Judá à sua frente a José, para descobrir
o caminho para Gósen; então chegaram à terra de Gósen.
29 Então José aprontou o seu carro e foi ao encontro de
Israel, seu pai, em Gósen. E se apresentou, o abraçou e
chorou por muito tempo.
30 E Israel disse a José: "Posso morrer agora, porque o vi
novamente, e está vivo."
31 Depois José disse a seus irmãos e a todos: "Eu irei e
anunciarei ao Faraó que meus irmãos e a família do meu
pai, que estavam na terra de Canaã, vieram a mim!
32 E que os homens são pastores de ovelhas, e criadores
de gado e trouxeram com eles as suas ovelhas e as suas
vacas e tudo o que possuem.
33 Quando o Faraó os chamar e perguntar: 'Qual a pro-
fissão de vocês?'
34 Então vocês responderão: 'Seus servos são criadores de
gado desde a nossa mocidade até agora, tanto nós como
os nossos antepassados'; assim, poderão morar na terra
de Gósen, porque todos os pastores são abomináveis aos
egípcios."

A Recepção do Faraó

47 Então José veio e anunciou ao Faraó: "Meu pai e os
meus irmãos e as suas ovelhas e as suas vacas, com
tudo o que têm, chegaram da terra de Canaã, e estão na
terra de Gósen."
2 E chamou cinco de seus irmãos, e os apresentou ao
Faraó.
3 Então o Faraó perguntou aos irmãos de José: "Qual
é a profissão de vocês?" E eles responderam ao Faraó:
"Seus servos são pastores, tanto nós como os nossos
antepassados."
4 E disseram mais ao Faraó: "Viemos para morar nesta
terra; porque a fome é grave na terra de Canaã e não há
pasto para os rebanhos; agora lhe pedimos que deixe estes
seus servos morar na terra de Gósen."
5 Então o Faraó falou a José: "Seu pai e seus irmãos vieram
a você;
6 as terras do Egito estão à sua disposição; faça seu pai e
seus irmãos habitarem na melhor parte dela; morem na
terra de Gósen e se, entre eles, houver homens qualifica-
dos, os ponha como responsáveis pelo meu gado."
7 E José trouxe Jacó, seu pai, e o apresentou ao Faraó; e
Jacó abençoou o Faraó.
8 E o Faraó perguntou a Jacó: "Quantos anos o senhor
tem?"
9 E Jacó respondeu ao Faraó: "Tenho cento e trinta anos,
vivi mal e pouco, se comparado com meus pais."
10 E Jacó abençoou o Faraó e saiu da sua presença.
11 E José fez seu pai e seus irmãos se instalarem no Egito,
e lhes deu as melhores terras, na terra de Ramessés, como
o Faraó ordenou.
12 E José providenciou mantimento a seu pai e a seus
irmãos e a toda a casa de seu pai, segundo as suas famílias.

José Como Governador do Egito

13 E não havia mantimento em toda a terra, e a fome era
muito grave; e a terra do Egito e a terra de Canaã desfale-
ciam por causa da fome.
14 Então José recolheu todo o dinheiro que se encontrava
no Egito e em Canaã, pelo trigo que venderam; e levou à
casa do Faraó.
15 Quando acabou o dinheiro da terra do Egito, e da terra
de Canaã, todos os egípcios foram a José dizendo: "Dê-nos
alimento; porque vamos morrer na sua presença, o nosso
dinheiro acabou."
16 E José disse: "Se o dinheiro acabou, deem os seus ga-
dos e eu darei alimento pelos seus gados."
17 Então trouxeram o gado a José; assim, José lhes deu
alimento em troca de cavalos, ovelhas, vacas e jumentos; e
os alimentou aquele ano em troca de todo o gado.
18 E quando aquele ano acabou, vieram a ele no próximo
e lhe disseram: "Não esconderemos do meu senhor que o
dinheiro acabou; o meu senhor já possui os animais e não
nos restou nenhuma outra coisa diante de meu senhor,
senão o nosso corpo e a nossa terra;
19 por que morreremos diante do senhor, tanto nós como
a nossa terra? Compre a nós e a nossa terra por comida e
seremos escravos do Faraó; nos dê sementes para poder-
mos viver e não morrermos, para que a terra não fique
desolada."
20 Assim José comprou toda a terra do Egito para o Faraó,
porque os egípcios venderam cada um o seu campo, pois
a fome os castigava; assim a terra passou a ser propriedade
do Faraó.
21 E, quanto ao povo, José o escravizou em todo o Egito.
22 Só não comprou as terras dos sacerdotes, porque os
sacerdotes tinham uma cota de alimento do Faraó, e eles
comiam a sua cota que o Faraó lhes dava; por isso não
venderam as suas terras.
23 Então José disse ao povo: "Hoje comprei vocês e as
suas terras para o Faraó; aqui estão as sementes para vocês
semearem na terra.
24 Porém, darão a quinta parte das colheitas ao Faraó e as
outras quatro partes serão de vocês, para semente e man-
timento para vocês, para os de suas casas e também para
os seus filhos."

25 E disseram: "Salvou a nossa vida; fomos favorecidos, e
seremos escravos do Faraó."
26 José estabeleceu isso como regra, sobre a terra do
Egito, que o Faraó ficasse com a quinta parte da colheita;
somente as terras dos sacerdotes não se tornaram proprie-
dades do Faraó.
27 Assim Israel habitou na terra do Egito, em Gósen e
adquiriram propriedades, foram férteis e se multiplicaram
muito.
28 E Jacó viveu no Egito por dezessete anos, e Jacó viveu
ao todo cento e quarenta e sete anos.
29 E quando Israel estava para morrer, chamou José, o
seu filho, e disse: "Se tem consideração por mim, ponha
as suas mãos debaixo da minha coxa, e seja bondoso e
verdadeiro comigo; lhe peço que não me enterre no Egito,
30 mas me sepulte com os meus pais; por isso me leve do
Egito e me sepulte na sepultura deles." E José disse: "Farei
conforme me pediu."
31 E Jacó disse: "Jure." E José jurou; e Israel se inclinou
sobre a cabeceira da cama.

Jacó Adoece

48 Depois disso, alguém disse a José: "Seu pai está
doente." Então José pegou os seus dois filhos, Ma-
nassés e Efraim.
2 E alguém disse a Jacó: "José, seu filho, veio visitá-lo." E
Israel se esforçou e sentou sobre a cama.
3 E Jacó disse a José: "O Deus Todo-Poderoso me apareceu
em Luz, na terra de Canaã, e me abençoou.
4 E me disse: 'Farei você fértil e o multiplicarei, o tornarei
uma multidão de povos e darei esta terra à sua descendên-
cia em posse perpétua.'
5 Agora, os seus dois filhos, que nasceram na terra do Egi-
to, antes que eu viesse a você no Egito, são meus: Efraim e
Manassés serão meus, como Rúben e Simeão;
6 mas os descendentes deles serão seus; também recebe-
rão a minha herança como os meus filhos, os seus irmãos.
7 Quando eu vinha de Padã, Raquel morreu no caminho,
na terra de Canaã, quando estávamos quase chegando
em Efrata; e a sepultei ali, no caminho de Efrata, que é
Belém."
8 E Israel viu os filhos de José e perguntou: "Quem são
estes?"
9 E José respondeu a seu pai: "Eles são meus filhos, que
Deus me deu aqui." E ele disse: "Traga-os aqui, para os
abençoar."
10 Os olhos de Israel, porém, estavam fracos pela velhice,
e já não podia enxergar; então José os levou até ele, e Jacó
os beijou e os abraçou.

Jacó Abençoa José e Seus Filhos

11 E Israel disse a José: "Eu achei que não o veria mais;
mas Deus me fez ver também a sua descendência."
12 Então José os tirou dos joelhos de seu pai e se inclinou
em terra diante dele.
13 E José pegou seus filhos, Efraim na sua mão direita, e
à esquerda de Israel e Manassés na sua mão esquerda, à
direita de Israel e os levou ao seu pai.
14 Mas Israel estendeu a sua mão direita e a pôs sobre a
cabeça de Efraim, que era o mais novo, e a sua esquerda
sobre a cabeça de Manassés, dirigindo as suas mãos propo-
sitadamente, apesar de Manassés ser o primogênito.
15 E abençoou a José e disse: "O Deus, em cuja presença
andaram os meus pais Abraão e Isaque, o Deus que me
sustentou, desde que eu nasci até este dia;
16 o anjo que me livrou de todo o mal, abençoe estes
rapazes; e por meio deles sejam lembrados o meu nome,
e o nome de meus pais Abraão e Isaque e se multipliquem
em multidão na terra."
17 José, vendo que seu pai pôs a mão direita sobre a cabe-
ça de Efraim, não gostou; assim, pegou a mão de seu pai,
para a mudar de lugar, tirar a mão direita da cabeça de
Efraim e pôr na cabeça de Manassés.
18 E José disse: "Assim não, meu pai, porque este é o pri-
mogênito; coloque a sua mão direita sobre a cabeça dele."
19 Mas seu pai recusou e disse: "Eu sei, meu filho, eu
sei; ele também será um povo e ele também será grande;
contudo, o seu irmão mais novo será maior que ele e a sua
descendência será uma multidão de nações."
20 Assim, Jacó os abençoou naquele dia, dizendo: "Sejam
uma bênção em Israel e que digam: 'Deus lhe faça como
fez a Efraim e a Manassés.'" E Jacó pôs Efraim na frente
de Manassés.
21 Depois Israel disse a José: "Vou morrer, mas Deus será
com vocês e os fará voltar à terra de seus pais.
22 E dei a você um pedaço da terra a mais do que a seus
irmãos, a qual tomei, com a minha espada e com o meu
arco, das mãos dos amorreus."

Jacó Abençoa seus Filhos e Morre

49 Depois Jacó chamou seus filhos e disse: "Reúnam-
-se, que vou anunciar o que irá acontecer com vocês
nos dias que virão.
2 Juntem-se e ouçam, filhos de Jacó; ouçam a Israel, o
pai de vocês.
3 Rúben, você é meu primogênito, minha força e o prin-
cípio de meu vigor, o mais excelente em alteza e o mais
excelente em poder.
4 Impetuoso como a água, não será o mais excelente, por-
que subiu ao leito de seu pai e o profanou; você profanou
a minha cama.

5 Simeão e Levi são irmãos; as suas espadas são instrumen-
tos de violência.
6 No seu secreto conselho não entre minha alma, com a
sua congregação minha glória não se junte; porque no seu
furor mataram homens e na sua teimosia aleijaram bois.
7 Maldita seja a sua fúria, porém a sua ira era forte e cruel;
eu os dividirei em Jacó e os espalharei em Israel.
8 Judá, os seus irmãos o louvarão; a sua mão estará sobre
o pescoço dos seus inimigos; os filhos de seu pai se incli-
narão a você.
9 Judá é um leãozinho, voltou da presa, meu filho; se en-
curva e se deita como um leão e como um leão velho;
quem o despertará?
10 O cetro não se arredará de Judá, nem o legislador den-
tre seus pés, até que venha Siló; e a ele se congregarão
os povos.
11 Ele amarrará o seu jumentinho a uma videira e o filho
da sua jumenta à cepa mais excelente; ele lavará a sua
roupa no vinho e a sua capa em sangue de uvas.
12 Os seus olhos serão vermelhos de vinho e os seus den-
tes brancos de leite.
13 Zebulom habitará no porto dos mares e será como por-
to dos navios e as suas fronteiras se estenderão até Sidom.
14 Issacar é jumento de ossos fortes, deitado entre dois
fardos.
15 E ele viu que o descanso era bom e que a terra era de-
liciosa e abaixou seu ombro para a carga e serviu debaixo
de tributo.
16 Dã julgará o seu povo, como uma das tribos de Israel.
17 Dã será serpente junto ao caminho, uma víbora junto à
vereda, que morde os calcanhares dos cavalos e faz cair o
seu cavaleiro por trás.
18 A sua salvação espero, ó Senhor!
19 Quanto a Gade, uma tropa o acometerá; mas ele a ata-
cará por fim.
20 De Aser, o seu pão será abundante e ele dará delícias
reais.
21 Naftali é uma cerva solta; ele dá palavras formosas.
22 José é um ramo frutífero, ramo frutífero junto à fonte;
seus ramos correm sobre o muro.
23 Os flecheiros lhe deram amargura, o flecharam e
odiaram.
24 O seu arco, porém, se susteve forte e os seus braços fo-
ram fortalecidos pelas mãos do Valente de Jacó, pelo pastor
e a pedra de Israel.
25 Pelo Deus de seu pai, que o ajudará, e pelo Todo-Po-
deroso, que o abençoará com bênçãos dos altos céus, com
bênçãos do abismo que está embaixo, com bênçãos dos
seios e do ventre.
26 As bênçãos de seu pai excederão as bênçãos de meus
pais, até à extremidade dos outeiros eternos; elas estarão
sobre a cabeça de José e sobre o alto da cabeça de quem
foi separado de seus irmãos.
27 Benjamim é lobo que despedaça; pela manhã comerá a
presa e à tarde repartirá o despojo."
28 Estas são as doze tribos de Israel; e isto é o que seu pai
lhes falou quando os abençoou; abençoou cada um deles
segundo a sua bênção.
29 Depois Jacó lhes ordenou e disse: "Vou me reunir ao
meu povo; me sepultem com meus pais, na cova que está
no campo de Efrom, o heteu,
30 na cova que está no campo de Macpela, que está em
frente de Manre, na terra de Canaã, que Abraão com-
prou com aquele campo de Efrom, o heteu, para servir
de sepultura.
31 E sepultaram ali Abraão e Sara, sua mulher; Isaque e
Rebeca, a sua mulher; e eu sepultei Lia.
32 O campo e a cova que está nele foram comprados dos
filhos de Hete."
33 Jacó, acabando de dar instruções a seus filhos, enco-
lheu os pés na cama e morreu, e foi reunido ao seu povo.

O Luto por Jacó

50 Então José se lançou sobre o rosto de seu pai e cho-
rou sobre ele e o beijou.
2 E José ordenou que os médicos embalsamassem seu pai;
então os médicos embalsamaram Israel.
3 E se passaram quarenta dias; porque este era o tempo
que se levava para embalsamar; e os egípcios o choraram
por setenta dias.
4 Passados os dias de seu luto, José falou à casa do Faraó:
"Se puderem ser bondosos comigo, peço que falem aos
ouvidos do Faraó, e digam:
5 'Meu pai me fez jurar dizendo: Vou morrer; me sepul-
tem no túmulo que cavei para mim na terra de Canaã.
Agora, lhe peço, me deixe ir para sepultar o meu pai; de-
pois voltarei.'"
6 E o Faraó disse: "Vá e sepulte seu pai como ele o fez
jurar."
7 E José foi sepultar seu pai; também foram com ele todos
os servos do Faraó, os anciãos da sua casa e todos os an-
ciãos da terra do Egito.
8 Também foram toda a casa de José, seus irmãos, e a
casa de seu pai; e deixaram na terra de Gósen somente as
crianças, as suas ovelhas e as suas vacas.
9 E foram com ele carruagens e cavaleiros; e o cortejo foi
grandíssimo.
10 Chegando à eira de Atade, que fica do outro lado do
Jordão, lamentaram a morte de Jacó com grande tristeza;
e fizeram uma grande lamentação a seu pai por sete dias.
11 E os moradores locais, os cananeus, vendo o luto na

eira de Atade, disseram: "Este é o grande luto dos egíp-
cios." Por isso deram o nome àquele lugar de Abel-Mi-
zraim, que está além do Jordão.
12 E os filhos de Jacó fizeram como ele ordenou.
13 Pois os seus filhos o levaram à terra de Canaã e o se-
pultaram na cova do campo de Macpela, que Abraão tinha
comprado de Efrom, o heteu, para servir de sepultura, em
frente de Manre.
14 Depois que sepultou seu pai, José voltou para o Egi-
to, ele e seus irmãos e todos os que foram com ele para
sepultar seu pai.

José Anima seus Irmãos

15 Então os irmãos de José, vendo que seu pai estava mor-
to, disseram: "José irá nos odiar e certamente nos retribui-
rá todo o mal que lhe fizemos."
16 Portanto mandaram dizer a José: "Seu pai ordenou an-
tes da sua morte, dizendo:
17 'Assim dirão a José: Perdoe a transgressão de seus ir-
mãos, e o seu pecado, porque lhe fizeram mal;' agora, lhe
pedimos que perdoe a transgressão dos servos do Deus de
seu pai." E José chorou quando eles lhe falavam.
18 Depois vieram também seus irmãos e se prostraram
diante dele, dizendo: "Estamos aqui para ser seus servos."
19 E José lhes disse: "Não tenham medo; estou no lugar
de Deus?
20 Vocês cometeram o mal contra mim; porém Deus o
transformou em bem, para fazer como estão vendo hoje,
para conservar a vida de muita gente.
21 Agora, não tenham medo; eu sustentarei vocês e seus fi-
lhos." Assim José os consolou e lhes falou carinhosamente.

A Morte de José

22 E José morou no Egito, ele e a casa de seu pai; José
viveu cento e dez anos.
23 E José viu os filhos de Efraim, da terceira geração; tam-
bém viu os filhos de Maquir, filho de Manassés.
24 E José disse aos seus irmãos: "Vou morrer; mas Deus
certamente os visitará e os fará ir à terra que jurou a
Abraão, a Isaque e a Jacó."
25 E José fez os israelitas jurarem, dizendo: "Certamente
Deus os visitará e levem os meus ossos daqui."
26 E José morreu com cento e dez anos de idade, então o
embalsamaram e o puseram num caixão no Egito.

O SEGUNDO LIVRO DE MOISÉS CHAMADO

ÊXODO

A Descendência de Jacó no Egito

1 Estes são os nomes dos israelitas, que entraram no Egito
com Jacó; cada um entrou com as suas famílias:
2 Rúben, Simeão, Levi e Judá;
3 Issacar, Zebulom e Benjamim;
4 Dã e Naftali, Gade e Aser.
5 Todas as pessoas, que tinham o sangue de Jacó, foram
setenta; José, porém, estava no Egito.
6 José morreu, e também morreram todos os seus irmãos
e toda aquela geração.
7 E os israelitas foram férteis, aumentaram muito e se
multiplicaram; assim, foram fortalecidos grandemente; e
a terra se encheu deles.

A Escravidão no Egito

8 E surgiu um novo rei sobre o Egito, que não conheceu
José;
9 e ele disse ao seu povo: "O povo israelita é mais nume-
roso e poderoso do que nós.
10 Precisamos agir com sabedoria com eles, para que não
se multipliquem e, quando chegar a guerra, se juntem
com os nossos inimigos e lutem contra nós e saiam da
terra."
11 E puseram encarregados para fiscalizar os seus traba-
lhos, tornando o trabalho mais exaustivo. E construíram
para o Faraó as duas cidades-armazéns, Pitom e Ramessés.
12 Mas, quanto mais os afligiam, mais se multiplicavam e
cresciam; e os egípcios se incomodavam com os israelitas.
13 E os egípcios faziam os israelitas servirem com dureza;
14 assim, lhes amargaram a vida com dura servidão,
amassando barro e fazendo tijolos, além de todo o tra-
balho no campo, e de outros serviços que os obrigavam a
fazer com dureza.
15 E o rei do Egito falou às parteiras das hebreias, Sifrá
e Puá,
16 e disse: "Quando ajudarem as hebreias no parto e vi-
rem que é menino, matem-no; mas se for menina, deixem
viver."
17 Porém, as parteiras temeram a Deus e não fizeram o
que o rei do Egito lhes ordenou, e deixavam os meninos
viverem.
18 Então o rei do Egito chamou as parteiras e perguntou:
"Por que estão deixando os meninos com vida?"
19 E as parteiras responderam ao Faraó: "As mulheres

hebreias não são como as egípcias; elas são fortes e dão à
luz antes que as parteiras cheguem."
20 Assim, Deus foi bondoso com as parteiras. E o povo
aumentou e se fortaleceu ainda mais.
21 Então, como as parteiras temeram a Deus, ele lhes deu
descendentes.
22 Então o Faraó ordenou a todo o seu povo, dizendo:
"Joguem no rio todos os meninos que lhes nascerem, mas
deixem viver todas as meninas."

O Nascimento de Moisés

2 E um homem da casa de Levi se casou com uma mu-
lher da mesma tribo.
2 E a mulher engravidou e deu à luz um filho e, vendo
que ele era bonito, o escondeu por três meses.
3 Não podendo mais escondê-lo, pegou um cesto de jun-
cos e o revestiu com betume e piche, e pôs nele o menino,
e colocou o cesto nos juncos à margem do rio.
4 E a irmã do menino ficou olhando de longe, para saber
o que iria acontecer.
5 E a filha do Faraó desceu para se banhar no rio, e as suas
servas passeavam pela margem; então ela viu o cesto no
meio dos juncos e mandou a sua serva ir pegá-lo.
6 E, quando abriu o cesto, viu que nele havia um menino
e ele chorava; e ela se encheu de compaixão e disse: "Este
é um menino hebreu."
7 Então, a irmã do menino, que observava de longe, se
aproximou e perguntou à filha do Faraó: "Quer que eu
chame uma mulher hebreia para servir de ama, e criar
este menino para você?"
8 E a filha do Faraó respondeu: "Chame"; e a moça foi e
chamou a mãe do menino.
9 Então a filha do Faraó disse: "Leve este menino e o crie
para mim, e eu lhe pagarei um salário." E a mulher pegou
o menino e o criou.
10 E, quando o menino já era grande, ela o levou à filha
do Faraó, e esta o adotou e lhe deu o nome de Moisés,
porque disse: "Tirei-o das águas."

Moisés Foge do Egito

11 Moisés se tornou um homem e saiu para ver os seus
irmãos, e viu os trabalhos pesados que eles faziam, e viu
um egípcio ferindo um hebreu, homem de seus irmãos.
12 Então olhou para os lados, viu que não havia ninguém
ali; matou o egípcio e o escondeu na areia.
13 E, no dia seguinte, voltou a sair e viu dois homens
hebreus brigando; então perguntou ao agressor: "Por que
fere seu próximo?"
14 E ele respondeu: "Quem colocou você como nosso
chefe e juiz? Vai me matar, como matou o egípcio?" Então
Moisés ficou com medo e disse: "Já estão sabendo."
15 Quando o Faraó ouviu esse caso, tentou matar Moisés;
mas Moisés fugiu e foi morar na terra de Midiã; e, quando
chegou, se sentou junto a um poço.
16 O sacerdote de Midiã tinha sete filhas, e elas foram
tirar água para encher os bebedouros e dar de beber ao
rebanho de seu pai.
17 Então, os pastores as expulsaram dali; Moisés, porém,
se levantou e as defendeu, e deu água ao rebanho.
18 E, quando elas voltaram a Reuel, seu pai perguntou:
"Por que voltaram tão depressa hoje?"
19 E elas responderam: "Um homem egípcio nos livrou
das mãos dos pastores e também nos tirou bastante água
e deu ao rebanho."
20 E Reuel perguntou: "E onde ele está? Por que deixa-
ram o homem no poço? Chamem-no para comer pão."
21 E Moisés concordou em ir morar com Reuel; depois
ele deu a Moisés a sua filha Zípora,
22 e ela deu à luz um filho, e ele lhe deu o nome de
Gérson, porque disse: "Fui peregrino em terra estranha."
23 E, após algum tempo, o rei do Egito morreu, e os israe-
litas sofriam por causa da escravidão, e clamaram a Deus
e foram ouvidos.
24 E Deus viu como sofriam e se lembrou da sua aliança
com Abraão, com Isaque e com Jacó;
25 e Deus olhou com atenção as condições dos israelitas.

Moisés e a Sarça Ardente

3 Moisés cuidava do rebanho de Jetro, o seu sogro, sacer-
dote em Midiã; e levou o rebanho para o outro lado do
deserto, e chegou ao monte de Deus, em Horebe.
2 E o anjo do Senhor apareceu em uma chama de fogo
no meio de uma sarça; então Moisés olhou e notou que a
sarça estava em chamas, mas não se consumia.
3 E Moisés disse: "É impressionante, vou até lá ver por
que a sarça não se queima."
4 E o Senhor viu que ele se aproximava, então Deus o
chamou do meio da sarça e disse: "Moisés, Moisés." Ele
respondeu: "Eis-me aqui."
5 E Deus disse: "Não se aproxime; tire as sandálias de
seus pés, porque o lugar em que você está é terra santa."
6 E Deus continuou dizendo: "Eu sou o Deus de seu pai,
o Deus de Abraão, o Deus de Isaque e o Deus de Jacó." E
Moisés cobriu o rosto, porque sentiu medo de olhar para
Deus.
7 E o Senhor disse: "Vi com atenção a aflição do meu povo
que está no Egito e ouvi o seu clamor por causa dos seus
opressores, e conheci as suas dores.
8 Portanto, desci para livrá-los das mãos dos egípcios, e
para fazê-los sair daquela terra e ir para uma terra boa e
vasta, para uma terra que mana leite e mel; a terra dos
cananeus, dos heteus, dos amorreus, dos ferezeus, dos
heveus e dos jebuseus.

9 E o clamor dos israelitas chegou a mim e vi que os egíp-
cios os oprimem com violência.
10 Vá agora, porque eu o enviarei ao Faraó para você tirar
do Egito o meu povo, os israelitas."
11 Então Moisés perguntou a Deus: "Quem sou eu para ir
ao Faraó e tirar do Egito os israelitas?"
12 E Deus respondeu: "Certamente eu estarei com você
e esta será a prova de que eu o enviei: Quando tirar esse
povo do Egito, servirão a Deus neste monte."
13 Então Moisés disse a Deus: "Quando eu for aos is-
raelitas e lhes disser: 'O Deus de seus pais me enviou a
vocês', e eles me perguntarem: 'Qual é o nome dele?' O
que lhes direi?"
14 E Deus disse a Moisés: "Eu sou o que sou; diga aos
israelitas: 'O eu sou me enviou a vocês.'"
15 E Deus continuou dizendo a Moisés: "Diga aos israe-
litas: 'O Senhor Deus de seus pais, Deus de Abraão, Deus
de Isaque e Deus de Jacó me enviou a vocês; este é o
meu nome eternamente, e assim se lembrarão de mim, de
geração em geração.'
16 Vá, junte os anciãos de Israel e lhes diga: 'O Senhor
Deus de seus pais, o Deus de Abraão, de Isaque e de Jacó
me apareceu dizendo: Certamente os visitei e vi o que é
feito a vocês no Egito.'
17 Portanto eu disse: Eu os farei sair da aflição do Egito
e irem para as terras dos cananeus, dos heteus, dos amor-
reus, dos ferezeus, dos heveus e dos jebuseus, para uma
terra que mana leite e mel.
18 E ouvirão a sua voz; então você irá com os anciãos
de Israel ao rei do Egito, e lhe dirão: 'O Senhor Deus dos
hebreus nos encontrou. Agora, nos deixe ir em uma cami-
nhada de três dias no deserto, para oferecermos sacrifício
ao Senhor nosso Deus.'
19 Eu sei que o rei do Egito não deixará vocês irem, se
não for obrigado por uma mão forte.
20 Então eu estenderei a minha mão e ferirei o Egito com
todas as maravilhas que farei no meio deles; depois disso,
ele deixará vocês irem.
21 E farei os egípcios serem generosos; então, quando
saírem, não sairão de mãos vazias,
22 porque cada mulher pedirá à sua vizinha e à sua hóspe-
de vasos de prata, vasos de ouro e roupas para seus filhos
e suas filhas; assim despojarão os egípcios."

Os Milagres de Moisés

4 Então Moisés respondeu: "Mas eles não vão acreditar
em mim, nem ouvirão a minha voz, porque dirão: 'O
Senhor não lhe apareceu.'"
2 E o Senhor lhe perguntou: "O que é isso na sua mão?"
Ele respondeu: "Uma vara."
3 E Deus disse: "Jogue-a no chão." E a jogou no chão, e a
vara se transformou em uma cobra, e Moisés fugiu dela.
4 Então o Senhor disse a Moisés: "Estenda a sua mão e
pegue-a pela cauda." E Moisés estendeu a mão, e a pegou
pela cauda, então ela se transformou em uma vara em
sua mão.
5 E Deus disse: "Isto é para eles crerem que o Senhor
Deus de seus pais lhe apareceu, o Deus de Abraão, o Deus
de Isaque e o Deus de Jacó."
6 E o Senhor disse ainda: "Agora ponha a sua mão no
peito"; e quando tirou a mão, viu que ela estava leprosa e
branca como a neve.
7 Então o Senhor disse: "Ponha a sua mão no peito no-
vamente." E Moisés tornou a pôr a mão no peito; depois
tirou-a do peito e viu que sua mão estava sem lepra.
8 "Assim, se eles não acreditarem em você, nem acre-
ditarem na evidência do primeiro sinal, acreditarão na
evidência do segundo;
9 e, se ainda não acreditarem nestes dois sinais, nem ouvi-
rem a sua voz, pegue água do rio e derrame na terra seca;
então a água se transformará em sangue."
10 Então Moisés disse ao Senhor: "Ah, meu Senhor! Eu
nunca tive facilidade em me expressar; porque não con-
sigo falar bem."
11 E o Senhor perguntou: "Quem fez a boca do homem?
Ou quem fez o mudo, o surdo, o que vê, ou o cego? Não
fui eu, o Senhor?
12 Vá agora, e eu vou pôr as palavras em sua boca, e lhe
ensinarei o que falar."
13 Ele, porém, disse: "Ah, meu Senhor! Envia outra pes-
soa que saiba falar bem em meu lugar."
14 Então o Senhor se irou contra Moisés e disse: "Arão,
o levita, não é seu irmão? Eu sei que ele fala muito bem;
vou mandar vir ao seu encontro; e quando você o vir, se
alegrará.
15 E você falará a ele e porá as palavras em sua boca; e eu
vou pôr as palavras em sua boca e na dele, e lhes ensinarei
o que farão.
16 E ele falará ao povo por você; Arão será a sua boca e
você será como Deus para ele.
17 Pegue esta vara, e com ela fará os sinais."

Moisés Volta para o Egito

18 Então Moisés voltou para Jetro, seu sogro, e lhe disse:
"Eu irei agora para o Egito, para ver se meus irmãos ainda
vivem." E Jetro respondeu a Moisés: "Vá em paz."
19 O Senhor disse a Moisés em Midiã: "Volte para o Egi-
to; porque todos os que queriam matá-lo já morreram."
20 Então Moisés pegou a sua mulher e os seus filhos e
os levou em um jumento para a terra do Egito; e Moisés
levou a vara de Deus na sua mão.

21 E o Senhor disse a Moisés: "Quando chegar no Egito, faça diante do Faraó todas as maravilhas que lhe ensinei; mas eu endurecerei o coração dele, e ele não deixará o povo ir."

22 Então diga ao Faraó: "Assim diz o Senhor: Israel é meu filho, o meu primogênito."

23 E que eu lhe disse: "Deixe o meu filho ir para me adorar; mas se você recusar deixá-lo ir, eu matarei o seu filho primogênito."

24 E no caminho, numa estalagem, o Senhor encontrou Moisés e quis matá-lo.

25 Então Zípora pegou uma pedra aguda e circuncidou o prepúcio de seu filho, e o lançou aos pés de Moisés, e disse: "Você é para mim um esposo de sangue."

26 Então, o Senhor o deixou e ela disse: "Esposo de sangue, por causa da circuncisão."

27 E o Senhor disse a Arão: "Vá ao deserto, ao encontro de Moisés." E ele foi e o encontrou no monte de Deus, e o beijou.

28 E Moisés relatou a Arão todas as palavras que o Senhor o enviou para dizer, e fez todos os sinais.

29 Então Moisés e Arão reuniram todos os anciãos dos israelitas.

30 E Arão falou todas as palavras que o Senhor tinha dito a Moisés e ele fez os sinais perante o povo.

31 E eles creram; e quando ouviram que o Senhor visitou os israelitas, e que conhecia a sua aflição, se inclinaram e adoraram.

Moisés e Arão Falam com o Faraó

5 E, depois, Moisés e Arão foram ao Faraó e disseram: "Assim diz o Senhor, o Deus de Israel: 'Deixe o meu povo ir, para me celebrar uma festa no deserto.'"

2 Mas o Faraó respondeu: "Quem é o Senhor, para que eu obedeça, para deixar Israel ir? Não conheço o Senhor e nem deixarei Israel ir."

3 E eles disseram: "O Deus dos hebreus nos encontrou; portanto, nos deixe ir a uma distância de três dias ao deserto, para oferecermos sacrifícios ao Senhor nosso Deus, para ele não vir sobre nós com pragas ou com espada."

4 Então o rei do Egito lhes disse: "Moisés e Arão, por que fazem o povo interromper o serviço que estavam fazendo? Voltem ao trabalho!"

5 E o Faraó disse: "O povo já é bastante numeroso, e vocês os fazem abandonarem as suas obrigações."

6 E, naquele mesmo dia, o Faraó deu ordem aos encarregados de fiscalizar o povo e aos seus oficiais, dizendo:

7 "Daqui por diante não darão mais palhas ao povo para fazerem os tijolos como vocês faziam antes: Eles mesmos irão colher as palhas.

8 E os obriguem a fazer as mesmas quantidades de tijolos que faziam antes; não diminuam nada delas, porque eles estão ociosos; por isso eles clamam dizendo: Vamos oferecer sacrifícios ao nosso Deus.

9 Sobrecarreguem esses homens de serviços, para ficarem ocupados, e não acreditarem em palavras mentirosas."

10 Então os encarregados de fiscalizar e seus oficiais saíram, e falaram ao povo: "O Faraó mandou dizer para não lhes darmos mais palhas;

11 vão vocês mesmos e peguem as palhas onde acharem; e terão que produzir as mesmas quantidades de tijolos."

12 Então o povo se espalhou por toda a terra do Egito, para recolher restolhos em lugar de palhas.

13 E os encarregados os pressionavam, dizendo: "Acabem o trabalho de vocês, a quantidade de cada dia, como quando havia palha."

14 E os capatazes israelitas, indicados pelos oficiais do Faraó, foram açoitados, ouvindo: "Por que não acabaram a tarefa de vocês, fazendo tijolos como antes?"

15 Por isso, os capatazes israelitas foram e clamaram ao Faraó, dizendo: "Por que faz isto aos seus servos?

16 Não nos dão palhas e nos mandam fazer tijolos nas mesmas quantidades que antes; além disso, somos açoitados; porém, o seu próprio povo é quem tem culpa."

17 Mas o Faraó disse: "Vocês estão ociosos; vocês estão ociosos; por isso dizem: 'Vamos oferecer sacrifícios ao Senhor.'

18 Agora vão e trabalhem; não lhes darão palhas; contudo, terão que dar conta dos tijolos."

19 Então os oficiais israelitas ficaram aflitos, porque ouviam: "Não diminuirão as quantidades diárias dos tijolos que terão que fazer."

20 E encontraram Moisés e Arão, que estavam à frente deles, quando saíram do Faraó.

21 E lhes disseram: "Que o Senhor olhe para vocês e os julgue, porque fizeram o Faraó e os seus servos nos odiarem, lhes deram uma espada nas mãos para nos matarem."

22 Então Moisés voltou ao Senhor e disse: "Senhor! Por que fizeste mal a este povo? Por que me enviaste?

23 Porque desde que me apresentei ao Faraó para falar em teu nome, ele maltratou este povo, e de maneira nenhuma livrou o teu povo!"

Deus Promete Livrar os Israelitas

6 Então o Senhor disse a Moisés: "Agora verá o que farei ao Faraó; pois por minha mão poderosa os deixará ir, e por minha mão poderosa o Faraó os expulsará da sua terra."

2 E Deus disse a Moisés: "Eu sou o Senhor.

3 Eu apareci a Abraão, a Isaque e a Jacó como o Deus

Todo-Poderoso; mas pelo meu nome, o Senhor, não lhes
fui apresentado.
4 E estabeleci a minha aliança com eles, para dar-lhes a
terra de Canaã, a terra de suas peregrinações.
5 E vi o sofrimento dos israelitas que os egípcios fizeram
como escravos, e me lembrei da minha aliança.
6 Portanto, diga aos israelitas: 'Eu sou o Senhor, e os ti-
rarei do trabalho forçado pelos egípcios, e os livrarei da
escravidão, e os resgatarei com braço forte, e com grandes
juízos.
7 E os farei meu povo e serei o seu Deus; assim, saberão
que eu sou o Senhor seu Deus, que os tira do trabalho
forçado pelos egípcios;
8 e os levarei à terra que jurei que daria a Abraão, a Isaque
e a Jacó. Eu, o Senhor, a darei a vocês como herança.'"
9 Moisés falou isto aos israelitas, mas eles não ouviram,
porque estavam angustiados com a dura escravidão.
10 Então o Senhor disse a Moisés:
11 "Vá e diga ao Faraó, rei do Egito, que deixe os israelitas
saírem da sua terra."
12 Então Moisés falou ao Senhor: "Os israelitas não me
ouvem; como o Faraó me ouvirá? Pois eu não sei falar
bem."
13 Então o Senhor falou a Moisés e a Arão, e lhes deu
uma ordem para os israelitas, e para o Faraó rei do Egito,
para tirarem os israelitas da terra do Egito.

Genealogia de Rúben, Simeão e Levi

14 Estes são os chefes das famílias: Os filhos de Rúben,
o primogênito de Israel: Enoque e Palu, Hezrom e Carmi;
estas são as famílias de Rúben.
15 E os filhos de Simeão: Jemuel, Jamim, Oade, Jaquim,
Zoar e Saul, filho de uma cananeia; estas são as famílias
de Simeão.
16 E estes são os nomes dos filhos de Levi, segundo as
suas gerações: Gérson, Coate e Merari; e Levi viveu, ao
todo, cento e trinta e sete anos.
17 Os filhos de Gérson: Libni e Simei, segundo as suas
famílias;
18 e os filhos de Coate: Anrão, Isar, Hebrom e Uziel; e
Coate viveu, ao todo, cento e trinta e três anos.
19 E os filhos de Merari: Mali e Musi; estas são as famílias
de Levi, segundo as suas gerações.
20 E Anrão se casou com sua tia Joquebede, e ela lhe deu
Arão e Moisés: E Anrão viveu, ao todo, cento e trinta e
sete anos.
21 E os filhos de Isar: Corá, Nefegue e Zicri.
22 E os filhos de Uziel: Misael, Elzafã e Sitri.
23 E Arão se casou com Eliseba, filha de Aminadabe, irmã
de Naassom, e ela lhe deu Nadabe, Abiú, Eleazar e Itamar.
24 E os filhos de Corá: Assir, Elcana e Abiasafe; estas são
as famílias dos coraítas.
25 E Eleazar, filho de Arão, se casou com uma das filhas
de Putiel, e ela lhe deu Fineias; estes são os chefes das
famílias dos levitas, segundo as suas famílias.
26 Estes são Arão e Moisés, aos quais o Senhor disse:
"Tirem os israelitas da terra do Egito, segundo os seus
exércitos."
27 Moisés e Arão foram os que falaram ao Faraó, rei do
Egito, para tirarem os israelitas de lá.

Deus Manda Moisés Falar com o Faraó

28 Então, naquele dia, quando o Senhor falou a Moisés
na terra do Egito,
29 ele disse: "Eu sou o Senhor; diga ao Faraó, rei do Egito,
tudo que eu lhe digo."
30 E Moisés respondeu ao Senhor: "Não sei falar bem;
como o Faraó me dará ouvidos?"
7 Então o Senhor disse a Moisés: "Coloquei você como
Deus sobre o Faraó, e Arão, seu irmão, será o seu
profeta.
2 Você falará a Arão tudo o que eu lhe mandar, e ele dirá
ao Faraó que deixe os israelitas saírem da sua terra.
3 Eu, porém, endurecerei o coração do Faraó, e multi-
plicarei os meus sinais e as minhas maravilhas na terra
do Egito.
4 O Faraó não os ouvirá; então, eu porei as minhas mãos
sobre o Egito e tirarei meus exércitos, o meu povo, os
israelitas da terra do Egito, com grandes juízos.
5 Então os egípcios saberão que eu sou o Senhor, quando
estender as minhas mãos sobre o Egito, e tirar os israelitas
do meio deles."
6 E Moisés e Arão fizeram como o Senhor lhes ordenou.
7 Quando falaram ao Faraó, Moisés tinha oitenta anos de
idade e Arão tinha oitenta e três.
8 E o Senhor falou a Moisés e a Arão:
9 "Quando o Faraó pedir que façam um milagre, diga a
Arão: Pegue a vara e a jogue diante do Faraó; e ela se
transformará em uma serpente."
10 Então Moisés e Arão foram ao Faraó, e fizeram como
o Senhor tinha ordenado; e Arão jogou a vara diante do
Faraó, e diante dos seus servos, e ela se transformou em
uma serpente.
11 E o Faraó chamou os sábios e encantadores; e os ma-
gos do Egito fizeram o mesmo com as suas magias.
12 Porque cada um lançou sua vara, e elas se transforma-
ram em serpentes; mas a vara de Arão engoliu as varas
deles.
13 Porém, o coração do Faraó se endureceu, e não os
ouviu, como o Senhor falou.

14 Então o Senhor disse a Moisés: "O coração do Faraó está endurecido, porque se recusa deixar o povo ir.

A Primeira Praga

15 Vá pela manhã ao Faraó; ele irá para o rio; fique em frente dele na beira do rio e pegue em sua mão a vara que se transformou em cobra."

16 E diga a ele: 'O Senhor Deus dos hebreus me enviou a você, dizendo: Deixe o meu povo ir, para que me adore no deserto; porém, até agora não me deu ouvidos.'

17 Assim diz o Senhor: Com isto saberá que eu sou o Senhor: Com esta vara que tenho em minhas mãos, ferirei as águas do rio e elas se transformarão em sangue.

18 E os peixes morrerão e o rio cheirará mal; e os egípcios terão nojo de beber a sua água."

19 O Senhor disse a Moisés: "Fale para Arão pegar a vara e estender as mãos sobre as águas do Egito, sobre as suas correntes, sobre os seus rios, sobre os seus tanques, e sobre todas as reservas de águas, para que se transformem em sangue, e haverá sangue em toda a terra do Egito, nos vasos de madeira, e nos de pedra."

20 E Moisés e Arão fizeram como o Senhor ordenou; então Arão levantou a vara diante do Faraó, e diante de seus servos, e feriu as águas que estavam no rio; assim, todas as águas do rio se transformaram em sangue,

21 e os peixes morreram; o rio cheirou mal e os egípcios não podiam beber das suas águas; e houve sangue por toda a terra do Egito.

22 Porém, os magos do Egito fizeram o mesmo com as suas magias; então o coração do Faraó se endureceu, e não os ouviu como o Senhor falou.

23 Assim, o Faraó voltou para sua casa; e não considerou o que aconteceu.

24 E todos os egípcios cavaram poços junto ao rio para beberem água; porque não podiam beber as águas do rio.

25 Assim se passaram sete dias, depois que o Senhor feriu o rio.

A Segunda Praga

8 Depois o Senhor disse a Moisés: "Vá ao Faraó e lhe diga: 'Assim disse o Senhor: Deixe o meu povo ir, para que me adore.

2 E, se recusar, infestarei de rãs todo o seu território.

3 E o rio se infestará de rãs, que subirão e entrarão em sua casa, em seu dormitório, sobre a sua cama, nas casas dos seus servos, sobre o seu povo, nos seus fornos, e nas suas amassadeiras.

4 E as rãs subirão em você, em seu povo, e em todos os seus servos.'"

5 O Senhor disse ainda a Moisés: "Diga a Arão: Estenda a sua mão com a sua vara sobre as correntes, sobre os rios, sobre os tanques, e faça subirem as rãs sobre a terra do Egito."

6 E Arão estendeu a sua mão sobre as águas, e as rãs subiram e cobriram a terra do Egito.

7 Então os magos fizeram o mesmo com as suas magias, fazendo subir rãs sobre a terra do Egito.

8 E o Faraó chamou Moisés e Arão e disse: "Peçam ao Senhor para que ele tire as rãs de mim e do meu povo; depois deixarei o povo ir, para oferecer sacrifícios ao Senhor."

9 E Moisés perguntou ao Faraó: "Tenha a dignidade de me dizer quando é que pedirei ao Senhor por você, pelos seus servos, e por seu povo, para tirar as rãs de você e das suas casas, e deixá-las somente no rio?"

10 E ele respondeu: "Amanhã." E Moisés disse: "Seja conforme a sua palavra, para que saiba que não há ninguém como o Senhor nosso Deus.

11 E as rãs se afastarão de você, das suas casas, dos seus servos e do seu povo e ficarão somente no rio."

12 Então Moisés e Arão saíram da presença do Faraó, e Moisés clamou ao Senhor por causa das rãs que tinha posto sobre o Faraó.

13 E o Senhor fez conforme a palavra de Moisés; assim as rãs morreram nas casas, nos pátios e nos campos.

14 E foram juntadas em grandes quantidades e a terra cheirou mal.

15 E o Faraó ficou aliviado, e endureceu novamente o seu coração, e não deu mais ouvidos a Moisés e a Arão, como o Senhor falou.

A Terceira Praga

16 Então o Senhor disse mais a Moisés: "Diga a Arão para estender a sua vara, e ferir o pó da terra para que se transforme em piolhos, por toda a terra do Egito."

17 E fizeram assim; Arão estendeu a sua mão com a vara e feriu o pó da terra, e havia muitos piolhos nos homens e no gado; todo o pó da terra se transformou em piolhos em toda a terra do Egito.

18 E os magos também fizeram o mesmo com as suas magias para produzir piolhos, mas não conseguiram, e os homens e os animais ficaram infestados de piolhos.

19 Então os magos disseram ao Faraó: "Isto é o dedo de Deus." Porém o coração do Faraó se endureceu e não os ouvia, como o Senhor falou.

A Quarta Praga

20 E o Senhor disse a Moisés: "Levante-se pela manhã e vá falar com o Faraó; ele irá ao rio; vá e lhe diga: 'Assim diz o Senhor: Deixe o meu povo ir, para que me adore.

21 Porque, se não deixar, enviarei enxames de moscas sobre você, e sobre os seus servos, sobre o seu povo, sobre

suas casas; então as casas dos egípcios se encherão desses
enxames, e também a terra em que eles estiverem.
22 E nesse dia eu separarei a terra de Gósen, em que o
meu povo habita, e não haverá nela enxames de moscas,
para que saiba que eu sou o Senhor no meio desta terra.
23 E farei separação entre o meu povo e o seu povo; amanhã se dará este sinal.'"
24 E assim fez o Senhor; então vieram grandes enxames
de moscas sobre a casa do Faraó e sobre as casas dos seus
servos, e sobre toda a terra do Egito; e a terra ficou infestada destes enxames.
25 Então o Faraó chamou Moisés e Arão e disse: "Vão e
ofereçam sacrifícios ao Deus de vocês nesta terra."
26 E Moisés disse: "Não é conveniente fazermos assim,
por que ofereceríamos ao Senhor nosso Deus sacrifícios, que são abomináveis para os egípcios? Se oferecermos nossos sacrifícios diante dos egípcios, eles não nos
apedrejariam?
27 Deixe-nos ir a uma distância de três dias ao deserto,
para oferecermos sacrifícios ao Senhor nosso Deus, como
ele nos disse."
28 Então o Faraó disse: "Eu os deixarei ir para oferecer sacrifícios ao Senhor seu Deus no deserto; só não vão longe,
e orem também por mim."
29 E Moisés disse: "Saio de sua presença e vou orar ao
Senhor, para que estes enxames de moscas se retirem
amanhã do Faraó, dos seus servos, e do seu povo; espero
que o Faraó não me engane mais, não deixando este povo
ir para oferecer sacrifícios ao Senhor."
30 Então Moisés saiu da presença do Faraó, e orou ao
Senhor.
31 E o Senhor fez conforme a palavra de Moisés, e os
enxames de moscas se retiraram do Faraó, dos seus servos
e do o seu povo; e não ficou uma só.
32 Mas o Faraó endureceu outra vez o seu coração, e não
deixou o povo ir.

A Quinta Praga

9 Então o Senhor disse a Moisés que fosse ao Faraó e lhe
dissesse: "Assim diz o Senhor Deus dos hebreus: Deixe
o meu povo ir, para que me adore.
2 Porque se recusar a deixá-los ir, e ainda por força os
detiver,
3 a mão do Senhor trará uma praga terrível sobre o seu rebanho, que está no campo, sobre os cavalos, os jumentos,
os camelos, os bois e sobre as ovelhas.
4 E o Senhor irá separar os rebanhos dos israelitas, e os
rebanhos dos egípcios, para que tudo o que for dos israelitas não morra.
5 E o Senhor estabeleceu um prazo dizendo: Amanhã o
Senhor fará isto na terra."
6 E no dia seguinte o Senhor cumpriu o que disse, e todos
os rebanhos dos egípcios morreram; porém não morreu
nenhum animal dos israelitas.
7 Então o Faraó mandou verificar, e viu que não morreu nenhum animal dos rebanhos dos Israelitas; porém
o coração do Faraó se endureceu ainda mais, e ele não
deixou o povo ir.

A Sexta Praga

8 Então o Senhor disse a Moisés e a Arão. "Encham suas
mãos de cinza do forno, e Moisés a espalhe pelo ar diante
do Faraó;
9 e ela se transformará em um pó fino sobre toda a terra
do Egito, e provocará úlceras nos homens e nos rebanhos,
por toda a terra do Egito."
10 E eles pegaram a cinza do forno, e se puseram na frente do Faraó; então, Moisés a espalhou pelo ar, e ela se
transformou em úlceras nos homens e nos rebanhos;
11 e nem os magos conseguiam ficar parados diante de
Moisés, por causa das úlceras; porque a praga castigava
todos os egípcios.
12 E o Senhor endureceu o coração do Faraó, e ele não os
ouviu, como o Senhor falou a Moisés.

As Advertências de Deus

13 Então o Senhor disse a Moisés: "Levante-se pela manhã, e vá diante do Faraó, e lhe diga: 'Assim diz o Senhor Deus dos hebreus: Deixe o meu povo ir, para que
me adore;
14 porque desta vez enviarei todas as minhas pragas sobre
o seu coração, sobre os seus servos, e sobre o seu povo,
para que saiba que não há outro como eu em toda a terra.
15 Eu já poderia ter estendido a minha mão para ferir
você e o seu povo com peste, e você já teria desaparecido
da terra.
16 Mantive você vivo para lhe mostrar o meu poder, e
para que o meu nome seja anunciado em toda a terra.
17 Você ainda se exalta contra o meu povo, para não o
deixar ir?

A Sétima Praga

18 Amanhã, nesta hora, farei chover uma grande tempestade de granizo, como nunca houve no Egito, desde o dia
em que foi fundado até agora.
19 Mande recolher agora os seus rebanhos, e tudo o que
você tem no campo; todo homem e animal que estiverem
no campo e não estiverem abrigados, serão atingidos pela
tempestade de granizo, e morrerão.'"
20 Os servos do Faraó que temiam a palavra do Senhor
fizeram com que os seus servos, e os seus rebanhos, se
abrigassem nas suas casas;
21 mas aqueles que não temiam a palavra do Senhor deixaram os seus servos e o seu gado no campo.

22 Então o Senhor disse a Moisés: "Estenda suas mãos
para o céu, e haverá tempestade de granizo em toda a
terra do Egito, sobre os homens, sobre os animais e sobre
todas as ervas do campo."
23 Então Moisés levantou a sua vara para o céu, e o Se-
nhor enviou trovões e tempestade de granizo; e corriam
raios sobre a terra, e o Senhor fez cair tempestade de gra-
nizo sobre a terra do Egito.
24 E havia chuva de granizo junto com raios, tão grave,
como nunca houve em toda a terra do Egito, desde que
veio a ser uma nação.
25 E a tempestade de granizo castigou toda a terra do
Egito, e tudo que havia no campo, desde os homens até os
animais; a tempestade também destruiu todas as ervas do
campo, e quebrou todas as árvores.
26 Somente na terra de Gósen, onde os israelitas estavam,
não houve tempestade de granizo.
27 Então o Faraó mandou chamar Moisés e Arão, e lhes
disse: "Desta vez pequei; o Senhor é justo, mas eu e o
meu povo somos ímpios.
28 Basta; orem ao Senhor para que não haja mais trovões
de Deus, nem tempestade de granizo; então eu os deixarei
ir, e não ficarão mais aqui."
29 Então Moisés lhe disse: "Saindo da cidade, estenderei
as minhas mãos ao Senhor, e os trovões cessarão e não
haverá mais tempestade; para que saiba que a terra é do
Senhor.
30 Mas eu sei que você e os seus servos ainda não teme-
rão o Senhor Deus."
31 E o linho e a cevada foram destruídos, porque a cevada
já estava na espiga, e o linho estava em flor.
32 Mas o trigo e o centeio não foram destruídos, porque
estavam cobertos.
33 Então Moisés saiu da presença do Faraó e da cidade, e
estendeu as suas mãos ao Senhor, e os trovões e a tempes-
tade de granizo pararam, e a chuva não caiu mais sobre
a terra do Egito.
34 Então o Faraó viu que a chuva, a tempestade de grani-
zo e os trovões tinham parado, e pecou ainda mais, endu-
recendo o seu coração, ele e os seus servos.
35 Assim o coração do Faraó se endureceu, e ele não dei-
xou os israelitas irem, como o Senhor falou para Moisés.

As Ameaças de Deus

10 Depois o Senhor disse a Moisés: "Vá ao Faraó, por-
que tenho endurecido o seu coração e o coração de
seus servos, para fazer estes meus sinais no meio deles,
2 e para que conte aos ouvidos de seus filhos, e dos filhos
de seus filhos, as coisas que fiz no Egito, e os meus sinais
que tenho feito entre eles; para que saibam que eu sou
o Senhor."
3 Assim, Moisés e Arão foram ao Faraó e disseram: "As-
sim diz o Senhor Deus dos hebreus: 'Até quando recusará
se humilhar diante de mim? Deixe o meu povo ir, para
que me adore;
4 porque, se ainda recusar, amanhã trarei gafanhotos ao
seu território.
5 E eles cobrirão a terra, e não se poderá ver o chão, e
eles comerão o restante que escapou da tempestade de
granizo; também comerão todas as árvores que crescem
no campo;
6 e encherão as suas casas, as casas de todos os seus ser-
vos, e as casas de todos os egípcios, como os seus pais
nunca viram, nem os pais de seus pais, desde o dia em que
nasceram nesta terra, até o dia de hoje." E Moisés virou-se
e saiu da presença do Faraó.
7 E os servos do Faraó lhe perguntaram: "Até quando este
homem nos ameaçará? Deixe-os irem, para que eles ado-
rem ao Senhor seu Deus; não percebeu ainda que o Egito
está destruído?"
8 Então levaram Moisés e Arão outra vez ao Faraó, e ele
disse: "Vão, adorem ao Senhor seu Deus. Quem são os
que irão?"
9 E Moisés respondeu: "Iremos com os nossos jovens,
com os nossos velhos; com os nossos filhos, com as nossas
filhas, com as nossas ovelhas e com os nossos bois; porque
temos de celebrar uma festa ao Senhor."
10 Então o Faraó lhes disse: "Que o Senhor esteja com
vocês, como eu deixarei vocês e os seus filhos irem? Vejo
que estão mal-intencionados.
11 Não será assim; vão só os homens, e adorem ao Se-
nhor; isto é o que pediram." E os expulsaram da presença
do Faraó.

A Oitava Praga

12 Então o Senhor disse a Moisés: "Estenda as suas mãos
sobre a terra do Egito, para que os gafanhotos venham
sobre ele, e comam todas as ervas da terra, tudo o que
restou da tempestade de granizo."
13 Então Moisés estendeu sua vara sobre a terra do Egito,
e o Senhor trouxe sobre a terra um vento oriental durante
todo aquele dia e toda aquela noite; então, pela manhã o
vento oriental trouxe os gafanhotos.
14 E os gafanhotos vieram sobre toda a terra do Egito, e
pousaram sobre todo o seu território; eram tão numero-
sos, que nunca houve tantos, nem antes e nem depois.
15 Porque cobriram toda a terra, e a terra se escureceu;
assim comeram todas as ervas da terra, e todos os frutos
das árvores que tinham sobrado da tempestade de gra-
nizo; não sobrou nada verde nas árvores, nem ervas no
campo em toda a terra do Egito.
16 Então o Faraó se apressou em chamar Moisés e Arão

e lhes disse: "Pequei contra o Senhor seu Deus, e contra vocês.

17 Agora, peço que perdoem o meu pecado somente desta vez, e que orem ao Senhor seu Deus, para que ele tire daqui esta praga mortal."

18 E saíram da presença do Faraó, e Moisés orou ao Senhor.

19 Então o Senhor trouxe um vento ocidental fortíssimo, que levantou os gafanhotos, e os lançou no Mar Vermelho; não ficou nenhum gafanhoto em todo o território do Egito.

20 O Senhor, porém, endureceu o coração do Faraó, e ele não deixou os israelitas irem.

A Nona Praga

21 Então o Senhor disse a Moisés: "Estenda as suas mãos para o céu, e virão trevas sobre a terra do Egito, trevas que se apalpem."

22 E Moisés estendeu as mãos para o céu, e houve trevas espessas em toda a terra do Egito, por três dias.

23 Ninguém conseguia enxergar o outro, e ninguém se levantou do seu lugar por três dias; mas todos os israelitas tinham luz em suas casas.

24 Então o Faraó chamou Moisés e disse: "Vá adorar ao Senhor; deixem somente as suas ovelhas, e as suas vacas; levem também as suas crianças com vocês."

25 E Moisés disse: "Você também dará em nossas mãos sacrifícios e holocaustos, para oferecer ao Senhor nosso Deus.

26 E levaremos conosco os nossos rebanhos, nem uma unha ficará; porque teremos que pegar alguns animais deles para adorar ao Senhor nosso Deus; porque, até chegarmos lá, não saberemos com que animal teremos que adorar ao Senhor."

27 O Senhor, porém, endureceu o coração do Faraó, e ele não os deixou ir.

28 E o Faraó disse: "Retire-se da minha frente, e se cuide para não ver mais o meu rosto; porque, no dia em que vir o meu rosto, morrerá."

29 E Moisés respondeu: "Disse bem; nunca mais verei o seu rosto."

Deus Anuncia a Morte dos Primogênitos

11 E o Senhor falou a Moisés: "Ainda enviarei uma praga sobre o Faraó, e sobre o Egito; depois ele os deixará sair daqui; e, com pressa, os expulsará totalmente.

2 Fale agora ao povo, que cada homem peça ao seu vizinho, e cada mulher à sua vizinha, joias de prata e joias de ouro."

3 E o Senhor fez os egípcios serem bondosos com os israelitas; e Moisés era admirado e respeitado na terra do Egito, pelos servos do Faraó e pelo povo.

4 Moisés disse: "Assim diz o Senhor: 'À meia noite eu passarei pelo meio do Egito;

5 e todo primogênito morrerá na terra do Egito, desde o primogênito do Faraó, o que iria se sentar sobre o seu trono, até o primogênito da serva que está atrás do moinho, e todo primogênito dos animais.

6 E haverá grande clamor em toda a terra do Egito, como nunca houve e nunca haverá;

7 mas entre todos os israelitas, desde homens até os animais, não morrerá nenhum primogênito, para que todos saibam que o Senhor fez distinção entre os egípcios e os israelitas.

8 Então todos os seus servos descerão e se inclinarão diante de mim, dizendo: Saia você e todo o povo que o segue. E depois eu sairei.'" E Moisés saiu com grande ira da presença do Faraó.

9 E o Senhor disse a Moisés: "O Faraó não os ouvirá, para que as minhas maravilhas se multipliquem na terra do Egito."

10 E Moisés e Arão fizeram todas essas maravilhas diante do Faraó; mas o Senhor endureceu o seu coração, e não deixou que os israelitas saíssem da sua terra.

A Primeira Páscoa

12 E o Senhor falou a Moisés e Arão na terra do Egito:
2 "Este mês será para vocês o princípio dos meses; este será o primeiro mês do ano.

3 Falem a toda a congregação de Israel, dizendo: No dia dez deste mês, pegue cada um para si um cordeiro, um cordeiro para cada família.

4 Mas se a família for pequena para um cordeiro, então pegue um só e divida com o seu vizinho, conforme o número de pessoas; escolha o cordeiro na proporção, conforme a quantidade que cada um come.

5 O cordeiro ou o cabrito será macho de um ano e sem defeito.

6 E o guardem até o décimo quarto dia deste mês; então, todo o ajuntamento da congregação de Israel o sacrificará à tarde.

7 E pegarão o sangue, e o passarão nas laterais, e nas vigas superiores das portas das casas em que irão comê-lo.

8 E nessa noite comerão a carne assada no fogo, com pães sem fermento e com ervas amargas.

9 Não comam nada do animal cru, nem cozido em água, mas assado no fogo: A cabeça, as pernas e as suas vísceras.

10 E não deixem nada até amanhã; mas, o que sobrar dele, queimem.

11 É assim que devem comê-lo: Vestidos, e com as suas sandálias nos pés, e os seus cajados nas mãos; comam-no apressadamente; essa é a Páscoa do Senhor.

12 E essa noite eu passarei pela terra do Egito, e matarei

todos os primogênitos, desde os homens até os animais;
assim julgarei todos os deuses do Egito. Eu sou o Senhor.
13 E aquele sangue servirá como sinal nas casas em que
estiverem; vendo o sangue, passarei por vocês, e não ha-
verá morte entre vocês quando eu ferir a terra do Egito.
14 E esse dia será um memorial, e o celebrarão com fes-
ta ao Senhor; o celebrarão nas suas gerações por estatuto
perpétuo.
15 Durante sete dias comerão pães sem fermento; no pri-
meiro dia tirarão o fermento das suas casas; porque quem
comer pão fermentado, do primeiro ao sétimo dia, será
eliminado de Israel.
16 E no primeiro e no sétimo dia, farão santa convocação;
não façam nenhum trabalho nesses dias, exceto a prepara-
ção de alimentos para comer; farão somente isso.
17 Celebrem a festa dos pães sem fermento, porque nesse
dia tirei seus exércitos da terra do Egito; e guardarão esse
dia nas suas gerações, por estatuto perpétuo.
18 No dia catorze do primeiro mês, à tarde, comerão pães
sem fermento até o dia vinte e um do mesmo mês à tarde.
19 Não haverá fermento nas suas casas por sete dias;
porque quem comer pão fermentado será eliminado da
congregação de Israel, tanto o estrangeiro como o natural
da terra.
20 Não comerão nada fermentado; em todas as suas casas
comerão pães sem fermento."
21 Moisés chamou todos os anciãos de Israel, e lhes disse:
"Escolham e peguem cordeiros para as suas famílias, e sa-
crifiquem para a Páscoa.
22 Então peguem um maço de hissopo, e o molhem no
sangue que estiver na bacia; passem o sangue na viga su-
perior e nas laterais da porta; porém, ninguém deve sair
para fora de sua casa até o amanhecer.
23 Porque o Senhor passará para matar todos os primo-
gênitos dos egípcios; porém, quando ele vir o sangue nas
portas, o Senhor passará direto por aquelas casas, e não
deixará o destruidor entrar para os matar.
24 Portanto, guardem isto por estatuto para vocês e seus
filhos, para sempre.
25 E quando entrarem na terra que o Senhor lhes dará,
celebrem a Páscoa.
26 E, quando os seus filhos lhes perguntarem o que signi-
fica esta celebração,
27 então responderão: 'Este é o sacrifício da Páscoa ao
Senhor, que passou sobre as casas dos israelitas no Egito,
e poupou as nossas casas.'" Então o povo se inclinou e
adorou.
28 E os israelitas fizeram como o Senhor ordenou a Moi-
sés e a Arão.

A Décima Praga

29 E, à meia noite, o Senhor matou todos os primogê-
nitos na terra do Egito, desde o primogênito do Faraó,
que se sentaria em seu trono, até o primogênito do pri-
sioneiro que estava no cárcere, e todos os primogênitos
dos animais.
30 E o Faraó se levantou de noite, ele e todos os seus
servos e todos os egípcios; e houve um grande clamor no
Egito, porque não havia casa que não tivesse um morto.
31 Então chamou Moisés e Arão na mesma noite, e disse:
"Levantem, saiam do meio do meu povo, vocês e os israe-
litas; vão e adorem ao Senhor, como falaram.
32 Levem com vocês as suas ovelhas e suas vacas, como
pediram; vão e me abençoem."
33 E os egípcios pressionavam o povo, se apressando
para os expulsar da terra; porque diziam: "Seremos todos
mortos."
34 E o povo pegou a sua massa de pão antes que fermen-
tasse, e as suas amassadeiras, e embrulharam com suas
roupas, e carregaram sobre os seus ombros.
35 E os israelitas fizeram conforme a palavra de Moisés,
e pediram aos egípcios vasos de prata, vasos de ouro e
roupas.
36 E o Senhor fez os egípcios serem bondosos com os
israelitas, e lhes davam o que pediam; assim, eles despo-
jaram os egípcios.

A Saída do Egito

37 Então os israelitas partiram de Ramessés para Sucote,
cerca de seiscentos mil homens a pé, somente os homens,
sem contar as mulheres e as crianças.
38 E saíram com eles muitos estrangeiros com seus reba-
nhos, e uma grande quantidade de gado.
39 E assaram pães sem fermento da massa que levaram do
Egito, porque não tinha fermentado, pois foram expulsos
do Egito às pressas, e não tiveram tempo de preparar a
comida.
40 Os israelitas habitaram no Egito por quatrocentos e
trinta anos.
41 Então, passados os quatrocentos e trinta anos, nesse
mesmo dia, todos os exércitos do Senhor saíram da terra
do Egito.
42 Esta noite se guardará ao Senhor, porque nela os tirou
da terra do Egito; esta é a noite do Senhor, que todos os
israelitas devem guardar nas suas gerações.
43 E o Senhor disse a Moisés e a Arão: "Esta é a lei da
Páscoa; nenhum estrangeiro comerá dela.
44 Porém, todo servo comprado por dinheiro, depois que
for circuncidado, poderá comer.
45 O estrangeiro e o assalariado não poderão comer.

46 Comam em casa; não levem a carne para fora, nem quebrem os seus ossos.

47 Toda a congregação de Israel fará assim.

48 Porém, se algum estrangeiro se hospedar em sua casa, e quiser celebrar a Páscoa ao Senhor, todos os homens deverão ser circuncidados; então poderão celebrá-la, e eles serão como o natural da terra; mas nenhum incircunciso comerá dela."

49 Haverá uma mesma lei para o natural e para o estrangeiro que morar entre vocês.

50 E todos os israelitas fizeram como o Senhor ordenou a Moisés e a Arão.

51 E, naquele mesmo dia, o Senhor tirou os israelitas da terra do Egito, segundo os seus exércitos.

Os Primogênitos São Consagrados

13 Então o Senhor falou a Moisés:

2 "Consagre-me todos os primogênitos entre os israelitas, de homens e de animais; porque são meus."

3 E Moisés disse ao povo: "Lembrem-se deste dia em que saíram do Egito, da casa da escravidão; com mão forte o Senhor os tirou daqui; portanto não comam pão fermentado.

4 Hoje, no mês de Abibe, estão saindo.

5 E quando o Senhor os introduzir na terra dos cananeus, dos heteus, dos amorreus, dos heveus e dos jebuseus, na terra que jurou a seus pais que lhes daria, terra que mana leite e mel, celebrarão esta cerimônia neste mês.

6 Durante sete dias comerão pães sem fermento, mas, no sétimo dia, façam uma festa ao Senhor.

7 Por sete dias comam pães sem fermento, não poderá ser encontrado nada fermentado com vocês, nem fermento em todos os seus territórios.

8 E, nesse mesmo dia, faça seu filho saber, dizendo: 'Isto é pelo que o Senhor me fez, quando eu saí do Egito.'

9 E isto será como sinal na sua mão, e um memorial entre os seus olhos, para que a lei do Senhor esteja em sua boca; porque o Senhor, com mão forte, o tirou do Egito.

10 Portanto, você cumprirá esta lei na época certa, todos os anos.

11 E quando o Senhor o introduzir na terra dos cananeus, como jurou a você e a seus pais,

12 separem para o Senhor todos os primogênitos machos, que nascerem de todos os animais; eles serão do Senhor.

13 Todo primogênito da jumenta, resgatem com um cordeiro; porém se não o resgatarem, lhe cortem a cabeça; mas resgatem todo primogênito do homem, entre seus filhos.

14 E quando, no futuro, seu filho lhe perguntar o que significa isso, você lhe responderá: 'O Senhor nos tirou com mão forte do Egito, da casa da servidão.

15 Porque quando o Faraó endureceu o seu coração, para não nos deixar irmos, o Senhor matou todos os primogênitos na terra do Egito, desde o primogênito do homem, até o primogênito dos animais; por isso, eu sacrifico ao Senhor todos os primogênitos machos; mas resgato todo primogênito de meus filhos.'

16 E será como um sinal na sua mão, e como um frontal entre os seus olhos; porque o Senhor, com mão forte, nos tirou do Egito."

17 Então, quando o Faraó deixou o povo ir, Deus não os levou pelo caminho da terra dos filisteus, que estava mais perto; porque Deus disse: Para o povo não se arrepender quando vir a guerra, e voltar ao Egito.

18 Então Deus fez o povo dar a volta pelo caminho do deserto do Mar Vermelho; e os israelitas saíram da terra do Egito bem armados.

19 E Moisés levou com ele os ossos de José, porque ele tinha feito solenemente os israelitas jurarem, dizendo: "Certamente Deus os visitará; levem os meus ossos com vocês."

20 Assim partiram de Sucote e acamparam em Etã, à entrada do deserto.

21 E o Senhor ia na frente deles numa coluna de nuvem durante o dia, para os guiar pelo caminho, e numa coluna de fogo durante a noite, para os iluminar, para que caminhassem dia e noite.

22 Nunca tirou da frente do povo a coluna de nuvem durante o dia, nem a coluna de fogo durante a noite.

Deus Anuncia a Morte dos Egípcios

14 Então o Senhor falou a Moisés:

2 "Diga aos israelitas que voltem e acampem diante de Pi-Hairote, entre Migdol e o mar, diante de Baal-Zefom; façam acampamento em frente dele, junto ao mar.

3 Então o Faraó dirá dos israelitas: 'Estão perdidos na terra, o deserto os prendeu.'

4 E eu endurecerei o coração do Faraó, para que os persiga, e serei glorificado por meio do Faraó e de todo o seu exército, assim os egípcios saberão que eu sou o Senhor."
E assim eles fizeram.

5 Então anunciaram ao rei do Egito que o povo havia fugido; o Faraó e os seus servos se arrependeram e disseram: "Por que fizemos isso, libertando os israelitas e permitindo que não nos sirvam mais?"

6 Então o Faraó aprontou o seu carro, e levou com ele o seu povo;

7 levou seiscentos carros de guerra, todos os carros do Egito, e com os seus respectivos capitães.

8 E o Senhor endureceu o coração do Faraó, rei do Egito, para que perseguisse os israelitas; porém, os israelitas saíram com os braços erguidos.

Peregrinação do
Povo de Israel
MAR MEDITERRÂNEO
FILÍSTIA
CANAÃ
Jericó
AMOM
Arnom
MONTE
NEBO
MOABE
EGITO
Ramessés
Gósen
Sucote
Cades - Barneia
EDOM
Pi-Hairote
Eziom-Geber
Mara
Elim
ÁFRICA
MAR VERMELHO
DESERTO
DE SIM
DESERTO
DO SINAI
Refidim
GOLFO DE ACABA
MIDIÃ
Monte
Sinai
LEGENDA
Localidades
Rota Provável
Montes
DESERTO
DO SAARA

9 E os egípcios os perseguiram, com todos os cavalos e
carros do Faraó, os seus cavaleiros, e o seu exército, e os
alcançaram acampados junto ao mar, perto de Pi-Hairote,
em frente de Baal-Zefom.
10 E o Faraó se aproximou, então os israelitas olharam, e
viram que os egípcios vinham atrás deles, por isso, senti-
ram muito medo; então, os israelitas clamaram ao Senhor.
11 E disseram a Moisés: "Não havia sepulturas no Egito,
para que nos tirasse de lá? Para morrermos neste deserto?
Por que nos fez isso, nos fazendo sair do Egito?
12 Não lhe falamos no Egito, para nos deixar servirmos
aos egípcios? Pois era melhor servirmos aos egípcios, do
que morrermos no deserto."
13 Moisés, porém, disse ao povo: "Não tenham medo;
fiquem quietos e vejam o livramento que o Senhor nos
fará hoje; porque os egípcios que viram hoje, nunca mais
os verão.
14 Fiquem quietos, o Senhor lutará por vocês."

O Mar se Abre

15 Então o Senhor disse a Moisés: "Por que clama a mim?
Diga aos israelitas para marcharem.
16 E você, levante a sua vara, e estenda as suas mãos
sobre o mar, e divida as suas águas, para que os israelitas
passem pelo caminho seco.
17 E endurecerei o coração dos egípcios, e eles entrarão
no mar atrás de vocês; então eu serei glorificado através
do Faraó, e do seu exército, dos seus carros, e dos seus
cavaleiros,
18 e os egípcios saberão que eu sou o Senhor, quando for
glorificado através do Faraó, dos seus carros, e dos seus
cavaleiros."
19 E o anjo de Deus, que ia na frente do exército de Israel,
se retirou e foi para trás deles; também a coluna de nuvem
se retirou da frente, e se pôs atrás deles.
20 E o anjo permaneceu entre o acampamento dos egíp-
cios e o acampamento dos israelitas; assim, a nuvem se
transformou em trevas para os egípcios, mas iluminava
a noite dos israelitas; e, em toda a noite, não puderam se
aproximar um do outro.
21 Então Moisés estendeu as suas mãos sobre o mar, e o
Senhor, através de um forte vento oriental, fez o mar se
retirar durante toda aquela noite; então o fundo do mar
ficou seco, e as águas foram divididas.
22 Assim os israelitas entraram pelo caminho seco do mar,
e as águas estavam como muros à direita e à esquerda.
23 E os egípcios os seguiram, entrando atrás deles com
todos os cavalos do Faraó, os seus carros, e os seus cava-
leiros, até o meio do mar.
24 Então, na vigília daquela manhã, o Senhor, na coluna
de fogo e da nuvem, viu o acampamento dos egípcios, e
provocou lá uma confusão.
25 E o Senhor tirou as rodas dos seus carros, fazendo-os
andarem com dificuldades. Então os egípcios disseram:
"Vamos fugir dos israelitas, porque o Senhor luta por eles
contra nós."
26 E o Senhor disse a Moisés: "Estenda as suas mãos so-
bre o mar, para que as águas se juntem sobre os egípcios,
sobre os seus carros, e sobre os seus cavaleiros."
27 Então Moisés estendeu as suas mãos sobre o mar, e, ao
amanhecer, o mar retornou ao seu lugar, e os egípcios, ao
fugirem, foram de encontro às águas, e o Senhor lançou
os egípcios no meio do mar,
28 porque as águas, retornando, cobriram os carros e os
cavaleiros do exército do Faraó que seguiram os israelitas
no mar; não sobreviveu nenhum deles.
29 Mas os israelitas seguiram pelo meio do mar seco, e
as águas serviam como um muro para eles à sua direita
e à sua esquerda.
30 Assim, naquele dia, o Senhor salvou os israelitas das
mãos dos egípcios, e eles viram os egípcios mortos na
praia.
31 E viram o grande poder que o Senhor exerceu contra
os egípcios; por isso, o povo temeu ao Senhor, e creram
nele e em Moisés, seu servo.

O Cântico de Moisés

15 Então, Moisés e os israelitas cantaram este cântico
ao Senhor: "Cantarei ao Senhor, porque ele gloriosa-
mente triunfou; lançou no mar o cavalo, e o seu cavaleiro.
2 O Senhor é a minha força e o meu cântico; ele é a minha
salvação; este é o meu Deus e eu o glorifico; ele é o Deus
de meu pai, por isso o exaltarei.
3 O Senhor é homem de guerra; o Senhor é o seu nome.
4 Ele lançou no mar os carros do Faraó, e o seu exército;
e os seus principais oficiais se afogaram no Mar Vermelho.
5 As águas os cobriram; desceram às profundezas como
pedras.
6 A tua mão direita, ó Senhor, se glorifica em poder, a tua
mão direita, ó Senhor, despedaça o inimigo;
7 e, com a grandeza da tua excelência, derrubas os que se
levantaram contra ti; envias o teu furor, que os consome
como a palha.
8 E com o sopro de tuas narinas, amontoaram-se as águas,
as correntes pararam como montão; os abismos se coalha-
ram no coração do mar.
9 O inimigo dizia: Perseguirei, alcançarei e repartirei os
despojos; a minha alma se fartará deles, arrancarei a mi-
nha espada, a minha mão os destruirá.
10 Sopraste o teu vento, o mar os cobriu; afundaram-se
como chumbo em águas veementes.

11 Ó Senhor, quem é como tu entre os deuses? Quem como tu é glorificado em santidade, admirável em louvores, ao realizares maravilhas?
12 Estendeste a tua mão direita e a terra os tragou.
13 Tu, com a tua beneficência, guiaste este povo que salvaste; com a tua força, o levaste à habitação da tua santidade.
14 Os povos te ouvem e estremecem, uma dor se apodera dos habitantes da Filístia.
15 Então os príncipes de Edom pasmam; e um tremor se apodera dos poderosos moabitas; e todos os habitantes de Canaã se derretem.
16 Espanto e pavor caem sobre eles; pela grandeza do teu braço, emudecem como pedra; até que o teu povo passe, até que passe este povo que adquiriste.
17 Tu os introduzirás e os plantarás no monte da tua herança, no lugar que tu, ó Senhor, aparelhaste para a tua habitação, no santuário que as tuas mãos estabeleceram.
18 O Senhor reinará eternamente."
19 Os cavalos do Faraó, com os seus carros e com os seus cavaleiros, entraram no mar, e o Senhor fez as águas retornarem sobre eles; mas os israelitas passaram no seco pelo meio do mar.
20 Então Miriã, a profetisa, irmã de Arão, pegou um tamboril nas suas mãos, e todas as mulheres a seguiram com tamboris, e com danças.
21 E Miriã lhes respondia: "Cantem ao Senhor, porque ele triunfou gloriosamente; lançou no mar o cavalo, e o seu cavaleiro."
22 Depois Moisés fez os israelitas partirem do Mar Vermelho, saíram ao deserto de Sur e andaram três dias, mas não acharam água.

As Águas Amargas

23 Então chegaram a Mara; mas não puderam beber das suas águas, porque eram amargas; por isso deram o nome ao lugar de Mara.
24 E o povo murmurou contra Moisés, dizendo: "O que iremos beber?"
25 E ele clamou ao Senhor, que lhe mostrou um galho de árvore, e Moisés lançou este galho nas águas, e elas se tornaram doces. E ali lhes deu estatutos, e uma ordenança, e os provou.
26 E disse: "Se ouvirem atentos à voz do Senhor seu Deus, e fizerem o que é reto diante dele, e ouvirem os seus mandamentos, e guardarem todos os seus estatutos, não trarei sobre vocês nenhuma das enfermidades das que eu trouxe sobre o Egito; porque eu sou o Senhor que os cura."
27 Então chegaram a Elim, onde havia doze fontes de água, e setenta palmeiras; e acamparam junto das águas.

A Murmuração dos Israelitas

16 E, ao partirem de Elim, toda a congregação dos israelitas foi ao deserto de Sim, que está entre Elim e o Sinai, no dia quinze do segundo mês, depois de sua saída da terra do Egito.
2 E toda a congregação dos israelitas murmurou contra Moisés, e contra Arão no deserto.
3 E os israelitas lhes disseram: "Quem nos dera tivéssemos morrido pela mão do Senhor na terra do Egito, quando estávamos sentados junto às panelas de carne, quando comíamos pão com fartura! Pois nos trouxeram a este deserto, para matarem de fome toda esta multidão."
4 Então o Senhor disse a Moisés: "Farei chover pão dos céus; o povo sairá e recolherá diariamente a porção para cada dia, assim os porei à prova para eu ver se seguem as minhas leis ou não.
5 E, no sexto dia, prepararão o que recolherem; e será o dobro do que recolhem a cada dia."
6 Então Moisés e Arão disseram a todos os israelitas: "À tarde saberão que foi o Senhor quem os tirou da terra do Egito,
7 e amanhã verão a glória do Senhor, porque ouviu as suas murmurações contra ele. E quem somos nós, para que murmurem contra nós?"
8 Disse Moisés ainda: "Isto acontecerá quando o Senhor à tarde lhes der carne para comer, e pela manhã pão à vontade, porque o Senhor ouviu as suas murmurações, que fizeram contra ele. E quem somos nós? As suas murmurações não são contra nós, mas sim contra o Senhor."
9 Depois Moisés disse a Arão: "Fale a toda a congregação dos israelitas: 'Venham à presença do Senhor, porque ele ouviu as suas murmurações.'"
10 Então, Arão falou à congregação dos israelitas, e eles olharam para o deserto, e viram que a glória do Senhor apareceu na nuvem.

Deus Dá o Maná e as Codornizes

11 E o Senhor falou a Moisés:
12 "Ouvi as murmurações dos israelitas. Diga-lhes: Ao entardecer comerão carne, e pela manhã se fartarão de pão; assim, saberão que eu sou o Senhor seu Deus."
13 Então à tarde apareceram codornizes e cobriram o acampamento; e pela manhã havia orvalho ao redor do acampamento.
14 E quando o orvalho evaporou, sobre a superfície do deserto restava uma coisa redonda, miúda como a geada.
15 E os israelitas, vendo-a, disseram uns aos outros: "O que é isto?" Porque não sabiam o que era. Então Moisés lhes disse: "Este é o pão que o Senhor lhes deu para comer."
16 Estas são as palavras que o Senhor ordenou: "Reco-

lham dele conforme o que cada um consegue comer, uma
quantidade por pessoa, segundo o número de pessoas;
cada um pegará para os que estiverem na sua tenda."
17 E os israelitas fizeram assim; uns recolheram mais e
outros menos.
18 Porém, recolhiam conforme as quantidades estabelecidas, não sobrava e nem faltava; cada um recolhia a
quantidade que conseguia comer.
19 E Moisés lhes disse: "Não guardem nada para
amanhã."
20 Eles, porém, não ouviram Moisés, e alguns guardaram
para o dia seguinte; mas criou bichos e cheirava mal; por
isso, Moisés se indignou contra eles.
21 Eles o recolhiam cada manhã, cada um conforme o
que podia comer; porque, quando o sol aquecia, ele se
derretia.

O Maná e o Sábado

22 Então no sexto dia recolheram pão em dobro, duas
medidas para cada um; e alguns líderes da congregação
vieram e contaram a Moisés.
23 E ele lhes disse: "Isso é o que disse o Senhor: 'Amanhã
é dia de repouso, o sábado santo do Senhor; os que quiserem assar no forno, o assem, os que quiserem cozinhar
em água, o cozinhem; o que sobrar, guardem para vocês
para amanhã.'"
24 E o guardaram até o dia seguinte, como Moisés tinha
ordenado, e não cheirou mal, e nem criou bicho nele.
25 Então Moisés disse: "Comam-no hoje, porque hoje é o
sábado do Senhor; hoje não o acharão no campo.
26 Seis dias o recolherão, mas o sétimo dia é o sábado;
nele não haverá nada para recolher."
27 E, no sétimo dia, algumas pessoas saíram para recolher,
mas não o acharam.
28 Então o Senhor disse a Moisés: "Até quando recusarão
guardar os meus mandamentos e as minhas leis?
29 Vejam, o Senhor lhes deu o sábado, portanto, no sexto
dia ele lhes dá pão para dois dias; cada um fique no seu
lugar, ninguém saia do seu lugar no sétimo dia."
30 Assim o povo repousou no sétimo dia.
31 E os israelitas deram ao alimento o nome de maná; ele
era como semente de coentro branco, e o seu sabor era
como bolos de mel.
32 E Moisés disse: "Esta é a palavra que o Senhor ordenou: 'Peguem um pouco e o guardem para as suas futuras
gerações, para que vejam o pão que lhes dei para comer
neste deserto, quando eu os tirei da terra do Egito.'"
33 Moisés disse também a Arão: "Pegue um vaso e encha
de maná; e o coloque diante do Senhor, para o guardar
para as futuras gerações."
34 Como o Senhor tinha ordenado a Moisés, assim Arão o
pôs diante do Testemunho, para ser guardado.
35 E os israelitas comeram maná durante quarenta anos,
até que entraram em terra habitada; comeram maná até
que chegaram aos territórios da terra de Canaã.
36 E um ômer é a décima parte do efa.

Murmuração Pela Falta de Água

17 Depois toda a congregação dos israelitas partiu do
deserto de Sim, para as suas jornadas, segundo o
mandamento do Senhor, e acamparam em Refidim; mas
ali não havia água para o povo beber.
2 Então o povo discutiu com Moisés e disse: "Dê-nos água
para beber." E Moisés lhes disse: "Por que discutem comigo? Por que tentam o Senhor?"
3 O povo tinha sede de água, e murmurou contra Moisés,
dizendo: "Por que nos fez sair do Egito, para nos matar de
sede, a nós e aos nossos filhos, e aos nossos rebanhos?"
4 E Moisés clamou ao Senhor, dizendo: "O que farei a este
povo? Daqui a pouco irão me apedrejar."
5 Então o Senhor disse a Moisés: "Passe na frente do
povo, leve com você alguns dos anciãos de Israel, e pegue
na sua mão a sua vara, com que feriu o rio, e vá.
6 E eu estarei ali diante de você sobre a rocha, em Horebe;
então, bata a vara na rocha e dela sairá água, e o povo
beberá." E Moisés fez assim, diante dos anciãos de Israel.
7 E deram o nome daquele lugar de Massá e Meribá, por
causa da discussão dos israelitas, e porque tentaram o Senhor, dizendo: "O Senhor está em nosso meio, ou não?"

Os Amalequitas Atacam os Israelitas

8 Então os amalequitas vieram e lutaram contra os israelitas em Refidim.
9 Por isso Moisés disse a Josué: "Escolha alguns homens e
lute contra os amalequitas; amanhã eu estarei sobre o alto
do monte, e a vara de Deus estará na minha mão."
10 E Josué fez como Moisés lhe disse, e lutou contra os
amalequitas; mas Moisés, Arão e Hur, subiram ao alto do
monte.
11 E quando Moisés levantava a sua mão, os israelitas
venciam; mas quando ele abaixava, os amalequitas
venciam.
12 Mas as mãos de Moisés eram pesadas, por isso pegaram uma pedra e a puseram debaixo dele, para se sentar
sobre ela; então Arão e Hur sustentavam as suas mãos, um
de um lado e o outro do outro; assim as suas mãos ficaram
firmes até que o sol se pôs.
13 E Josué derrotou os amalequitas ao fio da espada.
14 Então o Senhor disse a Moisés: "Escreva isso para memória num livro, e o relate a Josué; que eu vou extinguir
totalmente a memória dos amalequitas de debaixo dos
céus."

15 E Moisés edificou um altar e lhe deu o nome de: "O
Senhor é minha bandeira."
16 E disse: "Porque o Senhor jurou, haverá guerra do
Senhor contra os amalequitas, de geração em geração."

O Sogro de Moisés lhe Traz a Família

18 Jetro, sacerdote de Midiã, sogro de Moisés, ouviu
todas as coisas que Deus tinha feito a Moisés e aos
israelitas, e como o Senhor os tirou do Egito.
2 E Jetro, sogro de Moisés, pegou Zípora, a mulher de
Moisés, depois que ele a enviou,
3 com seus dois filhos, dos quais um se chamava Gérson;
porque disse: "Eu fui peregrino em terra estrangeira;"
4 e o outro se chamava Eliézer; porque disse: "O Deus de
meu pai foi minha ajuda, e me livrou da espada do Faraó."
5 Jetro, o sogro de Moisés, com os filhos e a mulher de
Moisés, foi ao seu encontro no deserto, junto ao monte de
Deus, onde Moisés tinha acampado,
6 e mandou dizer a Moisés: "Eu, seu sogro Jetro, vou a
você, com sua mulher e seus dois filhos."
7 Então Moisés saiu ao encontro de seu sogro, se inclinou,
o beijou, e perguntaram um ao outro como estavam, e
entraram na tenda.
8 E Moisés contou a seu sogro todas as coisas que o Se-
nhor tinha feito ao Faraó e aos egípcios, por amor a Israel,
e todas as tribulações que passaram no caminho, e como
o Senhor os livrou.
9 E Jetro se alegrou pelo bem que o Senhor tinha feito aos
israelitas, livrando-os das mãos dos egípcios.
10 E Jetro disse: "Bendito seja o Senhor, que os livrou das
mãos dos egípcios, e das mãos do Faraó.
11 Agora, sei que o Senhor é maior que todos os deuses;
porque, nas coisas em que se orgulhavam, o Senhor os
derrotou."
12 Então Jetro, o sogro de Moisés, ofereceu um holo-
causto e sacrifícios a Deus; e Arão e todos os anciãos de
Israel vieram para comer pão com o sogro de Moisés, na
presença de Deus.
13 No outro dia, Moisés se sentou para julgar o povo; e o
povo permaneceu em pé diante de Moisés desde a manhã
até à tarde.
14 O sogro de Moisés, vendo tudo o que ele fazia ao povo,
lhe perguntou: "O que é isso que você faz ao povo? Por
que se assenta sozinho e todo o povo está em pé diante de
você, desde a manhã até a tarde?"
15 Então Moisés respondeu ao seu sogro: "É porque este
povo vem a mim, para consultar a Deus;
16 quando alguém tem alguma questão, vem a mim, para
que eu julgue entre um e outro, e lhes declare os estatutos
de Deus, e as suas leis."
17 O sogro de Moisés lhe disse: "Não é bom o que faz.
18 Assim, você e este povo se esgotarão totalmente, por-
que este negócio é muito difícil para você; você não pode
fazer isto sozinho.
19 Ouça o meu conselho, e Deus estará com você. Seja
representante do povo diante de Deus, e leve as causas
a Deus;
20 e lhes declare os estatutos e as leis; lhes faça saber o
caminho em que devem andar, e a obra que devem fazer.
21 E procure homens capazes no meio do povo, tementes
a Deus, homens de verdade, que não sejam mesquinhos;
e os estabeleça como chefes sobre o povo; chefes de mil,
de cem, de cinquenta e chefes de dez;
22 para que julguem este povo em todo o tempo, e tragam
a você somente as causas que sejam graves, mas, as causas
pequenas, deixe que eles julguem; assim, você mesmo se
aliviará da carga, e eles o ajudarão.
23 Se Deus permitir que você faça isto, então poderá su-
portar; e assim todo este povo também voltará em paz ao
seu lugar."
24 E Moisés ouviu o conselho de seu sogro, e fez tudo o
que ele tinha dito;
25 Moisés escolheu homens capazes, entre todos os is-
raelitas, e os pôs como chefes sobre o povo; chefes de mil,
cem, cinquenta e chefes de dez.
26 E eles julgavam o povo em todo o tempo; e levavam
a Moisés todas as causas difíceis, mas as causas pequenas
eles julgavam.
27 Então Moisés se despediu do seu sogro, e ele voltou
para sua terra.

Deus Fala Com Moisés no Sinai

19 No terceiro mês da saída dos israelitas da terra do
Egito, no mesmo dia chegaram ao deserto do Sinai.
2 Porque partiram de Refidim, e vieram ao deserto do
Sinai e acamparam; os israelitas acamparam em frente do
monte.
3 E Moisés subiu a Deus e o Senhor o chamou do mon-
te, dizendo: "Assim falará à casa de Jacó e anunciará aos
israelitas:
4 Vocês viram o que fiz aos egípcios, como levei vocês
sobre asas de águias, e os trouxe a mim;
5 agora, se ouvirem cuidadosamente a minha voz, e
guardarem a minha aliança, então, serão minha proprie-
dade peculiar dentre todos os povos, porque toda a terra
é minha.
6 E serão para mim um reino de sacerdotes, e uma nação
santa. Estas são as palavras que falará aos israelitas."
7 Então Moisés chamou os anciãos, e expôs diante deles
todas estas palavras que o Senhor lhe ordenou.
8 E todo o povo respondeu a uma só voz: "Faremos tudo

o que o Senhor falou." E Moisés relatou ao Senhor as pa-
lavras do povo.
9 E o Senhor disse a Moisés: "Eu virei a você numa nu-
vem espessa, para que o povo me ouça falando com você,
e para que também creiam sempre em você." Porque Moi-
sés tinha anunciado as palavras do povo ao Senhor.
10 O Senhor disse também a Moisés: "Vá ao povo e os
santifique hoje e amanhã; lavem as suas roupas.
11 E estejam prontos para o terceiro dia; porque no ter-
ceiro dia o Senhor descerá sobre o monte Sinai, diante de
todo o povo.
12 E marcará um limite ao redor do monte, dizendo:
Cuidem-se, não subam ao monte, e nem toquem o seu
limite; todos aqueles que tocarem o monte, certamente
morrerão.
13 Nenhuma mão tocará nele; porque certamente será
apedrejado ou flechado; seja homem ou animal, não vi-
verá; quando soar a trombeta longamente, então poderão
subir ao monte."
14 E Moisés desceu do monte, santificou o povo e eles
lavaram as suas roupas.
15 E disse ao povo: "Estejam prontos no terceiro dia, e
não tenham relações com as suas mulheres."
16 Então, ao amanhecer do terceiro dia, houve trovões e
relâmpagos sobre o monte, e uma espessa nuvem; então
se ouviu um som de trombeta muito forte, de maneira
que todo o povo que estava no acampamento estremeceu.
17 E Moisés levou o povo para fora do acampamento ao
encontro de Deus, e se puseram ao pé do monte.
18 E todo o monte Sinai fumegava, porque o Senhor des-
ceu nele com fogo; e a sua fumaça subiu como fumaça de
uma fornalha, e todo o monte tremia muito.
19 E o som da trombeta aumentava cada vez mais; Moi-
sés falava, e Deus lhe respondia em voz alta.
20 E o Senhor desceu sobre o monte Sinai, sobre o cume
do monte, e o Senhor chamou Moisés ao cume do monte
e Moisés subiu.
21 E o Senhor disse a Moisés: "Desça e advirta ao povo
que não ultrapasse o limite para ver o Senhor, para que
muitos deles não morram.
22 E os sacerdotes, que se aproximarem do Senhor, de-
vem se santificar, para que o Senhor não se volte contra
eles."
23 Então Moisés disse ao Senhor: "O povo não poderá su-
bir ao monte Sinai, porque nos advertiu, dizendo: Marque
limites ao redor do monte, e o santifique."
24 E o Senhor disse: "Vá, desça; depois subam você e
Arão; porém, os sacerdotes e o povo não podem ultra-
passar o limite para subir ao Senhor, para que eu não me
volte contra eles."
25 Então Moisés desceu, e disse isso ao povo.

Os Dez Mandamentos

20 Então Deus falou todas estas palavras:
2 "Eu sou o Senhor seu Deus, que o tirei da terra do
Egito, da casa da escravidão.
3 Não tenha outros deuses diante de mim.
4 Não faça para você imagem de escultura, nem seme-
lhança alguma do que há em cima nos céus, nem embaixo
na terra, nem nas águas debaixo da terra.
5 Não se curve a elas, nem as adore; porque eu, o Senhor
seu Deus, sou Deus zeloso, que visito a iniquidade dos
pais nos filhos, até a terceira e quarta geração daqueles
que me odeiam.
6 E faço misericórdia a milhares de gerações dos que me
amam, e guardam os meus mandamentos.
7 Não tome o nome do Senhor seu Deus em vão; porque
o Senhor não terá por inocente o que tomar o seu nome
em vão.
8 Lembre-se do dia do sábado, para o santificar.
9 Durante seis dias trabalhe e faça toda a sua obra.
10 Mas o sétimo dia é o sábado do Senhor seu Deus; não
faça nenhuma obra, nem você, nem seu filho, nem sua fi-
lha, nem o seu servo, nem a sua serva, nem o seu animal,
nem o estrangeiro que está dentro das suas portas.
11 Porque em seis dias o Senhor fez os céus e a terra, o
mar e tudo o que há neles, e no sétimo dia descansou; por-
tanto, o Senhor abençoou o dia do sábado, e o santificou.
12 Honre o seu pai e a sua mãe, para que se prolonguem
os seus dias na terra que o Senhor seu Deus lhe dá.
13 Não mate.
14 Não adultere.
15 Não furte.
16 Não dê falso testemunho contra o seu próximo.
17 Não cobice a casa do seu próximo, não cobice a mu-
lher do seu próximo, nem o seu servo, nem a sua serva,
nem o seu boi, nem o seu jumento, nem coisa alguma do
seu próximo."
18 E todo o povo viu os trovões e os relâmpagos, e ouviu
o som da trombeta e viu o monte fumegando; quando o
povo viu isso, se retirou para longe.
19 E disseram a Moisés: "Fale você conosco, e ouviremos:
E não fale Deus conosco, para não morrermos."
20 E Moisés disse ao povo: "Não tenham medo, Deus
veio para os provar, e para que o seu temor esteja diante
de vocês, para não pecarem."
21 E o povo estava em pé de longe. Moisés, porém, se
chegou à nuvem espessa, onde Deus estava.
22 Então o Senhor disse a Moisés: "Assim dirá aos israeli-
tas: Vocês viram que, dos céus, eu falei com vocês.

23 Não tenham outros deuses diante de mim; não façam para vocês deuses de prata, ou deuses de ouro.
24 Façam-me um altar de terra, e sobre ele sacrifiquem os seus holocaustos, as suas ofertas pacíficas, as suas ovelhas, e as suas vacas; em todo lugar onde eu fizer celebrar a memória do meu nome, virei a você e o abençoarei.
25 E se me fizer um altar de pedras, não faça de pedras lavradas; porque se nele usar ferramentas, o profanarão.
26 Também não suba ao meu altar por degraus, para que a sua nudez não seja descoberta diante deles."

Diversas Leis Civis

21 Estas são as leis que apresentará aos israelitas.
2 Se comprar um escravo hebreu, ele servirá por seis anos; mas, no sétimo ano, ele será libertado de graça.
3 Se o escravo entrou só, sairá só; se ele era casado, sua esposa sairá com ele.
4 Se o seu dono lhe der uma mulher, e ela lhe der filhos ou filhas, a mulher e seus filhos serão de seu dono, e o escravo sairá sozinho.
5 Mas se aquele escravo disser expressamente: Eu amo o meu dono, a minha mulher e os meus filhos; e não quero sair libertado,
6 então, o seu dono o levará aos juízes à porta da cidade, e o seu dono lhe furará a orelha com um furador de couro; então, o escravo o servirá para sempre.
7 E se um homem vender a sua filha para ser escrava, ela não sairá como saem os escravos.
8 Se ela não agradar ao seu dono e ele não se casar com ela, ele terá que permitir que ela seja resgatada; não poderá vendê-la a um povo estranho, agindo deslealmente com ela.
9 Mas se ele casá-la com seu filho, ela terá os mesmos direitos que suas filhas.
10 Se casar com outra, não diminuirá o mantimento desta, nem as suas roupas, nem a sua obrigação marital.
11 E se não lhe fizer estas três coisas, ela sairá de graça, sem precisar pagar.
12 Quem ferir alguém, e o ferido vier a morrer, certamente será morto.
13 Porém, se for por acidente, lhe direi um lugar para onde ele fugirá.
14 Mas se alguém agir premeditadamente contra o seu próximo, para o matar, o tirará do meu altar, para que morra.
15 Quem ferir o próprio pai, ou a própria mãe, certamente será morto.
16 E quem raptar um homem e o vender, ou se tiver em posse dele, certamente será morto.
17 E quem amaldiçoar a seu pai ou a sua mãe, certamente será morto.
18 E se dois homens brigarem, e um ferir o outro com pedras ou com as mãos, e este não morrer, mas ficar de cama,
19 e se o ferido tornar a levantar-se e andar, mesmo que apoiado numa bengala, então aquele que o feriu será absolvido; somente terá que lhe pagar o tempo que perdeu até ficar curado totalmente.
20 Se algum dono ferir o seu escravo, ou a sua escrava com pau e este morrer, certamente será castigado;
21 porém, se sobreviver por um ou dois dias, não será castigado, porque é o seu dono.
22 Se alguns homens estiverem brigando, e um deles ferir uma mulher grávida provocando o aborto, porém não havendo outro dano, certamente será multado, conforme o que lhe impuser o marido da mulher, e segundo julgarem os juízes.
23 Mas se ela morrer, então a pena será vida por vida,
24 olho por olho, dente por dente, mão por mão, pé por pé,
25 queimadura por queimadura, ferida por ferida, golpe por golpe.
26 E quando o dono ferir o olho de seu escravo, ou o olho da sua escrava e o danificar, o deixará ir em liberdade pelo seu olho.
27 E se tirar o dente do seu escravo, ou o dente da sua escrava, o deixará ir em liberdade pelo seu dente.
28 E se algum boi chifrar algum homem ou alguma mulher, e causar a morte, o boi será apedrejado, e a sua carne não poderá ser consumida; mas o dono do boi será absolvido.
29 Mas se o boi já chifrou outras vezes, e o seu dono sabendo disto não o prendeu, se o boi matar algum homem ou alguma mulher, o boi será apedrejado e o seu dono também morrerá.
30 E se lhe for proposta indenização, então poderá pagar tudo quanto lhe for imposto, para resgatar a sua vida,
31 quer tenha chifrado um filho, quer tenha chifrado uma filha; será feito conforme estas leis.
32 Se o boi chifrar um escravo, ou uma escrava, seu dono terá que pagar trinta siclos de prata ao dono do escravo, e o boi será apedrejado.
33 Se alguém deixar algum poço aberto, ou se alguém cavar um poço, e não o tapar, e nele cair um boi ou um jumento,
34 o dono do poço pagará pelo animal; pagará em dinheiro ao seu dono, mas o animal morto será seu.
35 Se o boi de alguém ferir o boi do seu próximo, e este animal morrer, então o boi que ficar vivo será vendido, e o dinheiro dele será repartido igualmente, e também repartirão entre si o boi morto.

36 Mas, se sabia que aquele boi já havia chifrado antes, e
o seu dono não o prendeu, certamente, pagará boi por boi;
porém, o boi morto será seu."

Outras Leis Civis

22 Se alguém furtar algum boi ou ovelha e o degolar
ou vender, por cada boi pagará cinco bois, e por
cada ovelha pagará quatro ovelhas.
2 Se o ladrão for pego roubando e for ferido, vindo a morrer, aquele que o feriu não será culpado.
3 Contudo, se o ferir em outro dia, o agressor será culpado; o ladrão terá que restituir totalmente o que roubou; e,
se não tiver como pagar, será vendido para pagar o valor
do que roubou.
4 Se o produto do furto for achado vivo na sua mão, seja
boi, ou jumento, ou ovelha, terá que pagar em dobro.
5 Se alguém deixar o seu animal pastar num campo ou
numa vinha, e não cuidar, e o animal comer no campo
de outro, terá que restituí-lo com o melhor do seu próprio
campo, e o melhor da sua própria vinha.
6 Se alguém provocar um incêndio, e o fogo pegar nos
espinheiros, e queimar os feixes de trigo, ou a seara, ou o
campo, aquele que provocou o incêndio pagará totalmente o que queimou.
7 Se alguém der algum objeto de valor ao seu próximo
para guardar, e o objeto for furtado da casa, o ladrão, se for
encontrado, pagará em dobro.
8 Se o ladrão não for encontrado, então o dono da casa
será levado aos juízes, para verem se não se apropriou dos
bens do seu próximo.
9 Sobre todas as causas litigiosas, sobre boi, sobre jumento, sobre gado miúdo, sobre roupas, sobre todas as coisas
perdidas, se alguém disser que é sua, a causa de ambos
será levada perante os juízes; e, quem for condenado, pagará em dobro ao seu próximo.
10 Se alguém der a seu próximo para guardar um jumento, ou boi, ou ovelha, ou outro animal qualquer e o animal
morrer, ou for dilacerado, ou fugir, e ninguém vir o que
aconteceu,
11 então haverá juramento diante do Senhor entre ambos, de que não se apropriou dos bens do seu próximo e
seu dono aceitará o juramento e o outro não o restituirá.
12 Mas, se de fato o animal tiver sido furtado, terá que
pagá-lo ao seu dono.
13 Porém, se o animal foi dilacerado, deverá trazê-lo
como prova disto, então não pagará o animal dilacerado.
14 E se alguém pedir algum animal emprestado a seu
próximo, e ele ficar aleijado ou morrer, e o seu dono não
estava presente, então certamente terá que pagar.
15 Mas se o seu dono estava presente, então não precisará pagar; e se foi alugado, o valor do aluguel será o
pagamento.

Leis Contra a Imoralidade e Idolatria

16 Se alguém enganar alguma virgem, que não estiver
comprometida, e tiver relações com ela, terá que pagar o
seu dote e se casar com ela.
17 E se seu pai se recusar a entregá-la, o homem ainda
assim terá que pagar ao pai o dote em dinheiro conforme
o dote das virgens.
18 A feiticeira, não a deixe viver.
19 Todo aquele que tiver relação sexual com animal, será
morto.
20 O que fizer sacrifício aos deuses que não forem o Senhor, será morto.
21 Não maltrate nem oprima o estrangeiro; porque vocês
também foram estrangeiros na terra do Egito.
22 Não maltrate a viúva e nem o órfão.
23 Se de algum modo os maltratarem e eles clamarem a
mim, eu certamente ouvirei o seu clamor.
24 E a minha ira se acenderá e eu os matarei à espada; e as
suas mulheres ficarão viúvas e seus filhos ficarão órfãos.
25 Se emprestar dinheiro ao meu povo, ao pobre que está
com você, não aja com ele como um agiota; não lhe cobre
juros.
26 Se pegar como garantia a veste do seu próximo, devolva-a antes do anoitecer,
27 porque é a sua coberta e a proteção da sua pele; em
que se deitaria? Porque quando ele clamar a mim, eu o
ouvirei, porque sou misericordioso.
28 Não blasfeme contra Deus, e não amaldiçoe o líder
do seu povo.
29 Não atrase as ofertas das suas colheitas; e me dê o
primogênito de seus filhos.
30 Assim farão com os seus bois e suas ovelhas: Ficarão
sete dias após o nascimento com as suas mães, e no oitavo
dia de vida, os darão a mim.
31 E serão povo santo para mim; portanto, não comam
carne despedaçada no campo; mas a deem para os cães.

Leis Contra a Falsidade e a Injustiça

23 Não crie nem propague notícias falsas, nem apoie
pessoas para serem falsas testemunhas.
2 Não siga a multidão para fazer o mal; nem fale em
processo, tomando parte com a maioria para distorcer o
direito.
3 Nem para favorecer ao pobre em demanda injusta.
4 Se encontrar o boi do seu inimigo, ou o seu jumento
desgarrado, sem falta leve-o ao seu dono.
5 Se vir o jumento de quem o odeia, caído debaixo da
sua carga, deixará de ajudá-lo? Certamente ajude-o a
levantar-se.

6 Não despreze o direito do pobre na sua demanda.
7 Afaste-se de mentiras e não mate o inocente e o justo;
porque, se fizer isso, não o inocentarei.
8 Também não aceite suborno; porque o suborno corrom-
pe as pessoas, e distorce até as palavras das testemunhas.
9 Também não oprima o estrangeiro; pois vocês conhe-
cem o seu sofrimento, porque já foram estrangeiros na
terra do Egito.

O Ano Jubileu

10 Por seis anos semeie a terra e recolha os seus frutos;
11 mas, no sétimo ano, deixe a terra descansar, para que
os pobres do seu povo possam comer, e o que sobrar, ser-
virá para os animais do campo comerem. Faça assim tam-
bém com a sua vinha, e com o seu olival.
12 Faça os seus negócios nos seis dias; mas, ao sétimo dia,
descanse; para o seu boi descansar, e o seu jumento, e para
que o filho da sua escrava, e o estrangeiro, se recuperem
dos trabalhos.
13 Lembre-se de tudo o que lhe falo; não se lembre do
nome de outros deuses, nem mesmo os pronuncie.

As Três Festas

14 Celebrem-me com festa três vezes por ano.
15 Comemorem a festa dos pães sem fermento; por sete
dias comam pães sem fermento, como tenho ordenado,
no dia determinado no mês de Abibe; porque neste dia
saíram do Egito; e ninguém venha de mãos vazias perante
mim;
16 e celebrem a festa da colheita dos primeiros frutos do
seu trabalho, que semearam no campo e a festa da colhei-
ta, no fim do ano, quando tiverem colhido do campo o
fruto do seu trabalho.
17 Três vezes por ano, todos os seus homens aparecerão
diante do Senhor Deus.
18 Não ofereçam o sangue do meu sacrifício com pão
fermentado; nem guardem a gordura da minha festa até
a manhã seguinte.
19 Tragam à casa do Senhor seu Deus os melhores dos
primeiros frutos das colheitas da sua terra; não cozinhem
o cabrito no leite da mãe dele.
20 Eis que eu envio um anjo diante de vocês, para os
guardar pelo caminho, e os levar ao lugar que tenho pre-
parado para vocês.
21 Cuidem-se diante dele, ouçam a sua voz, e não pro-
voquem a sua ira; porque ele não perdoará a rebeldia de
vocês; porque o meu nome está nele.
22 Mas se cuidadosamente ouvirem a sua voz e fizerem
tudo o que eu disser, então serei inimigo dos seus inimi-
gos, e adversário dos seus adversários.
23 Porque o meu anjo irá à frente de vocês, e os levará
aos amorreus, aos heteus, aos ferezeus, aos cananeus, aos
heveus e aos jebuseus; e eu os destruirei.
24 Não se inclinem diante dos seus deuses, nem os ado-
rem, nem façam os seus rituais; os destruam totalmente, e
quebrem todas as suas imagens.
25 E sirvam ao Senhor seu Deus e ele abençoará o pão e
a sua água; e eu tirarei do meio de vocês as enfermidades.
26 Não haverá mulher que aborte, nem mulher estéril na
sua terra; e lhes darei muitos anos de vida.
27 Enviarei o meu terror à frente de vocês, destruindo
todo povo aonde entrarem, e farei que todos os seus ini-
migos virem as costas e fujam.
28 Também enviarei vespas à frente de vocês, para expul-
sarem os heveus, os cananeus, e os heteus.
29 Não os expulsarei da frente de vocês num só ano, para
que a terra não se torne um deserto e os animais selvagens
não se multipliquem contra vocês.
30 Pouco a pouco os expulsarei da frente de vocês, até
que se multipliquem e tomem posse da terra por herança.
31 E estabelecerei os seus limites desde o Mar Vermelho
até o mar dos filisteus, e desde o deserto até o rio; porque
darei nas suas mãos os moradores da terra, para que os
expulsem da frente de vocês.
32 Não façam alianças com eles, ou com os seus deuses.
33 Não habitarão na sua terra, para que não os façam pe-
car contra mim; se servirem aos seus deuses, certamente
isto será uma cilada para vocês."

Moisés no Monte Sinai

24 Depois disse a Moisés: "Subam ao Senhor, você e
Arão, Nadabe e Abiú, e setenta dos anciãos de Is-
rael; e adorem de longe.
2 E só Moisés se aproximará do Senhor; mas os outros não
se aproximem, nem o povo pode subir com ele."
3 Então, Moisés foi e contou ao povo todas as palavras
do Senhor e todas as leis; e o povo respondeu a uma só
voz, e disse: "Todas as palavras que o Senhor lhe falou,
cumpriremos."
4 Moisés escreveu todas as palavras do Senhor, e levan-
tou-se de madrugada, e edificou um altar ao pé do monte,
e doze monumentos, segundo as doze tribos de Israel;
5 e enviou alguns jovens dos israelitas e eles ofereceram
holocaustos, e sacrificaram ao Senhor, sacrifícios pacíficos
de bezerros.
6 E Moisés pegou a metade do sangue e a pôs em bacias; a
outra metade do sangue, derramou sobre o altar.
7 E pegou o livro da aliança, e o leu para o povo, e eles
disseram: "Tudo o que o Senhor falou, nós faremos e
obedeceremos."
8 Então Moisés pegou aquele sangue, e o derramou sobre

o povo e disse: “Eis aqui o sangue da aliança que o Senhor
fez com vocês, com todas estas palavras.”
9 E Moisés e Arão, Nadabe e Abiú, e setenta dos anciãos
de Israel, subiram o monte.
10 E viram o Deus de Israel, em cima de um lugar que
se parecia com um piso de pedra de safira, que se parecia
com o céu na sua claridade.
11 Porém, Deus não estendeu a sua mão sobre os esco-
lhidos dos israelitas, mas eles viram Deus, e comeram e
beberam.
12 Então o Senhor disse a Moisés: “Suba até mim no
monte e fique lá; eu lhe darei as tábuas de pedra com as
leis; os mandamentos que escrevi, para os ensinar.”
13 E Moisés com Josué se levantaram e subiram ao monte
de Deus.
14 E disse aos anciãos: “Esperem-nos aqui até voltarmos;
Arão e Hur ficarão com vocês; quem tiver algum proble-
ma, vá até eles.”
15 Então, quando Moisés subiu, a nuvem cobriu o monte.
16 E a glória do Senhor repousou sobre o monte Sinai,
e a nuvem o cobriu por seis dias; e, ao sétimo dia, Deus
chamou Moisés do meio da nuvem.
17 Aos olhos dos israelitas, o brilho da glória do Senhor
era como um fogo ardente no cume do monte.
18 Então, depois que Moisés subiu ao monte, entrou no
meio da nuvem, e lá permaneceu por quarenta dias e qua-
renta noites.

As Ofertas Para o Tabernáculo

25 Então o Senhor falou a Moisés:
2 “Diga aos israelitas que me tragam uma oferta;
e receba a minha oferta de todo homem que oferecer
voluntariamente.
3 E esta é a oferta que receberão deles: Ouro, prata e
bronze,
4 e tecido azul, púrpura, carmesim, linho fino e pelos de
cabras,
5 e peles de carneiros tingidas de vermelho, couros finos
e madeira de acácia,
6 azeite para iluminação, especiarias para o óleo da unção
e especiarias para o incenso,
7 e pedras de ônix e pedras preciosas para a estola e para
o peitoral.
8 E me farão um santuário e habitarei no meio deles.
9 Façam conforme o modelo do tabernáculo que eu lhe
mostrar, e todas as suas mobílias conforme o modelo, os
façam deste jeito.

A Arca do Concerto

10 Faça também uma arca de madeira de acácia; com um
metro e dez centímetros de comprimento, setenta e cinco
centímetros de largura, e setenta e cinco centímetros de
altura.
11 E a revista de ouro puro; por dentro e por fora; faça
uma moldura de ouro ao redor dela;
12 e funda para ela quatro argolas de ouro, e as coloque
nos quatro cantos, duas argolas num lado e duas no outro.
13 E faça varas de madeira de acácia, e as revista com
ouro.
14 E fixe as varas nas argolas, nos lados da arca, para se
carregar a arca.
15 As varas estarão fixas nas argolas da arca, não se ti-
rarão dela.
16 Depois, ponha na arca as pedras com as leis que eu
lhe darei.

O Propiciatório

17 Faça também um propiciatório de ouro puro; e o seu
comprimento será de um metro e dez centímetros, e lar-
gura de setenta centímetros.
18 Faça também dois querubins de ouro; faça-os de ouro
batido nas duas extremidades do propiciatório.
19 Faça um querubim numa extremidade, e o outro na
outra extremidade; em uma só peça com o propiciatório.
20 Os querubins estenderão as asas por cima, cobrindo
com elas o propiciatório; as suas faces, uma de frente para
a outra; as faces dos querubins estarão voltadas para o
propiciatório.
21 E, depois de pôr na arca as pedras com as leis que eu
lhe darei, tampe-a com o propiciatório.
22 E ali me encontrarei com você e falarei de cima do
propiciatório, do meio dos dois querubins, que estão sobre
a arca do testemunho, falarei com você sobre tudo o que
eu lhe ordenar para os israelitas.

A Mesa dos Pães Sem Fermento

23 Faça também uma mesa de madeira de acácia; com
comprimento de noventa centímetros, e largura de qua-
renta e cinco centímetros, e altura de setenta centímetros.
24 E a revista com ouro puro; faça também uma coroa
de ouro.
25 Faça também uma moldura, da largura de uma mão, e
faça uma coroa de ouro em volta da moldura.
26 Faça também quatro argolas de ouro e as fixe nos qua-
tro cantos, que estão nos seus quatro pés.
27 Em frente da moldura estarão as argolas, como lugares
para as varas, para se levar a mesa.
28 Faça estas varas de madeira de acácia, e as revista com
ouro; para levar à mesa com elas.
29 Faça também os seus pratos, as suas colheres, e as
suas tigelas com que se oferecerão libações; faça-os de
ouro puro.

30 E coloque sobre a mesa o pão da proposição perante a
minha face perpetuamente.

O Castiçal de Ouro

31 Faça também um castiçal de ouro puro; faça este casti-
çal de ouro batido; o seu pé, as suas canas, os seus copos,
as suas maçãs e as suas flores serão também de ouro.
32 E sairão seis hastes dos seus lados: Três hastes de um
lado do castiçal, e três hastes do outro.
33 Em cada haste haverá três copos com formato de
amêndoas, uma maçã e uma flor; assim serão as seis has-
tes que saem do castiçal.
34 Mas no castiçal mesmo haverá quatro copos no for-
mato de amêndoas, com suas maçãs, e com suas flores;
35 e uma maçã debaixo de duas hastes que saem dele; e
ainda uma maçã debaixo de duas outras hastes que saem
dele; e ainda mais uma maçã debaixo de duas outras has-
tes que saem dele: Assim serão as seis hastes que saem
do castiçal.
36 As suas maçãs e as suas hastes e tudo serão de uma só
peça, obra batida de ouro puro.
37 Faça-lhe também sete lâmpadas, que se acenderão
para iluminar o ambiente.
38 Os seus espevitadores e os seus apagadores serão de
ouro puro.
39 Faça-os de ouro puro, com todos os seus acessórios.
40 Faça conforme o modelo que lhe foi mostrado no
monte.

As Cortinas

26 E faça o tabernáculo com dez cortinas de linho fino
torcido, azul, púrpura e carmesim; faça-as com bor-
dados de querubins.
2 O seu comprimento será de doze metros e meio, e a sua
largura será de um metro e oitenta; todas essas cortinas
terão as mesmas medidas.
3 Amarre cinco cortinas umas às outras, em dois conjun-
tos de cinco cortinas.
4 E faça laços de tecido azul nas pontas das cortinas, nas
extremidades dos dois conjuntos.
5 Faça cinquenta laços nas extremidades em cada conjun-
to de cortinas; que estarão presas umas às outras.
6 Faça também cinquenta colchetes de ouro, e prenda
as cortinas com eles, uma com a outra, e formará um
tabernáculo.
7 Faça também cortinas de pelos de cabras para servirem
de tendas sobre o tabernáculo; faça onze cortinas.
8 O comprimento de cada cortina será de treze metros e
trinta, e a largura será de um metro e oitenta; estas onze
cortinas terão a mesma medida.
9 E junte cinco destas cortinas à parte, e as outras seis
cortinas também à parte; então dobrará a sexta cortina à
frente da tenda.
10 E faça cinquenta laços na borda da cortina, na extre-
midade do conjunto, e outros cinquenta laços na borda da
outra cortina, do segundo conjunto.
11 Faça também cinquenta colchetes de bronze, e ponha
os colchetes nos laços; assim unirão as cortinas, para for-
mar uma tenda.
12 E a parte que sobrar das cortinas da tenda, a saber, a
metade da cortina que sobrar, penderá de sobra na parte
de trás do tabernáculo.
13 Quarenta e cinco centímetros de um lado e quarenta e
cinco centímetros do outro, que sobrarem no comprimen-
to das cortinas da tenda, penderão aos lados do taberná-
culo, para cobri-lo.
14 Faça também uma cobertura para a tenda de peles de
carneiro, tingidas de vermelho, e outra cobertura por cima
de couro fino.

As Tábuas

15 Faça também as tábuas para o tabernáculo de madeira
de acácia, que serão postas verticalmente.
16 O comprimento de uma tábua será de quatro metros
e quarenta e cinco centímetros, e a largura de cada tábua
será de sessenta e sete centímetros.
17 Cada tábua terá dois encaixes, travadas uma com a
outra; faça assim com todas as tábuas do tabernáculo.
18 E faça assim as tábuas para o tabernáculo: Vinte tábuas
para o lado sul.
19 Faça também quarenta bases de prata debaixo das vin-
te tábuas; duas bases debaixo de cada tábua para os seus
dois encaixes.
20 Também haverá vinte tábuas do outro lado do taberná-
culo, para o lado norte,
21 com as suas quarenta bases de prata; duas bases debai-
xo de cada tábua,
22 e do lado do tabernáculo para o ocidente, faça seis
tábuas.
23 Faça também duas tábuas para os cantos do tabernácu-
lo, de ambos os lados.
24 E por baixo se ajuntarão e também em cima dele se
ajuntarão numa argola. Faça assim com as duas tábuas;
para os dois cantos.
25 Assim serão as oito tábuas com as suas bases de prata,
dezesseis bases; duas bases debaixo de cada tábua.
26 Faça também cinco travessas de madeira de acácia
para as tábuas de um lado do tabernáculo,
27 e cinco travessas para as tábuas de cada lado do taber-
náculo, de ambos os lados, para o ocidente.
28 E a travessa central estará no meio das tábuas, passan-
do de uma extremidade até a outra.

29 E revista de ouro as tábuas, e faça de ouro as suas ar-
golas, para passarem por elas as travessas; também revista
as travessas de ouro.
30 Então construa o tabernáculo conforme o modelo que
lhe mostrei no monte.

O Véu do Santuário

31 Depois faça um véu de pano azul, púrpura e carmesim,
de linho fino torcido; com bordados de querubins.
32 E o coloque sobre quatro colunas de madeira de acá-
cia cobertas de ouro; seus colchetes serão de ouro, sobre
quatro bases de prata.
33 Pendure o véu pelos colchetes, e ponha a arca do tes-
temunho ali dentro do véu; esse véu fará separação entre
o santuário e o lugar santíssimo,
34 e ponha a cobertura do propiciatório sobre a arca do
testemunho no lugar santíssimo,
35 ponha a mesa fora do véu, e o castiçal em frente da
mesa, ao lado do tabernáculo, para o sul; e coloque a mesa
do lado norte.
36 Faça também para a porta da tenda uma cortina azul,
púrpura e carmesim, de linho fino torcido, com bordados.
37 E faça para esta cortina cinco colunas de madeira de
acácia, e as revista de ouro; seus colchetes serão de ouro,
e lhe faça cinco bases de bronze fundido.

O Altar de Holocaustos

27 Faça também o altar de madeira de acácia; com dois
metros e vinte de comprimento, dois metros e vinte
de largura e um metro e trinta de altura.
2 E faça chifres nos seus quatro cantos; os chifres serão de
peça única e os revista de bronze.
3 Faça também os seus recipientes, para recolherem as
cinzas, e as pás, bacias, garfos e os seus braseiros; todos os
seus utensílios em bronze.
4 Faça também uma grelha de bronze, e faça para esta
grelha quatro argolas de metal nos quatro cantos.
5 E as coloque dentro da borda do altar para baixo, de
maneira que cheguem até o meio do altar.
6 Faça também varas para o altar, varas de madeira de
acácia, e as revista de bronze.
7 E as varas serão postas nas argolas, de maneira que es-
sas varas estejam de ambos os lados do altar, quando for
carregado.
8 Faça de tábuas e oco; como lhe mostrei no monte, faça-o
assim.

O Pátio Externo

9 Faça também o pátio do tabernáculo, para o lado do sul;
o pátio terá cortinas de linho fino torcido; o comprimento
de cada lado será de quarenta e quatro metros.
10 Também as suas vinte colunas e as suas vinte bases
serão de bronze; os colchetes das colunas e as suas faixas
serão de prata.
11 Assim, também para o lado norte, as cortinas serão de
quarenta e quatro metros de comprimento; e as suas vinte
colunas e as suas vinte bases serão de bronze; os colchetes
das colunas e as suas faixas serão de prata,
12 e na largura do pátio para o lado do ocidente haverá
cortinas de vinte e dois metros de largura, as suas colunas
de dez e as suas bases de dez.
13 Semelhantemente, a largura do pátio do lado oriental
para o levante será de vinte e dois metros.
14 De maneira que haja seis metros e sessenta de cortinas
de um lado, com suas três colunas e as suas três bases.
15 E seis metros e sessenta de comprimento das cortinas
do outro lado, com suas três colunas e as suas três bases.
16 E na porta do pátio haverá uma cortina de oito metros
e oitenta, de tecido azul, púrpura e carmesim, e de linho
fino torcido, com bordados; com as suas quatro colunas e
as suas quatro bases.
17 Todas as colunas ao redor do pátio serão unidas com
vigas de prata; os seus colchetes serão de prata, mas as
suas bases de bronze.
18 O comprimento do pátio será de quarenta e quatro me-
tros, e a largura de cada lado será de vinte e dois metros,
a altura será de dois metros e vinte, as cortinas serão de
linho fino torcido; e as suas bases serão de bronze.
19 E todos os acessórios do tabernáculo para todos os seus
serviços, até todos os seus pregos e todos os pregos do
pátio, serão de bronze.

O Azeite

20 Você, porém, ordene aos israelitas que lhe tragam azei-
te puro de oliveiras, batido, para o candeeiro, para fazer as
lâmpadas ficarem acesas continuamente.
21 Na tenda do encontro, fora do véu que está diante do
testemunho, Arão e seus filhos as manterão acesas, dia e
noite, perante o Senhor; este será um estatuto perpétuo
para os israelitas, por todas as suas futuras gerações.

Deus Escolhe Arão e Seus Filhos

28 Depois, chame dentre os israelitas o seu irmão Arão
e os filhos dele: Nadabe, Abiú, Eleazar e Itamar,
para me servirem como sacerdotes.
2 E faça vestes sagradas para o seu irmão Arão, para glória
e ornamento.
3 Fale também a todos os homens sábios, a quem eu te-
nho enchido do espírito de sabedoria, que façam vestes
para Arão para santificá-lo; a fim de que me sirva como
sacerdote.

As Vestes Sacerdotais

4 Estas são as vestes que farão: Um peitoral, um éfode, um
manto, uma túnica bordada, uma mitra e um cinto; farão

vestes sagradas para Arão, seu irmão, e para os filhos dele,
para me servirem como sacerdotes.
5 E pegarão o ouro, o tecido azul, e púrpura, e carmesim
e o linho fino,
6 e farão uma estola de ouro, de tecido azul, de púrpura,
de carmesim e de linho fino torcido, com acabamento
fino.
7 Terá duas ombreiras, que se unam às suas duas pontas
e assim se unirá.
8 E o cinto da estola, que estará sobre ele, será de uma
única peça, igualmente de ouro, de tecido azul, de púrpu-
ra, de carmesim e de linho fino torcido.
9 E pegue duas pedras de ônix e grave nelas os nomes dos
filhos de Israel.
10 Seis dos seus nomes numa pedra, e os outros seis no-
mes na outra pedra, segundo as suas gerações;
11 conforme a obra do lapidador, lavre estas duas pedras
como o relevo dos selos, com os nomes dos filhos de Is-
rael; faça-as engastadas ao redor em ouro.
12 Ponha as duas pedras nas ombreiras da estola, como
pedras de memória para os israelitas; Arão levará os seus
nomes sobre ambos os seus ombros, para memória diante
do Senhor.
13 Faça também engastes de ouro,
14 e duas correntinhas de ouro puro; com medidas
iguais, faça de fieira, coloque as correntinhas de fieira nos
engastes.
15 Faça também o peitoral do juízo com acabamento im-
pecável, faça-o conforme fez a estola; de ouro, tecido azul,
púrpura, carmesim e de linho fino torcido.
16 Quadrado e duplo; dobrado ao meio, o seu compri-
mento e a sua largura serão de um palmo.
17 E coloque nele pedras engastadas, com quatro ordens
de pedras: a ordem de uma granada, um topázio e um
rubi; esta será a primeira ordem;
18 e a segunda ordem será de uma esmeralda, uma safira
e um diamante;
19 e a terceira ordem será de um jacinto, uma ágata e
uma ametista;
20 e a quarta ordem será de uma turquesa, um ônix e um
jaspe; serão engastadas em ouro nos seus engastes.
21 E as pedras serão segundo os nomes dos filhos de Is-
rael, doze pedras segundo os seus nomes; serão esculpi-
das como selos, cada uma com o seu nome, para as doze
tribos.
22 Faça também para o peitoral correntinhas de igual me-
dida, trançadas de ouro puro.
23 Faça também para o peitoral dois anéis de ouro e colo-
que-os nas extremidades do peitoral.
24 Então ponha as duas correntinhas de ouro nos dois
anéis, nas extremidades do peitoral;
25 e coloque as duas pontas das duas correntinhas nos
dois engastes, e as ponha nas ombreiras da estola, na fren-
te dele.
26 Faça também dois anéis de ouro e os ponha nas duas
extremidades do peitoral, na sua borda que está junto à
estola por dentro.
27 Faça também dois anéis de ouro, que colocará nas
duas ombreiras da estola, abaixo, na frente dele, perto da
costura, sobre o cinto da estola.
28 E ligarão o peitoral, com os seus anéis, aos anéis da
estola por cima, com um cordão azul, para que esteja so-
bre o cinto da estola; e nunca separe o peitoral da estola.
29 Assim Arão levará os nomes dos filhos de Israel no pei-
toral do juízo sobre o seu coração, quando entrar no san-
tuário, para memória diante do Senhor continuamente.

Urim e Tumim

30 Também colocará no peitoral do juízo Urim e Tu-
mim, para ficarem sobre o coração de Arão, quando ele
entrar diante do Senhor: Assim Arão levará o juízo dos
filhos de Israel sobre o seu coração diante do Senhor
continuamente.
31 Faça também o manto da estola, todo de tecido azul.
32 E no meio dele haverá uma abertura para a cabeça;
essa abertura terá um bordado ao redor; será como uma
abertura de gola de malha, para que não se rasgue.
33 E faça nas suas bordas romãs de tecido azul, de púr-
pura e de carmesim, e sininhos de ouro intercalados no
meio das romãs.
34 Haverá, nas bordas ao redor do manto, um sininho de
ouro e uma romã, outro sininho de ouro e outra romã.
35 E estarão sobre Arão quando ministrar, para que se
ouça o seu som, quando entrar no santuário diante do
Senhor e quando sair, para que não morra.

A Lâmina de Ouro

36 Faça também uma lâmina de ouro puro, e nela grave
como nas gravuras de selos: Santidade ao Senhor.
37 E amarre-a com um cordão de tecido azul, de modo
que esteja na mitra, ficará na frente da mitra;
38 e ficará sobre a testa de Arão, para que Arão leve a
culpa do pecado das coisas santas, que os israelitas consa-
grarem em todas as ofertas de suas coisas santas; a lâmina
estará continuamente na sua testa, para que tenham acei-
tação perante o Senhor.
39 Faça também uma túnica e uma mitra de linho fino;
mas faça o cinto bordado.
40 Faça para os filhos de Arão túnicas, cintos e também
tiaras, para glória e ornamento.
41 E com isto, vista Arão, o seu irmão, e também os filhos

dele; então os unja, os consagre e os santifique, para que
me sirvam como sacerdotes.
42 Faça-lhes também calções de linho que irão da cintura
até as coxas, para cobrirem a sua nudez.
43 Arão e seus filhos usarão quando entrarem na tenda do
encontro, ou quando chegarem ao altar para ministrar no
santuário, para que não pequem e morram; isto será um
estatuto perpétuo para ele e para os seus descendentes.

As Cerimônias de Consagração

29 Isto é o que lhes fará, para os santificar, para que me
sirvam como sacerdotes: Pegue um novilho e dois
carneiros perfeitos,
2 e pão e bolos sem fermento, amassados com azeite; tam-
bém bolachas sem fermento, untadas com azeite; faça-os
com farinha de trigo especial,
3 e coloque-os num cesto e traga-os, com o novilho e os
dois carneiros.
4 Então faça Arão e os seus filhos chegarem à porta da
tenda do encontro e lave-os com água;
5 depois, pegue as vestes e vista Arão com a túnica e com
o manto da estola, e com a estola, e com o peitoral, e
também o vista com o cinto da estola.
6 E coloque a mitra sobre a sua cabeça; ponha a coroa da
santidade sobre a mitra.
7 E pegue o azeite da unção e o derrame sobre a cabeça
de Arão; assim o ungirá.
8 Depois faça chegarem os filhos de Arão e os vista com
as túnicas.
9 E os vista com o cinto, amarre as tiaras em Arão e em
seus filhos, para que tenham o sacerdócio por estatuto
perpétuo, assim consagrará a Arão e aos seus filhos;
10 e faça chegar o novilho diante da tenda do encontro;
então Arão e seus filhos porão as suas mãos sobre a cabeça
do novilho;
11 e sacrifique o novilho perante o Senhor, à porta da
tenda do encontro.
12 Depois pegue do sangue do novilho e o coloque com o
seu dedo sobre as pontas do altar, e derrame o restante do
sangue sobre a base do altar.
13 Pegue também toda a gordura que cobre as entranhas,
o redenho sobre o fígado, ambos os rins e a gordura que
houver neles e os queime sobre o altar;
14 mas a carne do novilho, a sua pele e o seu esterco,
você os queime com fogo fora do acampamento; é sacri-
fício pelo pecado.
15 Depois pegue um carneiro, e Arão e seus filhos porão
as suas mãos sobre a cabeça do carneiro,
16 e sacrifique o carneiro, pegue o seu sangue e espalhe
sobre o altar ao redor;
17 e corte o carneiro em pedaços e lave as suas entranhas
e as suas pernas, então as ponha sobre os pedaços e sobre
a cabeça.
18 Assim queime todo o carneiro sobre o altar; é um holo-
causto para o Senhor, cheiro suave; uma oferta queimada
ao Senhor.
19 Depois pegue outro carneiro, e Arão e seus filhos po-
rão as suas mãos sobre a cabeça dele;
20 e sacrifique o carneiro, e pegue o seu sangue e o ponha
sobre a ponta da orelha direita de Arão, e sobre as pontas
das orelhas direitas de seus filhos, como também sobre os
dedos polegares das suas mãos direitas, e sobre os dedos
polegares dos seus pés direitos; o restante do sangue, der-
rame sobre o altar;
21 então pegue o sangue, que estará sobre o altar, e o
azeite da unção, e os derrame sobre Arão e sobre as suas
vestes, sobre seus filhos e sobre as vestes de seus filhos;
para que ele seja santificado e também as suas vestes, as-
sim também seus filhos e as vestes de seus filhos com ele.
22 Depois pegue a gordura do carneiro, a cauda, a gor-
dura que cobre as entranhas, o redenho do fígado, ambos
os rins com a gordura que houver neles e a coxa direita,
porque é carneiro da consagração;
23 pegue um pão, um bolo de pão azeitado e uma bo-
lacha do cesto dos pães sem fermento, que estão diante
do Senhor.
24 E ponha tudo nas mãos de Arão e nas mãos de seus
filhos; e com movimentos os ofereçam perante o Senhor.
25 Depois os pegue das suas mãos e os queime no altar
sobre o holocausto por cheiro suave perante o Senhor; é
oferta queimada ao Senhor.
26 E pegue o peito do carneiro da consagração de Arão,
e com movimento ofereça perante o Senhor; e isto será
a sua porção.
27 E santifique o peito da oferta de movimento e a coxa
da oferta, que foi movido e ofertado do carneiro da consa-
gração, que é de Arão e de seus filhos.
28 E será para Arão e para seus filhos por estatuto per-
pétuo dos israelitas, porque é oferta; a oferta dos israeli-
tas, dos seus sacrifícios pacíficos; a sua oferta será para
o Senhor.
29 E as vestes sagradas, que serão de Arão, serão de seus
filhos depois dele, para serem ungidos e consagrados com
elas.
30 Um de seus filhos que for sacerdote em seu lugar, as
vestirá por sete dias, quando entrar na tenda do encontro
para ministrar no santuário.
31 E pegue o carneiro da consagração e cozinhe a sua
carne no lugar santo;
32 e Arão e seus filhos comerão a carne desse carneiro e
o pão que estará no cesto, à porta da tenda do encontro.

33 E comam as coisas com que for feita expiação, para
consagrá-los e para santificá-los; mas, quem não for sacer-
dote, delas não comerá, porque são santas.
34 E, se sobrar carne ou pão das consagrações para ou-
tro dia, o que sobrar queimem com fogo; não se comerá,
porque é santo.
35 Faça assim com Arão e seus filhos, conforme tudo o
que eu ordenei a você; por sete dias os consagrará.
36 Também, a cada dia prepare um novilho como sacri-
fício pelo pecado, para as expiações, e purifique o altar,
fazendo expiação por ele; assim o ungirá para santificá-lo.
37 Faça expiação por sete dias pelo altar e o santificará; o
altar será santíssimo; tudo o que tocar o altar será santo.
38 Isto é o que oferecerão sobre o altar: dois cordeiros de
um ano, cada dia, continuamente.
39 Ofereça um cordeiro pela manhã e o outro cordeiro
à tarde.
40 Ofereça com um cordeiro um jarro da farinha especial,
misturada com um litro de azeite batido, e para libação
um litro de vinho.
41 E ofereça o outro cordeiro à tarde, e faça com ele como
fez com a oferta da manhã, conforme à sua libação, por
cheiro suave; é oferta queimada ao Senhor.
42 Esse será o holocausto contínuo por suas gerações, à
porta da tenda do encontro, perante o Senhor, onde os
encontrarei, para falar com você ali.
43 E ali virei aos israelitas, para que por minha glória se-
jam santificados.
44 E santificarei a tenda do encontro e o altar; também
santificarei Arão e seus filhos, para que me sirvam como
sacerdotes.
45 E habitarei no meio dos israelitas e lhes serei o seu
Deus,
46 e saberão que eu sou o Senhor seu Deus, que os tirei
da terra do Egito, para habitar no meio deles. Eu sou o
Senhor seu Deus.

O Altar do Incenso

30 E faça um altar para queimar o incenso; faça-o de
madeira de acácia.
2 O seu comprimento e a sua largura serão de quarenta e
cinco centímetros; será quadrado e terá noventa centíme-
tros de altura e será com os seus chifres uma única peça.
3 E o revista com ouro puro, o seu teto, as suas paredes
e os seus chifres; e lhe faça uma coroa de ouro ao redor.
4 Também lhe faça duas argolas de ouro debaixo da sua
coroa; faça-as nos dois cantos de ambos os lados; e serão
para lugares das varas, para ser carregado.
5 E faça as varas de madeira de acácia e as revista com
ouro.
6 E o coloque diante do véu que está diante da arca do
testemunho, diante do propiciatório, que está sobre o tes-
temunho, onde me encontrarei com você.
7 E Arão queimará sobre o altar o incenso das especiarias;
cada manhã, quando puser em ordem as lâmpadas.
8 Arão o queimará quando acender as lâmpadas à tarde;
este será incenso contínuo perante o Senhor, pelas suas
gerações.
9 Não oferecerão sobre o altar incenso estranho, nem ho-
locausto, nem oferta; nem tampouco derramarão libações
sobre ele.
10 E uma vez ao ano Arão fará expiação sobre os chifres
do altar com o sangue do sacrifício das expiações; uma vez
ao ano fará expiação sobre ele pelas suas gerações; este
altar é santíssimo ao Senhor."

O Resgate de Uma Pessoa

11 O Senhor disse mais a Moisés:
12 "Quando fizerem a contagem dos israelitas, conforme
a sua soma, cada um deles dará ao Senhor o resgate por
sua vida; para que não haja entre eles praga alguma.
13 Todos que passarem pelo censo, darão a metade de um
siclo, segundo o siclo do santuário, como oferta ao Senhor.
14 Qualquer pessoa que passar pelo censo, de vinte anos
para cima, dará a oferta ao Senhor.
15 O rico e o pobre darão a metade de um siclo como
oferta ao Senhor, para fazerem expiações pelas suas vidas.
16 E pegará o dinheiro das expiações dos israelitas e o
dará ao serviço da tenda do encontro; isto será para me-
mória aos israelitas diante do Senhor, para fazerem expia-
ções pelas vidas de vocês."

A Pia de Bronze

17 E o Senhor falou a Moisés dizendo:
18 "Faça também uma pia de bronze com a base de bron-
ze, para lavar, e a coloque entre a tenda do encontro e o
altar e a encha de água.
19 E Arão e seus filhos lavarão nela as mãos, e os pés.
20 Quando entrarem na tenda do encontro, se lavarão
com água, para que não morram, ou quando chegarem
ao altar para ministrar, para acender a oferta queimada
ao Senhor.
21 Lavarão as suas mãos e os seus pés, para que não mor-
ram, e isto lhes será por estatuto perpétuo, a ele e à sua
descendência nas suas gerações."

O Azeite da Unção

22 O Senhor falou mais a Moisés:
23 "Pegue das principais especiarias seis quilos da mais
pura mirra, três quilos de canela aromática e três quilos
de cálamo aromático.
24 E seis quilos de cássia, segundo o peso padrão do san-
tuário e três litros e meio de azeite de oliva.
25 E faça com isto o azeite da santa unção, o perfume

composto segundo a obra do perfumista: este será o azeite
da santa unção.
26 E com ele ungirá a tenda do encontro, e a arca do
testemunho,
27 e a mesa com todos os seus utensílios, o castiçal com
os seus utensílios e o altar do incenso.
28 E o altar do holocausto com todos os seus utensílios e
a pia com a sua base.
29 Assim santificará estas coisas, para que sejam santíssi-
mas; tudo o que tocar nelas será santo.
30 Também ungirá Arão e seus filhos e os santificará para
me ministrarem o sacerdócio.
31 E falará aos israelitas, dizendo: Este será o azeite da
santa unção nas suas gerações.
32 Não se ungirá com ele outro homem, nem farão outro
com composição semelhante; é santo para vocês.
33 O homem que fizer um perfume como este, ou usá-lo
sobre um estranho, será extirpado do seu povo."

O Incenso Sagrado

34 O Senhor disse mais a Moisés: "Pegue especiarias
aromáticas, estoraque, onicha e gálbano; estas especiarias
aromáticas e o incenso puro, em igual proporção,
35 e faça disto incenso, um perfume segundo a arte do
perfumista, temperado, puro e santo.
36 E uma parte dele reduza a pó e coloque diante do tes-
temunho, na tenda do encontro, onde eu me encontrarei
com você; este incenso será coisa santíssima.
37 Porém o incenso que farão conforme esta composição,
não o farão para vocês mesmos; pois será santo para o
Senhor.
38 O homem que fizer incenso como este para cheirar,
será extirpado do seu povo."

Os Construtores do Santuário

31 Depois o Senhor falou a Moisés:
2 "Chamei Bezalel pelo nome, filho de Uri, filho de
Hur, da tribo de Judá,
3 e o enchi do Espírito de Deus, de sabedoria, de entendi-
mento e de habilidade nas artes,
4 para elaborar projetos, e trabalhar em ouro, em prata
e em bronze,
5 e em lapidar pedras para engastar, em entalhes de ma-
deira e para trabalhar em toda a arte.
6 E escolhi com ele Aoliabe, filho de Aisamaque, da tribo
de Dã, e dei sabedoria a todos aqueles que são hábeis, para
fazerem tudo o que ordeno:
7 A tenda do encontro, a arca do testemunho, o propicia-
tório que estará sobre ela e todos os pertences da tenda;
8 e a mesa com os seus utensílios, o castiçal de ouro puro
com todos os seus pertences e o altar do incenso;
9 e o altar do holocausto com todos os seus utensílios e a
pia com a sua base;
10 e as vestes do ministério, as vestes sagradas de Arão, o
sacerdote, e as vestes de seus filhos, para servirem como
sacerdotes;
11 e o azeite da unção e o incenso aromático para o san-
tuário; farão conforme a tudo que lhe tenho mandado."

A Santidade do Sábado

12 O Senhor falou mais a Moisés:
13 "Você, diga aos israelitas: Certamente guardarão meus
sábados; porque isto é um sinal entre mim e vocês nas
suas gerações; para que saibam que eu sou o Senhor, que
os santifica.
14 No entanto, guardarão o sábado, porque é santo para
vocês; aquele que o profanar certamente morrerá; porque,
por qualquer obra que fizer nele, aquela pessoa será elimi-
nada do meio do seu povo.
15 Seis dias se trabalhará, porém o sétimo dia é o sábado
do descanso, santo ao Senhor; qualquer pessoa que no
dia do sábado fizer algum trabalho, certamente morrerá.
16 Os israelitas guardarão o sábado, celebrando-o nas suas
gerações por aliança perpétua.
17 Será um sinal para sempre entre mim e os israelitas;
porque em seis dias o Senhor fez os céus e a terra e no
sétimo dia descansou, e se revigorou."

As Duas Tábuas da Lei

18 Quando o Senhor acabou de falar com Moisés no mon-
te Sinai, lhe deu as duas tábuas do testemunho, tábuas de
pedra, escritas pelo dedo de Deus.

O Bezerro de Ouro

32 Mas o povo viu que Moisés demorava para descer
do monte, cercaram Arão e lhe disseram: "Levante-
-se, faça deuses para nós, que vá na nossa frente; porque
quanto a esse Moisés, o homem que nos tirou da terra do
Egito, não sabemos o que lhe aconteceu."
2 E Arão lhes disse: "Arranquem os brincos de ouro, que
estão nas orelhas de suas mulheres, de seus filhos, e de
suas filhas e tragam-nos a mim."
3 Então todo o povo tirou os brincos de ouro, que estavam
nas suas orelhas e os trouxeram a Arão.
4 E Arão os recebeu das mãos deles e trabalhou o ouro
com um buril e fez dele um bezerro de ouro fundido.
Então disseram: "Estes são seus deuses, ó Israel, que o
tiraram da terra do Egito."
5 E Arão, vendo isto, edificou um altar diante dele; então
Arão disse: "Amanhã será festa ao Senhor."
6 E no dia seguinte madrugaram e ofereceram holocaus-
tos, e trouxeram ofertas pacíficas e o povo sentou-se para
comer e beber; depois levantou-se para festejar.

7 Então o Senhor disse a Moisés: "Vá, desça; porque o seu
povo, que fez sair do Egito, se corrompeu,
8 e se desviou depressa do caminho que eu lhe ordenei;
eles fizeram para si um bezerro de ouro fundido, e se incli-
naram perante ele, lhe ofereceram sacrifícios e disseram:
Estes são os seus deuses, ó Israel, que o tiraram da terra
do Egito."
9 O Senhor disse mais a Moisés: "Tenho visto este povo,
é um povo obstinado.
10 Agora, deixe-me, para que o meu furor se acenda
contra ele e o consuma; e eu farei de você uma grande
nação."
11 Moisés, porém, suplicou ao Senhor seu Deus e disse:
"Ó Senhor, por que acendes o teu furor contra o teu povo,
que tiraste da terra do Egito com grande força e com forte
mão?
12 Porque os egípcios falarão, dizendo: 'Tirou-os para o
mal, para matá-los nos montes e para destruí-los da face da
terra?' Acalma-te do furor da tua ira e arrepende-te deste
mal contra o teu povo.
13 Lembra-te de Abraão, de Isaque e de Israel, os teus
servos, aos quais por ti mesmo tens jurado, lhes dizendo:
'Multiplicarei a descendência de vocês como as estrelas
dos céus e darei à vossa descendência toda esta terra,
de que tenho falado, para que a possuam por herança
eternamente.'"
14 Então o Senhor se arrependeu do mal que disse que
faria ao seu povo.
15 Então Moisés se virou e desceu do monte com as duas
tábuas do testemunho na mão, tábuas escritas de ambos
os lados; estavam escritas dos dois lados.
16 E aquelas tábuas eram obra de Deus; também o que
estava escrito tinha sido escrito pelo próprio Deus, escul-
pido nas tábuas.
17 E, quando Josué ouviu a voz do povo que festejava,
disse a Moisés: "Há barulho de guerra no acampamento."
18 Porém ele respondeu: "Não é barulho dos vitoriosos,
nem barulho dos derrotados, mas eu ouço o barulho dos
que cantam."

Moisés Quebra as Tábuas da Lei

19 E aconteceu que, quando Moisés chegou ao acampa-
mento e viu o bezerro e as danças, acendeu o furor, e
arremessou as tábuas das suas mãos e as quebrou ao pé
do monte.
20 E pegou o bezerro que tinham feito e o queimou no
fogo, e o moeu até que se tornou pó; então o espalhou
sobre as águas e a deu para os israelitas beberem.
21 E Moisés perguntou a Arão: "O que este povo fez a
você, que sobre ele trouxe tamanho pecado?"
22 Então Arão respondeu: "Não fique irado, meu senhor;
você sabe que este povo é inclinado ao mal;
23 e eles me disseram: 'Faça deuses para nós, que vá na
nossa frente; porque não sabemos o que aconteceu a esse
Moisés, a esse homem que nos tirou da terra do Egito.'
24 Então eu lhes disse: 'Quem tem ouro, traga-o; eles me
deram, e eu lancei no fogo e saiu esse bezerro.'"

A Morte dos Idólatras

25 Moisés, vendo que o povo estava descontrolado, por-
que Arão o havia deixado à solta para vergonha entre os
seus inimigos,
26 Moisés ficou em pé na porta do acampamento e disse:
"Quem é do Senhor venha a mim." Então se ajuntaram a
ele todos os filhos de Levi.
27 E lhes disse: "Assim diz o Senhor Deus de Israel: 'Cada
um ponha a sua espada sobre a sua coxa; passem e tornem
a passar pelo acampamento de porta em porta e mate cada
um a seu irmão, cada um a seu amigo e cada um a seu
vizinho.'"
28 E os filhos de Levi fizeram conforme à palavra de
Moisés; então naquele dia morreram uns três mil homens.
29 Porque Moisés tinha dito: "Consagrem hoje as suas
mãos ao Senhor; porque cada um será contra o seu filho e
contra o seu irmão; e isto é para que hoje ele lhes conceda
uma bênção."

A Intercessão Pelo Povo

30 E aconteceu que no dia seguinte Moisés disse ao povo:
"Vocês cometeram um grande pecado. Agora, porém,
subirei ao Senhor; e farei propiciação por seus pecados."
31 Assim Moisés retornou ao Senhor e disse: "Ora, este
povo cometeu um grande pecado, fazendo para si deuses
de ouro.
32 Agora, perdoa-lhes o pecado, se não, risca-me, peço-te,
do teu livro, que tens escrito."
33 Então o Senhor disse a Moisés: "Aquele que pecar con-
tra mim, este riscarei do meu livro.
34 Vá agora, conduza este povo para onde eu lhe disse;
e o meu anjo irá na sua frente; porém, no dia da minha
visita, punirei o pecado deles."
35 Assim o Senhor feriu o povo, porque cultuaram o be-
zerro que Arão tinha fundido.

Deus Ordena Sair do Monte Sinai

33 O Senhor disse mais a Moisés: "Vá, saia daqui, você
e o povo que tirou da terra do Egito, para a terra
que jurei a Abraão, a Isaque, e a Jacó, dizendo: À sua des-
cendência a darei.
2 E enviarei um anjo na frente de você e expulsarei os
cananeus, os amorreus, os heteus, os ferezeus, os heveus
e os jebuseus.
3 Vão para uma terra que mana leite e mel; mas eu não

irei no meio de vocês, porque são um povo obstinado,
para que eu não os destrua pelo caminho."
4 E, quando o povo ouviu essa má notícia, se entristeceu,
e nenhum deles usou os seus enfeites.
5 Porque o Senhor tinha dito a Moisés: "Diga aos israelitas: 'Vocês são um povo obstinado; se por um momento eu for no meio de vocês, os matarei; porém, tirem agora os seus enfeites, para que eu saiba o que farei com vocês.'"
6 Então, os israelitas tiraram os seus enfeites, ao pé do monte Horebe.
7 E Moisés pegou a tenda e a montou para si fora do acampamento, montou-a longe do acampamento e a chamou de tenda do encontro. E aconteceu que todos aqueles que buscavam ao Senhor se dirigiam à tenda do encontro, que estava fora do acampamento.
8 E, quando Moisés se dirigia à tenda, todo o povo se levantava e cada um ficava em pé à porta da sua tenda, e olhavam para Moisés pelas costas, até ele entrar na tenda do encontro.
9 E, quando Moisés entrava na tenda, a coluna de nuvem descia e permanecia à porta da tenda; ali o Senhor falava com Moisés.
10 E, quando todo o povo via a coluna de nuvem que estava à porta da tenda, todo o povo se levantava, e cada um se inclinava, à porta da sua tenda.
11 E o Senhor falava a Moisés face a face, como qualquer um fala com o seu amigo; depois voltava ao acampamento; mas o seu ajudante, o jovem Josué, filho de Num, nunca se afastava da tenda.
12 E Moisés disse ao Senhor: "Eis que me dizes para conduzir este povo, porém não me fazes saber quem enviarás comigo; e me disseste: 'Conheço-o por seu nome, também alcançou graça aos meus olhos.'
13 Agora, se tenho alcançado graça aos teus olhos, rogo-te que me faças saber o teu caminho e o conhecerei, para que alcance graça aos teus olhos; e lembra-te de que esta nação é o teu povo."
14 Deus respondeu: "A minha presença irá com você para fazê-lo descansar."
15 Então Moisés disse: "Se o Senhor mesmo não for conosco, não nos faças sair daqui.
16 Como se saberá agora que tenho alcançado graça aos teus olhos, eu e o teu povo? Por acaso não é por andares conosco, de modo a sermos separados, eu e o teu povo, de todos os povos que há sobre a face da terra?"
17 Então o Senhor disse a Moisés: "Farei também isso que você disse; porque alcançou graça aos meus olhos e o conheço por nome."

Moisés Pede Para Ver Deus

18 Então Moisés disse: "Rogo que me mostres a tua glória."
19 O Senhor respondeu: "Eu farei passar toda a minha bondade diante de você e lhe proclamarei o nome do Senhor; terei misericórdia de quem eu tiver misericórdia e me compadecerei de quem eu me compadecer."
20 E disse mais: "Não poderá ver a minha face, porque homem nenhum verá a minha face e viverá."
21 O Senhor disse mais: "Eis aqui um lugar junto a mim; aqui você ficará sobre a rocha.
22 E acontecerá que, quando a minha glória passar, eu o porei numa fenda da rocha e o cobrirei com a minha mão, até que eu tenha passado.
23 E, quando eu tirar a minha mão, me verá pelas costas; mas a minha face não verá."

As Novas Tábuas da Lei

34 Então o Senhor disse a Moisés: "Corte duas tábuas de pedra, como as primeiras, e eu escreverei nas tábuas as mesmas palavras que estavam nas primeiras tábuas, que você quebrou.
2 E se prepare para amanhã, para subir pela manhã ao monte Sinai, e ali fique diante de mim, no cume do monte.
3 E ninguém poderá subir com você e nem aparecer em todo o monte; nem cuidar de ovelhas nem de bois na frente do monte."
4 Então Moisés cortou duas tábuas de pedra, como as primeiras; e se levantou de madrugada, subiu ao monte Sinai, como o Senhor lhe havia ordenado, e levou as duas tábuas de pedra nas suas mãos.
5 E o Senhor desceu numa nuvem e se pôs ali junto dele, e proclamou o nome do Senhor.
6 Quando o Senhor passou por ele, clamou: "Deus, o Senhor, Deus misericordioso e piedoso, tardio em irar-se e grande em bondade e verdade,
7 que guarda a bondade em milhares; que perdoa a maldade, a transgressão e o pecado; que ao culpado não tem por inocente; que castiga a maldade dos pais sobre os filhos e sobre os filhos dos filhos até à terceira e quarta geração."
8 E Moisés apressou-se, inclinou a cabeça à terra e adorou,
9 e disse: "Senhor, se agora alcancei graça aos teus olhos, continua no meio de nós; porque este é um povo obstinado; porém perdoa a nossa maldade e o nosso pecado e toma-nos por tua herança."
10 Então o Senhor disse: "Eis que eu faço uma aliança; farei diante de todo o seu povo maravilhas que nunca foram feitas em toda a terra, nem em nação alguma; de maneira que todo este povo, no meio do qual você está, veja a obra do Senhor; porque coisa terrível é o que faço com você.

11 Guarde o que eu lhe ordeno hoje; eu expulsarei da
frente de vocês os amorreus, os cananeus, os heteus, os
ferezeus, os heveus e os jebuseus.
12 Não faça alianças com os moradores das terras aonde
estão indo, para que não sejam uma armadilha no meio
de vocês.
13 Mas derrubarão os seus altares, quebrarão as suas está-
tuas e cortarão os seus bosques.
14 Porque não se inclinará diante de outro deus; pois o
nome do Senhor é zeloso; sim, ele é Deus zeloso.
15 Para que não faça aliança com os moradores da terra,
nem quando eles se prostituírem com os seus deuses, ou
sacrificarem aos seus deuses, você, como convidado de-
les, coma também dos seus sacrifícios;
16 Nem peguem mulheres das filhas deles para os seus
filhos, e elas, prostituindo-se com os deuses delas, façam
com que também os seus filhos se prostituam com os seus
deuses.
17 Não façam deuses de fundição.
18 Celebrem a festa dos pães sem fermento; comam pães
sem fermento por sete dias, como lhes ordenei, ao tempo
apontado do mês de Abibe; porque no mês de Abibe vocês
saíram do Egito.
19 Todo primogênito que nascer é meu, de todo o seu
gado, que seja macho e primeiro filhote das vacas e das
ovelhas.
20 O burro, porém, que nascer primeiro, resgate com um
cordeiro; mas, se não o resgatarem, lhe cortem a cabeça;
resgatem todos os seus filhos primogênitos. E ninguém
aparecerá diante de mim de mãos vazias.
21 Trabalhem seis dias, mas no sétimo dia descansarão:
Descansem mesmo na época de arar a terra e na colheita.
22 Celebrem também a festa das semanas, que é a festa
das primícias da colheita do trigo e a festa da colheita no
fim do ano.
23 Três vezes ao ano todos os homens aparecerão perante
o Senhor Deus, o Deus de Israel;
24 porque eu expulsarei as nações da frente de vocês e
aumentarei o seu território; ninguém cobiçará a sua terra,
quando subirem para adorar três vezes no ano, diante do
Senhor seu Deus.
25 Não ofereçam o sangue do meu sacrifício com pão fer-
mentado, nem o sacrifício da festa da Páscoa ficará para
o dia seguinte.
26 Tragam os melhores dos primeiros frutos da sua terra
à casa do Senhor seu Deus; não cozinhem o cabrito no
leite da mãe dele."
27 O Senhor disse mais a Moisés: "Escreva estas palavras;
porque, segundo o teor destas palavras, tenho feito aliança
com você e com Israel."
28 E Moisés esteve ali com o Senhor por quarenta dias e
quarenta noites; não comeu nem bebeu, e escreveu nas
tábuas as palavras da aliança, os dez mandamentos.

O Rosto de Moisés Resplandece

29 Quando Moisés desceu do monte Sinai, trazia as duas
tábuas do testemunho em suas mãos, e não sabia que a
pele do seu rosto resplandecia, depois que o Senhor falou
com ele.
30 E, quando Arão e todos os israelitas olharam para Moi-
sés, viram que a pele do seu rosto resplandecia; por isso
ficaram com medo de se aproximar.
31 Então Moisés os chamou, e Arão e todos os líderes
da congregação aproximaram-se dele; e Moisés lhes falou.
32 Depois chegaram também todos os israelitas; então ele
lhes ordenou tudo o que o Senhor disse a ele no monte
Sinai.
33 Quando Moisés acabou de falar com eles, pôs um véu
sobre o seu rosto.
34 Porém, quando Moisés entrava perante o Senhor para
falar com ele, tirava o véu até sair; e, saindo, falava com
os israelitas o que lhe era ordenado.
35 Assim, os israelitas viam que o rosto de Moisés resplan-
decia; então Moisés tornava a pôr o véu sobre o seu rosto,
até entrar para falar com o Senhor.

O Sábado

35 Então Moisés convocou toda a congregação dos
israelitas e lhes disse: "Estas são as palavras que o
Senhor ordenou que se cumprissem:
2 'Trabalhem por seis dias, mas o sétimo dia lhes será san-
to, o sábado do repouso ao Senhor; todo aquele que nele
fizer qualquer trabalho morrerá.
3 Não acendam fogo em nenhuma das suas moradas no
dia do sábado.'"

As Ofertas Para o Santuário

4 Moisés falou mais a toda a congregação dos israelitas,
dizendo: "Esta é a palavra que o Senhor ordenou:
5 'Separem, do que vocês têm, uma oferta para o Senhor;
cada um separe voluntariamente, e traga por oferta ao Se-
nhor: ouro, prata e bronze,
6 como também tecido azul, púrpura, carmesim, linho
fino, pelos de cabras,
7 e peles de carneiros tingidas de vermelho e peles de
couro fino, madeira de acácia,
8 e azeite para a luminária, especiarias para o azeite da
unção e para o incenso aromático,
9 e pedras de ônix e pedras de engaste, para a estola e
para o peitoral.
10 E venham todos os sábios entre vocês e façam tudo o
que o Senhor mandou:
11 O tabernáculo, a sua tenda e a sua cobertura, os seus

colchetes e as suas tábuas, as suas barras, as suas colunas
e as suas bases;
12 a arca e as suas varas, o propiciatório e o véu de
cobertura,
13 a mesa e as suas varas, todos os seus acessórios e os
pães da proposição,
14 e o castiçal da luminária, os seus utensílios, as suas
lâmpadas e o azeite para a luminária,
15 e o altar do incenso e as suas varas, o azeite da unção,
o incenso aromático e a cortina da porta para a entrada
do tabernáculo,
16 o altar do holocausto, a grelha de bronze, as suas varas
e todos os seus pertences, a pia e a sua base,
17 as cortinas do pátio, as suas colunas e as suas bases e a
coberta da porta do pátio,
18 as estacas do tabernáculo, as estacas do pátio e as suas
cordas,
19 as vestes do ministério para ministrar no santuário,
as vestes santas de Arão, o sacerdote, e as vestes de seus
filhos, para servirem como sacerdotes.'"

A Liberalidade do Povo

20 Então toda a congregação dos israelitas saiu da pre-
sença de Moisés,
21 e vieram todo homem cujo coração foi tocado e todo
aquele cujo espírito voluntariamente o incitou, e trouxe-
ram as ofertas ao Senhor para a obra da tenda do encon-
tro, para todos os seus serviços e para as vestes santas.
22 Assim vieram homens e mulheres, todos dispostos de
coração; trouxeram fivelas, pendentes, anéis e braceletes,
todos os objetos de ouro; e todos os homens faziam ofertas
de ouro ao Senhor;
23 e todos os que possuíam tecido azul, púrpura, carme-
sim, linho fino, pelos de cabras, peles de carneiro tingidas
de vermelho e pele de couro fino, os traziam.
24 Todos aqueles que faziam ofertas de pratas ou de me-
tais, as traziam por ofertas ao Senhor; e todos aqueles que
possuíam madeiras de acácia, as traziam.
25 E todas as mulheres hábeis fiavam com as suas mãos e
traziam o que tinham fiado: O tecido azul e a púrpura, o
carmesim e o linho fino.
26 E todas as mulheres, que o coração as moveu em sabe-
doria, fiavam os pelos de cabras.
27 E os líderes traziam pedras de ônix e pedras de engaste
para a estola e para o peitoral,
28 e especiarias, azeite para a luminária, para a unção e
para o incenso aromático.
29 Assim os israelitas trouxeram por oferta voluntária ao
Senhor. Todo homem e mulher, cujo coração voluntaria-
mente se moveu a trazer alguma coisa para a obra que o
Senhor ordenou que se fizesse pela mão de Moisés.

A Escolha de Bezalel e Aoliabe

30 Depois, Moisés disse aos israelitas: "Eis que o Senhor
chamou por nome Bezalel, filho de Uri, filho de Hur, da
tribo de Judá.
31 E o Espírito de Deus o encheu de sabedoria, entendi-
mento, ciência e em todo artifício,
32 para criar invenções, para trabalhar em ouro, em prata
e em bronze,
33 e em lapidação de pedras para engastar, em entalhar
madeira e para trabalhar em toda obra requintada.
34 Também dispôs o coração de Bezalel e Aoliabe, o filho
de Aisamaque, da tribo de Dã, para ensinarem a outros.
35 Encheu-os de sabedoria, para fazerem toda a obra de
mestre, até a mais engenhosa, a do bordador em tecido
azul, em púrpura, em carmesim e em linho fino do tece-
lão; fazendo toda obra e criando invenções.

36 Assim trabalharam Bezalel e Aoliabe e todo homem
hábil, a quem o Senhor deu sabedoria e inteligên-
cia, para que soubessem como fazer toda obra para o ser-
viço do santuário, conforme tudo o que o Senhor tinha
ordenado.

As Ofertas do Povo

2 Então Moisés chamou Bezalel e Aoliabe e todos os
homens hábeis, aos quais o Senhor deu sabedoria; todos
aqueles que o coração moveu para fazerem a obra.
3 Estes receberam de Moisés todas as ofertas, que os israe-
litas trouxeram para fazer a obra do serviço do santuário,
e os israelitas continuavam trazendo toda manhã ofertas
voluntárias.
4 E todos os sábios, que faziam toda a obra do santuário,
cada um do serviço que fazia, vieram.
5 E falaram a Moisés: "O povo traz muito mais do que
precisamos para o serviço da obra que o Senhor ordenou
que se fizesse."
6 Então Moisés mandou proclamarem por todo o acam-
pamento para todos os homens e mulheres: "Não façam
mais obra alguma para a oferta do santuário." Assim o
povo foi proibido de trazer mais.
7 Porque tinham bastante material para toda a obra e ain-
da sobrava.

As Cortinas

8 Assim todos os sábios, entre os que executavam a obra,
fizeram o tabernáculo com dez cortinas de linho fino tor-
cido e de tecido azul, de púrpura e de carmesim, com
querubins; os fizeram minuciosamente.
9 O comprimento de cada cortina era de doze metros e
sessenta centímetros, e a largura de um metro e oitenta
centímetros; todas as cortinas tinham a mesma medida.
10 E amarraram cinco cortinas umas com as outras, em
dois conjuntos de cinco cortinas.

11 Depois fizeram laços de tecido azul nas pontas das
cortinas, nas extremidades dos dois conjuntos.
12 E fizeram cinquenta laços nas extremidades de cada
conjunto de cortinas; esses laços eram presos uns nos ou-
tros, e se ligavam com o segundo conjunto.
13 Também fizeram cinquenta colchetes de ouro e pren-
deram as cortinas com eles, umas às outras; assim fizeram
um tabernáculo.
14 Também fizeram cortinas de pelos de cabras para a
tenda sobre o tabernáculo; fizeram onze cortinas.
15 O comprimento de cada cortina era de treze metros e
meio, e a largura de um metro e oitenta centímetros; estas
onze cortinas tinham a mesma medida.
16 E uniram um conjunto com cinco cortinas à parte, e
outro com seis cortinas;
17 e fizeram cinquenta laços na borda da última cortina
do conjunto; também fizeram cinquenta laços na borda da
cortina do outro conjunto.
18 Também fizeram cinquenta colchetes de bronze para
unirem a tenda, para formarem um conjunto.

A Cobertura de Peles

19 Também fizeram para a tenda uma cobertura de peles
de carneiros tingidas de vermelho e por cima uma cober-
tura de couros finos.
20 Também fizeram tábuas de madeira de acácia para o
tabernáculo, que foram colocadas verticalmente.
21 O comprimento de cada tábua era de quatro metros e
meio e a largura era de sessenta e sete centímetros.
22 Cada tábua tinha dois encaixes pregados um no outro;
assim fizeram com todas as tábuas do tabernáculo.
23 Fizeram vinte tábuas para o lado sul.
24 E fizeram quarenta bases de prata debaixo das vinte
tábuas; duas bases debaixo de cada tábua, para os seus
dois encaixes.
25 Também fizeram vinte tábuas para o outro lado do
tabernáculo, o lado norte,
26 com as suas quarenta bases de prata: Duas bases de-
baixo de cada tábua.
27 E fizeram seis tábuas para o lado ocidental do
tabernáculo.
28 Fizeram também duas tábuas para os cantos do taber-
náculo nos dois lados,
29 e ficavam unidas por baixo e também se uniam por
cima com uma argola; assim fizeram nos dois cantos.
30 Assim eram oito tábuas com as suas bases de prata:
Dezesseis bases; duas bases debaixo de cada tábua.
31 Fizeram também travessas de madeira de acácia; cinco
para as tábuas de um lado do tabernáculo,
32 e cinco para o outro, e outras cinco travessas para as
tábuas do tabernáculo do lado ocidental.
33 E passaram a travessa do meio pelo meio das tábuas de
uma extremidade até a outra.
34 E revestiram as tábuas, as suas argolas e as travessas
com ouro.
35 Depois fizeram o véu de tecido azul, de púrpura, de
carmesim e de linho fino torcido; com muito requinte,
com querubins.
36 E lhe fizeram quatro colunas de madeira de acácia e
as revestiram de ouro; fizeram os seus colchetes de ouro e
lhes fundiram quatro bases de prata.
37 Fizeram também, para a porta da tenda, véu de tecido
azul, de púrpura, de carmesim e de linho fino torcido,
todos bordados,
38 com as suas cinco colunas e os seus colchetes; as suas
cabeças e as suas molduras revestidas de ouro e as suas
cinco bases de bronze.

A Arca

37 Bezalel também fez a arca de madeira de acácia; o
seu comprimento era de um metro e dez centíme-
tros; a sua largura de sessenta e seis centímetros; e a sua
altura de sessenta e seis centímetros.
2 E a revestiu de ouro puro por dentro e por fora e lhe fez
uma coroa de ouro ao redor.
3 E lhe fundiu quatro argolas de ouro nos seus quatro
cantos; duas argolas para cada lado.
4 E fez varas de madeira de acácia, e as revestiu de ouro.
5 E pôs as varas pelas argolas nos lados da arca, para ser
carregada.

O Propiciatório

6 Também fez o propiciatório de ouro puro; o seu compri-
mento era de um metro e dez centímetros, e a sua largura
de sessenta e seis centímetros.
7 Também fez dois querubins de ouro batido, nas duas
extremidades do propiciatório.
8 Cada querubim de um lado das extremidades, feitos em
uma só peça com o propiciatório.
9 E os querubins estendiam as asas por cima, cobrindo
com elas o propiciatório; e os seus rostos estavam de fren-
te um do outro; os rostos dos querubins estavam virados
para o propiciatório.

A Mesa da Proposição

10 Também fez a mesa de madeira de acácia; o seu com-
primento era de noventa centímetros, a sua largura de
quarenta e cinco centímetros e a sua altura de sessenta
e seis centímetros.
11 E a revestiu de ouro puro e lhe fez uma coroa de ouro.
12 Também lhe fez uma moldura da largura de uma mão;
e fez uma coroa de ouro em volta da moldura.
13 Também fundiu quatro argolas de ouro, e pôs as ar-
golas nos quatro cantos que estavam em seus quatro pés.

14 As argolas estavam em frente da moldura para coloca-
rem as varas, para carregarem a mesa.
15 Também fez as varas de madeira de acácia, e as re-
vestiu de ouro.
16 E fez os utensílios de ouro puro, que deveriam ficar
sobre a mesa: os pratos, as colheres, as tigelas e as taças
que seriam usados para oferecer libações.

O Candelabro

17 Também fez o castiçal de ouro puro batido; o seu pe-
destal e suas hastes, os copos, as maçãs e as suas flores, fez
tudo em uma só peça.
18 Saíam seis hastes dos seus lados; saíam três de cada
lado do castiçal.
19 Em cada haste havia três copos com formato de amên-
doas, uma com formato de maçã e uma de flor; assim
eram as seis hastes que saíam do castiçal.
20 E no mesmo castiçal havia uma haste com quatro co-
pos com formato de amêndoas com as suas maçãs e com
as suas flores.
21 E havia uma maçã debaixo de cada conjunto de duas
hastes da mesma peça; assim se fez para as seis hastes,
que saíam dele.
22 As suas maçãs e as suas hastes eram feitas em uma
única peça; tudo feito em ouro puro batido.
23 E lhe fez sete lâmpadas de ouro puro, com os seus
espevitadores e os seus apagadores;
24 fez o castiçal e todos os seus utensílios com trinta e
quatro quilos de ouro puro.

O Altar do Incenso

25 E fez o altar do incenso com madeira de acácia; seu
comprimento e sua largura eram de quarenta e cinco cen-
tímetros; era quadrado, e sua altura era de noventa centí-
metros; dele mesmo eram feitos os seus chifres.
26 E o revestiu de ouro puro, a parte superior, as suas
paredes e os chifres; e lhe fez uma coroa de ouro.
27 Também lhe fez duas argolas de ouro embaixo da sua
coroa e dos seus dois cantos, de ambos os seus lados, para
neles se colocarem as varas e com elas carregá-lo.
28 E fez as varas de madeira de acácia, e as revestiu de
ouro.
29 Também fez o azeite santo da unção, e o incenso aro-
mático, puro, segundo a obra do perfumista.

O Altar dos Holocaustos

38 Também fez o altar do holocausto de madeira de
acácia; com dois metros e vinte e cinco centímetro
de comprimento e de largura; era quadrado, e com um
metro e trinta centímetros de altura.
2 E lhe fez chifres nos seus quatro cantos em uma única
peça; e os revestiu de bronze.
3 E também fez todos os utensílios do altar: os caldeirões,
pás, bacias, garfos e os braseiros; todos de bronze.
4 Também fez para o altar uma grelha de bronze em for-
ma de rede, da beira até o meio do altar.
5 E fundiu quatro argolas para as quatro extremidades da
grelha de bronze, para os lugares das varas.
6 E fez as varas de madeira de acácia e as revestiu de
bronze.
7 E passou as varas pelas argolas dos dois lados do altar,
para com elas o carregar; o fez oco e de tábuas.
8 Também fez uma pia e a sua base, ambas de bronze,
com os espelhos das mulheres que se reuniam, para servir
à porta da tenda do encontro.

O Pátio Externo

9 Também fez o pátio ao sul; as cortinas do pátio eram de
linho fino torcido, de quarenta e cinco metros.
10 As suas vinte colunas e as suas vinte bases eram de
bronze; os colchetes dessas colunas e as suas molduras
eram de prata;
11 e fez cortinas para o lado norte de quarenta e cinco
metros; as suas vinte colunas e as suas vinte bases eram
de bronze, os colchetes das colunas e as suas molduras
eram de prata.
12 E fez cortinas para o lado ocidental de vinte e dois
metros, com dez colunas e dez bases; os colchetes das
colunas e as suas molduras eram de prata.
13 E fez para o lado leste, ao oriente, cortinas de vinte e
dois metros.
14 As cortinas de um lado da porta eram de seis metros e
setenta, com três colunas e três bases.
15 E do outro lado da porta do pátio, de ambos os lados,
havia cortinas de seis metros e setenta centímetros, com
três colunas e três bases.
16 Todas as cortinas do pátio eram de linho fino torcido.
17 E as bases das colunas eram de bronze; os colchetes
das colunas e as suas molduras eram de prata.
18 E a cobertura da porta do pátio era bordada de tecido
azul, púrpura, carmesim e de linho fino torcido; e o com-
primento era de nove metros, e na largura, era de dois
metros e vinte centímetros, conforme as cortinas do pátio.
19 E as suas quatro colunas e as suas quatro bases eram de
bronze, os seus colchetes de prata, e o revestimento das
suas molduras, também eram de prata.
20 E todas as estacas do tabernáculo e do pátio ao redor
eram de bronze.

A Quantidade de Metais Usados

21 Estas são as quantidades dos materiais usados no taber-
náculo do testemunho, que por ordem de Moisés foram
contadas para o ministério dos levitas, por intermédio de
Itamar, filho de Arão, o sacerdote.

22 Bezalel, o filho de Uri, filho de Hur, da tribo de Judá,
fez tudo quanto o Senhor tinha ordenado a Moisés.
23 E com ele Aoliabe, filho de Aisamaque, da tribo de
Dã, um mestre de obra, engenhoso artífice e bordador em
tecido azul, em púrpura, em carmesim e em linho fino.
24 Todo o ouro gasto na obra do santuário, o ouro da oferta, foram mil quilos, conforme o peso padrão do santuário;
25 e a prata dos recenseados da congregação foram três
mil quatrocentos e vinte e um quilos, conforme o peso
padrão do santuário;
26 seis gramas por cabeça, conforme o peso padrão do
santuário; de todos os recenseados, de vinte anos para
cima, foram seiscentos e três mil e quinhentos e cinquenta homens.
27 E houve três mil e quatrocentos quilos de prata para
fundir as bases do santuário e as bases do véu; para as cem
bases três mil e quatrocentos quilos; trinta e quatro quilos
para cada base.
28 E dos vinte e um quilos de prata que restaram, fez
os colchetes das colunas, os revestiu e os envolveu de
molduras.
29 E o bronze da oferta pesou dois mil e quatrocentos
quilos.
30 E dele fez as bases da porta da tenda do encontro e o
altar, grelha e todos os utensílios.
31 E as bases do pátio, as bases da porta do pátio, todas as
estacas do tabernáculo e todas as estacas do pátio.

As Vestes Sacerdotais

39 Também fizeram as vestes do ministério, para ministrar no santuário, de tecido azul, de púrpura e
de carmesim; também fizeram as vestes santas, para Arão,
como o Senhor ordenou a Moisés.
2 Assim se fez a estola de ouro, de tecido azul, de púrpura, de carmesim e de linho fino torcido.
3 E estenderam as lâminas de ouro e as cortaram em fios,
para tecê-los entre o tecido azul e entre a púrpura, o carmesim e o linho fino; fizeram com requinte.
4 Fizeram-lhe ombreiras que se ajuntavam e se uniam em
suas duas pontas.
5 E o cinto de obra com detalhes da estola, que estava
sobre ele, formava uma só peça e era de ouro, de tecido
azul, de púrpura, carmesim e de linho fino torcido, como
o Senhor ordenou a Moisés.
6 Também prepararam as pedras de ônix, engastadas em
ouro, lavradas com gravuras de um selo, com os nomes
dos filhos de Israel.
7 E as puseram sobre as ombreiras da estola como pedras
de memória para os israelitas, como o Senhor ordenou
a Moisés.
8 Fez-se também o peitoral com acabamento impecável,
como a obra da estola, de ouro, de tecido azul, de púrpura, de carmesim e de linho fino torcido.
9 Fizeram o peitoral quadrado e duplo; dobrado ao meio,
o seu comprimento e sua largura eram de um palmo.
10 E engastaram nele quatro ordens de pedras; uma ordem de uma granada, um topázio e um rubi; esta era a
primeira ordem;
11 e a segunda ordem de uma esmeralda, uma safira e
um diamante;
12 e a terceira ordem de um jacinto, uma ágata e uma
ametista;
13 e a quarta ordem de uma turquesa, um ônix e um
jaspe, pedras engastadas em engastes de ouro.
14 Essas pedras eram doze, segundo os nomes dos filhos
de Israel; como gravuras de selo, cada uma com o seu
nome, segundo as doze tribos.
15 Também fizeram para o peitoral duas correntinhas de
medidas iguais, obra de ouro puro trançado.
16 E fizeram dois engastes e duas argolas de ouro e puseram as duas argolas nas duas extremidades do peitoral.
17 E puseram as duas correntinhas de ouro nas duas argolas, nas duas extremidades do peitoral.
18 E as outras duas pontas das duas correntinhas puseram
nos dois engastes e as puseram sobre as ombreiras da estola na frente dele.
19 Também fizeram duas argolas de ouro, que puseram
nas duas extremidades do peitoral, na sua borda que ficava junto à estola por dentro.
20 Fizeram mais duas argolas de ouro, que puseram nas
duas ombreiras da estola, abaixo, na frente dele, perto da
sua junção, sobre o cinto da estola.
21 E ligaram o peitoral com as suas argolas às argolas da
estola com um cordão de tecido azul, para que estivesse
sobre o cinto de obra requintada da estola, e o peitoral não
se separasse da estola, como o Senhor ordenou a Moisés.
22 E fizeram o manto da estola de obra tecida, todo de
tecido azul.
23 E a abertura do manto estava no meio dele, como abertura de gola de malha; essa abertura tinha uma borda em
volta, para que não se rasgasse.
24 E nas bordas do manto fizeram romãs de tecido azul,
púrpura e carmesim, de fio torcido.
25 Também fizeram as campainhas de ouro puro, pondo
as campainhas no meio das romãs nas bordas do manto,
ao redor, entre as romãs;
26 uma campainha e uma romã, outra campainha e outra
romã, intercaladas, para ministrar, como o Senhor ordenou a Moisés.
27 Também fizeram as túnicas de linho fino, de obra tecida, para Arão e para seus filhos.

28 E a mitra de linho fino, o enfeite das tiaras de linho
fino e os calções de linho fino torcido,
29 e o cinto de linho fino torcido, de tecido azul, púrpura
e carmesim, bordados, como o Senhor ordenou a Moisés.
30 Também fizeram a lâmina da coroa de santidade de
ouro puro, e nela escreveram como nas gravuras de selos:
Santidade ao Senhor.
31 E a amarraram com um cordão de tecido azul, para
prendê-la na parte superior da mitra, como o Senhor or-
denou a Moisés.
32 Assim concluíram toda a obra do tabernáculo da tenda
do encontro e os israelitas fizeram conforme tudo o que o
Senhor ordenou a Moisés.

O Tabernáculo é Entregue a Moisés

33 Depois trouxeram o tabernáculo a Moisés, a tenda e
todos os seus pertences; os seus colchetes, as suas tábuas,
as suas varas, as suas colunas e as suas bases.
34 E a cobertura de peles de carneiro tingidas de verme-
lho, a cobertura de couro fino e o véu de cobertura;
35 a arca do testemunho, as suas varas e o propiciatório;
36 a mesa com todos os seus pertences e os pães da
proposição;
37 o castiçal puro com suas lâmpadas, as lâmpadas em or-
dem, todos os seus pertences e o azeite para a luminária;
38 também o altar de ouro, o azeite da unção, o incenso
aromático e a cortina da porta da tenda;
39 o altar de bronze, e a sua grelha de bronze, as suas
varas e todos os seus pertences, a pia e a sua base;
40 as cortinas do pátio, as suas colunas, as suas bases e a
cortina da porta do pátio, as suas cordas, os seus pregos e
todos os utensílios do serviço do tabernáculo, para a tenda
do encontro;
41 as vestes do ministério para ministrar no santuário; as
santas vestes de Arão, o sacerdote, e as vestes dos seus
filhos, para ministrarem o sacerdócio.
42 Conforme tudo o que o Senhor ordenou a Moisés, os
israelitas fizeram a obra.
43 Moisés olhou toda a obra que tinham feito; como o
Senhor lhe ordenou, assim a fizeram; então Moisés os
abençoou.

Deus Manda Moisés Erguer o Santuário

40 E o Senhor disse a Moisés:
2 "No primeiro dia do primeiro mês, monte o taber-
náculo da tenda do encontro,
3 e coloque nele a arca do testemunho e cubra a arca
com o véu.
4 Depois coloque nele a mesa e ponha em ordem os uten-
sílios sobre ela; também coloque nele o castiçal e acenda
as suas lâmpadas.
5 E coloque o altar de ouro para o incenso diante da
arca do testemunho; então pendure a cortina da porta do
tabernáculo.
6 Ponha também o altar do holocausto diante da porta do
tabernáculo da tenda do encontro.
7 E coloque a pia entre a tenda do encontro e o altar e
ponha água nela.
8 Depois ponha o pátio ao redor e pendure a cortina à
porta do pátio.
9 Então pegue o azeite da unção, unja o tabernáculo e
tudo o que há nele; e o santifique com todos os seus per-
tences e será santo.
10 Unja também o altar do holocausto e todos os seus
utensílios; santifique o altar e o altar será santíssimo.
11 Então unja a pia e a sua base e a santifique.
12 Faça chegarem Arão e os seus filhos à porta da tenda
do encontro e os lave com água.
13 E vista Arão com as vestes santas, o unja e o santifique,
para que me sirva como sacerdote.
14 Também faça chegarem os seus filhos e lhes vista as
túnicas,
15 e os unja como ungiu Arão, para que me sirvam como
sacerdotes, e a sua unção lhes será por sacerdócio perpé-
tuo nas suas gerações."
16 E Moisés fez tudo conforme o Senhor lhe ordenou.

O Tabernáculo Foi Montado

17 Assim, no primeiro dia do primeiro mês do segundo
ano, o tabernáculo foi montado.
18 Moisés montou o tabernáculo, pôs as suas bases, ar-
mou as suas tábuas, colocou nele as suas varas e levantou
as suas colunas;
19 e estendeu a tenda sobre o tabernáculo e pôs a cober-
tura da tenda sobre ela, em cima, como o Senhor ordenou
a Moisés.
20 Pegou o testemunho e colocou na arca; colocou as
varas na arca e pôs o propiciatório em cima dela.
21 E introduziu a arca no tabernáculo, pendurou o véu da
cobertura e cobriu a arca do testemunho, como o Senhor
ordenou a Moisés.
22 Pôs também a mesa na tenda do encontro, ao lado do
tabernáculo, para o norte, fora do véu,
23 e sobre ela pôs em ordem o pão perante o Senhor,
como o Senhor ordenou a Moisés.
24 Também pôs o candelabro na frente da mesa na tenda
do encontro, ao lado do tabernáculo, para o sul,
25 e acendeu as lâmpadas perante o Senhor, como o Se-
nhor ordenou a Moisés.
26 E pôs o altar de ouro na tenda do encontro, diante
do véu,
27 e acendeu sobre ele o incenso de especiarias aromáti-
cas, como o Senhor ordenou a Moisés.

28 Também pendurou a cortina da porta do tabernáculo,
29 e pôs o altar do holocausto à porta do tabernáculo da
tenda do encontro, e sobre ele ofereceu holocausto e ofer-
ta de manjares, como o Senhor ordenou a Moisés.
30 Também pôs a pia entre a tenda do encontro e o altar
e nela pôs água.
31 E Moisés, Arão e seus filhos nela lavaram as suas mãos
e os seus pés.
32 Quando entravam na tenda do encontro e quando
chegavam ao altar, lavavam-se, como o Senhor ordenou
a Moisés.
33 Também montou o pátio ao redor do tabernáculo e
do altar, e pendurou a cortina da porta do pátio. Assim
Moisés acabou a obra.

A Nuvem Cobre o Tabernáculo

34 Então a nuvem cobriu a tenda do encontro e a glória
do Senhor encheu o tabernáculo;
35 de maneira que Moisés não podia entrar na tenda do
encontro, porque a nuvem permanecia sobre ela, e a gló-
ria do Senhor enchia o tabernáculo.
36 Quando a nuvem se levantava do tabernáculo, então
os israelitas caminhavam em todas as suas jornadas.
37 Se a nuvem, porém, não se levantava, não caminha-
vam, até o dia em que ela se levantasse;
38 durante o dia, a nuvem do Senhor ficava sobre o taber-
náculo, e à noite, o fogo ficava sobre ele, perante os olhos
de todos os israelitas, em todas as suas jornadas.

O TERCEIRO LIVRO DE MOISÉS CHAMADO LEVÍTICO

Os Holocaustos

1 E o Senhor chamou Moisés, e falou com ele da tenda do
encontro, dizendo:
2 "Fale aos israelitas e diga-lhes: Quando algum de vocês
trouxer oferta ao Senhor, traga de gado, isto é, de vacas e
de ovelhas.
3 Se a oferta for holocausto de gado, traga macho sem
defeito; traga na porta da tenda do encontro, perante o
Senhor.
4 Ponha a sua mão sobre a cabeça do holocausto, para que
o sacrifício seja aceito em seu favor, para a sua expiação.
5 Depois o sacerdote matará o bezerro perante o Senhor,
e os filhos de Arão, os sacerdotes, oferecerão o sangue, e
o aspergirão sobre o altar que está em frente da porta da
tenda do encontro.
6 Então ele tirará o couro do animal e o partirá em pedaços.
7 E os sacerdotes, os filhos de Arão, acenderão o fogo so-
bre o altar, e arrumarão a lenha sobre o fogo.
8 Os sacerdotes, os filhos de Arão, também arrumarão os
pedaços, a cabeça e a gordura sobre a lenha que está no
fogo em cima do altar;
9 porém, as vísceras e as pernas, as lavarão com água, e o
sacerdote queimará tudo isso sobre o altar; é holocausto,
oferta queimada, de cheiro suave ao Senhor.
10 E se a sua oferta para holocausto for de gado, de ove-
lhas ou de cabras, traga macho sem defeito.
11 E o degolará ao lado do altar que dá para o norte, peran-
te o Senhor; e os filhos de Arão, os sacerdotes, aspergirão o
seu sangue sobre o altar.
12 Depois o partirá em pedaços, como também a sua cabe-
ça e a sua gordura; e o sacerdote os porá em ordem sobre
a lenha que está no fogo sobre o altar,
13 porém, as vísceras e as pernas serão lavadas com água;
o sacerdote oferecerá tudo e o queimará sobre o altar; é
holocausto, oferta queimada, de cheiro suave ao Senhor.
14 E se a sua oferta ao Senhor for holocausto de aves,
oferecerá de rolinhas ou de pombinhos;
15 e o sacerdote a oferecerá sobre o altar e lhe destroncará
o pescoço, ele a queimará sobre o altar e deixará escorrer
o seu sangue na parede do altar;
16 e tirará o seu papo e as suas penas e os jogará junto ao
altar, para o lado do oriente, no lugar da cinza;
17 e a cortará junto às suas asas, porém não a partirá; en-
tão o sacerdote a queimará em cima do altar, sobre a lenha
que está no fogo; é holocausto, oferta queimada de cheiro
suave ao Senhor.

As Ofertas de Alimentos

2 E quando alguma pessoa trouxer oferta de cereais ao
Senhor, ela será de farinha especial, sobre ela derramará
o azeite e porá o incenso;
2 e a levará aos filhos de Arão, os sacerdotes, e um deles
pegará um punhado da farinha especial e azeite com todo
o seu incenso; e queimará como memorial sobre o altar; é
oferta queimada, de cheiro suave ao Senhor.
3 E o que sobrar da oferta de cereais será de Arão e de seus
filhos; é coisa santíssima, das ofertas queimadas ao Senhor.
4 E, quando trouxer oferta de cereais assada, será de bolos

sem fermento, de farinha especial, amassados com azeite,
e bolachas sem fermento, untadas com azeite.
5 E, se a sua oferta for de cereais, cozida na assadeira, será
de farinha especial sem fermento, amassada com azeite.
6 Parta-a em pedaços e derrame azeite sobre ela; é oferta
de cereais.
7 E, se a sua oferta for de cereais preparados na frigideira,
será de farinha especial com azeite.
8 Então traga a oferta de cereais, feita com esses ingredientes, ao Senhor; e a apresente ao sacerdote, que a levará
ao altar.
9 E o sacerdote pegará a oferta de cereais como memorial
e a queimará sobre o altar; é oferta queimada de cheiro
suave ao Senhor.
10 E o que sobrar da oferta de cereais será de Arão e de
seus filhos; é coisa santíssima, das ofertas queimadas ao
Senhor.
11 Nenhuma oferta de cereais, que trouxer ao Senhor, poderá ser feita com fermento; não ofereça oferta queimada
ao Senhor com fermento, nem com mel.
12 Oferecerão deles como oferta das primícias ao Senhor;
porém, sobre o altar não subirão como cheiro suave.
13 E salgue todas as suas ofertas feitas de cereais e não
deixe faltar, nas suas ofertas feitas com cereais, o sal da
aliança do seu Deus; ofereça sal em todas as suas ofertas.
14 E, se fizer ao Senhor oferta com cereais das primícias,
ofereça, como oferta, espigas verdes, tostadas ao fogo; isto
é, do grão triturado de espigas verdes.
15 E derrame o azeite sobre ela, e coloque o incenso; é
oferta de cereais.
16 Assim, o sacerdote queimará o grão triturado como
memorial, e o azeite, com todo o seu incenso; é oferta
queimada ao Senhor.

As Ofertas Pacíficas

3 E, se a sua oferta for sacrifício pacífico, se oferecer de
gado, macho ou fêmea, ofereça gado sem defeito diante
do Senhor.
2 E porá a sua mão sobre a cabeça da sua oferta e a degolará diante da porta da tenda do encontro; e os filhos
de Arão, os sacerdotes, aspergirão o sangue sobre o altar.
3 Depois oferecerá, do sacrifício pacífico, a oferta queimada ao Senhor; a gordura que cobre as vísceras e toda a
gordura que está sobre elas,
4 e tirará ambos os rins, a gordura que está sobre eles e
sobre as tripas, a gordura que está sobre o fígado.
5 E os filhos de Arão queimarão isso sobre o altar, em cima
do holocausto, que estará sobre a lenha que estará no fogo;
é oferta queimada de cheiro suave ao Senhor.
6 E, se a sua oferta for de gado miúdo como sacrifício pacífico ao Senhor, macho ou fêmea, o oferecerá sem defeito.
7 Se oferecer um cordeiro, ofereça-o perante o Senhor.
8 E porá a sua mão sobre a cabeça da sua oferta e a degolará diante da tenda do encontro; então os filhos de Arão
aspergirão o seu sangue sobre o altar.
9 Então, oferecerá, como oferta queimada do sacrifício pacífico ao Senhor, a sua gordura, a cauda toda, a qual tirará
do espinhaço, e toda a gordura que cobre as vísceras.
10 Tire também ambos os rins, a gordura que está sobre
eles e sobre as tripas, e a gordura que está sobre o fígado.
11 E o sacerdote queimará isso sobre o altar; é oferta de
alimento queimada ao Senhor.
12 Mas, se a sua oferta for uma cabra, a oferecerá perante
o Senhor,
13 e porá a sua mão sobre a sua cabeça e a degolará diante
da tenda do encontro; e os filhos de Arão aspergirão o seu
sangue sobre o altar.
14 Depois, oferecerá toda a gordura que envolve as vísceras como a sua oferta queimada ao Senhor;
15 tire também ambos os rins, a gordura que está sobre
eles e sobre as tripas, e a gordura que está sobre o fígado.
16 E o sacerdote os queimará sobre o altar; é oferta queimada de alimento de cheiro suave. Toda a gordura será
do Senhor.
17 É estatuto perpétuo pelas suas gerações: Em suas moradias, não comerão gordura nem sangue."

Os Sacrifícios Pelos Pecados dos Sacerdotes

4 O Senhor falou mais a Moisés, dizendo:
2 "Diga aos israelitas: Quando uma pessoa pecar, involuntariamente, e transgredir alguns dos mandamentos do
Senhor, fazendo o que não se deve fazer;
3 e, se for o sacerdote ungido que pecar, e assim tornar o
povo culpado, então, oferecerá ao Senhor, pelo pecado, um
novilho sem defeito, por expiação do pecado.
4 E trará o novilho à porta da tenda do encontro, perante
o Senhor, e porá a sua mão sobre a cabeça do novilho, e o
degolará perante o Senhor.
5 Então o sacerdote ungido pegará o sangue do novilho, e
o trará à tenda do encontro;
6 e o sacerdote molhará o seu dedo no sangue, e aspergirá
o sangue sete vezes perante o Senhor, diante do véu do
santuário.
7 O sacerdote também porá um pouco de sangue sobre os
chifres do altar do incenso aromático, perante o Senhor,
que está na tenda do encontro; derramará todo o restante
do sangue do novilho na base do altar do holocausto, que
fica na entrada da tenda do encontro.
8 E tirará toda a gordura do novilho da expiação; a gordura
que cobre as vísceras e toda a gordura que está sobre elas,
9 e tirará os dois rins, bem como a gordura que está sobre

eles, que está sobre as tripas e a gordura que está sobre
o fígado,
10 como se tira do boi do sacrifício pacífico, e o sacerdote
os queimará sobre o altar do holocausto.
11 Mas o couro do novilho, toda a sua carne, a sua cabeça
e as suas pernas, as suas entranhas e o seu esterco,
12 enfim, levará todo o resto do novilho para fora do
acampamento a um lugar puro, onde se lança a cinza e o
queimará sobre a lenha; o queimará onde se lança a cinza.

Os Sacrifícios Pelos Pecados do Povo

13 Mas, se toda a congregação de Israel pecar involun-
tariamente, e transgredirem alguns dos mandamentos do
Senhor, e fizerem aquilo que não se deve fazer, e forem
culpados,
14 e quando o pecado que cometeram for revelado, então
a congregação oferecerá um novilho, por expiação do pe-
cado, e o trará diante da tenda do encontro,
15 e os anciãos da congregação porão as suas mãos sobre
a cabeça do novilho perante o Senhor; e o novilho será
degolado perante o Senhor.
16 Então, o sacerdote ungido trará o sangue do novilho à
tenda do encontro,
17 e o sacerdote molhará o seu dedo naquele sangue, e o
aspergirá sete vezes perante o Senhor, diante do véu.
18 E porá aquele sangue sobre os chifres do altar, que está
perante a face do Senhor, na tenda do encontro; porém,
derramará todo o restante do sangue na base do altar do
holocausto, que fica na entrada da tenda do encontro.
19 E tirará toda a sua gordura e a queimará sobre o altar;
20 e fará, com este novilho, como fez com o novilho da
expiação; assim o sacerdote fará propiciação por eles, e os
seus pecados serão perdoados.
21 Depois levará o novilho para fora do acampamento e
o queimará como queimou o primeiro novilho; é expiação
do pecado da congregação.

Os Sacrifícios Pelos Pecados de Um Príncipe

22 Quando um príncipe pecar involuntariamente, e trans-
gredir algum dos mandamentos do Senhor seu Deus, fa-
zendo aquilo que não se deve fazer e assim for culpado,
23 ou for avisado sobre o pecado que cometeu, então trará
como oferta um bode, sem defeito;
24 e porá a sua mão sobre a cabeça do bode e o degolará
no lugar onde se degola o holocausto, perante a face do
Senhor; é expiação do pecado.
25 Depois o sacerdote, com o seu dedo, pegará o sangue
da expiação, e o porá sobre os chifres do altar do holocaus-
to; então, derramará o restante do sangue na base do altar
do holocausto.
26 Também queimará sobre o altar toda a gordura como
gordura do sacrifício pacífico; assim o sacerdote fará, para
o príncipe, expiação do seu pecado e ele será perdoado.

Os Sacrifícios Pelos Pecados de Qualquer Pessoa

27 E, se qualquer pessoa do povo pecar involuntariamen-
te, transgredindo algum dos mandamentos do Senhor,
fazendo aquilo que não se deve fazer, e assim for culpada,
28 ou se for avisada do pecado que cometeu, então tra-
rá como oferta uma cabra sem defeito, pelo pecado que
cometeu,
29 e porá a sua mão sobre a cabeça da oferta da expiação
do pecado, e a degolará no lugar do holocausto.
30 Depois o sacerdote, com o dedo, pegará o sangue, e o
porá sobre os chifres do altar do holocausto; e derramará
todo o restante do sangue na base do altar,
31 e tirará toda a gordura, como se tira a gordura do sa-
crifício pacífico; o sacerdote a queimará sobre o altar, por
cheiro suave ao Senhor e o sacerdote fará propiciação pela
pessoa e o pecado dela será perdoado.
32 Mas, se pela sua oferta trouxer uma cordeira para ex-
piação do pecado, trará uma sem defeito.
33 E porá a sua mão sobre a cabeça da oferta da expiação
do pecado, e a degolará por expiação do pecado, no lugar
onde se degola o holocausto.
34 Depois o sacerdote, com o dedo, pegará do sangue da
expiação do pecado e o porá sobre os chifres do altar do
holocausto; então derramará todo o restante do sangue na
base do altar.
35 E tirará toda a sua gordura, como se tira a gordura do
cordeiro do sacrifício pacífico; então o sacerdote a queima-
rá sobre o altar, em cima das ofertas queimadas ao Senhor;
assim o sacerdote fará expiação pela pessoa, dos pecados
que ela cometeu, e ela será perdoada.

Os Sacrifícios Pelos Pecados Ocultos

5 E quando alguma pessoa pecar, e a pessoa que teste-
munhar, seja porque viu, ou porque soube, se não o
denunciar, então levará a sua culpa pelo pecado.
2 Ou, quando alguma pessoa tocar em alguma coisa impu-
ra, seja em animal selvagem impuro morto, seja em animal
doméstico impuro morto, seja réptil impuro morto, ainda
que não soubesse, a pessoa será impura e culpada.
3 Ou, quando tocar a impureza de uma pessoa, qualquer
impureza que a torne impura, mesmo que não saiba, e
souber depois, será culpada.
4 Ou, quando alguma pessoa jurar sem pensar nas con-
sequências, para fazer o mal, ou para fazer o bem, mas
depois perceber que não pode cumprir com o juramento,
será culpada por uma dessas coisas.
5 Sendo culpada por uma dessas coisas, confessará aquilo
em que pecou.
6 E trará a sua expiação ao Senhor, pelo pecado que co-

meteu: uma fêmea de gado miúdo, uma cordeira, ou uma
cabrinha; assim, o sacerdote fará por ela expiação do seu
pecado.
7 Mas, se a pessoa não tiver condições de pagar pelo gado
miúdo, então, trará, ao Senhor, para expiação da culpa que
cometeu, duas rolinhas ou dois pombinhos; um para expia-
ção do pecado e o outro para holocausto;
8 e os trará ao sacerdote, que oferecerá primeiro aquele
que é para expiação do pecado; ele destroncará a cabeça
da ave junto ao pescoço, mas não a partirá;
9 e do sangue da expiação do pecado aspergirá sobre a pa-
rede do altar; porém, o que sobrar daquele sangue deixará
escorrer sobre a base do altar; é expiação do pecado.
10 E fará holocausto da outra, conforme o costume; assim
o sacerdote fará expiação pela pessoa, pelo pecado que co-
meteu, e o pecado será perdoado.
11 Porém, se a pessoa não tiver condições de pagar por
duas rolinhas, ou dois pombinhos, então a pessoa que pe-
cou trará, como oferta, um quilo de farinha especial, para
expiação do pecado; não derramará sobre ela azeite, nem
lhe porá em cima o incenso, porque é expiação do pecado;
12 e a trará ao sacerdote, e o sacerdote pegará um pu-
nhado da farinha especial, como memorial, e a queimará
sobre o altar, em cima das ofertas queimadas do Senhor; é
expiação de pecado.
13 Assim, o sacerdote fará, pela pessoa, expiação do seu
pecado, que cometeu em alguma dessas coisas, e lhe será
perdoado; o restante será do sacerdote, como na oferta de
cereais."

Os Sacrifícios Pelos Pecados de Ignorância

14 E o Senhor falou a Moisés:
15 "Quando alguma pessoa cometer uma transgressão, e
pecar involuntariamente nas coisas sagradas do Senhor, en-
tão trará ao Senhor, para expiação, um carneiro sem defei-
to do rebanho, conforme o valor estimado em siclos de pra-
ta, segundo o siclo do santuário, para expiação da culpa.
16 Assim, restituirá o que pecar nas coisas sagradas e ainda
lhe acrescentará a quinta parte, e a dará ao sacerdote; as-
sim, o sacerdote fará com o carneiro expiação pela pessoa,
e o pecado será perdoado.
17 E, se alguma pessoa pecar, e transgredir algum dos
mandamentos do Senhor, fazendo aquilo que não se deve
fazer, mesmo sem saber, ela será culpada, e levará a sua
culpa;
18 e trará do rebanho ao sacerdote um carneiro sem defei-
to, conforme o valor estimado, para expiação da culpa, e o
sacerdote fará por ela expiação do erro que cometeu sem
saber; e lhe será perdoado.
19 É expiação de culpa; certamente tornou-se culpada
diante do Senhor."

Os Sacrifícios Pelos Pecados Voluntários

6 O Senhor falou a Moisés, dizendo:
2 "Quando alguma pessoa pecar e transgredir contra
o Senhor, e negar ao seu próximo o que este lhe deu para
guardar, ou o que deixou a seus cuidados, ou se o roubar,
ou, com violência, se apossar de algo de seu próximo,
3 ou achar algo perdido, e negar que achou com falso ju-
ramento, ou fizer alguma outra coisa que prejudique o seu
próximo;
4 então, como pecou e tornou-se culpada, restituirá o que
roubou, ou aquilo do qual se apossou com violência, ou o
bem que lhe foi dado para guardar, ou algo perdido que
achou,
5 ou tudo aquilo sobre o qual jurou falsamente; o restituirá
totalmente, e ainda acrescentará um quinto do valor ao
seu dono, e o dará no dia de sua expiação.
6 Trará ao sacerdote, para sua expiação da culpa ao Senhor,
um carneiro sem defeito, conforme o seu valor estimado;
7 e o sacerdote fará expiação por ela diante do Senhor, e
será perdoada das coisas que fez, que a tornaram culpada."

A Lei do Holocausto

8 O Senhor falou a Moisés:
9 "Ordene a Arão e a seus filhos, dizendo: Esta é a lei do
holocausto; o holocausto será queimado sobre o altar toda
a noite, até pela manhã, e o fogo do altar será mantido
sempre aceso.
10 E o sacerdote vestirá a sua túnica e as calças de linho,
e pegará a cinza, quando o fogo houver consumido o holo-
causto sobre o altar, e a porá ao lado do altar.
11 Depois, tirará as suas vestes e vestirá outras roupas; e
levará a cinza para fora do acampamento, para um lugar
puro.
12 O fogo que está sobre o altar ficará sempre aceso, não
se apagará; mas o sacerdote porá lenha nele cada manhã;
e, sobre ele, porá em ordem o holocausto, e queimará a
gordura das ofertas pacíficas.
13 O fogo ficará aceso continuamente sobre o altar; não
se apagará.

A Lei da Oferta de Alimentos

14 E esta é a lei da oferta de cereais: Um dos filhos de Arão
a oferecerá perante o Senhor diante do altar.
15 E dela pegará um punhado de farinha especial, azeite
e o incenso que estiver sobre a oferta de cereais; então o
queimará sobre o altar; é cheiro suave, como memorial
ao Senhor.
16 E o restante dela, Arão e seus filhos comerão; será co-
mido sem fermento no lugar santo, comerão no pátio da
tenda do encontro.
17 Não poderá ser cozido com fermento; é uma porção

das minhas ofertas queimadas que lhes dei; é coisa santíssi-
ma, como expiação do pecado, e como expiação da culpa.
18 Todo homem entre os filhos de Arão comerá da oferta
de cereais; será estatuto perpétuo para as suas gerações,
das ofertas queimadas do Senhor; tudo o que as tocar será
santo."

Ofertas Para a Consagração dos Sacerdotes

19 O Senhor disse a Moisés:
20 "Esta é a oferta de Arão e de seus filhos, que oferecerão
ao Senhor, no dia em que eles forem ungidos; um jarro de
farinha especial pela oferta contínua de cereais; a metade
dela oferecerão pela manhã, e a outra metade, à tarde.
21 Será misturada com azeite numa vasilha de barro; traga
cozida; e ofereça os pedaços cozidos da oferta em cheiro
suave ao Senhor.
22 Também o sacerdote, que entre seus filhos for ungido
em seu lugar, fará o mesmo; por estatuto perpétuo ela será
toda queimada ao Senhor.
23 Assim, toda a oferta do sacerdote será totalmente quei-
mada; não se comerá dela."

A Lei da Expiação Pelo Pecado

24 O Senhor disse a Moisés:
25 "Fale a Arão e a seus filhos: Esta é a lei da expiação pelo
pecado; no lugar onde se degola o holocausto se degolará
a expiação do pecado perante o Senhor; é coisa santíssima.
26 O sacerdote que a oferecer pelo pecado a comerá; será
comida no lugar santo, no pátio da tenda do encontro.
27 Tudo o que tocar a carne da oferta será santo; se o
sangue for aspergido sobre as roupas, lave em lugar santo
aquilo sobre o qual caiu.
28 E o vaso de barro em que a carne for cozida será que-
brado; porém, se for cozida num vaso de bronze, o esfre-
gará e o lavará com água.
29 Todo homem entre os sacerdotes a comerá; é coisa
santíssima.
30 Porém, não se comerá nenhuma oferta da expiação
pelo pecado, cujo sangue se traz à tenda do encontro, para
fazer expiação no santuário; essa oferta será queimada no
fogo.

A Lei da Expiação Pela Culpa

7 E esta é a lei da expiação pela culpa; é coisa santíssima.
2 No lugar onde degolam o holocausto, degolarão a
oferta da expiação pela culpa, e se aspergirá o seu sangue
sobre o altar.
3 E dela se oferecerá toda a sua gordura; a cauda e a gor-
dura que cobre as vísceras.
4 Também tirarão ambos os rins, a gordura que há neles,
que está sobre as tripas e a gordura sobre o fígado;
5 e o sacerdote os queimará sobre o altar, em oferta quei-
mada ao Senhor; é expiação pela culpa.
6 Todos os sacerdotes a comerão; será comida no lugar
santo; é coisa santíssima.
7 A expiação pela culpa será como a expiação pelo pecado;
haverá uma mesma lei para elas; será do sacerdote que
houver feito propiciação com ela.
8 Também o sacerdote, que oferecer o holocausto de al-
guém, ficará com o couro do holocausto que oferecer.
9 Também será do sacerdote que a oferecer toda oferta
assada no forno, e toda oferta preparada na frigideira.
10 Também toda oferta amassada com azeite, ou seca,
será igualmente de todos os filhos de Arão.

O Sacrifício Pela Paz

11 E esta é a lei do sacrifício pacífico que se oferecerá ao
Senhor:
12 Se o oferecer como oferta de louvores, com ela ofere-
cerá bolos sem fermento amassados com azeite; e bolachas
sem fermento amassadas com azeite; e os bolos amassados
com azeite serão fritos, de farinha especial.
13 Oferecerá por sua oferta pão fermentado junto com os
bolos, com o sacrifício de louvores da sua oferta pacífica.
14 E de toda a oferta oferecerá uma parte por oferta alçada
ao Senhor, que será do sacerdote que aspergir o sangue da
oferta pacífica.
15 Mas a carne do sacrifício de louvores da sua oferta
pacífica será comida no dia do seu oferecimento; não se
deixará nada dela para o dia seguinte.
16 E, se o sacrifício da sua oferta for voto, ou oferta volun-
tária, no dia em que oferecer o seu sacrifício se comerá e o
que dele ficar também se comerá no dia seguinte;
17 e o que ainda sobrar da carne do sacrifício, no terceiro
dia será queimado no fogo.
18 Porque, se comer no terceiro dia da carne do sacrifício
pacífico, aquele que a ofereceu não será aceito, nem lhe
será atribuído; será coisa abominável, e a pessoa que dela
comer levará a sua iniquidade.
19 E a carne que tocar alguma coisa impura não se come-
rá; com fogo será queimada; mas da outra carne, qualquer
que estiver puro comerá dela.
20 Porém, se alguma pessoa comer a carne do sacrifício
pacífico, que é do Senhor, estando impura, aquela pessoa
será eliminada do seu povo.
21 E, se uma pessoa tocar alguma coisa impura, como
impureza de homem, ou gado impuro, ou qualquer coisa
impura e comer da carne do sacrifício pacífico, que é do
Senhor, aquela pessoa será eliminada do seu povo."

Deus Proíbe Comer Gordura e Sangue

22 Depois o Senhor falou a Moisés:
23 "Diga aos israelitas: Não comam nenhuma gordura de
boi, nem de carneiro, nem de cabra;
24 porém, podem usar a gordura de animal morto e do

animal dilacerado por feras, para toda a obra, mas não co-
mam de jeito nenhum;
25 porque quem comer a gordura do animal, oferecida
ao Senhor como oferta queimada, será eliminado do seu
povo.
26 E não comam nenhum sangue em suas habitações,
nem de aves, nem de gado.
27 Qualquer pessoa que comer sangue será eliminada do
seu povo."

A Porção dos Sacerdotes

28 O Senhor falou a Moisés:
29 "Diga aos israelitas: Quem oferecer ao Senhor o seu
sacrifício pacífico trará a sua oferta ao Senhor do seu sa-
crifício pacífico.
30 Trará as ofertas queimadas do Senhor com suas pró-
prias mãos; trará o peito com a sua gordura para movê-lo
por oferta movida perante o Senhor.
31 E o sacerdote queimará a gordura sobre o altar, porém,
o peito será de Arão e de seus filhos.
32 Também dará a coxa direita ao sacerdote, por oferta
dos seus sacrifícios pacíficos.
33 Aquele dos filhos de Arão que oferecer o sangue do
sacrifício pacífico e a gordura, este terá a coxa direita como
sua porção;
34 porque o peito movido e a coxa, tomei dos israelitas dos
seus sacrifícios pacíficos e os dei a Arão, o sacerdote, e a
seus filhos, por estatuto perpétuo dos israelitas."
35 Esta é a porção de Arão, e a porção de seus filhos,
das ofertas queimadas do Senhor, desde o dia em que ele
os apresentou para administrarem o sacerdócio ao Senhor.
36 É o que o Senhor ordenou, que os israelitas lhes des-
sem, no dia em que os ungiu; é estatuto perpétuo pelas
suas gerações.
37 Esta é a lei do holocausto, da oferta de cereais, da
expiação do pecado, da expiação da culpa, da oferta das
consagrações e do sacrifício pacífico,
38 que o Senhor ordenou a Moisés no monte Sinai, no
dia em que ordenou aos israelitas que oferecessem as suas
ofertas ao Senhor, no deserto do Sinai.

A Consagração de Arão e Seus Filhos

8 O Senhor disse a Moisés:
2 "Pegue Arão e os filhos dele, levem as vestes, o azeite
da unção e também o novilho da expiação do pecado, os
dois carneiros e o cesto dos pães sem fermento,
3 e reúna toda a congregação à porta da tenda do
encontro."
4 Moisés fez como o Senhor lhe ordenou, e a congregação
reuniu-se à porta da tenda do encontro.
5 Então, disse Moisés à congregação: "Isto é o que o Se-
nhor ordenou que se fizesse."
6 E Moisés fez chegarem Arão e seus filhos e os lavou
com água.
7 E lhe vestiu a túnica, cingiu-o com o cinto e lhe vestiu
o manto; também pôs sobre ele a estola e cingiu-o com
o cinto de obra esmerada da estola e o apertou com ele.
8 Depois lhe pôs o peitoral, pondo no peitoral o Urim e
o Tumim;
9 e pôs a mitra sobre a sua cabeça; e sobre ela, na par-
te dianteira, pôs a lâmina de ouro, a coroa da santidade,
como o Senhor ordenou a Moisés.
10 Então Moisés pegou o azeite da unção e ungiu o taber-
náculo, e tudo o que havia nele e o santificou;
11 e com ele aspergiu sete vezes sobre o altar; ungiu o
altar e todos os seus utensílios, como também a pia e a sua
base, para santificá-las.
12 Depois derramou do azeite da unção sobre a cabeça de
Arão e ungiu-o, para santificá-lo.
13 Moisés fez chegarem os filhos de Arão, e lhes vestiu
as túnicas; cingiu-os com o cinto e lhes apertou as tiaras,
como o Senhor ordenou a Moisés.
14 Então fez chegar o novilho da expiação do pecado; e
Arão e seus filhos puseram as suas mãos sobre a cabeça do
novilho da expiação do pecado;
15 e o degolaram; e Moisés pegou o sangue e pôs um
pouco dele com o seu dedo sobre os chifres do altar, e
purificou o altar; depois derramou o restante do sangue
na base do altar e o santificou, para fazer expiação por ele.
16 Depois, pegou toda a gordura que está nas vísceras, a
gordura do fígado, os dois rins e a sua gordura e Moisés
queimou-os sobre o altar.
17 Mas o novilho com o seu couro, a sua carne e o seu
esterco, queimou com fogo fora do acampamento, como o
Senhor ordenou a Moisés.
18 Depois fez chegar o carneiro do holocausto; e Arão
e seus filhos puseram as suas mãos sobre a cabeça do
carneiro;
19 e o degolou; e Moisés aspergiu o sangue sobre o altar.
20 Partiu também o carneiro em seus pedaços, e Moisés
queimou a cabeça, os pedaços e a gordura.
21 Porém, as vísceras e as pernas lavou com água; e Moi-
sés queimou todo o carneiro sobre o altar; holocausto de
cheiro suave, uma oferta queimada ao Senhor, como o Se-
nhor ordenou a Moisés.
22 Depois fez chegar o outro carneiro, o carneiro da consa-
gração; e Arão com seus filhos puseram as suas mãos sobre
a cabeça do carneiro.
23 E o degolou; e Moisés pegou do seu sangue e o pôs
sobre a ponta da orelha direita de Arão, e sobre o polegar
da sua mão direita e sobre o polegar do seu pé direito.
24 Moisés também fez chegarem os filhos de Arão, e pôs

daquele sangue sobre a ponta da orelha direita deles, sobre
o polegar da sua mão direita e sobre o polegar do seu pé di-
reito; e Moisés aspergiu o restante do sangue sobre o altar.
25 E pegou a gordura, a cauda, toda a gordura que está nas
vísceras, a gordura do fígado, ambos os rins, a sua gordura
e a coxa direita.
26 Também pegou um bolo sem fermento do cesto dos
pães sem fermento, que estava diante do Senhor, e um pão
azeitado, uma bolacha e os pôs sobre a gordura e sobre a
coxa direita.
27 E pôs tudo isso nas mãos de Arão, e nas mãos de seus
filhos; e os ofereceu por oferta movida perante o Senhor.
28 Depois, Moisés pegou-os das suas mãos e os queimou
no altar sobre o holocausto; esses foram uma oferta da
consagração, por cheiro suave, oferta queimada ao Senhor.
29 E Moisés pegou o peito e ofereceu-o por oferta movida
perante o Senhor. Aquela foi a porção de Moisés do carnei-
ro da consagração, como o Senhor lhe ordenou.
30 Moisés também pegou do azeite da unção e do sangue
que estava sobre o altar, e os aspergiu sobre Arão e sobre
as suas vestes, sobre os seus filhos e sobre as vestes de seus
filhos; e santificou Arão e as suas vestes, seus filhos e as
vestes de seus filhos.
31 E Moisés disse a Arão e a seus filhos: "Cozinhem a
carne diante da porta da tenda do encontro, e ali a comam
com o pão que está no cesto da consagração, como tenho
ordenado, dizendo: 'Arão e seus filhos a comerão.'
32 Mas o que sobrar da carne e do pão, queimem com
fogo.
33 Também não saiam da porta da tenda do encontro
por sete dias, até o dia em que se cumprirem os dias da
consagração de vocês; porque por sete dias o Senhor os
consagrará.
34 Como se fez neste dia, assim o Senhor ordenou que se
procedesse, para fazer expiação por vocês.
35 Fiquem dia e noite à porta da tenda do encontro, por
sete dias, e guardem as ordenanças do Senhor, para que
não morram; porque assim me foi ordenado."
36 E Arão e seus filhos fizeram todas as coisas que o Se-
nhor ordenou por Moisés.

Arão Oferece Sacrifícios Por Si e Pelo Povo

9 E, ao oitavo dia, Moisés chamou Arão, seus filhos e os
anciãos de Israel,
2 e disse a Arão: "Pegue um bezerro, para expiação do
pecado e um carneiro para holocausto, sem defeito; e tra-
ga-os perante o Senhor.
3 Depois fale aos israelitas: 'Tragam um bode para expia-
ção do pecado, um bezerro e um cordeiro de um ano, sem
defeito, para holocausto;
4 também um boi e um carneiro, por sacrifício pacífi-
co, para sacrificar perante o Senhor, e oferta de cereais,
amassada com azeite; porque hoje o Senhor aparecerá a
vocês.'"
5 Então, trouxeram o que Moisés ordenou, diante da ten-
da do encontro, e toda a congregação se aproximou e se
pôs perante o Senhor.
6 E Moisés disse: "Isto é o que o Senhor ordenou que
fizessem; e a glória do Senhor aparecerá a vocês."
7 E Moisés disse a Arão: "Venha ao altar e faça a sua expia-
ção de pecado e o seu holocausto; faça expiação por você e
pelo povo; depois faça a oferta do povo e faça expiação por
eles, como ordenou o Senhor."
8 Então Arão foi ao altar e degolou o bezerro da expiação
que era por si mesmo.
9 E os filhos de Arão lhe trouxeram o sangue; ele molhou
o seu dedo no sangue e o pôs sobre os chifres do altar; mas
o restante do sangue, derramou na base do altar.
10 Mas a gordura, os rins e a gordura do fígado da ex-
piação do pecado queimou sobre o altar, como o Senhor
ordenou a Moisés.
11 Porém, a carne e o couro queimou com fogo fora do
acampamento.
12 Depois, degolou o holocausto e os filhos de Arão lhe
entregaram o sangue, e aspergiu-o sobre o altar.
13 Também lhe entregaram o holocausto nos seus peda-
ços, com a cabeça; e queimou-o sobre o altar.
14 E lavou as vísceras e as pernas e as queimou sobre o
holocausto no altar.
15 Depois, fez chegar a oferta do povo, e pegou o bode
da expiação pelo pecado, que era pelo povo, o degolou e
o preparou por expiação pelo pecado, como o primeiro.
16 Também fez chegar o holocausto, e ofereceu-o segundo
o rito.
17 E fez chegar a oferta de cereais e pegou uma porção
dela com as mãos, então queimou-a sobre o altar, além do
holocausto da manhã.
18 Depois degolou o boi e o carneiro em sacrifício pacífi-
co, que era pelo povo; e os filhos de Arão lhe entregaram
o sangue, que aspergiu sobre o altar.
19 Como também a gordura do boi e do carneiro, a cauda
e o que cobre as vísceras, os rins e a gordura do fígado.
20 E puseram a gordura sobre os peitos, e queimou a gor-
dura sobre o altar;
21 mas os peitos e a coxa direita Arão ofereceu por oferta
movida perante o Senhor, como Moisés tinha ordenado.
22 Depois Arão levantou as suas mãos ao povo e o aben-
çoou; e desceu, havendo feito a expiação do pecado, o
holocausto e a oferta pacífica.
23 Então, Moisés e Arão entraram na tenda do encontro;

depois saíram e abençoaram o povo; e a glória do Senhor
apareceu a todo o povo.
24 Porque o fogo saiu de diante do Senhor e consumiu o
holocausto e a gordura, sobre o altar; quando todo o povo
viu, se alegraram muito e se ajoelharam com os rostos na
terra.

Nadabe e Abiú São Fulminados

10 E os filhos de Arão, Nadabe e Abiú, pegaram cada
um o seu incensário e puseram fogo neles, e coloca-
ram incenso sobre ele e ofereceram fogo estranho perante
o Senhor, sem terem recebido ordens.
2 Então, o fogo saiu da frente do Senhor e os consumiu; e
morreram perante o Senhor.
3 E disse Moisés a Arão: "Isto é o que o Senhor falou:
'Mostrarei a minha santidade naqueles que se aproxima-
rem de mim e serei glorificado diante de todo o povo.'"
Porém, Arão calou-se.
4 E Moisés chamou Misael e Elzafã, filhos de Uziel, tio de
Arão, e lhes disse: "Cheguem, levem seus irmãos da frente
do santuário para fora do acampamento."
5 Então chegaram, e os levaram pelas suas túnicas para
fora do acampamento, como Moisés lhes disse.
6 E Moisés disse a Arão e a seus filhos Eleazar e Itamar:
"Não descubram as suas cabeças, nem rasguem as suas
vestes, para não morrerem, nem venha grande ira sobre
toda a congregação; mas seus irmãos e toda a casa de Israel
lamentem este incêndio que o Senhor acendeu.
7 Nem saiam da porta da tenda do encontro, para que não
morram; porque o azeite da unção do Senhor está sobre
vocês." E fizeram como Moisés disse.

Os Sacerdotes e as Bebidas Alcoólicas

8 E o Senhor falou a Arão:
9 "Não beberão vinho nem bebida forte, nem você nem
seus filhos, quando entrarem na tenda do encontro, para
não morrerem; isto será estatuto perpétuo entre as suas
gerações;
10 para fazer diferença entre o santo e o profano e entre
o impuro e o puro,
11 e para ensinar aos israelitas todos os estatutos que o
Senhor lhes tem falado por meio de Moisés."
12 E Moisés disse a Arão e a seus filhos Eleazar e Itamar,
que ficaram vivos: "Peguem a oferta de cereais, que restou
das ofertas queimadas do Senhor e a comam sem fermento
junto ao altar, porque é coisa santíssima.
13 Portanto, a comam no lugar santo; porque isto é a sua
porção e a porção de seus filhos, das ofertas queimadas do
Senhor; porque assim me foi ordenado.
14 Comam também o peito da oferta movida e a coxa
da oferta, em lugar puro, você, seus filhos e suas filhas;
porque foram dados por sua porção e por porção de seus
filhos, dos sacrifícios pacíficos dos israelitas.
15 Trarão a coxa da oferta e o peito da oferta movida com
as ofertas queimadas de gordura, para oferecerem como
oferta movida perante o Senhor; o que será por estatuto
perpétuo, a você e aos seus filhos, como o Senhor tem
ordenado."
16 E Moisés apressadamente procurou o bode da expia-
ção, e viu que já fora queimado; portanto, indignou-se con-
tra Eleazar e contra Itamar, os filhos de Arão que ficaram
vivos, dizendo:
17 "Por que não comeram a expiação do pecado no lugar
santo? Pois é coisa santíssima, e Deus deu a vocês, para le-
varem a iniquidade da congregação, para fazerem expiação
por eles diante do Senhor.
18 Não trouxeram o seu sangue para dentro do santuário;
certamente deveriam tê-la comido no santuário, como te-
nho ordenado."
19 Então Arão disse a Moisés: "Hoje eles ofereceram a
sua expiação pelo pecado e o seu holocausto perante o
Senhor, e mesmo assim estas coisas me aconteceram; se
hoje tivesse comido da oferta da expiação pelo pecado, isto
seria aceito aos olhos do Senhor?"
20 Quando Moisés ouviu isso, lhe pareceu razoável.

Os Animais Puros e Impuros

11 E o Senhor falou a Moisés e a Arão:
2 "Digam aos israelitas: Estes são os animais que po-
derão comer, entre todos os animais que há sobre a terra:
3 Todos os que têm unhas fendidas, e se dividam em dois
cascos, e ruminam, estes poderão comer.
4 Não poderão comer dos animais que só ruminam ou
que só têm unhas fendidas; como o camelo, que rumina,
mas não tem unhas fendidas; este será impuro para vocês,
5 e o coelho, porque rumina, mas não tem as unhas fendi-
das; este será impuro para vocês,
6 e a lebre, porque rumina, mas não tem as unhas fendi-
das; esta será impura para vocês.
7 Também o porco, porque tem unhas fendidas e elas se
dividem em dois cascos, mas não rumina; este será impuro
para vocês.
8 Não comerão das suas carnes, nem tocarão nos seus ca-
dáveres; estes serão impuros para vocês.
9 De todos os animais que há nas águas, poderão comer
os seguintes: Todos os que têm barbatanas e escamas, das
águas, dos mares e dos rios; estes comerão.
10 Mas todos os que não têm barbatanas, nem escamas,
dos mares e dos rios, todos os répteis das águas e todos os
seres que vivem nas águas, estes serão abominação para
vocês.

11 Serão abominação para vocês; não comerão da sua
carne e abominarão o seu cadáver.
12 Todos os seres das águas que não têm barbatanas ou
escamas serão abominação para vocês.
13 Das aves, estas abominarão; não se comerão, serão abo-
minação: A águia, o urubu e a águia pescadora,
14 e o milhano e o abutre, segundo a sua espécie.
15 Todo corvo, segundo a sua espécie,
16 e o avestruz, a coruja, o cuco e o gavião, segundo a
sua espécie.
17 E o mocho, o corvo marinho e a íbis,
18 e a gralha, o cisne e o pelicano,
19 e a cegonha, a garça segundo a sua espécie, a poupa
e o morcego.
20 Todo inseto que voa, que anda sobre quatro pés, será
para vocês uma abominação.
21 Mas estes comerão, entre todos os insetos que voam,
que andam sobre quatro pés: Os que tiverem pernas arti-
culadas sobre os seus pés, para saltar com elas na terra.
22 Deles, poderão comer estes: O gafanhoto, segundo a
sua espécie, a locusta, segundo a sua espécie, o grilo, se-
gundo a sua espécie, e o gafanhoto devorador, segundo a
sua espécie.
23 E todos os outros insetos que voam, que têm quatro
pés, serão uma abominação para vocês.
24 E por estes serão impuros: Quem tocar os seus cadáve-
res, ficará impuro até à tarde.
25 Quem levar os seus cadáveres, deverá lavar as suas rou-
pas, e ficará impuro até à tarde.
26 Todos os animais que têm unhas fendidas, mas a fenda
não se divide em dois cascos, e todos os que não ruminam,
serão impuros para vocês; qualquer pessoa que tocar neles
será impura.
27 Todo animal que anda sobre a planta dos pés será im-
puro; quem tocar nos seus cadáveres ficará impuro até à
tarde.
28 E quem levar os seus cadáveres, deverá lavar as suas
roupas, e ficará impuro até à tarde; eles serão impuros para
vocês.
29 Entre os animais que se movem sobre a terra, estes
também serão impuros para vocês: A doninha, o rato e o
lagarto, segundo a sua espécie,
30 o geco, o crocodilo da terra, o lagarto, o lagarto da areia
e o camaleão.
31 Dentre todos os animais, estes serão impuros para vo-
cês; quem tocar nestes animais mortos, ficará impuro até
à tarde.
32 E tudo em que cair alguma coisa destes animais mor-
tos ficará impuro; seja vaso de madeira, roupa, pele, saco,
qualquer ferramenta, com que se faz alguma obra, deverão
ser postos em água, e ficarão impuros até à tarde; depois
ficarão puros.
33 E todo vaso de barro, em que cair alguma coisa deles,
tudo o que houver nele será impuro, e o vaso deverá ser
quebrado.
34 Todo alimento, que sobre ele cair água destes vasos,
será impuro; e toda bebida, depositada nesses vasos, será
impura.
35 E aquilo sobre o que cair alguma parte de seu corpo
morto será impuro; o forno e o vaso de barro serão que-
brados; são impuros: Portanto, serão impuros para vocês.
36 Porém, a fonte ou cisterna, onde se recolhem águas,
será pura, mas quem tocar no cadáver será impuro.
37 E, se do seu cadáver cair alguma coisa sobre alguma
semente, ela continuará pura;
38 mas se for derramada água sobre a semente e se cair
alguma coisa do cadáver sobre ela, será impura para vocês.
39 E se algum dos animais morrer, dos animais que po-
dem comer, quem tocar no seu cadáver, ficará impuro até
à tarde;
40 e quem comer do seu cadáver, lavará as suas roupas,
e ficará impuro até à tarde; e quem carregar o corpo do
animal morto, deverá lavar as suas roupas, e ficará impuro
até à tarde.
41 Também todos os animais, que rastejam sobre o chão,
serão abominação; não comam.
42 Tudo o que anda sobre o ventre e tudo o que anda
sobre quatro pés, ou que tem muitos pés, entre todas as
criaturas que se arrastam sobre o chão, não comerão, por-
que são uma abominação.
43 Não façam a vida de vocês abominável por nenhuma
criatura que se arrasta, nem se contaminem através delas,
para não ficarem impuros por elas.
44 Porque eu sou o Senhor seu Deus; portanto, se con-
sagrem e sejam santos, porque eu sou santo; não se con-
taminem por nenhuma criatura que rasteja sobre o chão.
45 Porque eu sou o Senhor, que os tirei da terra do Egito,
para que eu seja Deus de vocês, e para que sejam santos;
porque eu sou santo.
46 Esta é a lei referente aos animais, às aves, e a todos os
seres vivos que se movem nas águas e todas as criaturas
que rastejam sobre o chão;
47 para fazer diferença entre o impuro e o puro; entre
os animais que vocês podem comer e os animais que não
podem comer."

Purificação da Mulher Após o Parto

12 O Senhor falou mais a Moisés:
2 "Diga aos israelitas: Se uma mulher engravidar e
der à luz um filho, ficará impura por sete dias, assim como
nos dias da sua menstruação; ficará impura.

3 E, no oitavo dia, o menino será circuncidado.
4 Depois, ela ficará trinta e três dias purificando-se do
seu sangue; não tocará em nenhuma coisa santa, e não
entrará no santuário até que se cumpram os dias da sua
purificação.
5 Mas, se der à luz uma filha, ficará impura por duas se-
manas, como na sua menstruação; depois ficará sessenta e
seis dias purificando-se do seu sangue.
6 E, quando tiver cumprido os dias da sua purificação pelo
nascimento de um filho ou pelo nascimento de uma filha,
trará ao sacerdote um cordeiro de um ano por holocausto,
e um pombinho ou uma rolinha para expiação do pecado,
diante da porta da tenda do encontro.
7 O sacerdote oferecerá perante o Senhor e por ela fará
propiciação; então ficará pura do fluxo do seu sangue; esta
é a lei da mulher que der à luz a filho ou filha.
8 Mas, se não tiver condições de pagar por um cordeiro,
então pegará duas rolinhas, ou dois pombinhos, um para
o holocausto e outro para a expiação do pecado; assim o
sacerdote fará propiciação por ela, e ficará pura."

Leis Acerca do Leproso

13 O Senhor falou a Moisés e a Arão:
2 "Quando na pele de uma pessoa houver inchação,
ou pústula, ou mancha branca, como praga de lepra, então
a pessoa será levada a Arão, o sacerdote, ou a um de seus
filhos, os sacerdotes.
3 E o sacerdote examinará a praga na pele; se o pelo na
praga se tornou branco e a praga parecer mais profunda do
que a pele, é praga de lepra; o sacerdote a examinará e a
declarará impura.
4 Mas, se a mancha na pele for branca, e não parecer mais
profunda do que a pele, se o pelo não se tornou branco,
então o sacerdote isolará a pessoa que tem a praga por
sete dias;
5 e, ao sétimo dia, o sacerdote a examinará; se a praga,
ao seu parecer, parou, e a praga na pele não se espalhou,
então, o sacerdote a isolará por outros sete dias.
6 E o sacerdote, ao sétimo dia, a examinará outra vez;
para ver se a praga diminuiu, e não se espalhou, então, o
sacerdote a declarará pura: É uma pústula; então lavará as
suas roupas e será pura.
7 Mas, se a pústula na pele se espalhar muito, depois que
foi mostrada ao sacerdote para a sua purificação, será mos-
trada outra vez,
8 e o sacerdote a examinará, e, se a pústula na pele tiver se
espalhado, o sacerdote a declarará impura; é lepra.
9 Quando uma pessoa tiver praga de lepra, será levada
ao sacerdote,
10 e o sacerdote a examinará, e, se houver inchação bran-
ca na pele, e nela os pelos ficaram brancos, e houver carne
viva na inchação,
11 é lepra na pele; portanto, o sacerdote a declarará impu-
ra; não a isolará, porque é impura.
12 E, se a praga se espalhar e cobrir toda a pele da pessoa,
desde a sua cabeça até aos seus pés, em toda a pele,
13 então o sacerdote examinará, e se a praga cobriu todo
o seu corpo, então declarará que a pessoa que tem a praga
está pura; tudo se tornou branco; está pura.
14 Mas no dia em que aparecer nela carne viva será
impura.
15 O sacerdote, vendo a carne viva, a declarará impura; a
carne é impura; é lepra.
16 Ou, se a carne viva voltar a ficar branca, então virá
ao sacerdote,
17 e este a examinará, e se a praga se tornou branca, então
o sacerdote declarará pura a pessoa que tem a praga; está
pura.
18 Se sarar a úlcera da pele da carne,
19 e, em lugar da úlcera, surgir inchação branca, ou
mancha lustrosa meio avermelhada, então se mostrará ao
sacerdote.
20 E o sacerdote a examinará, e se ela parecer mais fun-
da do que a pele e os seus pelos se tornaram brancos, o
sacerdote a declarará impura; é praga de lepra que brotou
da úlcera.
21 E o sacerdote, ao examiná-la, se nela não houver pelos
brancos, nem estiver mais funda do que a pele, mas dimi-
nuída, então o sacerdote a isolará por sete dias.
22 Se ela se estender bastante na pele, o sacerdote a decla-
rará impura; é lepra.
23 Mas se a mancha parar no seu lugar, não se espalhando,
é cicatriz da úlcera; o sacerdote a declarará pura.
24 Ou, quando houver queimadura de fogo na pele, e no
lugar que sarou da queimadura houver mancha lustrosa,
avermelhada ou esbranquiçada,
25 e o sacerdote, examinando-a, ver que os pelos na man-
cha se tornaram brancos e ela parece mais funda do que a
pele, é lepra, que floresceu pela queimadura; portanto, o
sacerdote a declarará impura; é praga de lepra.
26 Mas, se o sacerdote, vendo-a, e se na mancha não apa-
recerem pelos brancos, nem estiver mais funda do que a
pele, mas diminuída, o sacerdote a isolará por sete dias.
27 Depois, ao sétimo dia, o sacerdote a examinará; se au-
mentou bastante na pele, o sacerdote a declarará impura;
é praga de lepra.
28 Mas se a mancha se estabilizar, e não se espalhar na
pele, mas diminuir, é inchação da queimadura; portan-
to, o sacerdote a declarará pura, porque é inflamação da
queimadura.

29 E, quando homem ou mulher tiverem chaga na cabeça
ou no queixo,
30 e o sacerdote, examinando-a, e se ela parecer mais fun-
da do que a pele e se tiver pelos amarelos finos, o sacerdote
declarará a pessoa impura; é tinha, é lepra da cabeça ou
do queixo.
31 Mas, se o sacerdote, havendo examinado a praga da
tinha, e se ela não parecer mais funda do que a pele e nela
não houver pelos pretos, então o sacerdote isolará quem
tem a praga da tinha por sete dias.
32 E o sacerdote examinará a praga ao sétimo dia; e se
a tinha não tiver se espalhado, e nela não houver pelos
amarelos, nem parecer mais funda do que a pele,
33 então se rapará; mas não se rapará a tinha; e o sacer-
dote isolará a pessoa por mais sete dias.
34 Então, ao sétimo dia, o sacerdote examinará a tinha; e
se ela não houver se espalhado na pele, e não parecer mais
funda do que a pele, o sacerdote declarará pura a pessoa;
ela lavará as suas roupas e será pura.
35 Mas, se a tinha, depois da sua purificação, houver au-
mentado bastante na pele,
36 então o sacerdote a examinará, e se a tinha aumentou
na pele, o sacerdote não procurará pelos amarelos; está
impura.
37 Mas, se a tinha, ao seu ver, parou e cresceram pelos
pretos nela, a tinha está sã, está pura; portanto, o sacerdote
a declarará pura.
38 E, quando homem ou mulher tiverem manchas bran-
cas lustrosas na pele,
39 então o sacerdote olhará, se na pele aparecem manchas
lustrosas escurecidas, é impigem, que floresceu na pele;
está puro.
40 E, quando os cabelos do homem caírem da cabeça, é
calvo; está puro.
41 E, se lhe caírem os cabelos na frente da cabeça, é meio
calvo; está puro.
42 Porém, se na calva, ou na meia calva, houver praga
branca avermelhada, é lepra, florescendo na sua calva ou
na sua meia calva.
43 E o sacerdote, havendo examinado, e se a inchação
da praga, na sua calva ou meia calva, está branca meio
avermelhada, com aparência de lepra,
44 então, aquele homem é leproso, está impuro; o sacer-
dote o declarará totalmente impuro, tem a praga na sua
cabeça.
45 Também, serão rasgadas as roupas do leproso em quem
está a praga, e a sua cabeça será descoberta, ele cobrirá o
lábio superior e gritará: Impuro, impuro.
46 Enquanto houver praga nele, será impuro; está impuro,
habitará só; e a sua habitação será fora do acampamento.
47 Quando também houver praga de lepra em alguma
roupa, em roupa de lã, ou em roupa de linho,
48 ou no fio urdido, ou no fio tecido, seja de linho, ou seja
de lã, ou em pele, ou em qualquer obra de peles,
49 e a praga na roupa, ou na pele, ou no fio urdido, ou
no fio tecido, ou em qualquer coisa de peles aparecer uma
mancha verde ou vermelha, é praga de lepra, por isso se
mostrará ao sacerdote,
50 e o sacerdote examinará a praga e isolará aquilo que
tem a praga por sete dias.
51 Então examinará a praga ao sétimo dia; se a praga hou-
ver aumentado na roupa, ou no fio urdido, ou no fio tecido
ou na pele, para qualquer obra que for feita da pele, é lepra
contagiosa, está impura;
52 por isso se queimará aquela roupa, ou fio urdido, ou
fio tecido de lã, ou de linho, ou de qualquer obra de pe-
les, em que houver a praga, porque é lepra contagiosa; se
queimará com fogo.
53 Mas, o sacerdote, vendo que a praga não se estendeu
na roupa, ou no fio urdido, ou no tecido, ou em qualquer
obra de peles,
54 então o sacerdote ordenará que se lave aquilo em que
havia a praga, e o isolará pela segunda vez por sete dias;
55 e o sacerdote, examinando a praga, depois que for la-
vada, e se ela não mudou o seu aspecto, nem se espalhou,
está impuro, o queimará com fogo; é praga penetrante, seja
por dentro ou por fora.
56 Mas, se o sacerdote verificar que a praga tem diminuí-
do, depois de lavada, então a rasgará da roupa, ou da pele
ou do fio urdido ou tecido;
57 e, se ainda aparecer na roupa, ou no fio urdido ou
tecido ou em qualquer coisa de peles, é lepra brotante;
queimem com fogo aquilo em que há a praga;
58 mas a roupa ou fio urdido ou tecido ou qualquer coisa
de peles que lavar, e a praga desaparecer, se lavará pela
segunda vez, e será pura."
59 Esta é a lei da praga da lepra na roupa de lã, ou de
linho, ou do fio urdido, ou tecido, ou de qualquer coisa
de peles, para declará-la pura, ou para declará-la impura.

Leis Acerca do Leproso Depois de Sarado

14 Depois o Senhor falou a Moisés, dizendo:
2 "Esta será a lei do leproso no dia da sua purifica-
ção: Será levado ao sacerdote,
3 e o sacerdote sairá fora do acampamento e o examinará,
e se a praga da lepra do leproso estiver sarada,
4 então o sacerdote ordenará que, para aquele que se hou-
ver de purificar, se peguem duas aves vivas e puras, pau de
cedro, carmesim e hissopo.
5 O sacerdote também mandará que se degole uma ave
num vaso de barro sobre águas correntes,

6 e pegará a ave viva, o pau de cedro, o carmesim e o
hissopo, e os molhará junto com a ave viva, no sangue da
ave que foi degolada sobre as águas correntes.
7 E aspergirá sete vezes sobre aquele que há de purificar-se
da lepra; então o declarará puro, e soltará a ave que ficou
viva sobre a face do campo.
8 E aquele que tem de purificar-se lavará as suas roupas,
rapará todo o seu pelo e se lavará com água; assim será
puro; e depois entrará no acampamento, porém, ficará fora
da sua tenda por sete dias;
9 e ao sétimo dia rapará todos os seus pelos, a sua cabeça,
a sua barba e as sobrancelhas; rapará todos os pelos, lavará
as suas roupas, lavará o seu corpo com água e será puro,
10 e, ao oitavo dia, pegará dois cordeiros sem defeito e
uma cordeira sem defeito, de um ano, e seis litros de fari-
nha especial para oferta de cereais, amassada com azeite e
um copo de azeite;
11 e o sacerdote que faz a purificação apresentará o ho-
mem que houver de purificar-se, com aquelas coisas, pe-
rante o Senhor, à porta da tenda do encontro.
12 E o sacerdote pegará um dos cordeiros e o copo de
azeite e oferecerá por expiação da culpa, e os oferecerá por
oferta movida perante o Senhor.
13 Então degolará o cordeiro no lugar em que se degola
a oferta da expiação do pecado e do holocausto, no lugar
santo; porque tanto a oferta da expiação da culpa, como
a da expiação do pecado, são para o sacerdote; são coisas
santíssimas.
14 E o sacerdote pegará um pouco do sangue da expiação
da culpa e o porá sobre a ponta da orelha direita daquele
que tem de purificar-se e sobre o dedo polegar da sua mão
direita, e no dedo polegar do seu pé direito.
15 O sacerdote também pegará o azeite e o derramará na
palma da sua própria mão esquerda.
16 Então, o sacerdote molhará o seu dedo direito no azeite
que está na sua mão esquerda e aspergirá esse azeite com o
seu dedo sete vezes perante o Senhor;
17 e o restante do azeite, que está na sua mão, o sacer-
dote porá sobre a ponta da orelha direita daquele que tem
de purificar-se, sobre o dedo polegar da sua mão direita e
sobre o dedo polegar do seu pé direito, em cima do sangue
da expiação da culpa;
18 e o restante do azeite que está na mão do sacerdote, o
porá sobre a cabeça daquele que tem de purificar-se; assim,
o sacerdote fará expiação por ele perante o Senhor.
19 Também o sacerdote fará a expiação do pecado e fará
expiação por aquele que tem de purificar-se da sua impu-
reza; depois degolará o holocausto;
20 e o sacerdote oferecerá o holocausto e a oferta de ce-
reais sobre o altar; assim o sacerdote fará expiação por ele
e será puro.
21 Porém, se for pobre, e não tiver condições para tanto,
pegará um cordeiro para expiação da culpa em oferta de
movimento, para fazer expiação por ele e a dízima de fari-
nha especial, amassada com azeite, para oferta de cereais
e um logue de azeite,
22 e duas rolinhas, ou dois pombinhos, conforme as suas
posses, dos quais um será para expiação do pecado e o
outro para holocausto.
23 E, ao oitavo dia da sua purificação, os trará ao sacerdo-
te, à porta da tenda do encontro, perante o Senhor.
24 E o sacerdote pegará o cordeiro da expiação da culpa e
o copo de azeite, e os oferecerá por oferta movida perante
o Senhor.
25 Então, degolará o cordeiro da expiação da culpa, e pe-
gará um pouco do sangue da expiação da culpa, e o porá
sobre a ponta da orelha direita daquele que tem de purifi-
car-se, sobre o dedo polegar da sua mão direita e sobre o
dedo polegar do seu pé direito.
26 O sacerdote também derramará do azeite na palma da
sua própria mão esquerda.
27 Depois, o sacerdote com o seu dedo direito aspergirá
sete vezes o azeite que está na sua mão esquerda, perante
o Senhor.
28 E o sacerdote porá do azeite que está na sua mão na
ponta da orelha direita daquele que tem de purificar-se, no
dedo polegar da sua mão direita e no dedo polegar do seu
pé direito; no lugar do sangue da expiação da culpa.
29 E o que sobrar do azeite que está na mão do sacerdote,
porá sobre a cabeça daquele que tem de purificar-se, para
fazer expiação por ele perante o Senhor.
30 Depois, oferecerá uma das rolinhas ou um dos pombi-
nhos, conforme suas posses,
31 sim, conforme as suas posses, será um para expiação do
pecado e o outro para holocausto com a oferta de cereais;
assim, o sacerdote fará expiação por aquele que tem de
purificar-se perante o Senhor."
32 Esta é a lei daquele que estiver com a praga da lepra,
se não tiver condições de adquirir aquilo que compete à
sua purificação.

Leis Acerca da Lepra Numa Casa

33 O Senhor falou mais a Moisés e a Arão:
34 "Quando tiverem entrado na terra de Canaã, que lhes
darei por herança, e eu enviar a praga da lepra em alguma
casa da terra que darei a vocês,
35 então, aquele que for o dono da casa virá e informará
ao sacerdote, dizendo: Parece-me que há algo como que
praga em minha casa.
36 E o sacerdote ordenará que desocupem a casa, antes

que entre para examinar a praga, para que tudo o que está
na casa não seja contaminado; e depois o sacerdote entra-
rá, para examinar a casa;
37 e, vendo a praga, se houver nas paredes da casa ca-
vidades esverdeadas ou avermelhadas, e parecerem mais
fundas do que a parede,
38 então o sacerdote sairá da casa e a fechará por sete dias.
39 Depois, ao sétimo dia, o sacerdote voltará e a exa-
minará; e se perceber que a praga nas paredes da casa
aumentou,
40 então o sacerdote ordenará que arranquem as pedras,
em que estiver a praga, e que as lancem fora da cidade,
num lugar impuro;
41 e fará raspar a casa por dentro, ao redor, e o pó que hou-
verem raspado jogarão fora da cidade, num lugar impuro;
42 depois, pegarão outras pedras, e as porão no lugar das
primeiras pedras; pegarão outro barro e rebocarão a casa.
43 Porém, se a praga tornar a brotar na casa, depois de tro-
cadas as pedras, e a casa raspada, e novamente rebocada,
44 então, o sacerdote entrará e examinará, se a praga na
casa tiver aumentado, há lepra contagiosa na casa; está
impura.
45 Portanto, se derrubará a casa; e as suas pedras, a sua
madeira, e também todo o barro da casa serão levados para
fora da cidade a um lugar impuro.
46 E quem entrar naquela casa, em qualquer dia em que
estiver fechada, ficará impuro até à tarde.
47 Também quem dormir nela, lavará as suas roupas; e
quem comer na casa, lavará as suas roupas.
48 Porém, tornando o sacerdote a entrar na casa e, exa-
minando-a, vir que a praga não aumentou, depois que a
casa foi rebocada, o sacerdote a declarará pura, porque a
praga está curada.
49 Depois, pegará para purificar a casa duas aves, pau de
cedro, carmesim e hissopo;
50 e degolará uma ave num vaso de barro sobre águas
correntes;
51 então, pegará o pau de cedro, o hissopo, o carmesim, a
ave que ficou viva e os molhará no sangue da ave degolada
e nas águas correntes, e aspergirá a casa sete vezes;
52 assim, purificará aquela casa: Com o sangue da ave,
com as águas correntes e com a ave viva, com o pau de
cedro, com o hissopo e com o carmesim.
53 Então, soltará a ave viva para fora da cidade, sobre o
campo; assim fará expiação pela casa e será pura."
54 Esta é a lei de toda praga da lepra e da tinha,
55 e da lepra das roupas e das casas,
56 e da inchação, das pústulas e das manchas lustrosas;
57 para ensinar quando alguma coisa será impura e quan-
do será pura. Esta é a lei da lepra.

Impurezas do Homem e da Mulher

15 O Senhor falou mais a Moisés e a Arão:
2 "Falem aos israelitas e digam-lhes: Qualquer ho-
mem que tiver fluxo do seu corpo, ficará impuro por causa
do seu fluxo.
3 Esta será a sua impureza, por causa do seu fluxo; se o
seu corpo vaza o seu fluxo, ou se o seu corpo estanca o seu
fluxo, esta é a sua impureza.
4 Toda cama em que se deitar quem tiver fluxo, será impu-
ra; e toda coisa, sobre a qual ele se assentar, será impura.
5 E quem tocar a sua cama terá que lavar as roupas, e se
banhará em água, e ficará impuro até à tarde.
6 E quem se assentar sobre aquilo em que se assentou
quem tem o fluxo, terá que lavar as roupas e se banhará
em água e ficará impuro até à tarde.
7 E quem tocar o corpo de quem tem o fluxo, lavará as
suas roupas, se banhará em água e ficará impuro até à
tarde.
8 Quando, também, quem tem o fluxo cuspir sobre um
puro, então lavará este as suas vestes, se banhará em água
e ficará impuro até à tarde.
9 Também toda sela, em que cavalgar quem tem o fluxo,
será impura.
10 E qualquer um que tocar em alguma coisa que esteve
debaixo dele, ficará impuro até à tarde; e quem a levar,
lavará as suas roupas, se banhará em água e ficará impuro
até à tarde.
11 Também quem tocar quem tem o fluxo, sem ter lavado
as suas mãos com água, lavará as suas roupas, se banhará
em água e ficará impuro até à tarde.
12 E o vaso de barro, em que quem tem o fluxo tocar,
será quebrado; porém, todo vaso de madeira será lavado
com água.
13 Quando, quem tem o fluxo, estiver puro do seu fluxo,
se contarão sete dias para a sua purificação e lavará as suas
roupas, banhará o seu corpo em águas correntes e será
puro.
14 E ao oitavo dia pegará duas rolinhas ou dois pombinhos
e virá perante o Senhor, à porta da tenda do encontro, e os
dará ao sacerdote;
15 e o sacerdote oferecerá um para expiação do pecado e
o outro para holocausto; e assim o sacerdote fará por ele
expiação do seu fluxo perante o Senhor.
16 Também o homem, quando dele sair o sêmen, lavará
todo o seu corpo com água e ficará impuro até à tarde.
17 Também toda roupa e toda pele em que houver sêmen
se lavarão com água, e serão impuras até à tarde.
18 E, também, se um homem tiver relações com a mulher
e tiver emissão de sêmen, ambos se banharão com água e
serão impuros até à tarde.

19 Mas a mulher, quando tiver fluxo e o seu fluxo de san-
gue estiver no seu corpo, ficará sete dias na sua menstrua-
ção e quem a tocar ficará impuro até à tarde.
20 E tudo sobre o que ela se deitar durante a sua mens-
truação será impuro; e tudo sobre o que ela se assentar
será impuro.
21 E quem tocar na sua cama terá que lavar as roupas e se
banhar com água, e ficará impuro até à tarde.
22 E quem tocar alguma coisa, sobre a qual ela se assen-
tou, lavará as roupas, se banhará com água e ficará impuro
até à tarde.
23 Se, também, tocar alguma coisa que estiver sobre a
cama ou sobre aquilo em que ela se assentou, ficará im-
puro até à tarde.
24 E se algum homem se deitar com ela e a sua menstrua-
ção estiver sobre ele, ficará impuro por sete dias; também
toda a cama, em que se deitar, será impura.
25 Também a mulher, quando estiver menstruando, por
muitos dias fora do tempo, todos os dias do fluxo será im-
pura, como nos dias da sua menstruação.
26 Toda a cama, na qual se deitar todos os dias do seu
fluxo, lhe será como a cama da sua menstruação; e toda
coisa, sobre que se assentar, será impura, conforme a im-
pureza da sua menstruação.
27 E quem os tocar será impuro; portanto, lavará as suas
roupas, se banhará com água e ficará impuro até à tarde.
28 Porém, quando parar sua menstruação, então se conta-
rão sete dias e depois será pura.
29 E ao oitavo dia pegará duas rolinhas, ou dois pombi-
nhos e os trará ao sacerdote, à porta da tenda do encontro.
30 Então o sacerdote oferecerá um para expiação do pe-
cado e o outro para holocausto; e o sacerdote fará por ela
expiação do fluxo da sua impureza perante o Senhor.
31 Assim vocês separarão os israelitas das suas impurezas,
para que não morram nelas, contaminando o meu taberná-
culo, que está no meio deles."
32 Esta é a lei daquele que tem o fluxo e daquele de quem
sai o sêmen e que ficam impuros por causa deles;
33 como também da mulher na sua menstruação e daque-
le que tem fluxo, seja homem ou mulher, e do homem que
se deita com mulher impura.

O Dia da Expiação

16 E o Senhor falou a Moisés, depois da morte dos dois
filhos de Arão, que morreram quando se chegaram
diante do Senhor.
2 Disse o Senhor a Moisés: "Diga a Arão, seu irmão, que
não entre no santuário em qualquer tempo, para dentro
do véu, diante do propiciatório, que está sobre a arca, para
que não morra; porque eu aparecerei na nuvem sobre o
propiciatório.
3 Com isto Arão entrará no santuário: Com um novilho,
para expiação do pecado e um carneiro para holocausto.
4 Ele vestirá a túnica santa de linho e calções de linho
sobre seu corpo; se cingirá com um cinto de linho e se
cobrirá com uma mitra de linho; estas são vestes santas;
por isso lavará o seu corpo na água e as vestirá.
5 E pegará da congregação dos israelitas dois bodes para
expiação do pecado, e um carneiro para holocausto.
6 Depois, Arão oferecerá o novilho da expiação, que será
para ele; assim fará expiação por si e pela sua casa.
7 Também pegará ambos os bodes e os porá perante o Se-
nhor, à porta da tenda do encontro.
8 E Arão lançará sortes sobre os dois bodes; uma pelo Se-
nhor e a outra pelo bode emissário.
9 Então Arão fará chegar o bode, sobre o qual cair a sorte
pelo Senhor, e o oferecerá para expiação do pecado.
10 Mas o bode, sobre o qual cair a sorte para ser bode
emissário, o apresentará vivo perante o Senhor, para fa-
zer expiação com ele, para enviá-lo ao deserto como bode
emissário.
11 E Arão fará chegar o novilho da expiação, e com ele
fará expiação por si e pela sua casa; e degolará o novilho
da sua expiação.
12 Pegará também o incensário cheio de brasas de fogo do
altar, diante do Senhor, dois punhados cheios de incenso
aromático moído, e o levará para dentro do véu.
13 E porá o incenso sobre o fogo perante o Senhor e a
nuvem do incenso cobrirá o propiciatório, que está sobre o
testemunho, para que não morra.
14 Pegará do sangue do novilho, e com o seu dedo asper-
girá sobre a frente do propiciatório, para o lado oriental;
e, diante do propiciatório, aspergirá sete vezes do sangue
com o seu dedo.
15 Depois, degolará o bode da expiação, que será pelo
povo e trará o seu sangue para dentro do véu; e fará com o
seu sangue como fez com o sangue do novilho, e o asper-
girá sobre o propiciatório e diante dele.
16 Assim fará expiação pelo santuário por causa das im-
purezas dos israelitas e das suas transgressões, e de todos
os seus pecados; assim fará o mesmo para a tenda do en-
contro que reside com eles no meio das suas impurezas.
17 E ninguém estará na tenda do encontro quando ele
entrar para fazer expiação no santuário, até que ele saia,
depois de feita expiação por si mesmo, pela sua casa e por
toda a congregação de Israel.
18 Então irá para o altar, que está perante o Senhor, e fará
expiação por ele; pegará um pouco do sangue do novilho e
do bode e os porá sobre os chifres do altar.
19 E do sangue aspergirá sobre o altar, com o seu dedo,

sete vezes, e o purificará das impurezas dos israelitas e o santificará.

20 Quando acabar de fazer expiação pelo santuário, pela tenda do encontro e pelo altar, então fará chegar o bode vivo.

21 E Arão porá ambas as suas mãos sobre a cabeça do bode vivo e sobre ele confessará todas as iniquidades dos israelitas, todas as suas transgressões e todos os seus pecados; e os porá sobre a cabeça do bode e o enviará ao deserto, por um homem designado para isso.

22 Assim, aquele bode levará sobre si todas as iniquidades deles, para a terra solitária; e deixará o bode no deserto.

23 Depois, Arão virá à tenda do encontro, e despirá as vestes de linho, que havia vestido quando entrou no santuário, e as deixará ali.

24 E lavará o seu corpo com água no lugar santo, e vestirá as suas roupas; então sairá e preparará o seu holocausto, e o holocausto do povo; então, fará expiação por si e pelo povo.

25 Também, queimará a gordura da expiação do pecado sobre o altar.

26 E aquele que levou o bode emissário, lavará as suas roupas, e lavará o seu corpo com água; depois entrará no acampamento.

27 Mas o novilho da expiação, e o bode da expiação do pecado, cujo sangue foi trazido para fazer expiação no santuário, serão levados para fora do acampamento; porém, as suas peles, a sua carne, e o seu esterco, queimarão com fogo.

28 E aquele que os queimar lavará as suas roupas, e lavará o seu corpo com água; depois entrará no acampamento.

29 E isto lhes será por estatuto perpétuo: No dia dez, no sétimo mês, afligirão as suas almas e não farão nenhum trabalho, nem o natural, nem o estrangeiro que peregrina entre vocês.

30 Porque naquele dia se fará expiação por vocês, para purificá-los; assim, serão purificados de todos os seus pecados perante o Senhor.

31 É um sábado de descanso para vocês, e afligirão as almas de vocês; isto é estatuto perpétuo.

32 E o sacerdote, que for ungido e consagrado para administrar o sacerdócio, no lugar de seu pai, fará a expiação, depois que vestir as vestes de linho, as vestes santas;

33 assim, fará expiação pelo santuário; também fará expiação pela tenda do encontro e pelo altar; da mesma forma, fará expiação pelos sacerdotes e por todo o povo da congregação.

34 E isto lhes será por estatuto perpétuo, para fazer expiação pelos israelitas de todos os seus pecados, uma vez por ano." E Arão fez como o Senhor ordenou a Moisés.

O Sangue dos Animais Sacrificados

17 O Senhor falou mais a Moisés:

2 "Diga a Arão, aos seus filhos e a todos os israelitas: Esta é a palavra que o Senhor ordenou:

3 Qualquer homem da casa de Israel que degolar boi, ou cordeiro, ou cabra, no acampamento, ou fora dele,

4 e não os trouxer à porta da tenda do encontro, para apresentá-lo como oferta ao Senhor, diante do tabernáculo do Senhor, a este homem será atribuído o sangue; derramou sangue; por isso será eliminado do seu povo;

5 para que os israelitas, trazendo os seus sacrifícios, que oferecem sobre a face do campo, os tragam ao Senhor, à porta da tenda do encontro, ao sacerdote, e os ofereçam por sacrifícios pacíficos ao Senhor.

6 E o sacerdote aspergirá o sangue sobre o altar do Senhor, à porta da tenda do encontro, e queimará a gordura por cheiro suave ao Senhor.

7 E nunca mais oferecerão os seus sacrifícios aos demônios, com os quais eles se prostituem; isto lhes será por estatuto perpétuo nas suas gerações.

8 Diga-lhes, pois: Qualquer homem da casa de Israel, ou dos estrangeiros que peregrinam entre vocês, que oferecer holocausto ou sacrifício,

9 e não o trouxer à porta da tenda do encontro, para oferecê-lo ao Senhor, esse homem será eliminado do seu povo.

A Proibição de Comer Sangue

10 E qualquer homem da casa de Israel, ou dos estrangeiros que peregrinam entre eles, que comer sangue, serei contra aquela pessoa, e a eliminarei do seu povo.

11 Porque a vida da carne está no sangue; pelo que o tenho dado sobre o altar, para fazer expiação pela vida de vocês; porque é o sangue que fará expiação pela vida.

12 Portanto, tenho dito aos israelitas: Nenhum de vocês comerá sangue, nem o estrangeiro, que peregrina entre vocês.

13 Também, qualquer homem dos israelitas, ou dos estrangeiros que peregrinam entre eles, que caçar animal ou ave que se pode comer, derramará o seu sangue e o cobrirá com pó;

14 porque a vida de toda a carne é o seu sangue; por isso tenho dito aos israelitas: Não comam o sangue de nenhuma carne, porque a vida de toda a carne é o seu sangue; qualquer pessoa que o comer será eliminada.

15 E toda pessoa entre os naturais, ou entre os estrangeiros, que comer animal encontrado morto ou dilacerado, lavará as suas roupas, se banhará com água e será impura até à tarde; depois será pura.

16 Mas, se não lavar as roupas, nem banhar o seu corpo, levará sobre si a sua iniquidade."

Relações e Casamentos Proibidos

18 O Senhor falou mais a Moisés:
2 “Diga aos israelitas: Eu sou o Senhor seu Deus.
3 Não façam como os costumes da terra do Egito, em que
habitaram, nem façam segundo os costumes da terra de
Canaã, para onde os levo, nem sigam os seus estatutos.
4 Pratiquem conforme os meus juízos e guardem os meus
estatutos, para seguirem neles. Eu sou o Senhor seu Deus.
5 Portanto, guardem os meus estatutos e os meus juízos;
pois o homem que os seguir viverá por eles. Eu sou o
Senhor.
6 Ninguém se chegará a qualquer parenta próxima, para
ter relação sexual. Eu sou o Senhor.
7 Não se relacione sexualmente com o seu pai e não se
relacione sexualmente com a sua mãe: Ela é sua mãe; não
se relacione sexualmente com ela.
8 Não se relacione com a mulher de seu pai; é mulher
do seu pai.
9 Não tenha relações sexuais com a sua irmã, filha de seu
pai, ou filha de sua mãe, nascida em casa, ou fora de casa,
não tenha relações sexuais com ela.
10 Não tenha relações sexuais com a filha do seu filho, ou
filha de sua filha, não tenha relações com ela; porque seria
uma vergonha para você.
11 Não tenha relações sexuais com a filha da mulher de
seu pai, gerada de seu pai; ela é sua irmã.
12 Não tenha relações sexuais com a irmã de seu pai; ela
é parente de seu pai.
13 Não tenha relações sexuais com a irmã de sua mãe; ela
é parente de sua mãe.
14 Não envergonhe o irmão de seu pai; não tenha relações
com a sua mulher; ela é sua tia.
15 Não tenha relações sexuais com a sua nora: Ela é mu-
lher do seu filho.
16 Não tenha relações sexuais com a mulher do seu ir-
mão; é mulher do seu irmão.
17 Não tenha relações sexuais com uma mulher e sua
filha; nem se relacione sexualmente com a filha de seu
filho, nem a filha de sua filha; são parentes próximos; é
maldade.
18 Não pegue a irmã da sua mulher enquanto ela vive,
para fazê-la sua rival, tendo relações sexuais com ela.
19 E não tenha relação sexual com uma mulher durante o
seu período menstrual.
20 Nem deite com a mulher de seu próximo, para ter rela-
ções sexuais, para se contaminar com ela.
21 E não dê nenhum de seus descendentes para sacrifício
perante Moloque; e não profane o nome do seu Deus. Eu
sou o Senhor.
22 Não deite com homem para ter relações sexuais como
se fosse mulher; é abominação;
23 nem tenha relações sexuais com um animal, para se
contaminar com ele; nem a mulher se porá diante de um
animal, para ter relações com ele; é impureza.
24 Não se contaminem com nenhuma dessas coisas; por-
que as nações que se contaminaram com todas essas coi-
sas, eu expulso da presença de vocês.
25 Por isso a terra está contaminada; e eu puno a sua ini-
quidade e a terra vomita os seus moradores.
26 Porém, guardem os meus estatutos e os meus juízos;
não façam nenhuma dessas abominações, nem o natural,
nem o estrangeiro que peregrina entre vocês;
27 porque os homens que estavam nessa terra antes
de vocês fizeram todas essas abominações; e a terra foi
contaminada.
28 Para que a terra não os vomite, por se terem conta-
minado, como vomitou a nação que nela estava antes de
vocês.
29 Porém, qualquer pessoa que fizer alguma dessas abo-
minações, sim, aqueles que as fizerem serão eliminados
do seu povo.
30 Portanto, guardem o meu mandamento, não seguin-
do nenhum dos costumes abomináveis que se praticavam
antes de vocês, e não se contaminem com eles. Eu sou o
Senhor seu Deus.”

Repetição de Diversas Leis

19 O Senhor falou a Moisés:
2 “Fale a toda a congregação dos israelitas e lhes
diga: Sejam santos, porque eu, o Senhor seu Deus, sou
santo.
3 Cada um respeitará sua mãe e seu pai, e guardará os
meus sábados. Eu sou o Senhor seu Deus.
4 Não se voltem para os ídolos nem façam deuses de fun-
dição. Eu sou o Senhor seu Deus.
5 E, quando oferecerem sacrifício pacífico ao Senhor, ofe-
reçam-no da própria vontade de vocês.
6 Comam-no no dia em que o sacrificarem, e no dia se-
guinte; mas o que sobrar, no terceiro dia, será queimado
com fogo.
7 E se alguma coisa dele for comida no terceiro dia, é coisa
abominável; não será aceita.
8 E qualquer pessoa que dele comer levará a sua iniqui-
dade, porque profanou a santidade do Senhor; por isso, a
pessoa será eliminada do seu povo.
9 Quando também fizerem a colheita da terra de vocês,
não colham totalmente a beirada do seu campo, nem co-
lham as espigas caídas da sua colheita.
10 Da mesma forma, não apanhem os frutos da sua vinha
após a colheita, nem colham as uvas caídas da sua vinha;

deixem-nas para os pobres e para os estrangeiros. Eu sou
o Senhor seu Deus.
11 Não furtem, nem mintam, nem usem de falsidade com
o seu próximo;
12 nem façam falsos juramentos pelo meu nome, porque
assim profanarão o nome do seu Deus. Eu sou o Senhor.
13 Não oprima o seu próximo, nem o roube; não retenha
o salário do diarista, pague no mesmo dia.
14 Não amaldiçoe o surdo, nem ponha tropeços diante do
cego; mas tema o seu Deus. Eu sou o Senhor.
15 Não seja injusto ao julgar; não favoreça o pobre, nem
agrade o poderoso; julgue com justiça o seu próximo.
16 Não faça intrigas entre o seu povo; não seja imparcial
quando atentarem contra a vida do seu próximo. Eu sou
o Senhor.
17 Não sinta ódio no seu coração pelo seu irmão; não
deixe de repreender o seu próximo, não peque por causa
dele.
18 Não se vingue nem guarde ira contra os filhos do seu
povo; mas ame o seu próximo como a você mesmo. Eu
sou o Senhor.
19 Guarde os meus estatutos; não permita que haja cru-
zamentos dos seus animais de diferentes espécies; não se-
meie no seu campo sementes de duas espécies, e não vista
roupas de diversos tecidos misturados.
20 E, quando um homem tiver relações sexuais com uma
mulher que for serva prometida a outro homem, e não for
resgatada, nem recebeu liberdade, então serão açoitados;
não morrerão, porque ela não foi libertada.
21 E, como expiação da sua culpa, trará ao Senhor, à porta
da tenda do encontro, um carneiro da expiação,
22 e, com o carneiro da expiação da culpa, o sacerdote
fará propiciação por ele perante o Senhor, pelo pecado que
cometeu; e o pecado lhe será perdoado.
23 E, quando vocês entrarem na terra, e plantarem vários
tipos de árvores frutíferas, os seus frutos serão proibidos;
por três anos serão impuros para vocês; não comerão deles.
24 Porém, no quarto ano, todo o seu fruto será santo para
dar louvores ao Senhor.
25 E no quinto ano comerão o seu fruto, para que façam
crescer a sua produção. Eu sou o Senhor seu Deus.
26 Não comam nada com o sangue; não façam magia nem
adivinhações.
27 Não cortem o cabelo, deixando os cantos da cabeça de
vocês ficarem com formas arredondadas, nem danifiquem
as pontas da sua barba.
28 Não deem, pelos mortos, golpes no corpo de vocês;
nem façam nenhuma marca em vocês. Eu sou o Senhor.
29 Não profane a sua filha, fazendo-a se prostituir; para
que a terra não se prostitua, nem se encha de maldade.
30 Guardem os meus sábados, e reverenciem o meu san-
tuário. Eu sou o Senhor.
31 Não consultem os adivinhadores e encantadores; não
os procurem, contaminando-se com eles. Eu sou o Senhor
seu Deus.
32 Honrem as pessoas idosas e se levantem diante delas, e
temam o seu Deus. Eu sou o Senhor.
33 E quando o estrangeiro peregrinar na terra de vocês,
não o oprimam.
34 O estrangeiro que peregrina com vocês, será como um
natural; ame-o como ama a você mesmo, porque vocês
foram estrangeiros na terra do Egito. Eu sou o Senhor seu
Deus.
35 Não cometam injustiça no juízo, nem na vara, nem no
peso, nem na medida.
36 Tenham balanças justas, pesos justos, e medidas de ce-
reais e líquidos justos. Eu sou o Senhor seu Deus, que os
tirei da terra do Egito.
37 Por isso guardem todos os meus estatutos, e cumpram
todos os meus juízos. Eu sou o Senhor."

As Penas Para Diversos Crimes

20 O Senhor falou mais a Moisés:
2 "Diga também aos israelitas: Qualquer um, israe-
lita ou estrangeiro, que peregrina em Israel, que oferecer
um filho a Moloque, certamente morrerá; o povo da terra
o apedrejará.
3 E eu serei contra esse homem, e o eliminarei do meio
do seu povo, porque ofereceu um filho a Moloque, para
contaminar o meu santuário e profanar o meu santo nome.
4 E, se o povo da terra, de alguma maneira, fechar os olhos
para não ver esse homem, quando ele sacrificar um filho a
Moloque, e não o matar,
5 então eu serei contra aquele homem, e contra a sua famí-
lia, eu o eliminarei do meio do seu povo, bem como a to-
dos que fizerem como ele, prostituindo-se com Moloque.
6 Quando alguém recorrer aos adivinhadores e encanta-
dores, para se prostituir com eles, eu serei contra ele e o
eliminarei do meio do seu povo.
7 Portanto, santifiquem e sejam santos, porque eu sou o
Senhor seu Deus.
8 Guardem os meus estatutos e os cumpram. Eu sou o
Senhor que os santifica.
9 Quando alguém amaldiçoar a seu pai ou a sua mãe, cer-
tamente morrerá; amaldiçoou a seu pai ou a sua mãe; será
responsável pela sua própria morte.
10 Também, o homem que adulterar com a mulher de
seu próximo, certamente morrerá; o adúltero e a adúltera.
11 E o homem que tiver relações sexuais com a mulher
de seu pai, o terá envergonhado; ambos certamente mor-
rerão; o seu sangue cairá sobre eles.

12 Quando um homem tiver relações sexuais com a sua nora, ambos certamente morrerão; fizeram abominação; o seu sangue cairá sobre eles.

13 Quando um homem tiver relações sexuais com outro homem, como uma mulher, ambos fizeram abominação; certamente morrerão; o seu sangue cairá sobre eles.

14 E, quando um homem tiver relações sexuais com uma mulher e com a mãe dela, é maldade; vocês queimarão com fogo os três, para que não haja maldade no meio de vocês.

15 Quando também um homem tiver relações sexuais com um animal, certamente morrerá; e matem também o animal.

16 Também, a mulher que se chegar a algum animal, para ter relações sexuais com ele, matem aquela mulher, assim como o animal; certamente morrerão; o seu sangue cairá sobre eles.

17 E, quando um homem pegar a sua irmã, filha de seu pai, ou filha de sua mãe, e tiver relações sexuais com ela, e ela tiver relações com ele, é vergonhoso; portanto, serão eliminados na presença dos filhos do seu povo; envergonhou a sua irmã, levará sobre si a sua iniquidade.

18 E, quando um homem se deitar com uma mulher no período da sua menstruação, e tiver relações sexuais com ela, descobrindo a sua fonte, e ela descobrir a fonte do seu sangue, ambos serão eliminados do meio do seu povo.

19 Também, não tenha relações sexuais com a irmã da sua mãe, ou com a irmã do seu pai; porque teve relações com a sua parenta, levarão sobre si a sua iniquidade.

20 Quando, também, um homem tiver relações sexuais com a sua tia, envergonhou o seu tio; levarão sobre si o seu pecado; morrerão sem filhos.

21 E quando um homem pegar a mulher do seu irmão, é impureza; envergonhou o seu irmão; ficarão sem filhos.

22 Guardem todos os meus estatutos, e cumpram todos os meus juízos, para que a terra aonde os levo para habitar não os vomite.

23 E não andem nos costumes das nações que eu expulso de diante de vocês, porque fizeram todas essas coisas; portanto, fiquei aborrecido com elas.

24 E tenho dito a vocês: Possuirão a terra deles como herança, eu a darei a vocês, terra que mana leite e mel. Eu sou o Senhor seu Deus, que os separei dos povos.

25 Distingam entre os animais puros e impuros, entre as aves impuras e as puras, e não façam a vida de vocês abominável, por causa dos animais, ou das aves, ou de tudo o que se arrasta sobre a terra; coisas que eu separei de vocês, para tê-las como impuras.

26 E sejam santos para mim, porque eu, o Senhor, sou santo; e separei vocês dos outros povos, para serem meus.

27 Quando alguma pessoa tiver em si um espírito necromante, ou adivinho, certamente morrerá; será apedrejada; o seu sangue cairá sobre ela."

Leis Para os Sacerdotes

21 Depois, o Senhor disse a Moisés: "Fale aos sacerdotes, filhos de Arão, e diga-lhes: O sacerdote não se contaminará por causa de um morto entre o seu povo,

2 exceto por seu parente mais chegado: Por sua mãe, por seu pai, por seu filho, por sua filha e por seu irmão.

3 E por sua irmã virgem, chegada a ele, que ainda não teve marido; por ela também se contaminará.

4 Ele, sendo principal entre o seu povo, não se contaminará, porque ele se profanaria.

5 Os sacerdotes não rasparão sua cabeça, e não cortarão as pontas da sua barba, nem darão golpes no seu corpo.

6 Serão santos a seu Deus, e não profanarão o nome do seu Deus, porque oferecem as ofertas queimadas do Senhor, e o pão do seu Deus; portanto, serão santos.

7 Não se casarão com mulher prostituta ou desonrada, nem se casarão com mulher repudiada de seu marido; pois o sacerdote é santo a seu Deus.

8 Portanto, o santifique, porque oferece o pão do seu Deus; será santo para você, porque eu, o Senhor que santifica vocês, sou santo.

9 E quando a filha de um sacerdote começar a prostituir-se, profana o seu pai; será queimada com fogo.

10 E entre seus irmãos, o sumo sacerdote, sobre cuja cabeça foi derramado o azeite da unção, que foi consagrado para usar as vestes, não deixará os cabelos despenteados, nem rasgará as suas vestes;

11 e não se aproximará de nenhum cadáver, nem se contaminará por causa de seu pai, nem por sua mãe;

12 nem sairá do santuário, para que não profane o santuário do seu Deus, pois a coroa do azeite da unção do seu Deus está sobre ele. Eu sou o Senhor.

13 E ele tomará por esposa uma mulher virgem.

14 Viúva, ou repudiada, desonrada ou prostituta, não tomará dessas por esposa; mas tomará por mulher uma virgem do seu povo.

15 E não profanará a sua descendência entre o seu povo; porque eu sou o Senhor que o santifico.

16 O Senhor falou mais a Moisés:

17 Diga a Arão: Ninguém da sua descendência, nas suas gerações, com algum defeito, se aproximará para oferecer o pão do seu Deus.

18 Pois não se aproximará nenhum homem com alguma deformidade; como homem cego, ou coxo, ou de nariz chato, ou com membros demasiadamente compridos,

19 ou homem que tiver quebrado o pé, ou a mão,

20 ou corcunda, ou anão, ou que tiver doença no olho, ou
sarna, ou impigem, ou que tiver testículo mutilado.
21 Nenhum homem da descendência de Arão, o sacerdo-
te, com alguma deformidade, se aproximará para oferecer
as ofertas queimadas do Senhor; há defeito nele; não se
chegará para oferecer o pão do seu Deus.
22 Ele comerá do pão do seu Deus, tanto do santíssimo
como do santo.
23 Porém, não entrará até o véu, nem se aproximará do
altar, porque há defeito nele, para que não profane os meus
santuários; porque eu sou o Senhor que os santifico."
24 E Moisés falou isso a Arão e a seus filhos e a todos os
israelitas.

Os Sacerdotes e as Ofertas

22 Depois o Senhor falou a Moisés:
2 "Diga a Arão e a seus filhos que se apartem das
coisas santas dos israelitas, que a mim me santificam, para
que não profanem o meu santo nome. Eu sou o Senhor.
3 Diga-lhes: Todo homem, que entre as suas gerações, de
toda a descendência de vocês, que se aproximar das ofer-
tas sagradas que os israelitas consagram ao Senhor, tendo
sobre si a sua impureza, aquela pessoa será eliminada da
minha presença. Eu sou o Senhor.
4 Nenhum descendente de Arão, que for leproso, ou tiver
fluxo, poderá comer das coisas santas, até que seja puro;
como também não comerá quem tocar em algo contami-
nado por um cadáver, ou aquele do qual sair sêmen da
cópula,
5 ou quem tocar em algum réptil, se tornando impuro, ou
em algum homem, que se tornou impuro, por alguma das
suas impurezas;
6 o homem que o tocar ficará impuro até à tarde, e não co-
merá das coisas santas, mas banhará o seu corpo em água.
7 E depois do pôr do sol, então estará puro, e depois come-
rá das coisas santas; porque este é o seu pão.
8 Não comerá do animal encontrado morto e do dilacera-
do por outro animal, para não se contaminar com ele. Eu
sou o Senhor.
9 Guardarão o meu mandamento, para não pecarem por
isto, e morrerem, havendo-o profanado. Eu sou o Senhor
que os santifico.
10 Também, nenhum estranho poderá comer das coisas
santas; nem o hóspede do sacerdote, nem o diarista pode-
rão comer das coisas santas.
11 Mas quando o sacerdote comprar alguma pessoa escra-
va com o seu dinheiro, aquela pessoa poderá comer delas,
e os nascidos na sua casa, estes comerão do seu pão.
12 E, quando a filha do sacerdote se casar com um ho-
mem estranho, ela não poderá comer da oferta das coisas
santas.
13 Mas quando a filha do sacerdote for viúva ou repudiada
e não tiver filho, se houver retornado à casa de seu pai,
como na sua mocidade, poderá comer do pão de seu pai;
mas nenhum estranho poderá comer dele.
14 E quando alguém por erro comer a coisa santa, terá
que acrescentar sobre ela uma quinta parte, e a dará ao
sacerdote com a coisa santa.
15 Assim, não profanarão as coisas santas que os israelitas
oferecem ao Senhor,
16 nem os farão levar a iniquidade da culpa, comen-
do as suas coisas santas; porque eu sou o Senhor que as
santifico."

Leis Sobre Ofertas

17 O Senhor falou mais a Moisés:
18 "Diga a Arão, a seus filhos e a todos os israelitas: Qual-
quer pessoa da casa de Israel, ou estrangeiros em Israel,
que oferecerem a sua oferta dos seus votos, ou ofertas vo-
luntárias ao Senhor em holocausto,
19 segundo a sua vontade, oferecerão macho sem defeito
do rebanho, de gado, cordeiros, ou cabras.
20 Não ofereçam animal com defeito, porque não seria
aceito em seu favor.
21 E, quando alguém oferecer sacrifício pacífico ao Se-
nhor, separando dos bois ou das ovelhas um voto, ou ofer-
ta voluntária, será sem defeito, para que seja aceito; não
poderá haver nenhum defeito nele.
22 O cego, ou quebrado, aleijado, verrugoso, sarnoso, ou
cheio de impigens, não ofereçam estes ao Senhor, e não po-
nham deles como oferta queimada ao Senhor sobre o altar.
23 Porém, boi ou gado miúdo, com membros compridos
ou curtos, poderão oferecer como oferta voluntária, mas
como voto não será aceito.
24 Não ofereçam ao Senhor o animal machucado, ou moí-
do, despedaçado, ou cortado; não façam isto na terra de
vocês.
25 De todas estas coisas, não ofereçam nenhum alimento
da mão do estrangeiro ao Deus de vocês, porque a sua
corrupção está nelas; há defeito nelas; não serão aceitas
em favor de vocês.
26 O Senhor disse mais a Moisés:
27 Quando nascer o boi, ou cordeiro, ou cabra, ele ficará
os primeiros sete dias com a mãe; do oitavo dia em diante
será aceito como oferta queimada ao Senhor.
28 Não degolarão boi ou gado miúdo e suas crias no mes-
mo dia.
29 E, quando oferecerem sacrifícios de louvores ao Se-
nhor, os oferecerão voluntariamente.
30 Serão comidos no mesmo dia; não deixarão sobrar
nada deles para o dia seguinte. Eu sou o Senhor.

31 Por isso, guardem os meus mandamentos e os cum-
pram. Eu sou o Senhor.
32 E não profanem o meu santo nome, para que eu seja
santificado no meio dos israelitas. Eu sou o Senhor que
os santifico;
33 que os tirou da terra do Egito, para ser o seu Deus. Eu
sou o Senhor."

As Festas Religiosas

23 Depois, o Senhor disse a Moisés:
2 "Fale aos israelitas e diga-lhes: As Festas do Se-
nhor, que convocarão, serão santas convocações; estas são
as minhas festas:

O Sábado

3 Trabalharão seis dias, mas o sétimo dia será o sábado do
descanso, santa convocação; não façam nenhum trabalho;
é sábado do Senhor, em todas as suas habitações.

A Páscoa

4 Estas são as festas do Senhor, as santas convocações, que
convocarão ao seu tempo determinado:
5 Aos catorze dias do primeiro mês, à tarde, é a Páscoa
do Senhor.
6 E aos quinze dias desse mês, é a festa dos pães sem fer-
mento do Senhor; comerão pães sem fermento durante
sete dias.
7 No primeiro dia terão santa convocação; não façam ne-
nhum trabalho;
8 mas por sete dias oferecerão oferta queimada ao Senhor;
ao sétimo dia, haverá santa convocação; nesse dia, não fa-
çam nenhum trabalho."

As Primícias

9 E o Senhor disse a Moisés:
10 "Fale aos israelitas, e diga-lhes: Quando houverem en-
trado na terra, que lhes darei, e fizerem a sua colheita,
então trarão um feixe das primícias da colheita de vocês
ao sacerdote;
11 e ele moverá o feixe perante o Senhor, para que seja
aceito; no dia seguinte, depois do sábado, o sacerdote o
moverá.
12 E no dia em que moverem o feixe, prepararão um cor-
deiro sem defeito, de um ano, em holocausto ao Senhor,
13 e a oferta de cereais do holocausto serão quatro litros
de farinha especial, amassada com azeite, para oferta quei-
mada em cheiro suave ao Senhor, e a sua libação será de
um litro de vinho.
14 E não comerão pão, nem trigo tostado, nem espigas
verdes, até no dia em que trouxerem a oferta do Deus de
vocês; é estatuto perpétuo por suas gerações, em todas as
suas habitações.

A Colheita

15 Depois do dia seguinte após o sábado, desde o dia em
que trouxeram o feixe da oferta movida, vocês contarão
sete semanas inteiras.
16 Até ao dia seguinte ao sétimo sábado, contarão cin-
quenta dias; então oferecerão nova oferta de cereais ao
Senhor.
17 Tragam das suas casas dois pães para serem movidos;
serão quatro litros de farinha, assados com fermento; são
primícias ao Senhor.
18 Também ofereçam, com o pão, sete cordeiros sem
defeito de um ano, e um novilho, e dois carneiros; serão
holocausto ao Senhor, com a sua oferta de cereais e as suas
libações, por oferta queimada de cheiro suave ao Senhor.
19 Ofereçam também um bode para expiação do pecado,
e dois cordeiros de um ano como sacrifício pacífico.
20 Então o sacerdote os moverá com o pão das primícias
por oferta movida perante o Senhor, com os dois cordeiros;
serão santos ao Senhor para uso do sacerdote.
21 E naquele mesmo dia proclamem que terão santa con-
vocação; nesse dia, não façam nenhum trabalho; é estatuto
perpétuo em todas as suas habitações, pelas suas gerações.
22 E, quando fizerem a colheita da terra de vocês, não
colham as beiradas do seu campo, nem peguem as espigas
caídas da sua colheita; deixem-nas para o pobre e para o
estrangeiro. Eu sou o Senhor seu Deus."

Ano Novo

23 E o Senhor disse a Moisés:
24 "Diga aos israelitas: O primeiro dia do sétimo mês será
dia de descanso, comemorado com som de trombetas; é
santa convocação.
25 Não façam nenhum trabalho, mas oferecerão oferta
queimada ao Senhor."

O Dia da Expiação

26 O Senhor falou mais a Moisés, dizendo:
27 "Mas, o dia dez deste sétimo mês será o dia da expia-
ção; farão santa convocação, afligirão suas almas e oferece-
rão oferta queimada ao Senhor.
28 E naquele mesmo dia não farão nenhum trabalho, por-
que é o dia da expiação, para fazer expiação por vocês,
perante o Senhor seu Deus.
29 Porque toda pessoa, que naquele mesmo dia não se
afligir, será eliminada do seu povo.
30 Também toda pessoa, que naquele mesmo dia fizer al-
gum trabalho, eu a destruirei do meio do seu povo.
31 Não farão nenhum trabalho; é estatuto perpétuo pelas
suas gerações, em todas as suas habitações.
32 Será sábado de descanso para vocês; então se humilha-
rão; aos nove dias do mês, à tarde, de uma tarde até a tarde
do dia seguinte, celebrarão o sábado de vocês."

Tabernáculos (tendas)

33 E o Senhor falou a Moisés:

34 "Diga aos israelitas: No dia quinze deste sétimo mês,
será a festa dos tabernáculos ao Senhor, por sete dias.
35 No primeiro dia, haverá santa convocação; nesse dia,
não façam nenhum trabalho.
36 Por sete dias oferecerão ofertas queimadas ao Senhor;
ao oitavo dia terão santa convocação e oferecerão ofertas
queimadas ao Senhor; é dia solene; nesse dia, não façam
nenhum trabalho.
37 Estas são as festas do Senhor, que proclamarão para santas convocações, para oferecerem ao Senhor oferta queimada, holocausto e oferta de cereais, sacrifício e libações,
cada qual em seu próprio dia;
38 além dos sábados do Senhor, além das suas dádivas,
além de todos os seus votos, e além de todas as suas ofertas
voluntárias, que darão ao Senhor.
39 Porém, aos quinze dias do sétimo mês, quando tiverem
recolhido dos frutos da terra, celebrarão a festa do Senhor
por sete dias; no primeiro e no oitavo dia, haverá descanso.
40 E, no primeiro dia, pegarão para vocês ramos de árvores formosas, ramos de palmeiras, ramos de árvores
frondosas, e salgueiros de ribeiras; e se alegrarão perante o
Senhor seu Deus por sete dias.
41 E celebrarão essa festa ao Senhor por sete dias todos os
anos; é estatuto perpétuo pelas suas gerações; no sétimo
mês a celebrarão.
42 Por sete dias habitarão debaixo de tendas; todos os naturais em Israel habitarão em tendas;
43 para que as suas gerações saibam que eu fiz os israelitas
habitarem em tendas, quando os tirei da terra do Egito. Eu
sou o Senhor seu Deus."
44 Assim, Moisés anunciou as festas do Senhor aos
israelitas.

O Candelabro

24 E o Senhor falou a Moisés, dizendo:
2 "Ordene aos israelitas que lhe tragam azeite de
oliva, puro, batido, para a luminária, para manter as lâmpadas acesas continuamente.
3 Arão as manterá continuamente acesas perante o Senhor, desde a tarde até à manhã, fora do véu do testemunho, na tenda do encontro; é estatuto perpétuo pelas suas
gerações.
4 Manterá as lâmpadas continuamente acesas perante o
Senhor, sobre o castiçal de ouro puro.

Os Pães da Proposição

5 Também pegue farinha especial, e asse doze pães com
ela; cada pão terá dois quilos.
6 E coloque-os em duas fileiras, seis em cada fileira, sobre
a mesa de ouro puro, perante o Senhor.
7 E coloque incenso puro sobre cada fileira, para que o pão
seja como oferta memorial; é oferta queimada ao Senhor.
8 Em cada dia de sábado, se colocarão os pães em ordem
perante o Senhor continuamente, pelos israelitas, por
aliança perpétua.
9 E serão de Arão e de seus filhos, que os comerão no lugar
santo, porque é uma coisa santíssima para eles, das ofertas
queimadas ao Senhor, como estatuto perpétuo."

Pecado e Castigo

10 E apareceu, no meio dos israelitas, o filho de uma mulher israelita, o qual era filho de um homem egípcio; e
o filho da israelita e um homem israelita discutiram no
acampamento.
11 Então o filho da mulher israelita blasfemou o nome do
Senhor e o amaldiçoou, por isso o trouxeram a Moisés; e
o nome de sua mãe era Selomite, filha de Dibri, da tribo
de Dã.
12 E eles o puseram na prisão, até que pudessem saber a
vontade do Senhor sobre o ocorrido.
13 E o Senhor falou a Moisés:
14 "Tire o homem que blasfemou para fora do acampamento e todos os que o ouviram porão as suas mãos sobre
a cabeça dele; então toda a congregação o apedrejará.
15 E dirá aos israelitas: Qualquer pessoa que amaldiçoar o
seu Deus levará sobre si o seu pecado.
16 E aquele que blasfemar o nome do Senhor certamente morrerá; toda a congregação certamente o apedrejará;
tanto o estrangeiro como o natural, blasfemando contra o
nome do Senhor, será morto.
17 E quem matar alguma pessoa, certamente morrerá.
18 Mas quem matar um animal, o restituirá, vida por vida.
19 Quando também alguém desfigurar o seu próximo,
como ele fez assim lhe será feito:
20 Quebradura por quebradura, olho por olho, dente por
dente; como ele tiver desfigurado a algum homem, assim
se fará com ele.
21 Quem matar um animal o restituirá, mas quem matar
um homem será morto.
22 Terão uma mesma lei; assim será para o estrangeiro
como para o natural; porque eu sou o Senhor seu Deus."
23 E disse Moisés aos israelitas que levassem o homem
que blasfemou para fora do acampamento, e o apedrejassem; e os israelitas fizeram como o Senhor ordenou a
Moisés.

O Ano Sabático

25 O Senhor falou mais a Moisés no monte Sinai:
2 "Fale aos israelitas e diga-lhes: Quando tiverem
entrado na terra, que eu lhes dou, então, a terra guardará
um sábado ao Senhor.
3 Por seis anos semearão a sua terra, e por seis anos podarão a sua vinha, e colherão os seus frutos;
4 porém, ao sétimo ano, haverá sábado de descanso para

a terra, um sábado ao Senhor; não semeiem o seu campo
nem podem a sua vinha.
5 Não colham o que nascer sozinho na sua terra; não
colham as uvas da sua videira não podada; será ano de
descanso para a terra.
6 Mas os frutos do sábado da terra serão para alimento
para você, para o seu servo, a sua serva, o seu diarista e
para o estrangeiro que peregrina com você;
7 e para o seu gado e os seus animais, que estão na sua
terra; tudo o que ela produzir será para mantimento.

O Ano Jubileu

8 Conte também sete semanas de anos, sete vezes sete
anos; de maneira que os dias das sete semanas de anos
serão quarenta e nove anos.
9 Então, aos dez dias do sétimo mês, fará tocar a trombeta
do jubileu; no dia da expiação farão tocar a trombeta por
toda a terra de vocês,
10 e santifiquem o ano quinquagésimo e proclamem a
liberdade na terra a todos os seus moradores; será ano de
jubileu para vocês, então retornem cada um à sua proprie-
dade, e cada um à sua família.
11 O ano quinquagésimo será jubileu para vocês; não se-
meiem nem colham o que nele nascer sozinho, nem co-
lham as uvas das videiras não podadas.
12 Porque é jubileu, será santo para vocês: Comerão os
frutos da terra.
13 Nesse ano do jubileu retornem cada um à sua
propriedade.
14 E, quando vender alguma coisa ao seu próximo, ou
comprar da mão dele, não explore o seu irmão.
15 Conforme o número dos anos que passaram, desde o
jubileu, comprará do seu próximo; e conforme o número
dos anos das colheitas, ele a venderá a você.
16 Conforme se multipliquem os anos, aumentará o seu
preço, e conforme a diminuição dos anos abaixará o seu
preço; porque é conforme o número das colheitas que ele
lhe vende.
17 Não explore o seu próximo; mas tenha temor do seu
Deus; porque eu sou o Senhor seu Deus.
18 E observem os meus estatutos, guardem os meus juízos
e os cumpram; assim, habitarão seguros na terra.
19 E a terra dará o seu fruto, comerão com fartura, e nela
habitarão seguros.
20 E se perguntarem: O que comeremos no sétimo ano,
pois não semearemos a nossa terra e nem colheremos?
21 Então eu mandarei a minha bênção sobre vocês no sex-
to ano, para que dê fruto por três anos,
22 e semearão no oitavo ano, e comerão da colheita passa-
da até ao nono ano; até que venha a nova colheita.
23 Também não se venderá a terra em perpetuidade,
porque a terra é minha; porém vocês são estrangeiros e
peregrinos comigo.
24 Portanto, em toda a terra da propriedade de vocês, dei-
xarão que se resgate a terra.
25 Quando seu irmão empobrecer, e vender alguma parte
da sua propriedade, então virá o seu resgatador, seu paren-
te, e resgatará o que seu irmão vendeu.
26 E se alguém não tiver resgatador, porém conseguir o
suficiente para o seu resgate,
27 então contará os anos desde a sua venda, e o que ficar
restituirá ao homem a quem a vendeu, e ela retornará à
sua posse.
28 Mas, se não conseguir o suficiente para restituí-la, en-
tão a propriedade que foi vendida ficará na mão do com-
prador até ao ano do jubileu; porém, no ano do jubileu ele
sairá, e tornará à sua posse.
29 E, quando alguém vender uma casa de moradia em
cidade murada, então poderá resgatá-la até que se cumpra
um ano da sua venda; durante um ano inteiro será lícito
o seu resgate.
30 Mas, se, passando um ano inteiro, e ainda não for res-
gatada, então a casa, que estiver na cidade que tem muro,
ficará em perpetuidade para a pessoa que a comprou, pelas
suas gerações; ela não sairá no jubileu.
31 Mas as casas das aldeias que não têm muro ao redor
serão estimadas como o campo da terra; para elas haverá
resgate e sairão da posse do comprador no jubileu.
32 Mas, nas cidades dos levitas, sobre as casas de sua pro-
priedade nas cidades, os levitas terão direito perpétuo de
resgate.
33 E se alguém comprar uma casa dos levitas, a casa com-
prada na cidade em que se encontra, sairá do poder do
comprador no jubileu; porque as casas dos levitas nas cida-
des são a sua possessão no meio dos israelitas.
34 Mas o campo ao redor das suas cidades não será vendi-
do, porque é possessão perpétua deles.
35 E, quando seu irmão empobrecer e não tiver como se
sustentar, então o sustente, viverá como o estrangeiro e o
peregrino com você.
36 Não cobre juros dele, nem lucros; mas tema o seu
Deus, para que seu irmão viva com você.
37 Não lhe empreste o seu dinheiro com juros, nem lhe dê
alimento por interesse.
38 Eu sou o Senhor seu Deus, que os tirou da terra do
Egito, para lhes dar a terra de Canaã, para ser o seu Deus.
39 Quando também seu irmão empobrecer, ele estando
com você, e vender-se a você, não o faça servir como
escravo.
40 Ele ficará com você como diarista, como peregrino; e o
servirá até o ano do jubileu;

41 então, estará livre de o servir, ele e seus filhos, e retor-
nará à sua família e à propriedade de seus pais.
42 Porque são meus servos, que tirei da terra do Egito; não
serão vendidos como se vendem os escravos.
43 Não o trate com dureza, mas tema o seu Deus.
44 E quanto a seu escravo ou a sua escrava, serão de ou-
tras nações que estão ao redor de vocês; comprarão delas
escravos e escravas.
45 Também os comprarão dos filhos dos forasteiros que
peregrinam entre vocês, deles e das suas gerações que esti-
verem com vocês, que tiverem gerado na terra de vocês; e
eles serão sua propriedade.
46 E irão possuí-los por herança para seus filhos, depois de
vocês, para herdarem a posse; os farão servir perpetuamen-
te; mas, sobre seus irmãos, os israelitas, não os tratem com
dureza, uns aos outros.
47 E se o estrangeiro ou peregrino que está com você ficar
rico, e seu irmão, que está com ele, empobrecer, e se ven-
der ao estrangeiro ou peregrino que está com você, ou aos
familiares do estrangeiro,
48 depois de vendido, haverá resgate para ele; um de seus
irmãos o resgatará:
49 Ou o seu tio, ou o filho do seu tio o resgatará; ou um
dos seus parentes o resgatará; ou, se ficar rico, se resgatará
a si mesmo.
50 E acertará com aquele que o comprou, desde o ano em
que se vendeu a ele, até o ano do jubileu, e o preço do seu
resgate será conforme o número dos anos; conforme os
salários de um diarista.
51 Se ainda faltarem muitos anos, restituirá a parte do di-
nheiro pelo qual se vendeu conforme a quantidade de anos
que falta para seu resgate.
52 E se restarem poucos anos até o ano do jubileu, então
fará contas com ele; restituirá o seu resgate segundo os
anos que faltam.
53 Ele ficará como diarista, de ano em ano; não o trate
com dureza.
54 E se não se resgatar, sairá no ano do jubileu, ele com
seus filhos.
55 Porque os israelitas são meus servos; eles são meus ser-
vos, que tirei da terra do Egito. Eu sou o Senhor seu Deus.

Bênçãos aos Obedientes

26 Não façam ídolos para vocês, nem levantem ima-
gem de escultura, nem estátua, nem ponham figura
de pedra na terra de vocês, para se inclinarem a ela; porque
eu sou o Senhor seu Deus.
2 Guardem os meus sábados e reverenciem o meu santuá-
rio. Eu sou o Senhor.
3 Se andarem nos meus estatutos e guardarem os meus
mandamentos, e os cumprirem,
4 então eu lhes darei as chuvas no tempo certo; a terra
dará a sua colheita e a árvore do campo dará o seu fruto;
5 e a debulha se estenderá até à colheita das uvas, a colhei-
ta das uvas se estenderá até à época do plantio e comerão
o pão de vocês com fartura, e habitarão seguros na terra
de vocês.
6 Também darei paz na terra, dormirão seguros e não ha-
verá quem os perturbe; farei desaparecer os animais no-
civos da terra e a espada não passará pela terra de vocês.
7 E perseguirão os seus inimigos, que cairão pela espada
diante de vocês.
8 Cada cinco de vocês perseguirão cem deles, e cem de
vocês perseguirão dez mil deles; e os seus inimigos cairão
pela espada diante de vocês.
9 E olharei para vocês, os farei férteis, os multiplicarei e
confirmarei a minha aliança com vocês.
10 E comerão da colheita anterior, há muito tempo guar-
dada, e jogarão fora a colheita velha por causa da colheita
nova.
11 E porei o meu tabernáculo no meio de vocês, e a minha
alma não se enfadará de vocês.
12 E andarei no meio de vocês; eu serei Deus para vocês,
e vocês serão o meu povo.
13 Eu sou o Senhor seu Deus, que os tirou da terra dos
egípcios, para que não fossem seus escravos; eu quebrei o
jugo de vocês e os fiz andar de cabeça erguida.

Castigos aos Desobedientes

14 Mas, se não me ouvirem e não cumprirem todos esses
mandamentos,
15 e se rejeitarem os meus estatutos e a alma de vocês
desprezar os meus juízos, não cumprindo todos os meus
mandamentos, para invalidar a minha aliança,
16 então eu também lhes farei isto: Porei terror sobre vo-
cês, a tuberculose e a febre ardente, que consumam os
olhos e atormentem a alma; e semearão em vão a semente
de vocês, e os seus inimigos a comerão.
17 E serei contra vocês e serão feridos diante de seus ini-
migos; os que os odeiam dominarão vocês e fugirão, sem
ninguém os perseguir.
18 E, se ainda com essas coisas não me ouvirem, então eu
prosseguirei castigando vocês sete vezes mais, por causa
dos seus pecados.
19 Porque quebrarei o orgulho da força de vocês, e farei
que os céus sejam como ferro e a terra de vocês seja como
bronze.
20 E gastarão a força de vocês em vão; a terra de vocês
não dará a sua colheita e as árvores da terra não darão o
seu fruto.
21 E se andarem contra mim, e não quiserem me ou-

vir, lhes trarei sete vezes mais pragas, conforme os seus
pecados.
22 Porque enviarei a vocês as feras do campo, que irão ma-
tar os seus filhos, matarão o gado de vocês, e os reduzirão;
e os seus caminhos serão desertos.
23 Se com estas coisas ainda não se corrigirem voltando
para mim, e ainda andarem contra mim,
24 eu também andarei contra vocês, e eu, eu mesmo, os
ferirei sete vezes mais por causa dos seus pecados.
25 Porque trarei sobre vocês a espada, que executará a
vingança da aliança; serão reunidos nas suas cidades; então
enviarei a peste entre vocês, e serão entregues nas mãos
do inimigo.
26 Quando eu tirar o pão que sustenta vocês, então dez
mulheres assarão o pão de vocês num só forno, e os dividi-
rão por peso; comerão, mas não se fartarão.
27 E se com isto não me ouvirem, mas ainda andarem
contra mim,
28 eu também andarei contra vocês em furor; e os castiga-
rei sete vezes mais por causa dos seus pecados.
29 Porque comerão a carne de seus filhos e a carne de
suas filhas.
30 E destruirei os seus altares, desfarei as suas imagens
e lançarei os seus cadáveres sobre os cadáveres dos seus
deuses; a minha alma se enfadará de vocês.
31 E reduzirei as suas cidades a deserto, assolarei os seus
santuários e não aspirarei o cheiro suave dos sacrifícios de
vocês.
32 E assolarei a terra e os seus inimigos que nela morarem
se espantarão disso.
33 E os espalharei entre as nações; desembainharei a espa-
da atrás de vocês; a terra de vocês será assolada e as suas
cidades serão desertas.
34 Então a terra folgará nos seus sábados, todos os dias da
sua assolação e vocês estarão na terra dos seus inimigos;
então a terra descansará e folgará nos seus sábados.
35 Descansará todos os dias da assolação, porque não des-
cansou nos seus sábados, quando habitavam nela.
36 E, quanto aos que sobreviverem, eu porei tal pavor nos
seus corações, nas terras dos seus inimigos, que o barulho
de uma folha movida os perseguirá; fugirão como quem
foge da espada; e cairão sem ninguém os perseguir.
37 E cairão uns sobre os outros como diante da espada,
sem ninguém os perseguir; e não poderão resistir diante
dos seus inimigos.
38 Perecerão entre as nações e a terra dos seus inimigos
os consumirá.
39 E aqueles que entre vocês sobreviverem, se consumi-
rão pela sua iniquidade nas terras dos seus inimigos, e pela
iniquidade de seus pais com eles se consumirão.
40 Então confessarão a sua iniquidade e a iniquidade de
seus pais, com as suas transgressões, com que transgredi-
ram contra mim; como eles também foram contra mim.
41 Eu também fui contra eles, e os fiz entrar na terra dos
seus inimigos; mas se o seu coração incircunciso se humi-
lhar, e aceitarem o castigo da sua iniquidade,
42 eu também lembrarei da minha aliança com Jacó e da
minha aliança com Isaque, também lembrarei da minha
aliança com Abraão, e também me lembrarei da terra.
43 E a terra será abandonada por eles e folgará nos seus
sábados, sendo assolada por causa deles; e aceitarão o cas-
tigo da sua iniquidade, porque rejeitaram os meus juízos e
desprezaram os meus estatutos.
44 Embora estando eles na terra dos seus inimigos, não
os rejeitarei nem me enfadarei deles, para consumi-los e
invalidar a minha aliança com eles, porque eu sou o Se-
nhor seu Deus.
45 Mas por amor deles me lembrarei da aliança com os
seus antepassados, que tirei da terra do Egito perante as
nações, para lhes ser por Deus. Eu sou o Senhor."
46 Esses são os estatutos, os juízos e as leis que o Senhor
estabeleceu entre si e os israelitas, no monte Sinai, através
de Moisés.

Votos Especiais

27 O Senhor falou mais a Moisés:
2 "Fale aos israelitas, e diga-lhes: Quando alguém
fizer algum voto especial ao Senhor, referente a pessoas,
será conforme o valor estipulado de cada um.
3 A avaliação de um homem de vinte a sessenta anos de
idade será de seiscentos gramas de prata, segundo o peso
padrão do santuário.
4 Porém, se for mulher, a sua avaliação será de trezentos
e sessenta gramas.
5 E, se tiver de cinco a vinte anos, a avaliação de um ho-
mem será de duzentos e quarenta gramas e a da mulher
cento e vinte gramas.
6 E, se tiver de um mês até cinco anos de idade, a avalia-
ção de um homem será de sessenta gramas de prata, e a da
mulher de trinta e seis gramas de prata.
7 E, se for homem acima de sessenta anos, a avaliação
será de cento e oitenta gramas e, se for mulher, cento e
vinte gramas.
8 Mas, se for mais pobre do que a sua avaliação, então
se apresentará diante do sacerdote, para que o sacerdote
o avalie; conforme as condições financeiras de quem fez
o voto.
9 E, se for oferta de animal, dos que se oferecem ao Se-
nhor, tudo que der dele ao Senhor será santo.
10 Não o substituirá, nem o trocará bom por ruim, ou

ruim por bom; se, porém, de alguma maneira trocar ani-
mal por animal, tanto um como o outro serão santos.
11 E, se for algum animal impuro, dos que não se ofe-
recem em oferta ao Senhor, então apresentará o animal
diante do sacerdote,
12 e o sacerdote o avaliará, seja bom ou seja ruim; segun-
do a avaliação do sacerdote, assim será.
13 Porém, se de alguma maneira o resgatar, então acres-
centará a sua quinta parte sobre a sua avaliação.
14 E, quando alguém santificar a sua casa para ser santa ao
Senhor, o sacerdote a avaliará, seja boa ou seja má; como o
sacerdote a avaliar, assim será.
15 Mas, se o que a santificou resgatar a sua casa, então
acrescentará a quinta parte do dinheiro sobre a sua ava-
liação, e será sua.
16 Se alguém santificar ao Senhor uma parte do campo da
sua propriedade, então a sua avaliação será segundo a sua
semente: cem quilos de semente de cevada serão avaliados
por seiscentos gramas de prata.
17 Se santificar o seu campo desde o ano do jubileu, ficará
conforme à sua avaliação.
18 Mas, se santificar o seu campo depois do ano do jubi-
leu, então o sacerdote calculará o valor conforme os anos
restantes até o ano do jubileu, e isto abaterá a diferença
da sua avaliação.
19 E se aquele que santificou o campo de alguma maneira
o resgatar, então acrescentará a quinta parte do dinheiro da
sua avaliação e o campo ficará com ele.
20 E se não resgatar o campo, ou se vender o campo a
outro homem, nunca mais o resgatará.
21 Porém, quando o campo for liberado no ano do jubileu,
será santo ao Senhor, como campo consagrado; a posse
dele será do sacerdote.
22 E se alguém santificar ao Senhor o campo que comprou
e não for parte do campo da sua propriedade,
23 então o sacerdote calculará o valor da sua avaliação até
o ano do jubileu; e, no mesmo dia, dará a sua avaliação
como coisa santa ao Senhor.
24 No ano do jubileu o campo retornará à pessoa que
o vendeu, retornará à pessoa que era a proprietária do
campo.
25 E toda a sua avaliação será conforme o peso padrão do
santuário; o peso padrão será de doze gramas.
26 Mas o primogênito de um animal, por já ser do Se-
nhor, ninguém o santificará; seja boi ou gado miúdo, é do
Senhor.
27 Mas, se for de um animal impuro, o resgatará segundo
a sua avaliação, e sobre ele acrescentará a sua quinta parte;
se não o resgatar, o venderá segundo a sua avaliação.
28 Todavia, das coisas que alguém consagrar ao Senhor, de
tudo o que possui, de homem, ou de animal, ou do cam-
po da sua propriedade, nada consagrado se venderá nem
resgatará; toda coisa consagrada será santíssima ao Senhor.
29 Toda coisa consagrada, que for consagrada do homem,
não será resgatada; certamente morrerá.
30 Também todos os dízimos do campo, de cereais, como
do fruto das árvores, são do Senhor; são santos ao Senhor.
31 Porém, se alguém resgatar alguma coisa dos seus dízi-
mos, acrescentará a sua quinta parte sobre ela.
32 Quanto aos dízimos do gado e do rebanho, tudo o que
passar debaixo da vara, o dízimo será santo ao Senhor.
33 Não se investigará entre o bom e o ruim, nem se troca-
rá; mas, se de alguma maneira for trocado, tanto um como
o outro serão santos; não serão resgatados."
34 Estes são os mandamentos que o Senhor ordenou a
Moisés, para os israelitas, no monte Sinai.

O QUARTO LIVRO DE MOISÉS CHAMADO

NÚMEROS

O Recenseamento dos Israelitas

1 O Senhor falou mais a Moisés, no deserto do Sinai, na
tenda do encontro, no primeiro dia do segundo mês do
segundo ano da sua saída da terra do Egito, dizendo:
2 "Façam o censo de todos os israelitas, segundo as suas
famílias, segundo a casa de seus pais; contem todos os ho-
mens, pelos nomes, cabeça por cabeça;
3 da idade de vinte anos para cima, todos os capazes de
irem à guerra em Israel, contem estes segundo os seus
exércitos, você e Arão.
4 Estará com vocês um homem que seja chefe da casa de
seus pais, de cada tribo.
5 Estes são os nomes dos homens que estarão com vocês:
de Rúben, Elizur, filho de Sedeur;
6 de Simeão, Selumiel, filho de Zurisadai;
7 de Judá, Naassom, filho de Aminadabe;
8 de Issacar, Natanael, filho de Zuar;
9 de Zebulom, Eliabe, filho de Helom;
10 dos filhos de José: de Efraim, Elisama, filho de Amiúde;
de Manassés, Gamaliel, filho de Pedazur;

11 de Benjamim, Abidã, filho de Gideoni;
12 de Dã, Aiezer, filho de Amisadai;
13 de Aser, Pagiel, filho de Ocrã;
14 de Gade, Eliasafe, filho de Deuel;
15 de Naftali, Aira, filho de Enã."
16 Estes foram os chamados da congregação, os chefes das
tribos de seus pais, os chefes dos milhares de Israel.
17 Então Moisés e Arão pegaram esses homens, que foram
designados nominalmente,
18 e reuniram toda a congregação no primeiro dia do segundo mês, e declararam a sua descendência segundo as suas famílias, segundo a casa de seus pais, contados pelos nomes, de vinte anos para cima, cabeça por cabeça;
19 como o Senhor ordenou a Moisés, assim os contou no
deserto do Sinai.
20 Foram dos filhos de Rúben, o primogênito de Israel, as suas gerações, pelas suas famílias, segundo a casa de seus pais, contados pelos nomes, cabeça por cabeça, todos os homens de vinte anos para cima, todos os capazes de irem à guerra,
21 foram contados da tribo de Rúben quarenta e seis mil
e quinhentos.
22 Dos filhos de Simeão, as suas gerações, pelas suas famílias, segundo a casa dos seus pais; contados pelos nomes, cabeça por cabeça, todos os homens de vinte anos para cima, todos os que podiam ir à guerra,
23 foram contados da tribo de Simeão cinquenta e nove
mil e trezentos.
24 Dos filhos de Gade, as suas gerações, pelas suas famílias, segundo a casa de seus pais, pelos nomes, de vinte anos para cima, todos os que podiam ir à guerra,
25 foram contados da tribo de Gade quarenta e cinco mil
e seiscentos e cinquenta.
26 Dos filhos de Judá, as suas gerações, pelas suas famílias, segundo a casa de seus pais; pelos nomes, de vinte anos para cima, todos os que podiam ir à guerra,
27 foram contados da tribo de Judá setenta e quatro mil
e seiscentos.
28 Dos filhos de Issacar, as suas gerações, pelas suas famílias, segundo a casa de seus pais, pelos nomes, de vinte anos para cima, todos os que podiam ir à guerra,
29 foram contados da tribo de Issacar cinquenta e quatro
mil e quatrocentos.
30 Dos filhos de Zebulom, as suas gerações, pelas suas famílias, segundo a casa de seus pais, pelos nomes, de vinte anos para cima, todos os que podiam ir à guerra,
31 foram contados da tribo de Zebulom cinquenta e sete
mil e quatrocentos.
32 Dos filhos de José, dos filhos de Efraim, as suas gerações, pelas suas famílias, segundo a casa de seus pais, pelos nomes, de vinte anos para cima, todos os que podiam ir à guerra,
33 foram contados da tribo de Efraim quarenta mil e
quinhentos.
34 Dos filhos de Manassés, as suas gerações, pelas suas famílias, segundo a casa de seus pais, pelos nomes, de vinte anos para cima, todos os que podiam ir à guerra,
35 foram contados da tribo de Manassés trinta e dois mil
e duzentos.
36 Dos filhos de Benjamim, as suas gerações, pelas suas famílias, segundo a casa de seus pais, pelos nomes, de vinte anos para cima, todos os que podiam ir à guerra,
37 foram contados da tribo de Benjamim trinta e cinco mil
e quatrocentos.
38 Dos filhos de Dã, as suas gerações, pelas suas famílias, segundo a casa de seus pais, pelos nomes, de vinte anos para cima, todos os que podiam ir à guerra,
39 foram contados da tribo de Dã sessenta e dois mil e
setecentos.
40 Dos filhos de Aser, as suas gerações, pelas suas famílias, segundo a casa de seus pais, pelos nomes, de vinte anos para cima, todos os que podiam ir à guerra,
41 foram contados da tribo de Aser, quarenta e um mil e
quinhentos.
42 Dos filhos de Naftali, as suas gerações, pelas suas famílias, segundo a casa de seus pais, pelos nomes, de vinte anos para cima, todos os que podiam ir à guerra,
43 foram contados da tribo de Naftali cinquenta e três mil
e quatrocentos.
44 Esses foram os homens contados, que Moisés e Arão e os doze príncipes de Israel contaram, cada um representando a casa de seus pais.
45 Assim, foram todos contados dos israelitas, segundo a casa de seus pais, de vinte anos para cima, todos os que podiam ir à guerra em Israel;
46 todos os contados eram seiscentos e três mil e quinhentos e cinquenta.
47 Mas os levitas, segundo a tribo de seus pais, não foram
contados entre eles,
48 porque o Senhor tinha falado a Moisés, dizendo:
49 "Porém, não conte os homens da tribo de Levi, nem
faça o recenseamento deles entre os israelitas;
50 mas coloque os levitas no encargo do tabernáculo do testemunho, e de todos os seus utensílios, e de tudo o que pertence a eles; eles levarão o tabernáculo e todos os seus utensílios; eles o administrarão e assentarão o seu acampamento ao redor do tabernáculo.
51 E, quando o tabernáculo partir, os levitas o desarmarão;
e, quando o tabernáculo for ser assentar no acampamen-

to, os levitas o armarão; e o estranho que se aproximar
morrerá.
52 E os israelitas armarão as suas tendas, cada um no seu
esquadrão, e cada um junto à sua bandeira, segundo os
seus exércitos.
53 Mas os levitas armarão as suas tendas ao redor do taber-
náculo do testemunho, para que não haja indignação sobre
a congregação dos israelitas; os levitas serão os responsá-
veis pela guarda do tabernáculo do testemunho."
54 Assim os israelitas fizeram; conforme tudo o que o Se-
nhor ordenou a Moisés, assim o fizeram.

A Ordem das Tribos no Acampamento

2 E o Senhor falou a Moisés e a Arão, dizendo:
2 "Os israelitas montarão acampamento, cada um de-
baixo da sua bandeira, segundo as insígnias da casa de seus
pais, ao redor da tenda do encontro."
3 Serão os israelitas do exército de Judá que irão montar as
suas tendas do lado do oriente, para o nascente, com sua
bandeira, segundo os seus esquadrões; e Naassom, filho de
Aminadabe, será chefe dos filhos de Judá.
4 E o seu exército era de setenta e quatro mil e seiscentos,
de acordo com o recenseamento.
5 E, junto a ele, a tribo de Issacar montará as suas tendas;
e Natanael, filho de Zuar, será o chefe dos filhos de Issacar.
6 E o seu exército era de cinquenta e quatro mil e quatro-
centos, de acordo com o recenseamento.
7 Depois, a tribo de Zebulom; e Eliabe, filho de Helom,
será o chefe dos filhos de Zebulom.
8 E o seu exército era de cinquenta e sete mil e quatrocen-
tos, de acordo com o recenseamento.
9 Todos os contados do exército de Judá eram cento e
oitenta e seis mil e quatrocentos, segundo os seus esqua-
drões; estes marcharão primeiro.
10 A bandeira do exército de Rúben, segundo os seus
esquadrões, ficará para o lado do sul; e Elizur, filho de Se-
deur, será o chefe dos filhos de Rúben.
11 E o seu exército era de quarenta e seis mil e quinhen-
tos, de acordo com o recenseamento.
12 E junto a ele, a tribo de Simeão montará as suas tendas;
e Selumiel, filho de Zurisadai, será o chefe dos filhos de
Simeão.
13 E o seu exército era de cinquenta e nove mil e trezen-
tos, de acordo com o recenseamento.
14 Depois, a tribo de Gade; e Eliasafe, filho de Deuel, será
o chefe dos filhos de Gade.
15 E o seu exército era de quarenta e cinco mil e seiscen-
tos e cinquenta, de acordo com o recenseamento.
16 Todos os contados no exército de Rúben foram cento e
cinquenta e um mil e quatrocentos e cinquenta, segundo
os seus esquadrões e estes marcharão em segundo lugar.
17 Então a tenda do encontro partirá com o exército dos
levitas no meio dos outros exércitos; na ordem em que
montaram as suas tendas, assim marcharão, cada um no
seu lugar, segundo as suas bandeiras.
18 A bandeira do exército de Efraim, segundo os seus es-
quadrões, ficará para o lado do ocidente; e Elisama, filho
de Amiúde, será o chefe dos filhos de Efraim.
19 E o seu exército era de quarenta mil e quinhentos, de
acordo com o recenseamento.
20 E junto a ele ficará a tribo de Manassés; e Gamaliel,
filho de Pedazur, será o chefe dos filhos de Manassés.
21 E o seu exército era de trinta e dois mil e duzentos, de
acordo com o recenseamento.
22 Depois a tribo de Benjamim; e Abidã, filho de Gideoni,
será o chefe dos filhos de Benjamim.
23 E o seu exército era de trinta e cinco mil e quatrocen-
tos, de acordo com o recenseamento.
24 Todos os contados no exército de Efraim foram cento
e oito mil e cem, segundo os seus esquadrões; e estes mar-
charão em terceiro lugar.
25 A bandeira do exército de Dã ficará para o norte, se-
gundo os seus esquadrões; e Aieser, filho de Amisadai, será
o chefe dos filhos de Dã.
26 E o seu exército era de sessenta e dois mil e setecentos,
de acordo com o recenseamento.
27 E, junto a ele, a tribo de Aser montará as suas tendas; e
Pagiel, filho de Ocrã, será o chefe dos filhos de Aser.
28 E o seu exército era de quarenta e um mil e quinhen-
tos, de acordo com o recenseamento.
29 Depois, a tribo de Naftali; e Aira, filho de Enã, será o
chefe dos filhos de Naftali.
30 E o seu exército era de cinquenta e três mil e quatro-
centos, de acordo com o recenseamento.
31 Todos os contados no exército de Dã foram cento e cin-
quenta e sete mil e seiscentos; estes marcharão em último
lugar, segundo as suas bandeiras.
32 Esses são os que foram contados dos israelitas, segundo
a casa de seus pais; todos os que foram contados dos exér-
citos pelos seus esquadrões foram seiscentos e três mil e
quinhentos e cinquenta.
33 Mas os levitas não foram contados entre os israelitas,
como o Senhor ordenou a Moisés.
34 E os israelitas fizeram tudo conforme o que o Senhor
ordenou a Moisés; assim, montaram o acampamento se-
gundo as suas bandeiras; e assim marcharam, cada um
segundo as suas famílias, segundo a casa de seus pais.

O Serviço dos Levitas

3 E estas são as gerações de Arão e de Moisés, no dia em
que o Senhor falou com Moisés, no monte Sinai.

2 E estes são os nomes dos filhos de Arão: o primogênito
Nadabe; depois Abiú, Eleazar e Itamar.
3 Estes são os nomes dos filhos de Arão, dos sacerdotes
ungidos, cujas mãos foram consagradas para administra-
rem o sacerdócio.
4 Mas Nadabe e Abiú morreram perante o Senhor, quando
ofereceram fogo estranho perante o Senhor no deserto do
Sinai e não tiveram filhos; porém, Eleazar e Itamar admi-
nistraram o sacerdócio diante de Arão, seu pai.
5 E o Senhor falou a Moisés, dizendo:
6 "Faça chegar a tribo de Levi e a coloque diante de Arão,
o sacerdote, para o servirem,
7 e para cuidarem da sua guarda e da guarda de toda a
congregação, diante da tenda do encontro, para adminis-
trarem o ministério do tabernáculo.
8 E cuidarem de todos os utensílios da tenda do encontro
e da guarda dos israelitas, para administrarem o ministério
do tabernáculo.
9 Dê os levitas a Arão e a seus filhos; entre os israelitas eles
são como uma dádiva.
10 Mas ordene a Arão e seus filhos que guardem o seu
sacerdócio, e o estranho que se aproximar morrerá."
11 E o Senhor falou a Moisés, dizendo:
12 "Eu escolhi os levitas do meio dos israelitas, em lugar
de todo primogênito entre os israelitas; e os levitas serão
meus.
13 Porque todo primogênito é meu: desde o dia em que
feri todos os primogênitos na terra do Egito, santifiquei
para mim todo primogênito em Israel, desde o homem até
ao animal; serão meus; eu sou o Senhor."
14 E o Senhor falou a Moisés no deserto do Sinai, dizendo:
15 "Conte os filhos de Levi, segundo a casa de seus pais,
pelas suas famílias; conte todos os homens da idade de um
mês para cima."
16 E Moisés os contou conforme a ordem do Senhor,
como o Senhor lhe ordenou.
17 Estes foram os filhos de Levi pelos seus nomes: Gérson,
Coate e Merari.
18 E estes são os nomes dos filhos de Gérson pelas suas
famílias: Libni e Simei.
19 E os filhos de Coate pelas suas famílias: Anrão, Izar,
Hebrom e Uziel.
20 E os filhos de Merari pelas suas famílias: Mali e Musi.
Estas são as famílias dos levitas, segundo a casa de seus
pais.
21 De Gérson, é a família dos libnitas e dos simeítas; estas
são as famílias dos gersonitas.
22 Foram contados sete mil e quinhentos de todos os ho-
mens da idade de um mês para cima.
23 As famílias dos gersonitas montarão as suas tendas atrás
do tabernáculo, ao ocidente.
24 E o chefe da casa paterna dos gersonitas será Eliasafe,
filho de Lael.
25 Os filhos de Gérson serão responsáveis, na tenda do
encontro, pelo tabernáculo, pela tenda, a sua cobertura e o
véu da porta da tenda.
26 E pelas cortinas do pátio e cortina da porta do pátio,
que estão ao redor do tabernáculo e do altar; como tam-
bém pelas suas cordas para todo o seu serviço.
27 E de Coate, é a família dos anramitas, dos izaritas, dos
hebronitas e a família dos uzielitas; estas são as famílias
dos coatitas.
28 Foram contados oito mil e seiscentos de todos os ho-
mens da idade de um mês para cima, responsáveis pelos
serviços do santuário.
29 As famílias dos filhos de Coate montarão as suas tendas
ao lado sul do tabernáculo.
30 E o chefe da casa paterna das famílias dos coatitas será
Elisafã, filho de Uziel.
31 E o seu serviço será cuidar da arca, da mesa, do casti-
çal, dos altares, dos utensílios do santuário com que minis-
tram e do véu com todo o seu serviço.
32 E o chefe dos chefes de Levi será Eleazar, filho de Arão,
o sacerdote; terá a superintendência sobre os responsáveis
pelos serviços do santuário.
33 De Merari, é a família dos malitas e a dos musitas; estas
são as famílias de Merari.
34 E foram contados seis mil e duzentos de todos os ho-
mens de um mês para cima.
35 E o chefe da casa paterna das famílias de Merari será
Zuriel, filho de Abiail; montarão as suas tendas ao lado
norte do tabernáculo.
36 E os filhos de Merari serão responsáveis pelas tábuas do
tabernáculo, pelos seus varais, suas colunas, suas bases e
por todos os seus utensílios, com todo o seu serviço.
37 E pelas colunas ao redor do pátio, suas bases, suas esta-
cas e pelas suas cordas.
38 E os que montarão as suas tendas diante do taber-
náculo, ao oriente, diante da tenda do encontro, para o
nascente, serão Moisés e Arão, com seus filhos, e terão
a responsabilidade de cuidar do santuário, em nome dos
israelitas; e o estranho que se aproximar morrerá.
39 Todos os homens de um mês para cima, que foram con-
tados dos levitas, que Moisés e Arão contaram por ordem
do Senhor, foram vinte e dois mil, segundo as suas famílias.
40 E o Senhor disse a Moisés: "Conte todos os homens
primogênitos dos israelitas, da idade de um mês para cima,
e conte pelos seus nomes.
41 E separe para mim os levitas em lugar de todo primo-

gênito dos israelitas, e os animais dos levitas, em lugar de todo primogênito entre os animais dos israelitas. Eu sou o Senhor."

42 E Moisés contou, como o Senhor lhe ordenou, todos os primogênitos entre os israelitas.

43 E todos os primogênitos homens, contados pelos seus nomes, da idade de um mês para cima, foram vinte e dois mil e duzentos e setenta e três.

44 E o Senhor falou a Moisés, dizendo:

45 "Pegue os levitas em lugar de todos os primogênitos entre os israelitas e os animais dos levitas em lugar dos animais dos israelitas; porque os levitas serão meus: Eu sou o Senhor.

46 Quanto aos duzentos e setenta e três, que terão de resgatar dos primogênitos dos israelitas, que excedem o número dos levitas,

47 recolha, por cabeça, sessenta gramas de prata; conforme o peso padrão do santuário, que é de doze gramas.

48 E entregue o dinheiro dos resgatados para Arão e para seus filhos, dos que excedem os levitas."

49 Então, Moisés pegou o dinheiro do resgate dos que excederam sobre os resgatados pelos levitas.

50 Recebeu o dinheiro dos primogênitos dos israelitas, dezesseis quilos e meio de prata, segundo o peso padrão do santuário.

51 E Moisés deu o dinheiro dos resgatados para Arão e para seus filhos, segundo a ordem do Senhor, como o Senhor ordenou a Moisés.

Os Deveres dos Levitas

4 E o Senhor falou a Moisés e a Arão, dizendo:

2 "Conte os filhos de Coate, entre os filhos de Levi, pelas suas famílias, segundo a casa de seus pais;

3 de trinta aos cinquenta anos de idade, todos que entrarem neste serviço serão para fazer o trabalho na tenda do encontro.

4 Este será o ministério dos filhos de Coate na tenda do encontro, nas coisas santíssimas.

5 Quando o acampamento partir, Arão e seus filhos virão e tirarão o véu da tenda e com ele cobrirão a arca do testemunho;

6 e colocarão por cima dela uma cobertura de couros finos e estenderão um pano todo azul sobre ela, e lhe colocarão as varas.

7 Também estenderão um pano azul sobre a mesa da proposição; e porão os pratos sobre ela, os seus incensários, as taças e jarros; também o pão contínuo estará sobre ela.

8 Depois estenderão um pano de carmesim em cima deles, e o cobrirão com a cobertura de couros finos, e lhe colocarão as suas varas.

9 Então pegarão um pano azul, e cobrirão o castiçal da luminária, as suas lâmpadas, os seus espevitadores, os seus apagadores e todos os seus vasos de azeite, com que servem.

10 E envolverão a ele e todos os seus utensílios na cobertura de couros finos e o colocarão sobre as varas.

11 E estenderão um pano azul sobre o altar de ouro, e o cobrirão com a cobertura de couros finos, e lhe colocarão as suas varas.

12 Também pegarão todos os utensílios do ministério, com que servem no santuário, e os colocarão num pano azul, e os cobrirão com uma cobertura de couros finos e os colocarão sobre as varas.

13 E tirarão as cinzas do altar, e estenderão um pano de púrpura por cima dele.

14 E sobre ele colocarão todos os seus instrumentos com que o servem: os seus braseiros, os garfos, as pás e as bacias; todos os instrumentos do altar; e estenderão uma cobertura de couros finos por cima dele, e lhe colocarão as suas varas.

15 Ao partir do acampamento, depois de Arão e seus filhos acabarem de cobrir o santuário e todos os instrumentos do santuário, então os filhos de Coate virão para levá-lo; mas não tocarão no santuário, para que não morram; este é o serviço dos filhos de Coate na tenda do encontro.

16 Porém, Eleazar, filho de Arão, o sacerdote, será o responsável pelo azeite da luminária, pelo incenso aromático, pela contínua oferta de cereais, pelo azeite da unção, e pelo serviço de todo o tabernáculo e de tudo que há nele, pelo santuário e pelos seus utensílios."

17 E o Senhor falou a Moisés e a Arão, dizendo:

18 "Não deixem eliminar a tribo das famílias dos coatitas do meio dos levitas.

19 Mas lhes façam isto, para que vivam e não morram, quando se aproximarem das coisas santíssimas: Arão e seus filhos virão e colocarão cada um no seu ministério e no seu cargo.

20 Porém, quando cobrirem o santuário, mesmo assim não entrarão para ver, para que não morram."

21 O Senhor falou mais a Moisés, dizendo:

22 "Conte também os filhos de Gérson, segundo a casa de seus pais, segundo as suas famílias;

23 dos trinta até aos cinquenta anos de idade, conte todos aqueles que entrarem para o serviço, para o ministério na tenda do encontro.

24 Este será o ministério das famílias dos gersonitas no serviço de transporte das cargas:

25 levarão as cortinas do tabernáculo, a tenda do encontro, a sua cobertura, a cobertura de couros finos, que está por cima dele, e a cortina da porta da tenda do encontro,

26 e as cortinas do pátio, a cortina da porta do pátio, que

fica junto ao tabernáculo e junto ao altar, as suas cordas e
todos os instrumentos do seu serviço, com tudo o que diz
respeito a eles.
27 Todo o ministério dos filhos dos gersonitas, em todo
o serviço de transporte, será segundo a ordem de Arão e
de seus filhos; e lhes designarão as responsabilidades do
seu cargo.
28 Este é o ministério das famílias dos filhos dos gersonitas
na tenda do encontro; e os seus serviços estarão sob a supervisão de Itamar, filho de Arão, o sacerdote.
29 Quanto aos filhos de Merari, conte-os segundo as suas
famílias, e segundo a casa de seus pais;
30 de trinta até aos cinquenta anos de idade, conte todos
aqueles que entrarem neste serviço, para o ministério da
tenda do encontro.
31 Segundo todo o seu ministério, esta será a responsabilidade do seu cargo na tenda do encontro: As tábuas do
tabernáculo, as suas varas, as suas colunas e as suas bases;
32 como também as colunas ao redor do pátio, as suas
bases, as suas estacas, as suas cordas, com todos os seus
instrumentos, e com todos os seus acessórios; contarão os
objetos que ficarão a seu cargo, nome por nome.
33 Este é o ministério das famílias dos filhos de Merari,
segundo todo o seu serviço na tenda do encontro, sob a
supervisão de Itamar, filho de Arão, o sacerdote."
34 Moisés e Arão e os chefes da congregação contaram
os filhos dos coatitas, segundo as suas famílias e segundo
a casa de seus pais;
35 de trinta até aos cinquenta anos de idade, todos aqueles
que entraram neste serviço, para o ministério da tenda do
encontro,
36 foram contados dois mil e setecentos e cinquenta, segundo as suas famílias.
37 Estes são os que foram contados das famílias dos coatitas, de todos aqueles que ministravam na tenda do encontro, os quais Moisés e Arão contaram, conforme a ordem
do Senhor a Moisés.
38 Dos filhos de Gérson, os que foram contados, segundo
as suas famílias e segundo a casa de seus pais,
39 de trinta até aos cinquenta anos de idade, todos aqueles
que entraram neste serviço, para o ministério na tenda do
encontro,
40 foram contados dois mil e seiscentos e trinta, segundo
as suas famílias, e segundo a casa de seus pais.
41 Estes são os contados das famílias dos filhos de Gérson, de todos aqueles que ministravam na tenda do encontro, que Moisés e Arão contaram, conforme a ordem
do Senhor.
42 E das famílias dos filhos de Merari, os que foram contados, segundo as suas famílias, e segundo a casa de seus
pais,
43 de trinta até aos cinquenta anos de idade, todos aqueles
que entraram neste serviço, para o ministério na tenda do
encontro,
44 foram contados três mil e duzentos, segundo as suas
famílias.
45 Estes são os contados das famílias dos filhos de Merari;
os quais Moisés e Arão contaram, conforme a ordem do
Senhor a Moisés.
46 Todos os que deles foram contados dos levitas, que
Moisés, Arão e os chefes de Israel contaram, segundo as
suas famílias, e segundo a casa de seus pais,
47 da idade de trinta até aos cinquenta anos, todos aqueles
que entravam para executar o serviço do ministério, e o
serviço de transporte da tenda do encontro,
48 foram contados oito mil quinhentos e oitenta.
49 Conforme a ordem do Senhor a Moisés, foram contados cada um segundo o seu ministério e segundo o seu
cargo; assim foram contados por ele, como o Senhor ordenou a Moisés.

A Separação dos Contaminados

5 E o Senhor falou a Moisés, dizendo:
2 "Ordene aos israelitas que tirem todos os leprosos do
acampamento, e todos os que tiverem fluxo e todos os impuros por causa de contato com algum morto.
3 Tirem todos para fora do acampamento, homens e mulheres, para que não contaminem os seus acampamentos,
no meio dos quais eu habito.
4 E os israelitas fizeram assim e os tiraram para fora do
acampamento; como o Senhor falou a Moisés, assim os
israelitas fizeram."
5 O Senhor falou mais a Moisés, dizendo:
6 "Diga aos israelitas: Quando um homem ou uma mulher
cometer algum pecado, transgredindo contra o Senhor, tal
pessoa é culpada.
7 E confessará o pecado que cometeu e, pela sua culpa,
fará plena restituição, e lhe acrescentará a sua quinta parte,
e dará a quem prejudicou.
8 Mas, se aquele homem não tiver parente, a quem se
restitua pela culpa, então o que se restituir ao Senhor será
do sacerdote, além do carneiro da expiação que por ele se
fará expiação.
9 Semelhantemente, toda oferta de todas as coisas santificadas dos israelitas, que trouxerem ao sacerdote, será sua.
10 E as coisas santificadas de cada um serão suas; o que
alguém der ao sacerdote será seu."
11 O Senhor falou mais a Moisés, dizendo:
12 "Fale aos israelitas e lhes diga: Quando a mulher de
alguém se desviar e lhe for infiel,

13 tendo relações sexuais com outro homem, escondido
do seu marido, e ela o tiver ocultado, ela havendo se con-
taminado, e contra ela não havendo testemunha, e não
sendo apanhada no ato,
14 e o ciúme vier sobre ele, e ele tiver ciúmes da sua mu-
lher, por ela ter se contaminado, ou o ciúme vier sobre
ele, e tiver ciúmes de sua mulher, e ela não havendo se
contaminado,
15 então aquele homem trará a sua mulher perante o sa-
cerdote, e trará junto a sua oferta por ela; dois litros de
farinha de cevada, sobre a qual não derramará azeite,
nem porá incenso sobre ela, porque é oferta de cereais
por ciúmes, oferta memorativa, que traz a iniquidade em
memória.
16 E o sacerdote a fará se aproximar e a colocará perante
a face do Senhor.
17 E o sacerdote pegará água santa num vaso de barro;
o sacerdote também pegará do pó que está no chão do
tabernáculo e o colocará na água.
18 Então, o sacerdote apresentará a mulher perante o
Senhor, e descobrirá a cabeça da mulher; e a oferta me-
morativa de cereais, que é a oferta de cereais dos ciúmes,
colocará sobre as suas mãos, e a água amarga, que traz
com ela a maldição, estará na mão do sacerdote.
19 E o sacerdote a fará jurar e dirá àquela mulher: Se você
não teve relações sexuais com ninguém, e se não evitou
seu marido pela impureza, destas águas amargas, amaldi-
çoantes, será livre.
20 Mas, se evitou o seu marido e se contaminou, tendo re-
lações sexuais com algum homem, sem ser o seu marido,
21 então o sacerdote fará à mulher jurar com o juramento
da maldição e dirá à mulher: O Senhor a ponha como mal-
dição e como praga no meio do seu povo, fazendo as suas
partes íntimas se atrofiarem, e o seu ventre inchar.
22 E esta água amaldiçoante entre nas suas entranhas,
para fazer inchar o seu ventre, e fazer as suas partes ín-
timas se atrofiarem. Então a mulher dirá: Amém, Amém.
23 Depois o sacerdote escreverá estas mesmas maldições
num livro, e as apagará com a água amarga.
24 E dará a água amarga amaldiçoante para a mulher
beber; assim a água amaldiçoante entrará nela para a
amargurar.
25 E o sacerdote pegará a oferta de cereais dos ciúmes da
mão da mulher, a moverá perante o Senhor, e a oferecerá
sobre o altar.
26 O sacerdote também pegará um punhado da oferta de
cereais, da oferta memorativa, e a queimará sobre o altar, e
depois dará a água para a mulher beber.
27 E, havendo lhe dado aquela água para beber, se ela ti-
ver se contaminado, tendo sido infiel a seu marido, a água
amaldiçoante entrará nela para amargura, e o seu ventre
se inchará, e as suas partes íntimas se atrofiarão, e aquela
mulher será por maldição no meio do seu povo.
28 E, se a mulher não tiver se contaminado, mas estiver
pura, então será livre e poderá ter filhos.
29 Esta é a lei dos ciúmes, quando a mulher, em poder de
seu marido, se desviar e for contaminada;
30 ou quando o homem ficar com ciúmes, e tiver ciúmes
de sua mulher, apresente a mulher perante o Senhor e o
sacerdote execute nela esta lei.
31 E o homem será livre da iniquidade, porém a mulher
levará a sua iniquidade."

O Voto do Nazireu

6 E o Senhor falou a Moisés:
2 "Fale com os israelitas e diga-lhes: Quando um ho-
mem ou mulher fizer voto de nazireu, para se separar ao
Senhor,
3 se absterá de vinho e de bebida forte; não beberá vinagre
de vinho, nem vinagre de bebida forte; nem beberá alguma
bebida feita de uvas; nem comerá uvas frescas, ou passas.
4 Em todos os dias do seu nazireado, não comerá nenhu-
ma coisa feita com uva, desde os caroços até às cascas.
5 Todos os dias do voto do seu nazireado, não passará
navalha sobre a sua cabeça, deixando o cabelo crescer li-
vremente, até que se cumpram os dias em que se separou
para o Senhor, será santo.
6 Todos os dias em que se separar para o Senhor não se
aproximará do corpo de um morto.
7 Não se contaminará por seu pai, ou por sua mãe, por seu
irmão, ou por sua irmã, quando eles forem mortos; porque
o nazireado do seu Deus está sobre a sua cabeça.
8 Todos os dias do seu nazireado, será santo ao Senhor.
9 E se alguém vier a morrer subitamente junto a ele por
acaso, e contaminar o seu nazireado, então no dia da sua
purificação rapará a sua cabeça, no sétimo dia a rapará.
10 E no oitavo dia, trará duas rolinhas ou dois pombinhos
ao sacerdote, à porta da tenda do encontro;
11 e o sacerdote oferecerá um para expiação do pecado e
o outro para holocausto; e fará expiação por ele, sobre o
pecado em relação ao morto; assim, naquele mesmo dia
santificará a sua cabeça.
12 Então, separará os dias do seu nazireado ao Senhor e,
para expiação da culpa, trará um cordeiro de um ano, e os
dias antecedentes serão perdidos, porque o seu nazireado
foi contaminado.
13 E esta é a lei do nazireu: Quando terminarem os dias
do seu nazireado, o trarão à porta da tenda do encontro;
14 e ele oferecerá a sua oferta ao Senhor, um cordeiro
sem defeito de um ano, em holocausto, uma cordeira sem

defeito de um ano para expiação do pecado, e um carneiro
sem defeito por oferta pacífica;
15 e um cesto de pães sem fermento, bolos de farinha
especial com azeite, amassados e bolachas sem fermento
untadas com azeite, como também a sua oferta de cereais
e as suas libações.
16 E o sacerdote os trará perante o Senhor, sacrificará a
sua expiação do pecado e o seu holocausto.
17 Também sacrificará o carneiro em sacrifício pacífico ao
Senhor, com o cesto dos pães sem fermento; e o sacerdote
oferecerá a sua oferta de cereais e a sua libação.
18 Então o nazireu rapará a cabeça do seu nazireado na
porta da tenda do encontro, pegará o cabelo da cabeça do
seu nazireado e o colocará sobre o fogo que está debaixo
do sacrifício pacífico.
19 Depois o sacerdote pegará a coxa cozida do carneiro,
um bolo sem fermento do cesto e uma bolacha sem fer-
mento, e os colocará nas mãos do nazireu, depois de ter
rapado a cabeça do seu nazireado.
20 E o sacerdote os oferecerá em oferta de movimento
perante o Senhor: Isto é santo para o sacerdote, juntamen-
te com o peito da oferta de movimento e com a coxa da
oferta alçada; e depois o nazireu poderá beber vinho.
21 Esta é a lei do nazireu, que fizer voto da sua oferta ao
Senhor pelo seu nazireado, além do que suas posses lhe
permitirem; segundo o voto que fizer, assim fará conforme
à lei do seu nazireado."
22 E o Senhor falou a Moisés:
23 "Fale a Arão e a seus filhos, dizendo: Assim abençoarão
os israelitas, dizendo-lhes:
24 O Senhor os abençoe e os guarde;
25 o Senhor faça resplandecer o seu rosto sobre vocês e
tenha misericórdia de vocês;
26 o Senhor sobre vocês levante o seu rosto e lhes dê a
paz.
27 Assim porão o meu nome sobre os israelitas e eu os
abençoarei."

As Ofertas dos Príncipes

7 E, no dia em que Moisés acabou de levantar o taberná-
culo, o ungiu e o santificou, com todos os seus utensí-
lios; também o altar e todos os seus pertences, os ungiu e
os santificou.
2 Então os chefes de Israel, os cabeças da casa de seus pais,
os que foram chefes das tribos, ofereceram,
3 e trouxeram a sua oferta perante o Senhor, seis carros
cobertos e doze bois; cada dois chefes ofereceram um car-
ro, e cada um deles um boi; e os apresentaram diante do
tabernáculo.
4 E o Senhor falou a Moisés, dizendo:
5 "Receba deles e serão usados para o serviço no ministé-
rio da tenda do encontro; e os entregue aos levitas, a cada
um segundo o seu ministério."
6 Assim Moisés recebeu os carros e os bois e os entregou
aos levitas.
7 Deu dois carros e quatro bois aos filhos de Gérson, se-
gundo o seu ministério;
8 e quatro carros e oito bois aos filhos de Merari, segundo
o seu ministério, sob a supervisão de Itamar, filho de Arão,
o sacerdote.
9 Mas aos filhos de Coate nada deu, porque o santuário
estava a cargo deles, e o levavam nos ombros.
10 E os chefes ofereceram para a consagração do altar, no
dia em que foi ungido; os chefes apresentaram a sua oferta
perante o altar.
11 E o Senhor disse a Moisés: "Cada chefe oferecerá a sua
oferta, cada qual em seu dia, para a consagração do altar."
12 Quem no primeiro dia apresentou a sua oferta foi Naas-
som, filho de Aminadabe, pela tribo de Judá.
13 E a sua oferta foi um prato de prata pesando um quilo e
quinhentos e sessenta gramas uma bacia de prata pesando
oitocentos e quarenta gramas, segundo o peso padrão do
santuário; ambos cheios de farinha especial, amassada com
azeite, para oferta de cereais;
14 uma taça de ouro pesando cento e vinte gramas, cheia
de incenso;
15 um novilho, um carneiro, um cordeiro de um ano para
holocausto;
16 um bode para expiação do pecado;
17 e, para sacrifício pacífico, dois bois, cinco carneiros,
cinco bodes, cinco cordeiros de um ano; essa foi a oferta
de Naassom, filho de Aminadabe.
18 No segundo dia, Natanael, filho de Zuar, príncipe de
Issacar, fez a sua oferta.
19 E ofereceu um prato de prata, pesando um quilo e qui-
nhentos e sessenta gramas, uma bacia de prata pesando
oitocentos e quarenta gramas, segundo o peso padrão do
santuário; ambos cheios de farinha especial amassada com
azeite, para a oferta de cereais;
20 uma taça de ouro pesando cento e vinte gramas, cheia
de incenso;
21 um novilho, um carneiro, um cordeiro de um ano, para
holocausto;
22 um bode, para expiação do pecado;
23 e, para sacrifício pacífico, dois bois, cinco carneiros,
cinco bodes, cinco cordeiros de um ano; essa foi a oferta
de Natanael, filho de Zuar.
24 O chefe dos filhos de Zebulom, Eliabe, filho de Helom,
ofereceu no terceiro dia.
25 A sua oferta foi um prato de prata, pesando um quilo e
quinhentos e sessenta gramas, uma bacia de prata pesando

oitocentos e quarenta gramas, segundo o peso padrão do
santuário; ambos cheios de farinha especial, amassada com
azeite, para oferta de cereais;
26 uma taça de ouro pesando cento e vinte gramas, cheia
de incenso;
27 um novilho, um carneiro, um cordeiro de um ano, para
holocausto;
28 um bode, para expiação do pecado;
29 e, para sacrifício pacífico, dois bois, cinco carneiros,
cinco bodes, cinco cordeiros de um ano; essa foi a oferta
de Eliabe, filho de Helom.
30 O chefe dos filhos de Rúben, Elizur, filho de Sedeur,
ofereceu no quarto dia.
31 A sua oferta foi um prato de prata, pesando um quilo e
quinhentos e sessenta gramas, uma bacia de prata pesando
oitocentos e quarenta gramas, segundo o peso padrão do
santuário; ambos cheios de farinha especial, amassada com
azeite, para oferta de cereais;
32 uma taça de ouro pesando cento e vinte gramas, cheia
de incenso;
33 um novilho, um carneiro, um cordeiro de um ano, para
holocausto;
34 um bode, para expiação do pecado;
35 e, para sacrifício pacífico, dois bois, cinco carneiros,
cinco bodes, cinco cordeiros de um ano; essa foi a oferta
de Elizur, filho de Sedeur.
36 O chefe dos filhos de Simeão, Selumiel, filho de Zurisa-
dai, ofereceu no quinto dia.
37 A sua oferta foi um prato de prata, pesando um quilo e
quinhentos e sessenta gramas, uma bacia de prata pesando
oitocentos e quarenta gramas, segundo o peso padrão do
santuário; ambos cheios de farinha especial amassada com
azeite, para oferta de cereais;
38 uma taça de ouro pesando cento e vinte gramas, cheia
de incenso;
39 um novilho, um carneiro, um cordeiro de um ano para
holocausto;
40 um bode, para expiação do pecado;
41 e, para sacrifício pacífico, dois bois, cinco carneiros,
cinco bodes, cinco cordeiros de um ano; essa foi a oferta
de Selumiel, filho de Zurisadai.
42 O chefe dos filhos de Gade, Eliasafe, filho de Deuel,
ofereceu no sexto dia.
43 A sua oferta foi um prato de prata, pesando um quilo e
quinhentos e sessenta gramas, uma bacia de prata pesando
oitocentos e quarenta gramas, segundo o peso padrão do
santuário; ambos cheios de farinha especial, amassada com
azeite, para oferta de cereais;
44 uma taça de ouro pesando cento e vinte gramas, cheia
de incenso;
45 um novilho, um carneiro, um cordeiro de um ano, para
holocausto;
46 um bode, para expiação do pecado;
47 e, para sacrifício pacífico, dois bois, cinco carneiros,
cinco bodes, cinco cordeiros de um ano; essa foi a oferta
de Eliasafe, filho de Deuel.
48 O chefe dos filhos de Efraim, Elisama, filho de Amiúde,
ofereceu no sétimo dia.
49 A sua oferta foi um prato de prata, pesando um quilo e
quinhentos e sessenta gramas, uma bacia de prata pesando
oitocentos e quarenta gramas, segundo o peso padrão do
santuário; ambos cheios de farinha especial, amassada com
azeite, para oferta de cereais;
50 uma taça de ouro de cento e vinte gramas, cheia de
incenso;
51 um novilho, um carneiro, um cordeiro de um ano, para
holocausto;
52 um bode, para expiação do pecado;
53 e, para sacrifício pacífico, dois bois, cinco carneiros,
cinco bodes, cinco cordeiros de um ano; essa foi a oferta
de Elisama, filho de Amiúde.
54 O chefe dos filhos de Manassés, Gamaliel, filho de Pe-
dazur, ofereceu no oitavo dia.
55 A sua oferta foi um prato de prata, pesando um quilo
e quinhentos e sessenta gramas, uma bacia de prata de
oitocentos e quarenta gramas, segundo o peso padrão do
santuário; ambos cheios de farinha especial, amassada com
azeite, para oferta de cereais;
56 uma taça de ouro de cento e vinte gramas, cheia de
incenso;
57 um novilho, um carneiro, um cordeiro de um ano, para
holocausto;
58 um bode, para expiação do pecado;
59 e, para sacrifício pacífico, dois bois, cinco carneiros,
cinco bodes, cinco cordeiros de um ano; essa foi a oferta
de Gamaliel, filho de Pedazur.
60 O chefe dos filhos de Benjamim, Abidã, filho de Gideo-
ni, ofereceu no nono dia.
61 A sua oferta foi um prato de prata, pesando um quilo
e quinhentos e sessenta gramas, uma bacia de prata de
oitocentos e quarenta gramas, segundo o peso padrão do
santuário; ambos cheios de farinha especial, amassada com
azeite, para oferta de cereais;
62 uma taça de ouro de cento e vinte gramas, cheia de
incenso;
63 um novilho, um carneiro, um cordeiro de um ano, para
holocausto;
64 um bode, para expiação do pecado;
65 e, para sacrifício pacífico, dois bois, cinco carneiros,

cinco bodes, cinco cordeiros de um ano; essa foi a oferta
de Abidã, filho de Gideoni.
66 O chefe dos filhos de Dã, Aiezer, filho de Amisadai,
ofereceu no décimo dia.
67 A sua oferta foi um prato de prata, pesando um quilo
e quinhentos e sessenta gramas, uma bacia de prata de
oitocentos e quarenta gramas, segundo o peso padrão do
santuário; ambos cheios de farinha especial, amassada com
azeite, para oferta de cereais;
68 uma taça de ouro de cento e vinte gramas, cheia de
incenso;
69 um novilho, um carneiro, um cordeiro de um ano, para
holocausto;
70 um bode, para expiação do pecado;
71 e, para sacrifício pacífico, dois bois, cinco carneiros,
cinco bodes, cinco cordeiros de um ano: essa foi a oferta
de Aiezer, filho de Amisadai.
72 O chefe dos filhos de Aser, Pagiel, filho de Ocrã, ofere-
ceu no décimo primeiro dia.
73 A sua oferta foi um prato de prata, pesando um quilo
e quinhentos e sessenta gramas, uma bacia de prata de
oitocentos e quarenta gramas, segundo o peso padrão do
santuário; ambos cheios de farinha especial, amassada com
azeite, para oferta de cereais;
74 uma taça de ouro de cento e vinte gramas, cheia de
incenso;
75 um novilho, um carneiro, um cordeiro de um ano, para
holocausto;
76 um bode, para expiação do pecado;
77 e, para sacrifício pacífico, dois bois, cinco carneiros,
cinco bodes, cinco cordeiros de um ano; essa foi a oferta
de Pagiel, filho de Ocrã.
78 O chefe dos filhos de Naftali, Aira, filho de Enã, ofere-
ceu no décimo segundo dia.
79 A sua oferta foi um prato de prata, pesando um quilo
e quinhentos e sessenta gramas, uma bacia de prata de
oitocentos e quarenta gramas, segundo o peso padrão do
santuário; ambos cheios de farinha especial, amassada com
azeite, para oferta de cereais;
80 uma taça de ouro de cento e vinte gramas, cheia de
incenso;
81 um novilho, um carneiro, um cordeiro de um ano, para
holocausto;
82 um bode, para expiação do pecado;
83 e, para sacrifício pacífico, dois bois, cinco carneiros,
cinco bodes, cinco cordeiros de um ano: essa foi a oferta
de Aira, filho de Enã.
84 Esta foi a consagração do altar, feita pelos chefes de
Israel, no dia em que foi ungido: doze pratos de prata, doze
bacias de prata, doze taças de ouro;
85 cada prato de prata de um quilo e quinhentos e ses-
senta gramas; toda a prata dos vasos foi de oito quilos e
oitocentos gramas, segundo o peso padrão do santuário;
86 doze taças de ouro, cheias de incenso, cada taça de
cento e vinte gramas, segundo o peso padrão do santuá-
rio: todo o ouro das taças foi de um quilo quatrocentos e
quarenta gramas;
87 todos os animais para holocausto foram doze novilhos,
doze carneiros, doze cordeiros de um ano, com a sua ofer-
ta de cereais e doze bodes para expiação do pecado.
88 E todos os animais para sacrifício pacífico foram vinte
e quatro novilhos, os carneiros sessenta, os bodes sessenta,
os cordeiros de um ano sessenta; essa foi a consagração do
altar, depois que foi ungido.
89 E, quando Moisés entrava na tenda do encontro para
falar com o Senhor, então ouvia a voz que lhe falava de
cima do propiciatório, que ficava sobre a arca do testemu-
nho, entre os dois querubins; assim falava com ele.

As Lamparinas do Candelabro

8 E o Senhor falou a Moisés, dizendo:
2 "Fale a Arão e diga-lhe: Quando acenderem as lâm-
padas, as sete lâmpadas iluminarão o espaço em frente do
candelabro."
3 E Arão fez assim: Acendeu as lâmpadas do candelabro
para iluminar o espaço em frente, como o Senhor ordenou
a Moisés.
4 E o candelabro era feito de ouro batido; desde o seu
pé até às suas flores era de ouro batido; conforme o mo-
delo que o Senhor mostrou a Moisés, assim ele fez o
candelabro.

A Purificação dos Levitas

5 E o Senhor falou a Moisés, dizendo:
6 "Pegue os levitas do meio dos israelitas e purifique-os;
7 e lhes faça assim, para os purificar: Borrife sobre eles a
água da expiação; faça-os rasparem com a navalha todo o
corpo, e lavarem as suas roupas e se purificarem.
8 Então pegarão um novilho, com a sua oferta de cereais,
farinha especial amassada com azeite; e você pegará outro
novilho, para expiação do pecado.
9 E faça os levitas se aproximarem perante a tenda do en-
contro, e reúna toda a congregação dos israelitas.
10 Faça os levitas se aproximarem perante o Senhor; e os
israelitas colocarão as suas mãos sobre os levitas.
11 E Arão oferecerá os levitas por oferta movida perante
o Senhor, pelos israelitas, para servirem no ministério do
Senhor.
12 E os levitas colocarão as suas mãos sobre a cabeça
dos novilhos; então você sacrificará um para expiação do
pecado, e o outro para holocausto ao Senhor, para fazer
expiação pelos levitas.

13 E colocará os levitas perante Arão e perante os seus
filhos; então os oferecerá por oferta movida ao Senhor.
14 E separará os levitas do meio dos israelitas, para que os
levitas sejam meus.
15 E depois os levitas entrarão para fazerem o serviço da
tenda do encontro, e você os purificará, e os oferecerá por
oferta movida.
16 Porque eles, dentre os israelitas, me são dados; em lu-
gar de todos os primogênitos de cada um dos israelitas, os
tenho tomado para mim.
17 Porque todos os primogênitos são meus entre os israe-
litas, entre os homens e entre os animais; no dia em que
matei todos os primogênitos na terra do Egito, os santifi-
quei para mim.
18 E peguei os levitas em lugar de todos os primogênitos
entre os israelitas.
19 E os levitas, dados a Arão e a seus filhos, dentre os
israelitas, os tenho dado para exercerem o ministério dos
israelitas na tenda do encontro, e para fazerem expiação
pelos israelitas, para que não haja praga entre eles, quando
os israelitas se aproximarem do santuário."
20 E assim Moisés e Arão e toda a congregação dos israeli-
tas fizeram com os levitas; conforme tudo o que o Senhor
ordenou a Moisés sobre os levitas, assim os israelitas lhes
fizeram.
21 E os levitas se purificaram, lavaram as suas vestes e
Arão os ofereceu por oferta movida perante o Senhor e
Arão fez expiação por eles, para purificá-los.
22 E depois vieram os levitas para exercerem o seu minis-
tério na tenda do encontro, perante Arão e perante os seus
filhos; como o Senhor ordenou a Moisés sobre os levitas,
assim lhes fizeram.
23 E o Senhor falou a Moisés, dizendo:
24 "Este é o ofício dos levitas: Entrarão para fazerem o
serviço no ministério da tenda do encontro com a idade de
vinte e cinco anos para cima;
25 mas, com cinquenta anos de idade, sairão do serviço
deste ministério e nunca mais servirão;
26 porém, ajudarão os seus irmãos responsáveis em cuidar
da tenda do encontro; mas o ministério não exercerão;
faça assim com os levitas quanto aos seus deveres."

A Celebração da Páscoa no Sinai

9 E o Senhor falou a Moisés no deserto do Sinai, no pri-
meiro mês do segundo ano da sua saída da terra do
Egito, dizendo:
2 "Que os israelitas celebrem a Páscoa a seu tempo
determinado.
3 No dia catorze deste mês, pela tarde, a celebrarão no
seu tempo determinado; segundo todos os seus estatutos e
segundo todos os seus ritos a celebrarão."
4 Moisés disse aos israelitas que celebrassem a Páscoa.
5 Então celebraram a Páscoa no dia catorze do primeiro
mês, pela tarde, no deserto do Sinai; conforme tudo o que
o Senhor ordenou a Moisés, os israelitas assim fizeram.
6 E houve alguns que estavam impuros por terem tocado
o corpo de um homem morto, e não podiam celebrar a
Páscoa naquele dia; por isso se aproximaram de Moisés e
Arão naquele mesmo dia;
7 e lhes disseram: "Nós estamos impuros pelo corpo de
um homem morto; por que seríamos privados de oferecer
a oferta do Senhor a seu tempo determinado no meio dos
israelitas?"
8 E Moisés lhes disse: "Esperem e eu ouvirei o que o Se-
nhor lhes ordenará."
9 Então, o Senhor falou a Moisés, dizendo:
10 "Fale aos israelitas, dizendo: Quando alguém entre
vocês, ou entre as suas gerações, estiver impuro por tocar
corpo morto, ou estiver em viagem longe de vocês, mesmo
assim ainda celebrará a Páscoa ao Senhor.
11 No segundo mês, no dia catorze à tarde, a celebrarão; a
comerão com pães sem fermento e ervas amargas.
12 Não deixarão sobrar nada para o dia seguinte, e não
quebrarão osso algum do cordeiro; a celebrarão segundo
todo o estatuto da Páscoa.
13 Porém, quando um homem for puro e não estiver em
viagem, e deixar de celebrar a Páscoa, essa pessoa será
eliminada do seu povo; porque não ofereceu a oferta do
Senhor no seu tempo determinado; esse homem levará o
seu pecado.
14 E, quando um estrangeiro peregrinar entre vocês, e ce-
lebrar a Páscoa ao Senhor, segundo o estatuto da Páscoa, e
segundo o seu rito, a celebrará assim; haverá um mesmo
estatuto para vocês, tanto para o estrangeiro como para o
natural da terra."
15 E no dia em que foi levantado o tabernáculo, a nuvem
o cobriu; e à tarde estava sobre o tabernáculo com uma
aparência de fogo até o amanhecer.
16 Era sempre assim: a nuvem o cobria e de noite havia
aparência de fogo.
17 Mas sempre que a nuvem se levantava de cima da ten-
da, os israelitas partiam; e no lugar onde a nuvem parava,
ali os israelitas montavam o seu acampamento.
18 Segundo a ordem do Senhor, os israelitas partiam, e,
segundo a ordem do Senhor, montavam o acampamento;
todos os dias em que a nuvem parava sobre o tabernáculo,
ali montavam o acampamento.
19 E, quando a nuvem permanecia muitos dias sobre o
tabernáculo, então os israelitas cumpriam a ordem do Se-
nhor e não partiam.
20 E quando a nuvem ficava poucos dias sobre o taberná-

culo, segundo a ordem do Senhor se alojavam, e segundo
a ordem do Senhor partiam.
21 Porém, outras vezes a nuvem ficava desde a tarde até
a manhã seguinte, e, quando ela se levantava pela manhã,
então partiam; quer de dia, quer de noite, quando a nuvem
se levantava, os israelitas partiam.
22 Ou, quando a nuvem permanecia por dois dias sobre
o tabernáculo, ficando sobre ele, por um mês, ou um ano,
então os israelitas se alojavam, e não partiam; mas, ela se
levantando, partiam.
23 Alojavam-se segundo a ordem do Senhor, e partiam
segundo a ordem do Senhor; cumpriam o seu dever para
com o Senhor, segundo a ordem do Senhor a Moisés.

As Duas Trombetas de Prata

10 O Senhor falou mais a Moisés, dizendo:
2 “Faça para você duas trombetas de prata, faça de
obra batida; e elas lhe servirão para a convocação da con-
gregação e para a partida dos acampamentos.
3 E, quando as tocarem, então toda a congregação se reu-
nirá a você à porta da tenda do encontro.
4 Mas, quando tocar uma só, então os chefes se reunirão a
você, os cabeças dos milhares de Israel.
5 Quando as tocarem retinindo, então partirão os acampa-
dos do lado do oriente.
6 Mas, quando as tocarem retinindo pela segunda vez,
então partirão os acampados do lado do sul; as tocarão
retinindo para as suas partidas.
7 Porém, reunindo a congregação, as tocarão; mas sem
retinir.
8 E os filhos de Arão, sacerdotes, tocarão as trombetas; e
isto será por estatuto perpétuo a vocês nas suas gerações.
9 E, quando saírem para lutar contra o inimigo que os
oprime na terra de vocês, também tocarão as trombetas
retinindo, e serão lembrados perante o Senhor seu Deus, e
serão salvos de seus inimigos.
10 Semelhantemente, no dia da alegria e nas suas festas,
e no início dos meses, também tocarão as trombetas sobre
os seus holocaustos, sobre os seus sacrifícios pacíficos, e
serão por memorial perante seu Deus: Eu sou o Senhor
seu Deus.”

Os Israelitas Partem do Sinai

11 E, aos vinte dias do segundo mês do segundo ano, a nu-
vem se levantou de cima do tabernáculo da congregação.
12 E os israelitas partiram, seguindo as suas jornadas no
deserto do Sinai; e a nuvem parou no deserto de Parã.
13 Assim partiram segundo a ordem do Senhor a Moisés:
14 A bandeira do acampamento dos filhos de Judá partiu
primeiro, segundo os seus exércitos; e o chefe do seu exér-
cito era Naassom, filho de Aminadabe.
15 E Natanael, filho de Zuar, estava como chefe do exérci-
to da tribo dos filhos de Issacar.
16 E Eliabe, filho de Helom, estava como chefe do exérci-
to da tribo dos filhos de Zebulom.
17 Então desmontaram o tabernáculo e os filhos de Gér-
son e os filhos de Merari partiram, levando o tabernáculo.
18 Depois, a bandeira do acampamento de Rúben partiu,
segundo os seus exércitos; e como chefe do seu exército
estava Elizur, filho de Sedeur.
19 E Selumiel, filho de Zurisadai, estava como chefe do
exército da tribo dos filhos de Simeão.
20 E Eliasafe, filho de Deuel, estava como chefe do exérci-
to da tribo dos filhos de Gade.
21 Então os coatitas partiram, levando o santuário; e os ou-
tros levantaram o tabernáculo, enquanto eles chegassem.
22 Depois, a bandeira do acampamento dos filhos de
Efraim partiu, segundo os seus exércitos; e como chefe do
seu exército estava Elisama, filho de Amiúde.
23 E Gamaliel, filho de Pedazur, estava como chefe do
exército da tribo dos filhos de Manassés.
24 E Abidã, filho de Gideoni, estava como chefe do exér-
cito da tribo dos filhos de Benjamim.
25 Então, a bandeira do acampamento dos filhos de Dã
partiu por último, segundo os seus exércitos; como chefe
do seu exército estava Aiezer, filho de Amisadai.
26 E Pagiel, filho de Ocrã, estava como chefe do exército
da tribo dos filhos de Aser.
27 E Aira, filho de Enã, estava como chefe do exército da
tribo dos filhos de Naftali.
28 Essas eram as jornadas dos israelitas, segundo os seus
exércitos, quando partiam.
29 Então, Moisés disse a Hobabe, filho de Reuel, o midia-
nita, sogro de Moisés: “Nós caminhamos para o lugar que
o Senhor disse que nos daria: Venha conosco e lhe faremos
bem; porque o Senhor falou bem sobre Israel.”
30 Porém Hobabe lhe disse: “Não vou; antes, voltarei à
minha terra e à minha família.”
31 E Moisés disse: “Ora, não nos deixe; porque você sabe
onde devemos acampar no deserto; nos servirá de guia.
32 Se vier conosco, o bem que o Senhor nos fizer, também
faremos a você.”
33 Assim partiram do monte do Senhor e caminharam
durante três dias, e a arca da aliança do Senhor caminhou
na frente deles durante os três dias, para lhes encontrar
lugar de descanso.
34 E a nuvem do Senhor ia sobre eles durante o dia, quan-
do partiam do acampamento.
35 E, quando a arca partia, Moisés dizia: “Levanta-te, Se-
nhor, sejam dissipados os teus inimigos e fujam de diante
de ti os que te odeiam.”

36 E, quando ela parava, dizia: "Volta, ó Senhor, para os
muitos milhares de Israel."

A Murmuração dos Israelitas

11 O povo se queixou reclamando aos ouvidos do Senhor; quando o Senhor ouviu, a sua ira se acendeu e
o fogo do Senhor ardeu entre eles e consumiu as extremidades do acampamento.
2 Então o povo clamou a Moisés, e Moisés orou ao Senhor
e o fogo se apagou.
3 Assim, chamou aquele lugar de Taberá, porque o fogo do
Senhor se acendeu entre eles.
4 E os estrangeiros que estavam no meio deles vieram a
ter grande desejo por comida; então os israelitas voltaram
a chorar, e disseram: "Quem nos dará carne para comer?
5 Lembramo-nos dos peixes que no Egito comíamos de
graça; e dos pepinos, dos melões, das cebolas e dos alhos.
6 Mas agora a nossa alma seca; não há coisa nenhuma
senão esse maná diante dos nossos olhos."
7 E o maná era como semente de coentro e a sua cor era
como a cor de bdélio.
8 O povo se espalhava e o colhiam e o moíam em moinhos, ou o socavam em pilões; o cozinhavam em panelas
e faziam bolos com ele; e o seu sabor era como o sabor de
azeite fresco.
9 E, à noite, quando o orvalho descia sobre o acampamento, o maná descia sobre ele.
10 Então Moisés ouviu o povo chorar pelas suas famílias,
cada um à porta da sua tenda; e a ira do Senhor se acendeu
grandemente e pareceu mal para Moisés.
11 E disse Moisés ao Senhor: "Por que fizeste mal a teu
servo e por que não te agradaste de mim, visto que me
puseste como responsável de todo este povo?
12 Por acaso eu gerei todo este povo? Eu os dei à luz?
Para me dizeres: Leva-os em seu colo, como a ama leva a
criança que mama, à terra que jurou a seus pais?
13 De onde eu teria carne para dar a todo este povo?
Porque choram contra mim, dizendo: 'Dê-nos carne para
comer;'
14 eu não posso levar todo este povo sozinho, porque é
muito pesado para mim.
15 E se fizeres assim comigo, peço que me mates; se tem
se agradado de mim, não me deixes ver a minha desgraça."
16 E o Senhor disse a Moisés: "Reúna setenta homens dos
anciãos de Israel, anciãos do povo e seus oficiais; e os traga
perante a tenda do encontro junto com você.
17 Então eu descerei e ali falarei com você e tirarei do
Espírito que está sobre você e o porei sobre eles; e levarão
juntamente com você a carga do povo, para que você não
a leve sozinho.
18 E diga ao povo: 'Santifiquem-se para amanhã e comerão carne; porque choraram aos ouvidos do Senhor, dizendo: Quem nos dará carne para comer? Pois íamos bem no
Egito; por isso o Senhor lhes dará carne e comerão;
19 não comerão um dia, nem dois dias, nem cinco dias,
nem dez dias, nem vinte dias;
20 mas um mês inteiro, até sair pelas narinas, até se enjoarem dela; porque rejeitaram ao Senhor, que está no meio
de vocês e choraram diante dele, dizendo: Por que saímos
do Egito?'"
21 E Moisés disse: "São Seiscentos mil homens de pé, no
meio dos quais eu estou, e o Senhor diz: 'Eu lhes darei
carne e comerão um mês inteiro.'
22 Abaterão ovelhas e vacas suficientes para eles? Se
ajuntassem todos os peixes do mar, seriam suficientes para
eles?"
23 Porém, o Senhor disse a Moisés: "A mão do Senhor
foi encurtada? Agora verá se a minha palavra se cumprirá
ou não."
24 E Moisés saiu e falou as palavras do Senhor ao povo;
reuniu setenta homens dos anciãos do povo e os colocou
ao redor da tenda.
25 Então, o Senhor desceu na nuvem e lhe falou; e, tirando do Espírito, que estava sobre ele, o pôs sobre aqueles
setenta anciãos; e, quando o Espírito repousou sobre eles,
profetizaram; e nunca mais fizeram isto.
26 Porém, dois homens ficaram no acampamento, Eldade
e Medade; e o Espírito repousou sobre eles, porque estavam entre os inscritos, ainda que não tivessem ido à tenda,
e profetizavam no acampamento.
27 Então, um moço correu e anunciou a Moisés: "Eldade
e Medade profetizam no acampamento."
28 E Josué, filho de Num, servidor de Moisés, um dos
seus jovens escolhidos, respondeu e disse: "Moisés, meu
senhor, proíba-os."
29 Porém, Moisés lhe disse: "Você tem ciúmes por mim?
Quem dera que todo o povo do Senhor fosse profeta e que
o Senhor pusesse o seu Espírito sobre ele!"
30 Depois Moisés e os anciãos de Israel se recolheram ao
acampamento.
31 Então, soprou um vento do Senhor e trouxe codornizes
do mar e as espalhou por todos os lados do acampamento,
quase a um dia de distância; quase noventa centímetros de
altura sobre a terra.
32 Então, o povo se levantou e colheram as codornizes por
todo o dia e toda a noite, e todo o dia seguinte; o que menos tinha, colheu dez barris; eles as estenderam ao redor
do acampamento.
33 Quando a carne estava entre os seus dentes, antes que
fosse mastigada, a ira do Senhor se acendeu contra o povo
e ele o feriu com uma praga muito grande.

34 Por isso aquele lugar se chamou Quibrote-Hataavá, por-
que ali enterraram o povo que teve o desejo.
35 O povo caminhou de Quibrote-Hataavá para Hazerote
e pararam em Hazerote.

O Castigo de Miriã

12 Miriã e Arão falaram contra Moisés, por causa da
mulher cuxita, com quem casou; porque tinha casa-
do com uma mulher cuxita.
2 E disseram: "Porventura o Senhor falou somente por
Moisés? Não falou também por nós?" E o Senhor ouviu.
3 E Moisés era um homem muito manso, mais do que
todos os homens que havia sobre a terra.
4 E logo o Senhor disse a Moisés, a Arão e a Miriã: "Vocês
três vão à tenda do encontro." E eles três foram.
5 Então, o Senhor desceu na coluna de nuvem e se pôs à
porta da tenda; depois chamou Arão e Miriã e ambos se
aproximaram.
6 E disse: "Ouçam agora as minhas palavras; se houver
profeta entre vocês, eu, o Senhor, o farei me conhecer em
visão, ou falarei com ele em sonhos.
7 Não é assim com o meu servo Moisés que é fiel em toda
a minha casa.
8 Falo com ele boca a boca claramente e não por enigmas;
pois ele vê a forma do Senhor; por que não tiveram medo
de falar contra o meu servo Moisés?"
9 Assim a ira do Senhor se acendeu contra eles; e ele se
retirou.
10 E a nuvem saiu de cima da tenda; então Miriã ficou
leprosa como a neve; Arão olhou para Miriã e viu que ela
estava leprosa.
11 Por isso Arão disse a Moisés: "Ai, meu senhor, não
ponha esse pecado sobre nós, pois agimos loucamente e
pecamos.
12 Ora, ela não seja como um aborto, que, saindo
do ventre de sua mãe, tenha a metade da sua carne já
consumida."
13 Moisés clamou ao Senhor, dizendo: "Ó Deus, rogo-te
que a cures."
14 E o Senhor disse a Moisés: "Se o pai dela tivesse cuspi-
do em seu rosto, não ficaria envergonhada por sete dias?
Ficará isolada por sete dias fora do acampamento e depois
a recolham."
15 Assim, Miriã ficou isolada fora do acampamento por
sete dias, e o povo não partiu, até que a recolheram.
16 Depois o povo partiu de Hazerote e acampou no de-
serto de Parã.

Os Doze Espias

13 E o Senhor falou a Moisés, dizendo:
2 "Envie homens para espiar a terra de Canaã, que
eu darei aos israelitas; enviem um chefe de cada tribo de
seus pais."
3 E Moisés os enviou do deserto de Parã, segundo a or-
dem do Senhor; todos aqueles homens eram chefes dos
israelitas.
4 E estes são os seus nomes: Da tribo de Rúben, Samua,
filho de Zacur;
5 da tribo de Simeão, Safate, filho de Hori;
6 da tribo de Judá, Calebe, filho de Jefoné;
7 da tribo de Issacar, Jigeal, filho de José;
8 da tribo de Efraim, Oseias, filho de Num;
9 da tribo de Benjamim, Palti, filho de Rafu;
10 da tribo de Zebulom, Gadiel, filho de Sodi;
11 da tribo de José, pela tribo de Manassés, Gadi, filho
de Susi;
12 da tribo de Dã, Amiel, filho de Gemali;
13 da tribo de Aser, Setur, filho de Micael;
14 da tribo de Naftali, Nabi, filho de Vofsi;
15 da tribo de Gade, Geuel, filho de Maqui.
16 Estes são os nomes dos homens que Moisés enviou
para espiar aquela terra; e Oseias, filho de Num, Moisés
chamou de Josué.
17 Moisés os enviou para espiar a terra de Canaã e lhes
disse: "Subam pelo Neguebe para a região montanhosa,
18 e vejam a terra e o povo que habita nela; se são fortes
ou fracos; se são poucos ou muitos.
19 E como é a terra em que habitam, se é boa ou ruim; e
quais são as cidades em que eles habitam; se moram em
acampamentos, ou em fortalezas.
20 Também como é a terra, se é fértil ou estéril; se há
árvores nela, ou não; se esforcem e peguem do fruto da
terra." E eram aqueles dias os dias das primícias das uvas.
21 Assim, subiram e espiaram a terra, desde o deserto de
Zim, até Reobe, à entrada de Hamate.
22 E subiram pelo Neguebe e foram até Hebrom; e esta-
vam ali Aimã, Sesai e Talmai, filhos de Anaque: e Hebrom
foi edificada sete anos antes de Zoã no Egito.
23 Depois, foram até ao vale de Escol e ali cortaram um
ramo de videira com um cacho de uvas, o qual dois ho-
mens trouxeram sobre uma vara; como também romãs e
figos.
24 Chamaram àquele lugar vale de Escol, por causa do
cacho que os israelitas cortaram ali.
25 E, ao fim de quarenta dias, eles voltaram de espiar a
terra.
26 E caminharam e voltaram a Moisés, a Arão e a toda a
congregação dos israelitas no deserto de Parã, em Cades; e
deram notícias, a eles, e a toda a congregação e lhes mos-
traram o fruto da terra.
27 E lhes contaram e disseram: "Fomos à terra à qual nos

enviaram; e verdadeiramente mana leite e mel e este é o
seu fruto.
28 Porém, o povo que habita nessa terra é poderoso, as
cidades são fortificadas e muito grandes; e também vimos
ali os filhos de Anaque.
29 Os amalequitas habitam na terra do sul; os heteus, os
jebuseus e os amorreus habitam nas montanhas; os cana-
neus habitam junto do mar e na margem do Jordão."
30 Então, Calebe fez o povo ficar calado perante Moisés
e disse: "Certamente subiremos e possuiremos a terra
em herança; porque seguramente prevaleceremos contra
eles."
31 Porém, os homens que com ele subiram disseram:
"Não poderemos atacar aquele povo, porque é mais forte
do que nós."
32 E difamaram a terra que tinham espiado, dizendo aos
israelitas: "A terra que espiamos é terra que consome os
seus moradores; e todo o povo que vimos nela são homens
de grande estatura.
33 Também vimos gigantes ali, filhos de Anaque, descen-
dentes dos gigantes; e vimo-nos como gafanhotos; também
nos viam assim."

A Rebelião do Povo

14 Então, toda a congregação levantou a voz em deses-
pero e chorou naquela noite.
2 E todos os israelitas murmuraram contra Moisés e contra
Arão e toda a congregação lhes disse: "Quem dera tivésse-
mos morrido na terra do Egito! Ou, mesmo neste deserto!
3 E por que o Senhor nos traz a esta terra, para cairmos à
espada e para que nossas mulheres e nossas crianças sejam
como presa? Não seria melhor nós voltarmos ao Egito?"
4 E diziam uns aos outros: "Vamos escolher um chefe e
voltar ao Egito."
5 Então, Moisés e Arão caíram sobre os seus rostos perante
toda a congregação dos israelitas.
6 E Josué, filho de Num, e Calebe, filho de Jefoné, dos que
espiaram a terra, rasgaram as suas vestes.
7 E falaram a toda a congregação dos israelitas, dizendo:
"A terra que espiamos é uma terra muito boa.
8 Se o Senhor se agradar de nós, então nos colocará nessa
terra e nos dará essa terra que mana leite e mel.
9 Tão somente não sejamos rebeldes contra o Senhor e
não temam o povo dessa terra, porque os devoraremos
como nosso pão; ficaram desamparados e o Senhor está
conosco; não os temam."
10 Então, toda a congregação disse que os apedrejassem;
porém, a glória do Senhor apareceu na tenda do encontro
a todos os israelitas.

Moisés Intercede Pelo Povo

11 E o Senhor disse a Moisés: "Até quando este povo me
provocará? E até quando não crerá em mim, apesar de to-
dos os sinais que fiz no meio dele?
12 Vou feri-lo com pestilência e o rejeitarei; eu farei de
você um povo maior e mais forte do que este."
13 E disse Moisés ao Senhor: "Assim, os egípcios te ouvi-
rão; porque com a tua força fizeste este povo sair do meio
deles.
14 E dirão aos moradores desta terra, os quais ouviram
que tu, ó Senhor, estás no meio deste povo, que lhes apa-
reces face a face, ó Senhor, que tua nuvem está sobre ele
e que vais adiante dele numa coluna de nuvem de dia e
numa coluna de fogo à noite.
15 E se matares este povo de uma vez só, então as nações,
que antes ouviram a tua fama, dirão:
16 'Porque o Senhor não podia pôr esse povo na terra que
lhe tinha jurado os matou no deserto.'
17 Agora, rogo-te que a força do meu Senhor se engrande-
ça; como tens falado, dizendo:
18 'O Senhor é longânimo e grande em bondade, que per-
doa a iniquidade e a transgressão, que o culpado não tem
como inocente e visita a iniquidade dos pais sobre os filhos
até à terceira e quarta geração.'
19 Perdoa a iniquidade deste povo, segundo a grandeza da
tua benignidade, como também perdoaste este povo desde
a terra do Egito até aqui."
20 E o Senhor disse: "Conforme à sua palavra, eu o
perdoei.
21 Porém, juro pela glória do Senhor que enche toda a
terra,
22 todos os homens que viram a minha glória e os meus
sinais que fiz no Egito e no deserto, e me tentaram dez
vezes e não obedeceram à minha voz,
23 não verão a terra que jurei a seus pais; nenhum dos que
me provocaram a verá.
24 Porém, o meu servo Calebe, nele houve outro espírito
e perseverou em me seguir; eu o levarei à terra que espiou
e a sua descendência a possuirá em herança.
25 Os amalequitas e os cananeus habitam no vale; retor-
nem amanhã e vão para o deserto pelo caminho do Mar
Vermelho."

O Castigo Pela Rebelião

26 Depois, o Senhor falou a Moisés e Arão, dizendo:
27 "Até quando suportarei essa má congregação, que
murmura contra mim? Tenho ouvido as murmurações dos
israelitas, que murmuram contra mim.
28 Diga-lhes: 'Juro pelo nome do Senhor, assim diz o Se-
nhor: Farei a vocês como me pediram.
29 Os seus cadáveres cairão neste deserto, todos os que
foram contados, de vinte anos para cima, que murmura-
ram contra mim,

30 não entrarão na terra que jurei que os faria habitar,
exceto Calebe, filho de Jefoné, e Josué, filho de Num.
31 Mas os seus filhos, de quem disseram: Serão como
presa, entrarão nela; eles conhecerão a terra que vocês
desprezaram.
32 Porém, quanto a vocês, os seus cadáveres cairão neste
deserto.
33 E seus filhos serão pastores neste deserto por quarenta
anos, e levarão sobre si as suas infidelidades, até que os
seus cadáveres se consumam neste deserto.
34 De acordo com a quantidade dos dias que espiaram
essa terra, quarenta dias, cada dia representando um ano,
levarão sobre vocês as suas iniquidades por quarenta anos
e conhecerão o meu afastamento.'
35 Eu, o Senhor, falei; assim farei a toda esta má congrega-
ção, que se levantou contra mim; neste deserto se consu-
mirão e aí falecerão."
36 E os homens que Moisés mandou espiar a terra, e que,
voltando, fizeram toda a congregação murmurar contra
ele, difamando a terra,
37 aqueles mesmos homens que falaram mal da terra,
morreram de praga perante o Senhor.
38 Mas Josué, filho de Num, e Calebe, filho de Jefoné,
que eram dos homens que foram espiar a terra, ficaram
com vida.
39 E Moisés falou essas palavras a todos os israelitas; então
o povo se entristeceu muito.
40 E levantaram-se de madrugada e subiram ao cume do
monte, dizendo: "Estamos aqui, e subiremos ao lugar do
qual o Senhor falou; porque pecamos."
41 Mas Moisés disse: "Por que transgredem a ordem do
Senhor? Pois isto não prosperará.
42 Não subam, porque o Senhor não estará no meio de
vocês, para não serem feridos diante dos seus inimigos.
43 Porque os amalequitas e os cananeus estão ali diante
da face de vocês e cairão à espada; porque se desviaram do
Senhor, o Senhor não estará com vocês."
44 Contudo, arrogantemente, tentaram subir ao cume do
monte; mas a arca da aliança do Senhor e Moisés não saí-
ram do meio do acampamento.
45 Então, os amalequitas e os cananeus que habitavam
na montanha desceram e os feriram, derrotando-os até
Horma.

A Repetição de Diversas Leis

15 Depois, o Senhor falou a Moisés, dizendo:
2 "Fale aos israelitas e lhes diga: Quando entrarem
na terra das suas habitações, que eu lhes darei,
3 e fizerem oferta queimada ao Senhor, holocausto, ou
sacrifício, para cumprirem um voto, ou em oferta voluntá-
ria, ou nas suas festas, para fazerem ao Senhor um cheiro
suave de ovelhas ou gado,
4 então aquele que apresentar a sua oferta ao Senhor, por
oferta de cereais, trará dois litros de farinha especial mistu-
rada com um litro de azeite,
5 e preparará um litro de vinho para libação, para holo-
causto, ou para sacrifício para cada cordeiro;
6 e para cada carneiro preparará uma oferta de cereais de
quatro litros de farinha especial, misturada com um litro
de azeite.
7 E oferecerá um litro e meio de vinho para a libação ao
Senhor, em cheiro suave.
8 E, quando prepararem novilho para holocausto ou sacri-
fício, para cumprirem um voto, ou um sacrifício pacífico
ao Senhor,
9 será apresentada com o novilho uma oferta de cereais
de seis litros de farinha especial misturada com dois litros
de azeite,
10 e se oferecerão dois litros de vinho para a libação, oferta
queimada em cheiro suave ao Senhor.
11 Assim se fará com cada boi, ou com cada carneiro, ou
com cada um dos cordeiros ou cabritos.
12 Segundo a quantidade que oferecerem, assim o farão
com cada um, segundo a quantidade deles.
13 Todo natural da terra fará essas coisas assim, oferecen-
do oferta queimada em cheiro suave ao Senhor.
14 Quando algum estrangeiro também peregrinar com
vocês, ou estiver no meio de vocês nas suas gerações, e
ele apresentar uma oferta queimada de cheiro suave ao
Senhor, como vocês fazem, assim ele fará.
15 Haverá um mesmo estatuto para vocês, para a congre-
gação e para o estrangeiro que peregrina entre vocês, por
estatuto perpétuo nas suas gerações; como vocês, assim
será o peregrino perante o Senhor.
16 Haverá uma mesma lei e um mesmo direito para vocês
e para o estrangeiro que peregrina com vocês."
17 O Senhor falou mais a Moisés, dizendo:
18 "Fale aos israelitas e lhes diga: Quando entrarem na
terra em que os introduzirei,
19 acontecerá que, quando comerem do pão da terra, en-
tão oferecerão uma oferta ao Senhor.
20 Das primícias das massas de vocês oferecerão um bolo
como oferta; como a oferta da eira, assim o oferecerão.
21 Das primícias das suas massas darão ao Senhor como
oferta nas suas gerações.
22 E, quando errarem e não cumprirem todos esses man-
damentos, que o Senhor falou a Moisés,
23 tudo quanto o Senhor lhes tem mandado através de
Moisés, desde o dia em que o Senhor ordenou e dali em
diante, nas suas gerações,

24 então, quando se fizer alguma coisa por ignorância e
for encoberta aos olhos da congregação, toda a congrega-
ção oferecerá um novilho para holocausto em cheiro suave
ao Senhor, com a sua oferta de cereais e libação conforme
ao estatuto e um bode para expiação do pecado.
25 E o sacerdote fará propiciação por toda a congregação
dos israelitas e lhes será perdoado, porque foi por igno-
rância; porque trouxeram a sua oferta, oferta queimada ao
Senhor e a sua expiação do pecado perante o Senhor, por
causa da sua ignorância.
26 O pecado de toda a congregação dos israelitas e dos
estrangeiros que peregrinam no meio deles será perdoado,
porque por ignorância todo o povo pecou.
27 E, se alguma pessoa pecar por ignorância, oferecerá
uma cabra de um ano para expiação do pecado.
28 E o sacerdote fará expiação pela pessoa que pecou,
quando pecar por ignorância, perante o Senhor, fazendo
expiação por ela e o pecado lhe será perdoado.
29 Haverá uma mesma lei para quem pecar por ignorân-
cia, para os israelitas e para os estrangeiros que peregrinam
no meio deles.
30 Mas a pessoa que fizer alguma coisa errada conscien-
temente, quer seja natural ou estrangeira, é injúria ao Se-
nhor; tal pessoa será eliminada do meio do seu povo,
31 pois desprezou a palavra do Senhor e descumpriu o seu
mandamento; aquela pessoa será eliminada totalmente e a
sua iniquidade estará sobre ela."
32 Estando os israelitas no deserto, acharam um homem
apanhando lenha no dia de sábado.
33 E os que o acharam apanhando lenha o trouxeram a
Moisés e a Arão e a toda a congregação.
34 E o prenderam, porque ainda não estava declarado o
que deveriam fazer com ele.
35 O Senhor disse a Moisés: "Aquele homem certa-
mente morrerá; toda a congregação o apedrejará fora do
acampamento."
36 Então toda a congregação o levou para fora do acam-
pamento e o apedrejaram, e ele morreu, como o Senhor
ordenou a Moisés.
37 E o Senhor disse a Moisés:
38 "Fale aos israelitas e lhes diga que façam franjas nas
bordas das suas vestes pelas suas gerações; e ponham um
cordão azul nas franjas das bordas.
39 E servirão para que, quando as virem, se lembrem de
todos os mandamentos do Senhor, e os cumpram; para não
seguirem o desejo do seu coração, nem dos seus olhos,
pelos quais andam fornicando.
40 Para que se lembrem de todos os meus mandamentos
e os cumpram; sejam santos a seu Deus.
41 Eu sou o Senhor seu Deus, que os tirou da terra do
Egito, para ser o seu Deus. Eu sou o Senhor seu Deus."

A Rebelião de Corá, Datã e Abirão

16 E Corá, filho de Izar, filho de Coate, filho de Levi,
se juntou com Datã e Abirão, filhos de Eliabe e Om,
filho de Pelete, filhos de Rúben.
2 E levantaram-se perante Moisés com duzentos e cin-
quenta homens israelitas, chefes da congregação, homens
influentes, de posição,
3 e se reuniram contra Moisés e contra Arão e lhes disse-
ram: "Basta de vocês, porque toda a congregação é santa,
todos são santos e o Senhor está no meio deles; por que se
elevam sobre a congregação do Senhor?"
4 Quando Moisés ouviu isto, caiu sobre o seu rosto.
5 E falou a Corá e a toda a sua congregação, dizendo:
"Amanhã pela manhã o Senhor fará saber quem é dele, e
quem é o santo que ele fará chegar a si; e aquele que ele
escolher, fará chegar a si.
6 Façam isto: Peguem incensários, Corá e toda a sua
congregação;
7 e, pondo fogo neles amanhã, coloquem incenso sobre
eles perante o Senhor; e o homem que o Senhor escolher,
este será o santo; basta de vocês, filhos de Levi."
8 Moisés disse mais a Corá: "Escutem agora, filhos de
Levi:
9 Porventura é pouco para vocês que o Deus de Israel os
tenha escolhido da congregação de Israel, para os fazer
chegar a si e administrar o ministério do tabernáculo do
Senhor e estar perante a congregação para servi-la;
10 e o fez chegar, e todos os seus irmãos, os filhos de Levi,
com você? Ainda também querem o sacerdócio?
11 Assim, você e toda a sua congregação estão contra o
Senhor; e Arão, quem é ele, que murmuram contra ele?"
12 E Moisés mandou chamar Datã e Abirão, filhos de Elia-
be; porém, eles disseram: "Não iremos;
13 por acaso acha pouco que nos fez sair de uma terra que
mana leite e mel, para nos fazer morrer neste deserto, e
ainda quer mandar em nós?
14 Nem tampouco nos trouxe a uma terra que mana leite
e mel, nem nos deu campo e vinhas em herança; porven-
tura arrancará os olhos destes homens? Não iremos."
15 Então, Moisés irou-se muito e disse ao Senhor: "Não
aceites a sua oferta; não peguei nem um só jumento deles,
nem fiz mal a nenhum deles."
16 Moisés disse mais a Corá: "Você e toda a sua congre-
gação ponham-se perante o Senhor amanhã, você, eles e
Arão.
17 E peguem cada um o seu incensário e coloquem incen-
so neles; e tragam cada um o seu incensário perante o Se-

nhor, duzentos e cinquenta incensários; tragam também,
você e Arão, cada um o seu incensário."
18 Cada um pegou o seu incensário; colocaram fogo e
incenso neles, e se puseram perante a porta da tenda do
encontro com Moisés e Arão.
19 E Corá reuniu contra eles toda a congregação à porta
da tenda do encontro; então, a glória do Senhor apareceu
a toda a congregação.
20 E o Senhor falou a Moisés e a Arão, dizendo:
21 "Saiam do meio desta congregação, que os consumirei
num momento."
22 Mas eles se prostraram sobre os seus rostos e disseram:
"Ó Deus, Deus que dá a vida a todos, pelo pecado de um
só homem te indignarás contra toda esta congregação?"
23 E o Senhor falou a Moisés, dizendo:
24 "Fala a toda esta congregação, dizendo: 'Saiam de per-
to da habitação de Corá, Datã e Abirão.'"
25 Então Moisés levantou-se e foi até Datã e Abirão; e os
anciãos de Israel seguiram após ele.
26 E disse à congregação: "Afastem-se, peço-lhes, das ten-
das destes homens ímpios e não toquem nada do que é
deles para não perecerem pelos pecados deles."
27 Saíram de perto da habitação de Corá, Datã e Abirão. E
Datã e Abirão ficaram à porta das suas tendas, com as suas
mulheres, seus filhos e suas crianças.
28 Então disse Moisés: "Nisto saberão que o Senhor me
enviou para fazer todas estas coisas, e que não partiram
de mim.
29 Se estes homens morrerem como morrem todos os ho-
mens, e se forem castigados como são castigados todos os
homens, então o Senhor não me enviou.
30 Mas, se o Senhor criar alguma coisa nova e a terra abrir
a sua boca e os tragar com tudo o que é seu e descerem
vivos ao sepulcro, então saberão que estes homens irrita-
ram ao Senhor."
31 E quando Moisés acabou de falar todas essas palavras,
a terra que estava debaixo deles se abriu.
32 E a terra abriu a sua boca e os tragou com as suas casas,
e também todos os homens que pertenciam a Corá e todos
os seus bens.
33 E eles e tudo o que era deles desceram vivos ao sepul-
cro e a terra os cobriu; assim desapareceram do meio da
congregação.
34 E todos os Israelitas, que estavam ao redor deles, fugi-
ram dos seus gritos; e diziam: "Vamos fugir para que a terra
não nos trague também."
35 Então saiu fogo do Senhor e consumiu os duzentos e
cinquenta homens que ofereciam o incenso.
36 E o Senhor falou a Moisés:
37 "Diga a Eleazar, filho de Arão, o sacerdote, que pegue
os incensários do meio do incêndio, e espalhe o fogo deles
longe, porque são santos;
38 quanto aos incensários daqueles que pecaram contra
as suas almas, façam lâminas para cobertura do altar com
eles; porque os trouxeram perante o Senhor; porque são
santos; e serão por sinal aos israelitas."
39 E Eleazar, o sacerdote, pegou os incensários de metal,
que os homens que foram queimados trouxeram, e fize-
ram lâminas para cobertura do altar,
40 por memorial para os israelitas, que nenhum estranho,
que não for da descendência de Arão, se aproxime para
acender incenso perante o Senhor; para não sofrer o que
Corá e a sua congregação sofreram, como o Senhor lhe
tinha dito através de Moisés.
41 Mas, no dia seguinte, toda a congregação dos israelitas
murmurou contra Moisés e contra Arão, dizendo: "Vocês
mataram o povo do Senhor."
42 E, reunindo-se a congregação contra Moisés e Arão, e
virando-se para a tenda do encontro, a nuvem a cobriu, e
a glória do Senhor apareceu.
43 Moisés e Arão foram perante a tenda do encontro.
44 Então, o Senhor falou a Moisés, dizendo:
45 "Levantem-se do meio desta congregação e a consu-
mirei num momento;" então se prostraram sobre os seus
rostos,
46 e Moisés disse a Arão: "Pegue o seu incensário, ponha
fogo do altar nele, coloque o incenso sobre ele, vá depressa
à congregação e faça expiação por eles; porque grande in-
dignação saiu do Senhor; a praga já começou."
47 Então, Arão o pegou, como Moisés tinha falado, e
correu para o meio da congregação; mas a praga já havia
começado entre o povo; e colocou incenso nele e fez ex-
piação pelo povo.
48 E Arão estava em pé entre os mortos e os vivos; e a
praga terminou.
49 E catorze mil e setecentas pessoas morreram daquela
praga, fora os que morreram pela causa de Corá.
50 E Arão voltou a Moisés à porta da tenda do encontro
e a praga terminou.

A Vara de Arão Floresce

17 Então o Senhor falou a Moisés:
2 "Diga aos israelitas e pegue deles uma vara para
cada casa paterna de todos os seus chefes, segundo as casas
de seus pais, doze varas; e escreva o nome de cada um
sobre a sua vara.
3 Porém, escreva o nome de Arão sobre a vara de Levi;
porque cada chefe da casa de seus pais terá uma vara.
4 E as coloque na tenda do encontro, perante o testemu-
nho, onde eu virei a vocês.
5 E a vara do homem que eu tiver escolhido florescerá;

assim farei cessarem as murmurações dos israelitas contra
mim, com que murmuram contra vocês."
6 Moisés falou aos israelitas e todos os seus chefes lhe
deram cada um uma vara, para cada chefe uma vara, se-
gundo as casas de seus pais, doze varas; e a vara de Arão
estava entre as deles.
7 E Moisés pôs essas varas perante o Senhor na tenda do
testemunho.
8 E no dia seguinte Moisés entrou na tenda do testemu-
nho, e a vara de Arão, pela casa de Levi, florescia; porque
produziu flores e brotou novos ramos com amêndoas.
9 Então Moisés tirou todas as varas de diante do Senhor,
e as levou a todos os israelitas; e eles as viram e cada um
pegou a sua vara.
10 Então o Senhor disse a Moisés: "Torne a pôr a vara de
Arão perante o testemunho, para que se guarde por sinal
para os filhos rebeldes; assim, fará acabar as suas murmu-
rações contra mim e não morrerão."
11 E Moisés fez assim; como o Senhor lhe ordenou, assim
fez.
12 Então os israelitas falaram a Moisés, dizendo: "Nós es-
tamos morrendo, perecemos, nós todos perecemos.
13 Quem se aproximar do tabernáculo do Senhor, morre-
rá; seremos todos consumidos?"

Os Deveres dos Sacerdotes e dos Levitas

18 Então o Senhor disse a Arão: "Você, seus filhos e a
casa de seu pai com você, levarão sobre vocês a ini-
quidade do santuário; você e seus filhos com você, levarão
sobre vocês a iniquidade de seu sacerdócio.
2 E também fará chegarem seus irmãos com você, a tribo
de Levi, a tribo de seu pai, para se ajuntarem a você e o
servirem; mas você e seus filhos estarão perante a tenda
do testemunho.
3 E eles cumprirão as suas ordens e terão o encargo de
toda a tenda; mas não se aproximarão dos utensílios do
santuário, nem do altar, para não morrerem, tanto eles
como vocês.
4 Mas se unirão a você e farão o serviço da tenda do en-
contro em todo o ministério da tenda; e o estranho não se
aproximará de vocês.
5 Vocês farão os serviços do santuário e os serviços do
altar; para que não haja ira sobre os israelitas outra vez.
6 E eu escolhi seus irmãos, os levitas, do meio dos israeli-
tas; e são dados a vocês em dádiva pelo Senhor, para minis-
trarem os serviços da tenda do encontro.
7 Mas você e seus filhos cumprirão o seu sacerdócio refe-
rente a tudo o que é do altar e a tudo o que está dentro do
véu, servirão nisto; eu lhes dei o seu sacerdócio em dádiva
ministerial e o estranho que se aproximar morrerá."
8 O Senhor disse mais a Arão: "Dei a você a guarda das
minhas ofertas, com todas as coisas santas dos israelitas;
por causa da unção as tenho dado a você e a seus filhos
por estatuto perpétuo.
9 Terão isto das coisas santíssimas do fogo: todas as suas
ofertas com todas as suas ofertas de cereais, com todas as
suas expiações pelo pecado e com todas as suas expiações
pela culpa, que me restituirão; serão coisas santíssimas a
você e para seus filhos.
10 Você as comerá no lugar santíssimo; todo homem a
comerá; serão santas para você.
11 Isto também será seu: a oferta das dádivas com todas as
ofertas movidas dos israelitas; a você, a seus filhos e a suas
filhas as tenho dado por estatuto perpétuo; todos os que
estiverem puros na sua casa comerão delas.
12 O melhor azeite, o melhor vinho e o melhor grão, as
primícias que derem ao Senhor, darei a você.
13 Os primeiros frutos de tudo que houver na terra, que
trouxerem ao Senhor, serão seus; todos os que estiverem
puros na sua casa os comerão.
14 Toda coisa consagrada em Israel será sua.
15 Todo primogênito, tanto de homens como de animais,
que trouxerem ao Senhor, será seu; porém, resgatará os
primogênitos dos homens; também resgatará os primogê-
nitos dos animais impuros.
16 Resgate-os com idade de um mês, segundo a sua avalia-
ção, por sessenta gramas de prata, segundo o peso padrão
do santuário, que é de doze gramas.
17 Mas o primogênito de vaca, de ovelha, ou de cabra,
você não resgatará, são santos; o seu sangue aspergirá so-
bre o altar e a sua gordura queimarão em oferta queimada
de cheiro suave ao Senhor.
18 E a carne deles será sua; assim como o peito da oferta
de movimento e o ombro direito serão seus.
19 Todas as ofertas das coisas santas, que os israelitas ofe-
recerem ao Senhor, dei a você, a seus filhos e a suas filhas
por estatuto perpétuo; é aliança perpétua de sal perante o
Senhor, para você e para a sua descendência."
20 O Senhor disse também a Arão: "Na sua terra não terá
nenhuma posse, e não terá nenhuma parte no meio deles;
eu sou a sua parte e a sua herança no meio dos israelitas.
21 E dei aos filhos de Levi todos os dízimos em Israel por
herança, pelo ministério que executam, o ministério da
tenda do encontro.
22 E nunca mais os israelitas se aproximarão da tenda do
encontro, para que não levem sobre si o pecado e morram.
23 Mas os levitas executarão o ministério da tenda do
encontro e eles levarão sobre si a sua iniquidade; e será es-
tatuto perpétuo pelas suas gerações; e não terão nenhuma
herança no meio dos israelitas,
24 porque os dízimos dos israelitas, que oferecerem ao Se-

nhor, dei como herança aos levitas; porque eu lhes disse: No meio dos israelitas não terão nenhuma herança."
25 E o Senhor falou a Moisés:
26 "Fale também aos levitas e lhes diga: 'Quando receberem os dízimos dos israelitas, que deles eu lhes dou como herança, deles oferecerão uma oferta ao Senhor, os dízimos dos dízimos.
27 E a oferta de vocês será considerada como grão e como vinho do lagar.
28 Assim também apresentarão ao Senhor uma oferta de todos os dízimos que receberem dos israelitas e deles darão a oferta do Senhor a Arão, o sacerdote.
29 Darão oferta ao Senhor de todas as suas dádivas; o melhor de tudo delas, a sua santa parte.'
30 E lhes dirá: 'Quando separarem o melhor delas, será atribuído aos levitas, como grãos da eira e como vinho do lagar.
31 E o comerão em todo lugar, vocês e as suas famílias, porque é a recompensa de vocês pelo seu ministério na tenda do encontro.
32 Assim, não levarão sobre vocês o pecado, quando oferecerem o melhor; e não profanem as coisas santas dos israelitas, para não morrerem.'"

A Novilha Vermelha e a Água Purificadora

19 O Senhor falou a Moisés e a Arão:
2 "Este é o estatuto da lei, que o Senhor ordenou, dizendo: Diga aos israelitas que lhe tragam uma novilha vermelha, que não tenha defeito e não tenha levado ainda jugo.
3 E a deem a Eleazar, o sacerdote; ele a levará para fora do acampamento e a degolará diante dele.
4 E Eleazar, o sacerdote, molhará o seu dedo com o sangue e aspergirá um pouco dele para a frente da tenda do encontro sete vezes.
5 Então queimará a novilha perante os seus olhos; a queimará com o seu couro, a sua carne, o seu sangue, e com o seu esterco.
6 E o sacerdote pegará pau de cedro, hissopo e carmesim, e os lançará no meio do fogo que queima a novilha.
7 Então o sacerdote lavará as suas vestes, banhará o seu corpo na água e depois entrará no acampamento; e o sacerdote ficará impuro até à tarde.
8 Também quem a queimou lavará as suas roupas com água, banhará o seu corpo com água e ficará impuro até à tarde.
9 E um homem puro ajuntará a cinza da novilha e a levará para fora do acampamento, num lugar puro, e ela ficará guardada para a congregação dos israelitas, para a água da purificação; é expiação.
10 E quem apanhou a cinza da novilha lavará as suas roupas e ficará impuro até à tarde; isto será por estatuto perpétuo aos israelitas e ao estrangeiro que peregrina no meio deles.
11 Quem tocar em algum morto, em cadáver de algum homem, ficará impuro sete dias.
12 No terceiro dia se purificará com aquela água, e no sétimo dia ficará puro; mas, se no terceiro dia não se purificar, no sétimo dia não ficará puro.
13 Quem tocar em algum morto, em cadáver de algum homem, e não se purificar, contamina o tabernáculo do Senhor; aquela pessoa será eliminada de Israel; porque a água da purificação não foi aspergida sobre ela, ficará impura; a sua impureza ainda está nela.
14 Esta é a lei: Quando algum homem morrer em alguma tenda, quem entrar naquela tenda e quem estiver nela ficará impuro por sete dias.
15 Também todo vaso aberto, que não estiver tampado com pano amarrado, será impuro.
16 E quem tocar em alguém que for morto pela espada no campo, ou em outro morto ou nos ossos de algum homem, ou numa sepultura, ficará impuro por sete dias.
17 Para um impuro, pegarão da cinza da queima da expiação e sobre ela colocarão água corrente num vaso.
18 E um homem puro pegará hissopo e o molhará naquela água e a aspergirá sobre aquela tenda, sobre todos os móveis e sobre as pessoas que estiverem ali, como também sobre quem tocar nos ossos, ou em alguém que foi morto, ou que faleceu, ou numa sepultura.
19 E o homem puro aspergirá sobre o impuro, no terceiro e no sétimo dia; e no sétimo dia o purificará e lavará as suas roupas, se banhará em água e à tarde ficará puro.
20 Porém, quem for impuro, e não se purificar, será eliminado do meio da congregação; porque contaminou o santuário do Senhor; porque não foi aspergida água de purificação sobre ele; é impuro.
21 Isto será estatuto perpétuo para eles; e quem aspergir a água da purificação lavará as suas roupas; e quem tocar a água da purificação ficará impuro até à tarde.
22 E tudo que o impuro tocar também ficará impuro; e a pessoa que o tocar ficará impura até à tarde."

A Morte de Miriã

20 Quando os israelitas e toda a congregação chegaram ao deserto de Zim, no mês primeiro, o povo ficou em Cades; e Miriã morreu ali e ali foi sepultada.
2 Ali não havia água para a congregação; então, se juntaram contra Moisés e contra Arão.
3 E o povo discutiu com Moisés, dizendo: "Quem dera tivéssemos morrido quando nossos irmãos morreram perante o Senhor!

4 E por que trouxeram a congregação do Senhor a este deserto, para morrermos aqui, nós e os nossos animais?

5 E por que nos fizeram sair do Egito, para nos trazer a este lugar ruim? Lugar onde não há sementes, nem de figos, nem de uvas, nem de romãs, nem tem água para beber."

6 Então, Moisés e Arão saíram da frente da congregação, à porta da tenda do encontro, e se lançaram sobre os seus rostos; e a glória do Senhor lhes apareceu.

Moisés Fere a Rocha

7 E o Senhor falou a Moisés:

8 "Pegue a vara e junte a congregação, você e Arão, seu irmão, e falem à rocha, perante os seus olhos, e ela dará a sua água; assim tirará água da rocha para eles e dará de beber à congregação e aos seus animais."

9 Então Moisés pegou a vara de diante do Senhor, como lhe ordenou.

10 E Moisés e Arão reuniram a congregação diante da rocha e Moisés lhes disse: "Ouçam agora, rebeldes; porventura tiraremos água desta rocha para vocês?"

11 Então Moisés levantou a sua mão e feriu a rocha duas vezes com a sua vara, então saiu muita água e a congregação e os seus animais beberam.

12 E o Senhor disse a Moisés e a Arão: "Porque não creram em mim, para me santificarem diante dos israelitas, por isto não conduzirão esta congregação para a terra que lhes dei."

13 Estas são as águas de Meribá, porque os israelitas discutiram com o Senhor; e o Senhor se santificou neles.

O Rei de Edom Não Deixa o Povo Passar

14 Depois, Moisés mandou de Cades mensageiros ao rei de Edom, dizendo: "Assim diz seu irmão Israel: 'Sabe de toda a aflição que nos sobreveio,

15 como nossos pais foram ao Egito e como nós habitamos muitos dias no Egito; e também como os egípcios nos maltrataram, a nós e a nossos pais;

16 e clamamos ao Senhor e ele ouviu a nossa voz, e mandou um anjo e nos tirou do Egito; agora estamos em Cades, cidade nos limites dos seus territórios.

17 Deixe-nos passar pela sua terra; não passaremos pelo campo, nem pelas vinhas, nem beberemos a água dos poços; iremos pela estrada real; não nos desviaremos para a direita nem para a esquerda, até passarmos pelos seus territórios.'"

18 Porém, Edom lhe disse: "Não passarão por mim, para que eu não saia com a espada ao seu encontro."

19 Então, os israelitas lhe disseram: "Iremos pela estrada principal e, se nós ou o nosso gado bebermos das suas águas, pagaremos por elas; não desejamos outra coisa, senão atravessar a pé."

20 Porém, ele disse: "Não passarão." E Edom saiu ao seu encontro com muita gente e com mão forte.

21 Assim, Edom não deixou Israel passar pelo seu território; por isso Israel se desviou dele.

A Morte de Arão

22 Então partiram de Cades; assim os israelitas, toda a congregação, chegaram ao monte Hor.

23 E o Senhor falou a Moisés e a Arão no monte Hor, nos limites da terra de Edom, dizendo:

24 "Arão será reunido a seu povo, porque não entrará na terra que dei aos israelitas, porque vocês foram rebeldes à minha ordem, nas águas de Meribá.

25 Pegue Arão e Eleazar, seu filho, e faça-os subir ao monte Hor.

26 E tire as vestes de Arão e coloque em Eleazar, seu filho, porque Arão será reunido, e morrerá ali."

27 Moisés fez como o Senhor lhe ordenou; e subiram ao monte Hor perante os olhos de toda a congregação.

28 E Moisés tirou as vestes de Arão e as vestiu em Eleazar, seu filho; e Arão morreu ali sobre o cume do monte; então Moisés e Eleazar desceram do monte.

29 E quando a congregação viu que Arão estava morto, toda a casa de Israel chorou por Arão trinta dias.

Vitória Sobre os Cananeus

21 Quando o cananeu rei de Arade, que habitava para o lado sul, ouviu que Israel vinha pelo caminho de Atarim, lutou contra Israel e levou alguns deles como prisioneiros.

2 Então Israel fez um voto ao Senhor, dizendo: "Se entregar de fato este povo na minha mão, destruirei totalmente as suas cidades."

3 O Senhor ouviu a voz de Israel e entregou os cananeus, que foram destruídos totalmente, eles e as suas cidades; e o nome daquele lugar se chamou Horma.

A Serpente de Bronze

4 Então partiram do monte Hor, pelo caminho do Mar Vermelho, contornando a terra de Edom; porém o povo perdeu a paciência com aquele caminho.

5 E o povo falou contra Deus e contra Moisés: "Por que nos tiraram do Egito para morrermos neste deserto? Pois aqui não há nem pão nem água e estamos cansados destas coisas miseráveis que comemos."

6 Então o Senhor mandou serpentes ardentes entre o povo, que os picaram; e muita gente morreu do povo de Israel.

7 Por isso o povo veio a Moisés e disse: "Pecamos porque falamos contra o Senhor e contra você; ore para o Senhor tirar de nós estas serpentes." Então Moisés orou pelo povo.

8 E o Senhor disse a Moisés: "Faça uma serpente venenosa

e a coloque sobre uma haste; e quem for picado e olhar
para ela, viverá."
9 E Moisés fez uma serpente de bronze e a colocou sobre
uma haste; e, quando alguém era picado por alguma cobra,
olhava para a serpente de bronze e vivia.

Jornadas dos Israelitas

10 Então, os israelitas partiram e acamparam em Obote.
11 Depois partiram de Obote e acamparam nos outeiros
de Abarim, no deserto que está em frente de Moabe, ao
nascente do sol.
12 Partiram dali e acamparam junto ao ribeiro de Zerede.
13 E partiram dali e acamparam ao lado de Arnom, que
fica no deserto e se estende até o território dos amorreus;
porque Arnom é o limite de Moabe, entre Moabe e os
amorreus.
14 Por isso se diz no livro das Guerras do Senhor: Contra
Vaebe em Sufa e contra os ribeiros de Arnom,
15 e contra a corrente dos ribeiros que se estende para a
sede de Ar e se encosta nos limites de Moabe.
16 E dali partiram para Beer; este é o poço de onde o
Senhor disse a Moisés: "Reúna o povo e lhe darei água."
17 Então Israel cantou esse cântico: "Mine água, ó poço,
cantem ao poço:
18 'Poço que os príncipes cavaram, que os nobres do povo
escavaram com os seus bordões.'" E do deserto partiram
para Matana;
19 e, de Matana, para Naaliel; e, de Naaliel, para Bamote.
20 E, de Bamote, para o vale que está no campo de
Moabe, no cume de Pisga, à vista do deserto.

Vitória Contra Seom e Ogue

21 Então, Israel mandou mensageiros a Seom, rei dos
amorreus, dizendo:
22 "Deixe-me passar pela sua terra; não nos desviaremos
pelos campos nem pelas vinhas; não beberemos as águas
dos poços; iremos pela estrada real até passarmos os seus
territórios."
23 Porém, Seom não deixou Israel passar pelos seus terri-
tórios; antes, Seom reuniu todo o seu povo e foi ao encon-
tro de Israel no deserto e foi a Jaza, e lutou contra Israel.
24 Mas Israel o matou ao fio da espada e se apossou de sua
terra, desde Arnom até Jaboque, até aos filhos de Amom;
porque a fronteira dos filhos de Amom era fortificada.
25 Assim, Israel tomou todas as cidades e habitou em to-
das elas, em Hesbom e em todas as suas aldeias.
26 Porque Hesbom era a cidade de Seom, rei dos amor-
reus, que tinha lutado contra o antigo rei dos moabitas e
tinha tomado da sua mão toda a sua terra até Arnom.
27 Por isso dizem os poetas: "Venham a Hesbom; edifi-
que-se e fortifique-se a cidade de Seom.
28 Porque fogo saiu de Hesbom, e uma chama da cidade
de Seom; e consumiu Ar dos moabitas e os senhores dos
altos de Arnom.
29 Ai de você, Moabe! Está Perdido, povo de Quemos!
Entregou seus filhos como fugitivos, e suas filhas como
cativas a Seom, rei dos amorreus.
30 E nós os derrotamos; Hesbom é destruída até Dibom,
nós os assolamos até Nofá, que se estende até Medeba."
31 Assim, Israel habitou na terra dos amorreus.
32 Depois, Moisés mandou espiar Jazer, tomaram as suas
aldeias e expulsaram os amorreus que estavam ali.
33 Então voltaram e subiram o caminho de Basã; ali Ogue,
rei de Basã, junto com seu povo, saíram em batalha contra
eles, em Edrei.
34 E o Senhor disse a Moisés: "Não o tema, porque o dei
com todo o seu povo e a sua terra na sua mão; faça como
fez a Seom, rei dos amorreus, que habitava em Hesbom."
35 E assim derrotaram a ele e a seus filhos, e a todo o seu
povo, e não escapou nenhum deles; e tomaram posse da
sua terra.

Balaque e Balaão

22 Depois os israelitas partiram e acamparam nas
campinas de Moabe, depois do Jordão, próximo de
Jericó.
2 Quando Balaque, filho de Zipor, viu tudo o que Israel
fez aos amorreus,
3 Moabe teve muito medo desse povo, porque era nume-
roso; e Moabe andava angustiado por causa dos israelitas.
4 Por isso Moabe disse aos anciãos dos midianitas: "Agora
essa congregação lamberá tudo que houver ao nosso redor,
como o boi lambe a erva do campo." Naquele tempo Bala-
que, filho de Zipor, era rei dos moabitas.
5 Ele enviou mensageiros para chamar Balaão, filho de
Beor, a Petor, que fica junto ao rio, na terra dos filhos do
seu povo, dizendo: "Um povo saiu do Egito; e cobre a face
da terra e está parado em frente de mim.
6 Venha agora, lhe peço, amaldiçoe esse povo para mim,
porque é mais poderoso do que eu; assim, talvez poderei
derrotá-lo e expulsá-lo da terra; porque eu sei que quem
você abençoar será abençoado e quem você amaldiçoar
será amaldiçoado."
7 Então, os anciãos dos moabitas e dos midianitas parti-
ram com o pagamento dos encantamentos nas suas mãos;
chegaram a Balaão e lhe disseram as palavras de Balaque.
8 E Balaão lhes disse: "Fiquem aqui esta noite e lhes trarei
a resposta, como o Senhor me falar; então os chefes dos
moabitas ficaram com Balaão."
9 E Deus veio a Balaão e perguntou: "Quem são estes ho-
mens que estão com você?"
10 E Balaão respondeu a Deus: "Balaque, filho de Zipor,
rei dos moabitas, os enviou, dizendo:

11 'O povo que saiu do Egito cobre a face da terra; ve-
nha agora e o amaldiçoe; assim, poderei lutar contra ele
e expulsá-lo.'"
12 Então Deus disse a Balaão: "Não irá com eles, nem
amaldiçoará este povo, porque é povo abençoado."
13 Então Balaão levantou-se pela manhã e disse aos chefes
de Balaque: "Voltem à terra de vocês, porque o Senhor não
me deixou ir com vocês."
14 E os chefes dos moabitas se levantaram e foram a Bala-
que e disseram: "Balaão se recusou a vir conosco."
15 Porém, Balaque tornou a enviar mais chefes, mais hon-
rados do que aqueles.
16 E eles foram a Balaão e lhe disseram: "Assim diz Bala-
que, filho de Zipor: 'Peço-lhe que não se demore em vir
a mim.
17 Porque grandemente o honrarei e farei tudo o que me
disser; venha, lhe peço, amaldiçoe este povo para mim.'"
18 Então Balaão respondeu aos servos de Balaque: "Ainda
que Balaque me desse a sua casa cheia de prata e de ouro,
eu não poderia transgredir a ordem do Senhor, meu Deus,
para fazer coisa pequena ou grande;
19 agora, peço a vocês que também fiquem aqui esta noi-
te, para que eu saiba o que mais o Senhor me dirá."
20 À noite, o Senhor veio a Balaão e lhe disse: "Se aqueles
homens vieram chamá-lo, levante-se, vá com eles; todavia,
faça o que eu lhe disser."
21 Então, Balaão levantou-se pela manhã, selou a sua ju-
menta e foi com os chefes de Moabe.
22 E a ira de Deus acendeu-se, porque ele foi; e o anjo do
Senhor se pôs no caminho como adversário; ele ia cami-
nhando, montado na sua jumenta e dois de seus servos
iam com ele.
23 A jumenta viu o anjo do Senhor que estava no cami-
nho, com a espada desembainhada na mão; assim, a ju-
menta se desviou do caminho, indo pelo campo; então
Balaão espancou a jumenta para fazê-la voltar ao caminho.
24 Mas o anjo do Senhor ficou numa vereda entre as vi-
nhas, entre duas paredes de vinhas.
25 A jumenta, vendo o anjo do Senhor, encostou-se contra
a parede e apertou o pé de Balaão contra a parede; por isto
ele tornou a espancá-la.
26 Então, o anjo do Senhor foi mais à frente e ficou num
lugar estreito, onde não havia caminho para se desviar
nem para a direita nem para a esquerda.
27 E a jumenta, vendo o anjo do Senhor, deitou-se debaixo
de Balaão; então a ira de Balaão acendeu-se e ele espancou
a jumenta com a vara.
28 Então, o Senhor abriu a boca da jumenta, e ela disse
a Balaão: "O que eu lhe fiz, para me espancar estas três
vezes?"
29 E Balaão disse à jumenta: "Porque zombou de mim; se
eu tivesse uma espada na mão, agora a mataria."
30 E a jumenta disse a Balaão: "Por acaso não sou a sua
jumenta, em que cavalgou desde o tempo em que me tor-
nei sua até hoje? Por acaso estou acostumada a fazer assim
com você?" E ele respondeu: "Não."
31 Então o Senhor abriu os olhos de Balaão e ele viu o anjo
do Senhor, que estava no caminho e a sua espada desem-
bainhada na mão; então ele inclinou a cabeça e prostrou-se
sobre a sua face.
32 Então o anjo do Senhor lhe disse: "Por que espancou a
sua jumenta por três vezes? Eu saí para ser seu adversário,
porque o seu caminho é perverso diante de mim:
33 Porém, a jumenta me viu e já três vezes se desviou de
mim; se ela não se desviasse de mim, na verdade eu o teria
matado e a deixaria com vida."
34 Então Balaão disse ao anjo do Senhor: "Pequei, porque
não sabia que estava neste caminho para se opor a mim;
agora, se parece mal aos seus olhos, voltarei."
35 E o anjo do Senhor disse a Balaão: "Vá com estes ho-
mens; mas fale somente o que eu disser a você." Assim,
Balaão se foi com os chefes de Balaque.
36 Quando Balaque ouviu que Balaão vinha, lhe foi ao
encontro até à cidade de Moabe, que fica na divisa de
Arnom.
37 E Balaque disse a Balaão: "Por acaso não mandei cha-
má-lo com urgência? Por que não veio a mim? Não posso
eu na verdade honrá-lo?"
38 Então, Balaão disse a Balaque: "Eu estou aqui; agora eu
poderei falar alguma coisa? A palavra que Deus puser na
minha boca, esta falarei."
39 E Balaão foi com Balaque e chegaram a Quiriate-Huzote.
40 Então, Balaque matou bois e ovelhas e enviou carne a
Balaão e aos chefes que estavam com ele.
41 E, pela manhã, Balaque fez Balaão subir aos altos de
Baal e dali ele viu a última parte do povo.

Balaque Edifica Sete Altares

23 Então Balaão disse a Balaque: "Construa para mim
aqui sete altares e prepare aqui para mim sete novi-
lhos e sete carneiros."
2 Balaque fez como Balaão disse: E Balaque e Balaão ofere-
ceram um novilho e um carneiro sobre cada altar.
3 Então Balaão disse a Balaque: "Fique junto do seu holo-
causto e eu irei; talvez o Senhor irá ao meu encontro e o
que me mostrar lhe direi." Então ele foi a um lugar alto.
4 E Deus se encontrou com Balaão e ele disse a Deus:
"Preparei sete altares e ofereci um novilho e um carneiro
sobre cada altar."
5 Então o Senhor pôs a palavra na boca de Balaão e disse:
"Volte para Balaque, e fale isto."

6 Quando voltou, Balaque estava junto do seu holocausto,
ele e todos os chefes dos moabitas.
7 Então Balaão disse: "Balaque, o rei dos moabitas, me
mandou vir de Arã, das montanhas do oriente, dizendo:
Venha, amaldiçoe Jacó para mim; venha, ameace Israel.
8 Como amaldiçoarei o que Deus não amaldiçoa? E como
ameaçarei, quando o Senhor não ameaça?
9 Porque o vejo do cume das montanhas e dos montes o
contemplo; esse povo habitará só, e entre as nações não
será considerado como uma nação qualquer.
10 Quem pode contar o pó de Jacó e o número da quarta
parte de Israel? Que eu morra da morte dos justos e o meu
fim seja como o deles."
11 Então Balaque disse a Balaão: "O que me fez? Chamei-o para amaldiçoar os meus inimigos, no entanto você
os abençoou."
12 E ele respondeu: "Não falei o que o Senhor pôs na
minha boca?"
13 Então Balaque lhe disse: "Peço que venha comigo para
outro lugar, de onde os verá; verá somente a última parte
deles, mas não poderá ver todos; e os amaldiçoe dali para
mim."
14 Assim, o levou com ele ao campo de Zofim, ao cume
de Pisga; e construiu sete altares e ofereceu um novilho e
um carneiro sobre cada altar.
15 Então disse a Balaque: "Fique aqui junto do seu holocausto e eu irei ali ao encontro do Senhor."
16 E, quando o Senhor se encontrou com Balaão, pôs uma
palavra na sua boca e disse: "Volte para Balaque e diga
isto a ele."
17 E quando voltou, ele estava junto do holocausto e os
chefes dos moabitas com ele; e Balaque perguntou: "O que
o Senhor falou?"
18 Então ele disse: "Levante-se e me ouça, Balaque; incline os seus ouvidos a mim, filho de Zipor.
19 Deus não é homem para que minta; nem filho do
homem para que se arrependa; ele diria e não faria? Ou
falaria e não confirmaria?
20 Recebi ordem de abençoar; porque ele abençoou e eu
não posso revogar.
21 Não viu pecado em Israel, nem contemplou maldade
em Jacó; o Senhor seu Deus está com ele, e foi aclamado
Rei no meio deles.
22 Deus os tirou do Egito; as suas forças são como as do
boi selvagem.
23 Pois contra Jacó não vale encantamento, nem adivinhação contra Israel; e agora poderá dizer de Jacó e de Israel:
Que coisas Deus tem realizado!
24 E o povo se levanta como leoa e se ergue como leão;
não se deita até que coma a presa e beba o sangue dos que
forem mortos.
25 Então Balaque disse a Balaão: "Não o amaldiçoe, nem
o abençoe."
26 Porém Balaão respondeu e disse a Balaque: "Eu não lhe
falei: Tudo o que o Senhor me falar eu farei?"
27 Balaque disse mais a Balaão: "Ora, venha; eu o levarei
a outro lugar; talvez pareça bem aos olhos de Deus que os
amaldiçoe dali para mim."
28 Então Balaque levou Balaão com ele ao cume de Peor,
de onde se vê o deserto.
29 Balaão disse a Balaque: "Construa aqui para mim sete
altares; e me prepare sete novilhos e sete carneiros."
30 Balaque fez como Balaão disse; e ofereceu um novilho
e um carneiro sobre cada altar.

24 Quando Balaão viu que agradava ao Senhor ele
abençoar Israel, dessa vez não foi ao encontro dos
encantamentos como antes; mas voltou o seu rosto para
o deserto.
2 E, quando Balaão levantou os seus olhos e viu Israel,
que estava acampado segundo as suas tribos, o Espírito de
Deus veio sobre ele.
3 Então ele disse: "Estas são as palavras de Balaão, filho de
Beor, e palavras do homem de olhos abertos;
4 palavras daquele que ouviu os ditos de Deus, palavras
de quem vê a visão do Todo-poderoso, e prostra-se mas
de olhos abertos:
5 Como boas são as suas tendas, ó Jacó! Como são boas as
suas moradas, ó Israel!
6 Estendem-se como vales, como jardins à beira dos rios;
como árvores de sândalo o Senhor os plantou, como cedros junto às águas;
7 de seus baldes manarão águas e a sua semente estará em
muitas águas; o seu rei se erguerá mais do que Agague e o
seu reino será exaltado.
8 Deus o tirou do Egito; as suas forças são como as do
boi selvagem; consumirá as nações inimigas, quebrará seus
ossos e com as suas flechas os atravessará.
9 Encurvou-se e deitou-se como leão e como leoa; quem
o despertará? Benditos os que o abençoarem e malditos os
que o amaldiçoarem."
10 Então Balaque se irou com Balaão e bateu palmas; e Balaque disse a Balaão: "Chamei-o para amaldiçoar os meus
inimigos; porém, já os abençoou três vezes.
11 Agora, fuja para o seu lugar; eu disse que o honraria
grandemente; mas o Senhor o privou desta honra."
12 Então Balaão disse a Balaque: "Eu falei aos mensageiros
que me enviou, dizendo:
13 Mesmo se Balaque me der a sua casa cheia de prata e
ouro, não desobedecerei à ordem do Senhor, fazendo bem

ou mal de minha própria vontade; o que o Senhor falar,
isso eu falarei.
14 Agora, volto para o meu povo; venha, lhe mostrarei o
que este povo fará ao seu povo nos últimos dias."
15 Então ele disse: "Palavras de Balaão, filho de Beor e
palavras do homem de olhos abertos;
16 palavras daquele que ouve os ditos de Deus e que tem
o conhecimento do Altíssimo; de quem tem a visão do To-
do-poderoso, que se prostra mas de olhos abertos:
17 Vejo-o, mas não agora, contemplo-o, mas não de perto;
uma estrela procederá de Jacó e um cetro subirá de Israel,
que ferirá os territórios dos moabitas e destruirá todos os
filhos de Sete.
18 E Edom será uma propriedade, e Seir, seus inimigos,
também será uma propriedade; Israel fará proezas.
19 E de Jacó um dominará e matará os que restam das
cidades.
20 E vendo os amalequitas, disse: Amaleque é a primeira
das nações; porém, o seu fim será a destruição.
21 E vendo os quenitas, disse: A sua habitação está firme,
colocou o seu ninho na rocha.
22 No entanto, o quenita será consumido, até que Assur o
leve como prisioneiro.
23 E disse ainda: 'Ai, quem viverá, quando Deus fizer
isto?'
24 E as naus virão das costas de Quitim e afligirão Assur e
também Héber; e ele também será destruído."
25 Então, Balaão levantou-se e voltou ao seu lugar e Bala-
que também se foi.

Adoração a Baal

25 E Israel estava acampado em Sitim e o povo come-
çou a prostituir-se com as filhas dos moabitas.
2 Elas convidaram o povo aos sacrifícios dos seus deuses;
então o povo comeu e inclinou-se aos seus deuses.
3 Quando Israel se juntou a Baal-Peor, a ira do Senhor se
acendeu contra Israel.
4 O Senhor disse a Moisés: "Reúna todos os chefes do
povo e enforque-os ao Senhor diante do sol e o ardor da ira
do Senhor se retirará de Israel."
5 Então, Moisés disse aos juízes de Israel: "Cada um mate
os seus homens que se juntaram a Baal-Peor."
6 E veio um homem dos israelitas e trouxe a seus irmãos
uma midianita, na presença de Moisés e de toda a con-
gregação dos israelitas, que choravam diante da tenda do
encontro.
7 Quando Fineias, filho de Eleazar, o filho de Arão, sa-
cerdote, viu isso, se levantou do meio da congregação e
pegou uma lança;
8 foi até o homem israelita, à tenda, e os atravessou com a
lança, ao homem israelita e à mulher, pelo ventre; então a
praga cessou sobre os israelitas.
9 E os que morreram pela praga foram vinte e quatro mil.
10 Então o Senhor falou a Moisés, dizendo:
11 "Fineias, filho de Eleazar, o filho de Arão, sacerdote,
desviou a minha ira dos israelitas, pois foi zeloso como eu
no meio deles; pois no meu zelo, não consumi os israelitas.
12 Portanto, diga-lhe que eu lhe dou a minha aliança de
paz;
13 e ele e a sua descendência depois dele terão a aliança
do sacerdócio perpétuo, porque teve zelo pelo seu Deus e
fez expiação pelos israelitas."
14 E o nome do israelita, que foi morto com a midia-
nita, era Zinri, filho de Salu, chefe da casa paterna dos
simeonitas.
15 E o nome da mulher midianita morta era Cosbi, filha
de Zur, chefe do povo da casa paterna entre os midianitas.
16 O Senhor falou mais a Moisés, dizendo:
17 "Ataquem os midianitas e os matem,
18 porque eles afligiram vocês, enganando-os no negócio
de Peor e no caso de Cosbi, filha do chefe dos midianitas,
irmã deles, que foi morta no dia da praga no negócio de
Peor."

O Segundo Recenseamento

26 E, depois daquela praga, o Senhor falou a Moisés e a
Eleazar, filho de Arão, o sacerdote, dizendo:
2 "Contem toda a congregação dos israelitas, os de vinte
anos para cima, segundo as casas de seus pais; todos os que
podem sair à guerra."
3 Moisés e Eleazar, o sacerdote, lhes falaram nas campinas
de Moabe, junto ao Jordão, próximo de Jericó, dizendo:
4 "Contem o povo com idade de vinte anos para cima",
como o Senhor ordenou a Moisés e aos israelitas que saí-
ram do Egito.
5 Rúben, o primogênito de Israel; os filhos de Rúben: de
Enoque, a família dos enoquitas; de Palu, a família dos
paluítas;
6 de Hezrom, a família dos hezronitas; de Carmi, a família
dos carmitas.
7 Estas são as famílias dos rubenitas; e foram deles conta-
dos quarenta e três mil e setecentos e trinta.
8 E os filhos de Palu, Eliabe;
9 e os filhos de Eliabe, Nemuel, Datã e Abirão: estes, Datã
e Abirão, foram os do conselho da congregação, que dis-
cutiram com Moisés e com Arão na congregação de Corá,
quando se rebelaram contra o Senhor;
10 e a terra abriu a sua boca e os tragou com Corá, quando
a congregação morreu; quando o fogo consumiu duzentos
e cinquenta homens, que serviram de advertência.
11 Mas os filhos de Corá não morreram.

12 Os filhos de Simeão, segundo as suas famílias: de Ne-
muel, a família dos nemuelitas; de Jamim, a família dos
jaminitas; de Jaquim, a família dos jaquinitas;
13 de Zerá, a família dos zeraítas; de Saul, a família dos
saulitas.
14 Estas são as famílias dos simeonitas, vinte e dois mil
e duzentos.
15 Os filhos de Gade, segundo as suas gerações; de Zefom,
a família dos zefonitas; de Hagi, a família dos hagitas; de
Suni, a família dos sunitas;
16 de Ozni, a família dos oznitas; de Eri, a família dos
eritas;
17 de Arode, a família dos aroditas; de Areli, a família dos
arelitas.
18 Estas são as famílias dos filhos de Gade; foram contados
deles quarenta mil e quinhentos.
19 Os filhos de Judá, Er e Onã; mas Er e Onã morreram
na terra de Canaã.
20 Assim os filhos de Judá foram segundo as suas famílias:
de Selá, a família dos selanitas; de Perez, a família dos pe-
rezitas; de Zerá, a família dos zeraítas.
21 E os filhos de Perez foram: de Hezrom, a família dos
hezronitas; de Hamul, a família dos hamulitas.
22 Estas são as famílias de Judá; foram contados deles se-
tenta e seis mil e quinhentos.
23 Os filhos de Issacar, segundo as suas famílias, foram: de
Tola, a família dos tolaítas; de Puva, a família dos puvitas;
24 de Jasube, a família dos jasubitas; de Sinrom, a família
dos sinronitas.
25 Estas são as famílias de Issacar; foram contados deles
sessenta e quatro mil e trezentos.
26 Os filhos de Zebulom, segundo as suas famílias, foram:
de Serede, a família dos sereditas; de Elom, a família dos
elonitas; de Jaleel, a família dos jaleelitas.
27 Estas são as famílias dos zebulonitas; foram contados
deles sessenta mil e quinhentos.
28 Os filhos de José, segundo as suas famílias, foram Ma-
nassés e Efraim.
29 Os filhos de Manassés foram: de Maquir, a família dos
maquiritas; e Maquir gerou a Gileade; de Gileade, a família
dos gileaditas.
30 Estes são os filhos de Gileade: de Jezer, a família dos
jezeritas; de Heleque, a família dos helequitas;
31 de Asriel, a família dos asrielitas; e de Siquém, a família
dos siquemitas;
32 e de Semida, a família dos semidaítas; e de Hefer, a
família dos heferitas.
33 Porém, Zelofeade, filho de Hefer, não tinha filhos,
somente filhas, e os nomes das filhas de Zelofeade eram
Macla, Noa, Hogla, Milca e Tirza.
34 Estas são as famílias de Manassés e foram contados de-
les cinquenta e dois mil e setecentos.
35 Estes são os filhos de Efraim, segundo as suas famílias:
de Sutela, a família dos sutelaítas; de Bequer, a família dos
bequeritas; de Taã, a família dos taanitas.
36 E estes são os filhos de Sutela: de Erã, a família dos
eranitas.
37 Estas são as famílias dos filhos de Efraim, e foram con-
tados deles trinta e dois mil e quinhentos; estes são os fi-
lhos de José, segundo as suas famílias.
38 Os filhos de Benjamim, segundo as suas famílias: de
Belá, a família dos belaítas; de Asbel, a família dos asbelitas;
de Airão, a família dos airamitas;
39 de Sufã, a família dos sufamitas; de Hufã, a família dos
hufamitas.
40 E os filhos de Belá foram Arde e Naamã; de Arde, a
família dos arditas; de Naamã, a família dos naamanitas.
41 Estes são os filhos de Benjamim, segundo as suas
famílias; e foram contados deles quarenta e cinco mil e
seiscentos.
42 Estes são os filhos de Dã, segundo as suas famílias: de
Suão, a família dos suamitas; estas são as famílias de Dã,
segundo as suas famílias.
43 De todas as famílias dos suamitas, foram contados ses-
senta e quatro mil e quatrocentos.
44 Os filhos de Aser, segundo as suas famílias, foram: de
Imna, a família dos imnaítas; de Isvi, a família dos isvitas;
de Berias, a família dos beriaítas.
45 Dos filhos de Berias, foram: de Héber, a família dos
heberitas; de Malquiel, a família dos malquielitas.
46 E o nome da filha de Aser foi Sera.
47 Estas são as famílias dos filhos de Aser, foram contados
deles cinquenta e três mil e quatrocentos.
48 Os filhos de Naftali, segundo as suas famílias: de Jazeel,
a família dos jazeelitas; de Guni, a família dos gunitas;
49 de Jezer, a família dos jezeritas; de Silém, a família dos
silemitas.
50 Estas são as famílias de Naftali, segundo as suas fa-
mílias; e foram contados deles quarenta e cinco mil e
quatrocentos.
51 Estes são os que foram contados dos israelitas, seiscen-
tos e um mil e setecentos e trinta.

Leis Sobre a Divisão da Terra

52 E o Senhor falou a Moisés, dizendo:
53 "A estes se repartirá a terra em herança, segundo a
contagem dos nomes.
54 Aos muitos, multiplicará a sua herança e aos poucos
diminuirá a sua herança; a cada um se dará a sua herança,
segundo os que foram contados deles.

55 Todavia, se repartirá a terra por sorteio; a herdarão se-
gundo os nomes das tribos de seus pais.
56 Segundo o sorteio, se repartirá a herança entre as tribos
de muitos e as de poucos."
57 E estes são os que foram contados de Levi, segundo as
suas famílias: de Gérson, a família dos gersonitas; de Coa-
te, a família dos coatitas; de Merari, a família dos meraritas.
58 Estas são as famílias de Levi: a família dos libnitas, a
família dos hebronitas, a família dos malitas, a família dos
musitas, a família dos coraítas; e Coate gerou a Anrão.
59 E o nome da mulher de Anrão era Joquebede, filha
de Levi, que nasceu no Egito; e de Anrão ela teve Arão,
Moisés e Miriã, irmã deles.
60 De Arão nasceram Nadabe, Abiú, Eleazar e Itamar.
61 Porém, Nadabe e Abiú morreram quando trouxeram
fogo estranho perante o Senhor.
62 E os que foram contados deles eram vinte e três mil,
todos homens da idade de um mês para cima; estes não
foram contados entre os israelitas, porque não lhes foi dada
herança entre os israelitas.
63 Estes são os que foram contados por Moisés e Eleazar,
o sacerdote, que contaram os israelitas nas campinas de
Moabe, junto ao Jordão, na direção de Jericó.
64 E entre estes não houve nenhum dos que foram conta-
dos por Moisés e Arão, o sacerdote, quando contaram os
israelitas no deserto do Sinai.
65 Porque o Senhor disse que eles certamente morreriam
no deserto; e não ficou nenhum deles, senão Calebe, filho
de Jefoné e Josué, filho de Num.

As Leis da Herança

27 E as filhas de Zelofeade, filho de Hefer, filho de Gi-
leade, filho de Maquir, filho de Manassés, entre as
famílias de Manassés, filho de José, chegaram; e estes são
os nomes de suas filhas: Macla, Noa, Hogla, Milca e Tirza;
2 e apresentaram-se diante de Moisés, diante de Eleazar,
o sacerdote, diante dos chefes e de toda a congregação, à
porta da tenda do encontro, dizendo:
3 "Nosso pai morreu no deserto e não estava entre os que
se juntaram contra o Senhor na congregação de Corá; mas
morreu no seu próprio pecado e não teve filhos.
4 Por que se tiraria o nome de nosso pai do meio da sua
família, por que não teve filhos? Dá-nos herança entre os
irmãos de nosso pai."
5 E Moisés levou a causa delas ao Senhor.
6 E o Senhor falou a Moisés:
7 "As filhas de Zelofeade falam o que é justo; certamente
lhes dará herança entre os irmãos de seu pai e fará a heran-
ça de seu pai passar a elas.
8 E diga aos israelitas: 'Quando alguém morrer e não tiver
filho, então passem a sua herança à sua filha.
9 E, se não tiver filha, então a sua herança deem a seus
irmãos.
10 Porém, se não tiver irmãos, então deem a sua herança
aos irmãos de seu pai.
11 Se seu pai também não tiver irmãos, então deem a sua
herança a seu parente, àquele que lhe for o mais chegado
da sua família, para que a possua;' isto será por estatuto de
direito aos israelitas, como o Senhor ordenou a Moisés."

Deus Anuncia a Morte de Moisés

12 Depois o Senhor disse a Moisés: "Suba a esse monte de
Abarim e veja a terra que dei aos israelitas.
13 E, depois de vê-la, então será reunido ao seu povo, as-
sim como o seu irmão Arão foi reunido;
14 porque, no deserto de Zim, quando os israelitas se rebe-
laram contra mim, vocês desobedeceram a minha ordem
de me santificar nas águas diante dos seus olhos." Essas
são as águas de Meribá de Cades, no deserto de Zim.
15 Então Moisés falou ao Senhor, dizendo:
16 "O Senhor, Deus que dá a vida a todos, ponha um ho-
mem sobre esta congregação,
17 que saia diante deles e que entre diante deles; que os
faça sair e que os faça entrar; para que a congregação do
Senhor não seja como ovelhas que não têm pastor."

Josué Designado Sucessor de Moisés

18 Então o Senhor disse a Moisés: "Pegue Josué, filho de
Num, homem em quem há o Espírito, e imponha a sua
mão sobre ele.
19 E apresente-o perante Eleazar, o sacerdote, e perante
toda a congregação e lhe dê ordens aos olhos deles,
20 e ponha sobre ele da sua autoridade, para que toda a
congregação dos israelitas obedeça a ele.
21 E Josué deverá se apresentar perante Eleazar, o sacer-
dote, o qual por ele consultará, segundo o juízo de Urim,
perante o Senhor; sairão conforme a sua palavra, entrarão
conforme a sua palavra, ele com todos os israelitas e toda
a congregação."
22 E Moisés fez como o Senhor lhe ordenou; porque pe-
gou Josué e o apresentou perante Eleazar, o sacerdote, e
perante toda a congregação;
23 e impôs as suas mãos sobre ele e lhe deu ordens, como
o Senhor falou por intermédio de Moisés.

O Sacrifício Contínuo

28 O Senhor falou mais a Moisés, dizendo:
2 "Dê ordem aos israelitas, e lhes diga: Tenham o
cuidado de oferecer no tempo determinado a minha ofer-
ta, o meu cereal para as minhas ofertas queimadas, o meu
cheiro suave.
3 E lhes diga: Esta é a oferta queimada que oferecerão ao
Senhor: dois cordeiros de um ano, sem defeito, cada dia,
em holocausto contínuo;

4 sacrificarão um cordeiro pela manhã e o outro à tarde;
5 com dois litros de farinha especial em oferta de cereais,
misturada com um litro de azeite batido.
6 Este é o holocausto contínuo, instituído no monte Sinai,
em cheiro suave, oferta queimada ao Senhor.
7 E a sua libação será um litro para cada cordeiro; no santuário, oferecerão a libação de bebida forte ao Senhor.
8 E sacrificarão o outro cordeiro à tarde, como a oferta de
cereais da manhã e o oferecerão como a sua libação em
oferta queimada de cheiro suave ao Senhor.
9 Porém, no dia de sábado, oferecerão dois cordeiros de
um ano, sem defeito, e quatro litros de farinha especial,
misturada com azeite, em oferta de cereais, com a sua
libação.
10 É holocausto de cada sábado, além do holocausto contínuo e a sua libação.
11 E oferecerão no começo de cada mês, em holocausto
ao Senhor, dois novilhos, um carneiro e sete cordeiros de
um ano, sem defeito;
12 e quatro litros de farinha especial misturada com azeite, em oferta de cereais, para um novilho; e quatro litros
de farinha especial misturada com azeite, em oferta de cereais, para um carneiro.
13 E dois litros de farinha especial misturada com azeite
em oferta de cereais, para um cordeiro; é holocausto de
cheiro suave, oferta queimada ao Senhor.
14 E as suas libações serão dois litros de vinho para cada
novilho e um litro e meio de vinho para cada carneiro e
um litro para um cordeiro; este é o holocausto da lua nova
de cada mês, segundo os meses do ano.
15 Também se oferecerá um bode para expiação do pecado ao Senhor, além do holocausto contínuo, com a sua
libação.
16 Porém, no mês primeiro, aos quatorze dias do mês é a
Páscoa do Senhor.
17 E haverá festa aos quinze dias do mesmo mês; sete dias
se comerão pães sem fermento.
18 No primeiro dia haverá santa convocação; não façam
nenhum trabalho;
19 mas ofereçam oferta queimada em holocausto ao Senhor, dois novilhos, um carneiro e sete cordeiros de um
ano; eles serão sem defeito.
20 E a sua oferta de cereais será de farinha especial misturada com azeite; ofereçam seis quilos para um novilho e
quatro quilos para um carneiro.
21 Para cada um dos sete cordeiros ofereçam dois quilos;
22 e um bode para expiação do pecado, para fazer expiação por vocês.
23 Ofereçam estas coisas, além do holocausto da manhã,
que é o holocausto contínuo.
24 Ofereçam cada dia desta maneira, ofereçam por sete
dias o manjar da oferta queimada em cheiro suave ao Senhor; ofereçam isto além do holocausto contínuo com a
sua libação.
25 E no sétimo dia terão santa convocação; não façam
nenhum trabalho.
26 Semelhantemente, no dia das primícias terão santa
convocação, quando oferecerem oferta nova de cereais
ao Senhor, segundo as suas semanas; não façam nenhum
trabalho.
27 Então ofereçam ao Senhor por holocausto, em cheiro
suave, dois novilhos, um carneiro e sete cordeiros de um
ano;
28 e a sua oferta de cereais de farinha especial misturada
com azeite: seis litros para um novilho, quatro litros para
um carneiro;
29 e dois litros para cada um dos sete cordeiros;
30 um bode para fazer expiação por vocês.
31 Além do holocausto contínuo e a sua oferta de cereais,
os ofereçam com as suas libações.

As Ofertas na Festa das Trombetas

29 Semelhantemente, no primeiro dia do sétimo mês
terão santa convocação; não façam nenhum trabalho; neste dia tocarão as trombetas.
2 Então, por holocausto, em cheiro suave ao Senhor, ofereçam um bezerro, um carneiro e sete cordeiros de um
ano, sem defeito.
3 E, pela sua oferta de cereais de farinha especial misturada com azeite, seis litros para o novilho e quatro litros
para o carneiro,
4 e dois litros para cada um dos sete cordeiros.
5 E um bode para expiação do pecado, para fazer expiação
por vocês;
6 além do holocausto do mês e a sua oferta de cereais, o
holocausto contínuo e a sua oferta de cereais, com as suas
libações, segundo o seu estatuto, em cheiro suave, oferta
queimada ao Senhor.
7 E no dia dez deste sétimo mês terão santa convocação e
afligirão as suas almas; não façam nenhum trabalho.
8 Mas por holocausto, em cheiro suave ao Senhor, ofereçam um novilho, um carneiro e sete cordeiros de um ano;
eles serão sem defeito.
9 E, pela sua oferta de cereais de farinha especial misturada com azeite, seis litros para o novilho, quatro litros
para o carneiro,
10 e dois litros para cada um dos sete cordeiros;
11 um bode para expiação do pecado, além da expiação
do pecado pelas propiciações e do holocausto contínuo e
da sua oferta de cereais com as suas libações.

As Ofertas nas Festas Solenes

12 Semelhantemente, aos quinze dias do sétimo mês terão
santa convocação; não façam nenhum trabalho; mas cele-
brem festa ao Senhor por sete dias.
13 E, por holocausto em oferta queimada, de cheiro suave
ao Senhor, ofereçam treze novilhos, dois carneiros e cator-
ze cordeiros de um ano; todos eles sem defeito.
14 E, pela sua oferta de cereais de farinha especial mistura-
da com azeite, seis litros para cada um dos treze novilhos,
quatro litros para cada um dos dois carneiros;
15 e dois litros para cada um dos quatorze cordeiros;
16 e um bode para expiação do pecado, além do holocaus-
to contínuo, a sua oferta de cereais e a sua libação.
17 Depois, no segundo dia, doze novilhos, dois carneiros,
quatorze cordeiros de um ano, sem defeito;
18 e a sua oferta de cereais e as suas libações para os novi-
lhos, para os carneiros e para os cordeiros, conforme o seu
número, segundo o estatuto;
19 e um bode para expiação do pecado, além do holocaus-
to contínuo, da sua oferta de cereais e das suas libações.
20 E, no terceiro dia, onze novilhos, dois carneiros, qua-
torze cordeiros de um ano, sem defeito;
21 e as suas ofertas de cereais e as suas libações para os
novilhos, para os carneiros e para os cordeiros, conforme o
seu número, segundo o estatuto;
22 e um bode para expiação do pecado, além do holo-
causto contínuo e da sua oferta de cereais e da sua libação.
23 E, no quarto dia, dez novilhos, dois carneiros, quatorze
cordeiros de um ano, sem defeito;
24 a sua oferta de cereais e as suas libações para os novi-
lhos, para os carneiros e para os cordeiros, conforme o seu
número, segundo o estatuto;
25 e um bode para expiação do pecado, além do holo-
causto contínuo, da sua oferta de cereais e da sua libação.
26 E, no quinto dia, nove novilhos, dois carneiros e qua-
torze cordeiros de um ano, sem defeito.
27 E a sua oferta de cereais e as suas libações para os novi-
lhos, para os carneiros e para os cordeiros, conforme o seu
número, segundo o estatuto;
28 e um bode para expiação do pecado além do holocaus-
to contínuo e da sua oferta de cereais e da sua libação.
29 E, no sexto dia, oito novilhos, dois carneiros, quatorze
cordeiros de um ano, sem defeito;
30 e a sua oferta de cereais e as suas libações para os novi-
lhos, para os carneiros e para os cordeiros, conforme o seu
número, segundo o estatuto;
31 e um bode para expiação do pecado, além do holo-
causto contínuo, da sua oferta de cereais e da sua libação.
32 E, no sétimo dia, sete novilhos, dois carneiros, quatorze
cordeiros de um ano, sem defeito.
33 E a sua oferta de cereais e as suas libações para os novi-
lhos, para os carneiros e para os cordeiros, conforme o seu
número, segundo o seu estatuto,
34 e um bode para expiação do pecado, além do holo-
causto contínuo, da sua oferta de cereais e da sua libação.
35 No oitavo dia terão assembleia solene; não façam ne-
nhum trabalho;
36 e por holocausto em oferta queimada de cheiro suave
ao Senhor ofereçam um novilho, um carneiro, sete cordei-
ros de um ano, sem defeito;
37 a sua oferta de cereais e as suas libações para o novilho,
para o carneiro e para os cordeiros, conforme o seu núme-
ro, segundo o estatuto.
38 E um bode para expiação do pecado, além do holo-
causto contínuo e da sua oferta de cereais e da sua libação.
39 Façam estas coisas ao Senhor nas suas solenidades,
além dos seus votos e das suas ofertas voluntárias, com os
seus holocaustos, com as suas ofertas de cereais, com as
suas libações e com as suas ofertas pacíficas."
40 E Moisés falou aos israelitas, tudo conforme o que o
Senhor lhe ordenou.

A Lei Acerca dos Votos

30 E Moisés falou aos chefes das tribos dos israelitas:
Esta é a palavra que o Senhor ordenou:
2 "Quando um homem fizer voto ao Senhor, ou fizer ju-
ramento, ficando obrigado a fazer algo, não violará a sua
palavra: Fará tudo o que disse.
3 Também quando uma mulher, na sua mocidade, estando
ainda na casa de seu pai, fizer voto ao Senhor e se compro-
meter com obrigação,
4 e seu pai ouvir o seu voto e a sua obrigação, com que
se comprometeu, e seu pai não lhe falar nada, todos os
seus votos serão válidos e toda a obrigação, com que se
comprometeu, será válida.
5 Mas, se o seu pai a proibir no dia em que ouviu, todos os
seus votos e as suas obrigações com que tiver se compro-
metido não serão válidos; mas o Senhor a perdoará, porque
seu pai a proibiu.
6 E se ela se casar e estiver obrigada com alguns votos,
ou dito irrefletido dos seus lábios, com que tiver ligado
à sua vida;
7 e se o seu marido ouvir o voto e se calar no dia em que o
ouvir, os seus votos serão válidos e as suas obrigações com
que ligou a sua vida serão válidas.
8 Mas se seu marido a proibir no dia em que o ouvir, e
anular o voto a que estava obrigada, como também a decla-
ração dos seus lábios, com que ligou a sua vida; o Senhor a
perdoará das obrigações.
9 Quanto ao voto da viúva, ou da repudiada, todas as obri-
gações, com que ligar a sua vida, serão válidas.

10 Porém, se fez voto na casa de seu marido, ou ligou a
sua vida com juramento;
11 e seu marido o ouviu e se calou, e não a proibiu, todos
os seus votos serão válidos e toda obrigação, com que ligou
a sua vida, será válida.
12 Porém, se o seu marido os anulou no dia em que os
ouviu; tudo o que ela disse, os seus votos, ou a obrigação
da sua vida, não serão válidos; seu marido lhes anulou, e o
Senhor a perdoará das obrigações.
13 Todo voto e todo juramento de obrigação, para se hu-
milhar, seu marido os confirmará, ou anulará.
14 Porém se seu marido, de dia em dia, se calar, então
confirma todos os seus votos e todas as obrigações, que
estiverem sobre ela; os tem confirmado, porque se calou
no dia em que o ouviu.
15 Porém, se ele anular algum tempo depois que os ouviu,
então ele levará a iniquidade dela."
16 Estes são os estatutos que o Senhor ordenou a Moisés
entre o marido e sua mulher; entre o pai e sua filha, na sua
mocidade, na casa de seu pai.

A Vitória Sobre os Midianitas

31 E o Senhor falou a Moisés, dizendo:
2 "Vingue os israelitas dos midianitas; depois será
reunido ao seu povo."
3 Moisés falou ao povo: "Armem alguns de vocês para a
guerra e saiam para fazer a vingança do Senhor contra os
midianitas.
4 Enviem à guerra mil de cada tribo, de todas as tribos
de Israel."
5 Assim foram mandados, dos milhares de Israel, mil de
cada tribo; doze mil armados para a guerra.
6 E Moisés os mandou à guerra, mil de cada tribo, e com
eles Fineias, filho de Eleazar, o sacerdote, com os uten-
sílios do santuário e com as trombetas do alarido na sua
mão.
7 E lutaram contra os midianitas, como o Senhor ordenou
a Moisés; e mataram todos os homens.
8 Mataram, também, os reis dos midianitas: Evi, Requém,
Zur, Hur e Reba, cinco reis dos midianitas; mataram tam-
bém à espada Balaão, filho de Beor.
9 Porém, os israelitas levaram presas as mulheres dos mi-
dianitas e as suas crianças; também levaram todos os seus
animais e todo o seu gado e todos os seus bens.
10 E queimaram todas as suas cidades com todas as suas
casas e todos os seus acampamentos.
11 E pegaram todo o despojo, pessoas e animais.
12 E trouxeram os prisioneiros e o despojo a Moisés e
ao sacerdote Eleazar, e à congregação dos israelitas, ao
acampamento, nas campinas de Moabe, junto ao Jordão,
na altura de Jericó.

A Purificação dos Soldados

13 E Moisés e o sacerdote Eleazar, e todos os chefes da
congregação, saíram para recebê-los fora do acampamento.
14 E Moisés indignou-se contra os oficiais do exército,
capitães dos milhares e capitães das centenas, que vinham
da guerra.
15 E Moisés lhes disse: "Deixaram viver todas as
mulheres?
16 Foram essas mulheres que, por conselho de Balaão, de-
ram ocasião aos israelitas de pecar contra o Senhor no caso
de Peor; por isso houve aquela praga entre a congregação
do Senhor.
17 Agora, matem todas as crianças do sexo masculino e to-
das as mulheres que tiveram relações com algum homem,
deitando-se com ele.
18 Porém, deixem viver para vocês todas as meninas
virgens.
19 E alojem fora do acampamento, por sete dias, quem
tiver matado alguma pessoa e quem tiver tocado em algum
morto, e purifiquem, a vocês e a seus prisioneiros, no ter-
ceiro e no sétimo dia.
20 Também purifiquem toda a roupa, todos os objetos de
peles, de pelos de cabras e todo utensílio de madeira."
21 E o sacerdote Eleazar disse aos combatentes que foram
à batalha: "Este é o estatuto da lei que o Senhor ordenou
a Moisés:
22 O ouro, a prata, o cobre, o ferro, o estanho e o chum-
bo, e
23 tudo que pode resistir ao fogo, passem pelo fogo, para
que fique puro, todavia se purificará com a água da puri-
ficação; mas tudo que não pode resistir ao fogo, passem
pela água.
24 Lavem também as suas roupas no sétimo dia, para que
fiquem puros e depois entrem no acampamento."

A Divisão da Presa

25 O Senhor disse mais a Moisés:
26 "Você e o sacerdote Eleazar, e os chefes das casas dos
pais da congregação, contem as presas que pegaram, ho-
mens e animais,
27 e dividam em duas partes, entre os que se armaram
para a batalha e saíram à guerra, e toda a congregação.
28 Então peguem para o Senhor o tributo dos homens de
guerra, que saíram a essa luta, um de cada quinhentos, dos
homens, dos bois, dos jumentos e das ovelhas.
29 Peguem da sua parte e o deem ao sacerdote Eleazar,
como oferta ao Senhor.
30 Mas, da parte dos israelitas, peguem um de cada cin-
quenta, um dos homens, dos bois, dos jumentos e das ove-
lhas e de todos os animais; e os deem aos levitas responsá-
veis pela guarda do tabernáculo do Senhor."

31 Moisés e o sacerdote Eleazar fizeram como o Senhor
ordenou a Moisés.
32 O restante do despojo, que os combatentes pegaram,
foram seiscentas e setenta e cinco mil ovelhas;
33 setenta e dois mil bois;
34 e sessenta e um mil jumentos;
35 e, das mulheres que não tiveram relações com algum
homem, deitando-se com ele, foram trinta e duas mil.
36 E a metade, que era a porção dos que saíram à guerra,
foram trezentas e trinta e sete mil e quinhentas ovelhas.
37 E o tributo das ovelhas para o Senhor foram seiscentas
e setenta e cinco.
38 E os bois foram trinta e seis mil; e o seu tributo para o
Senhor setenta e dois.
39 E os jumentos foram trinta mil e quinhentos; e o seu
tributo para o Senhor sessenta e um.
40 E as pessoas foram dezesseis mil; e o seu tributo para o
Senhor, trinta e duas pessoas.
41 E Moisés deu ao sacerdote Eleazar a oferta do Senhor,
como o Senhor ordenou a Moisés.
42 E a parte dos israelitas, que Moisés separou da parte
dos homens que lutaram,
43 a metade para a congregação foi de trezentas e trinta e
sete mil e quinhentas ovelhas;
44 trinta e seis mil bois;
45 trinta mil e quinhentos jumentos;
46 e dezesseis mil pessoas.
47 Dessa metade dos israelitas, Moisés pegou um de cada
cinquenta, de homens e de animais, e os deu aos levitas,
que eram os responsáveis pela guarda do tabernáculo do
Senhor, como o Senhor ordenou a Moisés.

A Oferta Voluntária dos Oficiais

48 Então os capitães que estavam sobre os cem, sobre os
mil e sobre os milhares do exército foram a Moisés,
49 e lhe disseram: "Teus servos contaram os soldados que
estiveram sob as nossas ordens e não falta nenhum de nós.
50 Por isso trouxemos uma oferta ao Senhor, cada um o
que achou: objetos de ouro, braceletes, pulseiras, anéis,
argolas e colares, para fazer expiação pelas nossas vidas
perante o Senhor."
51 Assim Moisés e o sacerdote Eleazar receberam deles o
ouro, sendo todos os objetos bem trabalhados.
52 E todo o ouro da oferta que os capitães ofereceram ao
Senhor foram dezesseis mil e setecentos e cinquenta siclos.
53 Pois cada um dos homens de guerra tinha pegado des-
pojos para si.
54 Moisés e o sacerdote Eleazar receberam o ouro dos
capitães e o levaram à tenda do encontro, por memorial
para os israelitas perante o Senhor.

As Tribos de Rúben e Gade Pedem Gileade

32 Os filhos de Rúben e os filhos de Gade tinham gado
em grande quantidade; e viram a terra de Jazer e a
terra de Gileade, e o lugares eram bons para criarem gado.
2 Os filhos de Gade e os filhos de Rúben vieram e falaram
a Moisés e ao sacerdote Eleazar, e aos chefes da congrega-
ção, dizendo:
3 "Atarote, Dibom, Jazer, Ninra, Hesbom, Eleale, Sebã,
Nebo e Beom,
4 a terra que o Senhor feriu diante da congregação de Is-
rael é terra para gado, e os seus servos têm gado."
5 Disseram mais: "Se alcançamos favor diante de seus
olhos, nos dê esta terra a estes seus servos como posse; e
não nos faça atravessar o Jordão."
6 Porém Moisés disse aos filhos de Gade e aos filhos de
Rúben: "Seus irmãos irão à batalha e vocês ficarão aqui?
7 Por que desencorajam o coração dos israelitas, para que
não entrem na terra que o Senhor lhes tem dado?"
8 Assim fizeram seus pais, quando os mandei de Cades-
-Barneia, para ver essa terra.
9 Quando eles chegaram ao vale de Escol e viram essa ter-
ra, desencorajaram o coração dos israelitas, para que não
entrassem na terra que o Senhor lhes tinha dado.
10 Então a ira do Senhor se acendeu naquele mesmo dia
e ele jurou dizendo:
11 "Os homens de vinte anos para cima, que saíram do
Egito, não verão a terra que jurei a Abraão, a Isaque e a
Jacó! porque não perseveraram em me seguir;
12 exceto Calebe, filho de Jefoné, o quenezeu, e Josué,
filho de Num, porque perseveraram em seguir ao Senhor."
13 Assim a ira do Senhor se acendeu contra Israel e os fez
andarem errantes até que se consumiu toda aquela gera-
ção, que havia feito mal aos olhos do Senhor.
14 "E vocês, uma geração de homens pecadores, se le-
vantam em lugar de seus pais, para aumentar ainda mais o
furor da ira do Senhor contra Israel.
15 Se vocês não quiserem segui-lo, ele também os deixará
de novo no deserto e destruirá todo este povo."
16 Então se aproximaram de Moisés e disseram: "Edifi-
caremos aqui currais para o nosso gado, e cidades para as
nossas crianças;
17 porém nós nos armaremos, à frente dos israelitas, até os
levar ao seu lugar; e as nossas crianças ficarão nas cidades
fortes por causa dos moradores da terra.
18 Não voltaremos para nossas casas, até que os israelitas
estejam de posse, cada um, da sua herança.
19 Porque não herdaremos com eles do outro lado do
Jordão, nem mais adiante; porque nós já temos a nossa
herança deste lado do Jordão, ao leste."

20 Então Moisés lhes disse: "Se fizerem isso dessa forma,
e se armarem para a guerra perante o Senhor;
21 e cada um de vocês, armado, atravessar o Jordão perante o Senhor, até que ele tenha lançado fora os seus inimigos
de diante dele,
22 e a terra esteja subjugada perante o Senhor, então, voltem e estarão livres da sua obrigação perante o Senhor e
perante Israel; e esta terra será de vocês como posse perante o Senhor;
23 e, se não fizerem assim, pecarão contra o Senhor; e
saibam que esse pecado os encontrará.
24 Edifiquem cidades para as suas crianças e currais para
as suas ovelhas e façam o que prometeram."
25 Então os filhos de Gade e os filhos de Rúben falaram
a Moisés: "Como o meu senhor ordena, assim nós, seus
servos, faremos.
26 As nossas crianças, as nossas mulheres, os nossos bens
e todos os nossos animais estarão aí nas cidades de Gileade.
27 Mas os seus servos passarão, cada um armado para a
guerra, a lutar perante o Senhor, como nos tem falado."
28 Então Moisés deu ordem acerca deles ao sacerdote
Eleazar e a Josué, filho de Num, e aos chefes das casas dos
pais das tribos dos israelitas.
29 E Moisés lhes disse: "Se os filhos de Gade e os filhos
de Rúben passarem com vocês o Jordão, cada um armado
para a guerra, perante o Senhor, e a terra estiver subjugada diante de vocês, então lhes deem a posse da terra de
Gileade.
30 Porém, se não passarem armados com vocês, terão a
posse deles entre vocês, na terra de Canaã."
31 E os filhos de Gade e de Rúben responderam, dizendo:
"O que o Senhor falou a estes seus servos, faremos.
32 Nós passaremos, armados, perante o Senhor, à terra
de Canaã e teremos a posse de nossa herança deste lado
do Jordão."
33 Assim, Moisés deu aos filhos de Gade e aos filhos de
Rúben, e à meia tribo de Manassés, filho de José, o reino
de Seom, rei dos amorreus e o reino de Ogue, rei de Basã;
a terra com as suas cidades nos seus territórios e as cidades
ao seu redor.
34 E os filhos de Gade edificaram Dibom, Atarote e Aroer;
35 e Atarote-Sofã, Jazer e Jogbeá;
36 e Bete-Ninra, Bete-Harã, cidades fortes; e currais de
ovelhas.
37 E os filhos de Rúben edificaram Hesbom, Eleale e
Quiriataim;
38 e Nebo e Baal-Meom, mudando-lhes o nome e Sibma;
e os nomes das cidades que edificaram chamaram por outros nomes.
39 E os filhos de Maquir, filho de Manassés, foram-se para
Gileade e a tomaram; e expulsaram os amorreus que estavam naquele lugar.
40 Assim Moisés deu Gileade a Maquir, filho de Manassés, que habitou nela.
41 E Jair, filho de Manassés, tomou as suas aldeias; e chamou-as Havote-Jair.
42 E Noba foi e tomou Quenate com as suas aldeias; e a
chamou Noba, segundo o seu próprio nome.

As Jornadas Desde o Egito Até Moabe

33 Estas são as jornadas dos israelitas, que saíram da
terra do Egito, segundo os seus exércitos, sob a direção de Moisés e Arão.
2 E Moisés escreveu as suas partidas, segundo as suas jornadas, conforme ao mandado do Senhor; e estas são as
suas jornadas, segundo as suas partidas:
3 Partiram de Ramessés no primeiro mês, no dia quinze
do primeiro mês; no dia seguinte da Páscoa, os israelitas
saíram com as mãos erguidas comemorando aos olhos de
todos os egípcios.
4 Enquanto os egípcios enterravam todos os primogênitos,
os que o Senhor tinha matado entre eles. O Senhor também tinha executado juízos contra os seus deuses.
5 Os israelitas partiram de Ramessés e acamparam em
Sucote.
6 E partiram de Sucote e acamparam em Etã, que está no
fim do deserto.
7 E partiram de Etã e voltaram a Pi-Hairote, que está defronte de Baal-Zefom e acamparam diante de Migdol.
8 E partiram de Pi-Hairote e passaram pelo meio do mar
ao deserto, e andaram durante três dias no deserto de Etã
e acamparam em Mara.
9 E partiram de Mara e vieram a Elim; em Elim havia doze
fontes de águas e setenta palmeiras e acamparam ali.
10 E partiram de Elim e acamparam junto ao Mar
Vermelho.
11 E partiram do Mar Vermelho e acamparam no deserto
de Sim.
12 E partiram do deserto de Sim e acamparam em Dofca.
13 E partiram de Dofca e acamparam em Alus.
14 E partiram de Alus e acamparam em Refidim; porém
não havia água ali para que o povo bebesse.
15 Partiram de Refidim e acamparam no deserto do Sinai.
16 E partiram do deserto do Sinai e acamparam em
Quibrote-Hataavá.
17 E partiram de Quibrote-Hataavá e acamparam em
Hazerote.
18 E partiram de Hazerote e acamparam em Ritma.
19 E partiram de Ritma e acamparam em Rimom-Perez.
20 E partiram de Rimom-Perez e acamparam em Libna.
21 E partiram de Libna e acamparam em Rissa.

22 E partiram de Rissa e acamparam em Queelata.
23 E partiram de Queelata e acamparam no monte de Sefer.
24 E partiram do monte de Sefer e acamparam em Harada.
25 E partiram de Harada e acamparam em Maquelote.
26 E partiram de Maquelote e acamparam em Taate.
27 E partiram de Taate e acamparam em Tera.
28 E partiram de Tera e acamparam em Mitca.
29 E partiram de Mitca e acamparam em Hasmona.
30 E partiram de Hasmona e acamparam em Moserote.
31 E partiram de Moserote e acamparam em Bene-Jaacã.
32 E partiram de Bene-Jaacã e acamparam em Hor-Hagidgade.
33 E partiram de Hor-Hagidgade e acamparam em Jotbatá.
34 E partiram de Jotbatá e acamparam em Abrona.
35 E partiram de Abrona e acamparam em Ezion-Geber.
36 E partiram de Ezion-Geber e acamparam no deserto de Zim, que é Cades.
37 E partiram de Cades e acamparam no monte Hor, no fim da terra de Edom.
38 Então o sacerdote Arão subiu ao monte Hor, conforme ao mandado do Senhor; e morreu ali, no primeiro dia do quinto mês do quadragésimo ano da saída dos israelitas da terra do Egito.
39 E Arão tinha cento e vinte e três anos de idade, quando morreu no monte Hor.
40 E o cananeu, rei de Arade, que habitava o sul na terra de Canaã, ouviu que os israelitas chegavam.
41 E partiram do monte Hor e acamparam em Zalmona.
42 E partiram de Zalmona e acamparam em Punom.
43 E partiram de Punom e acamparam em Obote.
44 E partiram de Obote e acamparam em Ijé-Abarim, na fronteira de Moabe.
45 E partiram de Ijé-Abarim e acamparam em Dibom-Gade.
46 E partiram de Dibom-Gade e acamparam em Almom-Diblataim.
47 E partiram de Almom-Diblataim e acamparam nos montes de Abarim, defronte de Nebo.
48 E partiram dos montes de Abarim e acamparam nas campinas dos moabitas, junto ao Jordão, junto de Jericó.
49 E acamparam junto ao Jordão, desde Bete-Jesimote até Abel-Sitim, nas campinas dos moabitas.

Deus Manda Expulsar os Cananeus

50 E o Senhor falou a Moisés, nas campinas dos moabitas, junto ao Jordão, junto de Jericó, dizendo:
51 “Fale aos israelitas e lhes diga: Quando houverem passado o Jordão para a terra de Canaã,
52 lancem fora todos os moradores da terra de diante de vocês e destruam todas as suas figuras; destruam também todas as suas imagens de fundição e destruam todos os seus altares;
53 e tomem posse da terra e habitem nela; porque lhes dei esta terra.
54 E herdarão a terra por sorteio, segundo as suas famílias; maiores e menores, conforme o tamanho das tribos; conforme a sorte sair a alguém, ali a possuirá; receberão as heranças segundo as tribos de seus pais.
55 Mas se não expulsarem os moradores da terra de diante de vocês, então os que deixarem ficar serão como espinhos nos seus olhos e como aguilhões nas suas costas, e causarão problemas na terra em que vocês habitarem.
56 E farei a vocês o que pensei em fazer a eles.”

Os Limites da Terra

34 O Senhor disse mais a Moisés:
2 “Dê ordem aos israelitas e lhes diga: Quando entrarem na terra de Canaã, esta será a terra que herdarão: a terra de Canaã, segundo as suas fronteiras.
3 O lado sul irá do deserto de Zim até a fronteira de Edom; e a fronteira do sul irá desde a extremidade do Mar Salgado para o lado do oriente.
4 E esta fronteira irá rodeando do sul para a subida de Acrabim e passará até Zim; e as suas saídas serão do sul a Cades-Barneia; e sairá em Hazar-Adar e passará por Azmom;
5 rodeará mais esta fronteira de Azmom até ao rio do Egito; e as suas saídas serão para o lado do mar.
6 Quanto ao limite do ocidente, o Mar Grande será a fronteira; esta será a fronteira do ocidente.
7 E esta será a fronteira do norte: marquem desde o Mar Grande até o monte Hor.
8 Marquem desde o monte Hor até à entrada de Hamate; e as saídas desta fronteira serão até Zedade.
9 E esta fronteira seguirá até Zifrom e as suas saídas serão em Hazar-Enã; esta será a fronteira do norte.
10 E marquem como fronteira do lado do oriente, de Hazar-Enã até Sefã.
11 E esta fronteira descerá desde Sefã até Ribla, para o lado do oriente de Aim; depois esta fronteira descerá e irá ao longo da borda do mar de Quinerete para o lado do oriente.
12 Esta fronteira descerá também ao longo do Jordão e as suas saídas serão no Mar Salgado; esta será a terra de vocês, segundo as suas fronteiras.”
13 E Moisés deu ordem aos israelitas, dizendo: “Essa é a terra que herdarão por sorteio, a terra que o Senhor mandou dar às nove tribos e à meia tribo.
14 Porque a tribo dos filhos dos rubenitas, segundo a casa de seus pais e a tribo dos filhos dos gaditas, segundo a

casa de seus pais, já receberam; a meia tribo de Manassés
também recebeu a sua herança.
15 Duas tribos e meia tribo já receberam a sua herança
deste lado do Jordão, na direção de Jericó, do lado do
oriente, ao nascente."

Os Homens Que Dividiram a Terra

16 O Senhor disse mais a Moisés:
17 "Estes são os nomes dos homens que repartirão a terra
para vocês por herança: O sacerdote Eleazar e Josué, filho
de Num.
18 Peguem um chefe de cada tribo, para repartir a terra
em herança.
19 E estes são os nomes dos homens: Da tribo de Judá,
Calebe, filho de Jefoné;
20 e, da tribo dos filhos de Simeão, Samuel, filho de
Amiúde;
21 da tribo de Benjamim, Elidade, filho de Quislom;
22 e, da tribo dos filhos de Dã, o chefe Buqui, filho de
Jogli;
23 dos filhos de José, da tribo dos filhos de Manassés, o
chefe Haniel, filho de Éfode;
24 e, da tribo dos filhos de Efraim, o chefe Quemuel, filho
de Siftã;
25 e, da tribo dos filhos de Zebulom, o chefe Elizafã, filho
de Parnaque;
26 e, da tribo dos filhos de Issacar, o chefe Paltiel, filho
de Azã;
27 e, da tribo dos filhos de Aser, o chefe Aiúde, filho de
Selomi;
28 e, da tribo dos filhos de Naftali, o chefe Pedael, filho
de Amiúde."
29 Estes são os homens a quem o Senhor ordenou que
repartissem as heranças aos israelitas na terra de Canaã.

As Cidades dos Levitas

35 E o Senhor disse a Moisés nas campinas dos moabi-
tas, junto ao Jordão, junto de Jericó:
2 "Dê ordem aos israelitas que, da herança da sua posse,
deem cidades aos levitas, para habitarem; e deem também
aos levitas pastagens ao redor delas.
3 E terão estas cidades para habitá-las; porém os seus cam-
pos serão para o seu gado e para os seus bens e para todos
os seus animais.
4 E os campos das cidades, que darão aos levitas, do muro
da cidade para fora, terão quatrocentos e cinquenta metros
ao redor.
5 E de fora da cidade, do lado do oriente, medirão nove-
centos metros e do lado do sul, novecentos metros, do lado
do ocidente novecentos metros e do lado norte novecentos
metros; e a cidade no meio; terão isto como pastagens das
cidades.
6 Das cidades que darão aos levitas, haverá seis cidades
de refúgio, que darão para que o homicida se acolha ali; e,
além destas, lhes darão quarenta e duas cidades.
7 As cidades que darão aos levitas serão quarenta e oito,
juntamente com os seus campos.
8 E quanto às cidades que darão da herança dos israelitas,
dos que tiverem muito tomem muito e dos que tiverem
pouco tomem pouco; cada um dará das suas cidades aos
levitas, segundo a herança que herdarem."

As Cidades de Refúgio

9 O Senhor disse mais a Moisés:
10 "Diga aos israelitas: Quando passarem o Jordão para a
terra de Canaã,
11 escolham cidades que sirvam de refúgio para vocês,
para refúgio ao homicida que matar alguma pessoa por
engano.
12 E estas cidades serão o refúgio do vingador do sangue;
para que o homicida não morra, até que seja apresentado à
congregação para julgamento.
13 E das cidades que derem, haverá seis cidades de
refúgio.
14 Darão três destas cidades deste lado do Jordão e da-
rão três destas cidades na terra de Canaã; serão cidades
de refúgio.
15 Estas seis cidades serão para refúgio aos israelitas e
para os estrangeiros e quem se hospedar no meio deles,
para que ali se acolha aquele que matar alguma pessoa por
engano.
16 Porém, se a ferir com instrumento de ferro e ela morrer,
é homicida; certamente o homicida morrerá.
17 Ou, se a ferir com uma pedrada, e ela morrer, é homi-
cida; certamente o homicida morrerá.
18 Ou, se a ferir com instrumento de pau que tiver na
mão, e ela morrer, é homicida; certamente o homicida
morrerá.
19 O vingador do sangue matará o homicida; encontran-
do-o, o matará.
20 Se também a empurrar com ódio, ou com má intenção
jogar contra ela algum objeto e ela morrer;
21 ou por inimizade a ferir com a sua mão e ela morrer,
aquele que a ferir certamente morrerá; é homicida; o vin-
gador do sangue, encontrando o homicida, o matará.
22 Porém, se a empurrar acidentalmente, sem inimizade,
ou jogar algum instrumento contra ela sem intenção;
23 ou, sobre ela deixar cair alguma pedra sem a ver, e
ela morrer, sem que fosse seu inimigo nem procurasse o
seu mal;
24 então a congregação julgará entre aquele que matou e
o vingador do sangue, segundo estas leis.
25 E a congregação livrará o homicida da mão do vingador

do sangue e a congregação o fará voltar à cidade do seu
refúgio, onde se tinha acolhido e ali ficará até à morte do
sumo sacerdote, a quem ungiram com o santo óleo.
26 Porém, se de alguma maneira o homicida sair dos limi-
tes da cidade de refúgio, onde tinha se refugiado,
27 e o vingador do sangue o achar fora dos limites da cida-
de de seu refúgio e o matar, não será culpado do sangue.
28 Pois o homicida deverá ficar na cidade do seu refúgio,
até à morte do sumo sacerdote; mas, depois da morte do
sumo sacerdote, o homicida voltará à terra de sua posse.
29 E estas coisas lhes serão por estatuto de direito às suas
gerações, em todas as suas moradias.
30 Quem matar alguma pessoa, conforme depoimento de
testemunhas, será morto; mas uma só testemunha não tes-
temunhará contra alguém, para que morra.
31 E não recebam resgate pela vida do homicida que é
culpado de morte; porque certamente ele morrerá.
32 Também não recebam resgate por aquele que se aco-
lher à sua cidade de refúgio, para tornar a habitar na terra,
até à morte do sumo sacerdote.
33 Assim não profanarão a terra em que estão; porque o
sangue faz profanar a terra; e nenhuma expiação se fará
pela terra por causa do sangue que nela se derramar, senão
com o sangue daquele que o derramou.
34 Não contaminem a terra na qual vocês habitam, no
meio da qual eu habito; pois eu, o Senhor, habito no meio
dos israelitas."

O Casamento das Herdeiras

36 E chegaram os chefes dos pais da geração dos filhos
de Gileade, filho de Maquir, filho de Manassés, das
famílias dos filhos de José e falaram diante de Moisés e
diante dos chefes dos pais dos israelitas,
2 e disseram: "O Senhor mandou o meu senhor dar por
sorteio esta terra em herança aos israelitas; e o Senhor
ordenou ao meu senhor que a herança do nosso irmão
Zelofeade fique com as suas filhas.
3 E, se casando elas com alguns dos filhos das outras tri-
bos dos israelitas, então a sua herança será diminuída da
herança de nossos pais e acrescentada à herança da tribo
a que vierem a pertencer; assim será tirado do sorteio da
nossa herança.
4 Quando chegar o ano do jubileu dos israelitas, a sua he-
rança será acrescentada à herança da tribo daqueles com
que se casarem; assim a sua herança será tirada da herança
da tribo de nossos pais."
5 Então Moisés deu ordem aos israelitas, segundo o man-
dado do Senhor, dizendo: "A tribo dos filhos de José fala
o que é justo.
6 Isto é o que o Senhor mandou acerca das filhas de Ze-
lofeade, dizendo: 'Se casem com quem acharem melhor,
contanto que se casem com homens da família da tribo
de seu pai.'
7 Assim a herança dos israelitas não passará de tribo em
tribo; pois os israelitas manterão cada um à herança da
tribo de seus pais.
8 E qualquer filha que herdar alguma herança das tribos
dos israelitas se casará com alguém da geração da tribo de
seu pai; para que os israelitas possuam cada um a herança
de seus pais.
9 Assim a herança não passará de uma tribo a outra; pois
as tribos dos israelitas manterão cada uma à sua herança."
10 Como o Senhor ordenou a Moisés, assim as filhas de
Zelofeade fizeram.
11 Pois Maalá, Tirza, Hogla, Milca e Noa, filhas de Zelo-
feade, se casaram com os filhos de seus tios.
12 E elas casaram-se nas famílias dos filhos de Manassés,
filho de José; assim a sua herança ficou na tribo da família
de seu pai.
13 Estes são os mandamentos e os juízos que o Senhor
mandou aos israelitas através de Moisés nas campinas dos
moabitas, junto ao Jordão, junto de Jericó.

O QUINTO LIVRO DE MOISÉS CHAMADO DEUTERONÔMIO

O Discurso de Moisés

1 Estas são as palavras que Moisés falou a todo o Israel
além do Jordão, no deserto, na planície diante do Mar
de Sufe, entre Parã e Tofel, Labã, Hazerote e Di-Zaabe.
2 É uma jornada de onze dias desde Horebe, caminho do
monte Seir, até Cades-Barneia.
3 E sucedeu que, no primeiro dia do décimo primeiro mês,
do quadragésimo ano, Moisés falou aos israelitas, confor-
me tudo o que o Senhor lhe mandou sobre eles.
4 Depois que feriu Seom, rei dos amorreus, que habitava
em Hesbom, e Ogue, rei de Basã, que habitava em Asta-
rote, em Edrei.
5 Do outro lado do Jordão, na terra de Moabe, Moisés
começou a declarar esta lei, dizendo:

Parte Histórica (Sinai)

6 O Senhor nosso Deus nos falou em Horebe, dizendo:
"Vocês já ficaram muito tempo neste monte.
7 Voltem e partam; vão à montanha dos amorreus e a to-
dos os seus vizinhos, à planície e à montanha, ao vale e ao
sul, à margem do mar; à terra dos cananeus e ao Líbano,
até ao grande rio, o rio Eufrates.
8 Pus esta terra diante de vocês; entrem e tomem posse da
terra que o Senhor jurou a seus pais, Abraão, Isaque e Jacó,
que a daria a eles e à descendência deles."
9 E, no mesmo tempo, eu lhes falei, dizendo: "Eu sozinho
não poderei levá-los.
10 O Senhor seu Deus já os tem multiplicado; e hoje são
uma multidão como as estrelas do céu.
11 O Senhor Deus de seus pais os multiplique ainda mil
vezes mais do que são; e os abençoe, como tem prometido.
12 Como eu suportaria sozinho as suas moléstias, as suas
cargas e as suas diferenças?
13 Escolham homens sábios, inteligentes e experientes
entre as suas tribos, como chefes de vocês.
14 Então, vocês me responderam e disseram: 'É bom fazer
o que eu tinha falado.'
15 Peguei os chefes de suas tribos, homens sábios e ex-
perientes, e os pus como chefes sobre vocês, como capi-
tães de milhares, capitães de cem, capitães de cinquenta
e como capitães de dez e como governadores das suas
tribos.
16 E, no mesmo tempo, ordenei a seus juízes, dizendo:
'Ouçam a causa entre seus irmãos e julguem com justiça
entre o homem e seu irmão, e entre o estrangeiro que
está com ele.
17 Não discriminem as pessoas em juízo; ouçam o peque-
no como o grande; não temam a face de ninguém, porque
o juízo é de Deus; porém, nas causas que forem difíceis,
façam vir a mim e eu as ouvirei.'
18 Assim, naquele tempo, lhes ordenei todas as coisas que
deveriam fazer.

Cades-Barneia

19 Então partimos de Horebe e caminhamos por todo
aquele grande e tremendo deserto que viram, pelo cami-
nho das montanhas dos amorreus, como o Senhor nosso
Deus nos ordenou; e chegamos a Cades-Barneia.
20 Então eu lhes disse: 'Chegamos às montanhas dos
amorreus, que o Senhor nosso Deus nos dá.
21 O Senhor seu Deus tem posto esta terra diante de vo-
cês; subam, tomem posse dela, como o Senhor Deus de
seus pais lhes falou; não temam e não se assustem.'
22 Então todos vocês chegaram a mim e disseram: 'Man-
daremos homens em nossa frente, para espiarem a terra
para nós, e nos ensinarem o caminho pelo qual devemos
seguir e as cidades a que devemos ir.'
23 Isto me pareceu bom; então, peguei de vocês doze ho-
mens, um homem de cada tribo.
24 E foram e subiram à montanha, chegaram até o vale de
Escol e o espiaram.
25 E pegaram do fruto da terra nas suas mãos, e o trou-
xeram e nos informaram, dizendo: 'A terra que o Senhor
nosso Deus nos dá é boa.'
26 Porém vocês não quiseram subir; mas foram rebeldes à
ordem do Senhor nosso Deus.
27 E murmuraram nas suas tendas, e disseram: 'Porque
o Senhor nos odeia, nos tirou da terra do Egito para nos
entregar nas mãos dos amorreus, para nos destruir.'
28 Para onde iremos? Nossos irmãos fizeram com que
o nosso coração se derretesse, dizendo: 'Aquele povo é
maior e mais alto do que nós, as cidades são grandes e
fortificadas até os céus; e vimos ali os filhos dos gigantes.'
29 Então, eu lhes disse: 'Não os espantem, nem os temam.
30 O Senhor seu Deus que vai à frente de vocês lutará por
vocês, conforme tudo o que fez com vocês, diante de seus
olhos, no Egito;
31 como também no deserto, onde viram que o Senhor
seu Deus os levou, como um homem leva seu filho, por
todo o caminho que andaram, até chegarem a este lugar.'
32 Mas nem por isto creram no Senhor seu Deus,
33 que foi à frente de vocês por todo o caminho, para lhes
achar o lugar onde vocês deveriam acampar; de noite no
fogo, para lhes mostrar o caminho por onde haveriam de
andar e de dia na nuvem.'
34 O Senhor, ouvindo a voz das suas palavras, indignou-se
e jurou, dizendo:
35 'Nenhum homem desta geração maligna verá está boa
terra que jurei dar a seus pais.
36 Exceto Calebe, filho de Jefoné; ele a verá, e a terra que
pisou darei a ele e a seus filhos; porque perseverou em
seguir ao Senhor.
37 O Senhor também se indignou contra mim por causa
de vocês, dizendo: Você também não entrará lá.
38 Josué, filho de Num, que está diante de você, ele en-
trará ali; encoraje-o, porque ele fará Israel herdar a terra.
39 E seus meninos, de quem disseram: Serão como presa;
e seus filhos, que hoje não conhecem nem o bem nem o
mal, eles entrarão ali e a darei a eles, e eles a possuirão.
40 Porém, virem-se e partam para o deserto, pelo caminho
do Mar Vermelho.'
41 Então responderam e me disseram: 'Pecamos contra
o Senhor; nós subiremos e lutaremos, conforme a tudo
o que o Senhor nosso Deus nos ordenou.' E cada um de

vocês se armou, com seus instrumentos de guerra e estiveram prestes a subir à montanha.

42 E o Senhor me disse: 'Diga-lhes: Não subam nem lutem, pois não estou no meio de vocês; para que não sejam feridos por seus inimigos.'

43 Porém, eu lhes falando, não ouviram; e foram rebeldes ao mandado do Senhor e se encheram de soberba e subiram à montanha.

44 E os amorreus, que habitavam naquela montanha, saíram ao encontro de vocês; e os perseguiram como fazem as abelhas e os derrotaram desde Seir até Horma.

45 Quando voltaram chorando perante o Senhor, o Senhor não ouviu a voz de vocês, nem os escutou.

46 Assim permaneceram muitos dias em Cades, pois ali vocês ficaram bastante tempo.

A Jornada de Cades Até Moabe

2 Depois, nós viramos e caminhamos para o deserto na direção do Mar Vermelho, como o Senhor tinha me mandado, e rodeamos o monte Seir por muitos dias.

2 Então o Senhor me falou:

3 'Rodearam bastante esta montanha; virem para o norte.

4 E dê ordem ao povo, dizendo: Passarão pelos territórios de seus irmãos, os filhos de Esaú, que habitam em Seir; e eles terão medo de vocês; porém, tomem cuidado.

5 Não se envolvam com eles, porque não lhes darei da terra deles, nem mesmo a pisada da planta de um pé; porque dei a Esaú o monte Seir como herança.

6 Comprarão deles comida para comerem e água para beberem com dinheiro.'

7 Pois o Senhor seu Deus os abençoou em todas as obras das suas mãos; ele sabe que andam por este grande deserto; o Senhor seu Deus esteve com vocês por esses quarenta anos, e coisa nenhuma lhes faltou.

8 Passando por nossos irmãos, os filhos de Esaú, que habitavam em Seir, desde o caminho da planície de Elate e de Eziom-Geber, nos viramos e passamos o caminho do deserto de Moabe.

9 Então o Senhor me disse: 'Não provoquem aos de Moabe e não batalhem com eles, porque não lhes darei herança da terra deles; porque dei a Ar como herança aos filhos de Ló.

10 Os emins antes habitaram nela; um povo grande e numeroso e alto como os gigantes.

11 Eles também foram considerados gigantes como os anaquins; e os moabitas os chamavam emins.

12 Antes os horeus também habitaram em Seir; porém, os filhos de Esaú os expulsaram e os destruíram da sua frente, e habitaram no seu lugar, assim como Israel fez à terra da sua herança, que o Senhor lhes tinha dado.

13 Levantem-se agora e passem o ribeiro de Zerede.' Assim passamos o ribeiro de Zerede.

14 E os dias que caminhamos, desde Cades-Barneia até que passamos o ribeiro de Zerede, foram trinta e oito anos, até que toda aquela geração dos homens de guerra se consumiu do meio do acampamento, como o Senhor lhes jurou.

15 Assim também a mão do Senhor foi contra eles, para os destruir do meio do acampamento até os haver consumido.

16 E quando já consumidos todos os homens de guerra, pela morte, do meio do povo,

17 o Senhor me falou:

18 'Hoje passará a Ar, pelas fronteiras de Moabe;

19 e quando chegarem em frente dos filhos de Amom, não os provoquem e não entrem em conflito com eles; porque não lhes darei herança da terra dos filhos de Amom, porque dei como herança aos filhos de Ló.'

20 Esta também foi considerada terra de gigantes; antes gigantes habitavam nela e os amonitas os chamavam de zanzumins:

21 um povo grande e numeroso, alto como os gigantes; e o Senhor os destruiu da frente de si e estes os expulsaram e habitaram no lugar deles;

22 assim como fez com os filhos de Esaú, que habitavam em Seir, da frente dos quais destruiu os horeus; os filhos de Esaú os expulsaram e habitaram no lugar deles até esse dia;

23 os caftorins, que saíram de Caftor, também destruíram os aveus, que habitavam em Hazerim até Gaza e habitaram no lugar deles.

A Conquista da Transjordânia

24 'Levantem-se, sigam e atravessem o ribeiro de Arnom; estou dando em suas mãos Seom, amorreu, rei de Hesbom e a terra dele; comecem a ocupá-la e lutem com eles em batalha.

25 Neste dia começarei a pôr um terror e um medo de vocês aos povos que estão debaixo de todo o céu; os que ouvirem a sua fama tremerão diante de vocês e se angustiarão.'

26 Então, do deserto de Quedemote mandei mensageiros a Seom, rei de Hesbom, com palavras de paz, dizendo:

27 'Deixe-nos passar pela sua terra; iremos somente pela estrada; não nos desviaremos para a direita nem para a esquerda.

28 E nos venderá por dinheiro a comida para nós comermos, e a água para bebermos; apenas deixe-nos passar a pé;

29 como fizeram conosco os filhos de Esaú, que habitam

em Seir e os moabitas que habitam em Ar; até passarmos o Jordão, à terra que o Senhor nosso Deus nos dará.'

30 Mas Seom, rei de Hesbom, não quis nos deixar passar por sua terra, porque o Senhor nosso Deus endureceu o coração do rei, e fez o espírito do rei obstinado para entregá-lo em nossas mãos, como se vê hoje.

31 E o Senhor me disse: 'Estou lhe dando Seom e a terra dele; comece a tomar posse para herdar a terra.'

32 E Seom foi ao nosso encontro, ele e todo o seu povo, para a guerra, em Jaza;

33 e o Senhor nosso Deus o entregou a nós, e ferimos a ele, seus filhos e todo o seu povo.

34 E, naquele tempo, tomamos todas as suas cidades e destruímos cada uma com os seus homens, mulheres e crianças; não deixamos ninguém.

35 Somente tomamos por presa o gado e o despojo das cidades que tínhamos conquistado.

36 Desde Aroer, que está à margem do ribeiro de Arnom e a cidade junto ao ribeiro, até Gileade, nenhuma cidade nos escapou; tudo isto o Senhor nosso Deus nos entregou.

37 Somente não chegaram à terra dos filhos de Amom; nem à margem do ribeiro de Jaboque, nem às cidades da montanha, nem a lugares que o Senhor nosso Deus nos proibiu.

3 Depois nos viramos e fomos a caminho de Basã; e Ogue, rei de Basã, saiu ao nosso encontro, ele e todo o seu povo, para a guerra em Edrei.

2 Então o Senhor me disse: 'Não o tema, porque o estou dando, assim como todo o seu povo e a sua terra, na sua mão; e fará a ele como fizeram a Seom, rei dos amorreus, que habitava em Hesbom.'

3 E o Senhor nosso Deus também deu em nossas mãos: Ogue, rei de Basã, e todo o seu povo; e os ferimos e não ficou nenhum sobrevivente.

4 E naquele tempo tomamos todas as suas cidades; não ficou nenhuma cidade que não lhes tenhamos tomados; sessenta cidades, toda a região de Argobe, o reino de Ogue em Basã.

5 Todas essas cidades eram fortificadas com altos muros, portas e ferrolhos; e muitas outras cidades sem muros.

6 E as destruímos, como fizemos a Seom, rei de Hesbom, destruindo todas as cidades, homens, mulheres e crianças.

7 Porém, todo o gado e o despojo das cidades tomamos por presa para nós.

8 Assim, naquele tempo tomamos a terra das mãos daqueles dois reis dos amorreus, que estavam além do Jordão; desde o rio de Arnom, até ao monte de Hermom.

9 Os sidônios chamam Hermom de Siriom; porém, os amorreus o chamam Senir.

10 Todas as cidades do planalto, todo o Gileade e todo o Basã, até Salca e Edrei, cidades do reino de Ogue em Basã.

11 Porque restou só Ogue, o rei de Basã, dos gigantes; a sua cama, uma cama de ferro, porém, não ficava em Rabá, cidade dos filhos de Amom? O seu comprimento era de quatro metros, e a sua largura, de um metro e oitenta centímetros.

A Divisão da Transjordânia

12 Tomamos posse dessa terra naquele tempo; desde Aroer, que está junto ao ribeiro de Arnom e a metade da montanha de Gileade, com as suas cidades, dei aos rubenitas e gaditas.

13 E o restante de Gileade, como também todo o Basã, o reino de Ogue, dei à meia tribo de Manassés; toda aquela região de Argobe, por todo o Basã, se chamava a terra dos gigantes.

14 Jair, filho de Manassés, conquistou toda a região de Argobe, até a fronteira dos gesuritas e maacatitas, e a chamou de Basã-Havote-Jair até este dia.

15 E a Maquir dei Gileade.

16 Mas dei aos rubenitas e gaditas, desde Gileade até ao ribeiro de Arnom, cujo meio serve de limite; e até ao ribeiro de Jaboque, o limite dos filhos de Amom.

17 Como também a campina e o Jordão como fronteira; desde Quinerete até ao mar da campina, o Mar Salgado, abaixo de Asdote-Pisga para o oriente.

18 E no mesmo tempo lhes ordenei, dizendo: 'O Senhor seu Deus deu esta terra a vocês, para possuí-la; passem, vocês armados, todos os homens valentes, diante de seus irmãos, os israelitas.

19 Apenas suas mulheres, suas crianças e seu gado, porque eu sei que possuem muito gado, ficarão nas suas cidades, que lhes dei.

20 Até que o Senhor dê descanso aos seus irmãos e a vocês; para que eles herdem também a terra que o Senhor seu Deus dará a eles além do Jordão; então voltarão cada qual à sua herança que já lhes dei.'

21 Também no mesmo tempo dei ordem a Josué, dizendo: 'Você viu tudo o que o Senhor seu Deus tem feito a esses dois reis; assim o Senhor fará a todos os reinos por onde você passar.'

22 Não os temam, porque o Senhor seu Deus é o que luta por vocês.

23 Eu também pedi graça ao Senhor no mesmo tempo, dizendo:

24 'Senhor Deus, já começaste a mostrar ao teu servo a tua grandeza e a tua mão forte; que Deus há nos céus e na terra, que possa fazer como as tuas obras e como os teus grandes feitos?

25 Rogo-te que me deixes passar, para que veja essa boa

terra que está além do Jordão; essa boa montanha, e o
Líbano!'
26 Porém o Senhor indignou-se muito contra mim por
causa de vocês e não me ouviu; antes o Senhor me disse:
'Basta; não me fale mais deste assunto;
27 suba ao cume de Pisga e levante os seus olhos ao ocidente, ao norte, ao sul e ao oriente, e veja com os seus
olhos; porque não passará esse Jordão.
28 Dê ordens a Josué, anime-o e fortaleça-o; porque ele irá
à frente deste povo e o fará possuir a terra que você verá.'
29 Assim ficamos nesse vale, em frente de Bete-Peor.

Na Planície de Moabe

4 Agora, ó Israel, ouça os estatutos e os juízos que eu lhes
ensino, para os cumprirem; para que vivam e entrem
e possuam a terra que o Senhor Deus de seus pais dá a
vocês.
2 Não acrescentem à palavra que lhes ordeno, nem diminuam dela, para guardarem os mandamentos do Senhor
seu Deus, que eu lhes ordeno.
3 Vocês viram o que o Senhor fez por causa de Baal-Peor;
pois o Senhor seu Deus exterminou todos os homens que
seguiram a Baal-Peor do meio de vocês.
4 Porém vocês, os que permaneceram juntos do Senhor
seu Deus, hoje todos estão vivos.
5 Aqui lhes ensinei estatutos e juízos, como o Senhor meu
Deus me mandou; para que assim façam no meio da terra
que irão herdar.
6 Guardem-nos e os cumpram, porque isto será a sabedoria e o entendimento de vocês perante os olhos dos povos,
que ouvirão todos estes estatutos e dirão: 'Este grande
povo é uma nação sábia e entendida.'
7 Pois, que grande nação tem deuses tão próximos como
o Senhor nosso Deus, todas ás vezes que o invocamos?
8 E que tão grande nação há, que tenha estatutos e juízos tão justos como todas as leis que hoje ponho perante
vocês?
9 Tão somente se cuide e guarde bem a sua vida, e não se
esqueça daquelas coisas que viu e elas não se afastem do
seu coração por todos os dias da sua vida; e conte aos seus
filhos e aos filhos de seus filhos.
10 'O dia em que estiveram perante o Senhor seu Deus
em Horebe, quando o Senhor me disse: Reúna este povo e
os farei ouvir as minhas palavras e as aprenderão, para me
temerem todos os dias que viverem na terra e as ensinarão
a seus filhos;'
11 e vocês chegaram e ficaram ao pé do monte; e o monte
ardia em fogo até o meio dos céus e havia trevas, nuvens
e escuridão;
12 então o Senhor lhes falou do meio do fogo; ouviram
a sua voz e as suas palavras, porém não viram forma
nenhuma.
13 Então ele lhes anunciou a sua aliança, que lhes ordenou; os dez mandamentos, e os escreveu em duas tábuas
de pedra.
14 O Senhor também me ordenou, ao mesmo tempo, que
lhes ensinassem estatutos e juízos, para cumprirem na terra que passarão a possuir.
15 Guardem com cuidado as suas vidas, pois não viram
nenhuma forma no dia em que o Senhor seu Deus, em
Horebe, falou com vocês do meio do fogo,
16 para não se corromperem e fazerem alguma imagem
esculpida na forma de ídolo, semelhante ao homem ou
mulher;
17 semelhante a algum animal que existe na terra; semelhante a alguma ave que voa pelos céus;
18 semelhante a algum animal que se arrasta sobre a terra;
semelhante a algum peixe que exista nas águas debaixo
da terra;
19 e para que não levantem os seus olhos para os céus
para ver o sol, a lua e as estrelas, e todo o exército dos
céus; e sejam impelidos a se inclinarem perante eles e servirem àquilo que o Senhor seu Deus repartiu a todos os
povos debaixo de todos os céus.
20 Mas o Senhor os tomou e os tirou da fornalha de ferro
do Egito, para que lhe sejam povo da sua herança, como
se vê neste dia.
21 O Senhor também se indignou contra mim por causa
das palavras de vocês e jurou que eu não passaria o Jordão
e não entraria na boa terra que o Senhor seu Deus lhes
dará como herança.
22 Porque eu morrerei nesta terra, não passarei o Jordão;
porém, vocês o passarão e possuirão aquela boa terra.
23 Guardem-se e não se esqueçam da aliança do Senhor
seu Deus, que tem feito com vocês, e não façam para vocês escultura e imagem de coisas que o Senhor seu Deus
proibiu.
24 Porque o Senhor seu Deus é um fogo que consome,
um Deus zeloso.
25 Quando gerarem filhos e netos, depois de estarem muito tempo na terra, e se corromperem, e fizerem alguma
escultura, semelhança de alguma coisa, e fizerem o que é
mau aos olhos do Senhor seu Deus, para lhe provocar a ira;
26 hoje tomo o céu e a terra por testemunhas contra vocês, que certamente serão eliminados da terra, para a qual
atravessarão o Jordão, para a possuir; não prolongarão os
seus dias nela, antes, serão totalmente destruídos.
27 E o Senhor os espalhará entre os povos, e serão poucos
entre as nações às quais o Senhor os conduzirá.
28 E ali servirão a deuses feitos pelas mãos do homem,

de madeira e pedra, que não veem, nem ouvem, nem co-
mem, nem cheiram.
29 Então, dali buscarão ao Senhor seu Deus e o acharão,
quando o buscarem de todo o seu coração e de toda a
sua alma.
30 Quando estiverem em angústia e todas estas coisas os
alcançarem, então, nos últimos dias voltarão para o Senhor
seu Deus e ouvirão a sua voz.
31 Porque o Senhor seu Deus é Deus misericordioso e não
os desamparará, nem os destruirá, nem se esquecerá da
aliança que jurou a seus pais.
32 Agora, perguntem aos tempos passados, que lhes pre-
cederam desde o dia em que Deus criou o homem sobre
a terra, desde uma extremidade do céu até à outra, se al-
guma vez aconteceu coisa tão grande como esta, ou se
alguma vez alguém ouviu coisa como esta.
33 Ou se algum povo ouviu a voz de Deus falando do
meio do fogo; como vocês a ouviram e ficaram vivos?
34 Ou se Deus teve a intenção de ir tomar para si um
povo do meio de outro povo com provas, com sinais e com
milagres, com luta, com mão forte, com braço estendido
e com grandes milagres, conforme tudo quanto o Senhor
seu Deus fez no Egito aos seus olhos.
35 A vocês foi mostrado para que soubessem que o Senhor
é Deus; não há nenhum outro, senão ele.
36 Desde os céus se fez ouvir a sua voz, para lhes ensinar
e sobre a terra lhes mostrou o seu grande fogo, e ouviram
as suas palavras do meio do fogo.
37 E, porque amou seus pais e escolheu a sua descendên-
cia depois deles, os tirou do Egito diante de si, com a sua
grande força.
38 Para eliminar, da frente de vocês, nações maiores e
mais poderosas do que vocês, para os introduzir e lhes dar
a sua terra por herança, como neste dia se vê.
39 Por isso, hoje saberão e refletirão no seu coração que
só o Senhor é Deus, em cima no céu e embaixo na terra;
não há nenhum outro.
40 E guardarão os seus estatutos e os seus mandamentos,
que hoje lhes ordeno para que tudo vá bem com vocês e
seus filhos, e para que prolonguem os seus dias na terra
que o Senhor seu Deus lhes dá para todo o sempre."

As Cidades de Refúgio

41 Então, Moisés separou três cidades além do Jordão, do
lado onde nasce o sol;
42 para que ali se acolhesse o homicida que, involuntaria-
mente, matasse o seu próximo a quem antes não tivesse
ódio algum; e se abrigasse em uma destas cidades para
não morrer:
43 Bezer, no deserto, no planalto, para os rubenitas; e Ra-
mote, em Gileade, para os gaditas; e Golã, em Basã, para
os manassitas.
44 Esta é a lei que Moisés propôs aos israelitas.
45 Estes são os testemunhos, os estatutos e os juízos, que
Moisés falou aos israelitas, depois que saíram do Egito;
46 do outro lado do rio Jordão, no vale em frente de Be-
te-Peor, na terra de Seom, rei dos amorreus, que habitava
em Hesbom, a quem Moisés e os israelitas feriram, depois
que eles saíram do Egito.
47 E tomaram a sua terra como posse, como também a
terra de Ogue, rei de Basã, dois reis dos amorreus, que
estavam além do Jordão, do lado onde o sol nasce.
48 Desde Aroer, que fica à margem do ribeiro de Arnom,
até ao monte Siom, que é Hermom.
49 e toda a campina além do Jordão, do lado do oriente,
até ao mar da campina, abaixo de Asdote-Pisga.

A Revisão da Aliança

5 E Moisés chamou todo o povo de Israel e lhes disse:
"Ouça, ó Israel, os estatutos e juízos que hoje lhes falo
aos ouvidos; e os aprenderão e guardarão, para os cumprir.
2 O Senhor nosso Deus fez aliança conosco em Horebe.
3 O Senhor não fez esta aliança com nossos pais, mas co-
nosco, todos que hoje estamos vivos aqui.
4 O Senhor falou conosco face a face no monte, do meio
do fogo.
5 Naquele tempo, eu estava em pé entre o Senhor e vocês,
para lhes anunciar a palavra do Senhor; porque temeram o
fogo e não subiram ao monte, e o Senhor disse:

A Repetição dos Dez Mandamentos

6 'Eu sou o Senhor seu Deus, que o tirei da terra do Egito,
da casa da servidão.
7 Não tenha outros deuses diante de mim.
8 Não faça para você imagem de escultura, nem semelhan-
ça alguma do que há em cima no céu, nem embaixo na
terra, nem nas águas debaixo da terra.
9 Não as adore, nem as sirva; porque eu, o Senhor seu
Deus, sou Deus zeloso, que visito a iniquidade dos pais
nos filhos, até à terceira e quarta geração daqueles que
me odeiam.
10 E faço misericórdia a milhares dos que me amam e
guardam os meus mandamentos.
11 Não tome o nome do Senhor seu Deus em vão; porque
o Senhor não terá por inocente ao que tomar o seu nome
em vão.
12 Guarde o dia de sábado, para o santificar, como o Se-
nhor seu Deus lhe ordenou.
13 Trabalhe seis dias, e faça todo o seu trabalho.
14 Mas o sétimo dia é o sábado do Senhor seu Deus; não
faça nenhum trabalho nele, nem você, nem seu filho, nem
sua filha, nem o seu servo, nem a sua serva, nem o seu

boi, nem o seu jumento, e nenhum animal seu, nem o
estrangeiro que mora com você; para que o seu servo e a
sua serva descansem como você;
15 lembre-se de que você foi escravo na terra do Egito e
que o Senhor seu Deus o tirou dali com mão forte e braço
estendido; por isso o Senhor seu Deus lhe ordenou que
guarde o dia de sábado.
16 Honre seu pai e sua mãe, como o Senhor seu Deus lhe
ordenou, para que se prolonguem os seus dias e para que
prospere na terra que o Senhor seu Deus lhe dá.
17 Não mate.
18 Não adultere.
19 Não furte.
20 Não dê falso testemunho contra o seu próximo.
21 Não cobice a mulher do seu próximo e não deseje a
casa do seu próximo, nem o seu campo, nem o seu servo,
nem a sua serva, nem o seu boi, nem o seu jumento, nem
alguma coisa do seu próximo.'
22 Estas palavras o Senhor falou a todos vocês no monte,
do meio do fogo, da nuvem e da escuridão, com grande
voz e nada acrescentou; e as escreveu em duas tábuas de
pedra e as entregou a mim.

Admoestações (Buscando a Fidelidade a Deus)

23 Quando ouviram a voz do meio das trevas e viram o
monte ardendo em fogo, todos os chefes das suas tribos e
seus anciãos se aproximaram de mim;
24 e disseram: 'O Senhor nosso Deus nos fez ver a sua
glória e a sua grandeza, e ouvimos a sua voz do meio do
fogo; hoje vimos que Deus fala com o homem, e que este
permanece vivo.
25 Agora, por que morreríamos? Pois esse grande fogo
nos consumirá; se continuarmos ouvindo a voz do Senhor
nosso Deus, morreremos.
26 Porque, quem entre os homens, que ouviu a voz do
Deus vivo falando do meio do fogo, como nós, e ficou
vivo?
27 Você se aproxime e ouça tudo o que o Senhor nosso
Deus disser; e você nos dirá tudo o que o Senhor nosso
Deus lhe disser e o ouviremos e cumpriremos.'
28 O Senhor, ouvindo essas palavras que vocês me fala-
ram, me disse: 'Eu ouvi as palavras deste povo, que eles
lhe disseram; em tudo falaram bem.
29 Quem dera que eles tivessem tal coração que me te-
messem e guardassem todos os meus mandamentos todos
os dias, para que eles e seus filhos fossem prósperos para
sempre.
30 Vá e lhes diga: Voltem às suas tendas.
31 Você, porém, fique aqui comigo e lhe direi todos os
mandamentos, estatutos e juízos, que você lhes ensi-
ne, para que cumpram na terra que eu lhes darei para
possuí-la.'
32 Façam como o Senhor seu Deus lhes mandou; não de-
clinem, nem para a direita, nem para a esquerda.
33 Andem pelos caminhos que o Senhor seu Deus lhes
manda, para que vivam e prosperem, e permaneçam mui-
to tempo na terra que haverão de possuir.
6 Estes são os mandamentos, os estatutos e os juízos que
o Senhor seu Deus mandou para lhes ensinar, para que
cumpram na terra que passarão a possuir;
2 para que temam ao Senhor seu Deus e guardem todos
os seus estatutos e mandamentos, que eu lhes ordeno, a
seus filhos e netos, todos os dias da sua vida, e que seus
dias sejam prolongados.
3 Ouça, ó Israel, e atente em os guardarem, para que pros-
perem e se multipliquem, como lhes disse o Senhor Deus
de seus pais, na terra que mana leite e mel.
4 Ouça, Israel, o Senhor nosso Deus é o único Senhor.
5 Ame o Senhor seu Deus de todo o seu coração, de toda
a sua alma e de todas as suas forças.

A Importância de Educar os Filhos

6 E estas palavras, que hoje lhe ordeno, estarão no seu
coração;
7 e as ensinará a seus filhos e delas falará assentado em sua
casa, e andando pelo caminho e ao dormir e ao acordar.
8 Também as amarrará por sinal na sua mão e lhe serão
por testeiras entre os seus olhos.
9 E as escreverá nos umbrais de sua casa e nas suas portas.
10 Quando o Senhor seu Deus o introduzir na terra que
jurou a seus pais, Abraão, Isaque e Jacó, que lhe daria, com
grandes e boas cidades, que você não construiu,
11 e casas cheias de bens, que você não encheu, e poços
cavados, que você não cavou, vinhas e olivais, que você
não plantou, e vocês comerem e se fartarem,
12 guardem-se, e não se esqueçam do Senhor, que os tirou
da terra do Egito, da casa da servidão.
13 Temam o Senhor seu Deus, e a ele sirvam e jurem
pelo seu nome.
14 Não sigam outros deuses, os deuses dos povos que es-
tiverem ao redor de vocês;
15 porque o Senhor seu Deus é um Deus zeloso no meio
de vocês, para que a ira do Senhor seu Deus não se acenda
contra vocês e os destrua da face da terra.
16 Não tentem o Senhor seu Deus, como o tentaram em
Massá;
17 guardem cuidadosamente os mandamentos do Senhor
seu Deus, como também os seus testemunhos e seus esta-
tutos, que o Senhor lhes tem mandado.
18 E façam o que é reto e bom aos olhos do Senhor, para

que sejam bem-sucedidos e entrem e possuam a boa terra,
a qual o Senhor jurou dar a seus pais.
19 Para que elimine todos os seus inimigos da frente de
vocês, como o Senhor tem falado.
20 Quando no futuro seus filhos lhes perguntarem: 'O
que significam os testemunhos, estatutos e os juízos que o
Senhor nosso Deus lhes ordenou?'
21 Então, dirão a seus filhos: 'Éramos servos do Faraó no
Egito; porém, o Senhor, com mão forte, nos tirou do Egito;
22 e o Senhor, aos nossos olhos, fez sinais e maravilhas,
grandes e terríveis, contra o Egito e contra o Faraó e toda
sua casa;
23 e nos tirou dali, para nos levar e nos dar a terra que
jurou a nossos pais.
24 E o Senhor nos ordenou que cumpríssemos todos esses
estatutos, que temêssemos ao Senhor nosso Deus, para o
nosso perpétuo bem, para nos guardar em vida, como no
dia de hoje.
25 E será para nós justiça, quando tivermos cuidado de
cumprir todos esses mandamentos perante o Senhor nosso
Deus, como nos tem ordenado.'

O Perigo da Associação Com os Pagãos

7 Quando o Senhor seu Deus os houver introduzido
na terra, à qual irão para a possuir, e tiver eliminado
muitas nações da frente de vocês, os heteus, os girgaseus,
os amorreus, os cananeus, os ferezeus, os heveus e os jebuseus,
sete nações mais numerosas e mais poderosas do
que vocês;
2 e o Senhor seu Deus as tiver entregado a vocês para as
ferir; as destruam totalmente, não façam alianças com elas,
nem tenham piedade delas;
3 nem se casem com pessoas delas; não deem suas filhas
a seus filhos e não peguem suas filhas para seus filhos;
4 pois fariam seus filhos se desviarem de mim, para que
servissem a outros deuses; e a ira do Senhor se acenderia
contra vocês e depressa os consumiria.
5 Porém, lhes farão assim: 'Derrubarão os seus altares,
quebrarão as suas estátuas, cortarão os seus bosques e
queimarão com fogo as suas imagens de escultura.'
6 Porque é povo santo ao Senhor seu Deus; o Senhor seu
Deus o escolheu, para que lhe fosse o seu povo especial,
de todos os povos que há sobre a terra.
7 O Senhor não amou vocês, nem os escolheu porque
eram mais numerosos do que todos os outros povos;
porém, vocês eram menos em número do que todos os
povos;
8 mas, porque o Senhor os amava e para guardar o juramento
que fez a seus pais, o Senhor os tirou com mão
forte e os resgatou da casa da servidão, da mão do Faraó,
rei do Egito.
9 Saberão que o Senhor seu Deus, ele é Deus, o Deus fiel,
que guarda a aliança e a misericórdia até mil gerações aos
que o amam e guardam os seus mandamentos.
10 E retribui no rosto de quem o odeia, fazendo-o perecer;
não tardará para quem o odeia; em seu rosto lhe pagará.
11 Guardem os mandamentos e os estatutos e os juízos
que hoje os mando cumprirem.
12 Se ouvirem esses juízos, os guardarem e os cumprirem,
o Senhor seu Deus lhes manterá a aliança e a misericórdia
que jurou a seus pais;
13 e os amará, e os abençoará, e os fará multiplicar-se;
abençoará o fruto do seu ventre e o fruto da sua terra, o
seu cereal, o seu vinho, o seu azeite, a criação das suas
vacas e o rebanho dos seus gados, na terra que jurou a
seus pais lhes dar.
14 Serão abençoados mais do que todos os outros povos;
não haverá estéril entre vocês, seja homem, seja mulher,
nem entre os seus animais.
15 E o Senhor desviará de vocês toda enfermidade; sobre
vocês não porá nenhuma das más doenças dos egípcios,
que bem sabem; antes as porá sobre todos os que
os odeiam.
16 Pois eliminarão todos os povos que o Senhor seu Deus
lhes der; não olhem com piedade para eles; e não sirvam a
seus deuses, pois isto lhes seria uma armadilha.
17 Se pensarem: 'Essas nações são mais numerosas do que
nós; como poderemos eliminá-las?'
18 Não tenham medo delas; não esqueçam do que o Senhor
seu Deus fez ao Faraó e a todos os egípcios;
19 das grandes provas que viram e dos sinais, maravilhas,
mão forte e braço estendido com que o Senhor seu Deus
os tirou; assim, o Senhor seu Deus fará com todos os povos
dos quais vocês têm medo.
20 E mais, o Senhor seu Deus mandará vespões para o
meio deles, até que pereçam os que ficarem e se esconderem
de vocês.
21 Não tenham medo deles; porque o Senhor seu Deus
está no meio de vocês, Deus grande e terrível.
22 E o Senhor seu Deus expulsará essas nações pouco a
pouco da frente de vocês; não poderão destruí-las todas de
uma vez, para que as feras do campo não se multipliquem
contra vocês.
23 E o Senhor as entregará a vocês e as fará sentir muito
medo, até que sejam destruídas.
24 Também lhes entregará os seus reis em suas mãos, para
que apaguem os seus nomes da face da terra; nenhum homem
resistirá a vocês, até que os destruam.

Ídolos São Abominação

25 Queimem com fogo as imagens de escultura de seus
deuses; não cobicem a prata e o ouro que estão sobre elas,

nem os peguem para vocês, para que não seja uma armadilha para vocês; pois é abominação ao Senhor seu Deus.
26 Não levem abominação para sua casa, para que não sejam amaldiçoados, assim como ela; devem detestá-la e abominá-la, porque é amaldiçoada.

Exortação Para Lembrar a Misericórdia de Deus

8 Guardem e cumpram todos os mandamentos que hoje lhes ordeno; para que vivam e se multipliquem, entrem e tomem posse da terra que o Senhor jurou a seus pais.
2 E se lembrem de todo o caminho, pelo qual o Senhor seu Deus os guiou no deserto estes quarenta anos, para os humilhar e pô-los à prova, para saber o que estava em seus corações, se guardam os seus mandamentos, ou não.
3 E os humilhou, deixou-os passar fome e os sustentou com o maná, que vocês não conheciam, nem seus pais o conheciam; para que entendessem que o homem não viverá só de pão, mas o homem viverá de tudo o que sai da boca do Senhor.
4 Nestes quarenta anos, as suas roupas não envelheceram, nem os seus pés se incharam.
5 Saibam em seu coração que, como um homem disciplina a seu filho, assim o Senhor seu Deus os disciplina.
6 E guardem os mandamentos do Senhor seu Deus, para andarem nos seus caminhos e para o temerem.
7 Porque o Senhor seu Deus os põe numa boa terra, terra de ribeiros de águas, de fontes e de mananciais profundos, que saem dos vales e das montanhas;
8 terra de trigo e cevada, de videiras e figueiras, romãzeiras e oliveiras, abundante de azeite e mel;
9 terra em que comerão o pão sem escassez e nada lhes faltará nela; terra cujas pedras são ferro e de cujos montes vocês tirarão o cobre.
10 Quando tiverem comido e estiverem satisfeitos, louvarão ao Senhor seu Deus pela boa terra que lhes deu.
11 Não se esqueçam do Senhor seu Deus, deixando de guardar os seus mandamentos, os seus juízos e os seus estatutos que hoje lhes ordeno;
12 para não acontecer que, depois que vocês tiverem comido e estando satisfeitos, feito boas casas, e habitando-as,
13 e aumentado os seus gados e os seus rebanhos e a sua prata e o seu ouro, e serem prósperos em tudo o que têm,
14 se eleve o seu coração e se esqueçam do Senhor seu Deus, que os tirou da terra do Egito, da casa da servidão;
15 que os guiou por aquele grande e terrível deserto de serpentes ardentes, de escorpiões e de terra seca, em que não havia água; e tirou água para vocês da rocha.
16 Que no deserto os sustentou com maná, que seus pais não conheciam; para os humilhar e para os provar, para no fim lhes fazer bem;
17 e pensem em seu coração: 'A força do meu braço e da minha mão me proporcionaram essa riqueza.'
18 Antes, lembrem-se do Senhor seu Deus, ele é quem lhes dá força para adquirem riquezas; para confirmar a sua aliança, que jurou a seus pais, como se vê neste dia.
19 E se de qualquer modo se esquecerem do Senhor seu Deus, e se seguirem outros deuses e os servirem e os adorarem, hoje eu afirmo a vocês que certamente serão destruídos.
20 Como as nações que o Senhor destruiu diante de vocês, assim vocês perecerão, porque não quiseram obedecer à voz do Senhor seu Deus.

Recordando as Murmurações

9 Ouça, ó Israel, hoje passarão o Jordão, para possuírem nações maiores e mais fortes do que vocês; cidades grandes e muradas até aos céus;
2 um povo grande e alto, filhos de gigantes, que vocês conhecem e de que já ouviram falar. Quem resistiria diante dos filhos dos gigantes?
3 Saibam hoje que o Senhor seu Deus, que vai adiante de vocês, é um fogo consumidor, que os destruirá e os derrubará da frente de vocês; e vocês os expulsarão e rapidamente os farão desaparecer, como o Senhor lhes tem falado.
4 Quando o Senhor seu Deus os expulsar da frente de vocês, não pensem no coração, dizendo: Por causa da minha justiça é que o Senhor me trouxe a esta terra para a possuir; na verdade, é pela impiedade dessas nações que o Senhor as expulsa da frente de vocês.
5 Não é por causa da sua justiça, nem pela retidão do seu coração que entrarão para possuir a sua terra, mas pela impiedade dessas nações o Senhor seu Deus as expulsará da frente de vocês, e para confirmar a palavra que o Senhor seu Deus jurou a seus pais, Abraão, Isaque e Jacó.
6 Saibam que não é por causa da sua justiça que o Senhor seu Deus lhes dá esta boa terra para possuí-la, pois vocês são um povo obstinado.
7 Lembrem-se e não se esqueçam de que provocaram muito a ira do Senhor seu Deus no deserto; desde o dia em que saíram do Egito, até que chegaram a este lugar, vocês foram rebeldes contra o Senhor;
8 pois, em Horebe, provocaram a ira do Senhor, tanto que o Senhor se indignou contra vocês para os destruir.
9 Quando subi ao monte para receber as tábuas de pedra, as tábuas da aliança que o Senhor fez com vocês, então fiquei no monte quarenta dias e quarenta noites; não comi pão e não bebi água;
10 e o Senhor me deu as duas tábuas de pedra, escritas com o dedo de Deus; nelas estavam escritas todas aquelas

palavras que o Senhor tinha falado a vocês no monte, do
meio do fogo, no dia da assembleia.
11 Ao fim dos quarenta dias e quarenta noites, o Senhor
me deu as duas tábuas de pedra, as tábuas da aliança.
12 E o Senhor me disse: 'Levante-se, desça depressa da-
qui, porque o seu povo, que tirou do Egito, já se corrom-
peu; se desviaram rápido do caminho que eu lhes ordenei;
fizeram para si uma imagem fundida.'
13 E o Senhor continuou dizendo: 'Tenho observado este
povo, porque ele é um povo obstinado;
14 deixe que eu os destrua e apague o nome deles da face
da terra; e faça de você uma nação mais poderosa e mais
numerosa do que esta.'
15 Então virei-me e desci do monte, o qual ardia em fogo,
e as duas tábuas da aliança estavam em ambas as minhas
mãos.
16 E olhei e vi que haviam pecado contra o Senhor seu
Deus; vocês tinham feito um bezerro de ouro fundido;
rapidamente se desviaram do caminho que o Senhor lhes
ordenou.
17 Então peguei as duas tábuas, as joguei das minhas mãos
e as quebrei diante dos seus olhos.
18 E prostrei-me perante o Senhor, como antes, durante
quarenta dias e quarenta noites; não comi pão e não bebi
água, por causa de todo o pecado que vocês haviam co-
metido, fazendo mal aos olhos do Senhor, para o provocar
à ira.
19 Porque tive medo por causa da ira e do furor, com que
o Senhor estava irado contra vocês para os destruir; porém
ainda dessa vez o Senhor me ouviu.
20 O Senhor também se irou muito contra Arão para o
destruir; mas também orei por Arão ao mesmo tempo.
21 Porém, eu tomei o pecado de vocês, peguei o bezer-
ro que tinham feito e o queimei com fogo e o esmigalhei
moendo-o bem, até que se desfez em pó; e o seu pó joguei
no ribeiro que descia do monte.
22 Também em Taberá, em Massá e em Quibrote-Hataa-
vá, provocaram muito a ira do Senhor.
23 Quando também o Senhor os enviou de Cades-Bar-
neia, dizendo: 'Subam e possuam a terra que lhes dei, fo-
ram rebeldes contra o mandado do Senhor seu Deus, não
creram e não obedeceram à sua voz.'
24 Foram rebeldes contra o Senhor desde o dia em que
os conheci.
25 E prostrei-me perante o Senhor; aqueles quarenta dias
e quarenta noites estive prostrado, porque o Senhor tinha
dito que queria destruí-los.
26 Então, orei ao Senhor, dizendo: Senhor Deus, não des-
truas o teu povo e a tua herança, que resgataste com a tua
grandeza, que tiraste do Egito com mão forte.
27 Lembra-te dos teus servos, Abraão, Isaque e Jacó. Não
atentes para a dureza deste povo, nem para a sua impieda-
de, nem para o seu pecado;
28 para que o povo da terra de onde nos tiraste não diga:
Porque o Senhor não os pôde introduzir na terra de que
lhes tinha falado, porque os odiava e os tirou para matá-los
no deserto;
29 todavia eles são o teu povo e a tua herança, que tiraste
com a tua grande força e com o teu braço estendido.

As Segundas Tábuas da Lei

10 Naquele mesmo tempo, o Senhor me disse: 'Corte
duas tábuas de pedra, como as primeiras, suba a
mim no monte e faça uma arca de madeira;
2 e escreverei nas tábuas as palavras que estavam nas pri-
meiras tábuas, que você quebrou, e as colocará na arca.'
3 Assim, fiz uma arca de madeira de cetim e cortei duas
tábuas de pedra, como as primeiras; então subi ao monte
com as duas tábuas na minha mão.
4 Então o Senhor escreveu nas tábuas, conforme à pri-
meira escritura, os dez mandamentos, que o Senhor havia
falado no dia da assembleia, no monte, do meio do fogo; e
o Senhor as deu a mim;
5 e me virei, desci do monte e pus as tábuas na arca que
tinha feito; e ali estão, como o Senhor me ordenou.
6 E os israelitas partiram de Beerote-Bene-Jaacã a Moserá;
ali Arão faleceu e foi sepultado; e Eleazar, seu filho, admi-
nistrou o sacerdócio em seu lugar.
7 Dali partiram para Gudgoda e de Gudgoda foram para
Jotbatá, terra de ribeiros de águas.

A Vocação dos Levitas

8 No mesmo tempo, o Senhor separou a tribo de Levi
para levar a arca da aliança do Senhor, para estar diante
do Senhor, para o servir e para abençoar em seu nome até
o dia de hoje.
9 Por isso Levi não tem parte nem herança com seus ir-
mãos; o Senhor é a sua herança, como o Senhor seu Deus
lhe tem prometido.
10 E eu estive no monte, como nos primeiros dias, por
quarenta dias e quarenta noites; e o Senhor me ouviu mais
essa vez; o Senhor não quis destruí-los.
11 Porém, o Senhor me disse: 'Levante-se, ponha-se a
caminho à frente do povo, para que entrem e possuam a
terra que jurei dar a seus pais.'

Exortação à Obediência

12 Agora, ó Israel, o que é que o Senhor seu Deus pede de
vocês, senão que temam o Senhor seu Deus, que andem
em todos os seus caminhos, o amem e sirvam ao Senhor
seu Deus com todo o seu coração e com toda a sua alma,
13 para guardarem os mandamentos do Senhor e os seus
estatutos, que hoje lhes ordeno, para o seu bem?

14 Eis que os céus e os céus dos céus são do Senhor seu
Deus, a terra e tudo o que nela há.
15 Apenas o Senhor se agradou de seus pais para os amar;
e a vocês, descendentes deles, os escolheu, depois deles,
dentre todos os povos como neste dia se vê.
16 Circuncidem o coração de vocês e deixem de ser
obstinados.
17 Pois o Senhor seu Deus é o Deus dos deuses e o Senhor
dos senhores, o Deus grande, poderoso e terrível, que não
trata as pessoas com parcialidade, nem aceita suborno;
18 ele faz justiça aos órfãos e às viúvas e ama os estrangei-
ros, lhes dando alimento e roupa.
19 Por isso amem os estrangeiros, pois foram estrangeiros
na terra do Egito.
20 Temam o Senhor seu Deus; sirvam a ele, apeguem-se a
ele e jurem somente pelo seu nome.
21 Ele é o seu louvor e o seu Deus, que lhes fez essas gran-
des e terríveis coisas que os seus olhos têm visto.
22 Seus pais desceram ao Egito com setenta pessoas e ago-
ra o Senhor seu Deus os multiplicou em multidão como as
estrelas dos céus.

11 Amem ao Senhor seu Deus e guardem as suas or-
denanças, os seus estatutos, os seus juízos e os seus
mandamentos, todos os dias.
2 E hoje saberão que falo, não com seus filhos, que não
sabem e não viram o castigo do Senhor seu Deus, a sua
grandeza, a sua mão forte e o seu braço estendido;
3 nem os seus sinais, nem os seus feitos, que realizou no
meio do Egito ao Faraó, rei do Egito, e a toda a sua terra;
4 nem o que fez ao exército dos egípcios, aos seus cavalos
e aos seus carros, fazendo passar sobre eles as águas do
Mar Vermelho quando os perseguiam e como o Senhor os
destruiu, até ao dia de hoje;
5 nem o que lhes fez no deserto, até chegarem a este lugar;
6 e o que fez a Datã e a Abirão, filhos de Eliabe, filho de
Rúben; como a terra abriu a sua boca e os tragou com as
suas casas e com as suas tendas, como também tudo o que
lhes pertencia, no meio de todo o Israel;
7 porque vocês viram com os próprios olhos toda a grande
obra que o Senhor fez.
8 Guardem todos os mandamentos que eu lhes ordeno
hoje, para que sejam fortes, e entrem e ocupem a terra que
passarão a possuir;
9 e para que prolonguem os dias na terra que o Senhor
jurou dar a seus pais e à sua descendência, terra que mana
leite e mel.
10 Porque a terra que passarão a possuir não é como a
terra do Egito, de onde saíram, em que semeavam as suas
sementes e as regavam com o seu pé, como uma horta.
11 Mas a terra que passarão a possuir é terra de montes e
de vales, que da chuva dos céus beberá as águas;
12 terra de que o Senhor seu Deus tem cuidado; os olhos
do Senhor seu Deus estão sobre ela continuamente, desde
o princípio até ao fim do ano.

Os Benefícios da Obediência

13 E se cuidadosamente obedecerem a meus mandamen-
tos que hoje lhes ordeno, de amar ao Senhor seu Deus e o
servir de todo o seu coração e de toda a sua alma,
14 então darei a chuva que a terra de vocês necessita, as
primeiras e as últimas, para que recolham o seu cereal, o
seu vinho e o seu azeite.
15 E darei pasto no seu campo aos seus animais, e os co-
merão e se fartarão.
16 Guardem-se para que o seu coração não se engane e
se desviem, servindo outros deuses, e se inclinem perante
eles;
17 e a ira do Senhor se acenda contra vocês e ele feche
os céus e não haja água, a terra não dê o seu fruto e cedo
pereçam na boa terra que o Senhor lhes dá.
18 Ponham estas minhas palavras no seu coração e na sua
alma, e as amarrem como sinal na mão de vocês, para que
estejam por testeiras entre os seus olhos.
19 E as ensinem a seus filhos, falando delas sentados em
sua casa, andando pelo caminho, ao se deitarem e ao se
levantarem;
20 e as escrevam nos batentes de sua casa e nas suas
portas;
21 para que se multipliquem os seus dias e os dias de seus
filhos na terra que o Senhor jurou a seus pais lhes dar,
como os dias dos céus sobre a terra.
22 Porque se cuidadosamente guardarem todos esses
mandamentos, que lhes ordeno para que guardem, aman-
do ao Senhor seu Deus, andando em todos os seus cami-
nhos e apegando-se a ele,
23 então o Senhor expulsará todas essas nações da frente
de vocês, e possuirão nações maiores e mais poderosas do
que vocês.
24 Todo lugar que a planta do seu pé pisar será seu; desde
o deserto e desde o Líbano, desde o rio Eufrates, até ao
mar ocidental, será o seu território.
25 Ninguém resistirá à frente de vocês; o Senhor seu Deus
porá sobre toda a terra, que pisarem, o seu terror e o temor
de vocês, como já lhes tem dito.

A Bênção e a Maldição

26 Eis que hoje eu ponho diante de vocês a bênção e a
maldição;
27 a bênção, quando cumprirem os mandamentos do Se-
nhor seu Deus, que hoje lhes mando;
28 porém a maldição, se não cumprirem os mandamentos

do Senhor seu Deus e se desviarem do caminho que hoje
lhes ordeno, para seguirem outros deuses que vocês não
conheciam.
29 E quando o Senhor seu Deus os introduzir na terra, a
que irão para possuí-la, então pronunciarão a bênção sobre
o monte Gerizim e a maldição sobre o monte Ebal.
30 Eles não estão além do Jordão, junto ao caminho do
pôr do sol, na terra dos cananeus, que habitam na campina
à frente de Gilgal, junto aos carvalhais de Moré?
31 Porque atravessarão o Jordão para entrarem e possuí-
rem a terra, que o Senhor seu Deus lhes dá; e a possuirão
e nela habitarão.
32 Tenham cuidado em cumprir todos os estatutos e os
juízos, que eu hoje lhes proponho.

O Culto no Santuário

12 Estes são os estatutos e os juízos que devem cumprir
na terra que o Senhor Deus de seus pais lhes deu
para a possuírem, durante todos os dias que viverem sobre
a terra.
2 Das nações que vocês conquistarão, destruam total-
mente todos os lugares onde eles serviram os seus deuses,
sobre as altas montanhas, sobre os outeiros e debaixo de
toda árvore frondosa;
3 e derrubem os seus altares, quebrem as suas estátuas
e queimem a fogo os seus bosques; destruam as imagens
esculpidas dos seus deuses e apaguem o seu nome daquele
lugar.
4 Não é assim que vocês irão adorar ao Senhor seu Deus;
5 mas o lugar que o Senhor seu Deus escolher de todas
as suas tribos, para ali pôr o seu nome, buscarão para sua
habitação e para lá irão.
6 E para lá levarão os seus holocaustos, os seus sacrifícios,
os seus dízimos, a oferta alçada da mão de vocês, os seus
votos, as suas ofertas voluntárias e os primogênitos das
suas vacas e das suas ovelhas.
7 E ali comerão perante o Senhor seu Deus e se alegrarão
em tudo em que puserem a sua mão, vocês e as suas casas,
no que o Senhor seu Deus abençoar.
8 Não farão conforme a tudo o que fazemos aqui hoje,
cada um fazendo tudo o que bem entende.
9 Porque até agora não entraram no descanso e na heran-
ça que o Senhor seu Deus lhes dará.
10 Mas passarão o Jordão e habitarão na terra que o Se-
nhor seu Deus os fará herdar; e lhes dará repouso de todos
os seus inimigos ao redor e morarão seguros.
11 Então haverá um lugar que o Senhor seu Deus escolhe-
rá para ali fazer habitar o seu nome; para lá levarão tudo
o que lhes ordeno: os seus holocaustos, os seus sacrifícios,
os seus dízimos, a oferta alçada da mão de vocês e toda a
escolha dos seus votos que fizeram ao Senhor.
12 E se alegrarão perante o Senhor seu Deus, vocês e seus
filhos, suas filhas, os seus servos, as suas servas e os levitas
que estão dentro das suas portas; pois eles não têm parte
nem herança como vocês.
13 Guardem-se, não ofereçam os seus holocaustos em
qualquer lugar;
14 mas ofereçam os seus holocaustos no lugar que o Se-
nhor escolher numa das suas tribos, ali oferecerão e ali
farão tudo o que lhes ordeno.
15 Porém, conforme todo o desejo da sua alma, matarão e
comerão carne, dentro das suas portas, segundo a bênção
do Senhor seu Deus, que lhes dá em todas as suas portas; o
impuro e o puro dela comerão, como do corço e do veado;
16 apenas não comerão o sangue; o derramarão sobre a
terra como água.
17 Dentro das suas portas não poderão comer o dízimo do
seu cereal, nem do seu vinho, nem do seu azeite, nem os
primogênitos das suas vacas, nem das suas ovelhas; nem
nenhum dos seus votos, que houverem prometido, nem as
suas ofertas voluntárias, nem a oferta alçada da sua mão.
18 Mas os comerão perante o Senhor seu Deus, no lugar
que o Senhor seu Deus escolher, você, seu filho, sua filha,
o seu servo, a sua serva e os levitas que estão dentro das
suas portas; e perante o Senhor seu Deus se alegrarão em
tudo em que puserem a sua mão.
19 Guardem-se, não desamparem os levitas em todos os
seus dias na terra.
20 Quando o Senhor seu Deus aumentar os seus terri-
tórios, como lhes falou, e disserem: Comeremos carne;
porque a sua alma tem desejo de comer carne; conforme
todo o desejo da sua alma, comerão carne.
21 Se o lugar que o Senhor seu Deus escolher para ali pôr
o seu nome estiver longe de você, então matarão das suas
vacas e das suas ovelhas, que o Senhor lhes tiver dado,
como lhes tenho ordenado e comerão dentro das suas por-
tas, conforme todo o desejo da sua alma.
22 Porém, comerão como se come o corço e o veado; o
impuro e o puro também poderão comer.
23 Somente esforcem-se para não comerem o sangue; pois
o sangue é vida; não comerão a vida com a carne;
24 não o comerão; o derramarão na terra como água.
25 Não o comam; para que tudo vá bem com vocês e seus
filhos, depois de vocês, quando fizerem o que for reto aos
olhos do Senhor.
26 Porém, pegarão as coisas santas que tiverem e os seus
votos, e irão para o lugar que o Senhor escolher.
27 E oferecerão os seus holocaustos, a carne e o sangue
sobre o altar do Senhor seu Deus; e o sangue dos seus
sacrifícios derramem sobre o altar do Senhor seu Deus;
porém a carne, comerão.

28 Guardem e ouçam todas estas palavras que lhes orde-
no, para que tudo vá bem com vocês e seus filhos, depois
de vocês, para sempre, quando fizerem o que for bom e
reto aos olhos do Senhor seu Deus.
29 Quando o Senhor seu Deus eliminar da frente de vocês
as nações, das quais irão tomar posse, e as possuírem e
habitarem na sua terra,
30 guardem-se, não se enlacem seguindo-as, depois que
forem destruídas diante de vocês; e que não perguntem so-
bre os seus deuses, dizendo: 'Assim como essas nações ser-
viram os seus deuses, eu também farei do mesmo modo.'
31 Não é assim que vocês irão adorar ao Senhor seu Deus;
porque tudo o que é abominável ao Senhor e que ele
odeia, eles fizeram a seus deuses; pois até seus filhos e
suas filhas queimaram no fogo aos seus deuses.
32 Tudo o que eu lhes ordeno, observarão para fazer; nada
lhe acrescentarão nem diminuirão.

O Castigo Para os Falsos Profetas

13 Quando um profeta ou sonhador surgir no meio de
vocês e lhes der um sinal ou prodígio,
2 e acontecer o tal sinal ou prodígio, que lhes houver fala-
do, dizendo: 'Vamos seguir outros deuses, que não conhe-
cemos e os sirvamos';
3 não ouçam as palavras daquele profeta ou sonhador;
porque o Senhor seu Deus os prova, para saber se amam
o Senhor seu Deus com todo o seu coração e com toda a
sua alma.
4 Sigam somente o Senhor seu Deus, temam a ele, guar-
dem os seus mandamentos, ouçam a sua voz, sirvam e
apeguem-se a ele.
5 E aquele profeta ou sonhador morrerá; pois pregou re-
beldia contra o Senhor seu Deus, que os tirou da terra do
Egito e os resgatou da casa da servidão, para desviá-los do
caminho que lhes ordenou o Senhor seu Deus, para anda-
rem nele; assim tirarão o mal do meio de vocês.

O Castigo Para os Idólatras

6 Quando seu irmão, filho da sua mãe, ou seu filho, ou
sua filha, ou a sua mulher, ou seu amigo íntimo o incitar,
lhe disser em segredo: 'Vamos servir a outros deuses que
não conhecemos, nem você nem seus pais;'
7 dentre os deuses dos povos que estão ao redor de vocês,
perto ou longe de vocês, desde uma extremidade da terra
até à outra extremidade;
8 não concorde com ele, nem o ouça e nem tenha piedade
dele, nem o esconda;
9 mas certamente o matará; a sua mão será a primeira
contra ele, para o matar e depois a mão de todo o povo.
10 E apedrejem-no até que morra, pois ele procurou afas-
tá-los do Senhor seu Deus, que os tirou da terra do Egito,
da casa da servidão;
11 para que todo o Israel o ouça e o tema e não torne a
fazer maldade semelhante no meio de vocês.
12 Quando ouvirem dizer de alguma das suas cidades que
o Senhor seu Deus lhes dá para habitar:
13 Uns homens, filhos de Belial, que saíram do meio de
vocês, incitaram os moradores da sua cidade, dizendo: 'Va-
mos servir a outros deuses que não conhecemos;'
14 então, devem verificar e investigar e com diligência
perguntar; e, sendo verdade e certo de que praticou esta
abominação no meio de vocês,
15 certamente ferirão ao fio da espada os moradores da-
quela cidade, destruindo-a e tudo o que houver nela, até
os animais.
16 E ajuntem todo o seu despojo no meio da sua praça;
queimem totalmente a cidade e todo o seu despojo para o
Senhor seu Deus e será um montão de ruinas para sempre
e nunca mais se edificará.
17 Também não pegarão nada do que deverá ser destruí-
do, para que o Senhor se afaste do ardor da sua ira e tenha
misericórdia e piedade de vocês, e os multipliquem, como
jurou a seus pais;
18 quando ouvirem a voz do Senhor seu Deus, guardem
todos os seus mandamentos que hoje lhes ordeno; para
fazerem o que for reto aos olhos do Senhor seu Deus.

Os Animais Puros e Impuros

14 Vocês são filhos do Senhor seu Deus; não se cortem
nem raspem a frente da cabeça por causa de algum
morto.
2 Porque vocês são povo santo ao Senhor seu Deus; o Se-
nhor os escolheu, de todos os povos que há sobre a face da
terra, para serem o seu próprio povo.
3 Não comam nenhuma coisa abominável.
4 Estes são os animais que podem comer: o boi, a ovelha
e a cabra.
5 O veado e a corça, o búfalo, a cabra montês, o texugo, o
boi silvestre e o gamo.
6 Todo animal que tem unhas fendidas, divididas em duas,
que rumina, entre os animais, podem comer.
7 Porém, estes não podem comer: os que somente rumi-
nam, ou que têm a unha fendida: o camelo, a lebre e o
coelho, porque ruminam, mas não têm a unha fendida;
eles são impuros para vocês.
8 Nem o porco, porque tem unha fendida, mas não ru-
mina; eles são impuros para vocês; não comam da carne
deles, e não toquem nos seus cadáveres.
9 De tudo o que há nas águas, estes podem comer; o que
tem barbatanas e escamas.
10 Mas o que não tiver barbatanas nem escamas, não po-
dem comer; eles são impuros para vocês.
11 Toda ave limpa podem comer.

12 Porém, estas são as que não podem comer: a águia, o
quebrantosso e o xofrango,
13 e o abutre, a pega e o milhano, segundo a sua espécie.
14 E todo corvo, segundo a sua espécie.
15 E o avestruz, o mocho, o cuco e o gavião, segundo a
sua espécie.
16 E o bufo, a coruja e a gralha,
17 o cisne, o pelicano, o corvo-marinho,
18 e a cegonha e a garça, segundo a sua espécie, a poupa
e o morcego.
19 Também todo inseto que voa é impuro para vocês: não
comam.
20 Toda ave limpa podem comer.
21 Não comam nenhum animal que encontrarem morto;
mas podem dar ao estrangeiro que está dentro das suas
portas para comer, ou o vender ao estranho, porque vocês
são povo santo ao Senhor seu Deus. Não cozinhem o ca-
brito com leite da mãe dele.

Os Dízimos

22 Certamente darão os dízimos de todo o fruto da sua
semente, que cada ano se recolher do campo.
23 E, perante o Senhor seu Deus, no lugar que ele esco-
lher para ali fazer habitar o seu nome, comerão os dízimos
do seu cereal, do seu vinho e do seu azeite, e os primogê-
nitos das suas vacas e das suas ovelhas; para que aprendam
a temer ao Senhor seu Deus todos os dias.
24 E quando o caminho lhes for tão distante que não pos-
sam levar os dízimos, porque o lugar que o Senhor seu
Deus escolher para ali pôr o seu nome estiver longe de
vocês, quando o Senhor seu Deus os tiver abençoado;
25 então os vendam e, com o dinheiro, vão ao lugar que o
Senhor seu Deus escolher;
26 e, com o dinheiro, comprem tudo o que desejarem;
vacas, ovelhas, vinho, bebida forte e tudo o que desejarem;
e comam ali perante o Senhor seu Deus e se alegrem, você
e a sua casa;
27 porém, não desamparem o levita que está dentro das
suas portas; pois ele não tem parte nem herança como
vocês.
28 Ao fim de três anos, tirem todos os dízimos das suas
colheitas no mesmo ano e os recolham dentro das suas
portas;
29 então virão os levitas, pois eles não têm parte nem he-
rança como vocês, o estrangeiro, o órfão e a viúva, que
estão dentro das suas portas, e comerão e se fartarão; para
que o Senhor seu Deus os abençoe em todas as obras que
as suas mãos fizerem.

O Ano Sabático (Da Remissão)

15 Ao fim dos sete anos farão remissão.
2 Este é o modo da remissão: Todo credor perdoará
o que emprestou ao seu próximo; não o exigirá do seu
próximo ou do seu irmão, pois é apregoada a remissão do
Senhor.
3 Do estrangeiro, pode exigir; mas o que tiver em poder de
seu irmão, você perdoará.
4 Assim, não haverá pobre algum entre vocês; pois o Se-
nhor os abençoará abundantemente na terra que o Senhor
seu Deus lhes dará por herança, para possuí-la.
5 Se ouvirem cuidadosamente a voz do Senhor seu Deus
para cumprirem todos estes mandamentos que hoje lhes
ordeno;
6 pois o Senhor seu Deus os abençoará, como lhes tem
falado; assim, emprestarão a muitas nações, mas não toma-
rão empréstimos; e dominarão sobre muitas nações, mas
elas não dominarão sobre vocês.
7 Quando houver algum pobre entre vocês e seus irmãos,
em alguma das suas portas, na terra que o Senhor seu
Deus lhes dá, não endureçam o seu coração, nem fechem
as suas mãos para seu irmão que for pobre;
8 antes, abram toda a sua mão a ele, e livremente lhe
emprestem o que lhe falta, quanto precisar para a sua
necessidade.
9 Guardem-se para que não haja palavra de Belial no seu
coração, dizendo: 'Está se aproximando o sétimo ano, o
ano da remissão, e que o seu olho seja maligno para com
seu irmão pobre e não lhe dê nada; e que ele clame ao
Senhor contra você e que haja em você pecado.'
10 Livremente lhes deem, e que o seu coração não seja
maligno, quando lhes derem; pois, por esta atitude, o Se-
nhor seu Deus os abençoará em todas as suas obras, e em
tudo o que puserem as suas mãos.
11 Pois nunca deixará de haver pobres na terra; pelo que
lhes ordeno, dizendo: 'Abram livremente as suas mãos
para o seu irmão, para o necessitado e para o pobre que
vive na sua terra.'
12 Quando seu irmão hebreu ou irmã hebreia se vender
a você, ele lhe servirá por seis anos, mas no sétimo ano o
deixará ir livre.
13 E, quando o deixarem ir livre, não o deixem ir sem
nada.
14 Livremente lhe fornecerá do seu rebanho, da sua eira e
do seu lagar; lhe dará daquilo com que o Senhor seu Deus
o tiver abençoado.
15 E lembre-se de que você foi servo na terra do Egito e
de que o Senhor seu Deus o resgatou; portanto, hoje lhe
ordeno isso.
16 Porém, se ele lhe disser: 'Não quero ir embora, porque
o amo, a você e à sua casa, por me sentir bem com você;'
17 então, pegue um furador e lhe fure a orelha junto à

porta, e ele será seu servo para sempre; faça assim também com a sua serva.

18 Não seja duro com eles, quando libertá-los de você; pois lhe serviram por seis anos por metade do salário de um trabalhador diarista; assim o Senhor seu Deus o abençoará em tudo o que fizer.

19 Todo primogênito que nascer das suas vacas e das suas ovelhas, consagrem o macho ao Senhor seu Deus; não trabalhem com o primogênito do seu boi, nem tosquiem o primogênito das suas ovelhas.

20 Perante o Senhor seu Deus, o comerão de ano em ano, no lugar que o Senhor escolher, você e a sua casa.

21 Porém, havendo nele algum defeito, se for coxo, ou cego, ou se tiver qualquer defeito, não o sacrifiquem ao Senhor seu Deus.

22 Nas suas portas o comerão; o impuro e o puro o comerão também, como da corça ou do veado.

23 Somente não comam o seu sangue; sobre a terra o derramarão como água.

As Festas Religiosas

16 Guardem o mês de Abibe e celebrem a Páscoa ao Senhor seu Deus: porque, no mês de Abibe, o Senhor seu Deus os tirou do Egito, de noite.

2 Então, sacrifiquem, como oferta de Páscoa ao Senhor seu Deus, ovelhas e vacas, no lugar que o Senhor escolher para ali fazer habitar o seu nome.

3 Nela não comam fermentado; durante sete dias comam pães sem fermento, pão de aflição, porque apressadamente saíram da terra do Egito, para que se lembrem do dia da sua saída da terra do Egito, todos os dias da sua vida.

4 Não terão fermentado com vocês por sete dias em todos os seus territórios; também da carne que matarem à tarde, no primeiro dia, nada ficará até ao amanhecer.

5 Não poderão sacrificar a Páscoa em nenhuma das suas portas que o Senhor seu Deus lhes dá;

6 a não ser no lugar que o Senhor seu Deus escolher, para fazer habitar o seu nome; ali sacrificarão a Páscoa à tarde, ao pôr do sol, no mesmo horário da sua saída do Egito.

7 Então, cozinhem-na e a comam no lugar que o Senhor seu Deus escolher; depois voltarão pela manhã e irão para suas tendas.

8 Durante seis dias comam pães sem fermento e no sétimo dia é festa ao Senhor seu Deus; não façam nenhum trabalho.

9 Contem sete semanas; quando começarem a colheita, comecem a contar as sete semanas.

10 Depois celebrem a festa das semanas ao Senhor seu Deus; o que derem será oferta voluntária da sua mão, segundo as bênçãos recebidas do Senhor seu Deus.

11 E alegrem-se perante o Senhor seu Deus, você, seus filhos, suas filhas, os seus servos, as suas servas, os levitas que estão dentro das suas portas, os estrangeiros, os órfãos e as viúvas, que estão no meio de vocês, no lugar que o Senhor seu Deus escolher para ali fazer habitar o seu nome.

12 E lembrem-se de que foram servos no Egito; e guardem estes estatutos e os cumpram.

13 Celebrem a festa dos tabernáculos por sete dias, quando tiverem colhido da sua eira e do seu lagar.

14 E, na sua festa, se alegrem, você, seus filhos, suas filhas, os seus servos, as suas servas, os levitas, os estrangeiros, os órfãos e as viúvas, que estão dentro das suas portas.

15 Durante sete dias celebrarão a festa ao Senhor seu Deus, no lugar que o Senhor escolher; porque o Senhor seu Deus os abençoará em todas as suas colheitas e em todos os trabalhos das suas mãos; por isto certamente se alegrarão.

16 Três vezes por ano, todos os homens israelitas entre vocês se apresentarão perante o Senhor seu Deus, no lugar que ele escolher, na festa dos pães sem fermento, na festa das semanas e na festa dos tabernáculos; porém, não se apresentem de mãos vazias perante o Senhor;

17 cada um oferte conforme as suas posses, conforme a bênção do Senhor seu Deus, que lhe tiver dado.

Recomendações aos Juízes

18 Ponham juízes e oficiais em todas as suas cidades que o Senhor seu Deus lhes der entre as suas tribos, para que julguem o povo com justiça.

19 Não distorçam o juízo, não tratem as pessoas com parcialidade, nem aceitem suborno, porque o suborno cega os olhos dos sábios e perverte as palavras dos justos.

20 A justiça, sigam somente a justiça; para que vivam e possuam em herança a terra que o Senhor seu Deus lhes dará.

21 Não plantem nenhuma árvore junto ao altar do Senhor seu Deus, que fizerem para vocês.

22 Nem levantem imagens, as quais o Senhor seu Deus odeia.

17 Não sacrifiquem ao Senhor seu Deus boi ou gado miúdo em que haja defeito ou alguma imperfeição; pois é abominação ao Senhor seu Deus.

2 Quando, no meio de vocês, em alguma das suas cidades que o Senhor seu Deus lhes dá, se achar algum homem ou mulher que fizer mal aos olhos do Senhor seu Deus, transgredindo a sua aliança,

3 indo servir a outros deuses e se encurvar a eles ou ao sol, ou à lua, ou a todo o exército do céu, o que eu não ordenei,

4 e se for denunciado, e o ouvirem; então o interroguem; e sendo verdade e certo de que ele fez tal abominação em Israel,

5 então, devem levar o homem ou a mulher que fez esse malefício às suas portas e apedrejar o tal homem ou mulher até que morra.

6 Pelo depoimento de duas testemunhas, ou três testemunhas, será morto quem tiver que morrer; pois, pelo depoimento de uma só testemunha ninguém morrerá.

7 As mãos das testemunhas serão as primeiras contra ele, para matá-lo; depois as mãos de todo o povo; assim tirarão o mal do meio de vocês.

8 Quando alguma coisa lhes for difícil demais para julgamento, em homicídios, litígios ou agressões, em questões de litígios nas suas portas, então se levantem e subam ao lugar que o Senhor seu Deus escolher;

9 e virão aos sacerdotes levitas e ao juiz que houver naqueles dias, apresentem-lhes o caso, e eles lhes darão o veredito.

10 E farão conforme o mandado da palavra que lhes anunciarem no lugar que o Senhor escolher; e terão cuidado de fazer conforme a tudo o que lhes instruírem.

11 Façam conforme os instruíram e conforme o veredito que lhes disserem; não se desviem da instrução que lhes anunciarem, nem para a direita nem para a esquerda.

12 O homem que agir soberbamente não dando ouvidos ao sacerdote, que está ali para servir ao Senhor seu Deus, nem ao juiz, este homem morrerá; e eliminarão o mal de Israel;

13 para que todo o povo o ouça e tema, e nunca mais aja com soberba.

Recomendações aos Reis

14 Quando entrarem na terra que o Senhor seu Deus lhes dá e a possuírem, e nela habitarem, e disserem: Poremos sobre nós um rei, assim como têm todas as nações que estão ao redor de nós;

15 porão certamente sobre vocês como rei aquele que o Senhor seu Deus escolher; dentre seus irmãos porão rei sobre vocês; não poderão pôr um homem estrangeiro sobre vocês, que não seja um de seus irmãos.

16 Porém, ele não multiplicará para si cavalos, nem fará o povo voltar ao Egito para multiplicar cavalos; pois o Senhor lhes tem dito: 'Nunca mais voltarão por este caminho.'

17 Nem multiplicará mulheres para si, para que o seu coração não se desvie; nem prata nem ouro multiplicará muito para si.

18 E, quando ele se assentar sobre o trono do seu reino, então escreverá para si, num livro, uma cópia desta lei, do original que está diante dos sacerdotes levitas.

19 E a terá com ele, e lerá todos os dias da sua vida, para que aprenda a temer ao Senhor seu Deus, para guardar todas as palavras desta lei e estes estatutos, para cumpri-los;

20 para que o seu coração não se levante sobre os seus irmãos e não se desvie do mandamento, nem para a direita nem para a esquerda; para que prolongue os seus dias no seu reino, ele e seus filhos no meio de Israel.

Recomendações aos Levitas

18 Os sacerdotes levitas e toda a tribo de Levi não terão parte nem herança com Israel; comerão das ofertas queimadas ao Senhor e da sua herança.

2 Por isso não terão herança no meio de seus irmãos; o Senhor é a sua herança, como lhes tem dito.

3 Este será o direito dos sacerdotes, a receber do povo, dos que oferecerem sacrifício, seja boi ou gado miúdo: darão ao sacerdote a coxa, as queixadas e o bucho.

4 E lhes darão as primícias do seu cereal, do seu vinho e do seu azeite e as primícias da tosquia das suas ovelhas.

5 Porque o Senhor seu Deus os escolheu de todas as suas tribos, para que ministrem e sirvam em nome do Senhor, ele e seus filhos, todos os dias.

6 E, quando chegar um levita de alguma das suas cidades, de todo o Israel, onde habitar; e vier com todo o desejo da sua alma ao lugar que o Senhor escolheu;

7 e servir em nome do Senhor seu Deus, como também todos os seus irmãos, os levitas, que ministram ali perante o Senhor,

8 comerão porção igual à dos outros, além das vendas do seu patrimônio.

Adivinhos e Feiticeiros

9 Quando entrarem na terra que o Senhor seu Deus lhes der, não aprendam a fazer conforme as abominações daquelas nações.

10 Entre vocês não se acharão quem faça passar pelo fogo o seu filho ou a sua filha, nem adivinhadores, nem prognosticador, nem agoureiro, nem feiticeiro;

11 nem encantador, nem quem consulte um espírito adivinhador, nem mágico, nem quem consulte os mortos;

12 pois quem faz tal coisa pratica abominação ao Senhor; e é por estas abominações que o Senhor seu Deus está expulsando estas nações de diante de vocês.

13 Sejam perfeitos, como o Senhor seu Deus.

14 Porque estas nações, que hão de possuir, ouvem os prognosticadores e os adivinhadores; mas a vocês, o Senhor seu Deus não permitiu tal coisa.

O Messias e os Profetas

15 O Senhor seu Deus levantará um profeta do meio de vocês, de seus irmãos, como eu; a ele ouvirão;

16 conforme a tudo o que pediram ao Senhor seu Deus em Horebe, no dia da congregação, dizendo: 'Não ouviremos mais a voz do Senhor seu Deus, nem veremos mais este grande fogo, para não morrermos.'

17 Então, o Senhor me disse: 'Falaram bem naquilo que disseram.

18 Eu lhes levantarei um profeta do meio de seus irmãos,
como você, e porei as minhas palavras na sua boca e ele
lhes falará tudo o que eu lhe ordenar.
19 E quem não ouvir as minhas palavras, que ele falar em
meu nome, eu mesmo lhe pedirei contas.
20 Porém, o profeta que tiver a presunção de falar alguma
palavra em meu nome, que eu não o tenha mandado falar,
ou quem falar em nome de outros deuses, o tal profeta
morrerá.
21 E, se pensarem: 'Como conheceremos a palavra que o
Senhor não falou?'
22 Quando o tal profeta falar em nome do Senhor e tal
palavra não se cumprir, nem acontecer como ele falou;
então, esta é uma palavra que o Senhor não falou; com
soberba a falou o tal profeta; não tenham temor dele.'

As Cidades de Refúgio

19 Quando o Senhor seu Deus tiver destruído as nações
cuja terra o Senhor seu Deus lhes dará, e vocês as
possuírem e morarem nas suas cidades e nas suas casas,
2 separem três cidades, no meio da terra que o Senhor seu
Deus lhes dará para a possuírem.
3 Preparem o caminho, e os limites da sua terra, que o
Senhor seu Deus lhes fará possuir, dividam em três; e isto
servirá para que todo homicida se refugie ali.
4 E este é o caso tocante ao homicida que se refugiar ali,
para que viva; aquele que por engano ferir o seu próximo,
a quem não odiava antes.
5 Como aquele que entrar com o seu próximo no bosque,
para cortar lenha e, pondo força na sua mão com o macha-
do para cortar a árvore, o ferro saltar do cabo e ferir o seu
próximo e este morrer, aquele se refugiará numa dessas
cidades, e viverá;
6 para que o vingador do sangue não vá atrás do homicida,
quando o seu coração se enfurecer e o alcançar, por ser
longo o caminho, e lhe tire a vida; porque não é culpado
de morte, pois não o odiava antes.
7 Portanto lhes ordeno, dizendo: 'Separem três cidades.'
8 E, se o Senhor seu Deus expandir os seus territórios,
como jurou a seus pais, e lhes der toda a terra que disse
que daria a seus pais,
9 quando guardarem todos estes mandamentos, que hoje
lhes ordeno, para cumpri-los, amando ao Senhor seu Deus
e andando nos seus caminhos todos os dias, então acres-
centarão outras três cidades além dessas três.
10 Para que não se derrame o sangue inocente no meio
da sua terra, que o Senhor seu Deus lhes dá por herança e
haja sangue sobre vocês.
11 Mas, havendo alguém que odeia o seu próximo e lhe
armar ciladas e se levantar contra ele, e o ferir mortalmen-
te e se refugiar em alguma dessas cidades,
12 então os anciãos da sua cidade mandarão buscá-lo; o
tirarão dali e o entregarão na mão do vingador do sangue,
para que morra.
13 Não tenham piedade dele; antes, tirem de Israel o
derramamento de sangue inocente, para que lhes suceda
bem.
14 Não mudem os limites das divisas do seu próximo, que
os antigos estabeleceram na sua herança, que receberam
na terra que o Senhor seu Deus lhes dá para possuírem.
15 Não poderá se levantar somente uma só testemunha
contra alguém por qualquer iniquidade, ou por qualquer
pecado, seja qual for o pecado que cometeu; somente pelo
depoimento de duas ou três testemunhas se estabelecerá
o fato.
16 Quando se levantar testemunha falsa contra alguém,
para acusar contra ele acerca da transgressão,
17 então aqueles dois homens que tiverem a demanda se
apresentarão perante o Senhor, diante dos sacerdotes e dos
juízes que houver naqueles dias.
18 E os juízes os interrogarão; e, sendo a testemunha falsa,
que testemunhou falsamente contra seu irmão,
19 o castigo dele será o mesmo que ele queria a seu irmão;
e assim eliminarão o mal do meio de vocês.
20 Para que os que ficarem o ouçam e temam e nunca
mais tornem a fazer mal semelhante no meio de vocês.
21 Não tenham piedade; vida por vida, olho por olho, den-
te por dente, mão por mão, pé por pé.

Leis de Guerra

20 Quando saírem à batalha contra seus inimigos e
virem cavalos, carros e um povo mais numeroso
do que vocês, não tenham medo deles; pois o Senhor seu
Deus, que os tirou da terra do Egito, está com vocês.
2 E, quando chegarem à batalha, o sacerdote se adiantará
e falará ao povo,
3 e lhes dirá: 'Ouça, ó Israel, chegou a hora da batalha
contra os seus inimigos; não amoleça o seu coração; não
temam nem tremam, nem se aterrorizem diante deles,
4 pois o Senhor seu Deus vai com vocês, a lutar contra os
seus inimigos, para os salvar.'
5 Então os oficiais falarão ao povo, dizendo: 'Qual é o
homem que edificou uma casa nova e ainda não a consa-
grou? Vá, retorne à sua casa para que não morra na batalha
e algum outro a consagre.
6 Algum homem plantou uma vinha e ainda não a desfru-
tou? Vá, retorne à sua casa, para que não morra na batalha
e algum outro a desfrute.
7 Algum homem está noivo com alguma mulher e ainda
não se casou? Vá, retorne à sua casa, para que não morra
na batalha e algum outro homem se case com ela.'
8 E os oficiais continuarão a falar ao povo, dizendo: 'Há

algum homem medroso e de coração tímido? Vá, retorne à sua casa, para que seus irmãos não se sintam como você.'

9 E, quando os oficiais acabarem de falar ao povo, então designarão os chefes dos exércitos para irem à frente do povo.

10 Quando chegarem a alguma cidade para combatê-la, lhe proporão a paz.

11 E, se escolherem pela paz e lhes abrirem as portas, todo o povo que se achar nela lhes serão escravos e os servirão.

12 Porém, se ela não escolher a paz com vocês, mas decidir pela guerra, então a sitiarão.

13 E o Senhor seu Deus a dará na sua mão; e passarão ao fio da espada todo homem que houver nela.

14 Porém, as mulheres, as crianças, os animais e tudo o que houver na cidade, todo o seu despojo, pegarão para vocês; e podem comer o despojo dos seus inimigos, que o Senhor seu Deus lhes deu.

15 Assim farão a todas as cidades que estiverem distantes de vocês, que não forem das cidades destes povos.

16 Porém, das cidades desses povos, que o Senhor seu Deus lhes dá em herança, não deixem ninguém com vida.

17 Antes os destruam totalmente: aos heteus, aos amorreus, aos cananeus, aos ferezeus, aos heveus e aos jebuseus, como o Senhor seu Deus lhes ordenou.

18 Para que não os ensinem a fazer conforme a todas as suas abominações, que fizeram a seus deuses, e vocês pequem contra o Senhor seu Deus.

19 Quando sitiarem uma cidade por muitos dias, guerreando contra ela para a tomar, não destruam as suas árvores frutíferas, colocando nelas o machado, porque delas comerão; por isso, não as cortem, pois as árvores do campo são mantimento para o homem.

20 Mas as árvores que souberem que não são árvores frutíferas, as destruam e as cortem; e contra a cidade que guerrear contra vocês edifiquem cercas, até que a cidade sitiada seja vencida.

Homicídios

21 Quando estiverem na terra que o Senhor seu Deus lhes dará, para possuí-la, e acharem um morto, caído no campo, sem que se saiba quem o matou,

2 então os seus anciãos e os seus juízes sairão e medirão a distância até as cidades que estiverem ao redor do morto;

3 e, na cidade mais próxima ao morto, os anciãos da mesma cidade pegarão uma bezerra do rebanho, que não tenha trabalhado nem tenha puxado com o jugo;

4 e os anciãos daquela cidade trarão a bezerra a um vale nunca arado, que nunca foi lavrado nem semeado; e ali, naquele vale, degolarão a bezerra.

5 Então, chegarão os sacerdotes, filhos de Levi, pois o Senhor seu Deus os escolheu para o servirem, e para abençoarem em nome do Senhor e, pela sua palavra, decidirem toda demanda e todo caso de violência;

6 e todos os anciãos da cidade mais próxima, onde o morto foi encontrado, lavarão as suas mãos sobre a bezerra degolada no vale,

7 e dirão: 'As nossas mãos não derramaram este sangue e os nossos olhos não o viram.'

8 Então, Senhor, perdoe o seu povo Israel, que resgatou, e não ponha o sangue inocente no meio do seu povo Israel. E aquele sangue lhes será expiado.

9 Assim tirarão o sangue inocente do meio de vocês; pois farão o que é reto aos olhos do Senhor.

Casamentos e Relações Familiares

10 Quando saírem à luta contra os seus inimigos, e o Senhor seu Deus os entregar nas suas mãos e vocês levá-los como prisioneiros,

11 e entre os presos vocês virem uma mulher bonita e a cobiçarem, e se casarem com ela,

12 então, tragam-na para a sua casa; e ela rapará a cabeça e cortará as unhas.

13 E trocará a roupa do seu cativeiro, e ficará na sua casa, e chorará pelo seu pai e pela sua mãe um mês inteiro; depois você poderá se casar e ter relações com ela.

14 E se não gostar dela, deixe-a ir livremente; mas de modo algum venda-a por dinheiro, nem a trate como escrava, pois a humilhou.

15 Quando um homem tiver duas mulheres, uma que ama e outra que não ama, e ambas lhe derem filhos, e o filho primogênito for da mulher que ele não ama,

16 então, no dia em que seus filhos forem herdar seus bens, não poderá dar a primogenitura ao filho da amada, no lugar do filho da que não ama, que é o primogênito.

17 Mas reconhecerá o filho da que não ama como primogênito, lhe dando porção dobrada de tudo quanto tiver; por que aquele é o princípio da sua força, o direito da primogenitura é dele.

18 Quando alguém tiver um filho teimoso e rebelde, que não obedecer à voz de seu pai e à voz de sua mãe e, quando castigado por eles, não lhes der ouvidos,

19 então seu pai e sua mãe o pegarão e o levarão aos anciãos da sua cidade e à porta do seu lugar;

20 e dirão aos anciãos da cidade: 'Este nosso filho é rebelde e teimoso, não dá ouvidos à nossa voz; é um comilão e um beberrão.'

21 Então, todos os homens da sua cidade o apedrejarão até que morra; e tirarão o mal do meio de vocês e todo o Israel ouvirá e temerá.

Execução Por Enforcamento

22 Quando também em alguém houver pecado, digno do juízo de morte, e for morto, e o pendurarem num madeiro,

23 o seu cadáver não permanecerá no madeiro, mas certa-
mente o enterrarão no mesmo dia; porque o pendurado é
maldito de Deus; assim não contaminarão a sua terra, que
o Senhor seu Deus lhes dá em herança.

Relações Com o Próximo

22 Vendo extraviado o boi ou ovelha de seu irmão, não
se desvie deles; os restitua sem falta a seu irmão.
2 E se seu irmão não estiver perto de você, ou não o co-
nhece, os recolham na sua casa, para que fiquem com
você, até que seu irmão os busque e você os devolva.
3 Assim também farão com o seu jumento e assim farão
com as suas roupas; assim também farão com todas as coi-
sas perdidas, que seu irmão perder e você as achar; você
não poderá se omitir.
4 Se você vir o jumento que é do seu irmão, ou o seu boi,
caído no caminho, não se desvie dele; sem falta o ajude
a levantá-lo.

Leis Diversas

5 A mulher não deverá usar roupas de homem, e nem o
homem deverá vestir roupas de mulher; porque, qualquer
um que fizer isto, é abominação ao Senhor seu Deus.
6 Quando encontrar pelo caminho um ninho de ave numa
árvore, ou no chão, com passarinhos, ou ovos, e a mãe
posta sobre os passarinhos, ou sobre os ovos, não pegue a
mãe com os filhotes;
7 deixe a mãe ir livremente, e os filhotes leve para você;
para que prospere e para que se prolonguem os seus dias.
8 Quando construir uma casa nova, faça no telhado um
parapeito, para que não haja culpa de sangue na sua casa,
se alguém de algum modo cair dela.
9 Não semeie a sua vinha com diferentes espécies de se-
mentes, para que o fruto da semente que você semear não
contamine a produção da vinha.
10 Não lavre a terra com o boi e com o jumento juntos.
11 Não use roupas com tecidos de lã e linho misturados.
12 Ponha franjas nas quatro bordas da sua manta, com
que se cobre.

Leis Para Pecados Com Mulheres

13 Quando um homem se casar com uma mulher e, de-
pois que tiver relações com ela, a desprezar,
14 e lhe disser coisas escandalosas e difamá-la, dizendo:
'Casei com esta mulher, tive relações com ela, porém, ela
não era virgem;'
15 então o pai e a mãe da moça pegarão os sinais da sua
virgindade e os levarão aos anciãos à porta da cidade;
16 e o pai da moça dirá aos anciãos: 'Eu dei minha filha
como mulher a este homem, porém ele a despreza;
17 e ele a difama com coisas escandalosas, dizendo: 'A
sua filha não era virgem;' porém, aqui estão os sinais da
virgindade de minha filha.' E estenderão o lençol diante
dos anciãos da cidade.
18 Então, os anciãos da mesma cidade pegarão aquele ho-
mem e o castigarão.
19 E o multarão em cem barras de prata e os darão ao pai
da moça; porque difamou uma virgem de Israel. E ela será
sua mulher, em todos os seus dias não poderá despedi-la.
20 Porém, se isto for verdadeiro, isto é, não se achou a
virgindade na moça,
21 então levarão a moça à porta da casa de seu pai e os
homens da sua cidade a apedrejarão, até que morra; pois
fez algo vergonhoso em Israel, prostituindo-se na casa de
seu pai; assim tirarão o mal do meio de vocês.
22 Quando um homem for achado deitado com uma mu-
lher que tenha marido, então ambos morrerão, o homem
que teve relações com a mulher, e a mulher; assim tirarão
o mal de Israel.
23 Quando houver uma moça virgem, prometida em casa-
mento, e um homem a achar na cidade e se deitar com ela,
24 então trarão ambos à porta daquela cidade e os ape-
drejarão, até que morram; a moça, porque não gritou na
cidade, e o homem, porque humilhou a mulher do seu
próximo; assim tirarão o mal do meio de vocês.
25 E se algum homem no campo achar alguma moça pro-
metida em casamento, e o homem a forçar e se deitar com
ela, então morrerá só o homem que teve relações com ela;
26 porém não farão nada à moça. A moça não tem culpa
de morte; porque, como o homem que se levanta contra o
seu próximo e lhe tira a vida, assim é esse caso.
27 Pois a achou no campo; a moça prometida em casa-
mento gritou e não houve quem a livrasse.
28 Quando um homem achar uma moça virgem, que não
estava prometida em casamento, e pegá-la à força, e se
deitar com ela e forem apanhados,
29 então, o homem que teve relações com ela dará ao pai
da moça cinquenta barras de prata; porque a humilhou,
terá que se casar com ela; não poderá despedi-la em todos
os seus dias.
30 Nenhum homem tomará a mulher de seu pai; isto seria
uma vergonha para o seu pai.

Os Excluídos da Congregação

23 Aquele a quem os testículos forem moídos, ou cor-
tado o membro viril, não entrará na congregação
do Senhor.
2 Nenhum bastardo entrará na congregação do Senhor;
nem ainda a sua décima geração entrará na congregação
do Senhor.
3 Nenhum amonita, nem moabita, entrará na congrega-
ção do Senhor; nem ainda a sua décima geração entrará na
congregação do Senhor eternamente.

4 Porque não foram encontrá-los no caminho com pão e
água, quando saíram do Egito; e porque contrataram con-
tra vocês Balaão, filho de Beor, de Petor, da Mesopotâmia,
para os amaldiçoar.
5 Porém o Senhor seu Deus não quis ouvir Balaão; antes o
Senhor seu Deus trocou por bênção a maldição; porque o
Senhor seu Deus os amava.
6 Não lhes procurem nem paz, nem bem, enquanto vocês
viverem.
7 Não desprezem os edomitas, porque são seus irmãos;
nem desprezem os egípcios, porque vocês foram estran-
geiros na sua terra.
8 Os filhos que lhes nascerem na terceira geração, cada
um deles entrará na congregação do Senhor.
9 Quando o exército sair contra os seus inimigos, então
devem evitar todas as coisas impuras.
10 Quando entre vocês houver algum homem que, por
polução noturna, não estiver puro, sairá fora do acampa-
mento; e não entrará no meio do exército.
11 Porém, quando chegar a tarde, se lavará em água e, ao
pôr do sol, poderá entrar no meio do acampamento.
12 Também terão um lugar fora do acampamento, para
onde sairão.
13 E em seu equipamento tenham uma pá; e, quando
estiverem assentados fora, então com ela cavarão e, viran-
do-se, cobrirão o que defecaram.
14 Porque o Senhor seu Deus anda no meio de seu acam-
pamento, para livrá-los e entregar a vocês os seus inimigos;
por isso o seu acampamento será santo, para que ele não
veja em vocês coisas desagradáveis e se afaste de vocês.

Leis Diversas

15 Não entreguem ao seu senhor o escravo que, tendo
fugido dele, se refugiar com você;
16 ficará com você, no meio de vocês, no lugar que esco-
lher em alguma das suas cidades, onde lhe agradar; não
o oprimam.
17 Nenhuma das filhas de Israel praticará prostituição;
nem os seus filhos israelitas.
18 Não tragam o salário da prostituta ou do prostituto à
casa do Senhor seu Deus por qualquer voto; porque ambos
são igualmente abominação ao Senhor seu Deus.
19 A seus irmãos não poderão emprestar com juros; nem
juros do dinheiro, da comida, nem de qualquer coisa que
se empreste a juros.
20 Aos estrangeiros podem emprestar com juros; porém,
a seus irmãos não emprestarão com juros, para que o Se-
nhor seu Deus os abençoe em tudo o que puserem as suas
mãos, na terra à qual irão para possuir.
21 Quando fizer algum voto ao Senhor seu Deus não
demore para cumpri-lo; porque o Senhor seu Deus certa-
mente o exigirá de você e você será culpado pelo pecado.
22 Porém, abstendo-se de votar, não haverá pecado em
você.
23 O que saiu dos seus lábios guardem e cumpram, como
voluntariamente fizeram voto ao Senhor seu Deus, decla-
rando-o pela sua boca.
24 Quando entrarem na vinha do seu próximo, comam
uvas conforme o seu desejo até se fartarem, porém não as
colham para levar no seu cesto.
25 Quando entrarem na plantação do seu próximo, arran-
quem as espigas com as suas mãos; porém não ponham a
foice na plantação do seu próximo.
24 Quando um homem tomar uma mulher e se casar
com ela, então, se ele não se agradar dela, por ter
encontrado nela coisa indecente, e se lhe fizer uma carta
de divórcio e entregar a ela e a mandar embora de sua
casa,
2 e se ela sair da casa dele e se casar com outro homem,
3 e este também a desprezar e lhe fizer uma carta de di-
vórcio, entregar a ela e a mandar embora da sua casa, ou
se este último homem que se casou com ela vier a morrer,
4 então seu primeiro marido, que a mandou embora, não
poderá tornar a casar com ela, para que ela seja sua mu-
lher, depois que foi contaminada; porque é abominação pe-
rante o Senhor; assim não farão pecar a terra que o Senhor
seu Deus lhes dá por herança.
5 Quando um homem for recém-casado não sairá à guerra,
nem assumirá nenhum compromisso; por um ano inteiro
ficará livre na sua casa para fazer feliz a mulher com quem
se casou.
6 Não se tomarão em penhor ambas as pedras do moinho,
nem a de cima nem a de baixo; pois se poderia penhorar
a própria vida.
7 Quando encontrar alguém que tenha sequestrado um de
seus irmãos, dos israelitas, e escravizá-lo, ou vendê-lo, esse
ladrão morrerá e tirarão o mal do meio de vocês.
8 Cuidem-se da praga da lepra e tenham grande cuidado
de fazer conforme a tudo o que os sacerdotes levitas lhes
ensinarem; como lhes tenho ordenado, terão cuidado de
o fazer.
9 Lembrem-se do que o Senhor seu Deus fez a Miriã no
caminho, quando saíram do Egito.
10 Quando emprestar alguma coisa ao seu próximo, não
entrará em sua casa, para lhe tirar o penhor.
11 Ficará do lado de fora; e o homem, a quem emprestou,
levará o penhor para fora até você.
12 Porém, se for um homem pobre, não passará a noite
com o seu penhor.
13 Ao pôr do sol, sem falta lhe devolva o penhor; para

que ele durma com seu manto e o abençoe; e isto lhe será
como justiça diante do Senhor seu Deus.

A Caridade

14 Não oprima o empregado pobre e necessitado, sendo
um de seus irmãos, ou um estrangeiro, que está na sua
terra e nas suas cidades.
15 Pague as suas diárias sem atraso, pague no mesmo dia;
porque ele é pobre, e sua vida depende disto; para que
não clame ao Senhor contra você, e você seja culpado do
pecado.
16 Os pais não morrerão no lugar dos filhos, nem os filhos
no lugar dos pais; cada um morrerá pelo seu pecado.
17 Não pervertam o direito do estrangeiro e do órfão; nem
tomem em penhor a roupa da viúva.
18 Mas lembrem-se de que foram escravos no Egito e de
que o Senhor seu Deus os tirou dali; por isso lhes ordeno
que façam assim.
19 Quando no seu campo fizerem a colheita e esquece-
rem um feixe no campo, não voltem a pegá-lo; será para o
estrangeiro, para o órfão e para a viúva; para que o Senhor
seu Deus os abençoe em toda a obra das suas mãos.
20 Quando sacudirem a sua oliveira, não voltem para co-
lher os frutos que ficaram nos ramos; serão para o estran-
geiro, para o órfão e para a viúva.
21 Quando colherem as suas uvas, não voltem para colher
o que ficou; será para o estrangeiro, para o órfão, e para
a viúva.
22 E lembrem-se de que foram escravos na terra do Egito;
portanto lhes ordeno que façam isso.

A Pena de Açoite

25 Quando houver contenda entre dois homens e
vierem a juízo, para que os julguem, absolverão o
inocente e condenarão o culpado.
2 E, se o culpado merecer açoites, o juiz o fará deitar-se,
para que seja açoitado diante dele; segundo a sua culpa,
será o número de açoites.
3 Poderá ordenar no máximo quarenta açoites, não mais;
pois se lhe derem mais açoites do que estes, seu irmão será
humilhado publicamente.
4 Não amarrem a boca do boi, quando ele estiver pisando
o trigo.
5 Quando dois irmãos morarem juntos, e um deles morrer,
e este não tiver filhos, então a mulher do falecido não se
casará com um homem estranho, de fora; seu cunhado
se casará com ela e a receberá por mulher e exercerá a
obrigação de cunhado para com ela.
6 E o primogênito que ela lhe der será sucessor do nome
do seu irmão falecido, para que o seu nome não se apague
em Israel.
7 Porém, se o homem não quiser se casar com a sua cunha-
da, ela subirá à porta dos anciãos e dirá: 'Meu cunhado se
recusa a dar continuidade ao nome de seu irmão em Israel;
não quer exercer para comigo o dever de cunhado.'
8 Então os anciãos da sua cidade o chamarão e falarão
com ele; e se ele persistir e disser: 'Não quero casar-me
com ela';
9 então sua cunhada irá até ele, na presença dos anciãos, e
lhe descalçará o sapato do pé, e lhe cuspirá no rosto, e pro-
testará e dirá: 'Assim se fará ao homem que não edificar a
casa de seu irmão';
10 e o seu nome se chamará em Israel: 'A casa do
descalçado.'
11 Quando dois homens brigarem um contra o outro, e a
mulher de um chegar para livrar o seu marido da mão do
homem que o fere, e ela estender a sua mão e lhe pegar
pelo órgão genital,
12 então lhe cortarão a sua mão; não sintam piedade dela.

Lei dos Pesos e Medidas

13 Não tenham na sua bolsa dois pesos diferentes: um
grande e um pequeno.
14 Não tenham na sua casa dois tipos de medidas: uma
grande e uma pequena.
15 Tenham peso inteiro e justo; e medidas inteiras e justas;
para que se prolonguem os seus dias na terra que o Senhor
seu Deus lhes dá.
16 Porque, quem faz isto, faz injustiça; é abominação ao
Senhor seu Deus.
17 Lembrem-se do que os amalequitas lhes fizeram no
caminho, quando saíam do Egito;
18 foram ao encontro de vocês e, vindo por trás, feriram
todos os fracos que iam atrás de vocês, quando vocês es-
tavam cansados e exaustos; e eles não temeram a Deus.
19 Quando o Senhor seu Deus lhes tiver dado descanso
de todos os seus inimigos ao seu redor, na terra que o Se-
nhor seu Deus lhes dá por herança, para possuírem, então,
apaguem a memória dos amalequitas da face da terra; não
se esqueçam.

As Primícias

26 Quando entrar na terra que o Senhor seu Deus lhe
der por herança e a possuir, e nela habitar,
2 então pegará das primícias de todos os frutos do solo
que recolher da terra, que o Senhor seu Deus lhe deu, e as
porá num cesto e as levará ao lugar que o Senhor seu Deus
escolher, para ali fazer habitar o seu nome.
3 E irá ao sacerdote, que estiver naquele dia, e lhe dirá:
'Hoje declaro perante o Senhor seu Deus que entrei na
terra que o Senhor jurou a nossos pais que nos daria.'
4 E o sacerdote pegará o cesto da sua mão e o porá diante
do altar do Senhor seu Deus.
5 Então, dará testemunho perante o Senhor seu Deus e

dirá: 'Um arameu errante foi meu pai, e desceu ao Egito e
ali peregrinou com pouca gente; porém, ali cresceu até vir
a ser uma grande nação, poderosa e numerosa.
6 Mas os egípcios nos maltrataram e nos oprimiram e, so-
bre nós, impuseram uma dura escravidão.
7 Então clamamos ao Senhor Deus de nossos pais; e o
Senhor ouviu a nossa voz e olhou para a nossa miséria,
para o nosso trabalho e para a nossa opressão.
8 E o Senhor nos tirou do Egito com mão forte, com
braço estendido, com grande espanto, com sinais e com
milagres;
9 e nos trouxe a este lugar e nos deu esta terra, terra que
mana leite e mel.
10 E eis que agora eu trouxe as primícias dos frutos da
terra que tu, ó Senhor, me deste.' Então as colocará pe-
rante o Senhor seu Deus, e se prostrará perante o Senhor
seu Deus,
11 e se alegrará por todo o bem que o Senhor seu Deus lhe
tem dado; você e a sua casa; você, o levita e o estrangeiro
que está em sua terra.

O Dízimo do Terceiro Ano

12 Quando acabarem de separar todos os dízimos da sua
colheita no terceiro ano, que é o ano dos dízimos, então os
darão ao levita, ao estrangeiro, ao órfão e à viúva, para que
comam dentro das suas cidades, e se fartem;
13 e dirão perante o Senhor seu Deus: 'Tirei da minha
casa as coisas consagradas e as dei também ao levita, ao
estrangeiro, ao órfão e à viúva, conforme a todos os seus
mandamentos que me tem ordenado; não transgredi os
seus mandamentos, nem deles me esqueci;
14 delas não comi no meu luto, nem delas nada tirei quan-
do impuro, nem delas dei para os mortos; obedeci à voz
do Senhor meu Deus; conforme a tudo o que me ordenou,
tenho feito.
15 Olhe desde a sua santa habitação, desde o céu e aben-
çoe o seu povo Israel, e a terra que nos deu, como jurou a
nossos pais, terra que mana leite e mel.'

A Aliança

16 Neste dia, o Senhor seu Deus manda-os cumprirem
estes estatutos e juízos; guardem e os cumpram com todo
o seu coração e com toda a sua alma.
17 Hoje declararam ao Senhor que ele é o seu Deus, que
andarão nos seus caminhos, guardarão os seus estatutos,
os seus mandamentos, os seus juízos e darão ouvidos à
sua voz.
18 E o Senhor hoje declarou que vocês serão seu próprio
povo, como lhes tem dito, e que vocês devem guardar to-
dos os seus mandamentos.
19 Para assim os exaltar sobre todas as nações que criou,
para louvor e para fama, para glória e para que sejam um
povo santo ao Senhor seu Deus, como ele tem falado."

A Lei Gravada na Pedra

27 E Moisés e os anciãos deram ordem ao povo de Is-
rael, dizendo: "Guardem todos estes mandamentos
que hoje lhes ordeno;
2 no dia em que passarem o Jordão para a terra que o
Senhor seu Deus lhes dá, levantem umas pedras grandes,
e as pintem com cal.
3 E, depois de atravessarem, escrevam nelas todas as pa-
lavras desta lei, para entrarem na terra que o Senhor seu
Deus lhes dá, terra que mana leite e mel, como o Senhor
Deus de seus pais lhes prometeu.
4 Quando tiverem passado o Jordão, levantem estas pe-
dras, como hoje lhes ordeno, no monte Ebal, e as pintem
com cal.
5 E ali edifiquem um altar ao Senhor seu Deus, um altar
de pedras; não usem instrumentos de ferro nelas.
6 Edifiquem o altar do Senhor seu Deus com pedras bru-
tas; ofereçam sobre ele holocaustos ao Senhor seu Deus.
7 Também sacrifiquem ofertas pacíficas e as comam ali
perante o Senhor seu Deus e se alegrem.
8 E escrevam naquelas pedras todas as palavras desta lei,
com bastante nitidez."
9 Moisés falou mais, juntamente com os sacerdotes le-
vitas, a todo o Israel, dizendo: "Faça silêncio e escute, ó
Israel! Hoje vieram a ser o povo do Senhor seu Deus.
10 Portanto obedeçam à voz do Senhor seu Deus e cum-
pram os seus mandamentos e os seus estatutos que hoje
lhes ordeno."

O Monte das Maldições

11 E naquele dia Moisés deu ordem ao povo, dizendo:
12 "Quando vocês tiverem atravessado o Jordão, estas
tribos ficarão sobre o monte Gerizim, para abençoarem o
povo: Simeão, Levi, Judá, Issacar, José e Benjamim;
13 e estas tribos ficarão sobre o monte Ebal para amaldi-
çoar: Rúben, Gade, Aser, Zebulom, Dã e Naftali.
14 E os levitas testificarão a todo o povo de Israel em alta
voz, e dirão:
15 'Maldito o homem que fizer imagem de escultura, ou
de fundição, abominação ao Senhor, obra da mão do ar-
tífice, e a puser em um lugar escondido.' E todo o povo,
respondendo, dirá: 'Amém.'
16 Maldito aquele que desonrar a seu pai ou a sua mãe. E
todo o povo dirá: 'Amém.'
17 Maldito aquele que remover o limite do seu próximo.
E todo o povo dirá: 'Amém.'
18 Maldito aquele que fizer que o cego erre de caminho.
E todo o povo dirá: 'Amém.'

19 Maldito aquele que perverter o direito do estrangeiro,
do órfão e da viúva. E todo o povo dirá: 'Amém'.
20 Maldito aquele que se deitar com a mulher de seu pai,
porque desonrou o leito de seu pai. E todo o povo dirá:
'Amém.'
21 Maldito aquele que se deitar com algum animal. E todo
o povo dirá: 'Amém.'
22 Maldito aquele que se deitar com sua irmã, filha de
seu pai, ou filha de sua mãe. E todo o povo dirá: 'Amém.'
23 Maldito aquele que se deitar com sua sogra. E todo o
povo dirá: 'Amém.'
24 Maldito aquele que matar o seu próximo à traição. E
todo o povo dirá: 'Amém.'
25 Maldito aquele que aceitar suborno para matar uma
pessoa inocente. E todo o povo dirá: 'Amém.'
26 Maldito aquele que não confirmar as palavras desta lei,
não as cumprindo. E todo o povo dirá: 'Amém.'

Promessas de Bênçãos

28 Se ouvirem a voz do Senhor seu Deus, tendo o cui-
dado de guardar todos os seus mandamentos que
eu hoje lhes ordeno, o Senhor seu Deus os exaltará sobre
todas as nações da terra.
2 E todas estas bênçãos virão sobre vocês e os alcançarão,
quando ouvirem a voz do Senhor seu Deus;
3 benditos serão na cidade e benditos serão no campo.
4 Bendito o fruto do seu ventre, o fruto da sua terra, o
fruto dos seus animais e as crias das suas vacas e das suas
ovelhas.
5 Bendito o seu cesto e a sua amassadeira.
6 Benditos serão ao entrar e benditos serão ao sair.
7 O Senhor fará com que os seus inimigos que atacarem
vocês sejam destruídos diante de vocês; por um caminho
virão contra vocês, mas por sete caminhos fugirão da sua
presença.
8 O Senhor mandará que a bênção esteja com vocês nos
seus celeiros e em tudo o que puserem a sua mão; e os
abençoará na terra que o Senhor seu Deus lhes dá.
9 O Senhor os confirmará para si como povo santo, como
lhes tem jurado, se guardarem os mandamentos do Senhor
seu Deus, e andarem nos seus caminhos.
10 E todos os povos da terra verão que são o povo do
Senhor e terão medo de vocês.
11 E o Senhor lhes dará abundância de bens no fruto do
seu ventre, no fruto dos seus animais e no fruto do seu
solo, sobre a terra que o Senhor jurou a seus pais lhes dar.
12 O Senhor lhes abrirá o seu bom tesouro, o céu, para dar
chuva à sua terra no tempo certo, e para abençoar toda a
obra das suas mãos; emprestarão a muitas nações, porém
vocês não tomarão emprestado.
13 E o Senhor os porá por cabeça e não por cauda; e só
estarão em cima e não debaixo, se obedecerem aos man-
damentos do Senhor seu Deus, que hoje lhes ordeno, para
os guardarem e cumprirem.
14 E não se desviem de todas as palavras que hoje lhes
ordeno, nem para a direita nem para a esquerda, seguindo
outros deuses, para os servirem.

Promessas de Maldição

15 Porém, se não derem ouvidos à voz do Senhor seu
Deus, não cumprindo todos os seus mandamentos e os
seus estatutos, que hoje lhes ordeno, então virão sobre
vocês todas estas maldições, e os alcançarão:
16 Malditos serão vocês na cidade e malditos serão no
campo.
17 Malditos serão o seu cesto e a sua amassadeira.
18 Malditos serão o fruto do seu ventre, o fruto da sua
terra, as crias das suas vacas e das suas ovelhas.
19 Malditos serão ao entrarem e malditos serão ao saírem.
20 O Senhor mandará sobre vocês a maldição, a confusão
e a perdição em tudo em que puserem a mão para fazer;
até que sejam destruídos e até que repentinamente pere-
çam, por causa da maldade das suas obras, pelas quais me
abandonaram.
21 O Senhor fará pegar em vocês a peste, até que os con-
suma da terra que irão possuir.
22 O Senhor os ferirá com doenças, com febre, com infla-
mação, com calor, com a seca, com destruição das semen-
teiras e com ferrugem; e os perseguirão até que pereçam.
23 E o céu, que está sobre suas cabeças, será de bronze; e
a terra que está debaixo de vocês, será de ferro.
24 O Senhor dará por chuva, sobre a sua terra, pó e poeira;
dos céus descerão sobre vocês, até que sejam destruídos.
25 O Senhor fará com que sejam derrotados diante dos
seus inimigos; sairão contra eles por um caminho e por
sete caminhos fugirão deles, e serão espalhados por todos
os reinos da terra.
26 E os seus cadáveres servirão de comida a todas as aves
dos céus e aos animais da terra; e ninguém os espantará.
27 O Senhor os ferirá com as úlceras do Egito, com tumo-
res, com sarna e com coceira, de que não poderão se curar.
28 O Senhor os ferirá com loucura, com cegueira e com
confusão mental.
29 E apalparão ao meio-dia, como o cego apalpa na escuri-
dão, e não prosperarão nos seus caminhos; porém sempre
serão oprimidos e roubados todos os dias, e não haverá
quem os salve.
30 Você estará em compromisso de casamento com uma
mulher, porém outro homem se deitará com ela; edificará
uma casa, porém não morará nela; plantará uma vinha,
porém não aproveitará do seu fruto.
31 O seu boi será morto diante dos seus olhos, porém não

comerá dele; o seu jumento será roubado na sua frente e
não será devolvido; as suas ovelhas serão dadas aos seus
inimigos e não haverá quem o ajude.
32 Seus filhos e suas filhas serão dados a outro povo, sen-
tirão saudade todos os dias; porém não conseguirão fazer
nada.
33 O fruto da sua terra e todo o seu trabalho serão co-
midos por um povo que nunca conheceram; vocês serão
oprimidos e quebrantados todos os dias.
34 E enlouquecerão com o que virem com os seus olhos.
35 O Senhor os ferirá com úlceras malignas nos joelhos e
nas pernas, de que não irão sarar, desde a planta do seu pé
até ao alto da sua cabeça.
36 O Senhor os levará, vocês e seu rei, que tiverem posto
sobre vocês, a uma nação que nem vocês nem seus pais
conheceram; e ali servirão a outros deuses de madeira e
de pedra.
37 E serão motivo de espanto, falatório e zombaria entre
todos os povos a que o Senhor os levar.
38 Plantarão muitas sementes no campo; porém colherão
pouco, porque os gafanhotos as consumirão.
39 Plantarão e cuidarão das vinhas; porém não beberão o
vinho, nem colherão as uvas; porque os bichos as colherão.
40 Em todos os territórios terão oliveiras; porém não se
ungirão com azeite; porque as azeitonas cairão das suas
oliveiras.
41 Gerarão filhos e filhas; porém não serão para vocês;
porque irão para o cativeiro.
42 Todas as suas árvores e os frutos da sua terra os gafa-
nhotos consumirão.
43 Os estrangeiros, que estão no meio de vocês, se ele-
varão muito sobre vocês e vocês descerão cada vez mais.
44 Eles lhes emprestarão, porém vocês não emprestarão a
eles; eles serão por cabeça e vocês serão por cauda.
45 E todas estas maldições virão sobre vocês e os perse-
guirão, e os alcançarão, até que sejam destruídos; porque
não ouviram a voz do Senhor seu Deus, para guardarem
os seus mandamentos, e os seus estatutos, que lhes tem
ordenado;
46 e serão no meio de vocês por sinal e por maravilha, e
entre os seus descendentes para sempre.
47 Porque não serviram ao Senhor seu Deus com alegria e
bondade de coração, pela abundância de tudo.
48 Assim servirão aos seus inimigos, que o Senhor enviará
contra vocês, com fome e com sede, com nudez e com
falta de tudo; e sobre o seu pescoço porão um jugo de
ferro, até que os tenham destruído.
49 O Senhor levantará contra vocês uma nação de longe,
da extremidade da terra, que voa como a águia, nação que
fala uma língua que não entenderão;
50 uma nação de aparência feroz, que não respeitará os
velhos, nem se apiedará dos moços;
51 e comerão os seus animais e os frutos da sua terra,
até que sejam destruídos; e não lhes deixarão cereal, nem
vinho, nem azeite, nem crias das suas vacas, nem das suas
ovelhas, até que sejam dizimados;
52 e os sitiarão em todas as suas cidades, até derrubarem
os seus altos e fortes muros em que confiavam, e os sitia-
rão em todas as suas cidades, em todas as suas terras que o
Senhor seu Deus lhes deu.
53 Pelo sofrimento e pelo aperto dos seus inimigos, come-
rão o fruto do seu ventre, a carne dos seus filhos e das suas
filhas, que o Senhor seu Deus lhes der.
54 Quanto ao homem mais gentil e educado no meio de
vocês, ele será egoísta com o seu irmão, com a sua mulher
e com os seus filhos que ainda lhe restarem;
55 de modo que não dará a nenhum deles a carne de
seus filhos, que ele comerá; porque nada lhe restou pelo
sofrimento e pelo aperto, com o cerco dos seus inimigos
em todas as suas cidades.
56 E quanto à mulher mais carinhosa e delicada no meio
de vocês, que de tão carinhosa e delicada nunca tentou
pôr a sola de seus pés sobre a terra, ela será mesquinha
com o homem que ama, com seu filho e com sua filha;
57 será mesquinha até com a placenta e o recém-nascido
que tiver, porque os comerá às escondidas pela falta de
tudo, pelo cerco e pelo sofrimento, com que os seus inimi-
gos os apertarão nas suas cidades.
58 Se não tiverem cuidado de guardar todas as palavras
desta lei, que estão escritas neste livro, para temerem este
nome glorioso e terrível, o Senhor seu Deus,
59 então o Senhor fará terríveis as pragas sobre vocês e
sobre a sua descendência, pragas grandes e permanentes e
enfermidades malignas e duradouras;
60 e fará voltar sobre vocês todas as doenças do Egito, de
que tinham medo e vocês as contrairão.
61 O Senhor também fará vir sobre vocês todas as enfer-
midades e todas as pragas, que não estão escritas no livro
desta lei, até que sejam destruídos.
62 E ficarão em poucos homens, vocês que antes eram
numerosos como as estrelas dos céus; porque não deram
ouvidos à voz do Senhor seu Deus.
63 E, assim como o Senhor se deleitava em vocês, em lhes
fazer o bem e multiplicá-los, assim o Senhor se deleitará
em destruí-los e consumi-los; e serão arrancados da terra
que passarão a possuir.
64 E o Senhor os espalhará entre todos os povos, desde
uma extremidade da terra até à outra; e ali servirão a ou-
tros deuses que nem vocês nem seus pais não conhecem;
deuses feitos de madeira e de pedra.

65 Nem, ainda, descansarão entre estas nações, nem a
sola de seus pés terá repouso; porque ali o Senhor lhes
dará um coração aflito, olhos exaustos e alma desfalecida.
66 E a sua vida estará sempre em perigo; e estremecerão
de noite e de dia, sem crer que sobreviverão.
67 Pela manhã dirão: 'Ah! Quem me dera já fosse noite!'
E à noite dirão: 'Ah! Quem me dera que já fosse dia!' Pelo
medo que sentirão no seu coração, e pelo que verão com
os seus olhos.
68 E o Senhor os fará voltar ao Egito em navios, pelo caminho de que eu lhes disse: jamais o verão; e ali serão
vendidos como escravos e escravas aos seus inimigos; mas
não haverá quem os compre."

A Renovação da Aliança Com Deus

29 Estas são as palavras da aliança que o Senhor ordenou a Moisés que fizesse com os israelitas, na
terra de Moabe, além da aliança que fizera com eles em
Horebe.
2 E Moisés chamou a todo o Israel e lhes disse: "Vocês
viram tudo o que o Senhor fez perante seus olhos, na terra
do Egito, ao Faraó, a todos os seus servos e a toda a sua
terra;
3 as grandes provas que os seus olhos viram, aqueles sinais
e grandes maravilhas;
4 porém o Senhor não lhes deu um coração para entender,
nem olhos para ver, nem ouvidos para ouvir, até os dias
de hoje.
5 'E eu os conduzi durante quarenta anos pelo deserto;
durante todo esse tempo, as suas roupas não se envelheceram sobre vocês e nem as suas sandálias se gastaram
em seus pés.
6 Não comeram pão, e não beberam vinho e bebida forte;
para que soubessem que eu sou o Senhor seu Deus.'
7 Quando vocês chegaram a este lugar, Seom, rei de Hesbom e Ogue, rei de Basã, saíram ao nosso encontro, à batalha e nós os derrotamos;
8 e tomamos a sua terra e a demos por herança aos rubenitas, aos gaditas e à meia tribo dos manassitas.
9 Guardem as palavras desta aliança e as cumpram, para
que prosperem em tudo que fizerem.
10 Vocês todos estão hoje perante o Senhor seu Deus; os
chefes de suas tribos, seus anciãos, e os seus oficiais, todos
os homens de Israel;
11 os seus filhos, as suas mulheres e os estrangeiros que
estão no meio do seu acampamento; desde o seu rachador
da lenha, até o seu tirador de água;
12 para entrarem na aliança do Senhor seu Deus e no seu
juramento que o Senhor seu Deus faz hoje com vocês;
13 para que hoje ele os confirme como seu povo e lhes
seja por Deus, como lhes prometeu e como jurou a seus
pais, Abraão, Isaque e Jacó.
14 E não faço esta aliança e este juramento somente com
vocês;
15 mas com aquele que hoje está aqui em pé conosco
perante o Senhor nosso Deus e com aquele que não está
aqui conosco hoje.
16 Porque vocês sabem como habitamos na terra do
Egito e como passamos pelo meio das nações pelas quais
passaram;
17 e viram as suas abominações, os seus ídolos feitos de
madeira, de pedra, de prata, de ouro, que havia entre eles,
18 para que entre vocês não haja homem, nem mulher,
nem família, nem tribo, cujo coração hoje se desvie do
Senhor nosso Deus, para que vá servir aos deuses destas
nações; para que entre vocês não haja raiz venenosa e
amarga,
19 e aconteça que, alguém ouvindo as palavras desta
maldição, se abençoe no seu coração, dizendo: 'Terei paz,
ainda que eu ande conforme os desejos do meu teimoso
coração'; esta atitude causaria uma destruição total.
20 O Senhor não perdoará; mas a ira do Senhor e o seu
zelo se acenderão contra este homem, e recairá sobre ele
toda a maldição escrita neste livro; e o Senhor apagará o
seu nome da face da terra.
21 E o Senhor o separará de todas as tribos de Israel para
castigá-lo, conforme todas as maldições da aliança escrita
no livro desta lei.
22 Então dirão à geração vindoura, os seus filhos, que se
levantarem depois de vocês, e aos estrangeiros que virão
de terras remotas, e verão as pragas desta terra e as suas
doenças, com que o Senhor a terá afligido;
23 e toda a sua terra será abrasada com enxofre e sal,
de forma que não será semeada, e nada produzirá, nem
crescerá erva alguma nela; assim como foi a destruição de
Sodoma e de Gomorra, de Admá e de Zeboim, que o Senhor destruiu na sua ira e no seu furor.
24 E todas as nações dirão: 'Por que o Senhor fez assim
com esta terra? Qual foi a causa do furor e desta ira tão
grande?'
25 Então se dirá: 'Porque deixaram a aliança do Senhor
Deus de seus pais, que tinha feito com eles, quando os
tirou do Egito;
26 foram e serviram a outros deuses e se inclinaram diante
deles; deuses que eles não conheceram e nenhum deles
lhes foi designado.'
27 Por isso a ira do Senhor se acendeu contra esta terra,
para trazer sobre ela toda a maldição que está escrita neste
livro.
28 E o Senhor os arrancou da sua terra com ira, com in-

dignação e com grande furor, e os lançou em outra terra
como se vê neste dia.
29 As coisas encobertas pertencem ao Senhor nosso Deus,
porém as reveladas pertencem a nós e a nossos filhos para
sempre, para que cumpramos todas as palavras desta lei.

Misericórdia Para os Arrependidos

30 E, vindo todas estas coisas, a bênção ou a maldição,
que tenho posto diante de vocês, e se recordarem
delas entre todas as nações, para onde o Senhor seu Deus
os lançar,
2 e se converterem ao Senhor seu Deus e derem ouvidos à
sua voz, conforme tudo o que eu lhes ordeno hoje, vocês e
seus filhos, com todo o seu coração e com toda a sua alma,
3 então o Senhor seu Deus lhes fará voltar do seu cativeiro
e se compadecerá de vocês, e os ajuntará novamente do
meio de todas as nações entre as quais o Senhor seu Deus
os espalhou.
4 Ainda que estejam espalhados por toda a terra, dali o
Senhor seu Deus os ajuntará;
5 e o Senhor seu Deus os trará de volta para a terra que
seus pais possuíram, e vocês a possuirão; ele os fará prósperos
e os multiplicará mais do que a seus pais.
6 E o Senhor seu Deus circuncidará o seu coração e o
coração de sua descendência, para amarem ao Senhor seu
Deus com todo o coração e com toda a sua alma, para
que vivam.
7 E o Senhor seu Deus porá todas estas maldições sobre os
seus inimigos e sobre os que os odeiam, e os perseguiram.
8 Vocês se converterão, e darão ouvidos à voz do Senhor;
cumprirão todos os seus mandamentos que hoje lhes
ordeno.
9 E o Senhor seu Deus lhes fará prosperar em todas as
obras das suas mãos, no fruto do seu ventre, no fruto dos
seus animais e no fruto da sua terra para o seu bem; porque
o Senhor voltará a alegrar-se com vocês para lhes fazer
bem, como se alegrou com seus pais,
10 quando derem ouvidos à voz do Senhor seu Deus,
guardando os seus mandamentos e os seus estatutos, escritos
neste livro da lei, quando se converterem ao Senhor
seu Deus com todo o seu coração, e com toda a sua alma.
11 Porque este mandamento, que hoje lhes ordeno, não
lhes é difícil de entender e tampouco de cumprir.
12 Não está nos céus, para dizerem: 'Quem subirá por
nós aos céus, para nos trazer e o anunciar, para que o
cumpramos?'
13 Nem está além do mar, para dizerem: 'Quem atravessará
o mar, para nos trazer e o anunciar, para que o
cumpramos?'
14 Porque esta palavra está muito perto de vocês, na sua
boca e no seu coração, para a cumprirem.
15 Vejam aqui, hoje lhes tenho proposto a vida e o bem,
a morte e o mal;
16 porque hoje lhes ordeno que amem o Senhor seu Deus,
que andem nos seus caminhos e que guardem os seus
mandamentos, os seus estatutos e os seus juízos, para que
vivam, se multipliquem e o Senhor seu Deus os abençoe
na terra na qual entrarão para possuí-la.
17 Porém, se o seu coração se desviar e não quiserem dar
ouvidos, e forem seduzidos para se inclinarem a outros
deuses e os servirem,
18 então hoje eu lhes declaro que, certamente, perecerão;
não prolongarão os seus dias na terra à qual irão, após o rio
Jordão, para a possuírem;
19 hoje tomo os céus e a terra por testemunhas contra
vocês, lhes propus a vida e a morte, a bênção e a maldição;
escolham, porém, a vida, para que vivam, vocês e a sua
descendência,
20 amando o Senhor seu Deus, dando ouvidos à sua voz e
se apegando a ele; pois ele é a sua vida e o prolongamento
dos seus dias; para que morem na terra que o Senhor jurou
a seus pais, a Abraão, a Isaque e a Jacó, que lhes daria."

Moisés Nomeia Josué

31 Depois Moisés foi e falou estas palavras a todo o
Israel,
2 e lhes disse: "Hoje eu tenho cento e vinte anos de idade;
já não poderei mais sair e entrar; além disto o Senhor me
disse: 'Você não atravessará o rio Jordão.'
3 O Senhor seu Deus irá à frente de vocês; ele destruirá estas
nações da frente de vocês, para que as possuam; Josué
irá à frente de vocês, como o Senhor falou.
4 E o Senhor lhes fará como fez a Seom e a Ogue, reis dos
amorreus, e à sua terra, os quais destruiu.
5 Quando o Senhor entregá-los a vocês, então façam com
eles conforme a todo o mandamento que lhes ordenei.
6 Esforcem-se e animem-se; não tenham medo, nem se
espantem diante deles; porque o Senhor seu Deus é o que
vai com vocês; não os deixará nem os desamparará.
7 E Moisés chamou Josué e lhe disse na presença de todo
o Israel: 'Seja forte e anime-se; porque com este povo entrará
na terra que o Senhor jurou a seus pais lhes dar; e
você os fará herdá-la.
8 O Senhor é aquele que vai na sua frente; ele estará com
você, não o deixará, nem o desamparará; não tenha medo,
nem se espante.'"
9 E Moisés escreveu esta lei e a deu aos sacerdotes, filhos
de Levi, que levavam a arca da aliança do Senhor e a todos
os anciãos de Israel.
10 E Moisés lhes ordenou, dizendo: "Ao fim de cada sete
anos, no tempo determinado do ano da remissão, na festa
dos tabernáculos,

11 quando todo o Israel vier a comparecer perante o Se-
nhor seu Deus, no lugar que ele escolher, lerão esta lei
diante de todo o Israel.
12 Reúnam o povo, os homens e as mulheres, os meninos
e os estrangeiros que estão dentro das suas cidades, para
que ouçam, aprendam e temam ao Senhor seu Deus, e
tenham cuidado de cumprir todas as palavras desta lei;
13 e que seus filhos, que não a souberem, ouçam e apren-
dam a temer ao Senhor seu Deus, em todos os dias que
viverem sobre a terra que irão para possuir, depois do rio
Jordão."
14 E o Senhor disse a Moisés: "Está chegando o dia da
sua morte; chame Josué e se apresentem na tenda do en-
contro, para que eu lhe dê ordens." Assim Moisés e Josué
foram e se apresentaram na tenda do encontro.
15 Então o Senhor apareceu na tenda, na coluna de nu-
vem; e a coluna de nuvem estava sobre a porta da tenda.
16 E o Senhor disse a Moisés: "Você irá morrer; e este
povo se levantará e se prostituirá indo atrás dos deuses
estranhos na terra, no meio da terra na qual entrarão; me
deixarão e anularão a minha aliança que tenho feito com
eles.
17 Assim a minha ira se acenderá nesse dia contra eles,
e eu os abandonarei e esconderei o meu rosto deles, para
que sejam destruídos; e tantos males e angústias os alcan-
çarão, que dirão naquele dia: 'Não está acontecendo tudo
isto conosco porque o nosso Deus não está no meio de
nós?'
18 Esconderei totalmente o meu rosto naquele dia, por
todo o mal que tiverem feito, por terem adorado outros
deuses.
19 Agora, escrevam este cântico e ensinem aos israelitas;
e os façam cantar, para que este cântico me seja por teste-
munha contra os israelitas.
20 Quando eu tiver introduzido o meu povo na terra que
jurei a seus pais, que mana leite e mel; e tiverem comido e
se fartado e engordado; então se tornarão a outros deuses e
os servirão; me irritarão e anularão a minha aliança.
21 E, quando muitos males e angústias os alcançarem,
então este cântico será contra eles por minha testemunha,
pois não será esquecido da boca de seus descendentes;
porque conheço os seus pensamentos, o que eles fazem
hoje, antes que os introduza na terra que jurei lhes dar."
22 Assim Moisés escreveu este cântico naquele dia e o
ensinou aos israelitas.
23 E o Senhor ordenou a Josué, filho de Num, e disse:
"Seja forte e corajoso; porque você introduzirá os israelitas
na terra que lhes jurei; e eu estarei com você."

O Livro da Lei

24 Então, quando Moisés acabou de escrever todas as pa-
lavras desta lei num livro,
25 deu ordem aos levitas, que levavam a arca da aliança
do Senhor, dizendo:
26 "Peguem este livro da lei e o coloquem ao lado da arca
da aliança do Senhor seu Deus, para ficar ali por testemu-
nha contra vocês.
27 Porque conheço a sua rebeldia e a sua teimosia; e hoje,
enquanto eu ainda estou vivendo com vocês, foram rebel-
des contra o Senhor; e então como será depois da minha
morte?
28 Reúnam perante mim todos os anciãos das suas tribos
e seus oficiais, e falarei estas palavras aos seus ouvidos, e
tomarei o céu e a terra por testemunhas contra eles.
29 Porque eu sei que depois da minha morte certamente
se corromperão e se desviarão do caminho que lhes orde-
nei; então este mal os alcançará nos últimos dias, quando
fizerem mal aos olhos do Senhor, para o provocarem à ira
com a obra das suas mãos."
30 Então Moisés falou as palavras deste cântico, do co-
meço ao fim, aos ouvidos de toda a congregação de Israel:

O Último Cântico de Moisés

32 "Inclinem os ouvidos, ó céus, e falarei; e ouça a ter-
ra as palavras da minha boca.
2 Goteje a minha doutrina como a chuva, destile a minha
palavra como o orvalho, como chuvisco sobre a erva e
como gotas de água sobre a relva.
3 Porque proclamarei o nome do Senhor; engrandeçam
o nosso Deus.
4 Ele é a Rocha, cuja obra é perfeita, porque todos os seus
caminhos são justos; Deus é a verdade e não há injustiça
nele; é justo e reto.
5 Corromperam-se contra ele; não são mais seus filhos,
mas a sua mancha; uma geração perversa e corrompida.
6 Recompensam assim ao Senhor, povo louco e ignorante?
Não é ele seu pai, que os adquiriu, os fez e os estabeleceu?
7 Lembrem-se dos dias da antiguidade, atentem para os
anos de muitas gerações: perguntem aos seus pais, e eles
lhes informarão; aos seus anciãos, e eles lhes dirão.
8 Quando o Altíssimo distribuía as heranças às nações,
quando separava os filhos de Adão uns dos outros, esta-
beleceu as fronteiras dos povos, conforme o número dos
israelitas.
9 Porque a porção do Senhor é o seu povo; Jacó é a parte
da sua herança.
10 Achou-o numa terra deserta e num ermo solitário cheio
de uivos; cercou-o, instruiu-o e guardou-o como a menina
dos seus olhos.
11 Como a águia desperta a sua ninhada, move-se sobre

os seus filhos, estende as suas asas, pega-os e os leva sobre
as suas asas,
12 assim só o Senhor o guiou; e não havia com ele deus
estranho.
13 Ele o fez cavalgar sobre as alturas da terra e comer os
frutos do campo, e o fez chupar mel da rocha e azeite da
pedra dura.
14 Manteiga de vacas e leite do rebanho, com a gordura
dos cordeiros e dos carneiros que pastam em Basã, e dos
bodes, com o mais escolhido trigo; e beberam o sangue das
uvas, o vinho puro.
15 E, engordando, Jesurum deu coices; vocês engorda-
ram, engrossaram e se cobriram de gordura, e deixaram a
Deus, que os fez, e desprezaram a Rocha da sua salvação.
16 Com deuses estranhos provocaram seu ciúme; com
abominações o irritaram.
17 Ofereceram sacrifícios aos demônios, não a Deus; aos
deuses que não conheceram, novos deuses, que vieram há
pouco, aos quais seus pais não temeram.
18 Esqueceram-se da Rocha que os gerou; e se esquece-
ram do Deus que os fez;
19 O Senhor Deus viu isto, os desprezou, por seus filhos e
suas filhas terem provocado a sua ira;
20 e disse: 'Esconderei o meu rosto deles, verei qual será o
seu fim; porque são uma geração perversa, filhos em quem
não há lealdade.
21 Provocaram-me ciúmes com aquilo que não é Deus;
com os seus ídolos me provocaram à ira; portanto eu lhes
provocarei ciúmes com aquele que não é povo; com uma
nação louca os despertarei à ira.
22 Porque um fogo se acendeu na minha ira, e arderá até
ao mais profundo do inferno, e consumirá a terra com a
sua colheita e abrasará os fundamentos dos montes.
23 Amontoarei males sobre eles; as minhas flechas esgo-
tarei contra eles.
24 Serão consumidos pela fome, pela febre e pela peste; e
contra eles enviarei feras, e serpentes do pó com ardente
veneno.
25 Do lado de fora morrerão pela espada, e, por dentro das
casas, morrerão de pavor: o jovem, a virgem, a criança de
peito e os homens idosos.
26 Eu disse: Por todos os cantos os espalharei; farei cessar
a sua memória dentre os homens,
27 se eu não receasse a ira do inimigo para que os seus
adversários não se iludam, e para que não digam: 'A nossa
mão prevaleceu, o Senhor não fez tudo isto.'
28 Porque são povo sem juízo e neles não há
discernimento.
29 Quem dera eles fossem sábios! Que entendessem isto e
atentassem para o seu fim!
30 Como poderia um só perseguir mil, e dois afugentarem
dez mil, se a sua Rocha não os tivesse vendido, e o Senhor
não os tivesse entregado?
31 Porque a sua rocha não é como a nossa Rocha, pois até
os nossos inimigos concordam.
32 Porque a sua vinha é a vinha de Sodoma e dos campos
de Gomorra; as suas uvas são de fel, os seus cachos são
amargosos.
33 O seu vinho é veneno ardente de serpentes e veneno
cruel de víboras.
34 'Isto não está guardado comigo? Selado nos meus
tesouros?
35 Minha é a vingança e a recompensa, ao tempo que
resvalar o seu pé; porque o dia da sua ruína está próximo
e as coisas que lhes acontecerão, se apressam a chegar.'
36 Porque o Senhor fará justiça ao seu povo e se compade-
cerá de seus servos; quando vir que o poder deles se foi, e
não há escravos nem livres.
37 Então dirá: 'Onde estão os seus deuses? A rocha em
quem confiavam,
38 deuses que dos seus sacrifícios comiam a gordura, e das
suas libações bebiam o vinho? Que eles se levantem e os
ajudem, para que haja esconderijo para vocês.
39 Vejam agora que eu, eu sou ele, o único, e não há ne-
nhum deus além de mim; eu mato e eu faço viver; eu firo
e eu saro, e não há ninguém que escape da minha mão.
40 Porque levanto a minha mão aos céus, e digo: 'Eu vivo
para sempre'.
41 Se eu afiar a minha espada reluzente e se a minha
mão exercer o juízo, me vingarei dos meus adversários e
retribuirei aos que me odeiam.
42 Embriagarei as minhas flechas de sangue e a minha
espada comerá carne; o sangue dos mortos e dos prisionei-
ros, desde a cabeça dos líderes inimigos.'
43 Cantem, ó nações, com o seu povo, porque ele vin-
gará o sangue dos seus servos e sobre os seus adversários
retribuirá a vingança, e fará expiação da sua terra e do
seu povo."

As Últimas Admoestações

44 E Moisés veio e falou todas as palavras deste cântico
aos ouvidos do povo, ele e Josué, filho de Num.
45 E, quando Moisés terminou de falar todas estas pala-
vras a todo o Israel,
46 ele lhes disse: "Guardem no seu coração todas as pala-
vras que hoje testifico entre vocês, para que as ordenem
a seus filhos, para que eles tenham cuidado de cumprir
todas as palavras desta lei.
47 Porque estas palavras não são inúteis, pelo contrário,
são a sua vida; e por estas mesmas palavras prolongarão os
seus dias na terra a qual, passando o Jordão, irão possuir."

Deus Manda Moisés Subir o Monte Para Morrer

48 Depois o Senhor falou a Moisés, naquele mesmo dia,
dizendo:
49 "Suba ao monte de Abarim, ao monte Nebo, que fica
na terra de Moabe, à frente de Jericó, e veja a terra de
Canaã, que darei aos israelitas como posse.
50 E você morrerá no monte ao qual subirá; e será reunido
ao seu povo, como Arão seu irmão morreu no monte Hor
e se reuniu ao seu povo.
51 Porque você e Arão transgrediram contra mim no meio
dos israelitas, às águas de Meribá de Cades, no deserto de
Zim; pois não me santificaram no meio dos israelitas.
52 Por isso, você verá a terra na sua frente, porém não
entrará nela, na terra que darei aos israelitas."

A Bênção de Moisés

33 Esta, porém, é a bênção com que Moisés, homem
de Deus, abençoou os israelitas antes da sua morte.
2 Ele disse: "O Senhor veio do Sinai e lhes alvoreceu de
Seir; resplandeceu desde o monte Parã e veio com dez mi-
lhares de santos; à sua direita havia para eles o fogo da lei.
3 Na verdade ama o povo; todos os seus santos estão na
sua mão; eles se prostram aos seus pés e recebem instru-
ção das suas palavras.
4 Moisés nos deu a lei, como herança da congregação de
Jacó.
5 O Senhor foi rei em Jesurum, quando se reuniram os
chefes do povo com as tribos de Israel.
6 Que Rúben viva e não morra, e que os seus homens não
sejam poucos."
7 E isto é o que Moisés disse a respeito de Judá: "Ouve,
ó Senhor, a voz de Judá e junta-os ao teu povo; que as
suas mãos sejam suficientes e os ajudem contra os seus
inimigos."
8 E Moisés disse a respeito de Levi: "Tu deste o teu Tumim
e teu Urim aos teus servos que tu escolheste em Massá,
com quem discutiste junto às águas de Meribá.
9 Levi disse do seu pai e da sua mãe: 'Não tenho conside-
ração por eles; não conheceu os seus irmãos e não estimou
os seus filhos; pois guardou a tua palavra e a tua aliança.'
10 Ensina os teus juízos a Jacó e a tua lei a Israel; oferece
incenso às tuas narinas e o holocausto sobre o teu altar.
11 Abençoa o seu poder, ó Senhor, e aceita a obra das suas
mãos; fere os lombos dos que se levantam contra ele e o
odeiam, para que nunca mais se levantem."
12 A respeito de Benjamim disse: "O amado do Senhor
descanse seguro com ele; todo o dia o protegerá; e descan-
sará entre os seus braços."
13 A respeito de José disse: "Que o Senhor abençoe a sua
terra com o mais excelente orvalho dos céus, e com a água
das profundezas da terra.
14 E com os mais excelentes frutos do sol e com as mais
excelentes produções das luas,
15 e com o mais excelente dos montes antigos e com o
mais excelente das colinas eternas.
16 E com o mais excelente da terra e da sua plenitude, e
com o favor daquele que habitava na sarça, venha sobre
a cabeça de José e sobre o alto da cabeça daquele que foi
separado de seus irmãos.
17 Ele tem a glória do primogênito do seu boi e os seus
chifres são chifres de boi selvagem; com eles rechaçará
todos os povos até às extremidades da terra; estes porém
são os dez milhares de Efraim e estes são os milhares de
Manassés."
18 A respeito de Zebulom disse: "Zebulom, alegre-se nas
suas saídas; e você, Issacar, nas suas tendas.
19 Eles chamarão os povos ao monte; ali apresentarão
ofertas de justiça, porque terão a abundância dos mares e
os tesouros escondidos da areia."
20 A respeito de Gade disse: "Bendito aquele que amplia
os territórios de Gade; fica à espreita como uma leoa e
despedaça o braço e o alto da cabeça.
21 E escolheu a melhor parte, porque ali estava escondida
a porção do líder; por isso se tornou chefe do povo, execu-
tou a justiça do Senhor e os seus juízos para com Israel."
22 A respeito de Dã disse: "Dã é filhote de leão; que salta
de Basã."
23 A respeito de Naftali disse: "Farte-se, ó Naftali, do fa-
vor e encha-se da bênção do Senhor; possuirá o sul até
ao mar."
24 A respeito de Aser disse: "Bendito seja Aser entre seus
filhos; seja ele favorecido por seus irmãos e banhe em azei-
te o seu pé.
25 Sejam de ferro e de bronze as trancas das suas portas e
a sua força dure como os seus dias.
26 Não há outro, ó Jesurum, semelhante a Deus, que ca-
valga sobre os céus para ajudá-lo e cavalga majestosamente
sobre as mais altas nuvens.
27 O Deus eterno é a sua habitação e por baixo de você
estão os braços eternos; e ele expulsará o inimigo da frente
de você e dirá: 'Destrua-o.'
28 Israel habitará só, seguro, na terra da fonte de Jacó, na
terra de grão e de vinho; e os seus céus gotejarão orvalho.
29 Bem-aventurado você, ó Israel! Quem é como você?
Um povo salvo pelo Senhor, o escudo do seu socorro e
a espada da sua majestade; por isso os seus inimigos se
sujeitarão a você e os pisará sobre os seus altos."

Moisés Contempla a Terra Prometida

34 Então Moisés subiu das campinas de Moabe ao
monte Nebo, ao cume de Pisga, que fica em frente

a Jericó, e o Senhor lhe mostrou toda a terra desde Gileade
até Dã;
2 e todo Naftali, a terra de Efraim e Manassés e toda a
terra de Judá, até ao mar ocidental;
3 e o Sul e a campina do vale de Jericó, a cidade das pal-
meiras, até Zoar.
4 E o Senhor disse: "Esta é a terra que jurei a Abraão,
Isaque e Jacó, dizendo: À sua descendência a darei; eu
o faço vê-la com os seus olhos, porém não entrará nela."

A Morte de Moisés

5 Assim Moisés morreu ali, servo do Senhor, na terra de
Moabe, conforme a palavra do Senhor.
6 E o sepultou em um vale, na terra de Moabe, em frente
de Bete-Peor; e ninguém soube até hoje o lugar da sua
sepultura.
7 Moisés tinha cento e vinte anos de idade quando mor-
reu; os seus olhos nunca se escureceram, nem perdeu o
seu vigor.
8 E os israelitas choraram por Moisés por trinta dias, nas
campinas de Moabe; e os dias do pranto do luto de Moisés
se cumpriram.
9 E Josué, filho de Num, estava cheio do espírito de sabe-
doria, porque Moisés tinha posto sobre ele as suas mãos;
assim os israelitas lhe deram ouvidos e fizeram como o
Senhor ordenou a Moisés.
10 E nunca mais se levantou em Israel profeta como Moi-
sés, a quem o Senhor conhecia face a face;
11 não houve ninguém semelhante que fizesse todos os
sinais e maravilhas, que o Senhor o enviou para fazer na
terra do Egito, ao Faraó, a todos os seus servos e a toda a
sua terra.
12 E em toda a mão forte e em todo o grande espanto, que
Moisés praticou aos olhos de todo o Israel.

A Entrada na Terra de Canaã

1 Depois da morte de Moisés, servo do Senhor, o Se-
nhor falou a Josué, filho de Num, auxiliar de Moisés,
dizendo:
2 "Moisés, meu servo, está morto; levante-se, agora, e pas-
se este Jordão, você e todo este povo, e entrem na terra
que eu darei aos israelitas.
3 Todo lugar que a sola do seu pé pisar, lhe darei, como
eu disse a Moisés.
4 Desde o deserto ao Líbano, até ao grande rio, o rio Eufra-
tes, toda a terra dos heteus, até o grande mar para o oeste,
será o seu território.
5 Ninguém resistirá a você, todos os dias da sua vida;
como fui com Moisés, assim serei com você; não o deixa-
rei nem o desampararei.
6 Seja forte e corajoso; porque você fará este povo herdar
a terra que jurei a seus pais que lhes daria.
7 Apenas seja forte e muito corajoso para ter o cuidado
de fazer conforme a toda a lei que meu servo Moisés lhe
ordenou; dela não se desvie, nem para a direita nem para
a esquerda, para que prudentemente se conduza por onde
quer que andar.
8 Não deixe de falar deste livro da lei; medite nele dia e
noite, para que tenha cuidado de fazer conforme a tudo
quanto está escrito nele; porque então fará prosperar o seu
caminho e você será bem-sucedido.
9 Eu não lhe ordenei? Seja forte e corajoso; não tenha
medo, nem se espante; porque o Senhor seu Deus estará
com você, por onde quer que andar."

As Ordens de Josué ao Povo

10 Então Josué deu ordem aos chefes do povo, dizendo:
11 "Passem pelo meio do acampamento e ordenem ao
povo, dizendo: 'Providenciem a comida, porque dentro
de três dias atravessarão este Jordão, para que entrem e
possuam a terra que o Senhor seu Deus lhes dá, para a
possuírem.'"
12 E Josué falou aos rubenitas, aos gaditas e à meia tribo
de Manassés, dizendo:
13 "Lembrem-se da palavra que Moisés, o servo do Se-
nhor, lhes falou: 'O Senhor seu Deus lhes dá descanso e
lhes dá esta terra.
14 As suas mulheres, seus meninos e seu gado fiquem
na terra que Moisés lhes deu deste lado do Jordão; porém
vocês passarão armados na frente de seus irmãos, todos os
valentes e valorosos os ajudarão;
15 até que o Senhor dê descanso a seus irmãos, como a
vocês, e eles também possuam a terra que o Senhor seu
Deus lhes dá; então retornarão à terra da herança de vocês
e possuirão a terra que Moisés, o servo do Senhor, lhes
deu, deste lado do Jordão, para a nascente do sol.'"
16 Então responderam a Josué, dizendo: "Tudo quanto
nos ordenou faremos e, aonde quer que nos enviar, iremos.

17 Como em tudo obedecemos a Moisés, assim obedeceremos a você, e que o Senhor seu Deus esteja com você, como foi com Moisés.

18 Todo homem, que desobedecer às suas ordens e não ouvir as suas palavras em tudo que lhe ordenar, morrerá. Apenas seja forte e corajoso."

Josué Envia Dois Espias a Jericó

2 E Josué, filho de Num, enviou secretamente, de Sitim, dois homens espias, dizendo: "Vão e observem a terra e Jericó." Os espias foram e entraram na casa de uma mulher prostituta, chamada Raabe, e dormiram ali.

2 Então chegou a notícia ao rei de Jericó, dizendo: "Esta noite vieram aqui uns homens dos israelitas, para espiar a terra.

3 Por isso o rei de Jericó mandou dizer a Raabe: 'Tire para fora os homens que vieram a você e entraram na sua casa, porque vieram espiar toda a terra.'

4 Porém aquela mulher pegou os dois homens e os escondeu, e disse: 'É verdade que os homens vieram a mim, porém eu não sabia de onde eram.'

5 Então, quando o portão da cidade ia se fechar, ao anoitecer, aqueles homens saíram; não sei para onde eles se foram; vão atrás deles depressa, porque os alcançarão."

6 Porém, ela os tinha feito subir ao telhado e os tinha escondido entre as canas do linho, que tinha posto em ordem sobre o telhado.

7 E aqueles homens do rei foram atrás dos espias, pelo caminho do Jordão, até os vales; e, quando eles saíram, fechou-se o portão da cidade.

8 E, antes que os espias dormissem, ela subiu até eles sobre o telhado.

9 E disse aos homens: "Bem sei que o Senhor lhes deu esta terra e estamos com pavor de vocês e todos os moradores da terra estão com muito medo de vocês.

10 Porque temos ouvido que o Senhor secou as águas do Mar Vermelho diante de vocês, quando saíram do Egito e o que fizeram aos dois reis dos amorreus, a Seom e a Ogue, que estavam além do Jordão, os quais destruíram.

11 Quando ouvimos isso, o nosso coração desfaleceu e ninguém mais teve ânimo, por causa da presença de vocês; porque o Senhor seu Deus é Deus em cima nos céus e embaixo na terra.

O Acordo Com Raabe

12 Agora, jurem-me, lhes peço, pelo Senhor, que, como fui misericordiosa com vocês, vocês também serão misericordiosos com a casa de meu pai e me darão um sinal seguro,

13 de que conservarão a vida do meu pai e da minha mãe, como também a vida dos meus irmãos e a das minhas irmãs, com tudo o que têm, e os livrarão da morte."

14 Então aqueles homens lhe responderam: "A nossa vida responderá pela de vocês, se não denunciarem esse nosso negócio, quando o Senhor nos der esta terra, seremos misericordiosos e fiéis a você."

15 Ela, então, os fez descer por uma corda pela janela, porque a casa em que ela morava ficava sobre o muro da cidade.

16 E lhes disse: "Vão ao monte, para que os perseguidores não os encontrem e se escondam lá por três dias, até que os perseguidores voltem; depois vão pelo seu caminho."

17 E aqueles homens lhe disseram: "Estaremos desobrigados deste juramento que nos fez jurar

18 se, quando nós entrarmos nesta terra, você não tiver amarrado este cordão vermelho à janela por onde nos fez descer; e se não estiver trazido com você o seu pai, a sua mãe, os seus irmãos e toda a família de seu pai.

19 E quem estiver fora da porta da sua casa será culpado pelo que acontecer, e nós seremos inocentes; mas quem estiver com você em casa e alguém colocar as mãos nele, nós seremos culpados se algo acontecer com essa pessoa.

20 Porém, se você denunciar este nosso acordo, estaremos desobrigados do juramento que nos fez jurar."

21 E ela disse: "Conforme às suas palavras, assim seja." Então os despediu e eles se foram; e ela amarrou o cordão vermelho na janela.

22 Então eles se foram e chegaram ao monte onde ficaram por três dias, até que os perseguidores voltaram, porque os perseguidores os procuraram por todo o caminho, mas não os acharam.

23 Assim aqueles dois homens voltaram, desceram do monte, passaram e chegaram a Josué, filho de Num, e lhe contaram tudo o que lhes aconteceu;

24 e disseram a Josué: "Certamente o Senhor nos deu toda essa terra nas nossas mãos, pois todos os moradores estão com muito medo de nós."

A Travessia do Jordão

3 Josué levantou-se de madrugada e partiram de Sitim, ele e todos os israelitas; e vieram até ao Jordão e pousaram ali, antes que passassem.

2 E, depois de três dias, os oficiais passaram pelo meio do acampamento;

3 e ordenaram ao povo, dizendo: "Quando virem a arca da aliança do Senhor seu Deus, que os sacerdotes levitas levam, vocês também partirão de onde estão e os seguirão.

4 Deixem entre vocês e a arca uma distância de novecentos metros; e não se aproximem dela, para que saibam o caminho que devem ir; porque por esse caminho nunca passaram antes."

5 Josué também disse ao povo: "Santifiquem-se, porque amanhã o Senhor fará maravilhas no meio de vocês."

6 E Josué falou aos sacerdotes, dizendo: "Levantem a arca
da aliança e passem à frente deste povo. Levantaram a arca
da aliança e foram andando à frente do povo."
7 E o Senhor disse a Josué: "Hoje começarei a engrandecê-
-lo perante os olhos de todo o Israel, para que saibam que,
assim como estive com Moisés, assim estarei com você.
8 Você ordenará aos sacerdotes que levam a arca da alian-
ça, dizendo: 'Quando chegarem à beira das águas do Jor-
dão, parem.'"
9 Então Josué disse aos israelitas: "Cheguem para cá e ou-
çam as palavras do Senhor seu Deus."
10 Josué disse mais: "Nisto conhecerão que o Deus vivo
está no meio de vocês e que certamente expulsará da fren-
te de vocês os cananeus, os heteus, os heveus, os ferezeus,
os girgaseus, os amorreus e os jebuseus.
11 Eis que a arca da aliança do Senhor de toda a terra
passará o Jordão na frente de vocês.
12 Peguem agora doze homens das tribos de Israel, um
homem de cada tribo;
13 porque acontecerá que, assim que as solas dos pés
dos sacerdotes, que levam a arca do Senhor, o Senhor de
toda a terra, pisarem nas águas do Jordão, as águas do Jor-
dão se separarão e as águas, que vêm de cima, pararão
amontoadas."
14 Então, o povo partiu das suas tendas, para passar o
Jordão, e os sacerdotes levavam a arca da aliança à frente
do povo.
15 E, quando os que levavam a arca chegaram ao Jordão.
os seus pés se molharam na beira das águas, porque o Jor-
dão transbordava sobre todas as suas ribanceiras, todos os
dias da colheita;
16 as águas que vinham de cima pararam e se levantaram,
muito longe da cidade de Adã, que está ao lado de Sartã;
e as que desciam ao mar das campinas, que é o Mar Sal-
gado, foram separadas totalmente; então, o povo passou
em frente a Jericó.
17 Porém os sacerdotes, que levavam a arca da aliança do
Senhor, pararam firmes em terra seca, no meio do Jordão
e todo o Israel passou em terra seca. até que todo o povo
acabou de passar o Jordão.

Doze Pedras Tiradas do Rio Jordão

4 E, quando todo o povo acabou de passar o Jordão, o
Senhor falou a Josué, dizendo:
2 "Peguem do povo doze homens, um homem de cada
tribo;
3 e lhes mandem, dizendo: Tirem daqui, do meio do Jor-
dão, do lugar onde estavam firmes os pés dos sacerdotes,
doze pedras; e as levem com vocês à outra margem e as
depositem no acampamento em que haverão de passar
esta noite."
4 Josué chamou os doze homens, que escolheram dos is-
raelitas, um homem de cada tribo,
5 e Josué lhes disse: "Passem à frente da arca do Senhor
seu Deus, no meio do Jordão; e cada um levante uma
pedra sobre o ombro, segundo o número das tribos dos
israelitas;
6 para que isto seja por sinal entre vocês; e quando seus
filhos no futuro perguntarem, dizendo: 'Que significam
essas pedras?'
7 Então lhes dirão que as águas do Jordão se separaram
diante da arca da aliança do Senhor; quando ela passava
pelo Jordão, as águas do Jordão se separaram; assim essas
pedras serão para sempre por memorial aos israelitas."
8 Os israelitas fizeram assim como Josué tinha ordenado e
levantaram doze pedras do meio do Jordão como o Senhor
dissera a Josué, segundo o número das tribos dos israelitas;
e levaram-nas ao acampamento e as depositaram ali.
9 Josué levantou também doze pedras no meio do Jordão,
no lugar onde os sacerdotes que levavam a arca da aliança
ficaram parados; e ali estão até ao dia de hoje.
10 Os sacerdotes, que levavam a arca, pararam no meio
do Jordão, em pé, até que se cumpriu tudo o que o Senhor
mandou Josué dizer ao povo, conforme a tudo que Moisés
tinha ordenado a Josué; o povo se apressou e passou.
11 E, assim que todo o povo acabou de passar, então pas-
saram a arca do Senhor e os sacerdotes, à vista do povo.
12 E passaram os filhos de Rúben, os filhos de Gade e a
meia tribo de Manassés, armados na frente dos israelitas,
como Moisés lhes tinha falado;
13 uns quarenta mil homens de guerra, armados, pas-
saram diante do Senhor para a batalha, às campinas de
Jericó.
14 Naquele dia o Senhor engrandeceu Josué diante dos
olhos de todo o Israel; e temeram-no, como haviam temi-
do a Moisés, todos os dias da sua vida.
15 O Senhor falou a Josué, dizendo:
16 "Dê ordem aos sacerdotes, que levam a arca do teste-
munho, que saiam do Jordão."
17 E Josué deu ordem aos sacerdotes, dizendo: "Saiam
do Jordão."
18 Então, quando os sacerdotes, que levavam a arca da
aliança do Senhor, saíram do meio do Jordão e as solas dos
pés dos sacerdotes pisaram em terra seca, as águas do Jor-
dão retornaram ao seu lugar e corriam, como antes, sobre
todas as suas ribanceiras.
19 O povo subiu do Jordão no dia dez do primeiro mês; e
acamparam em Gilgal, do lado oriental de Jericó.
20 E as doze pedras, que tinham pegado no Jordão, Josué
levantou-as em Gilgal.
21 E falou aos israelitas, dizendo: "Quando no futuro seus

filhos perguntarem a seus pais, dizendo: 'O que significam essas pedras?'

22 Façam os seus filhos saberem, dizendo: 'Israel atravessou este Jordão em terra seca.

23 Porque o Senhor seu Deus fez secar as águas do Jordão diante de nós, até que passássemos, como o Senhor seu Deus fez com o Mar Vermelho, que o fez secar perante nós, até que passássemos.'

24 Para que todos os povos da terra conheçam a mão do Senhor, que é forte, para que temam ao Senhor seu Deus todos os dias."

A Circuncisão dos Israelitas

5 E, quando todos os reis dos amorreus, que habitavam deste lado do Jordão, ao ocidente, e todos os reis dos cananeus, que estavam junto ao mar, ouviram que o Senhor tinha secado as águas do Jordão, na frente dos israelitas, até que eles passassem, sentiram muito medo e ficaram desanimados, por causa dos israelitas.

2 Naquele tempo, o Senhor disse a Josué: "Faça facas de pedra e torne a circuncidar pela segunda vez os israelitas."

3 Então Josué fez para si facas de pedra e circuncidou os israelitas no monte Gibeate-Haralote.

4 E essa foi a causa por que Josué os circuncidou: Todo o povo que tinha saído do Egito, os homens, todos os homens de guerra, já haviam morrido no deserto, pelo caminho, depois que saíram do Egito.

5 Porque todos os homens do povo que saíram estavam circuncidados, mas a nenhum dos que nasceram no deserto, pelo caminho, depois de terem saído do Egito, haviam circuncidado.

6 Porque os israelitas andaram quarenta anos pelo deserto, até acabar toda a nação, todos os homens de guerra, que saíram do Egito e não obedeceram à voz do Senhor; aos quais o Senhor tinha jurado que não os deixaria verem a terra que o Senhor jurou a seus pais nos dar; terra que mana leite e mel.

7 Porém, em seu lugar, pôs os seus filhos; e Josué os circuncidou, porque estavam incircuncisos, pois não os circuncidaram no caminho.

8 Então, acabando de circuncidar a toda a nação, ficaram no seu lugar no acampamento, até que sararam.

9 O Senhor disse mais a Josué: "Hoje retirei de sobre vocês a vergonha do Egito;" por isso o nome daquele lugar se chamou Gilgal, até ao dia de hoje.

Celebração da Páscoa

10 Quando os israelitas estavam acampados em Gilgal, celebraram a Páscoa no dia catorze do mês, à tarde, nas campinas de Jericó.

11 E, no outro dia depois da Páscoa, nesse mesmo dia, comeram do fruto da terra, pães sem fermento e espigas tostadas.

12 E o maná cessou no dia seguinte; depois que comeram do trigo da terra, os israelitas não tiveram mais maná, pois, no mesmo ano, comeram dos frutos da terra de Canaã.

Um Anjo Aparece a Josué

13 E, quando Josué estava perto de Jericó, levantou os seus olhos e olhou; e se pôs em pé diante dele um homem que tinha na mão uma espada; e Josué chegou-se a ele e lhe disse: "Você é um dos nossos ou dos nossos inimigos?"

14 E ele disse: "Não, mas venho agora como príncipe do exército do Senhor." Então Josué se prostrou com o seu rosto em terra e o adorou e lhe disse: "O que diz meu senhor ao seu servo?"

15 Então o príncipe do exército do Senhor disse a Josué: "Descalce as sandálias de seus pés, porque o lugar em que está é santo." E Josué fez assim.

A Destruição de Jericó

6 Jericó estava rigorosamente fechada por causa dos israelitas; ninguém saía nem entrava.

2 Então o Senhor disse a Josué: "Olhe, tenho dado na sua mão Jericó, o seu rei e os seus homens valentes.

3 Vocês, todos os homens de guerra, rodearão a cidade, cercando-a uma vez; assim farão por seis dias.

4 E sete sacerdotes levarão sete trombetas de chifres de carneiros na frente da arca e no sétimo dia rodearão a cidade sete vezes, e os sacerdotes tocarão as trombetas.

5 E, tocando-se prolongadamente a trombeta de carneiro, e vocês ouvindo o seu som, todo o povo gritará com grande brado; o muro da cidade cairá abaixo e o povo subirá por ele, de onde estiver."

6 Então Josué, filho de Num, chamou os sacerdotes e lhes disse: "Levem a arca da aliança; e sete sacerdotes levem sete trombetas de chifres de carneiros, na frente da arca do Senhor."

7 E disse ao povo: "Passem e rodeiem a cidade; e quem estiver armado, passe à frente da arca do Senhor."

8 E foi assim que, como Josué tinha dito ao povo, os sete sacerdotes, levando as sete trombetas de chifre de carneiros diante do Senhor, passaram e tocaram as trombetas; e a arca da aliança do Senhor os seguia.

9 E os homens armados iam à frente dos sacerdotes que tocavam as trombetas; e a retaguarda seguia após a arca; os sacerdotes iam andando e tocando as trombetas.

10 Porém, Josué tinha dado ordens ao povo, dizendo: "Não gritem, nem façam ouvir a voz de vocês, nem saia palavra alguma da boca de vocês até o dia em que eu disser: 'Gritem.' Então gritarão."

11 E fez a arca do Senhor rodear a cidade, contornando-a

uma vez; e entraram no acampamento e ali passaram a
noite.
12 Depois Josué se levantou de madrugada e os sacerdotes
levaram a arca do Senhor.
13 E os sete sacerdotes, que levavam as sete trombetas de
chifres de carneiros, à frente da arca do Senhor, iam an-
dando e tocando as trombetas e os homens armados iam à
frente deles e a retaguarda seguia atrás da arca do Senhor;
os sacerdotes iam andando e tocando as trombetas.
14 Assim rodearam outra vez a cidade no segundo dia e
voltaram para o acampamento; e assim fizeram por seis
dias.
15 E, no sétimo dia, se levantaram de madrugada e da
mesma maneira rodearam a cidade sete vezes; somente
naquele dia rodearam a cidade sete vezes.
16 E, tocando os sacerdotes pela sétima vez as trombetas,
Josué disse ao povo: "Gritem, porque o Senhor está lhes
dando a cidade.
17 Porém a cidade será consagrada ao Senhor para des-
truição, ela e tudo o que houver nela; somente a prostituta
Raabe viverá, ela e todos os que estiverem com ela em sua
casa; porque escondeu os espias que enviamos.
18 Apenas se guardem do que é consagrado ao Senhor,
para não serem destruídos também, e assim fariam maldito
o acampamento de Israel trazendo confusão.
19 Porém toda a prata e o ouro, os vasos de metal e de fer-
ro são consagrados ao Senhor; irão ao tesouro do Senhor."
20 O povo gritou, quando os sacerdotes tocaram as trom-
betas; e o povo, ouvindo o som da trombeta, gritou com
grande brado e o muro caiu abaixo; e o povo subiu à cida-
de, cada um do lugar em que estava, e tomaram a cidade.
21 E tudo que havia na cidade destruíram totalmente ao
fio da espada; homens, mulheres, crianças, até os velhos,
os bois, as ovelhas e os jumentos.

Raabe é Salva

22 Josué, porém, disse aos dois homens que tinham es-
piado a terra: "Entrem na casa da mulher prostituta e ti-
rem-na de lá com tudo o que ela tiver, como lhe juraram."
23 Então os jovens espias entraram e tiraram Raabe e seu
pai, sua mãe, seus irmãos e tudo o que ela tinha; tiraram
também todos os seus familiares e puseram-nos fora do
acampamento de Israel.
24 Porém queimaram a fogo a cidade e tudo o que havia
nela; apenas a prata, o ouro e os vasos de metal e de ferro,
deram para o tesouro da casa do Senhor.
25 Assim, Josué poupou a prostituta Raabe, a família de
seu pai e tudo o que ela possuía; e ela habitou no meio de
Israel até ao dia de hoje; porque escondeu os espias que
Josué tinha enviado para espiar Jericó.
26 E, naquele tempo, Josué fez um juramento, dizendo:
"Maldito diante do Senhor seja o homem que se levantar
e reedificar essa cidade de Jericó; quem puser os alicerces
pagará com a morte do seu primogênito, e quem colocar
os portões, pagará com a morte do seu filho mais novo."
27 Assim o Senhor estava com Josué; e a sua fama corria
por toda a terra.

O Pecado de Acã

7 E os israelitas foram infiéis com as coisas consagradas
ao Senhor; porque Acã, filho de Carmi, filho de Zabdi,
filho de Zerá, da tribo de Judá, pegou o que era consa-
grado ao Senhor, e a ira do Senhor se acendeu contra os
israelitas.
2 Josué enviou de Jericó alguns homens a Ai, que fica
junto a Bete-Aven do lado do oriente de Betel, e lhes fa-
lou, dizendo: "Subam e espiem a terra." Aqueles homens
subiram e espiaram Ai.
3 E voltaram a Josué e lhe disseram: "Não precisa de todo
o povo; subam uns dois mil, ou três mil homens, para ferir
Ai; não fatigue todo o povo, porque são poucos."
4 Assim, subiram lá uns três mil homens, que fugiram
diante dos homens de Ai.
5 E os homens de Ai feriram deles uns trinta e seis e os
perseguiram desde o portão até Sebarim, e os feriram na
descida; e o coração do povo se derreteu e se tornou como
água.
6 Então Josué rasgou as suas vestes e se prostrou em terra
sobre o seu rosto perante a arca do Senhor até à tarde,
ele e os anciãos de Israel; e derramaram pó sobre as suas
cabeças.
7 E Josué disse: "Ah, Senhor Deus! Por que fizeste esse
povo passar o Jordão, para nos entregares nas mãos dos
amorreus para nos fazerem perecer? Antes nos tivéssemos
contentado em ficar além do Jordão!
8 Ah, Senhor! Que direi? Pois Israel virou as costas diante
dos inimigos!
9 Ouvindo isto, os cananeus e todos os moradores da terra
nos cercarão e desarraigarão o nosso nome da terra; então,
que farás ao teu grande nome?"
10 Então o Senhor disse a Josué: "Levante-se; por que está
prostrado assim sobre o seu rosto?
11 Israel pecou; transgrediram a minha aliança que lhes
tinha ordenado, e pegaram das coisas consagradas a mim,
furtaram, mentiram e as puseram debaixo da sua bagagem.
12 Por isso os israelitas não puderam resistir perante os
seus inimigos; viraram as costas diante dos seus inimigos;
porque estão amaldiçoados; não estarei mais com vocês,
se não destruírem do meio de vocês o que foi consagrado
à destruição.
13 Levante-se, santifique o povo e diga: 'Santifiquem-se
para amanhã, porque assim diz o Senhor Deus de Israel:

Há coisas consagradas para a destruição no meio de vocês,
Israel; não poderão resistir diante dos seus inimigos, até
que tirem do meio de vocês o que foi consagrado ao Se-
nhor para destruição.'
14 Amanhã, se apresentarão, segundo as suas tribos; a
tribo que o Senhor chamar se apresentará, segundo as
famílias; e a família que o Senhor chamar se apresentará
por casas; e a casa que o Senhor chamar, se apresentará
homem por homem.
15 E aquele que for pego com o que foi consagrado ao Se-
nhor para ser destruído, será queimado a fogo, ele e tudo o
que possuir; porque transgrediu a aliança do Senhor e fez
uma loucura em Israel."
16 Então Josué se levantou de madrugada e chamou a
Israel, segundo as suas tribos; e a tribo de Judá foi a
escolhida;
17 e, quando chegou a tribo de Judá, chamou a família
de Zerá; fazendo chegar à família de Zerá, homem por ho-
mem, foi chamado Zabdi;
18 e, quando chegou a sua casa, homem por homem,
foi chamado Acã, filho de Carmi, filho de Zabdi, filho de
Zerá, da tribo de Judá.
19 Então Josué disse a Acã: "Meu filho, lhe peço, dê gló-
ria ao Senhor Deus de Israel, faça confissão perante ele e
declare-me agora o que fez, não oculte nada."
20 E Acã respondeu a Josué e disse: "Verdadeiramente
pequei contra o Senhor Deus de Israel e fiz assim e assim.
21 Quando vi entre os despojos uma boa capa babilônica,
dois quilos e meio de prata e uma cunha de ouro, pesando
meio quilo, cobicei-os e peguei-os; e estão escondidos na
terra, no meio da minha tenda e a prata por baixo dela."
22 Então Josué enviou mensageiros, que foram correndo
à tenda; e tudo estava escondido na sua tenda e a prata
por baixo.
23 Pegaram aquelas coisas do meio da tenda e as trouxe-
ram a Josué e a todos os israelitas; e as puseram perante
o Senhor.
24 Então Josué e todo o Israel com ele pegaram Acã, filho
de Zerá, a prata, a capa, a cunha de ouro, seus filhos, suas
filhas, seus bois, seus jumentos, suas ovelhas, sua tenda e
tudo quanto ele tinha; e os levaram ao vale de Acor.
25 E Josué disse: "Por que você trouxe essa desgraça so-
bre nós? O Senhor trará desgraça sobre você neste dia." E
todo o Israel o apedrejou; e os queimaram a fogo depois
de apedrejá-los.
26 E levantaram sobre ele um monte de pedras, que existe
até o dia de hoje; assim o Senhor se apartou do ardor da
sua ira; por isso aquele lugar se chama o vale de Acor, até
ao dia de hoje.

A Destruição de Ai

8 Então o Senhor disse a Josué: "Não tenha medo e não
se espante; leve com você todo homem preparado para
a guerra e vão para Ai; entreguei em suas mãos o rei de Ai
e o seu povo, a sua cidade e a sua terra.
2 Façam a Ai e ao seu rei como fizeram com Jericó e com o
seu rei; e peguem para vocês os seus despojos e o seu gado;
ponha emboscadas à cidade, por detrás dela."
3 Então Josué foi com todos os homens preparados para
a guerra, para irem contra Ai; e Josué escolheu trinta mil
homens valentes e os enviou à noite.
4 E lhes deu ordem, dizendo: "Olhem! Ponham-se de
emboscadas contra a cidade, por detrás dela; não se dis-
tanciem muito da cidade; e todos vocês fiquem atentos.
5 Porém eu e todo o povo que está comigo nos aproxi-
maremos da cidade; e, quando saírem ao nosso encontro,
como antes, fugiremos diante deles.
6 Nós os deixaremos saírem atrás de nós, até tirá-los da
cidade; porque dirão: 'Fogem diante de nós como antes.'
Assim fugiremos diante deles.
7 Então vocês sairão da emboscada e tomarão a cidade;
porque o Senhor seu Deus a dará nas suas mãos.
8 E, vocês, tomando a cidade, a queimem; façam confor-
me a palavra do Senhor; olhem o que tenho falado."
9 Assim Josué os enviou e eles se foram à emboscada; e
ficaram entre Betel e Ai, ao ocidente de Ai; porém Josué
passou aquela noite no meio do povo.
10 E Josué levantou-se de madrugada e contou o povo; e
ele e os anciãos de Israel foram à frente do povo contra Ai.
11 E foram também todos os homens preparados para a
guerra, que estavam com eles; e aproximaram-se e chega-
ram à frente da cidade; e alojaram-se do lado norte de Ai e
havia um vale entre eles e Ai.
12 Pegou também uns cinco mil homens e os pôs de em-
boscada entre Betel e Ai, ao ocidente da cidade.
13 E se posicionaram o povo, todo o acampamento que
estava ao norte da cidade e a emboscada que estava ao
ocidente da cidade; e Josué foi naquela noite até ao meio
do vale.
14 E o rei de Ai, vendo isso, ele e todo o seu povo se
apressaram e se levantaram de madrugada, e os homens
da cidade saíram ao encontro de Israel ao combate, ao
tempo determinado, à frente das campinas; porém, ele não
sabia que havia uma emboscada contra ele atrás da cidade.
15 Josué e todo o Israel fingiram estar feridos diante deles
e fugiram pelo caminho do deserto.
16 Por isso todo o povo, que estava na cidade, foi convo-
cado para os seguir; e seguiram Josué e foram afastados
da cidade.
17 E não ficou um só homem em Ai e nem em Betel, pois

todos saíram atrás de Israel; e deixaram a cidade aberta e
perseguiram Israel.
18 Então o Senhor disse a Josué: "Estenda a lança que tem
na sua mão para Ai, porque a darei na sua mão." E Josué
estendeu a lança, que estava na sua mão, para a cidade.
19 Então a emboscada saiu apressadamente do seu lugar e
Josué, estendendo a sua mão, correram e entraram na ci-
dade e a tomaram; e rapidamente puseram fogo na cidade.
20 E os homens de Ai, virando-se para trás, olharam e
viram que a fumaça da cidade subia ao céu, e não pude-
ram fugir nem para uma parte nem para outra, porque o
povo, que fugia para o deserto, se voltou contra os que
os seguiam.
21 E vendo Josué e todo o Israel que a emboscada tomou
a cidade e que a fumaça da cidade subia, voltaram e ataca-
ram os homens de Ai.
22 Então os que entraram na cidade também foram ata-
cá-los, e assim ficaram no meio dos israelitas, uns de um
lado e outros do outro; e os feriram, até que nenhum deles
sobreviveu nem escapou.
23 Porém, pegaram o rei de Ai vivo e o trouxeram a Josué.
24 E, quando os israelitas acabaram de matar todos os mo-
radores de Ai que estavam no campo, no deserto, onde os
tinham seguido, e matado todos ao fio da espada, então
todo Israel foi para Ai e a feriu ao fio da espada.
25 E todos os que morreram naquele dia, homens e mu-
lheres, foram doze mil, todos os moradores de Ai.
26 Porque Josué não retirou a sua mão, que estendeu com
a sua lança, até destruir totalmente todos os moradores
de Ai.
27 Os israelitas saquearam para si apenas o gado e os des-
pojos da cidade, conforme a palavra do Senhor, que tinha
ordenado a Josué.
28 Josué queimou a cidade de Ai e a tornou um monte de
ruínas perpétuo, até ao dia de hoje.
29 E enforcou o rei de Ai em uma árvore, e ele ficou nela
até à tarde; e, ao pôr do sol, Josué ordenou que o seu corpo
fosse retirado da árvore; e o lançaram à porta da cidade
e levantaram sobre ele um grande monte de pedras, que
perdura até o dia de hoje.

A Adoração em Ebal

30 Então Josué edificou um altar ao Senhor Deus de Is-
rael, no monte Ebal;
31 como Moisés, servo do Senhor, tinha ordenado aos
israelitas, conforme o que está escrito no livro da lei de
Moisés, a saber: Um altar de pedras inteiras, sobre o qual
não se usará instrumento de ferro; e ofereceram sobre ele
holocaustos ao Senhor e sacrificaram ofertas pacíficas.
32 Também, ali, ele escreveu, em pedras, uma cópia da lei
de Moisés, que Moisés já havia escrito diante dos israelitas.
33 E todo o Israel, com os seus anciãos, os seus chefes
das tribos e os seus juízes, estavam de um e de outro lado
da arca, perante os sacerdotes levitas, que levavam a arca
da aliança do Senhor, tanto os estrangeiros como os natu-
rais; metade deles em frente do monte Gerizim e a outra
metade em frente do monte Ebal, como Moisés, servo do
Senhor, tinha ordenado, para abençoar primeiramente o
povo de Israel.
34 E depois leu em voz alta todas as palavras da lei, a
bênção e a maldição, conforme tudo o que está escrito
no livro da lei.
35 Não houve nenhuma palavra, de tudo o que Moisés
tinha ordenado, que Josué não lesse perante toda a con-
gregação de Israel, para as mulheres, os meninos e os es-
trangeiros, que andavam no meio deles.

O Acordo Com os Gibeonitas

9 E aconteceu que, quando ouviram isto, todos os reis
que estavam a oeste do Jordão, nas montanhas e nas
campinas, em toda a costa do grande mar e em frente do
Líbano, os heteus, os amorreus, os cananeus, os ferezeus,
os heveus e os jebuseus,
2 eles se ajuntaram, de comum acordo, para guerrear con-
tra Josué e contra Israel.
3 E os moradores de Gibeão, ouvindo o que Josué fez com
Jericó e com Ai,
4 usaram de astúcia e foram, e se fingindo de embaixado-
res, levando sacos velhos sobre os seus jumentos e odres
de vinho, velhos e rotos e remendados;
5 e nos seus pés calçavam sandálias velhas e remendadas
e usavam roupas velhas; e todo o pão que traziam para o
caminho era seco e bolorento.
6 E vieram a Josué, ao acampamento, a Gilgal, e disseram
a ele e aos homens de Israel: "Viemos de uma terra distan-
te; façam, agora, acordo conosco."
7 E os homens de Israel responderam aos heveus: "Tal-
vez habitem no meio de nós; como faremos acordo com
vocês?"
8 Então disseram a Josué: "Nós somos seus servos." E Jo-
sué lhes disse: "Quem são vocês e de onde vieram?"
9 E lhe responderam: "Seus servos vieram de uma terra
muito distante, por causa do nome do Senhor seu Deus,
porque ouvimos a sua fama e tudo o que fez no Egito;
10 e tudo o que fez aos dois reis dos amorreus, que esta-
vam além do Jordão, a Seom, rei de Hesbom e a Ogue, rei
de Basã, que estava em Astarote.
11 Por isso nossos anciãos e todos os moradores da nossa
terra nos falaram, dizendo: 'Peguem provisão para o cami-
nho, vão ao encontro deles e lhes digam: Nós somos seus
servos; façam, agora, acordo conosco.'
12 Pegamos este pão quente das nossas casas para nossa

provisão, no dia em que saímos para vir a vocês e ele já
está seco e bolorento;
13 e estes odres, que enchemos de vinho, eram novos e já
estão velhos; estas nossas roupas e nossas sandálias já estão
velhas, por causa do longo caminho."
14 Então, aqueles homens israelitas examinaram as suas
provisões e não pediram conselho ao Senhor.
15 E Josué fez um acordo de paz com eles, que lhes pou-
paria a vida; e os chefes da congregação lhes prestaram
juramento.
16 E, ao fim de três dias, depois de fazerem acordo com
eles, souberam que eles eram seus vizinhos e que mora-
vam perto deles.
17 Então os israelitas partiram e chegaram às cidades deles
em três dias; e suas cidades eram Gibeão, Cefira, Beerote
e Quiriate-Jearim.
18 E os israelitas não os feriram, porque os chefes da con-
gregação lhes juraram pelo Senhor Deus de Israel; por isso
toda a congregação murmurava contra os chefes.
19 Então os chefes disseram a toda a congregação: "Nós
lhes juramos pelo Senhor Deus de Israel, por isso não po-
demos tocar neles.
20 Então faremos isto: Conservaremos a vida deles, para
que não haja grande ira sobre nós, por causa do juramento
que já lhes fizemos."
21 E os chefes disseram: "Vivam e sejam lenhadores e ti-
radores de água para toda a congregação, como os chefes
lhes disseram."
22 E Josué os chamou e lhes falou: "Por que nos engana-
ram dizendo: 'Habitamos muito longe de vocês', enquanto
vocês moravam perto de nós?
23 Agora serão malditos, e entre vocês não deixará de ha-
ver servos, nem lenhadores, nem tiradores de água, para a
casa do meu Deus.'"
24 Então responderam a Josué e disseram: "Porque com
certeza foi anunciado aos seus servos que o Senhor seu
Deus ordenou a Moisés, seu servo, que a vocês daria toda
essa terra e destruiria todos os moradores da terra diante
de vocês, tememos muito por nossas vidas por causa de
vocês; por isso fizemos assim.
25 E agora estamos na sua mão; faça-nos aquilo que lhe
pareça bom e reto."
26 E assim lhes fez, e os livrou das mãos dos israelitas e
não os mataram.
27 E, naquele dia, Josué os fez lenhadores e tiradores de
água para a congregação, e para o altar do Senhor, até ao
dia de hoje, no lugar que ele escolhesse.

Gibeão é Cercada Por Cinco Reis

10 E aconteceu que, quando Adoni-Zedeque, rei de Je-
rusalém, ouviu que Josué conquistou Ai e a destruiu
totalmente, e fez a Ai e ao seu rei como tinha feito a Jericó
e ao seu rei, e que os moradores de Gibeão fizeram paz
com os israelitas e estavam no meio deles,
2 temeram muito, porque Gibeão era uma cidade grande,
como uma das cidades reais e ainda maior do que Ai e
todos os seus homens eram valentes.
3 Por isso Adoni-Zedeque, rei de Jerusalém, enviou men-
sageiros a Hoão, rei de Hebrom, a Pirã, rei de Jarmute, a
Jafia, rei de Laquis e a Debir, rei de Eglom, dizendo:
4 "Venham até aqui e me ajudem, vamos ferir Gibeão,
porque fez paz com Josué e com os israelitas."
5 Então se ajuntaram, e foram cinco reis dos amorreus, o
rei de Jerusalém, o rei de Hebrom, o rei de Jarmute, o rei
de Laquis, o rei de Eglom, eles e todos os seus exércitos e
sitiaram Gibeão e lutaram contra ela.
6 Enviaram homens de Gibeão a Josué, ao acampamen-
to de Gilgal, dizendo: "Não retire as suas mãos de seus
servos; venham apressadamente até nós e livrem-nos, nos
ajudem, porque todos os reis dos amorreus, que habitam
na montanha, se ajuntaram contra nós."
7 Então Josué subiu de Gilgal, ele e todos os homens pre-
parados para a guerra com ele, todos os homens valorosos.
8 E o Senhor disse a Josué: "Não tenha medo deles, por-
que os dei na sua mão; nenhum deles poderá lhe resistir."
9 E Josué os atacou de surpresa, pois caminharam por toda
a noite desde Gilgal.
10 E o Senhor fez com que eles sentissem pânico diante
de Israel e os feriu com grande matança em Gibeão, e per-
seguiu-os pelo caminho que vai a Bete-Horom e matou-os
até Azeca e a Maquedá.
11 E quando eles fugiam da frente de Israel, à descida de
Bete-Horom, o Senhor lançou sobre eles, do céu, grandes
pedras, até Azeca, e morreram; e foram muito mais os que
morreram pelas pedras do que os mortos pela espada dos
israelitas.
12 Então Josué falou ao Senhor, no dia em que o Senhor
deu os amorreus nas mãos dos israelitas e disse na presen-
ça dos israelitas: "Sol, detenha-se em Gibeão, e você, lua,
no vale de Aijalom."
13 E o sol se deteve e a lua parou, até que o povo se
vingou de seus inimigos. Isto não está escrito no livro do
justo? O sol, se deteve no meio do céu e não se apressou a
se pôr, por quase um dia inteiro.
14 E não houve um dia semelhante a este, nem antes nem
depois dele, quando o Senhor ouviu a voz de um homem;
pois o Senhor lutava por Israel.
15 E Josué voltou junto com todo o Israel ao acampamen-
to, em Gilgal.

Josué Mata os Cinco Reis

16 Aqueles cinco reis, porém, fugiram e se esconderam
numa cova em Maquedá.
17 E avisaram a Josué, dizendo: "Acharam os cinco reis
escondidos numa cova em Maquedá."
18 Josué disse: "Arrastem grandes pedras para a boca da
cova e coloquem homens para vigiá-la;
19 porém vocês não os detenham; persigam os seus inimi-
gos e ataquem os que vão ficando para trás; não os deixem
entrar nas suas cidades, porque o Senhor seu Deus já os
deu nas mãos de vocês."
20 E, quando Josué e os israelitas acabaram de matá-los,
até quase exterminá-los, os que ficaram deles se retiraram
às cidades fortificadas,
21 e todo o povo voltou em paz a Josué, ao acampamento
em Maquedá; e não havia ninguém que movesse a sua
língua contra os israelitas.
22 Depois Josué disse: "Abram a boca da cova e tragam-
-me aqueles cinco reis."
23 Fizeram assim, e lhe trouxeram aqueles cinco reis para
fora da cova: O rei de Jerusalém, o rei de Hebrom, o rei de
Jarmute, o rei de Laquis e o rei de Eglom.
24 E, quando trouxeram aqueles reis a Josué, ele chamou
todos os homens de Israel e disse aos capitães dos homens
de guerra, que foram com ele: "Cheguem, ponham os seus
pés sobre os pescoços desses reis." E chegaram e puseram
os seus pés sobre os pescoços deles.
25 Então Josué lhes disse: "Não tenham medo, nem se
espantem; sejam fortes e corajosos; porque assim o Senhor
fará a todos os seus inimigos, contra os quais lutarem."
26 E, depois disto, Josué os feriu e os matou, e os pendu-
rou em cinco árvores; e ficaram pendurados nas árvores
até à tarde.
27 E, ao pôr do sol, Josué deu ordem que os tirassem dos
madeiros; e lançaram-nos na cova onde se esconderam e
puseram grandes pedras à boca da cova, que ainda ali estão
até o dia de hoje.
28 E, naquele mesmo dia, Josué tomou a Maquedá e fe-
riu-a ao fio da espada, bem como ao seu rei; a destruiu
totalmente com todos que nela havia, sem deixar nada;
e fez ao rei de Maquedá como tinha feito ao rei de Jericó.
29 Então Josué, e todo o Israel com ele, foi de Maquedá a
Libna e lutou contra ela.
30 E o Senhor também a deu nas mãos de Israel, ela e o
seu rei, e a feriu ao fio da espada, ela e todos que estavam
nela; sem deixar nada; e fez ao seu rei como tinha feito
ao rei de Jericó.
31 Então Josué, e todo o Israel com ele, foi de Libna a
Laquis; a sitiou e lutou contra ela;
32 e o Senhor deu Laquis nas mãos de Israel e a conquis-
tou no dia seguinte e a feriu ao fio da espada, ela e todos
os que nela estavam, conforme a tudo o que tinha feito
a Libna.
33 Então Horão, rei de Gezer, subiu para ajudar a Laquis,
porém Josué o matou, ele e o seu povo, até não restarem
nem sequer um.
34 E Josué e todo o Israel com ele foram de Laquis a
Eglom e a sitiaram, e lutaram contra ela.
35 E no mesmo dia a tomaram e a derrotaram ao fio da es-
pada; e todos os que estavam nela, destruiu totalmente no
mesmo dia, conforme a tudo o que tinham feito a Laquis.
36 Depois Josué, e todo o Israel com ele, foi de Eglom a
Hebrom e lutaram contra ela.
37 E a tomaram e feriram ao fio da espada, o seu rei e
todas as suas cidades; e todos os que estavam nelas, não
deixaram ninguém com vida, conforme tudo o que tinham
feito a Eglom; e a destruíram totalmente, ela e todos os
que estavam nela.
38 Então Josué e todo o Israel com ele foram a Debir e
lutaram contra ela.
39 E tomaram-na com o seu rei, e feriram todas as suas
cidades ao fio da espada e destruíram totalmente todos
os que estavam nelas; não deixaram nada; como tinham
feito a Hebrom, assim fizeram a Debir e ao seu rei, como
tinham feito a Libna e ao seu rei.
40 Assim Josué conquistou toda aquela terra, as monta-
nhas, o sul, as campinas, as descidas das águas e todos os
seus reis; nada deixou; e destruiu tudo o que tinha fôlego,
como ordenou o Senhor Deus de Israel.
41 E Josué os conquistou desde Cades-Barneia até Gaza,
como também toda a terra de Gósen, até Gibeão.
42 E de uma vez Josué conquistou todos esses reis e as
suas terras; porque o Senhor Deus de Israel lutava por
Israel.
43 Então Josué e todo o Israel com ele voltaram ao acam-
pamento em Gilgal.

Outras Vitórias de Josué

11 E aconteceu que, quando Jabim, rei de Hazor, ouviu
isto, enviou mensageiros a Jobabe, rei de Madom, ao
rei de Sinrom e ao rei de Acsafe;
2 e aos reis que estavam ao norte, nas montanhas, na cam-
pina para o sul de Quinerete, nas planícies e em Nafote-
-Dor, do lado do mar;
3 ao cananeu do oriente e do ocidente; ao amorreu, ao
heteu, ao ferezeu, ao jebuseu nas montanhas e ao heveu
ao pé de Hermom, na terra de Mispá.
4 Saíram esses e todos os seus exércitos com eles, muita
gente, em multidão como a areia que está na praia; e mui-
tíssimos cavalos e carros.

5 Todos esses reis se ajuntaram, vieram e acamparam jun-
to às águas de Merom, para lutarem contra Israel.
6 E o Senhor disse a Josué: "Não tenha medo deles; por-
que amanhã, a essa mesma hora, eu os darei todos mortos
diante dos israelitas; aleijará os seus cavalos, e queimará a
fogo os seus carros."
7 Então, Josué e todos os homens de guerra com ele vie-
ram apressadamente sobre eles às águas de Merom, e os
atacaram de repente.
8 E o Senhor os deu nas mãos de Israel; e eles os feriram e
os perseguiram até à grande Sidom, até Misrefote-Maim e
até ao vale de Mispá ao oriente; e os feriram até não lhes
deixar nenhum vivo.
9 E Josué fez como o Senhor lhe tinha dito; inutilizou os
seus cavalos, queimou a fogo os seus carros.
10 E naquele mesmo tempo Josué voltou e tomou Hazor,
e feriu à espada o seu rei; porque Hazor antes era a capital
de todos esses reinos.
11 E todos os que estavam nela feriram ao fio da espada e
os destruíram totalmente; nada restou do que tinha fôlego
e a Hazor queimou a fogo.
12 E Josué conquistou todas essas cidades e todos os seus
reis, e os feriu ao fio da espada, destruindo-os totalmente,
como Moisés, servo do Senhor, tinha ordenado.
13 Os israelitas apenas não queimaram as cidades que
estavam sobre os seus outeiros; a não ser Hazor, a qual
Josué queimou.
14 E todos os despojos dessas cidades e o gado os israeli-
tas saquearam para si; e mataram todas as pessoas ao fio
da espada, até que os eliminaram; nada que tinha fôlego
deixaram com vida.
15 Como o Senhor tinha ordenado a Moisés, seu servo,
assim Moisés ordenou a Josué; e assim Josué o fez; nem
uma só palavra tirou de tudo o que o Senhor tinha orde-
nado a Moisés.

Um Resumo das Conquistas

16 Assim Josué conquistou toda aquela terra, as monta-
nhas, todo o sul, toda a terra de Gósen, as planícies, as
campinas, as montanhas de Israel e as suas planícies.
17 Desde o monte Calvo, que sobe a Seir, até Baal-Gade,
no vale do Líbano, ao pé do monte Hermom, também der-
rotou todos os seus reis e os feriu e os matou.
18 Por muito tempo Josué fez guerra contra todos esses
reis.
19 Não houve cidade que fizesse paz com os israelitas,
as tomaram todas por guerra, com exceção dos heveus,
moradores de Gibeão;
20 porque do Senhor vinha o endurecimento de seus co-
rações, para saírem à guerra contra Israel, para que fossem
totalmente destruídos e não achassem piedade alguma;
mas para os destruir a todos como o Senhor tinha orde-
nado a Moisés.
21 Naquele tempo Josué veio e extirpou os anaquins das
montanhas de Hebrom, de Debir, de Anabe e de todas as
montanhas de Judá e de todas as montanhas de Israel; Jo-
sué os destruiu totalmente com as suas cidades.
22 Nenhum dos anaquins foi deixado na terra dos israe-
litas; somente ficaram alguns em Gaza, em Gate e em
Asdode.
23 Assim Josué conquistou toda essa terra, conforme tudo
o que o Senhor tinha dito a Moisés; e Josué a deu em
herança aos israelitas, conforme as suas divisões, segundo
as suas tribos; e a terra descansou da guerra.
12 Estes são os reis da terra que os israelitas conquista-
ram e cujas terras possuíram além do Jordão para o
nascente do sol, desde o ribeiro de Arnom, até o monte
Hermom e toda a planície do oriente:
2 Seom, rei dos amorreus, que habitava em Hesbom e que
dominava desde Aroer, que está à beira do ribeiro de Ar-
nom, desde o meio do ribeiro e a metade de Gileade, até
ao ribeiro de Jaboque, o limite dos filhos de Amom.
3 E desde a campina até ao mar de Quinerete para o orien-
te e até ao mar da campina, o Mar Salgado para o oriente,
pelo caminho de Bete-Jesimote; e desde o sul, abaixo de
Asdote-Pisga.
4 Como também o limite de Ogue, rei de Basã, um dos
últimos gigantes que habitava em Astarote e em Edrei;
5 e dominava no monte Hermom, em Salca e em toda a
Basã, até os limites dos gesureus e dos maacateus, e meta-
de de Gileade, limite de Seom, rei de Hesbom.
6 Esses, Moisés, servo do Senhor, e os israelitas, derrota-
ram; e Moisés, servo do Senhor, deu essa terra em posses-
são aos rubenitas, aos gaditas e à meia tribo de Manassés.
7 E estes são os reis da terra que Josué e os israelitas feri-
ram aquém do Jordão para o ocidente, desde Baal-Gade,
no vale do Líbano, até ao monte Calvo, que sobe a Seir
e Josué a deu às tribos de Israel em possessão, segundo
as suas divisões.
8 O que havia nas montanhas, nas planícies, nas campi-
nas, nas descidas das águas e no deserto, para o sul, onde
moravam o heteu, o amorreu, o cananeu, o ferezeu, o
heveu e o jebuseu.
9 O rei de Jericó; o rei de Ai, que está ao lado de Betel;
10 o rei de Jerusalém; o rei de Hebrom;
11 o rei de Jarmute; o rei de Laquis;
12 o rei de Eglom; o rei de Gezer;
13 o rei de Debir; o rei de Geder;
14 o rei de Hormá; o rei de Arade;
15 o rei de Libna; o rei de Adulão;
16 o rei de Maquedá; o rei de Betel;

17 o rei de Tapua; o rei de Hefer;
18 o rei de Afeca; o rei de Lasarom;
19 o rei de Madom; o rei de Hazor;
20 o rei de Sinrom-Merom; o rei de Acsafe;
21 o rei de Taanaque; o rei de Megido;
22 o rei de Quedes; o rei de Jocneão do Carmelo;
23 o rei de Dor, em Nafate-Dor; o rei das nações em Gilgal;
24 e o rei de Tirza; trinta e um reis ao todo.

Josué Reparte as Terras

13 Porém, Josué já era bem velho, e o Senhor disse:
"Você já está velho, e ainda ficou muitíssima terra
para conquistar.
2 As terras que ainda restam são estas: Todos os territórios
dos filisteus e toda a Gesur;
3 desde Sior, que está em frente ao Egito, até ao limite de
Ecrom para o norte, que se diz ser dos cananeus; cinco
príncipes dos filisteus; o gazeu e o asdodeu, o asquelom, o
de Gate, o ecroneu e os aveus;
4 desde o sul, toda a terra dos cananeus e Meara, que é
dos sidônios, até Afeca, até ao limite dos amorreus;
5 como também a terra dos gebalitas e todo o Líbano, para
o nascente do sol, desde Baal-Gade, ao pé do monte Hermom,
até a entrada de Hamate;
6 todos os que habitam nas montanhas desde o Líbano
até Misrefote-Maim, todos os sidônios; eu os expulsarei da
frente dos israelitas; apenas reparta a terra em herança a
Israel, como já mandei.
7 Reparta, agora esta terra por herança às nove tribos e à
meia tribo de Manassés."
8 Com a qual os rubenitas e os gaditas já receberam a sua
herança, a qual Moisés lhes deu além do Jordão para o
oriente, assim como já lhes tinha dado Moisés, servo do
Senhor.
9 Desde Aroer, que está à beira do ribeiro de Arnom e
a cidade que está no meio do vale, e toda a campina de
Medeba até Dibom;
10 e todas as cidades de Seom, rei dos amorreus, que
reinou em Hesbom, até aos limites dos filhos de Amom;
11 e Gileade e o limite dos gesureus, e dos maacateus,
todo o monte Hermom e toda a Basã até Salca;
12 todo o reino de Ogue em Basã, que reinou em Astarote
e em Edrei; esse ficou do restante dos gigantes que Moisés
feriu e expulsou.
13 Porém os israelitas não expulsaram os gesureus, nem
os maacateus; antes Gesur e Maacate ficaram habitando
no meio de Israel até ao dia de hoje.
14 Apenas à tribo de Levi não deu herança; os sacrifícios
queimados do Senhor Deus de Israel são a sua herança,
como já lhe tinha falado.
15 Assim Moisés deu à tribo dos filhos de Rúben, conforme
as suas famílias.
16 E o seu limite foi desde Aroer, que está à beira do ribeiro
de Arnom e a cidade que está no meio do vale e toda a
campina até Medeba;
17 Hesbom e todas as suas cidades, que estão na campina;
Dibom, Bamote-Baal e Bete-Baal-Meom;
18 e Jaza, Quedemote e Mefaate;
19 e Quiriataim e Sibma, e Zerete-Saar, no monte do vale;
20 e Bete-Peor, Asdote-Pisga e Bete-Jesimote;
21 e todas as cidades da campina e todo o reino de Seom,
rei dos amorreus, que reinou em Hesbom, a quem Moisés
feriu, como também aos príncipes de Midiã, Evi, Requém,
Zur, Hur e Reba, príncipes de Seom, moradores da terra.
22 Os israelitas também mataram à espada Balaão, filho
de Beor, o adivinho, com os outros que foram mortos por
eles.
23 E o limite dos filhos de Rúben ficou sendo o Jordão
e os seus limites; essa foi a herança dos filhos de Rúben,
segundo as suas famílias, as cidades e as suas aldeias.
24 E Moisés deu à tribo de Gade, aos filhos de Gade, segundo
as suas famílias.
25 E o seu limite foi Jazer e todas as cidades de Gileade e
metade da terra dos filhos de Amom, até Aroer, que está
em frente de Rabá.
26 E desde Hesbom até Ramate-Mispá e Betonim, e desde
Maanaim até a fronteira de Debir;
27 e no vale Bete-Harã, Bete-Ninra, Sucote e Safom, que
ficou do restante do reino de Seom em Hesbom, o Jordão e
o seu limite, até a extremidade do mar de Quinerete além
do Jordão para o oriente.
28 Essa é a herança dos filhos de Gade segundo as suas
famílias, as cidades e as suas aldeias.
29 Moisés também deu herança à meia tribo de Manassés;
e deu à meia tribo dos filhos de Manassés, segundo as
suas famílias.
30 E o seu limite foi desde Maanaim, todo o Basã, todo o
reino de Ogue, rei de Basã, e todas as aldeias de Jair, que
estão em Basã, sessenta cidades,
31 e metade de Gileade, Astarote e Edrei, cidades do reino
de Ogue em Basã, deu aos filhos de Maquir, filho de
Manassés, a saber, à metade dos filhos de Maquir, segundo
as suas famílias.
32 Isto é o que Moisés repartiu em herança nas campinas
de Moabe, além do Jordão para o oriente de Jericó.
33 Porém, à tribo de Levi, Moisés não deu herança; o Senhor
Deus de Israel é a sua herança, como já lhe tinha
falado.

DIVISÃO
12 TRIBOS
Tiro
Dã
N
ASER
NAFTALI
MANASSÉS
SÍRIA
ZEBULON
Mar da
Galélia
ISSACAR
Megido
Mar Grande
MANASSÉS
Samaria
Siquém
Siló
Rio Jordão
AMOM
GADE
EFRAIM
DÃ
Rabá
BENJAMIN
Jerusalém
RÚBEN
JUDÁ
Mar Morto
MOABE
Berseba
Quir -
Haresete
SIMEÃO
EDOM
Bozra

A Herança das Tribos

14 Isto é o que os israelitas tiveram em herança, na ter-
ra de Canaã, o que o sacerdote Eleazar e Josué, filho
de Num e os chefes das famílias das tribos dos israelitas
lhes fizeram repartir,
2 por herança, como o Senhor tinha ordenado, por meio
de Moisés, acerca das nove tribos e da meia tribo.
3 Porque às duas tribos e à meia tribo Moisés já tinha dado
herança além do Jordão; mas aos levitas não tinha dado
herança entre eles.
4 Porque os filhos de José eram duas tribos, Manassés e
Efraim, e aos levitas não deram herança na terra, senão
cidades em que habitassem e os seus arredores para o seu
gado e para os seus bens.
5 Como o Senhor tinha ordenado a Moisés, assim os israe-
litas fizeram e repartiram a terra.
6 Então os filhos de Judá chegaram a Josué em Gilgal;
e Calebe, filho de Jefoné, o quenezeu, lhe disse: "Você
sabe o que o Senhor falou a Moisés, homem de Deus, em
Cades-Barneia sobre mim e sobre você.
7 Eu tinha quarenta anos, quando Moisés, servo do Se-
nhor, me enviou de Cades-Barneia para espiar a terra; e eu
lhe trouxe resposta, como sentia no meu coração;
8 mas meus irmãos, que foram comigo, fizeram o povo
ficar com medo; eu, porém, perseverei em seguir ao Se-
nhor meu Deus.
9 Então Moisés naquele dia jurou, dizendo: 'Certamente
a terra que o seu pé pisou será sua e de seus filhos, em
herança perpétua; pois perseverou em seguir ao Senhor
meu Deus.'
10 E agora eis que o Senhor me conservou com vida,
como disse; são passados quarenta e cinco anos, desde que
o Senhor falou essa palavra a Moisés, quando Israel ainda
andava no deserto e agora eis que hoje tenho já oitenta e
cinco anos;
11 e ainda hoje estou tão forte como no dia em que Moi-
sés me enviou; tenho a mesma força que tinha naquela
época, tanto para a guerra como para sair e entrar.
12 Agora, dê-me esse monte de que o Senhor falou na-
quele dia; pois naquele dia você ouviu que estavam ali os
anaquins e grandes e fortes cidades. O Senhor será comi-
go, para os expulsar, como o Senhor disse."
13 E Josué o abençoou, e deu a Calebe, filho de Jefoné, a
Hebrom em herança.
14 Portanto, Hebrom ficou sendo herança de Calebe, fi-
lho de Jefoné, o quenezeu, até ao dia de hoje, porque tinha
perseverado em seguir ao Senhor Deus de Israel.
15 E antes o nome de Hebrom era Quiriate-Arba, porque
Arba foi o maior homem entre os anaquins. E a terra re-
pousou da guerra.

A Herança de Judá

15 A sorte que coube à tribo dos filhos de Judá, segundo
as suas famílias, foi até a fronteira de Edom, o deser-
to de Zim, para o sul, na extremidade do lado meridional.
2 E o seu limite foi para o sul, desde a extremidade do Mar
Salgado, desde a baía que olha para o sul,
3 sai para o sul, até à subida de Acrabim, e passa por Zim;
sobe do sul a Cades-Barneia e passa por Hezrom; sobe a
Adar e vira para Carca;
4 e passa Azmom e sai ao ribeiro do Egito, e as saídas deste
limite vão até ao mar; esse será o seu limite do lado do sul.
5 O limite, porém, para o oriente será o Mar Salgado, até à
foz do Jordão; e o limite para o norte será da baía do mar,
desde a foz do Jordão.
6 E esse limite subirá até Bete-Hogla, e passará do norte a
Bete-Arabá, e esse limite subirá até à pedra de Boã, filho
de Rúben.
7 Esse limite irá até Debir desde o vale de Acor, indo para
o norte rumo a Gilgal, a qual está em frente da subida de
Adumim, que está para o sul do ribeiro; então esse limite
continua até às águas de En-Semes; e as suas saídas estão
do lado de En-Rogel.
8 E esse limite sobe pelo vale do filho de Hinom, do lado
sul dos jebuseus do sul; essa é Jerusalém; e esse limite sobe
até ao cume do monte que está diante do vale de Hinom
para o ocidente, que está no fim do vale dos refains do
lado do norte.
9 Então esse limite vai desde a altura do monte até
à fonte das águas de Neftoa; e sai até às cidades do
monte de Efrom; esse limite vai ainda até Baalá; essa é
Quiriate-Jearim.
10 Então esse limite volta desde Baalá para o ocidente, até
às montanhas de Seir, e passa ao lado do monte de Jearim
do lado do norte; essa é Quesalom; e desce a Bete-Semes,
e passa por Timna;
11 esse limite vai ainda ao lado de Ecrom, para o norte, e
esse limite vai a Siquerom, e passa o monte de Baalá, e sai
em Jabneel; e assim esse limite acaba no mar.
12 Porém, o limite do lado do ocidente será o Mar Grande
e suas adjacências; esse é o limite dos filhos de Judá, se-
gundo as suas famílias.
13 Mas a Calebe, filho de Jefoné, deu uma parte no meio
dos filhos de Judá, conforme a ordem do Senhor a Josué,
a saber, a cidade de Arba, pai de Anaque; essa é Hebrom.
14 E Calebe expulsou dali os três filhos de Anaque; Sesai,
e Aimã, e Talmai, gerados de Anaque.
15 E dali subiu aos habitantes de Debir; antes o nome de
Debir era Quiriate-Sefer.
16 E Calebe disse: "Quem atacar e conquistar Quiriate-
-Sefer e a tomar, lhe darei a minha filha Acsa por mulher."

17 E quem atacou e conquistou foi Otniel, filho de Que-
naz, irmão de Calebe; e ele lhe deu a sua filha Acsa por
mulher.
18 E, quando Acsa foi viver com Otniel, ela o persuadiu
que pedisse um campo a seu pai. Quando ela desceu do
seu jumento; então Calebe lhe disse: "O que você quer?"
19 E ela disse: "Quero um presente; me deu uma terra
seca, dê-me também fontes de águas." Então Calebe lhe
deu as fontes superiores e as fontes inferiores.
20 Essa é a herança da tribo dos filhos de Judá, segundo
as suas famílias.
21 As cidades da tribo dos filhos de Judá eram, até ao
território de Edom, no extremo sul: Cabzeel, Eder e Jagur.
22 E Quiná, Dimona e Adada,
23 e Quedes, Hazor e Itnã,
24 e Zife, Telém e Bealote,
25 e Hazor-Hadata e Queriote-Hezrom, que é Hazor,
26 e Amã, Sema e Molada,
27 e Hazar-Gada, Hesmom e Bete-Palete,
28 e Hasar-Sual, Berseba e Biziotiá,
29 e Baalá, Iim e Ezém,
30 e Eltolade, Quesil e Horma,
31 e Ziclague, Madmana e Sansana,
32 e Lebaote, Silim, Aim e Rimom; todas as cidades e as
suas aldeias num total de vinte e nove.
33 Nas planícies: Estaol, Zorá e Asná,
34 e Zanoa, En-Ganim, Tapua e Enã,
35 e Jarmute, Adulão, Socó e Azeca,
36 e Saaraim, Aditaim, Gedera e Gederotaim: Catorze
cidades e as suas aldeias.
37 Zenã, Hadasa e Migdal-Gade,
38 e Dileã, Mispá e Jocteel,
39 e Laquis, Boscate e Eglom,
40 e Cabom, Laamás e Quitlis,
41 e Gederote, Bete-Dagom, Naamá e Maquedá: Dezes-
seis cidades e as suas aldeias.
42 Libna, Eter e Asã,
43 e Iftá, Asná e Nezibe,
44 e Queila, Aczibe e Maressa; nove cidades e as suas
aldeias.
45 Ecrom, com as suas vilas e as suas aldeias.
46 Desde Ecrom, até ao mar, todas as que estão do lado de
Asdode e as suas aldeias.
47 Asdode, as suas vilas e as suas aldeias; Gaza, as suas
vilas e as suas aldeias, até ao rio do Egito e o Mar Grande
e o seu limite.
48 E nas montanhas: Samir, Jatir e Socó.
49 E Daná, e Quiriate-Saná, que é Debir,
50 e Anabe, Estemó e Anim,
51 e Gósen, Holom e Gilo: Onze cidades e as suas aldeias.
52 Arabe, Dumá e Esã,
53 e Janim, Bete-Tapua e Afeca,
54 e Hunta, Quiriate-Arba, que é Hebrom e Zior: Nove
cidades e as suas aldeias.
55 Maom, Carmelo, Zife e Jutá,
56 e Jezreel, Jocdeão e Zanoa,
57 e Caim, Gibeá e Timna: Dez cidades e as suas aldeias.
58 Halul, Bete-Zur e Gedor,
59 e Maarate, Bete-Anote e Eltecom: Seis cidades e as suas
aldeias.
60 Quiriate-Baal, que é Quiriate-Jearim e Rabá; duas cida-
des e as suas aldeias.
61 No deserto: Bete-Arabá, Midim e Secaca,
62 e Nibsã, e a Cidade do Sal e En-Gedi; seis cidades e
as suas aldeias.
63 Porém, os filhos de Judá não puderam expulsar os je-
buseus que habitavam em Jerusalém; assim os jebuseus
habitam com os filhos de Judá em Jerusalém, até ao dia
de hoje.

A Herança de Efraim

16 Depois saiu por sorteio aos filhos de José, desde o
Jordão, na direção de Jericó, junto às águas de Jericó,
para o oriente, estendendo-se pelo deserto que sobe de Je-
ricó pelas montanhas de Betel.
2 E de Betel vai para Luz e passa ao limite dos arquitas,
até Atarote,
3 e desce do lado do ocidente aos limites de Jafleti, até ao
limite de Bete-Horom de baixo, e até Gezer, indo terminar
no mar.
4 Assim os filhos de José, Manassés e Efraim, receberam
a sua herança.
5 E o limite dos filhos de Efraim, segundo as suas famílias,
foi como se segue: O limite da sua herança para o oriente
era Atarote-Adar até Bete-Horom de cima;
6 e esse limite vai para o ocidente junto a Micmetate, des-
de o norte, e esse limite volta para o oriente até Taanate-Si-
ló, e passa por ela desde o oriente a Janoa;
7 e desce desde Janoa a Atarote e a Naarate e toca em
Jericó, terminando no Jordão.
8 De Tapua esse limite vai para o ocidente ao ribeiro de
Caná, terminando no mar; essa é a herança da tribo dos
filhos de Efraim, segundo as suas famílias,
9 mais as cidades que se separaram para os filhos de
Efraim no meio da herança dos filhos de Manassés; todas
aquelas cidades e as suas aldeias.
10 E não expulsaram os cananeus que habitavam em Ge-
zer; e os cananeus habitam no meio dos efraimitas até o
dia de hoje; porém, são sujeitos a trabalhos forçados.

A Herança da Meia Tribo de Manassés

17 Também saiu por sorteio à tribo de Manassés, que era o primogênito de José. Maquir, o primogênito de Manassés, pai de Gileade, porque era homem de guerra, recebeu Gileade e Basã;

2 os demais filhos de Manassés também tiveram a sua parte, segundo as suas famílias, a saber: Os filhos de Abiezer, os filhos de Heleque, os filhos de Asriel, os filhos de Siquém, os filhos de Hefer e os filhos de Semida; esses são os filhos de Manassés, filho de José, segundo as suas famílias.

3 Porém, Zelofeade, filho de Hefer, filho de Gileade, filho de Maquir, filho de Manassés, não teve filhos, mas só filhas; e estes são os nomes de suas filhas: Macla, Noa, Hogla, Milca e Tirza.

4 Estas chegaram diante do sacerdote Eleazar, diante de Josué, filho de Num e diante dos chefes, dizendo: "O Senhor ordenou a Moisés que nos desse herança no meio de nossos irmãos, assim, conforme a ordem do Senhor, lhes deu herança no meio dos irmãos de seu pai."

5 E couberam a Manassés dez quinhões, fora a terra de Gileade e Basã, que está além do Jordão;

6 porque as filhas de Manassés receberam herança entre os filhos dele; e os outros filhos de Manassés ficaram com a terra de Gileade.

7 E o limite de Manassés foi desde Aser até Micmetate, que está à frente de Siquém; e este limite estende-se à direita até os moradores de En-Tapua.

8 Manassés tinha a terra de Tapua; porém Tapua, junto ao limite de Manassés, pertencia aos filhos de Efraim.

9 Então esse limite descia ao ribeiro de Caná. A Efraim couberam as cidades ao sul do ribeiro, entre as cidades de Manassés; e o limite de Manassés estava ao norte do ribeiro, indo terminar no mar.

10 Efraim ao sul, e Manassés ao norte, e o mar é o seu limite; pelo norte tocam em Aser, e pelo oriente em Issacar.

11 Porque em Issacar e em Aser, Manassés tinha Bete-Seã e as suas vilas, Ibleão e as suas vilas, os habitantes de Dor e as suas vilas, os habitantes de En-Dor e as suas vilas, os habitantes de Taanaque e as suas vilas e os habitantes de Megido e as suas vilas, com seus respectivos povoados.

12 E os filhos de Manassés não puderam expulsar os habitantes daquelas cidades; porque os cananeus queriam habitar na mesma terra.

13 E os israelitas se fortaleceram e submeteram os cananeus a trabalhos forçados; porém não os expulsaram totalmente.

14 Então os filhos de José falaram a Josué, dizendo: "Por que nos deu por herança só um sorteio e um quinhão, sendo nós um povo tão grande, visto que o Senhor até aqui nos tem abençoado?"

15 E Josué lhes disse: "Se são um povo tão grande, subam ao bosque, e ali abram, para vocês, um lugar na terra dos ferezeus e dos refains; pois as montanhas de Efraim são estreitas para vocês."

16 Então os filhos de José disseram: "As montanhas não nos bastam; também há carros de ferro entre todos os cananeus que habitam na terra do vale, entre os de Bete-Seã e os lugares das suas vilas como os que estão no vale de Jezreel."

17 Então Josué falou à casa de José, a Efraim e a Manassés, dizendo: "Sendo vocês um povo numeroso e poderoso, não terão uma parte apenas;

18 mas as montanhas serão de vocês. Ainda que seja uma floresta, as cortarão, e as suas extremidades serão de vocês; porque expulsarão os cananeus, ainda que tenham carros de ferro, ainda que sejam fortes."

O Mapeamento do Restante da Terra

18 E toda a congregação dos israelitas se reuniu em Siló e ali armaram a tenda do encontro, depois que a terra foi dominada por eles.

2 E entre os israelitas ficaram sete tribos que ainda não tinham recebido a sua herança.

3 E Josué disse aos israelitas: "Até quando serão negligentes em entrar e possuir a terra que o Senhor Deus de seus pais lhes deu?

4 Escolham três homens de cada tribo, para que eu os envie, e eles se levantem e percorram a terra e a demarquem segundo as suas heranças e voltem a mim.

5 E dividam a terra em sete partes: Judá ficará no seu território para o sul e a casa de José ficará no seu território para o norte.

6 E vocês demarquem a terra em sete partes, e me tragam a descrição da demarcação, para que eu faça um sorteio perante o Senhor nosso Deus,

7 porque os levitas não têm parte no meio de vocês, porque o sacerdócio do Senhor é a sua parte; e Gade, Rúben e a meia tribo de Manassés receberam a sua herança além do Jordão para o oriente, que Moisés, o servo do Senhor, lhes deu."

8 Então aqueles homens se levantaram e se foram; e Josué deu ordem aos que iam demarcar a terra, dizendo: "Vão e percorram a terra, demarquem-na; então voltem a mim e aqui farei o sorteio perante o Senhor, em Siló."

9 Aqueles homens foram e passaram pela terra, e a demarcaram em sete partes segundo as cidades, descrevendo-as num livro; e voltaram a Josué no acampamento em Siló.

10 Então Josué fez o sorteio em Siló perante o Senhor, e ali Josué repartiu a terra aos israelitas, conforme às suas divisões.

A Herança de Benjamim

11 E saiu a sorte para a tribo dos filhos de Benjamim, se-
gundo as suas famílias; e lhe coube o território que ficava
entre os filhos de Judá e os filhos de José.
12 E o seu limite foi para o lado do norte, desde o Jordão
até o limite ao lado de Jericó para o norte e subia pela
montanha para o ocidente, terminando no deserto de
Bete-Aven.
13 E dali esse limite alcançava os lados de Luz, que é Be-
tel, para o sul; e descia a Atarote-Adar, ao pé do monte que
está do lado do sul de Bete-Horom de baixo;
14 e esse limite ia e voltava ao lado do ocidente para o sul
do monte que está à frente de Bete-Horom, para o sul, ter-
minando em Quiriate-Baal, que é Quiriate-Jearim, cidade
dos filhos de Judá; esta é a sua extensão para o ocidente.
15 E a sua extensão para o sul começava na extremidade
de Quiriate-Jearim e este limite ia ao ocidente e seguia até
à fonte das águas de Neftoa.
16 E este limite descia até à extremidade do monte que
está à frente do vale do filho de Hinom, que está no vale
dos refains para o norte, e descia pelo vale de Hinom do
lado dos jebuseus para o sul; e então descia à fonte de
Rogel;
17 e ia desde o norte e chegava a En-Semes; e dali saía a
Gelilote, que está à frente da subida de Adumim e descia à
pedra de Boã, filho de Rúben;
18 e passava até ao lado, à frente de Arabá, para o norte
e descia a Arabá.
19 Passava mais esse limite até ao lado de Bete-Hogla, para
o norte, saindo este limite na baía do Mar Salgado, para
o norte, na extremidade do Jordão, para o sul; este era o
limite do sul.
20 E o Jordão era seu limite do lado do oriente; essa era a
herança dos filhos de Benjamim, nos seus limites ao redor,
segundo as suas famílias.
21 E as cidades da tribo dos filhos de Benjamim, segundo as
suas famílias, eram: Jericó, Bete-Hogla e Emeque-Queziz,
22 e Bete-Arabá, Zemaraim e Betel,
23 e Avim, Pará e Ofra,
24 e Quefar-Amonai, Ofni e Gaba: Doze cidades e as suas
aldeias;
25 Gibeão, Ramá e Beerote,
26 e Mispá, Cefira e Mosa,
27 e Requém, Irpeel e Tarala,
28 e Zela, Elefe e Jebus, que é Jerusalém, Gibeá e Quiriate:
Catorze cidades com as suas aldeias; essa era a herança
dos filhos de Benjamim, segundo as suas famílias.

A Herança de Simeão

19 E, na segunda vez, a sorte saiu para Simeão, para a
tribo dos filhos de Simeão, segundo as suas famílias;
e a sua herança ficava no meio da herança dos filhos de
Judá.
2 E receberam como sua herança: Berseba, Seba e Molada,
3 e Hazar-Sual, Balá e Ezém,
4 e Eltolade, Betul e Horma,
5 e Ziclague, Bete-Marcabote e Hazar-Susa,
6 e Bete-Lebaote e Saruém; treze cidades e as suas aldeias.
7 E Aim, Rimom, Eter e Asã; quatro cidades e as suas
aldeias.
8 E todas as aldeias que havia ao redor dessas cidades, até
Baalate-Ber, que é Ramá do sul; essa era a herança da tribo
dos filhos de Simeão, segundo as suas famílias;
9 a herança dos filhos de Simeão foi tirada do quinhão
dos filhos de Judá, porque a herança dos filhos de Judá
era demasiadamente grande para eles; por isso os filhos de
Simeão tiveram a sua herança no meio deles.

A Herança de Zebulom

10 E, na terceira vez, a sorte saiu para os filhos de Zebu-
lom, segundo as suas famílias; e o limite da sua herança
ia até Saride.
11 E o seu limite subia pelo ocidente a Marala, e ia até Da-
besete, e chegava também até ao ribeiro que está à frente
de Jocneão.
12 E de Saride voltava para o oriente, para o nascente do
sol, até ao limite de Quislote-Tabor, saía a Daberate, e ia
subindo a Jafia.
13 E dali passava pelo oriente, para o nascente, a Gate-
-Hefer, em Ete-Cazim, chegando a Rimom-Metoar, que ia
até Neá;
14 e a rodeava, passava o limite para o norte a Hanatom,
chegando ao vale de Ifta-El;
15 e Catate, Naalal, Sinrom, Idala e Belém: Doze cidades
e as suas aldeias.
16 Essa era a herança dos filhos de Zebulom, segundo as
suas famílias; essas cidades e as suas aldeias.

A Herança de Issacar

17 Na quarta vez, a sorte saiu para Issacar; aos filhos de
Issacar, segundo as suas famílias.
18 E o seu território foi Jezreel, Quesulote e Sunén,
19 e Hafaraim, Siom e Anacarate,
20 e Rabite, Quisião e Ebes,
21 e Remete, En-Ganim, En-Hada e Bete-Pasês.
22 E seu limite chegava até Tabor, Saazima e Bete-Semes;
e ia terminar no Jordão; dezesseis cidades e as suas aldeias.
23 Essa era a herança da tribo dos filhos de Issacar, segun-
do as suas famílias; essas cidades e as suas aldeias.

A Herança de Aser

24 E, na quinta vez, a sorte saiu para a tribo dos filhos de
Aser, segundo as suas famílias.
25 E o seu território foi Helcate, Hali, Béten e Acsafe,

26 e Alameleque, Amade e Misal; e chegava ao Carmelo
para o ocidente e a Sior-Libnate;
27 e voltava para o nascente do sol a Bete-Dagom e chega-
va a Zebulom e ao vale de Ifta-El, ao norte de Bete-Emeque
e de Neiel e ia sair a Cabul, pela esquerda,
28 e Ebrom, Reobe, Hamom e Caná, até à grande Sidom.
29 E esse limite voltava a Ramá e até à forte cidade de
Tiro; então tornava a Hosa, para terminar no mar, na re-
gião de Aczibe.
30 E Umá, e Afeca, e Reobe; vinte e duas cidades e as
suas aldeias.
31 Essa era a herança da tribo dos filhos de Aser, segundo
as suas famílias; essas cidades e as suas aldeias.

A Herança de Naftali

32 E, na sexta vez, a sorte saiu para os filhos de Naftali,
segundo as suas famílias.
33 E o seu limite ia desde Helefe e desde Alom em Zaa-
nanim, Adami-Nequebe, Jabneel, até Lacum, terminando
no Jordão.
34 E esse limite voltava pelo ocidente a Aznote-Tabor e
dali passava em Hucoque; e chegava a Zebulom ao sul, a
Aser ao ocidente e a Judá pelo Jordão, ao nascente do sol.
35 E as cidades fortificadas eram: Zidim, Zer, Hamate,
Racate e Quinerete,
36 e Adamá, Ramá e Hazor,
37 e Quedes, Edrei e En-Hazor,
38 e Irom, Migdal-El, Horém, Bete-Anate e Bete-Semes;
dezenove cidades e as suas aldeias.
39 Essa era a herança da tribo dos filhos de Naftali, segun-
do as suas famílias; essas cidades e as suas aldeias.

A Herança de Dã

40 Na sétima vez, a sorte saiu para a tribo dos filhos de
Dã, segundo as suas famílias.
41 E o território da sua herança era Zorá, Estaol e Ir-Semes,
42 e Saalabim, Aijalom e Itla,
43 e Elom, Timna e Ecrom,
44 e Elteque, Gibetom e Baalate,
45 e Jeúde, Bene-Beraque e Gate-Rimom,
46 e Me-Jarcom e Racom, com o território à frente de Jafo.
47 Porém, ficou um território pequeno aos filhos de Dã,
por isso que os filhos de Dã subiram e lutaram contra Le-
sém, e a tomaram, mataram os habitantes ao fio da espada,
e a possuíram e habitaram nela; e a Lesém deram o nome
de Dã, conforme o nome de Dã seu pai.
48 Essa era a herança da tribo dos filhos de Dã, segundo as
suas famílias; essas cidades e as suas aldeias.

Heranças Especiais

49 Depois que acabaram de repartir a terra em herança se-
gundo os seus territórios, os israelitas deram a Josué, filho
de Num, uma herança no meio deles.
50 Segundo o mandado do Senhor, lhe deram a cidade
que pediu, a Timnate-Sera, na montanha de Efraim; e ele
reedificou aquela cidade e habitou nela.
51 Essas foram as heranças que o sacerdote Eleazar, e Jo-
sué, filho de Num e os chefes das famílias repartiram para
as tribos dos israelitas, em herança, por sorteio, em Siló,
perante o Senhor, à porta da tenda do encontro. E assim
acabaram de repartir a terra.

As Cidades de Refúgio

20 O Senhor falou mais a Josué, dizendo:
2 "Diga aos israelitas: Separem para vocês as cida-
des de refúgio, de que lhes falei por meio de Moisés,
3 para que fuja para lá o homicida que matar alguma pes-
soa acidentalmente ou sem intenção; para que elas sirvam
de refúgio contra o vingador do sangue.
4 E, fugindo para alguma daquelas cidades, ele se coloque
à porta dela e exponha a sua causa aos ouvidos dos anciãos
daquela cidade; então o pegarão e lhe darão um lugar, para
que habite com eles.
5 E se o vingador do sangue o perseguir, não entregarão o
homicida na sua mão, porque não matou o seu próximo
com intenção e não foi premeditado.
6 E habitará nessa cidade, até que compareça em juízo
perante a congregação, até que morra o sumo sacerdote
que houver naqueles dias; então o homicida voltará à sua
cidade e à sua casa, à cidade de onde fugiu."
7 Então designaram Quedes na Galileia, na montanha de
Naftali, e Siquém, na montanha de Efraim e Quiriate-Arba,
que era Hebrom, na montanha de Judá.
8 E, além do Jordão, na direção de Jericó para o oriente,
designaram Bezer, no deserto, na campina da tribo de Rú-
ben, e Ramote, em Gileade, da tribo de Gade, e Golã, em
Basã, da tribo de Manassés.
9 Essas são as cidades que foram designadas para todos os
israelitas, e para os estrangeiros que habitavam entre eles,
para que se refugiassem nelas quem, por acidente, matasse
alguma pessoa, para que não morresse nas mãos do vinga-
dor do sangue, até se apresentar diante da congregação.

As Cidades dos Levitas

21 Então os chefes das famílias dos levitas se aproxima-
ram do sacerdote Eleazar, de Josué, filho de Num, e
dos chefes das famílias das tribos dos israelitas;
2 e lhes falaram em Siló, na terra de Canaã, dizendo: "O
Senhor ordenou, por meio de Moisés, que vocês nos des-
sem cidades para habitar e os seus arredores para os nossos
animais."
3 Por isso os israelitas deram aos levitas da sua herança,
conforme a ordem do Senhor, as seguintes cidades e os
seus arredores.
4 E a sorte saiu para as famílias dos coatitas e aos filhos

de Arão, o sacerdote, que eram dos levitas; tiveram por
sorteio da tribo de Judá, da tribo de Simeão e da tribo de
Benjamim, treze cidades;
5 e os outros filhos de Coate receberam por sorteio, das
famílias da tribo de Efraim, da tribo de Dã e da meia tribo
de Manassés, dez cidades;
6 e os filhos de Gérson receberam por sorteio, das famílias
da tribo de Issacar, da tribo de Aser, da tribo de Naftali e da
meia tribo de Manassés, em Basã, treze cidades;
7 aos filhos de Merari, segundo as suas famílias, da tribo
de Rúben, da tribo de Gade e da tribo de Zebulom, doze
cidades;
8 e os israelitas deram aos levitas essas cidades e os seus
arredores por sorteio, como o Senhor tinha ordenado por
meio de Moisés.
9 Deram mais, da tribo dos filhos de Judá e da tribo dos
filhos de Simeão, essas cidades, que por nome foram
mencionadas,
10 para que fossem dos filhos de Arão, das famílias dos
coatitas dos filhos de Levi; porque o primeiro sorteio foi
para eles.
11 Assim lhes deram a cidade de Arba, do pai de Anaque,
que é Hebrom, no monte de Judá e os seus arredores.
12 Porém o campo da cidade e as suas aldeias, deram a
Calebe, filho de Jefoné, como sua posse.
13 Assim aos filhos de Arão, o sacerdote, deram Hebrom,
cidade de refúgio do homicida e os seus arredores, Libna
e os seus arredores;
14 Jatir e os seus arredores e Estemoa e os seus arredores;
15 e Holom e os seus arredores e Debir e os seus arredores;
16 e Aim e os seus arredores, Jutá e os seus arredores e
Bete-Semes e os seus arredores; nove cidades dessas duas
tribos.
17 E da tribo de Benjamim, Gibeão e os seus arredores,
Geba e os seus arredores;
18 e Anatote e os seus arredores, Almom e os seus arredo-
res; quatro cidades.
19 Todas as cidades dos sacerdotes, filhos de Arão, foram
treze cidades e os seus arredores.
20 E as famílias dos filhos de Coate, levitas, que ficaram
dos filhos de Coate, receberam as cidades da sua sorte, da
tribo de Efraim.
21 E lhes deram Siquém, cidade de refúgio do homicida e
os seus arredores, no monte de Efraim e Gezer e os seus
arredores;
22 e Quibzaim e os seus arredores, e Bete-Horom e os
seus arredores; quatro cidades.
23 E da tribo de Dã, Elteque e os seus arredores, Gibetom
e os seus arredores;
24 e Aijalom e os seus arredores, Gate-Rimom e os seus
arredores; quatro cidades.
25 E da meia tribo de Manassés, Taanaque e os seus ar-
redores, e Gate-Rimom e os seus arredores; duas cidades.
26 As cidades para as famílias dos demais filhos de Coate
foram dez e os seus arredores.
27 E aos filhos de Gérson, das famílias dos levitas, deram,
da meia tribo de Manassés, Golã, cidade de refúgio do ho-
micida, em Basã e os seus arredores, e Beesterá e os seus
arredores; duas cidades.
28 E da tribo de Issacar, Quisião e os seus arredores, Dabe-
rate e os seus arredores,
29 e Jarmute e os seus arredores, En-Ganim e os seus ar-
redores; quatro cidades.
30 E da tribo de Aser, Misal e os seus arredores, Abdom e
os seus arredores,
31 e Helcate e os seus arredores, e Reobe e os seus arre-
dores: Quatro cidades.
32 E da tribo de Naftali, Quedes, cidade de refúgio do
homicida, na Galileia, e os seus arredores, e Hamote-Dor e
os seus arredores, e Cartã e os seus arredores; três cidades.
33 Todas as cidades dos gersonitas, segundo as suas famí-
lias, foram treze cidades e os seus arredores.
34 E às famílias dos filhos de Merari, aos demais levitas,
foram dadas, da tribo de Zebulom, Jocneão e os seus arre-
dores, Cartá e os seus arredores,
35 e Dimna e os seus arredores, Naalal e os seus arredores:
Quatro cidades.
36 E da tribo de Rúben, Bezer e os seus arredores, e Jaza
e os seus arredores;
37 e Quedemote e os seus arredores, e Mefaate e os seus
arredores: Quatro cidades.
38 E da tribo de Gade, Ramote, cidade de refúgio do ho-
micida, em Gileade, e os seus arredores, e Maanaim e os
seus arredores;
39 e Hesbom e os seus arredores, Jazer e os seus arredo-
res: Ao todo, quatro cidades.
40 Todas essas cidades foram dos filhos de Merari, segun-
do as suas famílias, que ainda restavam das famílias dos
levitas; e foi a sua sorte doze cidades.
41 Todas as cidades dos levitas, no meio da herança dos is-
raelitas, foram quarenta e oito cidades e os seus arredores.
42 Todas essas cidades tinham, cada uma, pastagens ao
seu redor; assim eram todas essas cidades.
43 Desta maneira o Senhor deu a Israel toda a terra que
jurou dar a seus pais; e a possuíram e habitaram nela.
44 E o Senhor lhes deu repouso de todos os lados, confor-
me a tudo quanto jurou a seus pais; e nenhum de todos
os seus inimigos ficou em pé diante deles; o Senhor lhes
entregou nas mãos todos os seus inimigos.

45 Nenhuma palavra falhou de todas as boas promessas
que o Senhor anunciou à casa de Israel; tudo se cumpriu.

A Despedida de Josué

22 Então Josué chamou os rubenitas, os gaditas e a
meia tribo de Manassés,
2 e lhes disse: "Tudo que Moisés, o servo do Senhor, lhes
ordenou, vocês guardaram; e à minha voz obedeceram em
tudo que lhes ordenei.
3 A seus irmãos por todo esse tempo, até ao dia de hoje,
não desampararam; pois tiveram o cuidado de guardar o
mandamento do Senhor seu Deus.
4 Agora o Senhor seu Deus deu repouso a seus irmãos,
como lhes tinha prometido; voltem, agora, e vão às suas
tendas, à terra da herança de vocês, que Moisés, o servo
do Senhor, lhes deu além do Jordão.
5 Apenas tenham cuidado de guardar com diligência o
mandamento e a lei que Moisés, o servo do Senhor, lhes
ordenou: 'Que amem o Senhor seu Deus, e andem em
todos os seus caminhos, guardem os seus mandamentos e
se aproximem dele, e o sirvam com todo o seu coração e
com toda a sua alma.'"
6 Assim Josué os abençoou e os despediu; e eles foram
para as suas tendas.
7 Moisés deu herança em Basã à meia tribo de Manassés;
porém, à outra metade, Josué deu herança entre seus ir-
mãos aquém do Jordão para o ocidente; e Josué, os envian-
do às suas tendas, os abençoou,
8 e lhes falou, dizendo: "Voltem às suas tendas com gran-
des riquezas, com muitíssimo gado, com prata, com ouro,
com metal, com ferro e com muitíssimas roupas; e repar-
tam com seus irmãos o despojo dos seus inimigos."
9 Assim os filhos de Rúben, os filhos de Gade e a meia
tribo de Manassés voltaram e separaram-se dos israelitas,
de Siló, que está na terra de Canaã, para irem à terra de
Gileade, à terra da sua herança, que receberam conforme
a ordem do Senhor por meio de Moisés.

O Altar do Testemunho

10 E quando eles chegaram aos limites do Jordão, ainda na
terra de Canaã, ali os filhos de Rúben, os filhos de Gade
e a meia tribo de Manassés edificaram um altar junto ao
Jordão, um altar imponente.
11 E os israelitas ouviram dizer: "Eis que os filhos de Rú-
ben, os filhos de Gade e a meia tribo de Manassés edifi-
caram um altar diante da terra de Canaã, nos limites do
Jordão, do lado dos israelitas."
12 Os israelitas, ouvindo isso, toda a congregação dos is-
raelitas se reuniu em Siló, para saírem em guerra contra
eles.
13 E os israelitas enviaram aos filhos de Rúben, aos filhos
de Gade e à meia tribo de Manassés, à terra de Gileade,
Fineias, filho do sacerdote Eleazar,
14 e foram dez chefes com ele, um chefe de cada casa, de
todas as tribos de Israel; e cada um era chefe da casa de
seus pais, entre os milhares de Israel.
15 E eles foram aos filhos de Rúben, aos filhos de Gade e à
meia tribo de Manassés, à terra de Gileade, e lhes falaram,
dizendo:
16 "Assim diz toda a congregação do Senhor: 'Que trans-
gressão é esta, que fizeram contra o Deus de Israel, dei-
xando hoje de seguir ao Senhor, edificando para vocês um
altar, para se rebelarem contra o Senhor?
17 Não nos bastou o pecado de Peor, do qual até hoje não
estamos purificados, mesmo que tenha havido praga sobre
a congregação do Senhor,
18 para que hoje vocês deixem de seguir o Senhor? Se
hoje se rebelarem contra o Senhor, amanhã ele ficará irado
contra toda a congregação de Israel.
19 Se a terra da herança de vocês está contaminada, pas-
sem para a terra que pertence ao Senhor, onde está o ta-
bernáculo do Senhor, e tomem posse entre nós; mas não
se rebelem contra o Senhor, nem se rebelem contra nós,
edificando para vocês um altar, além do altar do Senhor
nosso Deus.
20 Acã, filho de Zerá, não cometeu transgressão referente
às coisas consagradas ao Senhor? Não veio a ira sobre toda
a congregação de Israel, pois aquele homem não morreu
só, na sua iniquidade?'"
21 Então os filhos de Rúben, os filhos de Gade e a meia
tribo de Manassés responderam e disseram aos chefes dos
milhares de Israel:
22 "O poderoso, Deus, o Senhor! O poderoso, Deus, o
Senhor, ele sabe e Israel mesmo o saberá. Se foi por re-
beldia, ou por transgressão contra o Senhor, hoje não nos
poupem;
23 se nós edificamos um altar para nos desviarmos do
Senhor, ou para sobre ele oferecer holocausto e oferta de
cereais, ou sobre ele apresentar oferta pacífica, o Senhor
mesmo nos peça conta disso.
24 Ao contrário, fizemos isto com medo de que no futuro
seus filhos falem aos nossos filhos: 'Que relação vocês têm
com o Senhor Deus de Israel?'
25 Pois o Senhor pôs o Jordão por limite entre nós e vocês,
ó filhos de Rúben e filhos de Gade; vocês não têm parte
com o Senhor; e assim os seus filhos poderiam fazer os
nossos filhos deixarem de temer o Senhor.
26 Por isso dissemos: 'Vamos construir um altar, não para
holocausto, nem para sacrifício,
27 mas para que, entre nós e vocês, e entre as nossas ge-
rações depois de nós, nos seja por testemunho, para poder-

mos fazer o serviço do Senhor diante dele com os nossos
holocaustos, com os nossos sacrifícios e com as nossas
ofertas pacíficas; para que seus filhos não digam amanhã a
nossos filhos: Vocês não têm parte com o Senhor.'
28 Por isso dissemos: 'Se algum dia disserem isso a nós e
aos nossos descendentes, então diremos: 'Vejam o mode-
lo do altar do Senhor que nossos pais fizeram, não para
holocausto nem para sacrifício, mas para ser testemunho
entre nós e vocês.'
29 Longe de nós nos rebelarmos contra o Senhor, e nos
afastarmos dele, construindo um altar para holocausto,
oferta de cereais ou sacrifício, fora do altar do Senhor nos-
so Deus, que está perante o seu tabernáculo."
30 Quando Fineias, o sacerdote, os chefes da congregação
e os cabeças dos milhares de Israel, que estavam com eles,
ouviram as palavras que os filhos de Rúben, os filhos de
Gade e os filhos de Manassés disseram, isso pareceu bem
aos seus olhos.
31 E Fineias, filho do sacerdote Eleazar, disse aos filhos de
Rúben, aos filhos de Gade e aos filhos de Manassés: "Hoje
sabemos que o Senhor está no meio de nós; porque não
cometeram transgressão contra o Senhor; agora livraram
os israelitas da mão do Senhor."
32 E Fineias, filho do sacerdote Eleazar, com os chefes,
deixando os filhos de Rúben e os filhos de Gade, voltaram
da terra de Gileade para a terra de Canaã, aos israelitas e
lhes trouxeram a resposta.
33 E a resposta pareceu boa aos olhos dos israelitas e os is-
raelitas louvaram a Deus; e não falaram mais em ir à guer-
ra contra eles, para destruírem a terra em que os filhos de
Rúben e os filhos de Gade habitavam.
34 E os filhos de Rúben e os filhos de Gade deram ao
altar o nome de Ede: um testemunho entre nós de que o
Senhor é Deus.

O Sermão de Josué

23 E aconteceu que, muitos dias depois que o Senhor
concedeu repouso a Israel de todos os seus inimigos
ao redor e sendo Josué já velho, de idade muito avançada,
2 Josué chamou a todo o Israel, os seus anciãos, os seus
chefes, os seus juízes e os seus oficiais, e lhes disse: "Eu já
sou velho, com idade muito avançada,
3 e vocês já viram tudo o que o Senhor seu Deus fez a
todas essas nações por causa de vocês; porque o Senhor
seu Deus é quem lutou por vocês.
4 Vejam que eu lhes reparti por sorteio, em herança às
suas tribos, essas nações que restam, bem como as nações
que tenho destruído, desde o Jordão até o Grande Mar
para o pôr do sol.
5 E o Senhor seu Deus as empurrará e as expulsará da
frente de vocês; e vocês possuirão as suas terras, como o
Senhor seu Deus lhes prometeu.
6 Esforcem-se muito, para guardar e fazer tudo o que está
escrito no livro da lei de Moisés; para que dele não se des-
viem, nem para a direita nem para a esquerda;
7 para que não entrem no meio dessas nações que ainda
restam no meio de vocês; e não façam menção dos nomes
de seus deuses, nem por eles façam juramento, nem os
sirvam, nem se inclinem a eles,
8 mas se apeguem ao Senhor seu Deus, como fizeram até
o dia de hoje;
9 pois o Senhor expulsou da frente de vocês grandes e for-
tes nações; e, quanto a vocês, ninguém conseguiu resistir,
até o dia de hoje.
10 Um só homem de vocês perseguirá a mil; pois é o Se-
nhor seu Deus que luta por vocês, como ele já falou.
11 Portanto, guardem com zelo as suas vidas, para ama-
rem ao Senhor seu Deus.
12 Porque, se de algum modo se desviarem e se apegarem
ao restante dessas nações que ainda ficaram entre vocês,
com elas se casarem, e se associarem com elas,
13 saibam que certamente o Senhor seu Deus não con-
tinuará a expulsar essas nações da frente de vocês, mas
elas serão uma armadilha para vocês, como açoite nas suas
costas, e espinhos nos seus olhos; até que desapareçam
desta boa terra que o Senhor seu Deus lhes deu.
14 E hoje vou pelo caminho de toda a terra; e vocês bem
sabem, com todo o seu coração, e com toda a sua alma,
que nem uma só palavra falhou de todas as boas promessas
que o Senhor seu Deus falou a vocês; todas se cumpriram,
nenhuma delas falhou.
15 E, assim como sobre vocês vieram todas essas boas coi-
sas, que o Senhor seu Deus lhes disse, assim o Senhor trará
sobre vocês todas aquelas coisas más, até os destruir de
sobre a boa terra que o Senhor seu Deus lhe deu.
16 Quando transgredirem a aliança do Senhor seu Deus,
que lhes ordenou, e forem e servirem a outros deuses, e
se inclinarem para eles, então a ira do Senhor se acenderá
sobre vocês e logo desaparecerão de sobre a boa terra que
lhes deu."

Recordações de Josué

24 Depois Josué reuniu todas as tribos de Israel em
Siquém; e chamou os anciãos de Israel, os seus che-
fes, os seus juízes e os seus oficiais; e eles se apresentaram
diante de Deus.
2 Então Josué disse a todo o povo: "Assim diz o Senhor
Deus de Israel: 'Antigamente seus pais, Tera, pai de
Abraão e pai de Naor, habitaram além do rio e serviram
a outros deuses.
3 Eu, porém, tirei o seu pai Abraão da terra além do rio e o

fiz andar por toda a terra de Canaã; também multipliquei
a sua descendência e lhe dei Isaque.
4 E a Isaque dei Jacó e Esaú; e a Esaú dei a montanha de
Seir, para possuí-la; porém, Jacó e os seus filhos desceram
para o Egito.
5 Então enviei Moisés e Arão e feri o Egito, com pragas no
meio deles; e depois os tirei de lá.
6 E, quando eu tirei seus pais do Egito, vieram ao mar e
os egípcios os perseguiram com carros de guerra e com
cavaleiros, até ao Mar Vermelho.
7 E clamaram ao Senhor, e ele pôs trevas entre vocês e
os egípcios, e trouxe o mar sobre eles, que os cobriu, e os
seus olhos viram o que eu fiz no Egito; depois habitaram
no deserto por muitos dias.
8 Então eu os trouxe à terra dos amorreus, que habitavam
além do Jordão, os quais lutaram contra vocês; porém os
entreguei nas suas mãos e possuíram a terra deles, e os
destruí da frente de vocês.
9 Levantou-se também Balaque, filho de Zipor, rei dos
moabitas e lutou contra Israel; e mandou chamar Balaão,
filho de Beor, para que os amaldiçoasse.
10 Porém eu não quis ouvir Balaão; de modo que ele os
abençoou grandemente e eu livrei vocês da sua mão.
11 Depois que vocês atravessaram o Jordão e chegaram
a Jericó, os habitantes de Jericó lutaram contra vocês, os
amorreus, os ferezeus, os cananeus, os heteus, os girga-
seus, os heveus e os jebuseus; porém os entreguei nas
mãos de vocês.
12 E enviei vespões à frente de vocês, que os expulsaram
da frente de vocês, como a ambos os reis dos amorreus;
não foi com a sua espada nem com o seu arco que fizeram
isso.
13 E eu lhes dei a terra em que não trabalharam, cidades
que não edificaram, e habitaram nelas e comeram das vi-
nhas e dos olivais que não plantaram.

A Renovação da Aliança

14 Agora, temam ao Senhor, e o sirvam com sinceridade
e com verdade; joguem fora os deuses aos quais seus pais
serviram além do rio e no Egito, e sirvam ao Senhor.
15 Porém, se parecer mal aos seus olhos servir ao Senhor,
escolham hoje a quem servirão; se aos deuses a quem seus
pais serviram, que estavam além do rio, ou aos deuses dos
amorreus, em cuja terra habitam; porém eu e a minha casa
serviremos ao Senhor.'"
16 Então o povo respondeu, e disse: "Longe de nós aban-
donar o Senhor para servir a outros deuses;
17 porque o Senhor é o nosso Deus; ele é quem nos tirou,
a nós e a nossos pais, da terra do Egito, da casa da servidão,
e quem tem feito esses grandes sinais aos nossos olhos,
e nos guardou por todo o caminho que andamos, entre
todos os povos pelo meio dos quais passamos.
18 E o Senhor expulsou da nossa frente todos esses povos,
até o amorreu, morador da terra; nós também serviremos
ao Senhor, porque é nosso Deus."
19 Então Josué disse ao povo: "Não poderão servir o Se-
nhor, porque é Deus santo, é Deus zeloso, que não perdoa-
rá a transgressão de vocês nem os seus pecados.
20 Se deixarem o Senhor e servirem a deuses estranhos,
então ele se voltará contra vocês, lhes fará mal e os exter-
minará, mesmo depois de lhes ter feito o bem."
21 Então o povo disse a Josué: "Não, serviremos ao
Senhor."
22 E Josué disse ao povo: "São testemunhas contra vocês
mesmos de que escolheram o Senhor, para o servir." E dis-
seram: "Somos testemunhas."
23 "Agora, joguem fora os deuses estranhos que há no
meio de vocês e inclinem o seu coração ao Senhor Deus
de Israel."
24 E o povo disse a Josué: "Serviremos ao Senhor nosso
Deus e obedeceremos à sua voz."
25 Assim, naquele dia Josué fez aliança com o povo e lhes
deu estatutos e leis em Siquém.
26 E Josué escreveu estas palavras no livro da lei de Deus;
e pegou uma grande pedra e a ergueu ali debaixo do carva-
lho que estava junto ao santuário do Senhor.
27 E Josué disse a todo o povo: "Eis que esta pedra nos
será por testemunho, pois ela ouviu todas as palavras, que
o Senhor nos tem falado; e também será testemunho con-
tra vocês, para que não mintam a seu Deus."
28 Então Josué despediu o povo, cada um para a sua
herança.

As Mortes de Josué e Eleazar

29 E depois dessas coisas, Josué, filho de Num, servo do
Senhor, faleceu, com cento e dez anos de idade.
30 E o sepultaram no território da sua herança, em Tim-
nate-Sera, que fica no monte de Efraim, para o norte do
monte de Gaás.
31 Israel serviu ao Senhor todos os dias de Josué e todos
os dias dos anciãos que ainda sobreviveram muito tempo
depois de Josué, e que sabiam todas as obras que o Senhor
tinha feito a Israel.
32 Também os ossos de José, que os israelitas trouxeram
do Egito, foram enterrados em Siquém, naquela parte do
campo que Jacó comprou dos filhos de Hamor, pai de Si-
quém, por cem peças de prata e que se tornou herança
dos filhos de José.
33 Eleazar, filho de Arão, também faleceu e o sepultaram
no monte de Fineias, seu filho, que lhe deram na monta-
nha de Efraim.

Novas Conquistas de Israel

1 Depois da morte de Josué, os israelitas perguntaram ao
Senhor, dizendo: "Quem dentre nós subirá primeiro aos
cananeus, para lutar contra eles?"
2 E o Senhor disse: "Judá subirá; eis que entreguei essa
terra em suas mãos."
3 Então Judá disse a Simeão, seu irmão: "Subam comigo à
minha herança. E lutemos contra os cananeus, e eu tam-
bém subirei com vocês à sua herança." E Simeão partiu
com ele.
4 E Judá subiu, e o Senhor lhe entregou nas suas mãos os
cananeus e os ferezeus; eles mataram, em Bezeque, dez
mil homens.
5 E encontraram Adoni-Bezeque em Bezeque, lutaram
contra ele; e derrotaram os cananeus e os ferezeus.
6 Porém, Adoni-Bezeque fugiu, mas o seguiram, o prende-
ram e lhe cortaram os dedos polegares das mãos e dos pés.
7 Então Adoni-Bezeque disse: "Setenta reis, com os de-
dos polegares das mãos e dos pés cortados, apanhavam
as migalhas debaixo da minha mesa; assim como eu fiz,
assim Deus me pagou." E o levaram a Jerusalém, e ele
morreu ali.
8 E os filhos de Judá lutaram contra Jerusalém e a con-
quistaram, e mataram os seus habitantes ao fio da espada;
e puseram fogo na cidade.
9 E depois os filhos de Judá desceram para lutar contra
os cananeus, que habitavam nas montanhas, no sul e nas
planícies.
10 E os filhos de Judá avançaram contra os cananeus que
habitavam em Hebrom, cujo nome antes era Quiriate-Ar-
ba, e derrotaram Sesai, Aimã e Talmai.
11 E dali partiram contra os moradores de Debir; antes o
nome de Debir era Quiriate-Sefer.
12 E Calebe disse: "Quem atacar e conquistar Quiriate-Se-
fer, lhe darei a minha filha Acsa por mulher."
13 E Otniel, filho de Quenaz, o irmão de Calebe, mais
novo do que ele, conquistou a cidade; e Calebe lhe deu a
sua filha Acsa por mulher.
14 E Acsa foi viver com Otniel e o persuadiu a pedir um
campo a seu pai; ela desceu do jumento e Calebe lhe disse:
"O que você quer?"
15 E ela lhe disse: "Quero um presente; me deu uma terra
seca, dê-me também fontes de águas." Então Calebe lhe
deu as fontes superiores e as fontes inferiores.
16 Os filhos do queneu, sogro de Moisés, saíram da cida-
de das palmeiras com os filhos de Judá para o deserto de
Judá, que está ao sul de Arade, e foram, e habitaram com
esse povo.
17 E os filhos de Judá foram com Simeão, seu irmão, e
derrotaram os cananeus que habitavam em Zefate; a des-
truíram totalmente, e o nome dessa cidade chamou-se
Hormá.
18 Os filhos de Judá também conquistaram Gaza com o
seu território, e Asquelom com o seu território, e Ecrom
com o seu território.
19 E o Senhor estava com os filhos de Judá, e eles ocupa-
ram a serra central; porém, não expulsaram os moradores
do vale, porque tinham carros de guerra feitos de ferro.
20 E deram Hebrom a Calebe, como Moisés havia prome-
tido; e dali expulsou os três filhos de Anaque.
21 Porém, os filhos de Benjamim não expulsaram os jebu-
seus que habitavam em Jerusalém; e os jebuseus ficaram
habitando com os filhos de Benjamim em Jerusalém, até
ao dia de hoje,
22 Os homens da tribo de José também atacaram Betel, e
o Senhor estava com eles.
23 E eles mandaram espias a Betel, e antes o nome dessa
cidade era Luz.
24 E os espias viram um homem que saía da cidade, e
lhe disseram: "Mostra-nos a entrada da cidade e teremos
misericórdia de você."
25 E ele lhes mostrou a entrada da cidade, mataram os
moradores ao fio da espada; porém àquele homem e a
toda a sua família deixaram ir.
26 Então aquele homem foi para a terra dos heteus, edi-
ficou uma cidade e lhe deu o nome de Luz; esse é o seu
nome até ao dia de hoje.
27 A tribo de Manassés não expulsou os habitantes de Be-
te-Seã, nem mesmo dos seus povoados; nem de Taanaque,
com os seus povoados; nem os moradores de Dor, com os
seus povoados, nem os moradores de Ibleão, com os seus
povoados; nem os moradores de Megido, com os seus po-
voados; e os cananeus resolveram habitar na mesma terra.
28 E, quando Israel se tornou mais forte, impôs aos
cananeus trabalhos forçados; porém, não os expulsou
completamente.
29 Nem Efraim expulsou os cananeus que habitavam em
Gezer; antes os cananeus ficaram habitando com ele, em
Gezer.
30 Nem Zebulom expulsou os moradores de Quitrom,
nem os moradores de Naalol; porém os cananeus fica-

ram habitando com ele, e foram submetidos a trabalhos
forçados.
31 Nem Aser expulsou os moradores de Aco, nem os mo-
radores de Sidom; e nem de Alabe, nem de Aczibe, nem
de Helba, nem de Afeque, e nem de Reobe;
32 porém, os aseritas habitaram no meio dos cananeus
que moravam na terra; porque não os expulsaram.
33 Nem Naftali expulsou os moradores de Bete-Semes,
nem os moradores de Bete-Anate; mas habitou no meio
dos cananeus que habitavam na terra; porém, os mora-
dores de Bete-Semes e Bete-Anate foram submetidos a
trabalhos forçados.
34 E os amorreus confinaram os filhos de Dã nas monta-
nhas; e não os deixavam descer ao vale.
35 Os amorreus também quiseram habitar nas montanhas
de Heres, em Aijalom e em Saalabim; porém, as tribos de
José ficaram mais fortes, e os amorreus foram submetidos
a trabalhos forçados.
36 E a fronteira dos amorreus ia desde a subida de Acra-
bim até Selá e dali para cima.

O Anjo Repreende Israel

2 E o anjo do Senhor foi de Gilgal a Boquim e disse: "Ti-
rei-os do Egito e os trouxe à terra que jurei a seus pais,
e disse: 'Nunca invalidarei a minha aliança com vocês.'
2 E, quanto a vocês, não façam acordo com os moradores
desta terra, antes derrubem os seus altares; mas vocês não
obedeceram à minha voz. Por que fizeram isso?
3 Assim também eu disse: 'Não os expulsarei da frente de
vocês; eles serão seus adversários, e os deuses deles serão
uma armadilha para vocês.'"
4 E o anjo do Senhor falou essas palavras a todos os israe-
litas, e o povo levantou a sua voz e chorou.
5 Por isso chamaram àquele lugar Boquim; e sacrificaram
ali ao Senhor.
6 Depois de Josué despedir o povo, os israelitas se foram,
cada um à sua herança, para possuírem a terra.

A Infidelidade Depois da Morte de Josué

7 E o povo serviu ao Senhor todos os dias de Josué e to-
dos os dias dos anciãos que ainda sobreviveram depois de
Josué; e que tinham visto toda aquela grande obra do Se-
nhor, que ele fez a Israel.
8 Josué, filho de Num, servo do Senhor, faleceu com cento
e dez anos de idade;
9 e o sepultaram no território da sua herança, em Tim-
nate-Heres, no monte de Efraim, para o norte do monte
de Gaás.
10 E toda aquela geração foi reunida a seus pais, e se le-
vantou outra geração após ela, que não conhecia o Senhor,
nem a obra que ele tinha feito a Israel.
11 Então os israelitas fizeram o que era mau aos olhos do
Senhor e serviram aos baalins.
12 E deixaram o Senhor Deus de seus pais, que os tirou
da terra do Egito, e serviram a outros deuses, deuses dos
povos que havia ao redor deles, e os adoraram, provocan-
do a ira do Senhor.
13 Porque deixaram o Senhor e serviram a Baal e a
Astarote.
14 Por isso a ira do Senhor se acendeu contra Israel, e ele
os entregou nas mãos de invasores que os saquearam; e os
entregou nas mãos dos seus inimigos que ficavam ao redor
e não puderam mais resistir diante deles.
15 Por onde quer que fossem, a mão do Senhor era contra
eles para mal, como o Senhor tinha falado e como lhes
tinha jurado; e estavam em grande aflição.
16 Então, o Senhor levantou juízes, que os livraram das
mãos dos que os atacavam.
17 Porém, não ouviram os juízes, e se prostituíram servin-
do a outros deuses e os adoraram; depressa se desviaram
do caminho, por onde seus pais andaram obedecendo aos
mandamentos do Senhor; mas eles não fizeram assim.
18 E, quando o Senhor lhes levantava juízes, o Senhor
estava com o juiz e os livrava das mãos dos seus inimigos,
todos os dias daquele juiz; porque o Senhor tinha miseri-
córdia deles pelo seu gemido, por causa dos que os opri-
miam e afligiam.
19 E quando o juiz falecia, os israelitas voltavam às antigas
práticas e se corrompiam mais do que seus pais, seguindo
outros deuses, servindo-os e adorando-os; e se recusavam
a abandonar as suas práticas e seu caminho obstinado.
20 Por isso a ira do Senhor se acendeu contra Israel e
ele disse: "Porque esse povo transgrediu a minha aliança,
que tinha ordenado a seus pais e não deram ouvidos à
minha voz,
21 não expulsarei mais da frente deles nenhuma das na-
ções, que Josué deixou, quando morreu;
22 por meio delas, eu vou provar Israel, se guardará, ou
não, o caminho do Senhor, como seus pais o guardaram,
para andarem nele."
23 Assim, o Senhor deixou ficar aquelas nações, e não as
expulsou logo, nem as entregou nas mãos de Josué.

As Nações Oprimem Israel

3 Estas são as nações que o Senhor deixou ficar para,
através delas, pôr Israel à prova, a saber, para provar
todos os israelitas que não sabiam de todas as guerras de
Canaã.
2 Para que as gerações dos israelitas soubessem delas, para
lhes ensinar a guerra, pelo menos aos que antes não sa-
biam delas.
3 Cinco governantes dos filisteus, todos os cananeus, os

sidônios e os heveus que habitavam nas montanhas do
Líbano, desde o monte de Baal-Hermom até à entrada de
Hamate.
4 Estes ficaram para, através deles, o Senhor provar Israel,
para saber se dariam ouvido aos mandamentos do Senhor,
que ele tinha ordenado a seus pais, por meio de Moisés.
5 Os israelitas, habitando no meio dos cananeus, dos he-
teus, amorreus, ferezeus, heveus e jebuseus,
6 tomaram de suas filhas em casamento e deram as suas
filhas aos filhos deles em casamento; e serviram aos seus
deuses.

Otniel Livra Israel

7 E os israelitas fizeram o que era mau aos olhos do Se-
nhor e se esqueceram do Senhor seu Deus; e serviram aos
baalins e a Astarote.
8 Então, a ira do Senhor se acendeu contra Israel e ele os
entregou nas mãos de Cusã-Risataim, rei da Mesopotâmia;
e os israelitas serviram a Cusã-Risataim por oito anos.
9 E os israelitas clamaram ao Senhor e o Senhor lhes
levantou um libertador, que os libertou: Otniel, filho de
Quenaz, irmão de Calebe, mais novo do que este.
10 E o Espírito do Senhor veio sobre ele e ele liderou Israel
e saiu à guerra, e o Senhor entregou na sua mão Cusã-Risa-
taim, rei da Síria; e ele prevaleceu.
11 Então a terra teve paz por quarenta anos até que Ot-
niel, filho de Quenaz, faleceu.

Opressão Moabita e o Livramento de Eúde

12 Porém, os israelitas tornaram a fazer o que era mau aos
olhos do Senhor; então o Senhor deu poder a Eglom, rei
dos moabitas, contra Israel; porque fizeram o que era mau
aos olhos do Senhor.
13 E reuniu com ele os filhos de Amom e os amalequitas;
então Eglom derrotou Israel e conquistou a cidade das
palmeiras.
14 E os israelitas serviram a Eglom, rei dos moabitas, por
dezoito anos.
15 Então os israelitas clamaram ao Senhor e o Senhor lhes
levantou um libertador, Eúde, filho de Gera, filho de Jemi-
mi, homem canhoto. E os israelitas enviaram pela sua mão
um presente a Eglom, rei dos moabitas.
16 E Eúde fez para si uma espada de dois fios, do compri-
mento de quarenta e cinco centímetros e a amarrou por
baixo das suas vestes, junto a sua coxa direita.
17 E levou aquele presente a Eglom, rei dos moabitas;
Eglom era um homem muito gordo.
18 E, quando entregou o presente, saiu com os carregado-
res que o trouxeram.
19 Porém, ele mesmo voltou do lugar onde as imagens
de escultura estavam ao pé de Gilgal, e disse: "Tenho uma
palavra secreta para você, ó rei." E o rei disse: "Cale-se." E
todos os que assistiam saíram de perto dele.
20 E Eúde entrou na sala superior do palácio de verão
que o rei tinha só para si, onde estava sentado, e lhe disse:
"Tenho uma mensagem de Deus para você." E o rei se
levantou da cadeira.
21 Então Eúde estendeu a sua mão esquerda e tirou a
espada da sua coxa direita e a cravou na barriga do rei,
22 de tal maneira que entrou até o cabo, e a gordura
cobriu a lâmina, porque não tirou a espada da barriga; a
gordura se fechou sobre ela.
23 Então Eúde saiu ao pátio, fechou as portas da sala e
as trancou.
24 E, quando ele saiu, vieram os servos do rei e viram que
as portas do palácio estavam fechadas e disseram: "Sem
dúvida ele deve estar fazendo suas necessidades em seu
cômodo privativo."
25 E cansaram-se de esperar, ele não abria as portas da
sala; então pegaram a chave e abriram, e ali estava o seu
senhor estendido e morto no chão.
26 E Eúde escapou enquanto eles esperavam; ele passou
pelas imagens de escultura e fugiu para Seirá.
27 E, quando ele chegou, tocou a trombeta nas monta-
nhas de Efraim, e os israelitas desceram com ele das mon-
tanhas; e ele ia à frente deles.
28 E Eúde lhes disse: "Sigam-me, porque o Senhor entre-
gou seus inimigos, os moabitas, nas suas mãos"; e eles o
seguiram e tomaram os vales do Jordão contra Moabe e
não deixaram ninguém passar.
29 E, naquele tempo, mataram uns dez mil homens dos
moabitas, todos fortes e vigorosos; e não escapou nenhum.
30 Assim, naquele dia, Moabe foi subjugado debaixo da
mão de Israel; e a terra teve paz por oitenta anos.

Sangar Liberta-os dos Filisteus

31 Depois de Eúde veio Sangar, filho de Anate, que ma-
tou seiscentos homens dos filisteus com uma aguilhada de
bois; e ele também libertou Israel.

A Opressão Cananita

4 Porém, os israelitas tornaram a fazer o que era mau aos
olhos do Senhor, depois de Eúde falecer.
2 E o Senhor entregou-os nas mãos de Jabim, rei de Ca-
naã, que reinava em Hazor; e Sísera era o capitão do seu
exército, e ele habitava em Harosete dos gentios.
3 Então os israelitas clamaram ao Senhor, porque ele tinha
novecentos carros de ferro, e por vinte anos oprimia vio-
lentamente os israelitas.

Débora e Baraque

4 E Débora, mulher profetisa, mulher de Lapidote, julgava
Israel naquele tempo.
5 Ela se assentava debaixo das palmeiras de Débora, entre

Ramá e Betel, nas montanhas de Efraim; e os israelitas iam
a ela para que ela decidisse as suas questões.
6 E Débora mandou chamar Baraque, filho de Abinoão de
Quedes de Naftali e lhe disse: "O Senhor Deus de Israel
deu ordem, dizendo: 'Vá, reúna gente ao monte Tabor e
leve com você dez mil homens dos filhos de Naftali e dos
filhos de Zebulom.'
7 E ele entregará Sísera, capitão do exército de Jabim, para
você, no ribeiro de Quisom, com os seus carros de guerra
e com as suas tropas; e os entregará em suas mãos."
8 Então Baraque lhe disse: "Se você for comigo, irei; po-
rém, se não for comigo, não irei."
9 E Débora disse: "Certamente irei com você, porém não
será sua a honra da jornada que empreenderemos; pois
o Senhor entregará Sísera nas mãos de uma mulher." E
Débora se levantou e partiu com Baraque para Quedes.
10 Então Baraque convocou Zebulom e Naftali em Que-
des, e saíram com dez mil homens após ele; e Débora saiu
com ele.
11 E Héber, queneu, tinha se separado dos queneus, dos
filhos de Hobabe, sogro de Moisés; e tinha estendido as
suas tendas até o carvalho de Zaananim, que está junto
a Quedes,
12 e anunciaram a Sísera que Baraque, filho de Abinoão,
tinha subido ao monte Tabor.
13 E Sísera convocou todos os seus carros de guerra, no-
vecentos carros de ferro e todo o povo que estava com
ele, desde Harosete dos gentios até ao ribeiro de Quisom.
14 Então Débora disse a Baraque: "Levante-se, porque
este é o dia em que o Senhor deu Sísera em suas mãos; o
Senhor não está indo à frente?" Baraque desceu do monte
Tabor, seguido por dez mil homens.
15 E o Senhor derrotou Sísera, todos os seus carros e todo
o seu exército ao fio da espada, diante de Baraque; e Sísera
desceu do carro e fugiu a pé.
16 E Baraque perseguiu os carros e o exército até Harosete
dos gentios; e todo o exército de Sísera caiu ao fio da espa-
da, até não ficar um só.
17 Porém Sísera fugiu a pé para a tenda de Jael, mulher
de Héber, queneu; porque havia paz entre Jabim, rei de
Hazor, e a casa de Héber, queneu.

Jael Mata Sísera

18 E Jael saiu ao encontro de Sísera e lhe disse: "Entre,
meu senhor, entre aqui, não tenha medo." Ele entrou na
sua tenda e ela o cobriu com uma coberta.
19 Então ele lhe disse: "Dê-me um pouco de água para
beber, porque tenho sede." Então ela abriu um odre de
leite, lhe deu de beber e o cobriu.
20 E ele lhe disse: "Fique na porta da tenda; se alguém
vier e lhe perguntar: 'Há alguém aqui?' Então responderá:
'Não.'"
21 Então Jael, mulher de Héber, pegou uma estaca da
tenda, pegou um martelo, se aproximou mansamente de
Sísera, e lhe cravou a estaca na têmpora, e a estaca pene-
trou até a terra, enquanto ele estava num profundo sono e
já muito cansado; e assim morreu.
22 E Baraque perseguia Sísera, quando Jael lhe saiu ao
encontro e lhe disse: "Venha e lhe mostrarei o homem
que procura." E ele a seguiu e viu que Sísera estava morto,
com a estaca na têmpora.
23 Assim Deus, naquele dia, subjugou Jabim, rei de Ca-
naã, diante dos israelitas.
24 E a mão dos israelitas continuou a pesar e a endurece-
cer-se sobre Jabim, rei de Canaã; até que exterminaram
Jabim, rei de Canaã.

O Cântico de Débora e Baraque

5 E cantaram Débora e Baraque, filho de Abinoão, na-
quele mesmo dia, dizendo:
2 "Louvem ao Senhor pela vingança de Israel, quando o
povo se ofereceu voluntariamente.
3 Escutem, reis; ouçam, príncipes; eu cantarei ao Senhor;
salmodiarei ao Senhor Deus de Israel.
4 Ó Senhor, quando saiu de Seir, quando marchou desde
o campo de Edom, a terra estremeceu; até os céus goteja-
ram; até as nuvens gotejaram águas.
5 Os montes tremeram diante do Senhor, e até o Sinai
diante do Senhor Deus de Israel.
6 Nos dias de Sangar, filho de Anate, nos dias de Jael,
cessaram os caminhos; e os que andavam por veredas iam
por caminhos tortuosos.
7 Já tinham desistido os camponeses de Israel, já tinham
desistido; até que eu, Débora, me levantei, como mãe em
Israel me levantei.
8 Eram escolhidos deuses novos, logo a guerra estava às
portas; e não se viam escudo ou lança entre quarenta mil
em Israel.
9 Meu coração é para os legisladores de Israel, que vo-
luntariamente se ofereceram entre o povo; bendigam ao
Senhor.
10 Vocês, os que cavalgam sobre jumentas brancas, que se
assentam em juízo, que andam pelo caminho, falem disto.
11 Mais alto do que os que distribuem água, ali falem das
justiças do Senhor, das justiças que fez às suas aldeias em
Israel; então o povo do Senhor desceu às portas da cidade.
12 Desperte, desperte, Débora, desperte, desperte, entoe
um cântico; levante-se Baraque, filho de Abinoão, e leve
presos os seus prisioneiros.
13 Então desceram os restantes e foram aos nobres; o
povo do Senhor veio a mim contra os poderosos.

14 Alguns vieram de Efraim, da raiz de Amaleque; Ben-
jamim estava com o povo que seguiu você, de Maquir
desceram os legisladores e, de Zebulom, os que levaram
a vara de oficial.
15 Os líderes de Issacar também foram com Débora; e,
como Issacar, assim também Baraque foi enviado a pé para
o vale; nas divisões de Rúben houve muita indecisão.
16 Por que vocês permaneceram entre os currais para ou-
vir os balidos dos rebanhos? Nas divisões de Rúben houve
muita indecisão.
17 Gileade ficou além do Jordão e Dã por que se deteve
nos navios? Aser ficou nos portos dos mares e nas suas
enseadas.
18 Zebulom é um povo que arriscou a sua vida, como
também Naftali, nas altas regiões do campo.
19 Vieram reis e lutaram; então os reis de Canaã lutaram
em Taanaque, junto às águas de Megido; não pegaram
despojo de prata.
20 Desde os céus lutaram; até as estrelas, desde os lugares
dos seus cursos, lutaram contra Sísera.
21 O ribeiro de Quisom os levou, aquele antigo rio, o rio
Quisom. Avante, ó minha alma, seja forte.
22 Então os cascos dos cavalos faziam o chão tremer; galo-
pavam, galopavam os seus poderosos cavalos.
23 'Amaldiçoem Meroz,' diz o anjo do Senhor, 'amaldi-
çoem os seus moradores; porque não vieram ao socorro do
Senhor, ao socorro do Senhor contra os poderosos.'
24 Bendita seja entre as mulheres Jael, mulher de Héber, o
queneu; bendita seja entre as mulheres nas tendas.
25 Ele pediu água, ela lhe deu leite; em prato de príncipes
lhe ofereceu coalhada.
26 Para a estaca estendeu a sua mão esquerda, e ao mar-
telo dos trabalhadores a sua direita; matou Sísera e lhe
rachou a cabeça, quando lhe golpeou e atravessou as
têmporas.
27 Entre os seus pés, se curvou, caiu, ficou estirado; entre
os seus pés, se curvou, caiu; onde se encurvou, ali caiu
morto.
28 A mãe de Sísera olhava pela janela e exclamava pela
grade: 'Por que demora em vir o seu carro? Por que se
demoram os ruídos dos seus carros?'
29 As mais sábias das suas damas responderam; e até ela
respondia a si mesma:
30 'Não acharam e estão repartindo os despojos? Uma ou
duas moças para cada homem? Para Sísera despojos de
roupas coloridas, despojos de roupas coloridas e bordadas;
de tecidos coloridos bordados de ambos os lados como
despojo para o meu pescoço.'
31 Assim, ó Senhor, pereçam todos os seus inimigos! Po-
rém, os que o amam sejam como o sol quando se levanta
na sua força.
32 E a terra teve paz por quarenta anos."

A Opressão Midianita

6 Porém, os israelitas fizeram o que era mau aos olhos
do Senhor; e o Senhor os deu nas mãos dos midianitas
por sete anos.
2 E a mão dos midianitas prevaleceu sobre Israel, e os is-
raelitas fizeram para si, por causa dos midianitas, as covas
que estão nos montes, as cavernas e as fortificações.
3 Porque quando os israelitas semeavam suas plantações,
os midianitas, os amalequitas e os do oriente, as invadiam.
4 Acampavam na terra e destruíam as plantações, até
Gaza; e não deixavam nada vivo em Israel, nem ovelhas,
nem bois, nem jumentos.
5 Porque subiam com os seus gados e tendas; vinham
como gafanhotos, em grande multidão que não se podia
contar, nem a eles nem a seus camelos; e entravam na
terra, para destruí-la.
6 Assim, Israel empobreceu muito pela presença dos mi-
dianitas; então os israelitas clamaram ao Senhor.
7 E, quando os israelitas clamaram ao Senhor por causa
dos midianitas,
8 o Senhor enviou-lhes um profeta, que lhes disse: "Assim
diz o Senhor Deus de Israel: Eu os tirei do Egito e da casa
da servidão;
9 e os livrei das mãos dos egípcios e das mãos de todos
que os oprimiam; eu os expulsei da frente de vocês e dei
a vocês a terra deles."
10 E disse: "Eu sou o Senhor seu Deus; não adorem os
deuses dos amorreus, em cuja terra estão habitando; mas
não deram ouvidos à minha voz."

Um Anjo Fala Com Gideão

11 Então o anjo do Senhor veio e sentou-se debaixo do
carvalho que está em Ofra, que pertencia a Joás, abiezrita;
e Gideão, seu filho, estava malhando o trigo no lagar, para
o salvar dos midianitas.
12 Então, o anjo do Senhor apareceu e lhe disse: "O Se-
nhor está com você, homem valoroso."
13 Mas Gideão lhe respondeu: "Ah, meu Senhor, se o
Senhor está conosco, por que nos aconteceu tudo isso?
E onde estão todas as suas maravilhas que nossos pais nos
contaram, dizendo: 'O Senhor não nos tirou do Egito?' Po-
rém agora o Senhor nos desamparou e nos deu nas mãos
dos midianitas."
14 Então o Senhor olhou para ele, e disse: "Vá com esta
sua força e livre Israel das mãos dos midianitas; não sou eu
quem o está enviando?"
15 E ele lhe disse: "Ah, meu Senhor, como livrarei Israel?

Eis que a minha família é a mais pobre em Manassés, e eu
o menor na casa de meu pai."
16 E o Senhor lhe disse: "Porque eu estou com você, você
derrotará os midianitas como se fossem um só homem."
17 E ele disse: "Se agora achei graça aos teus olhos, dá-me
um sinal de que és tu o Senhor que está falando comigo.
18 Rogo-te que não te afastes daqui, até que eu volte e tra-
ga a minha oferta e a ponha diante do Senhor." E o Senhor
disse: "Eu esperarei até que você volte."
19 E Gideão entrou e preparou um cabrito e bolos sem
fermento com vinte litros de farinha; a carne pôs num ces-
to e o caldo pôs numa panela; e os trouxe até debaixo do
carvalho e os ofereceu.
20 Porém o anjo de Deus lhe disse: "Pegue a carne e os
bolos sem fermento e ponha-os sobre essa rocha, e derra-
me o caldo em cima." E assim Gideão fez.
21 E o anjo do Senhor estendeu a ponta do cajado, que
estava na sua mão, e tocou a carne e os bolos; então su-
biu um fogo da pedra e consumiu a carne e os bolos sem
fermento; e o anjo do Senhor desapareceu de seus olhos.
22 Então Gideão viu que era o anjo do Senhor, e Gideão
disse: "Ah! Senhor Deus, eu vi o anjo do Senhor face a
face."
23 Porém o Senhor lhe disse: "Que a paz esteja com você;
não tenha medo; você não morrerá."
24 Então Gideão edificou ali um altar ao Senhor e o cha-
mou: "O Senhor é paz; e até o dia de hoje esse altar ainda
está em Ofra dos abiezritas."
25 E aconteceu, naquela mesma noite, que o Senhor lhe
disse: "Pegue o boi que pertence a seu pai, o segundo boi
de sete anos; derrube o altar de Baal, que é de seu pai e
corte o bosque que está ao pé dele.
26 E edifique ao Senhor seu Deus um altar no cume deste
lugar fortificado, um altar adequado, em camadas de pe-
dra; pegue o segundo boi e o ofereça em holocausto com
a lenha que cortar do bosque."
27 Então Gideão pegou dez homens entre os seus servos
e fez como o Senhor lhe disse; aconteceu que, com medo
da casa de seu pai e dos homens daquela cidade, não o fez
de dia, mas fez de noite.
28 Os homens daquela cidade se levantaram de madru-
gada e viram que o altar de Baal estava derrubado, e o
bosque estava cortado ao lado dele; e o segundo boi havia
sido oferecido no altar que tinha sido edificado.
29 E perguntaram uns aos outros: "Quem fez isso?" E,
investigando e perguntando, disseram: "Gideão, o filho de
Joás, fez isso."
30 Então os homens daquela cidade disseram a Joás: "Tra-
ga para fora seu filho, para que morra; porque derrubou
o altar de Baal e cortou o bosque que estava junto dele."
31 Porém Joás disse a todos os homens que estavam
contra ele: "Vocês vão defender a causa de Baal? Vocês
querem salvá-lo? Qualquer um que lutar por ele, ainda
esta manhã, será morto; se ele é deus, lute por si mesmo;
porque derrubaram o seu altar."
32 Por isso, naquele dia, Gideão passou a ser chamado de
Jerubaal, dizendo: "Que Baal dispute com ele, pois derru-
bou o seu altar."
33 E todos os midianitas, amalequitas e os povos do orien-
te se ajuntaram; passaram o Jordão e acamparam no vale
de Jezreel.
34 Então o Espírito do Senhor revestiu Gideão, e ele tocou
a trombeta, e os abiezritas se ajuntaram a ele para segui-lo.
35 E Gideão enviou mensageiros por toda a tribo de
Manassés, que também se ajuntou a ele; também enviou
mensageiros a Aser, a Zebulom e a Naftali, que saíram ao
seu encontro.
36 E Gideão disse a Deus: "Se irá livrar Israel por minha
mão, como disseste,
37 eis que eu colocarei um novelo de lã na eira; e se o
orvalho estiver somente no novelo e toda a terra ficar seca,
então conhecerei que irás livrar Israel por minha mão,
como disseste."
38 E assim aconteceu, porque no outro dia ele se levantou
de madrugada e apertou o novelo; e, do orvalho que espre-
meu do novelo, encheu uma taça de água.
39 E Gideão disse a Deus: "Não se acenda tua ira contra
mim, se ainda falar só esta vez; rogo-te que só esta vez faça
a prova com o novelo; rogo-te que só o novelo fique seco
e em toda a terra haja o orvalho."
40 E Deus fez assim naquela noite; pois só o novelo ficou
seco e sobre toda a terra havia orvalho.

Os Trezentos de Gideão

7 Então Jerubaal, que é Gideão, se levantou de madruga-
da com todo o povo que havia com ele, e acamparam
junto à fonte de Harode, de maneira que o acampamento
dos midianitas ficava para o norte, no vale, perto do monte
de Moré.
2 E o Senhor disse a Gideão: "Há gente demais com você
para eu entregar os midianitas em suas mãos, para que
Israel não se glorie contra mim, dizendo que a sua própria
força o libertou.
3 Agora, fale aos ouvidos do povo, dizendo: 'Quem for
medroso e tímido, volte e retire-se apressadamente das
montanhas de Gileade.'" Então voltaram vinte e dois mil
homens; e ficaram dez mil.
4 E o Senhor disse a Gideão: "Ainda há muita gente; faça-
-os descer às águas e ali os provarei; e, daquele de quem
eu lhe disser: 'Esse irá com você,' ele irá com você; porém

todo aquele de quem eu lhe disser: 'Esse não irá com você,' ele não irá."

5 E Gideão fez o povo descer às águas. Então o Senhor disse a Gideão: "Aquele que lamber as águas com a língua, como o cão as lambe, esse você deve separar; como também quem se abaixar de joelhos para beber."

6 E os que lamberam, levando a mão à boca, foram trezentos homens; e todo o restante do povo se abaixou de joelhos para beber.

7 E o Senhor disse a Gideão: "Com esses trezentos homens que lamberam as águas, eu os livrarei e darei os midianitas nas suas mãos; portanto, todos os demais se retirem, cada um volte para sua casa."

8 Gideão mandou todos os homens de Israel cada um à sua tenda; porém, os trezentos homens ficaram, e pegaram as suas provisões e as suas trombetas; e o acampamento dos midianitas ficava abaixo deles, no vale.

9 E, naquela mesma noite, o Senhor lhe disse: "Levante-se e desça ao acampamento, porque o estou dando nas suas mãos.

10 E, se ainda estiver com medo, desça com o seu servo Purá ao acampamento;

11 e ouça o que dizem; então, terá coragem para atacar o acampamento." Então ele desceu com o seu servo Purá até ao extremo das sentinelas que estavam no acampamento.

12 E os midianitas, os amalequitas e todos os povos do oriente estavam no vale em grande número, como gafanhotos; e os seus camelos eram incontáveis, como a areia da praia.

13 Quando Gideão se aproximou, eis que um homem estava contando um sonho ao seu companheiro, e dizia: "Eu tive um sonho, e vi que um pão de cevada torrado vinha rolando pelo acampamento dos midianitas e, chegando à tenda do comandante, a derrubou e ficou ela caída."

14 E o seu companheiro respondeu, e disse: "Isto não é outra coisa senão a espada de Gideão, filho de Joás, homem israelita. Deus entregou nas suas mãos os midianitas e todo este acampamento."

15 E Gideão ouviu a narração desse sonho e a sua interpretação, e adorou o Senhor; e voltou ao acampamento de Israel e disse: "Levantem-se, porque o Senhor entregou o acampamento dos midianitas nas nossas mãos."

16 Então dividiu os trezentos homens em três esquadrões, e pôs, nas mãos de cada um, trombetas e cântaros vazios, com tochas acesas neles.

17 E lhes disse: "Olhem para mim e façam como eu faço; e, quando eu chegar à extremidade do acampamento, façam como eu fizer.

18 Quando eu tocar a trombeta, eu e todos os que estiverem comigo, então vocês também tocarão a trombeta ao redor de todo o acampamento e dirão: 'Pelo Senhor e por Gideão!'"

19 Gideão chegou com os cem homens que iam com ele ao extremo do acampamento, por volta da meia-noite, pouco depois da troca das guardas; então tocaram as suas trombetas e quebraram os cântaros que tinham nas mãos.

20 Assim os três esquadrões tocaram as trombetas e quebraram os cântaros; seguravam as tochas acesas com a mão esquerda e com a direita seguravam as trombetas que tocavam e gritavam: "À espada, pelo Senhor e por Gideão."

21 E cada um permaneceu no seu lugar ao redor do acampamento; então, todos do exército dos midianitas saíram correndo e gritando, e fugiram.

22 Quando os trezentos tocaram as trombetas, o Senhor tornou a espada de um contra o outro, em todo o acampamento; e o exército fugiu para Zererá, até Bete-Sita, até aos limites de Abel-Meolá, perto de Tabate.

23 Então os homens de Israel, de Naftali, de Aser e de Manassés foram convocados e perseguiram os midianitas.

24 Gideão também enviou mensageiros a todas as montanhas de Efraim, dizendo: "Desçam para atacar os midianitas, cerquem as águas do Jordão até Bete-Bara." Convocados, todos os homens de Efraim cercaram as águas entre Bete-Bara e o Jordão.

25 E prenderam dois príncipes dos midianitas: Orebe e Zeebe; e mataram Orebe na rocha de Orebe; e Zeebe, mataram no lagar de Zeebe; então perseguiram os midianitas e trouxeram as cabeças de Orebe e de Zeebe a Gideão, além do Jordão.

Gideão Acalma os Efraimitas

8 Então os homens de Efraim lhe disseram: "O que é isto que nos fez, que não nos chamou, quando foi lutar contra os midianitas?" E o criticaram duramente.

2 Porém ele lhes disse: "O que é que eu fiz em comparação com vocês? Não são os restos das uvas de Efraim melhores que toda a colheita das uvas de Abiezer?

3 Deus entregou na mão de vocês os príncipes dos midianitas, Orebe e Zeebe; o que eu pude fazer em comparação ao que vocês fizeram?" Então a ira deles contra Gideão se acalmou, quando ele falou essas palavras.

4 E, quando Gideão chegou ao Jordão, passou com os trezentos homens que estavam com ele, já cansados, mas ainda continuavam perseguindo os inimigos.

5 E Gideão disse aos homens de Sucote: "Deem alguns pedaços de pão ao povo que me segue, porque estão cansados e eu estou no encalço de Zebá e Salmuna, reis dos midianitas."

6 Porém os chefes de Sucote disseram: "Zebá e Salmuna já estão em sua mão, para que daremos pão ao seu exército?"

7 Então Gideão disse: "Pois quando o Senhor der na minha mão a Zebá e Salmuna, rasgarei a carne de vocês com os espinhos e espinheiros do deserto."

8 E dali subiu a Penuel e lhes falou da mesma maneira; e os homens de Penuel lhe responderam como os homens de Sucote lhe haviam respondido.

9 Por isso também falou aos homens de Penuel, dizendo: "Quando eu voltar em paz, derrubarei essa torre."

10 Zebá e Salmuna estavam em Carcor e os seus exércitos com eles, uns quinze mil homens, todos os que restaram do exército dos povos do oriente; e os que morreram foram cento e vinte mil homens, que portavam a espada.

11 E Gideão subiu pelo caminho dos nômades, para o oriente de Noba e Jogbeá; e atacou aquele exército, porque o exército estava distraído.

12 E Zebá e Salmuna fugiram; porém ele os perseguiu e prendeu ambos os reis dos midianitas, Zebá e Salmuna, e afugentou todo o exército.

13 Gideão, filho de Joás, voltando da batalha, antes do nascer do sol,

14 prendeu um moço dos homens de Sucote e lhe fez perguntas; e ele lhe deu por escrito os nomes dos chefes de Sucote e dos seus anciãos, setenta e sete homens.

15 Então Gideão foi aos homens de Sucote e disse: "Vejam aqui Zebá e Salmuna, a respeito dos quais vocês zombaram de mim, dizendo: 'Zebá e Salmuna já estão na sua mão, para que daremos pão aos seus homens cansados?'"

16 E prendeu os anciãos daquela cidade, e com os espinhos e os espinheiros do deserto açoitou os homens de Sucote.

17 E derrubou a torre de Penuel e matou os homens da cidade.

18 Depois perguntou a Zebá e a Salmuna: "Como eram os homens que mataram em Tabor?" E disseram: "Eram como você, assim eram eles; cada um se parecia com filho de rei."

19 Então ele disse: "Eram meus irmãos, filhos de minha mãe; juro pelo nome do Senhor que, se os tivessem deixado com vida, eu não os mataria."

20 E disse a Jéter, seu primogênito: "Levante-se e mate-os." Porém o moço não puxou a espada, porque teve medo; pois ainda era jovem.

21 Então Zebá e Salmuna disseram: "Levante-se e mate-nos você mesmo, isso exige coragem de homem." Gideão levantou-se e matou Zebá e Salmuna, e pegou os ornamentos que estavam nos pescoços dos seus camelos.

Gideão Recusa Governar

22 Então os homens de Israel disseram a Gideão: "Domine sobre nós, tanto você, como o seu filho e o filho de seu filho; porque nos livrou da mão dos midianitas."

23 Porém, Gideão lhes respondeu: "Sobre vocês eu não dominarei, nem meu filho dominará sobre vocês; o Senhor dominará sobre vocês."

24 E Gideão lhes disse mais: "Só lhes faço um pedido: Dê-me, cada um de vocês, os pendentes do seu despojo; pois tinham pendentes de ouro, porque eram ismaelitas."

25 E eles disseram: "De boa vontade os daremos." E estenderam uma capa e cada um deles pôs ali um pendente do seu despojo.

26 E o peso dos pendentes de ouro, que ele pediu, foram vinte quilos de ouro, fora os ornamentos, as cadeias e as vestes de púrpura que os reis dos midianitas traziam, e fora as coleiras que os camelos traziam ao pescoço.

27 E Gideão fez do ouro um manto sacerdotal e colocou-o em sua cidade, em Ofra; e todo o Israel prostituiu-se ali perante ele; e isso foi por armadilha a Gideão e à sua casa.

28 Assim os midianitas foram abatidos diante dos israelitas e nunca mais levantaram a cabeça; e a terra teve paz por quarenta anos nos dias de Gideão.

29 E Jerubaal, filho de Joás, foi e habitou em sua casa.

30 E Gideão teve setenta filhos, gerados dele, porque tinha muitas mulheres.

31 E sua concubina, que morava em Siquém, também lhe deu um filho; e lhe pôs o nome de Abimeleque.

32 E Gideão, filho de Joás, faleceu bem velho; e foi sepultado no sepulcro de seu pai Joás, em Ofra dos abiezritas.

33 E, depois que Gideão faleceu, os israelitas tornaram a se prostituir com os baalins; e puseram Baal-Berite como o seu deus.

34 E assim os israelitas não se lembraram do Senhor seu Deus, que os livrou da mão de todos os seus inimigos ao redor.

35 Nem usaram de bondade com a casa de Jerubaal, isto é, de Gideão, conforme a todo o bem que ele havia feito a Israel.

A Pretensão de Abimeleque

9 E Abimeleque, filho de Jerubaal, foi a Siquém, aos irmãos de sua mãe, e falou a todos os parentes da sua mãe, dizendo:

2 "Falem, lhes peço, aos ouvidos de todos os cidadãos de Siquém: 'O que é melhor para vocês, que setenta homens, todos os filhos de Jerubaal, dominem sobre vocês, ou que um só homem domine sobre vocês? Lembrem-se também de que temos o mesmo sangue.'"

3 Então os irmãos de sua mãe falaram a respeito dele a todos os cidadãos de Siquém todas aquelas palavras; e o coração deles se inclinou a seguir Abimeleque, porque disseram: "É nosso irmão."

4 E lhe deram setenta peças de prata, da casa de Baal-Beri-
te; e com elas Abimeleque contratou uns homens ociosos
e levianos, que o seguiram.
5 E foi à casa de seu pai, a Ofra, e matou os seus irmãos,
os filhos de Jerubaal, setenta homens, sobre uma pedra.
Porém Jotão, filho menor de Jerubaal, escapou, porque
tinha se escondido.
6 Então, todos os cidadãos de Siquém e toda a casa de
Milo se ajuntaram; foram e coroaram Abimeleque rei, jun-
to ao carvalho alto que fica perto de Siquém.

A Parábola de Jotão

7 E, quando Jotão ficou sabendo, foi ao cume do monte
de Gerizim, levantou a sua voz, clamou e lhes disse: "Ou-
çam-me, cidadãos de Siquém e Deus os ouvirá:
8 Certa vez as árvores foram e ungiram para si um rei, e
disseram à oliveira: 'Reine você sobre nós.'
9 Porém a oliveira lhes disse: 'Deixaria o meu azeite, que
Deus e os homens prezam em mim, para reinar sobre as
árvores?'
10 Então as árvores disseram à figueira: 'Venha, você, e
reine sobre nós.'
11 Porém a figueira lhes disse: 'Deixaria a minha doçura,
o meu bom fruto, para reinar sobre as árvores?'
12 Então as árvores disseram à videira: 'Venha, você, e
reine sobre nós.'
13 Porém a videira lhes disse: 'Deixaria o meu vinho, que
alegra a Deus e aos homens, para reinar sobre as árvores?'
14 Então todas as árvores disseram ao espinheiro: 'Venha,
você, e reine sobre nós.'
15 E o espinheiro disse às árvores: 'Se, na verdade, me un-
girem rei sobre vocês, venham e se abriguem debaixo da
minha sombra; mas, do contrário, sairá fogo do espinheiro
e consumirá até os cedros do Líbano.'
16 Agora, se vocês agiram com verdade e sinceridade,
fazendo Abimeleque rei, e se fizeram o correto com Jeru-
baal, com a sua casa, e como ele merecia,
17 porque meu pai lutou por vocês, arriscou a sua vida e
os livrou das mãos dos midianitas;
18 porém, hoje vocês se levantaram contra a casa de meu
pai e mataram seus filhos, setenta homens, sobre uma pe-
dra; e a Abimeleque, filho da sua serva, fizeram reinar
sobre os cidadãos de Siquém, porque é seu irmão,
19 pois, se vocês agiram com verdade e sinceridade com
Jerubaal e com a sua casa hoje, alegrem-se com Abimele-
que e ele também se alegre com vocês.
20 Mas, se não, saia fogo de Abimeleque e consuma
os cidadãos de Siquém e a casa de Milo; e saia fogo
dos cidadãos de Siquém e da casa de Milo, e consuma
Abimeleque."
21 Então Jotão partiu, fugiu e foi para Beer; e habitou ali
por medo de Abimeleque, seu irmão.

A Conspiração de Gaal

22 Fazia três anos que Abimeleque governava Israel;
23 então Deus enviou um espírito de discórdia entre Abi-
meleque e os cidadãos de Siquém; e estes agiram traiçoei-
ramente contra Abimeleque;
24 para vingar a violência feita aos setenta filhos de Je-
rubaal contra Abimeleque, seu irmão, que os matou, e
sobre os cidadãos de Siquém, que o ajudaram matar os
seus irmãos.
25 Os cidadãos de Siquém puseram homens para armar
emboscadas nos cumes dos montes e assaltavam quem
passava pelo caminho junto a eles; e contaram isso a
Abimeleque.
26 E Gaal, filho de Ebede, mudou-se para Siquém com
os seus irmãos; e os cidadãos de Siquém confiaram nele.
27 E saíram ao campo, vindimaram as suas vinhas, pisa-
ram as uvas e fizeram festas; e foram à casa de seu deus,
comeram, beberam e amaldiçoaram Abimeleque.
28 E Gaal, filho de Ebede, disse: "Quem é Abimeleque
e quem é Siquém, para que o sirvamos? Não é filho de
Jerubaal? E não é Zebul o seu representante? Sirvam antes
aos homens de Hamor, pai de Siquém; por que razão nós
serviríamos a ele?
29 Ah! Se esse povo estivesse na minha mão, eu expul-
saria Abimeleque, e diria a ele: 'Mobilize o seu exército
e venha lutar.'"
30 E Zebul, o governante da cidade, ouvindo as palavras
de Gaal, filho de Ebede, ficou irado;
31 e enviou secretamente mensageiros a Abimeleque,
dizendo: "Gaal, filho de Ebede, e seus irmãos vieram a
Siquém, e eles estão agitando esta cidade contra você.
32 Levante-se, de noite, você e o povo que estiver com
você, e ponha emboscadas no campo.
33 E levante-se pela manhã, ao sair o sol, e avance contra
a cidade; quando ele e o povo vierem contra você, faça o
que achar melhor."

A Vitória de Abimeleque

34 Abimeleque levantou-se com todo o povo que estava
com ele, à noite, e fizeram emboscadas contra Siquém,
com quatro tropas.
35 E Gaal, filho de Ebede, saiu, e pôs-se à entrada da porta
da cidade; então, Abimeleque e todo o povo que estava
com ele se levantaram das emboscadas.
36 E Gaal, vendo aquele povo, disse a Zebul: "Veja, está
descendo gente dos cumes dos montes." Zebul, ao contrá-
rio, lhe disse: "Está vendo as sombras dos montes como se
fossem homens."
37 Porém Gaal ainda tornou a falar e disse: "Está descen-

do gente da parte central do território, e uma tropa vem
pelo caminho do carvalho dos adivinhadores."
38 Então Zebul lhe disse: "Onde está agora toda aquela
sua conversa? Você dizia: 'Quem é Abimeleque, para que
o sirvamos?' Não é esse o povo que desprezou? Saia e lute
contra eles."
39 E Gaal saiu à frente dos cidadãos de Siquém e lutou
contra Abimeleque.
40 E Abimeleque o perseguiu porque fugiu dele; e caíram
muitos feridos até à entrada da porta da cidade.
41 E Abimeleque ficou em Aruma. E Zebul expulsou Gaal
e seus irmãos, para que não pudessem habitar em Siquém.
42 E no dia seguinte, quando o povo saiu ao campo, Abimeleque foi avisado.
43 Então ele reuniu o povo, repartiu-o em três tropas e fez
emboscadas no campo; e olhou, e viu que o povo saía da
cidade; então levantou-se contra eles e os atacou.
44 Porque Abimeleque e as tropas que havia com ele
avançaram e pararam na entrada da porta da cidade; e as
outras duas tropas avançaram sobre todos os que estavam
no campo e os mataram.
45 E Abimeleque lutou contra a cidade durante todo
aquele dia, tomou a cidade, matou o povo que habitava
nela, assolou a cidade e espalhou sal sobre ela.
46 Ao saberem disso, os cidadãos que restavam na torre
de Siquém entraram na fortaleza, na casa do deus Berite.
47 E contaram a Abimeleque que todos os cidadãos da
torre de Siquém haviam se reunido.
48 Abimeleque subiu ao monte Salmom, com todo o povo
que estava com ele; e Abimeleque pegou um machado e
cortou um ramo de árvore, pôs nos ombros e disse ao povo
que estava com ele: "O que me viram fazer, se apressem e
façam assim como eu."
49 Assim, cada um de todo o povo também cortou o seu
ramo e seguiu Abimeleque; e puseram os ramos junto à
fortaleza e queimaram-na com fogo com todos os que estavam nela, e morreram todos os que estavam na torre de
Siquém, uns mil homens e mulheres.

A Morte de Abimeleque

50 Então Abimeleque foi a Tebes, sitiou-a e tomou-a.
51 Havia, porém, no meio da cidade, uma torre forte; e
todos os homens e mulheres e todos os cidadãos da cidade
se refugiaram nela; fecharam as portas e subiram para o
telhado da torre.
52 E Abimeleque veio até à torre e a combateu; então,
aproximou-se da porta da torre para incendiá-la,
53 porém, uma mulher lançou um pedaço de uma pedra
de moinho sobre a cabeça de Abimeleque e lhe quebrou
o crânio.
54 Então ele chamou logo o moço que levava as suas armas e lhe disse: "Desembainhe a sua espada e me mate,
para que não digam sobre mim: 'Uma mulher o matou.'"
E o moço o atravessou com a espada e ele morreu.
55 Os homens de Israel, vendo que Abimeleque já estava
morto, se foram, cada um para o seu lugar.
56 Assim Deus fez cair sobre Abimeleque o mal que tinha
feito a seu pai, matando seus setenta irmãos.
57 E fez cair o mal sobre a cabeça dos homens de Siquém;
e a maldição de Jotão, filho de Jerubaal, veio sobre eles.

Tola e Jair Julgam Israel

10 E depois de Abimeleque, Tola, filho de Puá, filho
de Dodô, homem de Issacar, se levantou, para livrar
Israel, e ele habitava em Samir, na montanha de Efraim.
2 Ele julgou Israel por vinte e três anos; e morreu e foi
sepultado em Samir.
3 E depois dele se levantou Jair, gileadita, o qual julgou
Israel por vinte e dois anos.
4 Ele tinha trinta filhos, que cavalgavam sobre trinta jumentos; tinham trinta cidades, as quais chamavam Havo-te-Jair, até o dia de hoje; essas estão na terra de Gileade.
5 E Jair morreu e foi sepultado em Camom.

Opressão dos Filisteus e dos Amonitas

6 Então os israelitas tornaram a fazer o que era mau
aos olhos do Senhor, e serviram aos baalins, a Astarote,
aos deuses da Síria, aos deuses de Sidom, aos deuses de
Moabe, aos deuses dos filhos de Amom e aos deuses dos
filisteus; e deixaram o Senhor e não lhe serviram.
7 E a ira do Senhor se acendeu contra Israel; e entregou-os
nas mãos dos filisteus e nas mãos dos filhos de Amom.
8 E naquele mesmo ano oprimiram e envergonharam os
israelitas; por dezoito anos oprimiram todos os israelitas
que estavam além do Jordão, na terra dos amorreus, que
está em Gileade.
9 Até os filhos de Amom passaram o Jordão, para lutar
também contra Judá, contra Benjamim e contra a casa de
Efraim; e Israel ficou muito angustiado.
10 Então os israelitas clamaram ao Senhor, dizendo: "Contra ti temos pecado, pois deixamos o nosso Deus e servimos aos baalins."
11 Porém o Senhor disse aos israelitas: "Dos egípcios, dos
amorreus, dos filhos de Amom e dos filisteus,
12 e dos sidônios, dos amalequitas e dos maonitas, que
os oprimiam, quando a mim clamaram, não os livrei das
suas mãos?
13 Contudo, vocês me deixaram e serviram a outros deuses; por isso não os livrarei mais.
14 Vão e clamem aos deuses que escolheram; que eles os
livrem na hora do aperto."
15 Mas os israelitas disseram ao Senhor: "Pecamos; faz-

-nos como achares melhor; apenas te rogamos, livra-nos mais esta vez."

16 E tiraram os deuses estrangeiros do meio de si e serviram ao Senhor; e ele não pôde mais suportar o sofrimento de Israel.

17 E os filhos de Amom se reuniram e acamparam em Gileade; e os israelitas se reuniram e acamparam em Mispá.

18 Então o povo e os chefes de Gileade disseram uns aos outros: "Quem será o homem que começará a lutar contra os filhos de Amom? Ele será chefe de todos os moradores de Gileade."

Jefté Livra os Israelitas

11 Jefté, o gileadita, era um homem valoroso, porém era filho de uma prostituta com Gileade.

2 A mulher de Gileade também lhe deu filhos e, quando os filhos desta mulher ficaram adultos, expulsaram Jefté e lhe disseram: "Você não herdará na casa de nosso pai, porque é filho de outra mulher."

3 Então Jefté fugiu de seus irmãos e habitou na terra de Tobe; e homens levianos se ajuntaram a Jefté e o seguiam.

4 Então, depois de algum tempo, os filhos de Amom lutaram contra Israel.

5 E, como os filhos de Amom lutaram contra Israel, os anciãos de Gileade foram buscar Jefté na terra de Tobe.

6 E disseram a Jefté: "Venha, e seja o nosso chefe; para combatermos contra os filhos de Amom."

7 Porém Jefté disse aos anciãos de Gileade: "Não me odiavam e não me expulsaram da casa de meu pai? Por que agora vêm a mim, quando estão em aperto?"

8 E os anciãos de Gileade disseram a Jefté: "Por isso viemos a você, para que venha conosco e lute contra os filhos de Amom e seja nosso chefe, e de todos os moradores de Gileade."

9 Então Jefté disse aos anciãos de Gileade: "Se me levarem de volta para combater contra os filhos de Amom e o Senhor os entregar a mim, então eu serei o chefe de vocês?"

10 E os anciãos de Gileade disseram a Jefté: "O Senhor será testemunha entre nós, que assim faremos, conforme a sua palavra."

11 Assim Jefté foi com os anciãos de Gileade e o povo o fez como chefe e comandante sobre todos; e Jefté falou todas as suas palavras perante o Senhor em Mispá.

12 E Jefté enviou mensageiros ao rei dos filhos de Amom, dizendo: "O que você tem contra nós, para vir a mim e atacar a minha terra?"

13 E o rei dos filhos de Amom disse aos mensageiros de Jefté: "É porque, quando Israel saiu do Egito, tomou a minha terra, desde Arnom até Jaboque e ainda até o Jordão: Devolva-a, agora, em paz."

14 Porém Jefté tornou ainda a enviar mensageiros ao rei dos filhos de Amom,

15 lhe dizendo: "Assim diz Jefté: Israel não tomou nem a terra dos moabitas, nem a terra dos filhos de Amom.

16 Porque Israel, subindo do Egito, andou pelo deserto até ao Mar Vermelho e chegou até Cades.

17 E Israel enviou mensageiros ao rei dos edomitas, dizendo: 'Peço que me deixe passar pela sua terra.' Porém o rei dos edomitas não lhe deu ouvidos; enviou também ao rei dos moabitas, que igualmente não consentiu; e assim Israel ficou em Cades.

18 Depois andou pelo deserto e contornou a terra dos edomitas e a terra dos moabitas, veio do nascente do sol à terra dos moabitas e alojou-se além de Arnom; porém não entrou nos limites dos moabitas, porque Arnom é limite dos moabitas.

19 Mas Israel enviou mensageiros a Seom, rei dos amorreus, rei de Hesbom e lhe disse: 'Deixe-nos passar pela sua terra até o nosso lugar.'

20 Porém Seom não acreditou que Israel apenas passaria pelo seus territórios; antes, Seom ajuntou todo o seu povo, acamparam em Jasa e lutaram contra Israel.

21 E o Senhor Deus de Israel entregou Seom, com todo o seu povo, nas mãos de Israel, que os derrotou; e Israel tomou por herança toda a terra dos amorreus que habitavam naquela região.

22 E por herança os israelitas tomaram todos os territórios dos amorreus, desde Arnom até Jaboque e desde o deserto até ao Jordão.

23 Assim o Senhor Deus de Israel expulsou os amorreus da frente do povo de Israel; e você quer tomar a terra?

24 Você não possuiria aquilo que Quemos, seu deus, lhe dá? Assim nós possuiremos tudo o que o Senhor nosso Deus nos der.

25 Você é melhor do que Balaque, filho de Zipor, rei dos moabitas? Ele alguma vez conflitou com Israel, ou lutou contra ele?

26 Enquanto Israel habitou trezentos anos em Hesbom, em Aroer e nas suas vilas e em todas as cidades que estão ao longo de Arnom, por que não as recuperou naquele tempo?

27 Nada fiz contra você! Porém você está errando ao lutar contra mim; o Senhor, que é juiz, julgue hoje entre os israelitas e os filhos de Amom."

28 Porém o rei dos filhos de Amom não deu ouvidos à mensagem que Jefté lhe enviou.

29 Então o Espírito do Senhor veio sobre Jefté, o qual atravessou por Gileade e Manassés, passando por Mispá de Gileade e de Mispá de Gileade chegou até aos filhos de Amom.

30 E Jefté fez um voto ao Senhor e disse: “Se der total-
mente os filhos de Amom nas minhas mãos,
31 quem sair primeiro da porta da minha casa, ao meu en-
contro, quando eu retornar dos filhos de Amom vitorioso,
será do Senhor; e eu o oferecerei em holocausto.”
32 Assim Jefté foi ao encontro dos filhos de Amom, para
combater contra eles; e o Senhor os deu nas suas mãos.
33 E ele os derrotou desde Aroer até chegar a Minite, em
vinte cidades; e até Abel-Queramim, assim os filhos de
Amom foram subjugados diante dos israelitas.
34 Quando Jefté chegou a Mispá, à sua casa, a sua filha
saiu ao seu encontro com adufes e com danças; ela era
a sua única filha; ele não tinha outros filhos nem filhas.
35 Então, quando a viu, rasgou as suas vestes e disse: “Ah!
Minha filha, você me causou angústia e desespero, pois fiz
um voto ao Senhor e não voltarei atrás.”
36 E ela lhe disse: “Meu pai, você deu a palavra ao Se-
nhor, faça comigo conforme o que prometeu, porque o
Senhor vingou-o dos seus inimigos, os filhos de Amom.”
37 Disse mais a seu pai: “Conceda-me isto: Deixe que eu
vá por dois meses e desça pelos montes, e chore a minha
virgindade, eu e as minhas companheiras.”
38 E ele disse: “Vá.” E deixou-a ir por dois meses; então
ela foi com as suas companheiras e chorou a sua virginda-
de pelos montes.
39 E, ao fim de dois meses, ela retornou para seu pai e
ele cumpriu nela o voto que tinha feito; e ela não teve
relações com homem; daí veio o costume, em Israel,
40 de as filhas de Israel saírem por quatro dias, de ano
em ano, para lamentarem pela filha de Jefté, o gileadita.

Os Efraimitas Combatem Contra Jefté

12 Então se reuniram os homens de Efraim, passaram
para o norte e disseram a Jefté: “Por que passou a
combater contra os filhos de Amom e não nos chamou
para ir com você? Queimaremos a sua casa com você.”
2 E Jefté lhes disse: “Eu e o meu povo tivemos uma grande
contenda com os filhos de Amom; chamei-os e não me
livraram das mãos deles;
3 e eu, vendo que não me livraram, arrisquei a minha
vida, fui lutar contra os filhos de Amom e o Senhor os
entregou nas minhas mãos; por que vocês subiram hoje
para lutar contra mim?”
4 E Jefté reuniu todos os homens de Gileade; lutaram con-
tra Efraim e os derrotaram; porque este lhe disse: “Vocês
gileaditas que habitam entre Efraim e Manassés são deser-
tores de Efraim,
5 porque os gileaditas tomaram os vales do Jordão dos
efraimitas; e, quando algum dos fugitivos de Efraim dizia:
‘Deixe-me passar’; então os gileaditas perguntavam: ‘Você
é efraimita?’ E ele respondendo: ‘Não’,
6 então falavam: ‘Diga Chibolete’; porém ele dizia: ‘Sibo-
lete’, porque não podia pronunciar bem; então o pegavam,
e o degolavam nos vales do Jordão; e naquele tempo mor-
reram quarenta e dois mil homens de Efraim.”
7 E Jefté julgou Israel por seis anos; depois Jefté, o gilea-
dita, faleceu e foi sepultado numa das cidades de Gileade.

Ibsã, Elom e Abdom Juízes de Israel

8 E depois dele Ibsã, de Belém, julgou Israel.
9 E este tinha trinta filhos e trinta filhas, as quais casou
fora de Israel; e trouxe de fora trinta filhas para seus filhos;
e julgou Israel por sete anos.
10 Então Ibsã faleceu e foi sepultado em Belém.
11 E depois dele, Elom, o zebulonita, julgou Israel por
dez anos.
12 E Elom, o zebulonita, faleceu e foi sepultado em Ai-
jalom, na terra de Zebulom.
13 E, depois dele, Abdom, filho de Hilel, o piratonita,
julgou Israel.
14 E ele tinha quarenta filhos e trinta netos, que cavalga-
vam sobre setenta jumentos; e julgou Israel por oito anos.
15 Então Abdom, filho de Hilel, o piratonita, faleceu e foi
sepultado em Piratom, na terra de Efraim, no monte dos
amalequitas.

O Nascimento de Sansão

13 E os israelitas tornaram a fazer o que era mau aos
olhos do Senhor; assim, o Senhor os entregou nas
mãos dos filisteus por quarenta anos.
2 E havia um homem de Zorá, da tribo de Dã, chamado
Manoá; e sua mulher, sendo estéril, não tinha filhos.
3 E o anjo do Senhor apareceu a essa mulher e lhe disse:
“Você é estéril e nunca engravidou; porém, engravidará e
terá um filho.
4 Agora, deixe de beber vinho, ou bebida forte, ou comer
coisa impura.
5 Porque você engravidará e terá um filho e sobre a cabe-
ça dele não passará navalha; porque o menino será nazireu
de Deus desde o ventre; e ele começará a livrar Israel da
mão dos filisteus.”
6 Então a mulher entrou e falou a seu marido, dizendo:
“Um homem de Deus veio a mim, sua aparência era se-
melhante a um anjo de Deus, impressionante; e não lhe
perguntei de onde era, e nem ele me disse o seu nome.
7 Porém, me disse: ‘Você engravidará e terá um filho; ago-
ra, não beba vinho, nem bebida forte, e não coma coisa
impura; porque o menino será nazireu de Deus, desde o
ventre até ao dia da sua morte.’”
8 Então Manoá orou ao Senhor e disse: “Ah! meu Senhor,
peço que o homem de Deus, que enviaste, venha para nós
outra vez, e nos ensine o que devemos fazer ao menino
que nascerá.”

9 E Deus ouviu a voz de Manoá; e o anjo de Deus veio
outra vez à mulher, quando ela estava no campo; porém,
seu marido Manoá não estava com ela.
10 A mulher apressou-se e correu para dar a notícia ao
marido e lhe disse: "Aquele homem, que veio a mim no
outro dia, me apareceu."
11 Então Manoá levantou-se, seguiu a sua mulher e foi ao
encontro daquele homem, e lhe disse: "Você é aquele ho-
mem que falou com a minha mulher?" E disse: "Sou eu."
12 Então Manoá disse: "Quando as suas palavras se cum-
prirem, como devemos criar o menino, e o que ele deverá
fazer?"
13 E o anjo do Senhor disse a Manoá: "A sua mulher de-
verá fazer tudo o que eu disser.
14 Não comerá nada da videira, nem beberá vinho nem
bebida forte, nem comerá coisa impura; fará tudo o que
lhe ordenei."
15 Então Manoá disse ao anjo do Senhor: "Fique conosco,
queremos oferecer-lhe um cabrito."
16 Porém o anjo do Senhor disse a Manoá: "Ainda que eu
fique, não comerei de seu pão; e se fizerem holocausto, o
oferecerá ao Senhor." Porque Manoá não sabia que ele era
o anjo do Senhor.
17 E Manoá disse ao anjo do Senhor: "Qual é o seu nome,
para, quando se cumprir a sua palavra, o honrarmos?"
18 E o anjo do Senhor lhe disse: "Por que pergunta pelo
meu nome, que é maravilhoso?"
19 Então Manoá pegou um cabrito e uma oferta de ce-
reais e os ofereceu ao Senhor sobre uma rocha, e o anjo
permaneceu de modo maravilhoso, observando Manoá e
sua mulher.
20 E, quando a chama do altar subiu para o céu, o anjo do
Senhor subiu nela; e, quando Manoá e sua mulher viram
isso, se prostraram com o rosto na terra.
21 E nunca mais o anjo do Senhor apareceu a Manoá,
nem à sua mulher; então Manoá compreendeu que ele
era o anjo do Senhor.
22 E Manoá disse à sua mulher: "Certamente morrere-
mos, porque vimos Deus."
23 Porém, sua mulher lhe disse: "Se o Senhor quisesse
nos matar, não aceitaria das nossas mãos o holocausto e
a oferta de cereais, nem nos mostraria tudo isto, nem nos
deixaria ouvir tais coisas."
24 Depois, essa mulher teve um filho, e pôs-lhe o nome
de Sansão; o menino cresceu e o Senhor o abençoou.
25 E o Espírito do Senhor começou a agir nele de tempos
em tempos, quando estava no campo de Dã, entre Zorá
e Estaol.

O Casamento de Sansão

14 E Sansão desceu a Timna; e, vendo em Timna uma
mulher das filhas dos filisteus,
2 subiu e falou a seu pai e a sua mãe e disse: "Vi uma
mulher em Timna, filha dos filisteus; agora, a busquem
para ser minha esposa."
3 Porém, seu pai e sua mãe lhe disseram: "Não existe
mulher entre as filhas de seus irmãos, nem entre todo o
meu povo, para que você vá pegar mulher dos filisteus, da-
queles incircuncisos?" E Sansão disse a seu pai: "Traga-me
essa, porque ela agrada aos meus olhos."
4 Mas seu pai e sua mãe não sabiam que isto vinha do Se-
nhor; pois este buscava ocasião contra os filisteus; porque
naquele tempo os filisteus dominavam Israel.
5 Sansão foi com o seu pai e com a sua mãe para Timna; e
chegando às vinhas de Timna, um filhote de leão, rugindo,
lhe foi ao encontro.
6 Então o Espírito do Senhor se apossou dele tão poderosa-
mente que ele despedaçou o leão, como quem despedaça
um cabrito, sem ter nada na sua mão; porém nem o seu
pai nem a sua mãe ficaram sabendo o que ele tinha feito.
7 Então Sansão desceu e falou com aquela mulher e ela
agradou aos seus olhos.
8 E depois de alguns dias ele voltou para casar-se com ela;
então, desviando-se do caminho para ver o corpo do leão
morto, viu que nele havia um enxame de abelhas com
mel.
9 E pegou com suas mãos e foi andando e comendo dele;
alcançou o seu pai e a sua mãe, lhes deu o mel e comeram;
porém, não lhes disse que tinha tirado o mel do corpo do
leão.
10 Seu pai foi para a casa daquela mulher, e Sansão fez lá
um banquete; porque isso era costume dos moços.
11 E, quando o viram, trouxeram trinta companheiros
para ficarem com ele na festa.

O Enigma de Sansão

12 Sansão lhes disse: "Eu lhes darei um enigma para deci-
frar; se nos sete dias das bodas o decifrarem e descobrirem,
eu lhes darei trinta túnicas e trinta roupas de festa.
13 E, se não puderem decifrar, vocês me darão trinta túni-
cas e trinta roupas de festa." E eles lhe disseram: "Dê-nos
o seu enigma para decifrar, que o ouviremos."
14 Então lhes disse: "Do comedor saiu comida e do for-
te saiu doçura." E em três dias não puderam decifrar o
enigma.
15 E, ao quarto dia, disseram à mulher de Sansão: "Peça
ao seu marido que explique o enigma, para não queimar-
mos você e a casa de seu pai; chamou-nos aqui para se
apossar do que é nosso, não é isto?"
16 E a mulher de Sansão chorou diante dele e disse: "Você

me odeia! Você não me ama! Pois você deu aos filhos do
meu povo um enigma para decifrar e ainda não me disse a
resposta." E ele lhe respondeu: "Não disse nem a meu pai
nem à minha mãe, por que diria a você?"
17 E ela chorou diante dele os sete dias em que celebra-
vam as bodas; e no sétimo dia ele lhe contou, porque o
importunava; então ela revelou o enigma aos filhos do seu
povo.
18 Os homens daquela cidade, ao sétimo dia, antes de
se pôr o sol, lhe disseram: "O que é mais doce do que o
mel? E mais forte do que o leão?" E ele lhes respondeu:
"Se vocês não tivessem arado com a minha novilha, nunca
teriam descoberto o meu enigma."
19 Então o Espírito do Senhor se apossou dele tão pode-
rosamente que ele desceu aos asquelonitas, e matou deles
trinta homens, e tomou as suas roupas, e deu as peças de
roupas aos homens que tinham decifrado o enigma; porém
ficou irado e foi para a casa de seu pai.
20 E a mulher de Sansão foi dada ao amigo que antes o
acompanhou no casamento.

Sansão Incendeia a Seara dos Filisteus

15 E, depois de alguns dias, na colheita do trigo, Sansão
foi visitar sua mulher, com um cabrito, e disse: "En-
trarei no quarto de minha mulher." Porém o pai dela não
o deixou entrar.
2 E o pai disse: "Eu pensei que você a odiava; então a dei
ao seu companheiro; ela não tem uma irmã mais nova,
mais bonita do que ela? Pegue-a, em seu lugar."
3 E Sansão respondeu: "Sou inocente desta vez para com
os filisteus, quando eu lhes fizer algum mal."
4 Então Sansão saiu e pegou trezentas raposas e as amar-
rou cauda com cauda e lhes pôs uma tocha no meio de
cada par de caudas.
5 E pôs fogo nas tochas e soltou-as nas plantações dos fi-
listeus; assim, queimou os feixes com as colheitas do trigo,
as vinhas e os olivais.
6 Então os filisteus perguntaram: "Quem fez isto?" E res-
ponderam: "Sansão, o genro do timnita, porque lhe tomou
a sua mulher e a deu a seu companheiro." Então os filis-
teus subiram e queimaram a ela e a seu pai.
7 E Sansão lhes disse: "É assim que fazem? Só pararei
quando me vingar de vocês."
8 E atacou-os furiosamente, matando muitos deles; e des-
ceu e habitou na caverna da rocha de Etã.

Os Homens de Judá Amarram Sansão

9 Os filisteus subiram e acamparam em Judá, espalhan-
do-se por Leí.
10 E os homens de Judá lhes perguntaram: "Por que nos
atacam?" E eles responderam: "Atacamos para capturar
Sansão, para lhe fazer como ele nos fez."
11 Então, três mil homens de Judá desceram até à caver-
na da rocha de Etã e disseram a Sansão: "Você não sabia
que os filisteus dominam sobre nós? Por que você nos fez
isto?" E ele lhes respondeu: "Fiz com eles pelo que fize-
ram comigo."
12 E lhe responderam: "Viemos para o amarrar e o en-
tregar nas mãos dos filisteus." Então Sansão lhes disse:
"Jurem que vocês mesmos não me matarão."
13 E eles lhe disseram: "Não, apenas o amarraremos for-
temente, e o entregaremos nas mãos deles; de maneira ne-
nhuma o mataremos." E amarraram-no com duas cordas
novas e fizeram-no sair da caverna.

Sansão Mata Mil Homens

14 Quando ele chegou a Leí, os filisteus lhe foram ao en-
contro, jubilando; porém o Espírito do Senhor se apossou
poderosamente dele e as cordas que ele tinha nos braços se
tornaram como fios de linho que se queimaram no fogo, e
as suas amarras se desfizeram das suas mãos.
15 E achou uma queixada fresca de um jumento e esten-
deu a mão, pegou-a e matou com ela mil homens.
16 Então Sansão disse: "Com uma queixada de jumento,
montões sobre montões; com uma queixada de jumento
matei mil homens."
17 Quando ele acabou de falar, soltou a queixada da sua
mão; e chamou aquele lugar de Ramate-Leí.
18 E como estava com muita sede, clamou ao Senhor e
disse: "Pela mão do seu servo, deu esta grande vitória;
porém, agora eu morrerei de sede e cairei na mão desses
incircuncisos?"
19 Então, o Senhor abriu um buraco na cidade de Leí; e
dele saiu água, e Sansão bebeu; e reanimou-se; por isso
aquele lugar se chamou: A fonte do que clama, que fica
em Leí até ao dia de hoje.
20 E Sansão julgou Israel, nos dias dos filisteus, por vinte
anos.

Sansão e Dalila

16 E Sansão foi até Gaza e viu ali uma mulher prostituta
e teve relações com ela.
2 E disseram aos gazitas: "Sansão está aqui." Então cer-
caram o local, puseram espias à porta da cidade e ficaram
quietos por toda a noite, dizendo: "Esperaremos amanhe-
cer; então o mataremos."
3 Porém, Sansão deitou-se até à meia-noite, quando se
levantou, arrancou as portas da entrada da cidade com os
batentes juntamente com a tranca, e as pôs sobre os om-
bros; e as levou para cima até ao cume do monte que está
à frente de Hebrom.
4 E, depois disso, ele se apaixonou por uma mulher do
vale de Soreque, chamada Dalila.
5 Então os príncipes dos filisteus foram até ela e lhe disse-

ram: "Investigue-o para ver em que consiste a sua grande
força, e como poderíamos dominá-lo e amarrá-lo, para sub-
jugá-lo; e lhe daremos, cada um de nós, mil e cem moedas
de prata."
6 Então Dalila disse a Sansão: "Diga-me, em que consiste
a sua grande força, e com que poderia ser amarrado para
poderem o derrotar."
7 Sansão respondeu: "Se me amarrarem com sete cipós de
vimes frescos, que ainda não estiverem secos, então me
enfraqueceria e eu seria como qualquer outro homem."
8 Então os príncipes dos filisteus trouxeram a ela sete ci-
pós de vimes frescos, que ainda não estavam secos; e ela
o amarrou com eles.
9 E havia homens escondidos no outro quarto. Então ela
disse: "Sansão, os filisteus vêm atacá-lo." E ele quebrou
as amarras de vimes, como se quebra o fio da estopa ao
cheiro do fogo; assim não souberam em que consistia a
sua força.
10 Então Dalila disse a Sansão: "Zombou de mim e me
disse mentira; me diga agora com que pode ser amarrado."
11 E ele respondeu: "Se me amarrarem fortemente com
cordas novas, que ainda não foram usadas, então me enfra-
queceria, e eu seria como qualquer outro homem."
12 Então Dalila pegou cordas novas e o amarrou com elas
e lhe disse: "Sansão, os filisteus vêm atacá-lo." E os ho-
mens estavam escondidos no quarto interior. Então Sansão
as arrebentou de seus braços como se fosse um fio.
13 E Dalila disse a Sansão: "Até agora zombou de mim
e me disse mentira; me diga, agora, com que poderia ser
amarrado?" E ele lhe respondeu: "Se tecer sete tranças
dos cabelos da minha cabeça com fios de tear e as prender
com uma estaca, ficarei fraco."
14 E ela as prendeu com uma estaca e lhe disse: "San-
são, os filisteus vêm atacá-lo." Então ele despertou do seu
sono, e arrancou a estaca das tranças tecidas, juntamente
com os fios de tear.
15 Então ela lhe disse: "Como você diz que me ama, se
você não confia em mim? Já zombou de mim três vezes e
ainda não me disse em que consiste a sua força."
16 E, importunando-o todos os dias com as suas palavras,
ela o cansava, ficando ele a ponto de morrer.
17 E ele lhe abriu o coração e contou: "Nunca passou
navalha pela minha cabeça, porque sou nazireu de Deus
desde o ventre de minha mãe; se o meu cabelo fosse cor-
tado, a minha força iria embora, me enfraqueceria e seria
como qualquer outro homem."
18 Dalila, vendo que ele já lhe havia aberto totalmente o
coração, mandou chamar os príncipes dos filisteus, dizen-
do: "Venham esta vez, porque agora ele me abriu total-
mente o seu coração." E os príncipes dos filisteus vieram a
ela, trazendo com eles o dinheiro.
19 Então ela o fez dormir sobre os seus joelhos, e chamou
um homem, que rapou as sete tranças do cabelo de San-
são; e ela começou a provocá-lo e a sua força o deixou.
20 E ela disse: "Sansão, os filisteus vêm atacá-lo." E ele
despertou do seu sono e disse: "Sairei ainda esta vez como
antes e me defenderei." Porque ele não sabia que o Senhor
já tinha se retirado dele.
21 Então os filisteus o dominaram, lhe furaram os olhos e
o levaram para Gaza, onde o amarraram com duas corren-
tes de bronze e o puseram para girar um moinho.
22 E o cabelo da sua cabeça começou a crescer, como
antes.

A Morte de Sansão

23 Então os príncipes dos filisteus se ajuntaram para ofe-
recerem um grande sacrifício ao seu deus Dagom e para se
alegrarem, e diziam: "Nosso deus nos entregou Sansão nas
nossas mãos, nosso inimigo."
24 Semelhantemente, o povo, vendo-o, louvava ao seu
deus; porque dizia: "Nosso deus nos entregou nas mãos
o nosso inimigo, aquele que destruía a nossa terra e que
multiplicava os nossos mortos."
25 E, com o coração alegre, disseram: "Tragam Sansão,
para nos divertir." E trouxeram Sansão do cárcere, e se
divertiam com ele, e o fizeram ficar de pé entre as colunas.
26 Então Sansão disse ao moço que o guiava pela mão:
"Guie-me para que eu apalpe as colunas que sustentam o
templo, para que eu me encoste nelas."
27 O templo estava cheio de homens e mulheres; também
estavam ali todos os príncipes dos filisteus, e no terraço
havia uns três mil homens e mulheres, que estavam se
divertindo com Sansão.
28 Então Sansão clamou ao Senhor e disse: "Senhor Deus,
peço-te que te lembres de mim e me fortaleças agora, só
esta vez, ó Deus, para que eu me vingue de uma vez dos
filisteus, pelos meus dois olhos."
29 Sansão forçou com os braços as duas colunas do meio,
que sustentavam o templo, forçando-as com a sua mão di-
reita numa, e com a mão esquerda na outra.
30 E Sansão disse: "Que eu morra com os filisteus." E em-
purrou com força, e o templo caiu sobre os príncipes e so-
bre todo o povo que estava nele; e foi maior o número de
mortos na sua morte do que os que ele matou em sua vida.
31 Então seus irmãos desceram, com toda a casa de seu
pai, trouxeram-no e o sepultaram entre Zorá e Estaol, no
sepulcro de Manoá, seu pai. Ele julgou Israel por vinte
anos.

O Sacerdócio Particular de Mica

17 E havia um homem das montanhas de Efraim, chamado Mica.
2 E ele disse para a sua mãe: "As mil e cem moedas de
prata que lhe foram roubadas, e pelas quais eu a ouvi
pronunciar maldições, esse dinheiro está comigo; eu o
peguei." Então sua mãe lhe disse: "O Senhor o abençoe,
meu filho."
3 Assim ele devolveu as mil e cem moedas de prata à sua
mãe; porém ela disse: "Dedico este dinheiro da minha
mão inteiramente ao Senhor, para meu filho fazer uma
imagem de escultura e uma de fundição; por isso agora
devolvo este dinheiro a você."
4 Porém ele devolveu aquele dinheiro à sua mãe; e ela
pegou duzentas moedas de prata e as deu ao ourives, que
fez delas uma imagem de escultura e uma de fundição,
que ficaram na casa de Mica.
5 E esse homem, Mica, fez um santuário, uma estola sa-
cerdotal e terafins, e consagrou um de seus filhos, para
que ele fosse seu sacerdote.
6 Naqueles dias não havia rei em Israel; cada um fazia o
que achava melhor.

O Levita na Casa de Mica

7 E havia um moço de Belém de Judá, da tribo de Judá,
que era levita, e peregrinava por ali.
8 E esse homem partiu da cidade de Belém de Judá para
peregrinar por onde quer que achasse conveniente. En-
tão, seguindo o seu caminho, ele chegou às montanhas de
Efraim, à casa de Mica.
9 Mica lhe perguntou: "De onde você vem?" E ele lhe
disse: "Sou levita de Belém de Judá e vou peregrinar por
onde quer que achar conveniente."
10 Então Mica lhe disse: "Fique comigo e seja meu pai
e sacerdote; e cada ano lhe darei dez moedas de prata,
vestuário e o sustento."
11 E o levita aceitou ficar com aquele homem; e o moço
era para ele como um de seus filhos.
12 E Mica consagrou o levita, e aquele moço passou a ser
sacerdote; e ficou na casa de Mica.
13 Então Mica disse: "Agora sei que o Senhor me fará
bem; porque tenho um levita como sacerdote."

Os Danitas Tomam Laís

18 Naqueles dias não havia rei em Israel, e nos mesmos
dias a tribo dos danitas buscava para si um território
para habitar; porque até àquele dia entre as tribos de Israel
não havia recebido a sua herança.
2 E os filhos de Dã enviaram, da sua tribo, cinco homens,
entre eles homens valorosos, de Zorá e de Estaol, para
espiar e reconhecer a terra e lhes disseram: "Vão, reconhe-
çam a terra." E chegaram às montanhas de Efraim, na casa
de Mica, e passaram a noite ali.
3 E quando eles estavam junto à casa de Mica, reconhece-
ram a voz do moço, do levita; e, dirigindo-se para lá, lhe
disseram: "Quem o trouxe aqui, o que faz aqui, e o que é
que tem aqui?"
4 E ele lhes contou o que Mica tinha feito por ele; Mica
me contratou e eu lhe sirvo de sacerdote.
5 Então lhe disseram: "Consulte a Deus, para podermos
saber se o caminho que seguimos será próspero."
6 E o sacerdote lhes respondeu: "Vão em paz; o caminho
que seguem está diante do Senhor."
7 Então aqueles cinco homens partiram e chegaram a
Laís; e viram que o povo que vivia no meio dela estava
seguro, conforme os costumes dos sidônios, despreocupa-
dos e tranquilos; nem havia autoridade alguma do reino
que por qualquer coisa oprimisse alguém naquela terra;
também estavam longe dos sidônios e não tinham relação
com ninguém.
8 Então voltaram aos seus irmãos, em Zorá e Estaol, os
quais lhes disseram: "O que vocês descobriram?"
9 E eles responderam: "Levantem-se e vamos atacá-los;
porque examinamos a terra, e é muitíssimo boa. E vocês
ficarão aqui tranquilos? Não sejam preguiçosos em ir apos-
sar-se dessa terra.
10 Quando chegarem lá, verão um povo despreocupado
e uma terra grande; porque Deus a entregou nas mãos de
vocês; lugar em que não falta nada."
11 Então partiram dali, da tribo dos danitas, de Zorá e de
Estaol, seiscentos homens munidos de armas de guerra.
12 E subiram e acamparam em Quiriate-Jearim, em Judá;
então chamaram esse lugar de Maané-Dã, até os dias de
hoje; e ele fica atrás de Quiriate-Jearim.
13 E dali foram às montanhas de Efraim e chegaram à
casa de Mica.

Os Danitas Levam o Levita e os Ídolos

14 Então os cinco homens, que foram espiar a terra de
Laís, responderam aos seus irmãos: "Vocês sabiam que
naquela casa há uma estola sacerdotal e terafins, e uma
imagem de escultura e uma de fundição? Vejam agora o
que devem fazer."
15 Então se dirigiram para lá e chegaram à casa do moço,
o levita, na casa de Mica, e o saudaram.
16 E os seiscentos homens, que eram dos filhos de Dã,
munidos com suas armas de guerra, ficaram à entrada da
porta.
17 Porém, os cinco homens, que foram espiar a terra,
entraram ali e pegaram a imagem de escultura, a estola,
os terafins e a imagem de fundição, enquanto o sacerdote

ficava em pé à entrada da porta, com os seiscentos homens
que estavam munidos com as armas de guerra.
18 Então eles, entrando na casa de Mica, pegaram a imagem de escultura, a estola, os terafins e a imagem de fundição, e o sacerdote lhes disse: "O que estão fazendo?"
19 E eles lhe responderam: "Cale-se, ponha a mão na boca, venha conosco e seja nosso pai e sacerdote. É melhor ser sacerdote da casa de um só homem, do que ser sacerdote de uma tribo e de uma geração em Israel?"
20 Então o coração do sacerdote alegrou-se e ele pegou a estola, os terafins e a imagem de escultura; e entrou no meio do povo.
21 Assim viraram e partiram; e puseram na frente as crianças, o gado e as bagagens.
22 E, quando estavam já longe da casa de Mica, os homens que moravam perto da casa de Mica reuniram-se e alcançaram os filhos de Dã.
23 E gritaram para os filhos de Dã, os quais viraram os seus rostos e disseram a Mica: "O que aconteceu, por que convocou tanta gente?"
24 Então ele disse: "Tomaram-me os meus deuses, que eu fiz, juntamente com o sacerdote, e partiram; o que mais me resta agora? Como me dizem: 'O que aconteceu?'"
25 Porém, os filhos de Dã lhe disseram: "Não nos faça ouvir a sua voz, para que alguém não se irrite e o ataque, e você perca a sua vida e a vida da sua família."
26 Assim os filhos de Dã seguiram o seu caminho; porém Mica, vendo que eram mais fortes do que ele, virou-se e voltou para sua casa.
27 Eles pegaram o que Mica tinha feito e o seu sacerdote, e chegaram a Laís, um povo pacífico; e os mataram ao fio da espada e queimaram a cidade.
28 E não houve ninguém que os livrasse, porque estavam longe de Sidom e não tinham relações com ninguém, e a cidade estava no vale que está junto de Bete-Reobe; depois reedificaram a cidade e habitaram nela.
29 E deram o nome à cidade de Dã, conforme o nome de Dã, seu pai, que nasceu em Israel; antes o nome desta cidade era Laís.
30 E os filhos de Dã levantaram para si aquela imagem de escultura; e Jônatas, filho de Gérson, o filho de Manassés, ele e os seus filhos foram sacerdotes da tribo dos danitas, até o dia do cativeiro do povo.
31 Assim, estabeleceram para si a imagem de escultura, que Mica tinha feito, por todos os dias em que a casa de Deus esteve em Siló.

Os Homens de Gibeá e a Mulher do Levita

19 Naqueles dias, em que não havia rei em Israel, houve um homem levita que, peregrinando aos lados das montanhas de Efraim, tomou para si uma concubina, de Belém de Judá.
2 Porém, a sua concubina brigou com ele e o deixou, e foi para a casa do pai, em Belém de Judá e ficou ali por quatro meses.
3 E seu marido se levantou e foi atrás dela, para tentar convencê-la e trazê-la de volta; e o seu servo e um par de jumentos foram com ele; então ela o levou para dentro da casa do pai que, ao vê-lo, se alegrou por encontrar-se com ele.
4 E seu sogro, o pai da moça, o convenceu, e ele ficou por três dias; e comeram, beberam e passaram ali a noite.
5 E ao quarto dia pela manhã, de madrugada, o levita se levantou para partir; então o pai da moça disse a seu genro: "Coma alguma coisa e depois poderão partir."
6 Então sentaram-se, comeram e beberam juntos; e o pai da moça disse ao homem: "Fique mais essa noite aqui e alegre-se o seu coração."
7 Porém, o levita levantou-se para partir; mas seu sogro o convenceu a passar ali outra noite.
8 E ele se levantou na madrugada, no quinto dia pela manhã, para partir; então o pai da moça disse: "Coma alguma coisa e fique até mais tarde"; e comeram juntos.
9 Então o levita levantou-se para partir, com a sua concubina e o seu servo; e seu sogro, o pai da moça disse: "O dia já está acabando e a noite já vem chegando; passe mais esta noite; o dia já vai acabando, passe esta noite aqui, e alegre-se o seu coração; e amanhã de madrugada pegue o seu caminho, e volte para sua casa."
10 Porém, o levita não quis passar a noite ali, mas levantou-se, partiu e chegou até à entrada de Jebus, que é Jerusalém, ele com os dois jumentos arriados e a sua concubina.
11 Quando se aproximaram de Jebus, já no final do dia, o servo disse ao seu senhor: "Vamos entrar nesta cidade e passar a noite."
12 Porém o seu senhor lhe disse: "Não entraremos em nenhuma cidade estranha, que não seja dos israelitas, pois iremos até Gibeá."
13 E seu servo disse: "Vamos e passemos a noite em Gibeá ou em Ramá."
14 Seguiram então em frente e caminharam até o pôr do sol, próximo a Gibeá, que é a cidade de Benjamim.
15 E foram para lá, para passarem a noite em Gibeá; então, o levita entrou e se sentou na praça da cidade, porque não houve quem os acolhesse em casa para passarem a noite.
16 E eis que um homem velho vinha à tarde do seu trabalho no campo; e esse homem era das montanhas de Efraim, mas peregrinava em Gibeá; porém os homens desse lugar eram filhos de Benjamim.

17 Ele Levantou os olhos e viu o viajante na praça da cida-
de e disse: "Para onde vai e de onde vem?"
18 E o levita respondeu: "Viajamos de Belém de Judá para
os lados das montanhas de Efraim, de onde sou; porque
fui a Belém de Judá, porém agora vou à casa do Senhor, e
ninguém me acolheu em casa."
19 Todavia temos palha e pasto para os nossos jumentos e
também pão e vinho para mim, para esta sua serva e para
o moço que vem com estes seus servos; não nos falta nada.
20 Então o velho disse: "Que a paz esteja com você; tudo
que lhe faltar ficará ao meu encargo; apenas não passem
a noite na praça."
21 E os levou à sua casa e deu pasto aos jumentos; depois
de lavarem os pés, comeram e beberam.
22 Enquanto eles se alegravam, os homens daquela ci-
dade, alguns homens maus, cercaram a casa e batendo
à porta falaram ao velho, o dono da casa, dizendo: "Tire
para fora o homem que entrou em sua casa, para que abu-
semos dele."
23 E o homem, dono da casa, saiu até eles e lhes disse:
"Não, meus irmãos, não façam esta maldade; já que este
homem está em minha casa, não façam tal loucura.
24 Tirarei para fora a minha filha virgem e a concubina
dele; poderão fazer com elas o que bem quiserem; porém,
não façam esta loucura com este homem."
25 Mas aqueles homens não quiseram ouvir; então o le-
vita pegou a sua concubina e a tirou para fora; e eles a
forçaram e abusaram dela a noite toda, até pela manhã;
depois, ao amanhecer, a deixaram.
26 E ao romper da manhã a mulher veio e caiu à porta da
casa daquele homem, onde o seu senhor estava, e ficou
ali até o dia clarear.
27 Então, seu senhor se levantou pela manhã e abriu as
portas da casa para seguir o seu caminho, viu que a mu-
lher, sua concubina, estava caída à porta da casa, com as
mãos na soleira da porta.
28 E ele lhe disse: "Levante-se e vamos"; porém ela não
respondeu; então, o homem a pôs sobre o jumento e foi
para a sua casa.
29 Chegando à sua casa, pegou um cutelo, pegou a sua
concubina e a despedaçou com os seus ossos em doze par-
tes; e enviou-as por todos os territórios de Israel.
30 E cada um que via aquilo dizia: "Nunca se fez algo
assim, nem se viu nada semelhante desde o dia em que
os israelitas saíram da terra do Egito, até ao dia de hoje;
pensem nisto, no que vamos fazer agora."

Os Israelitas Vingam o Ultraje Feito ao Levita

20 Então, todos os israelitas saíram e a congregação se
reuniu, perante o Senhor, em Mispá, como se fosse
um só homem, desde Dã até Berseba, bem como a terra
de Gileade.
2 E os chefes de todo o povo, de todas as tribos de Israel,
se apresentaram na congregação do povo de Deus; quatro-
centos mil homens de pé armados com espada.
3 Os filhos de Benjamim ouviram que os israelitas haviam
subido a Mispá. E os israelitas disseram: "Contem-nos,
como sucedeu essa maldade?"
4 Então o homem levita, marido da mulher que foi morta,
respondeu e disse: "Cheguei com a minha concubina a
Gibeá, cidade de Benjamim, para passar a noite.
5 E os cidadãos de Gibeá se levantaram contra mim e
cercaram a casa à noite; queriam me matar e violaram a
minha concubina, de maneira que ela morreu.
6 Então peguei a minha concubina e a cortei em pedaços,
e a enviei por toda a terra da herança de Israel; porque
fizeram tal maldade e loucura em Israel.
7 Eis que todos são israelitas; vamos resolver agora o que
iremos fazer."
8 Então todo o povo se levantou como um só homem,
dizendo: "Nenhum de nós irá para a sua tenda, e nenhum
de nós voltará à sua casa.
9 Porém isto é o que faremos a Gibeá: Faremos contra ela
um sorteio."
10 E de todas as tribos de Israel, pegaremos dez homens
de cada cem, cem de cada mil e mil de cada dez mil, para
providenciarem mantimento para o povo; para que ele,
indo a Gibeá de Benjamim, lhe faça conforme a toda a
loucura que fez em Israel.
11 Assim todos os homens de Israel, unidos como um só
homem, juntaram-se contra essa cidade.
12 E as tribos de Israel enviaram homens por toda a tribo
de Benjamim, dizendo: "Que maldade é essa que fizeram
no meio de vocês?
13 Entreguem-nos agora aqueles homens maus, que estão
em Gibeá, para que os matemos e tiremos o mal de Israel."
Porém, os filhos de Benjamim não quiseram ouvir a voz
de seus irmãos, os israelitas.
14 Antes, os filhos de Benjamim se ajuntaram das cidades
em Gibeá, para saírem à guerra contra os israelitas.
15 E a quantidade, naquele dia, dos filhos de Benjamim,
vindos das cidades, eram vinte e seis mil homens armados
com espada, fora os moradores de Gibeá; setecentos ho-
mens escolhidos.
16 Entre todo esse povo havia setecentos homens esco-
lhidos, canhotos, que conseguiam atirar com a funda uma
pedra em um fio de cabelo e não erravam.
17 E dos homens de Israel, fora os de Benjamim, foram
quatrocentos mil homens armados com espada, e todos
eles homens de guerra.

18 E os israelitas se levantaram e foram a Betel; ali consul-
taram a Deus, dizendo: "Quem entre nós será o primeiro
a lutar contra Benjamim?" E o Senhor disse: "Judá será o
primeiro."
19 Os israelitas levantaram-se, pela manhã, e acamparam
perto de Gibeá.
20 E os homens de Israel saíram à batalha contra Benja-
mim; e ordenaram a batalha contra ele, perto de Gibeá.
21 Então os filhos de Benjamim saíram de Gibeá e mata-
ram, naquele dia, vinte e dois mil homens de Israel.
22 Porém, os homens de Israel se animaram e tornaram a
ordenar a batalha no lugar onde no primeiro dia a tinham
ordenado.
23 E os israelitas subiram e choraram perante o Senhor
até à tarde, e perguntaram ao Senhor, dizendo: "Devemos
atacar novamente os filhos de Benjamim, nosso irmão?" E
o Senhor respondeu: "Sim, devem atacar."
24 No dia seguinte, os israelitas chegaram contra os filhos
de Benjamim.
25 E também os de Benjamim, no dia seguinte, saíram ao
seu encontro fora de Gibeá e mataram mais dezoito mil
homens, todos dos armados com espada.
26 Então todos os israelitas, e todo o povo, subiram e
vieram a Betel, e choraram perante o Senhor, e jejuaram
aquele dia até à tarde, e ofereceram holocaustos e ofertas
pacíficas perante o Senhor.
27 E os israelitas perguntaram ao Senhor, pois a arca da
aliança de Deus estava ali naqueles dias,
28 e Fineias, filho de Eleazar, filho de Arão, ministrava
diante deles naqueles dias, e os israelitas perguntaram:
"Voltaremos novamente a lutar contra os filhos de Ben-
jamim, nosso irmão, ou pararemos?" E o Senhor disse:
"Vão, amanhã eu os entregarei nas suas mãos."
29 Então Israel fez emboscadas em volta de Gibeá.
30 E os israelitas foram ao terceiro dia contra os filhos de
Benjamim, e ordenaram a batalha junto a Gibeá, como
das outras vezes.
31 Então os filhos de Benjamim saíram ao encontro do
povo e, afastando-se da cidade, começaram a matar alguns
homens do povo de Israel, matando-os como das outras
vezes, pelos caminhos, um dos quais vai para Betel, e o
outro para Gibeá pelo campo; mataram trinta homens de
Israel.
32 E os filhos de Benjamim disseram: "Estão sendo der-
rotados diante de nós como antes." Porém, os israelitas
disseram: "Vamos fugir e os desviaremos da cidade para
os caminhos."
33 Então todos os homens de Israel se levantaram do
seu lugar e se juntaram em Baal-Tamar; e as emboscadas
de Israel saíram dos arredores de Gibeá onde estavam
escondidas.
34 E dez mil homens escolhidos de todo o Israel vieram
contra Gibeá, e a batalha se intensificou; porém, os benja-
minitas não imaginavam que seriam derrotados.
35 Então o Senhor derrotou Benjamim diante de Israel; e
os israelitas mataram, naquele dia, vinte e cinco mil e cem
homens de Benjamim, todos armados com espada.
36 E os filhos de Benjamim viram que estavam derrota-
dos; porque os homens de Israel fugiram dos benjamini-
tas, pois confiavam na emboscada que haviam feito contra
Gibeá.
37 E os emboscados avançaram e atacaram Gibeá; e mata-
ram ao fio da espada todo o povo da cidade.
38 E os homens de Israel tinham um sinal combinado com
os emboscados, que era fazer subir da cidade uma grande
nuvem de fumaça.
39 Então os israelitas deviam voltar à batalha e atacar;
os benjaminitas já haviam matado, dos homens de Israel,
quase trinta homens, porém diziam: "Já estão certamente
derrotados diante de nós, como na batalha passada."
40 Então a nuvem de fumaça começou a se levantar da
cidade, como uma coluna; e os filhos de Benjamim vira-
ram e olharam para trás, e eis que a fumaça da cidade
subia ao céu.
41 E os homens de Israel viraram os rostos, e os homens
de Benjamim ficaram apavorados; porque viram que se-
riam derrotados.
42 E viraram as costas para os homens de Israel, fugindo
para o caminho do deserto; porém, não conseguiram es-
capar; e foram destruídos pelos israelitas que saíam das
cidades.
43 Cercaram os homens de Benjamim, os perseguiram e
os pisotearam em frente a Gibeá, para o nascente do sol.
44 E morreram, de Benjamim, dezoito mil homens, todos
homens valentes.
45 Então viraram as costas e fugiram para o deserto pró-
ximo ao rochedo de Rimom; e os homens de Israel ainda
alcançaram uns cinco mil homens deles pelos caminhos;
os seguiram de perto até Gidom, e mataram mais dois mil
homens deles.
46 E todos os homens de Benjamim que morreram naque-
le dia foram vinte e cinco mil armados com espada, todos
eles homens valentes.
47 Porém, seiscentos homens viraram as costas e fugiram
para o deserto, junto ao rochedo de Rimom; e ficaram no
rochedo de Rimom por quatro meses.
48 E os homens de Israel voltaram para os filhos de Ben-
jamim e os mataram ao fio da espada, os homens, os ani-

mais e tudo o que achavam, e também puseram fogo em
todas as cidades que encontraram.

A Destruição de Jabes-Gileade

21 Os homens de Israel tinham feito um juramento em
Mispá, dizendo: “Nenhum de nós dará sua filha em
casamento aos benjaminitas.”
2 O povo veio a Betel e ficou ali até à tarde diante de
Deus; e todos levantaram a sua voz, choraram alto e
lamentaram,
3 e disseram: “Ah! Senhor, Deus de Israel, por que acon-
teceu isto em Israel, que hoje falta uma tribo em Israel?”
4 E, no dia seguinte, o povo, pela manhã, se levantou
e edificou ali um altar; e ofereceu holocaustos e ofertas
pacíficas.
5 E os israelitas disseram: “Quem de todas as tribos de
Israel não compareceu à assembleia do Senhor? Porque fi-
zemos um juramento acerca de quem não fosse ao Senhor
em Mispá; certamente seria morto.”
6 E os israelitas lamentaram por Benjamim, seu irmão, e
disseram: “Hoje foi eliminada uma tribo de Israel.
7 Como conseguiremos mulheres para os que restaram
deles, pois nós juramos pelo Senhor que não daríamos ne-
nhuma de nossas filhas a eles em casamento?”
8 E disseram: “Há algumas mulheres das tribos de Israel
que não foram ao Senhor em Mispá?” E eis que ninguém
de Jabes-Gileade foi ao acampamento, à congregação.
9 Porque, quando contaram o povo, nenhum dos morado-
res de Jabes-Gileade estava lá.
10 Então a assembleia enviou para lá doze mil homens
dos mais valentes e lhes ordenou, dizendo: “Vão, e ma-
tem ao fio da espada os moradores de Jabes-Gileade, as
mulheres e as crianças.
11 Isto é o que devem fazer: Matem todos os homens e
todas as mulheres que não forem virgens.”
12 E acharam, entre os moradores de Jabes-Gileade, qua-
trocentas moças virgens, que não haviam tido relações
sexuais com homem, e as trouxeram ao acampamento,
em Siló, que fica na terra de Canaã.
13 Então toda a assembleia mandou falar aos filhos de
Benjamim, que estavam no rochedo de Rimom, que lhes
proclamou a paz.
14 E, no mesmo tempo, voltaram os benjaminitas; e lhes
deram as mulheres que haviam deixado com vida, mu-
lheres de Jabes-Gileade; porém ainda não havia mulheres
suficientes para cada um deles.
15 Então o povo teve pena de Benjamim; porque o Senhor
tinha aberto uma brecha nas tribos de Israel.
16 E os anciãos da assembleia disseram: “Como arrumare-
mos mulheres para os que sobraram, pois as mulheres de
Benjamim foram exterminadas?”
17 Disseram mais: “Benjamim tem que ter descendentes,
nenhuma tribo de Israel deve acabar.
18 Porém, nós não poderemos lhes dar nossas filhas em
casamento, porque juramos, dizendo: ‘Maldito aquele que
der mulher aos benjaminitas.’”
19 Então disseram: “De ano em ano há uma solenidade
do Senhor em Siló, que fica ao norte de Betel do lado nas-
cente do sol, pelo caminho alto que vai de Betel a Siquém,
e ao sul de Lebona.”
20 E mandaram os filhos de Benjamim, dizendo: “Vão e
se escondam nas vinhas.
21 E quando as filhas de Siló saírem para dançar, vocês
saiam das vinhas e peguem cada um uma mulher para si,
das filhas de Siló, e retornem à terra de Benjamim.
22 E, quando seus pais ou seus irmãos vierem a questio-
nar conosco, nós lhes diremos: ‘Por amor de nós, tenham
compaixão deles, pois na guerra contra Jabes-Gileade não
pegamos mulheres para todos eles; e vocês não deram
mulheres a eles, assim não serão culpados de quebrar o
juramento.’”
23 E os filhos de Benjamim fizeram assim, e levaram as
mulheres para cada um deles, das que saíram para dançar;
então voltaram à sua herança, reedificaram as cidades e
habitaram nelas.
24 Então os israelitas também partiram dali, e cada um
voltou para a sua tribo e para a sua família, cada um para
a sua casa.
25 Naqueles dias não havia rei em Israel; cada um fazia o
que achava correto.

O LIVRO DE RUTE

Noemi e Suas Noras

1 Nos dias em que os juízes governavam, houve fome na
terra; por isso um homem de Belém de Judá saiu e foi
morar por um tempo nos campos de Moabe, ele, sua mu-
lher e seus dois filhos.
2 Esse homem se chamava Elimeleque e a sua mulher se

chamava Noemi, e os seus dois filhos se chamavam Ma-
lom e Quiliom, efrateus, de Belém de Judá; e chegaram aos
campos de Moabe e ficaram ali.
3 E Elimeleque, marido de Noemi, morreu, ficando ela
com os seus dois filhos.
4 e eles se casaram com mulheres moabitas; o nome de
uma era Orfa e o da outra Rute; e ficaram ali quase dez
anos.
5 Malom e Quiliom também morreram, e Noemi ficou de-
samparada dos seus dois filhos e de seu marido.
6 Então ela voltou com as suas noras dos campos de
Moabe, porque, na terra de Moabe, ela ouviu que o Senhor
tinha visitado o seu povo, lhe dando pão.
7 Por isso ela saiu do lugar onde estava junto com as suas
noras. E, quando elas estavam a caminho, voltando para a
terra de Judá,
8 Noemi disse às suas noras: "Vão, voltem cada uma para a
casa de sua mãe; e que o Senhor seja bondoso com vocês,
como vocês foram com os falecidos e comigo.
9 Que o Senhor dê a vocês descanso, cada uma na casa
de um novo marido." E Noemi as beijou, e começaram
a chorar alto.
10 E lhe disseram: "Certamente iremos com você ao seu
povo."
11 Porém, Noemi disse: "Voltem, minhas filhas. Por que
vocês iriam comigo? Ainda terei no meu ventre mais filhos,
para que sejam seus maridos?
12 Voltem, minhas filhas, vão embora, já sou muito velha
para ter marido; mesmo que eu dissesse: Tenho esperan-
ça, ou ainda que esta noite tivesse marido e ainda tivesse
filhos,
13 iriam esperar até que eles ficassem grandes? Aguarda-
riam por eles, sem casar-se? Não, minhas filhas, a minha
amargura é maior do que a de vocês; porque a mão do
Senhor se descarregou contra mim."
14 Então tornaram a chorar alto; e Orfa beijou a sua sogra,
porém Rute se apegou a ela.
15 E Noemi disse: "Sua cunhada voltou ao seu povo e aos
seus deuses; volte você também com a sua cunhada."
16 Porém, Rute disse: "Não insista para que eu a abandone
e deixe de a seguir; porque aonde quer que você for, eu irei,
e onde quer que pouse, ali eu pousarei; o seu povo é o meu
povo, o seu Deus é o meu Deus;
17 onde quer que você morra, eu morrerei e ali serei sepul-
tada. Que o Senhor me castigue, se outra coisa que não seja
a morte me separar de você."
18 E Noemi, vendo que Rute estava decidida a ir com ela,
deixou de falar nisso.
19 Assim, foram-se ambas, até que chegaram a Belém; e,
quando elas entraram em Belém, toda a cidade se comoveu
por causa delas e diziam: "Essa não é a Noemi?"
20 Porém, ela lhes dizia: "Não me chamem de Noemi;
me chamem de Mara; porque o Todo-Poderoso me deu
grande amargura.
21 Eu saí completa, porém o Senhor me fez voltar va-
zia; por que, então, me chamariam de Noemi? O Senhor
testemunhou contra mim, e o Todo-Poderoso me trouxe
aflição."
22 Assim Noemi voltou e com ela Rute, a moabita, sua
nora, que veio dos campos de Moabe; e chegaram a Belém
no início da colheita das cevadas.

Rute Respiga os Campos de Boaz

2 Noemi tinha um parente de seu marido, um homem
importante e rico, da família de Elimeleque; e o seu
nome era Boaz.
2 E Rute, a moabita, disse a Noemi: "Deixe-me ir ao campo
para recolher espigas atrás daquele que me permitir." E ela
disse: "Vá, minha filha."
3 Ela foi, chegou ao campo e apanhava espigas atrás dos
segadores; e, por sorte, era uma parte do campo de Boaz,
que era da família de Elimeleque.
4 Boaz veio de Belém e disse aos segadores: "O Senhor seja
com vocês." E eles lhe disseram: "O Senhor o abençoe."
5 Depois Boaz perguntou ao seu servo, que estava como
encarregado dos segadores: "De quem é essa moça?"
6 E o servo respondeu: "Essa é a moça moabita que voltou
com Noemi dos campos de Moabe.
7 Ela me pediu para deixá-la recolher as espigas e ajuntá-las
após os segadores. Assim ela veio e, desde cedo até agora,
não parou, a não ser um pouco para descansar."

Boaz Protege Rute

8 Então Boaz disse a Rute: "Ouça, minha filha; não vá co-
lher em outro campo, nem saia daqui; pois ficará aqui com
as minhas servas.
9 Preste atenção no campo que segarem, e vá atrás delas;
eu dei ordem aos servos para não a molestarem. Quando
você tiver sede, vá aos vasos e beba da água que os servos
tirarem."
10 Então ela se inclinou, encostou o rosto no chão, e lhe
disse: "Por que me trata com bondade, me favorecendo,
sendo eu uma estrangeira?"
11 E Boaz respondeu: "Contaram-me o que fez pela sua
sogra, depois da morte de seu marido; deixou o seu pai e
a sua mãe e a terra onde nasceu e veio para um povo que
antes não conhecia.
12 O Senhor retribua o que você fez; e lhe conceda uma
plena recompensa da parte do Senhor Deus de Israel, que
sob suas asas veio abrigá-la.
13 E Rute disse: "Está sendo bondoso comigo, meu senhor,

pois me consolou e falou ao coração desta sua serva, mes-
mo eu não sendo ainda uma das suas criadas."
14 E, já sendo a hora de comer, Boaz disse: "Venha aqui,
coma do pão e molhe o seu bocado no vinho." E ela se sen-
tou ao lado dos segadores e Boaz lhe deu do trigo tostado,
ela comeu, se fartou, e ainda lhe sobrou comida.
15 Então Rute se levantou para colher, e Boaz deu uma or-
dem aos seus servos, dizendo: "Deixem-na colher até entre
os feixes, e não a incomodem.
16 E deixem cair algumas espigas, para que ela pegue e
não a repreendam."
17 E ela ficou apanhando as espigas naquele campo até à
tarde; e debulhou o que apanhou, e deu quase vinte litros
de cevada.
18 E Rute pegou-o e voltou para a cidade com o cereal; e
a sua sogra viu o quanto ela tinha apanhado. Rute também
deu para a sogra a comida que havia sobrado depois de ter
comido até se fartar.
19 Então sua sogra perguntou: "Onde colheu hoje e onde
trabalhou? Bendito seja aquele que a ajudou." E Rute rela-
tou a Noemi com quem tinha trabalhado, e respondeu: "O
nome do homem com quem trabalhei hoje é Boaz."
20 Então, Noemi disse a Rute: "Bendito seja ele pelo
Senhor, que ainda não deixou de ser bondoso, nem para
com os vivos nem para com os mortos." Noemi disse mais:
"Esse homem é nosso parente chegado e um dos nossos
remidores."
21 E Rute, a moabita, disse: "Ele também ainda me disse
para ficar com os servos dele, até que acabem de fazer toda
a colheita."
22 E Noemi disse à sua nora, Rute: "minha filha, é melhor
que vá com as servas dele, pois em outro campo, onde não
a conhecem, poderiam maltratá-la."
23 Assim, Rute permaneceu com as servas de Boaz, para
colher até que a colheita das cevadas e dos trigos se acabou;
e ela continuou morando com a sua sogra.

Noemi Instrui Rute

3 E Noemi, sua sogra, lhe disse: "Minha filha, não tenho
que procurar um lar para você, para que você seja feliz?
2 E Boaz, com cujas servas você esteve, não é um de nos-
sos parentes? Esta noite ele debulhará a cevada na eira.
3 Lave-se, perfume-se, vista o seu melhor vestido e vá à
eira; porém, não o deixe saber que você está ali, até que
tenha acabado de comer e beber.
4 E, quando ele se deitar, repare o lugar em que ele vai se
deitar; então entre, descubra os pés dele, e se deite ao seu
lado, e ele lhe dirá o que deve fazer."
5 E Rute respondeu: Farei tudo o que me disse.

Rute Obedece a Noemi

6 Então Rute foi para a eira, e fez tudo conforme a sua
sogra lhe tinha ordenado.
7 Quando Boaz havia comido e bebido, e já com o seu co-
ração alegre, foi se deitar ao pé de um monte de cereais; en-
tão Rute foi de mansinho, lhe descobriu os pés e se deitou.
8 E, por volta da meia-noite, o homem acordou, se virou e
viu que uma mulher estava deitada aos seus pés.
9 E Boaz perguntou: "Quem é você?" E ela respondeu:
"Sou Rute, a sua serva; estenda a sua capa sobre esta sua
serva, porque você é um remidor."

Boaz Aceita Rute

10 E ele disse: "Que o Senhor a abençoe, minha filha; esta
sua última bondade é melhor do que a primeira, pois não
foi procurar nenhum homem jovem, nem dos pobres, nem
dos ricos.
11 Agora, minha filha, não tenha medo: farei tudo o que
pedir, pois todo o povo da cidade sabe que você é uma
mulher virtuosa.
12 Porém, agora é verdade que eu sou remidor, mas ainda
há outro remidor mais chegado do que eu.
13 Fique aqui esta noite, e pela manhã, se ele quiser redi-
mi-la, que a redima; porém, se não a quiser redimir, juro
pelo nome do Senhor, que eu a redimirei. Deite-se aqui
até amanhã."
14 Rute ficou deitada a seus pés até pela manhã, e levan-
tou-se antes de clarear, porque Boaz disse: "Não quero que
ninguém saiba que uma mulher veio à eira."
15 E Boaz disse mais: "Dê-me a capa que está sobre você e
segure-a." E ela a segurou; e ele a encheu com seis medidas
de cevada e a pôs em cima dos ombros de Rute; então ela
voltou para a cidade.
16 E foi até a sua sogra, que lhe perguntou: "Como foi,
minha filha?" E Rute lhe contou tudo o que aquele homem
lhe fez.
17 E disse mais: "Boaz me deu estas seis medidas de ceva-
da, e me disse: 'Não volte sem nada à sua sogra.'"
18 Então Noemi disse: "Espere, minha filha, até que você
saiba como irá suceder isto, porque aquele homem não
descansará até resolver esta questão ainda hoje."

Boaz Se Casa Com Rute

4 E Boaz foi à porta da cidade e sentou-se ali; e o remidor
de quem Boaz tinha falado ia passando e ele o chamou:
"Ó fulano, vem cá, sente-se aqui." E ele foi e sentou-se.
2 Então Boaz chamou dez homens dos anciãos da cidade e
disse: "Sentem-se aqui." E sentaram-se.
3 Então Boaz disse ao remidor: "Aquela parte da terra que
foi de Elimeleque, nosso irmão, a Noemi, que retornou da
terra dos moabitas, está vendendo.
4 E eu resolvi informá-lo disso e dizer a você: Compre a

terra diante dos habitantes e diante dos anciãos do meu
povo; se quiser redimir, redima-a, mas se não quiser redi-
mir, diga, para que eu o saiba, pois não há outro senão você
que a redima, e eu depois de você." Então ele disse: "Eu
a redimirei."
5 Porém Boaz disse: "No dia em que comprar a terra da
mão de Noemi, também a comprará da mão de Rute, a
moabita, mulher do falecido, para suscitar o nome do fale-
cido sobre a sua herança."
6 Então, o remidor disse: "Para mim não a poderei redi-
mir, para que não prejudique a minha herança; tome para
você o meu direito de remissão, porque eu não a poderei
redimir."
7 Há muito tempo já havia esse costume em Israel, quanto
à remissão e contrato, para confirmar todo o negócio; o
homem descalçava as sandálias e as dava ao seu próximo;
e isto era por testemunho em Israel.
8 O remidor disse a Boaz: "Pegue-as para você." E descal-
çou as sandálias.
9 Então, Boaz disse aos anciãos e a todo o povo: "Hoje
vocês são testemunhas de que comprei tudo o que foi de
Elimeleque, de Quiliom e de Malom, da mão de Noemi,
10 e tomo por mulher Rute, a moabita, que foi mulher
de Malom, para suscitar o nome do falecido sobre a sua
herança, para que o nome do falecido não seja esquecido
dentre seus irmãos e na porta da sua cidade; hoje vocês são
testemunhas disto."
11 E todo o povo que estava na porta da cidade, e os an-
ciãos, disseram: "Somos testemunhas; o Senhor faça a esta
mulher, que entra na sua casa, como fez a Raquel e a Lia,
que edificaram a casa de Israel; e que Boaz seja um homem
poderoso em Efrata e que seu nome seja famoso em Belém.
12 Que a sua casa, pela descendência que o Senhor dará
a esta moça, seja como a casa de Peres, o filho que Tamar
gerou para Judá."

Nascimento de Obede, Avô de Davi

13 Assim Boaz recebeu Rute e ela foi a sua mulher; e ele
teve relações com ela, e o Senhor permitiu que ela engravi-
dasse e desse à luz um filho.
14 Então as mulheres disseram a Noemi: "Bendito seja o
Senhor, que hoje não deixou de lhe dar um remidor e que
seu nome seja famoso em Israel.
15 Ele lhe será como restaurador da vida e nutrirá a sua
velhice, pois a sua nora, que a ama, o deu à luz, e ela é
melhor do que sete filhos para você."
16 E Noemi pegou o menino, o pôs no seu colo e foi sua
ama.
17 E as vizinhas lhe deram um nome, dizendo: "Nasceu
um filho para Noemi, e lhe deram o nome de Obede." Este
é o pai de Jessé, pai de Davi.
18 Estas são as gerações de Perez: Perez gerou Esrom,
19 e Esrom gerou Arão, e Arão gerou Aminadabe,
20 e Aminadabe gerou Naassom, e Naassom gerou
Salmom,
21 e Salmom gerou Boaz, e Boaz gerou Obede,
22 e Obede gerou Jessé, e Jessé gerou Davi.

O PRIMEIRO LIVRO DE SAMUEL

Elcana e Suas Mulheres

1 Houve um homem de Ramataim-Zofim, da montanha
de Efraim, chamado Elcana, filho de Jeroão, filho de
Eliú, filho de Toú, filho de Zufe, efrateu.
2 E ele tinha duas mulheres: O nome de uma era Ana e
o da outra, Penina; Penina tinha filhos, porém Ana não
tinha.
3 Esse homem saía da sua cidade de ano em ano para
adorar e para sacrificar ao Senhor dos Exércitos, em Siló,
onde estavam os sacerdotes do Senhor, Hofni e Fineias, os
dois filhos de Eli.
4 E no dia em que Elcana sacrificava, ele dava porções a
Penina, sua mulher, e a todos os filhos e filhas dela.
5 Porém, para Ana, dava uma parte maior; porque ele a
amava, embora o Senhor a tivesse tornado estéril.
6 E a sua rival, Penina, a provocava excessivamente, para
a irritar; porque o Senhor a tinha tornado estéril.
7 E assim ele fazia de ano em ano; quando Ana ia à casa
do Senhor, Penina a irritava, e Ana chorava e não comia.
8 Então Elcana, seu marido, lhe disse: "Ana, por que está
chorando? E por que não come? E por que o seu cora-
ção está triste? Eu não sou melhor para você do que dez
filhos?"

Ana Pede a Deus Um Filho

9 Então Ana se levantou, depois que comeram e beberam
em Siló; e Eli, o sacerdote, estava sentado numa cadeira,
junto a um pilar do templo do Senhor.
10 E Ana, com amargura de alma, orou ao Senhor e cho-
rou abundantemente.
11 E fez um voto, dizendo: "Senhor dos Exércitos! Se

bondosamente olhares para a aflição da tua serva, e te
lembrares de mim, e desta tua serva não te esqueceres,
mas se à tua serva lhe deres um filho homem, ao Senhor
o darei por todos os dias da sua vida e sobre a cabeça dele
não passará navalha."
12 E Ana continuou a orar perante o Senhor e Eli obser-
vou a sua boca.
13 Porque Ana falava bem baixo; só movia os seus lábios
e não se ouvia a sua voz; por isso Eli achou que ela estava
embriagada.
14 E Eli disse: "Até quando você ficará embriagada? Fique
longe do vinho."
15 Porém Ana respondeu: "Meu senhor, eu sou uma mu-
lher aflita de espírito; não tenho bebido vinho nem bebi-
da forte; mas tenho derramado a minha alma perante o
Senhor.
16 Não pense que esta sua serva é má; eu estava orando
ao Senhor, porque estou aflita e triste."
17 Então Eli respondeu: "Vá em paz, que o Deus de Israel
lhe conceda o que você pediu."
18 E ela disse: "Que eu possa ser atendida por ele." Assim
a mulher seguiu o seu caminho, comeu e o seu semblante
já não era triste.
19 E eles se levantaram de madrugada e adoraram perante
o Senhor; e voltaram à sua casa, em Ramá, e Elcana teve
relações com Ana, sua mulher, e o Senhor se lembrou dela.

O Nascimento e a Consagração de Samuel

20 Ana engravidou e deu à luz um filho, que chamou de
Samuel; porque, ela dizia, "o pedi ao Senhor".
21 E Elcana foi com toda a sua casa para oferecer ao Se-
nhor o sacrifício anual e para cumprir o seu voto.
22 Porém, Ana não foi, e disse ao seu marido: "Quando o
menino for desmamado, então o levarei e o apresentarei
ao Senhor e ele ficará lá para sempre."
23 E Elcana, seu marido, lhe disse: "Faça o que achar
melhor; fique até que o desmame; então, que o Senhor
confirme a promessa que você fez." Assim, Ana ficou e
amamentou o filho, até que o desmamou.
24 E, havendo-o desmamado, pegou o menino juntamen-
te com um novilho de três anos, quinze quilos de farinha e
um odre de vinho e levou-os à casa do Senhor, em Siló; o
menino ainda era muito novo.
25 E degolaram o novilho e trouxeram o menino a Eli.
26 E Ana disse: "Ah, meu senhor, certamente eu sou aque-
la mulher que esteve aqui com você, para orar ao Senhor.
27 Eu orava por esse menino e o Senhor atendeu o pedido
que eu fiz.
28 Por isso também eu o entrego ao Senhor Deus, por to-
dos os dias que ele viver, pois ele foi dedicado ao Senhor."
E ali eles adoraram o Senhor.

O Cântico de Ana

2 Então Ana orou e disse: "O meu coração se alegra
no Senhor, a minha força está exaltada no Senhor;
estou rindo dos meus inimigos, porque me alegro na tua
salvação.
2 Não há santo como o Senhor; porque não há outro além
de ti; não há nenhuma rocha como o nosso Deus.
3 Não falem palavras de orgulho, nem saiam palavras ar-
rogantes da boca de vocês; porque o Senhor é o Deus da
sabedoria e por ele as obras são pesadas na balança.
4 O arco dos fortes foi quebrado e os fracos foram reves-
tidos de força.
5 Os que antes eram fartos agora trabalham pelo pão,
mas os que tinham fome estão satisfeitos; até a mulher
estéril deu à luz sete filhos e a que tinha muitos filhos
enfraqueceu.
6 O Senhor é o que tira a vida e a dá; ele faz descer à
sepultura e faz subir dela.
7 O Senhor empobrece e enriquece; rebaixa e também
exalta.
8 Levanta o pobre do pó e do lixo exalta o necessitado,
para o fazer assentar entre os príncipes, para o fazer herdar
o trono de glória; porque do Senhor são os alicerces da
terra e assentou o mundo sobre elas.
9 Ele guarda os pés dos seus santos, mas os ímpios ficarão
mudos nas trevas; porque o homem não prevalece pela
força.
10 Os inimigos do Senhor serão destruídos, dos céus tro-
veja sobre eles; o Senhor julga as extremidades da terra, dá
força ao seu rei e exalta o poder do seu ungido."
11 Então Elcana voltou a Ramá, à sua casa; porém o meni-
no ficou servindo ao Senhor, perante o sacerdote Eli.

Os Pecados dos Filhos de Eli

12 Os filhos de Eli eram maus; não se importavam com
o Senhor.
13 Porque o costume daqueles sacerdotes com o povo era
assim: Quando alguém oferecia algum sacrifício, enquanto
estava cozendo a carne, vinha o servo do sacerdote com
um garfo de três dentes em sua mão;
14 e o enfiava na caldeira, ou na panela, ou no caldeirão,
ou na marmita, e tudo quanto o garfo tirava, o sacerdote
pegava para si; assim se fazia a todo o povo de Israel que
ia ali a Siló.
15 Também, antes de queimarem a gordura, o servo do
sacerdote vinha e dizia ao homem que sacrificava: "Dê
ao sacerdote um pedaço desta carne para assar, porque ele
não receberá de você carne cozida, mas somente carne
crua."
16 E o homem dizia: "Primeiro queime a gordura de hoje
e depois pegue para você quanto quiser"; então o servo

do sacerdote lhe dizia: "Não, dê agora, caso contrário, a
pegarei à força."
17 Era muito grande o pecado desses moços perante o
Senhor, porque eles desprezavam a oferta do Senhor.

O Ministério de Samuel

18 Samuel ministrava perante o Senhor, sendo ainda jo-
vem, vestido com uma estola de linho.
19 E a sua mãe lhe fazia uma túnica pequena e de ano em
ano lhe trazia, quando ia com o seu marido para oferecer
o sacrifício anual.
20 E Eli abençoava Elcana e a sua mulher e dizia: "Que o
Senhor lhe dê filhos desta mulher, pelo filho que deu ao
Senhor." E voltavam para casa.
21 O Senhor visitou Ana, que engravidou e deu à luz três
filhos e duas filhas; e o jovem Samuel crescia diante do
Senhor.
22 Eli já era muito velho e ouvia tudo que os seus filhos
faziam a todo o Israel, e de como se deitavam com as mu-
lheres que em bandos se ajuntavam à porta da tenda do
encontro.
23 E lhes disse: "Por que vocês fazem essas coisas? Pois
ouço todo esse povo falar destas suas coisas más.
24 Não, meus filhos, porque não é boa essa fama que
ouço; vocês fazem o povo do Senhor transgredir.
25 Se uma pessoa pecar contra outra, os juízes a julgarão;
porém, se alguém pecar contra o Senhor, quem intercede-
rá por ele?" Mas eles não ouviram a voz de seu pai, porque
o Senhor queria matá-los.
26 E o jovem Samuel ia crescendo e era cada vez mais
estimado pelo Senhor e pelo povo.

Profecia Contra a Família de Eli

27 E um homem de Deus veio a Eli e lhe disse: "Assim diz
o Senhor: 'Não me manifestei, na verdade, à casa de seu
pai, quando eles ainda estavam no Egito, na casa do Faraó?
28 E eu o escolhi dentre todas as tribos de Israel como
sacerdote, para oferecer sobre o meu altar, para acender o
incenso e para trazer a estola sacerdotal perante mim; e dei
à casa de seu pai todas as ofertas queimadas dos israelitas.
29 Por que tratam com desprezo os meus sacrifícios e as
minhas ofertas de cereais, que determinei para a minha
morada, e você honra mais os seus filhos do que a mim,
engordando-os com as melhores partes das ofertas do meu
povo de Israel?'
30 Portanto, diz o Senhor Deus de Israel: 'Na verdade
eu tinha falado que a sua casa e a casa de seu pai anda-
riam diante de mim perpetuamente'; porém, agora diz
o Senhor: 'Longe de mim tal coisa, porque os que me
honram, honrarei; porém, os que me desprezam, serão
desprezados.
31 Eis que chegará um dia em que eliminarei o seu poder
e o poder da casa de seu pai, para que ninguém mais da
sua família chegue à velhice.
32 E você verá a aflição da morada de Deus, mesmo com
toda a prosperidade que trarei a Israel; e jamais alguém em
sua casa viverá até a velhice.
33 O homem, porém, que eu não tirar do meu altar, ficará
apenas para lhe consumir os olhos, e para lhe entristecer a
alma; e todos os descendentes da sua casa morrerão ainda
jovens.
34 E isto lhe será por sinal: Acontecerá aos seus dois fi-
lhos, Hofni e Fineias; ambos morrerão no mesmo dia.
35 E eu suscitarei para mim um sacerdote fiel, que agi-
rá segundo o meu coração e o meu pensamento, eu lhe
edificarei uma casa firme e ele andará sempre diante do
meu ungido.
36 E aquele que restar da sua casa virá a inclinar-se diante
dele por uma moeda de prata e por um bocado de pão e
dirá: 'Peço que você me dê alguma função sacerdotal, para
que eu possa comer um pedaço de pão.'"

Deus Fala Com Samuel

3 E o jovem Samuel servia ao Senhor sob a direção de
Eli; naqueles dias, o Senhor raramente falava e as visões
não aconteciam com frequência.
2 E, naqueles dias, Eli estava dormindo como de costume,
e os seus olhos começavam a escurecer e ele não podia
enxergar direito,
3 e Samuel também estava dormindo, antes que a lâmpa-
da de Deus se apagasse no templo do Senhor, onde estava
a arca de Deus;
4 o Senhor chamou Samuel e ele respondeu: "Eis-me
aqui."
5 E Samuel correu para onde estava Eli e disse: "Eis-me
aqui, por que você me chamou?" Mas Eli respondeu: "Eu
não o chamei, volte a se deitar." E ele foi e se deitou.
6 E o Senhor chamou outra vez Samuel, e ele se levantou
e foi até Eli e disse: "Estou aqui, por que você me cha-
mou?" Mas ele respondeu: "Eu não o chamei, meu filho,
volte a se deitar."
7 Porém Samuel ainda não conhecia o Senhor e ainda não
lhe tinha sido manifestada a palavra do Senhor.
8 O Senhor tornou a chamar Samuel pela terceira vez e ele
se levantou e foi até Eli e lhe disse: "Eis-me aqui, por que
você me chamou?" Então Eli entendeu que era o Senhor
quem chamava o jovem.
9 Por isso Eli disse a Samuel: "Vá se deitar e, se alguém o
chamar, diga: 'Fala, Senhor, porque o teu servo ouve.'" E
Samuel foi e se deitou no seu lugar.
10 Então o Senhor veio, e ali o chamou como das outras
vezes: "Samuel! Samuel!" E Samuel disse: "Fala, porque o
teu servo ouve."

11 E o Senhor disse a Samuel: "Eis que vou fazer uma
coisa em Israel, que todos os que a ouvirem ficarão com
os ouvidos tinindo.
12 Naquele dia farei contra Eli tudo que falei contra a sua
casa, do começo ao fim.
13 Porque eu já lhe disse que julgarei a sua casa para
sempre, pela iniquidade que ele bem conhecia, porque os
seus filhos se fizeram desprezíveis e ele, sabendo, não os
repreendeu.
14 Portanto, jurei à casa de Eli que nunca mais será expia-
da a sua iniquidade, nem com sacrifício nem com oferta
de cereais."

Samuel Conta a Visão a Eli

15 E Samuel ficou deitado até pela manhã; então, abriu
as portas da casa do Senhor; porém, Samuel temia relatar
a visão a Eli.
16 Então Eli chamou Samuel e disse: "Samuel, meu fi-
lho." E ele respondeu: "Estou aqui."
17 E Eli perguntou: "Qual é a palavra que o Senhor lhe
falou? Peço que não a esconda de mim; Deus o castigue
se me esconder alguma palavra de todas as que lhe falou."
18 Então Samuel lhe contou todas aquelas palavras e não
lhe escondeu nada. E Eli disse: "Ele é o Senhor; faça o que
achar melhor."
19 E Samuel crescia e o Senhor estava com ele e nenhuma
de todas as suas palavras deixou cair em terra.
20 E todo o Israel, desde Dã até Berseba, reconheceu que
Samuel estava confirmado como profeta do Senhor.
21 E o Senhor continuou a aparecer em Siló; porque o Se-
nhor se manifestava a Samuel em Siló através da palavra.

Os Filisteus Vencem os Israelitas

4 A palavra de Samuel veio a todo o Israel; e Israel saiu
à batalha contra os filisteus e acampou em Ebenézer; e
os filisteus acamparam em Afeca.
2 E os filisteus se dispuseram em ordem para a guerra con-
tra Israel; e, travada a batalha, Israel foi derrotado pelos
filisteus, que mataram, na batalha em campo aberto, uns
quatro mil homens.
3 Quando o povo voltou ao acampamento, os anciãos de
Israel disseram: "Por que o Senhor nos derrotou hoje dian-
te dos filisteus? Vamos trazer de Siló a arca da aliança do
Senhor para o meio de nós, para que nos livre das mãos
dos nossos inimigos."
4 O povo foi a Siló e trouxeram de lá a arca da aliança do
Senhor dos Exércitos, que habita entre os querubins; e os
dois filhos de Eli, Hofni e Fineias, estavam ali com a arca
da aliança de Deus.
5 E, quando a arca da aliança do Senhor chegou ao
acampamento, todo o Israel gritou tão alto que a terra
estremeceu.
6 E os filisteus, ouvindo, disseram: "Que voz de grande
júbilo é esta no acampamento dos hebreus?" Então soube-
ram que a arca do Senhor estava no acampamento.
7 Por isso os filisteus se atemorizaram, porque diziam:
"Deus veio ao acampamento." E diziam mais: "Ai de nós!
Nunca aconteceu isso.
8 Ai de nós! Quem nos livrará das mãos desses poderosos
deuses? Esses são os deuses que feriram os egípcios com
todas as pragas no deserto.
9 Esforcem-se e sejam homens, ó filisteus, para que não
venham a ser escravos dos hebreus, como eles foram de
vocês; sejam homens e lutem!"
10 Então os filisteus lutaram e Israel foi derrotado, e cada
um fugiu para a sua tenda; e foi tão grande o estrago que
foram mortos de Israel trinta mil homens.

A Arca é Tomada

11 E a arca de Deus foi tomada e os dois filhos de Eli,
Hofni e Fineias, morreram.
12 Então, um homem de Benjamim correu da batalha e
no mesmo dia chegou a Siló; ele rasgou as suas vestes e
espalhou terra sobre a cabeça.
13 E quando ele chegou, Eli estava sentado numa cadeira,
olhando para o caminho; porque o seu coração estava tre-
mendo pela arca de Deus. Aquele homem entrou e anun-
ciou isto na cidade e toda a cidade gritou.
14 E Eli, ouvindo os gritos, perguntou: "Que alvoroço é
esse?" Então aquele homem veio apressadamente e deu
as notícias a Eli.
15 E Eli tinha noventa e oito anos de idade; e os seus olhos
estavam tão escurecidos que já não podia ver.
16 E aquele homem disse a Eli: "Eu venho da batalha;
porque eu fugi da batalha hoje." E Eli perguntou: "O que
aconteceu, meu filho?"
17 Então o que trazia as notícias respondeu e disse: "Israel
fugiu dos filisteus e houve também grande matança entre
o povo; além disso, seus dois filhos, Hofni e Fineias, tam-
bém morreram e a arca de Deus foi tomada."

A Morte de Eli

18 E ele fazendo menção da arca de Deus, Eli caiu da
cadeira para trás, ao lado da porta e quebrou o pescoço e
morreu; porque Eli era velho e pesado; e ele tinha julgado
Israel durante quarenta anos.
19 E sua nora, a mulher de Fineias, estando grávida e pró-
xima do parto, ouvindo essas notícias de que a arca de
Deus foi tomada e que seu sogro e seu marido morreram,
encurvou-se e deu à luz, porque as dores lhe sobrevieram.
20 E, quando ela estava morrendo, as mulheres que es-
tavam com ela disseram: "Não tenha medo, porque deu
à luz um filho." Ela, porém, não respondeu, nem fez caso
disso.

21 E deu ao menino o nome de Icabô, dizendo: "A glória
de Israel se foi!" Porque a arca de Deus foi tomada, e por
causa de seu sogro e de seu marido.
22 E disse: "A glória de Israel se foi"; pois a arca de Deus
foi tomada.

A Arca na Terra dos Filisteus

5 Os filisteus tomaram a arca de Deus e a levaram de
Ebenézer para Asdode.
2 Os filisteus tomaram a arca de Deus e a colocaram no
templo de Dagom, junto à imagem de Dagom.
3 E quando os moradores de Asdode se levantaram na ma-
drugada do dia seguinte, viram que Dagom estava caído
com o rosto em terra, diante da arca do Senhor; então eles
pegaram Dagom e tornaram a pô-lo no seu lugar.
4 E, quando se levantaram de madrugada, no dia seguinte,
pela manhã, Dagom estava caído com o rosto em terra
diante da arca do Senhor; porém, a cabeça de Dagom e as
duas mãos estavam cortadas sobre a soleira da porta; ficou
somente o tronco de Dagom inteiro.
5 Por isso, os sacerdotes de Dagom, e todos os que entram
no templo de Dagom, não pisam na soleira da porta, em
Asdode, até o dia de hoje.
6 Porém, a mão do Senhor pesou sobre os moradores de
Asdode e os afligiu e os feriu com tumores, em Asdode e
nos seus limites.
7 Então os homens de Asdode, vendo o que aconteceu,
disseram: "A arca do Deus de Israel não deve ficar co-
nosco; pois a sua mão é dura sobre nós e sobre Dagom,
nosso deus."
8 Por isso enviaram mensageiros e reuniram todos os prín-
cipes dos filisteus e disseram: "O que nós faremos da arca
do Deus de Israel?" E responderam: "A arca do Deus de
Israel será levada até Gate." Assim levaram para lá a arca
do Deus de Israel.
9 E, assim que a levaram, a mão do Senhor foi contra
aquela cidade, com grande terror; pois feriu os homens
daquela cidade e, desde o pequeno até o grande, tiveram
tumores.
10 Então enviaram a arca de Deus a Ecrom. Quando a
arca de Deus chegou a Ecrom, os habitantes de Ecrom ex-
clamaram, dizendo: "Trouxeram para nós a arca do Deus
de Israel, para nos matarem, a nós e ao nosso povo."
11 E mandaram chamar todos os príncipes dos filisteus e
disseram: "Devolvam a arca do Deus de Israel para o seu
lugar, para que não mate nem a nós nem ao nosso povo."
Porque havia terror mortal em toda a cidade e a mão de
Deus pesou muito contra eles.
12 E os homens que não morriam eram tão atacados com
tumores que o clamor da cidade subia até o céu.

A Arca é Devolvida

6 A arca do Senhor esteve na terra dos filisteus por sete
meses,
2 e os filisteus chamaram os sacerdotes e os adivinhadores
e perguntaram: "O que nós faremos com a arca do Se-
nhor? Falem-nos como a devolveremos para o seu lugar."
3 Eles disseram: "Se devolverem a arca do Deus de Israel,
não a enviem vazia, porém enviem uma oferta para a ex-
piação da culpa; então vocês serão curados e saberão por
que a mão dele continua castigando vocês."
4 Então os filisteus disseram: "Qual é a oferta pela culpa
que devemos enviar?" E eles responderam: "Segundo o
número dos príncipes dos filisteus, enviem cinco tumores
de ouro e cinco ratos de ouro; porque a praga é a mesma
sobre todos vocês e sobre todos os seus príncipes.
5 Façam umas imagens dos seus tumores e dos ratos, que
andam destruindo a terra, e deem glória ao Deus de Israel;
quem sabe ele aliviará a sua mão sobre vocês e sobre o seu
deus e a terra de vocês.
6 Por que vocês endureceriam o seu coração como fize-
ram os egípcios e o Faraó? Não foi somente depois que
Deus os maltratou que eles deixaram os israelitas irem, e
eles foram embora?
7 Agora, façam um carro novo, peguem duas vacas com
crias, sobre as quais ainda não tenha sido colocado qual-
quer tipo de carga, e amarrem as vacas ao carro, tirem
delas os seus bezerros e os levem para casa.
8 Depois peguem a arca do Senhor e ponham sobre o car-
ro e guardem num cofre, ao seu lado, as figuras de ouro
que vocês enviam para oferecer em expiação pela culpa;
assim a devolverão.
9 Então observem: Se ela subir pelo caminho de Bete-Se-
mes, foi ele quem nos fez esse grande mal; mas, se não,
saberemos que a sua mão não nos tocou e que isto nos
aconteceu por acaso."
10 E assim fizeram aqueles homens; pegaram duas vacas
com crias e as amarraram ao carro; e os seus bezerros tran-
caram em casa.
11 E puseram a arca do Senhor sobre o carro e também
o cofre com os ratos de ouro e com as imagens dos seus
tumores.
12 Então as vacas se encaminharam diretamente para Be-
te-Semes, e seguiam sempre o mesmo caminho, andando
e berrando, sem se desviarem, nem para a direita nem para
a esquerda; e os príncipes dos filisteus foram atrás delas,
até ao limite de Bete-Semes.

A Arca Chega a Bete-Semes

13 E os moradores de Bete-Semes andavam fazendo a co-
lheita do trigo no vale e, quando olharam, viram a arca e
se alegraram.

14 E o carro chegou ao campo de Josué, o bete-semita,
e parou ali onde havia uma grande pedra. E cortaram a
madeira do carro e ofereceram as vacas ao Senhor em
holocausto.
15 E os levitas desceram a arca do Senhor, como também
o cofre que estava junto a ela, com os objetos de ouro, e
puseram-nos sobre aquela grande pedra; então, os homens
de Bete-Semes ofereceram holocaustos e sacrifícios ao Se-
nhor no mesmo dia.
16 E os cinco príncipes dos filisteus, vendo aquilo, volta-
ram para Ecrom no mesmo dia.
17 Estes são os tumores de ouro que os filisteus enviaram
ao Senhor em expiação pela culpa: Um por Asdode, outro
por Gaza, outro por Asquelom, outro por Gate e outro por
Ecrom.
18 Como também os ratos de ouro, segundo o número
de todas as cidades dos filisteus, pertencentes aos cinco
príncipes, desde as cidades fortificadas até às aldeias e po-
voados. A grande pedra, sobre a qual puseram a arca do
Senhor, ainda está até o dia de hoje no campo de Josué, o
bete-semita.
19 E o Senhor feriu os homens de Bete-Semes, porque
olharam para dentro da arca do Senhor; matou do povo
setenta homens; então o povo se entristeceu, porque o
Senhor fez tão grande estrago entre o povo.
20 Então os homens de Bete-Semes disseram: "Quem
de agora em diante poderá permanecer diante do Senhor
Deus, este Deus santo? E para onde irá, para que fique
longe de nós?"
21 E enviaram mensageiros aos habitantes de Quiriate-Jea-
rim, dizendo: "Os filisteus devolveram a arca do Senhor;
venham, e levem-na com vocês."
7 Então os homens de Quiriate-Jearim vieram e levaram
a arca do Senhor à casa de Abinadabe, na colina; e con-
sagraram Eleazar, seu filho, para que guardasse a arca do
Senhor.
2 E, desde aquele dia, a arca ficou em Quiriate-Jearim por
vinte anos, e toda a casa de Israel lamentava ao Senhor.

Reavivamento em Israel

3 Então Samuel falou a toda a casa de Israel, dizendo: "Se
com todo o seu coração voltarem ao Senhor, e tirarem do
meio de vocês os deuses estranhos e os astarotes e prepa-
rarem o coração ao Senhor, e servirem só a ele, ele livrará
vocês das mãos dos filisteus."
4 E os israelitas tiraram do meio deles os baalins e os asta-
rotes e serviram só ao Senhor.
5 Samuel disse mais: "Congreguem todo o Israel em Mis-
pá; e orarei por vocês ao Senhor."
6 E reuniram-se em Mispá, tiraram água e a derramaram
perante o Senhor; jejuaram aquele dia e disseram ali: "Pe-
camos contra o Senhor." E Samuel julgou os israelitas em
Mispá.

Vitória Sobre os Filisteus

7 Os filisteus ouviram que os israelitas estavam congre-
gados em Mispá, então os chefes dos filisteus saíram para
atacar Israel e, quando os israelitas ouviram isto, tiveram
medo dos filisteus.
8 Por isso os israelitas disseram a Samuel "Não pare de
clamar ao Senhor nosso Deus por nós, para que nos livre
das mãos dos filisteus."
9 Então Samuel pegou um cordeiro que ainda mamava
e sacrificou-o inteiro em holocausto ao Senhor; e Samuel
clamou ao Senhor por Israel e o Senhor lhe deu ouvidos.
10 Enquanto Samuel estava sacrificando o holocausto, os
filisteus chegaram para lutar contra Israel; e o Senhor tro-
vejou naquele dia com grande estrondo sobre os filisteus,
que entraram em pânico, e foram derrotados diante dos
israelitas.
11 E os homens de Israel saíram de Mispá, perseguiram os
filisteus e os derrotaram até abaixo de Bete-Car.
12 Então Samuel pegou uma pedra e a pôs entre Mispá e
Sem, e chamou o lugar de Ebenézer e disse: "Até aqui o
Senhor nos ajudou."
13 Assim, os filisteus foram abatidos e nunca mais invadi-
ram os limites de Israel, porque a mão do Senhor foi contra
os filisteus todos os dias de Samuel.
14 E as cidades que os filisteus tinham tomado de Israel
foram devolvidas, desde Ecrom até Gate, e até os seus ar-
redores Israel tirou das mãos dos filisteus; e houve paz
entre Israel e os amorreus.
15 E Samuel julgou Israel todos os dias da sua vida.
16 E de ano em ano visitava Betel, Gilgal e Mispá; e julga-
va Israel em todos esses lugares.
17 Porém, voltava a Ramá, porque a sua casa era ali e ali
julgava Israel, onde edificou um altar ao Senhor.

Israel Pede Um Rei

8 Quando Samuel envelheceu, nomeou os seus filhos
como juízes sobre Israel.
2 O nome do seu filho primogênito era Joel e o nome do
seu segundo era Abias; eles foram juízes em Berseba.
3 Porém, seus filhos não seguiram o seu exemplo; incli-
naram-se à avareza, aceitaram suborno e perverteram o
juízo.
4 Então todos os anciãos de Israel se reuniram e foram a
Samuel em Ramá,
5 e lhe disseram: "Já está velho e os seus filhos não andam
pelos seus caminhos; constitua-nos agora um rei sobre nós,
para que ele nos governe, como de costume em todas as
nações."

6 Porém, Samuel não gostou quando disseram: "Dê-nos
um rei, para que nos governe." E Samuel orou ao Senhor.
7 E o Senhor disse a Samuel: "Ouça a voz do povo em
tudo que lhe dizem, porque não é a você que rejeitaram,
mas rejeitaram a mim, para eu não reinar sobre eles.
8 Segundo tudo o que fizeram desde o dia em que os tirei
do Egito até o dia de hoje, me deixaram e serviram outros
deuses; assim também fazem com você.
9 Agora, ouça a voz deles, porém, advirta-os solenemente e lhes diga qual será o direito do rei que reinará sobre
eles."
10 E Samuel falou todas as palavras do Senhor ao povo,
que lhe pedia um rei.
11 E disse: "Este será o direito do rei que reinará sobre
vocês: Ele tomará os filhos de vocês e os empregará nos
seus carros de guerra e como seus cavaleiros, para que
corram na frente dos carros,
12 e os porá como comandantes de mil e de cinquenta;
para lavrarem a sua lavoura, fazerem a sua colheita, fabricarem as suas armas de guerra e os apetrechos de seus
carros.
13 Ele tomará as suas filhas para serem perfumistas, cozinheiras e padeiras.
14 E tomará o melhor das suas terras, das suas vinhas, dos
seus olivais e os dará aos seus servos.
15 Ele cobrará o dízimo das suas sementes e das suas vinhas, para dar aos seus eunucos e aos seus servos.
16 Ele também tomará os seus servos, as suas servas, os
seus melhores jovens e os seus jumentos, e os empregará
no seu trabalho.
17 Cobrará o dízimo do seu rebanho e vocês o servirão
como servos.
18 Então naquele dia vocês clamarão por causa do seu
rei, que vocês escolheram; mas o Senhor não os ouvirá
naquele dia."
19 Porém, o povo não quis ouvir a voz de Samuel e disse:
"Não! Queremos um rei sobre nós.
20 E nós também seremos como todas as outras nações;
o nosso rei nos governará, sairá adiante de nós e fará as
nossas guerras."
21 Samuel ouviu todas as palavras do povo e as repetiu aos
ouvidos do Senhor.
22 E o Senhor disse a Samuel: "Atenda o pedido do povo
e lhes constitua um rei." Então Samuel disse aos homens
de Israel: "Volte cada um à sua cidade."

Saul Procura as Jumentas Perdidas

9 E havia um homem de Benjamim, chamado Quis,
filho de Abiel, filho de Zeror, filho de Becorate, filho
de Afias, filho de um homem de Benjamim; homem
poderoso.
2 Ele tinha um filho chamado Saul, jovem e tão belo que
não havia outro homem entre os israelitas mais belo do
que ele; dos ombros para cima, ele sobressaía a todo o
povo.
3 E as jumentas de Quis, pai de Saul, se perderam; por isso
Quis disse a Saul, seu filho: "Leve agora com você um dos
servos, levante-se e vá procurar as jumentas."
4 Passaram pela montanha de Efraim e pela terra de Salisa,
porém não as acharam; depois passaram à terra de Saalim,
mas elas não estavam ali; também passaram pela terra de
Benjamim, porém não as acharam.
5 Então eles foram à terra de Zufe, e Saul disse para o servo com quem ele ia: "Vamos voltar, senão meu pai deixará
de se preocupar pelas jumentas e começará a se preocupar
por causa de nós."
6 Porém ele lhe disse: "Há nesta cidade um homem de
Deus; é um homem honrado e tudo o que diz acontece infalivelmente; vamos agora lá, quem sabe ele nos mostrará
o caminho que devemos seguir."
7 Então Saul disse ao seu servo: "Se formos lá, o que
levaremos para aquele homem? Porque o pão de nossos
alforjes se acabou e nenhum presente temos para levar ao
homem de Deus; o que faremos?"
8 E o servo respondeu a Saul: "Ainda tenho nas minhas
mãos três gramas de prata, que darei ao homem de Deus,
para que nos mostre o caminho."
9 Antigamente, em Israel, quando alguém ia consultar a
Deus, dizia assim: "Vamos ao vidente"; porque o profeta
de hoje, antigamente se chamava vidente.
10 Então Saul disse ao servo: "Boa ideia, então vamos." E
foram à cidade onde estava o homem de Deus.
11 E, subindo para a cidade, encontraram umas moças
que saíam para tirar água e lhes perguntaram: "O vidente
está aqui?"
12 E elas lhes responderam: "Sim, ali vai ele, à frente de
vocês; se apressem pois hoje ele está na cidade; porque
hoje o povo fará um sacrifício no altar do monte.
13 Quando vocês entrarem na cidade, logo o acharão,
antes que ele suba ao alto para comer; pois o povo não
comerá até que ele venha; porque é quem abençoa o sacrifício e depois os convidados comem; subam agora, porque
hoje o acharão."
14 Então eles foram à cidade; e, quando estavam entrando, Samuel veio ao seu encontro, para subir ao altar do
monte.

O Encontro de Saul e Samuel

15 Porque o Senhor revelou isto aos ouvidos de Samuel,
um dia antes que Saul viesse, dizendo:
16 "Amanhã, a estas horas, lhe enviarei um homem da
terra de Benjamim, e você o ungirá como príncipe sobre

o meu povo de Israel e ele livrará o meu povo das mãos
dos filisteus; porque olhei para o meu povo e o seu clamor
chegou a mim."
17 E quando Samuel viu Saul, o Senhor lhe disse: "Aqui
está o homem de quem eu lhe falei. Ele dominará sobre
o meu povo."
18 E Saul se aproximou de Samuel no meio da porta e
disse: "Mostre-me onde está a casa do vidente."
19 E Samuel respondeu a Saul: "Eu sou o vidente; suba
diante de mim ao altar do monte e coma hoje comigo; pela
manhã eu o despedirei e tudo o que está no seu coração
eu lhe contarei.
20 E quanto às jumentas que há três dias se perderam,
não se preocupe com elas, porque já foram encontradas. E
a quem pertencerá tudo o que é precioso em Israel? Não é
a você e a toda a família de seu pai?"
21 Então Saul respondeu: "Não sou eu um filho de Benjamim, da menor das tribos de Israel? E a minha família a
menor de todas as famílias da tribo de Benjamim? Por que
me fala estas palavras?"
22 Porém, Samuel levou Saul e o seu servo à sala de jantar
e lhes deu o lugar acima de todos os convidados, que eram
uns trinta homens.
23 Então Samuel disse ao cozinheiro: "Traga aqui aquela
porção de carne que pedi para você separar."
24 O cozinheiro trouxe a coxa, com o que havia nela e
pôs diante de Saul; e Samuel disse: "Esta foi reservada para
você. Coma; pois foi guardada para você para esta ocasião, quando eu disse: 'Tenho Convidados.'" Assim, Saul
comeu aquele dia com Samuel.
25 Então desceram do alto para a cidade e Samuel conversou com Saul no terraço.
26 Levantaram-se de madrugada e, quase ao nascer do sol,
Samuel chamou Saul ao terraço, dizendo: "Levante-se, e
me despedirei de você." Saul levantou-se e saíram ambos
para fora, ele e Samuel.
27 E quando desciam para a extremidade da cidade, Samuel disse a Saul: "Diga ao servo que passe à frente de
nós; porém você espere e eu lhe farei ouvir a palavra de
Deus."

Samuel Unge Saul Como Rei

10 Então Samuel pegou um vaso de azeite e o derramou sobre a cabeça de Saul, beijou-o e disse: "O
Senhor não o ungiu como príncipe sobre a sua herança?
2 Hoje, quando se afastar de mim, encontrará dois homens
junto ao túmulo de Raquel, no território de Benjamim, em
Zelza, e eles lhe dirão: 'Já encontraram as jumentas que
foram procurar, e o seu pai já não fala mais delas, e está
preocupado por causa de vocês, dizendo: 'O que eu farei
por meu filho?'
3 E quando passarem mais adiante e chegarem ao carvalho
de Tabor, ali encontrarão três homens que vão subindo a
Deus em Betel; um deles levando três cabritos, o outro três
bolos de pão e o outro um odre de vinho.
4 E eles perguntarão como estão e lhes darão dois pães,
que pegará das suas mãos.
5 Então chegará a Gibeá de Deus, onde está a guarnição
dos filisteus; e, entrando ali na cidade, encontrará um grupo de profetas que descem do altar do monte e trazem
diante de si saltérios, tambores, flautas e harpas; e eles
estarão profetizando.
6 E o Espírito do Senhor se apoderará de você e profetizará
com eles; se tornará outro homem.
7 E, quando esses sinais acontecerem, faça o que tem que
fazer, porque Deus é com você.
8 Você, porém, descerá antes de mim a Gilgal, depois eu
irei a você, para sacrificar holocaustos e para oferecer ofertas pacíficas; esperará ali por sete dias, até que eu venha a
você e lhe diga o que deve fazer."
9 Quando Saul foi se despedir de Samuel, Deus lhe mudou o coração; e todos aqueles sinais aconteceram naquele
mesmo dia.
10 E quando eles chegaram a Gibeá, um grupo de profetas
veio ao seu encontro; e o Espírito de Deus se apoderou de
Saul e ele profetizou no meio deles.
11 Então, todos os que o conheciam viram que ele profetizava com os profetas, e o povo perguntava uns aos outros:
"O que aconteceu com o filho de Quis? Saul também está
entre os profetas?"
12 Então um homem dali perguntou: "Quem é o pai dos
outros profetas?" Por isso surgiu o provérbio: "Saul também está entre os profetas?"
13 E, acabando de profetizar, Saul foi ao altar do monte.
14 E o tio de Saul perguntou a ele e ao seu servo: "Aonde
foram?" E Saul respondeu: "Fomos procurar as jumentas,
porém, quando não encontramos, fomos a Samuel."
15 Então o tio de Saul perguntou: "Conte-me, o que Samuel lhe disse?"
16 E Saul respondeu ao seu tio: "Ele, na verdade, nos disse
que as jumentas foram encontradas." Porém, a respeito
do reino, o que Samuel falou, Saul não contou ao seu tio.

O Povo Escolhe Saul Como Rei

17 Samuel convocou o povo de Israel à presença do Senhor em Mispá,
18 e disse aos israelitas: "Assim diz o Senhor Deus de Israel: 'Eu os tirei do Egito, livrei-os das mãos dos egípcios e
das mãos de todos os reinos que os oprimiam.
19 Mas vocês rejeitam hoje o seu Deus, que os livrou de
todos os seus males e trabalhos, e vocês lhe têm falado:

'Põe um rei sobre nós.' Agora, se reúnam perante o Se-
nhor, segundo suas tribos e segundo os seus milhares.'"
20 Samuel fez todas as tribos se aproximarem, e a tribo de
Benjamim foi a escolhida.
21 E Samuel fez ir à frente a tribo de Benjamim, família
por família, e a família de Matri foi a escolhida; e Saul, fi-
lho de Quis, da família de Matri, foi o escolhido; e quando
o procuraram, não o encontraram.
22 Então voltaram a perguntar ao Senhor se aquele ho-
mem ainda viria ali. E o Senhor disse: "Ele se escondeu
entre a bagagem."
23 E correram e o tiraram dali e o puseram no meio do
povo; e ele era mais alto do que todo o povo, dos ombros
para cima.
24 Então Samuel disse a todo o povo: "Vejam, quem o
Senhor escolheu? Em todo o povo não há ninguém se-
melhante a ele." Então todo o povo gritou: "Viva o rei!"
25 E Samuel explicou ao povo o direito do reino, escre-
veu-o num livro e o pôs perante o Senhor; então Samuel
despediu todo o povo, cada um para a sua casa.
26 E Saul também foi para a sua casa, em Gibeá; acompa-
nhado dos guerreiros cujos corações Deus havia tocado.
27 Mas alguns homens maus disseram: "É este quem nos
livrará?" E o desprezaram e não lhe trouxeram presentes;
porém Saul se fez de surdo.

Saul Vence os Amonitas

11 Então Naás, amonita, subiu e sitiou Jabes-Gileade;
e todos os homens de Jabes disseram a Naás: "Faça
aliança conosco e nós o serviremos."
2 Porém Naás, amonita, lhes respondeu: "Farei aliança
com vocês com esta condição: Que todos arranquem o
olho direito, e assim humilharei todo o Israel."
3 Então os anciãos de Jabes lhe disseram: "Deixe-nos por
sete dias, para enviarmos mensageiros por todo o território
de Israel, e, se não houver ninguém que nos livre, então
nos renderemos a você."
4 E quando os mensageiros chegaram a Gibeá de Saul,
falaram essas palavras aos ouvidos do povo. Então todo o
povo levantou a sua voz e chorou.
5 E Saul vinha do campo, atrás dos bois, e perguntou: "O
que o povo tem, que chora?" E lhe contaram as palavras
dos homens de Jabes.
6 Então, quando Saul ouviu estas palavras, o Espírito de
Deus se apoderou dele e acendeu sua ira.
7 E ele pegou uma junta de bois, cortou-os em pedaços
e os enviou a todo o território de Israel pelas mãos dos
mensageiros, dizendo: "Quem não seguir Saul e Samuel,
assim faremos aos seus bois." Então o temor do Senhor
caiu sobre o povo e saíram como se fossem um só homem.
8 E Saul contou-os em Bezeque, e eram dos israelitas tre-
zentos mil, e dos homens de Judá trinta mil.
9 Então, disseram aos mensageiros: "Digam aos homens
de Jabes-Gileade que amanhã, quando o sol estiver quente,
serão socorridos." Os mensageiros foram e anunciaram aos
homens de Jabes, e eles se alegraram.
10 E os homens de Jabes disseram aos amonitas: "Ama-
nhã nos entregaremos a vocês; então, nos façam o que
quiserem."
11 E, no dia seguinte, Saul dividiu o povo em três com-
panhias e vieram ao meio do acampamento pela vigília da
manhã, então atacaram Amom, até que o dia aqueceu; e
os sobreviventes se espalharam e não ficaram dois deles
juntos.
12 Então o povo perguntou a Samuel: "Quem são aqueles
homens que diziam que Saul não reinaria sobre nós? Traga
aqueles homens e os mataremos."
13 Porém Saul respondeu: "Hoje ninguém morrerá, pois
hoje o Senhor salvou Israel."
14 E Samuel disse ao povo: "Venham, vamos a Gilgal e
renovaremos ali o reino."
15 E todo o povo partiu para Gilgal, onde proclamaram
Saul como rei perante o Senhor; e ofereceram ali ofertas
pacíficas perante o Senhor, e Saul se alegrou muito com
todos os homens de Israel.

A Despedida de Samuel Como Juiz

12 Então Samuel disse a todo o Israel: "Eu ouvi a voz
de vocês, fiz o que me pediram e constituí um rei
sobre vocês.
2 Agora, o rei vai adiante de vocês. Eu já estou velho e
com os cabelos brancos, meus filhos estão com vocês e
tenho andado diante de vocês desde a minha mocidade
até ao dia de hoje.
3 Estou aqui; testifiquem contra mim perante o Senhor
e perante o seu ungido: De quem eu tomei o boi? De
quem eu tomei o jumento? A quem eu enganei? A quem
eu tenho oprimido? Da mão de quem eu tenho recebido
suborno para com ele encobrir os meus olhos? Digam, e
eu o restituirei."
4 Então disseram: "Em nada nos defraudou, nem nos
oprimiu nem recebeu coisa alguma da mão de ninguém."
5 E ele lhes disse: "O Senhor seja testemunha contra
vocês, e o seu ungido seja hoje testemunha de que nada
encontraram nas minhas mãos." E o povo disse: "Ele é
testemunha."
6 Então Samuel disse ao povo: "O Senhor é quem esco-
lheu Moisés e Arão e tirou seus pais da terra do Egito.
7 Agora, fiquem aqui em pé e eu entrarei em julgamento
com vocês perante o Senhor, sobre todos os atos de justiça
do Senhor, que fez a vocês e a seus pais.

8 Depois que Jacó entrou no Egito, seus pais clamaram ao
Senhor, e o Senhor enviou Moisés e Arão, que os tiraram
do Egito e os fizeram habitar neste lugar.
9 Porém, esqueceram-se do Senhor seu Deus; então os
entregou nas mãos de Sísera, comandante do exército de
Hazor, nas mãos dos filisteus e nas mãos do rei dos moabi-
tas, que lutaram contra eles.
10 E eles clamaram ao Senhor e disseram: 'Pecamos, pois
deixamos o Senhor e servimos aos baalins e astarotes; ago-
ra, livre-nos das mãos de nossos inimigos e o serviremos.'
11 E o Senhor enviou Jerubaal, Bedã, Jefté e Samuel e
livrou-os das mãos de seus inimigos e habitaram em
segurança.
12 E vocês viram que Naás, rei dos filhos de Amom, vinha
contra vocês, e me disseram: 'Não! Mas um rei reinará
sobre nós, sendo, porém, o Senhor seu Deus o seu rei.'
13 Agora, vejam aí o rei que elegeram e que pediram; en-
tão o Senhor deu um rei a vocês.
14 Se temerem ao Senhor e o servirem, se derem ouvidos
à sua voz e não forem rebeldes ao mandado do Senhor,
assim vocês e o rei que reina sobre vocês, se seguirem o
Senhor seu Deus, então tudo irá bem a vocês.
15 Mas se não derem ouvidos à voz do Senhor e forem
rebeldes ao mandado do Senhor, a mão do Senhor será
contra vocês, como foi contra seus pais.
16 Fiquem agora aqui e vejam esta grande coisa que o
Senhor vai fazer diante dos seus olhos.
17 Não é hoje a colheita do trigo? Clamarei ao Senhor, e
ele mandará trovões e chuva; então saberão e verão que é
grande a maldade de vocês, que fizeram perante o Senhor,
pedindo para vocês um rei."
18 Então Samuel invocou o Senhor e o Senhor mandou
trovões e chuva naquele dia; por isso todo o povo temeu
muito ao Senhor e a Samuel.
19 E todo o povo disse a Samuel: "Rogue pelos seus servos
ao Senhor seu Deus, para que não venhamos a morrer;
porque a todos os nossos pecados foi acrescentado este
mal, de pedir para nós um rei."
20 Então Samuel disse ao povo: "Não temam; vocês co-
meteram todo este mal; porém não se desviem de seguir o
Senhor, sirvam o Senhor com todo o seu coração.
21 E não se desviem seguindo ídolos de que nada se apro-
veita, eles não os livrarão, porque não são nada.
22 Pois o Senhor, por causa do seu grande nome, não de-
samparará o seu povo; porque o Senhor decidiu fazer de
vocês o seu povo.
23 E quanto a mim, longe de mim que eu peque contra o
Senhor, deixando de orar por vocês; antes lhes ensinarei o
caminho bom e direito.
24 Apenas temam ao Senhor e o sirvam fielmente com
todo o seu coração; vejam quantas coisas grandiosas ele
fez a vocês.
25 Porém, se perseverarem em fazer o mal, sofrerão; vo-
cês e o seu rei."

Guerra Contra os Filisteus

13 No segundo ano do reinado de Saul sobre Israel,
2 ele escolheu para si três mil homens de Israel; es-
tavam com ele em Micmás e na montanha de Betel dois
mil homens; e mil homens estavam com Jônatas em Gibeá
de Benjamim; porém Saul despediu o resto do povo, cada
um para a sua casa.
3 E Jônatas derrotou a guarnição dos filisteus que estava
em Gibeá, e os filisteus foram informados do ocorrido; en-
tão Saul mandou tocar a trombeta por toda a terra, dizen-
do: "Que todos os hebreus ouçam."
4 Então todo Israel ouviu dizer: "Saul derrotou a guarni-
ção dos filisteus, por isso os filisteus odiaram Israel." Então
o povo foi convocado para se juntar a Saul em Gilgal.
5 E os filisteus ajuntaram, para lutarem contra Israel, trinta
mil carros, seis mil cavaleiros e povo em multidão como a
areia que está à beira do mar; e subiram e acamparam em
Micmás, ao oriente de Bete-Aven.
6 Então os homens de Israel perceberam que estavam em
apuros, porque o povo estava angustiado; se esconderam
pelas cavernas, espinhais, penhascos, fortificações e pelas
covas.
7 E alguns dos hebreus atravessaram o rio Jordão para a
terra de Gade e Gileade; e Saul ficou em Gilgal, e todo o
povo que ficou com ele estava apavorado.

Samuel Repreende Saul

8 E Saul esperou por sete dias, o tempo que Samuel de-
terminou; porém, Samuel não chegava a Gilgal, e o povo
se dispersava.
9 Então Saul disse: "Tragam-me aqui um holocausto e
ofertas pacíficas." E ofereceu o holocausto.
10 E, quando ele acabou de oferecer o holocausto, Samuel
chegou; e Saul saiu ao seu encontro, para o saudar.
11 Então, Samuel perguntou: "O que você fez?" E Saul
respondeu: "Vi que o povo se espalhava de junto de mim,
e você não vinha no tempo determinado, e os filisteus já
tinham se ajuntado em Micmás;
12 eu disse: Agora os filisteus descerão contra mim em
Gilgal, e ainda não orei diante do Senhor; assim, me senti
obrigado a oferecer o holocausto."
13 Então Samuel disse a Saul: "Agiu com insanidade e
não guardou o mandamento que o Senhor seu Deus lhe
ordenou; pois o Senhor teria confirmado o seu reino sobre
Israel para sempre;
14 porém agora o seu reino não subsistirá; o Senhor bus-
cou para si um homem segundo o seu coração, e o Senhor

já lhe ordenou que seja líder sobre o seu povo, porque
você não guardou o que o Senhor lhe ordenou."
15 Então Samuel se levantou e subiu de Gilgal a Gibeá de
Benjamim; e Saul contou o povo que estava com ele, uns
seiscentos homens.
16 Saul e Jônatas, o seu filho, e o povo que ficou com
eles, ficaram em Gibeá de Benjamim; porém os filisteus
acamparam em Micmás.
17 E os saqueadores saíram do campo dos filisteus em
três companhias; uma das companhias foi pelo caminho
de Ofra à terra de Sual.
18 Outra companhia seguiu pelo caminho de Bete-Horom
e a terceira foi pelo caminho que dá para o vale de Zeboim
na direção do deserto.
19 E em toda a terra de Israel não se achava nem um fer-
reiro, porque os filisteus tinham dito: "Para que os hebreus
não façam espadas nem lanças."
20 Por isso todo o Israel tinha que descer aos filisteus para
amolar as suas relhas, enxadas, machado e as suas foices.
21 O preço cobrado pelos filisteus para afiar relhas e enxa-
das era de oito gramas de prata, e quatro gramas de prata
para afiar machados e foices
22 Por isso, no dia da batalha, todo o povo que estava com
Saul e com Jônatas não tinha espadas nem lanças nas suas
mãos; somente Saul e o seu filho Jônatas estavam com
essas armas.
23 E a guarnição dos filisteus saiu ao desfiladeiro de
Micmás.

Jônatas Vence os Filisteus

14 Um dia Jônatas, filho de Saul, disse ao seu escudeiro:
"Vamos passar até à guarnição dos filisteus que está
lá do outro lado." Porém Jônatas não contou isto a seu pai.
2 E Saul estava na divisa de Gibeá, debaixo da romãzeira
que havia em Migrom; e o povo que estava com ele eram
uns seiscentos homens.
3 E Aías, filho de Aitube, irmão de Icabô, o filho de Fi-
neias, filho de Eli, sacerdote do Senhor em Siló, trazia
a estola sacerdotal; porém o povo não sabia que Jônatas
tinha ido.
4 E entre os desfiladeiros pelos quais Jônatas procurava
passar à guarnição dos filisteus havia penhascos íngremes
dos dois lados; um tinha o nome de Bozez e o outro de
Sené.
5 Havia também um penhasco ao norte que estava à frente
de Micmás e outro ao sul, à frente de Gibeá.
6 Jônatas disse ao seu escudeiro: "Vamos, passaremos pela
guarnição desses incircuncisos; talvez o Senhor faça algo
por nós, porque nada pode impedir o Senhor de livrar, seja
com muitos ou com poucos."
7 Então o seu escudeiro lhe disse: "Siga o seu coração;
estou aqui com você, farei o que você decidir."
8 E Jônatas respondeu: "Vamos atravessar até àqueles ho-
mens, e deixaremos que eles nos vejam.
9 Se nos disserem assim: 'Parem até que cheguemos a
vocês', então ficaremos parados e não subiremos a eles.
10 Porém, se eles disserem: 'Venham até nós', então subi-
remos, pois o Senhor os entregou em nossas mãos, e isto
nos será por sinal."
11 Quando os dois foram vistos pela guarnição dos filis-
teus, os filisteus disseram: "Os hebreus já saíram das ca-
vernas em que tinham se escondido."
12 E os homens da guarnição disseram a Jônatas e ao seu
escudeiro: "Venham até nós e lhes ensinaremos uma li-
ção." E Jônatas disse ao seu escudeiro: "Venha atrás de
mim, porque o Senhor os entregou nas mãos de Israel."
13 Então Jônatas subiu o desfiladeiro engatinhando, e
o seu escudeiro o seguia logo atrás; e os filisteus caíam
diante de Jônatas, e o seu escudeiro os matava atrás dele.
14 E, nesta primeira investida, Jônatas e o seu escudeiro
mataram uns vinte homens, em cerca de meia eira de terra
que uma junta de bois podia lavrar.
15 E houve tremor no acampamento, no campo e em todo
o povo; também a mesma guarnição e os saqueadores tre-
meram, até a terra estremeceu com um tremor causado
por Deus.
16 As sentinelas de Saul em Gibeá de Benjamim olharam
e viram que a multidão se dispersava e fugia para cá e
para lá.
17 Então Saul disse ao povo que estava com ele: "Contem
os soldados e vejam quem é que saiu do acampamento."
Então contaram e viram que nem Jônatas nem o seu escu-
deiro estavam ali.
18 Então Saul disse a Aías: "Traga aqui a arca de Deus."
Porque naquele dia a arca de Deus estava com os israelitas.
19 Enquanto Saul falava com o sacerdote, o alvoroço que
havia no acampamento dos filisteus aumentava, então
Saul disse ao sacerdote: "Não traga mais a arca."
20 Então Saul e todo o povo que estava com ele se reuni-
ram e foram à guerra; e encontraram os filisteus ferindo-se
uns aos outros com suas próprias espadas.
21 Também havia hebreus com os filisteus, que estavam
a serviço deles, e que subiram com eles ao acampamento;
estes também se ajuntaram aos israelitas que estavam com
Saul e Jônatas.
22 Todos os homens de Israel que se esconderam pela
montanha de Efraim, ouvindo que os filisteus fugiam,
também entraram na batalha e os perseguiram.
23 Assim naquele dia o Senhor livrou Israel; e a guerra se
estendeu para além de Bete-Aven.

O Voto Precipitado de Saul

24 E os homens de Israel já estavam exaustos naquele dia,
porque Saul impôs um juramento ao povo, dizendo: "Maldito o homem que comer alguma coisa até o final do dia, antes de eu me vingar dos meus inimigos." Por isso todo o povo se absteve de comer.
25 E todo o povo chegou a um bosque onde havia mel no chão.
26 E quando o povo entrou no bosque, havia mel escorrendo; porém ninguém o tocou, porque o povo temia o juramento.
27 Porém Jônatas não ouviu quando o seu pai fez o juramento com o povo, e estendeu a ponta da vara que tinha na mão e a molhou no favo de mel e comeu e os seus olhos brilharam.
28 Então alguém do povo disse: "Seu pai fez o povo jurar solenemente, dizendo: 'Maldito o homem que comer algo hoje.'" Por isso o povo desfalecia.
29 Então Jônatas disse: "Meu pai cometeu um grande erro; veja como os meus olhos brilham por eu ter provado um pouco deste mel;
30 seria melhor se hoje o povo tivesse comido livremente do despojo que achou de seus inimigos; assim a derrota dos filisteus teria sido maior."
31 Porém, naquele dia derrotaram os filisteus desde Micmás até Aijalom e o povo estava exausto.
32 Então o povo se lançou sobre os despojos e pegaram ovelhas, vacas, bezerros e os degolaram no chão; e o povo os comeu com sangue.
33 E deram a notícia a Saul, dizendo: "O povo peca contra o Senhor comendo com sangue." Então Saul gritou: "Infiéis; tragam aqui uma grande pedra."
34 E Saul disse mais: "Espalhem-se entre o povo e digam a eles: 'Cada um me traga o seu boi e a sua ovelha e os degolem aqui e os comam, e não pequem contra o Senhor, comendo carne com sangue.' Então todos trouxeram à noite seus bois e os degolaram ali."
35 Então Saul edificou um altar ao Senhor; esse foi o primeiro altar que ele edificou ao Senhor.

Jônatas é Condenado à Morte

36 Depois Saul disse: "Desceremos esta noite atrás dos filisteus para saqueá-los, até o amanhecer do dia, e não deixaremos um só homem deles." E eles responderam: "Faça como achar melhor." Mas o sacerdote disse: "Melhor consultar a Deus primeiro."
37 Então Saul consultou a Deus, perguntando: "Descerei atrás dos filisteus? Tu vais entregá-los nas mãos de Israel?" Porém Deus não lhe respondeu naquele dia.
38 Então Saul disse: "Venham para cá, todos os chefes do povo, informem-se e vejam que pecado cometeram hoje.
39 Juro pelo nome do Senhor que salva Israel, que ainda que o culpado seja o meu filho Jônatas, certamente morrerá." E ninguém do povo lhe respondeu.
40 E Saul disse mais a todo o Israel: "Vocês estarão de um lado, e eu e meu filho Jônatas estaremos do outro lado." Então o povo disse a Saul: "Faça como você achar melhor."
41 Saul falou ao Senhor Deus de Israel: "Mostre a verdade." Então, Jônatas e Saul foram indicados por sorteio e o povo saiu livre.
42 Então Saul disse: "Lancem a sorte entre mim e Jônatas, meu filho." E Jônatas foi o sorteado.
43 Então Saul disse a Jônatas: "Diga-me o que fez." E Jônatas respondeu: "Apenas provei um pouco de mel com a ponta da vara que tinha na mão; e por isso devo morrer?"
44 Então Saul disse: "Que Deus me castigue, pois com certeza, Jônatas, você morrerá!"
45 Porém o povo disse a Saul: "Jônatas, que efetuou tão grande salvação em Israel, morrerá? De maneira alguma; juramos pelo nome do Senhor, não lhe cairá no chão um só fio de cabelo da sua cabeça! Pois foi com a ajuda de Deus que ele fez isso hoje." Assim o povo livrou Jônatas para que ele não morresse.
46 E Saul deixou de perseguir os filisteus; e os filisteus voltaram para a sua terra.
47 Então Saul assumiu o reino de Israel e lutou contra todos os seus inimigos ao redor; contra Moabe, contra os filhos de Amom, contra Edom, contra os reis de Zobá e contra os filisteus; para onde quer que fosse, conseguia a vitória.
48 E lutou bravamente, derrotou os amalequitas e libertou Israel das mãos dos que o saqueavam.
49 E os filhos de Saul eram Jônatas, Isvi e Malquisua; e os nomes de suas duas filhas eram estes: o da mais velha, Merabe e o da mais nova, Mical.
50 E o nome da mulher de Saul era Ainoã, filha de Aimaás; e o nome do general do exército era Abner, filho de Ner, tio de Saul.
51 E Quis, pai de Saul e Ner, pai de Abner, eram filhos de Abiel.
52 E houve uma forte guerra contra os filisteus, durante todos os dias do reinado de Saul; por isso, todos os homens valentes e valorosos que Saul via, os agregava a si.

Samuel Manda Destruir os Amalequitas

15 Samuel disse a Saul: "O Senhor me enviou para o ungir como rei sobre o seu povo, sobre Israel; agora ouça as palavras do Senhor.
2 Assim diz o Senhor dos Exércitos: 'Eu castigarei Amaleque pelo que fez a Israel; quando se colocou no caminho de Israel, quando ele saía do Egito.
3 Vá agora e ataque Amaleque e destrua totalmente tudo

o que ele tiver, não lhe perdoe nada; mate homens e mu-
lheres, crianças e bebês, bois e até as ovelhas, os camelos
e os jumentos.'"
4 Saul convocou o povo e os contou em Telaim, duzentos
mil guerreiros e dez mil homens de Judá.
5 Saul chegou à cidade de Amaleque e fez emboscadas
no vale.
6 E Saul disse aos queneus: "Vão, se retirem e saiam do
meio dos amalequitas, para que eu não os destrua junto
com eles, porque vocês usaram de misericórdia com todos
os israelitas, quando saíram do Egito." Assim os queneus
se retiraram do meio dos amalequitas.
7 Então Saul feriu os amalequitas desde Havilá até Sur, que
fica à frente do Egito.
8 E pegou vivo Agague, rei dos amalequitas; e matou todo
o povo ao fio da espada.
9 Saul e o povo pouparam Agague e o melhor das ovelhas
e das vacas, dos camelos, jumentos, cordeiros, e do melhor
que havia, não quiseram destruir totalmente; porém, des-
truíram totalmente toda coisa vil e desprezível.

Deus Rejeita Saul Como Rei

10 Então a palavra do Senhor veio a Samuel, dizendo:
11 "Arrependo-me de ter posto Saul como rei; porque
deixou de me seguir e não cumpriu as minhas palavras."
Então Samuel se entristeceu e, durante toda a noite, cla-
mou ao Senhor.
12 Samuel madrugou para encontrar-se com Saul pela
manhã, e lhe disseram: "Saul já chegou ao Carmelo, e
levantou para si um altar. E, na volta, passou em Gilgal."
13 Samuel veio a Saul, e Saul lhe disse: "Que o Senhor o
abençoe; cumpri a palavra do Senhor."
14 Então Samuel perguntou: "Que barulho de ovelhas é
esse que estou ouvindo, e o mugido de vacas que ouço?"
15 Saul respondeu: "Trouxeram-nas de Amaleque; por-
que o povo poupou o melhor das ovelhas e das vacas para
oferecer ao Senhor seu Deus; o resto, porém, destruímos
totalmente."
16 Então Samuel disse a Saul: "Espere e eu lhe contarei
o que o Senhor me disse esta noite." E Saul respondeu:
"Fale."
17 E Samuel disse: "Mesmo você sendo pequeno aos seus
próprios olhos, não foi líder das tribos de Israel? O Senhor
o ungiu rei de Israel.
18 O Senhor o enviou a este caminho e disse: 'Vá e des-
trua totalmente esses pecadores, os amalequitas, e lute
contra eles, até os aniquilar.'
19 Por que você não deu ouvidos à voz do Senhor e se lan-
çou ao despojo e fez o que era mau aos olhos do Senhor?"
20 Então Saul disse a Samuel: "Pelo contrário, eu dei ou-
vidos à voz do Senhor e segui o caminho ao qual o Senhor
me enviou; eu trouxe Agague, rei de Amaleque, mas os
amalequitas destruí totalmente;
21 mas o povo pegou do despojo ovelhas e vacas, o me-
lhor do que estava condenado, para oferecer ao Senhor
seu Deus em Gilgal."
22 Porém, Samuel disse: "Será que o Senhor tem mais pra-
zer em holocaustos e sacrifícios do que em que se obedeça
à sua palavra? O obedecer é melhor do que o sacrificar, e o
atender é melhor do que a gordura de carneiros.
23 Porque a rebelião é como o pecado de feitiçaria, e a
arrogância é como o mal da idolatria. Porque você rejeitou
a palavra do Senhor ele também o rejeitou como rei."
24 Então Saul disse a Samuel: "Pequei, porque transgredi
a ordem do Senhor e as suas palavras; porque tive medo e
dei ouvidos à voz do povo.
25 Agora, peço que perdoe o meu pecado e volte comigo
para que eu adore o Senhor."
26 Porém, Samuel disse a Saul: "Não voltarei com você;
porque rejeitou a palavra do Senhor, o Senhor já o rejeitou,
para que não seja mais rei de Israel."
27 Samuel se virou para ir e Saul pegou-o pela borda da
capa e a rasgou.
28 Então, Samuel lhe disse: "Hoje o Senhor rasgou de
você o reino de Israel e deu a outro, melhor do que você.
29 E aquele que é a Força de Israel não mente nem se arre-
pende; porque não é um homem para que se arrependa."
30 Então Saul disse: "Pequei; honre-me agora diante dos
anciãos do meu povo e diante de Israel; volte comigo para
que eu adore o Senhor seu Deus."
31 Então, Samuel seguiu Saul e Saul adorou ao Senhor.
32 E Samuel disse: "Tragam aqui Agague, rei dos ama-
lequitas." E Agague veio a ele animosamente; e Agague
disse: "Na verdade já passou a amargura da morte."
33 Porém, Samuel disse: "Assim como a sua espada dei-
xou sem filhos as mulheres, a sua mãe ficará sem filho."
Então Samuel despedaçou Agague perante o Senhor em
Gilgal.
34 Samuel foi para Ramá e Saul voltou à sua casa, em
Gibeá de Saul.
35 E nunca mais Samuel viu Saul, até o dia da sua morte;
porque Samuel teve dó de Saul. E o Senhor se arrependeu
de ter posto Saul como rei de Israel.

Davi é Ungido Rei de Israel

16 Então, o Senhor disse a Samuel: "Até quando terá dó
de Saul? Ele foi rejeitado por mim como rei de Israel!
Encha um chifre de azeite e venha; eu o enviarei a Jessé, o
belemita; porque escolhi um dos seus filhos para ser rei."
2 Então Samuel respondeu: "Como farei isso? Quando
Saul ouvir isso, me matará." Então o Senhor disse: "Leve

com você um novilho e diga: 'Vim para sacrificar ao
Senhor.'
3 E convide Jessé para o sacrifício, e eu lhe direi o que
fazer e ungirá para mim quem eu lhe disser."
4 Samuel fez o que o Senhor disse e foi a Belém; então
os anciãos da cidade, tremendo, foram ao seu encontro e
perguntaram: "É de paz a sua vinda?"
5 E ele respondeu: "É de paz; vim sacrificar ao Senhor;
consagrem-se e venham comigo ao sacrifício." E ele consa-
grou Jessé e os seus filhos e os convidou para o sacrifício.
6 E quando eles chegaram, Samuel viu Eliabe e disse:
"Certamente está perante o Senhor o seu ungido."
7 Porém, o Senhor disse a Samuel: "Não se impressione
com a sua aparência, nem com a sua altura, porque o re-
jeitei; porque o Senhor não vê como o homem vê, pois o
homem vê o que está diante dos seus olhos, o Senhor olha
para o coração."
8 Então Jessé chamou Abinadabe e o fez passar diante de
Samuel, e ele disse: "Nem a este o Senhor escolheu."
9 Então Jessé chamou Sama, porém Samuel disse: "O Se-
nhor também não escolheu este."
10 Assim, Jessé fez passar diante de Samuel os seus sete
filhos; porém, Samuel disse a Jessé: "O Senhor não esco-
lheu nenhum destes."
11 Então Samuel perguntou a Jessé: "Estes são todos os
filhos que você tem?" E ele respondeu: "Ainda falta o me-
nor, que está apascentando as ovelhas." E Samuel disse a
Jessé: "Mande chamá-lo, porque não nos sentaremos para
comer até ele chegar."
12 Então Jessé mandou chamar Davi e o fez entrar; ele
era ruivo e de semblante formoso e de boa aparência; e
o Senhor disse a Samuel: "Levante-se e unja-o, porque é
esse mesmo."
13 Então Samuel pegou o chifre do azeite e ungiu-o no
meio dos seus irmãos; e desde aquele dia em diante o Es-
pírito do Senhor se apoderou de Davi; então Samuel se
levantou e voltou para Ramá.

Um Espírito Maligno Atormenta Saul

14 E o Espírito do Senhor se retirou de Saul e um espírito
mau da parte do Senhor o atormentava.
15 Então os criados de Saul lhe disseram: "Agora o espírito
mau da parte do Senhor o atormenta;
16 ordene a seus servos, que estão na sua presença, que
busquem um homem que saiba tocar harpa, e quando o
espírito mau da parte do Senhor vier sobre o rei, ele tocará
a harpa e o senhor se sentirá melhor."
17 Então Saul disse aos seus servos: "Busquem um ho-
mem que toque bem e tragam-no."
18 Um dos servos respondeu e disse: "Conheço um filho
de Jessé, o belemita, que sabe tocar harpa e é valente e
vigoroso, homem de guerra, sensato e de boa presença; o
Senhor é com ele."
19 E Saul enviou mensageiros a Jessé, dizendo: "Envie-me
Davi, o seu filho, que está com as ovelhas."
20 Então Jessé pegou um jumento carregado de pão, um
odre de vinho e um cabrito, e enviou-os a Saul pelas mãos
de Davi, seu filho.
21 Assim, Davi foi a Saul e esteve perante ele, e Saul gos-
tou muito dele e fez de Davi o seu escudeiro.
22 Então Saul mandou dizer a Jessé: "Deixe Davi ficar
aqui, pois gostei dele."
23 E, quando o espírito mau da parte de Deus vinha sobre
Saul, Davi pegava a harpa e a tocava; então Saul sentia
alívio e se achava melhor e o espírito mau se retirava dele.

Guerra Contra os Filisteus

17 Os filisteus reuniram os seus homens para a guerra
em Socó, que fica em Judá, e acamparam entre Socó
e Azeca, na fronteira de Damim.
2 Porém, Saul e os homens de Israel se reuniram e acam-
param no vale do carvalho e ordenaram a batalha contra
os filisteus.
3 E os filisteus estavam de um lado do monte e os israelitas
estavam do outro lado; e o vale ficava entre eles.
4 Então um homem guerreiro chamado Golias saiu do
acampamento dos filisteus; ele era de Gate e tinha quase
três metros de altura.
5 Golias trazia na cabeça um capacete de bronze e vestia
uma couraça de escamas, que pesava sessenta quilos de
bronze.
6 E tinha caneleiras de bronze por cima de seus pés e um
escudo de bronze entre os seus ombros.
7 E a haste da sua lança era como o eixo do tecelão, a
ponta da sua lança era de sete quilos de ferro, e diante
dele ia o escudeiro.
8 Então, Golias parou e gritou às tropas de Israel e lhes
disse: "Para que saíram à batalha? Não sou eu filisteu e
vocês servos de Saul? Escolham entre vocês um homem
que venha até mim.
9 Se ele puder lutar comigo e me matar, seremos servos de
vocês; porém, se eu o vencer e o matar, então serão nossos
servos e nos servirão."
10 O filisteu disse mais: "Hoje desafio as tropas de Israel:
Deem-me um homem, para lutar comigo."
11 Então Saul e todo o Israel ouviram essas palavras do
filisteu, se espantaram e ficaram com muito medo.
12 E Davi era filho de um homem efrateu, de Belém de
Judá, chamado Jessé, que tinha oito filhos; e, nos dias de
Saul, Jessé já era bastante velho.
13 Os três filhos mais velhos de Jessé se apresentaram
e seguiram Saul para a guerra; e os nomes dos seus três

filhos, que foram à guerra, eram Eliabe, o primogênito,
Abinadabe, o segundo, e Sama, o terceiro.
14 Davi era o mais jovem, e os três mais velhos seguiram
Saul.
15 Davi, porém, ia até Saul e voltava para apascentar as
ovelhas do seu pai em Belém.
16 Golias, o filisteu, vinha de manhã e de tarde, desafian-
do os israelitas durante quarenta dias.
17 E Jessé disse a Davi, seu filho: "Tome, pegue quinze
quilos deste grão tostado e estes dez pães e corra para levá-
-los ao acampamento para os seus irmãos.
18 Porém, leve estes dez queijos ao chefe de mil; e visite
os seus irmãos, para ver se estão bem; e me traga uma
prova de que esteve com eles."
19 E Saul, eles e todos os homens de Israel estavam no
vale do carvalho, lutando com os filisteus.
20 Davi então se levantou de madrugada, deixou as
ovelhas com um guarda e partiu com as provisões como
Jessé lhe ordenou; e chegou ao acampamento, quando o
exército já estava saindo em ordem de batalha e aos gritos
chamavam à guerra.
21 E os israelitas e filisteus se puseram em ordem, fileira
contra fileira.
22 E Davi deixou a carga que trouxe na mão do guarda
da bagagem e correu até o lugar da batalha; chegando,
perguntou aos seus irmãos se estavam bem.

O Gigante Golias

23 Enquanto Davi estava falando com eles, vinha subin-
do do exército dos filisteus o homem guerreiro chamado
Golias, o filisteu de Gate; e falou aquelas mesmas palavras
e Davi as ouviu.
24 Porém, todos os homens em Israel, vendo aquele ho-
mem, fugiram, porque o temiam muito.
25 E os homens de Israel diziam: "Viu aquele homem que
subiu? Pois subiu para afrontar Israel; o rei dará grandes
riquezas e dará a sua filha em casamento para o homem
que o matar, e a sua família ficará isenta de impostos em
Israel."
26 Então Davi perguntou aos homens que estavam com
ele: "O que farão pelo homem que matar esse filisteu e
tirar esta afronta de Israel? Quem é esse incircunciso filis-
teu, para afrontar os exércitos do Deus vivo?"
27 E o povo tornou a lhe falar aquelas palavras: "Assim
farão ao homem que o matar."
28 E Eliabe, seu irmão mais velho, ouviu-o falando com
aqueles homens, e a sua ira se acendeu contra Davi e dis-
se: "Por que veio aqui? Com quem deixou aquelas poucas
ovelhas no deserto? Você é presunçoso e mau; desceu só
para ver a batalha."
29 Então Davi respondeu: "O que eu fiz agora? Não há
razão para isso."
30 E Davi se desviou dele, se dirigiu a outro e fez a mesma
pergunta; e lhe responderam a mesma coisa.
31 Alguns homens ouviram as perguntas de Davi e conta-
ram para Saul, que mandou chamá-lo.
32 Então Davi disse a Saul: "Que ninguém deixe o seu
coração se abater por causa dele; este seu servo irá e lutará
contra esse filisteu."
33 Porém, Saul disse a Davi: "Você não poderá ir lutar
contra esse filisteu; pois você ainda é moço e ele é um
homem de guerra desde jovem."
34 Então Davi disse a Saul: "Este seu servo apascentava
as ovelhas de seu pai, quando vinha um leão ou um urso e
pegava uma ovelha do rebanho,
35 eu saía atrás dele e o matava, e livrava-a da sua boca;
porém, quando ele avançava contra mim, segurava-o pela
barba e batia até matá-lo.
36 Assim este seu servo matava o leão, como o urso; as-
sim será com esse incircunciso filisteu; porque afrontou os
exércitos do Deus vivo."
37 Davi disse mais: "O Senhor me livrou das garras do
leão e do urso; então ele me livrará das mãos desse filis-
teu." Então Saul disse a Davi: "Vá, e o Senhor seja com
você."
38 Então Saul vestiu Davi com sua armadura, lhe pôs so-
bre a cabeça um capacete de bronze e o vestiu com uma
couraça.
39 E Davi cingiu a espada sobre as suas vestes e começou
a andar; porém, nunca as havia usado; então Davi disse a
Saul: "Não posso andar com isto, pois nunca as usei." E
Davi tirou aquilo de si.

Davi Mata Golias

40 E pegou o seu cajado na mão, escolheu para si cinco
pedras do ribeiro e as pôs no alforje de pastor que trazia,
pegou a sua funda e foi ao encontro do filisteu.
41 O filisteu também vinha se aproximando de Davi; e o
seu escudeiro ia na frente.
42 E o filisteu olhou, viu Davi e o desprezou, porque era
moço, ruivo e de boa aparência.
43 Então o filisteu disse a Davi: "Eu sou algum cão, para
você vir até mim com um pau?" E o filisteu, pelos seus
deuses, amaldiçoou Davi.
44 O filisteu disse mais a Davi: "Venha a mim e darei a sua
carne às aves do céu e aos animais do campo."
45 Davi, porém, disse ao filisteu: "Você vem a mim com
espada, lança e com escudo; porém eu venho a você em
nome do Senhor dos Exércitos, o Deus dos exércitos de
Israel, a quem afrontou.
46 Hoje mesmo o Senhor o entregará nas minhas mãos;

eu o matarei, tirarei a sua cabeça e darei hoje mesmo os ca-
dáveres do acampamento dos filisteus às aves do céu e às
feras da terra; e toda a terra saberá que há Deus em Israel;
47 e toda essa multidão aqui reunida saberá que o Senhor
salva, não com espada, nem com lança; porque do Senhor
é a guerra e ele os entregará nas nossas mãos."
48 E o filisteu levantou-se e foi ao encontro de Davi; Davi
apressou-se e correu ao encontro do filisteu.
49 Então, Davi pôs a mão no alforje e pegou dali uma
pedra, e com a funda a atirou e feriu o filisteu na testa; a
pedra se encravou na testa e ele caiu com o rosto na terra.
50 Assim, Davi venceu o filisteu e o matou com uma fun-
da e uma pedra; sem nenhuma espada na mão.
51 Por isso Davi correu e pôs o pé sobre o filisteu, tomou a
sua espada, tirou-a da bainha e o matou, e lhe cortou com
ela a cabeça; então os filisteus, vendo que o seu campeão
estava morto, fugiram.
52 E os homens de Israel e Judá se levantaram e come-
moraram, e seguiram os filisteus até chegarem ao vale, até
às portas de Ecrom; e os feridos dos filisteus caíram pelo
caminho de Saaraim até Gate e Ecrom.
53 Então os israelitas voltaram da perseguição aos filisteus
e despojaram os seus acampamentos.
54 E Davi pegou a cabeça do filisteu e a trouxe a Jerusa-
lém; e pôs as armas dele na sua tenda.
55 Quando Saul viu Davi saindo para se encontrar com
o filisteu, disse a Abner, o chefe do exército: "De quem
é filho esse moço, Abner?" E Abner disse: "Juro pela sua
vida, ó rei, que eu não sei."
56 O rei então disse: "Pergunte de quem esse moço é
filho."
57 Então, quando Davi voltou depois de derrotar o filis-
teu, Abner o levou à presença de Saul, e ele trazia na mão
a cabeça do filisteu.
58 E Saul lhe perguntou: "De quem você é filho, jovem?"
E Davi respondeu: "Filho do seu servo Jessé, belemita."

A Amizade de Jônatas e Davi

18 Depois que Davi falou com Saul, a alma de Jônatas
se ligou com a alma de Davi; e Jônatas o amou como
a si mesmo.
2 E Saul naquele dia não permitiu que Davi voltasse para
a casa de seu pai.
3 Jônatas e Davi fizeram aliança; porque Jônatas o amava
como a si mesmo.
4 Jônatas tirou a sua capa, as suas vestes, a sua espada, o
seu arco e o seu cinto e os deu a Davi.
5 Então Davi ia para as missões às quais Saul o enviava e
tinha êxito, e Saul o pôs sobre o comando do seu exército;
e isso agradou ao povo e aos servos de Saul.
6 Quando eles estavam voltando para casa, depois que
Davi matou o filisteu, as mulheres de todas as cidades de
Israel saíram ao encontro do rei Saul, cantando e dançan-
do, com adufes, com alegria e com instrumentos musicais.

O Cântico das Mulheres Irrita Saul

7 E as mulheres dançavam e cantavam respondendo umas
às outras, dizendo: "Saul matou milhares, porém Davi,
dezenas de milhares."
8 Então Saul se indignou, pois não gostou daquelas pala-
vras, e disse: "Deram dez mil para Davi e para mim so-
mente mil; na verdade, o que lhe falta, senão o reino?"
9 E, deste dia em diante, Saul começou a suspeitar de
Davi.
10 E, no outro dia, um espírito mau da parte de Deus se
apoderou de Saul, e ele entrou em transe no meio da casa;
e Davi tocava a harpa como nos outros dias; Saul, porém,
tinha na mão uma lança.
11 E Saul atirou a lança, dizendo: "Encravarei Davi na
parede." Porém, Davi se desviou dela por duas vezes.
12 Saul temia Davi, porque o Senhor estava com ele e
tinha se retirado de Saul.
13 Por isso Saul o afastou de si e o pôs por chefe de mil; e
Davi partia e retornava à frente do povo.
14 E Davi tinha êxito em todas as suas missões, pois o
Senhor estava com ele.
15 Então Saul, vendo que Davi sempre tinha êxito, ficou
com medo dele.
16 Porém todo o Israel e Judá amavam Davi, porque sem-
pre o viam partir e retornar com o seu exército, vitorioso.

O Casamento de Davi

17 Por isso Saul disse a Davi: "Merabe, minha filha mais
velha, lhe darei em casamento; seja-me somente um filho
valente e lute as batalhas do Senhor"; porque Saul pen-
sava: "Não seja contra ele a minha mão, mas sim a dos
filisteus."
18 Mas Davi respondeu a Saul: "Quem sou eu e quem
é a família de meu pai em Israel, para que eu me torne
genro do rei?"
19 E na época em que Merabe, filha de Saul, deveria ser
dada a Davi, ela foi dada em casamento a Adriel, meolatita.
20 Mas Mical, a outra filha de Saul, amava Davi; então
contaram para Saul e ele achou bom.
21 Então Saul pensou: "Eu a darei a Davi para que lhe
sirva de armadilha, para que a mão dos filisteus seja contra
ele." Por isso Saul disse a Davi: "Hoje será meu genro com
minha outra filha."
22 E Saul deu ordem aos seus servos: "Falem em segredo
a Davi, dizendo: 'O rei tem afeição por você, e todos os
seus servos o amam; agora, aceite ser genro do rei.'"
23 E os servos de Saul falaram todas essas palavras aos
ouvidos de Davi. Então Davi respondeu: "Parece pouco

para vocês ser genro do rei, sendo eu um homem pobre e
de família humilde?"
24 E os servos de Saul lhe contaram isto, dizendo: "Estas
foram as palavras que Davi falou."
25 Então Saul disse: "Falem isto a Davi: 'O rei não tem
necessidade de dote, senão de cem prepúcios de filisteus,
como vingança dos inimigos do rei.'" Porque Saul tentava
fazer Davi morrer pelas mãos dos filisteus.
26 E os seus servos disseram essas palavras a Davi, e a pos-
sibilidade de ser genro do rei pareceu boa para ele; porém,
antes do prazo determinado,
27 Davi se levantou, partiu com os seus homens e mata-
ram dos filisteus duzentos homens; e Davi trouxe os seus
prepúcios e os entregou ao rei, para se tornar seu genro;
então Saul lhe deu a sua filha em casamento.
28 E Saul viu que o Senhor estava com Davi; e Mical, filha
de Saul, o amava.
29 Então Saul temeu muito mais a Davi; e Saul foi, pelo
resto da sua vida, inimigo de Davi.
30 Quando os chefes dos filisteus saíam à batalha, Davi se
destacava com mais êxito do que todos os servos de Saul;
portanto, o seu nome era muito estimado.

Saul Rejeita Davi

19 E Saul falou para Jônatas, o seu filho, e para todos
os seus servos, que matassem Davi. Porém Jônatas,
filho de Saul, estava muito afeiçoado a Davi.
2 E Jônatas contou a Davi, dizendo: "Meu pai, Saul, quer
matá-lo, então tome cuidado amanhã cedo, fique escondi-
do em um lugar oculto.
3 Eu sairei e estarei ao lado do meu pai no campo onde
você estiver, e eu falarei de você ao meu pai, verei o que
ele planeja e o avisarei."
4 Então, Jônatas falou bem de Davi a Saul, seu pai e lhe
disse: "Que o rei não peque contra o seu servo Davi, por-
que ele não pecou contra você e porque os feitos dele são
muito bons para você.
5 Porque arriscou a vida, matou os filisteus e o Senhor fez
um grande livramento a todo o Israel; você mesmo viu
e se alegrou; por que pecaria contra o sangue inocente,
matando Davi, sem um motivo?"
6 Então Saul deu ouvidos à voz de Jônatas e jurou: "Juro
pelo nome do Senhor que ele não morrerá."
7 E Jônatas chamou Davi e lhe contou todas essas pala-
vras; então Jônatas levou Davi a Saul e Davi esteve perante
Saul como antes.
8 E tornou a haver guerra; e Davi foi, lutou contra os filis-
teus, os matou, e os que sobraram fugiram dele.
9 Porém um espírito mau da parte do Senhor se apoderou
de Saul; ele estava sentado em sua casa e tinha na mão a
sua lança; e Davi tocava a harpa.
10 E Saul procurou encravar Davi na parede, porém ele se
desviou de Saul, que acertou a parede com a lança; então
Davi fugiu e escapou naquela mesma noite.
11 Porém Saul mandou mensageiros à casa de Davi, para
o vigiarem e o matarem pela manhã; mas Mical, sua mu-
lher, o avisou, dizendo: "Se não salvar a sua vida esta noi-
te, amanhã o matarão."
12 Então Mical desceu Davi por uma janela e ele se foi,
fugiu e escapou.
13 E Mical pegou uma estátua e a deitou na cama, lhe pôs
à cabeça uma pele de cabra e a cobriu com uma coberta.
14 Então, quando Saul mandou mensageiros para busca-
rem Davi, ela disse: "Ele está doente."
15 Então Saul tornou a mandar mensageiros a Davi, dizen-
do: "Tragam-o na cama, para que eu o mate."
16 Quando os mensageiros chegaram, a estátua estava na
cama e a pele de cabra estava na sua cabeça.
17 Então Saul perguntou a Mical: "Por que me enganou
assim e deixou o meu inimigo escapar?" E Mical respon-
deu a Saul: "Porque ele me disse: 'Deixa-me ir, senão eu
irei matá-la.'"
18 Assim, Davi fugiu e escapou e foi a Samuel, em Ramá,
e lhe contou tudo o que Saul lhe fez; e Davi e Samuel
foram para Naiote e ficaram lá.
19 Então contaram a Saul que Davi estava em Naiote, em
Ramá.
20 Então Saul enviou mensageiros para trazerem Davi,
e eles viram uma congregação de profetas profetizando,
liderados por Samuel; e o Espírito de Deus veio sobre os
mensageiros de Saul e eles também profetizaram.
21 Saul foi avisado disso e enviou outros mensageiros, e
eles também profetizaram; então Saul enviou mensagei-
ros, pela terceira vez, e eles também profetizaram.
22 Então ele mesmo foi a Ramá e, quando chegou ao
grande poço da cidade, que se chamava Seco, perguntou:
"Onde estão Samuel e Davi?" E lhe responderam: "Estão
em Naiote, em Ramá."
23 Então foi para Naiote, em Ramá; e o mesmo Espírito
de Deus veio sobre ele, e Saul foi profetizando até chegar
a Naiote, em Ramá.
24 E Saul também despiu as suas vestes e profetizou dian-
te de Samuel; e ficou nu sobre a terra por todo aquele dia
e toda aquela noite, por isso se diz: "Está também Saul
entre os profetas?"

Jônatas Protege Davi

20 Então Davi fugiu de Naiote, em Ramá, foi até Jôna-
tas e perguntou: "O que eu fiz? Qual é o meu cri-
me? E qual é o meu pecado diante do seu pai, que procura
tirar-me a vida?"
2 E Jônatas lhe respondeu: "Isto não existe; você não mor-

rerá; pois meu pai não faz nenhuma coisa grande, nem
pequena, sem primeiro me informar; por que meu pai me
encobriria esse negócio? Não será assim."
3 Então Davi tornou a jurar e disse: "Seu pai sabe muito
bem que somos amigos, por isso ele disse: 'Jônatas não poderá saber disto, para que não se magoe.' Mas, na verdade,
juro pelo nome do Senhor, e por sua vida, que há apenas
um passo entre mim e a morte.
4 E Jônatas disse a Davi: "O que me pedir, eu lhe farei."
5 Davi disse a Jônatas: "Amanhã é a festa da lua nova,
em que costumo me sentar com o rei para comer; porém,
deixe-me ir e me esconderei no campo, até à tarde do terceiro dia.
6 Se o seu pai notar a minha ausência, dirá: 'Davi me pediu muito que o deixasse ir correndo a Belém, sua cidade;
porque lá se faz o sacrifício anual para toda a sua família.'
7 Se Saul disser que está bem, então este seu servo terá
paz; porém, se ele ficar indignado, saberá que ele já está
inteiramente decidido a me fazer o mal.
8 Use de misericórdia com o seu servo, porque me fez
entrar com você em aliança no Senhor; se, porém, há crime em mim, me mate você mesmo; por que me levaria
ao seu pai?"
9 Então Jônatas disse: "Longe de você isto; se, de alguma
forma, eu soubesse que esse mal já estaria inteiramente
determinado por meu pai, para que viesse sobre você, eu
não lhe contaria?"
10 E Davi perguntou a Jônatas: "Quem me avisará, se por
acaso o seu pai lhe responder asperamente?"

A Aliança de Davi e Jônatas

11 Então Jônatas disse a Davi: "Venha, vamos ao campo."
E foram ao campo.
12 E Jônatas disse a Davi: "O Senhor Deus de Israel seja
testemunha! Eu sondarei o meu pai amanhã a estas horas,
ou depois de amanhã, e se houver alguma coisa favorável
para você, então eu mandarei avisá-lo.
13 Mas se o meu pai quiser lhe fazer mal, que o Senhor
faça comigo outro tanto se eu não o avisar, e o deixar partir
em paz; e o Senhor seja com você, assim como foi com
meu pai.
14 E, se eu continuar vivo, use comigo da bondade do
Senhor, para que eu não morra.
15 Nem afaste da minha casa a sua bondade eternamente;
nem quando o Senhor eliminar da terra todos os inimigos
de Davi."
16 Assim, Jônatas fez aliança com a casa de Davi, dizendo:
"Que o Senhor castigue os inimigos de Davi."
17 E Jônatas fez Davi jurar de novo, porque o amava; porque o amava com todo o amor da sua vida.
18 E Jônatas disse: "Amanhã é a lua nova e não o encontrarão no seu lugar, pois o seu assento estará vazio.
19 E, depois de você se ausentar por três dias, desça apressadamente e vá para aquele lugar onde se escondeu da
outra vez e fique junto à pedra de Ezel.
20 E eu atirarei três flechas para aquele lado, como se atira
ao alvo.
21 E mandarei meu servo, dizendo: 'Anda, busque as flechas.' Se eu expressamente disser ao moço: 'Olhe que as
flechas estão para cá de você, pegue-as e venha', então
poderá vir, porque juro, pelo nome do Senhor, que você
estará em paz e não haverá nada a temer.
22 Porém, se eu disser ao servo assim: 'Olhe que as flechas
estão mais adiante'; vá embora, porque o Senhor manda
você ir.
23 E quanto ao acordo que eu e você fizemos, o Senhor é
nossa testemunha para sempre."
24 Então Davi escondeu-se no campo; e, sendo a festa da
lua nova, o rei sentou-se para comer pão.
25 E o rei sentou-se como das outras vezes no lugar junto
à parede, em frente ao seu filho Jônatas e Abner sentou-se
ao lado de Saul; e o lugar de Davi ficou vazio.
26 Porém, naquele dia Saul não disse nada, porque imaginou que aconteceu alguma coisa com Davi, que por algum
motivo não estaria puro; certamente não está puro.
27 E no outro dia, o segundo da festa da lua nova, o lugar
de Davi continuou vazio; então Saul perguntou a Jônatas,
seu filho: "Por que o filho de Jessé não veio nem ontem
nem hoje para comer?"
28 E Jônatas respondeu a Saul: "Davi me pediu encarecidamente que o deixasse ir a Belém.
29 Ele me pediu: 'Deixe-me ir, porque a nossa família tem
um sacrifício na cidade e um de meus irmãos insistiu para
eu ir; se puder me fazer este favor, peço-lhe que me deixe
partir, para eu ver os meus irmãos'; por isso Davi não veio
à mesa do rei."
30 Então a ira de Saul se acendeu contra Jônatas e lhe disse: "Seu filho de uma mulher perversa e rebelde; acha que
eu não sei que escolheu o filho de Jessé, para vergonha sua
e para vergonha da nudez de sua mãe?
31 Enquanto o filho de Jessé viver sobre a terra, nem você
estará seguro, nem o seu reino; mande trazê-lo agora, porque ele deve morrer."
32 Então Jônatas respondeu a Saul, seu pai, e lhe disse:
"Por que ele deve morrer? O que ele fez?"
33 E Saul lhe atirou a sua lança para matá-lo; assim, Jônatas entendeu que seu pai já tinha decidido matar Davi.
34 Então Jônatas se levantou da mesa enfurecido e, no
segundo dia da festa da lua nova, não comeu pão; por-

que se magoou por causa de Davi, porque seu pai o tinha
humilhado.
35 E, na manhã do dia seguinte, Jônatas foi ao campo,
no horário que tinha combinado com Davi, e levou um
servo com ele.
36 Então disse ao seu servo: "Corra a buscar as flechas que
eu atirar." E o moço correu, e ele atirou uma flecha, que
fez passar além dele.
37 E, quando o moço chegou ao lugar da flecha que Jô-
natas tinha atirado, Jônatas gritou, dizendo: "A flecha não
está mais para lá de você?"
38 E Jônatas tornou a gritar para o servo: "Apresse-se e
corra, não se demore." E o servo de Jônatas apanhou as
flechas e veio a seu senhor.
39 E seu servo não entendeu nada; só Jônatas e Davi sa-
biam deste negócio.
40 Então Jônatas deu as suas armas ao seu servo e lhe
disse: "Ande, leve-as para a cidade."
41 E quando o moço saiu, Davi levantou-se do lado sul e
lançou-se com seu rosto sobre terra, se inclinou três vezes
e beijaram-se um ao outro e choraram juntos, mas Davi
chorou muito mais.
42 E Jônatas disse a Davi: "Vá em paz; como nós juramos,
ambos em nome do Senhor, dizendo: 'O Senhor seja entre
mim e você, e entre a minha descendência e a sua descen-
dência, perpetuamente.'"
43 Então Davi se levantou e partiu; e Jônatas entrou na
cidade.

Davi é Protegido Por Aimeleque

21 Então Davi veio a Nobe, ao sacerdote Aimeleque; e
Aimeleque, tremendo, saiu ao encontro de Davi e
lhe perguntou: "Por que vem sozinho, sem ninguém com
você?"
2 E Davi respondeu ao sacerdote: "O rei me deu uma
ordem e recomendou que ninguém deve saber a missão
pela qual me enviou; quanto aos meus homens, marquei
encontro com eles em um local combinado.
3 Agora, tem cinco pães com você, ou algo que possa me
dar?"
4 E o sacerdote, respondendo a Davi: "Não tenho pão co-
mum comigo; tenho pão sagrado, se os homens ao menos
se abstiveram das mulheres."
5 E Davi respondeu ao sacerdote: "As mulheres, na ver-
dade, nos foram proibidas como sempre acontece quando
parto em campanha; esses homens mantêm os corpos
puros mesmo em missões comuns, quanto mais neste dia
especial."
6 Então o sacerdote lhe deu o pão sagrado, porque não
havia outro pão senão os pães da proposição, que tiraram
de diante do Senhor, para se pôr ali pão quente.
7 Estava, porém, ali naquele dia, um dos servos de Saul,
detido perante o Senhor, e seu nome era Doegue, edomita,
o mais poderoso dos pastores de Saul.
8 E Davi disse a Aimeleque: "Não tem aqui com você al-
guma lança ou alguma espada? Porque eu não trouxe nem
a minha espada nem as minhas armas, pois a ordem do
rei era urgente."
9 E o sacerdote disse: "A espada de Golias, o filisteu, a
quem você matou no vale do carvalho, está aqui envolta
num pano atrás da estola. Se você a quiser, pegue-a, por-
que não há nenhuma outra aqui, senão aquela." E Davi
disse: "Se não há outra, dê-me essa."

Davi Foge Para Gate

10 E Davi levantou-se e fugiu de Saul naquele dia, e foi até
Aquis, rei de Gate.
11 Porém, os servos de Aquis lhe disseram: "Este não
é Davi, o rei da terra? Não se cantava dele nas danças,
dizendo: 'Saul matou milhares, porém Davi dezenas de
milhares?'"
12 E Davi considerou o perigo daquelas palavras e ficou
com muito medo de Aquis, rei de Gate.
13 Por isso, diante dos olhos deles, Davi se fez de louco
e ciscava nas portas da entrada e deixava correr a saliva
pela barba.
14 Então Aquis disse aos seus servos: "Este homem está
louco; por que o trouxeram a mim?
15 Faltam loucos ao meu redor, para que tragam este para
fazer loucuras diante de mim? O que ele veio fazer na
minha casa?"

Davi Esconde-se na Caverna de Adulão

22 Então Davi partiu dali e se refugiou na caverna de
Adulão; e seus irmãos e toda a casa de seu pai foram
informados disso e foram lá para se encontrarem com ele.
2 E todos os homens que estavam com dificuldades, endi-
vidados e amargurados, se ajuntaram a ele, e fizeram dele
chefe; e estavam com ele uns quatrocentos homens.
3 E Davi partiu para Mispá dos moabitas e disse ao rei
dos moabitas: "Deixe meu pai e minha mãe ficarem com
vocês até que eu saiba o que Deus vai fazer de mim."
4 E trouxe-os ao rei dos moabitas, e ficaram com ele por
todos os dias em que Davi ficou na fortaleza.
5 Porém, o profeta Gade disse a Davi: "Não fique naquela
fortaleza; vá e entre na terra de Judá." Então Davi saiu e
foi para o bosque de Herete.

Saul Mata os Sacerdotes

6 E Saul ficou sabendo onde Davi e os seus homens esta-
vam; Saul estava em Gibeá, debaixo de um arvoredo, em
Ramá, e tinha na mão a sua lança; e todos os seus criados
estavam com ele.
7 Então Saul disse aos seus criados: "Ouçam, filhos de

Benjamim: O filho de Jessé dará também a todos vocês
terras e vinhas e fará de todos vocês chefes de milhares e
chefes de centenas,
8 para que todos vocês tenham conspirado contra mim?
Ninguém me avisou que o meu filho fez uma aliança com
o filho de Jessé, e nenhum de vocês tem dó de mim, nem
me conta que o meu filho persuadiu um dos meus servos
para armar ciladas contra mim, como se vê neste dia."
9 Então Doegue, o edomita, que também estava com os
criados de Saul, respondeu e disse: "Vi o filho de Jessé
chegar a Nobe, a Aimeleque, filho de Aitube,
10 que consultou o Senhor para ele, lhe deu mantimento
e a espada de Golias, o filisteu."
11 Então o rei mandou chamar o sacerdote Aimeleque,
filho de Aitube, e toda a casa de seu pai, os sacerdotes que
estavam em Nobe; e todos eles vieram ao rei.
12 E Saul disse: "Ouça, filho de Aitube." E ele respondeu:
"Estou aqui, meu senhor."
13 Então Saul lhe disse: "Por que conspirou contra mim,
você e o filho de Jessé? Pois lhe deu pão e espada e consul-
tou Deus para ele, para que ele se levantasse contra mim e
me armasse ciladas, como se vê neste dia?"
14 E Aimeleque respondeu ao rei: "E quem entre todos os
seus criados é tão fiel como Davi, o genro do rei, coman-
dante da sua guarda e honrado na sua própria casa?
15 Eu porventura comecei hoje a consultar a Deus por
ele? Com certeza não." O rei não pode fazer nenhuma
acusação a este seu servo, nem a toda a casa de meu pai,
pois o seu servo não soube nada de tudo isso, nem muito
nem pouco.
16 Porém, o rei disse: "Aimeleque, certamente morrerão,
você e toda a casa de seu pai."
17 E o rei disse aos da sua guarda que estavam com ele:
"Vão e matem os sacerdotes do Senhor, porque também
estão cooperando com Davi, e porque souberam que ele
fugiu e não me contaram." Porém, os servos do rei se re-
cusaram a levantar as suas mãos para matar os sacerdotes
do Senhor.
18 Então, o rei disse a Doegue: "Vire-se e mate os sacer-
dotes." Então Doegue, o edomita, se virou e matou os sa-
cerdotes, matou naquele dia oitenta e cinco homens que
vestiam túnicas de linho.
19 Também a Nobe, a cidade desses sacerdotes, passou ao
fio da espada, matou homem, mulher, meninos, crianças
que ainda mamavam e até os bois, jumentos e ovelhas.

Abiatar Escapa

20 Porém, um dos filhos de Aimeleque, filho de Aitube,
chamado Abiatar, escapou e fugiu para Davi.
21 E Abiatar contou a Davi que Saul tinha matado os sa-
cerdotes do Senhor.
22 Então Davi disse a Abiatar: "Eu sabia naquele dia que
o Doegue que estava ali, o edomita, não deixaria de contar
a Saul; eu sou a causa da morte de todas as pessoas da
casa de seu pai.
23 Fique comigo, não tenha medo, porque quem procu-
ra a minha morte também procurará a sua, porém estará
salvo comigo."

Davi Livra Queila

23 E comunicaram a Davi que os filisteus estavam lu-
tando contra Queila e saqueando os celeiros.
2 E Davi consultou o Senhor, perguntando: "Eu irei e ma-
tarei esses filisteus?" E o Senhor respondeu a Davi: "Vá e
mate os filisteus e livre a cidade de Queila."
3 Porém, os homens de Davi lhe disseram: "Temos medo
aqui em Judá, quanto mais ir a Queila lutar contra os es-
quadrões dos filisteus."
4 Então Davi voltou a consultar o Senhor, e o Senhor lhe
respondeu: "Levante-se, vá para Queila, porque lhe dou os
filisteus nas suas mãos."
5 Então Davi partiu com os seus homens para Queila e
lutaram contra os filisteus; pegaram os seus animais e fize-
ram grande estrago entre eles; e Davi livrou os moradores
de Queila.
6 E quando Abiatar, filho de Aimeleque, fugiu para junto
de Davi em Queila, foi com a estola na mão.
7 E foi anunciado a Saul que Davi tinha ido a Queila; então
Saul disse: "Deus o entregou nas minhas mãos, pois está
cercado, entrando numa cidade com portas e ferrolhos."
8 Então Saul mandou chamar todo o povo para a batalha,
para ir a Queila cercar Davi e os seus homens.
9 E, quando Davi ficou sabendo que Saul maquinava esse
mal contra ele, disse a Abiatar, o sacerdote: "Traga aqui
a estola."
10 E Davi disse: "Ó Senhor, Deus de Israel, teu servo ou-
viu que Saul está vindo a Queila, para destruir a cidade
por causa de mim.
11 Os cidadãos de Queila me entregarão nas mãos dele?
Saul virá, como o teu servo ouviu? Ah! Senhor Deus de
Israel! Faz este teu servo saber." E o Senhor disse: "Virá."
12 Então Davi perguntou novamente: "Os cidadãos de
Queila me entregarão, a mim e aos meus homens, nas
mãos de Saul?" E o Senhor respondeu: "Entregarão."
13 Então Davi se levantou com os seus homens, uns seis-
centos, saíram de Queila e fugiram para onde puderam;
então contaram a Saul que Davi escapou de Queila, e Saul
deixou de ir atrás dele.
14 Davi permaneceu no deserto, se refugiando em lugares
seguros, e ficou em um monte no deserto de Zife; e Saul
o procurava todos os dias, porém Deus não o entregou
nas suas mãos.

15 Davi, vendo que Saul saía à sua procura para matá-lo,
permaneceu no deserto de Zife, num bosque.
16 Então Jônatas, filho de Saul, se levantou e foi encontrar
Davi no bosque, fortaleceu a sua confiança em Deus,
17 e disse a Davi: "Não tenha medo; Saul, meu pai, não
o achará; e você reinará sobre Israel e eu serei o segundo
com você; o que também Saul, meu pai, bem sabe."
18 E ambos fizeram aliança perante o Senhor; Davi ficou
no bosque e Jônatas voltou para a sua casa.
19 Então os zifeus foram a Saul em Gibeá, dizendo: "Davi
está escondido entre nós, nas fortalezas de Horesa, na colina de Haquila, que fica à direita de Jesimom.
20 Agora, ó rei, desça apressadamente, conforme desejar;
e nós o entregaremos nas suas mãos."
21 Então Saul disse: "Que o Senhor abençoe vocês, porque tiveram compaixão de mim.
22 Vão e se informem ainda mais, investiguem o lugar que
ele frequenta e quem o viu por ali; porque me disseram
que ele é astuto.
23 Por isso prestem bem atenção e se informem sobre todos os esconderijos em que ele se esconde; e então voltem
para mim com toda a certeza, e eu irei com vocês; se ele
estiver naquela terra, eu o buscarei entre todos os milhares
de Judá."
24 Então eles se levantaram e foram para Zife, adiante de
Saul; porém, Davi e os seus homens estavam no deserto de
Maom, na planície, à direita de Jesimom.
25 E Saul e os seus homens foram em busca dele; e contaram isso a Davi, que desceu para a rocha e ficou no deserto de Maom; quando Saul soube disso, seguiu Davi pelo
deserto de Maom.
26 Saul ia de um lado do monte e Davi e os seus homens
iam pelo outro lado; por isso, Davi se apressou em escapar;
porém Saul e os seus homens cercaram Davi e os seus
homens, para capturá-los.
27 Então veio um mensageiro a Saul, dizendo: "Apresse-se e venha, porque os filisteus estão atacando Israel."
28 Por isso Saul deixou de perseguir Davi e foi ao encontro dos filisteus; por esta razão aquele lugar se chamou
Sela-Hamalecote.
29 E Davi partiu dali e ficou nos lugares seguros de
En-Gedi.

Davi Corta o Manto de Saul

24 Quando Saul voltou de perseguir os filisteus, lhe
disseram que Davi estava no deserto de En-Gedi.
2 Então Saul pegou três mil homens, escolhidos entre
todos de Israel, e foram em busca de Davi e dos seus homens, até sobre os cumes das rochas das cabras montesas.
3 E chegou a uns currais de ovelhas no caminho, onde
havia uma caverna; então Saul entrou nela para aliviar o
seu ventre; e Davi e os seus homens estavam nos fundos
da caverna.
4 Então os homens de Davi lhe disseram: "Este é o dia
no qual o Senhor lhe prometeu: 'Entregarei o seu inimigo
nas suas mãos, e você fará com ele o que bem quiser.' " E
Davi levantou-se e mansamente cortou a ponta do manto
de Saul.
5 Depois, Davi ficou com remorso por ter cortado a ponta
do manto de Saul.
6 E ele disse aos seus homens: "O Senhor me livre de fazer
tal coisa ao meu rei, ao ungido do Senhor, de eu levantar a
minha mão contra ele; pois é o ungido do Senhor."
7 E com essas palavras Davi conteve os seus homens e não
lhes permitiu que se levantassem contra Saul; e Saul se
levantou da caverna e seguiu o seu caminho.
8 Depois Davi se levantou, saiu da caverna e gritou por
trás de Saul, dizendo: "Rei, meu senhor!" Então, Saul
olhou para trás e Davi se inclinou com o rosto em terra
em reverência.
9 E Davi disse a Saul: "Por que dá ouvidos às palavras dos
homens que dizem que eu procuro o seu mal?
10 O rei viu que hoje Deus pôs o senhor em minhas mãos
nesta caverna, e alguns disseram para matá-lo; porém eu o
poupei; porque não estenderei a minha mão contra o meu
rei, pois é o ungido do Senhor.
11 Olha, meu pai, veja aqui a ponta do seu manto na minha mão; porque eu cortei a ponta do seu manto, e não
o matei. Reconheça que não há maldade nem rebeldia
alguma em mim, e que não pequei contra o rei; porém o
senhor anda me caçando, para me matar.
12 Que o Senhor julgue entre nós dois, e o Senhor me
vingue das maldades que me tem feito; porém a minha
mão não será contra o rei.
13 Como diz o provérbio dos antigos: "Dos ímpios procede a impiedade; porém a minha mão não será contra
você."
14 Atrás de quem saiu o rei de Israel? A quem está perseguindo? A um cão morto? A uma pulga?
15 O Senhor, porém, será o juiz e julgará entre nós dois,
e ele verá e advogará a minha causa, e me defenderá da
sua mão."
16 Quando Davi acabou de falar a Saul todas essas palavras, Saul disse: "É essa a sua voz, meu filho Davi?" Então
Saul levantou a sua voz e chorou.
17 E disse a Davi: "Você é mais justo do que eu; pois você
me recompensou com o bem, e eu o recompensei com
o mal.
18 E hoje você me mostrou a sua bondade, pois o Senhor
me pôs em suas mãos e você não me matou.
19 Porque, quem encontra o seu inimigo e o deixa seguir

o seu caminho? O Senhor lhe pague com bem, pelo que
me fez hoje.
20 Agora, eu sei que certamente reinará e que o reino de
Israel será firme na sua mão.
21 Portanto, agora, jure-me pelo Senhor que não elimina-
rá a minha descendência, nem apagará o meu nome da
casa do meu pai."
22 Então Davi jurou a Saul. E Saul foi para a sua casa;
porém Davi e os seus homens subiram ao lugar seguro.

A Morte de Samuel

25 Samuel faleceu e todos os israelitas se ajuntaram, o
prantearam e o sepultaram na sua casa, em Ramá. E
Davi se levantou e desceu ao deserto de Parã.
2 E havia um homem em Maom, que tinha as suas pro-
priedades no Carmelo. Esse homem era muito poderoso e
tinha três mil ovelhas e mil cabras; ele estava tosquiando
as suas ovelhas no Carmelo.
3 O nome desse homem era Nabal e o nome de sua mu-
lher Abigail; a mulher era inteligente e bonita; porém Na-
bal era grosseiro e mau, ele era descendente de Calebe.
4 E Davi ouviu no deserto que Nabal tosquiava as suas
ovelhas,
5 e enviou-lhe dez moços e lhes disse: "Vão ao Carmelo,
à casa de Nabal, e lhe perguntem, em meu nome, como
ele está."
6 E assim dirão àquele próspero: 'Que a paz esteja com
você e que a sua casa tenha paz, e tudo o que possui tenha
paz!
7 Agora, soube que está tosquiando as suas ovelhas; os
seus pastores estiveram conosco; nenhum mal lhes fize-
mos nem lhes faltou nada durante todos os dias em que
eles estiveram no Carmelo.
8 Pergunte aos seus moços e eles lhe dirão. Espero que
seja favorável aos meus moços, porque viemos em boa
ocasião. Dê a estes seus servos e a Davi, seu filho, o que
puder.'"
9 Os moços de Davi chegaram e falaram a Nabal todas
aquelas palavras em nome de Davi e ficaram aguardando
uma resposta.

Nabal Recusa Ajudar Davi

10 E Nabal respondeu aos criados de Davi e disse: "Quem
é Davi e quem é o filho de Jessé? Hoje em dia há muitos
servos que fogem do seu senhor.
11 Eu pegaria o meu pão, a minha água e a carne das
minhas reses que degolei para os meus tosquiadores, e os
daria a homens que eu não sei de onde vêm?"
12 Então os moços de Davi puseram-se a caminho e vol-
taram e, quando chegaram, contaram a Davi tudo o que
Nabal disse.
13 Por isso Davi disse aos seus homens: "Cada um pe-
gue a sua espada"; e cada um pegou a sua espada e Davi
também pegou a sua; e seguiram Davi uns quatrocentos
homens, e duzentos ficaram com a bagagem.
14 Porém, um dos moços de Nabal contou a Abigail, mu-
lher de Nabal, dizendo: "Davi enviou mensageiros para
saudar o nosso amo; mas ele os destratou.
15 Pois os homens de Davi foram muito bons conosco, e
nunca fomos maltratados por eles, e nada nos faltou em
todos os dias que conversamos com eles quando estavam
no campo.
16 Foram como um muro ao nosso redor, durante o dia
como à noite, todos os dias em que andamos com eles
apascentando as ovelhas.
17 Agora, veja o que pode fazer, porque o mal já está de-
terminado contra o nosso amo Nabal e contra toda a sua
casa; ele é um homem maligno e ninguém consegue falar
com ele."

Abigail Apazigua Davi

18 Então Abigail se apressou e pegou duzentos pães, dois
odres de vinho, cinco ovelhas assadas, cinco medidas de
trigo tostado, cem cachos de passas e duzentas pastas de
figos passados e os pôs sobre jumentos.
19 E disse aos seus servos: "Vão na minha frente e eu os
seguirei de perto." E não contou isso ao seu marido Nabal.
20 E, montada num jumento, desceu pela encosta do
monte; Davi e os seus homens vinham ao seu encontro, e
ela encontrou-se com eles.
21 E Davi disse: "Na verdade protegi em vão todos os bens
que ele tinha no deserto e nada se perdeu, mas ele me
pagou o bem com o mal.
22 Que Deus me castigue, se eu deixar viva até ama-
nhã uma só pessoa do sexo masculino, até mesmo um
menino."
23 Assim que Abigail viu Davi, se apressou, desceu do
jumento e prostrou-se sobre o seu rosto diante de Davi e
se inclinou à terra.
24 E lançou-se aos seus pés e disse: "Ah, meu senhor, que
caia sobre mim a culpa; deixe a sua serva falar aos seus
ouvidos e ouça as palavras da sua serva.
25 Meu senhor, não ligue para Nabal, esse homem mal-
doso, tão insensato quanto o significado do seu próprio
nome Nabal, é louco; e eu, sua serva, não vi os moços que
o meu senhor enviou.
26 Agora, meu senhor, juro pelo nome do Senhor Deus, e
pela tua vida, que Deus te impediu de fazeres esta vingan-
ça, e que a tua mão o salvasse; que todos os teus inimigos
e os que procuram mal contra o meu senhor sejam como
Nabal.
27 E agora este é o presente que a sua serva trouxe ao

meu senhor; que este seja dado aos moços que seguem
meu senhor.
28 Perdoe à sua serva essa transgressão, porque Deus com
certeza firmará a casa do meu senhor, porque o meu se-
nhor trava as guerras de Deus e, por todos os seus dias,
não se achará mal no senhor.
29 E se algum homem se levantar para o perseguir e o
matar, a vida de meu senhor será atada no feixe dos que
vivem com o Senhor seu Deus; pois a vida dos seus ini-
migos ele mandará para longe, como se fosse atirada por
uma funda.
30 E quando o Senhor Deus cumprir com o meu senhor
todo o bem que lhe prometeu, e o tiver estabelecido rei
sobre Israel,
31 então, meu senhor, não terá mais sentimento de remor-
so pelo sangue que derramou sem causa, nem por ter-se
vingado; e, quando o Senhor Deus tiver feito o bem ao
meu senhor, lembre-se, então, desta sua serva."
32 Então Davi disse a Abigail: "Bendito o Senhor Deus de
Israel, que hoje a enviou ao meu encontro.
33 E bendito o seu conselho, e bendita você, que hoje me
impediu de derramar sangue e de me vingar pelas minhas
próprias mãos.
34 Porque juro, pelo Senhor Deus de Israel, que me im-
pediu de fazer mal a você, que se você não se apressasse e
não tivesse vindo ao meu encontro, não sobraria a Nabal,
até o amanhecer, nem mesmo um menino."
35 Então Davi recebeu o que ela tinha trazido como pre-
sente e lhe disse: "Volte em paz para a sua casa, pois ouvi
o que me disse e atenderei ao seu pedido."
36 E Abigail foi a Nabal, e ele fazia em sua casa um ban-
quete, como banquete de rei; e ele estava alegre e muito
embriagado, e ela não lhe contou nada, até o amanhecer.
37 E, pela manhã, Nabal já estava sóbrio, então sua mu-
lher lhe contou aquelas coisas; e ele teve um mal súbito.
38 Então, passados uns dez dias, Nabal morreu.
39 E, quando Davi ficou sabendo que Nabal morreu, dis-
se: "Bendito seja o Senhor, que julgou a causa de minha
afronta recebida da mão de Nabal e deteve seu servo do
mal, fazendo tornar o mal de Nabal sobre a sua cabeça."
E Davi mandou dizer a Abigail que gostaria de se casar
com ela.
40 Os criados de Davi foram a Abigail, no Carmelo, e lhe
falaram: "Davi nos mandou para lhe dizer que gostaria de
casar-se com você."
41 Então ela se levantou e se inclinou com o rosto em
terra e disse: "A sua serva servirá de criada para lavar os
pés dos criados de meu senhor."
42 E Abigail se apressou, se levantou e montou num ju-
mento com as suas cinco criadas; e ela seguiu os mensagei-
ros de Davi e tornou-se a sua mulher.
43 Davi também tomou Ainoã de Jezreel, e ambas foram
suas mulheres.
44 Porque Saul tinha dado sua filha Mical, mulher de
Davi, a Palti, filho de Laís, que era de Galim.

Davi Poupa Outra Vez a Vida de Saul

26 E os zifeus foram a Saul, em Gibeá, dizendo: "Davi
está escondido no monte de Haquila, na entrada de
Jesimom."
2 Então Saul se levantou e foi ao deserto de Zife, com três
mil homens escolhidos de Israel, para procurar Davi no
deserto de Zife.
3 E Saul acampou no monte de Haquila, em frente de Je-
simom, junto ao caminho; porém Davi ficou no deserto, e
viu que Saul o vinha seguindo no deserto,
4 então Davi enviou espias e soube que Saul tinha
chegado.
5 Davi se levantou e foi ao lugar onde Saul estava acam-
pado; Davi viu o local onde Saul e Abner, filho de Ner,
chefe do seu exército, dormiam; Saul dormia dentro do
acampamento e o povo estava acampado ao redor dele.
6 E Davi dirigiu-se a Aimeleque, o heteu, e a Abisai, filho
de Zeruia, irmão de Joabe, e perguntou: "Quem irá comigo
a Saul no seu acampamento?" E Abisai respondeu: "Eu
irei com você."
7 Davi e Abisai foram de noite ao acampamento; Saul es-
tava dormindo e a sua lança estava fincada na terra à sua
cabeceira; Abner e o povo estavam deitados ao redor dele.
8 Então Abisai disse a Davi: "Hoje Deus entregou nas
suas mãos o seu inimigo; deixe-me agora encravá-lo com
a lança, de uma vez só, na terra, e não será preciso outro
golpe."
9 E Davi disse a Abisai: "Não faça nada a ele; porque,
quem estendeu a sua mão contra o ungido do Senhor e
ficou inocente?"
10 E Davi disse mais: "Juro pelo nome do Senhor que ele
mesmo o matará, ou o seu dia chegará e ele morrerá, ou
irá para a batalha e morrerá.
11 O Senhor me guarde de que eu estenda a mão contra o
ungido do Senhor; agora, pegue a lança que está na cabe-
ceira dele e o jarro de água e vamos."
12 Davi pegou a lança e o jarro de água da cabeceira de
Saul e foram embora; e ninguém viu nem ouviu nada que
acordasse, pois todos estavam dormindo, porque da parte
do Senhor havia caído sobre eles um profundo sono.
13 E Davi foi para o outro lado, no cume do monte, e
entre eles havia uma distância segura.
14 E Davi gritou para povo e para Abner, filho de Ner,

dizendo: "Não vai responder, Abner?" Então Abner res-
pondeu e perguntou: "Quem é você que chama pelo rei?"
15 Então Davi disse a Abner: "Você não é homem? Não
sabe fazer o seu trabalho direito? Por que não protegeu o
rei, o seu senhor? Pois alguém do povo foi aí para matar
o rei, seu senhor.
16 Não é bom isso que você fez; juro pelo nome do Se-
nhor, vocês merecem a morte, vocês que não protegeram
o seu senhor, o ungido do Senhor Deus; veja agora onde
está a lança do rei e o jarro de água, que estava na cabe-
ceira dele."
17 Então Saul conheceu a voz de Davi e disse: "Esta não
é a voz do meu filho Davi?" E Davi respondeu: É a minha
voz, ó rei, meu senhor."
18 Disse mais: "Por que o meu senhor persegue tanto este
seu servo? O que eu fiz? Que crime cometi?
19 Ouça, agora, as palavras deste seu servo, meu senhor
rei: Se foi o Senhor Deus que o pôs contra mim, certamen-
te ele aceitará uma oferta; se, porém, foram os homens
que o instigaram, que sejam amaldiçoados perante o Se-
nhor; porque eles me expulsaram para que eu não tenha
parte na herança do Senhor, como que dizendo: 'Vá, sirva
a outros deuses.'
20 Agora, que o meu sangue não seja derramado na terra
longe da presença do Senhor Deus; pois o rei de Israel saiu
em busca de uma pulga, como quem persegue uma perdiz
nos montes.
21 Então Saul disse: "Pequei; volte, meu filho Davi, por-
que não tornarei a lhe fazer mal; pois hoje a minha vida
foi preciosa aos seus olhos; agi como louco e errei muito."
22 Davi então respondeu: "Aqui está a sua lança; mande
um dos seus homens vir aqui pegá-la.
23 Que o Senhor recompense a cada um pela sua justiça
e lealdade; pois o Senhor lhe entregou hoje nas minhas
mãos, porém eu não quis estender a minha mão contra o
ungido do Senhor.
24 Assim como hoje respeitei a sua vida, assim também
seja a minha vida para o Senhor Deus, e ele me livre de
toda a angústia."
25 Então Saul disse a Davi: "Que você seja abençoado,
meu filho Davi; pois fará grandes coisas e terá êxito." En-
tão Davi seguiu o seu caminho e Saul voltou para casa.

Davi Entre os Filisteus

27 Davi pensou: "Algum dia ainda morrerei pelas mãos
de Saul; não há nada melhor para mim do que esca-
par apressadamente para a terra dos filisteus, para que Saul
perca a esperança de me achar e deixe de me procurar
por todos os territórios de Israel; assim escaparei das suas
mãos."
2 Então Davi se levantou e partiu com os seiscentos ho-
mens que estavam com ele até Aquis, filho de Maoque,
rei de Gate.
3 Davi ficou morando com Aquis em Gate, ele e os seus
homens, cada um com a sua família; Davi com as suas
duas mulheres, Ainoã, a jezreelita, e Abigail, a mulher de
Nabal, o carmelita.
4 E quando Saul foi avisado de que Davi tinha fugido para
Gate, parou de persegui-lo.
5 E Davi disse a Aquis: "Se eu for bem aceito por você,
dê-me um lugar numa das suas cidades, para eu morar;
pois por qual razão o seu servo moraria com você na ci-
dade real?"
6 Então Aquis lhe deu, naquele dia, a cidade de Ziclague;
por isso Ziclague pertence aos reis de Judá, até o dia de
hoje.
7 E Davi habitou na terra dos filisteus por um ano e quatro
meses.
8 E Davi fazia incursões com os seus homens, e atacavam
os gesuritas, os gersitas e os amalequitas; porque antiga-
mente estes eram os moradores da terra que se estende na
direção de Sur, até à terra do Egito.
9 E Davi atacava aquela terra e não deixava com vida nem
homens nem mulheres, e tomava ovelhas, vacas, jumen-
tos, camelos e vestes; e voltava para Aquis.
10 E quando Aquis perguntava: "Onde atacou hoje?" Davi
respondia: "Contra o sul de Judá e contra o sul dos jerame-
leus e o sul dos queneus."
11 E Davi não deixava com vida nem homens nem mu-
lheres, para não trazê-los a Gate, dizendo: "Para que não
nos denunciem, contando o que Davi fazia." E esse era o
seu costume por todos os dias que habitou na terra dos
filisteus.
12 E Aquis confiava em Davi, dizendo: "Davi se tornou
odiado pelo seu povo de Israel; por isso será meu servo
para sempre."

Saul Consulta uma Médium em En-Dor

28 E, naqueles dias, os filisteus juntaram os seus exérci-
tos para a batalha, para fazerem guerra contra Israel,
e Aquis disse a Davi: "Você irá comigo lutar na guerra,
junto com os seus homens."
2 Então Davi disse a Aquis: "Assim saberá o que o seu ser-
vo pode fazer." E Aquis disse a Davi: "Por isso o colocarei
como minha guarda pessoal para sempre."
3 Samuel já estava morto e todo o Israel tinha chorado por
ele e o sepultado em Ramá, que era a sua cidade; e Saul
tinha expulsado todos os adivinhos e os médiuns.
4 E os filisteus ajuntaram-se e acamparam em Suném; e
Saul ajuntou todo o Israel e acamparam em Gilboa.
5 E, quando Saul viu o acampamento dos filisteus, tremeu
de medo.

6 E Saul consultou o Senhor, porém o Senhor não lhe res-
pondeu, nem por sonhos, nem por Urim, nem por meio
de profetas.
7 Então Saul disse aos seus criados: "Busquem uma mu-
lher que seja médium, para que eu a consulte." E os seus
criados lhe responderam: "Em En-Dor há uma mulher que
é médium."
8 E Saul se disfarçou, vestiu outras roupas e foi com dois
homens e, de noite, chegaram à mulher e ele disse: "Peço
que consulte para mim um espírito e me faça subir quem
eu lhe disser."
9 Então a mulher lhe disse: "Você sabe o que fez, como
destruiu da terra os adivinhos e os médiuns; por que me
prepara uma armadilha para a minha vida, para me fazer
morrer?"
10 Então Saul lhe jurou pelo Senhor, dizendo: "Juro pelo
nome do Senhor, que nada lhe acontecerá por isso."
11 A mulher, então, lhe perguntou: "A quem lhe farei su-
bir?" E ele respondeu: "Faça-me subir Samuel."
12 Então a mulher viu Samuel e gritou em alta voz e falou
a Saul, dizendo: "Por que me enganou? Pois você mesmo
é Saul."
13 E o rei lhe disse: "Não tenha medo; o que está vendo?"
Então a mulher disse a Saul: "Vejo um deus que sobe da
terra."
14 E Saul lhe perguntou: "Como é a sua aparência?" E
ela respondeu: "Vem subindo um homem idoso e envolto
numa capa." Saul deduziu que era Samuel, então se incli-
nou com o rosto em terra e se prostrou.
15 Samuel perguntou a Saul: "Por que me perturbou, me
fazendo subir?" Então Saul respondeu: "Estou muito an-
gustiado, porque os filisteus guerreiam contra mim e Deus
se afastou de mim, e não me responde mais, nem pelo
ministério dos profetas, nem por sonhos; por isso chamei
você, para mostrar o que devo fazer."
16 Então Samuel disse: "Por que pergunta a mim, visto
que o Senhor o desamparou e o fez seu inimigo?
17 Porque o Senhor fez com você como eu lhe disse; o
Senhor tirou o reino das suas mãos e deu ao seu próximo,
a Davi.
18 Como você não deu ouvidos à voz do Senhor, e não
executou as suas ordens no fervor da sua ira contra Ama-
leque, por isso o Senhor lhe fez isto hoje.
19 E o Senhor também entregará Israel com você nas
mãos dos filisteus e amanhã você e seus filhos estarão co-
migo; e o Senhor entregará o acampamento de Israel nas
mãos dos filisteus."
20 E imediatamente Saul caiu estendido na terra e ficou
com medo por causa daquelas palavras de Samuel; e es-
tava sem forças; porque não tinha comido durante todo
aquele dia e toda aquela noite.
21 Então a mulher veio a Saul e, vendo que ele estava
muito perturbado, lhe disse: "Esta sua criada lhe obede-
ceu; arrisquei a minha vida e fiz o que me ordenou.
22 Agora, ouça também as palavras da sua serva: Ponha
um bocado de pão diante de você e coma para que tenha
forças, para seguir o seu caminho."
23 Porém ele recusou e disse: "Não comerei." Mas os seus
criados e a mulher o convenceram; e ele atendeu, levan-
tou-se do chão e sentou-se na cama.
24 E a mulher tinha em casa um bezerro de engorda e se
apressou em matá-lo; e pegou farinha, amassou e assou
pães sem fermento.
25 E os trouxe diante de Saul e de seus criados e come-
ram; depois se levantaram e partiram naquela mesma
noite.

Os Filisteus Desconfiam de Davi

29 E os filisteus ajuntaram todos os seus exércitos em
Afeca, e os israelitas acamparam junto à fonte que
está em Jezreel.
2 E os governantes dos filisteus foram para lá com cente-
nas e com milhares; porém, Davi e os seus homens iam
com Aquis na retaguarda.
3 Então os comandantes dos filisteus disseram: "O que
esses hebreus fazem aqui?" E Aquis respondeu: "Este é
Davi, o servo de Saul, rei de Israel, está comigo há mais de
um ano. Não encontrei nada de errado nele, desde o dia
em que passou a me servir, até ao dia de hoje."
4 Porém, os comandantes dos filisteus se indignaram mui-
to com Aquis; e lhe disseram: "Faça este homem voltar,
para que ele retorne ao lugar em que você o pôs e não vá
conosco à batalha, para que não se torne nosso adversário
na batalha; com que poderia ele agradar ao seu senhor?
Não seria com as cabeças destes homens?
5 Este não é aquele Davi de quem cantavam dançando,
dizendo: 'Saul feriu milhares, porém Davi dez milhares?'"
6 Então Aquis chamou Davi e lhe disse: "Tão certo como
vive o Senhor, que você é reto e eu gostaria que você en-
trasse e saísse comigo do acampamento; porque não achei
nenhum mal em você, desde o dia em que veio a mim,
até ao dia de hoje; porém, não agradou aos comandantes.
7 Volte, agora, e vá em paz; para que não desagrade aos
comandantes dos filisteus."
8 Então Davi disse a Aquis: "Por quê? O que eu fiz? Ou
o que achou neste seu servo, desde o dia em que estive
diante de você, até ao dia de hoje, para que eu não vá e
lute contra os inimigos do rei, meu senhor?"
9 Porém, Aquis respondeu a Davi: "Na verdade, aos meus
olhos você é bom como um anjo de Deus; porém, os co-

mandantes dos filisteus disseram: 'Ele não deve ir conosco
à batalha.'
10 Agora, amanhã de madrugada levante-se com os seus
servos, que vieram com você; ao se levantarem pela ma-
nhã, de madrugada, quando estiver claro, partam."
11 Então Davi se levantou de madrugada, ele e os seus
homens, para partirem pela manhã, e voltarem à terra dos
filisteus; e os filisteus foram a Jezreel.

Davi Guerreia Contra os Amalequitas

30 Quando Davi e os seus homens chegaram ao ter-
ceiro dia a Ziclague, os amalequitas com ímpeto já
tinham invadido o sul e Ziclague; atacaram Ziclague e a
incendiaram.
2 E levaram cativas as mulheres e todos os que estavam
nela, tanto pequenos como grandes; porém, não mataram
ninguém, apenas os levaram com eles e foram embora.
3 E Davi e os seus homens chegaram à cidade e ela estava
queimada, e as suas mulheres e os seus filhos e filhas ti-
nham sido levados cativos.
4 Então Davi e o povo que estava com ele choraram, até
não terem mais forças para chorar.
5 As duas mulheres de Davi também foram levadas ca-
tivas; Ainoã, a jezreelita, e Abigail, a mulher de Nabal, o
carmelita.
6 E Davi ficou muito angustiado, porque o povo falava em
apedrejá-lo, pois todo o povo estava amargurado, cada um
por causa dos seus filhos e das suas filhas; Davi, todavia,
se fortaleceu no Senhor seu Deus.
7 E Davi disse a Abiatar, o sacerdote, filho de Aimeleque:
"Traga aqui a estola sacerdotal." E Abiatar trouxe a estola
a Davi.
8 Então Davi consultou ao Senhor, dizendo: "Devo per-
seguir essa tropa? Eu a alcançarei?" E o Senhor lhe res-
pondeu: "Persiga-a, porque a alcançará e libertará todos."
9 Davi partiu, ele e os seiscentos homens que estavam
com ele, e chegaram ao ribeiro de Besor, onde os que fica-
ram atrás pararam.
10 E Davi os perseguiu, ele e quatrocentos homens, po-
rém ficaram duzentos homens, que não puderam passar o
ribeiro de Besor de tão cansados que estavam.
11 E acharam no campo um homem egípcio, que trou-
xeram a Davi; deram-lhe pão e ele comeu, e lhe deram
água para beber.
12 Deram-lhe também um pedaço de massa de figos secos
e dois cachos de passas e ele comeu, então ele recuperou
suas forças, porque fazia três dias e três noites que ele não
tinha comido nem bebido.
13 Então Davi lhe perguntou: "Quem é você e de onde
é?" E o moço egípcio respondeu: "Sou servo de um ho-
mem amalequita, e o meu senhor me deixou, porque
adoeci há três dias.
14 Nós invadimos o lado sul dos queretitas, o lado de Judá
e o lado sul de Calebe, e pusemos fogo em Ziclague."
15 E Davi disse: "Poderia me guiar até essa tropa?" E ele
respondeu: "Jure por Deus que não me matará, nem me
entregará na mão de meu senhor, e eu o guiarei até essa
tropa."
16 Então ele os levou, e os amalequitas estavam espa-
lhados pela região, comendo, bebendo e dançando, pelo
grande despojo que tomaram da terra dos filisteus e da
terra de Judá.
17 E Davi feriu-os, desde o crepúsculo até à tarde do dia
seguinte; nenhum deles escapou, somente quatrocentos
moços que fugiram, montados em camelos.
18 Assim, Davi salvou tudo o que os amalequitas toma-
ram; Davi também salvou as suas duas mulheres.
19 E não faltou ninguém, desde o menor até ao maior, até
os filhos e as filhas; e também o despojo que lhes tinham
tomado, Davi pegou e trouxe tudo de volta.
20 Davi também tomou todas as ovelhas e vacas deles,
e as levavam à frente do seu gado, e diziam: "Este é o
despojo de Davi."
21 E quando Davi chegou aos duzentos homens que, de
tão cansados que estavam, não puderam segui-lo, pois fica-
ram no ribeiro de Besor, estes saíram ao encontro de Davi
e do povo que vinha com ele; então Davi chegou com o
povo e os saudou em paz.

A Lei da Divisão do Despojo

22 Então todos os homens maus, dentre os homens que
tinham ido com Davi, disseram: "Porque não foram conos-
co, não lhes daremos do despojo que conquistamos, mas
que cada um leve a sua mulher e os seus filhos e se vá."
23 Porém, Davi disse: "Não façam assim, meus irmãos,
com o que o Senhor nos deu; ele nos guardou e entregou a
tropa que vinha contra nós nas nossas mãos.
24 E quem concordaria com isso? Porque a parte dos que
foram à batalha será igual à parte dos que ficaram cuidan-
do da bagagem; repartirão igualmente."
25 E foi assim daquele dia em diante, porque Davi pôs por
estatuto e direito em Israel até ao dia de hoje.
26 Quando Davi chegou a Ziclague, enviou parte do
despojo aos anciãos de Judá, seus amigos, dizendo: "Aqui
está um presente para vocês do despojo dos inimigos do
Senhor";
27 aos de Betel, aos de Ramote do sul e aos de Jatir,
28 aos de Aroer, aos de Sifmote e aos de Estemoa,
29 aos de Racal e aos que estavam nas cidades jerameelitas
e nas cidades dos queneus,
30 aos de Horma, aos de Corasã e aos de Atace,

31 aos de Hebrom e a todos os lugares em que Davi an-
dou, ele e os seus homens.

A Morte de Saul e de Seus Filhos

31 Os filisteus lutaram contra Israel; e os homens de
Israel fugiram dos filisteus e caíram mortos na mon-
tanha de Gilboa.
2 E os filisteus perseguiram Saul e seus filhos e mataram
Jônatas, Abinadabe e Malquisua, filhos de Saul.
3 E a batalha se agravou contra Saul, e os flecheiros o al-
cançaram e o feriram gravemente.
4 Então Saul disse ao seu escudeiro: "Arranque a sua espa-
da e atravesse-me com ela, para que não venham esses in-
circuncisos e me atravessem e zombem de mim." Porém,
o seu escudeiro não quis, porque estava com medo; então
Saul pegou a espada e se lançou sobre ela.
5 Quando o escudeiro viu que Saul já estava morto, tam-
bém se lançou sobre a sua espada e morreu com ele.
6 Assim morreram Saul, seus três filhos e seu escudeiro;
e todos os seus homens também morreram juntamente
naquele dia.
7 E quando os homens de Israel, que estavam do outro
lado do vale e do outro lado do Jordão, viram que os ho-
mens de Israel fugiram, e que Saul e os seus filhos estavam
mortos, abandonaram as cidades e fugiram; e os filisteus
vieram e habitaram nelas.
8 E no outro dia, quando os filisteus chegaram para despo-
jar os mortos, acharam Saul e os seus três filhos estirados
na montanha de Gilboa.
9 Cortaram-lhe a cabeça, despojaram-no das suas armas e
enviaram mensageiros por toda a terra dos filisteus, para
anunciarem a notícia no templo dos seus ídolos e entre
o povo.
10 E puseram as armas de Saul no templo de Astarote e
afixaram o seu corpo no muro de Bete-Seã.
11 Quando os moradores de Jabes-Gileade ouviram o que
os filisteus fizeram a Saul,
12 todos os homens valorosos se levantaram e caminha-
ram por toda a noite; então tiraram o corpo de Saul e os
corpos de seus filhos do muro de Bete-Seã e os levaram a
Jabes e os queimaram.
13 E pegaram os seus ossos e os sepultaram debaixo de
um arvoredo, em Jabes, e jejuaram por sete dias.

Davi Recebe a Notícia da Morte de Saul

1 Depois da morte de Saul, Davi voltou da vitória sobre os
amalequitas e já estava dois dias em Ziclague.
2 No terceiro dia, um homem veio do acampamento de
Saul, com as roupas rasgadas e com terra sobre a cabeça; e,
ao chegar a Davi, se lançou ao chão e se inclinou.
3 E Davi lhe perguntou: "De onde você vem?" E ele res-
pondeu: "Escapei do acampamento de Israel."
4 E Davi perguntou: "Como foi isso? Conte-me." E ele
lhe respondeu: "O povo fugiu da batalha e muitas pessoas
caíram e morreram; assim como também Saul e Jônatas,
seu filho, foram mortos."
5 E Davi perguntou ao moço que lhe trazia as notícias:
"Como você sabe que Saul e Jônatas, seu filho, foram
mortos?"
6 Então o moço lhe respondeu: "Cheguei por acaso à
montanha de Gilboa, e vi que Saul estava encostado sobre
a sua lança e que os carros de guerra e a cavalaria estavam
a ponto de alcançá-lo.
7 E ele olhou para trás, me viu e me chamou; e eu disse:
'Estou aqui.'
8 E ele me perguntou: 'Quem é você?' E eu respondi: 'Sou
amalequita.'
9 Então ele me pediu: 'Aproxime-se e me mate; estou na
angústia da morte mas ainda estou vivo.'
10 Então fui até ele e o matei, porque eu sabia que ele não
viveria depois da sua queda; peguei a coroa que ele tinha
na cabeça e o bracelete e os trouxe aqui ao meu senhor."

Davi Chora Por Saul e Por Jônatas

11 Então Davi rasgou as suas roupas, e assim fizeram to-
dos os homens que estavam com ele.
12 E lamentaram, choraram e jejuaram até à tarde por
Saul e por Jônatas, seu filho, pelo povo do Senhor e pela
casa de Israel, porque tinham caído à espada.
13 Então Davi perguntou ao moço que lhe trouxe a notí-
cia: "De onde você é?" E ele respondeu: "Sou filho de um
homem estrangeiro, amalequita."
14 E Davi lhe disse: "Como você não temeu estender a
mão para matar o ungido do Senhor?"
15 Então Davi chamou um dos moços e disse: "Aproxime-
-se dele e mate-o." E ele foi e o matou.
16 E Davi disse: "Que o seu sangue caia sobre a sua cabe-

ça, porque a sua própria boca testemunhou contra você,
dizendo: 'Eu matei o ungido do Senhor.'"
17 E Davi lamentou por Saul e Jônatas, seu filho, com
esta lamentação:
18 Ele ordenou que ensinassem aos filhos de Judá o hino
ao arco, que está registrado no Livro dos Justos.
19 "Ah, ornamento de Israel! Nos seus montes foi ferido,
como caíram os poderosos!
20 Não o noticiem em Gate, não o publiquem nas ruas
de Asquelom, para que as filhas dos filisteus não se alegrem, para que as filhas dos incircuncisos não saltem de
contentamento.
21 Vocês, montes de Gilboa, nem orvalho nem chuva
caiam sobre vocês, nem haja campos de ofertas alçadas,
pois aí desprezivelmente foi profanado o escudo dos poderosos, o escudo de Saul, que jamais será polido com óleo.
22 Do sangue dos feridos, da gordura dos valentes, nunca
se recusou o arco de Jônatas, nem voltou vazia a espada
de Saul.
23 Saul e Jônatas, tão amados e queridos na sua vida, também na sua morte não se separaram; eram mais ligeiros do
que as águias, mais fortes do que os leões.
24 Vocês, filhas de Israel, chorem por Saul, que as vestia
de escarlata, que as fazia trazer ornamentos de ouro sobre
as suas vestes.
25 Como caíram os heróis, no meio da batalha! Jônatas
nos seus montes foi morto.
26 Estou angustiado por você, meu irmão Jônatas; você
era amabilíssimo! O seu amor me era mais precioso do que
o amor das mulheres.
27 Como caíram os poderosos, e pereceram as armas de
guerra!"

Davi é Aclamado Rei de Judá

2 Depois disto, Davi consultou o Senhor, perguntando:
"Devo ir a alguma das cidades de Judá?" E o Senhor
respondeu: "Sim." E Davi perguntou: "Para onde irei?" E
o Senhor respondeu: "Para Hebrom."
2 E Davi foi para lá com as suas duas mulheres, Ainoã, a
jezreelita, e Abigail, a mulher de Nabal, o carmelita.
3 Davi também levou os homens que estavam com ele,
cada um com a sua família; e habitaram nas cidades de
Hebrom.
4 Então os homens de Judá vieram e ungiram Davi como
rei sobre a tribo de Judá. E avisaram Davi, dizendo: "Foram os homens de Jabes-Gileade que sepultaram Saul."
5 Então Davi enviou mensageiros aos homens de Jabes-Gileade, para lhes dizer: "Benditos do Senhor sejam vocês,
que fizeram esta bondade a seu senhor, a Saul, vocês o
sepultaram!
6 Agora, o Senhor use de misericórdia e fidelidade com
vocês; e eu também lhes farei esse bem, porque fizeram
isto.
7 Esforcem-se agora as suas mãos, e sejam homens valentes, pois Saul, o seu senhor, está morto, mas a tribo de Judá
já me ungiu para ser o seu rei."

Abner Proclama Isbosete Rei de Israel

8 Porém Abner, filho de Ner, capitão do exército de Saul,
levou Isbosete, filho de Saul, a Maanaim,
9 e o constituiu rei sobre Gileade, sobre os assuritas, sobre Jezreel, sobre Efraim, sobre Benjamim e sobre todo
o Israel.
10 Isbosete, filho de Saul, tinha quarenta anos de idade,
quando começou a reinar sobre Israel, e reinou por dois
anos; mas a tribo de Judá seguia Davi.
11 Davi reinou em Hebrom, sobre a tribo de Judá, por sete
anos e seis meses.

A Batalha em Gibeão

12 Então Abner, filho de Ner, foi com os servos de Isbosete, filho de Saul, de Maanaim para Gibeão.
13 Também foram Joabe, filho de Zeruia, e os servos de
Davi, e se encontraram perto do tanque de Gibeão, e estes
pararam de lado, e os outros passaram do outro lado do
tanque.
14 E Abner disse a Joabe: "Deixe que os moços se levantem e lutem diante de nós." E Joabe disse: "Levantem-se."
15 Então se levantaram, e avançaram doze homens de
Benjamim, por Isbosete, filho de Saul, e doze homens de
Davi.
16 E cada um agarrou a cabeça do outro, lhe cravou a
espada no lado, e caíram juntos, por isso aquele lugar se
chamou Helcate-Hazurim, que fica junto a Gibeão.
17 E seguiu-se naquele dia uma intensa batalha; porém
Abner e os homens de Israel foram derrotados pelos homens de Davi.
18 E estavam ali os três filhos de Zeruia: Joabe, Abisai e
Asael; Asael era ligeiro com os pés, como uma cabra montesa que havia no campo.
19 E Asael perseguiu Abner; e não se desviou de detrás de
Abner, nem para a direita nem para a esquerda.
20 E Abner olhou para trás e perguntou: "É você Asael?"
E ele respondeu: "Sou eu."
21 Então Abner lhe disse: "Desvie para a direita, ou para
a esquerda, agarre um dos meus soldados e pegue os seus
despojos." Porém Asael não quis desviar-se de detrás dele.
22 Então Abner tornou a dizer a Asael: "Pare de me seguir; porque não quero matá-lo. Como eu poderia olhar no
rosto de Joabe, seu irmão?"
23 Porém, ele não se afastou, e Abner o feriu com a ponta
da lança na barriga, a lança atravessou-o e ele caiu ali e

morreu naquele mesmo lugar; e todos os que chegavam
ao lugar onde Asael caiu e morreu paravam.
24 Porém Joabe e Abisai perseguiram Abner; e, ao fim do
dia, eles chegaram à colina de Amá, que fica diante de Gia,
no caminho do deserto de Gibeão.
25 E os filhos de Benjamim se ajuntaram atrás de Abner,
formaram um batalhão e ocuparam o alto de um morro.
26 Então Abner gritou a Joabe: "A espada consumirá para
sempre? Você não sabe que por fim haverá amargura?
E quando dirá ao povo que deixem de perseguir os seus
irmãos?"
27 E Joabe disse: "Juro por Deus que, se não tivesse fala-
do, o povo teria parado cada um de perseguir o seu irmão,
só pela manhã."
28 Então Joabe tocou a trombeta e todo o povo parou, e
não perseguiram mais Israel; e acabou a luta.
29 E Abner e os seus homens caminharam por toda aquela
noite pela planície; passaram o Jordão, caminharam por
todo o Bitrom e chegaram a Maanaim.
30 Joabe também parou de perseguir Abner e ajuntou
todo o povo; e dos servos de Davi faltavam dezenove ho-
mens e Asael.
31 Porém os servos de Davi mataram, dos homens de Ben-
jamim e de Abner, trezentos e sessenta homens.
32 E levaram Asael e o sepultaram na sepultura de seu pai,
que ficava em Belém; e Joabe e seus homens caminharam
por toda aquela noite, e chegaram a Hebrom pela manhã.

Os Filhos de Davi Nascidos em Hebrom

3 E houve uma longa guerra entre a casa de Saul e a casa
de Davi; porém Davi ia se fortalecendo, e a casa de Saul
ia enfraquecendo.
2 E Davi teve filhos em Hebrom; e o seu primogênito foi
Amnom, de Ainoã, a jezreelita;
3 e seu segundo, Quileabe, de Abigail, mulher de Nabal,
o carmelita; e o terceiro, Absalão, filho de Maaca, filha de
Talmai, rei de Gesur;
4 e o quarto, Adonias, filho de Hagite; e o quinto, Sefatias,
filho de Abital;
5 e o sexto, Itreão, de Eglá, também mulher de Davi; esses
nasceram a Davi em Hebrom.
6 E, durante a guerra entre a casa de Saul e a casa de Davi,
Abner se tornou poderoso na casa de Saul.

Abner Faz Acordo Com Davi

7 Saul tinha tido uma concubina chamada Rispa, filha de
Aiá; então Isbosete disse a Abner: "Por que você possuiu a
concubina do meu pai?"
8 Então Abner se irou pelas palavras de Isbosete e disse:
"Sou um cão a serviço de Judá? Ainda hoje sou fiel à casa
de Saul, seu pai, a seus irmãos e a seus amigos, e não en-
treguei você nas mãos de Davi, e hoje você busca motivos
para me culpar por causa desta mulher.
9 Que Deus me castigue com todo o rigor se eu não fizer
por Davi o que o Senhor lhe prometeu,
10 transferindo o reino da casa de Saul e confirmando
o trono de Davi sobre Israel e sobre Judá, desde Dã até
Berseba."
11 E Isbosete não respondeu a Abner, porque tinha medo
dele.
12 Então, Abner enviou mensageiros a Davi dizendo: "De
quem é a terra?" E disse mais: "Faça uma aliança comigo,
e eu o ajudarei a conquistar apoio de todo o Israel."
13 E Davi respondeu: "Eu farei com você uma aliança, po-
rém uma coisa lhe peço: não verá a minha face se primeiro
você não me trouxer Mical, filha de Saul."
14 Davi também enviou mensageiros a Isbosete, filho de
Saul, dizendo: "Dê-me minha mulher Mical, com quem
me casei pelo pagamento de cem prepúcios de filisteus."
15 Então Isbosete mandou tirá-la do seu marido, Paltiel,
filho de Laís.
16 E o seu marido ia com ela, caminhando e chorando
atrás dela, até Baurim. Então Abner lhe disse: "Volte ago-
ra." E ele voltou.
17 E Abner falou com os anciãos de Israel, dizendo: "Há
muito tempo queriam que Davi reinasse sobre vocês.
18 Façam-no agora, porque o Senhor falou a Davi, di-
zendo: "Pelas mãos de Davi, meu servo, livrarei o meu
povo das mãos dos filisteus e das mãos de todos os seus
inimigos."
19 E Abner também falou o mesmo aos ouvidos da tribo
de Benjamim; e Abner também foi dizer aos ouvidos de
Davi, em Hebrom, tudo o que o povo de Israel e a tribo de
Benjamim tinham decidido.
20 Abner foi a Davi, em Hebrom, com vinte homens; e
Davi fez um banquete para Abner e seus homens.
21 Então Abner disse a Davi: "Eu me levantarei e ajuntarei
ao rei, meu senhor, todo o Israel, para fazerem aliança com
você; e você reinará sobre tudo." Assim Davi se despediu
de Abner, e este foi em paz.

Joabe Mata Abner à Traição

22 Então os servos de Davi e Joabe chegaram de uma ba-
talha e traziam grande despojo; e Abner já não estava com
Davi em Hebrom, porque já havia partido de lá.
23 Quando Joabe chegou com o exército que vinha com
ele, lhe disseram: "Abner, filho de Ner, veio ao rei, que o
despediu, e ele foi em paz."
24 Então Joabe foi ao rei e lhe perguntou: "O que fez?
Abner veio falar com você; por que o despediu, e o deixou
ir em paz?

25 Conhece bem o Abner, filho de Ner; ele veio enganá-lo
e saber os seus planos."
26 Então Joabe retirou-se de Davi, enviou mensageiros
atrás de Abner e o fizeram voltar do poço de Sira, sem
que Davi soubesse.
27 Quando Abner voltou a Hebrom, Joabe o levou sozi-
nho, à porta de entrada, para lhe falar em segredo; então
o feriu ali na barriga, e ele morreu por causa do sangue de
Asael, irmão de Joabe.
28 Assim que Davi ficou sabendo, disse: "Eu e o meu rei-
no somos inocentes, diante do Senhor, para sempre, do
sangue de Abner, filho de Ner.
29 Que a culpa caia sobre a cabeça de Joabe e sobre toda
a casa de seu pai; que nunca falte na casa de Joabe quem
tenha fluxo, ou quem seja leproso, ou pessoas com defi-
ciências, ou quem morra à espada, ou quem passe fome.
30 Joabe e Abisai, seu irmão, mataram Abner, por ele ter
matado Asael, seu irmão, na batalha em Gibeão."

Davi Lamenta a Morte de Abner

31 Davi disse a Joabe e a todo o povo que estava com ele:
"Rasguem as suas roupas; vistam-se de sacos e vão pran-
teando diante de Abner." E o rei Davi ia seguindo o caixão.
32 Sepultaram Abner em Hebrom; o rei levantou a sua
voz e chorou junto da sepultura; e todo o povo chorou.
33 E o rei, pranteando Abner, disse: "Abner tinha que
morrer como morre um vilão?
34 As suas mãos não estavam atadas, nem os seus pés
presos em grilhões, mas caiu como os que caem diante
dos filhos da maldade!" Então todo o povo chorou muito
mais por ele.
35 Depois todo o povo veio fazer com que Davi comesse
pão, sendo ainda dia; porém Davi jurou, dizendo: "Que
Deus faça comigo o que bem quiser, se antes que o sol se
ponha eu comer pão ou alguma coisa."
36 E todo o povo entendeu e aprovou; assim como apro-
vava tudo o que o rei fazia.
37 E naquele mesmo dia, todo o povo e todo o território
de Israel reconheceram que o rei não teve nenhuma parti-
cipação na morte de Abner, filho de Ner.
38 Então o rei disse aos seus servos: "Não sabem que hoje
caiu em Israel um príncipe, um grande homem?
39 Hoje eu estou enfraquecido, ainda que ungido rei; es-
ses homens, filhos de Zeruia, estão mais fortes do que eu;
o Senhor cobrará do malfeitor, conforme o mal que ele
praticou."

A Morte de Isbosete

4 Quando o filho de Saul ouviu que Abner tinha sido
morto em Hebrom, as suas mãos se afrouxaram, e todo
o Israel ficou assustado.
2 E o filho de Saul tinha dois homens capitães de tropas; o
nome de um era Baaná, e o nome do outro Recabe, filhos
de Rimom, o beerotita, dos filhos de Benjamim, porque
Beerote era parte do território de Benjamim.
3 E os beerotitas tinham fugido para Gitaim, e ali vivem
como forasteiros até o dia de hoje.
4 E Jônatas, filho de Saul, tinha um filho aleijado de ambos
os pés; ele tinha cinco anos quando chegaram de Jezreel as
notícias de que Saul e Jônatas haviam morrido; e sua ama
o pegou e fugiu; e, ao ela se apressar para fugir, ele caiu e
ficou aleijado; e o seu nome era Mefibosete.
5 E os filhos de Rimom, o beerotita, foram Recabe e Baa-
ná, e entraram na casa de Isbosete, no maior calor do dia;
ele estava deitado para dormir, ao meio dia.
6 E entraram para o meio da casa, como quem vem buscar
trigo, e o feriram na barriga; e Recabe e Baaná, seu irmão,
escaparam.
7 Eles entraram na casa quando Isbosete estava na cama
deitado, no seu quarto, o feriram e o mataram, e lhe corta-
ram a cabeça; então, pegaram a sua cabeça e andaram por
toda a noite caminhando pela planície.
8 E trouxeram a cabeça de Isbosete a Davi, em Hebrom,
e disseram ao rei: "Aqui está a cabeça de Isbosete, filho
de Saul, seu inimigo, que queria a sua morte; assim, hoje
o Senhor vingou o rei, meu senhor, de Saul e da sua
descendência."
9 Porém Davi respondeu a Recabe e a Baaná, seu irmão,
filhos de Rimom, o beerotita, dizendo: "Juro pelo nome
do Senhor, que remiu a minha vida de todas as aflições:
10 quando aquele que me trouxe notícias, dizendo que
Saul estava morto, pensando que era uma boa notícia, eu
logo o agarrei e o matei em Ziclague.
11 Agora, quanto aos homens ímpios, que mataram um
homem justo em sua casa, sobre a sua cama, eu não re-
quereria o seu sangue das suas mãos e não os exterminaria
da terra?"
12 E Davi deu ordem aos seus moços que os matassem; e
eles lhes cortaram os pés e as mãos e os penduraram perto
do tanque de Hebrom; e pegaram a cabeça de Isbosete e a
sepultaram na sepultura de Abner, em Hebrom.

Davi é Posto Rei de Israel

5 Então todas as tribos de Israel vieram a Davi em He-
brom e disseram: "Veja, somos seus ossos e sua carne;
2 antes, quando Saul reinava sobre nós, era você quem
saía e entrava com Israel nas batalhas; e o Senhor lhe disse:
'Você apascentará o meu povo de Israel e será o seu rei.'"
3 Assim, todos os anciãos de Israel vieram ao rei, em He-
brom; e o rei Davi fez um acordo com eles perante o Se-
nhor; e ungiram Davi rei sobre todo o Israel.
4 Davi tinha trinta anos de idade quando começou a rei-
nar; e reinou por quarenta anos.

5 Em Hebrom reinou sobre Judá por sete anos e seis me-
ses, e em Jerusalém reinou por trinta e três anos sobre todo
o Israel e Judá.
6 E o rei partiu com os seus homens a Jerusalém, para
lutar contra os jebuseus que habitavam naquela terra; e
falaram a Davi, dizendo: "Não entrará aqui, até os cegos
e os aleijados o impedirão." Eles achavam que Davi não
conseguiria entrar.
7 Porém Davi conquistou a fortaleza de Sião; esta é a ci-
dade de Davi.
8 Porque Davi disse naquele dia: "Quem quiser vencer os
jebuseus terá que utilizar o canal para chegar aos aleijados
e aos cegos, inimigos de Davi. Por isso, se diz: 'Nem cego
nem aleijado poderá entrar no palácio.'"
9 Assim Davi morou na fortaleza e a chamou de cidade
de Davi; e Davi foi edificando ao redor, desde Milo para
dentro.
10 E Davi ia ficando cada vez mais poderoso, porque o
Senhor Deus dos Exércitos estava com ele.
11 E Hirão, rei de Tiro, enviou mensageiros a Davi, madei-
ra de cedro, carpinteiros e pedreiros que edificaram uma
casa para ele.
12 E Davi reconheceu que o Senhor o confirmou rei sobre
Israel e que o seu reino prosperava pelo amor que o Senhor
tinha pelo seu povo.

Os Filhos de Davi Nascidos em Jerusalém

13 E Davi tomou mais concubinas e esposas em Jerusa-
lém, depois que voltou de Hebrom; e Davi teve mais filhos
e filhas.
14 E estes são os nomes dos seus filhos que lhe nasceram
em Jerusalém: Samua, Sobabe, Natã, Salomão,
15 Ibar, Elisua, Nefegue, Jafia,
16 Elisama, Eliada e Elifelete.
17 Quando os filisteus ouviram que haviam ungido Davi
rei de Israel, todos eles subiram em busca de Davi para
prendê-lo; e, quando ele soube, foi para a fortaleza.
18 E os filisteus chegaram e se espalharam pelo vale de
Refains.
19 E Davi consultou o Senhor, dizendo: "Devo atacar os
filisteus? Vais entregá-los nas minhas mãos? E o Senhor
disse a Davi: 'Ataque, porque certamente entregarei os
filisteus nas suas mãos.'"
20 Então Davi foi a Baal-Perazim e os venceu ali, e dis-
se: "O Senhor destruiu os meus inimigos diante de mim,
como quem rompe águas." Por isso o nome daquele lugar
se chamou Baal-Perazim.
21 E os filisteus deixaram ali os seus ídolos; e Davi e os
seus homens os levaram.
22 E os filisteus tornaram a subir e se espalharam pelo
vale de Refains.
23 E Davi consultou o Senhor, e ele disse: "Não os ataque
pela frente; dê a volta por trás deles e ataque pela frente
das amoreiras.
24 E, quando você ouvir um barulho de marcha pelas co-
pas das amoreiras, então ataque-os; porque o Senhor saiu à
sua frente para atacar o exército dos filisteus."
25 E Davi fez como o Senhor lhe ordenou; e atacou os
filisteus desde Geba até Gezer.

Davi Traz a Arca Para Jerusalém

6 E Davi tornou a reunir todos os escolhidos de Israel, em
número de trinta mil.
2 E Davi partiu com todo o povo que estava com ele de
Baalá de Judá, para levarem dali a arca de Deus, sobre a
qual se invoca o nome do Senhor dos Exércitos, que se
assenta entre os querubins.
3 E puseram a arca de Deus em um carro de bois e a leva-
ram da casa de Abinadabe, que ficava em Geba; Uzá e Aiô,
filhos de Abinadabe, guiavam o carro de bois.
4 E levaram o carro de boi da casa de Abinadabe, que fica-
va em Geba, com a arca de Deus e Aiô ia adiante da arca.
5 Davi e toda a tribo de Israel, festejavam perante o Se-
nhor, com todo tipo de instrumentos de madeira de faia,
e com harpas, com saltérios, com tamboris, pandeiros e
com címbalos.
6 E, quando chegaram à eira de Nacom, Uzá estendeu a
mão e segurou a arca de Deus e a pegou; porque os bois a
deixaram pender.
7 Então a ira do Senhor se acendeu contra Uzá e Deus
o feriu ali por essa irreverência; e Uzá morreu ali junto à
arca de Deus.
8 E Davi ficou triste, porque o Senhor matou Uzá; e cha-
mou àquele lugar de Perez-Uzá, até o dia de hoje.
9 E Davi temeu o Senhor naquele dia e disse: "Como vou
conseguir levar a arca do Senhor?"
10 E Davi desistiu de levar a arca do Senhor para a sua
cidade; mas Davi fez que a levassem para a casa de Obe-
de-Edom, o Geteu.
11 E a arca do Senhor ficou na casa de Obede-Edom, o
Geteu, por três meses; e o Senhor abençoou a Obede-E-
dom e a toda a sua casa.
12 Então avisaram Davi, dizendo: "O Senhor abençoou a
casa de Obede-Edom e tudo o que ele tem, por causa da
arca de Deus"; então Davi foi e buscou a arca de Deus da
casa de Obede-Edom, e a trouxe para a cidade de Davi,
com alegria.
13 E, quando os que carregavam a arca do Senhor davam
seis passos, ele sacrificava um boi e um novilho gordo.
14 E Davi dançava com todas as suas forças diante do
Senhor; e Davi estava vestido com um colete sacerdotal
de linho.

15 Assim, Davi e todo o Israel levaram a arca do Senhor,
com júbilo e ao som das trombetas.
16 Quando a arca do Senhor entrou na cidade de Davi,
Mical, a filha de Saul, estava olhando pela janela; e, quando viu o rei Davi, que ia dançando e saltando diante do Senhor, ela sentiu um profundo desprezo por ele.
17 E entraram com a arca do Senhor, e a puseram no seu lugar, na tenda que Davi armou para ela; e Davi ofereceu holocaustos e ofertas pacíficas perante o Senhor.
18 E quando Davi acabou de oferecer os holocaustos e ofertas pacíficas, abençoou o povo em nome do Senhor dos Exércitos.
19 E repartiu para todo o povo e toda a multidão de Israel, para homens e mulheres, para cada um, um bolo de pão, um bom pedaço de carne e um cacho de passas; então todo o povo se retirou, cada um para sua casa,
20 e, quando Davi voltou para abençoar a sua casa, Mical, a filha de Saul, saiu ao seu encontro e disse: "Como o rei de Israel se comportou honrosamente, tirando a roupa hoje na frente das servas e de seus servos, como se descobre um sem-vergonha qualquer!"
21 Então Davi disse a Mical: "Dançarei perante o Senhor que me escolheu para o lugar do seu pai, e perante toda a sua casa, me pondo como chefe sobre o povo do Senhor, sobre Israel.
22 E, ainda mais do que isto, me rebaixarei e me humilharei ainda mais aos meus próprios olhos; mas pelas servas, de quem me falou, serei honrado."
23 E Mical, a filha de Saul, não teve filhos, até o dia da sua morte.

Davi Planeja Construir Um Templo

7 O rei Davi estava em sua casa, pois o Senhor lhe havia dado descanso de todos os seus inimigos em redor.
2 Então o rei disse ao profeta Natã: "Eu moro em uma grande casa de cedro e a arca de Deus permanece dentro de uma tenda."
3 Então Natã disse ao rei: "Faça o que está no seu coração; porque o Senhor está com você."
4 E, naquela mesma noite, a palavra do Senhor veio a Natã, dizendo:
5 "Vá e diga ao meu servo Davi: 'Assim diz o Senhor: 'Você edificará uma casa para minha habitação?
6 Porque não habitei em casas desde o dia em que tirei os israelitas do Egito até o dia de hoje; mas andei em tendas e em tabernáculos.
7 E, por todos os lugares em que eu andei com os israelitas, alguma vez perguntei a alguma das tribos de Israel, a quem instituí como pastores do meu povo de Israel, dizendo: Por que não me constroem uma casa de cedro?'
8 Agora, diga ao meu servo Davi: 'Assim diz o Senhor dos Exércitos: Eu o tirei do trabalho de cuidar das ovelhas, e o fiz chefe sobre o meu povo, sobre Israel.
9 Estive com você por onde andou, e destruí os seus inimigos diante de você; e fiz grande o seu nome, como o nome dos grandes que há na terra.
10 E prepararei um lugar para o meu povo Israel, para que habite neste lugar e não seja mais removido, e nunca mais os perversos o aflijam, como antes,
11 desde o dia em que nomeei juízes sobre o meu povo Israel; dei a você descanso de todos os seus inimigos; também o Senhor lhe faz saber que fará uma casa para você.
12 Quando a sua vida chegar ao fim e você descansar com os seus pais, então eu levantarei depois de você um de seus descendentes, que sairá das suas entranhas e estabelecerei o seu reino.
13 Ele edificará uma casa ao meu nome e confirmarei o trono do seu reino para sempre.
14 Eu lhe serei por pai e ele me será por filho; e, se vier a transgredir, o castigarei com vara de homens e com açoites de filhos de homens.
15 Mas a minha benignidade não se apartará dele; como a tirei de Saul, a quem tirei de diante de você.
16 Porém a sua casa e o seu reino serão firmados para sempre diante de mim; e o seu trono será firme para sempre.'"
17 Conforme todas essas palavras e conforme toda essa visão, assim Natã falou a Davi.
18 Então o rei Davi entrou, ficou perante o Senhor e disse: "Quem sou eu, Senhor Deus, e quem é a minha família, para que me tenhas trazido até aqui?
19 Como se isto ainda fosse pouco ao Senhor Deus, pois também falaste do futuro da descendência deste teu servo; é este o procedimento com os homens, ó Senhor Deus?
20 E o que mais te posso dizer? Pois tu conheces bem este teu servo, ó Senhor Deus.
21 Por causa da tua palavra e segundo o teu coração, fizeste toda esta grandeza; e a mostraste a teu servo.
22 Portanto, és grandioso, ó Senhor Deus, porque não há ninguém semelhante a ti, e não há outro Deus além de ti, segundo tudo o que nós ouvimos.
23 E quem é como Israel, o teu povo, gente única na terra, a quem Deus foi resgatar para ser o teu povo, para fazer o teu nome conhecido e para fazer essas grandes e impressionantes coisas à sua terra, diante do teu povo, que resgataste do Egito, expulsando as nações e os seus deuses?
24 E confirmaste o povo de Israel como o teu povo para sempre, e tu, Senhor, te tornaste o Deus deles.
25 Agora, ó Senhor Deus, essa promessa que falaste a respeito de teu servo e a respeito da tua descendência, confirma-a para sempre e faz como falastes.

26 E engrandece o teu nome para sempre, para que se
diga: O Senhor dos Exércitos é Deus sobre Israel; e a descendência do teu servo será confirmada diante de ti.
27 Pois tu, o Senhor dos Exércitos, Deus de Israel, revelaste aos ouvidos deste teu servo, dizendo: 'Edificarei uma casa para você.' Portanto, o teu servo se animou para te fazer esta oração.
28 Agora, Senhor Deus, tu és mesmo Deus, e as tuas palavras são verdade, e prometeste isto a teu servo.
29 Agora, abençoa a casa do teu servo, para que ela permaneça para sempre diante de ti, pois tu, ó Senhor Deus, falaste; e com a tua bênção, a casa do teu servo será abençoada para sempre."

Diversas Vitórias de Davi

8 E, depois disto, Davi atacou os filisteus e os derrotou; e Davi tomou Metegue-Amá das mãos dos filisteus.
2 Também derrotou os moabitas, os fez se deitarem no chão, e os mediu com uma corda dividida em três partes; os moabitas que ficaram dentro das duas primeiras partes da corda, foram mortos e os que ficaram dentro da terceira parte da corda, ficaram com vida. Assim os moabitas ficaram como servos de Davi, pagando tributos.
3 Davi também derrotou Hadadezer, filho de Reobe, rei de Zobá, quando ele ia recuperar o seu domínio sobre o rio Eufrates.
4 E Davi tomou dele mil e seiscentos cavaleiros e vinte mil soldados de infantaria; e Davi aleijou todos os cavalos dos carros de guerra, e ainda levou cem cavalos dos carros de guerra.
5 E os sírios vieram de Damasco para socorrer Hadadezer, rei de Zobá; porém Davi matou vinte e dois mil homens deles.
6 E Davi pôs guarnições na Síria de Damasco e os sírios ficaram como servos de Davi, pagando tributos; e o Senhor dava vitórias a Davi por onde quer que ele fosse.
7 E Davi tomou os escudos de ouro que havia com os servos de Hadadezer e os trouxe para Jerusalém.
8 O rei Davi tomou uma quantidade muito grande de bronze de Betá e de Berotai, cidades de Hadadezer.
9 Então, quando Toí, rei de Hamate, ouviu que Davi derrotou todo o exército de Hadadezer,
10 mandou o seu filho Jorão ao rei Davi, para lhe perguntar como estava e para lhe dar os parabéns por ter vencido Hadadezer, porque Hadadezer sempre fazia guerra a Toí; e Jorão trouxe com ele vasos de prata, de ouro e de bronze,
11 que o rei Davi consagrou ao Senhor, juntamente com a prata e ouro que já havia consagrado de todas as nações que derrotou.
12 Da Síria, de Moabe, dos filhos de Amom, dos filisteus, de Amaleque e dos despojos de Hadadezer, filho de Reobe, rei de Zobá.
13 Davi também ganhou fama quando voltou do ataque aos sírios no vale do Sal, quando matou dezoito mil homens.
14 E em todo o Edom pôs guarnições, assim todos os edomitas viraram servos de Davi; e o Senhor concedia vitórias a Davi em todos os lugares que ele atacava.
15 Davi reinou sobre todo o Israel; e fazia justiça a todo o seu povo.
16 E Joabe, filho de Zeruia, era comandante do exército; Josafá, filho de Ailude, era o cronista.
17 E Zadoque, filho de Aitube, e Aimeleque, filho de Abiatar, eram sacerdotes, e Seraías era o escrivão.
18 Também Benaia, filho de Joiada, liderava os quereteus e peleteus; porém os filhos de Davi eram príncipes.

Davi e o Filho de Jônatas

9 Em uma ocasião, Davi perguntou: "Há ainda alguém que ficou da família de Saul, para que eu lhe faça bondade por causa de Jônatas?"
2 E havia um servo na casa de Saul chamado Ziba; e o chamaram à presença de Davi. E o rei perguntou: "Você é Ziba?" E ele respondeu: "Sou eu, seu servo."
3 E o rei perguntou: "Existe alguém da família de Saul para que eu use da bondade de Deus com ele?" Então Ziba respondeu ao rei: "Ainda existe um filho de Jônatas, aleijado de ambos os pés."
4 E o rei perguntou: "Onde ele está?" E Ziba respondeu: "Está na casa de Maquir, filho de Amiel, em Lo-Debar."
5 Então o rei Davi mandou buscá-lo e o trouxe da casa de Maquir, filho de Amiel, de Lo-Debar.
6 E Mefibosete, filho de Jônatas, filho de Saul, chegou a Davi, se inclinou e prostrou-se com o rosto em terra; e Davi disse: "Mefibosete!" E ele respondeu: "Estou aqui às suas ordens."
7 E Davi disse: "Não tenha medo, porque serei bondoso com você por causa de Jônatas, seu pai, e lhe devolverei todas as terras de Saul, seu avô, e você sempre comerá à minha mesa."
8 Então ele se inclinou e disse: "Quem é este seu servo, para que tenha olhado para um cão morto como eu?"
9 Então Davi chamou Ziba, servo de Saul, e lhe disse: "Tudo o que pertencia a Saul, e a toda a sua casa, dei ao neto de seu senhor.
10 Você, seus filhos e seus servos, trabalharão a terra, e recolherão os frutos, para que o neto do seu senhor tenha pão para comer; mas Mefibosete, neto do seu senhor, sempre comerá à minha mesa." E Ziba tinha quinze filhos e vinte servos.
11 E Ziba disse ao rei: "Farei tudo o que o meu senhor, o

rei, manda a este seu servo. Quanto a Mefibosete, disse
o rei, comerá à minha mesa como um dos filhos do rei."
12 E Mefibosete tinha um filho pequeno, chamado Mica;
e todos os que moravam na casa de Ziba eram servos de
Mefibosete.
13 Mefibosete morava em Jerusalém, porque sempre co-
mia à mesa do rei; ele era aleijado de ambos os pés.

Vitórias de Davi Sobre os Amonitas e os Sírios

10 E, depois disto, o rei dos filhos de Amom morreu e
seu filho Hanum reinou em seu lugar.
2 Então Davi disse: "Serei bondoso com Hanum, filho de
Naás, como seu pai foi comigo." E Davi enviou os seus
servos para consolá-lo pela morte de seu pai; e os servos de
Davi foram à terra dos filhos de Amom.
3 Então os príncipes dos filhos de Amom disseram a seu
senhor, Hanum: "Davi honra o seu pai aos seus olhos, por
que lhe enviou consoladores? Davi não lhe enviou antes os
seus servos para reconhecerem esta cidade, para espiá-la e
para destruí-la?"
4 Então Hanum pegou os servos de Davi e lhes raspou
metade da barba, também lhes cortou metade das roupas,
até às nádegas e os despediu.
5 Quando Davi soube disso, ele enviou mensageiros para
encontrá-los, porque aqueles homens estavam muito en-
vergonhados. O rei lhes mandou dizer: "Fiquem em Jericó
até que as barbas de vocês cresçam, e então voltem."
6 Quando Os filhos de Amom viram que despertaram o
ódio de Davi, pelo que tinham feito, foram e contrataram
vinte mil soldados dos sírios de Bete-Reobe e dos sírios de
Zobá, mil soldados do rei de Maaca, e doze mil soldados
de Tobe.
7 Então Davi soube e enviou Joabe e todo o exército de
Israel.
8 E os filhos de Amom saíram e ordenaram a batalha à en-
trada da porta; mas os sírios de Zobá e Reobe, e os homens
de Tobe e Maaca, estavam à parte no campo.
9 Quando Joabe viu que a batalha estava preparada con-
tra ele, pela frente e pela retaguarda, escolheu alguns dos
melhores soldados e formou uma linha contra os sírios.
10 E o restante do exército entregou a Abisai, seu irmão,
que formou uma linha contra os filhos de Amom.
11 E Joabe disse a Abisai: "Se os sírios forem mais fortes do
que eu, você virá em meu socorro; e, se os filhos de Amom
forem mais fortes do que você, eu irei socorrê-lo.
12 Esforcem-se, e nos esforçaremos pelo nosso povo e pe-
las cidades do nosso Deus; e que o Senhor Deus faça o que
achar melhor."
13 Então Joabe e a sua tropa avançaram para lutar contra
os sírios; que fugiram diante dele.
14 E os filhos de Amom, vendo que os sírios fugiam, eles
também fugiram diante de Abisai e entraram na cidade; e
Joabe parou de lutar contra dos filhos de Amom e voltou
para Jerusalém.
15 Os sírios que foram derrotados por Israel tornaram a
se reunir.
16 E Hadadezer mandou chamar os sírios que estavam do
outro lado do rio e eles foram para Helã; e Sobaque, chefe
do exército de Hadadezer, marchava diante deles.
17 Quando Davi ficou sabendo, reuniu todo o Israel, pas-
sou o Jordão, e foi para Helã; e os sírios se puseram em
ordem contra Davi e lutaram contra ele.
18 Porém os sírios fugiram de Israel, e Davi matou os
condutores de setecentos carros de guerra, e quarenta mil
cavaleiros dos sírios; também matou Sobaque, general do
exército, que morreu ali.
19 Quando todos os reis servos de Hadadezer viram que
foram derrotados, fizeram paz com Israel e o serviram;
e os sírios ficaram com medo de socorrer aos filhos de
Amom.

Davi e Bate-Seba

11 E passado um ano, no tempo em que os reis costu-
mavam sair para a guerra, Davi enviou Joabe com
seus oficiais e todo o exército de Israel; e eles destruíram
os filhos de Amom e cercaram a cidade de Rabá; Davi,
porém, ficou em Jerusalém.
2 Então, numa tarde, Davi se levantou do seu leito e pas-
seava no terraço da casa real, quando viu uma mulher que
estava se lavando, e essa mulher era muito bonita.
3 E Davi mandou perguntar quem era aquela mulher e
disseram: "É Bate-Seba, filha de Eliã, mulher de Urias, o
heteu."
4 Então Davi enviou mensageiros e mandou trazê-la; ela
veio, e ele teve relações com ela, pois ela já estava purifica-
da da sua menstruação; depois ela voltou para a sua casa.
5 E a mulher engravidou; e mandou dizer a Davi: "Estou
grávida."
6 Então Davi mandou dizer a Joabe: "Envie-me Urias, o
heteu." E Joabe enviou Urias a Davi.
7 Quando Urias chegou, Davi perguntou como estava
Joabe, como o povo estava e como ia a guerra.
8 Depois Davi disse a Urias: "Vá para sua casa, lave os seus
pés e descanse um pouco." Quando Urias saía da casa real,
lhe entregaram um presente do rei.
9 Porém, Urias se deitou à porta da casa real, com todos os
servos do seu senhor, e não foi para casa.
10 Então contaram isto a Davi: Urias não foi para casa.
Então Davi perguntou a Urias: "Você não chegou de uma
viagem? Por que não foi para a sua casa?"
11 E Urias respondeu: "A arca, Israel e Judá ficam em
tendas; Joabe e os servos de meu senhor estão acampados;

como eu poderia ir para a minha casa, para comer e beber
e para me deitar com a minha mulher? Juro pela sua vida
que não farei isso."
12 Então Davi disse a Urias: Fique aqui hoje, e amanhã
o mandarei de volta. Urias ficou em Jerusalém aquele dia
e o seguinte.
13 E Davi o convidou e Urias comeu e bebeu bastante
diante dele, e à tarde, foi deitar-se com os servos do seu
senhor; porém não foi para sua casa.
14 E pela manhã Davi escreveu uma carta para Joabe e a
enviou pelas mãos de Urias.
15 E nela escreveu: "Ponha Urias na frente da maior força
da batalha e retirem-se de detrás dele, para que ele seja
morto."
16 Então Joabe, que cercava a cidade inimiga, a observou
bem, e pôs Urias no lugar onde sabia que havia homens
valentes.
17 E os homens da cidade saíram e lutaram contra Joabe,
alguns soldados de Davi foram mortos; e Urias, o heteu,
também morreu.
18 Então Joabe enviou a notícia a Davi, dando um relató-
rio daquela guerra.
19 E deu ordem ao mensageiro, dizendo: "Quando você
contar ao rei os relatórios desta batalha,
20 e se o rei se enfurecer, e perguntar: 'Por que se aproxi-
maram tanto da cidade para lutar? Vocês não sabiam que
atirariam da muralha?
21 Quem matou Abimeleque, filho de Jerubesete? Uma
mulher não lançou da muralha sobre ele um pedaço de
pedra de moinho e o matou em Tebes? Por que se aproxi-
maram do muro?' Então dirá: 'O seu servo Urias, o heteu,
também morreu.'"
22 E o mensageiro foi, entrou e contou a Davi tudo o que
Joabe mandou dizer.
23 E o mensageiro disse a Davi: "Na verdade aqueles ho-
mens eram mais fortes do que nós, e saíram para lutar
contra nós em campo aberto, mas nós fomos contra eles
até à porta da cidade.
24 Então os flecheiros atiraram contra os seus servos do
alto do muro e mataram alguns dos servos do rei; e o seu
servo Urias, o heteu, também morreu."
25 E Davi disse ao mensageiro: "Diga isto a Joabe: 'Não se
preocupe com isso, pois a espada devora tanto este como
aquele; reforce o ataque contra a cidade e a derrote'; en-
coraje-o assim."
26 Quando a mulher de Urias ouviu que o seu marido
estava morto, ela lamentou por ele.
27 E passado o luto, Davi a recolheu em sua casa, e ela se
tornou sua mulher, e lhe deu à luz um filho. Porém, o que
Davi fez desagradou ao Senhor.

O Profeta Natã Repreende a Davi

12 E o Senhor enviou Natã a Davi; e ele se apresentou
e lhe disse: "Havia numa cidade dois homens, um
rico e outro pobre.
2 O rico possuía muitíssimas ovelhas e vacas.
3 Mas o pobre não tinha nada, a não ser uma pequena
cordeira que comprou para criar; e ela tinha crescido com
ele e com seus filhos; comia da sua comida, bebia do seu
copo, dormia em seus braços e ele a tinha como filha.
4 E um dia, chegou um viajante para visitar o homem rico,
e o homem rico não quis pegar das suas ovelhas e das suas
vacas para servir o viajante que veio visitá-lo; e pegou a
cordeira do homem pobre e a preparou para o homem
que veio visitá-lo."
5 Então a fúria de Davi se acendeu contra aquele homem
e disse a Natã: "Juro pelo nome do Senhor, que o homem
que fez isso deve morrer.
6 E pela cordeira pagará quatro vezes o seu preço por ter
feito isso, e porque não se compadeceu."
7 Então Natã disse a Davi: "Você é esse homem. Assim
diz o Senhor Deus de Israel: 'Eu o ungi rei de Israel e eu o
salvei das mãos de Saul,
8 e lhe dei a casa de seu senhor e as mulheres de seu se-
nhor em seus braços; também lhe dei a casa de Israel e de
Judá e, se isto é pouco, eu lhe daria mais coisas.
9 Por que desprezou a palavra do Senhor, fazendo o mal
diante de seus olhos? A Urias, o heteu, feriu à espada, e
tomou a mulher dele para ser a sua esposa; matou-o com a
espada dos filhos de Amom.
10 Agora, a espada jamais se apartará da sua casa, porque
me desprezou e tomou a mulher de Urias, o heteu, para
ser sua mulher.'
11 Assim diz o Senhor: 'Da sua própria casa virá o mal
sobre você, tomarei as suas mulheres perante os seus olhos
e as darei a seu próximo, que se deitará com as suas mu-
lheres perante este sol.
12 Porque você o fez às escondidas, mas eu farei perante
todo o Israel e perante o sol.'"
13 Então Davi disse a Natã: "Pequei contra o Senhor."
E Natã disse a Davi: "Também o Senhor perdoou o seu
pecado; você não morrerá.
14 Mas, com o que fez, deu motivo para que os inimi-
gos do Senhor blasfemem, então o filho que lhe nasceu
morrerá."
15 Então Natã foi para sua casa; e o Senhor feriu a
criança que a mulher de Urias deu a Davi e ela adoeceu
gravemente.
16 E Davi buscou a Deus pela criança; Davi jejuou, entrou
e passou a noite prostrado sobre a terra.
17 Então os anciãos da sua casa foram a ele, para o levan-

tarem da terra; porém ele não quis e não comeu nem se
alimentou com eles.
18 E no sétimo dia a criança morreu; e os servos de Davi
ficaram com medo de lhe contar que a criança estava morta
e diziam: "Quando a criança ainda estava viva, ele não
nos ouvia; como lhe diremos que a criança morreu? Ele
poderá cometer alguma loucura!"
19 Davi, porém, viu que os seus servos cochichavam e
Davi entendeu que a criança estava morta; então perguntou
aos seus servos: "A criança está morta?" E eles responderam:
"Está morta."
20 Então Davi se levantou da terra, se lavou, se ungiu,
mudou de roupas, entrou na casa do Senhor e adorou.
Então foi à sua casa e pediu comida; lhe deram comida
e ele comeu.
21 E os seus servos lhe perguntaram: "O que é isto que
fez? Jejuou e chorou pela criança viva; mas depois que a
criança morreu, se levantou e comeu!"
22 E ele disse: "Quando a criança ainda estava viva, jejuei
e chorei dizendo: Quem sabe Deus se compadeça de mim
e deixe a criança viver?
23 Agora que ela está morta, por que eu jejuaria? Poderei
trazê-la de volta? Eu irei até ela, mas ela não voltará para
mim."
24 Então Davi consolou a sua mulher, Bate-Seba; teve relações
com ela, e ela deu à luz um filho, e lhe deu o nome
de Salomão; e o Senhor o amou.
25 E o Senhor enviou uma mensagem a Davi pelas mãos
do profeta Natã, dando ao menino o nome de Jedidias, por
causa do Senhor.
26 Joabe lutou contra Rabá, dos filhos de Amom, e conquistou
a fortaleza real.
27 Então Joabe mandou mensageiros a Davi, dizendo:
"Lutei contra Rabá e também me apoderei dos reservatórios
de águas.
28 Reúna agora o restante do exército, cerque a cidade
e conquiste-a, para que eu não fique com a fama de tê-la
conquistado."
29 Então Davi reuniu todo o exército e marchou para
Rabá; lutou contra ela e a conquistou.
30 E tirou a coroa da cabeça do seu rei; ela pesava trinta
e quatro quilos de ouro e nela havia pedras preciosas, e
a coroa foi posta sobre a cabeça de Davi, e ele levou um
grande despojo da cidade.
31 Trouxe também os habitantes que havia nela e os fez
trabalharem nas serras, nas talhadeiras e machados de ferro,
e nos fornos de tijolos; e assim ele fez com todas as
cidades dos filhos de Amom; depois, Davi voltou com todo
o exército para Jerusalém.

A História de Amnom e Tamar

13 E aconteceu depois disto que Absalão, filho de Davi,
tinha uma irmã muito bonita chamada Tamar. Amnom,
filho de Davi, apaixonou-se por ela.
2 E Amnom, ficou angustiado e adoeceu por causa de Tamar,
sua irmã, porque ela era virgem; e parecia impossível
para ele fazer alguma coisa com ela.
3 Amnom porém, tinha um amigo chamado Jonadabe, filho
de Simeia, irmão de Davi; e Jonadabe era um homem
muito esperto.
4 Ele disse a Amnom: "Por que você está cada dia mais
magro, sendo filho do rei? Por que você não me conta o
que está acontecendo?" Então Amnom lhe disse: "Estou
apaixonado por Tamar, irmã de Absalão, meu irmão."
5 E Jonadabe lhe disse: "Deite-se na sua cama e finja que
está doente; e, quando seu pai vier visitá-lo, lhe diga: 'Peço
que minha irmã Tamar venha e me dê comida, que ela
prepare a comida diante de mim, para que eu coma de
sua mão.'"
6 Amnom deitou-se, e fingiu estar doente; e quando o rei
veio visitá-lo, Amnom lhe disse: "Peço-lhe que minha irmã
Tamar venha e prepare dois bolos diante de mim, para que
eu coma de sua mão."
7 Então Davi mandou Tamar à casa, dizendo: "Vá à casa
de Amnom, seu irmão, e lhe faça alguma comida."
8 E Tamar foi à casa de Amnom, seu irmão, porém ele
estava deitado; então ela fez bolo e o assou diante dos seus
olhos.
9 Pegou a assadeira e tirou os bolos diante dele; porém
ele se recusou a comer. E Amnom disse: "Saiam todos da
minha presença." E todos se retiraram.
10 Então Amnom disse a Tamar: "Traga a comida ao meu
quarto e comerei da sua mão." E Tamar pegou os bolos
que tinha feito e levou-os a Amnom, seu irmão, no quarto.
11 E quando ela veio com os bolos para ele comer, ele a
agarrou e lhe disse: "Venha, deite-se comigo, minha irmã."
12 Porém ela lhe disse: "Não, meu irmão, não me force,
porque não se faz assim em Israel; não faça esta loucura.
13 Aonde eu iria com a minha vergonha? E você seria
como um dos loucos de Israel. Agora, por favor, fale com o
rei; e ele não impedirá que eu me case com você."
14 Porém Amnom não quis dar ouvidos a Tamar; pelo
contrário, ele sendo mais forte, a forçou e teve relações
com ela.
15 Depois Amnom sentiu grande aversão por ela, e o seu
ódio era maior do que seu amor por ela. E Amnom disse:
"Levante-se e vá."
16 Então ela lhe disse: "Não há razão para me despedir
assim; este mal seria maior do que o outro que me fez."
Porém ele não lhe deu ouvidos.

17 E chamou o seu servo e disse: "Ponha-a para fora e
feche a porta."
18 E ela usava uma roupa de muitas cores, porque as fi-
lhas virgens dos reis se vestiam assim; e o servo de Amnom
a pôs para fora e fechou a porta.
19 Então Tamar jogou cinza sobre a sua cabeça e rasgou a
roupa colorida que vestia, pôs as mãos sobre a cabeça e foi
andando e clamando.
20 E Absalão, seu irmão, lhe perguntou: "Por acaso Am-
nom, seu irmão, esteve com você? Agora, minha irmã,
fique calada; ele é seu irmão. Não angustie o seu coração
com isto." Assim Tamar ficou desolada na casa de Absalão,
seu irmão.
21 E o rei Davi ficou sabendo de todas essas coisas, e ficou
irado.
22 Porém Absalão não falou nada para Amnom; porque
Absalão odiava Amnom, por ter forçado Tamar, a sua irmã.

Absalão Mata Amnom

23 Então, passados dois anos, Absalão tosquiava suas ove-
lhas em Baal-Hazor, perto de Efraim; e Absalão convidou
todos os filhos do rei para irem até ele.
24 E Absalão foi ao rei e disse: "Este seu servo está tos-
quiando as ovelhas; peço que o rei e os seus servos ve-
nham comigo."
25 O rei, porém, disse a Absalão: "Não, meu filho, não
vamos todos juntos, para não sermos um peso para você."
E Absalão insistiu com ele; porém o rei não quis ir, mas o
abençoou.
26 Então Absalão disse: "Deixe Amnom, meu irmão, ir
conosco." Porém o rei perguntou: "Para que ele iria com
você?"
27 E, Absalão continuou insistindo, e o rei deixou todos os
seus filhos e Amnom irem com ele.
28 E Absalão deu ordem aos seus homens, dizendo: "Fi-
quem atentos; quando Amnom estiver alegre pelo vinho e
eu disser para matá-lo, então o matem; não tenham medo,
porque sou eu que estou dando as ordens. Esforcem-se e
sejam valentes."
29 E assim os homens de Absalão mataram Amnom,
como Absalão ordenou. E todos os filhos do rei se levanta-
ram, montaram em suas mulas e fugiram.
30 Então, quando eles ainda estavam a caminho, chegou
a Davi esta notícia: "Absalão matou todos os filhos do rei,
não escapou nenhum deles."
31 Então o rei se levantou, rasgou as suas roupas e se
lançou por terra; da mesma maneira, todos os seus servos
rasgaram as suas roupas.
32 Mas Jonadabe, filho de Simeia, irmão de Davi, disse:
"Não diga ao meu senhor que mataram todos os filhos
do rei, porque só mataram Amnom; porque assim Absalão
tinha resolvido fazer, desde o dia em que Amnom forçou
Tamar, sua irmã.
33 Não diga ao rei, meu senhor, que morreram todos os
seus filhos; porque só morreu Amnom."
34 E Absalão fugiu; e o homem que estava de guarda le-
vantou os seus olhos e viu que muita gente vinha pelo
caminho por trás dele, pelo lado do monte.
35 Então Jonadabe disse ao rei: "Os filhos do rei vêm che-
gando; como disse o seu servo."
36 Então, quando acabou de falar, os filhos do rei chega-
ram; levantaram a voz e choraram; o rei e todos os seus
servos também choraram amargamente.

A Fuga de Absalão

37 Assim Absalão fugiu e foi a Talmai, filho de Amiúde,
rei de Gesur. E Davi lamentava por seu filho todos os dias.
38 Assim Absalão fugiu e foi para Gesur; e ficou três anos
por lá.
39 Então o rei Davi sentiu saudades de Absalão, porque já
se tinha consolado pela morte de Amnom.

Joabe Traz Absalão Para Casa

14 Joabe, filho de Zeruia, sabendo que o rei estava com
saudades de Absalão,
2 mandou buscar de Tecoa uma mulher sábia e lhe disse:
"Finja que está de luto; vista roupas de luto, não se unja
com óleo e aja como uma mulher que está de luto há mui-
tos dias por algum morto.
3 Vá ao rei e lhe diga estas palavras." E Joabe lhe pôs as
palavras em sua boca.
4 E a mulher tecoíta falou ao rei e, prostrando-se com o
rosto em terra, disse: "Salve-me, ó rei."
5 E o rei disse: "Qual o seu problema?" E ela respondeu:
"Na verdade sou viúva; meu marido morreu.
6 Eu tinha dois filhos, eles brigaram entre si no campo e
ninguém apartou; e um feriu o outro e o matou.
7 E todos os meus parentes se levantaram contra mim e
me disseram: 'Dê-nos o que matou o irmão, para que o
matemos, por causa da vida de seu irmão, a quem matou,
e para também destruirmos o herdeiro.' Assim apagarão a
brasa que me restou, não deixando a meu marido nome,
nem descendente sobre a terra."
8 E o rei disse à mulher: "Vá para sua casa e eu verei o que
fazer a respeito de você."
9 E a mulher tecoíta disse ao rei: "Que a culpa, rei meu
senhor, caia sobre mim e sobre a casa de meu pai; e o rei e
o seu trono fique sem culpa."
10 E o rei disse: "Traga a mim quem falar contra você, e
nunca mais será incomodada."
11 E ela disse: "Lembre-se o rei do Senhor seu Deus, para
que os vingadores do sangue não prossigam na destruição
e não exterminem o meu filho." Então ele disse: "Juro

pelo nome do Senhor que não cairá no chão nem um fio
de cabelo do seu filho."
12 Então a mulher disse: "Esta sua serva quer falar mais
uma coisa ao senhor, meu rei." E ele disse: "Fale."
13 E a mulher perguntou: "Por que o senhor pensou tal
coisa contra o povo de Deus? Pois, ao falar tal coisa, fica
como culpado; visto que o rei não torna a trazer o seu
desterrado.
14 Porque todos nós certamente morreremos, e seremos
como águas derramadas na terra que não se ajuntam mais;
Deus não tira a vida, mas provê meios para que a pessoa
que foi banida não permaneça afastada dele.
15 E se agora eu vim falar esta palavra ao rei, meu senhor,
é porque o povo me ameaçou; então pensei que, se eu
falasse com o rei, talvez o rei atendesse ao meu pedido.
16 E concordaria em livrar a sua serva da mão do homem
que quer destruir a mim e ao meu filho da herança que
Deus nos deu.
17 E esta sua serva pede mais: Que agora a palavra do rei,
meu senhor, seja para o meu descanso; porque, como um
anjo de Deus, assim é o rei, meu senhor, para discernir
entre o bem e o mal; e que o Senhor seu Deus esteja com
o senhor."
18 Então o rei respondeu à mulher: "Peço que não me
esconda do que eu lhe perguntar." E a mulher disse: "Fale,
rei, meu senhor."
19 E o rei disse: "Não é verdade que a mão de Joabe está
com você em tudo isto?" E a mulher respondeu: "Juro
pela sua vida, ó rei, meu senhor, que ninguém poderá se
desviar, nem para a direita nem para a esquerda, de tudo
o que o rei, meu senhor, falou: Porque Joabe, seu servo, é
quem me deu esta ordem e foi ele que pôs na boca da sua
serva todas estas palavras.
20 O seu servo Joabe fez isto para mudar o aspecto deste
caso; porém o meu senhor é sábio como um anjo de Deus,
para entender tudo o que acontece na terra."
21 Então o rei disse a Joabe: "Farei isto; vá e traga o jovem
Absalão."
22 Então Joabe se prostrou com o rosto em terra, se in-
clinou e agradeceu ao rei; e Joabe disse: "Hoje reconheço
que encontrei graça aos seus olhos, ó rei, meu senhor, por-
que o rei atendeu ao pedido do seu servo."
23 Joabe levantou-se, foi a Gesur e trouxe Absalão a
Jerusalém.
24 E o rei disse: "Retorne para a sua casa, mas não veja
a minha face." Absalão foi para a sua casa e não foi à pre-
sença do rei.
25 Não havia em todo o Israel homem tão bonito como
Absalão; desde a sola do pé até à cabeça não havia nele
defeito algum.
26 E, quando cortava o cabelo, e ele o cortava no fim de
cada ano, devido ao seu peso, o seu cabelo pesava mais
de dois quilos.
27 Absalão teve três filhos e uma filha chamada Tamar; e
ela era uma mulher muito bonita.
28 Assim Absalão ficou dois anos inteiros em Jerusalém e
não viu a face do rei.
29 Absalão mandou chamar Joabe para o enviar ao rei;
porém ele não quis ir; e chamou ainda pela segunda vez,
contudo, Joabe não quis ir.
30 Então Absalão disse aos seus servos: "Vejam ali o pe-
daço de campo de Joabe ao lado do meu; há cevada nele;
vão lá e ponham fogo." E os servos de Absalão puseram
fogo na plantação.
31 Então Joabe se levantou, foi à casa de Absalão e lhe per-
guntou: "Por que os seus servos puseram fogo no pedaço
de campo que é meu?"
32 E Absalão respondeu a Joabe: "Mandei chamá-lo para
enviá-lo ao rei com a seguinte mensagem: 'Para que voltei
de Gesur? Melhor seria eu ter ficado lá. Agora quero ver o
rei; e, se há em mim alguma culpa, que me mate.'"
33 Então Joabe foi ao rei e entregou a mensagem de Ab-
salão. Então o rei chamou Absalão e ele se apresentou ao
rei, se inclinou com o rosto em terra diante do rei; e o rei
o beijou.

A Rebelião de Absalão

15 E depois disto Absalão arranjou carruagens, cavalos
e cinquenta homens que corressem na sua frente.
2 Absalão se levantava cedo e ficava no portão da cidade,
e todo homem que tinha alguma demanda ao rei para jul-
gamento, Absalão o chamava para si e perguntava: "De
que cidade você é?" E, se ele dissesse que era de uma das
tribos de Israel,
3 então Absalão lhe dizia: "Olha, a sua causa é justa, po-
rém não tem quem ouça da parte do rei."
4 Absalão dizia mais: "Ah, quem me dera ser juiz desta
terra, para que viesse a mim todo homem que tivesse de-
manda, para que lhe fizesse justiça!"
5 Também, quando alguém se aproximava dele para se
inclinar diante dele, ele estendia a mão, pegava-o e beijava.
6 E Absalão fazia desta maneira a todo o Israel que vinha
ao rei para juízo; assim Absalão conquistava o coração dos
homens de Israel.
7 Ao fim de quatro anos, Absalão disse ao rei: "Deixe-me
ir cumprir em Hebrom o voto que fiz ao Senhor.
8 Porque, quando eu estava morando em Gesur, na Síria,
lhe fiz um voto, dizendo: Se o Senhor me trouxer de volta
a Jerusalém, prestarei culto ao Senhor."
9 Então o rei lhe disse: "Vá em paz!" Então Absalão levan-
tou-se e foi para Hebrom.

10 E Absalão enviou espiões a todas as tribos de Israel,
dizendo: "Quando ouvirem o som das trombetas, digam:
'Absalão reina em Hebrom.'"
11 E foram com Absalão duzentos homens de Jerusalém,
porém iam na inocência, porque não sabiam dos planos
de Absalão.
12 Absalão também mandou vir Aitofel, o gilonita, do con-
selho de Davi, à sua cidade de Gilo, enquanto ele oferecia
os seus sacrifícios; a conspiração se fortificava, e o povo
que tomava partido de Absalão ia crescendo.

A Fuga de Davi

13 Então um mensageiro veio a Davi, dizendo: "Todo o
povo de Israel está seguindo Absalão."
14 Então Davi disse a todos os seus servos que estavam
com ele em Jerusalém: "Levantem-se, vamos fugir, porque
não poderemos escapar de Absalão. Apressem-se, para que
ele não nos alcance, lance sobre nós algum mal e fira a
cidade ao fio de espada."
15 Então os servos do rei disseram: "Estamos aqui para
tudo o que determinar o rei, nosso senhor."
16 E o rei saiu, com toda a sua casa, a pé; porém, o rei dei-
xou dez mulheres concubinas, para cuidarem do palácio.
17 Após o rei sair com todo o povo a pé, pararam num
lugar distante.
18 E todos os seus servos iam ao seu lado, como também
todos os quereteus e todos os peleteus; e todos os geteus,
seiscentos homens que vieram de Gate a pé, caminhavam
diante do rei.
19 O rei disse a Itai, o geteu: "Por que você também está
indo conosco? Volte e fique com o novo rei, porque você é
estrangeiro e também desterrado de seu lugar.
20 Você chegou ontem, por que eu o levaria hoje conosco
para caminhar sem saber para onde ir? Volte, leve seus
irmãos com você, com bondade e fidelidade."
21 Porém, Itai respondeu ao rei: "Juro pelo nome do Se-
nhor, e pela vida do rei, meu senhor, que, no lugar em que
o rei, meu senhor, estiver, seja para morrer ou seja para
viver, certamente também este seu servo estará."
22 Então Davi disse a Itai: "Vá e passe adiante." Assim Itai,
o geteu, passou adiante todos os seus homens e todas as
crianças que estavam com ele.
23 E toda a terra chorava em voz alta, então todo o povo e
também o rei passaram o ribeiro de Cedrom, seguindo no
caminho do deserto.
24 E Zadoque também estava ali, e com ele todos os le-
vitas que levavam a arca da aliança de Deus; puseram ali
a arca de Deus, até que todo o povo acabou de sair da
cidade; Abiatar também estava lá.
25 Então o rei disse a Zadoque: "Leve a arca de Deus de
volta à cidade; pois, se eu encontrar favor nos olhos do
Senhor, ele me fará voltar para lá e me deixará ver a arca
e a sua habitação.
26 Se ele disser: 'Não tenho prazer em você, aqui estou,
faça de mim o que achar melhor.'"
27 O rei disse mais a Zadoque, o sacerdote: "Você não é
vidente? Volte em paz para a cidade, e leve com você seus
dois filhos, Aimaás, seu filho, e Jônatas, filho de Abiatar.
28 Ficarei esperando nas campinas do deserto notícias
suas."
29 Zadoque e Abiatar tornaram a levar para Jerusalém a
arca de Deus; e ficaram ali.
30 E Davi seguiu pela encosta do monte das Oliveiras,
subindo e chorando, com a cabeça coberta e caminhando
descalço; e todo o povo que ia com ele cobria cada um a
sua cabeça, e subiam chorando sem cessar.
31 Então disseram a Davi: "Aitofel também está entre
os que conspiravam com Absalão." Então Davi disse: "Ó
Senhor, transforme em loucura os conselhos de Aitofel."
32 Então, Davi chegou ao cume, para adorar a Deus, e
Husai, o arquita, veio encontrar-se com ele com a roupa
rasgada e terra sobre a cabeça.
33 E Davi disse: "Se vier comigo, será um peso para mim.
34 Porém, se voltar para a cidade e disser a Absalão: 'Eu
serei, ó rei, seu servo; antes servo de seu pai, mas agora
serei seu servo'; assim me ajudará frustrando o conselho
de Aitofel.
35 Zadoque e Abiatar, sacerdotes, estarão ali com você. E
todas as coisas que ouvir da casa do rei conte a eles.
36 Também estão ali com eles seus dois filhos, Aimaás,
filho de Zadoque, e Jônatas, filho de Abiatar; através deles
me mandem notícias de todas as coisas que ouvirem."
37 Husai, amigo de Davi, foi para a cidade e Absalão en-
trou em Jerusalém.

Ziba Engana Davi

16 Depois que Davi passou do alto do monte, Ziba, o
moço de Mefibosete, veio encontrar-se com ele, com
um par de jumentos, trazendo sobre eles duzentos pães,
cem cachos de passas, cem frutas de verão e um odre de
vinho.
2 E o rei perguntou a Ziba: "O que pretende com isto?"
E Ziba respondeu: "Os jumentos são para a casa do rei,
para serem montados, o pão e as frutas de verão são para
os moços comerem e o vinho para os cansados no deserto
beberem."
3 Então o rei perguntou: "Onde está Mefibosete, o neto
de seu senhor?" E Ziba respondeu ao rei: "Ficou em Je-
rusalém, pois disse: 'Hoje a casa de Israel me restituirá o
reino de meu avô.'"
4 Então o rei disse a Ziba: "Tudo que pertence a Mefibose-

te é seu." E Ziba respondeu: "Eu me inclino, que eu ache
graça em seus olhos, ó rei, meu senhor."

Simei Amaldiçoa Davi

5 Quando o rei Davi chegou em Baurim, dali saiu um ho-
mem da família da casa de Saul, chamado Simei, filho de
Gera; saiu e ia amaldiçoando.
6 E atirava pedras contra Davi e contra todos os seus ser-
vos; embora todo o povo e todos os valentes fossem à sua
direita e à sua esquerda.
7 E, enquanto Simei amaldiçoava, dizia: "Saia, saia, assas-
sino e homem mau."
8 O Senhor o está castigando de todo o sangue derramado
na casa de Saul, no lugar que reinou. Agora o Senhor já
entregou o reino nas mãos de seu filho Absalão; e você
caiu em desgraça, porque é um assassino.
9 Então Abisai, filho de Zeruia, perguntou ao rei: "Por que
esse cão morto amaldiçoaria o rei meu senhor? Deixe-me
passar e lhe tirarei a cabeça."
10 O rei, porém, disse: "Que tenho eu a ver com vocês,
filhos de Zeruia? Deixem me amaldiçoar; pois, se o Senhor
lhe disse: 'Amaldiçoe Davi'; quem poderia perguntar: Por
que faz isso?"
11 Davi disse mais a Abisai e a todos os seus servos: "Se
meu filho, que saiu das minhas entranhas, quer me matar,
o que posso dizer desse benjamita? Deixem-no que amal-
diçoe, porque foi o Senhor que mandou.
12 Talvez o Senhor olhe para a minha miséria e o Senhor
me retribua com bênção a maldição do dia de hoje."
13 Davi e os seus homens prosseguiram pelo seu caminho;
e Simei ia pela encosta do monte ao lado dele, caminhan-
do, amaldiçoando e atirando pedras e terra contra ele.
14 Então o rei e todo o povo que ia com ele chegaram
cansados e refrescaram-se ali.

Aitofel e Husai Aconselham Absalão

15 Absalão e todo o povo, homens de Israel, vieram a Je-
rusalém; e Aitofel estava com ele.
16 E Husai, o arquita, amigo de Davi, chegou a Absalão e
disse: "Viva o rei, viva o rei!"
17 Porém Absalão disse a Husai: "É essa a sua lealdade
para com o seu amigo? Por que não foi com o seu amigo?"
18 E Husai respondeu a Absalão: "Não, porém aquele que
o Senhor elegeu, e todo este povo, e todos os homens de
Israel, dele serei e com ele ficarei.
19 Além disso, a quem eu serviria? Não seria ao seu filho?
Como servi ao seu pai, assim serei com você."
20 Então Absalão perguntou a Aitofel: "O que vocês acon-
selham que devemos fazer?"
21 E Aitofel respondeu a Absalão: "Possua as concubinas
de seu pai, que ele deixou para cuidarem do palácio; e
assim todo o Israel saberá que se tornou repugnante para
com o seu pai, e todos os que estão com você se tornarão
mais corajosos."
22 Então armaram para Absalão uma tenda no terraço, e
Absalão possuiu as concubinas de seu pai, perante os olhos
de todo o Israel.
23 E o conselho que Aitofel dava naqueles dias era como a
palavra de Deus; assim era com todo o conselho de Aitofel,
tanto para Davi como para com Absalão.
17 Aitofel disse a Absalão: "Deixe-me escolher doze mil
homens, então me levantarei, e perseguirei Davi esta
noite.
2 E o atacarei, pois ele está cansado e fraco; o deixarei
em pânico e todo o povo que está com ele fugirá; e então
matarei somente o rei.
3 E trarei todo o povo de volta a você; é somente um
homem que você precisa matar; assim todo o povo estará
em paz."
4 E estas palavras agradaram a Absalão e a todos os anciãos
de Israel.
5 Absalão, porém, disse: "Chamem agora Husai, o arquita;
e ouçamos também o que ele dirá."
6 E, quando Husai chegou, Absalão lhe falou: "Aitofel fa-
lou isto; faremos conforme à sua palavra? Se não, fale você
o que fazer."
7 Então Husai disse a Absalão: "O conselho que Aitofel
deu desta vez não é bom."
8 Husai disse mais: "Você bem conhece o seu pai e os
homens dele; são valentes, e estão furiosos como uma ursa
no campo onde teve os filhotes roubados; e também o seu
pai é homem de guerra e não passará a noite com o povo.
9 Ele agora deve estar escondido em alguma caverna, ou
em qualquer outro lugar; e se alguns deles caírem no co-
meço, cada um que ouvir isto dirá: 'Houve matança no
povo que segue Absalão.'
10 Então até o homem valente, cujo coração é como cora-
ção de leão, sem dúvida desanimará; porque todo o Israel
sabe que seu pai é um guerreiro valente e os homens que
estão com ele também são.
11 Eu, porém, aconselho que com toda a pressa reúna
a você todo o Israel, desde Dã até Berseba, em multidão
como a areia do mar; e você em pessoa vá com eles à
batalha.
12 Então o atacaremos em qualquer lugar que se achar,
facilmente cairemos sobre ele, como o orvalho cai sobre
a terra; e não ficará ele e nenhum dos homens que estão
com ele, nem um só.
13 Se ele fugir para alguma cidade, todo o Israel levará
cordas àquela cidade; então a arrastaremos até o ribeiro,
até que não se ache ali nem uma só pedrinha.'
14 Então Absalão e todos os homens de Israel disseram:

"O conselho de Husai, o arquita, é melhor do que o con-
selho de Aitofel; porém o Senhor havia decidido aniquilar
o conselho de Aitofel, para que o mal caísse sobre Absalão.
15 Então Husai contou aos sacerdotes Zadoque e Abiatar o
conselho que Aitofel deu a Absalão e aos anciãos de Israel;
e o que ele mesmo tinha orientado em seguida.
16 Agora, enviem apressadamente mensageiros e avisem
Davi, dizendo: "Não passe esta noite nas campinas do de-
serto; mas atravesse o rio para o outro lado, para que o rei
e todo o povo que está com ele não sejam destruídos."
17 Jônatas e Aimaás estavam juntos à fonte de En-Rogel;
e uma criada foi e passou o recado, e eles foram e conta-
ram ao rei Davi, porque não podiam ser vistos entrando
na cidade.
18 Mas um moço os viu e avisou a Absalão; porém ambos
logo partiram apressadamente e entraram na casa de um
homem, em Baurim, o qual tinha um poço no seu pátio e
eles desceram ali dentro.
19 E a mulher pegou a tampa e tampou a boca do poço,
e espalhou grão descascado sobre ela; assim o poço ficou
disfarçado.
20 Quando os servos de Absalão chegaram àquela casa,
perguntaram à mulher: "Onde estão Aimaás e Jônatas?"
E a mulher lhes respondeu: "Já atravessaram as águas."
Então, os procuraram e não os encontraram, e voltaram
para Jerusalém.
21 E, depois que os servos de Absalão partiram, Aimaás
e Jônatas saíram do poço, foram e avisaram Davi: "Le-
vantem-se e atravessem depressa as águas, porque assim
Aitofel aconselhou contra vocês."
22 Então Davi e todo o povo que estava com ele se levan-
taram e atravessaram o Jordão; e, quando o dia clareou,
não faltava um só que não tivesse atravessado o Jordão.
23 Quando Aitofel viu que o seu conselho não tinha sido
seguido, selou o jumento, levantou-se e foi para sua casa
na cidade em que morava, pôs seus negócios em ordem, se
enforcou e morreu, e foi sepultado na sepultura de seu pai.
24 E Davi foi para Maanaim; porém, Absalão atravessou o
Jordão com os homens de Israel.
25 E Absalão nomeou Amasa em lugar de Joabe como
comandante do exército. Amasa era filho de um homem
chamado Itra, israelita, casado com Abigail, filha de Naás,
irmã de Zeruia, mãe de Joabe.
26 Israel e Absalão acamparam na terra de Gileade.

Davi é Socorrido

27 Quando Davi chegou a Maanaim, Sobi, filho de Naás,
de Rabá, dos filhos de Amom, e Maquir, filho de Amiel, de
Lo-Debar, e Barzilai, o gileadita, de Rogelim,
28 trouxeram camas e bacias, vasilhas de barro, trigo,
cevada, farinha, grão torrado, favas e lentilhas, também
torradas,
29 e mel, manteiga, ovelhas e queijos de vacas e os entre-
garam a Davi e ao povo que estava com ele, para come-
rem, porque disseram: "Esse povo está faminto, cansado e
sedento no deserto."

A Morte de Absalão

18 E Davi contou os soldados que tinha com ele e pôs
sobre eles capitães de cem.
2 E Davi enviou o povo, um terço sob o comando de Joabe
e outro terço sob o comando de Abisai, filho de Zeruia,
irmão de Joabe, e o outro terço sob o comando de Itai, o
geteu; e o rei disse ao povo: "Eu também irei com vocês."
3 Porém o povo disse: "Não faça isso, porque, se formos
obrigados a fugir, não se importarão conosco; ainda que
metade de nós morra, não farão caso de nós; já o senhor
vale por dez mil de nós; será melhor que da cidade nos
sirva de socorro."
4 Então Davi disse: "O que vocês acharem melhor, eu fa-
rei." E o rei se pôs ao lado da porta da cidade e todo o povo
saiu em centenas e em milhares.
5 E o rei deu ordem a Joabe, a Abisai e a Itai, dizendo:
"Tratem com bondade, por amor de mim, o jovem Absa-
lão." E todo o povo ouviu quando o rei deu ordem a todos
os capitães acerca de Absalão.
6 O povo saiu ao campo, a encontrar-se com Israel e a
batalha aconteceu no bosque de Efraim.
7 E ali o povo de Israel foi derrotado diante dos servos de
Davi; naquele mesmo dia houve ali uma grande derrota,
morreram vinte mil homens.
8 A batalha se estendeu sobre toda aquela terra; o bosque
consumiu mais pessoas do que a espada tinha destruído
naquele dia.
9 E Absalão se encontrou com os servos de Davi; Absalão
ia montado em uma mula que entrou debaixo dos espes-
sos ramos de um grande carvalho, ele enroscou a cabeça
no carvalho e ficou pendurado entre o céu e a terra; e a
mula, que estava debaixo dele, seguiu adiante.
10 Um homem viu e disse a Joabe: "Vi Absalão pendurado
num carvalho."
11 Então Joabe disse ao homem que lhe contou: "Quando
o viu, por que não o matou ali mesmo? E eu teria dado a
você dez moedas de prata e um cinto."
12 Porém, aquele homem disse a Joabe: "Ainda que puses-
se nas minhas mãos mil moedas de prata, não estenderia
a mão contra o filho do rei, pois ouvimos que o rei deu
ordem a você, a Abisai e a Itai, dizendo: 'Tratem com bon-
dade, por amor de mim, o jovem Absalão.'
13 Mesmo se eu tivesse agido com traição contra a vida

dele, o rei ficaria sabendo e você mesmo ficaria contra
mim."
14 Então Joabe disse: "Não vou perder mais tempo com
você." E pegou três dardos e traspassou com eles o coração
de Absalão, enquanto ele ainda estava vivo no meio do
carvalho.
15 E dez moços que levavam as armas de Joabe cercaram
Absalão e o mataram.
16 Então Joabe tocou a trombeta, e o povo parou de per-
seguir Israel, porque Joabe deteve o povo.
17 E pegaram Absalão e o jogaram no bosque, numa
grande cova e levantaram sobre ele um grande monte de
pedras, e todo o Israel fugiu, cada um para a sua tenda.
18 Absalão, quando ainda vivia, tinha levantado para si
uma coluna, que está no vale do rei, porque dizia: "Não
tenho filho nenhum para conservar a memória do meu
nome." E deu à coluna seu próprio nome; por isso até aos
dias de hoje se chama o monumento de Absalão.

A Tristeza de Davi

19 Então Aimaás, filho de Zadoque disse: "Deixe-me cor-
rer, e anunciarei ao rei que o Senhor já o vingou das mãos
de seus inimigos."
20 Mas Joabe lhe disse: "Hoje você não será o portador
desta notícia, porém outro dia a levará; mas hoje não dará
a notícia, porque está morto o filho do rei."
21 E Joabe disse a Cusi: "Vá você, e diga ao rei o que viu."
E Cusi se inclinou a Joabe e correu.
22 E Aimaás, filho de Zadoque, prosseguiu e disse a Joabe:
"Seja o que for, deixe-me também correr atrás do Cusi." E
Joabe disse: "Para que você irá correr, meu filho; não tem
recompensa por esta notícia."
23 "Seja o que for", disse Aimaás, "correrei". E Joabe lhe
disse: "Corra." E Aimaás correu pelo caminho da planície
e ultrapassou Cusi.
24 E Davi estava assentado entre as duas portas da cidade;
e a sentinela subiu ao terraço junto ao muro e levantou os
olhos, olhou e viu que um homem corria sozinho.
25 A sentinela gritou e disse ao rei: "Se vem sozinho,
deve trazer boas notícias." E o homem vinha andando e
chegando.
26 Então a sentinela viu outro homem que corria, gritou
ao porteiro e disse: "Lá vem outro homem correndo sozi-
nho." Então o rei disse: "Esse também traz boas notícias."
27 A sentinela disse mais: "Vejo o jeito de correr do pri-
meiro, que parece ser o jeito de correr de Aimaás, filho de
Zadoque." Então o rei disse: "Esse é um homem de bem e
virá com boas notícias."
28 Aimaás gritou e disse ao rei: "Paz." E se inclinou ao
rei com o rosto em terra e disse: "Bendito seja o Senhor,
que entregou os homens que levantaram a mão contra o
rei meu senhor."
29 Então o rei perguntou: "Vai bem o jovem Absalão?"
E Aimaás respondeu: "Vi um grande alvoroço, quando
Joabe, servo do rei, mandou a mim, seu servo; porém não
sei o que era."
30 E o rei disse: "Fique aqui ao lado e espere."
31 Então Cusi chegou e disse: "Anuncio ao rei, meu se-
nhor, que hoje o Senhor o vingou da mão de todos os que
se levantaram contra você."
32 Então o rei perguntou a Cusi: "Vai bem o jovem Ab-
salão?" E Cusi respondeu: "O que aconteceu com aquele
jovem aconteça com os inimigos do rei, meu senhor, e a
todos os que se levantam contra você para o mal."
33 Então o rei, muito abalado, subiu à sala que estava por
cima da porta e chorou; e andando, dizia assim: "Meu
filho Absalão, meu filho, meu filho, Absalão! Quem me
dera eu ter morrido em seu lugar, Absalão, meu filho, meu
filho!"

Joabe Repreende Davi

19 E disseram a Joabe: "O rei anda chorando e lamen-
tando por Absalão."
2 Então a vitória se tornou naquele mesmo dia em tristeza
para todo o povo; porque naquele mesmo dia o povo ouviu
dizer: "O rei está muito triste por causa de seu filho."
3 E naquele mesmo dia o povo entrou às escondidas na
cidade, como fazem quando, envergonhados, fogem da
guerra.
4 O rei estava com o rosto coberto e gritava em alta voz:
"Meu filho Absalão, Absalão meu filho, meu filho!"
5 Então Joabe entrou na casa do rei e disse: "Hoje enver-
gonhou o rosto de todos os seus servos, que hoje livraram
a sua vida e a vida de seus filhos, de suas filhas, a vida de
suas mulheres e a vida de suas concubinas.
6 Você ama os seus inimigos e odeia os seus amigos. Hoje
dá a entender que nada valem para você os seus coman-
dantes e soldados; porque hoje, se Absalão estivesse vivo e
todos nós estivéssemos mortos, você estaria bem contente.
7 Levante-se agora, saia e encoraje os seus soldados; por-
que juro pelo Senhor que, se não sair, nem um só homem
ficará com você esta noite; e este mal seria maior do que
todo o mal que tem vindo sobre você desde a sua moci-
dade até agora."
8 Então o rei se levantou e se sentou à porta; e anunciaram
a todo o povo, dizendo: "O rei está sentado à porta." Então
todo o povo veio apresentar-se diante dele; porém Israel
havia fugido, cada um para a sua tenda.

Davi Volta Para Jerusalém

9 E todo o povo, em todas as tribos de Israel, andava dis-
cutindo entre si, dizendo: "O rei nos tirou das mãos de

nossos inimigos e nos livrou das mãos dos filisteus; e agora
fugiu da terra por causa de Absalão.
10 E Absalão, a quem ungimos sobre nós, já morreu na
batalha; agora, por que se calam e não fazem o rei voltar?"
11 Então o rei Davi mandou dizer a Zadoque e a Abiatar,
sacerdotes: "Perguntem aos anciãos de Judá, dizendo: 'Por
que vocês serão os últimos a trazer o rei para a sua casa?'
Porque as palavras de todo o Israel chegou ao rei, até à
sua casa.
12 Vocês são meus irmãos, meus ossos e minha carne; por
que seriam os últimos a trazer o rei de volta?
13 E digam a Amasa: 'Não tem o meu sangue, não é você
meu osso e minha carne? Que Deus me castigue, se você
não for comandante do meu exército para sempre, em lu-
gar de Joabe.'"
14 Assim ele moveu o coração de todos os homens de
Judá, como se fossem um só homem; e enviaram ao rei,
dizendo: "Volte, você com todos os seus servos."
15 Então o rei voltou e chegou até o Jordão; e Judá veio
a Gilgal, para ir encontrar-se com o rei, do outro lado do
Jordão.
16 E Simei, filho de Gera, benjamita, que era de Baurim,
apressou-se e desceu com os homens de Judá, para encon-
trar-se com o rei Davi.
17 E com ele mil homens de Benjamim, como também
Ziba, servo da casa de Saul, com seus quinze filhos e seus
vinte servos; e rapidamente passaram o Jordão adiante do
rei.
18 E atravessaram o rio, para fazerem passar a casa do rei
e para fazer o que o rei desejasse. Então Simei, filho de
Gera, se prostrou diante do rei, quando este atravessava
o Jordão.
19 E disse ao rei: "Não me culpe e nem se lembre do
que tão perversamente fez este seu servo, no dia em que
o rei, meu senhor, saiu de Jerusalém; não conserve isso
no coração.
20 Porque este seu servo reconhece que pecou; porém eu
sou o primeiro de toda a casa de José que desci a encon-
trar-me com o rei, meu senhor."
21 Então Abisai, filho de Zeruia respondeu e disse: "Não
deveria morrer Simei, por isto, tendo amaldiçoado o ungi-
do do Senhor?"
22 Porém Davi disse: "Que tenho eu a ver com vocês,
filhos de Zeruia, para que hoje me sejam adversários? Mor-
reria alguém hoje em Israel? Pois não sei que hoje fui feito
rei sobre Israel?"
23 E o rei disse a Simei: "Hoje não morrerá." E o rei jurou
a Simei.

Mefibosete Encontra-se Com Davi

24 Mefibosete, filho de Saul, também desceu para se en-
contrar com o rei e não tinha lavado os pés, nem tinha
feito a barba, nem lavado as suas vestes desde o dia em que
o rei tinha saído até ao dia em que voltou em paz.
25 E, vindo ele a Jerusalém encontrar-se com o rei, o rei
lhe perguntou: "Por que não foi comigo, Mefibosete?"
26 E ele respondeu: "Ó rei, meu senhor, o meu servo me
enganou; porque eu disse: Sele um jumento, nele monta-
rei e irei com o rei; porém este seu servo é aleijado.
27 Ademais, meu criado falsamente me acusou diante do
rei meu senhor; porém o rei meu senhor é como um anjo
de Deus; faça de mim o que achar melhor.
28 Porque toda a casa de meu pai era de homens dignos
de morte diante do rei, meu senhor; contudo, pôs este seu
servo entre os que comem à sua mesa; que direito tenho
eu de lhe pedir algo mais?"
29 E o rei perguntou: "Por que ainda fala dos seus negó-
cios? Eu já disse: Você e Ziba repartam as terras."
30 E Mefibosete disse ao rei: "Deixe que ele fique com
tudo, pois o rei meu senhor voltou em paz à sua casa."

O Encontro Com Barzilai

31 Barzilai, o gileadita, também desceu de Rogelim e
atravessou com o rei o Jordão, para acompanhá-lo até o
outro lado.
32 E Barzilai era muito velho, tinha oitenta anos de idade;
e ele tinha sustentado o rei quando este estava morando
em Maanaim, porque era um grande homem.
33 E o rei disse a Barzilai: "Atravesse o rio comigo e eu o
sustentarei em Jerusalém."
34 Porém Barzilai disse ao rei: "Quantos anos ainda tenho
de vida, para ir com o rei a Jerusalém?
35 Hoje eu tenho oitenta anos de idade; poderia eu discer-
nir entre o bom e o mau? Poderia o seu servo sentir gosto
do que come e bebe? Eu poderia ouvir mais a voz dos
cantores e cantoras? E por que este seu servo seria ainda
um peso ao rei, meu senhor?
36 Irei com o rei ainda um pouco mais além do Jordão; por
que o rei me recompensaria com tal recompensa?
37 Deixe o seu servo voltar, e morrerei na minha cidade,
junto à sepultura de meu pai e de minha mãe; mas aqui
está o seu servo Quimã; deixe-o ir com o rei, meu senhor,
e faça por ele o que que achar melhor."
38 Então o rei disse: "Quimã irá comigo e eu farei por ele
o que você achar melhor, e tudo que você me pedir, farei
por você a ele."
39 Depois que todo o povo atravessou o Jordão, o rei tam-
bém passou e beijou Barzilai, o abençoou e ele voltou para
o seu lugar.
40 E o rei foi dali para Gilgal e Quimã foi com ele; e todo
o povo de Judá, como também a metade do povo de Israel,
foi com ele.

41 E todos os homens de Israel vieram ao rei e pergun-
taram: "Por que nossos irmãos de Judá roubaram o rei e
o conduziram com a sua casa para este lado do Jordão, e
todos os homens de Davi com ele?"
42 Então todos os homens de Judá responderam aos ho-
mens de Israel: "Porque o rei é nosso parente; e por que
estão irados por isso? Comemos às custas do rei, ou ele nos
deu algum presente?"
43 E os homens de Israel responderam aos homens de
Judá e disseram: "Temos dez vezes mais direito sobre rei
do que vocês, e Davi é mais nosso do que de vocês; por
que fizeram pouco caso de nós, para que a nossa palavra
não fosse a primeira, para trazer o nosso rei de volta?"
Porém a palavra dos homens de Judá foi mais forte do que
a palavra dos homens de Israel.

A Revolta de Seba

20 Então estava ali por acaso um homem mau, cha-
mado Seba, filho de Bicri, homem de Benjamim, e
ele tocou a trombeta e disse: "Não temos parte em Davi,
nem herança no filho de Jessé; cada um às suas tendas,
ó Israel."
2 Então todos os homens de Israel se separaram de Davi
e seguiram Seba, filho de Bicri; porém os homens de Judá
seguiram o rei desde o Jordão até Jerusalém.
3 Quando Davi voltou para sua casa, em Jerusalém, o rei
tomou as dez mulheres, suas concubinas, que deixou para
guardarem a casa, as pôs numa casa sob guarda e as sus-
tentava; porém não teve relações sexuais com elas; elas
permaneceram confinadas até o dia em que morreram,
vivendo como viúvas.
4 O rei disse mais a Amasa: "Convoque-me os homens de
Judá, para que dentro de três dias se apresentem aqui."
5 E Amasa foi convocar os homens de Judá; porém demo-
rou-se além do tempo que lhe tinha sido designado.
6 Então Davi disse a Abisai: "Seba, o filho de Bicri, nos fará
mais mal agora do que Absalão; por isso pegue os servos de
seu senhor e persiga-o, para que não ache cidades fortifica-
das e escape dos nossos olhos."
7 Então os homens de Joabe e os quereteus, os peleteus e
todos os valentes saíram de Jerusalém para irem atrás de
Seba, filho de Bicri.
8 Quando eles chegaram à pedra grande, que está junto a
Gibeão, Amasa veio para diante deles e Joabe estava vesti-
do com sua roupa de guerra, e sobre ela um cinto, ao qual
estava presa a espada nas suas costas, na sua bainha; e, ao
se aproximar, caiu a sua espada.
9 E Joabe disse a Amasa: "Tudo bem, meu irmão?" E
Joabe, com a mão direita, pegou na barba de Amasa, para
o beijar.
10 E Amasa não reparou na espada que estava na mão de
Joabe, e este o feriu com ela na barriga e lhe derramou
por terra as entranhas, e não precisou feri-lo novamente,
e morreu; então Joabe e Abisai, seu irmão, foram atrás de
Seba, filho de Bicri.
11 Mas um dos homens de Joabe parou junto ao corpo de
Amasa e disse: "Quem estiver do lado de Joabe, e do lado
de Davi, siga Joabe."
12 E Amasa estava envolto no seu sangue no meio do
caminho; mas aquele homem viu que todo o povo para-
va, então ele arrastou o corpo de Amasa do caminho para
o campo e lançou sobre ele um manto; porque viu que
quem chegava perto dele parava.
13 E, depois que o corpo foi removido do caminho, todos
os homens seguiram Joabe, para perseguirem Seba, filho
de Bicri.
14 E ele passou por todas as tribos de Israel até Abel, Bete-
-Maaca, porém todos os beritas se reuniram e o seguiram.
15 Joabe veio e o cercou em Abel de Bete-Maaca, então
levantaram uma rampa da altura da muralha da cidade; e
todo o povo que estava com Joabe batia na muralha para
derrubá-la.
16 Então uma mulher sábia gritou de dentro da cidade:
"Ouçam, ouçam, digam a Joabe que venha aqui, para eu
falar com ele."
17 Chegando-se a ela, a mulher lhe perguntou: "Você é
Joabe?" E ele respondeu: "Eu sou." E ela lhe disse: "Ouça
as palavras da sua serva." E ele disse: "Ouço."
18 Então ela falou: "Antigamente costumava-se dizer:
'Peçam conselhos na cidade de Abel'; e assim as questões
eram resolvidas.
19 Somos pessoas pacíficas e fiéis em Israel; e você quer
destruir uma cidade que é mãe em Israel; por que arruinar
a herança do Senhor?"
20 Então Joabe respondeu e disse: "Longe, longe de mim
que eu faça tal coisa, que eu devore ou arruíne!
21 A coisa não é assim; porém um homem do monte de
Efraim, chamado Seba, filho de Bicri, levantou a mão con-
tra o rei, contra Davi; entregue-me só este e me retirarei da
cidade." Então a mulher disse a Joabe: "Lançarei a cabeça
dele pelo muro."
22 E a mulher, na sua sabedoria, foi ao povo e cortaram a
cabeça de Seba, filho de Bicri, e eles a lançaram a Joabe;
então ele tocou a trombeta e se retiraram da cidade, cada
um para a sua casa, e Joabe voltou a Jerusalém, ao rei.

Os Ministros de Davi

23 E Joabe era comandante de todo o exército de Israel;
Benaia, filho de Joiada, era comandante dos quereteus e
dos peleteus;
24 e Adorão era chefe daqueles que realizavam trabalhos
forçados; Josafá, filho de Ailude, era o chanceler;

25 e Seva, o escrivão; Zadoque e Abiatar, os sacerdotes;
26 e Ira, o jairita, era o oficial-mor de Davi.

Fome em Israel

21 E houve nos dias de Davi uma fome de três anos
consecutivos; e Davi consultou ao Senhor que lhe
disse: "É por causa de Saul e da sua casa sanguinária, porque matou os gibeonitas."
2 Então o rei chamou os gibeonitas e lhes falou: "Os gibeonitas não eram dos israelitas, mas do restante dos amorreus e os israelitas tinham jurado poupá-los, porém Saul, no seu zelo à causa dos israelitas e de Judá, procurou exterminá-los."
3 Davi perguntou aos gibeonitas: "O que querem que eu lhes faça? E que posso fazer, para que abençoem a herança do Senhor?"
4 Então os gibeonitas lhe responderam: "Não é por prata nem ouro a nossa questão com Saul e com sua casa; nem pretendemos matar pessoa alguma em Israel." E ele disse: "O que querem que eu lhes faça?"
5 E disseram ao rei: "Quanto ao homem que nos destruiu e intentou contra nós, nos assolando, sem que pudéssemos subsistir em lugar algum de Israel,
6 deem-nos sete homens dos descendentes dele, para que os enforquemos ao Senhor em Gibeá de Saul, no monte do Senhor." E o rei disse: "Eu os darei."
7 Porém o rei poupou Mefibosete, filho de Jônatas, filho de Saul, por causa do juramento ao Senhor que houve entre eles, entre Davi e Jônatas, filho de Saul.
8 Mas o rei pegou os dois filhos de Rispa, filha da Aiá, que tinha tido de Saul, Armoni e Mefibosete; como também os cinco filhos da irmã de Mical, filha de Saul, que teve de Adriel, filho de Barzilai, meolatita,
9 e os entregou nas mãos dos gibeonitas, que os enforcaram no monte, perante o Senhor; e esses sete morreram ao mesmo tempo; foram mortos nos dias da sega, nos primeiros dias da colheita da cevada.
10 Então Rispa, filha de Aiá, pegou um pano de saco e estendeu-o sobre uma rocha, desde o princípio da colheita, até chover sobre os corpos; e não deixou as aves do céu pousar sobre eles de dia, nem os animais do campo de noite.
11 E contaram a Davi o que Rispa, filha de Aiá, concubina de Saul, fez.
12 Então Davi foi e pegou os ossos de Saul e de Jônatas, seu filho, que os moradores de Jabes-Gileade roubaram da praça de Bete-Sã, onde os filisteus os tinham pendurado, no dia em que mataram Saul no monte Gilboa.
13 E Davi tirou dali os ossos de Saul e de Jônatas, seu filho; e ajuntaram também os ossos dos enforcados.
14 Enterraram os ossos de Saul e de Jônatas, seu filho, na terra de Benjamim, em Zela, na sepultura de seu pai Quis e fizeram tudo o que o rei ordenou; depois disto Deus ficou favorável com a terra.

Os Heróis de Davi

15 Os filisteus tiveram mais uma batalha contra Israel; Davi desceu e com ele os seus servos; e lutaram tanto contra os filisteus, que Davi se cansou muito.
16 E Isbi-Benobe, que era descendente dos gigantes, cuja lança pesava cerca de quatro quilos, de bronze, e armado com uma espada nova, tentou matar Davi.
17 Porém, Abisai, filho de Zeruia, foi e socorreu Davi, feriu o filisteu e o matou. Então os homens de Davi lhe juraram, dizendo: "Nunca mais sairá conosco à batalha, para que não se apague a lâmpada de Israel."
18 Depois disto houve em Gobe outra batalha contra os filisteus; então Sibecai, o husatita, matou Safe, que era descendente dos gigantes.
19 Houve mais outra batalha contra os filisteus em Gobe e Elanã, filho de Jaaré-Oregim, o belemita, matou Golias, o geteu, cuja lança tinha a haste como eixo de tecelão.
20 Houve ainda outra batalha em Gate, e lá estava um homem muito alto, que tinha em cada mão e em cada pé seis dedos, vinte e quatro dedos ao todo, e ele também era descendente dos gigantes.
21 E ele insultou Israel; porém Jônatas, filho de Simeia, irmão de Davi, o matou.
22 Esses quatro eram descendentes dos gigantes em Gate; e morreram pelas mãos de Davi e pelas mãos de seus soldados.

O Cântico de Davi

22 E Davi falou ao Senhor as palavras deste cântico, no
dia em que o Senhor o livrou das mãos de todos os
seus inimigos e das mãos de Saul.
2 Ele disse: "O Senhor é o meu rochedo, o meu lugar forte e o meu libertador.
3 Deus é o meu rochedo, nele confiarei; o meu escudo, a força da minha salvação, o meu alto retiro e o meu refúgio. Ó meu Salvador, da violência me salva.
4 O Senhor, digno de louvor, invocarei e dos meus inimigos ficarei livre.
5 Porque as ondas de morte me cercaram; as torrentes do mal me assombraram.
6 Cordas do inferno me cingiram; os laços da morte me encontraram.
7 Estando em angústia, invoquei ao Senhor e clamei a meu Deus; do seu templo ele ouviu a minha voz e o meu clamor chegou aos seus ouvidos.
8 Então a terra se abalou e tremeu, os fundamentos dos céus se moveram e se abalaram, porque ele se irou.

9 Subiu fumaça das suas narinas e da sua boca um fogo
devorador; carvões em chama saíram dele.
10 Abaixou os céus e desceu; e havia uma escuridão de-
baixo dos seus pés.
11 Subiu sobre um querubim e voou; e foi visto sobre as
asas do vento.
12 E por tendas pôs as trevas ao redor de si; ajuntamento
de águas, nuvens dos céus.
13 Pelo resplendor da sua presença, brasas de fogo se
acenderam.
14 Trovejou desde os céus o Senhor; e o Altíssimo fez
soar a sua voz.
15 Disparou flechas e os dissipou; multiplicou os seus raios
e os perturbou.
16 E apareceram as profundezas do mar e os fundamen-
tos do mundo se descobriram; pela repreensão do Senhor,
pelo sopro do vento das suas narinas.
17 Desde o alto me estendeu a mão e me tomou; tirou-me
das muitas águas.
18 Livrou-me do meu poderoso inimigo e daqueles que
me tinham ódio, porque eram mais fortes do que eu.
19 Encontraram-me no dia da minha calamidade; porém o
Senhor se fez o meu amparo.
20 E tirou-me para um lugar espaçoso e livrou-me, porque
tinha prazer em mim.
21 O Senhor recompensou-me conforme a minha justiça;
conforme a pureza de minhas mãos me retribuiu.
22 Porque guardei os caminhos do Senhor; e não me apar-
tei impiamente do meu Deus.
23 Porque todos os seus juízes estavam diante de mim; de
seus estatutos não me desviei.
24 E fui sincero perante ele; e guardei-me da minha
iniquidade.
25 E o Senhor me retribuiu conforme a minha justiça, con-
forme a minha pureza diante dos seus olhos.
26 Com o benigno, se mostra benigno; com o homem
íntegro se mostra perfeito.
27 Com o puro se mostra puro; mas com o perverso se
mostra rígido.
28 E livra o povo aflito; mas seus olhos são contra os alti-
vos e o Senhor os abaterá.
29 Porque o Senhor é a minha candeia; o Senhor ilumina
as minhas trevas.
30 Porque com o Senhor passo pelo meio de um esqua-
drão; pelo meu Deus salto um muro.
31 O caminho de Deus é perfeito e a palavra do Senhor
refinada; é o escudo de todos os que nele confiam.
32 Porque, quem é Deus, senão o Senhor? E quem é ro-
chedo, senão o nosso Deus?
33 Deus é a minha fortaleza e a minha força; ele perfeita-
mente desembaraça o meu caminho.
34 Ele faz os meus pés como os das cervas e me põe sobre
as minhas alturas.
35 Instrui as minhas mãos para a luta, de maneira que um
arco de cobre se quebra pelos meus braços.
36 Também me deu o escudo da sua salvação e pela sua
brandura me engrandeceu.
37 Alargou o caminho debaixo de mim e os meus pés
não vacilaram.
38 Persegui os meus inimigos e os derrotei, só voltei quan-
do os aniquilei.
39 E os consumi e os atravessei, de modo que nunca mais
se levantaram, mas caíram debaixo dos meus pés.
40 Porque me cingiu de força para a batalha; fez abate-
rem-se debaixo de mim os que se levantaram contra mim.
41 E deu-me o pescoço dos meus inimigos, aqueles que
me odiavam, e eu os destruí.
42 Olharam, porém não houve libertador; olharam para o
Senhor, porém ele não lhes respondeu.
43 Então os moí como o pó da terra; como a lama das
ruas, os trilhei e dissipei.
44 Também me livrou das contendas do meu povo; guar-
dou-me para cabeça das nações; o povo que eu não co-
nhecia me serve.
45 Os filhos dos estrangeiros a mim se sujeitaram; ouvi-
ram a minha voz, me obedeceram.
46 Os filhos dos estrangeiros desfaleceram; quando saíram
dos seus esconderijos.
47 O Senhor vive e bendito seja o meu rochedo; exaltado
seja Deus, a rocha da minha salvação.
48 O Deus que me dá inteira vingança e sujeita os povos
debaixo de mim.
49 O Deus que me tira do meio dos meus inimigos; o
Senhor me exalta sobre os que contra mim se levantam e
do homem violento me livra.
50 Por isso, ó Senhor, te louvarei entre os gentios e entoa-
rei louvores ao teu nome.
51 Ele é a torre das vitórias do seu rei e usa de benignidade
com o seu ungido, com Davi, e com a sua descendência
para sempre.

As Últimas Palavras de Davi

23 E estas são as últimas palavras de Davi, filho de Jes-
sé; disse-as o homem que foi exaltado, o ungido do
Deus de Jacó, o amável salmista de Israel.
2 O Espírito do Senhor falou por mim e a sua palavra está
na minha boca.
3 O Deus de Israel falou, a Rocha de Israel me disse: 'Ha-
verá um justo que domine sobre os homens, que domine
no temor de Deus.

4 E será como a luz da manhã, quando sai o sol, como
manhã sem nuvens, quando pelo seu resplendor e pela
chuva a erva brota da terra.'
5 Ainda que a minha casa não seja tal para com Deus,
contudo estabeleceu comigo uma aliança eterna, que em
tudo será bem ordenada e guardada, pois toda a minha
salvação e todo o meu prazer estão nele, apesar de que
ainda não o faz brotar.
6 Porém, os homens malignos serão todos como os espi-
nhos que se lançam fora, porque não podem ser tocados
com as mãos.
7 Mas qualquer que os tocar se armará de ferro e da has-
te de uma lança; a fogo serão totalmente queimados no
mesmo lugar."

Os Trinta e Sete Valentes de Davi

8 Esses são os nomes dos valentes que Davi teve: Jose-
be-Bassebete, filho de Taquemoni, o principal dos três
valentes, ele se opôs a oitocentos homens e os matou de
uma vez.
9 E depois dele Eleazar, filho de Dodô, filho de Aoí, um
dos três valentes que estavam com Davi quando desafia-
ram os filisteus ali reunidos para a batalha e depois que os
homens de Israel já haviam se retirado.
10 Ele se levantou e feriu os filisteus, até lhe cansar a
mão e ficar com a mão grudada à espada; e naquele dia o
Senhor efetuou um grande livramento; e o povo foi para
onde ele estava, somente para pegar os despojos.
11 E, depois dele, vinha Sama, filho de Agé, o hararita,
quando os filisteus se reuniram na cidade de Lei, onde ha-
via uma plantação de lentilhas e o povo fugia dos filisteus.
12 Sama pôs-se no meio da plantação e defendeu-a e ma-
tou os filisteus; e o Senhor operou um grande livramento.
13 Também, no tempo da colheita, três dos trinta chefes
foram até onde Davi estava, na caverna de Adulão; e uma
guarnição de filisteus tinha acampado no vale dos Refains.
14 Davi estava numa fortaleza, e a guarnição dos filisteus
em Belém.
15 E Davi sentiu um desejo e disse: "Quem me dera beber
da água da cisterna de Belém, que está junto à porta!"
16 Então aqueles três valentes atravessaram o acampa-
mento dos filisteus, tiraram água da cisterna de Belém,
que está junto à porta, e a trouxeram a Davi; porém ele
não a quis beber, mas derramou-a como oferta ao Senhor.
17 E disse: "Guarda-me, ó Senhor, de fazer tal coisa; be-
beria eu o sangue dos homens que foram lá com risco da
sua vida?" E não a quis beber; e assim também fizeram
aqueles três valentes.
18 Também Abisai, irmão de Joabe, filho de Zeruia, era
chefe do batalhão dos trinta; ele alçou a sua lança contra
trezentos homens e os matou; e ele tinha nome entre os
três.
19 Esse era o mais nobre dentre os trinta e era o chefe
deles; porém não se igualou aos três principais valentes.
20 Também Benaia, filho de Joiada, filho de um homem
valoroso de Cabzeel, grande em proezas, matou dois fortes
guerreiros de Moabe; ele desceu numa caverna e matou
um leão, no tempo da neve.
21 Ele também matou um homem egípcio, homem de
respeito; na mão do egípcio havia uma lança, porém ele o
enfrentou com um cajado, com o qual arrancou a lança da
mão do egípcio e o matou com a sua própria lança.
22 Essas coisas fez Benaia, filho de Joiada, por isso teve
nome entre os três valentes.
23 Dentre os trinta ele era o mais nobre, porém não che-
gou aos três primeiros; e Davi o pôs no comando da sua
guarda.
24 Asael, irmão de Joabe, estava entre os trinta e também
Elanã, filho de Dodô, de Belém;
25 Sama, harodita; Elica, harodita;
26 Heles, paltita; Ira, filho de Iques, tecoíta;
27 Abiezer, anatotita; Mebunai, husatita;
28 Zalmom, aoíta; Maarai, netofatita;
29 Helebe, filho de Baaná, netofatita; Itai, filho de Ribai,
de Gibeá dos filhos de Benjamim;
30 Benaia, piratonita; Hidai, do ribeiro de Gaás;
31 Abi-Albom, arbatita; Azmavete, barumita;
32 Eliaba, saalbonita; os filhos de Jasém e Jônatas;
33 Sama, hararita, Aião, filho de Sarar, ararita;
34 Elifelete, filho de Aasbai, filho de um maacatita; Eliã,
filho de Aitofel, gilonita;
35 Hezrai, carmelita; Paarai, arbita;
36 Igal, filho de Natã, de Zobá; Bani, gadita;
37 Zeleque, amonita; Naarai, beerotita, o que carregava as
armas de Joabe, filho de Zeruia;
38 Ira, jetrita; Garebe, jetrita;
39 Urias, heteu; trinta e sete ao todo.

O Recenseamento e a Praga

24 E a ira do Senhor tornou a se acender contra Israel;
e incitou Davi contra eles, dizendo: "Vá, faça o re-
censeamento em Israel e Judá."
2 O rei disse a Joabe, chefe do exército: "Percorra todas as
tribos de Israel, desde Dã até Berseba, e conte o povo, para
que eu saiba o seu número."
3 Então Joabe disse ao rei: "O Senhor seu Deus multipli-
que este povo cem vezes, e os olhos do rei meu senhor o
vejam; mas, por que o rei meu senhor deseja isto?"
4 Porém a palavra do rei prevaleceu contra Joabe e contra
os chefes do exército; Joabe saiu com os chefes do exército
da presença do rei, para contar o povo de Israel.

5 E passaram o Jordão e acamparam em Aroer, à direita da cidade que fica no meio do vale de Gade, junto a Jazer.

6 E foram a Gileade e à terra baixa de Cades; também foram até Dã-Jaã e ao redor de Sidom.

7 E foram à fortaleza de Tiro e a todas as cidades dos heveus e dos cananeus; e saíram para o lado do sul de Judá, a Berseba.

8 Assim percorreram toda a terra; então, depois de nove meses e vinte dias, voltaram a Jerusalém.

9 E Joabe deu ao rei o resultado do recenseamento: "Havia em Israel oitocentos mil homens de guerra, habilitados para o serviço militar; e em Judá eram quinhentos mil homens."

10 E o coração de Davi ficou pesaroso, depois de haver contado o povo, e Davi disse ao Senhor: "Muito pequei no que fiz; porém agora, ó Senhor, peço que perdoes a iniquidade deste teu servo; porque tenho procedido muito loucamente."

11 Levantando-se Davi pela manhã, a palavra do Senhor veio ao profeta Gade, vidente de Davi, dizendo:

12 "Vá e diga a Davi: 'Assim diz o Senhor: Três coisas te ofereço como punição; escolhe uma delas, para que te faça.'"

13 Gade foi até Davi e lhe contou isto, dizendo: "Quer que sete anos de fome venham à sua terra, três meses fugindo dos seus inimigos e eles o perseguindo; ou que por três dias haja peste na sua terra? Decida agora, e veja que resposta darei ao que me enviou."

14 Então Davi disse a Gade: "Estou muito angustiado; prefiro cair nas mãos do Senhor, porque muitas são as suas misericórdias; não quero cair nas mãos dos homens."

15 Então o Senhor enviou a peste sobre Israel, desde a manhã até ao tempo que havia determinado; e desde Dã até Berseba morreram setenta mil homens do povo.

16 Quando o anjo estendeu a sua mão sobre Jerusalém, para a destruir, o Senhor se arrependeu daquele mal e disse ao anjo que fazia a destruição entre o povo: "Basta, agora retire a sua mão." E o anjo do Senhor estava junto às terras de Araúna, o jebuseu.

17 E Davi, vendo o anjo que feria o povo, falou ao Senhor, dizendo: "Eu que pequei, e eu que cometi iniquidade; porém essas ovelhas o que fizeram? Seja a tua mão contra mim e contra a casa de meu pai."

18 E Gade veio naquele mesmo dia a Davi e lhe disse: "Vá e levante ao Senhor um altar na eira de Araúna, o jebuseu."

19 Davi foi conforme à palavra de Gade, como o Senhor lhe tinha ordenado.

20 E Araúna olhou e viu que vinham ao seu encontro o rei e os seus servos. Araúna saiu e se inclinou diante do rei com o rosto em terra.

21 E Araúna perguntou: "Por que o rei meu senhor vem ao seu servo?" E Davi respondeu: "Para comprar de você essa terra, para edificar nela um altar ao Senhor, para que esse castigo que está sobre o povo cesse."

22 Então Araúna disse a Davi: "Que o rei, meu senhor, pegue e ofereça o que bem quiser; aqui estão bois para o holocausto, os trilhos e o aparelho dos bois para a lenha."

23 Tudo isto Araúna deu ao rei; Araúna disse mais ao rei: "Que o Senhor seu Deus aceite a sua oferta."

24 Porém o rei disse a Araúna: "Não, mas por preço justo comprarei, porque não oferecerei ao Senhor meu Deus holocaustos que não me custem nada." Assim Davi comprou a terra e os bois por cinquenta siclos de prata.

25 E Davi edificou ali um altar ao Senhor, e ofereceu holocaustos e ofertas pacíficas. Assim, o Senhor aceitou as súplicas em favor da terra e cessou aquele castigo sobre Israel.

A Velhice de Davi

1 Quando o rei Davi já estava bem velho, cobriam-no de roupas, porém ele não se aquecia.

2 Então os seus servos disseram: "Busquem para o rei, meu senhor, uma moça virgem, que fique com o rei e cuide dele; e durma nos seus braços, para que o rei, meu senhor, se aqueça."

3 E procuraram por todo o território de Israel uma moça formosa e acharam Abisague, sunamita; e a trouxeram ao rei.

4 E a moça era muito bonita; e cuidava do rei e o servia; porém o rei não teve relações sexuais com ela.

5 Então Adonias, filho de Hagite, se levantou, dizendo: "Eu serei o rei." E preparou carros, cavaleiros e cinquenta homens, que corressem adiante dele.

6 E seu pai nunca o tinha questionado perguntando sobre

as coisas que ele fazia. E ele também tinha boa aparência;
e Hagite o teve depois de Absalão.
7 E Adonias tinha feito um acordo com Joabe, filho de
Zeruia, e com Abiatar, o sacerdote, que o ajudavam e o
seguiam.
8 Porém Zadoque, o sacerdote, Benaia, filho de Joiada,
Natã, o profeta, Simei, Reí e os valentes que Davi tinha,
não estavam com Adonias.
9 E Adonias matou ovelhas, bois e novilhos gordos, junto
à pedra de Zoelete, próximo da fonte de Rogel; convidou
todos os seus irmãos, os filhos do rei e todos os homens de
Judá, servos do rei.
10 Porém não convidou Natã, o profeta, Benaia, nem os
valentes e nem Salomão, seu irmão.
11 Então Natã falou a Bate-Seba, mãe de Salomão, dizen-
do: "Não ouviu que Adonias, filho de Hagite, se procla-
mou rei? E que nosso senhor Davi não sabe disto?
12 Venha agora, e deixe-me dar-lhe um conselho, para que
salve a sua vida e a de Salomão, seu filho.
13 Vá, apresente-se ao rei Davi e lhe diga: 'Você não jurou,
ó rei, meu senhor, à sua serva, dizendo: Certamente seu
filho Salomão reinará depois de mim e se sentará no meu
trono? Por que Adonias se tornou rei?'
14 E enquanto você ainda estiver falando com o rei eu
também entrarei, e confirmarei as suas palavras."
15 E Bate-Seba foi ao quarto do rei, e o rei já era muito
velho; e Abisague, a sunamita, servia ao rei.
16 E Bate-Seba inclinou a cabeça e se prostrou perante o
rei, e ele perguntou: "O que você quer?"
17 E ela lhe disse: "Meu senhor, você jurou à sua serva
pelo Senhor seu Deus, dizendo: 'Salomão, seu filho, reina-
rá depois de mim e se sentará no meu trono.'
18 E agora Adonias está reinando; e você, ó rei, meu se-
nhor, não sabe disto.
19 Ele matou muitos bois, novilhos gordos e ovelhas, e
convidou todos os filhos do rei, Abiatar, o sacerdote, e
Joabe, general do exército, mas seu servo Salomão não foi
convidado.
20 Porém, ó rei, meu senhor, os olhos de todo o Israel
estão sobre você, para que lhes diga quem se sentará sobre
o trono do rei, depois do senhor.
21 De outra forma acontecerá que, quando o rei, meu
senhor, morrer, eu e Salomão, meu filho, seremos tratados
como culpados."
22 E, enquanto ela ainda falava com o rei, o profeta Natã
entrou no quarto.
23 E disseram ao rei: "O profeta Natã está aqui." Ele foi ao
rei e prostrou-se diante dele com o rosto em terra.
24 E Natã disse: "Ó rei, meu senhor, por acaso disse:
'Adonias reinará depois de mim e ele se assentará sobre
o meu trono?'
25 Porque hoje ele matou muitos bois, novilhos gordos e
ovelhas, e convidou todos os filhos do rei e os capitães do
exército, Abiatar, o sacerdote, e estão comendo e bebendo
com ele; e dizendo: 'Viva o rei Adonias.'
26 Porém a mim, sendo eu seu servo, Zadoque, o sacer-
dote, Benaia, filho de Joiada, e Salomão, seu servo, não
convidou.
27 Isto foi feito por ordem do rei, meu senhor? E não
contou a este seu servo quem se sentaria no trono do rei
depois do senhor?"
28 E o rei Davi disse: "Chamem Bate-Seba." E ela foi à
presença do rei; e ficou em pé diante dele.
29 Então o rei jurou e disse: "Juro pelo nome do Senhor,
que remiu a minha vida de toda angústia,
30 que, como jurei a você pelo Senhor Deus de Israel,
dizendo: Certamente seu filho Salomão reinará depois de
mim, e se sentará no meu trono, em meu lugar, assim o
farei no dia de hoje."
31 Então Bate-Seba se inclinou com o rosto em terra, se
prostrou diante do rei e disse: "Viva o rei Davi, meu se-
nhor, para sempre."

Davi Constitui Salomão Rei em Seu Lugar

32 E o rei Davi disse: Chamem Zadoque, o sacerdote,
Natã, o profeta, e Benaia, filho de Joiada. E eles entraram
à presença do rei.
33 E o rei lhes disse: "Levem com vocês os meus servos e
façam o meu filho Salomão subir na mula que é minha e
levem-no a Giom.
34 E Zadoque, o sacerdote, com Natã, o profeta, ali o un-
girão rei sobre Israel; então toquem a trombeta e digam:
'Viva o rei Salomão!'
35 Então venham com Salomão e ele se sentará no meu
trono e reinará em meu lugar; porque ordenei que ele seja
o governante sobre Israel e sobre Judá."
36 Então Benaia, filho de Joiada, respondeu ao rei e disse:
"Amém; que o Senhor Deus do rei, meu senhor, confirme.
37 Como o Senhor foi com o rei, meu senhor, que assim o
seja com Salomão e faça que o seu trono seja maior do que
o trono do rei Davi, meu senhor."
38 Então Zadoque, o sacerdote, Natã, o profeta, e Benaia,
filho de Joiada, os quereteus, os peleteus foram e fizeram
Salomão montar na mula do rei Davi e o levaram a Giom.
39 E Zadoque, o sacerdote, levou o vaso do azeite do ta-
bernáculo e ungiu Salomão; tocaram a trombeta e todo o
povo disse: "Viva o rei Salomão!"
40 E todo o povo vinha atrás dele tocando flautas e mani-
festando grande alegria; de modo que, com o seu clamor,
parecia que a terra tremia.

41 Adonias e todos os convidados que estavam com ele
ouviram isso, depois que tinham acabado de comer; Joabe
também ouviu o som das trombetas e disse: "Por que a
cidade está alvoroçada?"
42 Enquanto ele ainda falava, chegou Jônatas, filho de
Abiatar, o sacerdote, e Adonias disse: "Entre, porque você
é um homem valente e traz boas notícias."
43 E Jônatas respondeu a Adonias: "Certamente o nosso
senhor, rei Davi, proclamou Salomão rei";
44 e o rei enviou com ele Zadoque, o sacerdote, Natã, o
profeta, Benaia, filho de Joiada, os quereteus e os peleteus;
e o fizeram montar na mula do rei.
45 E Zadoque, o sacerdote, e Natã, o profeta, o ungiram
rei em Giom; dali subiram alegres e a cidade estava alvoro-
çada; esse foi o clamor que se ouviu.
46 E Salomão está sentado no trono do reino.
47 E os servos do rei foram cumprimentar o nosso senhor,
o rei Davi, dizendo: "Que o seu Deus faça que o nome de
Salomão seja maior do que o seu nome; e faça que o trono
dele seja maior do que o seu trono." E o rei se inclinou
no leito.
48 E o rei disse assim: "Bendito o Senhor Deus de Israel,
que hoje deu quem se sente no meu trono e permitiu que
os meus olhos o vissem."
49 Então todos os convidados que estavam com Adonias
estremeceram e se levantaram; e cada um foi pelo seu
caminho.
50 Porém, Adonias ficou com medo de Salomão; levan-
tou-se, foi e apegou-se às pontas do altar.
51 E contaram a Salomão, dizendo: "Adonias tem medo
do rei Salomão; porque se apegou às pontas do altar, dizen-
do: 'Que o rei Salomão jure-me hoje que não matará este
seu servo à espada.'"
52 E Salomão disse: "Se for homem de bem, nem um fio
de seus cabelos cairá em terra; se, porém, nele encontrar
alguma maldade, morrerá."
53 Então o rei Salomão mandou, e o fizeram descer do
altar; então Adonias veio e prostrou-se perante o rei Salo-
mão, que lhe disse: "Vá para sua casa."

Conselhos de Davi a Salomão

2 Quando se aproximavam os dias da morte de Davi, ele
deu ordem a Salomão, seu filho, dizendo:
2 "Eu vou pelo caminho de todos nesta terra; esforce-se,
e seja homem.
3 E guarde ordens do Senhor seu Deus, e ande nos seus
caminhos, guarde os seus estatutos, os seus mandamentos,
os seus juízos e os seus testemunhos, como está escrito na
lei de Moisés; para que prospere em tudo que fizer e por
onde quer que for.
4 Para que o Senhor confirme a palavra, que me fez, di-
zendo: 'Se os seus filhos guardarem o seu caminho, an-
dando perante a minha face fielmente, com todo o seu
coração e com toda a sua alma, nunca lhe faltará sucessor
ao trono de Israel.'
5 E você sabe o que Joabe, filho de Zeruia, me fez, e o que
fez aos dois chefes do exército de Israel, a Abner, filho de
Ner, e a Amasa, filho de Jéter; ele os matou e, em tempo
de paz, vingou o sangue derramado em tempo de guerra,
e pôs o sangue de guerra no cinto que tinha nas costas e
nos sapatos que trazia nos pés.
6 Faça segundo a sua sabedoria, e não permita que ele
desça à sua sepultura em paz.
7 Porém, com os filhos de Barzilai, o gileadita, use de bon-
dade, e permita que estejam entre os que comem à sua
mesa, porque eles me apoiaram quando eu fugia por causa
de seu irmão Absalão.
8 E saiba também que está com você Simei, filho de Gera,
filho de Benjamim, de Baurim, que me lançou uma terrí-
vel maldição, no dia em que eu ia a Maanaim; porém ele
saiu para encontrar-se comigo junto ao Jordão, e eu pelo
Senhor lhe jurei, dizendo que não o mataria à espada.
9 Mas agora não o tenha por inocente, pois você é um
homem sábio e bem saberá o que lhe há de fazer, para que
faça com que ele desça à sepultura com sangue."

A Morte de Davi

10 E Davi morreu e foi sepultado na cidade de Davi.
11 E Davi reinou sobre Israel por quarenta anos: reinou
por sete anos em Hebrom e por trinta e três anos em
Jerusalém.

Salomão Reina

12 E Salomão se sentou no trono de Davi, seu pai, e o seu
reino se fortificou muito.
13 Então Adonias, filho de Hagite, veio falar com Bate-Se-
ba, mãe de Salomão; e ela perguntou: "Você veio em paz?"
E ele respondeu: "Vim em paz."
14 Então ele disse: "Tenho umas palavras para lhe dizer."
E ela disse: "Fale."
15 Ele disse: "Você sabe que o reino era meu e todo o Is-
rael tinha posto a vista em mim para que eu viesse a reinar,
contudo o reino foi transferido para o meu irmão, porque
lhe foi concedido pelo Senhor.
16 Assim, agora lhe faço um só pedido: Não me rejeite."
E ela lhe disse: "Fale."
17 E ele disse: "Peço que fale ao rei Salomão, porque ele
não recusará ouvi-la, que me dê Abisague, a sunamita, por
mulher."
18 E Bate-Seba disse: "Bem, eu falarei por você ao rei."
19 Assim Bate-Seba foi ao rei Salomão, para lhe falar por
Adonias; e o rei se levantou para encontrar-se com ela e
se inclinou diante dela; então se sentou no seu trono e

mandou pôr uma cadeira para a sua mãe e ela se sentou
à sua direita.
20 Então ela disse: "Só um pequeno pedido lhe faço; não
me rejeite." E o rei lhe disse: "Peça, minha mãe, porque
não lhe negarei."
21 E ela disse: "Dê Abisague, a sunamita, a Adonias, seu
irmão, por mulher."
22 Então o rei Salomão respondeu e disse a sua mãe: "E
por que pede Abisague, a sunamita, para Adonias? Peça
também para ele o reino, porque é meu irmão mais velho,
para ele, digo, e também para Abiatar, sacerdote, e para
Joabe, filho de Zeruia."
23 E o rei Salomão jurou pelo Senhor, dizendo: "Assim
Deus faça de mim o que quiser, se Adonias não falou essa
palavra contra a sua própria vida.
24 Agora, juro pelo nome do Senhor, que me confirmou e
me fez sentar no trono de Davi, meu pai, e que me edifi-
cou casa, como tinha falado, que hoje Adonias morrerá."
25 E o rei Salomão enviou Benaia, filho de Joiada, para
matá-lo, e ele o atacou e o matou.
26 E o rei disse ao sacerdote Abiatar: "Vá para Anatote,
para os seus campos, porque você é homem digno de mor-
te; porém, hoje não o matarei, porque você carregou a
arca do Senhor Deus diante de Davi, meu pai, e porque
compartilhou de todas as aflições que meu pai passou."
27 Salomão expulsou Abiatar, para que não fosse mais sa-
cerdote do Senhor, para cumprir a palavra do Senhor, que
tinha falado sobre a casa de Eli em Siló.

A Morte de Joabe e de Simei

28 E a notícia chegou até Joabe, porque Joabe tinha se
desviado seguindo Adonias, embora não tivesse se desvia-
do seguindo Absalão, e Joabe fugiu para o tabernáculo do
Senhor e apegou-se às pontas do altar.
29 E disseram ao rei Salomão que Joabe tinha fugido para
o tabernáculo do Senhor; e que estava junto ao altar; então
Salomão enviou Benaia, filho de Joiada, dizendo: "Vá, e
mate-o."
30 E Benaia foi ao tabernáculo do Senhor e lhe disse: "As-
sim diz o rei: 'Saia daí.'" E ele respondeu: "Não, porém
aqui morrerei." E Benaia voltou com a resposta ao rei,
dizendo: "Assim Joabe me respondeu."
31 E o rei disse: "Faça como ele disse, mate-o e sepulte-o,
para tirar de mim e da casa de meu pai a culpa pelo sangue
que Joabe derramou sem causa.
32 Assim o Senhor fará recair a culpa de sangue dele sobre
a sua cabeça, porque atacou dois homens mais justos e
melhores do que ele e os matou à espada, sem que meu
pai Davi soubesse. Ele matou Abner, filho de Ner, chefe do
exército de Israel, e Amasa, filho de Jéter, chefe do exér-
cito de Judá.
33 Assim, o sangue desses recairá sobre a cabeça de Joabe
e sobre a cabeça da sua descendência para sempre; mas
a Davi e à sua descendência, à sua casa e ao seu trono, o
Senhor dará paz para todo o sempre."
34 E Benaia, filho de Joiada, subiu, atacou Joabe e o ma-
tou; e ele foi sepultado em sua casa, no deserto.
35 E o rei pôs Benaia, filho de Joiada, em seu lugar sobre
o exército, e Zadoque, o sacerdote, o rei pôs em lugar de
Abiatar.
36 Depois o rei mandou chamar Simei e lhe disse: "Edifi-
que uma casa em Jerusalém para você, more lá e não saia
de lá para lugar nenhum.
37 Porque no dia em que sair e passar o ribeiro de Ce-
drom, certamente morrerá; e o seu sangue será sobre a
sua cabeça."
38 E Simei disse ao rei: "Boa é esta palavra, que o rei, meu
senhor, falou; assim o seu servo fará." E Simei habitou em
Jerusalém por muitos dias.
39 Depois de três anos, dois servos de Simei fugiram para
Aquis, filho de Maaca, rei de Gate; então contaram a Si-
mei, dizendo: "Seus servos estão em Gate."
40 Então Simei se levantou, selou o seu jumento e foi para
Gate falar com Aquis em busca de seus servos; assim, Si-
mei foi e trouxe os seus servos de Gate.
41 E disseram a Salomão que Simei tinha ido de Jerusalém
a Gate, e já tinha voltado.
42 Então o rei mandou chamar Simei e lhe disse: "Eu
não fiz você jurar pelo Senhor e não o avisei, dizendo: No
dia em que sair de casa para qualquer lugar, certamente
morrerá? E você me respondeu: 'Boa é esta palavra que
o senhor falou.'
43 Por que não guardou o juramento do Senhor, nem a
ordem que lhe dei?"
44 O rei disse mais a Simei: "Você sabe bem de toda a
maldade, e o seu coração reconhece, que fez a Davi, meu
pai; por isso o Senhor fez recair a sua maldade sobre a
sua cabeça.
45 Mas o rei Salomão será abençoado e o trono de Davi
será confirmado perante o Senhor para sempre."
46 E o rei mandou Benaia, filho de Joiada, que foi, o fe-
riu, e o matou; assim foi confirmado o reino na mão de
Salomão.

Salomão se Casa Com a Filha do Faraó

3 E Salomão se aparentou com o Faraó, rei do Egito; e
pegou a filha do Faraó e a trouxe à cidade de Davi, até
que acabasse de edificar a sua casa, a casa do Senhor e a
muralha em redor de Jerusalém.
2 O povo, porém, sacrificava nos lugares altos; porque até
àqueles dias ainda não se havia edificado um templo em
honra ao nome do Senhor.

3 E Salomão amava o Senhor, andando nos estatutos de
Davi, seu pai; somente nos altos se sacrificava e queimava
incenso.
4 E o rei foi a Gibeão para sacrificar lá, porque aquele
era o lugar alto mais importante; Salomão sacrificou mil
holocaustos naquele altar.

Salomão Pede a Deus Sabedoria

5 E em Gibeão o Senhor apareceu a Salomão à noite em
sonhos; e disse-lhe Deus: "Peça o que quer que eu lhe dê."
6 E Salomão disse: "Tu usaste de grande bondade com
teu servo Davi, meu pai, como também ele andou con-
tigo em fidelidade, em justiça e em retidão de coração,
perante a tua face; e guardaste-lhe esta grande bondade e
lhe deste um filho que se assentasse no seu trono, como
se vê neste dia.
7 Agora, pois, ó Senhor; meu Deus, tu fizeste reinar teu
servo em lugar de Davi, meu pai; e sou apenas um garoto;
não sei como agir.
8 E teu servo está no meio do teu povo que elegeste; povo
grande, que nem se pode contar de tão numeroso.
9 A teu servo, pois, dá um coração compreensivo para go-
vernar teu povo, para que prudentemente discirna entre
o bem e o mal; pois quem poderia governar este teu tão
grande povo?"
10 E estas palavras agradaram ao Senhor, por Salomão ter
pedido isso.
11 E Deus disse: "Porque pediu isso e não pediu para você
uma vida longa, nem pediu para você riquezas, nem pediu
a vida de seus inimigos, mas pediu sabedoria, para discer-
nir o que é justo;
12 farei segundo as suas palavras; lhe dou um coração tão
sábio e entendido, que não haverá igual nem antes e nem
e depois de você.
13 E até o que você não pediu lhe darei, tanto riquezas
como glórias; de modo que não haverá entre os reis um
igual a você, por todos os seus dias.
14 E, se andar nos meus caminhos, guardando os meus
estatutos e os meus mandamentos, como Davi, seu pai,
andou, também prolongarei os seus dias de vida."
15 Então Salomão acordou e percebeu que era um sonho.
E voltou a Jerusalém, pôs-se perante a arca da aliança do
Senhor, sacrificou holocausto, preparou sacrifícios pacífi-
cos e fez um banquete a todos os seus servos.

A Sabedoria de Salomão

16 Então vieram duas mulheres prostitutas ao rei e se pu-
seram perante ele.
17 E uma das mulheres disse: "Ah! meu Senhor, eu e esta
mulher moramos numa casa; e tive um filho, morando
com ela naquela casa.
18 E, ao terceiro dia, depois do meu parto, esta mulher
também teve um filho; estávamos juntas; nenhum estra-
nho estava conosco na casa; somente nós duas naquela
casa.
19 E de noite o filho desta mulher morreu, porque ela se
deitou sobre ele.
20 E levantou-se à meia noite, tirou o meu filho do meu
lado, enquanto a sua serva dormia, e o deitou no seu seio;
e deitou o seu filho morto no meu seio.
21 E eu, levantando-me pela manhã, para dar de mamar
ao meu filho, eis que estava morto; mas, atentando pela
manhã para ele, percebi que não era meu filho, que eu
havia tido."
22 Então a outra mulher disse: "Não, mas o que está vivo
é o meu filho e seu filho é o que está morto." Porém a
primeira disse: "Não, com certeza o morto é o seu filho e
meu filho, o vivo." Assim falaram perante o rei.
23 Então o rei disse: Esta diz: "Esse que vive é o meu
filho e seu filho o que está morto; e esta outra diz: Não,
com certeza, o que está morto é o seu filho e meu filho é
o que está vivo."
24 O rei disse mais: "Tragam-me uma espada." E trouxe-
ram uma espada diante do rei.
25 E o rei disse: "Cortem em duas partes o menino vivo e
deem metade para cada uma."
26 Mas a mulher, cujo filho era o vivo, falou ao rei, mo-
vida pelo amor materno, e disse: "Ah! meu Senhor, dê a
ela o menino vivo, e não o matem." Porém a outra disse:
"Não será nem meu nem seu; divida-o."
27 Então o rei respondeu e disse: "Dê a esta o menino
vivo e de maneira nenhuma o matem, porque esta é sua
mãe."
28 E todo o Israel ouviu o veredicto que o rei havia dado
e tiveram um grande respeito pelo rei; porque viram que
havia nele a sabedoria de Deus, para fazer justiça.

A Administração do Reino

4 Assim, Salomão foi rei sobre todo o Israel.
2 E estes eram os seus oficiais: Azarias, filho de Zado-
que, era o sacerdote;
3 Eliorefe e Aías, filhos de Sisa, secretários; Josafá, filho de
Ailude, era chanceler;
4 Benaia, filho de Joiada, era comandante do exército; Za-
doque e Abiatar eram sacerdotes;
5 e Azarias, filho de Natã, era chefe dos governadores;
Zabude, filho de Natã, era oficial-mor e amigo do rei;
6 e Aisar era mordomo; Adonirão, filho de Abda, era chefe
dos servidores e escravos.
7 E Salomão tinha doze governadores sobre todo o Israel,
que proviam o rei e à sua casa; e cada um tinha que abas-
tecê-lo por um mês no ano.

8 E estes são os seus nomes: Ben-Hur, nas montanhas de Efraim;

9 Ben-Dequer em Macaz, Saalabim, Bete-Semes, Elom e em Bete-Hanã;

10 Ben-Hesede em Arubote; este também tinha Socó e toda a terra de Hefer;

11 Ben-Abinadabe em todo o território de Dor; este tinha a Tafate, filha de Salomão, como esposa;

12 Baaná, filho de Ailude, tinha a Taanaque, Megido e toda Bete-Seã, perto de Zaretã, abaixo de Jezreel, desde Bete-Seã até Abel-Meolá, para além de Jocmeão;

13 o filho de Geber, em Ramote de Gileade; tinha as aldeias de Jair, filho de Manassés, que estão em Gileade; também tinha o território de Argobe, em Basã, sessenta grandes cidades, com muros e ferrolhos de bronze;

14 Ainadabe, filho de Ido, em Maanaim.

15 Aimaás em Naftali; este também se casou com Basemate, filha de Salomão;

16 Baaná, filho de Husai, em Aser e em Alote;

17 Josafá, filho de Parua, em Issacar;

18 Simei, filho de Elá, em Benjamim;

19 Geber, filho de Uri, na terra de Gileade, a terra de Seom, rei dos amorreus e de Ogue, rei de Basã; e só havia uma guarnição naquela terra.

20 Os de Judá e Israel eram muitos, como a areia que está junto ao mar em multidão, comendo, bebendo e alegrando-se.

21 E Salomão dominava sobre todos os reinos desde o rio até à terra dos filisteus e até à fronteira com o Egito; os quais traziam presentes e serviram a Salomão todos os dias da sua vida.

22 As provisões de Salomão de cada dia eram três mil quilos de farinha especial e seis mil quilos de farinha comum;

23 dez bois gordos, vinte bois de pasto e cem carneiros; sem contar os veados e as cabras montesas, os corços e aves gordas.

24 Porque dominava sobre tudo o que havia do lado de cá do rio, desde Tifsa até Gaza, sobre todos os reis do lado de cá do rio; e havia paz em todos os lados ao redor dele.

25 E Judá e Israel habitavam seguros, cada um debaixo da sua videira e debaixo da sua figueira, desde Dã até Berseba, por todos os dias de Salomão.

26 Salomão também tinha quatro mil estrebarias para cavalos, para os seus carros de guerra e doze mil cavaleiros.

27 Esses governadores proviam, cada um no seu mês, ao rei Salomão e a todos que se chegavam à mesa do rei Salomão; não deixavam faltar nada.

28 E traziam a cevada e a palha para os cavalos e para os ginetes, para o lugar onde o rei estivesse, cada um segundo o seu cargo.

A Sabedoria e Fama de Salomão

29 E Deus deu a Salomão sabedoria, muitíssimo entendimento e um conhecimento tão abrangente como a areia que está na praia do mar.

30 E a sabedoria de Salomão era maior do que a sabedoria de todos os homens do Oriente e do que toda a sabedoria dos egípcios.

31 E ele era ainda mais sábio do que todos os homens e do que Etã, ezraíta, e Hemã, Calcol e Darda, filhos de Maol; e o seu nome correu por todas as nações ao redor.

32 Salomão compôs três mil provérbios e os seus cânticos foram mil e cinco.

33 Também falou das árvores, desde o cedro que está no Líbano até ao hissopo que nasce na parede; também falou dos animais e das aves, dos répteis e dos peixes.

34 E vinham pessoas de todos os povos para ouvir a sabedoria de Salomão e mensageiros de todos os reis da terra que tinham ouvido falar da sua sabedoria.

Acordo Com Hirão, Rei de Tiro

5 E Hirão, rei de Tiro, enviou os seus servos a Salomão, porque ouviu que ungiram Salomão rei em lugar de seu pai, porque Hirão sempre tinha sido amigo leal de Davi.

2 Então Salomão mandou dizer a Hirão:

3 "Você sabe que Davi, meu pai, não pôde edificar um templo ao nome do Senhor, seu Deus, por causa das guerras em que ele estava envolvido, até que o Senhor pôs seus inimigos debaixo das plantas dos pés dele.

4 Porém agora o Senhor meu Deus me tem dado descanso de todos os lados; não há inimigos, nem calamidades.

5 E eu tenho a intenção de edificar um templo ao nome do Senhor meu Deus, como o Senhor falou a Davi, meu pai, dizendo: **'Seu filho, que porei em seu lugar no seu trono, ele edificará uma casa ao meu nome.'**

6 Agora dê ordem para que cortem cedros do Líbano para mim, e os meus servos estarão com os seus servos, e eu lhe darei o salário dos seus servos, conforme tudo o que disser; porque você sabe que, entre nós, não há quem saiba cortar a madeira como os sidônios."

7 Então, Hirão, ouvindo as palavras de Salomão, se alegrou muito e disse: "Bendito seja hoje o Senhor, que deu a Davi um filho sábio como rei sobre esse tão grande povo."

8 E Hirão enviou mensageiros a Salomão, dizendo: "Ouvi o que me mandou dizer. Eu farei toda a sua vontade acerca das madeiras de cedros e de cipreste.

9 Os meus servos as levarão desde o Líbano até ao mar, e eu as farei conduzir em jangadas pelo mar até ao lugar que me designar e ali as desamarrarei; e você as pegará; você também fará a minha vontade, dando sustento à minha casa."

10 Assim Hirão deu a Salomão madeira de cedro e madei-
ra de cipreste, conforme toda a sua vontade.
11 E Salomão deu a Hirão vinte toneladas de trigo, para
sustento da sua casa e vinte mil tonéis de azeite batido;
isto Salomão dava a Hirão anualmente.
12 O Senhor deu a Salomão sabedoria, como lhe tinha fa-
lado; e houve paz entre Hirão e Salomão e ambos fizeram
uma aliança.

Preparativos Para Construir o Templo

13 E o rei Salomão convocou trinta mil homens dentre
todo o Israel;
14 e os enviou ao Líbano, dez mil por mês em turnos; um
mês estavam no Líbano e dois meses cada um em sua casa;
e Adonirão chefiava as levas de gente.
15 Salomão também tinha setenta mil que transporta-
vam as cargas e oitenta mil que talhavam pedras nas
montanhas,
16 além dos chefes dos oficiais de Salomão, que estavam
dirigindo aquela obra, três mil e trezentos, que davam as
ordens ao povo que executava aquela obra.
17 E o rei mandou que trouxessem pedras grandes, pedras
preciosas, pedras lavradas, para a fundação do templo.
18 E os edificadores de Salomão e de Hirão e os gebalitas
as lavravam; e preparavam a madeira e as pedras para edi-
ficarem o templo.

A Edificação do Templo

6 E no ano quatrocentos e oitenta, depois que os israelitas
saíram do Egito, no quarto ano do reinado de Salomão
sobre Israel, no mês de Zive, que é o segundo mês, ele
começou a edificar a casa do Senhor.
2 E a casa que o rei Salomão edificou ao Senhor media vin-
te e sete metros de comprimento, nove metros de largura e
treze metros e meio de altura.
3 E o pórtico da entrada do templo media nove metros
de comprimento, a mesma largura do templo, e avançava
quatro metros e meio à frente do templo.
4 E fez para o templo janelas de grades estreitas.
5 Junto às paredes do templo, tanto do templo como do
santuário, edificaram andares e câmaras laterais ao redor.
6 O andar inferior tinha dois metros e vinte e cinco centí-
metros de largura, e o do meio, tinha dois metros e seten-
ta, e o terceiro tinha três metros e quinze de largura; pela
parte de fora do templo, ele fez encostos para apoiar as vi-
gas, para que não precisasse perfurar as paredes do templo.
7 E o templo foi construído com pedras já preparadas,
como as traziam se edificava; de maneira que não se ouvia
barulho de martelos, de machado, nem de qualquer outro
instrumento de ferro no templo.
8 A porta da câmara do andar inferior estava do lado di-
reito da casa, e por escadas caracóis se subia à do meio, e
desta, se subia ao terceiro andar.
9 Assim, Salomão edificou o templo e o acabou; e cobriu
o templo com pranchões e tábuas de cedro.
10 Também edificou as câmaras em volta de todo o tem-
plo, com dois metros e vinte e cinco centímetros de altura
e as ligou ao templo com madeiras de cedro.
11 Então a palavra do Senhor veio a Salomão, dizendo:
12 "Quanto a essa casa que você está edificando, se você
andar nos meus estatutos e executar os meus juízos e guar-
dar todos os meus mandamentos, andando neles, confir-
marei com você a minha palavra, que falei a Davi, seu pai;
13 e habitarei no meio dos israelitas e não desampararei o
meu povo de Israel."
14 Assim Salomão edificou aquela casa e a acabou.
15 Também cobriu as paredes da casa por dentro com tá-
buas de cedro; desde o soalho da casa até ao teto cobriu
tudo com madeira por dentro; e cobriu o soalho da casa
com tábuas de cipreste.
16 Edificou mais nove metros com tábuas de cedro desde
o soalho até o teto, nos fundos do templo; e neste interior
edificou um santuário, o Santo dos Santos.
17 O átrio principal media dezoito metros de comprimento.
18 E o cedro do templo por dentro era enfeitado com en-
talhes de desenhos de frutos e flores abertas; tudo era de
cedro, não se via pedra nenhuma.
19 E na parte interior do templo, preparou o Santo dos
Santos, para pôr ali a arca da aliança do Senhor.
20 E o Santo dos Santos no interior tinha nove metros de
comprimento, nove metros de largura e nove metros de
altura; e o revestiu de ouro puro; também revestiu de ouro
o altar de cedro.
21 E Salomão revestiu o templo por dentro de ouro puro;
e pôs correntes de ouro em frente do santuário interno que
também foi revestido de ouro.
22 Assim cobriu de ouro o templo, inteiramente; também
cobriu de ouro todo o altar que estava diante do Santo
dos Santos.
23 E no Santo dos Santos fez dois querubins de madeira
de oliveira, cada um da altura de quatro metros e meio.
24 E cada asa de um querubim media dois metros e vinte
e cinco centímetros; de uma extremidade a outra as suas
asas mediam quatro metros e meio.
25 Assim também o outro media quatro metros e meio;
ambos os querubins tinham a mesma medida e a mesma
forma.
26 Os dois querubins tinham a mesma altura, quatro me-
tros e meio.
27 Ele pôs esses querubins no interior do templo; e os
querubins tinham as asas estendidas, de maneira que a asa

de um tocava na parede e a asa do outro querubim tocava
na outra parede; e as suas asas no meio do templo tocavam
uma na outra.
28 E revestiu os querubins de ouro.
29 E todas as paredes ao redor do templo tinham entalhes
de querubins, de palmeiras e de flores abertas, por dentro
e por fora.
30 Também revestiu de ouro o soalho do templo, por den-
tro e por fora.
31 E, para a entrada do Santo dos Santos, fez uma porta de
madeira de oliveira; com batente de cinco lados
32 As duas portas também eram de madeira de oliveira; e
esculpiram nelas entalhes de querubins, de palmeiras e de
flores abertas, e as revestiu de ouro; também revestiu de
ouro os querubins e as palmas.
33 E fez para a entrada do templo batentes de quatro lados
de madeira de oliveira.
34 E as duas portas eram de madeira de cipreste; e as duas
folhas de cada porta eram dobradiças.
35 E entalhou nelas querubins, palmeiras e flores abertas,
e as revestiu de ouro folheado.
36 Também edificou o pátio interior com três camadas de
pedras lavradas e uma camada de vigas de cedro.
37 No quarto ano, no mês de Zive, que é o segundo mês,
se lançou o alicerce da casa do Senhor.
38 E no décimo primeiro ano, no mês de Bul, que é o oita-
vo mês, terminaram a construção do templo, com todas as
suas dependências e com todos os seus detalhes; Salomão
levou sete anos para construí-lo.

Salomão Edifica Um Palácio

7 Salomão construiu o seu palácio em treze anos.
2 Também construiu o palácio da floresta do Líbano
com quarenta e cinco metros de comprimento, vinte e
dois metros e meio de largura, e treze metros e meio de
altura, sobre quatro fileiras de colunas de cedro, e vigas de
cedro sobre as colunas.
3 A cobertura de cedro ficava sobre as quarenta e cinco
vigas, quinze por fileira, que se apoiavam nas colunas.
4 E havia janelas dispostas de três em três; e uma em fren-
te da outra.
5 Também todas as portas e janelas eram quadradas e fica-
vam umas em frente às outras, em três fileiras.
6 Depois fez um pórtico de colunas de vinte e dois metros
e meio de comprimento, e treze metros e meio de largura;
e em frente havia outro pórtico com colunas e uma cober-
tura na frente do pórtico.
7 Também fez a sala do trono onde julgava, a sala do juízo,
revestida de cedro, do chão ao teto.
8 E em seu palácio, onde iria morar, ele fez um outro pátio,
e havia uma sala semelhante a esta; também fez para a fi-
lha do Faraó, com quem se casou, um palácio semelhante
à sala do trono.
9 Todas essas construções eram de pedras finíssimas, cor-
tadas sob medida, serradas por dentro e por fora; e isto
desde os alicerces até às beiras do teto e por fora até ao
grande pátio.
10 Os alicerces estavam fundados sobre pedras de alta
qualidade, pedras grandes; sobre pedras de quatro metros
e meio e pedras de três metros e sessenta centímetros.
11 E por cima delas havia pedras de alta qualidade, corta-
das sob medida e madeira de cedro.
12 E ao redor do grande pátio havia três fileiras de pedras
cortadas, e uma fileira de vigas de cedro; assim também
eram o pátio interior do templo do Senhor e o pórtico da-
quela casa.

A Mobília e os Utensílios Para o Templo

13 E o rei Salomão enviou um mensageiro e mandou tra-
zer Hirão de Tiro.
14 Ele era filho de uma mulher viúva, da tribo de Naftali,
e seu pai fora um homem de Tiro, que trabalhava em bron-
ze; e era cheio de sabedoria, de entendimento e de ciência
para fazer toda obra de bronze; esse veio ao rei Salomão e
fez toda a sua obra.
15 Ele fundiu duas colunas de bronze; a altura de cada
coluna era de oito metros e um fio de cinco metros e qua-
renta centímetros cercava cada uma das colunas.
16 Também fez dois capitéis de bronze fundido para pôr
sobre as cabeças das colunas; a altura de cada capitel era
de dois metros e vinte e cinco centímetros.
17 Havia obra de rede e ornamentos em forma de corrente
para os capitéis que estavam sobre a cabeça das colunas,
sete para um capitel e sete para o outro capitel.
18 Fez também romãs em duas fileiras que circundavam
cada conjunto de correntes para cobrir os capitéis no alto
das colunas; assim também fez com o outro capitel.
19 E os capitéis que estavam sobre a cabeça das colunas
do pórtico tinham formato de lírios, com um metro e oi-
tenta e cinco centímetros de altura.
20 Os capitéis das duas colunas perto do bojo, próximo à
obra de rede, no alto das duas colunas, que estava perto
do conjunto de correntes, tinham duzentas romãs enfilei-
radas ao redor.
21 Depois levantou as colunas no pórtico do templo; le-
vantando a coluna direita, lhe deu o nome de Jaquim; e
levantando a coluna esquerda, lhe deu o nome de Boaz.
22 E sobre a cabeça das colunas estava a obra de lírios; e
assim se acabou a obra das colunas.
23 Hirão também fez um tanque de metal fundido, medin-
do quatro metros e cinquenta centímetros de diâmetro de
uma borda à outra, perfeitamente redondo e com dois me-

tros e vinte e cinco centímetros de altura; era preciso um fio de treze metros e meio para medir a sua circunferência.
24 E por baixo da sua borda ao redor, havia botões que o decoravam; dez a cada meio metro cercavam o tanque; duas fileiras desses botões foram fundidas juntas quando o tanque foi fundido.
25 E firmava-se sobre doze touros de bronze, três voltados para o norte, três voltados para o oeste, três voltados para o sul e três voltados para o leste; e o tanque estava em cima deles, e todas as suas partes se voltavam para o lado de dentro.
26 E a grossura das paredes desse tanque era de quatro dedos, e a sua borda era como a borda de um copo, como uma flor de lírio; nele cabiam cerca de quarenta mil litros.
27 Fez também as dez bases de bronze; cada base tinha o comprimento e a largura de um metro e oitenta centímetros, e um metro e trinta e cinco centímetros de altura.
28 As bases tinham placas e as placas estavam entre as molduras.
29 E sobre as placas que estavam entre as molduras havia leões, bois e querubins, e, acima e debaixo deles, havia grinaldas em relevo.
30 E cada base tinha quatro rodas e eixos de bronze; e cada um com uma bacia apoiada em quatro pés, fundida ao lado de cada grinalda.
31 E a boca da pia estava dentro da coroa e com uma abertura que media quarenta e cinco centímetros de altura; e era redonda como a base, e media setenta centímetros; e sobre a sua boca havia entalhes e as suas placas eram quadradas, não redondas.
32 E as quatro rodas estavam debaixo das placas e os eixos das rodas na base; e a altura de cada roda era de setenta centímetros.
33 E as rodas eram como as rodas de carro; seus eixos, seus aros, seus cubos e seus raios, eram todos de metal fundido.
34 E havia quatro apoios nos quatro cantos de cada base; seus apoios saíam da base.
35 E no alto de cada base havia uma peça redonda de vinte e dois centímetros de altura; também sobre o alto de cada base havia apoios e placas, que saíam delas.
36 E nas superfícies dos seus apoios e nas suas placas gravou querubins, leões e palmeiras, segundo o espaço de cada uma com grinaldas ao redor.
37 Desta forma, fez as dez bases; todas tinham a mesma fundição, a mesma medida e um mesmo entalhe.
38 Também fez dez pias de bronze; em cada pia cabiam oitocentos litros e cada pia tinha um metro e oitenta centímetros de diâmetro, e sobre cada uma das dez bases estava uma pia.
39 E pôs cinco bases à direita e cinco à esquerda do templo; porém o tanque ele pôs ao lado direito do templo para o lado sudeste.
40 Depois Hirão fez as caldeiras, as pás e as bacias; e Hirão terminou de fazer toda a obra para o rei Salomão, para a casa do Senhor.
41 As duas colunas, os dois capitéis redondos que estavam no alto das duas colunas e as duas redes, para cobrirem os dois capitéis redondos.
42 E as quatrocentas romãs para as duas redes, isto é, duas fileiras de romãs para cada rede, para cobrirem os dois capitéis redondos que ficavam em cima das colunas.
43 Juntamente com as dez bases, e as dez pias sobre as bases;
44 como também o tanque, e os doze touros por baixo do tanque;
45 e as caldeiras, as pás, as bacias e todos esses objetos que Hirão fez para o rei Salomão, para o templo do Senhor, todos eram de bronze polido.
46 Na planície do Jordão, o rei os fundiu em terra barrenta, entre Sucote e Sartã.
47 E Salomão deixou de pesar todos os objetos, pelo seu excessivo número; nem se verificou o peso do bronze.
48 Salomão também mandou fazer todos os utensílios para o templo do Senhor; o altar de ouro, e a mesa de ouro, sobre a qual ficavam os pães da proposição.
49 E os castiçais, cinco à direita e cinco à esquerda, diante do oráculo, de ouro finíssimo; as flores, as lâmpadas e os espevitadores, também de ouro.
50 Como também os vasos, os apagadores, as bacias, as colheres e os perfumadores, de ouro finíssimo; e as dobradiças para as portas da casa interior para o Lugar Santíssimo e as das portas da casa do templo, também eram de ouro.
51 Assim que terminou toda a obra que fez para a Casa do Senhor, Salomão trouxe as coisas que seu pai Davi havia consagrado; a prata, o ouro, e pôs os objetos entre os tesouros da Casa do Senhor.

A Dedicação do Templo

8 Então Salomão congregou os anciãos de Israel e todos os chefes das tribos, os príncipes das famílias dos israelitas, diante de si em Jerusalém, para levarem a arca da aliança do Senhor da cidade de Davi, que é Sião, para o templo.
2 E todos os homens de Israel se reuniram com o rei Salomão, na ocasião da festa, no mês de etanim, que é o sétimo mês.
3 E vieram todos os anciãos de Israel; e os sacerdotes pegaram a arca.
4 E levaram a arca do Senhor para cima, com a tenda do

encontro da congregação, juntamente com todos os ob-
jetos sagrados que havia na tenda do encontro; assim os
sacerdotes e os levitas os levaram para o templo.
5 E o rei Salomão, e toda a congregação de Israel que se
juntou a ele, permaneceram diante da arca, sacrificando
ovelhas e vacas, que não se podiam contar nem numerar
pela grande quantidade.
6 Assim os sacerdotes trouxeram a arca da aliança do Se-
nhor ao seu lugar, ao Santo dos Santos do templo, ao lugar
santíssimo, debaixo das asas dos querubins.
7 Porque os querubins estendiam ambas as asas sobre o lu-
gar da arca; e os querubins cobriam a arca e as suas varas.
8 E as varas sobressaíam tanto, que dava para ver suas
pontas do santuário, diante do oráculo, porém não se viam
de fora; e estão lá até hoje.
9 Na arca havia somente as duas tábuas de pedra, que
Moisés havia colocado ali em Horebe, quando o Senhor
fez a aliança com os israelitas, depois que eles saíram da
terra do Egito.
10 E, quando os sacerdotes saíram do santuário, uma nu-
vem encheu a Casa do Senhor.
11 E os sacerdotes não podiam permanecer em pé para
ministrar, por causa da nuvem, porque a glória do Senhor
encheu o templo.
12 Então Salomão falou: "O Senhor disse que ele habitaria
nas trevas.
13 Certamente edifiquei uma casa para tua morada, para
a tua eterna habitação."
14 Então o rei virou o seu rosto e abençoou toda a congre-
gação de Israel, que estava ali em pé.
15 E disse: "Bendito seja o Senhor Deus de Israel, que
falou com Davi, meu pai, e pela sua mão o cumpriu,
dizendo:
16 'Desde o dia em que eu tirei o meu povo Israel do
Egito, não escolhi cidade alguma de todas as tribos de Is-
rael para edificar alguma casa para ali estabelecer o meu
nome; porém escolhi Davi, para que governasse sobre o
meu povo Israel.'
17 Também Davi, meu pai, propôs em seu coração edifi-
car um templo ao nome do Senhor Deus de Israel.
18 Porém o Senhor disse a Davi, meu pai: 'Você fez bem
quando propôs em seu coração edificar um templo ao meu
nome.
19 Todavia você não edificará esse templo; mas seu filho,
o seu descendente, edificará esse templo ao meu nome.'
20 Assim o Senhor confirmou a sua palavra; porque me
levantei em lugar de Davi, meu pai, e me sentei no trono
de Israel, como o Senhor falou; e edifiquei o templo ao
nome do Senhor Deus de Israel.
21 E constituí ali um lugar para a arca em que está a alian-
ça do Senhor, que ele fez com os nossos pais, quando os
tirou da terra do Egito."

A Oração de Salomão

22 E pôs-se Salomão diante do altar do Senhor, na presen-
ça de toda a congregação de Israel; estendeu as suas mãos
para os céus,
23 e disse: "Ó Senhor, Deus de Israel, não há Deus como
tu, em cima nos céus nem em baixo na terra; que guardas
a aliança e a misericórdia aos teus servos que andam com
todo o seu coração diante de ti.
24 Que cumpriste a teu servo Davi, meu pai, o que lhe
prometeste; porque com a tua boca o disseste e com a tua
mão o cumpriste, como neste dia se vê.
25 Agora, pois, ó Senhor, Deus de Israel, cumpre a outra
promessa a teu servo Davi, meu pai, a qual lhe falaste,
dizendo: 'Não lhe faltará sucessor diante de mim, que se
assente no trono de Israel; contanto que os seus filhos
guardem o seu caminho, para andarem diante de mim
como você andou.'
26 Agora também, ó Deus de Israel, cumpra-se a tua pala-
vra que disseste a teu servo Davi, meu pai.
27 Mas, na verdade, habitaria Deus na terra? Eis que os
céus e até o céu dos céus não te poderiam conter, quanto
menos este templo que eu edifiquei.
28 Ouve, pois, a oração de teu servo, e a sua súplica, ó
Senhor, meu Deus; atende o clamor e a oração que o teu
servo hoje faz diante de ti.
29 Para que os teus olhos noite e dia estejam abertos so-
bre este templo, sobre este lugar, do qual disseste: 'O meu
nome estará ali'; para ouvires a oração que o teu servo
fizer neste lugar.
30 Ouve, pois, a súplica do teu servo e do teu povo Israel,
quando orarem neste lugar; também ouve tu no lugar da
tua habitação nos céus; ouve também, e perdoa.
31 Se alguém pecar contra o seu próximo e puserem sobre
ele juramento, fazendo-o jurar, e vier jurar diante do teu
altar neste templo,
32 ouve tu, então, nos céus, e age e julga teus servos,
condenando ao injusto, fazendo com que pague por seus
atos e justificando o justo, retribuindo-lhe segundo a sua
justiça.
33 Quando o teu povo Israel for derrotado por um inimi-
go, por ter pecado contra ti, e se converterem a ti, confes-
sarem o teu nome, orarem e suplicarem a ti neste templo,
34 ouve tu, então, nos céus, e perdoa o pecado do teu
povo Israel, e faze-o voltar à terra que deste a seus pais.
35 Quando os céus se fecharem e não houver chuva, por
terem pecado contra ti, e orarem neste lugar, confessarem
o teu nome e se converterem dos seus pecados, depois de
o haveres castigado,

36 ouve tu, então, nos céus, e perdoa o pecado de teus servos e do teu povo Israel, ensinando-lhes o bom caminho em que devem andar, e envia chuva sobre a tua terra que deste ao teu povo em herança.

37 Quando houver fome na terra, quando houver peste, quando houver queima de searas, ferrugem, gafanhotos ou pulgão, quando o seu inimigo o cercar na terra das suas portas, ou houver alguma praga ou doença,

38 toda oração, toda súplica, que qualquer homem de todo o teu povo Israel fizer, conhecendo cada um a chaga do seu coração e estendendo as suas mãos para este templo,

39 ouve tu, então, nos céus, assento da tua habitação, e perdoa, age e dá a cada um conforme a todos os seus caminhos e segundo vires o seu coração, porque só tu conheces o coração de todos os filhos dos homens.

40 Para que te temam todos os dias que viverem na terra que deste aos nossos pais.

41 E também ouve ao estrangeiro, que não for do teu povo Israel, quando vier de terras remotas, por amor do teu nome,

42 porque ouvirão do teu grande nome, da tua forte mão e do teu braço estendido, e vier orar voltado para este templo,

43 ouve tu, nos céus, assento da tua habitação, e faz conforme tudo o que o estrangeiro a ti clamar, a fim de que todos os povos da terra conheçam o teu nome, para te temerem como o teu povo Israel e para saberem que o teu nome é invocado sobre este templo que eu edifiquei.

44 Quando o teu povo sair à guerra contra o seu inimigo, pelo caminho pelo qual os enviares, e orarem ao Senhor, para o lado desta cidade, que tu elegeste e deste templo, que edifiquei ao teu nome,

45 ouve, então, nos céus, a sua oração e a sua súplica e faz-lhes justiça.

46 Quando pecarem contra ti, pois não há homem que não peque, e tu te indignares contra eles e os entregares às mãos do inimigo, de modo que os levem em cativeiro para a terra inimiga, quer longe ou perto esteja,

47 e na terra aonde forem levados em cativeiro caírem em si, e se converterem, e na terra do seu cativeiro te suplicarem, dizendo: 'Pecamos, perversamente procedemos e cometemos iniquidade',

48 e se converterem a ti com todo o seu coração e com toda a sua alma, na terra de seus inimigos que os levarem em cativeiro, e orarem a ti para o lado da sua terra que deste a seus pais, para esta cidade que elegeste e para este templo que edifiquei ao teu nome,

49 ouve, então, nos céus, assento da tua habitação, a sua oração e a sua súplica e faz-lhes justiça.

50 Perdoa ao teu povo que houver pecado contra ti todas as transgressões que houverem cometido contra ti e dá-lhes misericórdia perante aqueles que os têm cativos, para que deles tenham compaixão,

51 porque são o teu povo e a tua herança que tiraste da terra do Egito, do meio do forno de ferro;

52 para que teus olhos estejam abertos à súplica do teu servo e à súplica do teu povo Israel, a fim de os ouvires em tudo quando clamarem a ti.

53 Pois tu para tua herança os elegeste de todos os povos da terra, como tens falado por meio de Moisés, teu servo, quando tiraste os nossos pais do Egito, Senhor Deus."

A Bênção Sobre o Povo

54 Quando Salomão acabou de fazer essa oração e essa súplica ao Senhor, estando de joelhos e com as mãos estendidas para os céus, se levantou da frente do altar do Senhor.

55 Pôs-se em pé e abençoou toda a congregação de Israel em alta voz, dizendo:

56 "Bendito seja o Senhor, que deu repouso ao seu povo, Israel, segundo tudo o que prometeu; nem uma só palavra falhou de todas as suas boas promessas que fez pelo ministério de Moisés, seu servo.

57 Que o Senhor nosso Deus esteja conosco, como esteve com nossos pais; que ele não nos desampare e nem nos deixe.

58 E faça com que nosso coração seja inclinando para ele, para andarmos em todos os seus caminhos e para guardarmos os seus mandamentos, os seus estatutos e os seus juízos que ordenou a nossos pais.

59 E que estas minhas palavras, com que supliquei perante o Senhor, estejam presentes diante do Senhor, nosso Deus, de dia e de noite, para que faça justiça ao seu servo e ao seu povo, Israel, a cada qual no seu dia.

60 Para que todos os povos da terra saibam que o Senhor é Deus, e que não há outro.

61 E seja o seu coração inteiro para com o Senhor nosso Deus, para andarem nos seus estatutos e guardarem os seus mandamentos como fazem hoje."

62 E o rei e todo o Israel com ele ofereceram sacrifícios perante a face do Senhor.

63 E Salomão deu para o sacrifício pacífico que ofereceu ao Senhor vinte e duas mil vacas e cento e vinte mil ovelhas; assim o rei e todos os israelitas consagraram o templo do Senhor.

64 No mesmo dia o rei santificou o meio do átrio que estava diante do templo do Senhor; porque ali preparou os holocaustos e as ofertas com a gordura dos sacrifícios pacíficos, porque o altar de bronze que estava diante da face do Senhor era muito pequeno para nele caberem os holocaustos, as ofertas e a gordura dos sacrifícios pacíficos.

65 Nesse tempo Salomão celebrou a festa, e todo o Israel com ele, uma grande congregação, desde a entrada de Hamate até o rio do Egito, perante a face do Senhor nosso Deus; por mais sete dias além dos primeiros sete dias, num total de catorze dias.

66 E no oitavo dia despediu o povo, e eles abençoaram o rei; então voltaram para as suas tendas, alegres e felizes de coração, por causa de todo o bem que o Senhor tinha feito a Davi, seu servo, e a Israel, seu povo.

A Aliança Com Deus

9 E, quando Salomão acabou de edificar o templo do Senhor e o palácio real, e tudo o que tinha desejado e decidido fazer,

2 o Senhor tornou a aparecer a Salomão, como lhe tinha aparecido em Gibeão.

3 E o Senhor lhe disse: "Ouvi a sua oração e a súplica que fez perante mim; santifiquei o templo que edificou, a fim de pôr ali o meu nome para sempre; os meus olhos e o meu coração estarão ali todos os dias.

4 E se você andar perante mim como Davi, seu pai, andou, com integridade de coração e com sinceridade, fazendo tudo o que lhe mandei, e guardar os meus estatutos e os meus juízos,

5 então confirmarei o trono de seu reino sobre Israel para sempre; como prometi a seu pai, Davi, dizendo: Não lhe faltará sucessor ao trono de Israel;

6 porém, se você e seus filhos de qualquer maneira se afastarem de mim e não guardarem os meus mandamentos e os meus estatutos, que lhes propus, e forem e servirem a outros deuses e os adorarem,

7 então eliminarei Israel da terra que lhes dei; e este templo, que santifiquei em meu nome, lançarei longe da minha presença e Israel será motivo de zombaria entre todos os povos.

8 E este templo, que é tão exaltado, quem por ele passar ficará pasmo, e perguntará: 'Por que o Senhor fez isso com esta terra e este templo?'

9 E a resposta será: Porque deixaram o Senhor, seu Deus, que tirou da terra do Egito os seus pais, e se apegaram a outros deuses, se encurvaram perante eles e os serviram; por isso o Senhor trouxe sobre eles todo esse mal."

10 Ao fim de vinte anos, Salomão acabou de edificar as duas casas; o templo do Senhor e o palácio real.

11 Para Hirão, rei de Tiro, que trouxe a Salomão madeira de cedro, de cipreste e ouro, tanto quanto ele precisava, o rei Salomão lhe deu vinte cidades na terra da Galileia.

12 E Hirão saiu de Tiro para ver as cidades que Salomão lhe deu, porém elas não lhe agradaram.

13 Por isso disse: "Que cidades são essas que me deu, meu irmão?" E lhes deram o nome de Terra de Cabul, até o dia de hoje.

14 E Hirão tinha enviado ao rei quatro toneladas de ouro.

Os Súditos de Salomão

15 E esta é a causa pela qual o rei Salomão impôs trabalhos forçados, para edificar o templo do Senhor, o seu palácio real, a fortaleza de Milo, e o muro de Jerusalém, como também Hazor, Megido e Gezer.

16 Porque o Faraó, rei do Egito, conquistou Gezer, incendiou-a e matou os cananeus que moravam na cidade, para dá-la como dote à sua filha, mulher de Salomão.

17 Por isso Salomão reconstruiu Gezer e Bete-Horom-de-Baixo,

18 Baalate, Tadmor, no deserto daquela terra,

19 e todas as cidades de provisões que Salomão tinha, as cidades dos carros, as cidades dos cavaleiros e tudo o que Salomão quis edificar em Jerusalém, no Líbano e em toda a terra do seu domínio.

20 Quanto a todo o povo que restou dos amorreus, heteus, ferezeus, heveus e jebuseus, que não eram dos israelitas,

21 a seus filhos, que restaram depois deles na terra, os quais os israelitas não puderam destruir totalmente, Salomão os reduziu a escravos, até hoje.

22 Todavia, dos israelitas Salomão não fez escravo; porém eram homens de guerra, seus oficiais, comandantes, seus capitães e chefes dos seus carros de guerra e seus cavaleiros.

23 Esses eram os principais oficiais que estavam encarregados da obra de Salomão, quinhentos e cinquenta, que davam ordens ao povo que trabalhava na obra.

24 Quando a filha do Faraó veio da cidade de Davi para a sua casa, que Salomão lhe edificou, então ele construiu Milo.

25 E Salomão oferecia três vezes por ano holocaustos e sacrifícios pacíficos sobre o altar que edificou ao Senhor, queimava incenso sobre o altar que estava perante o Senhor e assim acabou a casa.

A Frota Naval de Salomão

26 O rei Salomão também construiu navios em Eziom-Geber, que fica junto a Elate, às margens do Mar Vermelho, na terra de Edom.

27 E Hirão mandou com aqueles navios os seus servos, marinheiros que conheciam o mar, com os servos de Salomão.

28 E foram a Ofir e trouxeram de lá quatorze toneladas de ouro ao rei Salomão.

A Visita da Rainha de Sabá

10 E a rainha de Sabá ouviu a fama de Salomão, com respeito ao nome do Senhor, então veio para pô-lo à prova com perguntas difíceis.

2 E ela chegou a Jerusalém com um grande exército, com
camelos carregados de especiarias, muitíssimo ouro e pedras preciosas; então foi a Salomão e fez todas as perguntas que tinha em mente.
3 E Salomão lhe deu resposta a todas as suas perguntas, nada houve que não lhe pudesse esclarecer.
4 A rainha de Sabá, vendo toda a sabedoria de Salomão e a casa que ele edificou,
5 e a comida da sua mesa, o lugar dos seus servos, o trabalho de seus criados, as roupas deles, os seus copeiros e os holocaustos que ele oferecia na casa do Senhor, ficou fora de si.
6 E ela disse ao rei: "Era verdade o que ouvi na minha terra sobre os seus feitos e a sua sabedoria.
7 E eu não acreditava naquelas palavras, até que eu vim e os meus olhos viram; e não me disseram metade; você supera em sabedoria e riquezas a fama que ouvi.
8 Bem-aventurados os seus homens, bem-aventurados esses seus servos, que estão sempre diante de você, que ouvem a sua sabedoria!
9 Bendito seja o Senhor seu Deus, que se agradou de você, para o pôr no trono de Israel; porque o Senhor ama a Israel para sempre, por isso lhe estabeleceu rei, para fazer juízo e justiça."
10 E deu ao rei quatro mil e duzentos quilos de ouro, muitíssimas especiarias e pedras preciosas; nunca veio especiaria em tanta abundância, como a que a rainha de Sabá deu ao rei Salomão.
11 Também os navios de Hirão, que de Ofir traziam ouro, traziam também muita madeira de sândalo e pedras preciosas.
12 E desta madeira de sândalo o rei fez balaústres para o templo do Senhor e para o palácio real, como também harpas e alaúdes para os cantores; nunca veio tal madeira de sândalo, nem se viu até o dia de hoje.
13 E o rei Salomão deu à rainha de Sabá tudo o que ela quis e pediu, além do que deu por sua generosidade; então ela partiu para a sua terra, ela e os seus servos.

As Riquezas de Salomão

14 E todo ano eram trazidos a Salomão vinte e três mil e trezentos quilos de ouro;
15 além do que entrava dos negociantes, do contrato dos comerciantes e de todos os reis da Arábia e dos governadores da mesma terra.
16 O rei Salomão também fez duzentos escudos longos de ouro batido; destinou três quilos e seiscentos gramas de ouro para cada escudo;
17 fez também trezentos escudos menores de ouro batido; destinou um quilo e oitocentos gramas de ouro para cada escudo; e o rei os pôs na casa da floresta do Líbano.
18 O rei fez mais um grande trono de marfim e o revestiu de ouro puríssimo.
19 Esse trono tinha seis degraus, e o encosto do trono por trás era redondo e de ambos os lados havia um braço; e figuras de dois leões, junto aos braços.
20 Também doze leões estavam ali sobre os seis degraus de ambos os lados; nunca se tinha feito obra semelhante em nenhum dos reinos.
21 Também todas as taças de beber do rei Salomão eram de ouro e todos os vasos da casa da floresta do Líbano eram de ouro puro; não havia neles prata, porque nos dias de Salomão não tinha valor algum.
22 Porque o rei tinha no mar os navios de Társis juntos com os navios de Hirão; uma vez a cada três anos os navios voltavam de Társis e traziam ouro, prata, marfim, bugios e pavões.
23 Assim, o rei Salomão excedeu a todos os reis da terra, tanto em riquezas como em sabedoria.
24 E toda a terra queria ver Salomão, para ouvir a sabedoria que Deus tinha posto no seu coração.
25 E cada um trazia o seu presente, vasos de prata e vasos de ouro, roupas, armaduras, especiarias, cavalos e mulas; isso faziam de ano em ano.
26 Salomão também ajuntou carros de guerra e cavaleiros; ele tinha mil e quatrocentos carros de guerra e doze mil cavaleiros; e os mantinha nas cidades e junto ao rei em Jerusalém.
27 E o rei fez com que em Jerusalém houvesse tanta prata como pedras e cedros em abundância, como figueiras bravas que estão nas planícies.
28 E traziam cavalos do Egito para Salomão; e os mercadores do rei os compravam, cada manada por um certo preço.
29 E um carro de guerra do Egito saía por seiscentas moedas de prata e um cavalo saía por cento e cinquenta; e assim, por meio deles, os enviavam para todos os reis dos heteus e para os reis da Síria.

A Idolatria de Salomão

11 E o rei Salomão amou muitas mulheres estrangeiras, além da filha do Faraó: moabitas, amonitas, edomitas, sidônias e heteias,
2 das nações de que o Senhor tinha falado aos israelitas: "Não poderão se casar com elas e elas não poderão se casar com vocês; pois desta maneira perverteriam o coração de vocês para seguirem os deuses delas." A essas Salomão se uniu com amor.
3 E casou-se com setecentas princesas e trezentas concubinas; e suas mulheres lhe perverteram o coração.
4 Porque, na velhice de Salomão, suas mulheres lhe perverteram o coração para seguir outros deuses; e o seu co-

ração não era fiel para o Senhor seu Deus, como o coração
de Davi, seu pai,
5 porque Salomão seguiu Astarote, deusa dos sidônios, e
Milcom, a abominação dos amonitas.
6 Assim Salomão fez o que era mal aos olhos do Senhor e
não perseverou em seguir ao Senhor, como Davi, seu pai.
7 Então Salomão edificou um altar a Quemos, a abomina-
ção dos moabitas, sobre o monte que fica diante de Jeru-
salém, e a Moloque, a abominação dos filhos de Amom.
8 E assim fez para todas as suas mulheres estrangeiras, as
quais queimavam incenso e sacrificavam a seus deuses.

As Advertências de Deus

9 O Senhor se indignou contra Salomão, porque desviou
o seu coração do Senhor Deus de Israel, que lhe apareceu
duas vezes.
10 E lhe deu ordem para não seguir outros deuses; porém
não guardou o que o Senhor lhe ordenou.
11 Assim, o Senhor disse a Salomão: "Você não guardou
a minha aliança e os meus estatutos que lhe mandei; cer-
tamente tirarei de você este reino e o darei a um dos seus
servos.
12 Mas não o farei enquanto você estiver vivo, por amor a
Davi, seu pai; o tirarei da mão de seu filho,
13 porém não tirarei todo o reino; darei uma tribo a seu fi-
lho, por amor de meu servo, Davi, e por amor a Jerusalém,
que tenho escolhido."

Os Adversários de Salomão

14 O Senhor levantou contra Salomão um adversário, Ha-
dade, o edomita; ele era da descendência do rei em Edom.
15 Porque quando Davi esteve em Edom, Joabe, o chefe
do exército, saiu para enterrar os mortos, e matou todos
os homens de Edom.
16 Porque Joabe ficou ali por seis meses com todo o Israel,
até que exterminou todos os homens de Edom.
17 Hadade, porém, fugiu, ele e alguns homens edomi-
tas, servos de seu pai, para ir ao Egito; Hadade era muito
jovem.
18 E saíram de Midiã e foram para Parã, de onde levaram
com eles homens, e chegaram ao Egito para falar com o
Faraó, rei do Egito, que deu a Hadade uma casa, lhe pro-
meteu sustento e lhe deu terras.
19 E Hadade encontrou favor diante do Faraó, que lhe
deu como esposa a irmã de sua mulher, a irmã de Tafnes,
a rainha.
20 E a irmã de Tafnes lhe deu um filho, Genubate, e Taf-
nes o criou na casa do Faraó; e Genubate ficou na casa do
Faraó entre os seus filhos.
21 Hadade, no Egito, ouviu que Davi tinha morrido, e
que Joabe, chefe do exército, estava morto; então Hadade
pediu ao Faraó: "Deixe-me voltar à minha terra."
22 Porém, o Faraó lhe disse: "O que lhe falta comigo, para
querer partir para a sua terra?" E ele disse: "Nada, mas
deixe-me ir."
23 Deus levantou outro adversário contra Salomão, Re-
zom, filho de Eliada, que tinha fugido do seu senhor Ha-
dadezer, rei de Zobá;
24 contra quem também ajuntou homens e foi capitão de
um esquadrão, quando Davi os matou; e foram para Da-
masco, onde habitaram e reinaram.
25 E foi adversário de Israel, por todos os dias de Salomão
e lhe fez mal; porque detestava Israel e reinava sobre a
Síria.
26 Até Jeroboão, filho de Nebate, efrateu, de Zereda,
servo de Salomão, cuja mãe Zerua era viúva, também se
revoltou contra o rei.
27 E esta foi a causa por que se levantou contra o rei: Sa-
lomão tinha construído Milo e fechou as brechas do muro
da cidade de Davi, seu pai.
28 E Jeroboão era forte e valente; e Salomão viu que esse
jovem era trabalhador, então o pôs como encarregado da
casa de José.
29 Quando Jeroboão saiu de Jerusalém, o profeta Aías, o
silonita, o encontrou pelo caminho, e ele estava vestido
com uma roupa nova, e os dois estavam a sós no campo.
30 E Aías pegou a roupa nova que tinha sobre si e a rasgou
em doze pedaços.
31 E disse a Jeroboão: "Pegue para você dez pedaços, por-
que assim diz o Senhor Deus de Israel: 'Eis que rasgarei
o reino da mão de Salomão e darei a você as dez tribos.
32 Porém, ele terá uma tribo, por amor a Davi, meu servo,
e por amor a Jerusalém, a cidade que escolhi de todas as
tribos de Israel.
33 Porque me deixaram, se encurvaram diante de Asta-
rote, deusa dos sidônios, de Quemos, deus dos moabitas,
e de Milcom, deus dos filhos de Amom; e não andaram
pelos meus caminhos, para fazerem o que é reto aos meus
olhos, a saber, os meus estatutos e os meus juízos, como
Davi, seu pai.
34 Porém, não tirarei nada deste reino da sua mão; mas
o fiz governante por todos os dias da sua vida, por amor a
Davi, meu servo, a quem escolhi, o qual guardou os meus
mandamentos e os meus estatutos.
35 Mas da mão do seu filho tomarei o reino, as dez tribos
dele, e as darei a você.
36 E a seu filho darei uma tribo; para que Davi, meu ser-
vo, sempre tenha uma lâmpada diante de mim em Jerusa-
lém, a cidade que escolhi para pôr ali o meu nome.
37 Eu o levantarei e você reinará sobre tudo o que a sua
alma desejar; e será rei sobre Israel.
38 E, se ouvir tudo o que eu lhe mandar, e andar pelos

meus caminhos, e fizer o que é reto aos meus olhos, guar-
dando os meus estatutos e os meus mandamentos, como
meu servo Davi fez, então eu serei com você e lhe edifi-
carei uma casa firme, como edifiquei a Davi, e lhe darei
Israel.
39 E por isso afligirei a descendência de Davi; mas não
para sempre.'"
40 Assim Salomão procurou matar Jeroboão; porém, Je-
roboão fugiu para o Egito, para ficar com Sisaque, rei do
Egito; e ficou no Egito até que Salomão morreu.

A Morte de Salomão

41 Quanto aos demais atos de Salomão, tudo o que fez, e à
sua sabedoria, está escrito no livro da história de Salomão.
42 E Salomão reinou, em Jerusalém, sobre todo o Israel
por quarenta anos.
43 E Salomão morreu e foi sepultado na cidade de Davi,
seu pai; e Roboão, seu filho, reinou em seu lugar.

Roboão Causa a Divisão do Reino

12 E Roboão foi para Siquém, porque todo o Israel se
reuniu lá, para o fazer rei.
2 Assim que Jeroboão, filho de Nebate, que ainda estava
no Egito, para onde tinha fugido do rei Salomão, soube
disso, voltou de lá.
3 Depois disso mandaram chamá-lo; então Jeroboão e
toda a congregação de Israel vieram e falaram com Ro-
boão, dizendo:
4 "Seu pai nos pôs um pesado jugo; agora, alivie a dura
servidão de seu pai e o pesado jugo que nos impôs, e nós
o serviremos."
5 E Roboão respondeu: "Vão, e em três dias voltem a
mim." E o povo se foi.
6 E o rei Roboão buscou conselho com os anciãos que esti-
veram na presença de Salomão, seu pai, quando ele ainda
vivia, dizendo: "Como vocês me aconselham a responder
a esse povo?"
7 E eles lhe responderam, dizendo: "Se hoje for servo des-
te povo e o servir, lhe dando uma resposta favorável, eles
sempre serão seus servos."
8 Porém ele deixou de seguir o conselho que os anciãos
lhe tinham dado e buscou conselho com os jovens que
haviam crescido com ele, que estavam diante dele.
9 E perguntou-lhes: "O Que vocês aconselham que eu res-
ponda a esse povo, que me pediu: 'Alivie o jugo que seu
pai nos impôs?'"
10 Os jovens que haviam crescido com ele responderam:
"A esse povo que lhe disse: 'Seu pai nos pôs um pesado
jugo, alivie a dura servidão de seu pai e o pesado jugo que
nos impôs', lhes responda o seguinte: 'Meu dedo mínimo
é mais grosso do que a cintura do meu pai.
11 De modo que, se meu pai lhes impôs um jugo pesado,
eu o tornarei ainda mais pesado; meu pai os castigou com
açoites, porém eu os castigarei com escorpiões.'"
12 Jeroboão e todo o povo voltaram no terceiro dia para
falar com Roboão, como o rei havia ordenado.
13 E o rei respondeu ao povo duramente; porque deixou
de seguir o conselho que os anciãos lhe haviam dado.
14 E lhe falou conforme o conselho dos jovens, dizendo:
"Meu pai agravou o seu jugo, porém eu ainda aumentarei
o seu jugo; meu pai os castigou com açoites, porém eu os
castigarei com escorpiões."
15 O rei não deu ouvidos ao povo; porque essa revolta
vinha do Senhor, para confirmar a palavra que o Senhor
tinha falado por meio de Aías, o silonita, a Jeroboão, filho
de Nebate.

Jeroboão Reina Sobre Dez Tribos

16 Quando todo o Israel viu que o rei não lhe dava ou-
vidos, reagiu dizendo: "Que parte nós temos com Davi?
Não temos herança no filho de Jessé. Às suas tendas, ó
Israel! Cuide agora de sua casa, ó Davi." Então Israel se
foi às suas tendas.
17 Quanto aos israelitas que habitavam nas cidades de
Judá, Roboão também reinou sobre eles.
18 Então o rei Roboão enviou Adorão, que estava como
chefe sobre os que realizavam trabalhos forçados, e todo o
Israel o apedrejou e ele morreu; mas o rei Roboão conse-
guiu subir no seu carro para fugir para Jerusalém.
19 Assim os israelitas se rebelaram contra a casa de Davi,
até o dia de hoje.
20 E todo o Israel, ouvindo que Jeroboão tinha voltado,
mandou chamá-lo para a congregação e o fizeram rei sobre
todo o Israel; e ninguém seguiu a casa de Davi, somente
a tribo de Judá.
21 Roboão, vindo a Jerusalém, reuniu toda a casa de Judá
e a tribo de Benjamim, cento e oitenta mil escolhidos, trei-
nados para a guerra, para lutar contra Israel, para restituir
o reino a Roboão, filho de Salomão.
22 Porém a palavra de Deus veio a Semaías, homem de
Deus, dizendo:
23 "Fale a Roboão, filho de Salomão, rei de Judá e a toda a
casa de Judá, a Benjamim e ao restante do povo, dizendo:
24 Assim diz o Senhor: Não subam nem lutem contra
seus irmãos, os israelitas; voltem cada um para a sua casa,
porque eu é que fiz essa obra." E ouviram a palavra do
Senhor e voltaram.
25 E Jeroboão edificou Siquém, no monte de Efraim, e
habitou ali; depois saiu dali e edificou Penuel.

A Idolatria de Jeroboão

26 E Jeroboão pensou: "Agora o reino voltará à casa de
Davi.
27 Se este povo subir para oferecer sacrifícios no templo

Reino Dividido
Tiro
FENÍCIA
Dã
Mar da Galélia
SÍRIA
Mar Grande
Megido
Suném
Bete - Seã
Samaria
Penuel
Siquém
Siló
Adã
AMOM
Rio Jordão
Jope
Gezer
Betel
Rabá
Aijalon
Gibeão
Jerusalém
Asquelom
Quirate - Jeraim
Gaza
FILÍSTIA
JUDÁ
Mar Morto
MOABE
Berseba
Quir - Haresete
NEGUEVE
EDOM
Bozra
Território de Israel
Território de Judá
Cidades
Capitais
Santuário/Idolatria

do Senhor, em Jerusalém, o coração deste povo se voltará
para o seu senhor, para Roboão, rei de Judá; eles me matarão e voltarão para ele, o rei de Judá."
28 Depois de o rei ter recebido conselhos, fez dois bezerros de ouro; e disse ao povo: "Basta de subir a Jerusalém; aqui estão seus deuses, ó Israel, que os tiraram da terra do Egito."
29 E pôs um em Betel e o outro em Dã.
30 E esse feito se tornou em pecado; pois o povo ia até Dã para adorar o bezerro.
31 Também fez santuários nos lugares altos; e constituiu sacerdotes que não eram levitas.
32 E Jeroboão fez uma festa no oitavo mês, no dia décimo quinto do mês, como a festa que se fazia em Judá, e sacrificou no altar; fez o mesmo em Betel, sacrificando aos bezerros que havia feito; também em Betel nomeou sacerdotes que serviam nos lugares altos que havia construído.
33 E sacrificou no altar que fez em Betel, no dia décimo quinto do oitavo mês, que ele tinha escolhido ao acaso; assim fez a festa aos israelitas e sacrificou no altar, queimando incenso.

Profecia Contra o Altar de Jeroboão

13 E, por ordem do Senhor, um homem de Deus foi de Judá a Betel; e Jeroboão estava junto ao altar, para queimar incenso.
2 E ele clamou contra o altar por ordem do Senhor e disse: "Altar, altar! Assim diz o Senhor: 'Eis que um filho nascerá à casa de Davi, e se chamará Josias; ele sacrificará em cima de você os sacerdotes dos lugares altos, que queimam incenso em cima de você, e ossos humanos serão queimados sobre você.' "
3 E o profeta deu, naquele mesmo dia, um sinal, dizendo: "Este é o sinal de que o Senhor falou: 'Eis que o altar se rachará e a cinza, que está nele, se derramará.' "
4 Quando o rei ouviu a palavra do homem de Deus, que proferiu contra o altar de Betel, Jeroboão estendeu a sua mão sobre o altar, dizendo: "Prendam este homem!" Mas a sua mão, que estendeu contra ele, secou e não podia recolhê-la.
5 E o altar se rachou e a cinza se derramou do altar, segundo o sinal que o homem de Deus deu por ordem do Senhor.
6 Então o rei respondeu e disse ao homem de Deus: "Suplique ao Senhor seu Deus e ore por mim, para que eu possa recolher a minha mão." Então o homem de Deus suplicou ao Senhor e a mão do rei se recolheu, ficando como antes.
7 E o rei disse ao homem de Deus: "Venha comigo para minha casa, para comer alguma coisa; e eu lhe darei um presente."
8 Porém o homem de Deus disse ao rei: "Ainda que me desse metade da sua casa, não iria com você, nem comeria pão nem beberia água nesse lugar.
9 Porque assim o Senhor me ordenou pela sua palavra, dizendo: 'Não coma nem beba nada naquele lugar; e não volte pelo caminho por onde foi.' "
10 Assim ele foi por outro caminho e não voltou pelo caminho por onde veio a Betel.

A Morte do Profeta por Um Leão

11 E em Betel morava um velho profeta; e seus filhos vieram e lhe contaram tudo o que o homem de Deus fez naquele dia em Betel, bem como as palavras que ele tinha dito ao rei; contaram tudo a seu pai.
12 E seu pai lhes disse: "Por qual caminho ele se foi?" E seus filhos lhe mostraram o caminho por onde o homem de Deus que veio de Judá retornou.
13 Então ele disse a seus filhos: "Selem um jumento." E lhe selaram um jumento no qual o velho profeta montou.
14 E o velho foi atrás do homem de Deus; achando-o sentado debaixo de um carvalho, lhe disse: "Você é o homem de Deus que veio de Judá?" E o homem respondeu: "Sou eu."
15 Então o velho profeta lhe disse: "Venha comigo à minha casa e coma alguma coisa."
16 Porém o homem de Deus respondeu: "Não posso voltar com você, nem entrar em sua casa, nem comer, nem beberei nada com você neste lugar.
17 Porque me foi dito pelo Senhor: 'Não coma nem beba nada naquele lugar; e não volte pelo caminho por onde foi.' "
18 E o velho profeta disse: "Eu também sou profeta como você e um anjo me falou por ordem do Senhor, dizendo: 'Faça-o voltar com você à sua casa, para comer e beber alguma coisa.' Porém, ele estava mentindo."
19 Assim o homem de Deus voltou com ele e comeu pão em sua casa e bebeu água.
20 E, estando eles à mesa, a palavra do Senhor veio ao velho profeta que o tinha feito voltar.
21 E ele gritou para o homem de Deus, que veio de Judá, dizendo: "Assim diz o Senhor: 'Porque você foi rebelde à ordem do Senhor e não guardou o mandamento que o Senhor seu Deus lhe ordenou;
22 voltou, comeu e bebeu no lugar em que o Senhor lhe disse: Não coma nem beba nada naquele lugar; por isso o seu cadáver não entrará no sepulcro de seus pais.' "
23 E, depois que ele tinha comido e bebido, o velho profeta selou o jumento para o homem de Deus que ele fez voltar.
24 Este, então, se foi; porém um leão o encontrou no caminho e o matou; e o seu cadáver ficou estendido no

caminho e o jumento e o leão ficaram parados junto ao
seu cadáver.
25 E eis que alguns homens passaram e viram o corpo
caído no caminho, como também o leão que estava junto
ao corpo; então foram e contaram na cidade onde o velho
profeta morava.
26 E o velho profeta, que o fez voltar do caminho, ouviu
e disse: "É o homem de Deus, que foi rebelde à ordem
do Senhor; por isso o Senhor o entregou ao leão, que o
despedaçou e o matou, segundo a palavra que o Senhor
lhe tinha dito."
27 Então disse aos seus filhos: "Selem-me um jumento."
E eles o selaram.
28 Então ele foi e achou o cadáver estendido no caminho,
e o jumento e o leão estavam parados junto ao cadáver; e o
leão não tinha devorado o corpo, nem tinha despedaçado
o jumento.
29 Então o profeta levantou o cadáver do homem de Deus
e o pôs em cima do jumento e o levou com ele; assim
o velho profeta veio à cidade, para o chorar e enterrar o
homem de Deus.
30 Ele colocou o cadáver no seu próprio sepulcro e o pran-
tearam, dizendo: "Ah, meu irmão!"
31 E, depois de o haver sepultado, disse a seus filhos:
"Quando eu morrer, sepultem-me no túmulo em que o
homem de Deus está sepultado; ponham os meus ossos
junto aos ossos dele.
32 Porque certamente se cumprirá o que por ordem do
Senhor ele clamou contra o altar que está em Betel, como
também contra todos os templos que existem nos lugares
altos das cidades de Samaria."

Sacerdócio Não Levítico

33 Nem depois dessas coisas Jeroboão deixou o seu mau
caminho; antes, de todo o povo, tornou a constituir sacer-
dotes para os lugares altos; a quem desejasse ele consagra-
va para sacerdote dos lugares altos.
34 E isso se tornou em pecado à casa de Jeroboão, para
destruí-la e extingui-la da terra.

O Profeta Aías Profetiza Contra Jeroboão

14 Naquele tempo Abias, filho de Jeroboão, adoeceu.
2 E Jeroboão disse à sua mulher: "Levante-se agora,
ponha um disfarce para que não saibam que você é a mu-
lher de Jeroboão e vá a Siló. Eis que lá está o profeta Aías, o
profeta que falou que eu seria rei sobre este povo.
3 E leve com você dez pães, bolos e uma botija de mel, vá
a ele; e ele lhe dirá o que vai acontecer com esse menino."
4 E a mulher de Jeroboão fez assim, se levantou, foi a Siló
e entrou na casa de Aías; e Aías já não podia ver, porque os
seus olhos já estavam escurecidos por causa da sua velhice.
5 Porém o Senhor disse a Aías: "Eis que a mulher de
Jeroboão veio perguntar sobre seu filho, porque ele está
doente; assim e assim lhe falará; porque, quando ela entrar,
fingirá ser outra pessoa."
6 E Aías, ouvindo o ruído de seus pés, enquanto ela entra-
va pela porta, disse: "Entre, mulher de Jeroboão; por que
se disfarça assim? Fui encarregado de lhe dar más notícias.
7 Vá e diga a Jeroboão: Assim diz o Senhor, Deus de Israel:
'Porque o levantei do meio do povo, o pus como chefe
sobre o meu povo de Israel,
8 e rasguei o reino da casa de Davi e o dei a você, mas
você não foi como o meu servo Davi, que guardou os
meus mandamentos e que andou após mim com todo o
seu coração para fazer somente o que era reto aos meus
olhos,
9 antes você fez o mal, pior do que todos os que foram
antes de você; e fez outros deuses e imagens de fundição,
para provocar-me a ira e deu as costas para mim;
10 portanto, eis que trarei o mal sobre a casa de Jeroboão;
eliminarei de Jeroboão todos do sexo masculino, tanto o
escravo como o livre em Israel; lançarei fora os descenden-
tes da casa de Jeroboão, como se lança fora o esterco, até
que todos eles se acabem.
11 Quem dos descendentes de Jeroboão morrer na cidade,
os cães o comerão, e quem morrer no campo, as aves do
céu o comerão, porque o Senhor disse.'
12 Levante-se e vá para a sua casa; quando você entrar na
cidade, o menino morrerá.
13 E todo o Israel o pranteará e o sepultará; porque de
Jeroboão só esse entrará em sepultura, porque se achou
nele coisa boa para com o Senhor Deus de Israel na casa
de Jeroboão.
14 O Senhor, porém, levantará para si um rei sobre Israel,
que destruirá a casa de Jeroboão no mesmo dia; o que já
está acontecendo.
15 O Senhor também ferirá a Israel como se agita a cana
nas águas; arrancará Israel desta boa terra que tinha dado a
seus pais e o espalhará para além do rio; porque fizeram os
seus postes sagrados, provocando a ira do Senhor.
16 E entregará Israel por causa dos pecados de Jeroboão,
que pecou e fez Israel pecar."
17 Então a mulher de Jeroboão se levantou, e voltou para
Tirza; ela chegou na porta e o menino morreu.
18 Eles o sepultaram e todo o Israel o pranteou, conforme
a palavra do Senhor, que disse por meio de seu servo Aías,
o profeta.

A Morte de Jeroboão

19 Quanto aos demais atos de Jeroboão, como guerreou
e como reinou, estão escritos no Livro das Crônicas dos
Reis de Israel.

20 E Jeroboão reinou por vinte e dois anos e morreu; e
Nadabe, seu filho, reinou em seu lugar.

A Apostasia de Roboão

21 E Roboão, filho de Salomão, reinava em Judá. Roboão
tinha quarenta e um anos de idade quando começou a rei-
nar e reinou por dezessete anos em Jerusalém, na cidade
que o Senhor escolheu de todas as tribos de Israel para pôr
ali o seu nome; e o nome de sua mãe era Naamá, amonita.
22 E Judá fez o que era mau aos olhos do Senhor; e, com
os pecados que cometeram, aborreceram-no mais do que
todos os seus pais fizeram.
23 Porque também eles edificaram altares, estátuas e
imagens sobre as colinas e debaixo de todas as árvores
frondosas.
24 Havia também prostitutos cultuais na terra; agiram
segundo todas as abominações das nações que o Senhor
tinha expulsado da frente dos israelitas.

Sisaque Ataca o Reino de Judá

25 No quinto ano do rei Roboão, Sisaque, rei do Egito,
atacou Jerusalém.
26 E tomou os tesouros da casa do Senhor e os tesouros da
casa do rei e levou tudo. Também tomou todos os escudos
de ouro que Salomão tinha feito.
27 E em lugar deles o rei Roboão fez escudos de bronze e
os entregou nas mãos dos capitães da guarda que guarda-
vam a porta da casa do rei.
28 E todas as vezes que o rei entrava na casa do Senhor,
os guardas os levavam e depois os devolviam à câmara
da guarda.

A Morte de Roboão

29 Quanto aos demais atos de Roboão e tudo o que ele
fez, estão escritos no Livro das Crônicas dos Reis de Judá.
30 E houve guerra entre Roboão e Jeroboão por todos os
seus dias.
31 E Roboão morreu e foi sepultado com seus pais na ci-
dade de Davi; e o nome de sua mãe era Naamá, amonita;
e Abias, seu filho, reinou em seu lugar.

O Reinado de Abias de Judá

15 E no décimo oitavo ano do rei Jeroboão, filho de
Nebate, Abias começou a reinar sobre Judá.
2 E reinou por três anos em Jerusalém; e o nome de sua
mãe era Maaca, filha de Absalão.
3 E andou em todos os pecados que seu pai tinha come-
tido antes dele; e seu coração não foi perfeito para com o
Senhor seu Deus, como o coração de Davi, seu pai.
4 Mas por amor de Davi o Senhor lhe deu uma lâmpada
em Jerusalém, levantando o seu filho como sucessor e for-
talecendo, assim, Jerusalém.
5 Porque Davi tinha feito o que era reto aos olhos do Se-
nhor e não se tinha desviado de tudo o que o Senhor lhe
ordenou em todos os dias da sua vida, a não ser no caso
de Urias, o heteu.
6 E houve guerra entre Roboão e Jeroboão por todos os
dias da sua vida.
7 Quanto aos demais atos de Abias e tudo o que ele fez,
estão escritos no Livro das Crônicas dos Reis de Judá. Tam-
bém houve guerra entre Abias e Jeroboão.
8 E Abias morreu e o sepultaram na cidade de Davi; e Asa,
seu filho, reinou em seu lugar.

Asa é Um Bom Rei em Judá

9 E no vigésimo ano de Jeroboão, rei de Israel, Asa come-
çou a reinar em Judá.
10 E reinou em Jerusalém por quarenta e um anos; e o
nome de sua mãe era Maaca, filha de Absalão.
11 E Asa fez o que era reto aos olhos do Senhor, como
Davi seu pai.
12 Porque tirou da terra os prostitutos cultuais e removeu
todos os ídolos que seus pais fizeram.
13 E até Maaca, sua mãe, ele depôs para que ela não fosse
rainha, porque tinha feito um horrível ídolo a Asera; Asa
também desfez o seu ídolo horrível e o queimou junto ao
ribeiro de Cedrom.
14 Os altares, porém, não foram destruídos; todavia, o
coração de Asa foi reto para com o Senhor por todos os
seus dias.
15 E trouxe à Casa do Senhor as coisas consagradas por
seu pai e as coisas que ele mesmo consagrara: prata, ouro
e vasos.
16 E houve guerra entre Asa e Baasa, rei de Israel, por
todos os seus dias.
17 Porque Baasa, rei de Israel, invadiu Judá e edificou a ci-
dade de Ramá, para que ninguém pudesse sair nem entrar
no território de Asa, rei de Judá.
18 Então Asa pegou toda a prata e ouro que estavam nos
tesouros da Casa do Senhor e os tesouros da casa do rei e
os entregou nas mãos de seus servos; e o rei Asa os enviou
a Ben-Hadade, filho de Tabrimom, filho de Heziom, rei da
Síria, que habitava em Damasco, dizendo:
19 "Que haja uma aliança entre mim e você, como houve
entre meu pai e seu pai; estou lhe enviando um presente,
prata e ouro; vá, e anule a sua aliança com Baasa, rei de
Israel, para que ele se retire do meu território."
20 E Ben-Hadade deu ouvidos ao rei Asa e enviou os capi-
tães dos seus exércitos contra as cidades de Israel; e con-
quistaram as cidades de Ijom, Dã, Abel-Bete-Maaca e toda
a região Quinerete, com toda a terra de Naftali.
21 E Baasa, ouvindo-o, deixou de edificar Ramá e ficou
em Tirza.
22 Então o rei Asa determinou em toda a Judá que todos,
sem exceção, trouxessem as pedras de Ramá, e a madeira

com que Baasa a edificou; e com elas o rei Asa edificou
Geba de Benjamim e Mispá.
23 Quanto aos demais atos de Asa e todo o seu poder, tudo
o que fez, e as cidades que edificou, estão escritos no Livro
das Crônicas dos Reis de Judá. Porém, na sua velhice, sofreu uma doença nos pés.
24 E Asa morreu e foi sepultado com os seus pais na cidade de Davi, seu pai; e Josafá, seu filho, reinou em seu
lugar.

Nadabe, Um Mau Rei em Israel

25 E Nadabe, filho de Jeroboão, começou a reinar sobre
Israel no segundo ano do reinado de Asa, rei de Judá; e
reinou sobre Israel por dois anos.
26 E fez o que era mau aos olhos do Senhor, andando nos
caminhos de seu pai, no pecado que seu pai levou Israel
a cometer.

Baasa Rei de Israel

27 E Baasa, filho de Aías, da casa de Issacar, conspirou
contra ele e o matou em Gibetom, que era dos filisteus,
quando Nadabe e todo o Israel cercavam Gibetom.
28 E Baasa matou-o, no terceiro ano do reinado de Asa, rei
de Judá, e reinou em seu lugar.
29 E ele, quando reinava, matou toda a descendência de
Jeroboão; não deixou ninguém vivo, até o destruir, conforme à palavra do Senhor que disse através de seu servo
Aías, o silonita.
30 Por causa dos pecados que Jeroboão cometeu fazendo
Israel pecar, e por causa da provocação com que irritou o
Senhor Deus de Israel.
31 Quanto aos demais atos de Nadabe e tudo o que ele
fez, estão escritos no Livro das Crônicas dos Reis de Israel.
32 E houve guerra entre Asa e Baasa, rei de Israel, por
todos os seus dias.
33 No terceiro ano de Asa, rei de Judá, Baasa, filho de
Aías, começou a reinar sobre todo o Israel em Tirza e reinou por vinte e quatro anos.
34 E fez o que era mau aos olhos do Senhor, andando no
caminho de Jeroboão e no seu pecado no qual ele tinha
feito Israel pecar.

Profecia de Jeú Contra Baasa

16 Então a palavra do Senhor veio a Jeú, filho de Hanani, contra Baasa, dizendo:
2 "Eu o levantei do pó e fiz de você chefe sobre o meu
povo Israel, mas você tem andado no caminho de Jeroboão
e tem feito o meu povo Israel pecar, irritando-me com os
seus pecados,
3 então exterminarei os descendentes de Baasa, e a sua
família e farei com a sua casa como fiz com a casa de Jeroboão, filho de Nebate.
4 Quem dos descendentes de Baasa morrer na cidade, os
cães o comerão; e quem deles morrer no campo, as aves
do céu o comerão."
5 Quanto aos demais atos de Baasa, e o que ele fez, e o
seu poder, estão escritos no Livro das Crônicas dos Reis
de Israel.
6 E Baasa morreu e foi sepultado em Tirza, e Elá, seu filho,
reinou em seu lugar.
7 Assim também veio a palavra do Senhor, através do
profeta Jeú, filho de Hanani, contra Baasa e contra a sua
família, por causa de todo o mal que ele fez aos olhos do
Senhor, irritando-o e tornando-se como a família de Jeroboão; e porque Baasa destruiu a família de Jeroboão.

O Reinado de Elá de Israel

8 No vigésimo sexto ano do reinado de Asa, rei de Judá,
Elá, filho de Baasa, começou a reinar em Tirza sobre Israel
e reinou por dois anos.
9 E Zinri, seu servo, chefe de metade dos carros de guerra, conspirou contra ele, enquanto ele estava em Tirza,
bebendo e embriagando-se na casa de Arsa, o encarregado
do palácio de Tirza.
10 Zinri entrou na casa, atacou Elá e o matou, no vigésimo
sétimo ano do reinado de Asa, rei de Judá; e Zinri reinou
em seu lugar.
11 E, assim que começou a reinar, logo que se assentou
no trono, eliminou toda a família de Baasa; não poupou
nenhum homem, nem dos seus parentes nem dos seus
amigos.
12 Assim Zinri destruiu toda a família de Baasa, conforme
à palavra do Senhor que, contra Baasa, falou através do
profeta Jeú,
13 por todos os pecados de Baasa e os pecados de Elá, seu
filho, que cometeram e fizeram Israel pecar, irritando o
Senhor Deus de Israel com os seus ídolos.
14 Quanto aos demais atos de Elá e tudo o que ele fez,
estão escritos no Livro das Crônicas dos Reis de Israel.

O Reinado de Zinri de Sete Dias

15 No vigésimo sétimo ano do reinado de Asa, rei de Judá,
Zinri reinou sete dias em Tirza; e o povo estava acampado
contra Gibetom, que era dos filisteus.
16 E o povo que estava acampado ouviu dizer: Zinri
conspirou e matou o rei. Todo o Israel no mesmo dia, no
acampamento, constituiu Onri, chefe do exército, como
rei sobre Israel.
17 E Onri e todo o Israel com ele saíram de Gibetom e
cercaram Tirza.
18 E Zinri, vendo que a cidade havia sido tomada, foi para
o palácio real, pôs fogo no palácio em torno de si e morreu,
19 por causa dos pecados que cometeu, fazendo o que
era mau aos olhos do Senhor, andando no caminho de

Jeroboão e no pecado que ele havia cometido, fazendo Israel pecar.

20 Quanto aos demais atos de Zinri e a conspiração que ele fez, estão escritos no Livro das Crônicas dos Reis de Israel.

O Reinado de Onri de Israel

21 Então o povo de Israel se dividiu em dois partidos: metade do povo seguia Tibni, filho de Ginate, para o fazer rei, e a outra metade seguia Onri.

22 Mas o povo que seguia Onri foi mais forte do que o povo que seguia Tibni; e Tibni morreu e Onri reinou.

23 No trigésimo primeiro ano do reinado de Asa, rei de Judá, Onri começou a reinar sobre Israel e reinou por doze anos; e em Tirza reinou por seis anos.

24 E de Semer ele comprou o monte de Samaria por setenta quilos de prata e edificou nele; e chamou a cidade que edificou de Samaria, que vem do nome de Semer, dono do monte.

25 E Onri fez o que era mau aos olhos do Senhor; fez pior do que todos tinham feito antes dele.

26 E andou em todos os caminhos de Jeroboão, filho de Nebate, como também nos pecados com que ele levou Israel a pecar, irritando ao Senhor Deus de Israel com os seus ídolos.

27 Quanto aos demais atos de Onri, o que ele fez, e o poder que manifestou, estão escritos no Livro das Crônicas dos Reis de Israel.

28 E Onri morreu e foi sepultado em Samaria; e Acabe, seu filho, reinou em seu lugar.

O Reinado de Acabe em Israel

29 E Acabe, filho de Onri, começou a reinar sobre Israel no trigésimo oitavo ano do reinado de Asa, rei de Judá; e Acabe, filho de Onri, reinou sobre Israel, em Samaria, por vinte e dois anos.

30 E Acabe, filho de Onri, fez o que era mau aos olhos do Senhor, mais do que todos os reis que vieram antes dele.

31 E, como se fosse pouco andar nos pecados de Jeroboão, Acabe filho de Nebate, ainda se casou com Jezabel, filha de Etbaal, rei dos sidônios; e foi e serviu a Baal e o adorou.

32 E levantou um altar a Baal, no templo de Baal que edificou em Samaria.

33 Acabe também fez um poste sagrado; então Acabe fez muito mais para irritar ao Senhor Deus de Israel do que todos os reis de Israel que vieram antes dele.

34 Em seus dias, Hiel, o betelita, edificou Jericó; quando ele começou a construção da cidade, morreu Abirão, o seu filho primogênito; e quando ele pôs os portões, morreu Segube, seu filho mais novo; conforme a palavra que o Senhor anunciou através de Josué, filho de Num.

As Profecias de Elias

17 Então Elias, o tisbita, em Gileade, disse a Acabe: "Juro pelo nome do Senhor Deus de Israel, a quem sirvo, que nos próximos anos nem orvalho nem chuva cairá, a não ser quando eu disser."

2 Depois a palavra do Senhor veio a Elias, dizendo:

3 "Retire-se daqui, vá para o leste e esconda-se junto ao ribeiro de Querite, que fica perto do Jordão.

4 Você beberá água do ribeiro; e eu ordenei aos corvos que o sustentem ali."

5 Então, Elias fez conforme a palavra do Senhor e habitou junto ao ribeiro de Querite, que fica perto do Jordão.

6 E os corvos lhe traziam pão e carne pela manhã; como também pão e carne à noite; e ele bebia água do ribeiro.

7 E, passados alguns dias, o ribeiro secou, porque não tinha caído chuva na terra.

A Viúva de Sarepta

8 Então a palavra do Senhor veio a ele, dizendo:

9 "Levante-se e vá para Sarepta, que pertence a Sidom, e habite lá; e eu ordenei ali uma mulher viúva para o sustentar."

10 Então ele se levantou e foi para Sarepta e, chegando à porta da cidade, estava lá uma mulher viúva apanhando lenha; ele a chamou e lhe disse: "Por favor, traga-me numa vasilha um pouco de água para eu beber."

11 Enquanto ela ia buscar, ele a chamou e lhe pediu: "Traga-me também um bocado de pão na sua mão."

12 Porém ela disse: "Juro pelo nome do Senhor seu Deus que não tenho pão, tenho somente um punhado de farinha numa panela e um pouco de azeite numa botija; veja que apanhei dois pedaços de lenha e vou prepará-lo para mim e para o meu filho, para comermos e depois morreremos de fome."

13 E Elias lhe disse: "Não tenha medo; vá, faça conforme à sua palavra; porém, faça primeiro para mim um pão pequeno, e traga-o para mim; depois faça para você e para o seu filho.

14 Porque assim diz o Senhor Deus de Israel: 'A farinha da panela não se acabará e o azeite da botija não faltará até o dia em que o Senhor fizer chover sobre a terra.' "

15 E ela foi e fez conforme a palavra de Elias; então comeram ela, ele e a sua casa por muitos dias.

16 A farinha da panela não se acabou e o azeite da botija não faltou; conforme a palavra do Senhor, que falou através de Elias.

17 E, depois disso, o filho dessa mulher, dona da casa, adoeceu, e a sua doença se agravou muito, até que ele morreu.

18 Então ela disse a Elias: "O que eu fiz para você, ho-

mem de Deus? Você veio a mim para trazer à memória a
minha iniquidade e matar o meu filho?"
19 E ele disse: "Dê-me o seu filho." E ele o tomou do seu
colo e o levou para cima, ao seu quarto, onde ele mesmo
habitava e o deitou em sua cama,
20 e ele clamou ao Senhor e disse: "Ó Senhor, meu Deus,
também até a esta viúva, com quem eu moro, afliges, lhe
matando o filho?"
21 Então se estendeu sobre o menino por três vezes, cla-
mou ao Senhor e disse: "Ó Senhor, meu Deus, te peço, faz
voltar à vida este menino."
22 E o Senhor ouviu a voz de Elias; e o menino voltou
a viver.
23 E Elias pegou o menino e o trouxe do quarto à casa,
então o entregou a sua mãe e disse: "Veja, o seu filho está
vivo."
24 Então a mulher disse a Elias: "Agora eu sei que você
é um homem de Deus e que a palavra do Senhor na sua
boca é verdade."

Elias Apresenta-se a Acabe

18 E, depois de muitos dias, a palavra do Senhor veio a
Elias, no terceiro ano, dizendo: "Vá, apresente-se a
Acabe; porque farei chover sobre a terra."
2 E Elias foi apresentar-se a Acabe; e a fome era extrema
em Samaria.
3 E Acabe chamou Obadias, o mordomo; e Obadias temia
muito ao Senhor,
4 porque, enquanto Jezabel estava destruindo os profetas
do Senhor, Obadias pegou cem profetas, e de cinquenta
em cinquenta os escondeu numa cova e os sustentou com
pão e água.
5 E Acabe disse a Obadias: "Vá pela terra a todas as fontes
de água e a todos os vales; pode ser que achemos capim,
para que a vida dos cavalos e mulas seja salva e não perca-
mos todos os animais."
6 E dividiram entre si o território que iriam percorrer: Aca-
be foi por um caminho e Obadias foi sozinho por outro.
7 Quando Obadias estava a caminho, Elias o encontrou
e ele o reconheceu, prostrou-se sobre o seu rosto e disse:
"Você é o meu senhor Elias?"
8 E ele disse: "Sou eu; vá e diga ao seu senhor: 'Elias está
aqui.'"
9 Porém ele disse: "Em que eu pequei, para entregá-lo nas
mãos de Acabe, para que o mate?
10 Juro, em nome do Senhor seu Deus, que não houve na-
ção nem reino aonde o meu senhor não mandasse homens
em busca de você; e quando diziam: 'Ele não está aqui',
então fazia aqueles reinos ou nações jurarem que não o
haviam encontrado.
11 E agora você diz: 'Vá, diga ao seu senhor: Elias está
aqui.'
12 E pode ser que, eu me separando de você, o Espírito
do Senhor o leve, não sei para onde, e, vindo eu a dar as
notícias a Acabe, e ele não o achando, me mataria; porém
eu, seu servo, temo ao Senhor desde a minha mocidade.
13 Não disseram ao meu senhor o que fiz, enquanto Jeza-
bel matava os profetas do Senhor? Como escondi cem pro-
fetas do Senhor, de cinquenta em cinquenta, numa cova e
os sustentei com pão e água?
14 E agora você diz: 'Vá, diga ao meu senhor: Elias está
aqui'; ele me mataria."
15 E Elias disse: "Juro pelo nome do Senhor dos Exércitos,
a quem eu sirvo, que hoje me apresentarei a ele."
16 Então Obadias foi encontrar-se com Acabe e deu a no-
tícia; e Acabe foi encontrar-se com Elias.

Elias e os Profetas de Baal

17 E quando Acabe viu Elias, lhe disse: "Você é o pertur-
bador de Israel?"
18 Então Elias respondeu: "Eu não tenho perturbado Is-
rael, mas você e a casa de seu pai, porque deixaram os
mandamentos do Senhor e seguiram os Baalins.
19 Agora, ordene que todo o Israel se reúna a mim no
monte Carmelo; como também os quatrocentos e cin-
quenta profetas de Baal e os quatrocentos profetas de Ase-
ra, que comem da mesa de Jezabel.
20 Então Acabe convocou todos os israelitas e reuniu os
profetas no monte Carmelo.
21 E Elias se aproximou de todo o povo e disse: "Até quan-
do vocês oscilarão entre os dois lados? Se o Senhor é Deus,
sigam-no, e se é Baal, sigam-no." Porém o povo nada lhe
respondeu.
22 Então Elias disse ao povo: "Sou o único que restou dos
profetas do Senhor e os profetas de Baal são quatrocentos
e cinquenta homens.
23 Tragam agora dois bezerros, escolham para si um deles,
e o dividam em pedaços e o ponham sobre a lenha, porém
não lhe coloquem fogo; e, eu prepararei o outro bezerro e
o porei sobre a lenha, mas também não lhe colocarei fogo.
24 Invoquem o nome do seu deus e eu invocarei o nome
do Senhor; e o deus que responder por meio de fogo, este
é Deus." E todo o povo respondeu, dizendo: "É boa essa
proposta."
25 E Elias disse aos profetas de Baal: "Escolham para vocês
um dos bezerros, preparem-no primeiro, porque vocês são
muitos, invoquem o nome do seu deus, e não lhe ponham
fogo."
26 E pegaram o bezerro, prepararam-no e invocaram o
nome de Baal, desde a manhã até ao meio dia, dizendo:
"Ah! Baal, responde-nos!" Porém não se ouviu nenhuma

voz, nem quem respondesse; e saltavam sobre o altar que
tinham feito.
27 E ao meio-dia Elias zombava deles e dizia: "Gritem
mais alto, porque ele é um deus; pode ser que esteja medi-
tando, ou que tenha alguma coisa que fazer, ou que inten-
te alguma viagem; talvez esteja dormindo e despertará."
28 E eles gritavam em altas vozes e se retalhavam com
facas e com lanças, conforme o seu costume, até ficarem
cobertos de sangue.
29 E, passado o meio-dia, eles continuaram profetizando
até a hora do sacrifício da tarde; porém não houve voz,
nem resposta, nem atenção alguma.
30 Então Elias disse a todo o povo: "Aproximem-se de
mim." E todo o povo se aproximou dele; então restaurou
o altar do Senhor, que estava quebrado.
31 E Elias pegou doze pedras, conforme o número das
tribos dos filhos de Jacó, a quem veio a palavra do Senhor,
dizendo: "Israel será o seu nome."
32 E com aquelas pedras edificou o altar em nome do
Senhor; depois fez uma valeta ao redor do altar, na qual
poderiam ser semeadas duas medidas de semente.
33 Então armou a lenha, dividiu o bezerro em pedaços e
o pôs sobre a lenha.
34 E disse: "Encham de água quatro cântaros e derramem
sobre o holocausto e sobre a lenha." E disse: "Façam isso
outra vez"; e o fizeram pela segunda vez. Disse ainda:
"Façam pela terceira vez"; e o fizeram pela terceira vez;
35 e a água corria ao redor do altar e até a valeta ele en-
cheu de água.
36 E na hora do sacrifício da tarde, o profeta Elias se apro-
ximou e disse: "Ó Senhor, Deus de Abraão, de Isaque e
de Israel, manifesta hoje que tu és Deus em Israel, que
eu sou teu servo e que conforme a tua palavra fiz todas
estas coisas.
37 Responde-me, Senhor, responde-me, para que este
povo conheça que tu és o Senhor Deus e que tu fizeste
voltar o coração deles para ti."
38 Então caiu fogo do Senhor e consumiu o holocausto,
a lenha, as pedras, o pó e ainda secou a água que estava
na valeta.
39 Quando o povo viu isso, caíram sobre os seus rostos
e disseram: "Só o Senhor é Deus! Só o Senhor é Deus!"
40 E Elias lhes disse: "Prendam os profetas de Baal, que
nenhum deles escape." E eles os prenderam; então Elias os
fez descerem ao ribeiro de Quisom e ali os matou.
41 Então Elias disse a Acabe: "Suba, coma e beba, porque
há barulho de uma abundante chuva."
42 E Acabe subiu para comer e beber; mas Elias subiu ao
alto do Carmelo, se inclinou por terra e pôs o seu rosto
entre os seus joelhos.
43 E disse ao seu servo: "Suba agora e olhe para o lado do
mar." Ele subiu, olhou e disse: "Não há nada." Então Elias
disse: "Volte lá por sete vezes."
44 E, na sétima vez, disse: "Uma pequena nuvem está
subindo do mar, como a mão de um homem." Então Elias
disse: "Suba e diga para Acabe: 'Apronte o seu carro e des-
ça, para que a chuva não o impeça.'"
45 E os céus se enegreceram com nuvens e vento e veio
uma grande chuva; e Acabe subiu ao carro e foi para
Jezreel.
46 E a mão do Senhor estava sobre Elias, e ele prendeu
sua capa com o cinto, e correu na frente de Acabe até à
entrada de Jezreel.

Jezabel Ameaça Elias Que Foge Para Horebe

19 E Acabe contou a Jezabel o que Elias havia feito e
como matou todos os profetas à espada.
2 Então Jezabel mandou um mensageiro dizer a Elias:
"Que os deuses me castiguem, se amanhã a estas horas eu
não tiver feito com você o mesmo que você fez com eles."
3 Elias ficou com medo, se levantou e, para escapar com
vida, fugiu; e chegou em Berseba, que pertence a Judá, e
deixou ali o seu servo.
4 Elias, porém, foi para o deserto, caminhando por um
dia, e foi sentar-se debaixo de um zimbro; e pediu para si
a morte e disse: "Já basta, ó Senhor; toma agora a minha
vida, porque não sou melhor do que meus pais."
5 E deitou-se e dormiu debaixo do zimbro; então um anjo
o tocou e lhe disse: "Levante-se e coma."
6 E eis que em sua cabeceira estava um pão assado sobre
as brasas e uma botija de água; então comeu, bebeu e tor-
nou a deitar-se.
7 E o anjo do Senhor voltou uma segunda vez, o tocou e
disse: "Levante-se e coma, porque sua viagem será muito
longa."
8 Elias levantou-se, comeu e bebeu; e com a força daquela
comida caminhou por quarenta dias e quarenta noites até
Horebe, o monte de Deus.

Deus Fala Com Elias

9 E ali entrou numa caverna e passou a noite; e a palavra
do Senhor veio a ele e lhe disse: "O que faz aqui, Elias?"
10 E ele respondeu: "Tenho sido muito zeloso pelo Se-
nhor Deus dos Exércitos, porque os israelitas deixaram a
tua aliança, derrubaram os teus altares, mataram os teus
profetas à espada e só eu fiquei, e eles querem me matar."
11 E Deus lhe disse: "Saia para fora, fique neste monte pe-
rante o Senhor." E eis que o Senhor estava passando, com
um grande e forte vento que fendia os montes e quebrava
as rochas diante do Senhor; porém o Senhor não estava
no vento; depois do vento veio um terremoto; e o Senhor
também não estava no terremoto;

12 e depois do terremoto veio um fogo; porém o Senhor também não estava no fogo; e depois do fogo veio uma voz mansa e delicada.

13 E Elias, ouvindo-a, envolveu o rosto na sua capa, saiu para fora e pôs-se à entrada da caverna; então veio a ele uma voz, que dizia: "O que faz aqui, Elias?"

14 E ele respondeu: "Eu tenho sido zeloso ao extremo pelo Senhor Deus dos Exércitos, porque os israelitas deixaram a sua aliança, derrubaram os seus altares, mataram os seus profetas à espada e só eu fiquei; e estão querendo me matar."

15 E o Senhor lhe disse: "Vá, volte pelo seu caminho para o deserto de Damasco e, chegando lá, unja Hazael como rei da Síria.

16 Também Jeú, filho de Ninsi, ungirá rei de Israel; e Eliseu, filho de Safate de Abel-Meolá, ungirá profeta em seu lugar.

17 E quem escapar da espada de Hazael, Jeú o matará; e quem escapar da espada de Jeú, Eliseu o matará.

18 Também deixei ficar em Israel sete mil: todos os joelhos que não se dobraram a Baal e toda a boca que não o beijou."

19 Elias partiu dali e encontrou Eliseu, filho de Safate, que andava lavrando com doze juntas de bois adiante dele e ele estava com a décima segunda junta; e Elias passou por ele e lançou a sua capa sobre ele.

20 Então ele deixou os bois, correu atrás de Elias e disse: "Deixe-me beijar o meu pai e a minha mãe, e então o seguirei." E Elias lhe disse: "Vá e volte; lembre-se do que eu fiz com você."

21 Eliseu voltou, pegou a junta de bois e os matou, e com os aparelhos dos bois cozinhou as carnes, e as deu ao povo e eles também comeram; Eliseu então se levantou e seguiu Elias, e o servia.

Acabe Vence os Sírios

20 E Ben-Hadade, rei da Síria, ajuntou todo o seu exército; e havia com ele trinta e dois reis com os seus cavalos e carros de guerra; ele subiu, cercou Samaria e lutou contra ela.

2 E enviou à cidade mensageiros a Acabe, rei de Israel,

3 e lhe disse: "Assim diz Ben-Hadade: 'A sua prata e o seu ouro são meus; e suas mulheres e os seus melhores filhos são meus.'"

4 E o rei de Israel respondeu: "Conforme a sua palavra, ó rei, meu senhor, eu sou seu e tudo quanto tenho."

5 E tornaram a vir os mensageiros e disseram: "Assim diz Ben-Hadade: 'Enviei-lhe mensageiros que dissessem: Você me dará a sua prata, o seu ouro, as suas mulheres e os seus filhos;

6 todavia, amanhã a estas horas enviarei os meus servos a você, eles vasculharão a sua casa e as casas dos seus servos; tudo o que tiver de precioso, eles pegarão e levarão.'"

7 Então o rei de Israel chamou todos os anciãos da sua terra e disse: "Notem e vejam como esse homem procura o mal; mandou pedir-me as mulheres, os meus filhos, a minha prata e o meu ouro e não lhe neguei."

8 E todos os anciãos e o povo lhe disseram: "Não lhe dê ouvidos, nem consinta."

9 Por isso Acabe disse aos mensageiros de Ben-Hadade: "Digam ao rei, meu senhor: 'Tudo o que mandou pedir a seu servo primeiro, farei, porém isso não posso fazer.'" E os mensageiros voltaram e levaram a resposta.

10 E Ben-Hadade enviou a ele novamente mensageiros dizendo: "Que os deuses me castiguem se o pó de Samaria não bastar para encher as mãos de todo o povo que me segue."

11 Porém o rei de Israel respondeu: "Digam-lhe: Não se gabe, quem está vestindo armadura não deve se gabar como aquele que as está tirando."

12 E Ben-Hadade, ouvindo essas palavras, enquanto estava bebendo com os reis nas tendas, disse aos seus servos: "Preparem-se para atacar a cidade."

13 E um profeta foi a Acabe, rei de Israel, lhe disse: "Assim diz o Senhor: 'Vê essa grande multidão? Hoje a entregarei nas suas mãos, para que saiba que eu sou o Senhor.'"

14 E Acabe perguntou: "Mas quem fará isso?" E o profeta respondeu: "Assim diz o Senhor: 'Os servos dos líderes das províncias.'" E Acabe perguntou: "Quem começará a batalha?" E o profeta respondeu: "Você."

15 Então Acabe contou os servos dos líderes das províncias e eram duzentos e trinta e dois; e depois deles contou todo o povo, todos os israelitas, e eram sete mil.

16 E saíram ao meio-dia; e Ben-Hadade estava bebendo e embriagando-se nas tendas, ele e os trinta e dois reis, que o ajudavam.

17 E os servos dos líderes das províncias saíram primeiro; e Ben-Hadade enviou observadores, que lhe deram avisos, dizendo: "Uns homens saíram de Samaria."

18 E ele disse: "Se saíram para a paz, ou para a luta, tragam-nos vivos."

19 Saíram da cidade os servos dos líderes das províncias e o exército que os seguia.

20 E cada um matou o homem com quem lutava, e os sírios fugiram, então Israel os perseguiu; porém Ben-Hadade, rei da Síria, escapou a cavalo, com alguns cavaleiros.

21 E o rei de Israel saiu e matou os cavalos e destruiu os carros de guerra; causando aos sírios grande estrago.

22 Então o profeta chegou-se ao rei de Israel e lhe disse: "Vá, seja forte e veja o que deve fazer; porque, no decurso de um ano, o rei da Síria voltará a atacar."

23 Porque os servos do rei da Síria lhe disseram: “Os deuses deles são deuses das montanhas, por isso foram mais fortes do que nós; mas se lutarmos com eles em campo aberto, com certeza seremos mais fortes do que eles!

24 Faça isto: Tire os reis, cada um do seu lugar e substitua-os por capitães;

25 e forme outro exército, igual ao exército que perdeu, cavalo por cavalo e carro por carro; então, lutemos com eles em campo aberto e veremos que somos mais fortes do que eles!” E o rei deu ouvidos ao que disseram, e assim fez.

26 E, passado um ano, Ben-Hadade convocou os sírios e subiu a Afeca, para lutar contra Israel.

27 Os israelitas também se reuniram e providos de mantimentos marcharam contra eles; e os israelitas acamparam em frente a eles, como dois pequenos rebanhos de cabras; mas os sírios enchiam a terra.

28 E o homem de Deus chegou, falou ao rei de Israel e disse: “Assim diz o Senhor: ‘Porque os sírios disseram: O Senhor é Deus dos montes e não Deus dos vales; toda essa grande multidão entregarei nas suas mãos, para que saibam que eu sou o Senhor.’ ”

29 E por sete dias estiveram acampados uns em frente aos outros; e ao sétimo dia a guerra começou, e os israelitas mataram dos sírios cem mil soldados de infantaria, num só dia.

30 E os restantes fugiram para Afeca, e entraram na cidade; e o muro caiu sobre vinte e sete mil homens, que restaram; Ben-Hadade, porém, fugiu e veio à cidade, escondendo-se de cômodo em cômodo.

31 Então os seus servos lhe disseram: “Ouvimos que os reis da casa de Israel são reis clementes; por isso ponhamos sacos nas costas e cordas nas cabeças, e vamos até o rei de Israel; pode ser que ele lhe poupe a vida.”

32 Então vestiram sacos e amarraram cordas no pescoço, e foram ao rei de Israel e disseram: “Diz o seu servo Ben-Hadade: ‘Deixe-me viver.’” E Acabe disse: “Então ele ainda está vivo? Ele é meu irmão.”

33 E aqueles homens interpretaram isto como um bom sinal, e imediatamente aproveitaram o que ele tinha dito: “Sim, o seu irmão Ben-Hadade está vivo.” E ele disse: “Vão, tragam-no.” Então Ben-Hadade foi a Acabe, e ele o fez subir no seu carro.

34 E Ben-Hadade disse: “As cidades que meu pai tomou de seu pai as restituirei e você poderá estabelecer seus mercados em Damasco, como meu pai fez em Samaria.” E Acabe respondeu: “Eu o deixarei ir com essa aliança.” Assim Acabe fez aliança com Ben-Hadade e o deixou ir.

35 Então, por ordem do Senhor, um dos discípulos dos profetas disse ao seu companheiro: “Dê-me um murro.” E o homem se recusou a feri-lo.

36 E ele lhe disse: “Porque não obedeceu à voz do Senhor, quando se afastar de mim um leão o matará.” E quando dele se afastou, um leão o encontrou e o matou.

37 Depois o profeta encontrou outro homem e lhe disse: “Fira-me.” E o homem lhe deu um golpe, ferindo-o.

38 Então o profeta foi e ficou no caminho à espera do rei, disfarçado com uma venda sobre os seus olhos.

39 E, quando o rei ia passando, ele gritou ao rei, dizendo: “Seu servo estava no meio da batalha quando outro soldado me trouxe um prisioneiro e disse: ‘Vigie este homem; se ele escapar, será a sua vida em lugar da vida dele, ou pagará trinta e cinco quilos de prata.’”

40 E enquanto o seu servo estava ocupado fazendo outras coisas, o homem desapareceu. Então o rei de Israel lhe disse: “Essa é a sua sentença; você mesmo a pronunciou.”

41 Então ele se apressou e tirou a venda dos olhos; e o rei de Israel reconheceu que era um dos profetas.

42 E o profeta disse ao rei: “Assim diz o Senhor: ‘Porque soltou o homem que eu havia condenado, a sua vida será em lugar da vida dele, e o seu povo em lugar do povo dele.’ ”

43 E o rei de Israel foi para a sua casa, desgostoso e indignado; e chegou a Samaria.

Acabe e a Vinha de Nabote

21 Depois dessas coisas, Nabote, o jezreelita, tinha uma vinha em Jezreel que ficava junto ao palácio de Acabe, rei de Samaria.

2 Então Acabe falou a Nabote: “Dê-me a sua vinha, para que me sirva de horta, pois está perto da minha casa; e lhe darei por ela outra vinha melhor: ou, se preferir, darei o seu valor em dinheiro.”

3 Porém Nabote disse a Acabe: “Que o Senhor Deus me livre de lhe dar a herança de meus pais.”

4 Então Acabe voltou desgostoso e indignado à sua casa, por causa das palavras que Nabote, o jezreelita, lhe falou quando disse: “Não lhe darei a herança de meus pais.” E deitou-se na sua cama, virou o rosto e não quis comer.

5 Porém, Jezabel, sua mulher, veio a ele e lhe perguntou: “Por que está tão desgostoso que não quis nem comer?”

6 E ele lhe respondeu: “Porque falei com Nabote, o jezreelita, e lhe disse: Dê-me a sua vinha por dinheiro; ou, se preferir, lhe darei outra vinha no lugar. Porém ele disse: ‘Não lhe darei a minha vinha.’”

7 Então Jezabel, sua mulher, lhe disse: “Você não é o rei de Israel? Levante-se, venha comer e alegre o seu coração; eu lhe darei a vinha de Nabote, o jezreelita.”

8 Então ela escreveu cartas em nome de Acabe e as selou

com o seu sinete; e mandou as cartas aos anciãos e aos
nobres que habitavam com Nabote.
9 E escreveu nas cartas, dizendo: "Anunciem um dia de
jejum e tragam Nabote diante do povo.
10 E ponham na frente dele dois homens, homens maus,
que testemunhem contra ele, dizendo: 'Blasfemou contra
Deus e contra o rei'; então levem-no para fora e o apedre-
jem para que morra."
11 E os homens da sua cidade, os anciãos e os nobres que
habitavam com Nabote, fizeram como Jezabel lhes orde-
nou, conforme estava escrito nas cartas que lhes mandou.
12 Anunciaram um dia de jejum e puseram Nabote diante
do povo.
13 Então dois homens maus vieram e ficaram à frente
dele; e os homens maus testemunharam contra ele, contra
Nabote, perante o povo, dizendo: "Nabote blasfemou con-
tra Deus e contra o rei." E o levaram para fora da cidade,
o apedrejaram e ele morreu.
14 Então mandaram dizer a Jezabel: "Nabote foi apedre-
jado e morreu."
15 E Jezabel, ouvindo que Nabote já fora apedrejado e
morreu, disse a Acabe: "Levante-se e possua a vinha de
Nabote, o jezreelita, que se recusou dá-la por dinheiro;
porque Nabote não vive mais, ele está morto."
16 E, Acabe, ouvindo que Nabote estava morto, levantou-
-se para ir até a vinha, para tomar posse dela.
17 Então a palavra do Senhor veio a Elias, o tisbita,
dizendo:
18 "Levante-se, desça para encontrar-se com Acabe, o rei
de Israel, que reina em Samaria; agora ele está na vinha de
Nabote, aonde foi para tomar posse."
19 E diga a ele: 'Assim diz o Senhor: Não matou e tomou
a herança?' Diga-lhe mais: 'Assim diz o Senhor: No lugar
em que os cães lamberam o sangue de Nabote também
lamberão o seu próprio sangue.'"
20 E Acabe perguntou a Elias: "Já me achou, meu inimi-
go?" E Elias respondeu: "Achei sim; porque já se vendeu
para fazer o que é mau aos olhos do Senhor. Ele diz:
21 'Então trarei o mal sobre você e eliminarei a sua pos-
teridade, e arrancarei de Acabe todos os homens, tanto o
escravo como o livre em Israel;
22 e farei com a sua casa como fiz com a casa de Jeroboão,
filho de Nebate e como fiz com a casa de Baasa, filho de
Aías; por causa da provocação, com que me provocaram e
fizeram Israel pecar.'
23 E o Senhor também falou acerca de Jezabel, dizendo:
'Os cães comerão Jezabel junto ao muro de Jezreel.'
24 Aquele dos descendentes de Acabe que morrer na ci-
dade, os cães o comerão; e o que morrer no campo as aves
do céu o comerão."
25 Ninguém fez como Acabe, que se vendeu para fazer
o que era mau aos olhos do Senhor; porque Jezabel, sua
mulher, o incitava.
26 Ele cometeu grandes abominações, seguindo os ído-
los, como fizeram os amorreus, que o Senhor expulsou da
frente dos israelitas.
27 Quando Acabe ouviu essas palavras, rasgou as suas ves-
tes, cobriu o seu corpo com pano de saco e jejuou; vestia
pano de saco e andava mansamente.
28 Então a palavra do Senhor veio a Elias, o tisbita,
dizendo:
29 "Não está vendo que Acabe se humilha perante mim?
Por isso, porque ele se humilhou perante mim, não trarei
esse mal durante o seu reinado, mas trarei durante o rei-
nado do seu filho."

Micaías Adverte Acabe

22 E por três anos não houve guerra entre a Síria e
Israel.
2 Porém, no terceiro ano, Josafá, rei de Judá, desceu para
visitar o rei de Israel.
3 E o rei de Israel disse aos seus servos: "Vocês não sabem
que Ramote de Gileade é nossa, e nós estamos quietos,
sem tomá-la das mãos do rei da Síria?"
4 Então perguntou a Josafá: "Você vai comigo à batalha
contra Ramote de Gileade?" E Josafá disse ao rei de Israel:
"Sou como você, o meu povo é como o seu povo e os
meus cavalos como os seus cavalos."
5 Josafá disse mais ao rei de Israel: "Consulte hoje a pala-
vra do Senhor."
6 Então o rei de Israel reuniu os profetas, cerca de quatro-
centos homens, e lhes perguntou: "Irei à batalha contra
Ramote de Gileade, ou deixarei de ir?" E eles responde-
ram: "Vá, porque o Senhor a entregará nas mãos do rei."
7 Porém, Josafá disse: "Não há aqui ainda algum profeta
do Senhor, ao qual possamos consultar?"
8 Então o rei de Israel disse a Josafá: "Ainda há um homem
a quem podemos consultar ao Senhor, porém eu o odeio,
porque nunca profetiza de mim o que é bom, mas só o
mal; esse homem é Micaías, filho de Inlá." E Josafá disse:
"O rei não deveria falar assim."
9 Então, o rei de Israel chamou um dos seus oficiais e
disse: "Traga-me depressa Micaías, filho de Inlá."
10 E o rei de Israel e Josafá, rei de Judá, estavam sentados
cada um no seu trono, vestidos de trajes reais, na praça, à
entrada da porta de Samaria e todos os profetas profetiza-
vam na sua presença.
11 E Zedequias, filho de Quenaana, fez para si uns chifres
de ferro e disse: "Assim diz o Senhor: 'Com esses chifres
ferirá os sírios, até eliminá-los.'"
12 E todos os profetas profetizaram assim, dizendo: "Suba

a Ramote de Gileade e prosperará, porque o Senhor a en-
tregará nas mãos do rei."
13 E o mensageiro que foi chamar Micaías lhe falou, di-
zendo: "As palavras dos profetas igualmente predizem coi-
sas boas para o rei; faça como eles e fale bem."
14 Porém Micaías disse: "Juro pelo nome do Senhor que o
que me disser, isso falarei."
15 E, quando ele chegou ao rei, o rei perguntou: "Micaías,
iremos a Ramote de Gileade à batalha, ou deixaremos de
ir?" E ele lhe respondeu: "Vá e será próspero, porque o
Senhor a entregará nas mãos do rei."
16 E o rei lhe disse: "Quantas vezes devo fazer você jurar
que me fala a verdade em nome do Senhor?"
17 Então ele disse: "Vi todo o Israel disperso pelos montes,
como ovelhas que não têm pastor; e o Senhor disse: 'Esses
não têm dono; volte cada um em paz para sua casa.'"
18 Então o rei de Israel disse a Josafá: "Eu não te disse,
que ele nunca profetiza de mim o que é bom, senão só
o que é mal?"
19 Então ele disse: "Ouça a palavra do Senhor: Vi o Se-
nhor sentado sobre o seu trono e todo o exército do céu
estava junto a ele, à sua mão direita e à sua esquerda.
20 E o Senhor disse: 'Quem induzirá Acabe, para que ele
vá e seja morto em Ramote de Gileade?' E um dizia desta
maneira e outro dizia outra coisa.
21 Então saiu um espírito, se apresentou diante do Se-
nhor e disse: 'Eu o induzirei.' E o Senhor lhe perguntou:
'Como?'
22 E ele respondeu: 'Eu irei e serei um espírito de mentira
na boca de todos os profetas do rei.' Então o Senhor disse:
'Você conseguirá enganá-lo, vá e faça assim.'
23 Agora, o Senhor pôs o espírito de mentira na boca de
todos esses seus profetas, e o Senhor falou o mal contra
você."
24 Então Zedequias, filho de Quenaana, chegou, feriu
Micaías no queixo e disse: "Por onde o Espírito do Senhor
saiu de mim e foi falar com você?"
25 E Micaías respondeu: "Você o verá no mesmo dia,
quando entrar de câmara em câmara, para se esconder."
26 Então o rei de Israel disse: "Peguem Micaías e o levem
a Amom, o chefe da cidade, e a Joás, filho do rei.
27 E digam: Assim diz o rei: 'Coloquem esse homem na
prisão e sustentem-no com pouco pão e com pouca água,
até que eu volte em paz.'"
28 E Micaías disse: "Se você voltar em paz, é porque o
Senhor não falou através de mim." E disse mais: "Ouçam
todos o que estou dizendo!"

A Morte de Acabe

29 Assim o rei de Israel e Josafá, rei de Judá, foram atacar
Ramote de Gileade.
30 E o rei de Israel disse a Josafá: "Eu me disfarçarei e
entrarei na batalha; você, porém, vista as suas roupas." O
rei de Israel disfarçou-se e entrou na batalha.
31 E o rei da Síria deu ordem aos chefes dos carros, que
eram trinta e dois, dizendo: "Não lutarão nem contra pe-
queno nem contra grande, mas só contra o rei de Israel."
32 E, os capitães dos carros vendo Josafá, disseram: "Cer-
tamente esse é o rei de Israel." E chegaram-se a ele, para
lutar contra ele; porém Josafá gritou.
33 E os chefes dos carros viram que ele não era o rei de
Israel, então deixaram de persegui-lo.
34 Então um homem armou um arco e atirou a esmo,
e feriu o rei de Israel por entre as fivelas e as couraças;
então ele disse ao seu carreteiro: "Dê a volta e tire-me do
combate, porque estou gravemente ferido."
35 E a batalha foi crescendo naquele dia, e o rei foi susten-
tado no carro à frente dos sírios; porém ele morreu à tarde;
e o sangue da ferida corria para o fundo do carro.
36 E, depois do pôr do sol, ouviu-se um grande grito por
todo o exército, dizendo: "Cada um para a sua cidade e
cada um para a sua terra!"
37 E o rei morreu, e o levaram para Samaria onde o
sepultaram.
38 E, quando lavaram o carro no tanque de Samaria, onde
as prostitutas se banhavam, os cães lamberam o sangue do
rei, conforme à palavra que o Senhor tinha falado.
39 Quanto aos demais atos de Acabe e tudo o que ele fez,
a casa de marfim, e todas as cidades que ele edificou, estão
escritos no Livro das Crônicas dos Reis de Israel.
40 Assim Acabe morreu e Acazias, seu filho, reinou em
seu lugar.

O Reinado de Josafá de Judá

41 E Josafá, filho de Asa, começou a reinar sobre Judá no
quarto ano do reinado de Acabe, rei de Israel.
42 E Josafá tinha trinta e cinco anos de idade quando co-
meçou a reinar; e reinou por vinte e cinco anos em Jerusa-
lém; e o nome de sua mãe era Azuba, filha de Sili.
43 E andou em todos os caminhos de seu pai Asa, não se
desviou deles, fazendo o que era reto aos olhos do Senhor.
44 Todavia não destruíram os altares; o povo ainda sacrifi-
cava e queimava incenso nos altares.
45 E Josafá viveu em paz com o rei de Israel.
46 Quanto aos demais atos de Josafá, o poder que mostrou
e como guerreou, estão escritos no Livro das Crônicas dos
Reis de Judá.
47 Também expulsou da terra o restante dos prostitutos
cultuais que ficaram dos dias de seu pai Asa.
48 Nessa época não havia rei em Edom, somente um
governador.
49 E Josafá fez navios de Társis, para irem a Ofir por causa

do ouro; porém não foram, porque os navios se quebraram
em Eziom-Geber.
50 Então Acazias, filho de Acabe, disse a Josafá: "Deixe
que os meus marinheiros naveguem com os seus navios."
Porém Josafá não quis.

O Reinado de Acazias de Israel

51 E Josafá morreu e foi sepultado junto com seus pais,
na cidade de Davi, seu pai; e Jorão, seu filho, reinou em
seu lugar.
52 E Acazias, filho de Acabe, começou a reinar em Sama-
ria, no ano dezessete do reinado de Josafá, rei de Judá; e
reinou dois anos sobre Israel.
53 E Acazias fez o que era mau aos olhos do Senhor;
porque andou no caminho de seu pai, como também no
caminho de sua mãe e no caminho de Jeroboão, filho de
Nebate, que fez Israel pecar.
54 E serviu a Baal, adorou-o e provocou a ira do Senhor
Deus de Israel, fazendo tudo o que seu pai havia feito.

A Doença de Acazias

1 E, depois da morte de Acabe, Moabe se rebelou contra
Israel.
2 E Acazias caiu pelas grades de um quarto alto, que tinha
em Samaria, e ficou ferido; então, enviou mensageiros
para consultar Baal-Zebube, deus de Ecrom, para saber se
sararia daqueles ferimentos.
3 Mas o anjo do Senhor disse a Elias, o tisbita: "Levante-
-se, suba para se encontrar com os mensageiros do rei de
Samaria, e lhes diga: 'Não há Deus em Israel, para irem
consultar Baal-Zebube, deus de Ecrom?'"
4 E por isso assim diz o Senhor: "Da cama, em que está
deitado, não sairá, mas com certeza morrerá." Então Elias
partiu.
5 E os mensageiros voltaram para o rei; e ele lhes pergun-
tou: "Por que voltaram?"
6 E eles lhe responderam: "Um homem veio ao nosso en-
contro e nos disse: Vão, voltem para o rei que os mandou
e lhe digam: Assim diz o Senhor: 'Não há Deus em Israel,
para que mande consultar Baal-Zebube, deus de Ecrom?
Portanto, da cama em que está deitado, não sairá, com
certeza morrerá.'"
7 Então o rei perguntou: "Qual era a aparência do homem
que veio ao seu encontro e falou essas palavras?"
8 E eles lhe responderam: "Era um homem com roupas
de pelos, com um cinto de couro na cintura." Então o rei
disse: "É Elias, o tisbita."

Fogo do Céu Destrói Cem Homens

9 Então o rei lhe enviou um capitão com cinquenta sol-
dados; e subiu o monte em que Elias estava sentado, no
topo, e lhe disse: "Homem de Deus, o rei diz: 'Desça.'"
10 Mas Elias respondeu ao capitão: "Se eu sou homem de
Deus, que desça fogo do céu e o consuma, a você e aos
seus cinquenta soldados." Então, desceu fogo do céu e
consumiu a ele e aos seus cinquenta soldados.
11 E o rei tornou a lhe enviar outro capitão com seus
cinquenta soldados; e ele disse a Elias: "Homem de Deus,
assim diz o rei: 'Desça depressa.'"
12 E Elias respondeu: "Se eu sou homem de Deus, que
desça fogo do céu e o consuma, a você e aos seus cinquen-
ta soldados." Então o fogo de Deus desceu do céu e os
consumiu, a ele e aos seus cinquenta soldados.
13 E o rei tornou a enviar um terceiro capitão com os
seus cinquenta soldados; então o capitão subiu e pôs-se de
joelhos diante de Elias e lhe suplicou, dizendo: "Homem
de Deus, peço que seja preciosa aos seus olhos a minha
vida e a vida desses cinquenta soldados,
14 porque desceu fogo do céu e consumiu aqueles dois
primeiros capitães e seus cinquenta soldados; porém, ago-
ra, que a minha vida seja preciosa aos seus olhos."
15 Então o anjo do Senhor disse a Elias: "Desça com este,
não tenha medo." E ele se levantou e desceu com ele e se
apresentou ao rei.
16 E Elias disse: "Assim diz o Senhor: 'Por que enviou
mensageiros para consultar Baal-Zebube, deus de Ecrom?
É porque não há Deus em Israel, para consultar a sua pala-
vra? Portanto, desta cama em que está deitado, não sairá,
com certeza morrerá.'"
17 Assim, Acazias morreu, conforme a palavra do Senhor,
que Elias falou; e Jorão começou a reinar no seu lugar no
segundo ano do reinado de Jeorão, filho de Josafá, rei de
Judá; porque Acazias não tinha filhos.
18 Quanto aos demais atos de Acazias, e tudo o que fez,
estão escritos no Livro das Crônicas dos Reis de Israel.

Elias é Elevado aos Céus (O Reinado de Jorão)

2 E, quando o Senhor estava para elevar Elias num rede-
moinho ao céu, Elias partiu de Gilgal com Eliseu.

2 E Elias disse a Eliseu: "Fique aqui, porque o Senhor me
enviou a Betel." Porém, Eliseu disse: "Juro pelo nome do
Senhor e pela sua vida que não o deixarei." E assim foram
a Betel.
3 Então os discípulos dos profetas que estavam em Betel
saíram ao encontro de Eliseu e lhe disseram: "Você sabe
que hoje o Senhor elevará o seu senhor por sobre a sua
cabeça?" E ele respondeu: "Sim, eu sei; mas não digam
nada."
4 E Elias lhe disse: "Eliseu, fique aqui, porque o Senhor
me enviou a Jericó." Porém ele disse: "Juro pelo nome
do Senhor e pela sua vida que não o deixarei." E assim
foram a Jericó.
5 Então os discípulos dos profetas que estavam em Jericó
se chegaram a Eliseu e lhe disseram: "Você sabe que hoje
o Senhor elevará o seu senhor por sobre a sua cabeça?" E
ele respondeu: "Sim, eu sei; mas não digam nada."
6 E Elias disse a Eliseu: "Fique aqui, porque o Senhor me
enviou ao Jordão." Mas ele disse: "Juro pelo nome do Se-
nhor e pela sua vida que não o deixarei." E assim ambos
foram juntos.
7 E foram cinquenta homens dos discípulos dos profetas e
pararam à frente deles, ao longe: e assim ambos pararam
junto ao Jordão.
8 Então Elias pegou a sua capa, dobrou-a e bateu nas
águas, as quais se dividiram para os dois lados; e ambos
passaram em seco.
9 E, depois que eles passaram, Elias disse a Eliseu: "Pe-
ça-me o que quer que lhe faça, antes que eu seja levado
de você." E Eliseu disse: "Peço que me dê por herança
porção dobrada de seu espírito sobre mim."
10 E Elias respondeu: "Seu pedido é difícil; se você me
vir quando eu for levado de você, terá o que pediu, do
contrário, não será atendido."
11 E, enquanto eles iam andando e falando, um carro de
fogo, com cavalos de fogo, separou um do outro; e Elias
subiu ao céu num redemoinho.

Eliseu, o Sucessor de Elias

12 E quando Eliseu viu, clamou: "Meu pai, meu pai, car-
ros de Israel e seus cavaleiros!" E nunca mais o viu; então,
pegou as suas próprias roupas e rasgou-as em duas partes.
13 Também pegou a capa de Elias, que caiu dele; voltou e
parou na margem do Jordão.
14 E pegou a capa de Elias, que tinha caído dele, bateu
nas águas e disse: "Onde está o Senhor Deus de Elias?"
Quando feriu as águas elas se dividiram para os dois lados,
e Eliseu passou.
15 Os discípulos dos profetas que estavam à frente em
Jericó viram isso e disseram: "O espírito de Elias repousa
sobre Eliseu." E lhe vieram ao encontro e se prostraram
diante dele em terra.
16 E lhe disseram: "Agora entre os seus servos há cin-
quenta homens valentes; deixe-os ir para procurar o seu
senhor; pode ser que o Espírito do Senhor o tenha levado
e o lançado em algum dos montes, ou em algum dos va-
les." Porém Eliseu disse: "Não enviem ninguém."
17 Mas eles insistiram, até que, constrangido, lhes disse:
"Podem enviar." E enviaram cinquenta homens, que o
procuraram por três dias, porém não o acharam.
18 Quando voltaram para ele, que tinha ficado em Jericó,
lhes disse: "Eu não disse que não deveriam ir?"
19 E os homens da cidade disseram a Eliseu: "Esta cidade
é bem localizada, como o meu senhor vê; porém as águas
não são boas, e a terra é estéril."
20 E ele disse: "Tragam-me um prato novo e ponham sal
nele." E o trouxeram.
21 Então ele foi à fonte das águas, jogou sal nela e disse:
"Assim diz o Senhor: 'Purifiquei essas águas e não haverá
mais nelas morte nem esterilidade.' "
22 Assim, aquelas águas ficaram puras, até aos dias de
hoje, conforme as palavras de Eliseu.
23 Então Eliseu partiu dali para Betel; e, no caminho,
uns meninos saíram da cidade e zombaram dele dizendo:
"Saia daqui, seu careca; suma daqui, careca!"
24 E Eliseu virou para trás, os viu, e os amaldiçoou em
nome do Senhor; então duas ursas saíram do bosque e
despedaçaram quarenta e dois daqueles meninos.
25 E Eliseu partiu dali para o monte Carmelo, de onde
voltou para Samaria.

A Guerra de Jorão Contra os Moabitas

3 E Jorão, filho de Acabe, começou a reinar sobre Israel,
em Samaria, no décimo oitavo ano do reinado de Josa-
fá, rei de Judá; e reinou por doze anos.
2 E fez o que era mau aos olhos do Senhor; porém não fez
como seu pai, nem como a sua mãe; porque tirou a estátua
de Baal, que seu pai tinha feito.
3 Contudo aderiu aos pecados de Jeroboão, filho de Neba-
te, que fez Israel pecar; não se afastou deles.
4 Então Mesa, rei dos moabitas, era criador de gado e
pagava tributo ao rei de Israel, cem mil cordeiros e cem
mil carneiros com a sua lã.
5 Quando Acabe morreu, o rei dos moabitas se rebelou
contra o rei de Israel.
6 Por isso Jorão no mesmo tempo saiu de Samaria, e reu-
niu todo o Israel.
7 E mandou dizer a Josafá, rei de Judá: "O rei dos moabi-
tas se rebelou contra mim; você irá comigo à guerra contra
os moabitas?" E ele disse: "Irei e serei seu aliado, o meu

povo é como o seu povo e os meus cavalos são como os
seus cavalos."
8 E Josafá perguntou: "Por qual caminho iremos?" Então
Jorão respondeu: "Pelo caminho do deserto de Edom."
9 E o rei de Israel, o rei de Judá e o rei de Edom partiram;
andaram em uma marcha de sete dias e não havia água
para o exército nem para o gado que os seguiam.
10 Então o rei de Israel disse: "Ah! O Senhor chamou
esses três reis para entregá-los nas mãos dos moabitas."
11 E Josafá disse: "Não há aqui algum profeta do Senhor,
para que consultemos ao Senhor por meio dele?" Então
um dos servos do rei de Israel respondeu, dizendo: "Eli-
seu, filho de Safate, que era servo de Elias, está aqui."
12 E Josafá disse: "A palavra do Senhor está com ele."
Então o rei de Israel, Josafá, e o rei de Edom foram falar
com ele.
13 Mas Eliseu disse ao rei de Israel: "Que tenho eu a ver
com você? Vá aos profetas de seu pai e aos profetas de
sua mãe." Porém o rei de Israel lhe disse: "Não, porque o
Senhor Deus chamou esses três reis para entregá-los nas
mãos dos moabitas."
14 E Eliseu disse: "Juro pelo nome do Senhor dos Exér-
citos, em cuja presença estou, que se eu não respeitasse a
presença de Josafá, rei de Judá, não olharia para você nem
lhe daria atenção.
15 Agora traga-me um músico." E, enquanto o músico
tocava, o poder do Senhor veio sobre Eliseu.
16 E ele disse: "Assim diz o Senhor: 'Faça neste vale mui-
tas covas.'
17 Porque assim diz o Senhor: 'Não verão vento, nem
verão chuva; mas esse vale se encherá de tanta água, que
beberão vocês, o seu gado e os seus animais.
18 E isto ainda é pouco aos olhos do Senhor; ele também
entregará os moabitas nas suas mãos.
19 E conquistarão todas as cidades fortificadas, todas as
cidades escolhidas e cortarão todas as árvores boas; en-
tupirão todas as fontes de água e danificarão com pedras
todos os bons campos.'"
20 E, na manhã seguinte, as águas vinham descendo da
direção de Edom; e a terra se encheu de água.
21 Quando os moabitas ouviram que os reis tinham vindo
para lutar contra eles, convocaram todos os que estavam
aptos para a guerra e puseram-se na fronteira.
22 E, quando se levantaram de madrugada, quando o sol
nascia refletindo sobre as águas, os moabitas viram que as
águas estavam vermelhas como sangue.
23 E disseram: "Isto é sangue; certamente os reis se des-
truíram à espada e se mataram uns aos outros! Vamos
pegar os despojos!"
24 Porém, quando eles chegaram ao acampamento de Is-
rael, os israelitas se levantaram e atacaram os moabitas, os
que fugiram diante deles e ainda entraram nas suas terras,
matando ali também os moabitas.
25 Arrasaram as cidades e lançaram pedras em todos os
bons campos e os entulharam, e entupiram todas as fontes
de águas; cortaram todas as árvores boas, e só em Quir-Ha-
resete deixaram ficar os muros, mas os que atiravam com
fundas a cercaram e a atacaram.
26 Mas, o rei dos moabitas, vendo que a derrota preva-
lecia contra si, levou com ele setecentos homens arma-
dos com espada, para abrir caminho e chegar até o rei de
Edom, porém não conseguiram.
27 Então pegou o seu filho primogênito, que havia de
reinar em seu lugar, e o ofereceu em holocausto ao deus
dos moabitas sobre o muro da cidade; isso trouxe grande
ira sobre Israel; por isso retiraram-se dali e voltaram para
a sua terra.

Eliseu Aumenta o Azeite da Viúva

4 E uma das mulheres dos filhos dos profetas clamou a
Eliseu, dizendo: "Meu marido, seu servo, morreu, e
você sabe que o seu servo temia ao Senhor; porém veio
o credor, para levar os meus dois filhos para serem seus
escravos."
2 E Eliseu lhe perguntou: "O que posso fazer por você?
Diga-me, o que você tem em casa?" E ela respondeu: "Sua
serva não tem nada em casa, senão uma botija de azeite."
3 Então ele disse: "Vá, pegue emprestadas, de todos os
seus vizinhos, muitas vasilhas vazias.
4 Então entre e feche a porta atrás de você, e de seus fi-
lhos, e derrame o azeite em todas aquelas vasilhas e separe
as que forem ficando cheias."
5 Ela foi e se trancou com os seus filhos; eles lhe traziam
as vasilhas e ela as enchia.
6 E, quando encheu todas as vasilhas, disse a seu filho:
"Traga-me mais uma vasilha." Porém ele lhe disse: "Não
há mais vasilha alguma." Então o azeite parou.
7 Então ela veio, e o contou ao homem de Deus; e ele
disse: "Vá, venda o azeite, pague a sua dívida, e você e
seus filhos vivam do resto que sobrar."

Eliseu e a Sunamita

8 Um dia, Eliseu foi a Suném, e lá havia uma mulher im-
portante, que o convidou para comer; e, todas as vezes
que ele passava por ali, entrava para comer.
9 E ela disse ao seu marido: "Tenho observado que esse
que sempre passa por nós é um santo homem de Deus.
10 Vamos fazer um pequeno quarto junto ao muro, e pôr
ali uma cama, uma mesa, uma cadeira e um candelabro;
assim, quando ele vier a nós, ficará por ali."
11 E um dia ele chegou, recolheu-se àquele quarto e se
deitou.

12 Então Eliseu disse ao seu servo Geazi: "Chame essa sunamita." E ele a chamou e ela se pôs diante dele.
13 Ele lhe disse: "Você nos tem tratado com todo o cuidado; o que podemos fazer por você? Podemos falar alguma coisa por você ao rei, ou ao chefe do exército?" E ela disse: "Eu estou bem entre o meu povo."
14 Então Eliseu perguntou a Geazi: "O que podemos fazer por ela?" E Geazi disse: "Ela não tem filho e o seu marido é velho."
15 Então Eliseu disse: "Chame-a." E ele chamou-a, e ela se pôs à porta.
16 E ele disse: "Nesta época, daqui a um ano, você terá um filho em seus braços." E ela disse: "Não, meu senhor, homem de Deus, não minta para a sua serva."
17 E a mulher engravidou e deu à luz um filho, no tempo determinado, no ano seguinte, como Eliseu lhe disse.
18 O filho cresceu, e um dia saiu para se encontrar com seu pai, que estava com os trabalhadores que faziam a colheita.
19 E ele disse ao pai: "Ai, a minha cabeça! Ai, a minha cabeça!" Então o pai disse a um dos servos: "Leve-o à sua mãe."
20 E ele o pegou e o levou à sua mãe; e o menino ficou sentado no colo dela até ao meio-dia e morreu.
21 E ela subiu e o deitou sobre a cama do homem de Deus; fechou a porta e saiu.
22 E chamou o seu marido e disse: "Mande-me já um dos servos e uma das jumentas, para que eu corra ao homem de Deus e volte."
23 E ele perguntou: "Por que vai a ele hoje? Não é lua nova nem sábado." E ela respondeu: "Não se preocupe."
24 Então pôs os arreios na jumenta e disse ao seu servo: "Vamos rápido, e não pare pelo caminho, só pare quando eu lhe disser."
25 Então ela partiu, e foi ao homem de Deus, no monte Carmelo; e, o homem de Deus, vendo-a de longe, disse a Geazi, seu servo: "A sunamita está aqui.
26 Agora, corra ao seu encontro e lhe diga: 'Tudo bem com você? Tudo bem com o seu marido? Tudo bem com o seu filho?'" E ela disse: "Tudo bem."
27 Quando ela chegou ao homem de Deus, no monte, pegou nos seus pés; mas Geazi chegou para retirá-la; mas o homem de Deus disse: "Deixe-a, porque a sua alma está cheia de amargura, e o Senhor não me revelou o porquê."
28 E ela disse: "Por acaso eu pedi ao meu senhor algum filho? Eu não disse: não minta para a sua serva?"
29 E ele disse a Geazi: "Ponha a capa por dentro do cinto, pegue o meu cajado na sua mão, e vá rápido; se encontrar alguém não saúde, e se alguém o saudar, não lhe responda; vá e ponha o meu cajado sobre o rosto do menino."
30 Porém, a mãe do menino disse: "Juro pelo nome do Senhor e pela sua vida, que não o deixarei." Então ele se levantou e a seguiu.
31 E Geazi foi na frente deles e pôs o cajado sobre o rosto do menino; porém não havia nele voz nem sentido; então Geazi voltou para se encontrar com Eliseu, e lhe trouxe a notícia dizendo: "O menino não despertou."
32 E, quando Eliseu chegou àquela casa, o menino estava morto sobre a sua cama.
33 Então ele entrou e fechou a porta, e orou ao Senhor.
34 Então subiu na cama e deitou-se sobre o menino, e pôs a sua boca sobre a boca dele, os seus olhos sobre os olhos dele e as suas mãos sobre as mãos dele, se estendeu sobre ele; e o corpo do menino aqueceu.
35 Depois desceu e andou naquela casa de uma parte para a outra e tornou a subir, e novamente se estendeu sobre ele; então o menino espirrou sete vezes e abriu os olhos.
36 Então Eliseu chamou Geazi e disse: "Chame essa sunamita." Ele a chamou e ela veio. E ele disse: "Tome o seu filho."
37 E ela entrou, se prostrou a seus pés, se inclinou à terra; pegou o seu filho e saiu.

Eliseu em Gilgal

38 Quando Eliseu voltou para Gilgal, havia fome naquela terra e os discípulos dos profetas estavam sentados na sua presença; e disse ao seu servo: "Ponha a panela grande no fogo e faça um caldo de ervas para os discípulos dos profetas."
39 Então um deles saiu ao campo para apanhar ervas e achou uma trepadeira e colheu dela enchendo a sua capa de frutas amargas; voltou e as cortou na panela do caldo; porque não as conheciam.
40 Assim, deram de comer para os homens. E, enquanto comiam daquele caldo, gritaram: "Homem de Deus, há morte na panela." E não puderam mais comer.
41 Porém ele disse: "Traga farinha." E colocou-a na panela e disse: "Dê de comer ao povo." E já não havia mal nenhum na panela.
42 E um homem veio de Baal-Salisa e trouxe ao homem de Deus pães das primícias, vinte pães de cevada e espigas verdes na sua palha e disse: "Dê ao povo, para que comam."
43 Porém seu servo disse: "Como porei isto diante de cem homens?" E ele disse: "Dê ao povo, para que comam; porque assim diz o Senhor: 'Comerão e sobrará.'"
44 Então os serviu e comeram e ainda sobrou, conforme a palavra do Senhor.

A História de Naamã

5 E Naamã, chefe do exército do rei da Síria, era um homem muito honrado e respeitado pelo seu senhor;

porque por ele o Senhor deu a vitória à Síria; esse homem
era um herói de guerra, porém era leproso.
2 E saíram tropas da Síria, da terra de Israel, e levaram pre-
sa uma menina que ficou ao serviço da mulher de Naamã.
3 E a menina disse à sua senhora: "Se o meu senhor esti-
vesse diante do profeta que está em Samaria, ele o curaria
da sua lepra."
4 Então Naamã foi e contou ao seu senhor, dizendo: "As-
sim falou a menina que é da terra de Israel."
5 E o rei da Síria disse: "Vá, e eu enviarei uma carta ao
rei de Israel." E então pegou trezentos e cinquenta quilos
de prata, setenta e dois quilos de ouro e dez mudas de
roupas.
6 E levou a carta ao rei de Israel, dizendo: "Logo que che-
gar essa carta a você, saiba que eu lhe enviei Naamã, meu
servo, para que o cure da sua lepra."
7 Quando o rei de Israel leu a carta, rasgou as suas roupas
e disse: "Por acaso eu sou Deus, para matar e para dar
vida, para que ele envie a mim um homem, para que eu o
cure da sua lepra? Pelo que devem notar, vejam que busca
motivo contra mim."
8 Eliseu, homem de Deus, ouviu que o rei de Israel rasgou
as suas roupas, e mandou dizer ao rei: "Por que rasgou as
suas roupas? Deixe-o vir a mim e ele saberá que há profeta
em Israel."
9 Naamã veio com os seus cavalos e com o seu carro, e
parou à porta da casa de Eliseu.
10 Então Eliseu lhe mandou um mensageiro, dizendo:
"Vá e lave-se sete vezes no Jordão, assim a sua pele será
curada e você ficará purificado."
11 Porém, Naamã ficou indignado e saiu dizendo: "Eu
estava certo de que ele viria me receber pessoalmente e
invocaria em pé o nome do Senhor seu Deus, passaria a
sua mão sobre as feridas e me curaria desta lepra.
12 Abana e Farpar, rios de Damasco, não são melhores
do que todas as águas de Israel? Eu não me poderia la-
var neles e ficar purificado?" Então virou-se e foi embora
indignado.
13 Então os seus servos se aproximaram e lhe disseram:
"Meu pai, se o profeta tivesse lhe pedido alguma coisa
difícil, não o faria? Quanto mais quando ele disse apenas
que se lave e ficará purificado."
14 Então Naamã desceu e mergulhou no Jordão sete ve-
zes, conforme as palavras do homem de Deus; e a sua
pele se tornou como a pele de uma criança e ele ficou
purificado.
15 Então ele voltou ao homem de Deus, ele e toda a sua
comitiva, e, chegando, pôs-se diante dele e disse: "Agora
sei que em toda a terra não há Deus senão em Israel; ago-
ra, peço-lhe que aceite um presente do seu servo."
16 Porém Eliseu disse: "Juro pelo nome do Senhor, em
cuja presença estou, que não aceitarei." E instou com ele
para que a aceitasse, mas ele recusou.
17 E Naamã disse: "Se você não quer, dê a esse seu servo
duas mulas carregadas de terra; porque nunca mais este
seu servo oferecerá holocausto nem sacrifício a outros
deuses, senão ao Senhor.
18 Mas que o Senhor perdoe este seu servo; quando o
meu senhor entrar na casa de Rimom para ali adorar, e
ele se apoiar na minha mão e eu também tiver de me
encurvar na casa de Rimom; então o Senhor perdoe a seu
servo por isto."
19 E ele lhe disse: "Vá em paz." E foi se afastando dele.

Geazi Fica Leproso

20 Então Geazi, servo de Eliseu, homem de Deus, disse:
"Meu senhor foi bom demais para Naamã, não aceitando
da sua mão o que ele ofereceu; porém, juro pelo nome do
Senhor que vou correr atrás dele, e receber dele alguma
coisa."
21 E Geazi correu para alcançar Naamã; então Naamã,
vendo que corria atrás dele, desceu do carro para encon-
trá-lo e lhe perguntou: "Está tudo bem?"
22 E ele respondeu: "Está tudo bem; meu senhor me
mandou dizer: 'Agora mesmo vieram a mim dois jovens
discípulos dos profetas das montanhas de Efraim; lhes dê
trinta e cinco quilos de prata e duas mudas de roupas.'"
23 E Naamã disse: "Tenha a bondade de levar setenta qui-
los." E insistiu com ele, e amarrou setenta quilos de prata
em dois sacos, com duas mudas de roupas; e os pôs sobre
dois dos seus servos, que os levaram diante dele.
24 E, quando ele chegou à colina, pegou os sacos das suas
mãos e os guardou na casa; despediu aqueles homens e
eles se foram.
25 Então ele entrou e pôs-se diante de seu senhor. E Eliseu
disse: "De onde você vem, Geazi?" E respondeu: "Seu
servo não foi a lugar nenhum."
26 Porém Eliseu lhe disse: "Você acha que eu não estava
com você em espírito, quando aquele homem voltou do
seu carro para o encontrar? Essa era a ocasião para aceitar
prata e roupas, olivais e vinhas, ovelhas e bois, servos e
servas?
27 Portanto a lepra de Naamã se pegará a você e à sua
descendência para sempre." Então Geazi saiu da presença
dele já leproso, branco como a neve.

O Machado Que Flutuou

6 E os discípulos dos profetas disseram a Eliseu: "O lugar
em que habitamos com você é pequeno para nós todos.
2 Vamos até o Jordão e pegaremos de lá, cada um de nós
uma viga, e faremos ali um lugar para habitar." E ele disse:
"Vão."

3 E um deles disse: "Pode ir com os seus servos." E Eliseu
disse: "Eu irei."
4 E Eliseu foi com eles; e, quando eles chegaram ao Jor-
dão, cortaram madeira.
5 E, enquanto um deles derrubava um tronco, o machado
caiu na água; e ele exclamou: "Ai, meu senhor! Ele era
emprestado!"
6 E o homem de Deus perguntou: "Onde caiu?" E ele, lhe
mostrando o lugar, cortou um pau e o lançou ali e fez o
machado flutuar.
7 E disse: "Pegue-o." Então ele estendeu a sua mão e o
pegou.

Eliseu Revela os Planos do Rei da Síria

8 E o rei da Síria estava em guerra contra Israel; e consul-
tou os seus oficiais, dizendo: "Montarei o meu acampa-
mento em tal lugar."
9 Mas o homem de Deus mandou um recado ao rei de
Israel, dizendo: "Não passem por esse tal lugar; porque os
sírios desceram ali."
10 Por isso o rei de Israel enviou tropas àquele lugar, do
qual o homem de Deus lhe falou, e o tinha avisado, e
assim ele se salvou, mais de duas vezes.
11 Então o rei da Síria ficou enfurecido com esse inciden-
te, chamou os seus servos e lhes disse: "Não me contarão
quem dos nossos está do lado do rei de Israel?"
12 E um dos servos disse: "Não, ó rei, meu senhor; mas
o profeta Eliseu, que está em Israel, revela ao rei de Israel
até as palavras que você fala no seu quarto de dormir."
13 E ele disse: "Vá, e veja onde ele está, para eu mandar
prendê-lo." E lhe contaram, dizendo: "Ele está em Dotã."
14 Então o rei enviou para lá cavalos, carros e um grande
exército, que chegaram de noite e cercaram a cidade.
15 E o servo do homem de Deus se levantou muito cedo
e saiu, e um exército tinha cercado a cidade com cavalos
e carros; então o seu servo lhe disse: "Ai, meu senhor! O
que faremos?"
16 E ele disse: "Não tenha medo, porque mais são os que
estão conosco do que os que estão com eles."
17 E Eliseu orou e disse: "Senhor, peço-te que lhe abras os
olhos, para que veja." E o Senhor abriu os olhos do servo
e ele viu; e o monte estava cheio de cavalos e carros de
fogo, ao redor de Eliseu.
18 E, quando os sírios desceram contra ele, Eliseu orou ao
Senhor e disse: "Peço-te que firas essa gente de cegueira."
E ele os feriu de cegueira, conforme a palavra de Eliseu.
19 Então Eliseu lhes disse: "Não é este o caminho, nem
é esta a cidade; sigam-me e eu os guiarei ao homem que
buscam." E os guiou a Samaria.
20 E, quando eles chegaram a Samaria, Eliseu disse: "Ó
Senhor, abre os olhos destes homens para que vejam." O
Senhor lhes abriu os olhos, para que vissem e eles estavam
no meio de Samaria.
21 E, quando o rei de Israel os viu, disse a Eliseu: "Meu
pai, devo matá-los?"
22 Mas ele disse: "Não os mate; você mataria os homens
que fez prisioneiros com a sua espada e com o seu arco?
Deem-lhes pão e água, para que comam e bebam e voltem
para o seu senhor."
23 E o rei lhes apresentou um grande banquete e come-
ram e beberam; então ele os despediu e eles voltaram para
o seu senhor e as tropas de sírios não entraram mais na
terra de Israel.

O Cerco de Samaria

24 E depois disto, Ben-Hadade, rei da Síria, ajuntou todo
o seu exército e cercou Samaria.
25 E houve grande fome em Samaria, porque a cercaram,
até ao ponto de se vender uma cabeça de jumento por oi-
tenta peças de prata, e uma caneca de esterco de pombas
por cinco peças de prata.
26 E, quando o rei vinha passando pelo muro, uma mu-
lher gritou a ele, dizendo: "Ajude-me, ó rei, meu senhor."
27 E ele lhe disse: "Se o Senhor não a ajuda, como eu a
ajudarei? Não tenho trigo nem vinho!"
28 Então o rei lhe perguntou: "Qual o seu problema?"
E ela disse: "Essa mulher me disse: 'Dê o seu filho para
comermos hoje, e amanhã comeremos o meu filho.'
29 Cozinhamos o meu filho e o comemos; mas no outro
dia, eu lhe disse: 'Dê o seu filho, para comermos'; e ela
escondeu o seu filho."
30 E, ao ouvir as palavras dessa mulher, o rei rasgou as
suas roupas, enquanto ia passando pelo muro; e o povo
viu que o rei estava vestido de pano de saco por baixo
das roupas.
31 E ele disse: "Que Deus me castigue, se a cabeça de
Eliseu, filho de Safate, hoje ficar sobre ele."
32 Então Eliseu estava sentado em sua casa e os anciãos
também estavam sentados com ele. E o rei enviou um ho-
mem à sua frente; mas, antes que o mensageiro chegasse
a Eliseu, este disse aos anciãos: "Viram como o filho do
homicida mandou tirar-me a cabeça? Quando o mensa-
geiro vier, fechem a porta e empurrem-no para fora; vocês
não estão ouvindo o ruído dos passos do seu senhor, que
vem atrás dele?"
33 E, enquanto Eliseu ainda falava com eles, o mensageiro
chegou; então o rei disse: "Esse mal vem do Senhor, o que
mais devo esperar do Senhor?"

Eliseu Prediz a Fartura

7 Então Eliseu disse: "Ouçam a palavra do Senhor; assim
diz o Senhor: 'Amanhã, mais ou menos a esta hora,
à porta de Samaria, tanto uma medida de farinha como

duas medidas de cevada serão vendidas por uma moeda
de prata.'"
2 Porém, um capitão, em cujo braço o rei se apoiava,
respondeu ao homem de Deus e disse: "Ainda que o Se-
nhor fizesse janelas no céu, poderiam fazer isso?" E Eliseu
disse: "Verá com os seus próprios olhos, porém disso não
comerá."
3 E quatro homens leprosos estavam à entrada da cidade,
e disseram uns aos outros: "Por que nós ficaríamos aqui
até morrer?
4 Se dissermos: Entraremos na cidade, há fome na cida-
de e morreremos ali; se ficarmos aqui, também morre-
remos. Então vamos para o acampamento dos sírios; se
nos deixarem viver, viveremos, e se nos matarem, apenas
morreremos."
5 E se levantaram ao anoitecer, para irem ao acampamen-
to dos sírios; porém, quando chegaram à entrada do acam-
pamento dos sírios, eis que não havia ninguém ali.
6 Porque o Senhor fez que se ouvisse no acampamento
dos sírios ruído de carros e ruído de cavalos, como o ruído
de um grande exército; e eles disseram uns aos outros:
"O rei de Israel contratou os reis dos heteus e os reis dos
egípcios para nos atacarem."
7 Por isso se levantaram e fugiram ao anoitecer, e deixa-
ram as suas tendas, os seus cavalos, os seus jumentos e
o acampamento como estava; fugiram para salvarem as
suas vidas.
8 Então esses leprosos, chegando à entrada do acampa-
mento, entraram numa tenda e comeram, beberam e pe-
garam dali prata, ouro e roupas, e foram e os esconderam;
então voltaram, entraram em outra tenda e dali também
pegaram alguma coisa e esconderam.
9 Então disseram uns aos outros: "Não estamos agindo
certo; esse dia é um dia de boas notícias e nos calamos;
se esperarmos até à luz da manhã, algum mal virá contra
nós; por isso agora vamos e o contaremos ao rei."
10 Então vieram e gritaram aos porteiros da cidade e lhes
contaram: "Fomos ao acampamento dos sírios e não havia
ninguém lá, nem uma voz de homem, porém só cavalos
e jumentos amarrados, e as tendas como estavam antes."
11 E os porteiros os chamaram e eles contaram ao rei.
12 E o rei se levantou de noite e disse aos seus servos:
"Agora explicarei a vocês o que os sírios nos fizeram; eles
sabem que estamos famintos, então saíram do acampa-
mento, e se esconderam no campo, dizendo: 'Quando saí-
rem, então os pegaremos vivos e entraremos na cidade.'"
13 Então um dos seus servos disse: "Peguem cinco cava-
los que restam aqui dentro, e os enviaremos com alguns
homens; o destino deles será o mesmo de todos os israeli-
tas que ficaram aqui; como toda essa multidão condenada,
os enviaremos e veremos o que acontece."
14 Então pegaram dois carros de guerra com cavalos; e
o rei os enviou com os mensageiros atrás do exército dos
sírios, dizendo: "Vão e vejam o que está acontecendo."
15 E eles foram atrás dos sírios até o Jordão, e viram que
todo o caminho estava cheio de roupas e de aviamentos
que os sírios, apressando-se, jogaram fora; então os mensa-
geiros voltaram e contaram ao rei.
16 Então o povo foi e saqueou o acampamento dos sí-
rios; e havia uma medida de farinha ou duas medidas de
cevada por uma moeda de prata, conforme a palavra do
Senhor.
17 E o rei pôs na porta o capitão em cujo braço ele se
apoiava; e o povo o atropelou na porta e ele morreu, como
o homem de Deus falou, quando o rei foi falar com ele.
18 Aconteceu como o homem de Deus falou ao rei di-
zendo: "Amanhã, quase a esta hora, haverá duas medidas
de cevada ou uma medida de farinha sendo vendidas por
uma moeda de prata, à porta de Samaria."
19 E aquele capitão respondeu ao homem de Deus e dis-
se: "Ainda que o Senhor fizesse janelas no céu, isso pode-
ria acontecer?" E o profeta respondeu: "Você verá com os
seus próprios olhos, porém dali não comerá."
20 E assim lhe aconteceu, porque o povo o atropelou à
porta e ele morreu.

O Regresso da Sunamita

8 E Eliseu falou para a mulher cujo filho ele ressuscitou,
dizendo: "Levante-se e vá, você e a sua família, e pe-
regrine por onde puder peregrinar; porque o Senhor cha-
mou a fome, e ela virá à terra por sete anos."
2 E a mulher levantou-se e fez o que o homem de Deus
disse; ela foi com a sua família e peregrinou na terra dos
filisteus por sete anos.
3 E, ao fim dos sete anos, a mulher voltou da terra dos
filisteus e saiu para reclamar ao rei pela sua casa e pelas
suas terras.
4 O rei estava falando com Geazi, servo do homem de
Deus, dizendo: "Conte-me todas as grandes obras que
Eliseu tem feito."
5 E, quando ele estava contando ao rei como ressuscitou
um morto, a mulher cujo filho havia sido ressuscitado
reclamou ao rei pela sua casa e pelas suas terras. Então
Geazi disse: "Ó rei, meu senhor, esta é a mulher, e este o
seu filho que Eliseu ressuscitou."
6 E o rei perguntou à mulher, e ela o contou. Então o rei
lhe designou um oficial, dizendo: "Restitua-lhe tudo o que
era seu, e todas as rendas das terras, desde o dia em que
as deixou até agora."

Hazael Mata Ben-Hadade

7 Depois Eliseu foi a Damasco, e Ben-Hadade, rei da Síria, estava doente; e anunciaram ao rei, dizendo: "O homem de Deus chegou aqui."

8 Então o rei disse a Hazael: "Pegue um presente e vá se encontrar com o homem de Deus e pergunte por ele ao Senhor Deus se vou sarar desta doença."

9 Hazael foi para encontrar-se com ele e levou de presente tudo o que havia de bom em Damasco, quarenta camelos carregados; então se pôs diante dele e disse: "Seu filho, Ben-Hadade, rei da Síria, me enviou a você, perguntando: 'Eu sararei desta doença?'"

10 E Eliseu lhe disse: "Vá e lhe diga: 'Certamente sarará.' Porém, o Senhor me mostrou que certamente morrerá."

11 E olhou em seus olhos, até ele ficar sem jeito; e o homem de Deus chorou.

12 Então Hazael perguntou: "Por que o meu senhor chora?" E ele respondeu: "Porque sei o mal que irá fazer aos israelitas; vai pôr fogo em suas fortalezas e matar os seus jovens à espada; vai despedaçar as suas crianças e rasgar as suas mulheres grávidas."

13 E Hazael disse: "Pois, como poderia este seu servo, que não é mais do que um cão, fazer algo assim?" E Eliseu disse: "O Senhor me mostrou que você será o rei da Síria."

14 Então Hazael deixou Eliseu e voltou para o seu senhor, que lhe perguntou: "O que Eliseu lhe disse?" E ele respondeu: "Disse-me que certamente irá sarar."

15 E no outro dia pegou um cobertor e o molhou na água, e o estendeu sobre o rosto do rei até que ele morreu; e Hazael reinou em seu lugar.

O Reinado de Jorão em Judá

16 E no quinto ano do reinado de Jorão, filho de Acabe, rei de Israel, Josafá ainda estava reinando em Judá, quando Jeorão, filho de Josafá, rei de Judá começou a reinar.

17 Ele tinha trinta e dois anos de idade quando começou a reinar e reinou por oito anos em Jerusalém.

18 E ele andou no caminho dos reis de Israel, como a família de Acabe havia feito, porque era casado com a filha de Acabe, e ele fez o que era mau aos olhos do Senhor.

19 Porém, o Senhor não quis destruir Judá por amor a Davi, seu servo, como lhe tinha prometido que lhe daria, para sempre, uma lâmpada, a ele e a seus filhos.

20 Nos dias de Jeorão, os edomitas se rebelaram contra o domínio de Judá, e constituíram para si um rei.

21 Por isso Jeorão marchou até Zair com todos os seus carros de guerra; então à noite ele se levantou e atacou os edomitas que estavam ao redor dele e os capitães dos carros de guerra; e o povo fugiu para as suas tendas.

22 Então os edomitas se rebelaram contra os domínios de Judá, até os dias de hoje; e, no mesmo tempo, Libna também se rebelou.

23 Os demais atos de Jeorão e tudo o que ele fez estão escritos no Livro das Crônicas dos Reis de Judá.

24 E Jeorão dormiu com seus pais e foi sepultado com seus pais na cidade de Davi; e Acazias, seu filho, reinou em seu lugar.

O Reinado de Acazias em Judá

25 No décimo segundo ano do reinado de Jorão, filho de Acabe, rei de Israel, Acazias, filho de Jeorão, rei de Judá, começou a reinar.

26 Acazias tinha vinte e dois anos de idade quando começou a reinar, e reinou por um ano em Jerusalém; o nome de sua mãe era Atalia, filha de Onri, rei de Israel.

27 E ele andou no caminho da casa de Acabe, fazendo o que era mau aos olhos do Senhor, como a casa de Acabe, porque era genro de Acabe.

28 E foi com Jorão, filho de Acabe, a Ramote de Gileade, guerrear contra Hazael, rei da Síria; porém, os sírios feriram Jorão.

29 Então o rei Jorão voltou para se curar, em Jezreel, das feridas que os sírios lhe fizeram em Ramá, quando lutou contra Hazael, rei da Síria; e Acazias, filho de Jeorão, rei de Judá, desceu para visitar Jorão, filho de Acabe, em Jezreel, porque ele estava doente.

O Reinado de Jeú em Israel

9 Então o profeta Eliseu chamou um dos discípulos dos profetas e lhe disse: "Apronte-se, pegue este vaso de azeite nas suas mãos e vá a Ramote de Gileade;

2 e, quando chegar lá, veja onde está Jeú, filho de Josafá, filho de Ninsi; entre e faça com que ele se levante do meio de seus irmãos, então leve-o à câmara interior.

3 Pegue o vaso de azeite e derrame-o sobre a sua cabeça, e diga: 'Assim diz o Senhor: 'Eu o ungi rei sobre Israel'. Então abra a porta e fuja, não se detenha."

4 Assim, o jovem profeta foi a Ramote de Gileade.

5 E, quando ele entrou, os capitães do exército estavam sentados ali e ele disse: "Capitão, tenho uma mensagem para lhe dizer." E Jeú perguntou: "Para qual de nós?" E ele respondeu: "A você, capitão!"

6 Então Jeú se levantou, entrou na casa, e o jovem derramou o azeite sobre a sua cabeça e disse: "Assim diz o Senhor Deus de Israel: 'Eu o ungi rei sobre o povo do Senhor, sobre Israel.

7 E você dará fim à casa de Acabe, seu senhor, para que eu vingue o sangue de meus servos, os profetas, e o sangue de todos os servos do Senhor, da mão de Jezabel.

8 E toda a casa perecerá; destruirei de Acabe todo homem, tanto o escravo como o livre em Israel.

9 Porque farei à casa de Acabe como fiz à casa de Jeroboão, filho de Nebate e à casa de Baasa, filho de Aías.
10 E os cães comerão Jezabel no campo de Jezreel; não haverá quem a enterre.'" Então abriu a porta e fugiu.

Jeú Derrota Jorão e Acazias

11 E Jeú voltou aos outros servos de seu senhor, que lhe perguntaram: "Está tudo bem? Por que este louco veio falar com você?" E ele lhes disse: "Vocês conhecem este homem e sabem o que ele anda falando."
12 Mas eles disseram: "É mentira; agora conte-nos o que ele disse." Então Jeú disse: "Assim diz o Senhor: 'Eu o estou ungindo rei sobre Israel.'"
13 Então se apressaram, cada um pegou o seu manto, puseram debaixo dele, sobre os degraus; e tocaram a trombeta e disseram: "Jeú reina!"
14 Assim Jeú, filho de Josafá, neto de Ninsi, conspirou contra Jorão. Porém, Jorão tinha cercado Ramote de Gileade, ele e todo o Israel, por causa de Hazael, rei da Síria.
15 Porém, o rei Jorão voltou para se curar em Jezreel das feridas que os sírios lhe fizeram, quando lutou contra Hazael, rei da Síria. E Jeú disse: "Se é da vontade de vocês, ninguém sairá da cidade, nem escapará, para ir denunciar isto em Jezreel."
16 Então Jeú subiu em um carro e foi a Jezreel, porque Jorão estava deitado ali; e Acazias, rei de Judá, desceu para ver Jorão.
17 E a sentinela estava na torre de Jezreel; quando viu a tropa de Jeú, que vinha, disse: "Vejo uma tropa." Então Jorão disse: "Pegue um cavaleiro e envie ao seu encontro e pergunte: 'Vem em paz?'"
18 E o cavaleiro foi ao encontro e disse: "Assim diz o rei: 'Vem em paz?'" E Jeú respondeu: "Não me venha falar em paz. Saia da minha frente." E a sentinela relatou, dizendo: "O mensageiro chegou a eles, porém não voltou."
19 Então o rei enviou outro cavaleiro; este chegando a eles, disse: "Assim diz o rei: 'Vem em paz?'" E Jeú disse: "Não me venha falar em paz. Saia da minha frente."
20 E a sentinela relatou, dizendo: "Esse também chegou a eles, porém não voltou, e a maneira de conduzir o carro é de Jeú, neto de Ninsi, porque dirige furiosamente."
21 Então Jorão disse: "Aparelhe o carro de guerra." E aparelharam o seu carro. Então Jorão, rei de Israel, e Acazias, rei de Judá, cada um em seu carro, saíram ao encontro de Jeú e o encontraram no campo de Nabote, o jezreelita.
22 E, quando Jorão viu Jeú, perguntou: "Você vem em paz, Jeú?" E ele respondeu: "Que paz, enquanto as prostituições da sua mãe Jezabel e as suas feitiçarias continuam?"
23 Então Jorão virou o seu carro e fugiu; e disse a Acazias: "Traição, Acazias."
24 Mas Jeú disparou o seu arco com toda a força e feriu Jorão entre os ombros; a flecha atravessou o coração e ele caiu morto no seu carro de guerra.
25 Então Jeú disse a Bidcar, seu capitão: "Pegue-o, lance-o no campo de Nabote, o jezreelita; porque, lembre-se de que, quando íamos eu e você juntos a cavalo seguindo o seu pai, Acabe, o Senhor pôs sobre ele esta sentença, dizendo:
26 'Ontem à tarde vi o sangue de Nabote e o sangue dos seus filhos, diz o Senhor, com certeza farei você pagar por isso neste mesmo pedaço de campo, diz o Senhor.' Agora, pegue-o e lance-o nesse campo, conforme a palavra do Senhor."
27 Quando Acazias, rei de Judá, viu, fugiu pelo caminho de Bete-Haga; porém Jeú o perseguiu, dizendo: "Matem também este"; e o feriram no carro de guerra a caminho de Gur, perto de Ibleão, e Acazias conseguiu refúgio em Megido, e morreu ali.
28 E seus servos o levaram num carro para Jerusalém e o sepultaram na sua sepultura junto a seus pais, na cidade de Davi.
29 E no décimo primeiro ano do reinado de Jorão, filho de Acabe, Acazias começou a reinar sobre Judá.

A Morte de Jezabel

30 Depois Jeú veio a Jezreel, e quando Jezabel ficou sabendo, pintou os olhos, enfeitou o cabelo e olhou pela janela.
31 E, quando Jeú entrou pelo portão, ela disse: "Como vai Zinri, assassino do seu senhor?"
32 E ele levantou o rosto para a janela e disse: "Quem está comigo? Quem?" E dois ou três oficiais olharam para ele.
33 Então ele disse: "Joguem-na para baixo." E lançaram-na para baixo; e a parede e os cavalos foram salpicados com o seu sangue, e Jeú a atropelou.
34 E, Depois que ele entrou, comeu, bebeu e disse: "Peguem aquela maldita e a sepultem, porque é filha de rei."
35 E quando foram sepultá-la, acharam somente a caveira, os pés e as palmas das mãos.
36 Então voltaram e contaram a Jeú, e ele disse: "Esta é a palavra do Senhor, que falou por meio de Elias, o tisbita, seu servo, dizendo: 'No campo de Jezreel os cães comerão a carne de Jezabel.
37 E o cadáver de Jezabel será como esterco sobre o campo de Jezreel, de modo que ninguém poderá dizer: 'Esta é Jezabel.'"

Jeú Extermina os Descendentes de Acabe

10 E Acabe tinha setenta filhos em Samaria. Jeú escreveu cartas e as enviou a Samaria, aos chefes de Jezreel, aos anciãos e aos tutores dos filhos de Acabe, dizendo:

2 "Logo que esta carta chegar a vocês, que estão com os
filhos do seu senhor, como também com os carros, os ca-
valos, a cidade fortalecida e as armas,
3 escolham o melhor e mais capaz dos filhos do seu se-
nhor, e ponham-no sobre o trono de seu pai e lutem pela
casa de seu senhor."
4 Porém eles tiveram muito medo e disseram: "Dois reis
não puderam resistir a ele; como nós poderemos resistir?"
5 Então o responsável pelo palácio, o responsável pela
cidade, os anciãos e os tutores mandaram dizer a Jeú: "So-
mos seus servos e tudo que nos disser faremos; mas não
constituiremos rei; faça o que achar melhor."
6 Então pela segunda vez Jeú lhes escreveu outra carta,
dizendo: "Se forem meus e ouvirem a minha voz, tragam-
-me as cabeças dos filhos de seu senhor e venham a mim
amanhã, a esta hora, em Jezreel." Os filhos do rei, setenta
homens, estavam com as autoridades da cidade, que os
criavam.
7 E, quando a carta chegou a eles, pegaram os filhos do rei
e os mataram, setenta homens, e puseram as suas cabeças
em cestos, e mandaram-nas para Jezreel.
8 E um mensageiro veio e lhe disse: "Trouxeram as ca-
beças dos filhos do rei." E ele disse: "Façam com elas
dois montes à entrada da porta, e deixem expostas até
amanhã."
9 E, pela manhã, Jeú saiu, parou e disse ao povo: "Vocês
são justos; eu conspirei contra o meu senhor e o matei;
mas quem matou todos estes?
10 Saibam agora que, da palavra que o Senhor falou con-
tra a casa de Acabe, nada cairá em terra, porque o Senhor
tem feito o que falou através de seu servo Elias."
11 Jeú também matou todos os restantes da casa de Acabe
em Jezreel, e todas as autoridades, os seus conhecidos e
seus sacerdotes, e não sobrou nenhum sobrevivente.
12 Então Jeú se levantou e partiu para Samaria. E, quando
estava no caminho, em Bete-Equede dos pastores,
13 Jeú encontrou os irmãos de Acazias, rei de Judá e disse:
"Quem são vocês?" E eles disseram: "Somos os irmãos de
Acazias e estamos indo visitar os filhos do rei e os filhos
da rainha."
14 Então ele disse: "Peguem-nos vivos." E os seus sol-
dados os pegaram vivos e os mataram junto ao poço de
Bete-Equede, quarenta e dois homens; e nenhum deles
foi deixado vivo.
15 E, quando partiu dali, encontrou Jonadabe, filho de
Recabe, que lhe vinha ao encontro, e Jeú o saudou e lhe
disse: "O seu coração é reto para comigo, como o meu é
para com você?" E Jonadabe disse: "É." Disse Jeú: "Então,
se é, dê-me a mão." E Jeú lhe deu a mão e o ajudou a subir
com ele no carro.
16 E disse: "Venha comigo e verá o meu zelo para com o
Senhor." E o puseram no seu carro.
17 E, quando chegaram a Samaria, mataram todos os que
restavam de Acabe, até que os destruiu, conforme a pala-
vra que o Senhor disse a Elias.

Jeú Mata os Profetas de Baal

18 E Jeú reuniu todo o povo e lhes disse: "Acabe serviu
pouco a Baal"; Jeú, porém, o servirá muito mais.
19 Por isso chamem agora todos os profetas de Baal, todos
os seus servos e todos os seus sacerdotes; que não falte
nenhum, porque vou oferecer um grande sacrifício a Baal;
quem faltar não viverá." Porém Jeú fazia isto com astúcia,
para destruir os servos de Baal.
20 Jeú disse mais: "Proclamem a Baal uma assembleia
solene." E a proclamaram.
21 Jeú também enviou mensageiros por todo o Israel, e
vieram todos os servos de Baal e nenhum homem faltou;
entraram e encheram o templo de Baal.
22 Então Jeú disse ao encarregado das vestimentas: "Tra-
ga as vestimentas para todos os servos de Baal". E ele as
trouxe.
23 E Jeú entrou com Jonadabe, filho de Recabe, no tem-
plo e disse aos servos de Baal: "Examinem e vejam bem,
que nenhum dos servos do Senhor está aqui com vocês,
somente os servos de Baal."
24 E, quando eles entraram para fazerem sacrifícios e ho-
locaustos, Jeú preparou na parte de fora oitenta homens e
lhes disse: "Se algum dos homens que eu entregar em suas
mãos escapar, a vida de vocês será pela vida dele."
25 E, quando acabou de fazer o holocausto, Jeú disse aos
seus guardas e aos capitães: "Entrem, matem-nos, não dei-
xem escapar nenhum." E os mataram ao fio da espada;
então os guardas e os capitães os lançaram fora e entraram
mais no interior do templo de Baal.
26 E tiraram as estátuas do templo e as queimaram.
27 Também quebraram a estátua de Baal; derrubaram o
templo e fizeram dela latrinas, até aos dias de hoje.
28 E assim Jeú eliminou Baal de Israel.
29 Porém, Jeú não se afastou dos pecados de Jeroboão,
filho de Nebate, que fez Israel pecar com os bezerros de
ouro, que estavam em Betel e em Dã.
30 Por isso o Senhor disse a Jeú: "Porque agiu bem em
fazer o que é correto aos meus olhos e conforme tudo o
que eu queria no meu coração, fazendo com a família de
Acabe tudo o que eu queria, então seus filhos, até à quarta
geração, se sentarão no trono de Israel."
31 Mas Jeú não teve cuidado de andar com todo o seu
coração na lei do Senhor Deus de Israel, nem se afastou
dos pecados de Jeroboão, que fez Israel pecar.
32 Naqueles dias o Senhor começou a diminuir os territó-

rios de Israel; porque Hazael conquistou todo o território
de Israel,
33 desde o leste do Jordão até toda a terra de Gileade; dos
gaditas, dos rubenitas e dos manassitas, desde Aroer, que
fica junto ao ribeiro de Arnom, até Gileade e Basã.
34 Os demais atos de Jeú e tudo o que ele fez, e todo o
seu poder, estão escritos no Livro das Crônicas de Israel.
35 E Jeú morreu e o sepultaram em Samaria; e Jeoacaz,
seu filho, reinou em seu lugar.
36 E Jeú reinou sobre Israel, em Samaria, por vinte e oito
anos.

O Reinado de Atalia em Judá

11 Quando Atalia, mãe de Acazias, viu que seu filho
estava morto, levantou-se e destruiu toda a descen-
dência real.
2 Mas Jeoseba, filha do rei Jorão, irmã de Acazias, pegou
Joás, filho de Acazias, um dos filhos do rei, que iam ser
mortos, e o pôs, juntamente com a sua ama, num quarto
isolado, e o escondeu de Atalia, e assim não o mataram.
3 E ele ficou escondido com ela na casa do Senhor por seis
anos; e Atalia reinava sobre o país.
4 E, no sétimo ano, Joiada mandou chamar os comandan-
tes dos batalhões, com os capitães da guarda, para ir com
ele ao templo do Senhor; e fez com eles uma aliança e um
juramento; e lhes mostrou o filho do rei.
5 E lhes deu ordem, dizendo: "Vocês devem fazer isto:
Um terço de vocês, que entrar de serviço no sábado, fará
a guarda da casa do rei.
6 E um terço de vocês ficará à porta de Sur; e o outro
terço ficará à porta atrás dos outros guardas; assim farão a
guarda desta casa, afastando todos.
7 E dois terços de vocês, que saem de serviço no sábado,
farão a guarda da casa do Senhor junto ao rei.
8 E vocês devem se posicionar ao redor do rei, cada um
com as suas armas nas mãos, e aquele que entrar entre
as fileiras deverá ser morto; e vocês estarão com o rei,
quando ele sair e quando ele entrar."
9 Os líderes dos batalhões de cem fizeram tudo o que
o sacerdote Joiada ordenou, pegando cada um os seus
homens, tanto os que entravam no sábado como os que
saíam no sábado; e foram ao sacerdote Joiada.
10 E o sacerdote deu aos líderes dos batalhões de cem
as lanças e os escudos que haviam sido do rei Davi, que
estavam na casa do Senhor.
11 E os guarda se puseram, cada um com as armas na
mão, do lado direito do templo e do lado esquerdo, do
lado do altar, do lado do templo, e ao redor do rei.
12 Então, Joiada trouxe o filho do rei, lhe pôs a coroa, lhe
deu o testemunho e o fizeram rei, e o ungiram, bateram
palmas e disseram: "Viva o rei!"
13 E Atalia ouviu a voz dos guardas e do povo, então foi
ao templo do Senhor, onde estava o povo.
14 E olhou, e viu que o rei estava junto à coluna, confor-
me o costume, e os capitães e os trombeteiros estavam
juntos ao rei, e todo o povo estava alegre e tocavam as
trombetas; então Atalia rasgou as suas roupas e gritou:
"Traição! Traição!"
15 Porém o sacerdote Joiada deu ordem aos líderes dos
batalhões de cem que comandavam as tropas, lhes dizen-
do: "Tirem-na para fora das fileiras e quem a seguir matem
à espada." Porque o sacerdote disse: "Não a matem no
templo do Senhor."
16 Eles a prenderam e a levaram pela entrada dos cavalos,
ao palácio real e ali a mataram.

O Reinado de Joás em Judá

17 E Joiada fez uma aliança entre o Senhor, o rei e o povo,
para que fossem o povo do Senhor; como também entre
o rei e o povo.
18 Então todo o povo entrou no templo de Baal e o der-
rubaram; também quebraram totalmente os seus altares
e as suas imagens, e Matã, sacerdote de Baal, mataram
diante dos altares; e o sacerdote Joiada pôs guardas no
templo do Senhor.
19 Depois os líderes dos batalhões de cem, os capitães,
os guarda e todo o povo, conduziram o rei do templo do
Senhor ao palácio, pelo caminho da guarda, e Joás se sen-
tou no trono real.
20 E todo o povo se alegrou e a cidade se acalmou, depois
que mataram Atalia, à espada, junto ao palácio real.
21 Joás tinha sete anos de idade quando o fizeram rei.

As Reformas de Joás

12 No sétimo ano do reinado de Jeú, Joás começou a
reinar e reinou por quarenta anos em Jerusalém; o
nome de sua mãe era Zíbia, de Berseba.
2 E Joás fez o que era reto aos olhos do Senhor todos os
dias em que o sacerdote Joiada o orientou.
3 Apenas os altares não foram derrubados; porque o povo
ainda sacrificava e queimava incenso lá.
4 E Joás disse aos sacerdotes: "Todo o dinheiro das coisas
santas que se trouxerem ao templo do Senhor, o dinheiro
recolhido no recenseamento, o dinheiro do voto de cada
uma das pessoas, e todo o dinheiro que trouxerem volun-
tariamente para o templo do Senhor,
5 que os sacerdotes o recebam dos ofertantes; e eles mes-
mos devem reparar as rachaduras do templo, toda racha-
dura que se achar nele deve ser reparada."
6 E, no vigésimo terceiro ano do reinado de Joás, os sa-
cerdotes ainda não haviam reparado as rachaduras do
templo.
7 Então o rei Joás chamou o sacerdote Joiada e os demais

sacerdotes e lhes disse: "Por que não repararam as rachaduras do templo? Agora, não recebam mais dinheiro dos ofertantes, mas entreguem para o reparo das rachaduras do templo."

8 E os sacerdotes concordaram em não mais receberem dinheiro do povo, como também não ficarem mais responsáveis por reparar o templo.

9 Porém o sacerdote Joiada pegou uma arca, fez um buraco na tampa e a pôs ao pé do altar, do lado direito dos que entravam no templo do Senhor; e os sacerdotes que guardavam a entrada da porta colocavam ali todo o dinheiro que se trazia ao templo do Senhor.

10 E, quando já havia muito dinheiro na arca, o escrivão do rei subia com o sumo sacerdote, contavam e ensacavam o dinheiro que havia no templo do Senhor.

11 E o dinheiro, depois de contado, entregavam aos supervisores, que tinham a seu cargo a reforma do templo do Senhor, e eles o distribuíam aos carpinteiros e aos edificadores que reparavam o templo do Senhor.

12 Como também aos pedreiros e aos cortadores de pedra; e para comprar madeira e pedras de revestimento para repararem as fendas, e para tudo quanto era necessário para reparar o templo.

13 Todavia, com o dinheiro que se trazia ao templo do Senhor, não se faziam nem taças de prata, nem garfos, nem bacias, nem trombetas, nem vaso algum de ouro ou vaso de prata para a casa do Senhor.

14 Porque o entregavam aos que faziam a obra e reparavam com ele o templo do Senhor.

15 Também não pediam prestação de contas aos homens aos quais entregavam aquele dinheiro, para o darem aos que faziam a obra, porque procediam com honestidade.

16 Mas o dinheiro do sacrifício por delitos e o dinheiro por sacrifício de pecados não eram trazidos ao templo do Senhor; porque eram para os sacerdotes.

17 Então Hazael, rei da Síria, atacou Gate e a conquistou; depois Hazael resolveu marchar contra Jerusalém.

18 Porém Joás, rei de Judá, pegou todas as coisas santas que Josafá, Jeorão e Acazias, que seus pais, reis de Judá, consagraram, como também todo o ouro encontrado no templo do Senhor e no palácio real, e mandou para Hazael, rei da Síria; então ele se desviou de Jerusalém.

19 Os demais atos de Joás e tudo o que ele fez estão escritos no Livro das Crônicas dos Reis de Judá.

20 E os servos de Joás conspiraram contra ele e o mataram na casa de Milo, no caminho que desce para Sila.

21 Porque Jozacar, filho de Simeate e Jozabade, filho de Somer, seus servos, o feriram e ele morreu, e o sepultaram com seus pais na cidade de Davi. E Amazias, seu filho, reinou em seu lugar.

O Reinado de Jeoacaz em Israel

13 No vigésimo terceiro ano do reinado de Joás, filho de Acazias, rei de Judá, Jeoacaz, filho de Jeú, começou a reinar sobre Israel, em Samaria, e reinou por dezessete anos.

2 E fez o que era mau aos olhos do Senhor; porque seguiu os pecados de Jeroboão, filho de Nebate, que fez Israel pecar; e não se afastou deles.

3 Por isso a ira do Senhor se acendeu contra Israel e entregou-os nas mãos de Hazael, rei da Síria, e nas mãos de Ben-Hadade, filho de Hazael, por todos aqueles dias.

4 Porém Jeoacaz suplicou diante da face do Senhor e o Senhor ouviu; porque viu a opressão de Israel, pelo rei da Síria.

5 E o Senhor deu um salvador a Israel e se livraram do poder dos sírios; e os israelitas puderam habitar nas suas tendas, como no passado.

6 Contudo, não se afastaram dos pecados da casa de Jeroboão, que fez Israel pecar; pois Jeoacaz andou neles e o poste sagrado ficou em pé em Samaria.

7 Porque Jeoacaz só deixou, do povo, cinquenta cavaleiros, dez carros e dez mil homens de infantaria, porque o rei da Síria os tinha destruído e os tinha feito como o pó, esmagando-os.

8 Os demais atos de Jeoacaz e tudo o que ele fez e o seu poder estão escritos no Livro das Crônicas dos Reis de Israel.

9 E Jeoacaz morreu e o sepultaram em Samaria; e Jeoás, seu filho, reinou em seu lugar.

O Reinado de Jeoás

10 No trigésimo sétimo ano do reinado de Joás, rei de Judá, Jeoás, filho de Jeoacaz, começou a reinar sobre Israel em Samaria, e reinou por dezesseis anos.

11 E fez o que era mau aos olhos do Senhor; não se afastou de nenhum dos pecados de Jeroboão, filho de Nebate, que fez Israel pecar; porém andou neles.

12 Os demais atos de Jeoás e tudo o que ele fez e o seu poder com que lutou contra Amazias, rei de Judá, estão escritos no Livro das Crônicas dos Reis de Israel.

13 E Jeoás morreu e Jeroboão se sentou no seu trono; e Jeoás foi sepultado em Samaria, junto aos reis de Israel.

A Doença de Morte de Eliseu

14 E Eliseu estava sofrendo da doença da qual morreria, e Jeoás, rei de Israel, desceu para visitá-lo e chorou sobre o seu rosto e disse: Meu pai, meu pai, o senhor é como carros de Israel e seus cavaleiros!

15 E Eliseu lhe disse: "Pegue um arco e umas flechas." E ele pegou um arco e umas flechas.

16 Então disse ao rei de Israel: "Ponha a sua mão sobre

o arco." E ele pôs sobre o arco a sua mão; e Eliseu pôs as
suas mãos sobre as do rei.
17 E disse: "Abra a janela para o leste." E ele abriu-a. En-
tão Eliseu disse: "Atire." E ele atirou; então Elizeu disse:
"A flecha do livramento do Senhor é a flecha do livramen-
to contra os sírios; porque destruirá os sírios em Afeca,
até os dizimar."
18 E Eliseu disse mais: "Pegue as flechas." E o rei Jeoás
pegou-as. Então Elizeu disse ao rei de Israel: "Fira a terra."
E ele feriu-a por três vezes e parou.
19 Então o homem de Deus se indignou muito contra
ele e disse: "Deveria ter ferido por cinco ou seis vezes;
então feriria os sírios até os consumir; porém agora ferirá
os sírios só por três vezes."
20 Depois Eliseu morreu e o sepultaram. E as tropas dos
moabitas invadiram a terra no começo do ano.
21 E, enquanto eles sepultavam um homem, viram uma
tropa e jogaram o homem na sepultura de Eliseu; então,
quando o homem caiu nela e tocou os ossos de Eliseu,
reviveu, se levantou e ficou em pé.
22 E Hazael, rei da Síria, oprimiu Israel por todos os dias
de Jeoacaz.
23 Porém o Senhor teve misericórdia deles, se compade-
ceu deles e voltou-se para eles por amor da sua aliança
com Abraão, Isaque e Jacó, não os quis destruir e não os
expulsou ainda da sua presença.
24 Hazael, rei da Síria, morreu e Ben-Hadade, seu filho,
reinou em seu lugar.
25 E Jeoás, filho de Jeoacaz, tornou a tomar as cidades
das mãos de Ben-Hadade, que ele tinha tomado das mãos
de Jeoacaz, seu pai, na guerra; Jeoás o feriu três vezes e
recuperou as cidades de Israel.

Amazias Vinga a Morte de Seu Pai

14 No segundo ano do reinado de Jeoás, filho de Jeoa-
caz, rei de Israel, Amazias, filho de Joás, rei de Judá,
começou a reinar.
2 Ele tinha vinte e cinco anos quando começou a reinar e
reinou por vinte e nove anos em Jerusalém. E o nome de
sua mãe era Jeoadã, de Jerusalém.
3 E ele fez o que era reto aos olhos do Senhor, ainda que
não como seu pai Davi fez, porém, fez conforme tudo o
que Joás seu pai tinha feito.
4 Apenas os altares não foram derrubados; porque o povo
ainda sacrificava e queimava incenso neles.
5 E, quando ele já havia sido nomeado rei, matou os ser-
vos que tinham matado o rei, seu pai.
6 Porém ele não matou os filhos dos assassinos, como está
escrito no livro da lei de Moisés, no qual o Senhor deu
ordem, dizendo: "Não matarão os pais por causa dos filhos
e não matarão os filhos por causa dos pais; mas cada um
será morto pelo seu pecado."
7 Ele matou dez mil edomitas no vale do Sal e conquistou
Sela na guerra; e chamou-a Jocteel, até o dia de hoje.
8 Então Amazias enviou mensageiros a Jeoás, filho de
Jeoacaz, neto de Jeú, rei de Israel, dizendo: "Venha, à
guerra."
9 Porém Jeoás, rei de Israel, enviou mensageiros a Ama-
zias, rei de Judá, dizendo: "O espinheiro que estava no
Líbano mandou dizer ao cedro do Líbano: 'Dê sua filha
em casamento ao meu filho;' mas os animais selvagens do
Líbano passaram e pisaram no espinheiro.
10 Na verdade, derrotou os edomitas e ficou arrogante;
se vanglorie disso e fique em sua casa; por que provocar o
mal, para você e Judá irem à ruína?"
11 Mas Amazias não o ouviu. E Jeoás, rei de Israel, o
atacou, se enfrentaram em Bete-Semes, que fica em Judá.
12 E Judá foi derrotado por Israel e seus soldados fugiram
para as suas tendas.
13 E Jeoás, rei de Israel, capturou Amazias, rei de Judá,
filho de Joás, neto de Acazias, em Bete-Semes; então Jeoás
derrubou o muro de Jerusalém, desde a porta de Efraim
até a porta da esquina, cento e oitenta metros.
14 E pegou todo o ouro, prata e todos os vasos que se
acharam no templo do Senhor e no palácio real; também
fez reféns e voltou para Samaria.
15 Os demais atos de Jeoás, o que ele fez, o seu poder e
como ele lutou contra Amazias, rei de Judá, estão escritos
no Livro das Crônicas dos Reis de Israel.
16 E Jeoás morreu e foi sepultado em Samaria, junto aos
reis de Israel; e Jeroboão, seu filho, reinou em seu lugar.
17 E Amazias, filho de Joás, rei de Judá, viveu depois da
morte de Jeoás, filho de Jeoacaz, rei de Israel, por mais
quinze anos.
18 E os demais atos do reinado de Amazias estão escritos
no Livro das Crônicas dos Reis de Judá.
19 E conspiraram contra ele em Jerusalém e ele fugiu para
Laquis; porém o perseguiram até Laquis e o mataram ali.
20 E o trouxeram em cima de cavalos e o sepultaram em
Jerusalém, junto aos seus pais, na cidade de Davi.
21 E todo o povo de Judá levou Azarias, que já tinha de-
zesseis anos, e o proclamaram rei em lugar de Amazias,
seu pai.
22 Ele reconstruiu Elate e a devolveu para Judá, depois
que o rei morreu.

O Reinado de Jeroboão II em Israel

23 No décimo quinto ano do reinado de Amazias, filho
de Joás, rei de Judá, Jeroboão, filho de Jeoás, rei de Israel,
começou a reinar em Samaria e reinou por quarenta e um
anos.

24 E fez o que era mau aos olhos do Senhor; nunca se
separou de nenhum dos pecados de Jeroboão, filho de Ne-
bate, que fez Israel pecar.
25 Ele também restabeleceu as fronteiras de Israel, desde
a entrada de Hamate até ao mar da planície; conforme a
palavra do Senhor Deus de Israel, que falou através de
seu servo Jonas, filho do profeta Amitai, o que era de
Gate-Hefer.
26 Porque o Senhor viu que a miséria de Israel era muito
amarga, tanto para os escravos como para os livres, e não
tinha quem socorresse Israel.
27 E o Senhor ainda havia falado em apagar o nome de
Israel de debaixo do céu; porém os livrou por meio de
Jeroboão, filho de Jeoás.
28 Os demais atos de Jeroboão, tudo o que ele fez, seu
poder, como lutou e como recuperou Damasco e Hamate,
pertencentes a Judá, sendo rei em Israel, estão escritos no
Livro das Crônicas dos Reis de Israel.
29 E Jeroboão morreu e foi sepultado com os reis de Is-
rael; e Zacarias, seu filho, reinou em seu lugar.

Azarias Rei de Judá

15 No vigésimo sétimo ano do reinado de Jeroboão,
rei de Israel, Azarias, filho de Amazias, rei de Judá,
começou a reinar.
2 Ele tinha dezesseis anos quando começou a reinar e rei-
nou por cinquenta e dois anos em Jerusalém; e o nome de
sua mãe era Jecolias, de Jerusalém.
3 E ele fez o que era reto aos olhos do Senhor, conforme
tudo o que fez Amazias, seu pai.
4 Apenas os altares não foram tirados; porque o povo ain-
da sacrificava e queimava incenso neles.
5 E o Senhor feriu o rei e ele ficou leproso até ao dia da
sua morte; e habitou numa casa separada; porém Jotão,
filho do rei, tomava conta do palácio e governava o povo.
6 Os demais atos de Azarias e tudo o que ele fez estão
escritos no Livro das Crônicas dos Reis de Judá.
7 E Azarias morreu e o sepultaram junto a seus pais, na
cidade de Davi; e Jotão, seu filho, reinou em seu lugar.

Zacarias, Rei de Israel Por Seis Meses

8 No trigésimo oitavo ano do reinado de Azarias, rei de
Judá, Zacarias, filho de Jeroboão, reinou sobre Israel, em
Samaria, por seis meses.
9 E fez o que era mau aos olhos do Senhor, como tinham
feito seus pais; ele nunca se desviou dos pecados de Jero-
boão, filho de Nebate, que fez Israel pecar.
10 E Salum, filho de Jabes, conspirou contra ele e o matou
diante do povo e reinou em seu lugar.
11 Os demais atos de Zacarias estão escritos no Livro das
Crônicas dos Reis de Israel.
12 Essa foi a palavra do Senhor, que falou a Jeú: "Seus
filhos, até à quarta geração, se sentarão sobre o trono de
Israel." E assim foi.

Salum Reina um Mês em Israel

13 Salum, filho de Jabes, começou a reinar no trigésimo
nono ano do reinado de Uzias, rei de Judá, e reinou por
um mês inteiro em Samaria.
14 Porque Menaém, filho de Gadi, subiu de Tirza e veio
a Samaria; ele feriu Salum, filho de Jabes, em Samaria, o
matou e reinou em seu lugar.
15 Os demais atos de Salum e a conspiração que fez estão
escritos no Livro das Crônicas dos Reis de Israel.
16 Então Menaém partiu de Tirza, atacou Tifsa e todos os
que estavam nela e em seus arredores, porque não abri-
ram as portas da cidade; feriu-os e cortou ao meio todas as
mulheres grávidas.

Menaém Reina em Israel

17 Desde o trigésimo nono ano do reinado de Azarias, rei
de Judá, Menaém, filho de Gadi, começou a reinar sobre
Israel e reinou por dez anos em Samaria.
18 E fez o que era mau aos olhos do Senhor; e por todos
os seus dias não se desviou dos pecados de Jeroboão, filho
de Nebate, que fez Israel pecar.
19 Então Pul, rei da Assíria, veio contra a terra; e Menaém
deu a Pul trinta e cinco toneladas de prata, para que ele o
ajudasse a se manter no trono.
20 E Menaém tirou esse dinheiro de Israel, de todos os
poderosos e ricos, para dá-lo ao rei da Assíria, seiscentos
gramas de prata de cada homem; assim o rei da Assíria
voltou e não ficou ali na terra.
21 Os demais atos de Menaém e tudo o que ele fez estão
escritos no Livro das Crônicas dos Reis de Israel.
22 E Menaém morreu e Pecaías, seu filho, reinou em seu
lugar.

Pecaías Rei de Israel

23 No quinquagésimo ano do reinado de Azarias, rei de
Judá, Pecaías, filho de Menaém, começou a reinar sobre
Israel, em Samaria, e reinou por dois anos.
24 E fez o que era mau aos olhos do Senhor; nunca se
desviou dos pecados de Jeroboão, filho de Nebate, que
fez Israel pecar.
25 E Peca, filho de Remalias, seu capitão, conspirou
contra ele e o feriu em Samaria, no paço do palácio real,
juntamente com Argobe e com Arié, e com ele cinquenta
homens dos filhos dos gileaditas; o matou e reinou em
seu lugar.
26 Os demais atos de Pecaías e tudo o que ele fez estão
escritos no Livro das Crônicas dos Reis de Israel.
27 No quinquagésimo segundo ano do reinado de Aza-
rias, rei de Judá, Peca, filho de Remalias, começou a reinar
sobre Israel, em Samaria, e reinou por vinte anos.

28 E fez o que era mau aos olhos do Senhor; nunca se
desviou dos pecados de Jeroboão, filho de Nebate, que
fez Israel pecar.
29 Nos dias de Peca, rei de Israel, Tiglate-Pileser, rei da
Assíria, veio e conquistou Ijom, Abel-Bete-Maaca, Janoa,
Quedes, Hazor, Gileade, Galileia e toda a terra de Naftali,
e levou o povo para a Assíria.
30 E Oseias, filho de Elá, conspirou contra Peca, filho de
Remalias, o feriu, o matou e reinou em seu lugar, no vigé-
simo ano do reinado de Jotão, filho de Uzias.
31 Os demais atos de Peca e tudo o que ele fez estão
escritos no Livro das Crônicas dos Reis de Israel.

Jotão Reina em Judá

32 No segundo ano do reinado de Peca, filho de Remalias,
rei de Israel, Jotão, filho de Uzias, rei de Judá, começou
a reinar.
33 Ele tinha vinte e cinco anos de idade quando começou
a reinar e reinou por dezesseis anos em Jerusalém; e o
nome de sua mãe era Jerusa, filha de Zadoque.
34 E ele fez o que era reto aos olhos do Senhor; fez tudo
conforme seu pai Uzias tinha feito.
35 Apenas não foram tirados os altares, porque o povo
ainda sacrificava e queimava incenso neles. Ele edificou a
porta superior do templo do Senhor.
36 Os demais atos de Jotão e tudo o que ele fez estão
escritos no Livro das Crônicas dos Reis de Judá.
37 Naqueles dias o Senhor começou a enviar Rezim, rei
da Síria, e Peca, filho de Remalias, contra Judá.
38 E Jotão morreu e foi sepultado junto aos seus pais, na
cidade de Davi, seu pai; e Acaz, seu filho, reinou em seu
lugar.

Acaz Reina em Judá

16 No décimo sétimo ano do reinado de Peca, filho de
Remalias, Acaz, filho de Jotão, rei de Judá começou
a reinar.
2 Acaz tinha vinte anos de idade quando começou a rei-
nar e reinou por dezesseis anos em Jerusalém; ele não fez
o que era reto aos olhos do Senhor seu Deus, como Davi,
seu pai.
3 Porque andou no caminho dos reis de Israel e chegou
até a queimar seu filho em sacrifício, segundo as abomi-
nações dos gentios que o Senhor expulsou da frente dos
israelitas.
4 Também sacrificou e queimou incenso nos altares e no
alto das colinas, como também debaixo de toda árvore
frondosa.
5 Então Rezim, rei da Síria, subiu com Peca, filho de Re-
malias, rei de Israel, a Jerusalém, para lutar; e cercaram
Acaz, porém não o puderam vencer.
6 Naquele mesmo tempo Rezim, rei da Síria, recuperou
Elate para a Síria e expulsou de Elate os judeus; e os sírios
vieram a Elate e habitaram ali até ao dia de hoje.
7 E Acaz enviou mensageiros a Tiglate-Pileser, rei da Assí-
ria, dizendo: "Eu sou seu servo e seu filho; suba, livre-me
das mãos do rei da Síria e das mãos do rei de Israel, que se
levantam contra mim."
8 E Acaz pegou a prata e o ouro que se achavam no tem-
plo do Senhor e no palácio real, e mandou como presente
ao rei da Assíria.
9 E o rei da Assíria atendeu ao seu pedido; então subiu
contra Damasco, conquistou-a e levou o seu povo cativo
para Quir e matou Rezim.
10 E o rei Acaz foi a Damasco para encontrar-se com Ti-
glate-Pileser, rei da Assíria; então, viu um altar que estava
em Damasco, e enviou ao sacerdote Urias o desenho e o
modelo do altar, com todos os seus detalhes.
11 E Urias, o sacerdote, edificou um altar com tudo o que
o rei Acaz lhe tinha enviado de Damasco; assim o sacerdo-
te Urias o fez, antes que o rei Acaz voltasse de Damasco.
12 Quando o rei veio de Damasco, viu o altar; se aproxi-
mou e sacrificou nele.
13 E queimou o seu holocausto e a sua oferta de cereais;
derramou a sua libação e aspergiu o sangue dos seus sacri-
fícios pacíficos sobre o altar.
14 Porém o altar de cobre, que estava perante o Senhor,
ele tirou de diante do templo, entre o seu altar e o templo
do Senhor, e o pôs ao lado do altar, do lado norte.
15 E o rei Acaz ordenou a Urias, o sacerdote, dizendo:
"Queime no grande altar o holocausto da manhã, como
também a oferta de cereais da noite, o holocausto do rei
e a sua oferta de cereais e o holocausto de todo o povo,
a sua oferta de cereais e as suas ofertas de bebidas; todo
o sangue dos holocaustos e todo o sangue dos sacrifícios
aspergirá nele; porém o altar de cobre será para mim, para
nele inquirir."
16 E Urias, o sacerdote, fez conforme o rei Acaz lhe
ordenou.
17 E o rei Acaz cortou os painéis das bases e de cima
delas, pegou a pia e tirou o tanque de cima dos touros
de cobre, que estavam debaixo dele e puseram sobre um
pavimento de pedra.
18 Também retirou da casa do Senhor, por causa do rei da
Assíria, a cobertura que se usava no sábado, edificada no
templo, e a entrada real externa.
19 Os demais atos de Acaz e o que ele fez estão escritos
no Livro das Crônicas dos Reis de Judá.
20 E Acaz morreu e foi sepultado junto aos seus pais, na
cidade de Davi; e Ezequias, seu filho, reinou em seu lugar.

Oseias Rei de Israel

17 No décimo segundo ano do reinado de Acaz, rei de
Judá, Oseias, filho de Elá, começou a reinar, e reinou
sobre Israel, em Samaria, por nove anos.
2 E fez o que era mau aos olhos do Senhor, contudo não
fez como os reis de Israel que vieram antes dele.
3 Salmaneser, rei da Assíria, subiu contra Oseias e este
ficou sendo servo dele e lhe pagava tributos.
4 Porém o rei da Assíria descobriu uma conspiração de
Oseias; porque enviou mensageiros a Só, rei do Egito, e
ele já não pagava mais tributos ao rei da Assíria como fazia
anualmente; então o rei da Assíria o pôs na prisão.
5 O rei da Assíria saiu e veio até Samaria e a cercou por
três anos.
6 E no nono ano do reinado de Oseias, o rei da Assíria
conquistou Samaria e levou os israelitas cativos para a Assíria;
e os fez habitarem em Hala e em Habor junto ao rio
de Gozã e nas cidades dos medos,
7 porque os israelitas pecaram contra o Senhor seu Deus,
que os tirou da terra do Egito, das mãos do Faraó, rei do
Egito, e temeram a outros deuses.
8 E andaram nos estatutos das nações que o Senhor tinha
expulsado da frente dos israelitas, e nos costumes estabelecidos
pelos reis de Israel.
9 E os israelitas fizeram secretamente coisas que não eram
retas, contra o Senhor seu Deus, e edificaram altares em
todas as suas cidades, desde a torre das sentinelas até à
cidade fortificada.
10 E levantaram, para si, estátuas e postes sagrados
em todos os montes altos e debaixo de todas as árvores
frondosas.
11 E queimaram ali incenso em todos os altares, como as
nações, que o Senhor expulsou da frente deles; e fizeram
coisas ruins, para provocarem à ira o Senhor.
12 E serviram os ídolos, embora o Senhor lhes tivesse
dito: "Não façam essas coisas."
13 E o Senhor advertiu a Israel e a Judá, por meio de todos
os profetas e de todos os videntes, dizendo: "Desviem-se
de seus maus caminhos e guardem os meus mandamentos
e os meus estatutos, conforme toda a lei que ordenei a
seus pais e que eu lhes enviei por meio dos meus servos,
os profetas."
14 Porém, não deram ouvidos; e foram obstinados, como
os seus pais, que não creram no Senhor seu Deus.
15 E rejeitaram os seus estatutos e a aliança que Deus
tinha feito com seus pais, como também as suas advertências;
seguiram os ídolos sem valor, e assim eles mesmos
se tornaram sem valor, como também seguiram as nações
que estavam ao redor deles, sobre as quais o Senhor lhes
tinha ordenado que não as imitassem.
16 E deixaram todos os mandamentos do Senhor seu
Deus e fizeram imagens de fundição, dois bezerros; fizeram
um poste sagrado e adoraram todas as estrelas e
serviram a Baal.

O Repovoamento de Israel

17 Também fizeram passar pelo fogo os seus filhos e suas
filhas, praticavam adivinhações e feitiçarias, e venderam-se
para fazer o que era mau aos olhos do Senhor, provocando-o
à ira.
18 Portanto, o Senhor indignou-se muito contra Israel e
os expulsou da sua presença; nada mais ficou, somente a
tribo de Judá.
19 Até Judá não guardou os mandamentos do Senhor seu
Deus; antes, andaram nos costumes de Israel, que eles
introduziram.
20 Por isso o Senhor rejeitou toda a descendência de Israel,
os oprimiu e os deu nas mãos dos despojadores, até
que os expulsou da sua presença.
21 Porque separou Israel da casa de Davi; e eles fizeram
Jeroboão, filho de Nebate, rei. E Jeroboão induziu Israel a
deixar de seguir ao Senhor e os fez cometerem um grande
pecado.
22 Assim, os israelitas andaram em todos os pecados que
Jeroboão tinha feito; nunca se separaram deles;
23 até que o Senhor tirou Israel da sua presença, como
falou por meio de todos os seus servos, os profetas; assim,
Israel foi expulso da sua terra e levado para a Assíria até
ao dia de hoje.
24 E o rei da Assíria trouxe gente de Babel, de Cuta, de
Ava, de Hamate, de Sefarvaim e os fez habitarem nas cidades
de Samaria, no lugar dos israelitas; eles ocuparam
Samaria em herança e habitaram nas suas cidades.
25 E, no princípio da sua habitação ali, não temeram ao
Senhor e o Senhor mandou, entre eles, leões, que mataram
alguns deles.
26 Por isso falaram ao rei da Assíria, dizendo: "A gente
que transportou e fez habitar nas cidades de Samaria não
sabe como servir ao Deus daquela terra; ele mandou leões
para matá-los, porque não sabem como servir ao Deus daquela
terra."
27 Então o rei da Assíria mandou dizer: "Levem para lá
um dos sacerdotes que trouxeram de lá, para que ele habite
lá, e lhes ensine os costumes do Deus daquela terra."
28 Então veio um dos sacerdotes que trouxeram de Samaria,
ele habitou em Betel e lhes ensinou como deveriam
temer ao Senhor.
29 Porém, cada nação fez os seus próprios deuses nas cidades
em que habitavam e os puseram nos altares que os
samaritanos fizeram.

30 E os de Babel fizeram Sucote-Benote; os de Cuta fize-
ram Nergal; os de Hamate fizeram Asima.
31 E os aveus fizeram Nibaz e Tartaque; os sefarvitas quei-
mavam seus filhos no fogo para Adrameleque e Anamele-
que, deuses de Sefarvaim.
32 E, assim adoravam ao Senhor ao mesmo tempo em
que nomeavam qualquer pessoa como sacerdote para os
altares, a qual exercia o ministério.
33 Assim adoravam ao Senhor, mas também serviam a
seus deuses, segundo o costume das nações de onde ha-
viam sido trazidos.
34 Até ao dia de hoje fazem segundo os primeiros costu-
mes; não temem ao Senhor, nem fazem segundo os seus
estatutos, segundo as suas ordenanças, segundo a lei e se-
gundo o mandamento que o Senhor ordenou aos filhos de
Jacó, a quem deu o nome de Israel.
35 Contudo, o Senhor tinha feito uma aliança com eles e
lhes ordenou, dizendo: "Não adorem outros deuses, nem
se inclinem diante deles, nem os sirvam, nem sacrifiquem
a eles.
36 Mas ao Senhor, que os tirou da terra do Egito com
grande força e com braço estendido, a ele adorarão, a ele
se inclinarão e a ele sacrificarão.
37 E os estatutos, as ordenanças, a lei e o mandamento,
que ele lhes escreveu, tenham cuidado de seguir todos os
dias e não adorem outros deuses.
38 E não se esqueçam da aliança que eu fiz com vocês e
não adorem outros deuses.
39 Mas adorem o Senhor seu Deus e ele os livrará das
mãos de todos os seus inimigos."
40 Porém eles não ouviram; antes, fizeram como os seus
costumes antigos.
41 Assim, essas nações adoravam ao Senhor e também
serviam as suas imagens de escultura; e os seus filhos e
os filhos de seus filhos faziam como fizeram os seus pais,
assim eles fazem até ao dia de hoje.

Ezequias Reina em Judá

18 E no terceiro ano do reinado de Oseias, filho de Elá,
rei de Israel, Ezequias, filho de Acaz, rei de Judá,
começou a reinar.
2 Ele tinha vinte e cinco anos de idade quando começou
a reinar e reinou por vinte e nove anos em Jerusalém; e o
nome de sua mãe era Abi, filha de Zacarias.
3 E ele fez o que era reto aos olhos do Senhor, conforme
tudo o que Davi, seu pai, havia feito.
4 Ele tirou os altares, quebrou as estátuas, derrubou os
postes sagrados e fez em pedaços a serpente de metal que
Moisés havia feito; porque até àquele dia os israelitas lhe
queimavam incenso, e a chamavam de Neustã.
5 Ezequias confiou no Senhor Deus de Israel, e depois
dele não houve quem lhe fosse semelhante entre todos
os reis de Judá, nem entre os que foram reis antes dele.
6 Porque se apegou ao Senhor, não se apartou dele e guar-
dou os mandamentos que o Senhor tinha dado a Moisés.
7 Assim, o Senhor estava com ele; e ele era bem sucedido
em tudo o que fazia; se rebelou contra o rei da Assíria e
não o serviu.
8 Ele derrotou os filisteus até Gaza, como também os
seus territórios, desde a torre das sentinelas até à cidade
fortificada.
9 E no quarto ano do rei Ezequias, que era o sétimo ano
do reinado de Oseias, filho de Elá, rei de Israel, Salma-
neser, rei da Assíria, marchou contra Samaria e a cercou.
10 E a tomaram ao fim de três anos, no ano sexto do
reinado de Ezequias, que era o ano nono do reinado de
Oseias, rei de Israel, quando tomaram Samaria.
11 E o rei da Assíria levou os israelitas para a Assíria e os
fez habitarem em Hala e Habor, junto ao rio de Gozã e nas
cidades dos medos;
12 porque não obedeceram à voz do Senhor, seu Deus;
antes, transgrediram a sua aliança e tudo o que Moisés,
servo do Senhor, tinha ordenado; não o ouviram, nem o
fizeram.

Senaqueribe Invade Judá

13 Porém, no décimo quarto ano do reinado do rei Eze-
quias, Senaqueribe, rei da Assíria, atacou todas as cidades
fortificadas de Judá e as conquistou.
14 Então Ezequias, rei de Judá, enviou mensageiro ao rei
da Assíria, em Laquis, dizendo: "Cometi um erro; pare
de me atacar; tudo o que me pedir, farei." Então o rei da
Assíria impôs a Ezequias, rei de Judá, o pagamento de dez
toneladas e meia de prata e uma tonelada de ouro.
15 Assim Ezequias deu toda a prata que tinha no templo
do Senhor e no palácio real.
16 Naquele tempo Ezequias retirou o ouro das portas do
templo do Senhor e dos batentes, que ele havia revestido,
e os deu ao rei da Assíria.
17 Contudo, o rei da Assíria, que estava em Laquis, en-
viou Tartã, Rabe-Saris e Rabsaqué, com um grande exér-
cito ao rei Ezequias, a Jerusalém. E, quando chegaram,
pararam ao pé do aqueduto do tanque superior, junto ao
caminho do campo do lavandeiro.
18 E chamaram o rei, mas quem saiu para encontrá-los
foram Eliaquim, filho de Hilquias, o mordomo, Sebna, o
escrivão e Joá, filho de Asafe, o chanceler.
19 E Rabsaqué lhes disse: "Digam a Ezequias: 'Assim diz
o grande rei, o rei da Assíria: 'Que confiança é essa que
você tem?
20 Seu conselho e poder para a guerra são palavras só de

boca. Em quem agora confia, para que se rebele contra
mim?
21 Agora você confia no Egito, naquele bordão de caniço
quebrado, no qual, se alguém se encostar, terá sua mão
perfurada; assim é o Faraó, o rei do Egito, com todos os
que confiam nele.'
22 Se me disserem: 'No Senhor nosso Deus confiamos';
não é ele aquele cujos santuários e altares Ezequias re-
moveu, dizendo a Judá e a Jerusalém: 'Perante este altar
adorarão em Jerusalém?'
23 Agora, aceite a proposta do meu senhor, o rei da Assí-
ria, e eu lhe darei dois mil cavalos, se você tiver cavaleiros
para eles.
24 Como derrotar um só príncipe dos menores servos de
meu senhor, e confiar no Egito, por causa dos carros de
guerra e cavaleiros?
25 Acha que eu subi sem o consentimento do Senhor con-
tra este lugar, para destruí-lo? O Senhor me disse: "Suba
contra essa terra e a destrua.'"
26 Então disseram Eliaquim, filho de Hilquias, Sebna e
Joá, a Rabsaqué: "Pedimos que fale aos seus servos em
aramaico; porque entendemos bem esta língua; não nos
fale em hebraico, aos ouvidos do povo que está em cima
do muro."
27 Porém Rabsaqué respondeu: "Será que o meu senhor
me mandou somente ao seu senhor e a você para dizer
estas coisas? E não para os que estão sentados em cima
do muro, para que juntamente com vocês comam o seu
excremento e bebam a sua urina?"
28 Rabsaqué se pôs em pé e clamou em alta voz em he-
braico, dizendo: "Ouçam a palavra do grande rei, do rei
da Assíria."
29 Assim diz o rei: "Ezequias não os engane; porque ele
não poderá livrá-los da minha mão;
30 nem deixem que Ezequias os faça confiar no Senhor,
dizendo: 'Certamente o Senhor nos livrará e esta cidade
não será entregue nas mãos do rei da Assíria.'
31 Não deem ouvidos a Ezequias; porque assim diz o rei
da Assíria: 'Façam um trato comigo, e se entreguem, e
cada um comerá da sua própria videira e da sua própria
figueira e beberá água da sua própria cisterna;
32 até que eu venha e os leve para uma terra como a de
vocês, terra de trigo e de vinho, terra de pão e de vinhas,
terra de oliveiras, de azeite e de mel; assim viverão e não
morrerão; não deem ouvidos a Ezequias; porque os enga-
na, dizendo: 'O Senhor nos livrará.'
33 Os deuses das nações puderam livrar, cada um a sua
terra, das mãos do rei da Assíria?
34 Onde estão os deuses de Hamate e de Arpade? Onde
estão os deuses de Sefarvaim, Hena e Iva? Livraram Sama-
ria das minhas mãos?
35 Quem são eles, dentre todos os deuses das terras, que
livraram a sua terra das minhas mãos? Então como o Se-
nhor livrará Jerusalém das minhas mãos?'"
36 Então o povo calou-se e não lhe respondeu uma só
palavra; porque o rei havia lhes ordenado para não
responderem.
37 Então Eliaquim, filho de Hilquias, o responsável pelo
palácio, Sebna, o escrivão e Joá, filho de Asafe, o cronista,
vieram a Ezequias com as roupas rasgadas e lhe contaram
as palavras de Rabsaqué.

A Oração de Ezequias

19 E quando Ezequias ouviu isto, rasgou as suas rou-
pas, se cobriu de saco e entrou na casa do Senhor.
2 Então enviou Eliaquim, Sebna, o escrivão e os anciãos
dos sacerdotes, cobertos de sacos, ao profeta Isaías, filho
de Amoz.
3 E lhe disseram: "Assim diz Ezequias. 'Este dia é um dia
de angústia, de repreensão e de vergonha; porque chegou
a hora do parto e a mulher não tem força para dar à luz.
4 Bem pode ser que o Senhor seu Deus ouça todas as
palavras de Rabsaqué, a quem o seu senhor, o rei da Assí-
ria, enviou para afrontar o Deus vivo, e que o Senhor seu
Deus o repreenda pelas palavras que ouviu; portanto, faça
oração pelos que ainda sobrevivem.'"
5 E os servos do rei Ezequias foram a Isaías.
6 E Isaías lhes disse: "Digam ao rei: 'Assim diz o Senhor:
'Não tenha medo das palavras que ouviu, com as quais os
servos do rei da Assíria blasfemaram contra mim.
7 Eis que porei nele um espírito e ele ouvirá certa notícia
que o fará tomar a decisão de voltar para a sua terra; e lá o
farei morrer à espada.'"
8 Rabsaqué voltou e achou o rei da Assíria lutando con-
tra Libna, porque tinha ouvido que o rei havia partido de
Laquis.
9 E, quando ele ficou sabendo que Tiraca, rei de Cuxe,
saiu para guerrear contra ele, então tornou a enviar men-
sageiros a Ezequias, dizendo:
10 "Digam a Ezequias, rei de Judá: 'Não deixe que o seu
Deus, em quem confia, o engane, dizendo: 'Jerusalém não
será entregue nas mãos do rei da Assíria.'
11 Você já ouviu o que os reis da Assíria fizeram com
todas as terras, destruindo-as totalmente; e você, pensa
que se livrará?
12 Acaso os deuses das nações que meus pais destruíram,
como Gozã, Harã, Rezefe e aos filhos de Éden, que esta-
vam em Telassar, as livraram?
13 Onde estão o rei de Hamate, o rei de Arpade e o rei da
cidade de Sefarvaim, Hena e Iva?"

14 Ezequias recebeu a carta das mãos dos mensageiros e,
depois de lê-la, subiu ao templo do Senhor e a estendeu
perante o Senhor.
15 E Ezequias orou perante o Senhor e disse: "Ó Senhor
Deus de Israel, que habitas entre os querubins, só tu és
o Deus de todos os reinos da terra; tu fizeste os céus e
a terra.
16 Inclina, ó Senhor, o teu ouvido e ouve; abre, Senhor, os
teus olhos e vê; ouve as palavras que Senaqueribe enviou
para afrontar o Deus vivo.
17 É verdade, ó Senhor, que os reis da Assíria assolaram
essas nações e os seus territórios.
18 E lançaram os deuses delas no fogo; porque não eram
deuses, mas obra das mãos dos homens, feitas de madeira
e pedra; por isso os destruíram.
19 Agora, ó Senhor, nosso Deus, te suplico, livra-nos das
mãos deles; assim todos os reinos da terra saberão que só
tu, ó Senhor, és Deus."

Isaías Anima Ezequias

20 Então Isaías, filho de Amoz, mandou dizer a Ezequias:
"Assim diz o Senhor Deus de Israel: 'Ouvi a oração que
me fez acerca de Senaqueribe, rei da Assíria.'
21 Esta é a palavra que o Senhor falou contra ele: 'A vir-
gem, a filha de Sião, o despreza e zomba de você; a filha
de Jerusalém meneia a cabeça por trás de você.
22 A quem você afrontou e blasfemou? E contra quem
levantou a voz e ergueu os seus olhos? Contra o Santo
de Israel?
23 Por meio de seus mensageiros afrontou o Senhor e
disse: Com a multidão dos meus carros subi ao alto dos
montes, ao interior do Líbano, cortei os seus altos cedros
e os seus mais formosos ciprestes e entrei nos seus abrigos
extremos, até no bosque do seu campo fértil.
24 Eu cavei e bebi águas de estrangeiros e com as solas
dos meus pés sequei todos os rios dos lugares fortificados.
25 Não ouviu que há muito tempo planejei isto? Agora,
porém, eu faço acontecer, eu quis que você reduzisse as
cidades fortificadas em montões de ruínas.
26 Por isso os seus moradores, sem forças, ficaram pas-
mos e confusos; eram como a erva do campo, a hortaliça
verde, o feno dos telhados e o trigo queimado, antes de
amadurecer.
27 Porém, eu sei onde você está, sei quando sai e quando
retorna e quando se enfurece contra mim.
28 Por causa do seu furor contra mim e porque a sua
revolta chegou aos meus ouvidos, porei o meu anzol no
seu nariz e o meu freio nos seus lábios, e o farei voltar pelo
caminho por onde veio.
29 E isto lhe será por sinal: Este ano comerão o que nascer
por si mesmo, e no ano seguinte o que daí proceder; po-
rém, no terceiro ano semeiem e colham, plantem vinhas e
comam os seus frutos.
30 Porque aqueles que escaparam da casa de Judá e resta-
ram tornarão a lançar raízes, e dar frutos.
31 Porque de Jerusalém sairão sobreviventes e do monte
Sião os que escaparam; o zelo do Senhor dos Exércitos
fará isto.
32 Portanto, assim diz o Senhor a respeito do rei da Assí-
ria: Ele não entrará nesta cidade, nem lançará nela flecha
alguma; nem tampouco virá perante ela com escudo, nem
construirá rampas de ataque contra ela.
33 Pelo caminho por onde vier, voltará; porém, nesta cida-
de não entrará, diz o Senhor.
34 Porque eu ampararei esta cidade, para a livrar, por
amor de mim e por amor do meu servo, Davi."

A Destruição dos Assírios

35 E naquela mesma noite o anjo do Senhor saiu e matou
no acampamento dos assírios cento e oitenta e cinco mil
homens; assim, pela manhã, quando o povo se levantou, o
lugar estava repleto de cadáveres.
36 Então Senaqueribe, rei da Assíria, voltou e ficou em
Nínive.
37 E, quando ele estava adorando no templo de Nisroque,
seu deus, Adrameleque e Sarezer, seus filhos, o mataram
à espada; porém eles escaparam para a terra de Ararate e
Esar-Hadom, seu filho, reinou em seu lugar.

A Doença e a Cura de Ezequias

20 Naqueles dias Ezequias adoeceu mortalmente e o
profeta Isaías, filho de Amoz, veio a ele e lhe disse:
"Assim diz o Senhor: 'Ponha em ordem a sua casa, porque
você morrerá e não viverá.'"
2 Então Ezequias virou o rosto para a parede e orou ao
Senhor, dizendo:
3 "Ah, Senhor! Lembra-te de que andei diante de ti com
fidelidade, com o coração íntegro, e fiz o que era reto aos
teus olhos." E Ezequias chorou muitíssimo.
4 Enquanto Isaías ainda estava no meio do pátio, a palavra
do Senhor veio a ele, dizendo:
5 "Volte e diga a Ezequias, chefe do meu povo: Assim diz
o Senhor, o Deus de Davi, seu pai: Ouvi a sua oração e vi
as suas lágrimas; eis que eu vou curá-lo; e daqui três dias
subirá ao templo do Senhor.
6 E acrescentarei mais quinze anos à sua vida; e o livrarei
das mãos do rei da Assíria, a você e a esta cidade, e am-
pararei esta cidade por amor de mim e por amor de Davi,
meu servo."
7 Isaías disse mais: "Peguem uma pasta de figos." E a pe-
garam e a puseram sobre a ferida; e ele sarou.
8 E Ezequias perguntou a Isaías: "Qual é o sinal de que

o Senhor me curará e de que ao terceiro dia subirei ao
templo do Senhor?"
9 Isaías disse: "Isto lhe será um sinal da parte do Senhor,
de que ele cumprirá a palavra que disse: Você quer que a
sombra se adiante dez graus, ou volte dez graus?"
10 Então Ezequias disse: "É fácil que a sombra avance
dez graus; então não será assim, mas que a sombra volte
dez graus."
11 Então o profeta Isaías clamou ao Senhor e fez a sombra
voltar dez graus atrás, de acordo com o relógio de sol de
Acaz.

Os Embaixadores da Babilônia

12 Naquele tempo Merodaque-Baladã, filho de Baladã,
rei da Babilônia, enviou cartas e um presente a Ezequias;
porque ouviu que Ezequias havia estado doente.
13 E Ezequias os recebeu bem e lhes mostrou toda a casa
do seu tesouro, a prata, o ouro, as especiarias e os melhores unguentos, a sua casa de armas e tudo o que havia nos
seus tesouros; não ficou nada sem mostrar, nem em sua
casa, nem em todo o seu domínio.
14 Então o profeta Isaías veio ao rei Ezequias e lhe disse: "O que aqueles homens disseram, e de onde vieram a
você?" Ezequias disse: "Vieram de um país muito remoto,
da Babilônia."
15 E Isaías perguntou: "O que eles viram em sua casa?"
E Ezequias disse: "Viram tudo o que havia em minha
casa; não ficou nada em meus tesouros que eu não lhes
mostrasse."
16 Então Isaías disse a Ezequias: "Ouça a palavra do
Senhor.
17 'Um dia, tudo o que houver na sua casa e o tesouro
que seus pais ajuntaram até ao dia de hoje, serão levados à
Babilônia; não ficará coisa alguma, disse o Senhor.
18 E até seus filhos, gerados por você, pegarão, para que
sejam eunucos no palácio do rei da Babilônia.' "
19 Então Ezequias disse a Isaías: "Boa é a palavra do Senhor que você falou." Disse mais: "E enquanto eu viver
haverá paz e segurança?"
20 Os demais atos de Ezequias e todo o seu poder, como
fez o tanque e o aqueduto, e como trouxe a água à cidade,
estão escritos no Livro das Crônicas dos Reis de Judá.
21 E Ezequias morreu, e Manassés, seu filho, reinou em
seu lugar.

Manassés, o Rei Ímpio de Israel

21 Manassés tinha doze anos de idade quando começou a reinar, e reinou por cinquenta e cinco anos
em Jerusalém; e o nome de sua mãe era Hefzibá.
2 E ele fez o que era mau aos olhos do Senhor, conforme
as abominações dos gentios que o Senhor expulsou da
frente dos israelitas.
3 Porque voltou a construir os altares que Ezequias, seu
pai, tinha destruído, levantou altares a Baal, fez um poste
como Acabe, rei de Israel, tinha feito, se inclinou diante de
todo o exército dos céus e os serviu.
4 E edificou altares no templo do Senhor, do qual o Senhor tinha falado: "Em Jerusalém porei o meu nome."
5 Também edificou altares a todo o exército dos céus em
ambos os átrios do templo do Senhor.
6 E até sacrificou o seu filho pelo fogo, adivinhava pelas
nuvens, era agoureiro e ordenou adivinhos e feiticeiros; e
prosseguiu em fazer o que era mau aos olhos do Senhor
para o provocar à ira.
7 Também pôs uma imagem de escultura, do poste que
tinha feito, no templo de que o Senhor disse a Davi e a
Salomão, seu filho: "Neste templo e em Jerusalém, que
escolhi de todas as tribos de Israel, porei o meu nome para
sempre;
8 e não mais farei mover o pé de Israel desta terra que
dei a seus pais; contanto que somente tenham cuidado de
fazer conforme tudo o que lhes ordenei e conforme toda a
lei que Moisés, meu servo, lhes ordenou."
9 Porém, não ouviram; porque Manassés de tal modo os
fez errarem, que fizeram pior do que as nações que o Senhor tinha destruído da frente dos israelitas.
10 Então o Senhor falou por meio de seus servos, os profetas, dizendo:
11 "Porque Manassés, rei de Judá, fez estas abominações,
fazendo pior do que os amorreus tinham feito, e até também fez Judá pecar com os seus ídolos;
12 por isso, assim diz o Senhor Deus de Israel: Trarei um
mal sobre Jerusalém e Judá de tal modo que, aquele que
ouvir, ficará com ambos os ouvidos tinindo.
13 E estenderei sobre Jerusalém o cordel de Samaria e o
prumo da casa de Acabe; limparei Jerusalém, como quem
limpa o prato, limpando-o e virando-o para baixo.
14 E desampararei os restantes da minha herança, os entregarei nas mãos de seus inimigos e servirão de presa e
despojo para todos os seus inimigos;
15 porque fizeram o que era mau aos meus olhos e me
provocaram à ira, desde o dia em que seus pais saíram do
Egito até hoje."
16 Além disso, Manassés também derramou muitíssimo
sangue inocente, até que encheu Jerusalém de um extremo ao outro, fora o seu pecado, com que fez Judá pecar,
fazendo o que era mau aos olhos do Senhor.
17 Quanto aos demais feitos de Manassés e tudo o que ele
fez e o seu pecado, que praticou, estão escritos no Livro
das Crônicas dos Reis de Judá.
18 E Manassés morreu e foi sepultado no jardim da sua

casa, no jardim de Uzá, e Amom, seu filho, reinou em
seu lugar.

O Reinado de Amom em Judá

19 Amom tinha vinte e dois anos de idade quando come-
çou a reinar, e reinou por dois anos em Jerusalém; o nome
de sua mãe era Mesulemete, filha de Haruz, de Jotbá.
20 E ele fez o que era mau aos olhos do Senhor, como
Manassés, seu pai, tinha feito.
21 Porque andou em todo o caminho em que seu pai ti-
nha andado, serviu aos ídolos aos quais seu pai tinha servi-
do e se inclinou diante deles.
22 Assim, deixou o Senhor Deus de seus pais e não andou
no caminho do Senhor.
23 E os servos de Amom conspiraram contra ele e mata-
ram o rei em sua casa.

O Reinado de Josias

24 Porém o povo daquela terra matou todos os que cons-
piraram contra o rei Amom, e puseram Josias, seu filho,
como rei em seu lugar.
25 Quanto aos demais atos de Amom, o que ele fez, estão
escritos no Livro das Crônicas dos Reis de Judá.
26 E o sepultaram no seu túmulo, no jardim de Uzá, e
Josias, seu filho, reinou em seu lugar.

22 Josias tinha oito anos de idade quando começou a
reinar, e reinou por trinta e um anos em Jerusalém;
o nome de sua mãe era Jedida, filha de Adaías, de Bozcate.
2 E ele fez o que era reto aos olhos do Senhor e andou em
todo o caminho de Davi, seu pai, e não se desviou dele
nem para a direita nem para a esquerda.

Josias Repara o Templo

3 E, no décimo oitavo ano do reinado do rei Josias, o rei
enviou o escrivão Safã, filho de Azalias, filho de Mesulão,
ao templo do Senhor, dizendo:
4 "Vá a Hilquias, o sumo sacerdote, para que pegue o di-
nheiro que se trouxe ao templo do Senhor, que os guardas
da porta ajuntaram do povo,
5 e o deem nas mãos dos encarregados do templo do Se-
nhor para entregarem aos que fazem a obra no templo do
Senhor, para repararem as rachaduras da casa;
6 aos carpinteiros, aos edificadores e aos pedreiros, para
comprarem madeira e pedras lavradas, para repararem o
templo."
7 Porém não se pediu prestação de contas do dinheiro que
lhes entregaram, porque agiam com honestidade.

Hilquias Acha o Livro da Lei

8 Então o sumo sacerdote Hilquias disse ao escrivão Safã:
"Achei o Livro da Lei na casa do Senhor." E Hilquias deu
o livro a Safã e ele o leu.
9 Então o escrivão Safã veio falar com o rei e lhe disse:
"Seus servos ajuntaram o dinheiro que tinha no templo
e o entregaram nas mãos dos encarregados do templo do
Senhor."
10 Também Safã, o escrivão, disse ao rei: "O sacerdote
Hilquias me deu um livro." E Safã o leu diante do rei.
11 Quando o rei ouviu as palavras do Livro da Lei, rasgou
as suas roupas.
12 E o rei deu ordens a Hilquias, o sacerdote, a Aicão,
filho de Safã, Acbor, filho de Micaías, Safã, o escrivão e a
Asaías, o servo do rei, dizendo:
13 "Vão e consultem o Senhor por mim, pelo povo e por
todo o Judá a respeito das palavras deste livro que foi en-
contrado; porque grande é o furor do Senhor que se acen-
deu contra nós; porque nossos pais não deram ouvidos
às palavras deste livro para fazerem tudo conforme está
escrito a nosso respeito."

Hulda, a Profetisa

14 Então o sacerdote Hilquias e Aicão, Acbor, Safã e
Asaías foram à profetisa Hulda, mulher de Salum, filho de
Ticva, filho de Harás, encarregado das vestimentas, e ela
morava na parte baixa de Jerusalém, e lhe falaram.
15 E ela lhes disse: "Assim diz o Senhor Deus de Israel:
'Digam ao homem que os enviou a mim:
16 Assim diz o Senhor: Eis que trarei um mal sobre este
lugar e sobre os seus moradores, por causa de todas as
palavras do livro que o rei de Judá leu,
17 porque me deixaram e queimaram incenso a outros
deuses, para me provocarem à ira por todas as obras das
suas mãos, o meu furor se acendeu contra esse lugar e
não se apagará.'
18 Porém ao rei de Judá, que os enviou para consultar
o Senhor, assim lhe digam: Assim diz o Senhor Deus de
Israel, a respeito das palavras, que ouviu:
19 'Porque o seu coração se enterneceu e se humilhou
perante o Senhor, quando ouviu o que falei contra este
lugar e contra os seus moradores, que seria para assolação
e para maldição, e que rasgou as suas vestes e chorou pe-
rante mim, também eu o ouvi, diz o Senhor.
20 Por isso eu o recolherei a seus pais e você será recolhi-
do em paz à sua sepultura e os seus olhos não verão todo
o mal que trarei sobre este lugar.'" Então trouxeram ao
rei a resposta.

A Reforma Promovida por Josias

23 Então o rei ordenou e todos os anciãos de Judá e de
Jerusalém se reuniram a ele.
2 O rei subiu ao templo do Senhor com todos os homens
de Judá, também com todos os moradores de Jerusalém,
os sacerdotes, os profetas e com todo o povo, desde o me-
nor até ao maior; então o rei leu para eles todas as palavras
do livro da aliança que havia sido encontrado no templo
do Senhor.

3 Então o rei se pôs em pé junto à coluna e fez a aliança perante o Senhor, para seguirem o Senhor, e guardarem os seus mandamentos, os seus testemunhos e os seus estatutos, com todo o coração e com toda a alma, confirmando as palavras desta aliança, que estavam escritas naquele livro; e todo o povo apoiou.

4 E o rei mandou que o sumo sacerdote Hilquias, os sacerdotes da segunda ordem e os guardas do umbral da porta tirassem do templo do Senhor todos os utensílios que haviam feito para Baal, para o poste e para todo o exército dos céus; então os queimou fora de Jerusalém, nos campos de Cedrom e levou o pó deles a Betel.

5 Josias também destituiu os sacerdotes idólatras que os reis de Judá estabeleceram para incensarem sobre os altares nas cidades de Judá e ao redor de Jerusalém, como também os que queimavam incenso a Baal, ao Sol, à Lua, aos planetas e a todo o exército dos céus.

6 Também tirou do templo o poste e levou-o para fora de Jerusalém, e o queimou junto ao ribeiro de Cedrom, reduziu-o a pó e lançou o seu pó sobre as sepulturas do povo.

7 Também derrubou as casas dos prostitutos cultuais que ficavam no templo do Senhor, onde as mulheres teciam tendas para o poste da deusa Aserá.

8 E Josias trouxe todos os sacerdotes das cidades de Judá e profanou os altares em que os sacerdotes queimavam incenso, desde Geba até Berseba; também derrubou os altares que estavam às portas, junto à entrada da porta de Josué, o chefe da cidade, que ficava à esquerda de quem entrava pela porta da cidade.

9 Mas os sacerdotes dos altares não sacrificavam sobre o altar do Senhor em Jerusalém; porém comiam pães não fermentados no meio de seus irmãos.

10 Também profanou Tofete, que ficava no vale dos filhos de Hinom, para que ninguém sacrificasse seu filho, ou sua filha, no fogo a Moloque.

11 Também tirou os cavalos que os reis de Judá tinham dedicado ao sol da entrada do templo do Senhor, perto do quarto de Natã-Meleque, o eunuco, e queimou os carros dedicados ao sol.

12 O rei também derrubou os altares que estavam sobre o terraço do cenáculo de Acaz, que os reis de Judá tinham feito; o rei também derrubou os altares que Manassés tinha feito nos dois átrios da casa do Senhor; tirou-os dali, esmagou-os e lançou o pó deles no ribeiro de Cedrom.

13 O rei também profanou os altares que estavam à frente de Jerusalém, do lado direito do monte de Masite, que Salomão, rei de Israel, edificou para Astarote, abominação dos sidônios, para Quemos, abominação dos moabitas e para Milcom, abominação dos filhos de Amom.

14 Semelhantemente quebrou as estátuas, cortou os postes e encheu o seu lugar com ossos humanos.

15 E derrubou o altar que estava em Betel e o altar que Jeroboão, filho de Nebate, havia construído, com o qual levou Israel a pecar; os derrubou, os queimou, os reduziu a pó, e queimou o poste da deusa Aserá.

16 E Josias, virando-se, viu as sepulturas que estavam ali no monte; então mandou tirar os ossos das sepulturas e os queimou sobre aquele altar; assim o profanou, conforme a palavra do Senhor que o homem de Deus profetizou.

17 Então o rei perguntou: "Que monumento é esse que vejo?" E os homens da cidade responderam: "É a sepultura do homem de Deus que veio de Judá e anunciou estas coisas que acaba de fazer contra o altar de Betel."

18 E Josias disse: "Deixem-no em paz; ninguém mexa nos seus ossos." Assim deixaram os seus ossos ficarem com os ossos do profeta que tinha vindo de Samaria.

19 Josias também tirou todas as casas dos altares que havia nas cidades de Samaria, e que os reis de Israel tinham feito para provocarem à ira o Senhor; e fez com esses santuários o mesmo que havia feito em Betel.

20 E sacrificou todos os sacerdotes dos altares, que havia ali, e queimou ossos humanos sobre eles; depois voltou a Jerusalém.

A Celebração da Páscoa

21 O rei deu ordem a todo o povo, dizendo: "Celebrem a Páscoa ao Senhor seu Deus, como está escrito no livro da aliança."

22 Porque nunca se celebrou uma Páscoa como esta, desde os dias dos juízes que julgaram Israel, nem em todos os dias dos reis de Israel, nem dos reis de Judá.

23 Porém, no décimo oitavo ano do reinado de Josias, foi celebrada essa Páscoa ao Senhor em Jerusalém.

24 Josias também eliminou os adivinhos, os feiticeiros, os ídolos e todas as abominações que se viam na terra de Judá e em Jerusalém, para confirmar as palavras da Lei, que estavam escritas no livro que o sacerdote Hilquias achou no templo do Senhor.

25 E antes dele não houve rei semelhante que se convertesse ao Senhor com todo o seu coração, com toda a sua alma e com todas as suas forças, conforme toda a lei de Moisés; também depois dele nunca se levantou outro igual.

26 Todavia, o Senhor não desistiu do furor da sua grande ira que se acendeu contra Judá, por todas as provocações de Manassés.

27 E o Senhor disse: "Também tirarei Judá da minha presença, como tirei Israel e rejeitarei a cidade de Jerusalém que escolhi, como também o templo do qual eu disse: Ali estará o meu nome."

28 Os demais atos de Josias e tudo o que ele fez estão
escritos no Livro das Crônicas dos Reis de Judá.
29 Durante o reinado de Josias, o Faraó Neco, rei do Egito, foi ao encontro do rei da Assíria, ao rio Eufrates para ajudá-lo; e o rei Josias marchou contra ele para combatê-lo, porém Neco o matou em Megido.
30 E os seus servos o transportaram morto em um carro de Megido a Jerusalém, onde o sepultaram no seu próprio túmulo; então o povo pegou Joacaz, filho de Josias, ungiram-no e fizeram-no rei em lugar de seu pai.

O Reinado de Joacaz em Judá

31 Joacaz tinha vinte e três anos de idade quando começou a reinar, e reinou por três meses em Jerusalém; o nome de sua mãe era Hamutal, filha de Jeremias, de Libna.
32 E ele fez o que era mau aos olhos do Senhor, como os seus pais haviam feito.
33 Porém o Faraó Neco o mandou prender em Ribla, na terra de Hamate, para que ele não reinasse em Jerusalém, e impôs à nação um tributo de três toneladas e meia de prata e trinta e cinco quilos de ouro.

O Reinado de Jeoaquim em Judá

34 O Faraó Neco também constituiu Eliaquim, filho de Josias, como rei em lugar de seu pai, e lhe mudou o nome para Jeoaquim; porém ele levou Joacaz com ele para o Egito, onde morreu.
35 E Jeoaquim entregou aquela prata e aquele ouro ao Faraó; porém, para dar esse dinheiro conforme a ordem do Faraó, Jeoaquim estabeleceu um imposto sobre a terra, exigiu prata e ouro de cada proprietário, segundo o tamanho das suas posses para dar ao Faraó Neco.
36 Jeoaquim tinha vinte e cinco anos de idade quando começou a reinar, e reinou por onze anos em Jerusalém; o nome de sua mãe era Zebida, filha de Pedaías, de Ruma.
37 E ele fez o que era mau aos olhos do Senhor, como seus pais haviam feito.

24 Durante o reinado de Jeoaquim, Nabucodonosor, rei da Babilônia, invadiu o país, e Jeoaquim ficou três anos como seu servo; depois Jeoaquim se rebelou contra ele.
2 E Deus enviou contra Jeoaquim as tropas dos caldeus, as tropas dos sírios, as tropas dos moabitas e as tropas dos filhos de Amom; enviou-as contra Judá, para o destruir, conforme a palavra do Senhor, que falou por meio dos seus servos, os profetas.
3 E assim aconteceu a Judá, conforme a ordem do Senhor, para o afastar da sua presença por causa de todos os pecados que Manassés cometeu,
4 e por causa do sangue inocente que ele derramou; pois ele encheu Jerusalém de sangue inocente; por isso o Senhor não o quis perdoar.
5 Os demais atos de Jeoaquim e tudo o que ele fez estão escritos no Livro das Crônicas dos Reis de Judá.
6 E Jeoaquim morreu e Joaquim, seu filho, reinou em seu lugar.
7 E o rei do Egito nunca mais saiu da sua terra; porque o rei da Babilônia tomou tudo o que era dele, desde o rio do Egito até o rio Eufrates.

O Reinado de Joaquim em Judá

8 Joaquim tinha dezoito anos de idade quando começou a reinar e reinou por três meses em Jerusalém; o nome de sua mãe era Neústa, filha de Elnatã, de Jerusalém.
9 E ele fez o que era mau aos olhos do Senhor, como o seu pai tinha feito.
10 Naquele tempo, os servos de Nabucodonosor, rei da Babilônia, avançaram contra Jerusalém e a cidade foi cercada.
11 Nabucodonosor, rei da Babilônia, também veio contra a cidade, quando os seus servos já a tinham cercado.
12 Então Joaquim, rei de Judá, saiu e se entregou ao rei da Babilônia, ele, sua mãe, seus servos, seus príncipes e seus eunucos; então o rei da Babilônia o levou preso, no oitavo ano do reinado de Nabucodonosor.
13 E levou todos os tesouros do templo do Senhor e os tesouros do palácio real, e quebrou todos os vasos de ouro que Salomão, rei de Israel, tinha feito para o templo do Senhor, como o Senhor tinha falado.
14 E Nabucodonosor aprisionou todos os habitantes de Jerusalém, como também todos os príncipes e todos os homens valentes, dez mil presos ao todo. Levou também os carpinteiros e ferreiros; ficou somente o povo pobre da terra.
15 Assim levou Joaquim preso de Jerusalém à Babilônia, junto com a sua mãe, as suas mulheres, os seus oficiais e os homens importantes do país.
16 O rei da Babilônia levou presos para a Babilônia sete mil homens valentes, mil carpinteiros e ferreiros; todos os homens preparados para a guerra.
17 E o rei da Babilônia estabeleceu Matanias, seu tio, rei em lugar de Joaquim; e lhe mudou o nome para Zedequias.

O Reinado de Zedequias em Judá

18 Zedequias tinha vinte e um anos de idade quando começou a reinar, e reinou por onze anos em Jerusalém; o nome de sua mãe era Hamutal, filha de Jeremias, de Libna.
19 E ele fez o que era mau aos olhos do Senhor, conforme Jeoaquim havia feito.
20 Isto aconteceu por causa da ira do Senhor contra Jerusalém e contra Judá, até os rejeitar de sua presença; então Zedequias se rebelou contra o rei da Babilônia.

25 E, no nono ano do seu reinado, no décimo dia do
décimo mês, Nabucodonosor, rei da Babilônia,
veio contra Jerusalém, ele e todo o seu exército, sitiaram
a cidade e construíram trincheiras ao seu redor.
2 A cidade ficou sitiada até o décimo primeiro ano do
reinado de Zedequias.
3 No nono dia do quarto mês, quando a cidade se via
apertada pela fome, e não havia pão para o povo,
4 então fizeram um buraco no muro da cidade, e todos os
homens de guerra fugiram à noite pelo caminho da porta
entre os dois muros que ficavam junto ao jardim do rei,
embora os caldeus estivessem ao redor da cidade, e o rei
fugiu pelo caminho do portão.
5 Porém, o exército dos caldeus perseguiu o rei Zede-
quias e o alcançou nas campinas de Jericó, então todo o
seu exército se dispersou.
6 E prenderam o rei e o levaram ao rei da Babilônia, em
Ribla, onde foi pronunciada a sua sentença.
7 E mataram os filhos de Zedequias diante dos seus
olhos; furaram os olhos de Zedequias, o amarraram com
correntes de bronze e o levaram para a Babilônia.

A Destruição do Templo e de Jerusalém

8 E no sétimo dia do quinto mês, do décimo nono ano
do reinado de Nabucodonosor, rei da Babilônia, Nebuza-
radã, chefe da guarda, veio a Jerusalém.
9 E queimou o templo do Senhor e o palácio real, tam-
bém queimou todas as casas de Jerusalém e todas as cons-
truções importantes.
10 E todo o exército dos caldeus, que estava com o chefe
da guarda, derrubou as muralhas ao redor de Jerusalém.

A Deportação Para a Babilônia

11 E o resto do povo que deixaram ficar na cidade, os
rebeldes que se renderam ao rei da Babilônia e o restan-
te da multidão, Nebuzaradã, o chefe da guarda, levou
presos.
12 Porém, alguns dos mais pobres o chefe da guarda dei-
xou ficar para trabalharem nas vinhas e para lavrarem
a terra.
13 Os caldeus também quebraram as colunas de cobre
que estavam no templo do Senhor, assim como as bases e
o tanque de bronze que estavam no templo do Senhor, e
levaram o bronze para a Babilônia.
14 Também levaram as caldeiras, as pás, os apagadores,
os perfumadores e todos os vasos de bronze, com que
se ministrava.
15 O chefe da guarda também levou os braseiros, as ba-
cias, e tudo que fosse de ouro, de ouro ou de prata.
16 As duas colunas, o tanque e as bases, que Salomão
havia feito de bronze para o templo do Senhor, tinham
um peso que não podia ser calculado.
17 A altura de uma coluna era de oito metros, e sobre
ela havia um capitel de bronze, de um metro e trinta;
também a rede e as romãs em redor do capitel, tudo era
de bronze, e a outra coluna era igual a esta.
18 O chefe da guarda também aprisionou Seraías, pri-
meiro sacerdote, Sofonias, segundo sacerdote, e os três
guardas da porta.
19 E da cidade levou um oficial que era responsável pe-
los homens de combate, cinco conselheiros do rei que
ainda estavam na cidade, como também o escrivão do
exército, que alistava o povo para a guerra, mais sessenta
homens do povo, que estavam na cidade.
20 E Nebuzaradã, o chefe da guarda, levou todos ao rei
da Babilônia, em Ribla.
21 E o rei da Babilônia os feriu e os matou em Ribla, na
terra de Hamate. Assim Judá foi levado preso para fora
da sua terra.
22 Porém, quanto ao povo que ficou na terra de Judá,
que Nabucodonosor, rei da Babilônia, deixou ficar, pôs
sobre ele Gedalias, filho de Aicão, neto de Safã, como
chefe.
23 Os capitães dos exércitos, eles e os seus homens,
quando souberam que o rei da Babilônia havia nomeado
Gedalias como chefe, vieram a ele em Mispá, a saber:
Ismael, filho de Netanias, Joanã, filho de Careá, Seraías,
filho de Tanumete, o netofatita, e Jazanias, filho do maa-
catita, eles e os seus homens.
24 E Gedalias jurou a eles e aos seus homens e lhes disse:
"Não tenham medo de serem servos dos caldeus; fiquem
na terra, sirvam ao rei da Babilônia e tudo lhes irá bem."
25 Mas no sétimo mês, Ismael, filho de Netanias, o filho
de Elisama, da descendência real, foi com dez homens
e mataram Gedalias; mataram também os judeus e os
caldeus que estavam com ele em Mispá.
26 Então todo o povo se levantou, desde as crianças até
aos mais velhos, e os capitães dos exércitos, e fugiram
para o Egito, porque tinham medo dos caldeus.

A Libertação de Joaquim

27 Depois disto, no trigésimo sétimo ano do cativeiro de
Joaquim, rei de Judá, no décimo segundo mês, no vigési-
mo sétimo dia do mês, Evil-Merodaque, rei da Babilônia,
no ano em que reinou, tirou Joaquim, rei de Judá, da
casa da prisão.
28 E lhe falou com bondade e lhe deu um lugar mais
honrado entre os outros reis que estavam com ele na
Babilônia.
29 E Joaquim trocou as roupas de prisão por outras, e
comeu na presença do rei por todos os dias da sua vida.
30 E pelo rei lhe foi dada subsistência vitalícia, uma pen-
são diária, por todos os dias da sua vida.

Genealogia de Adão Até Davi (De Adão Até Abraão)

1 Adão, Sete, Enos,
2 Cainã, Maalalel, Jarede,
3 Enoque, Metusalém, Lameque,
4 Noé, Sem, Cam e Jafé.
5 Os filhos de Jafé foram: Gomer, Magogue, Madai, Javã,
Tubal, Meseque e Tiras.
6 E os filhos de Gomer: Asquenaz, Rifate e Togarma.
7 E os filhos de Javã: Elisá, Társis, Quitim e Dodanim.
8 Os filhos de Cam: Cuxe, Mizraim, Pute e Canaã.
9 E os filhos de Cuxe foram: Sebá, Havilá, Sabtá, Raamá e
Sabtecá; e os filhos de Raamá foram Sabá e Dedã.
10 E Cuxe gerou Ninrode, que começou a ser poderoso
na terra.
11 E Mizraim gerou os ludeus, os anameus, os leabeus e
os naftueus,
12 os patruseus e os caslueus, de quem descendem os
filisteus e os caftoreus.
13 E Canaã gerou Sidom, seu primogênito, e Hete,
14 e os jebuseus, os amorreus e os girgaseus,
15 os heveus os arqueus e os sineus,
16 os arvadeus, os zemareus e os hamateus.
17 E os filhos de Sem foram: Elão, Assur, Arfaxade, Lude,
Arã, Uz, Hul, Geter e Meseque.
18 E Arfaxade gerou Selá, e Selá gerou Héber.
19 E a Héber nasceram dois filhos: o nome de um foi Pele-
gue, porque nos seus dias se repartiu a terra, e o nome de
seu irmão era Joctã.
20 E Joctã gerou Almodá, Selefe, Hazar-Mavé e Jerá,
21 e Hadorão, Uzal e Dicla,
22 e Ebal, Abimael e Sabá,
23 e Ofir, Havilá e Jobabe: todos esses foram filhos de
Joctã.
24 Sem, Arfaxade, Selá,
25 Héber, Pelegue, Reú,
26 Serugue, Naor, Tera,
27 Abrão, que é Abraão.

De Abraão Até Jacó

28 Os filhos de Abraão foram: Isaque e Ismael.
29 Estas são as suas gerações: o primogênito de Ismael foi
Nebaiote, Quedar, Adbeel e Mibsão,
30 Misma, Dumá, Massá, Hadade, Temá,
31 Jetur, Nafis e Quedemá; esses foram os filhos de Ismael.
32 Quanto aos filhos de Quetura, concubina de Abraão,
esta deu à luz a Zinrã e a Jocsã, Medã, Midiã, Isbaque e a
Sua; e os filhos de Jocsã foram Sabá e Dedã.
33 E os filhos de Midiã: Efá, Efer, Enoque, Abida e Elda;
todos esses foram filhos de Quetura.
34 Abraão gerou a Isaque; e os filhos de Isaque foram:
Esaú e Israel.
35 Os filhos de Esaú: Elifaz, Reuel, Jeús, Jalão e Corá.
36 Os filhos de Elifaz: Temã, Omar, Zefi, Gaetã, Quenaz,
Timna e Amaleque.
37 Os filhos de Reuel: Naate, Zerá, Samá e Mizá.
38 E os filhos de Seir: Lotã, Sobal, Zibeão, Aná, Disom,
Eser e Disã.
39 E os filhos de Lotã: Hori e Homã; e a irmã de Lotã foi
Timna.
40 Os filhos de Sobal foram: Aliã, Manaate, Ebal, Sefi e
Onã; e os filhos de Zibeão foram Aías e Aná.
41 O filho de Aná foi Disom; e os filhos de Disom foram
Hanrão, Esbã, Itrã e Querã.
42 Os filhos de Eser foram Bilã, Zaavã e Jaacã; os filhos de
Disã foram Uz e Arã.
43 E estes são os reis que reinaram na terra de Edom, antes
que houvesse rei sobre os israelitas: Belá, filho de Beor; e o
nome da sua cidade era Dinabá.
44 E Belá morreu, e Jobabe, filho de Zerá, de Bozra, reinou
em seu lugar.
45 E Jobabe morreu, e Husão, da terra dos temanitas, rei-
nou em seu lugar.
46 E Husão morreu, e Hadade, filho de Bedade reinou em
seu lugar; esse derrotou os midianitas no campo de Moabe;
e o nome da sua cidade era Avite.
47 E Hadade morreu, e Samlá, de Masreca, reinou em
seu lugar.
48 E Samlá morreu, e reinou em seu lugar Saul, de Reobo-
te, junto ao rio Eufrates.
49 E Saul morreu, e reinou em seu lugar Baal-Hanã, filho
de Acbor.
50 E Baal-Hanã morreu, e Hadade reinou em seu lugar; o
nome da sua cidade era Paí, e o nome de sua mulher era
Meetabel, filha de Matrede, a filha de Me-Zaabe.
51 E Hadade morreu, e os chefes em Edom foram: Timna,
Alva, Jetete,
52 Oolibama, Elá, Pinom,
53 Quenaz, Temã, Mibzar,
54 Magdiel e Irão; esses foram os chefes de Edom.

De Jacó a Davi

2 Estes são os filhos de Israel: Rúben, Simeão, Levi, Judá,
Issacar e Zebulom;
2 Dã, José, Benjamim, Naftali, Gade e Aser.
3 Os filhos de Judá foram: Er, Onã e Selá; esses três lhe
nasceram da filha de Sua, a cananeia; e Er, o primogênito
de Judá, foi mau aos olhos do Senhor, por isso, o Senhor
o matou.
4 Porém Tamar, sua nora, lhe deu à luz Perez e Zerá; todos
os filhos de Judá foram cinco.
5 Os filhos de Perez foram Hezrom e Hamul.
6 E os filhos de Zerá: Zinri, Etã, Hemã, Calcol e Dara:
cinco ao todo.
7 E o filho de Carmi foi Acar, o perturbador de Israel,
que pecou ao violar a proibição de se apossar das coisas
sagradas.
8 E o filho de Etã foi Azarias.
9 E os filhos de Hezrom, que lhe nasceram, foram: Jera-
meel, Rão e Quelubai.
10 E Rão gerou Aminadabe, e Aminadabe gerou Naassom,
príncipe dos filhos de Judá.
11 E Naassom gerou Salma, e Salma gerou Boaz.
12 E Boaz gerou Obede, e Obede gerou Jessé.
13 E Jessé gerou Eliabe, seu primogênito, e Abinadabe, o
segundo, e Simeia, o terceiro.
14 Natanael, o quarto, Radai, o quinto.
15 Ozem, o sexto, e Davi, o sétimo.
16 E suas irmãs foram: Zeruia e Abigail; os filhos de Zeruia
foram: Abisai, Joabe e Asael, três.
17 E Abigail deu à luz Amasa; e o pai de Amasa foi Jéter,
o ismaelita.
18 E Calebe, filho de Hezrom, gerou filhos de Azuba, sua
mulher e de Jeriote; e os filhos desta foram: Jeser, Sobabe
e Ardom.
19 E Azuba morreu; e Calebe se casou com Efrata, da qual
lhe nasceu Hur.
20 E Hur gerou Uri, e Uri gerou Bezalel.
21 Então Hezrom teve relações com a filha de Maquir, pai
de Gileade; quando ele tinha sessenta anos de idade, se
casou e ela deu à luz Segube.
22 E Segube gerou Jair; e esse tinha vinte e três cidades
na terra de Gileade.
23 Gesur e Arã tomaram as aldeias de Jair, Quenate e seus
lugares, sessenta cidades; todos esses foram filhos de Ma-
quir, pai de Gileade.
24 E, depois da morte de Hezrom, em Calebe de Efrata,
Abia, mulher de Hezrom, deu à luz Azur, pai de Tecoa.
25 E os filhos de Jerameel, primogênito de Hezrom, foram:
Rão, o primogênito, Buna, Orem, Ozem e Aías.
26 Jerameel teve ainda outra mulher chamada Atara; essa
foi a mãe de Onã.
27 E os filhos de Rão, primogênito de Jerameel, foram:
Maaz, Jamim e Equer.
28 E os filhos de Onã foram: Samai e Jada; e os filhos de
Samai: Nadabe e Abisur.
29 E o nome da mulher de Abisur era Abiail, que lhe deu
Abã e Molide.
30 E os filhos de Nadabe foram: Selede e Apaim; e Selede
morreu sem filhos.
31 E o filho de Apaim foi Isi; e o filho de Isi, Sesã. E o filho
de Sesã, Alai.
32 E os filhos de Jada, irmão de Samai, foram: Jéter e Jôna-
tas; e Jéter morreu sem filhos.
33 E os filhos de Jônatas foram: Pelete e Zaza; esses foram
os filhos de Jerameel.
34 E Sesã não teve filhos, mas filhas; Sesã tinha um servo
egípcio chamado Jara.
35 Sesã deu sua filha por mulher a Jara, seu servo, e ela
deu à luz Atai.
36 E Atai gerou Natã, e Natã gerou Zabade.
37 E Zabade gerou Eflal, e Eflal gerou Obede.
38 E Obede gerou Jeú, e Jeú gerou Azarias.
39 E Azarias gerou Heles, e Heles gerou Eleasa.
40 E Eleasa gerou Sismai, e Sismai gerou Salum.
41 E Salum gerou Jecamias, e Jecamias gerou Elisama.
42 E foram os filhos de Calebe, irmão de Jerameel, Messa,
seu primogênito, e este foi o pai de Zife, e os filhos de
Maressa, pai de Hebrom.
43 E os filhos de Hebrom foram: Coré, Tapua, Requém
e Sema.
44 E Sema gerou Raão, pai de Jorqueão; e Requém gerou
Samai.
45 E o filho de Samai foi Maom; e Maom foi pai de
Bete-Zur.
46 E Efá, a concubina de Calebe, deu à luz Harã, Mosa e
Gazez; e Harã gerou Gazez.
47 E os filhos de Jadai foram: Regém, Jotão, Gesã, Pelete,
Efá e Saafe.
48 De Maaca, concubina, Calebe gerou Seber e Tiraná.
49 E a mulher de Saafe, pai de Madmana, deu à luz Seva,
pai de Macbena e pai de Gibeá; e a filha de Calebe foi Acsa.
50 Estes foram os filhos de Calebe, filho de Hur, o primo-
gênito de Efrata: Sobal, pai de Quiriate-Jearim,
51 e Salma, pai dos belemitas, e Harefe, pai de Bete-Gader.
52 E os filhos de Sobal, pai de Quiriate-Jearim, foram Ha-
roé, metade dos menuítas.
53 E as famílias de Quiriate-Jearim foram os itritas, os pu-
teus, os sumateus e os misraeus; desses saíram os zorateus
e os estaoleus.

54 Os filhos de Salma foram Belém e os netofatitas, Ataro-
te-Bete-Joabe, metade dos manatitas e os zoritas.
55 E as famílias dos escribas que habitavam em Jabez fo-
ram: os tiratitas, os simeatitas e os sucatitas; esses são os
queneus, que vieram de Hamate, pai da casa de Recabe.

De Davi Até o Cativeiro

3 E estes foram os filhos de Davi, que nasceram em He-
brom: o primogênito Amnom, de Ainoã, a jezreelita; o
segundo, Daniel, de Abigail, a carmelita;
2 o terceiro, Absalão, filho de Maaca, filha de Talmai, rei
de Gesur; o quarto, Adonias, filho de Hagite;
3 o quinto, Sefatias, de Abital; o sexto, Itreão, de Eglá,
sua mulher.
4 Em Hebrom lhe nasceram seis filhos, porque ali reinou
por sete anos e seis meses; e reinou trinta e três anos em
Jerusalém.
5 E estes lhe nasceram em Jerusalém: Simeia, Sobabe,
Natã e Salomão; esses quatro lhe nasceram de Bate-Sua,
filha de Amiel.
6 Nasceram mais Ibar, Elisama e Elifelete,
7 e Nogá, Nefegue e Jafia,
8 e Elisama, Eliada e Elifelete; nove.
9 Todos esses foram filhos de Davi, além dos filhos das
concubinas e Tamar, irmã deles.
10 E o filho de Salomão foi Roboão; de quem foi filho
Abias; de quem foi filho Asa; de quem foi filho Josafá;
11 de quem foi filho Jorão; de quem foi filho Acazias; de
quem foi filho Joás;
12 de quem foi filho Amazias; de quem foi filho Jotão;
13 de quem foi filho Acaz; de quem foi filho Ezequias; de
quem foi filho Manassés;
14 de quem foi filho Amom; de quem foi filho Josias.
15 E os filhos de Josias foram: o primogênito, Joanã; o se-
gundo, Jeoiaquim; o terceiro, Zedequias; o quarto, Salum.
16 E os filhos de Jeoiaquim: Jeconias e Zedequias.
17 E os filhos de Jeconias: Assir, e Sealtiel.
18 Os filhos deste foram: Malquirão, Pedaías, Senazar, Je-
camias, Hosama e Nedabias.
19 E os filhos de Pedaías: Zorobabel e Simei; e os filhos de
Zorobabel: Mesulão, Hananias e Selomite, sua irmã,
20 e Hasuba, Oel, Berequias, Hasadias e Jusabe-Hesede,
cinco.
21 E os filhos de Hananias: Pelatias e Jesaías; os filhos de
Refaías, os filhos de Arnã, os filhos de Obadias e os filhos
de Secanias.
22 E o filho de Secanias foi Semaías; e os filhos de Se-
maías: Hatus, Igal, Baria, Nearias e Safate, seis.
23 E os filhos de Nearias: Elioenai, Ezequias e Azricão,
três.
24 E os filhos de Elioenai: Hodavias, Eliasibe, Pelaías, Acu-
be, Joanã, Delaías e Anani, sete.

Genealogia das Doze Tribos (Judá)

4 Os filhos de Judá foram: Perez, Hezrom, Carmi, Hur
e Sobal.
2 E Reaías, filho de Sobal, gerou Jaate, e este gerou Aumai
e Laade; essas são as famílias dos zoratitas.
3 E estes foram os filhos do pai de Etã: Jezreel, Isma e
Idbas; e o nome de sua irmã era Hazelelponi.
4 E mais Penuel, pai de Gedor e Eser, pai de Husa; esses
foram os filhos de Hur, o primogênito de Efrata, pai de
Belém.
5 E Asur, pai de Tecoa, tinha duas mulheres: Hela e Naara.
6 E Naara deu à luz Auzão, Hefer, Temeni e Haastari; esses
foram os filhos de Naara.
7 E os filhos de Hela: Zerete, Isar e Etnã.
8 E Coz gerou Anube e Zobeba; e as famílias de Aarel,
filho de Harum.
9 E Jabez foi mais ilustre do que seus irmãos; e sua mãe
lhe deu o nome de Jabez, dizendo: Porque com dores o
dei à luz.
10 Porque Jabez invocou o Deus de Israel, dizendo: Ó
Deus, abençoe-me muitíssimo, amplie minhas terras, seja
sua mão comigo, e faça que do mal eu não seja afligido! E
Deus lhe concedeu o que ele tinha pedido.
11 E Quelube, irmão de Suá, gerou Meir; este é o pai de
Estom.
12 E Estom gerou Bete-Rafa, Paseia e Teína, pai de Ir-Naás;
esses foram os homens de Reca.
13 E os filhos de Quenaz foram: Otniel e Seraías; o filho
de Otniel: Hatate.
14 E Meonotai gerou Ofra, e Seraías gerou Joabe, pai do
vale dos artífices; porque os dali eram artífices.
15 E os filhos de Calebe, filho de Jefoné, foram: Iru, Elá e
Naã; e o filho de Elá: Quenaz.
16 E os filhos de Jealelel: Zife, Zifa, Tiria e Asareel.
17 E os filhos de Ezra: Jéter, Merede, Efer e Jalom; e teve
mais a Miriã, Samai e Isbá, pai de Estemoa.
18 E sua mulher, judia, gerou Jerede, pai de Gedor, Héber,
pai de Socó e Jecutiel, pai de Zanoa; e esses foram os filhos
de Bitia, filha do Faraó, que Merede tomou.
19 E foram os filhos da mulher de Hodias, irmã de Naã:
Abiqueila, o garmita, Estemoa, o maacatita.
20 E os filhos de Simeão: Amnom, Rina, Ben-Hanã e Ti-
lom; e os filhos de Isi: Zoete e Ben-Zoete.
21 Os filhos de Selá, filho de Judá: Er, pai de Leca e Lada,
pai de Maressa e as famílias da casa dos que fabricavam
linho, em Bete-Asbeia.
22 Como também Joquim, e os homens de Cozeba, Joás,

Sarafe, que dominaram sobre os moabitas, e Jasubi-Leém;
porém essas coisas já são antigas.
23 Esses foram oleiros e habitavam nas hortas e nos cerrados; e moravam ali com o rei na sua obra.

Simeão

24 Os filhos de Simeão foram: Nemuel, Jamim, Jaribe,
Zerá e Saul,
25 cujo filho foi Salum, de quem foi filho Mibsão, de quem
foi filho Misma.
26 E os filhos de Misma foram: Hamuel, de quem foi filho
Zacur, de quem foi filho Simei.
27 E Simei teve dezesseis filhos e seis filhas, porém seus
irmãos não tiveram muitos filhos; e toda a sua família não
se multiplicou tanto como as dos filhos de Judá.
28 E habitaram em Berseba, em Molada e em Hazar-Sual,
29 e em Bila, em Ezém e em Tolade,
30 e em Betuel, em Horma e em Ziclague,
31 e em Bete-Marcabote, Hazar-Susim, Bete-Biri e em
Saaraim; essas foram as suas cidades, até que Davi reinou.
32 E as suas aldeias foram: Etã, Aim, Rimom, Toquém e
Asã; cinco cidades,
33 e todas as suas aldeias, que estavam em redor dessas
cidades, até Baal. Essas foram as suas habitações e suas
genealogias.
34 Porém Mesobabe, Janleque e Josa, filho de Amazias,
35 e Joel e Jeú, filho de Josibias, filho de Seraías, filho
de Asiel,
36 e Elioenai, Jaacobá, Jesoaías, Asaías, Adiel, Jesimiel e
Benaia,
37 e Ziza, filho de Sifi, filho de Alom, filho de Jedaías,
filho de Sinri, filho de Semaías:
38 estes, registrados por seus nomes, foram chefes nas
suas famílias; e as famílias de seus pais se multiplicaram
abundantemente.
39 E chegaram até à entrada de Gedor, ao oriente do vale,
à procura de pasto para as suas ovelhas.
40 E acharam pasto fértil e terra espaçosa, calma e descansada; porque os descendentes de Cam haviam habitado
ali antes.
41 Estes, que estão descritos por seus nomes, vieram nos
dias de Ezequias, rei de Judá, e derrubaram as tendas e
habitações dos que se acharam ali; e as destruíram totalmente e habitaram em seu lugar; porque ali havia pasto
para as suas ovelhas.
42 Também deles, dos filhos de Simeão, quinhentos homens foram às montanhas de Seir e levaram como capitães
Pelatias, Nearias, Refaías e Uziel, filhos de Isi.
43 E mataram o restante dos que escaparam dos amalequitas e habitaram ali até o dia de hoje.

Rúben

5 Quanto aos filhos de Rúben, o primogênito de Israel:
ele era o primogênito, mas, porque profanou a cama de
seu pai, deu-se a sua primogenitura aos filhos de José, filho
de Israel; de modo que ele não foi contado na genealogia
como primogênito,
2 porque Judá foi poderoso entre seus irmãos e dele veio o
príncipe; porém a primogenitura foi de José.
3 Os filhos de Rúben, o primogênito de Israel, foram: Enoque, Palu, Hezrom e Carmi.
4 Os filhos de Joel: Semaías, seu filho Gogue, seu filho
Simei, seu filho
5 Mica, seu filho Reaías, seu filho Baal, seu filho
6 Beera, o qual Tiglate-Pileser, rei da Assíria, levou preso;
esse foi príncipe dos rubenitas.
7 Quanto a seus irmãos pelas suas famílias, quando foram
registrados nas genealogias, segundo as suas descendências, tiveram por chefes Jeiel e Zacarias,
8 e Belá, filho de Azaz, filho de Sema, filho de Joel, que
habitou em Aroer, até Nebo e Baal-Meom,
9 também habitou do lado leste, até à entrada do deserto,
desde o rio Eufrates; porque seu gado tinha se multiplicado
na terra de Gileade.
10 E nos dias de Saul fizeram guerra aos hagarenos, que
caíram pela sua mão; e eles habitaram nas suas tendas à
frente de todo o lado leste de Gileade.

Gade

11 E os filhos de Gade habitaram em frente deles, na terra
de Basã, até Salca.
12 Joel foi chefe e Safã, o segundo; também Janai e Safate
estavam em Basã.
13 E seus irmãos, segundo as suas casas paternas, foram:
Micael, Mesulão, Seba, Jorai, Jacã, Zia e Héber, ao todo,
sete.
14 Esses foram os filhos de Abiail, filho de Huri, filho de
Jaroa, filho de Gileade, filho de Micael, filho de Jesisai,
filho de Jado, filho de Buz;
15 Aí, filho de Abdiel, filho de Guni, foi chefe da sua
família.
16 E habitaram em Gileade, em Basã e nos lugares da sua
jurisdição; e em todos os arredores de Sarom, até os seus
limites.
17 Todos esses foram registrados, segundo as suas genealogias, nos dias de Jotão, rei de Judá, e nos dias de Jeroboão,
rei de Israel.
18 Dos filhos de Rúben, dos gaditas e da meia tribo de
Manassés, homens muito valentes, que traziam escudo e
espada, entesavam o arco e eram treinados para a guerra;
houve quarenta e quatro mil e setecentos e sessenta, que
saíam à guerra.

19 E fizeram guerra aos hagarenos, a Jetur, a Nafis e a
Nodabe.
20 E foram ajudados contra eles e os hagarenos e todos
que estavam com eles foram entregues em sua mão; porque, na batalha, clamaram a Deus que lhes deu ouvidos,
porque confiaram nele.
21 E levaram preso o seu gado: seus camelos, cinquenta
mil, e duzentas e cinquenta mil ovelhas, e dois mil jumentos; e cem mil homens.
22 Porque muitos caíram feridos, porque de Deus era a
luta, então habitaram em seu lugar até o exílio.

Manassés

23 E os filhos da meia tribo de Manassés habitaram naquela terra; multiplicaram-se desde Basã até Baal-Hermom,
Senir e o monte de Hermom.
24 E estes foram chefes de suas famílias, a saber: Héfer, Isi,
Eliel, Azriel, Jeremias, Hodavias e Jadiel, homens valentes,
homens de nome e chefes de suas famílias.
25 Porém transgrediram contra o Deus de seus pais e se
prostituíram, seguindo os deuses dos povos da terra, os
quais Deus tinha destruído de diante deles.
26 Por isso o Deus de Israel suscitou o espírito de Pul, rei
da Assíria, e o espírito de Tiglate-Pileser, rei da Assíria, que
os levaram presos, a saber: os rubenitas, os gaditas e a meia
tribo de Manassés; e os trouxeram a Hala, a Habor, a Hara
e ao rio de Gozã, até ao dia de hoje.

Levi

6 Os filhos de Levi foram: Gérson, Coate e Merari.
2 E os filhos de Coate: Anrão, Isar, Hebrom e Uziel.
3 E os filhos de Anrão: Arão, Moisés e Miriã; e os filhos de
Arão: Nadabe, Abiú, Eleazar e Itamar.
4 E Eleazar gerou Fineias, e Fineias gerou Abisua,
5 e Abisua gerou Buqui, e Buqui gerou Uzi,
6 e Uzi gerou Zeraías, e Zeraías gerou Meraiote.
7 E Meraiote gerou Amarias, e Amarias gerou Aitube.
8 E Aitube gerou Zadoque, e Zadoque gerou Aimaás,
9 e Aimaás gerou Azarias, e Azarias gerou Joanã,
10 e Joanã gerou Azarias; e esse é o que exerceu o sacerdócio no templo que Salomão tinha edificado em Jerusalém.
11 E Azarias gerou Amarias, e Amarias gerou Aitube,
12 e Aitube gerou Zadoque, e Zadoque gerou Salum,
13 e Salum gerou Hilquias, e Hilquias gerou Azarias,
14 e Azarias gerou Seraías, e Seraías gerou Jeozadaque,
15 e Jeozadaque foi levado cativo quando o Senhor levou
Judá e Jerusalém para o exílio pela mão de Nabucodonosor.
16 Os filhos de Levi foram: Gérson, Coate e Merari.
17 E estes são os nomes dos filhos de Gérson: Libni e
Simei.
18 E os filhos de Coate: Anrão, Isar, Hebrom e Uziel.
19 Os filhos de Merari: Mali e Musi; essas são as famílias
dos levitas, segundo seus pais.
20 O filho de Gérson foi Libni, pai Jaate, pai Zima, pai de
21 Joá, pai Ido, pai de Zerá, pai de Jeaterai.
22 O filho de Coate foi Aminadabe, pai de Corá, pai de
Assir, pai de
23 Elcana, pai de Ebiasafe, pai de Assir, pai de
24 Taate, pai de Uriel, pai de Uzias, que foi o pai de Saul.
25 E os filhos de Elcana: Amasai e Aimote.
26 Quanto a Elcana, o filho de Elcana foi Zofai, pai de
Naate,
27 pai de Eliabe, pai de Jeroão, pai de Elcana.
28 E os filhos de Samuel: Vasni, seu primogênito, e o segundo, Abias.
29 Os filhos de Merari: Mali, seu filho Libni, seu filho
Simei, seu filho Uzá,
30 seu filho Simeia, seu filho Hagias, seu filho Asaías.
31 Esses são os homens que Davi constituiu para o ofício
do canto na Casa do Senhor, depois que a arca foi lavada
para lá.
32 E ministravam diante do tabernáculo da tenda do encontro com cânticos, até que Salomão edificou a Casa do
Senhor em Jerusalém; e estiveram, segundo o seu costume, no seu ministério.
33 Estes são os que ali estavam com seus filhos: dos filhos
dos coatitas, Hemã, o cantor, filho de Joel, filho de Samuel,
34 filho de Elcana, filho de Jeroão, filho de Eliel, filho
de Toá,
35 filho de Zufe, filho de Elcana, filho de Maate, filho
de Amasai,
36 filho de Elcana, filho de Joel, filho de Azarias, filho
de Sofonias,
37 filho de Taate, filho de Assir, filho de Ebiasafe, filho
de Corá,
38 filho de Isar, filho de Coate, filho de Levi, filho de
Israel.
39 E seu irmão Asafe estava à sua direita; era Asafe filho de
Berequias, filho de Simeia,
40 filho de Micael, filho de Baaseias, filho de Malquias,
41 filho de Etni, filho de Zerá, filho de Adaías,
42 filho de Etã, filho de Zima, filho de Simei,
43 filho de Jaate, filho de Gérson, filho de Levi.
44 E seus irmãos, os filhos de Merari, estavam à esquerda, a saber: Etã, filho de Quisi, filho de Abdi, filho de
Maluque,
45 filho de Hasabias, filho de Amazias, filho de Hilquias,
46 filho de Anzi, filho de Bani, filho de Semer,
47 filho de Mali, filho de Musi, filho de Merari, filho de
Levi.

48 E seus irmãos, os levitas, foram postos para todo o mi-
nistério do tabernáculo da Casa de Deus.
49 E Arão e seus filhos queimavam perfumes sobre o altar
do holocausto e sobre o altar do incenso, para toda obra do
lugar santíssimo e para fazer expiação por Israel, conforme
tudo que Moisés, servo de Deus, tinha ordenado.
50 E estes foram os filhos de Arão: seu filho Eleazar, seu
filho Fineias, seu filho Abisua,
51 seu filho Buqui, seu filho Uzi, seu filho Seraías,
52 seu filho Meraiote, seu filho Amarias, seu filho Aitube,
53 seu filho Zadoque, seu filho Aimaás.
54 E estas foram as suas habitações, segundo os seus
acampamentos, nos seus territórios, a saber: dos filhos de
Arão, da família dos coatitas, porque eles foram sorteados
primeiro.
55 Deram-lhes Hebrom na terra de Judá, e os seus
arredores.
56 Porém o território da cidade e as suas aldeias deram a
Calebe, filho de Jefoné.
57 E aos filhos de Arão deram as cidades de refúgio: He-
brom, Libna e os seus arredores, também Jatir, Estemoa e
os seus arredores,
58 e Hilém e os seus arredores, Debir e os seus arredores,
59 e Asã e os seus arredores, Bete-Semes e os seus
arredores;
60 e da tribo de Benjamim, Geba e os seus arredores,
Alemete e os seus arredores e Anatote e os seus arredo-
res; todas as suas cidades, pelas suas famílias, foram treze
cidades.
61 Mas os filhos de Coate, que restaram da sua família, ti-
veram, por sorteio, dez cidades da meia tribo de Manassés.
62 E os filhos de Gérson, segundo as suas famílias, tiveram
treze cidades da tribo de Issacar, da tribo de Aser, da tribo
de Naftali e da tribo de Manassés, em Basã.
63 Os filhos de Merari, segundo as suas famílias, tiveram,
por sorteio, doze cidades da tribo de Rúben, da tribo de
Gade e da tribo de Zebulom.
64 Assim os israelitas deram aos levitas essas cidades e os
seus arredores.
65 E lhes deram por sorteio essas cidades, da tribo dos
filhos de Judá, da tribo dos filhos de Simeão e da tribo dos
filhos de Benjamim, às quais deram os seus nomes.
66 E a algumas das famílias dos filhos de Coate foram
dadas, da tribo de Efraim, as cidades dos seus territórios.
67 Porque lhes deram as cidades de refúgio, Siquém e os
seus arredores, nas montanhas de Efraim, como também
Gezer e os seus arredores,
68 e Jocmeão e os seus arredores, Bete-Horom e os seus
arredores,
69 e Aijalom e os seus arredores, Gate-Rimom e os seus
arredores.
70 E da meia tribo de Manassés, Aner e os seus arredores,
Bileão e os seus arredores; essas cidades foram dadas às
demais famílias dos filhos de Coate.
71 Os filhos de Gérson tiveram, da família da meia tribo
de Manassés, Golã, em Basã e os seus arredores, Astarote
e os seus arredores,
72 e da tribo de Issacar, Quedes e os seus arredores, Dabe-
rate e os seus arredores,
73 e Ramote e os seus arredores, Aném e os seus arredores.
74 E da tribo de Aser, Masal e os seus arredores, Abdom
e os seus arredores,
75 e Hucoque e os seus arredores, Reobe e os seus
arredores.
76 E da tribo de Naftali, Quedes, em Galileia, e os seus
arredores, Hamom e os seus arredores, Quiriataim e os
seus arredores.
77 Aos que ficaram dos filhos de Merari, da tribo de Ze-
bulom, foram dadas Rimono e os seus arredores, Tabor e
os seus arredores.
78 E do outro lado do Jordão, na altura de Jericó, a leste
do Jordão, da tribo de Rúben, a Bezer, no deserto, e os seus
arredores, Jaza e os seus arredores,
79 e Quedemote e os seus arredores. Mefaate e os seus
arredores.
80 E da tribo de Gade, Ramote, em Gileade, e os seus
arredores, Maanaim e os seus arredores,
81 e Hesbom e os seus arredores, Jazer e os seus arredores.

Issacar

7 Os filhos de Issacar foram: Tola, Pua, Jasibe e Sinrom,
ao todo quatro.
2 E os filhos de Tola foram: Uzi, Refaías, Jeriel, Jamai, Ibsão
e Samuel, chefes das suas famílias e descendentes de Tola,
homens valentes nas suas gerações; o seu número, nos dias
de Davi, foi de vinte e dois mil e seiscentos.
3 E o filho de Uzi: Izraías; e os filhos de Izraías foram:
Micael, Obadias, Joel e Issias; todos esses cinco chefes.
4 E tinham nas suas gerações, segundo as suas famílias, em
tropas de guerra, trinta e seis mil; porque tiveram muitas
mulheres e filhos.
5 E seus irmãos, em todas as famílias de Issacar, homens
valentes, foram oitenta e sete mil, todos listados pelas suas
genealogias.

Benjamim

6 Os filhos de Benjamim foram: Belá, Bequer e Jediael,
ao todo três.
7 E os filhos de Belá: Esbom, Uzi, Uziel, Jerimote e Iri,
cinco chefes das suas famílias, homens valentes que foram

contados pelas suas genealogias, vinte e dois mil e trinta
e quatro.
8 E os filhos de Bequer: Zemira, Joás, Eliézer, Elioenai,
Onri, Jerimote, Abias, Anatote e Alemete; todos esses fo-
ram filhos de Bequer.
9 E foram contados pelas suas genealogias, segundo as suas
gerações e chefes das suas famílias, homens valentes, vinte
mil e duzentos.
10 O filho de Jediael foi Bilã; e os filhos de Bilã foram: Jeús,
Benjamim, Eúde, Quenaana, Zetã, Társis e Aisaar.
11 Todos esses filhos de Jediael foram chefes das suas
famílias, homens valentes, dezessete mil e duzentos que
saíam à guerra.
12 Supim e Hupim eram filhos de Ir, e Husim era filho
de Aer.

Naftali

13 Os filhos de Naftali foram: Jaziel, Guni, Jezer e Salum,
filhos de Bila.

Manassés

14 Os filhos de Manassés: Asriel, que a mulher de Gileade
gerou, sua concubina, a síria, que também deu à luz Ma-
quir, pai de Gileade;
15 e Maquir se casou com a irmã de Hupim e Supim, o
seu nome era Maaca, e o nome do seu segundo filho era
Zelofeade; e Zelofeade teve filhas.
16 E Maaca, mulher de Maquir, deu à luz um filho e cha-
mou-o de Perez; e o nome de seu irmão foi Seres; e seus
filhos foram Ulão e Requém.
17 E o filho de Ulão foi Bedã; esses foram os filhos de
Gileade, filho de Maquir, filho de Manassés.
18 E quanto à sua irmã Hamolequete, ela deu à luz a Iso-
de, Abiezer e Macla.
19 E os filhos de Semida foram: Aiã, Siquém, Liqui e
Anião.

Efraim

20 Efraim foi pai de Sutela, que foi pai de Berede, que foi
pai de Taate, que foi pai de Elada, que foi pai de Taate.
21 Que foi pai de Zabade, que foi pai de Sutela e, além
desses, foi pai de Ezer e Eleade; os quais os homens de
Gate, naturais da terra, mataram, porque desceram para
roubar o seu gado.
22 Por isso Efraim, seu pai, por muitos dias os chorou; e
vieram seus irmãos para o consolar.
23 Depois, teve relações com sua mulher, e ela engravidou
e teve um filho; e chamou-o de Berias; porque ia mal na
sua casa.
24 E sua filha foi Seerá, que edificou Bete-Horom, a baixa
e a alta, como também Uzém-Seerá.
25 E seu filho foi Refa, pai de Resefe, de quem foi filho
Tela, de quem foi filho Taã,
26 de quem foi filho Ladã, de quem foi filho Amiúde, de
quem foi filho Elisama,
27 de quem foi filho Num, de quem foi filho Josué.
28 E a sua posse e habitação foi Betel e os lugares da sua
jurisdição; e ao leste Naarã, e a oeste Gezer e os lugares da
sua jurisdição, e Siquém e os lugares da sua jurisdição, até
Aia e os lugares da sua jurisdição;
29 e do lado dos filhos de Manassés, Bete-Seã e os lugares
da sua jurisdição, Taanaque e os lugares da sua jurisdição,
Megido e os lugares da sua jurisdição, Dor e os lugares
da sua jurisdição; nestas habitaram os filhos de José, filho
de Israel.

Aser

30 Os filhos de Aser foram: Imná, Isvá, Isvi, Berias e Sera,
irmã deles.
31 E os filhos de Berias: Héber e Malquiel; esse foi o pai
de Birzavite.
32 E Héber gerou Jaflete, Somer, Hotão e Suá, irmã deles.
33 E os filhos de Jaflete foram: Pasaque, Bimal e Asvate;
esses foram os filhos de Jaflete.
34 E os filhos de Semer foram: Aí, Roga, Jeubá e Arã.
35 E os filhos de seu irmão Helém foram: Zofa, Imna, Seles
e Amal.
36 Os filhos de Zofa foram: Suá, Harnefer, Sual, Beri e
Inra,
37 e Bezer, Hode, Samá, Silsa, Itrã e Beera.
38 E os filhos de Jéter foram: Jefoné, Pispa e Ara.
39 E os filhos de Ula: Ará, Haniel e Rizia.
40 Todos esses foram filhos de Aser, chefes das suas famí-
lias, homens escolhidos e valentes, chefes dos príncipes, e
listados nas suas genealogias, no exército para a guerra; seu
número foi de vinte e seis mil homens.

Benjamim

8 E Benjamim gerou Belá, seu primogênito, Asbel o se-
gundo e Aará o terceiro,
2 e Noá, o quarto, e Rafa, o quinto,
3 e Belá teve estes filhos: Adar, Gera e Abiúde,
4 e Abisua, Naamã e Aoá,
5 e Gera, Sefufã e Hurão.
6 E estes foram os filhos de Eúde, que foram chefes das
famílias dos moradores de Geba e os levaram cativos a
Manaate:
7 Naamã, Aías e Gera que os levou cativos; e gerou Uzá
e Aiúde.
8 E, Depois de ter repudiado e se separado das suas esposas
Husim e Baara, Saaraim gerou filhos na terra de Moabe,
de suas mulheres.
9 E de Hodes, sua mulher, gerou Jobabe, Zíbia, Messa e
Malcã,

10 e Jeús, Saquias e Mirma; esses foram seus filhos, chefes
de famílias.
11 E com Husim gerou Abitube e Elpaal.
12 E os filhos de Elpaal foram: Héber, Misã e Semede; este
edificou Ono, Lode e os lugares da sua jurisdição.
13 Berias e Sema foram chefes das famílias dos moradores
de Aijalom; esses afugentaram os moradores de Gate.
14 E Aiô, Sasaque e Jeremote,
15 e Zebadias, Arade e Eder,
16 e Micael, Ispa e Joá foram filhos de Berias.
17 E Zebadias, Mesulão, Hizqui e Héber,
18 e Ismerai, Izlias e Jobabe, foram filhos de Elpaal.
19 E Jaquim, Zicri e Zabdi,
20 e Elienai, Ziletai e Eliel,
21 e Adaías, Beraías e Sinrate, foram filhos de Simei.
22 E Ispã, Éber e Eliel,
23 e Abdom, Zicri e Hanã,
24 e Hananias, Elão e Antotias,
25 e Ifdeias e Penuel, foram filhos de Sasaque.
26 E Sanserai, Searias e Atalias,
27 e Jaaresias, Elias e Zicri, foram filhos de Jeroão.
28 Esses foram chefes das famílias, segundo as suas gera-
ções e habitaram em Jerusalém.
29 E o pai de Gibeão habitou em Gibeão; e o nome de sua
mulher era Maaca;
30 e seu filho primogênito era Abdom; depois Zur, Quis,
Baal e Nadabe,
31 e Gedor, Aiô e Zequer.
32 E Miclote gerou Simeia; estes também, à frente de seus
irmãos, habitaram em Jerusalém com seus irmãos.
33 E Ner gerou Quis e Quis gerou Saul; e Saul gerou Jôna-
tas, Malquisua, Abinadabe e Esbaal.
34 E o filho de Jônatas foi Meribe-Baal; e Meribe-Baal ge-
rou Mica.
35 E os filhos de Mica foram: Pitom, Meleque, Tareia e
Acaz.
36 E Acaz gerou Jeoada, e Jeoada gerou a Alemete, Azma-
vete e Zinri; e Zinri gerou Mosa,
37 e Mosa gerou Bineá, e seu filho foi Rafa, cujo filho foi
Eleasa, e seu filho foi Azel.
38 E Azel teve seis filhos, e estes foram os seus nomes:
Azricão, Bocru, Ismael, Searias, Obadias e Hanã; todos es-
ses foram filhos de Azel.
39 E os filhos de Eseque, seu irmão, foram: Ulão, seu pri-
mogênito, Jeús, o segundo, e Elifelete, o terceiro.
40 E os filhos de Ulão foram homens heróis, valentes e
flecheiros destros; e tiveram muitos filhos e netos, cento
e cinquenta; todos esses foram dos filhos de Benjamim.

Os Habitantes de Jerusalém Depois do Cativeiro

9 E todo o Israel foi listado por genealogias, que estão
escritas no Livro dos Reis de Israel; e os de Judá foram
transportados à Babilônia, por causa da sua transgressão.
2 E os primeiros habitantes, que moravam nas suas posses
e nas suas cidades, foram os israelitas, os sacerdotes, os
levitas e os servidores do templo.
3 Porém alguns dos filhos de Judá, dos filhos de Benja-
mim e dos filhos de Efraim e Manassés, habitaram em
Jerusalém:
4 Utai, filho de Amiúde, filho de Onri, filho de Inri, filho
de Bani, dos filhos de Perez, filho de Judá;
5 e dos silonitas: Asaías, o primogênito, e seus filhos;
6 e dos filhos de Zerá: Jeuel e seus irmãos, seiscentos e
noventa;
7 e dos filhos de Benjamim: Salu, filho de Mesulão, filho
de Hodavias, filho de Hassenuá;
8 e Ibneias, filho de Jeroão e Elá, filho de Uzi, filho de
Micri, e Mesulão, filho de Sefatias, filho de Reuel, filho
de Ibnijas;
9 e seus irmãos, segundo as suas gerações, novecentos e
cinquenta e seis; todos esses homens foram chefes de suas
famílias.
10 E dos sacerdotes: Jedaías, Jeoiaribe e Jaquim,
11 e Azarias, filho de Hilquias, filho de Mesulão, filho de
Zadoque, filho de Meraiote, filho de Aitube, chefe da Casa
de Deus;
12 Adaías, filho de Jeroão, filho de Pasur, filho de Mal-
quias, e Masai, filho de Adiel, filho de Jazera, filho de Me-
sulão, filho de Mesilemite, filho de Imer;
13 como também seus irmãos, chefes de suas famílias, mil
setecentos e sessenta homens valentes para a obra do mi-
nistério da Casa de Deus.
14 E dos levitas: Semaías, filho de Hassube, filho de Azri-
cão, filho de Hasabias, dos filhos de Merari;
15 e Baquebacar, Heres e Galal; e Matanias, filho de Mica,
filho de Zicri, filho de Asafe;
16 e Obadias, filho de Semaías, filho de Galal, filho de Je-
dutum; e Berequias, filho de Asa, filho de Elcana, morador
das aldeias dos netofatitas.
17 E foram porteiros: Salum, Acube, Talmom, Aimã e seus
irmãos, cujo chefe era Salum.
18 E até aquele tempo estavam de guarda à porta do rei,
do lado do leste; esses foram os porteiros dos acampamen-
tos dos filhos de Levi.
19 E Salum, filho de Coré, filho de Ebiasafe, filho de Corá
e seus irmãos da casa de seu pai, os coraítas, tinham cargo
da obra do ministério e eram guardas dos umbrais do ta-
bernáculo, como seus pais foram chefes do acampamento
do Senhor e guardas da entrada.

20 Fineias, filho de Eleazar, antes era líder entre eles; e o Senhor era com ele.

21 E Zacarias, filho de Meselemias, era porteiro da entrada da tenda do encontro.

22 Todos estes foram escolhidos para serem porteiros dos umbrais, foram duzentos e doze; e foram estes, segundo as suas aldeias, postos em suas genealogias; Davi e Samuel, o vidente, os constituíram nos seus respectivos cargos.

23 Eles e seus filhos estavam às portas da Casa do Senhor, na casa da tenda, junto aos guardas;

24 os porteiros estavam aos quatro lados: a leste, a oeste, ao norte e ao sul.

25 E seus irmãos, que estavam nas suas aldeias, deviam, de tempos em tempos, vir por sete dias para servirem com eles.

26 Porque naquele ofício havia quatro porteiros principais que eram levitas e tinham o encargo das câmaras e dos tesouros da Casa de Deus.

27 E de noite ficavam ao redor da Casa de Deus, cuja guarda lhes tinha sido confiada e tinham o encargo de abri-la a cada manhã.

28 E alguns deles estavam encarregados dos utensílios do ministério, os contavam e os traziam quando os tiravam.

29 Outros eram encarregados dos objetos e de todos os utensílios do santuário; como também da farinha especial, do vinho, do azeite, do incenso e das especiarias.

30 E alguns dos filhos dos sacerdotes confeccionavam as especiarias.

31 E Matitias, dentre os levitas, o primogênito de Salum, o coraíta, era o encarregado de preparar os pães para as ofertas.

32 E alguns dos seus irmãos, dos filhos dos coatitas, tinham o encargo de preparar os pães da proposição para todos os sábados.

33 Os cantores, chefes de famílias levitas, habitando nas câmaras, isentos de serviços; porque de dia e de noite estavam ocupados naquela obra.

34 Esses foram chefes das famílias entre os levitas, chefes em suas gerações; esses habitaram em Jerusalém.

35 Porém em Gibeão habitaram Jeiel, pai de Gibeão, e o nome de sua mulher era Maaca,

36 e seu filho primogênito, Abdom; depois Zur, Quis, Baal, Ner e Nadabe,

37 e Gedor, Aiô, Zacarias e Miclote.

38 E Miclote gerou Simeão; e esses habitaram em Jerusalém, à frente de seus irmãos, com eles.

39 E Ner gerou Quis, Quis gerou Saul, Saul gerou Jônatas, Malquisua, Abinadabe e Esbaal.

40 E o filho de Jônatas foi Meribe-Baal, e Meribe-Baal gerou Mica.

41 E os filhos de Mica foram: Pitom, Meleque e Tareia.

42 E Acaz gerou Jaerá e Jaerá gerou Alemete, Azmavete e Zinri; e Zinri gerou Mosa,

43 e Mosa gerou Bineá, e seu filho foi Refaías, de quem foi filho Eleasa, cujo filho foi Azel.

44 E Azel teve seis filhos, e estes foram os seus nomes: Azricão, Bocru, Ismael, Searias, Obadias e Hanã; esses foram os filhos de Azel.

A Morte de Saul e de Seus Filhos

10 E os filisteus lutaram contra Israel; e os homens de Israel fugiram dos filisteus e caíram mortos nas montanhas de Gilboa.

2 E os filisteus perseguiram Saul e seus filhos, e mataram Jônatas, Abinadabe e Malquisua, filhos de Saul.

3 E a batalha se agravou contra Saul e os flecheiros o acharam e o feriram gravemente.

4 Então, Saul disse ao seu escudeiro: "Arranque a sua espada e atravesse-me com ela; para que esses incircuncisos não venham e zombem de mim." Porém o seu escudeiro não quis, porque estava com muito medo; então Saul tomou a espada e se lançou sobre ela.

5 O seu escudeiro, vendo que Saul estava morto, também se lançou sobre a espada e morreu.

6 Assim Saul e seus três filhos morreram; e toda a sua casa morreu juntamente com ele.

7 E todos os homens de Israel, que estavam no vale, viram que o exército havia fugido, e que Saul e seus filhos estavam mortos; deixaram as suas cidades e fugiram; então os filisteus vieram e habitaram nelas.

8 E, no dia seguinte, quando os filisteus vieram para despojar os mortos, acharam Saul e seus filhos estirados nas montanhas de Gilboa.

9 E o despojaram, pegaram a sua cabeça e as suas armas, e as enviaram pela terra dos filisteus em redor, para levar a notícia a seus ídolos e ao povo.

10 E puseram as armas na casa do seu deus, e a cabeça fixaram no templo de Dagom.

11 Quando toda a Jabes de Gileade ouviu o que os filisteus fizeram a Saul,

12 então todos os homens valentes se levantaram e pegaram o corpo de Saul e os corpos de seus filhos, os trouxeram a Jabes e sepultaram os seus ossos debaixo de um carvalho, e jejuaram por sete dias.

13 Assim Saul morreu por causa da transgressão que cometeu contra o Senhor, por causa da palavra do Senhor que ele não guardou, e porque buscou a adivinhadora para consultar.

14 E não buscou ao Senhor, por isso o Senhor o entregou à morte, e transferiu o reino a Davi, filho de Jessé.

Davi é Ungido Rei

11 Então todo o Israel se ajuntou a Davi em Hebrom,
dizendo: "Eis que somos seus ossos e sua carne."
2 E enquanto Saul ainda era rei, era você quem fazia saídas
e entradas militares com Israel; também o Senhor seu Deus
lhe disse: "Você apascentará o meu povo Israel e você será
chefe sobre o meu povo Israel."
3 Também vieram todos os anciãos de Israel ao rei, a He-
brom, e Davi fez com eles uma aliança, perante o Senhor;
e ungiram Davi rei sobre Israel, conforme a palavra que o
Senhor disse por meio de Samuel.
4 E Davi partiu com todo o Israel para Jerusalém, que é
Jebus; porque ali estavam os jebuseus, habitantes da terra.
5 E os habitantes de Jebus disseram a Davi: "Você não en-
trará aqui." Porém Davi tomou a fortaleza de Sião, que é
a cidade de Davi.
6 Porque Davi disse: "Quem ferir primeiro os jebuseus
será o comandante." Então Joabe, filho de Zeruia, atacou
primeiro; então foi nomeado comandante.
7 E Davi habitou na fortaleza; por isso ela foi chamada
cidade de Davi.
8 E edificou a cidade ao redor, desde Milo, completando o
círculo, e Joabe renovou o restante da cidade.
9 E Davi tornava-se cada vez mais forte, porque o Senhor
dos Exércitos estava com ele.

Os Valentes de Davi

10 E estes foram os chefes dos heróis que Davi tinha e que
o apoiaram fortemente no seu reino com todo o Israel para
o fazerem rei, conforme a palavra do Senhor no tocante
a Israel.
11 E este é o número dos heróis que Davi tinha: Jasobeão,
hacmonita, o principal dos capitães, o qual, brandindo a
sua lança contra trezentos, de uma vez os matou.
12 E, depois dele, Eleazar, filho de Dodô, o aoíta; ele esta-
va entre os três poderosos.
13 Esse esteve com Davi em Pas-Damim, quando os fi-
listeus ali se ajuntaram à batalha, onde havia um pedaço
de campo cheio de cevada e o povo fugiu de diante dos
filisteus.
14 E puseram-se no meio daquele campo, o defenderam
e mataram os filisteus; e o Senhor efetuou um grande
livramento.
15 E três dos trinta chefes desceram à rocha para falar com
Davi na caverna de Adulão; e o exército dos filisteus estava
acampado no vale dos Refains.
16 Davi estava na fortaleza e o alojamento dos filisteus
estava em Belém.
17 E Davi desejou e disse: "Quem me dera beber da água
do poço de Belém, que fica junto ao portão."
18 Então aqueles três passaram pelo acampamento dos
filisteus e tiraram água do poço de Belém, que ficava junto
ao portão, tomaram dela e levaram a Davi; porém Davi não
quis beber, mas a derramou ao Senhor,
19 e disse: "Que meu Deus nunca permita que eu faça tal
coisa! Eu beberia o sangue desses homens que arriscaram
as suas vidas para trazê-la? Pois com perigo das suas vidas
a trouxeram." E ele não a quis beber. Aqueles três homens
fizeram esta proeza.
20 E Abisai, irmão de Joabe, era chefe do batalhão dos
trinta, e, brandindo a sua lança contra trezentos, os matou
e tinha nome entre os três.
21 Dos trinta foi o mais ilustre, e foi chefe deles; porém
não se igualou aos primeiros três.
22 Também Benaia, filho de Joiada, filho de um homem
poderoso de Cabzeel, realizou grandes obras; ele matou
dois guerreiros de Moabe; também desceu e matou um
leão dentro de uma cova, no tempo da neve.
23 Ele também matou um homem egípcio, um homem
muito alto, com dois metros e vinte e cinco de altura; e o
egípcio trazia uma lança na mão, como o eixo do tecelão;
mas Benaia desceu contra ele com uma vara, arrancou a
lança da mão do egípcio e o matou com ela.
24 Benaia, filho de Joiada, fez essas coisas; pelo que fez
teve nome entre os primeiros três valentes.
25 Dos trinta ele foi o mais ilustre; contudo não chegou
aos primeiros três; e Davi o pôs sobre a sua guarda.
26 E os heróis dos exércitos foram: Asael, irmão de Joabe,
Elanã, filho de Dodô, de Belém;
27 Samote, o harodita; Heles, o pelonita;
28 Ira, filho de Iques, o tecoíta; Abiezer, o anatotita;
29 Sibecai, o husatita; Ilai, o aoíta;
30 Maarai, o netofatita; Helede, filho de Baaná, o
netofatita;
31 Itai, filho de Ribai, de Gibeá, dos filhos de Benjamim;
Benaia, o piratonita;
32 Hurai, do ribeiro de Gaás; Abiel, o arbatita;
33 Azmavete, o baarumita; Eliaba, o saalbonita.
34 Dos filhos de Hasém, o gizonita: Jônatas, filho de Sage,
o hararita;
35 Aião, filho de Sacar, o hararita; Elifal, filho de Ur;
36 Hefer, o mequeratita; Aías, o pelonita;
37 Hezro, o carmelita; Naarai, filho de Ezbai;
38 Joel, irmão de Natã; Mibar, filho de Hagri;
39 Zeleque, o amonita; Naarai, o beerotita, escudeiro de
Joabe, filho de Zeruia;
40 Ira, o itrita; Garebe, o itrita;
41 Urias, o heteu; Zabade, filho de Alai;
42 Adina, filho de Siza, o rubenita, chefe dos rubenitas e
do batalhão dos trinta;
43 Hanã, filho de Maaca; e Josafá, o mitnita;

44 Uzias, o astaratita; Sama e Jeiel, filhos de Hotão, o
aroerita;
45 Jediael, filho de Sinri e Joá, seu irmão, o tizita;
46 Eliel, o maavita; e Jeribai e Josavias, filhos de Elnaão e
Itma, o moabita;
47 Eliel, Obede e Jaasiel, o mezobaíta.

Os Aliados de Davi em Ziclague

12 Estes, porém, são os que vieram a Davi, em Ziclague, quando ele ainda estava escondido, por causa
de Saul, filho de Quis; e eles eram dos valentes que o ajudaram na guerra.
2 Estavam armados de arco e usavam tanto da mão direita
como da esquerda para atirar pedras com fundas e atirar
flechas com o arco; esses eram irmãos de Saul, benjamitas.
3 Aiezer, o chefe, Joás, filho de Semaá, o gibeatita, Jeziel
e Pelete, filhos de Azmavete; Beraca e Jeú, o anatotita,
4 e Ismaías, o gibeonita, valente entre os trinta e capitão
dos trinta; Jeremias, Jaaziel, Joanã e Jozabade, o gederatita,
5 Eluzai, Jerimote, Bealias, Semarias e Sefatias, o harufita,
6 Elcana, Issias, Azarel, Joezer e Jasobeão, os coraítas,
7 e Joela e Zebadias, filhos de Jeroão de Gedor.
8 E dos gaditas se desertaram para Davi, na fortaleza, no
deserto, valentes, homens de guerra para lutar, armados
com escudo e lança; e seus rostos eram como rostos de
leões e ligeiros como corças sobre os montes:
9 Ezer, o primeiro; Obadias, o segundo; Eliabe, o terceiro;
10 Mismana, o quarto, Jeremias, o quinto,
11 Atai, o sexto, Eliel, o sétimo,
12 Joanã, o oitavo, Elzabade, o nono,
13 Jeremias, o décimo, Macbanai, o décimo primeiro;
14 estes, dos filhos de Gade, foram capitães do exército;
o menor valia por cem homens e o maior valia por mil.
15 Esses são os que passaram o Jordão no primeiro mês,
quando ele transbordava por todas as suas ribanceiras, e
fizeram fugir todos os habitantes dos vales, tanto ao leste
quanto ao oeste.
16 Também alguns dos filhos de Benjamim e de Judá vieram a Davi, na fortaleza.
17 E Davi lhes foi ao encontro e lhes falou, dizendo: "Se
vocês vêm a mim pacificamente e para me ajudar, o meu
coração se unirá com vocês; porém, se é para me entregar
aos meus inimigos, sem que haja deslealdade nas minhas
mãos, que o Deus de nossos pais o veja e o repreenda."
18 Então o Espírito veio sobre Amasai, chefe de trinta, que
disse: "Nós somos seus, ó Davi, e estamos com você, ó
filho de Jessé! Paz, paz com você e paz com quem o ajuda,
porque é o seu Deus que o ajuda." E Davi os recebeu e os
nomeou capitães das tropas.
19 Também de Manassés alguns passaram para o lado de
Davi, quando ele veio com os filisteus para a batalha contra
Saul, Davi não ajudou os filisteus; porque os príncipes dos
filisteus, depois de se aconselharem, o mandaram embora,
dizendo: "À custa de nossas cabeças Davi passará para o
lado de Saul, seu senhor."
20 Quando Davi estava voltando para Ziclague, passaram
para o lado dele, de Manassés: Adna, Jozabade, Jediael,
Micael, Jozabade, Eliú e Ziletai, chefes de milhares em
Manassés.
21 E esses ajudaram Davi contra aquela tropa, porque todos eles eram heróis valentes e foram capitães no exército.
22 Porque naquele tempo, dia após dia, vinham a Davi
para o ajudar, até que se formou um grande exército, como
exército de Deus.

Os Aliados de Davi em Hebrom

23 Este é o número dos chefes armados para a batalha, que
vieram a Davi em Hebrom, para transferir a ele o reino de
Saul, conforme a palavra do Senhor.
24 Dos filhos de Judá, que traziam escudo e lança, seis mil
e oitocentos, armados para a guerra;
25 dos filhos de Simeão, homens poderosos para a guerra,
sete mil e cem;
26 dos filhos de Levi, quatro mil e seiscentos.
27 Joiada, que era o chefe da casa de Arão, vieram com ele
três mil e setecentos.
28 E Zadoque, sendo ainda jovem, homem poderoso, trouxe vinte e dois capitães da sua casa paterna;
29 e dos filhos de Benjamim, irmãos de Saul, três mil; porque até então havia ainda muitos deles que eram fiéis à
casa de Saul.
30 E dos filhos de Efraim, vinte mil e oitocentos homens
poderosos, homens de renome nas casas de seus pais.
31 E da meia tribo de Manassés, dezoito mil, que foram
apontados pelos seus nomes para virem proclamar Davi
como rei.
32 E dos filhos de Issacar, duzentos de seus chefes, que
sabiam como Israel deveria agir em qualquer circunstância, sabiam o que Israel devia fazer e todos os seus irmãos
seguiam suas ordens.
33 De Zebulom, dos que podiam sair no exército, cinquenta mil ordenados para a batalha com todas as armas
de guerra; como também treinados para ordenarem uma
batalha e não eram de fugir da luta.
34 E de Naftali, mil capitães e com eles trinta e sete mil
com escudo e lança.
35 E dos danitas, ordenados para a batalha, vinte e oito
mil e seiscentos.
36 E de Aser, dos que podiam sair no exército, para ordenarem a batalha, quarenta mil.
37 E do outro lado do Jordão, dos rubenitas e gaditas, da

meia tribo de Manassés, com todo tipo de instrumentos de
guerra para lutar: cento e vinte mil.
38 Todos esses homens de guerra, postos em ordem de
batalha, vieram a Hebrom, com corações decididos, para
constituírem Davi rei sobre todo o Israel, e todo o restante
de Israel tinha o mesmo coração para constituir Davi rei.
39 E estiveram ali com Davi por três dias, comendo e
bebendo; porque seus irmãos lhes tinham preparado as
provisões.
40 E seus vizinhos mais perto, até Issacar, Zebulom e Naf-
tali, trouxeram, sobre jumentos, camelos, mulas e sobre
bois, pães, provisões de farinha, pastas de figos e cachos
de passas, vinho, azeite e bois, ovelhas em abundância;
porque havia muita alegria em Israel.

A Arca na Casa de Obede-Edom

13 E Davi se aconselhou com os capitães de mil, de cem
e com todos os chefes.
2 E Davi disse a toda a congregação de Israel: "Se acharem
por bem, e se isto vem do Senhor nosso Deus, enviemos
depressa mensageiros a todos os nossos outros irmãos em
todas as terras de Israel, aos sacerdotes e aos levitas nas
suas cidades e nos seus arredores, para que se reúnam
conosco;
3 e tornemos a trazer para nós a arca do nosso Deus; por-
que não a buscamos nos dias de Saul."
4 Então toda a congregação disse que se fizesse assim; e
isto pareceu justo aos olhos de todo o povo.
5 Davi convocou a todo o Israel, desde Sior do Egi-
to até chegar a Hamate, para trazer a arca de Deus de
Quiriate-Jearim.
6 E então Davi com todo o Israel subiu a Baalá de Quiriate-
-Jearim, que fica em Judá, para dali trazer a arca de Deus,
sobre a qual é invocado o seu nome, o Senhor que habita
entre os querubins.
7 E levaram a arca de Deus, da casa de Abinadabe, sobre
um carro novo, e Uzá e Aió guiavam o carro.
8 E Davi e todo o Israel alegraram-se perante Deus com
todas as suas forças; com cânticos, harpas, alaúdes, tambo-
rins, címbalos e com trombetas.
9 E, quando chegaram à eira de Quidom, Uzá estendeu a
sua mão, para segurar a arca, porque os bois tropeçavam.
10 Então a ira do Senhor se acendeu contra Uzá e o feriu,
por ter estendido a sua mão à arca e ele morreu ali perante
Deus.
11 E Davi se encheu de tristeza porque o Senhor havia
fulminado Uzá, e chamou aquele lugar de Perez-Uzá, até
aos dias de hoje.
12 E naquele dia Davi temeu ao Senhor, dizendo: "Como
trarei a mim a arca de Deus?"
13 Por isso Davi não trouxe a arca a si, à cidade de Davi;
porém fez com que fosse levada à casa de Obede-Edom,
de Gate.
14 Assim a arca de Deus ficou com a família de Obede-E-
dom por três meses em sua casa, e o Senhor abençoou a
casa de Obede-Edom e tudo que ele tinha.

Acordo Entre Davi e Hirão

14 Então Hirão, rei de Tiro, mandou mensageiros a Davi
e madeira de cedro, pedreiros e carpinteiros, para lhe
edificarem um palácio.
2 E Davi entendeu que o Senhor o tinha confirmado rei
sobre Israel; porque o seu reino tinha sido muito exaltado
por amor do seu povo Israel.

As Mulheres de Davi

3 E Davi tomou ainda mais mulheres em Jerusalém e ge-
rou ainda mais filhos e filhas.
4 E estes são os nomes dos filhos que teve em Jerusalém:
Samua, Sobabe, Natã e Salomão,
5 e Ibar, Elisua e Elpelete,
6 e Nogá, Nefegue e Jafia,
7 e Elisama, Beeliada e Elifelete.

Vitórias Sobre os Filisteus

8 Quando os filisteus ouviram que Davi havia sido ungido
rei sobre todo o Israel, então subiram em busca de Davi; e,
quando Davi ficou sabendo, logo saiu contra eles.
9 E os filisteus chegaram e se estenderam pelo vale dos
Refains.
10 Então Davi consultou a Deus, dizendo: "Devo atacar
os filisteus, e os entregarás nas minhas mãos?" E o Senhor
lhe disse: "Ataque, porque os entregarei nas suas mãos."
11 E Davi foi a Baal-Perazim, os derrotou ali e disse:
"Por minha mão Deus derrotou meus inimigos, como se
rompem as águas." Por isso chamaram aquele lugar de
Baal-Perazim.
12 E os filisteus deixaram ali seus deuses, e Davi ordenou
que os queimassem a fogo;
13 porém os filisteus voltaram e se estenderam pelo vale.
14 E Davi tornou a consultar a Deus, que lhe disse: "Não
vá atrás deles; mas rodeie-os por trás e ataque pela frente
das amoreiras;
15 e quando você ouvir um ruído de marcha pelas copas
das amoreiras, então saia à batalha; porque Deus terá saído
diante de você, para ferir o exército dos filisteus."
16 E Davi fez como Deus lhe ordenou e atacou o exército
dos filisteus desde Gibeão até Gezer.
17 Assim o nome de Davi se espalhou por todas aquelas
terras, e o Senhor pôs o temor dele sobre todas aquelas
gentes.

A Arca é Levada Para Jerusalém

15 Davi também fez casa para si mesmo na cidade de
Davi e preparou um lugar para a arca de Deus, e lhe
armou uma tenda.
2 Então Davi disse: Ninguém pode levar a arca de Deus,
senão os levitas; porque o Senhor os escolheu para levarem
a arca de Deus e para o servirem eternamente.
3 E Davi convocou a todo o Israel em Jerusalém, para tra-
zer a arca do Senhor ao seu lugar que lhe tinha preparado.
4 E Davi reuniu os filhos de Arão e os levitas.
5 Dos filhos de Coate: Uriel, o chefe, e de seus irmãos
cento e vinte.
6 Dos filhos de Merari: Asaías, o chefe, e de seus irmãos
duzentos e vinte.
7 Dos filhos de Gérson: Joel, o chefe, e de seus irmãos
cento e trinta.
8 Dos filhos de Elisafã: Semaías, o chefe, e de seus irmãos
duzentos.
9 Dos filhos de Hebrom: Eliel, o chefe, e de seus irmãos
oitenta.
10 Dos filhos de Uziel: Aminadabe, o chefe, e de seus ir-
mãos cento e doze.
11 E Davi chamou os sacerdotes Zadoque e Abiatar e os
levitas Uriel, Asaías, Joel, Semaías, Eliel e Aminadabe.
12 E lhes disse: "Vocês são os chefes das famílias dos levi-
tas; santifiquem-se, vocês e seus irmãos, para que possam
trazer a arca do Senhor Deus de Israel ao lugar que lhe
preparei.
13 Porque vocês não a carregaram na primeira vez, o Se-
nhor causou destruição entre nós, porque não a buscamos
segundo as suas ordens."
14 Os sacerdotes e os levitas santificaram-se para trazerem
a arca do Senhor Deus de Israel.
15 E os filhos dos levitas trouxeram a arca de Deus sobre
os seus ombros, pelas varas que havia nela, como Moisés
havia ordenado conforme a palavra do Senhor.
16 E Davi disse aos chefes dos levitas que constituíssem,
de seus irmãos, cantores, para que com instrumentos mu-
sicais, com alaúdes, harpas e címbalos, se fizessem ouvir,
levantando a voz com alegria.
17 Os levitas designaram Hemã, filho de Joel e dos irmãos
dele, Asafe, filho de Berequias; e dos filhos de Merari, ir-
mãos deles, Etã, filho de Cusaías.
18 E com eles seus irmãos da segunda ordem: Zacarias,
Bene, Jaaziel, Semiramote, Jeiel, Uni, Eliabe, Benaia, Maa-
seias, Matitias, Elifeleu, Micneias, Obede-Edom e Jeiel, os
porteiros.
19 E os cantores, Hemã, Asafe e Etã se faziam ouvir com
címbalos de metal;
20 e Zacarias, Aziel, Semiramote, Jeiel, Uni, Eliabe, Maa-
séias e Benaia, com alaúdes, acompanhando o soprano,
21 e Matitias, Elifeleu, Micneias, Obede-Edom, Jeiel e Aza-
zias, com harpas, em oitava, para marcar o ritmo.
22 E Quenanias, chefe dos levitas, tinha o encargo de diri-
gir o canto; ensinava-os a entoá-lo, porque era competente
nisso.
23 E Berequias e Elcana eram porteiros da arca.
24 E Sebanias, Josafá, Netanel, Amasai, Zacarias, Benaia
e Eliézer, os sacerdotes, tocavam as trombetas perante a
arca de Deus; Obede-Edom e Jeías eram porteiros da arca.
25 Davi, os anciãos de Israel e os capitães de milhares,
foram com alegria para buscar a arca da aliança do Senhor
da casa de Obede-Edom.
26 E Deus ajudou os levitas que levavam a arca da aliança
do Senhor, sacrificaram sete novilhos e sete carneiros.
27 E Davi ia vestido com um manto de linho fino, como
também todos os levitas que levavam a arca e os cantores e
Quenanias, mestre dos cantores; Davi também vestia uma
estola de linho,
28 e todo o Israel acompanhou a arca da aliança do Se-
nhor, com júbilo, ao som de clarins, trombetas e de címba-
los, fazendo ressoar alaúdes e harpas.
29 E quando a arca da aliança do Senhor chegou à cidade
de Davi, Mical, a filha de Saul, olhou pela janela, e, vendo
Davi dançar e tocar, o desprezou no seu coração.

A Celebração de Davi

16 Trouxeram a arca de Deus e a puseram no meio da
tenda que Davi lhe tinha armado; então ofereceram
holocaustos e sacrifícios pacíficos perante Deus.
2 E, quando Davi acabou de oferecer os holocaustos e sa-
crifícios pacíficos, abençoou o povo em nome do Senhor.
3 E repartiu a todos em Israel, tanto para os homens como
para as mulheres, a cada um, um pão, um bom pedaço de
carne e uvas passas.
4 E designou alguns dos levitas como ministros perante a
arca do Senhor; isto para recordarem, louvarem e celebra-
rem ao Senhor Deus de Israel.
5 Asafe era o chefe, e Zacarias o segundo depois dele; Jeiel,
Semiramote, Jeiel, Matitias, Eliabe, Benaia, Obede-Edom e
Jeiel, com alaúdes e com harpas; Asafe se fazia ouvir com
címbalos;
6 também Benaia e Jaaziel, os sacerdotes, continuamente
tocavam trombetas, perante a arca da aliança de Deus.
7 Então, naquele mesmo dia, Davi, pela primeira vez, deu
o seguinte salmo para que Asafe e seus irmãos louvassem
ao Senhor:
8 "Louvem ao Senhor, invoquem o seu nome, façam co-
nhecidas as suas obras entre os povos.

9 Cantem ao Senhor, louvem-no, falem atentamente de todas as suas maravilhas.
10 Gloriem-se no seu santo nome; alegre-se o coração dos que buscam ao Senhor.
11 Busquem o Senhor e a sua força; busquem a sua face continuamente.
12 Lembrem-se das maravilhas que ele fez, de seus prodígios e dos juízos da sua boca;
13 vocês, sementes de Israel, seus servos, vocês, filhos de Jacó, seus escolhidos.
14 Ele é o Senhor nosso Deus; os seus juízos estão em toda a terra.
15 Lembrem-se perpetuamente da sua aliança e da palavra que prescreveu para mil gerações;
16 da aliança que fez com Abraão e do seu juramento a Isaque;
17 o qual também confirmou a Jacó por estatuto e a Israel por aliança eterna,
18 dizendo: 'A você eu darei a terra de Canaã, como porção da herança de vocês.'
19 Quando eram poucos homens em número, sim, muito poucos e estrangeiros nela,
20 quando andavam de nação em nação e de um reino para outro, Deus não
21 permitiu que ninguém os oprimisse, e por amor deles repreendeu reis, dizendo:
22 'Não toquem nos meus ungidos e não façam mal aos meus profetas.'
23 Cantem ao Senhor em toda a terra; anunciem de dia em dia a sua salvação.
24 Contem entre as nações a sua glória, entre todos os povos as suas maravilhas.
25 Porque o Senhor é grande, muito digno de louvor e é mais temível do que todos os deuses.
26 Porque todos os deuses das nações são vaidades; porém o Senhor fez os céus.
27 Majestade e esplendor há diante dele, força e alegria, no seu lugar.
28 Deem ao Senhor, ó famílias das nações, deem ao Senhor glória e força.
29 Deem ao Senhor a glória de seu nome; tragam ofertas e venham perante ele; adorem ao Senhor na beleza da sua santidade.
30 Tremam perante ele, trema toda a terra; pois o mundo se firmará, para que não se abale.
31 Alegrem-se os céus e regozije-se a terra; diga-se entre as nações: 'O Senhor reina.'
32 Brame o mar com a sua plenitude; exulte o campo com tudo o que nele há;
33 então as árvores dos bosques jubilarão perante o Senhor; porque vem julgar a terra.
34 Louvem ao Senhor, porque ele é bom; porque a sua benignidade dura para sempre.
35 E digam: 'Salva-nos, ó Deus da nossa salvação, ajunta-nos e livra-nos das nações, para que louvemos o teu santo nome e nos gloriemos no teu louvor.'
36 Bendito seja o Senhor, Deus de Israel, de eternidade em eternidade." E todo o povo disse: "Amém!" E louvou ao Senhor.
37 Então Davi deixou ali, diante da arca da aliança do Senhor, Asafe e seus irmãos, para ministrarem continuamente perante a arca, segundo se ordenou para cada dia.
38 E Obede-Edom, com seus irmãos, sessenta e oito; Obede-Edom, filho de Jedutum e Hosa, pôs como porteiros.
39 E deixou Zadoque, o sacerdote, e seus irmãos, os sacerdotes, diante do tabernáculo do Senhor, no altar que está em Gibeão,
40 para oferecerem holocaustos ao Senhor continuamente, pela manhã e à tarde, sobre o altar dos holocaustos; como está escrito na lei do Senhor que tinha prescrito a Israel.
41 E com eles Hemã, Jedutum e os demais escolhidos, que foram apontados pelos seus nomes, para louvarem ao Senhor, porque a sua benignidade dura para sempre.
42 Com eles, estavam Hemã e Jedutum, com trombetas e címbalos, e com outros instrumentos musicais para louvar a Deus; porém os filhos de Jedutum eram porteiros.
43 Então todo o povo se retirou, cada um para a sua casa, e Davi voltou para abençoar a sua casa.

Davi Deseja Construir Um Templo

17 Quando Davi já estava morando em seu palácio, disse ao profeta Natã: "Eis que moro em um palácio de cedro, mas a arca da aliança do Senhor está debaixo de cortinas."
2 Então Natã disse a Davi: "Faça tudo o que está em seu coração, porque Deus está com você."
3 Mas, na mesma noite, a palavra do Senhor veio a Natã, dizendo:
4 "Vá e diga a Davi, meu servo: Assim diz o Senhor: Você não me edificará um templo para eu morar;
5 porque em casa nenhuma morei desde o dia em que tirei Israel do Egito até ao dia de hoje; mas tenho andado de tenda em tenda e de tabernáculo em tabernáculo.
6 Por todas as partes por onde andei com todo o Israel, falei alguma palavra a algum dos juízes de Israel, a quem ordenei que pastoreasse o meu povo, perguntando: Por que não constrói um templo de cedro para mim?
7 Agora, diga ao meu servo Davi: Assim diz o Senhor dos

Exércitos: Eu o tirei do curral, de trás das ovelhas, para que
fosse chefe do meu povo Israel.
8 E estive com você por toda a parte, por onde andou, e
da frente de você exterminei todos os seus inimigos, e lhe
fiz um nome como o nome dos grandes que estão na terra,
9 e ordenarei um lugar para o meu povo Israel e o planta-
rei, para que habite no seu lugar e nunca mais seja remo-
vido de uma para outra parte; e nunca mais os filhos da
perversidade o debilitarão como antes,
10 e desde os dias em que ordenei juízes sobre o meu povo
Israel. Assim abaterei todos os seus inimigos; também lhe
faço saber que o Senhor lhe edificará uma casa.
11 E, quando forem cumpridos os seus dias, para ir a seus
pais, escolherei um dos seus filhos para sucedê-lo, e esta-
belecerei o seu reino.
12 Ele me edificará um templo, e eu confirmarei o seu
trono para sempre.
13 Eu lhe serei por pai e ele me será por filho; a minha
benignidade não desviarei dele, como a retirei daquele que
foi rei antes de você.
14 Mas o confirmarei na minha casa e no meu reino para
sempre, e o seu trono será firme para sempre."
15 Conforme todas essas palavras e conforme toda essa
visão, assim Natã falou a Davi.

A Oração de Davi

16 Então o rei Davi entrou, ficou perante o Senhor e disse:
"Quem sou eu, Senhor Deus? O que é a minha casa, para
que me tenhas trazido até aqui?
17 E ainda isto, ó Deus, como se isto fosse pouco aos teus
olhos; também falaste a respeito da casa de teu servo para
tempos distantes e me trataste como se eu fosse um ho-
mem ilustre, ó Senhor Deus.
18 Que mais te dirá Davi, acerca da honra feita a teu ser-
vo? Pois tu conheces bem o teu servo.
19 Ó Senhor, por amor de teu servo e segundo o teu co-
ração fizeste toda esta grandeza, para fazeres conhecidas
todas estas grandes coisas.
20 Senhor, não há ninguém como tu e não há Deus além
de ti, segundo tudo que ouvimos com os nossos ouvidos.
21 E quem há como o teu povo Israel, gente única na ter-
ra, a quem Deus foi remir para ser o seu povo, fazendo para
ti mesmo um nome com estas coisas grandes e tremendas,
lançando as nações de diante do teu povo, que resgataste
do Egito?
22 E confirmaste o teu povo Israel para ser teu povo para
sempre e tu, Senhor, lhe foste por Deus.
23 Agora, pois, Senhor, a palavra que falaste de teu servo,
acerca da sua casa, confirma-a para sempre e faz como
falaste.
24 Confirme-se e engrandeça-se o teu nome para sempre
e diga-se: O Senhor dos Exércitos é o Deus de Israel, é
Deus para Israel e permaneça firme diante de ti a casa de
Davi, teu servo.
25 Porque tu, Deus meu, revelaste ao ouvido de teu servo
que lhe edificarias uma casa; pelo que o teu servo achou
confiança para orar em tua presença.
26 Agora, pois, Senhor, tu és o mesmo Deus e falaste este
bem acerca de teu servo.
27 Agora, pois, abençoa a casa de teu servo, para que
permaneça para sempre diante de ti: porque tu, Senhor, a
abençoaste e ficará abençoada para sempre."

Diversas Vitórias de Davi

18 E, depois disto, Davi derrotou os filisteus e os subju-
gou; tomou Gate e os lugares da sua jurisdição, das
mãos dos filisteus.
2 Também derrotou os moabitas, e eles se tornaram servos
de Davi, pagando impostos.
3 Davi também derrotou Hadadezer, rei de Zobá, junto a
Hamate, quando ele ia estabelecer o seu domínio sobre o
rio Eufrates.
4 E Davi lhe tomou mil carros de guerra, sete mil cavalei-
ros e vinte mil homens de infantaria; Davi aleijou todos
os cavalos dos carros, porém reservou deles cem cavalos.
5 E os sírios vieram de Damasco para socorrer Hadadezer,
rei de Zobá; porém Davi matou dos sírios vinte e dois mil
homens.
6 E Davi pôs guarnições na Síria de Damasco e os sírios
ficaram como servos de Davi, lhe pagando impostos; e o
Senhor guardava Davi por onde quer que fosse.
7 E Davi tomou os escudos de ouro que os servos de Hada-
dezer tinham, e os trouxe a Jerusalém.
8 Também de Tibate e de Cum, cidades de Hadadezer,
Davi tomou grande quantidade de bronze, do qual Salo-
mão fez o tanque de bronze, as colunas e os utensílios.
9 Quando Toú, rei de Hamate, ouviu que Davi destruiu
todo o exército de Hadadezer, rei de Zobá,
10 mandou seu filho Hadorão a Davi, para lhe perguntar
como estava e para o abençoar, por haver lutado contra
Hadadezer e por havê-lo vencido, porque Hadadezer fazia
guerra a Toú, e Toú lhe enviou também vasos de ouro, de
prata e de bronze.
11 Os quais Davi também consagrou ao Senhor, juntamen-
te com a prata e o ouro que trouxe de todas as demais
nações: dos edomitas, dos moabitas, dos filhos de Amom,
dos filisteus e dos amalequitas.
12 Também Abisai, filho de Zeruia, matou dezoito mil
edomitas no Vale do Sal.
13 E pôs guarnições em Edom e todos os edomitas ficaram
como servos de Davi; e o Senhor guardava Davi por onde
quer que ele fosse.

14 Davi reinou sobre todo o Israel e fazia juízo e justiça a todo o seu povo.

15 E Joabe, filho de Zeruia, comandava o exército; Josafá, filho de Ailude, era cronista.

16 E Zadoque, filho de Aitube e Abimeleque, filho de Abiatar, eram sacerdotes; Sausa era escrivão.

17 E Benaia, filho de Joiada, era o comandante da guarda real; porém os filhos de Davi eram os primeiros junto ao rei.

Os Mensageiros de Davi São Insultados

19 Depois disto, Naás, rei dos filhos de Amom, morreu e seu filho reinou em seu lugar.

2 Então Davi disse: "Usarei de bondade com Hanum, filho de Naás, porque seu pai foi bondoso comigo." Por isso Davi enviou mensageiros para o consolarem acerca de seu pai. E os servos de Davi chegaram à terra dos filhos de Amom, a Hanum, para o consolarem.

3 Os príncipes dos filhos de Amom disseram a Hanum: "Pensa que foi para honrar seu pai que Davi lhe mandou consoladores? Seus servos não vieram para esquadrinhar, perturbar e espiar a terra?"

4 Por isso Hanum pegou os servos de Davi e raspou as barbas deles, lhes cortou as roupas ao meio até à coxa da perna, e os mandou embora.

5 E avisaram Davi sobre aqueles homens; por isso, Davi enviou mensageiros para encontrá-los, porque eles estavam muito envergonhados. O rei disse: "Deixem-nos ficarem em Jericó, até que a barba deles torne a crescer e então poderão voltar."

6 Quando os filhos de Amom viram que tinham se tornado odiosos para Davi, então Hanum e os filhos de Amom enviaram trinta e cinco toneladas de prata para alugarem carros e cavaleiros da Mesopotâmia, da Síria, de Maaca e de Zobá.

7 E alugaram para si trinta e dois mil carros e o rei de Maaca com o seu povo; eles vieram e acamparam diante de Medeba; também os filhos de Amom se ajuntaram das suas cidades e vieram para a guerra.

8 Quando Davi ouviu isso, enviou Joabe e todo o exército dos valentes.

9 Os filhos de Amom saíram e ordenaram a batalha à porta da cidade; porém os reis que vieram se puseram à parte no campo.

10 Quando Joabe viu que a batalha estava preparada contra ele, pela frente e pela retaguarda, então separou os melhores soldados de Israel, e os ordenou contra os sírios.

11 E entregou o resto do exército nas mãos de Abisai, seu irmão, e puseram-se em ordem de batalha contra os filhos de Amom.

12 E disse: "Se os sírios forem mais fortes do que eu, você virá me socorrer; e se os filhos de Amom forem mais fortes do que você, então eu o socorrerei.

13 Esforce-se e nos esforçaremos pelo nosso povo, pelas cidades do nosso Deus, e que o Senhor faça conosco o que achar melhor."

14 Então Joabe chegou com o povo que tinha com ele diante dos sírios para a batalha, e eles fugiram diante dele.

15 Quando os filhos de Amom viram que os sírios fugiram, eles também fugiram de Abisai, irmão de Joabe, e entraram na cidade; então Joabe voltou para Jerusalém.

16 E, quando os sírios viram que foram derrotados diante de Israel, enviaram mensageiros e chamaram os sírios que habitavam do outro lado do rio, e Sofaque, capitão do exército de Hadadezer, marchava diante deles.

17 Quando Davi ficou sabendo disso, reuniu todo o Israel, passou o Jordão, foi ao encontro deles e ordenou contra eles a batalha; depois de Davi ter ordenado a batalha, os sírios lutaram contra ele.

18 Porém os sírios fugiram de diante de Israel e Davi matou, dos sírios, sete mil condutores de carros de guerra, quarenta mil homens de infantaria e matou Sofaque, capitão do exército.

19 Quando os servos de Hadadezer viram que tinham sido vencidos por Israel, fizeram paz com Davi e o serviram; os sírios nunca mais quiseram socorrer os filhos de Amom.

Diversas Vitórias

20 Então, no decurso de um ano, no tempo em que os reis costumam sair para a guerra, Joabe levou o exército e destruiu a terra dos filhos de Amom; depois foi e cercou Rabá, porém Davi ficou em Jerusalém, e Joabe atacou Rabá e a destruiu.

2 E Davi tirou a coroa da cabeça do rei deles, a pesou, e ela tinha trinta e cinco quilos de ouro, e nela havia pedras preciosas; e foi posta sobre a cabeça de Davi e ele levou da cidade um grande despojo.

3 Também levou o povo que estava nela e os fez trabalhar com serras, com talhadeiras de ferro e com machados; assim Davi fez com todas as cidades dos filhos de Amom; então Davi voltou com todo o povo para Jerusalém.

4 E, depois disto, houve guerra em Gezer contra os filisteus, então Sibecai, o husatita, matou Sipai, um dos descendentes dos Refains, e os filisteus foram subjugados.

5 E tornou a haver guerra com os filisteus; então Elanã, filho de Jair, matou Lami, irmão de Golias, o geteu, cuja cuja lança tinha uma haste que parecia uma lançadeira de tecelão.

6 E houve ainda outra guerra em Gate; onde havia um homem muito alto e que tinha vinte e quatro dedos, seis em cada mão e seis em cada pé, e que também era descendente de Rafa.

7 E insultou Israel; porém Jônatas, filho de Simeia, irmão
de Davi, o matou;
8 esses eram descendentes de Rafa em Gate, e morreram
pelas mãos de Davi, e pelas mãos dos seus servos.

O Recenseamento do Povo

21 Então Satanás se levantou contra Israel e incitou
Davi a recensear Israel.
2 E Davi disse a Joabe e aos chefes do povo: "Vão e contem
Israel, desde Berseba até Dã, e tragam-me a conta para que
eu saiba o número deles."
3 Então Joabe disse: "Que o Senhor multiplique o seu povo
por cem; porventura, ó rei, meu senhor, não são todos ser-
vos de meu senhor? Por que o meu senhor procura isto?
Por que traria culpa sobre Israel?"
4 Porém a palavra do rei prevaleceu contra Joabe; por isso
Joabe saiu e passou por todo o Israel; então voltou para
Jerusalém.
5 E Joabe deu a Davi o resultado do recenseamento; todo
o Israel era um milhão e cem mil homens, dos que puxa-
vam da espada; de Judá eram quatrocentos e setenta mil
homens, que puxavam da espada.
6 Porém não contou entre eles os de Levi e Benjamim,
porque a ordem do rei foi abominável a Joabe.
7 E esse negócio também pareceu mau aos olhos de Deus;
por isso castigou Israel.
8 Então Davi disse a Deus: "Gravemente pequei em fazer
esse negócio; porém agora te peço que perdoes a iniquida-
de do teu servo, porque cometi grande loucura."
9 O Senhor falou a Gade, o vidente de Davi, dizendo:
10 "Vá e fale a Davi, dizendo: 'Assim diz o Senhor: 'Três
coisas lhe proponho; escolha uma delas, para que eu lhe
faça.'
11 E Gade veio a Davi e lhe disse: "Assim diz o Senhor:
'Escolha para você:
12 três anos de fome, ou que por três meses você seja con-
sumido diante dos seus adversários e a espada de seus ini-
migos o alcance, ou que por três dias a espada do Senhor,
isto é, a peste na terra e o anjo do Senhor destruam todos
os territórios de Israel. Veja agora que resposta levarei a
quem me enviou.'"
13 Então Davi disse a Gade: "Estou em grande angústia;
que eu caia nas mãos do Senhor, porque são muitíssimas
as suas misericórdias; mas que eu não caia nas mãos dos
homens."
14 O Senhor mandou a peste a Israel; e morreram de Israel
setenta mil homens.
15 E Deus mandou um anjo a Jerusalém para a destruir;
e quando ele estava por destruí-la, o Senhor olhou e se
arrependeu daquele mal, e disse ao anjo destruidor: "Basta,
agora retire a sua mão." E o anjo do Senhor estava junto à
eira de Ornã, o jebuseu.
16 Davi levantou os seus olhos e viu o anjo do Senhor
que estava entre a terra e o céu, com a sua espada desem-
bainhada na sua mão estendida contra Jerusalém; então
Davi e os anciãos, cobertos de sacos, se prostraram sobre
os seus rostos.
17 E Davi disse a Deus: "Por acaso não fui eu que disse
que contassem o povo? E eu mesmo que pequei e fiz mui-
to mal; mas o que fizeram essas ovelhas? Ah! Senhor, meu
Deus, seja a tua mão contra mim e contra a casa de meu
pai, mas não para castigo de teu povo."
18 Então o anjo do Senhor ordenou a Gade que dissesse a
Davi que subisse para levantar um altar ao Senhor na eira
de Ornã, o jebuseu.
19 Davi subiu, conforme a palavra de Gade, que falou em
nome do Senhor.
20 E Ornã virando-se, viu o anjo, por isso, seus quatro
filhos que estavam com ele esconderam-se; Ornã estava
debulhando o trigo.
21 E Davi veio a Ornã; então, Ornã viu Davi, saiu da eira e
se prostrou perante Davi com o rosto em terra.
22 E Davi disse a Ornã: "Venda-me este lugar da eira para
edificar nele um altar ao Senhor; venda-a pelo seu devido
valor, para que cesse esse castigo sobre o povo."
23 Então Ornã disse a Davi: "Tome-o para você, e o rei,
meu senhor, faça dele o que bem quiser; eis que dou os
bois para holocaustos, os trilhos para lenha e o trigo para
oferta de cereais; dou tudo."
24 E o rei Davi disse a Ornã: "Não, pelo seu valor o quero
comprar; porque não tomarei o que é seu para o Senhor,
para que eu não ofereça holocausto sem custo."
25 E Davi pagou a Ornã, por aquele lugar, sete quilos e
duzentos gramas de ouro.
26 Então Davi edificou ali um altar ao Senhor, ofereceu
nele holocaustos e sacrifícios pacíficos e invocou o Se-
nhor, que lhe respondeu com fogo do céu sobre o altar
do holocausto.
27 E o Senhor deu ordem ao anjo e ele guardou a sua
espada na bainha.
28 Quando Davi viu que o Senhor lhe respondeu na eira
de Ornã, o jebuseu, sacrificou ali.
29 Porque o tabernáculo do Senhor, que Moisés havia feito
no deserto, e o altar do holocausto, naquele tempo esta-
vam no alto de Gibeão.
30 E Davi não podia ir perante ele consultar ao Senhor;
porque estava aterrorizado por causa da espada do anjo
do Senhor.

Preparativos Para Construir o Templo

22 E Davi disse: "Essa será a casa do Senhor Deus, e
esse será o altar do holocausto para Israel."
2 E Davi deu ordem para que se ajuntassem os estrangeiros
que estavam na terra de Israel; ordenou cortadores de pe-
dras para que lavrassem pedras de decoração para edificar
a Casa de Deus.
3 E Davi providenciou ferro em abundância para os pregos
das portas das entradas e para as junções, como também
bronze em abundância que não foi pesado;
4 e madeira de cedro sem conta; porque os sidônios e tírios
traziam a Davi madeira de cedro em abundância.
5 Pois Davi dizia: "Salomão, meu filho, ainda é jovem e
inexperiente, e o Templo que será edificado para o Senhor
será magnífico para nome e glória em todas as terras; eu,
agora lhe prepararei materiais". Assim Davi preparou ma-
teriais em abundância antes de sua morte.
6 Então Davi chamou Salomão, seu filho, e lhe ordenou
que edificasse um templo ao Senhor Deus de Israel.
7 E Davi disse a Salomão: "Meu filho, quanto a mim, tive
em meu coração o propósito de edificar um templo ao
nome do Senhor meu Deus.
8 Porém, a palavra do Senhor veio a mim, dizendo: 'Você
derramou sangue em abundância e fez grandes guerras;
não edificará um templo ao meu nome; porque você derra-
mou muito sangue na terra perante mim.
9 O filho que lhe nascer será homem de paz; porque lhe
darei paz de todos os seus inimigos ao redor; portanto, Sa-
lomão será o seu nome, e darei a Israel nos seus dias paz
e descanso.
10 Ele edificará um templo ao meu nome e me será por
filho, eu lhe serei por pai, e confirmarei o trono de seu
reino sobre Israel para sempre.'
11 Agora, meu filho, o Senhor esteja com você; prospere
e edifique o templo do Senhor seu Deus, como ele disse
de você.
12 Que o Senhor lhe dê prudência e entendimento, e lhe
instrua acerca de Israel; e isso para guardar a lei do Senhor
seu Deus.
13 Então você prosperará se tiver cuidado de cumprir os
estatutos e os juízos que o Senhor mandou a Moisés a res-
peito de Israel; esforce-se e tenha bom ânimo; não tenha
medo nem tenha pavor.
14 Na minha opressão preparei para a casa do Senhor três
mil e quinhentas toneladas de ouro, trinta e cinco mil to-
neladas de prata, e de bronze e ferro que não se podem
calcular, porque eram em abundância; também preparei
madeira e pedras e você suprirá o que faltar.
15 Também tem com você muitos trabalhadores especia-
lizados, cortadores, artífices em obra de pedra, madeira e
homens peritos em todos os trabalhos
16 em ouro, em prata, em bronze e em ferro que não se
pode contar. Levante-se e faça a obra, e que o Senhor esteja
com você."
17 E Davi deu ordem a todos os chefes de Israel que aju-
dassem Salomão, seu filho, dizendo:
18 "O Senhor seu Deus não está com vocês e não os deu
paz por todos os lados? Pois entregou na minha mão os
moradores desta terra; e a terra foi submetida ao Senhor
e ao seu povo.
19 Agora disponham o seu coração e a alma de vocês para
buscarem ao Senhor seu Deus; e levantem-se, edifiquem
o santuário do Senhor Deus, para que a arca da aliança
do Senhor e os utensílios sagrados de Deus sejam trazidos
para esse templo, que será edificado ao nome do Senhor."

Davi Nomeia Salomão Rei

23 Quando Davi já era bem velho, constituiu Salomão,
seu filho, rei sobre Israel.

O Censo Levítico e Suas Funções

2 E reuniu todos os chefes de Israel, e os sacerdotes e
levitas.
3 E foram contados os levitas de trinta anos para cima; a
quantidade deles, contados um a um, eram trinta e oito
mil homens.
4 Destes, havia vinte e quatro mil para supervisionarem a
obra da Casa do Senhor, e seis mil oficiais e juízes,
5 quatro mil porteiros e quatro mil para louvarem ao Se-
nhor com os instrumentos que eu fiz para o louvar, disse
Davi.
6 E Davi os repartiu por turnos, segundo os filhos de Levi,
Gérson, Coate e Merari.
7 Dos gersonitas: Ladã e Simei.
8 Os filhos de Ladã: Jeiel, o chefe, Zetã e Joel, três.
9 Os filhos de Simei: Selomite, Haziel e Harã, três; esses
foram os chefes das famílias de Ladã.
10 E os filhos de Simei: Jaate, Ziza, Jeús e Berias; esses
foram os filhos de Simei, quatro.
11 E Jaate era o chefe e Ziza o segundo, mas Jeús e Berias
não tiveram muitos filhos; por isso foram contados juntos,
e se tornaram uma só família.
12 Os filhos de Coate: Anrão, Isar, Hebrom e Uziel, quatro.
13 Os filhos de Anrão: Arão e Moisés; Arão foi separado
para servir no Santo dos Santos, ele e seus filhos, eterna-
mente; para queimar incenso diante do Senhor, para o ser-
virem e para darem a bênção em seu nome eternamente.
14 E, quanto a Moisés, homem de Deus, seus filhos foram
contados entre a tribo de Levi.
15 Os filhos de Moisés foram Gérson e Eliézer.
16 Dos filhos de Gérson, Sebuel foi o chefe.

17 E, quanto aos filhos de Eliézer, Reabias foi o chefe;
Eliézer não teve outros filhos; porém os filhos de Reabias
foram muitos.
18 Dos filhos de Isar, Selomite foi o chefe.
19 Quanto aos filhos de Hebrom, foram Jerias, o chefe,
Amarias, o segundo, Jaaziel, o terceiro e Jecameão, o
quarto.
20 Quanto aos filhos de Uziel, Mica, o chefe, e Issias, o
segundo.
21 Os filhos de Merari: Mali e Musi; os filhos de Mali:
Eleazar e Quis.
22 Eleazar morreu e não teve filhos, porém filhas; os filhos
de Quis, seus irmãos, as tomaram por mulheres.
23 Os filhos de Musi: Mali, Éder e Jerimote, três.
24 Esses são os filhos de Levi, segundo as suas famílias,
conforme foram contados pelos seus nomes, segundo os
seus chefes, que faziam a obra do ministério da casa do
Senhor, da idade de vinte anos para cima.
25 Porque Davi disse: "O Senhor Deus de Israel deu paz
ao seu povo e habitará em Jerusalém para sempre.
26 E, quanto aos levitas, nunca mais precisarão levar o
tabernáculo, nem seus utensílios para o seu ministério."
27 Porque, segundo as últimas palavras de Davi, foram
contados os filhos de Levi da idade de vinte anos para
cima.
28 O seu cargo era ajudar os filhos de Arão no ministério
da casa do Senhor, nos átrios, nas câmaras, na purificação
de todas as coisas sagradas e na obra do ministério da Casa
de Deus.
29 A saber: os pães da proposição, a farinha especial, a
oferta de cereais, os bolos não fermentados, de assar o pão,
e todo o peso e medida;
30 e para estarem cada manhã em pé para louvarem e
celebrarem ao Senhor; e semelhantemente à tarde;
31 e para oferecerem os holocaustos do Senhor, aos sá-
bados, nas luas novas e nas solenidades, segundo o seu
número e costume, continuamente perante o Senhor;
32 e para cuidarem da tenda do encontro e do santuário e
para assistências dos filhos de Arão, seus irmãos, no minis-
tério da Casa do Senhor.

A Divisão dos Sacerdotes

24 E quanto aos filhos de Arão, estas foram as suas divi-
sões; os filhos de Arão foram Nadabe, Abiú, Eleazar
e Itamar.
2 E Nadabe e Abiú morreram antes de seu pai e não ti-
veram filhos; Eleazar e Itamar ministravam o sacerdócio.
3 E Davi, com a ajuda de Zadoque, um dos filhos de Elea-
zar, e de Aimeleque, um dos filhos de Itamar, Davi dividiu-
-os segundo o seu ofício no seu ministério.
4 E verificou-se que eram muitos mais os filhos de Eleazar
entre os chefes de famílias do que os filhos de Itamar, quan-
do os repartiram; dos filhos de Eleazar, dezesseis chefes de
famílias, mas dos filhos de Itamar, segundo as suas famílias,
eram oito.
5 E foram repartidos por sorteio, tanto uns como os ou-
tros; porque havia oficiais do santuário e oficiais da casa
de Deus, tanto entre os filhos de Eleazar, como entre os
filhos de Itamar.
6 E Semaías, filho de Natanael, o escrivão dentre os levitas,
os registrou perante o rei, os príncipes e Zadoque, o sacer-
dote, Aimeleque, filho de Abiatar, os chefes das famílias
dos sacerdotes e dos levitas; entre as famílias, sorteou uma
para Eleazar e outra para Itamar, alternadamente.
7 E a primeira sorte saiu para Jeoiaribe, a segunda para
Jedaías,
8 a terceira para Harim, a quarta para Seorim,
9 a quinta para Malquias, a sexta para Miamim,
10 a sétima para Hacoz, a oitava para Abias,
11 a nona para Jesua, a décima para Secanias,
12 a décima primeira para Eliasibe, a décima segunda para
Jaquim,
13 a décima terceira para Hupá; a décima quarta para
Jesebeabe,
14 a décima quinta para Bilga, a décima sexta para Imer,
15 a décima sétima para Hezir, a décima oitava para
Hapises,
16 a décima nona para Petaías, a vigésima para Jeezquel,
17 a vigésima primeira para Jaquim, a vigésima segunda
para Gamul,
18 a vigésima terceira para Delaías, a vigésima quarta para
Maazias.
19 O ofício desses no seu ministério era entrar na casa do
Senhor, segundo lhes foi ordenado por Arão, seu pai, como
o Senhor Deus de Israel lhe havia ordenado.
20 E do restante dos filhos de Levi: dos filhos de Anrão,
Subael; dos filhos de Subael, Jedias.
21 Quanto a Reabias: dos filhos de Reabias, Issias era o
chefe;
22 dos isaritas, Selomite; dos filhos de Selomite, Jaate;
23 e dos filhos de Hebrom, Jerias o primeiro, Amarias o
segundo, Jaaziel o terceiro, Jecameão o quarto;
24 dos filhos de Uziel, Mica; dos filhos de Mica, Samir;
25 o irmão de Mica, Issias; dos filhos de Issias, Zacarias;
26 os filhos de Merari, Mali e Musi; dos filhos de Jaazias,
Beno;
27 os filhos de Merari: de Jaazias, Beno, Soão, Zacur e Ibri;
28 de Mali, Eleazar; e este não teve filhos.
29 Quanto a Quis: dos filhos de Quis, Jerameel;
30 e os filhos de Musi: Mali, Eder e Jerimote; esses foram
os filhos dos levitas, segundo as suas famílias.

31 Esses também fizeram sorteio entre seus irmãos, os
filhos de Arão, perante o rei Davi, Zadoque, Aimeleque
e os chefes das famílias dos sacerdotes e dos levitas; assim
fizeram, tanto os chefes das famílias como os seus irmãos
menores.

A Nomeação dos Músicos

25 E Davi, juntamente com os capitães do exército, se-
parou para o ministério os filhos de Asafe, de Hemã
e de Jedutum, para profetizarem com harpas, com alaúdes
e com saltérios; e este foi o número dos homens aptos para
a obra do seu ministério:
2 Dos filhos de Asafe foram Zacur, José, Netanias e Asarela,
filhos de Asafe, sob a supervisão de Asafe, que profetizava
debaixo das ordens do rei Davi.
3 Quanto a Jedutum, os filhos de Jedutum foram: Geda-
lias, Zeri, Jesaías, Hasabias, Matitias e Simei: seis, sob a
supervisão de seu pai Jedutum, que profetizava ao som da
harpa, louvando e dando graças ao Senhor.
4 Quanto a Hemã, os filhos: Buquias, Matanias, Uziel, Se-
buel, Jerimote, Hananias, Hanani, Eliata, Gidalti, Romanti-
-Ézer, Josbecasa, Maloti, Hotir e Maaziote.
5 Todos esses foram filhos de Hemã, o vidente do rei nas
palavras de Deus, para exaltar o seu poder; porque Deus
deu a Hemã catorze filhos e três filhas.
6 Todos esses estavam sob a supervisão de seu pai, para o
canto da casa do Senhor, com saltérios, alaúdes e harpas,
para o ministério da Casa de Deus; Asafe, Jedutum e Hemã
estavam sob as ordens do rei.
7 E o número deles, juntamente com seus irmãos instruí-
dos no canto ao Senhor, todos eles mestres, era duzentos
e oitenta e oito.
8 E fizeram sorteio para designar os deveres tanto dos jo-
vens como dos velhos, tanto do mestre como do discípulo.
9 A primeira sorte saiu para a família de Asafe, para José;
a segunda para Gedalias; ele, seus irmãos e seus filhos, ao
todo eram doze.
10 A terceira, para Zacur, seus filhos e seus irmãos: doze;
11 a quarta, para Izri, seus filhos e seus irmãos: doze;
12 a quinta, para Netanias, seus filhos e seus irmãos: doze;
13 a sexta, para Buquias, seus filhos e seus irmãos: doze;
14 a sétima, para Jesarela, seus filhos e seus irmãos: doze;
15 a oitava, para Jesaías, seus filhos e seus irmãos: doze;
16 a nona, para Matanias, seus filhos e seus irmãos: doze;
17 a décima, para Simei, seus filhos e seus irmãos: doze;
18 a décima primeira, para Azarel, seus filhos e seus ir-
mãos: doze;
19 a décima segunda, para Hasabias, seus filhos e seus
irmãos: doze;
20 a décima terceira, para Subael, seus filhos e seus ir-
mãos: doze;
21 a décima quarta, para Matitias, seus filhos e seus ir-
mãos: doze;
22 a décima quinta, para Jerimote, seus filhos e seus ir-
mãos: doze;
23 a décima sexta, para Hananias, seus filhos e seus ir-
mãos: doze;
24 a décima sétima, para Josbecasa, seus filhos e seus ir-
mãos: doze;
25 a décima oitava, para Hanani, seus filhos e seus irmãos:
doze;
26 a décima nona, para Maloti, seus filhos e seus irmãos:
doze;
27 a vigésima, para Eliata, seus filhos e seus irmãos: doze;
28 a vigésima primeira, para Hotir, seus filhos e seus ir-
mãos: doze;
29 a vigésima segunda, para Gidalti, seus filhos e seus ir-
mãos: doze;
30 a vigésima terceira, para Maaziote, seus filhos e seus
irmãos: doze;
31 a vigésima quarta, para Romanti-Ézer, seus filhos e seus
irmãos: doze.

A Indicação dos Porteiros

26 Quanto às divisões dos porteiros, dos coraítas foi
Meselemias, filho de Coré, dos filhos de Asafe.
2 E os filhos de Meselemias foram: Zacarias, o primogê-
nito, Jediael, o segundo, Zebadias, o terceiro, Jatniel, o
quarto,
3 Elão, o quinto, Joanã, o sexto, Elioenai, o sétimo.
4 E os filhos de Obede-Edom foram: Semaías, o primogê-
nito, Jeozabade, o segundo, Joá, o terceiro, Sacar, o quarto
e Natanael, o quinto,
5 Amiel, o sexto, Issacar, o sétimo, Peuletai, o oitavo; por-
que Deus o tinha abençoado.
6 Também a seu filho Semaías nasceram filhos, que do-
minaram sobre a casa de seu pai; porque foram homens
valentes.
7 Os filhos de Semaías: Otni, Rafael, Obede e Elzabade,
com seus irmãos, homens valentes, Eliú e Semaquias.
8 Todos esses foram dos filhos de Obede-Edom; eles e seus
filhos e seus irmãos, homens valentes e de força para o
ministério; ao todo sessenta e dois, de Obede-Edom.
9 E os filhos e os irmãos de Meselemias, homens valentes,
foram dezoito.
10 E de Hosa, dentre os filhos de Merari, foram filhos: Sin-
ri, o chefe, ainda que ele não fosse o primogênito, contudo,
seu pai o constituiu chefe,
11 Hilquias, o segundo, Tebalias, o terceiro, Zacarias, o
quarto; todos os filhos e irmãos de Hosa foram treze.
12 Com estes se fizeram as turmas dos porteiros, alternan-

do os chefes dos homens da guarda, juntamente com os
seus irmãos, para ministrarem na Casa do Senhor.
13 E fizeram sorteios para cada portão, tanto para os mais
novos como para os mais velhos, segundo as suas famílias.
14 E a sorte do portão leste caiu a Selemias; depois a sorte
saiu para seu filho Zacarias, conselheiro sábio e lhe saiu a
do portão norte.
15 E para Obede-Edom saiu a do sul; para seus filhos saiu
a guarda da casa do depósito.
16 Para Supim e Hosa a guarda do oeste, junto ao portão
Salequete, perto do caminho da subida; uma guarda ficava
em frente da outra.
17 Ao leste estavam de guarda seis levitas; ao norte quatro
por dia, ao sul quatro por dia, porém para a casa de depósi-
tos, dois em um lugar e dois em outro.
18 No pátio, a oeste, ficavam quatro guardas junto ao ca-
minho e dois junto ao pátio.
19 Esses são os turnos dos porteiros dentre os filhos dos
coraítas e dentre os filhos de Merari.

A Nomeação dos Tesoureiros

20 E dos levitas: Aías era encarregado dos tesouros da Casa
de Deus e dos tesouros das coisas sagradas.
21 Quanto aos filhos de Ladã, gersonita, Jeieli era chefe
da família.
22 Os filhos de Jeieli: Zetã e Joel, seu irmão; esses eram
encarregados dos tesouros da Vasa do Senhor,
23 dos anramitas, dos izaritas, dos hebronitas, dos ozielitas.
24 E Sebuel, filho de Gérson, o filho de Moisés, era oficial
encarregado dos tesouros.
25 E seus irmãos foram, do lado de Eliézer, Reabias seu
filho, Isaías, seu filho, Jorão seu filho, Zicri seu filho e Se-
lomite, seu filho.
26 Selomite e seus irmãos eram encarregados de todos os
tesouros das coisas consagradas que o rei Davi e os chefes
das famílias, capitães de milhares, de centenas e capitães
do exército tinham consagrado.
27 Dos despojos das guerras dedicaram ofertas para repa-
rarem a Casa do Senhor.
28 Como também tudo o que tinha consagrado Samuel, o
vidente, Saul, filho de Quis, Abner, filho de Ner e Joabe,
filho de Zeruia; tudo que eles haviam dedicado estava sob
os cuidados de Selomite e seus irmãos.

A Nomeação de Magistrados

29 Dos izaritas, Quenanias e seus filhos foram postos sobre
Israel para a obra de fora do templo, como oficiais e juízes;
30 dos hebronitas foram Hasabias e seus irmãos, homens
valentes, mil e setecentos; eram os encarregados em Israel,
além do Jordão para oeste, para toda a obra do Senhor e
para o serviço do rei.
31 Dos hebronitas, Jerias era o chefe; de suas genealogias,
no ano quarenta do reino de Davi foram buscados e acha-
dos entre eles homens valentes em Jazer de Gileade.
32 E seus irmãos, homens valentes, dois mil e setecentos,
chefes das famílias; o rei Davi os constituiu sobre os rubeni-
tas, os gaditas e a meia tribo dos manassitas, para todos os
negócios de Deus e para todos os negócios do rei.

Os Oficiais Civis

27 Estes são os israelitas segundo o seu número, os
chefes das famílias, os capitães dos milhares e das
centenas, com os seus oficiais, que serviam ao rei em todos
os negócios das turmas que entravam e saíam de mês em
mês, em todos os meses do ano; cada turma era de vinte
e quatro mil.
2 Sobre a primeira turma do primeiro mês estava Jasobeão,
filho de Zabdiel; em sua turma havia vinte e quatro mil.
3 Ele era dos filhos de Perez, chefe de todos os capitães dos
exércitos, para o primeiro mês,
4 e sobre a turma do segundo mês estava Dodai, o aoíta,
com a sua turma, cujo chefe era Miclote; em sua turma
também havia vinte e quatro mil.
5 O terceiro capitão do exército, para o terceiro mês, era
Benaia, filho de Joiada, oficial-maior e chefe; em sua turma
também havia vinte e quatro mil.
6 Benaia era valente e chefe dos trinta; na sua turma estava
Amizabade, seu filho.
7 O quarto, do quarto mês, era Asael, irmão de Joabe, e de-
pois dele Zebadias, seu filho; também em sua turma havia
vinte e quatro mil.
8 O quinto, do quinto mês, era o capitão Samute, o israíta;
em sua turma também havia vinte e quatro mil.
9 O sexto, do sexto mês, era Ira, filho de Iques, o tecoíta;
em sua turma também havia vinte e quatro mil.
10 O sétimo, do sétimo mês, era Heles, o pelonita, dos
filhos de Efraim; em sua turma também havia vinte e qua-
tro mil.
11 O oitavo, do oitavo mês, era Sibecai, o husatita, dos
zeraítas; em sua turma também havia vinte e quatro mil.
12 O nono, do nono mês, era Abiezer, o anatotita, dos ben-
jamitas; em sua turma também havia vinte e quatro mil.
13 O décimo, do décimo mês, era Maarai, o netofatita, dos
zeraítas; em sua turma também havia vinte e quatro mil.
14 O décimo primeiro, do décimo primeiro mês, era Be-
naia, o piratonita, dos filhos de Efraim; em sua turma tam-
bém havia vinte e quatro mil.
15 O décimo segundo, do décimo segundo mês, era Hel-
dai, o netofatita, de Otniel; em sua turma também havia
vinte e quatro mil.
16 Porém sobre as tribos de Israel eram estes: sobre os
rubenitas era chefe Eliézer, filho de Zicri; sobre os simeoni-
tas, Sefatias, filho de Maaca;

17 sobre os levitas, Hasabias, filho de Quemuel; sobre os
aronitas, Zadoque;
18 sobre Judá, Eliú, dos irmãos de Davi; sobre Issacar,
Onri, filho de Micael;
19 sobre Zebulom, Ismaías, filho de Obadias; sobre Naftali,
Jerimote, filho de Azriel;
20 sobre os filhos de Efraim, Oseias, filho de Azazias; sobre
a meia tribo de Manassés, Joel, filho de Pedaías;
21 sobre a outra meia tribo de Manassés em Gileade, Ido,
filho de Zacarias; sobre Benjamim, Jaasiel, filho de Abner;
22 sobre Dã, Azarel, filho de Jeroão; esses eram os capitães
das tribos de Israel.
23 Davi, porém, não contou os de vinte anos para baixo,
porque o Senhor tinha falado que havia de multiplicar Israel
como as estrelas do céu.
24 Joabe, filho de Zeruia, tinha começado a contá-los,
porém não acabou; porque veio por isso grande ira sobre
Israel; por isso o número não está no registro das crônicas
do rei Davi.
25 E sobre os tesouros do rei estava Azmavete, filho de
Adiel, porém sobre os tesouros dos campos, das cidades,
das aldeias e das torres, estava Jônatas, filho de Uzias.
26 E sobre os trabalhadores do campo, na lavoura da terra,
estava Ezri, filho de Quelube.
27 E sobre as vinhas, Simei, o ramatita, era o encarregado;
porém sobre o que entrava das vinhas nas adegas de vinho,
Zabdi, o sifmita, era o encarregado.
28 E sobre os olivais e figueiras bravas que havia nas campinas,
Baal-Hanã, o gederita, era o encarregado; porém
Joás era o encarregado dos armazéns de azeite.
29 E sobre os gados que pastavam em Sarom, Sitrai, o saronita,
era quem cuidava; porém, sobre os gados dos vales,
Safate, filho de Adlai, era o encarregado.
30 E sobre os camelos, Obil, o ismaelita, era o encarregado;
sobre as jumentas, Jedias, o meronotita, era quem
cuidava.
31 E o encarregado sobre as ovelhas era Jaziz, o hagarita;
todos esses eram administradores das fazendas que o rei
Davi tinha.
32 E Jônatas, tio de Davi, era do conselho, homem sábio e
escriba; Jeiel, filho de Hacmoni, cuidava dos filhos do rei.
33 E Aitofel era do conselho do rei; Husai, o arquita, amigo
do rei.
34 Aitofel foi sucedido por Joiada, filho de Benaia e Abiatar;
Joabe era chefe do exército do rei.

As Últimas Instruções de Davi

28 Davi reuniu em Jerusalém todos os chefes de Israel,
os chefes das tribos, os capitães das turmas que serviam
o rei, os capitães dos milhares, os capitães das centenas
e os administradores de todas as fazendas e posses
do rei e de seus filhos, os oficiais do palácio, os principais
guerreiros e soldados valentes.
2 E o rei Davi pôs-se em pé e disse: "Ouçam, meus irmãos
e meu povo; em meu coração eu propus edificar um templo
de repouso para a arca da aliança do Senhor e para o
estrado dos pés do nosso Deus e eu havia feito preparativos
para o edificar.
3 Porém Deus me disse: 'Não edificará um templo ao
meu nome, porque é homem de guerra e derramou muito
sangue.'
4 E o Senhor Deus de Israel escolheu-me de toda a casa
de meu pai, para que eternamente fosse rei sobre Israel;
porque Judá ele escolheu por príncipe, e da casa de Judá,
escolheu a casa de meu pai, e entre os filhos de meu pai
o Senhor se agradou de mim para me fazer rei sobre todo
o Israel.
5 E, de todos os meus filhos, porque o Senhor me deu
muitos filhos, ele escolheu o meu filho Salomão para se
assentar no trono do reino do Senhor sobre Israel.
6 E me disse: 'Seu filho Salomão, ele edificará a minha
casa e os meus átrios; porque o escolhi para filho e eu lhe
serei por pai.
7 E estabelecerei o seu reino para sempre, se ele continuar
a cumprir os meus mandamentos e os meus juízos, como
tem feito até ao dia de hoje.'
8 Agora, perante os olhos de todo o Israel, a congregação
do Senhor, e perante os ouvidos de nosso Deus, guardem
e busquem todos os mandamentos do Senhor seu Deus,
para que vocês possuam esta boa terra e façam seus filhos
depois de vocês a herdarem, para sempre.
9 E você, meu filho Salomão, conheça o Deus de seu pai,
sirva-o com um coração perfeito e com uma alma voluntária;
porque o Senhor esquadrinha todos os corações e entende
todas as imaginações dos pensamentos; se o buscar,
o Senhor será achado por você, porém, se o deixar, ele o
rejeitará para sempre.
10 Olhe, agora, porque o Senhor o escolheu para edificar
um templo que sirva de santuário; se esforce e faça a obra."

Davi Entrega o Projeto do Templo a Salomão

11 E Davi deu a Salomão, seu filho, a planta do pórtico
com as suas casas, as suas tesourarias, os seus cenáculos
e as suas câmaras interiores, como também da casa do
propiciatório.
12 E a planta de tudo o que tinha em mente, a saber: dos
átrios da Casa do Senhor e de todas as câmaras ao redor
para os tesouros da Casa de Deus e para os tesouros das
coisas sagradas;
13 e para as turmas dos sacerdotes, para os levitas, para
toda a obra do ministério da casa do Senhor e para todos os
utensílios do ministério da Casa do Senhor.

14 E determinou o peso do ouro para todos os utensílios
de cada ministério; também o peso da prata para todos
os utensílios de prata, para todos os utensílios de cada
ministério.
15 E o peso para os candelabros de ouro e suas lâmpadas
de ouro, para cada candelabro e as suas lâmpadas, segundo
o uso de cada um; também para os candelabros de prata,
segundo o uso de cada um.
16 Também o peso do ouro para as mesas da proposição,
para cada mesa, e o peso da prata para as mesas de prata.
17 E o peso de ouro puro para os garfos, para as bacias,
para os jarros e para as taças de ouro, para cada taça seu
peso; como também para as taças de prata, para cada taça
o seu peso.
18 E para o altar do incenso, seu peso em ouro purificado;
como também o peso do ouro para o carro dos querubins,
que haviam de estender as asas e cobrir a arca da aliança
do Senhor.
19 Tudo isto, disse Davi, o Senhor me deu por escrito da
sua mão todas as obras desta planta.
20 E Davi disse a Salomão, seu filho: "Esforce-se e tenha
bom ânimo e faça a obra; não tenha medo, nem se apavo-
re; porque o Senhor Deus, meu Deus, estará com você;
não o deixará, nem o desamparará, até que acabe toda a
construção da Casa do Senhor.
21 E você tem aí as turmas dos sacerdotes e dos levitas
para todo o serviço da Casa de Deus; estão com você para
toda a obra voluntários com sabedoria para todo tipo de
serviço; como também todos os chefes e todo o povo, para
todas as suas ordens."

As Ofertas Para a Construção do Templo

29 O rei Davi disse mais a toda a congregação: "Sa-
lomão, meu filho, o único a quem Deus escolheu,
ainda é jovem e inexperiente, e essa obra é grande; porque
não é um palácio para homem, mas para o Senhor Deus.
2 Eu, com todas as minhas forças já preparei para a Casa
de meu Deus ouro para as obras de ouro, prata para as de
prata, bronze para as de bronze, ferro para as de ferro e
madeira para as de madeira, pedras de ônix e de engaste,
pedras ornamentais, todo tipo de pedras preciosas e pedras
de mármore em abundância.
3 E ainda, porque tenho amor à Casa de meu Deus, o ouro
e a prata particular que tenho, eu dou para a Casa do meu
Deus, fora tudo que preparei para o santuário:
4 Cento e cinco toneladas de ouro, do ouro de Ofir, e du-
zentos e quarenta e cinco toneladas de prata purificada,
para cobrir as paredes das casas.
5 Ouro para os vasos de ouro e prata para os de prata;
para toda a obra de mão dos artífices. Quem está disposto
a encher a sua mão, para ofertar hoje voluntariamente ao
Senhor?"
6 Então os chefes das famílias, os chefes das tribos de Is-
rael, os capitães dos milhares e das centenas e até os admi-
nistradores da obra do rei contribuíram voluntariamente.
7 E deram para a construção da Casa de Deus cento e
setenta e cinco toneladas de ouro, dez mil moedas de ouro,
trezentas e cinquenta toneladas de prata, seiscentas e trinta
toneladas de bronze e três mil e quinhentas toneladas de
ferro.
8 E os que possuíam pedras preciosas, deram-nas para o
tesouro da Casa do Senhor, a cargo de Jeiel, o gersonita.
9 E o povo se alegrou porque contribuíram voluntaria-
mente; porque, com o coração íntegro, voluntariamente
deram ao Senhor; e o rei Davi também se encheu de gran-
de alegria.

O Cântico de Louvor de Davi

10 Por isso Davi louvou ao Senhor na presença de toda a
congregação e disse: "Bendito és tu, Senhor Deus de nosso
pai Israel, de eternidade em eternidade.
11 Teus são, ó Senhor, a grandeza, o poder, a honra, a vi-
tória e a majestade; porque teu é tudo quanto há nos céus
e na terra; teu é, Senhor, o reino, e tu te exaltaste sobre
todos como chefe.
12 E riquezas e glória vêm de diante de ti, tu dominas
sobre tudo, na tua mão há força e poder e na tua mão está
o engrandecer e o dar força a todos.
13 Agora, pois, ó Deus nosso, graças te damos e louvamos
o nome da tua glória.
14 Porque quem sou eu, e quem é o meu povo, para que
pudéssemos oferecer voluntariamente coisas semelhantes?
Porque tudo vem de ti e do que é teu nós damos.
15 Porque somos estrangeiros diante de ti e peregrinos
como todos os nossos pais; como a sombra são os nossos
dias sobre a terra e sem ti não há outra esperança.
16 Senhor, nosso Deus, toda esta abundância, que prepa-
ramos, para te edificar uma Casa ao teu santo nome, vem
da tua mão e é toda tua.
17 E bem sei eu, meu Deus, que tu provas os corações e
que da sinceridade te agradas; eu, também, na sinceridade
de meu coração, voluntariamente dei todas estas coisas e
agora vi com alegria que o teu povo, que se acha aqui,
voluntariamente te deu.
18 Senhor Deus de Abraão, Isaque e Israel, nossos pais,
conserva isto para sempre no intento dos pensamentos do
coração de teu povo e encaminha o coração deles para ti.
19 E a Salomão, meu filho, dá um coração perfeito, para
guardar os teus mandamentos, os teus testemunhos, os
teus estatutos, para fazer tudo e para edificar este palácio
que tenho preparado."

20 Então disse Davi a toda a congregação: "Agora, louvem ao Senhor seu Deus." Então toda a congregação louvou ao Senhor Deus de seus pais, inclinaram-se e prostraram-se perante o Senhor e o rei.

21 E no outro dia trouxeram sacrifícios ao Senhor e ofereceram holocaustos ao Senhor: mil bezerros, mil carneiros, mil cordeiros, com as suas libações; e sacrifícios em abundância por todo o Israel.

22 E comeram e beberam naquele dia perante o Senhor, com grande alegria; pela segunda vez fizeram rei a Salomão, filho de Davi, e o ungiram ao Senhor por príncipe e a Zadoque por sacerdote.

23 Assim, Salomão se assentou no trono do Senhor, como rei, em lugar de Davi, seu pai, e prosperou; e todo o Israel lhe deu ouvidos.

24 E todos os príncipes, os grandes, e até todos os filhos do rei Davi, se submeteram ao rei Salomão.

25 E o Senhor engrandeceu muito Salomão perante os olhos de todo o Israel e deu-lhe majestade real, qual antes dele não teve nenhum rei em Israel.

A Morte de Davi

26 Assim Davi, filho de Jessé, reinou sobre todo o Israel.

27 E reinou sobre Israel por quarenta anos; em Hebrom reinou por sete anos e em Jerusalém reinou por trinta e três anos.

28 E Davi morreu numa boa velhice, bem velho, com riquezas e glória; e Salomão, seu filho, reinou em seu lugar.

29 Os atos do rei Davi, tanto os primeiros como os últimos, estão escritos nas crônicas de Samuel, o vidente, nas crônicas do profeta Natã e nas crônicas de Gade, o vidente,

30 relatando todo o seu reinado, o seu poder e os acontecimentos de sua vida; também sobre Israel e sobre todos os reinos vizinhos.

O SEGUNDO LIVRO DAS CRÔNICAS

Salomão Reina

1 E Salomão, filho de Davi, fortaleceu-se no seu reino; e o Senhor seu Deus estava com ele e o engrandeceu muito.

2 E Salomão falou a todo o Israel, aos capitães dos milhares e das centenas, aos juízes e a todos os chefes em todo o Israel.

3 E Salomão foi, e toda a congregação com ele, ao alto que estava em Gibeão; porque ali estava a tenda do encontro de Deus, que Moisés, servo do Senhor, tinha feito no deserto.

4 Mas Davi tinha levado a arca de Deus de Quiriate-Jearim para o lugar que lhe preparou; porque armou uma tenda em Jerusalém para ela.

5 Também o altar de bronze que Bezalel, filho de Uri, filho de Hur, tinha feito, estava ali diante do tabernáculo; e Salomão e a congregação consultavam o Senhor.

6 E Salomão ofereceu ali sacrifícios perante o Senhor, sobre o altar de bronze que estava na tenda do encontro; ofereceu sobre ele mil holocaustos.

A Sabedoria e a Riqueza de Salomão

7 Naquela mesma noite Deus apareceu a Salomão e lhe disse: "Peça o que quer que eu lhe dê."

8 E Salomão disse a Deus: "Tu usaste de grande bondade com meu pai Davi e a mim me fizeste rei em seu lugar.

9 Agora, ó Senhor Deus, confirme-se a tua palavra, dada ao meu pai Davi; porque tu me fizeste reinar sobre um povo numeroso como o pó da terra.

10 Dá-me, agora, sabedoria e conhecimento, para que eu possa sair e entrar perante esse povo; pois quem poderia governar esse tão grande povo?"

11 Então Deus disse a Salomão: "Porque este é o desejo do seu coração e não pediu riquezas, bens, ou honra, nem a morte dos que o aborrecem, nem pediu muitos dias de vida, mas pediu para você sabedoria e conhecimento, para poder governar o meu povo, sobre o qual o constituí rei,

12 sabedoria e conhecimento lhe serão dados; também lhe darei riquezas, bens e honra, como nenhum rei antes de você teve, e nenhum rei terá depois de você."

13 Assim Salomão veio a Jerusalém, do alto que estava em Gibeão, da tenda do encontro, e reinou sobre Israel.

14 E Salomão ajuntou carros e cavaleiros e chegou a ter mil e quatrocentos carros e doze mil cavaleiros, que pôs nas cidades dos carros e junto ao rei em Jerusalém.

15 E o rei fez com que o ouro e a prata em Jerusalém fossem como pedras e cedros de tanta abundância, como figueiras bravas que há pelas campinas.

16 E os cavalos que tinha Salomão eram trazidos do Egito; os mercadores do rei os recebiam em tropas, cada uma pelo seu preço.

17 E traziam do Egito cada carro por sete quilos e duzentos gramas de prata e um cavalo por um quilo e oitocentos

gramas; assim era para todos os reis dos heteus e para os
reis da Síria.

Preparativos Para Construir o Templo

2 E Salomão determinou edificar um Templo ao nome
do Senhor, como também um palácio para o seu reino.
2 E Salomão designou setenta mil homens para levarem
as cargas, oitenta mil que talhavam pedras na montanha e
três mil e seiscentos inspetores sobre eles.
3 E Salomão mandou dizer a Hirão, rei de Tiro: "Como
fez com Davi, meu pai, lhe mandando cedros, para edificar um palácio para morar, assim também faça comigo.
4 Estou para edificar um templo ao nome do Senhor meu
Deus, para lhe consagrar, para queimar perante ele incenso aromático e para a apresentação contínua do pão da
proposição, para os holocaustos da manhã e da tarde, nos
sábados e nas luas novas e nas festividades do Senhor nosso Deus; o que é obrigação perpétua de Israel.
5 E o templo que estou para edificar será grande; porque
o nosso Deus é maior do que todos os deuses.
6 Porém, quem seria capaz de lhe edificar um templo,
visto que os céus não podem contê-lo? E quem sou eu,
para lhe edificar um templo, a não ser para queimar incenso perante ele?
7 Mande-me, agora, um homem sábio para trabalhar em
ouro, em prata, em bronze, em ferro, em púrpura, em
carmesim e em pano azul; e que saiba fazer entalhes, juntamente com os sábios que estão comigo em Judá e em
Jerusalém, os quais Davi, meu pai, preparou.
8 Mande-me também madeiras de cedro, ciprestes e sândalo do Líbano; porque eu bem sei que os seus servos
sabem cortar madeira no Líbano; e os meus servos estarão
com os seus servos.
9 Isso para prepararem muita madeira; porque o templo
que estou para fazer será grande e maravilhoso.
10 E a seus servos, os cortadores, que cortarem a madeira, darei vinte mil tonéis de trigo, vinte mil tonéis de cevada, dois mil barris de vinho e dois mil barris de azeite."
11 E Hirão, rei de Tiro, respondeu por carta que enviou a
Salomão, dizendo: "O Senhor ama o seu povo, por isso o
constituiu rei sobre ele."
12 Hirão disse mais: "Bendito seja o Senhor Deus de Israel, que fez os céus e a terra; que deu ao rei Davi um
filho sábio, de grande prudência e entendimento, que edifique um templo ao Senhor, e um palácio para o seu reino.
13 Agora, envio Hirão-Abiú, um homem sábio de grande
entendimento,
14 filho de uma mulher das filhas de Dã, e cujo pai foi
da cidade de Tiro; esse sabe trabalhar em ouro, em prata,
em bronze, em ferro, em pedras e em madeira, em púrpura, em tecido azul, em linho fino e em carmesim; ele é
hábil para toda a obra de entalhe e para todas as engenhosas invenções, para qualquer coisa que lhe propuserem,
juntamente com os seus sábios e os sábios de Davi, meu
senhor, seu pai.
15 Agora, meu senhor, mande para os seus servos o trigo,
a cevada, o azeite e o vinho, de que falou;
16 e nós cortaremos tanta madeira no Líbano quanta for
necessária, e a traremos em jangadas pelo mar até Jope, e
você a levará para Jerusalém."
17 E Salomão contou todos os homens estrangeiros que
havia na terra de Israel, conforme o censo que Davi, seu
pai, fez; e foram achados cento e cinquenta e três mil e
seiscentos.
18 E designou deles setenta mil carreteiros, e oitenta mil
cortadores na montanha; como também três mil e seiscentos inspetores, para fazerem o povo trabalhar.

A Construção do Templo

3 E Salomão começou a edificar o templo do Senhor em
Jerusalém, no monte Moriá, onde o Senhor apareceu
a Davi, seu pai, no lugar que Davi tinha preparado na eira
de Ornã, o jebuseu.
2 E começou a edificar no segundo mês, no segundo dia,
no quarto ano do seu reinado.
3 E estes foram os fundamentos que Salomão pôs para
edificar a Casa de Deus: tinha vinte e sete metros de comprimento e nove metros de largura.
4 E o pórtico da entrada tinha nove metros de largura e
nove metros de altura; e por dentro o revestiu com ouro
puro.
5 E forrou a sala grande com madeira de cipreste; e então
a revestiu com ouro fino; e fez sobre ela entalhes de folhas
de palmeiras e correntes.
6 Também adornou a sala com pedras preciosas e o ouro
era ouro de Parvaim.
7 Também revestiu com ouro as vigas, os umbrais, as paredes e as portas; e esculpiu querubins nas paredes.
8 Também fez o Lugar Santíssimo, cujo comprimento era
de nove metros, e a largura era também de nove metros;
e revestiu-o de ouro fino, com vinte e uma toneladas de
ouro puro.
9 Os pregos de ouro pesavam seiscentos gramas; e cobriu
de ouro os cenáculos.
10 Também fez no Lugar Santíssimo dois querubins de
madeira, e os cobriu de ouro.
11 E, quanto às asas dos querubins, juntas, o seu comprimento era de nove metros; cada asa media dois metros e
vinte e cinco centímetros, e tocava na parede do templo;
e a outra asa tocava na asa do outro querubim.
12 Também a asa do outro querubim media dois metros
e vinte e cinco centímetros, e tocava na parede da casa;

a outra asa também media dois metros e vinte e cinco
centímetros e tocava na asa do outro querubim.
13 E as asas desses querubins se estendiam por nove me-
tros; eles estavam postos em pé, e os seus rostos virados
para dentro.
14 Também fez o véu de pano azul, púrpura, carmesim e
linho fino e mandou bordar querubins nele;
15 fez também, diante da sala, duas colunas com dezes-
seis metros de altura; e o balaústre, que estava sobre cada
uma, media dois metros e vinte e cinco centímetros.
16 Também as correntes, como as do santuário, e as pôs
sobre as cabeças das colunas; fez também cem romãs, e as
pôs entre as correntes.
17 E levantou as colunas diante do templo, uma à direi-
ta e outra à esquerda; chamou o nome da que estava à
direita Jaquim e o nome da que estava à esquerda Boaz.

O Altar e o Mar de Bronze

4 Também fez um altar de bronze, com nove metros de
comprimento e nove metros de largura, e quatro me-
tros e meio de altura.
2 Fez também um tanque de metal fundido, com quatro
metros e meio de uma borda até a outra, redondo, e com
dois metros e vinte de altura; estava revestido em toda a
sua volta por um cordão de treze metros e meio.
3 E por baixo dele havia figuras de touros, que o circunda-
vam; dez em cada meio metro, cercavam aquele tanque
em toda a sua volta; e eram duas fileiras de touros, fundi-
dos juntamente com o tanque.
4 E o tanque estava posto sobre doze touros; três que
olhavam para o norte, três que olhavam para o oeste, três
que olhavam para o sul e três que olhavam para o leste; e
o tanque estava posto sobre eles; e as suas partes posterio-
res estavam todas voltadas para o lado de dentro.
5 E tinha um palmo de grossura, e a sua borda foi feita
como a borda de um copo, ou como uma flor-de-lis, com
capacidade de sessenta mil litros.

Os Utensílios do Templo

6 Também fez dez pias e pôs cinco à direita e cinco à
esquerda, para lavarem nelas; o que era usado no holo-
causto se lavava nelas; porém o tanque era para que os
sacerdotes se lavassem nele.
7 Fez também dez castiçais de ouro, segundo a sua forma,
e os pôs no templo, cinco à direita e cinco à esquerda.
8 Também fez dez mesas, e as pôs no templo, cinco à di-
reita e cinco à esquerda; também fez cem bacias de ouro.
9 Fez ainda o pátio dos sacerdotes e o grande pátio;
como também as portas para o pátio, as quais revestiu
de bronze.
10 E pôs o tanque ao lado direito para o lado sudeste, na
direção do sul.
11 Hirão também fez as caldeiras, as pás e as bacias. As-
sim Hirão acabou de fazer a obra, que fazia para o rei
Salomão, na casa de Deus.
12 As duas colunas, os globos e os dois balaústres sobre
as cabeças das colunas, e as duas redes, para cobrir os
dois globos dos capitéis, que estavam sobre a cabeça das
colunas.
13 E as quatrocentas romãs para as duas redes; duas car-
reiras de romãs para cada rede, para cobrirem os dois glo-
bos dos capitéis que estavam em cima das colunas.
14 Também fez as bases; e pôs as pias sobre as bases;
15 um tanque de fundição com os doze touros debaixo
dele;
16 semelhantemente os potes, as pás, os garfos e todos os
seus utensílios, Hirão-Abiú fez ao rei Salomão, para a casa
do Senhor, de bronze purificado.
17 O rei os fundiu na campina do Jordão, na terra argilo-
sa, entre Sucote e Zereda.
18 E Salomão fez todos esses objetos em grande abundân-
cia, que não se podia averiguar o peso do bronze.
19 Salomão também fez todos os objetos que eram para
a casa de Deus, como também o altar de ouro e as mesas,
sobre as quais estavam os pães da proposição.
20 E os castiçais com as suas lâmpadas de ouro finíssimo,
para as acenderem segundo o costume, perante o oráculo.
21 E as flores, as lâmpadas e os espevitadores eram de
ouro, de finíssimo ouro.
22 Como também os garfos, as bacias, as taças e os in-
censários de ouro finíssimo; e quanto à entrada da casa,
as suas portas internas do Lugar Santíssimo e as portas da
casa do templo eram de ouro.

A Arca é Levada Para o Templo

5 Assim se acabou toda a obra que Salomão fez para o
templo do Senhor; então Salomão trouxe tudo que seu
pai Davi havia consagrado: a prata, o ouro e todos os obje-
tos, e os pôs entre os tesouros da casa de Deus.
2 Então Salomão congregou em Jerusalém os anciãos de
Israel e todos os chefes das tribos, os chefes das famílias
dos israelitas, para levarem a arca da aliança do Senhor, da
cidade de Davi, que é Sião.
3 E todos os homens de Israel se juntaram ao rei na oca-
sião da festa, que foi no sétimo mês.
4 E vieram todos os anciãos de Israel e os levitas levan-
taram a arca.
5 E levaram a arca e a tenda do encontro, com todos os
objetos sagrados que estavam na tenda; os sacerdotes le-
vitas levaram tudo.
6 Então o rei Salomão e toda a congregação de Israel,
que se tinha reunido com ele diante da arca, sacrificaram

carneiros e bois, que não se podiam contar, nem numerar,
por causa da sua abundância.
7 Assim os sacerdotes trouxeram a arca da aliança do Se-
nhor ao seu lugar, ao Lugar Santíssimo do templo, debaixo
das asas dos querubins.
8 Porque os querubins estendiam ambas as asas sobre o
lugar da arca, e os querubins cobriam, por cima, a arca e
as suas varas.
9 Então as varas sobressaíam para que as pontas das va-
ras da arca fossem vistas diante do Lugar Santo, mas não
eram vistas de fora; e as varas estão ali até ao dia de hoje.
10 Na arca não havia coisa alguma, somente as duas
tábuas, que Moisés tinha posto em Horebe, quando o
Senhor fez aliança com os israelitas, quando eles saíram
do Egito.
11 Quando os sacerdotes saíram do santuário, porque to-
dos os sacerdotes que ali se acharam se santificaram, sem
respeitarem as suas turmas,
12 e os levitas, que eram cantores, todos eles, de Asafe,
de Hemã, de Jedutum, de seus filhos e de seus irmãos,
vestidos de linho fino, com címbalos, com alaúdes e com
harpas, estavam em pé no lado leste do altar; junto com
eles estavam cento e vinte sacerdotes, que tocavam as
trombetas,
13 então, quando eles uniformemente tocavam as trom-
betas e cantavam, para fazerem ouvir uma só voz, bendi-
zendo e louvando ao Senhor; e quando eles levantaram
a voz com trombetas, címbalos e outros instrumentos
musicais, para louvarem ao Senhor, dizendo: Porque ele é
bom, porque a sua benignidade dura para sempre; então
uma nuvem encheu o Templo do Senhor.
14 E os sacerdotes não podiam permanecer em pé, para
ministrar, por causa da nuvem; porque a glória do Senhor
encheu a Casa de Deus.

O Discurso e a Bênção de Salomão

6 Então Salomão falou: "O Senhor disse que habitaria
nas trevas.
2 E eu edifiquei uma casa para tua morada, lugar para tua
eterna habitação."
3 Então o rei, olhando para o povo, abençoou a toda a
congregação de Israel, e toda a congregação de Israel es-
tava em pé.
4 E ele disse: "Bendito seja o Senhor Deus de Israel, que
falou pela sua boca a Davi, meu pai; e pelas suas mãos o
cumpriu, dizendo:
5 'Desde o dia em que tirei meu povo da terra do Egito,
não escolhi cidade alguma de todas as tribos de Israel para
edificar nela um templo em que estivesse o meu nome;
nem escolhi homem algum para ser chefe do meu povo,
Israel.
6 Porém, escolhi Jerusalém para que ali estivesse o meu
nome; escolhi Davi, para governar o meu povo Israel.'
7 Também Davi, meu pai, havia proposto no seu coração
edificar um templo ao nome do Senhor Deus de Israel.
8 Porém o Senhor disse a Davi, meu pai: 'Você fez bem
quando resolveu em seu coração edificar um templo ao
meu nome.
9 Contudo você não edificará o templo, mas seu filho,
o seu descendente, este edificará a Casa ao meu nome.'
10 Assim confirmou o Senhor a sua palavra; porque eu
me levantei em lugar de Davi, meu pai, e me assentei
sobre o trono de Israel, como o Senhor disse, e edifiquei o
templo ao nome do Senhor Deus de Israel.
11 E pus nela a arca, em que estão as tábuas da aliança
que o Senhor fez com os filhos de Israel."

A Oração de Salomão

12 E Salomão se pôs em pé perante o altar do Senhor, na
presença de toda a congregação de Israel, e estendeu as
suas mãos.
13 Porque Salomão tinha feito uma plataforma de bronze,
com dois metros e vinte e cinco centímetros de compri-
mento, dois metros e vinte de largura e um metro e trinta
de altura, e a tinha posto no meio do pátio; então pôs-se
em pé sobre ela, ajoelhou-se na presença de toda a con-
gregação de Israel e estendeu as suas mãos para o céu.
14 E disse: "Ó Senhor, Deus de Israel, não há Deus se-
melhante a ti, nem nos céus nem na terra; que guardas
a aliança e a beneficência aos teus servos que caminham
perante ti de todo o seu coração.
15 Cumpriste para o teu servo Davi, meu pai, o que lhe
prometeste; porque tu, pela tua boca o disseste, e pela tua
mão o cumpriste, como se vê neste dia.
16 Agora, pois, Senhor, Deus de Israel, cumpra a outra
promessa que fizeste a teu servo Davi, meu pai, dizendo:
'Nunca deixará de ter diante de mim um descendente
que se assente no trono de Israel; contanto que seus filhos
guardem o seu caminho, andando na minha lei, como
você andou diante de mim.'
17 E agora, Senhor, Deus de Israel, cumpra-se a tua pala-
vra, que disseste ao teu servo Davi.
18 Mas, na verdade, Deus poderia habitar com os ho-
mens na terra? Eis que os céus, e o céu dos céus, não te
podem conter, quanto menos este templo que edifiquei.
19 Atende, pois, à oração do teu servo e a sua súplica, ó
Senhor, meu Deus; ouvindo o clamor e a oração que o teu
servo faz perante ti.
20 Que os teus olhos estejam dia e noite abertos sobre
este lugar, do qual disseste que ali porias o teu nome; para
ouvires a oração que o teu servo fizer neste lugar.
21 Ouve, pois, as súplicas do teu servo e do teu povo

Israel, que fizerem neste lugar; ouve tu, do lugar da tua
habitação, dos céus; ouve e perdoa.
22 Quando alguém pecar contra o seu próximo e lhe for
exigido juramento, fazendo-o jurar perante o teu altar,
neste templo,
23 ouve tu, dos céus, age e julga os teus servos, conde-
nando o culpado, fazendo com que pague pelos seus atos
e justificando o justo, dando-lhe segundo a sua justiça.
24 Quando o teu povo Israel for derrotado por um ini-
migo, por ter pecado contra ti, e eles se converterem,
confessarem o teu nome, orarem e suplicarem perante ti
neste templo,
25 então, ouve tu, desde os céus, e perdoa os pecados do
teu povo Israel; então faze-o retornar à terra que deste a
eles e a seus pais.
26 Quando os céus se fecharem e não houver chuva, por
terem pecado contra ti, e orarem neste lugar, confessarem
o teu nome e se converterem dos seus pecados, depois de
os haveres castigado,
27 então, ouve tu, desde os céus, e perdoa o pecado de
teus servos e do teu povo Israel, ensinando-lhes o bom
caminho em que andem; e envia chuva sobre a tua terra,
que deste ao teu povo em herança.
28 Quando houver fome na terra, quando houver pes-
te, queima de seara, ferrugem, gafanhotos, ou lagarta,
quando algum dos seus inimigos cercar suas cidades, ou
quando houver qualquer praga, ou qualquer enfermidade,
29 toda a oração, e toda a súplica, que qualquer homem,
ou todo o teu povo Israel fizer, conhecendo cada um a
sua desgraça e a sua dor, e estender as suas mãos para
este templo,
30 então, ouve tu, desde os céus, do assento da tua habi-
tação, e perdoa; dá a cada um conforme a todos os seus
caminhos, pois conheces o seu coração e só tu conheces o
coração dos filhos dos homens,
31 para que te temam, para andarem nos teus caminhos,
todos os dias que viverem na terra que deste aos nossos
pais.
32 Assim também ao estrangeiro, que não for do teu
povo Israel, quando vier de terras remotas por amor do
teu grande nome e da tua poderosa mão e do teu braço
estendido, vindo eles e orando neste templo;
33 então, ouve tu, desde os céus, do assento da tua ha-
bitação, e faze tudo o que o estrangeiro te suplicar; a fim
de que todos os povos da terra conheçam o teu nome e
te temam, como o teu povo Israel; para saberem que pelo
teu nome é chamado este templo que eu edifiquei.
34 Quando o teu povo sair à guerra contra os seus inimi-
gos, pelo caminho que os enviares, e orarem a ti voltados
para esta cidade que escolheste e para o templo, que edi-
fiquei ao teu nome,
35 ouve, então, desde os céus, a sua oração e a sua súpli-
ca, e faze-lhes justiça.
36 Quando pecarem contra ti, pois não há homem que
não peque, e tu te indignares contra eles, e os entregares
ao inimigo, para que os levem em cativeiro para alguma
terra, remota ou vizinha,
37 e se, na terra para onde forem levados em cativeiro,
caírem em si, se converterem, e, na terra do seu cativeiro,
a ti suplicarem, dizendo: 'Pecamos, perversamente proce-
demos e impiamente agimos';
38 e eles se converterem a ti com todo o seu coração e
com toda a sua alma, na terra do seu cativeiro, à qual
os levaram presos, e orarem voltados para sua terra, que
deste a seus pais, e para esta cidade que escolheste e para
o templo que edifiquei ao teu nome,
39 ouve, então, desde os céus, do assento da tua habi-
tação, a sua oração e as suas súplicas e faze-lhes justiça;
então perdoa o teu povo que houver pecado contra ti.
40 Agora, ó meu Deus, estejam os teus olhos abertos e os
teus ouvidos atentos à oração deste lugar.
41 Levanta-te, pois, agora, Senhor Deus, para o teu re-
pouso, tu e a arca da tua fortaleza; que os teus sacerdotes,
ó Senhor Deus, sejam vestidos de salvação e os teus san-
tos se alegrem do bem.
42 Ah! Senhor Deus, não rejeites o teu ungido; lembra-te
das misericórdias que tiveste com Davi, teu servo."

A Glória de Deus se Manifesta

7 E, quando Salomão acabou de orar, desceu fogo do céu
e consumiu o holocausto e os sacrifícios; e a glória do
Senhor encheu o templo.
2 E os sacerdotes não podiam entrar nele, porque a glória
do Senhor tinha enchido a Casa do Senhor.
3 E todos os israelitas, vendo descerem o fogo e a gló-
ria do Senhor sobre o templo, ajoelharam-se com o rosto
em terra sobre o pavimento e adoraram e louvaram ao
Senhor, dizendo: "Porque ele é bom, porque a sua benig-
nidade dura para sempre."
4 E o rei e todo o povo ofereciam sacrifícios perante o
Senhor.
5 E o rei Salomão ofereceu sacrifícios de vinte e dois mil
bois e cento e vinte mil ovelhas; e assim o rei e todo o
povo consagraram a Casa de Deus.
6 E os sacerdotes estavam em seus lugares; como também
os levitas com os instrumentos musicais do Senhor que o
rei Davi tinha feito para louvarem ao Senhor, e entoavam:
"Porque a sua benignidade dura para sempre", quando
Davi o louvava pelo ministério deles. Os sacerdotes que

tocavam as trombetas diante deles e todo o Israel estavam
em pé.
7 E Salomão santificou o meio do pátio que estava dian-
te da Casa do Senhor; porque ali ele tinha oferecido os
holocaustos e a gordura dos sacrifícios pacíficos, porque
no altar de bronze que Salomão tinha feito não cabiam
os holocaustos, as ofertas de cereais e a gordura dos sa-
crifícios pacíficos.
8 E, assim, naquele tempo Salomão celebrou a festa por
sete dias e todo o Israel com ele, uma grande congrega-
ção, desde a entrada de Hamate até o rio do Egito.
9 E no oitavo dia realizaram uma assembleia solene; por-
que celebraram por sete dias a consagração do altar e a
festa durou por mais sete dias.
10 E, no vigésimo terceiro dia do sétimo mês, o rei des-
pediu o povo para as suas tendas, e voltaram alegres e
animados pelo bem que o Senhor tinha feito a Davi, a
Salomão e ao seu povo Israel.

Deus Aparece a Salomão

11 Assim Salomão fez a Casa do Senhor, o palácio real e
tudo o que Salomão tinha planejado fazer no templo do
Senhor e no seu palácio com sucesso.
12 E o Senhor apareceu de noite a Salomão e lhe disse:
"Ouvi a sua oração e escolhi para mim este lugar para
casa de sacrifício.
13 Se eu fechar os céus e não houver chuva, ou se orde-
nar aos gafanhotos que consumam a terra, ou se enviar a
peste entre o meu povo,
14 e se o meu povo, que se chama pelo meu nome, se
humilhar, e orar, e buscar a minha face e se converter dos
seus maus caminhos, então eu ouvirei dos céus, perdoarei
os seus pecados e sararei a sua terra.
15 Agora os meus olhos estarão abertos e os meus ouvi-
dos atentos à oração deste lugar.
16 Porque agora escolhi e santifiquei este templo, para
que o meu nome esteja nele para sempre; e nele os meus
olhos e o meu coração estarão ali por todos os dias.
17 E, quanto a você, se andar diante de mim, como Davi,
seu pai, andou, e fizer conforme tudo o que eu lhe orde-
nei, e guardar os meus estatutos e os meus juízos,
18 também confirmarei o trono do seu reino, conforme a
aliança que fiz com Davi, seu pai, dizendo: Não lhe faltará
sucessor que governe em Israel.
19 Porém, se vocês se desviarem e deixarem os meus es-
tatutos e os meus mandamentos, que lhes tenho proposto,
e forem e servirem a outros deuses, e se prostrarem a eles,
20 então os arrancarei da minha terra que lhes dei e
lançarei da minha presença este templo que consagrei
ao meu nome, então farei com que seja por provérbio e
motivo de zombaria entre todos os povos.
21 E desta casa, que é tão exaltada, qualquer pessoa que
passar por ela se espantará e perguntará: 'Por que o Se-
nhor fez assim com esta terra e com este templo?'
22 E a resposta será: Porque deixaram o Senhor Deus de
seus pais, que os tirou da terra do Egito, e se entregaram
a outros deuses, se prostraram diante deles e os serviram;
por isso ele trouxe sobre eles todo este mal."

A Edificação de Cidades

8 E se passaram vinte anos para que Salomão edificasse
a Casa do Senhor e seu próprio palácio.
2 Depois Salomão reconstruiu as cidades que Hirão lhe
tinha dado e fez habitar nelas os israelitas.
3 Depois Salomão foi a Hamate-Zobá e a conquistou.
4 Também reconstruiu Tadmor no deserto e todas as cida-
des de provisões, que tinha edificado em Hamate.
5 Reconstruiu também a alta Bete-Horom e a baixa Bete-
-Horom; cidades fortes, com muros, portões e ferrolhos;
6 como também Baalate e todas as cidades de provisões,
que Salomão tinha; também reconstruiu todas as cidades
dos carros e as cidades dos cavaleiros e tudo o que desejou
construir em Jerusalém, no Líbano e em toda a terra do
seu domínio.

Os Súditos de Salomão

7 Quanto ao povo, que restou dos heteus e amorreus,
ferezeus, heveus e jebuseus, que não eram de Israel,
8 dos seus filhos, que ficaram depois deles na terra, os
quais os israelitas não destruíram, Salomão os fez traba-
lhadores forçados, até hoje.
9 Salomão não fez israelitas como escravos para sua obra.
Eles eram homens de guerra, seus comandantes, chefes
dos seus carros e cavaleiros;
10 os principais oficiais que o rei Salomão tinha também
eram israelitas, eram duzentos e cinquenta, que presidiam
sobre o povo.
11 E Salomão trouxe a filha do Faraó da cidade de Davi
para o palácio que ele havia edificado; pois disse: "Minha
mulher não morará na casa de Davi, rei de Israel, porque
os lugares nos quais a arca do Senhor entrou são santos."

As Ofertas de Salomão

12 Então Salomão ofereceu holocaustos ao Senhor, sobre
o altar do Senhor, que havia edificado diante do pórtico,
13 e isto segundo a ordem de cada dia, fazendo ofertas
conforme o mandamento de Moisés, nos sábados e nas
luas novas, e nas solenidades, três vezes no ano; na festa
dos pães sem fermento, na festa das semanas, e na festa
das tendas.

A Ordem dos Levitas

14 Também, conforme à ordem de Davi, seu pai, desig-
nou os grupos dos sacerdotes para seus ministérios, como
também os grupos dos levitas acerca dos seus cargos, para

louvarem e ministrarem diante dos sacerdotes, segundo
o dever de cada dia, e os porteiros para as portas; porque
assim Davi, o homem de Deus, tinha mandado.
15 E não se desviaram das ordens do rei dadas aos sacer-
dotes e levitas, em nada, nem acerca dos tesouros.
16 Assim se preparou toda a obra de Salomão, desde o
dia da fundação do templo do Senhor até o seu término; e
assim se concluiu a Casa do Senhor.
17 Então Salomão foi a Eziom-Geber, e a Elate, à praia do
mar, na terra de Edom.
18 E Hirão enviou, por meio de seus servos, navios e ser-
vos práticos do mar, e foram com os servos de Salomão a
Ofir, e trouxeram de lá quinze mil e setecentos e cinquen-
ta quilos de ouro, e os entregaram ao rei Salomão.

A Rainha de Sabá Visita Salomão

9 Quando a rainha de Sabá ouviu a fama de Salomão,
veio a Jerusalém testá-lo com perguntas difíceis, com
uma enorme comitiva de camelos carregados de especia-
rias, ouro em abundância e pedras preciosas; ela veio a Sa-
lomão e falou com ele sobre tudo o que tinha em mente.
2 E Salomão lhe respondeu todas as suas questões; não
houve nada que não lhe pudesse esclarecer.
3 Quando a rainha de Sabá viu a sabedoria de Salomão e
a casa que ele edificou,
4 as iguarias da sua mesa, o lugar dos seus servos, o ser-
viço dos seus criados e as vestes deles, os seus copeiros e
as vestes deles, e os holocaustos que ele fazia na Casa do
Senhor, ela ficou fora de si.
5 Então disse ao rei: "Era verdade a palavra que ouvi na
minha terra a respeito dos seus feitos e da sua sabedoria.
6 Porém, não acreditava naquelas palavras, até que vim e
meus olhos viram; na verdade não me disseram a metade
da grandeza da sua sabedoria; superou a fama que ouvi.
7 Bem-aventurados os seus homens e bem-aventurados
esses seus servos, que estão sempre diante de você e ou-
vem a sua sabedoria!
8 Bendito seja o Senhor, seu Deus, que se agradou de
você para o colocar no seu trono como rei para o Senhor
seu Deus; porque seu Deus ama a Israel, para estabelecê-
-lo perpetuamente; por isso o constituiu rei sobre eles para
fazer juízo e justiça."
9 E deu ao rei quatro mil e duzentos quilos de ouro, espe-
ciarias em grande abundância e pedras preciosas; e nunca
houve especiarias tão boas como as que a rainha de Sabá
deu ao rei Salomão.
10 E também os servos de Hirão e os servos de Salomão,
que tinham trazido ouro de Ofir, trouxeram madeira de
sândalo e pedras preciosas.
11 E, da madeira de sândalo, o rei fez corrimão para a
Casa do Senhor e para o palácio do rei, como também har-
pas e alaúdes para os cantores; nunca antes se viu madeira
como esta na terra de Judá.
12 E o rei Salomão deu à rainha de Sabá tudo que ela
desejou e tudo que ela lhe pediu, mais do que ela mesma
trouxe ao rei. Assim voltou e foi para a sua terra, ela e os
seus servos.

As Riquezas de Salomão

13 E o peso do ouro, que traziam a cada ano a Salomão,
era cerca de vinte e três mil e trezentos quilos,
14 fora o que os negociantes e mercadores traziam; tam-
bém todos os reis da Arábia e os príncipes dessa mesma
terra traziam a Salomão ouro e prata.
15 O rei Salomão também fez duzentos escudos longos
de ouro batido; para cada escudo longo destinou três qui-
los e seiscentos gramas de ouro batido.
16 Fez também trezentos escudos menores de ouro ba-
tido; para cada escudo destinou um quilo e oitocentos
gramas de ouro; e Salomão os pôs na casa do bosque do
Líbano.
17 O rei fez mais um grande trono de marfim e o revestiu
de ouro puro.
18 E o trono tinha seis degraus e um estrado de ouro, que
eram ligados ao trono, e encostos de ambos os lados no
lugar do assento; e dois leões estavam junto aos encostos.
19 E doze leões estavam ali de ambos os lados, sobre os
seis degraus; nunca se fez obra semelhante em nenhum
outro reino.
20 Também todas as taças do rei Salomão eram de ouro, e
todos os vasos da casa do bosque do Líbano, de ouro puro;
a prata não valia nada nos dias de Salomão.
21 Porque os navios do rei iam a Társis com os servos de
Hirão e voltavam de três em três anos trazendo ouro e
prata, marfim, bugios e pavões.
22 Assim o rei Salomão excedeu a todos os reis da terra
em riquezas e sabedoria.
23 E todos os reis da terra buscavam a presença de Salo-
mão, para ouvirem a sabedoria que Deus tinha posto no
seu coração.
24 E cada um trazia o seu presente, vasos de prata, vasos
de ouro, roupas, armaduras, especiarias, cavalos e mulas;
assim faziam de ano em ano.
25 Salomão também teve quatro mil estrebarias para os
cavalos de seus carros e doze mil cavaleiros; e colocou-os
nas cidades dos carros, deixando uma parte perto dele
em Jerusalém.
26 E dominava sobre todos os reis, desde o rio até à terra
dos filisteus e até à divisa com o Egito.
27 O rei também fez com que a prata em Jerusalém fosse
tão comum como as pedras e cedros em tanta abundância
como as figueiras bravas que há pelas campinas.

28 E do Egito e de todas aquelas terras traziam cavalos
a Salomão.

A Morte de Salomão

29 Os demais atos de Salomão, tanto os primeiros como
os últimos, estão escritos no livro da história de Natã, o
profeta, e na profecia de Aías, o silonita, e nas visões de
Ido, o vidente, a respeito de Jeroboão, filho de Nebate.
30 E Salomão reinou em Jerusalém por quarenta anos
sobre todo o Israel.
31 E Salomão morreu e o sepultaram na cidade de Davi,
seu pai; e Roboão, seu filho, reinou em seu lugar.

Os Reis de Judá
(Roboão)

10 E Roboão foi a Siquém, porque todo o Israel se reu-
niu ali, para fazê-lo rei.
2 Jeroboão, filho de Nebate, que estava no Egito para
onde fugiu da presença do rei Salomão, ouviu isso e vol-
tou do Egito,
3 porque mandaram chamá-lo, e Jeroboão e todo o Israel
vieram falar com Roboão, dizendo:
4 “Seu pai nos impôs um pesado jugo; agora, alivie a dura
servidão de seu pai e o pesado jugo que nos impôs, e nós
o serviremos.”
5 E Roboão respondeu: “Vão, e em três dias voltem a
mim.” E o povo se foi.
6 E o rei Roboão buscou conselho com os anciãos que
estiveram perante Salomão, seu pai, quando ele ainda vi-
via, dizendo: “Como vocês me aconselham a responder
a esse povo?”
7 E eles lhe responderam, dizendo: “Se for bom com esse
povo e lhes falar boas palavras, eles serão seus servos para
sempre.”
8 Porém ele deixou de seguir o conselho que os anciãos
lhe deram e buscou conselho com os jovens que haviam
crescido com ele, e estavam diante dele.
9 E perguntou-lhes: “O que vocês aconselham que res-
ponda a esse povo que me pediu: ‘Alivie o jugo que seu
pai nos impôs?’”
10 E os jovens, que haviam crescido com ele, responde-
ram: “Diga a esse povo que reclama do pesado jugo que
seu pai lhes impôs e que pede para você aliviá-los, diga-
-lhes o seguinte: ‘O meu dedo mínimo é mais grosso do
que a cintura do meu pai.
11 Assim que, se meu pai lhes impôs um jugo pesado, eu
o tornarei ainda mais pesado; meu pai os castigou com
açoites, porém eu os castigarei com escorpiões.’”
12 Jeroboão e todo o povo voltou no terceiro dia para falar
com Roboão, como o rei havia ordenado, dizendo: “Em
três dias voltem a mim.”
13 E o rei lhes respondeu asperamente; porque deixou de
seguir o conselho dos anciãos.
14 E lhes falou conforme o conselho dos jovens, dizen-
do: “Meu pai agravou o seu jugo, porém eu o aumentarei
ainda mais; meu pai os castigou com açoites, porém eu os
castigarei com escorpiões.”
15 Assim o rei não deu ouvidos ao povo, porque essa
mudança vinha de Deus, para que o Senhor confirmasse
a sua palavra, que falou por meio de Aías, o silonita, a
Jeroboão, filho de Nebate.

A Divisão do Reino

16 Quando todo o Israel viu que o rei não lhe dava ouvi-
dos, reagiu dizendo: “Que parte nós temos em Davi? Não
temos herança no filho de Jessé. Cada um à sua tenda,
ó Israel! Cuide agora de sua casa, ó Davi.” Assim todo o
Israel se foi para as suas tendas.
17 Quanto aos israelitas que habitavam nas cidades de
Judá, Roboão reinou sobre eles.
18 Então o rei Roboão enviou Adorão, que estava como
chefe dos que realizavam trabalhos forçados, porém os
israelitas o apedrejaram e ele morreu. Então o rei Roboão
subiu depressa no seu carro, e fugiu para Jerusalém.
19 Assim os israelitas se rebelaram contra a casa de Davi,
até ao dia de hoje.

Deus Proíbe Roboão de Guerrear

11 Quando Roboão chegou a Jerusalém, reuniu, da tri-
bo de Judá e Benjamim, cento e oitenta mil homens
escolhidos, preparados para a guerra, para lutarem contra
Israel e restituírem o reino a Roboão.
2 Porém a palavra do Senhor veio a Semaías, homem de
Deus, dizendo:
3 “Fale a Roboão, filho de Salomão, rei de Judá, e a todo
o Israel, em Judá e Benjamim, dizendo:
4 Assim diz o Senhor: Não subam, nem lutem contra os
seus irmãos; volte cada um à sua casa; porque eu que fiz
isto.” E ouviram as palavras do Senhor e desistiram de
atacar Jeroboão.
5 E Roboão morou em Jerusalém; e, para defesa, recons-
truiu cidades em Judá.
6 Reconstruiu Belém, Etã e Tecoa,
7 e Bete-Zur, Socó e Adulão,
8 e Gate, Maressa e Zife,
9 e Adoraim, Laquis e Azeca,
10 e Zorá, Aijalom e Hebrom, que ficavam em Judá e em
Benjamim; cidades fortificadas.
11 E fortificou essas cidades e pôs nelas comandantes e
armazenou mantimentos, azeite e vinho.
12 E pôs em cada cidade escudos longos e lanças; for-
tificou-as grandemente; assim Judá e Benjamim lhe
pertenceram.

A Questão da Adoração em Jerusalém

13 Os sacerdotes e os levitas, que havia em todo o Israel,
se reuniram a ele.
14 Porque os levitas abandonaram os arredores das suas
cidades, as suas propriedades e vieram a Judá e a Jerusa-
lém, porque Jeroboão e seus filhos os expulsaram, para
que não ministrassem ao Senhor.
15 E Jeroboão constituiu para si sacerdotes, para os al-
tares, para os ídolos em forma de bodes e bezerros que
havia feito.
16 Depois desses, também de todas as tribos de Israel,
os que entregaram o seu coração a buscarem ao Senhor
Deus de Israel, vieram a Jerusalém para oferecerem sacri-
fícios ao Senhor Deus de seus pais.
17 Assim fortaleceram o reino de Judá e Roboão, filho
de Salomão, por três anos; porque três anos andaram no
caminho de Davi e Salomão.
18 E Roboão tomou por esposa Maalate, filha de Jerimo-
te, filho de Davi; a mãe de Maalate era Abiail, filha de
Eliabe, filho de Jessé.
19 Maalate lhe deu filhos: Jeús, Semarias e Zaão.
20 E, depois dela, Roboão se casou com Maaca, filha de
Absalão; ela lhe deu Abias, Atai, Ziza e Selomite.
21 E Roboão amava Maaca, filha de Absalão, mais do que
a todas as suas outras mulheres e concubinas; porque ele
tinha dezoito mulheres e sessenta concubinas; ele teve
vinte e oito filhos e sessenta filhas.
22 E Roboão designou Abias, filho de Maaca, para ser
chefe entre os seus irmãos, porque queria fazê-lo rei.
23 E usou de prudência, espalhando seus filhos pelas
terras de Judá e Benjamim, por todas as cidades fortifica-
das; deu-lhes provisões em abundância e lhes conseguiu
muitas mulheres.

A Idolatria de Roboão e o Castigo de Deus

12 Roboão, havendo confirmado o reino e havendo-se
fortalecido, deixou a lei do Senhor e, com ele, todo
o Israel.
2 E, no quinto ano do rei Roboão, Sisaque, rei do Egito,
atacou Jerusalém, porque tinham transgredido contra o
Senhor.
3 Atacou com mil e duzentos carros e com sessenta mil
cavaleiros; e era inumerável o povo que vinha com ele do
Egito, líbios, suquitas e etíopes.
4 Ele tomou as cidades fortificadas de Judá e chegou até
Jerusalém.
5 Então Semaías, o profeta, veio a Roboão e aos príncipes
de Judá que se ajuntaram em Jerusalém por causa de Si-
saque e lhes disse: "Assim diz o Senhor: 'Vocês me aban-
donaram, por isso eu também os abandonarei nas mãos
de Sisaque.'"
6 Então os príncipes de Israel e o rei se humilharam e
disseram: "O Senhor é justo."
7 Quando o Senhor viu que eles se humilharam, a palavra
do Senhor veio a Semaías, dizendo: "Eles se humilharam,
por isso não os destruirei, mas em breve lhes darei algum
socorro, para que o meu furor não se derrame sobre Jeru-
salém, pela mão de Sisaque.
8 Porém serão servos dele; para que conheçam a diferen-
ça entre servir a mim e servir aos reinos da terra."
9 Quando Sisaque, rei do Egito, atacou Jerusalém, levou
os tesouros do templo do Senhor e os tesouros do palácio
real e levou tudo; também levou os escudos de ouro, que
Salomão havia feito.
10 E o rei Roboão fez em lugar deles escudos de bronze e
os entregou nas mãos dos capitães da guarda, que guarda-
vam a porta do palácio real.
11 E todas as vezes que o rei entrava na Casa do Senhor,
os guardas vinham e os traziam; depois tornavam a pô-los
na câmara da guarda.
12 E por Roboão ter-se humilhado, a ira do Senhor se des-
viou dele, e não o destruiu totalmente, porque em Judá
ainda havia boas coisas.
13 O rei Roboão fortificou-se em Jerusalém e continuou
a reinar. Roboão tinha quarenta e um anos de idade quan-
do começou a reinar; ele reinou por dezessete anos em
Jerusalém, a cidade que o Senhor escolheu, entre todas as
tribos de Israel, para pôr ali o seu nome; e o nome de sua
mãe era Naamá, amonita.
14 E Roboão fez o que era mau, porque não dispôs o seu
coração para buscar ao Senhor.
15 Os atos de Roboão, tanto os primeiros como os últi-
mos, estão escritos nos livros da história de Semaías, o
profeta, e de Ido, o vidente, na relação das genealogias.
E houve guerras entre Roboão e Jeroboão em todos os
seus dias.
16 E Roboão morreu e foi sepultado na cidade de Davi;
Abias, seu filho, reinou em seu lugar.

O Reinado de Abias e a Guerra Contra Jeroboão

13 No décimo oitavo ano do rei Jeroboão, Abias come-
çou a reinar sobre Judá.
2 Reinou por três anos em Jerusalém, e o nome de sua
mãe era Micaía, filha de Uriel de Gibeá; e houve guerra
entre Abias e Jeroboão.
3 E Abias ordenou a batalha com um exército de valen-
tes guerreiros, quatrocentos mil homens escolhidos, e
Jeroboão dispôs contra ele para a batalha oitocentos mil
homens escolhidos, todos homens corajosos.
4 E Abias pôs-se em pé em cima do monte de Zemaraim,
que fica na montanha de Efraim, e disse: "Ouçam-me,
Jeroboão e todo o Israel:

5 Não lhes convém saber que o Senhor Deus de Israel deu
para sempre a Davi a soberania sobre Israel, a ele e a seus
filhos, por uma aliança perpétua?
6 Contudo Jeroboão, filho de Nebate, servo de Salomão,
filho de Davi, levantou-se e se rebelou contra seu senhor.
7 E ajuntaram-se a ele homens vadios, homens malignos,
e se opuseram a Roboão, filho de Salomão, e Roboão, sen-
do ainda jovem e indeciso, não lhes pôde resistir.
8 E agora julgam que podem resistir ao reino do Senhor,
que está nas mãos dos filhos de Davi, visto que são uma
grande multidão e têm com vocês os bezerros de ouro que
Jeroboão fez para serem os seus deuses.
9 Vocês não expulsaram os sacerdotes do Senhor, os filhos
de Arão, os levitas, e não fizeram para vocês sacerdotes,
como os povos das outras terras? Qualquer um que vem
para consagrar-se com um novilho e sete carneiros logo se
torna sacerdote daqueles que não são deuses.
10 Porém, quanto a nós, o Senhor é nosso Deus e nunca
o deixamos; os sacerdotes que ministram ao Senhor são
filhos de Arão e os levitas se ocupam na sua obra.
11 E queimam ao Senhor a cada manhã e a cada tarde
holocaustos, incenso aromático, com os pães da propo-
sição sobre a mesa pura e o castiçal de ouro e as suas
lâmpadas para se acenderem a cada tarde, porque nós
temos cuidado do serviço do Senhor nosso Deus; porém
vocês o deixaram.
12 E Deus está conosco, à nossa frente, como também os
seus sacerdotes, tocando com as trombetas para dar alar-
me contra vocês. Ó israelitas, não lutem contra o Senhor
Deus de seus pais; porque não prosperarão."
13 Mas Jeroboão armou uma emboscada para atacá-los
pela retaguarda, de maneira que estavam em frente de
Judá e a emboscada por trás deles.
14 Então Judá percebeu que tinham que lutar pela frente
e por trás; assim, clamaram ao Senhor e os sacerdotes to-
caram as trombetas.
15 E os homens de Judá gritaram: Deus derrotou Jero-
boão e todo o Israel diante de Abias e de Judá.
16 E os israelitas fugiram de diante de Judá e Deus os
entregou nas suas mãos.
17 Abias e o seu povo fizeram grande matança entre
eles; porque morreram de Israel quinhentos mil homens
escolhidos.
18 E os israelitas foram abatidos naquele tempo; mas os
filhos de Judá prevaleceram, porque confiaram no Senhor
Deus de seus pais.
19 E Abias perseguiu Jeroboão e lhe tomou as cidades de
Betel, Jesana e Efrom, com seus territórios.
20 E Jeroboão não recobrou mais o seu poder nos dias de
Abias; porém o Senhor o feriu e morreu.
21 Abias, porém, se fortificou e tomou para si catorze
mulheres, e teve vinte e dois filhos e dezesseis filhas.
22 Os demais atos de Abias, tanto o que fez como o que
disse, estão escritos na história do profeta Ido.

O Reinado de Asa

14 E Abias morreu e o sepultaram na cidade de Davi.
Em seu lugar reinou Asa, seu filho, e nos seus dias a
terra esteve em paz por dez anos.
2 E Asa fez o que era bom e reto aos olhos do Senhor
seu Deus.
3 Porque tirou os altares dos deuses estranhos, quebrou as
estátuas e cortou os postes sagrados.
4 E mandou que Judá buscasse ao Senhor Deus de seus
pais e que observasse a lei e o mandamento.
5 Também tirou de todas as cidades de Judá os altares e as
imagens; e com ele o reino esteve em paz.
6 E Asa edificou cidades fortificadas em Judá; porque a
terra estava quieta e não havia guerra contra ele naqueles
anos; porque o Senhor lhe deu repouso.
7 Asa disse a Judá: "Edificaremos essas cidades e as cer-
caremos de muros e torres, portas e ferrolhos, enquanto a
terra ainda é nossa, pois buscamos ao Senhor nosso Deus;
nós o temos buscado e ele nos deu repouso por todos os
lados." Assim eles edificaram e prosperaram.
8 Asa tinha um exército de trezentos mil homens de
Judá, que traziam escudo longo e lança; também tinha
duzentos e oitenta mil homens de Benjamim, que traziam
escudo e atiravam com arco; todos esses eram homens
valentes.

A Vitória Sobre os Etíopes

9 E Zerá, o etíope, saiu contra eles, com um exército de
um milhão de homens e com trezentos carros de guerra,
e chegou até Maressa.
10 Então Asa saiu contra ele para a batalha no vale de
Zefatá, junto a Maressa.
11 E Asa clamou ao Senhor seu Deus e disse: "Senhor,
não há ninguém além de ti, que possa ajudar tanto o po-
deroso como o fraco; ajuda-nos, pois, Senhor nosso Deus,
porque em ti confiamos e no teu nome viemos contra esta
multidão. Senhor, tu és o nosso Deus, que não prevaleça
contra ti o homem."
12 E o Senhor derrotou os etíopes diante de Asa e diante
de Judá e os etíopes fugiram.
13 Então Asa e o povo que estava com ele os persegui-
ram até Gerar, e morreram muitos dos etíopes, que já não
havia neles resistência alguma; porque foram destruídos
diante do Senhor e diante do seu exército e levaram dali
muitos despojos.
14 E atacaram todas as cidades nos arredores de Gerar,

porque o terror do Senhor veio sobre elas; saquearam to-
das as cidades, porque havia nelas muitos animais.
15 Também atacaram os acampamentos onde havia gado
e levaram ovelhas em abundância e camelos, então volta-
ram para Jerusalém.

Asa Renova a Aliança

15 Então o Espírito de Deus veio sobre Azarias, filho
de Obede.
2 E ele saiu ao encontro de Asa e lhe disse: "Ouçam-me,
Asa, todo o Judá e Benjamim: O Senhor está com vocês,
enquanto vocês estão com ele; se o buscarem, o acharão;
porém, se o deixarem, ele os deixará.
3 E Israel esteve por muitos dias sem o verdadeiro Deus,
sem sacerdote que os ensinasse e sem lei.
4 Mas quando na sua angústia voltaram para o Senhor
Deus de Israel e o buscaram, o acharam.
5 E naqueles tempos não havia paz, nem para os que
saíam, nem para os que entravam, mas havia muitas per-
turbações sobre todos os habitantes daquelas terras.
6 Porque nação contra nação e cidade contra cidade
se despedaçavam; porque Deus os afligia com toda a
angústia.
7 Mas sejam fortes e não desanimem; porque a obra de
vocês será recompensada."
8 Ao ouvir essas palavras e a profecia do profeta, filho de
Obede, Asa se animou e tirou as abominações de toda a
terra de Judá e de Benjamim, como também das cidades
que conquistou nas montanhas de Efraim e renovou o
altar do Senhor, que estava diante do pórtico do Senhor.
9 E reuniu todo o Judá e Benjamim e com eles os es-
trangeiros de Efraim, de Manassés e de Simeão; porque
muitos de Israel tinham passado para o lado dele, vendo
que o Senhor seu Deus estava com ele.
10 E ajuntaram-se em Jerusalém no terceiro mês, no déci-
mo quinto ano do reinado de Asa.
11 E no mesmo dia ofereceram em sacrifício ao Senhor,
do despojo que trouxeram, setecentos bois e sete mil
ovelhas.
12 E entraram na aliança para buscarem o Senhor Deus
de seus pais, com todo o seu coração e com toda a sua
alma;
13 e condenaram à morte quem não buscasse ao Senhor
Deus de Israel; assim tanto o menor como o maior, tanto
o homem como a mulher.
14 E juraram ao Senhor, em alta voz, com júbilo e com
clarins e trombetas.
15 E todo o Judá se alegrou deste juramento; porque ju-
raram de todo o seu coração e de toda a sua vontade, o
buscaram e o acharam; e o Senhor lhes deu paz ao redor.
16 E Maaca, mãe do rei Asa, ele a depôs, para que não
fosse mais rainha, porque ela havia feito um horrível ídolo
a Aserá; Asa destruiu o seu horrível ídolo, o despedaçou e
o queimou junto ao ribeiro de Cedrom.
17 Os altares, porém, não foram tirados de Israel; con-
tudo o coração de Asa foi perfeito por todos os seus dias.
18 E ele trouxe à Casa de Deus as coisas consagradas
por seu pai e as coisas que ele mesmo tinha consagrado:
prata, ouro e vasos.
19 E não houve guerra até ao trigésimo quinto ano do
reinado de Asa.

Guerra Contra Baasa

16 No trigésimo sexto ano do reinado de Asa, Baasa,
rei de Israel, invadiu Judá e edificou Ramá, para não
deixar ninguém sair, nem chegar a Asa, rei de Judá.
2 Então Asa tirou a prata e o ouro dos tesouros da Casa do
Senhor e do palácio real e enviou servos a Ben-Hadade, rei
da Síria, que morava em Damasco, dizendo:
3 "Que haja um Acordo entre mim e você, como houve
entre meu pai e o seu; eis que estou lhe enviando prata
e ouro; vá e anule o seu acordo com Baasa, rei de Israel,
para que ele se retire do meu território."
4 E Ben-Hadade deu ouvidos ao rei Asa e enviou os capi-
tães dos seus exércitos contra as cidades de Israel e eles
conquistaram Ijom, Dã, Abel-Maim e a todas as cidades
armazéns de Naftali.
5 Quando Baasa soube disso, deixou de edificar Ramá.
6 Então o rei Asa reuniu todo o povo de Judá e retiraram
as pedras de Ramá e a sua madeira, que Baasa havia usado
para edificá-la; e com elas edificou Geba e Mispa.
7 Naquele mesmo tempo Hanani, o vidente, veio a Asa,
rei de Judá, e lhe disse: "Porque confiou no rei da Síria e
não confiou no Senhor seu Deus, por isso o exército do
rei da Síria escapou da sua mão.
8 Não foram os etíopes e os líbios um grande exército,
com muitíssimos carros e cavaleiros? Mas porque você
confiou no Senhor, ele os entregou nas suas mãos.
9 Porque, quanto ao Senhor, os seus olhos passam por
toda a terra, para dar força para aqueles cujo coração é
perfeito para com ele; nisto, procedeu loucamente; por
isso, desde agora haverá guerras contra você."
10 Porém Asa se indignou contra o vidente e lançou-o
na prisão; porque estava enfurecido contra ele, por causa
disto; também Asa, no mesmo tempo, oprimiu alguns do
povo.
11 E os atos de Asa, tanto os primeiros como os últimos,
estão escritos no livro dos reis de Judá e Israel.

A Morte de Asa

12 E, no ano trinta e nove do seu reinado, Asa contraiu
uma doença nos pés, e sua doença era muito grave; con-

tudo, na sua enfermidade, não buscou ao Senhor, mas confiou nos médicos.

13 E Asa morreu no ano quarenta e um do seu reinado.

14 E o sepultaram no seu sepulcro, que tinha cavado para si na cidade de Davi; deitaram-no na cama que encheram de perfumes e especiarias preparadas segundo a arte dos perfumistas; e fizeram uma grande queima em sua honra.

O Reinado de Josafá

17 Josafá, filho de Asa, reinou em seu lugar e fortificou-se contra Israel.

2 E pôs soldados em todas as cidades fortificadas de Judá e estabeleceu guarnições na terra de Judá, como também nas cidades de Efraim, que Asa, seu pai, havia conquistado.

3 E o Senhor esteve com Josafá, porque ele andou nos primeiros caminhos de Davi, seu pai, e não buscou os baalins.

4 Antes buscou ao Deus de seu pai, andou nos seus mandamentos e não segundo as obras de Israel.

5 E o Senhor confirmou o reino nas suas mãos, e todo o Judá deu presentes a Josafá, que teve riquezas e glória em abundância.

6 E o seu coração exaltou-se nos caminhos do Senhor, e retirou os altares e os postes sagrados de Judá.

7 E, no terceiro ano do seu reinado, ele enviou os seus oficiais Ben-Hail, Obadias, Zacarias, Natanael e Micaías, para ensinarem nas cidades de Judá.

8 E com eles os levitas Semaías, Netanias, Zebadias, Asael, Semiramote, Jônatas, Adonias, Tobias e Tobe-Adonias; também foram com eles os sacerdotes Elisama e Jeorão.

9 E ensinaram em Judá, levando com eles o livro da lei do Senhor e visitaram todas as cidades de Judá, ensinando o povo.

10 E o temor do Senhor veio sobre todos os reinos das terras, que estavam ao redor de Judá e não guerrearam contra Josafá.

11 E alguns dos filisteus traziam presentes a Josafá, e prata como tributo; também os árabes lhe trouxeram sete mil e setecentos carneiros e sete mil e setecentos bodes.

12 Josafá se tornou cada vez mais poderoso, e edificou fortalezas e cidades-armazéns em Judá.

13 E fez muitas obras nas cidades de Judá e tinha em Jerusalém homens de guerra e valentes.

14 E este é o número deles, segundo as suas famílias: em Judá eram chefes de mil: o chefe Adna, com trezentos mil homens valentes;

15 e depois dele o chefe Joanã, com duzentos e oitenta mil homens;

16 e depois Amazias, filho de Zicri, que voluntariamente se entregou ao Senhor; com duzentos mil homens valentes;

17 e de Benjamim, Eliada, homem valente, com duzentos mil homens armados de arco e de escudo;

18 e depois dele, Jozabade, com cento e oitenta mil homens armados para a guerra.

19 Esses estavam a serviço do rei; fora os que o rei tinha posto nas cidades fortificadas por todo o Judá.

A Aliança Com Acabe

18 Josafá tinha riquezas e glória em abundância e tornou-se parente de Acabe.

2 E depois de alguns anos ele foi visitar Acabe em Samaria; então Acabe matou ovelhas e bois em abundância para ele e para o povo que vinha com ele, e o persuadiu a ir com ele a Ramote de Gileade.

3 Porque Acabe, rei de Israel, perguntou a Josafá, rei de Judá: "Você irá comigo a Ramote de Gileade?" E ele disse: "Sou como você é, eu e o meu povo, somos como o seu povo; iremos com você à guerra."

4 Josafá disse mais ao rei de Israel: "Consulte primeiro a palavra do Senhor."

5 Então o rei de Israel reuniu os profetas, quatrocentos homens, e lhes perguntou: "Iremos à guerra contra Ramote de Gileade, ou deixarei de ir?" E eles responderam: "Vá, porque Deus a entregará nas mãos do rei."

6 Porém, Josafá perguntou: "Não há aqui algum profeta do Senhor para consultarmos?"

7 Então o rei de Israel disse a Josafá: "Ainda há um homem por quem podemos consultar ao Senhor; porém eu o odeio, porque nunca profetiza de mim o que é bom, senão sempre o mal; esse é Micaías, filho de Inlá." E Josafá disse: "O rei não deveria falar assim."

8 Então o rei de Israel chamou um oficial e disse: "Traga aqui depressa Micaías, filho de Inlá."

9 E o rei de Israel e Josafá, rei de Judá, estavam sentados cada um no seu trono, vestidos com suas roupas reais, na praça à entrada da porta de Samaria; e todos os profetas profetizavam na sua presença.

10 E Zedequias, filho de Quenaana, fez para si uns chifres de ferro e disse: "Assim diz o Senhor: 'Com esses chifres ferirá aos sírios, até que sejam destruídos.'"

11 E todos os profetas profetizavam o mesmo, dizendo: "Vá a Ramote de Gileade e triunfará; porque o Senhor a dará nas mãos do rei."

12 E o mensageiro, que foi chamar Micaías, lhe falou: "As palavras dos profetas, a uma voz, predizem coisas boas para o rei; que a sua palavra seja como a de um deles, e fale o que é bom."

13 Porém Micaías disse: "Juro pelo nome do Senhor, que o que meu Deus me disser, isso falarei."

14 Quando ele chegou, o rei lhe perguntou: "Micaías,
iremos a Ramote de Gileade à guerra, ou deixaremos de
ir?" E ele respondeu: "Vá e triunfará; eles serão dados nas
mãos de vocês."
15 E o rei lhe perguntou: "Até quantas vezes devo fazer
você jurar, para que me fale somente a verdade em nome
do Senhor?"
16 Então ele disse: "Vi todo o Israel disperso pelos montes,
como ovelhas que não têm pastor; então, o Senhor
disse: 'Esses não têm dono; torne cada um em paz para
a sua casa.'"
17 Então o rei de Israel disse a Josafá: "Eu não lhe disse,
que ele não profetizaria de mim o que é bom, mas sempre
o mal?"
18 Disse mais: "Ouve a palavra do Senhor: Vi o Senhor
assentado no seu trono e todo o exército celestial em pé à
sua direita e à sua esquerda.
19 E o Senhor perguntou: 'Quem enganará Acabe, rei de
Israel, para que vá e morra em Ramote de Gileade?' E um
dizia desta maneira e outro de outra.
20 Então saiu um espírito e se apresentou diante do Senhor
e disse: 'Eu o enganarei.' E o Senhor lhe perguntou:
'Como?'
21 E ele respondeu: 'Eu sairei e serei um espírito de mentira
na boca de todos os profetas do rei.' E o Senhor disse:
'Você o enganará e prevalecerá; saia e faça assim.'
22 O Senhor pôs um espírito de mentira na boca desses
seus profetas e determinou a sua desgraça."
23 Então Zedequias, filho de Quenaana, chegou, feriu
Micaías no queixo e disse: "Por qual caminho passou Espírito
do Senhor ao sair de mim para falar a você?"
24 E Micaías disse: "Eis que você o verá no dia quando
andar de quarto em quarto, para se esconder."
25 Então o rei de Israel disse: "Peguem Micaías e levem-no
a Amom, governador da cidade e a Joás, filho do rei.
26 E digam: 'Assim diz o rei: Coloquem esse homem na
prisão e sustentem-no a pão e água, até que eu volte em
paz.'"
27 E Micaías disse: "Se o rei voltar em paz, é porque
o Senhor não falou por mim." Disse mais: "Ouçam isto,
todos vocês!"
28 O rei de Israel e Josafá, rei de Judá, foram a Ramote
de Gileade.
29 E o rei de Israel disse a Josafá: "Eu vou me disfarçar
e entrarei na batalha; você, porém, vista as suas roupas
reais." O rei de Israel disfarçou-se, e entraram na batalha.
30 O rei da Síria deu ordens aos capitães dos carros que
tinha, dizendo: "Não lutem contra ninguém; lutem somente
contra o rei de Israel."
31 Quando os capitães dos carros viram Josafá, disseram:
"Esse é o rei de Israel;" então o cercaram para lutar; porém
Josafá clamou e o Senhor o ajudou. E Deus os desviou
dele.
32 Quando os capitães dos carros viram que não era o rei
de Israel, deixaram de segui-lo.
33 Então um homem armou o arco e atirou ao acaso,
ferindo o rei de Israel entre as juntas da couraça; então o
rei Acabe disse ao condutor do carro: "Dê a volta e tire-me
do exército, porque estou gravemente ferido."
34 E aquele dia a batalha cresceu, mas o rei de Israel
manteve-se em pé no seu carro à frente dos sírios até à
tarde, e morreu na hora do pôr do sol.

O Profeta Jeú Repreende Josafá

19 E Josafá, rei de Judá, voltou em paz à sua casa em
Jerusalém.
2 E Jeú, filho de Hanani, o vidente, saiu ao encontro do
rei Josafá e lhe disse: "Será que você devia ajudar o ímpio
e amar aqueles que odeiam o Senhor? Por isso veio sobre
você uma grande ira da parte do Senhor.
3 Boas coisas, contudo, se acharam em você; porque tirou
os postes da terra e preparou o seu coração para buscar
a Deus."
4 Josafá habitou em Jerusalém e visitou o povo desde
Berseba até as montanhas de Efraim, fazendo com que
retornassem ao Senhor Deus de seus pais.
5 E estabeleceu juízes na terra, em todas as cidades fortificadas,
de cidade em cidade.
6 E disse aos juízes: "Vejam o que farão; porque não julgarão
da parte do homem, e sim em nome do Senhor e ele
estará com vocês quando julgarem.
7 Agora, que o temor do Senhor esteja com vocês; julguem
com cuidado; porque no Senhor nosso Deus não há
injustiça nem parcialidade, nem aceitação de suborno."
8 E Josafá também nomeou alguns dos levitas, sacerdotes
e dos chefes das famílias de Israel para julgarem em
nome do Senhor nas causas judiciais; então, voltaram a
Jerusalém.
9 E lhes deu ordem, dizendo: "Assim farão no temor do
Senhor, com fidelidade e com coração íntegro.
10 E em toda desavença que vier a vocês de seus irmãos
que habitam nas suas cidades, seja derramamento de
sangue, seja entre questões de lei e mandamento, entre
estatutos e juízos, devem julgá-los, para que não se façam
culpados para o Senhor e não venha grande ira sobre
vocês, nem sobre seus irmãos; façam assim e vocês não
serão culpados.
11 E Amarias, o sumo sacerdote, presidirá sobre vocês
nas questões relacionadas ao Senhor e Zebadias, filho de
Ismael, líder da tribo de Judá, em todas as questões relacionadas
ao rei; também os oficiais, os levitas, estarão

perante vocês; sejam fortes e façam isso; que o Senhor
esteja com os bons."

Deus dá Vitórias a Josafá

20 Depois disto, os filhos de Moabe, os filhos de
Amom e, com eles, alguns dos amonitas, vieram à
batalha contra Josafá.
2 Então vieram alguns que avisaram a Josafá, dizendo:
"Vem contra você uma grande multidão do outro lado
do Mar Morto, da Síria, e já estão em Hazazom-Tamar,
que é En-Gedi."
3 Então, Josafá teve medo, foi buscar o Senhor e ordenou
jejum em todo o Judá.
4 E Judá se ajuntou para pedir socorro ao Senhor; tam-
bém de todas as cidades de Judá veio gente para buscar
ao Senhor.
5 E Josafá pôs-se em pé na congregação de Judá e de Jeru-
salém, na Casa do Senhor, diante do pátio novo.
6 E disse: "Ah! Senhor Deus de nossos pais, porventura
não és tu Deus nos céus? Não és tu que dominas sobre
todos os reinos das nações? Na tua mão há força e poder
e não há quem te possa resistir.
7 Porventura, ó nosso Deus, não expulsaste os moradores
desta terra da frente do teu povo Israel e não a deste para
sempre à descendência de Abraão, teu amigo?
8 E habitaram nela e edificaram-te nela um santuário ao
teu nome, dizendo:
9 'Se algum mal nos sobrevier, espada, juízo, peste, ou
fome, nós nos apresentaremos diante deste templo e dian-
te de ti, pois teu nome está neste templo; clamaremos a ti
na nossa angústia e tu nos ouvirás e livrarás.'
10 Agora, pois, os filhos de Amom, de Moabe e os das
montanhas de Seir, pelos quais não permitiste passar Is-
rael, quando vinham da terra do Egito, mas deles se des-
viaram e não os destruíram,
11 agora estão nos retribuindo, vindo para lançar-nos fora
da tua herança, que nos fizeste herdar.
12 Ah! Nosso Deus, porventura não os julgarás? Porque
em nós não há força perante esta grande multidão que
vem contra nós e não sabemos o que fazer; porém os nos-
sos olhos estão postos em ti."
13 E todo o Judá estava em pé perante o Senhor, como
também as suas crianças, as suas mulheres e os seus
filhos.
14 Então o Espírito do Senhor, no meio da congregação,
veio sobre Jaaziel, filho de Zacarias, filho de Benaías, filho
de Jeiel, filho de Matanias, levita, dos filhos de Asafe,
15 e disse: "Escutem, todos os moradores de Judá, e vo-
cês, moradores de Jerusalém, e você, ó rei Josafá; assim o
Senhor lhes diz: 'Não temam, nem se assustem por causa
desta grande multidão; pois esta batalha não é de vocês,
mas de Deus.
16 Amanhã vocês irão contra eles; eles estão vindo pela
ladeira de Ziz e os acharão no fim do vale, diante do de-
serto de Jeruel.
17 Nesta batalha não terão que lutar; se postem, fiquem
parados e vejam a salvação do Senhor para com vocês, ó
Judá e Jerusalém. Não tenham medo, nem se assustem;
amanhã saiam ao encontro, porque o Senhor está com
vocês.'"
18 Então, Josafá se prostrou com o rosto em terra e todo o
Judá e os moradores de Jerusalém também se prostraram
diante do Senhor, e o adoraram.
19 E os levitas, dos filhos dos coatitas e dos filhos dos
coraítas, se levantaram para louvarem ao Senhor Deus de
Israel, em voz muito alta.
20 E, pela manhã bem cedo, se levantaram e saíram ao
deserto de Tecoa; então, ao saírem, Josafá pôs-se em pé
e disse: "Ouça-me, ó Judá, e vocês, moradores de Jeru-
salém: Creiam no Senhor seu Deus e estarão seguros;
creiam nos seus profetas e prosperarão";
21 e Josafá aconselhou-se com o povo e ordenou cantores
para o Senhor, que o louvassem pela sua santidade, saindo
diante do exército e dizendo: "Louvem ao Senhor porque
a sua benignidade dura para sempre."
22 E, quando começaram a cantar e a dar louvores, o
Senhor pôs emboscadas contra os filhos de Amom e de
Moabe e os das montanhas de Seir, que vieram contra
Judá e foram derrotados.
23 Porque os filhos de Amom e de Moabe se levantaram
contra os moradores das montanhas de Seir, para os des-
truir e exterminar; então, quando eles tinham acabado
com os moradores de Seir, destruíram-se uns aos outros.
24 Quando os homens de Judá chegaram a um lugar alto
do deserto e olharam para a multidão, eis que só havia
corpos estendidos na terra e nenhum sobrevivente.
25 Josafá e o seu povo vieram para saquear os despojos e
acharam entre eles riquezas em abundância, assim como
objetos preciosos; tomaram para si tanto, que não podiam
levar, e por três dias saquearam o despojo, porque era
muito.
26 E ao quarto dia se reuniram no vale de Beraca; e ali
louvaram ao Senhor. Por isso chamaram aquele lugar o
vale de Beraca, até o dia de hoje.
27 Então todos os homens de Judá e de Jerusalém volta-
ram, com Josafá à frente deles, e retornaram a Jerusalém
com alegria; porque o Senhor os alegrou com vitória sobre
os seus inimigos.
28 E vieram a Jerusalém com alaúdes, com harpas e com
trombetas, para ao Casa do Senhor.

29 E o temor de Deus veio sobre todos os reinos daquelas terras, quando eles ouviram que o Senhor havia lutado contra os inimigos de Israel.

30 E o reino de Josafá ficou tranquilo; pois o seu Deus lhe deu repouso ao redor.

31 E Josafá reinou sobre Judá; ele tinha trinta e cinco anos de idade quando começou a reinar, e reinou por vinte e cinco anos em Jerusalém; o nome de sua mãe era Azuba, filha de Sili.

32 E ele andou no caminho de Asa, seu pai, e não se desviou dele, fazendo o que era reto aos olhos do Senhor.

33 Contudo os altares não foram tirados porque o povo não tinha ainda disposto o seu coração para o Deus de seus pais.

34 O restante dos atos de Josafá, tanto os primeiros como os últimos estão escritos nas notas de Jeú, filho de Hanani, que as inseriu no livro da história dos reis de Israel.

35 Porém, depois disso, Josafá, rei de Judá, se aliou com Acazias, rei de Israel, que vivia uma vida de impiedades.

36 E aliou-se com ele, para fazerem navios que fossem a Társis; eles fizeram os navios em Eziom-Geber.

37 Porém Eliézer, filho de Dodava, de Maressa, profetizou contra Josafá, dizendo: “Porque se aliou com Acazias, o Senhor despedaçou as suas obras. E os navios se quebraram, e não puderam ir a Társis.”

A Morte de Josafá

21 Depois, Josafá morreu e foi sepultado junto a seus pais na cidade de Davi; Jeorão, seu filho, reinou em seu lugar.

2 E Jeorão tinha irmãos, filhos de Josafá: Azarias, Jeiel, Zacarias, Azariau, Micael e Sefatias; todos esses eram filhos de Josafá, rei de Israel.

3 E seu pai lhes deu muitos presentes de prata, de ouro e objetos preciosos, juntamente com cidades fortificadas em Judá; porém, o reino, deu a Jeorão, porque ele era o primogênito.

4 Tendo Jeorão assumido o reino de seu pai e havendo-se fortalecido, matou todos os seus irmãos à espada, como também alguns dos chefes de Israel.

O Reinado de Jeorão

5 Jeorão tinha trinta e dois anos de idade quando começou a reinar, e reinou por oito anos em Jerusalém.

6 E andou no caminho dos reis de Israel, como fez a casa de Acabe; porque era casado com a filha de Acabe; e fez o que era mau aos olhos do Senhor.

7 Porém o Senhor não quis destruir a casa de Davi, por causa da aliança que tinha feito com Davi; porque também tinha falado que lhe daria por todos os dias uma lâmpada, a ele e a seus filhos.

8 Nos dias de Jeorão, os edomitas se revoltaram contra o poder de Judá e constituíram para si um rei.

9 Por isso Jeorão, seguindo adiante com os seus chefes e todos os carros de guerra com ele, levantou-se de noite e atacou os edomitas, que o tinham cercado, como também os capitães dos carros de guerra.

10 Então os edomitas se revoltaram contra o poder de Judá até o dia de hoje; no mesmo tempo, a Libna se revoltou contra Jeorão; porque ele deixou o Senhor Deus de seus pais.

11 Ele também construiu altares nos montes de Judá e fez com que os moradores de Jerusalém se corrompessem, e até Judá ele impeliu a isso.

12 Então lhe chegou uma carta da parte de Elias, o profeta, que dizia: “Assim diz o Senhor Deus de Davi, seu pai: ‘Porque não andou nos caminhos de Josafá, seu pai, nem nos caminhos de Asa, rei de Judá,

13 mas andou no caminho dos reis de Israel e fez Judá e os moradores de Jerusalém se prostituírem, segundo a corrupção da casa de Acabe, e porque matou seus irmãos que eram melhores do que você;

14 por isso o Senhor ferirá com um grande flagelo o seu povo, os seus filhos, as suas mulheres e todas as suas posses.

15 Você também terá uma grande enfermidade por causa de uma doença em suas entranhas, e elas sairão para fora do seu corpo.’”

16 O Senhor despertou contra Jeorão o espírito dos filisteus e dos árabes que estavam do lado dos etíopes.

17 Estes foram contra Judá e o invadiram, levando todos os bens que encontraram no palácio real, como também seus filhos e suas mulheres; e não lhe deixaram nenhum filho, a não ser Jeoacaz, o mais novo de seus filhos.

18 E depois de tudo isto, o Senhor feriu-o nas suas entranhas com uma enfermidade incurável.

19 E, depois de muito tempo, ao fim de dois anos, lhe saíram as entranhas por causa da doença, e ele morreu desta grave enfermidade; e o seu povo não lhe queimou aroma como queimou para seus pais.

20 Jeorão tinha trinta e dois anos de idade quando começou a reinar, e reinou por oito anos em Jerusalém; ele se foi sem deixar saudades; eles o sepultaram na cidade de Davi, porém não nos sepulcros dos reis.

Acazias Reina

22 E os moradores de Jerusalém fizeram Acazias rei, o filho mais moço de Jeorão, em seu lugar, porque a tropa que tinha vindo com os árabes ao acampamento tinha matado todos os filhos mais velhos do rei; assim reinou Acazias, filho de Jeorão, rei de Judá.

2 Acazias tinha vinte e dois anos de idade quando come-

çou a reinar, e reinou por um ano em Jerusalém; o nome
de sua mãe era Atalia, filha de Onri.
3 Ele também andou nos caminhos da casa de Acabe,
porque sua mãe era sua conselheira, para cometer
iniquidades.
4 E fez o que era mau aos olhos do Senhor, como a casa
de Acabe tinha feito, porque eles eram seus conselheiros
depois da morte de seu pai, para a sua perdição.
5 Também andou nos conselhos deles, e foi com Jorão,
filho de Acabe, rei de Israel, à guerra contra Hazael, rei da
Síria, junto a Ramote de Gileade; então, os sírios feriram
Jorão.
6 E ele voltou para curar-se em Jezreel, das feridas que
lhe fizeram em Ramá, lutando contra Hazael, rei da Síria;
então, Azarias, filho de Jeorão, rei de Judá, foi para ver Jo-
rão, filho de Acabe, em Jezreel, porque ele estava doente.
7 Foi da vontade de Deus que Acazias, para sua ruína,
visitasse Jorão; porque, quando ele chegou, saiu com Jo-
rão para encontrar-se com Jeú, filho de Ninsi, a quem o
Senhor tinha ungido para exterminar a casa de Acabe.
8 E, quando Jeú estava executando juízo contra a casa de
Acabe, achou os príncipes de Judá e os filhos dos irmãos
de Acazias, que serviam a Acazias, e os matou.
9 Depois procurou Acazias, porque ele tinha se escondi-
do em Samaria. Eles o alcançaram e o trouxeram perante
Jeú, diante do qual o mataram, e o sepultaram, porque
disseram: "É filho de Josafá, que buscou ao Senhor com
todo o seu coração." E a casa de Acazias já não tinha mais
ninguém para o reino.

Atalia Toma o Trono

10 Quando Atalia, mãe de Acazias, viu que seu filho esta-
va morto, levantou-se e destruiu toda a descendência real
da casa de Judá.
11 Porém Jeosabeate, filha do rei, pegou Joás, filho de
Acazias, do meio dos filhos do rei, que seriam mortos, e o
pôs com a sua ama no quarto dos leitos; assim Jeosabeate,
filha do rei Jeorão, mulher do sacerdote Joiada, irmã de
Acazias, o escondeu de Atalia, e ela não o matou.
12 E Joás ficou escondido com eles por seis anos na Casa
de Deus; enquanto isso, Atalia reinou sobre a terra.

Joás é Feito Rei

23 Porém, no sétimo ano Joiada se animou e fez alian-
ça com os chefes de cem: Azarias, filho de Jeroão,
Ismael, filho de Joanã, Azarias, filho de Obede, Maaseias,
filho de Adaías e Elisafate, filho de Zicri.
2 Eles percorreram Judá e ajuntaram os levitas de todas as
cidades de Judá e os chefes das famílias de Israel e vieram
para Jerusalém.
3 E toda aquela congregação fez aliança com o rei na Casa
de Deus; então Joiada lhes disse: "O filho do rei deve rei-
nar, como o Senhor falou a respeito dos filhos de Davi.
4 Isto é o que devem fazer: Uma terça parte de vocês, dos
sacerdotes e dos levitas que entram em serviço no sábado,
serão guardas das portas;
5 outra terça parte estará no palácio real, e a outra ficará
diante da porta do fundamento; e todo o povo estará nos
pátios da Casa do Senhor.
6 Porém, ninguém entra na Casa do Senhor senão os
sacerdotes e os levitas que ministram; estes entrarão, por-
que são santos; mas o povo guardará o preceito do Senhor.
7 E os levitas cercarão o rei por todos os lados, cada um
com as suas armas na mão; porém, qualquer outro que
entrar no templo será morto; e vocês estarão com o rei,
quando entrar e quando sair."
8 Os levitas e todo o Judá fizeram tudo o que o sacerdote
Joiada ordenou; e reuniu cada um os seus homens, tanto
os que entravam no sábado como os que saíam no sábado;
porque o sacerdote Joiada não tinha despedido as turmas.
9 Também o sacerdote Joiada deu aos chefes das cente-
nas as lanças, os escudos longos e os escudos curtos que
foram do rei Davi, os quais estavam na Casa de Deus.
10 E dispôs todo o povo, cada um com as suas armas
na mão, tanto do lado direito do templo como do lado
esquerdo, e do lado do altar, todos para proteger o rei.
11 Então trouxeram para fora o filho do rei e lhe puseram
a coroa, lhe deram o testemunho e o fizeram rei; então,
Joiada e seus filhos o ungiram e disseram: "Viva o rei!"
12 Quando Atalia ouviu a voz do povo que corria e lou-
vava o rei, veio aonde o povo estava, na Casa do Senhor.
13 Ela olhou e viu que o rei estava junto à coluna da en-
trada, e os chefes e as trombetas junto do rei, e que todo o
povo estava alegre e tocava as trombetas; viu também os
cantores que tocavam instrumentos musicais e dirigiam o
cantar de louvores; então Atalia rasgou os seus vestidos e
clamou: "Traição, traição!"
14 Porém o sacerdote Joiada trouxe para fora os capitães
que estavam postos sobre o exército e lhes disse: "Tirem-
-na para fora das fileiras e aquele que a seguir morrerá à
espada"; porque o sacerdote disse: "Não a matem na Casa
do Senhor."
15 Então eles a prenderam quando ela seguia pelo ca-
minho da entrada da porta dos cavalos, no palácio real,
e ali a mataram.

O Pacto de Joiada

16 E Joiada fez uma aliança entre si, o povo e o rei, para
que fossem o povo do Senhor.
17 Depois todo o povo entrou no templo de Baal e o der-
rubaram; quebraram os seus altares, as suas imagens, e
Matã, sacerdote de Baal, mataram diante dos altares.

18 E Joiada ordenou os ofícios na Casa do Senhor sob o
comando dos sacerdotes levitas, a quem Davi tinha designado na Casa do Senhor, para oferecerem os holocaustos
do Senhor, como está escrito na lei de Moisés, com alegria
e com canto, conforme a instituição de Davi.
19 E pôs porteiros às portas da Casa do Senhor, para que
nela não entrasse ninguém impuro em coisa alguma.
20 E reuniu os capitães de cem, os nobres, os governantes
do povo e todo o povo e conduziram o rei da Casa do
Senhor para o palácio real, passando pela porta principal,
e assentaram o rei no trono.
21 Todo o povo se alegrou e a cidade ficou em paz, depois
que mataram Atalia à espada.

Joás Repara o Templo

24 Joás tinha sete anos de idade quando começou a
reinar e reinou por quarenta anos em Jerusalém; o
nome da sua mãe era Zíbia, de Berseba.
2 E Joás fez o que era reto aos olhos do Senhor, por todos
os dias do sacerdote Joiada.
3 E Joiada lhe escolheu duas mulheres e ele gerou filhos
e filhas.
4 E, depois disto, Joás resolveu reformar a Casa do Senhor.
5 Reuniu os sacerdotes e os levitas e lhes disse: "Saiam
pelas cidades de Judá e levantem dinheiro de todo o Israel
para reformar o templo do seu Deus, de ano em ano; e
vocês, apressem esse negócio." Porém os levitas não se
apressaram.
6 E o rei chamou Joiada, o chefe, e lhe disse: "Por que não
exigiu dos levitas que trouxessem de Judá e de Jerusalém
o tributo que Moisés, servo do Senhor, ordenou à congregação de Israel, para a tenda do testemunho?"
7 Porque Atalia, sendo ímpia, seus filhos arruinaram a
Casa de Deus, e todas as coisas sagradas da Casa do Senhor usaram no culto a Baalim.
8 O rei então deu ordem e fizeram um cofre, que puseram do lado de fora da porta da Casa do Senhor.
9 E publicou-se em Judá e em Jerusalém que trouxessem
ao Senhor o tributo de Moisés, o servo de Deus, ordenado
a Israel no deserto.
10 Então todos os chefes e todo o povo se alegraram e
trouxeram o dinheiro e o depositaram no cofre, até que
ele ficou cheio.
11 E, quando os levitas levavam o cofre de acordo com
as ordens do rei, vendo que já havia muito dinheiro, o
escrivão do rei e o oficial do sumo sacerdote esvaziavam
o cofre e o levavam de novo ao seu lugar; assim faziam
a cada dia, até que ajuntaram dinheiro em abundância.
12 O rei e Joiada davam o dinheiro aos que tinham o
encargo da obra do serviço da Casa do Senhor; com ele
contrataram pedreiros e carpinteiros, para reformarem a
Casa do Senhor; como também ferreiros e serralheiros,
para repararem a Casa do Senhor.
13 E os que tinham o encargo da obra faziam com que
o trabalho de reparação fosse crescendo pelas suas mãos
e restauraram a Casa de Deus ao seu estado original, deixando-a mais forte do que antes.
14 E, depois de a acabarem, trouxeram ao rei e a Joiada o
resto do dinheiro, e dele fizeram utensílios para a Casa do
Senhor, objetos para ministrar e oferecer, colheres, vasos
de ouro e de prata. E continuamente sacrificaram holocaustos na Casa do Senhor, por todos os dias de Joiada.
15 Joiada envelheceu e morreu bem velho; tinha cento e
trinta anos de idade quando morreu.
16 E o sepultaram na cidade de Davi com os reis; porque
tinha feito bem em Israel, para Deus e para o seu templo.

A Idolatria de Joás

17 Depois da morte de Joiada vieram os chefes de Judá e
prostraram-se perante o rei, e o rei os ouviu.
18 E deixaram o templo do Senhor Deus de seus pais,
para servirem às imagens do poste e aos ídolos. Então,
por causa desta sua culpa, veio uma grande ira sobre Judá
e Jerusalém.
19 Porém o Senhor enviou profetas entre eles, para os reconduzir ao Senhor, e os profetas testemunharam contra
eles; mas eles não deram ouvidos.
20 E o Espírito de Deus revestiu Zacarias, filho do sacerdote Joiada, que se pôs em pé acima do povo e lhes
disse: "Assim diz Deus: 'Por que transgrediram os mandamentos do Senhor, de modo que não possam prosperar?
Porque deixaram ao Senhor, ele também os deixará.'"
21 E eles conspiraram contra ele e o apedrejaram por
mando do rei, no pátio da Casa do Senhor.
22 Assim o rei Joás não se lembrou da beneficência que
Joiada, pai de Zacarias, lhe tinha feito; e lhe matou o filho
que, morrendo, disse: "O Senhor verá isto, e o retribuirá."

Os Juízos Divinos Sobre Joás

23 E, decorrido um ano, o exército da Síria atacou Joás;
vieram a Judá e a Jerusalém e mataram, dentre o povo,
todos os seus chefes; e enviaram todo o seu despojo ao
rei de Damasco.
24 Porque, ainda que o exército dos sírios tivesse poucos
homens, contudo o Senhor entregou na sua mão um exército muito numeroso, porque deixaram o Senhor Deus de
seus pais. Assim executaram juízos contra Joás.
25 E, quando os sírios se retiraram, deixaram Joás gravemente ferido, e seus servos conspiraram contra ele, por
causa do sangue do filho do sacerdote Joiada, e o mataram
na sua cama; eles o sepultaram na Cidade de Davi, porém
não o sepultaram nos sepulcros dos reis.
26 Estes foram os que conspiraram contra ele: Zabade,

filho de Simeate, a amonita, e Jozabade, filho de Sinrite, a moabita.

27 E, quanto a seus filhos e à grandeza do cargo que se lhe impôs, e à restauração da Casa de Deus, estão escritos no livro da história dos reis; e Amazias, seu filho, reinou em seu lugar.

Amazias Reina e Vence os Edomitas

25 Amazias tinha vinte e cinco anos de idade quando começou a reinar, e reinou por vinte e nove anos em Jerusalém; o nome de sua mãe era Jeoadã, de Jerusalém.

2 E ele fez o que era reto aos olhos do Senhor, porém não de todo o coração.

3 E, quando o reino lhe foi confirmado, Amazias matou os servos que mataram o rei, seu pai;

4 porém não matou os filhos deles; mas fez segundo está escrito na Lei, no livro de Moisés, como o Senhor ordenou, dizendo: "Os pais não morrerão pelos filhos, nem os filhos pelos pais; mas cada um morrerá pelo seu pecado."

5 E Amazias reuniu homens de Judá e os pôs, segundo as suas famílias, como chefes de mil e como chefes de centenas, por todo o Judá e Benjamim; ele os contou e, de vinte anos para cima, havia trezentos mil que podiam sair à guerra e manejar lança e escudo.

6 Também de Israel contratou cem mil homens valentes, por três mil e quinhentos quilos de prata.

7 Porém, um homem de Deus veio a ele, dizendo: "Ó rei, não deixe o exército de Israel ir com você; porque o Senhor não está com Israel, isto é, com os filhos de Efraim.

8 Se quiser ir, faça assim: esforce-se para a luta. Deus, porém, o fará cair diante do inimigo; porque Deus tem poder para dar a vitória e para a derrota."

9 E Amazias perguntou ao homem de Deus: "O que será dos três mil e quinhentos quilos de prata que dei às tropas de Israel?" E o homem de Deus respondeu: "O Senhor pode lhe dar muito mais do que isso."

10 Então Amazias dispensou as tropas que tinham vindo de Efraim, para que voltassem ao seu lugar; então eles ficaram irados contra Judá e voltaram para as suas casas.

11 Amazias esforçou-se e conduziu o seu povo até o Vale do Sal, onde matou dez mil dos filhos de Seir.

12 Os filhos de Judá também prenderam dez mil e os levaram ao alto de um penhasco de onde os lançaram abaixo, e todos se despedaçaram.

13 Porém os homens das tropas que Amazias tinha mandado para casa, para que não fossem com ele à batalha, atacaram as cidades de Judá desde Samaria até Bete-Horom; mataram três mil e levaram um grande despojo.

Deus Castiga Amazias

14 E, depois que Amazias voltou da matança dos edomitas e trouxe com ele os deuses dos filhos de Seir, tomou-os por seus deuses, prostrou-se diante deles e lhes queimou incenso.

15 Então a ira do Senhor se acendeu contra Amazias e lhe enviou um profeta que lhe disse: "Por que buscou os deuses deste povo, que não puderam livrar o seu próprio povo da sua mão?"

16 E, enquanto ele ainda falava, o rei lhe disse: "Puseram você como conselheiro do rei? Cale-se! Quer ser morto?" Então o profeta parou e disse: "Eu sei que Deus já decidiu destruí-lo; porque você fez isto e não deu ouvidos ao meu conselho."

17 E, depois de consultar os seus conselheiros, Amazias, rei de Judá, mandou dizer a Joás, filho de Jeoacaz, filho de Jeú, rei de Israel: "Venha, vamos medir forças com as armas."

18 Porém Joás, rei de Israel, mandou dizer a Amazias, rei de Judá: "O espinheiro que está no Líbano mandou dizer ao cedro: 'Dê sua filha por mulher ao meu filho; porém os animais do campo, que estavam no Líbano, passaram e pisaram no espinheiro.

19 Você diz: Derrotei os edomitas, e se sente orgulhoso; agora, fique em sua casa; por que provocar o mal, para você cair junto com Judá?"

20 Porém Amazias não lhe deu ouvidos, porque isto vinha de Deus, para entregá-los na mão dos seus inimigos; porque buscaram os deuses dos edomitas.

21 E Joás, rei de Israel, avançou contra Amazias, rei de Judá, e viram-se face a face em Bete-Semes, que está em Judá.

22 Judá foi derrotado diante de Israel e os soldados fugiram cada um para a sua tenda.

23 E Joás, rei de Israel, prendeu Amazias, rei de Judá, filho de Joás, o filho de Jeoacaz, em Bete-Semes e o trouxe a Jerusalém; ele derrubou o muro de Jerusalém, desde a porta de Efraim até à porta da esquina, cento e oitenta metros.

24 Também pegou todo o ouro, a prata, todos os utensílios que havia na Casa de Deus com Obede-Edom, os tesouros do palácio real e alguns reféns e voltou para Samaria.

25 E Amazias, filho de Joás, rei de Judá, viveu depois da morte de Joás, filho de Jeoacaz, rei de Israel, por quinze anos.

26 Quanto aos demais atos de Amazias, tanto os primeiros como os últimos, estão escritos no livro dos reis de Judá e de Israel.

27 E desde o tempo em que Amazias se desviou do Senhor, conspiraram contra ele em Jerusalém, porém ele

fugiu para Laquis; mas perseguiram-no até Laquis, e o
mataram ali.
28 E trouxeram-no sobre cavalos e o sepultaram com seus
pais na cidade de Judá.

Uzias Reina e Prospera

26 Então todo o povo tomou Uzias, que tinha dezes-
seis anos de idade, e o fizeram rei em lugar de
Amazias, seu pai.
2 Ele reconstruiu Elate e a restituiu a Judá, depois que
o rei morreu.
3 Uzias tinha dezesseis anos quando começou a reinar e
reinou por cinquenta e dois anos em Jerusalém; o nome
de sua mãe era Jecolia, de Jerusalém.
4 E ele fez o que era reto aos olhos do Senhor; conforme
tudo o que Amazias, seu pai, tinha feito.
5 Porque buscou a Deus nos dias de Zacarias, sábio nas
visões de Deus, e, nos dias em que buscou ao Senhor,
Deus o fez prosperar.
6 Guerreou contra os filisteus e destruiu as muralhas de
Gate, de Jabné, de Asdode; edificou cidades em Asdode
e entre os filisteus.
7 E Deus o ajudou contra os filisteus e contra os árabes
que habitavam em Gur-Baal e contra os meunitas.
8 E os amonitas pagavam tributos a Uzias; e o seu nome
foi espalhado até à entrada do Egito.
9 Uzias também edificou torres em Jerusalém, junto ao
portão da esquina, ao portão do vale e ao portão do ângu-
lo, e os fortificou.
10 Também edificou torres no deserto e cavou muitos
poços, porque tinha muito gado, tanto nos vales como
nas campinas; tinha lavradores e vinhateiros, nos montes
e nos campos férteis; porque era amigo da agricultura.
11 Uzias também tinha um exército de homens prepara-
dos para a guerra, que saíam à guerra em tropas, segundo
a lista feita por Jeiel, secretário, e Maaseias, oficial, sob a
direção de Hananias, um dos oficiais do rei.
12 O total dos chefes das famílias, homens valentes, era
dois mil e seiscentos.
13 E debaixo das suas ordens havia um exército guerreiro
de trezentos e sete mil e quinhentos homens, que faziam
guerra com um grande poder, para ajudar o rei contra os
inimigos.
14 E Uzias preparou, para todo o exército, escudos, lan-
ças, capacetes, couraças e arcos, e até fundas para atirar
pedras.
15 Também fez em Jerusalém máquinas da invenção de
engenheiros, que foram postas nas torres e nos cantos,
para atirarem flechas e grandes pedras; assim, sua fama
se propagou para longe; porque ele foi maravilhosamente
ajudado, até se tornar muito poderoso.

Uzias Fica Leproso

16 Mas, depois que se tornou poderoso, o seu coração
se exaltou, e ele se corrompeu; ele transgrediu contra o
Senhor seu Deus, porque entrou no templo do Senhor
para queimar incenso no altar.
17 Porém o sacerdote Azarias entrou atrás dele com oi-
tenta sacerdotes do Senhor, homens valentes.
18 Eles enfrentaram o rei Uzias e lhe disseram: "A você,
Uzias, não compete queimar incenso perante o Senhor,
mas aos sacerdotes, filhos de Arão, que são consagrados
para queimar incenso; saia do santuário, porque transgre-
diu; e isto não será para sua honra da parte do Senhor
Deus."
19 Então Uzias se indignou enquanto tinha o incensário
na sua mão para queimar incenso. Ele se indignou con-
tra os sacerdotes, e a lepra lhe saiu na testa perante os
sacerdotes, na Casa do Senhor, junto ao altar do incenso.
20 Então o sumo sacerdote Azarias e todos os sacerdotes
olharam para ele, viram que já estava leproso na testa, por
isso apressadamente o tiraram para fora; e até ele mesmo
se apressou em sair, pois o Senhor o feriu.
21 Assim o rei Uzias ficou leproso até o dia da sua morte;
por isso, morou numa casa separada, porque foi excluído
da Casa do Senhor; e Jotão, seu filho, tinha o encargo do
palácio real, governando o povo.
22 Quanto aos demais atos de Uzias, tanto os primei-
ros como os últimos, o profeta Isaías, filho de Amoz, os
escreveu.
23 E Uzias morreu e o sepultaram com os seus pais no
campo do sepulcro, que era dos reis; porque disseram:
"Ele era leproso." E Jotão, seu filho, reinou em seu lugar.

O Reinado de Jotão

27 Jotão tinha vinte e cinco anos de idade, quando co-
meçou a reinar, e reinou por dezesseis anos em Je-
rusalém; o nome de sua mãe era Jerusa, filha de Zadoque.
2 E ele fez o que era reto aos olhos do Senhor, conforme
tudo o que Uzias, seu pai, havia feito, exceto que não en-
trou no templo do Senhor. E o povo ainda se corrompia.
3 Ele edificou a porta superior da Casa do Senhor e tam-
bém edificou muitas obras sobre o muro de Ofel.
4 Também edificou cidades nas montanhas de Judá, cas-
telos e torres nos bosques.
5 Ele também guerreou contra o rei dos filhos de Amom
e prevaleceu sobre eles, de modo que os filhos de Amom
naquele ano lhe deram três mil e quinhentos quilos de
prata, dez mil barris de trigo e dez mil de cevada; isto os
filhos de Amom lhe trouxeram por três anos.
6 Assim, Jotão se tornou poderoso, porque dirigiu os seus
caminhos na presença do Senhor seu Deus.
7 O restante dos atos de Jotão, todas as suas guerras e os

seus caminhos, estão escritos no livro dos reis de Israel
e de Judá.
8 Jotão tinha vinte e cinco anos de idade quando come-
çou a reinar, e reinou por dezesseis anos em Jerusalém.
9 E Jotão morreu, e o sepultaram na cidade de Davi;
Acaz, seu filho, reinou em seu lugar.

O Reinado de Acaz

28 Acaz tinha vinte anos de idade quando começou a
reinar, e reinou por dezesseis anos em Jerusalém;
e não fez o que era reto aos olhos do Senhor, como Davi,
seu pai.
2 Antes, andou nos caminhos dos reis de Israel e, além
disso, fez imagens fundidas a Baalim.
3 Também queimou incenso no vale de Bem-Hinom e
queimou os seus próprios filhos no fogo, conforme as
abominações dos gentios que o Senhor tinha expulsado
de diante dos israelitas.
4 Também sacrificou e queimou incenso nos altos e nas
colinas, como também debaixo de toda árvore verde.
5 Por isso o Senhor seu Deus o entregou na mão do rei
dos sírios, que o derrotaram, levaram dele em cativeiro
uma grande multidão, que trouxeram a Damasco; Acaz
também foi entregue nas mãos do rei de Israel, que lhe
infligiu grande derrota.
6 Porque Peca, filho de Remalias, matou em Judá, num
só dia, cento e vinte mil homens, todos homens valentes;
porque deixaram ao Senhor Deus de seus pais.
7 E Zicri, homem valente de Efraim, matou Maaseias,
filho do rei, e Azricão, o oficial, e Elcana, o segundo de-
pois do rei.
8 E os israelitas levaram presos de seus irmãos duzentos
mil, mulheres, filhos e filhas; também saquearam deles
grande despojo, que levaram para Samaria.
9 Mas estava ali um profeta do Senhor, chamado Odede,
que saiu ao encontro do exército que vinha para Samaria
e lhe disse: "O Senhor Deus de seus pais se irou contra
Judá e os entregou nas mãos de vocês, e vocês os mata-
ram com uma raiva tão grande que chegou até aos céus.
10 E agora vocês querem fazer os filhos de Judá e Jeru-
salém como escravos e escravas; não são vocês mesmos
culpados diante do Senhor seu Deus?
11 Ouçam-me e mandem de volta agora os prisioneiros
que trouxeram cativos de seus irmãos, porque o ardor da
ira do Senhor está sobre vocês."
12 Então se levantaram alguns homens entre os chefes
dos filhos de Efraim, a saber, Azarias, filho de Joanã, Be-
requias, filho de Mesilemote, Jeizquias, filho de Salum
e Amasa, filho de Hadlai, contra os que voltavam da
batalha,
13 e lhes disseram: "Não tragam aqui esses prisioneiros,
porque, além da nossa culpa contra o Senhor, vocês que-
rem aumentar mais os nossos pecados e nossas culpas,
sendo que já temos grande culpa e já o ardor da ira do
Senhor está sobre Israel."
14 Então os homens armados deixaram os prisioneiros
e o despojo diante dos chefes e de toda a congregação.
15 E os homens que foram apontados por seus nomes
se levantaram, pegaram os prisioneiros e vestiram com
o despojo todos os que estavam nus; os vestiram, os cal-
çaram e lhes deram de comer e de beber, os ungiram,
e todos os que estavam fracos levaram sobre jumentos
a Jericó, à cidade das palmeiras, a seus irmãos. Depois
voltaram para Samaria.

Acaz Busca Ajuda da Assíria

16 Naquele tempo o rei Acaz mandou pedir aos reis da
Assíria que o ajudassem.
17 Porque os edomitas vieram outra vez, atacaram Judá
e levaram alguns prisioneiros.
18 Os filisteus também atacaram as cidades da campina e
do sul de Judá e tomaram Bete-Semes, Aijalom, Gederote
e Socó, e os lugares da sua jurisdição, Timna e os lugares
da sua jurisdição, Ginzo e os lugares da sua jurisdição; e
habitaram ali.
19 Porque o Senhor humilhou Judá por causa de Acaz,
rei de Israel; porque ele, em Judá, prevaricou gravemente
contra o Senhor.
20 E o rei da Assíria, Tiglate-Pileser, veio a ele; porém, ao
invés de ajudá-lo, deixou-o em aperto ainda maior.
21 Porque Acaz pegou despojos da Casa do Senhor, do
palácio real e dos príncipes, e os deu ao rei da Assíria;
porém isso não o ajudou.
22 E na época em que passou por tantos apertos, o rei
Acaz transgrediu ainda mais contra o Senhor.
23 Porque sacrificou aos deuses de Damasco, que o der-
rotaram, e disse: "Visto que os deuses dos reis da Síria
os ajudam, eu lhes sacrificarei, para que ajudem a mim
também." Porém eles foram a sua ruína e de todo o Israel.
24 E Acaz ajuntou os utensílios da Casa de Deus, que-
brou-os em pedaços, fechou as portas da Casa do Senhor
e fez para si altares em todos os cantos de Jerusalém.
25 Também em cada cidade de Judá fez altares para
queimar incenso a outros deuses; assim provocou a ira do
Senhor Deus de seus pais.
26 O restante dos seus atos e de todos os seus caminhos,
tanto os primeiros como os últimos, estão escritos no livro
dos reis de Judá e de Israel.
27 E Acaz morreu e o sepultaram na cidade, em Jeru-
salém; porém não o puseram nos sepulcros dos reis de
Israel; e Ezequias, seu filho, reinou em seu lugar.

O Reinado de Ezequias

29 Ezequias tinha vinte e cinco anos de idade, quan-
do começou a reinar, e reinou por vinte e nove
anos em Jerusalém; o nome de sua mãe era Abia, filha
de Zacarias.
2 E fez o que era reto aos olhos do Senhor, conforme tudo
o que Davi, seu pai, tinha feito.
3 Ele, no primeiro ano do seu reinado, no primeiro mês,
abriu as portas da Casa do Senhor e as consertou.
4 E trouxe os sacerdotes e os levitas, e ajuntou-os na pra-
ça leste,
5 e lhes disse: "Ouçam-me, ó levitas, santifiquem-se ago-
ra, e santifiquem a Casa do Senhor Deus de seus pais, e
retirem tudo o que é impuro do santuário.
6 Porque nossos pais transgrediram e fizeram o que era
mau aos olhos do Senhor nosso Deus, eles o deixaram e
desviaram os seus rostos do tabernáculo do Senhor, lhe
dando as costas.
7 Também fecharam as portas do alpendre, apagaram as
lâmpadas e não queimaram incenso nem ofereceram ho-
locaustos no santuário ao Deus de Israel.
8 Por isso veio uma grande ira do Senhor sobre Judá e
Jerusalém, trazendo-lhes perturbação, assolação e escár-
nio, como vocês estão vendo com os seus próprios olhos.
9 Porque nossos pais caíram à espada e por isso nossos
filhos, nossas filhas e nossas mulheres, estiveram em
cativeiro.
10 Agora veio em meu coração fazer uma aliança com o
Senhor Deus de Israel, para que se desvie de nós o ardor
da sua ira.
11 Agora, meus filhos, não sejam negligentes; pois o Se-
nhor os escolheu para estarem diante dele para o servirem
e para serem seus ministros e queimadores de incenso."
12 Então se levantaram os levitas: Maate, filho de Ama-
sai, e Joel, filho de Azarias, dos filhos dos coatitas; dos
filhos de Merari, Quis, filho de Abdi e Azarias, filho de
Jealelel; dos gersonitas, Joá, filho de Zima, e Éden, filho
de Joá;
13 e dentre os filhos de Elisafã, Sinri e Jeiel; dentre os
filhos de Asafe, Zacarias e Matanias;
14 e dentre os filhos de Hemã, Jeiel e Simei; dentre os
filhos de Jedutum, Semaías e Uziel.
15 E ajuntaram seus irmãos, santificaram-se e vieram
conforme a ordem do rei, pelas palavras do Senhor, para
purificarem a Casa do Senhor.
16 E os sacerdotes entraram na Casa do Senhor, para
purificá-la, assim levaram para o pátio todas as coisas im-
puras que acharam no templo do Senhor; então os levitas
as pegaram e as levaram para fora, ao ribeiro de Cedrom.
17 Começaram a santificar no primeiro dia do primeiro
mês; ao oitavo dia do mês vieram ao alpendre do Senhor,
e santificaram a Casa do Senhor em oito dias; acabaram
no décimo sexto dia do primeiro mês.
18 Então foram falar com o rei Ezequias e disseram: Já
purificamos toda a Casa do Senhor, como também o altar
do holocausto com todos os seus utensílios e a mesa da
proposição com todos os seus utensílios.
19 Também todos os objetos que o rei Acaz no seu rei-
nado lançou fora, na sua transgressão, já preparamos e
santificamos; e estão diante do altar do Senhor.

Ezequias Promove a Reforma

20 Então o rei Ezequias se levantou de madrugada, reu-
niu os chefes da cidade e foi à Casa do Senhor.
21 E trouxeram sete novilhos, sete carneiros, sete cordei-
ros e sete bodes, para sacrifício pelo pecado, pelo reino,
pelo santuário e por Judá, e disse aos filhos de Arão, os
sacerdotes, que os oferecessem sobre o altar do Senhor.
22 Eles mataram os bois e os sacerdotes pegaram o san-
gue e o aspergiram sobre o altar; também mataram os
carneiros e aspergiram o sangue sobre o altar; semelhan-
temente, mataram os cordeiros e aspergiram o sangue
sobre o altar.
23 Então trouxeram os bodes para sacrifício pelo pecado,
perante o rei e a congregação, e puseram as mãos sobre
eles.
24 Os sacerdotes os mataram e com o seu sangue fizeram
expiação do pecado sobre o altar, para reconciliar todo o
Israel; porque o rei tinha ordenado que fizessem aquele
holocausto e sacrifício pelo pecado, por todo o Israel.
25 E pôs os levitas na Casa do Senhor com címbalos,
alaúdes e com harpas, conforme ao mandado de Davi e
de Gade, o vidente do rei, e do profeta Natã; porque esse
mandado veio do Senhor, pelas mãos de seus profetas.
26 Os levitas estavam em pé com os instrumentos de
Davi e os sacerdotes com as trombetas.
27 E Ezequias deu ordem para que oferecessem o ho-
locausto sobre o altar; quando começou o holocausto,
também começou o canto do Senhor, com as trombetas e
com os instrumentos de Davi, rei de Israel.
28 Toda a congregação se prostrou, quando entoavam o
canto e as trombetas eram tocadas; tudo isto até o holo-
causto acabar.
29 Quando acabaram de o oferecer, o rei e todos que com
ele estavam se prostraram e adoraram.
30 Então o rei Ezequias e os chefes disseram aos levitas
que louvassem ao Senhor com as palavras de Davi e de
Asafe, o vidente. E o louvaram com alegria e se inclina-
ram e adoraram.
31 E Ezequias disse: Agora vocês se consagraram ao Se-
nhor; cheguem e tragam sacrifícios e ofertas de louvor

à Casa do Senhor. E a congregação trouxe sacrifícios e
ofertas de louvor e todos os dispostos de coração trouxe-
ram holocaustos.
32 E o número dos holocaustos, que a congregação trou-
xe, foi de setenta bois, cem carneiros, duzentos cordeiros;
tudo isto em holocausto para o Senhor.
33 Houve, também, de coisas consagradas, seiscentos
bois e três mil ovelhas.
34 Eram, porém, os sacerdotes muito poucos e não po-
diam tirar a pele de todos os holocaustos; então seus ir-
mãos, os levitas, os ajudaram, até a obra acabar, até que os
outros sacerdotes se santificaram; porque os levitas foram
mais retos de coração, para se santificassem, do que os
sacerdotes.
35 E houve também holocaustos em abundância, com
a gordura das ofertas pacíficas e com as ofertas de vinho
para os holocaustos. Assim se restabeleceu o ministério
da Casa do Senhor.
36 Ezequias e todo o povo se alegraram por causa daquilo
que Deus tinha preparado para o povo; porque essa obra
foi feita em pouco tempo.

Ezequias Celebra a Páscoa

30 Depois disto Ezequias enviou mensageiros por todo
o Israel e Judá e também escreveu cartas a Efraim e
a Manassés para que viessem à Casa do Senhor em Jerusa-
lém, para celebrarem a Páscoa ao Senhor Deus de Israel.
2 Porque o rei com os seus maiorais e com toda a con-
gregação em Jerusalém tinham concordado em celebrar a
Páscoa no segundo mês,
3 porque não puderam celebrar no tempo correto, pois
não tinham santificado sacerdotes em número suficiente
e o povo não tinha se reunido em Jerusalém.
4 E isto pareceu bom aos olhos do rei e de toda a
congregação.
5 E ordenaram que se fizesse um anúncio por todo o Is-
rael, desde Berseba até Dã, para que viessem celebrar a
Páscoa ao Senhor Deus de Israel, em Jerusalém; porque
muitos não a tinham celebrado como estava escrito.
6 Os mensageiros foram com as cartas do rei e dos seus
príncipes, por todo o Israel e Judá, segundo a ordem do
rei, dizendo: "Israelitas, convertam-se ao Senhor Deus de
Abraão, de Isaque e de Israel; para que ele se volte para
o restante de vocês que escapou das mãos dos reis da
Assíria.
7 E não sejam como seus pais e como seus irmãos, que
transgrediram contra o Senhor Deus de seus pais, pelo
que os entregou à desolação, como estão vendo.
8 Não sejam teimosos como os seus pais; entreguem-se ao
Senhor, venham ao seu santuário que ele santificou para
sempre e sirvam ao Senhor seu Deus, para que o ardor da
sua ira se desvie de vocês.
9 Porque, convertendo-se ao Senhor, seus irmãos e seus
filhos acharão misericórdia perante os que os levaram ca-
tivos e tornarão a esta terra; porque o Senhor seu Deus
é misericordioso e compassivo, e não desviará de vocês o
seu rosto se vocês se converterem a ele."
10 E os mensageiros foram passando de cidade em cida-
de, pela terra de Efraim e Manassés até Zebulom; porém
riram-se e zombaram deles.
11 Todavia alguns de Aser, de Manassés e de Zebulom, se
humilharam e vieram a Jerusalém.
12 E a mão de Deus esteve com Judá, lhes dando um só
coração, para fazerem o mandado do rei e dos príncipes,
conforme a palavra do Senhor.
13 E ajuntou-se em Jerusalém muita gente, para celebrar
a festa dos pães sem fermento, no segundo mês; uma con-
gregação muito grande.
14 E se dispuseram a tirar os altares que havia em Jeru-
salém; também tiraram todos os vasos de incenso e os
lançaram no ribeiro de Cedrom.
15 Assim sacrificaram a Páscoa no décimo quarto dia
do segundo mês; então os sacerdotes e os levitas, cheios
de vergonha, se santificaram e trouxeram holocaustos à
Casa do Senhor.
16 E se puseram em seus lugares, segundo o seu costu-
me, conforme a lei de Moisés, o homem de Deus; e os
sacerdotes aspergiam o sangue, que recebiam das mãos
dos levitas.
17 Porque havia muitos na congregação que não tinham
se santificado; por isso, os levitas tinham o encargo de
matarem os cordeiros da Páscoa no lugar daqueles que
não estavam puros para santificarem ao Senhor.
18 Porque uma multidão do povo, muitos de Efraim e
Manassés, Issacar e Zebulom, não tinham se purificado,
contudo, comeram a Páscoa, não como está escrito; po-
rém Ezequias orou por eles, dizendo: "O Senhor, que é
bom, perdoa todo aquele
19 que tem preparado o seu coração para buscar ao Se-
nhor Deus, o Deus de seus pais, ainda que não esteja pu-
rificado segundo a purificação do santuário."
20 E o Senhor ouviu Ezequias e sarou o povo.
21 E os israelitas, que estavam em Jerusalém, celebraram
a festa dos pães sem fermento por sete dias com grande
alegria; os levitas e os sacerdotes louvaram ao Senhor dia-
riamente, com estrondosos instrumentos.
22 E Ezequias falou benignamente a todos os levitas, que
tinham bom entendimento no conhecimento do Senhor
e comeram as ofertas da solenidade por sete dias, ofere-

cendo ofertas pacíficas e louvando ao Senhor Deus de seus pais.

23 E toda a congregação concordou em celebrarem a páscoa por mais sete dias e celebraram com alegria.

24 Porque Ezequias, rei de Judá, ofereceu à congregação mil novilhos e sete mil ovelhas; os príncipes ofereceram à congregação mil novilhos e dez mil ovelhas e os sacerdotes se santificaram em grande número.

25 E alegraram-se toda a congregação de Judá, os sacerdotes e os levitas, também toda a congregação dos que vieram de Israel, como também os estrangeiros que vieram da terra de Israel e os que habitavam em Judá.

26 E houve grande alegria em Jerusalém; porque desde os dias de Salomão, filho de Davi, rei de Israel, não houve coisa semelhante em Jerusalém.

27 Então os sacerdotes e os levitas se levantaram e abençoaram o povo e a sua voz foi ouvida; porque a sua oração chegou até à santa habitação de Deus, até aos céus.

As Reformas Promovidas por Ezequias

31 E, quando acabou tudo isto, todos os israelitas que estavam ali saíram às cidades de Judá e quebraram as estátuas, cortaram os postes e derrubaram os altos e altares por toda Judá e Benjamim, como também em Efraim e Manassés, até que destruíram tudo; então todos os israelitas voltaram, cada um para sua propriedade, para as suas cidades.

2 E Ezequias estabeleceu as turmas dos sacerdotes e levitas, segundo as suas turmas, a cada um segundo o seu ministério; os sacerdotes e levitas para o holocausto e para as ofertas pacíficas, para ministrarem, louvarem e cantarem às portas dos acampamentos do Senhor.

3 Também estabeleceu a parte da fazenda do rei para os holocaustos; para os holocaustos da manhã e da tarde, para os holocaustos dos sábados, das luas novas e das solenidades; como está escrito na lei do Senhor.

4 E ordenou ao povo que morava em Jerusalém que desse a parte dos sacerdotes e levitas, para que eles pudessem se dedicar à lei do Senhor.

5 E, depois que se divulgou essa ordem, os israelitas trouxeram muitas primícias de trigo, vinho, azeite, mel e de todo produto do campo; também os dízimos de tudo trouxeram em abundância.

6 E os israelitas e os filhos de Judá, que habitavam nas cidades de Judá, também trouxeram dízimos das vacas e das ovelhas e dízimos das coisas sagradas que foram consagradas ao Senhor seu Deus e fizeram muitos montões.

7 Começaram a fazer os primeiros montões no terceiro mês e acabaram no sétimo mês.

8 Quando Ezequias e os príncipes vieram e viram aqueles montões, bendisseram ao Senhor e ao seu povo Israel.

9 E Ezequias perguntou aos sacerdotes e aos levitas a respeito daqueles montões.

10 E Azarias, o sumo sacerdote da casa de Zadoque, lhe respondeu, dizendo: "Desde que se começou a trazer essas ofertas à Casa do Senhor, temos comido e nos fartado, e ainda sobrou em abundância; porque o Senhor abençoou o seu povo e sobrou essa grande quantidade."

11 Então Ezequias ordenou que se preparassem depósitos na Casa do Senhor.

12 E nos depósitos recolheram fielmente as ofertas, os dízimos e as coisas consagradas; e quem cuidava disto era Conanias, o levita chefe, e Simei, seu irmão, era seu auxiliar.

13 E Jeiel, Azarias, Naate, Asael, Jerimote, Jozabade, Eliel, Ismaquias, Maate e Benaia, eram superintendentes sob a direção de Conanias e Simei, seu irmão, por mandado do rei Ezequias e de Azarias, chefe na Casa de Deus.

14 E Coré, filho de Imna, o levita, porteiro do lado do leste, estava encarregado das ofertas voluntárias que se faziam a Deus, para distribuir as ofertas alçadas do Senhor e as coisas santíssimas.

15 E sob as suas ordens estavam Éden, Miniamim, Jesua, Semaías, Amarias e Secanias, nas cidades dos sacerdotes, para distribuírem com fidelidade a seus irmãos, segundo as suas turmas, tanto aos pequenos como aos grandes;

16 exceto os que estavam contados pelas genealogias dos homens, da idade de três anos para cima, a todos os que entravam na Casa do Senhor, para a obra de cada dia no seu dia, pelo seu ministério nas suas guardas, segundo as suas turmas.

17 E os que estavam contados pelas genealogias dos sacerdotes, segundo as suas famílias, como também os levitas, da idade de vinte anos para cima, foi feito segundo os seus cargos, nas suas turmas;

18 como também conforme as genealogias, com todas as suas crianças, suas mulheres, seus filhos e suas filhas, por toda a congregação. Porque com fidelidade esses se santificavam nas coisas consagradas.

19 Também dentre os filhos de Arão, os sacerdotes, que estavam nos campos dos arredores das suas cidades, em cada cidade, havia homens que foram designados pelos seus nomes para distribuírem as porções a todo homem entre os sacerdotes e a todos os que estavam contados entre os levitas.

20 E Ezequias fez assim em todo o Judá; fez o que era bom, reto e verdadeiro, perante o Senhor seu Deus.

21 E toda a obra que começou no serviço da Casa de Deus, na lei e nos mandamentos, para buscar a seu Deus, ele a fez de todo o seu coração e prosperou.

Senaqueribe Invade Judá

32 Depois dessas coisas e dessa fidelidade, veio Sena-
queribe, rei da Assíria, e invadiu Judá, acampou
contra as cidades fortificadas e tentou apoderar-se delas.
2 Quando Ezequias viu que Senaquerib e tinha vindo, e
que estava determinado a guerrear contra Jerusalém,
3 decidiu, junto com os seus oficiais e os seus homens
valentes, que se tapassem as fontes das águas que havia
fora da cidade; e eles o ajudaram.
4 Assim, muita gente se ajuntou e taparam todas as fon-
tes, como também o ribeiro que se estendia pelo meio
da terra, dizendo: "Por que viriam os reis da Assíria e
achariam tantas águas?"
5 E ele se animou, edificou todo o muro quebrado até
às torres, levantou outro muro por fora, fortificou Milo
na cidade de Davi e fez armas e escudos em abundância.
6 Pôs capitães de guerra sobre o povo, reuniu-os na praça
da porta da cidade e lhes falou ao coração, dizendo:
7 "Esforcem-se e tenham bom ânimo; não temam, nem
se espantem por causa do rei da Assíria, por causa de toda
a multidão que está com ele, porque há um maior conos-
co do que com ele.
8 Com ele está o braço de carne, mas conosco o Senhor
nosso Deus, para nos ajudar e para guerrear por nós." E o
povo se animou com as palavras de Ezequias, rei de Judá.
9 Depois disto Senaquerib e, rei da Assíria, estava cercan-
do a cidade de Laquis com todas as suas forças, e enviou
os seus servos a Jerusalém, para falar a Ezequias, rei de
Judá, e a todo o Judá que estava em Jerusalém, dizendo:
10 "Assim diz Senaquerib e, rei da Assíria: 'Em que vocês
confiam, para se deixarem sitiar em Jerusalém?'
11 Ezequias não os incentiva para morrerem de fome e
de sede, dizendo: 'O Senhor nosso Deus nos livrará das
mãos do rei da Assíria?
12 Não é Ezequias o mesmo que tirou os seus lugares
de culto e os seus altares, e falou a Judá e a Jerusalém,
dizendo: Diante de um único altar devem se prostrar e
sobre ele devem queimar incenso?'
13 Vocês não sabem o que eu e meus pais fizemos a todos
os povos das outras terras? Será que os deuses das nações
daquelas terras puderam de alguma maneira livrar o seu
país das minhas mãos?
14 De todos os deuses daquelas nações que meus pais
destruíram, qual pôde livrar o seu povo das minhas mãos,
para que o seu Deus os possa livrar das minhas mãos?
15 Agora, Ezequias não os engane, nem os incentive as-
sim, nem lhe deem crédito; porque nenhum deus de na-
ção alguma, nem de reino algum, pôde livrar o seu povo
das minhas mãos, nem das mãos de meus pais; quanto
menos o seu Deus poderá livrá-los das minhas mãos."
16 Também os servos de Senaquerib e falaram ainda ou-
tras coisas contra o Senhor Deus e contra Ezequias, o seu
servo.
17 Senaquerib e também escreveu cartas, para blasfemar
do Senhor Deus de Israel e para falar contra ele, dizendo:
"Assim como os deuses das nações das terras não livra-
ram o seu povo da minha mão, assim também o Deus de
Ezequias não livrará o seu povo das minhas mãos."
18 E clamaram em alta voz em hebraico contra o povo de
Jerusalém, que estava em cima do muro, para os atemori-
zar e os perturbar, para que tomassem a cidade.
19 E falaram do Deus de Jerusalém, como dos deuses
dos povos da terra, que são obras das mãos dos homens.
20 Porém, o rei Ezequias e o profeta Isaías, filho de
Amoz, oraram contra isso e clamaram ao céu.

Deus Destrói o Exército de Senaquerib e

21 Então o Senhor enviou um anjo que destruiu todos os
homens valentes, os príncipes e os chefes no acampamen-
to do rei da Assíria que, envergonhado, voltou para a sua
terra; quando ele entrou no templo de seu deus, alguns
dos seus próprios filhos o mataram ali à espada.
22 Assim o Senhor livrou Ezequias e os moradores de
Jerusalém das mãos de Senaquerib e, rei da Assíria, e das
mãos de todos os inimigos; assim, de todos os lados os
protegeu.
23 E muitos traziam a Jerusalém presentes ao Senhor e
coisas preciosíssimas a Ezequias, rei de Judá; depois disto
ele foi exaltado perante os olhos de todas as nações.
24 Naqueles dias Ezequias adoeceu mortalmente; ele
orou ao Senhor, que lhe falou e lhe deu um sinal.

Doença e Morte de Ezequias

25 Mas Ezequias não correspondeu ao benefício que lhe
foi feito, porque o seu coração se exaltou; por isso veio
grande ira sobre ele, sobre Judá e Jerusalém.
26 Ezequias, porém, se humilhou pela soberba do seu
coração, ele e os habitantes de Jerusalém; e a grande ira
do Senhor não veio sobre eles, nos dias de Ezequias.
27 E Ezequias teve riquezas e glória em grande abun-
dância; ajuntou tesouros de prata, de ouro, de pedras
preciosas, de especiarias, de escudos e de tudo o que se
podia desejar;
28 também construiu armazéns para a colheita do trigo,
do vinho, do azeite, estrebarias para toda espécie de ani-
mais e currais para os rebanhos.
29 Também edificou cidades e possuiu ovelhas e vacas
em abundância; porque Deus lhe tinha dado muitos bens.
30 Também o mesmo Ezequias canalizou o manancial
superior das águas de Giom e as fez correrem por baixo
para o oeste da cidade de Davi; e Ezequias prosperou em
todas as suas obras.

31 Mas quando chegaram os embaixadores dos príncipes da Babilônia, que foram enviados a ele, para se informarem sobre o prodígio que se fez naquela terra, Deus o desamparou, para prová-lo, e para saber tudo o que havia no seu coração.

32 Quanto aos demais atos de Ezequias e as suas beneficências, estão escritos na visão do profeta Isaías, filho de Amoz, e no livro dos reis de Judá e de Israel.

33 E Ezequias morreu e o sepultaram no mais alto dos sepulcros dos filhos de Davi; todo o Judá e os habitantes de Jerusalém lhe fizeram honras na sua morte e Manassés, seu filho, reinou em seu lugar.

A Idolatria de Manassés

33 Manassés tinha doze anos de idade quando começou a reinar, e reinou por cinquenta e cinco anos em Jerusalém.

2 E fez o que era mau aos olhos do Senhor, conforme as abominações dos gentios que o Senhor expulsou da frente dos israelitas.

3 Porque tornou a edificar os altos que Ezequias, seu pai, tinha derrubado; levantou altares a Baalim, fez bosques, prostrou-se diante de todo o exército dos céus e o serviu.

4 E edificou altares na Casa do Senhor, da qual o Senhor tinha falado: "Em Jerusalém estará o meu nome eternamente."

5 Edificou altares a todo o exército dos céus, em ambos os pátios da Casa do Senhor.

6 Ele também queimou os seus filhos em sacrifício no vale de Bem-Hinom, usou de adivinhações e de agouros, de feitiçarias, e consultou adivinhos, encantadores e fez muitíssimo mal aos olhos do Senhor, para o provocar à ira.

7 Também pôs uma imagem de escultura do ídolo que tinha feito, na Casa de Deus, da qual Deus tinha falado a Davi e a Salomão, seu filho: "Neste templo e em Jerusalém, que escolhi de todas as tribos de Israel, porei o meu nome para sempre.

8 E nunca mais removerei o pé de Israel da terra que destinei a seus pais, contanto que tenham cuidado de fazer tudo o que eu lhes ordenei, conforme a toda a lei, estatutos e juízos, dados pela mão de Moisés."

9 E Manassés tanto fez errar a Judá e aos moradores de Jerusalém, que fizeram pior do que as nações que o Senhor tinha destruído da frente dos israelitas.

10 E o Senhor falou a Manassés e ao seu povo, porém não deram ouvidos.

O Cativeiro, a Oração e Morte de Manassés

11 Assim, o Senhor trouxe sobre eles os comandantes do exército do rei da Assíria, que prenderam Manassés com ganchos, o amarraram com correntes e o levaram para a Babilônia.

12 Então ele, angustiado, orou fervorosamente ao Senhor seu Deus e humilhou-se muito perante o Deus de seus pais;

13 ele orou e Deus o ouviu, atendeu a sua súplica e tornou a trazê-lo para Jerusalém, ao seu reino. Então Manassés conheceu que o Senhor era Deus.

14 E edificou a muralha externa da cidade de Davi, desde o oeste do vale de Giom, na entrada do portão do peixe, até ao redor de Ofel, e a levantou muito alta; também pôs oficiais valentes em todas as cidades fortificadas de Judá.

15 E tirou da Casa do Senhor os deuses estranhos e o ídolo, e todos os altares que tinha edificado no monte da Casa do Senhor e em Jerusalém, levando-os para fora da cidade.

16 E restaurou o altar do Senhor e ofereceu sobre ele sacrifícios de ofertas pacíficas e de louvor e ordenou a Judá que servisse ao Senhor Deus de Israel.

17 Contudo o povo ainda sacrificava nos altos, mas somente ao Senhor seu Deus.

18 O restante dos atos de Manassés, a sua oração ao seu Deus e as palavras dos videntes que lhe falaram no nome do Senhor Deus de Israel, estão escritos na história dos reis de Israel.

19 Também a sua oração, como Deus o atendeu, todo o seu pecado, a sua transgressão, os lugares onde edificou altares e onde pôs bosques e imagens de escultura, antes que se humilhasse, estão escritos nos livros dos videntes.

20 E Manassés morreu e o sepultaram em sua casa. Amom, seu filho, reinou em seu lugar.

O Reinado de Amom

21 Amom tinha vinte e dois anos de idade quando começou a reinar e reinou por dois anos em Jerusalém.

22 E fez o que era mau aos olhos do Senhor, como havia feito Manassés, seu pai; porque Amom sacrificou a todas as imagens de escultura que Manassés, seu pai, tinha feito e as serviu.

23 Mas não se humilhou perante o Senhor, como Manassés, seu pai, tinha se humilhado; pelo contrário, Amom multiplicou os seus delitos.

24 E os seus servos conspiraram contra ele e o mataram em sua casa.

25 Porém o povo da terra matou todos os que conspiraram contra o rei Amom e fizeram Josias, seu filho, reinar em seu lugar.

Josias Abole a Idolatria

34 Josias tinha oito anos de idade quando começou a reinar e reinou por trinta e um anos em Jerusalém.

2 Ele fez o que era reto aos olhos do Senhor e andou nos caminhos de Davi, seu pai, sem se desviar deles nem para a direita nem para a esquerda.

3 Porque no oitavo ano do seu reinado, sendo ainda
moço, começou a buscar o Deus de Davi, seu pai; no
décimo segundo ano começou a purificar Judá e Jerusa-
lém dos altos, dos postes, e das imagens de escultura e
de fundição.
4 E derrubaram perante ele os altares de Baalim; ele des-
pedaçou as imagens que estavam acima deles e quebrou
os postes; quebrou as imagens de escultura e de fundição,
reduziu a pó e o espalhou sobre as sepulturas dos que
tinham sacrificado a eles.
5 E os ossos dos sacerdotes, queimou-os sobre os seus
altares; assim purificou Judá e Jerusalém.
6 Fez o mesmo nas cidades de Manassés, de Efraim, de
Simeão e até de Naftali, em seus lugares assolados ao
redor.
7 E, depois de derrubar os altares, os postes e as imagens
de escultura, até reduzi-los a pó, e tendo despedaçado to-
dos os altares de incenso em toda a terra de Israel, voltou
para Jerusalém.

Josias Faz Reparos no Templo

8 E no décimo oitavo ano do seu reinado, havendo já
purificado a terra e a Casa, enviou Safã, filho de Azalias,
Maaseias, maioral da cidade, e Joá, filho de Joacaz, re-
gistrador, para restaurarem a Casa do Senhor seu Deus.
9 E foram a Hilquias, sumo sacerdote, e lhe deram o di-
nheiro que tinha sido trazido à Casa do Senhor e que os
levitas, que guardavam a porta, tinham recebido da mão
de Manassés, de Efraim e de todo o restante de Israel,
como também de todo o Judá, de Benjamim e dos habi-
tantes de Jerusalém.
10 E eles o entregaram aos que tinham o encargo da obra
da Casa do Senhor; estes pagaram aos que faziam a obra
e trabalhavam na Casa do Senhor, para consertarem e re-
pararem o templo.
11 E deram o dinheiro aos mestres da obra e aos edifica-
dores, para comprarem pedras lavradas e madeiras para
as junções e para as vigas das casas que os reis de Judá
tinham destruído.
12 E esses homens trabalhavam fielmente na obra, sendo
os seus superintendentes: Jaate e Obadias, levitas, dos fi-
lhos de Merari, como também Zacarias e Mesulão, dos fi-
lhos dos coatitas, para supervisionarem a obra; e todos os
levitas que eram entendidos em instrumentos de música
13 eram chefes dos carregadores e dirigiam todos os que
trabalhavam em todos os tipos de trabalhos, e dentre os
levitas havia escrivães, oficiais e porteiros.

Hilquias Acha o Livro da Lei

14 Enquanto eles tiravam o dinheiro que se tinha trazido
à Casa do Senhor, Hilquias, o sacerdote, achou o Livro da
Lei do Senhor, dada pela mão de Moisés.
15 E Hilquias disse a Safã, o escrivão: Achei o Livro da Lei
na Casa do Senhor. E Hilquias deu o livro a Safã.
16 E Safã levou o livro ao rei e lhe informou: Seus servos
fazem tudo o que lhes encomendou.
17 E ajuntaram o dinheiro que se achou no templo do
Senhor e o deram nas mãos dos superintendentes e nas
mãos dos que faziam a obra.
18 Além disso, Safã, o escrivão, disse ao rei: "O sacerdote
Hilquias entregou-me um livro." E Safã o leu diante do
rei.
19 E, quando o rei Josias ouviu as palavras da lei, rasgou
as suas vestes.
20 E o rei ordenou a Hilquias e a Aicão, filho de Safã,
a Abdom, filho de Mica, a Safã, o escrivão e a Asaías,
ministro do rei, dizendo:
21 "Vão, consultem o Senhor por mim e pelos que res-
tam em Israel e em Judá, sobre as palavras que estão
neste livro; porque grande é o furor do Senhor, que se
derramou sobre nós; porque nossos pais não guardaram a
palavra do Senhor, para fazerem conforme tudo que está
escrito neste livro."

Hulda Profetiza a Ruína de Jerusalém

22 Então Hilquias e os enviados do rei foram falar com a
profetisa Hulda, mulher de Salum, filho de Tocate, filho
de Harás, guarda das vestimentas da Casa do Senhor; ela
morava em Jerusalém na parte baixa, e eles lhe falaram
sobre o que havia acontecido.
23 E ela lhes disse: "Assim diz o Senhor Deus de Israel:
'Digam ao homem que os enviou a mim:
24 Assim diz o Senhor: Eis que trarei mal sobre este lugar
e sobre os seus habitantes; todas as maldições que estão
escritas no livro que leram perante o rei de Judá.
25 Porque me deixaram e queimaram incenso perante
outros deuses, para me provocarem à ira com todas as
obras das suas mãos; portanto o meu furor se derramou
sobre este lugar e não se apagará.
26 Porém, ao rei de Judá, que os enviou para consultar
ao Senhor, assim lhe digam: Assim diz o Senhor Deus de
Israel, quanto às palavras que ouviu:
27 Porque o seu coração se enterneceu e se humilhou
perante Deus, ouvindo as suas palavras contra este lugar
e contra os seus habitantes, e se humilhou perante mim,
rasgou as suas roupas e chorou perante mim, eu também
o ouvi, diz o Senhor.
28 Você morrerá e será recolhido ao seu sepulcro em paz,
os seus olhos não verão todo o mal que hei de trazer sobre
este lugar e sobre os seus habitantes.'" E retornaram com
essa resposta ao rei.
29 Então o rei mandou reunir todos os anciãos de Judá
e Jerusalém.

30 E o rei foi à Casa do Senhor, com todos os homens de
Judá, os habitantes de Jerusalém, os sacerdotes, os levitas
e todo o povo, desde o maior até ao menor, e leu aos
ouvidos deles todas as palavras do livro da aliança que foi
encontrado na Casa do Senhor.
31 E o rei pôs-se em pé em seu lugar e fez aliança perante
o Senhor, para seguirem ao Senhor, e para guardar os seus
mandamentos, os seus testemunhos e os seus estatutos,
com todo o seu coração e com toda a sua alma, cumprin-
do as palavras da aliança, que estão escritas naquele livro.
32 E fez com que todos que estavam em Jerusalém e em
Benjamim assumissem esta aliança; então os habitantes
de Jerusalém fizeram conforme a aliança de Deus, o Deus
de seus pais.
33 E Josias tirou todas as abominações de todas as terras
que eram dos israelitas, obrigando a todos que estavam
em Israel a servirem ao Senhor seu Deus. Enquanto ele
viveu não se desviaram de seguir o Senhor, o Deus de
seus pais.

A Celebração da Páscoa

35 Então Josias celebrou a Páscoa ao Senhor em Jeru-
salém; e mataram o cordeiro da Páscoa no décimo
quarto dia do primeiro mês.
2 E estabeleceu os sacerdotes nos seus cargos e os animou
ao serviço da Casa do Senhor.
3 E disse aos levitas que ensinavam a todo o Israel e esta-
vam consagrados ao Senhor: "Ponham a arca sagrada no
templo que edificou Salomão, filho de Davi, rei de Israel;
não terão mais esta carga aos ombros; agora sirvam ao
Senhor seu Deus e ao seu povo Israel.
4 E preparem-se segundo as suas famílias e segundo as
suas turmas, conforme a prescrição de Davi, rei de Israel,
e de Salomão, seu filho.
5 E fiquem no santuário segundo as divisões das famílias
de seus irmãos, os filhos do povo, e haja, para cada divi-
são, uma parte das famílias dos levitas.
6 E matem os cordeiros da Páscoa, santifiquem-se e pre-
parem os cordeiros para seus irmãos, fazendo conforme a
palavra do Senhor, dada pela mão de Moisés."
7 E Josias ofereceu ao povo, para todos os que ali esta-
vam, trinta mil cordeiros e cabritos do rebanho, todos
para os sacrifícios da Páscoa, e três mil bois; tudo isto era
da fazenda do rei.
8 Os seus príncipes também fizeram ofertas voluntárias
ao povo, aos sacerdotes e aos levitas: Hilquias, Zacarias e
Jeiel, chefes da Casa de Deus, deram aos sacerdotes para
os sacrifícios da Páscoa duas mil e seiscentas ovelhas e
cabritos e trezentos bois.
9 E Conanias, Semaías e Natanael, seus irmãos, e Ha-
sabias, Jeiel e Jozabade, chefes dos levitas, apresentaram
aos levitas, para os sacrifícios da Páscoa, cinco mil cordei-
ros e cabritos e quinhentos bois.
10 Assim se preparou o serviço, e puseram-se os sacerdo-
tes nos seus postos e os levitas nas suas turmas, conforme
a ordem do rei,
11 então sacrificaram a Páscoa; os sacerdotes aspergiram
o sangue recebido das mãos dos levitas que tiravam a pele
dos animais.
12 E separaram os holocaustos para os darem aos filhos
do povo, segundo as divisões das famílias, para os ofere-
cerem ao Senhor, como está escrito no livro de Moisés;
assim fizeram com os bois.
13 E assaram o cordeiro da Páscoa no fogo, segundo o
rito; as ofertas sagradas cozinharam em panelas, em cal-
deirões e em assadeiras; e prontamente as repartiram
entre todo o povo.
14 Depois prepararam para si e para os sacerdotes; por-
que os sacerdotes, filhos de Arão, se ocuparam até à noite
com o sacrifício dos holocaustos e da gordura; por isso
os levitas prepararam para si e para os sacerdotes, filhos
de Arão.
15 E os cantores, filhos de Asafe, estavam no seu pos-
to, segundo o mandado de Davi, de Asafe, de Hemã e
de Jedutum, vidente do rei, como também os porteiros
em cada porta; não necessitaram de se desviarem do seu
ministério, porque seus irmãos, os levitas, preparavam o
necessário para eles.
16 Assim se estabeleceu todo o serviço do Senhor na-
quele dia, para celebrar a Páscoa, e sacrificar holocaustos
sobre o altar do Senhor, segundo o mandado do rei Josias.
17 E os israelitas que ali estavam celebraram a Páscoa
naquele tempo e a festa dos pães sem fermento, durante
sete dias.
18 Nunca se celebrou uma Páscoa como essa em Israel,
desde os dias do profeta Samuel, e nenhum dos reis de
Israel celebrou uma Páscoa como a que Josias celebrou
com os sacerdotes, os levitas e todo o Judá e Israel, que ali
se acharam com os habitantes de Jerusalém.
19 Essa Páscoa se celebrou no décimo oitavo ano do rei-
nado de Josias.

A Morte de Josias

20 Depois de tudo isto, depois de Josias ter restaurado
o templo, Neco, rei do Egito, foi guerrear em Carque-
mis, junto ao Eufrates, e Josias saiu ao seu encontro, para
guerrear contra ele.
21 Então Neco lhe mandou mensageiros, dizendo: "Não
tenho nada contra você, rei de Judá! Não é contra você
que venho hoje, mas contra o reino que me faz guerra;
Deus disse que me apressasse, por isso, não se oponha a
Deus, que está comigo, para que ele não o destrua."

22 Porém Josias não voltou atrás, e se disfarçou, para lu-
tar contra ele; e não deu ouvidos às palavras de Neco,
que saíram da boca de Deus; e Josias foi guerrear no vale
de Megido.
23 E os flecheiros atiraram contra o rei Josias. Então o
rei disse aos seus servos: "Tirem-me daqui, porque estou
gravemente ferido."
24 E seus servos o tiraram do carro de guerra e o leva-
ram no segundo carro que ele tinha, para Jerusalém, onde
morreu, e o sepultaram nos sepulcros de seus pais; então
todo o Judá e Jerusalém ficaram de luto por Josias.
25 E Jeremias fez uma lamentação sobre Josias; todos os
cantores e cantoras, nas suas lamentações, têm falado de
Josias, até ao dia de hoje, porque as estabeleceram por
estatuto em Israel; essas lamentações estão escritas no
Livro das Lamentações.
26 Quanto aos demais atos de Josias e às suas beneficên-
cias, conforme o que está escrito na lei do Senhor,
27 e os seus atos, tanto os primeiros como os últimos,
estão escritos no livro dos reis de Israel e de Judá.

Joacaz Reina e é Levado Cativo

36 Então o povo da terra tomou Joacaz, filho de Josias
e o fez rei em lugar de seu pai, em Jerusalém.
2 Joacaz tinha vinte e três anos, quando começou a rei-
nar, e reinou por três meses em Jerusalém,
3 porém o rei do Egito o depôs em Jerusalém e impôs à
terra um tributo de três toneladas e meia de prata e trinta
e quatro quilos de ouro.
4 E o rei do Egito pôs Eliaquim, irmão de Joacaz, como rei
sobre Judá e Jerusalém, e lhe mudou o nome para Jeoa-
quim; mas seu irmão Joacaz, Neco o levou para o Egito.

Jeoaquim Reina

5 Jeoaquim tinha vinte e cinco anos de idade, quando
começou a reinar e reinou por onze anos em Jerusalém; e
fez o que era mau aos olhos do Senhor seu Deus.
6 Nabucodonosor, rei da Babilônia, veio contra ele e o
amarrou com correntes, para levá-lo à Babilônia.
7 Também alguns dos vasos da Casa do Senhor, Nabuco-
donosor os levou para a Babilônia e os pôs no seu templo.
8 Quanto aos demais atos de Jeoaquim, as abominações
que fez e ao mais que se achou nele, estão escritos no
livro dos reis de Israel e de Judá; e Joaquim, seu filho,
reinou em seu lugar.
9 Joaquim tinha dezoito anos de idade, quando começou
a reinar; ele reinou por três meses e dez dias em Jerusa-
lém, e fez o que era mau aos olhos do Senhor.
10 E, no decurso de um ano, o rei Nabucodonosor man-
dou trazê-lo à Babilônia, com os mais preciosos objetos
da Casa do Senhor, e pôs Zedequias, seu irmão, rei sobre
Judá e Jerusalém.

O Reinado de Zedequias

11 Zedequias tinha vinte e um anos de idade, quando
começou a reinar, e reinou por onze anos em Jerusalém.
12 E fez o que era mau aos olhos do Senhor seu Deus;
nem se humilhou perante o profeta Jeremias, que falava
da parte do Senhor.
13 Além disto, também se rebelou contra o rei Nabuco-
donosor, que o tinha obrigado a jurar fidelidade em nome
de Deus. Mas endureceu o seu coração e não se conver-
teu ao Senhor Deus de Israel.
14 Também todos os chefes dos sacerdotes e o povo au-
mentavam mais e mais as suas transgressões, seguindo
todas as abominações dos gentios; eles contaminaram o
templo que o Senhor tinha santificado em Jerusalém.
15 E o Senhor, Deus de seus pais, lhes falou constante-
mente por intermédio dos mensageiros, porque se com-
padeceu do seu povo e da sua habitação.
16 Eles, porém, zombaram dos mensageiros de Deus,
desprezaram as suas palavras e debocharam dos seus pro-
fetas, até que o furor do Senhor veio contra o seu povo,
que não houve mais remédio.
17 Por isso o Senhor enviou contra eles o rei dos cal-
deus, que matou os seus jovens à espada, na casa do seu
santuário, e não teve piedade nem dos jovens, nem das
moças, nem dos adultos, nem dos velhos; entregou todos
nas mãos do rei dos caldeus.
18 E todos os vasos da Casa de Deus, grandes e peque-
nos, os tesouros da Casa do Senhor e os tesouros do rei e
dos seus príncipes, levou tudo para a Babilônia.
19 E queimaram a Casa de Deus, derrubaram os muros
de Jerusalém e queimaram todos os seus palácios, destruí-
ram também todos os seus preciosos utensílios.
20 E os que escaparam da espada, o rei levou para a Babi-
lônia; assim, tornaram-se servos dele e de seus filhos, até
ao tempo do reino da Pérsia.
21 Para que se cumprisse a palavra do Senhor, pela boca
de Jeremias, até que a terra desfrutasse dos seus sábados;
repousou durante todos os dias da sua desolação, até que
os setenta anos se cumpriram.
22 No primeiro ano do reinado de Ciro, rei da Pérsia,
para que se cumprisse a palavra do Senhor pela boca de
Jeremias, o Senhor despertou o espírito de Ciro, rei da
Pérsia, que fez uma proclamação por todo o seu reino,
como também por escrito, dizendo:
23 "Assim diz Ciro, rei da Pérsia: O Senhor Deus dos
céus me deu todos os reinos da terra, e me encarregou de
lhe edificar um templo em Jerusalém, que fica em Judá.
Quem dentre vocês, pertencer ao seu povo, o Senhor seu
Deus esteja com ele, e vá para Jerusalém."

Ciro Convoca os Judeus Para Reconstruírem o Templo

1 No primeiro ano do reinado de Ciro, rei da Pérsia, para
que se cumprisse a palavra do Senhor, pela boca de Jeremias, o Senhor despertou o espírito de Ciro, rei da Pérsia, que fez uma proclamação por todo o seu reino, como também por escrito, dizendo:
2 "Assim diz Ciro, rei da Pérsia: O Senhor Deus dos céus me deu todos os reinos da terra e me encarregou de lhe edificar um templo em Jerusalém, que fica em Judá.
3 Quem entre vocês, que for do seu povo, o Senhor seu Deus esteja com ele, e vá para Jerusalém, que fica em Judá, e edifique a Casa do Senhor, Deus de Israel; ele é o Deus que habita em Jerusalém.
4 E quem restar, em qualquer lugar em que estiver morando, os homens deste lugar ajudarão com prata, ouro, com bens e com gados, além das dádivas voluntárias para a Casa de Deus, em Jerusalém."
5 Então os chefes das famílias de Judá e Benjamim, os sacerdotes e os levitas, com todos aqueles cujo espírito Deus despertou, se levantaram para irem edificar a Casa do Senhor, em Jerusalém.
6 E todos os que habitavam nos arredores os ajudaram com vasos de prata, ouro, bens, gado e com coisas preciosas; além de tudo o que deram voluntariamente.
7 O rei Ciro também devolveu os utensílios da Casa do Senhor, que Nabucodonosor tinha trazido de Jerusalém e que tinha posto na casa de seus deuses.
8 Ciro, o rei da Pérsia, também ordenou que fossem tirados por Mitredate, o tesoureiro, que os contou e os entregou a Sesbazar, príncipe de Judá.
9 E este é o número deles: trinta bacias de ouro, mil bacias de prata, vinte e nove facas,
10 trinta taças de ouro, mais outras quatrocentas e dez taças de prata e mil outros utensílios.
11 Todos os utensílios de ouro e de prata foram cinco mil e quatrocentos; Sesbazar levou todos esses com ele, quando os exilados voltaram da Babilônia para Jerusalém.

A Lista dos Que Regressaram

2 Estes são os filhos da província, que voltaram do cati-
veiro, dentre os exilados, que Nabucodonosor, rei da Babilônia, tinha levado à Babilônia e retornaram a Jerusalém e a Judá, cada um para a sua casa,
2 e vieram com Zorobabel, Jesua, Neemias, Seraías, Reelaías, Mardoqueu, Bilsã, Mispar, Bigvai, Reum e Baaná. O número dos homens do povo de Israel:
3 Os filhos de Parós, dois mil cento e setenta e dois.
4 Os filhos de Sefatias, trezentos e setenta e dois.
5 Os filhos de Ará, setecentos e setenta e cinco.
6 Os filhos de Paate-Moabe, dos filhos de Jesua-Joabe, dois mil oitocentos e doze.
7 Os filhos de Elão, mil duzentos e cinquenta e quatro.
8 Os filhos de Zatu, novecentos e quarenta e cinco.
9 Os filhos de Zacai, setecentos e sessenta.
10 Os filhos de Bani, seiscentos e quarenta e dois.
11 Os filhos de Bebai, seiscentos e vinte e três.
12 Os filhos de Azgade, mil duzentos e vinte e dois.
13 Os filhos de Adonicão, seiscentos e sessenta e seis.
14 Os filhos de Bigvai, dois mil e cinquenta e seis.
15 Os filhos de Adim, quatrocentos e cinquenta e quatro.
16 Os filhos de Ater, de Ezequias, noventa e oito.
17 Os filhos de Besai, trezentos e vinte e três.
18 Os filhos de Jora, cento e doze.
19 Os filhos de Hasum, duzentos e vinte e três.
20 Os filhos de Gibar, noventa e cinco.
21 Os filhos de Belém, cento e vinte e três.
22 Os homens de Netofa, cinquenta e seis.
23 Os homens de Anatote, cento e vinte e oito.
24 Os filhos de Azmavete, quarenta e dois.
25 Os filhos de Quiriate-Arim, Cefira e Beerote, setecentos e quarenta e três.
26 Os filhos de Ramá e de Geba, seiscentos e vinte e um.
27 Os homens de Micmás, cento e vinte e dois.
28 Os homens de Betel e de Ai, duzentos e vinte e três.
29 Os filhos de Nebo, cinquenta e dois.
30 Os filhos de Magbis, cento e cinquenta e seis.
31 Os filhos do outro Elão, mil duzentos e cinquenta e quatro.
32 Os filhos de Harim, trezentos e vinte.
33 Os filhos de Lode, de Hadide e de Ono, setecentos e vinte e cinco.
34 Os filhos de Jericó, trezentos e quarenta e cinco.
35 Os filhos de Senaá, três mil seiscentos e trinta.
36 Os sacerdotes: os filhos de Jedaías, da casa de Jesua, novecentos e setenta e três.
37 Os filhos de Imer, mil e cinquenta e dois.
38 Os filhos de Pasur, mil duzentos e quarenta e sete.
39 Os filhos de Harim, mil e dezessete.
40 Os levitas: os filhos de Jesua e Cadmiel, dos filhos de Hodavias, setenta e quatro.
41 Os cantores: os filhos de Asafe, cento e vinte e oito.
42 Os filhos dos porteiros: os filhos de Salum, os filhos de

Ater, os filhos de Talmom, os filhos de Acube, os filhos de
Hatita, os filhos de Sobai; ao todo, cento e trinta e nove.
43 Os servidores do templo: os filhos de Zia, os filhos de
Hasufa, os filhos de Tabaote,
44 os filhos de Queros, os filhos de Siá, os filhos de
Padom,
45 os filhos de Lebaná, os filhos de Hagaba, os filhos de
Acube,
46 os filhos de Hagabe, os filhos de Sanlai, os filhos de
Hanã,
47 os filhos de Gidel, os filhos de Gaar, os filhos de Reaías,
48 os filhos de Rezim, os filhos de Necoda, os filhos de
Gazão,
49 os filhos de Uzá, os filhos de Paseá, os filhos de Besai,
50 os filhos de Asná, os filhos dos meunitas, os filhos dos
nefuseus,
51 os filhos de Baquebuque, os filhos de Hacufa, os filhos
de Harur,
52 os filhos de Baslute, os filhos de Meida, os filhos de
Harsa,
53 os filhos de Barcos, os filhos de Sísera, os filhos de
Temá,
54 os filhos de Nesias, os filhos de Hatifa,
55 os filhos dos servos de Salomão; os filhos de Sotai, os
filhos de Soferete, os filhos de Peruda,
56 os filhos de Jaala, os filhos de Darcom, os filhos de
Gidel,
57 os filhos de Sefatias, os filhos de Hatil, os filhos de
Poquerete-Hazebaim, os filhos de Ami.
58 Todos os servidores do templo e os filhos dos servos de
Salomão, trezentos e noventa e dois.
59 Estes também voltaram de Tel-Melá e Tel-Harsa, Querube, Adã e Imer; porém não puderam provar que as suas
famílias e a sua linhagem eram de Israel.
60 Os filhos de Delaías, os filhos de Tobias, os filhos de
Necoda, seiscentos e cinquenta e dois.
61 E dos filhos dos sacerdotes: os filhos de Habaías, os
filhos de Coz, os filhos de Barzilai, que se casou com uma
das filhas de Barzilai, o gileadita, e que foi chamado pelo
seu nome.
62 Esses procuraram o seu registro entre os que estavam registrados nas genealogias, mas não se acharam
nelas; assim, por serem impuros, foram rejeitados para o
sacerdócio.
63 E o governador lhes disse que não comessem das coisas
consagradas, até que se levantasse um sacerdote capaz de
consultar Deus por meio de Urim e Tumim.
64 Toda essa congregação junta foi de quarenta e dois mil
trezentos e sessenta,
65 fora os seus servos e as suas servas, que foram sete mil
trezentos e trinta e sete; também tinha duzentos cantores
e cantoras.
66 Os seus cavalos, setecentos e trinta e seis; os seus mulos, duzentos e quarenta e cinco;
67 os seus camelos, quatrocentos e trinta e cinco; os jumentos, seis mil setecentos e vinte.
68 E alguns dos chefes de famílias, vindo à Casa do Senhor, em Jerusalém, deram ofertas voluntárias para a Casa
de Deus, para a reconstrução no seu antigo lugar.
69 Conforme as suas posses, deram para o tesouro da
obra, em ouro, quinhentos quilos, e, em prata, três mil
quilos, e cem vestes sacerdotais.
70 E os sacerdotes, os levitas e alguns do povo, tanto os
cantores, como os porteiros e os servidores do templo, foram morar em suas cidades; como também todo o Israel.

O Altar é Levantado

3 Chegando o sétimo mês, quando os israelitas já estavam morando nas cidades, o povo ajuntou-se como um
só homem, em Jerusalém.
2 Então levantaram-se Jesua, filho de Jozadaque, e seus
irmãos; os sacerdotes, Zorobabel, filho de Sealtiel, e seus
irmãos, e edificaram o altar do Deus de Israel, para oferecerem holocaustos sobre ele, como está escrito na lei de
Moisés, o homem de Deus.
3 E firmaram o altar sobre as suas bases, mesmo tendo
medo dos povos vizinhos, e ofereceram sobre ele holocaustos ao Senhor, holocaustos pela manhã e à tarde.
4 E celebraram a festa dos tabernáculos, como está escrito;
ofereceram holocaustos a cada dia, por ordem, conforme
ao rito, cada coisa em seu dia.
5 E depois disto o holocausto contínuo, os sacrifícios das
luas novas e de todas as solenidades consagradas ao Senhor; como também de qualquer pessoa que oferecia oferta voluntária ao Senhor.
6 A partir do primeiro dia do sétimo mês começaram a
oferecer holocaustos; embora ainda não estivessem postos
os fundamentos do templo do Senhor.
7 Deram o dinheiro aos pedreiros e aos carpinteiros, como
também comida, bebida e azeite aos sidônios e aos tírios
para trazerem do Líbano madeira de cedro pelo mar, para
Jope, segundo a concessão que lhes tinha feito Ciro, rei
da Pérsia.

Os Alicerces do Templo São Edificados

8 E no segundo ano da sua vinda à Casa de Deus em
Jerusalém, no segundo mês, Zorobabel, filho de Sealtiel
e Jesua, filho de Jozadaque, e os outros seus irmãos, os
sacerdotes e os levitas, e todos os que vieram do cativeiro
a Jerusalém, começaram a obra da Casa do Senhor, e constituíram os levitas com idade de vinte anos para cima, para
que a dirigissem.

9 Então se levantou Jesua, seus filhos e seus irmãos, Cadmiel e seus filhos, os filhos de Judá, como um só homem, para supervisionarem os que faziam a obra na Casa de Deus, bem como os filhos de Henadade, seus filhos e seus irmãos, os levitas.

10 Quando, os edificadores lançaram os alicerces do templo do Senhor, então os sacerdotes se apresentaram, já vestidos e com trombetas, e os levitas, filhos de Asafe, com címbalos, para louvarem ao Senhor, conforme as instruções de Davi, rei de Israel.

11 E cantavam alternadamente, louvando e celebrando ao Senhor, dizendo: "Porque é bom; porque a sua benignidade dura para sempre sobre Israel." E todo o povo louvou em alta voz, pelo lançamento da fundação da Casa do Senhor.

12 Porém muitos dos sacerdotes, levitas e chefes de famílias, já velhos, que viram o primeiro templo sobre o seu alicerce, vendo perante os seus olhos este templo, choraram em altas vozes; mas muitos levantaram as vozes com júbilo e com alegria.

13 E o povo não conseguia distinguir as vozes do júbilo de alegria das vozes do choro; porque o povo gritava tão alto, que o som se ouvia de muito longe.

A Oposição Enfrentada

4 Quando os adversários de Judá e Benjamim ouviram que os que voltaram do cativeiro edificavam o templo ao Senhor Deus de Israel,

2 chegaram-se a Zorobabel e aos chefes de famílias e lhes disseram: "Deixem-nos edificar com vocês, porque, como vocês, buscaremos o seu Deus; como também já lhe sacrificamos desde os dias de Esar-Hadom, rei da Assíria, que nos fez vir aqui."

3 Porém Zorobabel, Jesua e os outros chefes de famílias de Israel lhes disseram: "Não convém que nós e vocês edifiquemos o templo ao nosso Deus, mas nós sozinhos o edificaremos ao Senhor Deus de Israel, como o rei Ciro, rei da Pérsia, nos ordenou."

4 Então o povo da região começou a desanimar, e o povo de Judá começou a atemorizá-los, perturbando-os nos trabalhos de edificação.

5 E contrataram contra eles conselheiros, para frustrarem os seus planos, por todos os dias do reinado de Ciro, rei da Pérsia, até ao reinado de Dario, rei da Pérsia.

6 No reinado de Assuero, no princípio do seu reinado, escreveram uma acusação contra os habitantes de Judá e de Jerusalém.

7 E nos dias de Artaxerxes, Bislão, Mitredate, Tabeel e os outros seus companheiros escreveram a Artaxerxes, rei da Pérsia; a carta estava escrita em caracteres aramaicos e na língua aramaica.

8 Reum, o chanceler, e Sinsai, o escrivão, escreveram uma carta ao rei Artaxerxes contra Jerusalém com o seguinte teor:

9 Então escreveram Reum, o chanceler, e Sinsai, o escrivão, e os outros seus companheiros, os dinaítas, afarsaquitas, tarpelitas, afarsitas, arquevitas, babilônios, susanquitas, deavitas, elamitas,

10 e os outros povos, que o grande e afamado Osnapar deportou e que os fez habitarem na cidade de Samaria e nas demais províncias do outro lado do rio Eufrates.

11 Este é o teor da carta que mandaram ao rei Artaxerxes: "Seus servos, os homens do outro lado do rio, em tal tempo o saúdam.

12 Saiba o rei que os judeus, que subiram de você, vieram a nós em Jerusalém; eles edificam aquela rebelde e malvada cidade, estão restaurando os seus muros e reparando os seus fundamentos.

13 Agora saiba o rei que, se reconstruírem aquela cidade e os seus muros, eles não pagarão os direitos, os tributos e as rendas; assim causarão prejuízos ao rei.

14 Agora, porque somos assalariados do palácio e não nos convém ver a desonra do rei, mandamos aviso ao rei,

15 para que se busque no livro das crônicas de seus pais, e achará no livro das crônicas e saberá que aquela foi uma cidade rebelde e danosa aos reis e às províncias, e que nela houve rebelião em tempos antigos; por isso aquela cidade foi destruída.

16 Nós informamos ao rei que, se aquela cidade for reedificada e restaurarem os seus muros, o rei não terá porção alguma deste lado do rio."

17 E o rei enviou esta resposta a Reum, o chanceler, e a Sinsai, o escrivão, e aos seus demais companheiros, que moram em Samaria, como também aos demais que estão do outro lado do rio: "Paz!

18 A carta que nos enviaram foi explicitamente lida diante de mim.

19 E, por minha ordem, buscaram e acharam que de tempos antigos aquela cidade se levantou contra os reis e nela se têm feito rebelião e revoltas.

20 Também houve reis poderosos sobre Jerusalém que além do rio dominaram em todo o lugar, aos quais foram pagos direitos, tributos e rendas.

21 Agora, deem uma ordem para impedir aqueles homens de reconstruírem aquela cidade, a não ser com minha autorização.

22 E tenham cuidado para não cometerem erro nisso; porque aumentariam o dano para prejuízo dos reis?"

23 Então, depois que a cópia da carta do rei Artaxerxes foi lida perante Reum, Sinsai, o escrivão, e seus companhei-

ros, eles foram apressadamente a Jerusalém, aos judeus, e
os impediram à força e com violência.
24 Então a obra da Casa de Deus, em Jerusalém, parou;
ficou parada até o segundo ano do reinado de Dario, rei
da Pérsia.

A Reconstrução é Reiniciada

5 E os profetas Ageu e Zacarias, filho de Ido, profetizaram
aos judeus que estavam em Judá e em Jerusalém; em
nome do Deus de Israel lhes profetizaram.
2 Então Zorobabel, filho de Sealtiel, e Jesua, filho de Jo-
zadaque, se levantaram e começaram a edificar a Casa de
Deus, em Jerusalém; e com eles os profetas de Deus, que
os ajudavam.
3 Naquele tempo vieram a eles Tatenai, governador do
outro lado do rio Eufrates, Setar-Bozenai e os seus compa-
nheiros e lhes perguntaram assim: "Quem deu ordem para
edificarem este templo e restaurarem este muro?"
4 E lhes perguntaram novamente: "E quais são os nomes
dos homens que estão construindo este edifício?"
5 Porém os olhos de Deus estavam sobre os anciãos dos
judeus, e não os impediram de continuar a obra, até que
o assunto chegou a Dario e veio uma resposta por carta
sobre isso.
6 Cópia da carta que Tatenai, o governador do outro lado
do rio Eufrates, com Setar-Bozenai e os seus companhei-
ros, os afarsaquitas, que estavam do outro lado do rio, en-
viaram ao rei Dario.
7 Enviaram-lhe uma carta, na qual estava escrito: "Toda a
paz ao rei Dario.
8 Seja notório ao rei que nós fomos à província de Judá, ao
templo do grande Deus, o qual se edifica com grandes pe-
dras e a madeira já está sendo posta nas paredes; essa obra
vai sendo feita com diligência e se adianta em suas mãos.
9 Então perguntamos aos anciãos e assim lhes dissemos:
Quem lhes deu ordem para edificarem este templo e res-
taurarem este muro?
10 Além disso, lhes perguntamos também pelos seus no-
mes, para informar ao senhor; para que pudéssemos enviar
os nomes dos homens que são os chefes entre eles.
11 E esta foi a resposta que nos deram: 'Nós somos servos
do Deus dos céus e da terra e reedificamos o templo que
há muitos anos foi edificado; porque um grande rei de Is-
rael o edificou e o aperfeiçoou.
12 Mas depois que nossos pais provocaram a ira do Deus
dos céus, ele os entregou nas mãos de Nabucodonosor, rei
da Babilônia, o caldeu, que destruiu esta casa e transpor-
tou o povo para a Babilônia.
13 Porém, no primeiro ano do reinado de Ciro, rei da Ba-
bilônia, o rei Ciro deu ordem para que esta Casa de Deus
fosse reconstruída.
14 E até os utensílios de ouro e prata do templo de Deus,
que Nabucodonosor tomou do templo que estava em Je-
rusalém e os levou para a Casa da Babilônia, o rei Ciro os
tirou do templo da Babilônia, e foram dados a um homem
chamado Sesbazar, a quem nomeou governador.
15 E lhe disse: Pegue esses utensílios, vá e leve-os ao
templo que está em Jerusalém e faça reedificar a Casa de
Deus, no seu antigo lugar.
16 Então Sesbazar veio e pôs os fundamentos da Casa de
Deus que está em Jerusalém e, desde então, está em cons-
trução e ainda não está acabada.'
17 Agora, se parecer bem ao rei, que se busque na casa
dos tesouros do rei, que está na Babilônia, se é verdade
que há uma ordem do rei Ciro para reconstruir esta Casa
de Deus em Jerusalém, e, sobre isto, nos faça saber a von-
tade do rei."

O Decreto de Dario

6 Então o rei Dario deu ordem e buscaram na chancela-
ria, onde se guardavam os tesouros na Babilônia.
2 E em Acmetá, no palácio, que está na província de Mé-
dia, acharam um rolo no qual estava escrito um memorial
que dizia assim:
3 "No primeiro ano do rei Ciro, ele baixou o seguinte de-
creto: 'A Casa de Deus, em Jerusalém, será reconstruída
para ser um lugar em que se ofereçam sacrifícios, e seus
fundamentos serão firmes; a sua altura será de vinte e sete
metros, e a sua largura de vinte e sete metros;
4 com três carreiras de grandes pedras, e uma carreira de
madeira nova; as despesas serão pagas pela casa do rei.
5 Além disso, os utensílios de ouro e de prata da Casa
de Deus, que Nabucodonosor transportou do templo que
estava em Jerusalém e levou para a Babilônia, serão resti-
tuídos, para que voltem ao seu lugar, no templo que está
em Jerusalém e serão postos na Casa de Deus.
6 Agora, Tatenai, governador do outro lado do rio Eufra-
tes, Setar-Bozenai e os seus companheiros, os afarsaquitas,
que estão do outro lado do rio, mantenham-se afastados
de lá.
7 Deixem que façam a obra desta Casa de Deus; que o
governador dos judeus e os judeus edifiquem esta Casa de
Deus no seu antigo lugar.
8 Também por mim se decreta o que farão com os anciãos
dos judeus, para que reedifiquem a Casa de Deus, a saber:
que da fazenda do rei, dos tributos do outro lado do rio se
pague prontamente a despesa a esses homens, para que
não interrompam a obra.
9 E o que for necessário, como bezerros, carneiros e cor-
deiros, para holocaustos ao Deus dos céus, trigo, sal, vinho
e azeite, segundo o rito dos sacerdotes que estão em Jeru-
salém; lhes deem, de dia em dia, para que não falte nada.

10 Para que ofereçam sacrifícios de cheiro suave ao Deus
dos céus e orem pela vida do rei e de seus filhos.
11 Também por mim se decreta que de todo homem que
mudar esse decreto será arrancada uma viga da sua casa,
então ele será levantado e empalado nela, e a sua casa será
transformada, por isso, em um monte de entulho.
12 Que o Deus, que fez habitar ali o seu nome, derrube
todos os reis e povos que estenderem a sua mão para mu-
dar o decreto e para destruir essa Casa de Deus, que está
em Jerusalém. Eu, Dario, baixei o decreto; com diligência
se faça.'"

A Conclusão e Consagração do Templo

13 Então Tatenai, o governador do outro lado do rio Eufra-
tes, Setar-Bozenai e os seus companheiros, assim fizeram
apressadamente, conforme ao que o rei Dario decretou.
14 E os anciãos dos judeus iam construindo e prosperan-
do pela profecia do profeta Ageu e de Zacarias, filho de
Ido. Edificaram e terminaram a obra conforme à ordem do
Deus de Israel e conforme ao decreto de Ciro, de Dario e
de Artaxerxes, reis da Pérsia.
15 E terminaram a reconstrução do templo no terceiro
dia do mês de Adar, no sexto ano do reinado do rei Dario.
16 E os israelitas, os sacerdotes, os levitas e o restante
dos exilados fizeram a consagração desta Casa de Deus
com alegria.
17 E ofereceram para a consagração desta Casa de Deus
cem novilhos, duzentos carneiros, quatrocentos cordeiros
e doze cabritos por expiação do pecado de todo o Israel;
segundo o número das tribos de Israel.
18 E puseram os sacerdotes nas suas turmas e os levitas
nas suas divisões, para o ministério de Deus, em Jerusa-
lém, conforme o que está escrito no livro de Moisés.
19 E os que voltaram do cativeiro celebraram a Páscoa no
dia catorze do primeiro mês.
20 Porque os sacerdotes e levitas se purificaram como se
fossem um só homem, todos estavam puros; então mata-
ram o cordeiro da Páscoa para todos os que voltaram do
exílio, para os seus irmãos, os sacerdotes e para si mesmos.
21 Assim os israelitas que tinham voltado do exílio come-
ram a Páscoa, com todos os que com eles se apartaram da
imundícia das nações da terra, para buscarem o Senhor,
Deus de Israel.
22 E celebraram a festa dos pães sem fermento por sete
dias com alegria; porque o Senhor os tinha alegrado e tinha
mudado o coração do rei da Assíria em favor deles, para
lhes fortalecer as mãos na obra da Casa de Deus, o Deus
de Israel.

O Retorno Sob a Liderança de Esdras

7 E passadas essas coisas no reinado de Artaxerxes, rei da
Pérsia, Esdras, filho de Seraías, filho de Azarias, filho
de Hilquias,
2 filho de Salum, filho de Zadoque, filho de Aitube,
3 filho de Amarias, filho de Azarias, filho de Meraiote,
4 filho de Zeraías, filho de Uzi, filho de Buqui,
5 filho de Abisua, filho de Fineias, filho de Eleazar, filho
de Arão, o sumo sacerdote;
6 esse Esdras veio da Babilônia e era escriba hábil na lei
de Moisés, que o Senhor Deus de Israel tinha dado; e,
segundo a mão do Senhor seu Deus, que estava sobre ele,
o rei lhe deu tudo o que ele havia pedido.
7 Também vieram a Jerusalém alguns dos israelitas, dos
sacerdotes, levitas, cantores, porteiros e dos servidores do
templo, no sétimo ano do reinado de Artaxerxes.
8 E no quinto mês Esdras chegou a Jerusalém, no sétimo
ano deste rei.
9 Pois no primeiro dia do primeiro mês Esdras partiu da
Babilônia e no primeiro dia do quinto mês Esdras chegou a
Jerusalém, porque a boa mão do seu Deus estava sobre ele.
10 Porque Esdras tinha disposto o seu coração para buscar
a lei do Senhor, para cumpri-la e para ensinar em Israel os
seus estatutos e os seus juízos.
11 Esta é a cópia da carta que o rei Artaxerxes deu ao
sacerdote Esdras, o escriba das palavras dos mandamentos
do Senhor e dos seus estatutos sobre Israel:
12 "Artaxerxes, rei dos reis, ao sacerdote Esdras, escriba
da lei do Deus do céu: Paz perfeita.
13 Por mim se decreta que no meu reino todo aquele do
povo de Israel e dos seus sacerdotes e levitas que quiser ir
com você a Jerusalém, vá.
14 Porque você é enviado da parte do rei e dos seus sete
conselheiros para fazer uma averiguação a respeito de Judá
e de Jerusalém, conforme à lei do seu Deus, que está na
sua mão;
15 e para levar a prata e o ouro que o rei e os seus con-
selheiros voluntariamente deram ao Deus de Israel, cuja
habitação está em Jerusalém;
16 e toda a prata e o ouro que achar em toda a província
da Babilônia, com as ofertas voluntárias do povo e dos sa-
cerdotes, que voluntariamente oferecerem, para a Casa de
seu Deus, que está em Jerusalém.
17 Portanto, com esse dinheiro compre novilhos, carnei-
ros, cordeiros, com as suas ofertas de cereais e as suas li-
bações, e as ofereça sobre o altar do templo de seu Deus,
que está em Jerusalém.
18 Também o que você e seus irmãos quiserem fazer com
o restante da prata e do ouro, o façam conforme à vontade
do seu Deus.

19 E os utensílios que lhe foram dados para o serviço da
Casa de seu Deus, restitua-os perante o Deus de Jerusalém.
20 E tudo mais que for necessário para a Casa de seu
Deus, que você precisar, os dê da casa dos tesouros do rei.
21 E por mim mesmo, o rei Artaxerxes, se decreta a todos
os tesoureiros que estão do outro lado do rio Eufrates, que
tudo o que o sacerdote Esdras, escriba da lei do Deus dos
céus, pedir, prontamente se faça.
22 Até três mil e quinhentos quilos de prata, até cem to-
néis de trigo, até dez barris de vinho, até dez barris de
azeite e sal à vontade.
23 Tudo que se ordenar, segundo o mandado do Deus dos
céus, prontamente se faça para a Casa do Deus dos céus;
por que haveria grande ira sobre o reino do rei e de seus
filhos?
24 Também informamos a respeito de todos os sacerdotes
e levitas, cantores, porteiros, servidores e ministros desta
Casa de Deus, que não será lícito lhes impor nem tributo,
nem contribuição, nem renda.
25 E você, Esdras, conforme a sabedoria do seu Deus,
que está na sua mão, nomeie magistrados e juízes, que jul-
guem a todo o povo que está do outro lado do rio Eufrates,
todos os que conhecem as leis do seu Deus; e aos que não
as conhecem, lhes ensinará.
26 E quem não observar a lei do seu Deus e a lei do rei,
será julgado prontamente: condenado à morte, ao exílio,
multado sobre os seus bens ou prisão.
27 Bendito seja o Senhor Deus de nossos pais, que assim
inspirou o coração do rei, para ornamentar a Casa do Se-
nhor, que está em Jerusalém.
28 E que estendeu para mim a sua beneficência perante
o rei e os seus conselheiros e todos os príncipes poderosos
do rei. Assim me animei, segundo a mão do Senhor meu
Deus sobre mim, e reuni entre Israel alguns chefes para
voltarem comigo."

A Lista dos Que Voltaram

8 "Estes são os chefes das famílias e esta é a genealogia
dos que voltaram comigo da Babilônia no reinado do
rei Artaxerxes:
2 Dos filhos de Fineias, Gérson; dos filhos de Itamar, Da-
niel; dos filhos de Davi, Hatus;
3 dos filhos de Secanias e dos filhos de Parós, Zacarias,
com ele, segundo a genealogia, se contaram até cento e
cinquenta homens;
4 dos filhos de Paate-Moabe, Elioenai, filho de Zeraías, e
com ele, duzentos homens;
5 dos filhos de Secanias, o filho de Jaaziel, e com ele, tre-
zentos homens;
6 e dos filhos de Adim, Ebede, filho de Jônatas, e com ele,
cinquenta homens;
7 e dos filhos de Elão, Jesaías, filho de Atalias, e com ele,
setenta homens;
8 e dos filhos de Sefatias, Zebadias, filho de Micael, e com
ele, oitenta homens;
9 dos filhos de Joabe, Obadias, filho de Jeiel, e com ele,
duzentos e dezoito homens;
10 e dos filhos de Selomite, o filho de Josifias, e com ele,
cento e sessenta homens;
11 e dos filhos de Bebai, Zacarias, o filho de Bebai, e com
ele, vinte e oito homens;
12 e dos filhos de Azgade, Joanã, o filho de Hacatã, e com
ele, cento e dez homens;
13 e dos últimos filhos de Adonicão, seus nomes eram es-
tes: Elifelete, Jeiel e Semaías, e com eles, sessenta homens;
14 e dos filhos de Bigvai, Utai e Zabude, e com eles, se-
tenta homens.
15 E reuni-os perto do rio que vai a Aava e ficamos acam-
pados ali por três dias. Então atentei para o povo e para
os sacerdotes e não achei ali nenhum dos filhos de Levi.
16 Convoquei, Eliézer, Ariel, Semaías, Elnatã, Jaribe, El-
natã, Natã, Zacarias e Mesulão, os chefes; como também
Joiaribe e Elnatã, que eram sábios.
17 E enviei-os a Ido, chefe em Casifia; falei a eles o que
deveriam dizer a Ido e aos servidores do templo, em Ca-
sifia, para que nos trouxessem ministros para o templo do
nosso Deus.
18 E trouxeram-nos, segundo a boa mão de Deus sobre
nós, um homem entendido, dos filhos de Mali, filho de
Levi, filho de Israel, a saber: Serebias, com os seus filhos
e irmãos, dezoito;
19 e Hasabias, e com ele Jesaías, dos filhos de Merari, com
seus irmãos e os filhos deles, vinte;
20 e dos servidores do templo, que Davi e os príncipes
deram para o ministério dos levitas, duzentos e vinte, que
foram todos mencionados por seus nomes.
21 Então proclamei ali um jejum junto ao rio Aava, para
nos humilharmos diante da face de nosso Deus, para lhe
pedirmos caminho seguro para nós, para nossos filhos e
para todos os nossos bens.
22 Porque tive vergonha de pedir ao rei exército e cavalei-
ros para nos defenderem do inimigo pelo caminho; porque
tínhamos falado ao rei, dizendo: 'A mão do nosso Deus é
sobre todos os que o buscam, para o bem deles; mas o seu
poder e a sua ira são contra todos os que o deixam.'
23 Nós jejuamos e pedimos isto ao nosso Deus, que se
moveu pelas nossas orações.
24 Então separei doze dos principais sacerdotes: Serebias,
Hasabias e com eles dez dos seus irmãos.
25 E lhes pesei a prata, o ouro e os vasos, que eram a
oferta para a casa de nosso Deus, que o rei, os seus conse-

lheiros, os seus príncipes e todo o Israel que ali se achou
ofereceram.
26 E entreguei em suas mãos vinte e dois mil e setecentos
e cinquenta quilos de prata, e em utensílios de prata três
mil e quinhentos quilos, e três mil e quinhentos quilos de
ouro,
27 e vinte taças de ouro, pesando oito quilos e meio e dois
vasos de bronze, tão preciosos como ouro.
28 E lhes disse: 'Vocês são santos ao Senhor e são santos
estes utensílios, como também esta prata e este ouro, oferta voluntária oferecida ao Senhor Deus de seus pais.
29 Vigiem e guardem até que os pesem na presença dos
principais sacerdotes, dos levitas e dos chefes das famílias
de Israel, em Jerusalém, nas câmaras da Casa do Senhor.'
30 Então os sacerdotes e os levitas receberam a prata, o
ouro e os utensílios, para os trazerem a Jerusalém, à casa
de nosso Deus.
31 E partimos do rio Aava, no dia doze do primeiro mês,
para irmos a Jerusalém, e a mão do nosso Deus estava sobre nós, assim livrou-nos da mão dos inimigos e dos que
nos armavam ciladas pelo caminho.
32 Chegamos a Jerusalém e repousamos ali por três dias.
33 E no quarto dia se pesou a prata, o ouro e os utensílios,
no templo do nosso Deus, e entregamos a Meremote, filho do sacerdote Urias; com ele Eleazar, filho de Fineias e
Jozabade, filho de Jesua, e Noadias, filho de Binui, levitas.
34 Tudo foi contado, pesado e registrado na mesma
ocasião.
35 E os exilados, que vieram do cativeiro, ofereceram
holocaustos ao Deus de Israel; doze novilhos por todo o
Israel, noventa e seis carneiros, setenta e sete cordeiros e
doze bodes em sacrifício pelo pecado; tudo em holocausto
ao Senhor.
36 Então deram as ordens do rei aos seus sátrapas e aos
governadores do outro lado do rio Eufrates; então esses
ajudaram o povo na obra da Casa de Deus.

A Apostasia do Povo

9 Acabadas essas coisas, chegaram-se a mim os chefes,
dizendo: 'O povo de Israel, os sacerdotes e os levitas
não se separaram dos povos vizinhos e das abominações
dos cananeus, dos heteus, dos ferezeus, dos jebuseus, dos
amonitas, dos moabitas, dos egípcios e dos amorreus.
2 Porque eles e seus filhos se casaram com mulheres destes povos, e assim a linhagem santa se misturou com os
povos destas terras; e até os chefes e magistrados foram os
primeiros nesta transgressão.'
3 E, quando ouvi isso, rasguei as minhas vestes e o meu
manto, arranquei os cabelos da minha cabeça e da minha
barba e sentei-me atônito.
4 Então se ajuntaram a mim todos os que tremiam diante
das palavras do Deus de Israel por causa da transgressão
dos que tinham voltado do exílio; porém eu permaneci
sentado atônito até ao sacrifício da tarde.

A Confissão de Esdras

5 E perto do sacrifício da tarde me levantei da minha aflição, havendo já rasgado as minhas vestes e o meu manto,
me pus de joelhos e estendi as minhas mãos para o Senhor
meu Deus;
6 e disse: Meu Deus! Estou confuso e envergonhado, para
levantar a ti a minha face, meu Deus; porque as nossas iniquidades se multiplicaram sobre a nossa cabeça e a nossa
culpa tem crescido até aos céus.
7 Desde os dias de nossos pais até ao dia de hoje estamos
em grande culpa, e por causa das nossas iniquidades somos entregues, nós e nossos reis e os nossos sacerdotes, na
mão dos reis das terras, à espada, ao cativeiro, ao roubo e
à vergonha, como hoje se vê.
8 E agora, por um pequeno momento, se manifestou a graça da parte do Senhor, nosso Deus, para nos deixar alguns
que escapem e para dar-nos uma estabilidade no seu santo
lugar; para nos iluminar os olhos, ó nosso Deus, e para nos
dar um pouco de vida na nossa servidão.
9 Porque somos servos; porém na nossa servidão o nosso
Deus não nos desamparou; pelo contrário, estendeu sobre
nós sua misericórdia perante os reis da Pérsia, para que
nos desse vida, para levantarmos o templo do nosso Deus
e para restaurarmos as suas ruínas e para que nos desse um
muro de proteção em Judá e em Jerusalém.
10 Agora, ó nosso Deus, que diremos depois disto? Pois
deixamos os teus mandamentos,
11 que mandaste por meio dos teus servos, os profetas,
dizendo: 'A terra em que estão entrando para a possuir é
terra impura pelas impurezas dos seus povos, pelas suas
abominações com que, na sua corrupção, a encheram, de
uma extremidade à outra.
12 Por isso, não deem as suas filhas em casamento aos
filhos deles, nem escolham para os seus filhos mulheres
do meio das filhas deles, nunca procurem a paz e o bem
desses povos; para que sejam fortes, e comam o melhor da
terra, e a deixem como herança a seus filhos para sempre.'
13 E depois de tudo o que nos aconteceu por causa das
nossas más obras e da nossa grande culpa, ainda assim tu,
ó nosso Deus, nos tens castigado menos do que merecemos, por causa da nossa iniquidade; ainda nos deste um
remanescente como este.
14 Voltaremos agora a violar os teus mandamentos e nos
unir em casamento com os povos que praticam essas abominações? Não te indignarias contra nós, até de todo nos
consumires, até que não ficasse remanescente nem quem
escapasse?

15 Ah! Senhor Deus de Israel, tu és justo, pois escapamos,
como hoje se vê; eis que estamos diante de ti, com a nossa
culpa, porque não há ninguém que possa estar na tua pre-
sença, por causa disto."

O Arrependimento do Povo

10 E enquanto Esdras orava e fazia confissão, chorando
e prostrando-se diante da Casa de Deus, ajuntou-se a
ele, de Israel, uma grande congregação de homens, mulhe-
res e crianças, pois o povo chorava amargamente.
2 Então Secanias, filho de Jeiel, um dos filhos de Elão,
tomou a palavra e disse a Esdras: "Nós temos transgredido
contra o nosso Deus e nos casamos com mulheres estran-
geiras que pertencem aos povos desta terra, mas, quanto a
isto, ainda há esperança para Israel.
3 Agora, façamos a aliança com o nosso Deus de que des-
pediremos todas as mulheres e os seus filhos, conforme
ao conselho do meu senhor, e dos que tremem diante do
mandado do nosso Deus; que se faça conforme à lei.
4 Levante-se, porque esse negócio lhe pertence, e nós es-
taremos com você; seja forte e aja."
5 Então Esdras se levantou e fez com que os principais
sacerdotes, os levitas e todo o Israel jurassem que fariam
segundo essa palavra; e eles juraram.
6 E Esdras se levantou de diante da Casa de Deus e entrou
na câmara de Jeoanã, filho de Eliasibe; chegando lá, não
comeu pão nem bebeu água, porque lamentava pela trans-
gressão dos que tinham voltado do exílio.
7 E anunciaram por Judá e Jerusalém que todos os que
tinham voltado do exílio se reunissem em Jerusalém.
8 E quem não viesse em três dias, segundo o conselho dos
chefes e dos anciãos, perderia todos os seus bens e seria
separado da congregação dos exilados.

A Separação das Mulheres Heteias

9 Então todos os homens de Judá e Benjamim em três
dias se reuniram em Jerusalém; era o nono mês, no dia
vinte do nono mês, e todo o povo se assentou na praça da
Casa de Deus, tremendo por este negócio e por causa das
grandes chuvas.
10 Então Esdras, o sacerdote, se levantou e lhes disse:
"Vocês têm transgredido, casando-se com mulheres es-
trangeiras, aumentando a culpa de Israel.
11 Agora, façam confissão ao Senhor, Deus de seus pais, e
façam a vontade dele; apartem-se dos povos desta terra e
das mulheres estrangeiras."
12 E toda a congregação respondeu e disse em alta voz:
"Assim seja, faremos conforme as suas palavras.
13 Porém o povo é muito, e é tempo de grandes chuvas,
e não podemos ficar aqui fora; pois não se faz isso em um
ou dois dias, porque somos muitos os que transgredimos
nisto.
14 Ponham os nossos chefes por toda a congregação sobre
esse negócio e todos os que em nossas cidades se casaram
com mulheres estrangeiras, venham com dia marcado e
com eles os anciãos de cada cidade, e os seus juízes, até
que desviemos de nós o ardor da ira do nosso Deus, por
esta causa."
15 Porém, somente Jônatas, filho de Asael, e Jazeías, filho
de Ticva, se opuseram a isto; Mesulão e Sabetai, levita,
os ajudaram.
16 E assim fizeram os que voltaram do exílio; o sacerdo-
te Esdras escolheu os chefes de famílias, segundo a casa
de seus pais, e todos pelos seus nomes foram apontados e
assentaram-se no primeiro dia do décimo mês, para exami-
narem este negócio.
17 E no primeiro dia do primeiro mês acabaram de in-
vestigar quais os homens que se casaram com mulheres
estrangeiras.
18 E acharam-se dos filhos dos sacerdotes que se casa-
ram com mulheres estrangeiras: dos filhos de Jesua, filho
de Jozadaque e seus irmãos, Maaseias, Eliézer, Jaribe e
Gedalias.
19 E deram-se as mãos, prometendo que mandariam em-
bora as suas mulheres e, por serem culpados, ofereceram
um carneiro do rebanho pelo seu delito.
20 E dos filhos de Imer: Hanani e Zebadias.
21 E dos filhos de Harim: Maaseias, Elias, Semaías, Jeiel
e Uzias.
22 E dos filhos de Pasur: Elioenai, Maaseias, Ismael, Nata-
nael, Jozabade e Elasa.
23 E dos levitas: Jozabade, Simei, Quelaías, também cha-
mado Quelita, Petaías, Judá e Eliézer.
24 E dos cantores: Eliasibe; e dos porteiros: Salum, Telém
e Uri.
25 E de Israel, dos filhos de Parós: Ramias, Jezias, Mal-
quias, Miamim, Eleazar, Malquias e Benaia.
26 E dos filhos de Elão: Matanias, Zacarias, Jeiel, Abdi,
Jeremote e Elias.
27 E dos filhos de Zatu: Elioenai, Eliasibe, Matanias, Jere-
mote, Zabade e Aziza.
28 E dos filhos de Bebai: Jeoanã, Hananias, Zabai e Atlai.
29 E dos filhos de Bani: Mesulão, Maluque, Adaías, Jasu-
be, Seal e Jeremote.
30 E dos filhos de Paate-Moabe: Adna, Quelal, Benaia,
Maaseias, Matanias, Bezalel, Binui e Manassés.
31 E dos filhos de Harim: Eliézer, Issias, Malquias, Se-
maías, Simeão,
32 Benjamim, Maluque e Semarias.
33 Dos filhos de Hasum: Matenai, Matatá, Zabade, Elifele-
te, Jeremai, Manassés e Simei.
34 Dos filhos de Bani: Maadai, Anrão e Uel,

35 Benaia, Bedias, Queluí,
36 Vanias, Meremote, Eliasibe,
37 Matanias, Matenai, Jaasai,
38 Bani, Binui, Simei,
39 Selemias, Natã, Adaías,
40 Macnadbai, Sasai, Sarai,
41 Azarel, Selemias, Semarias,
42 Salum, Amarias e José.
43 Dos filhos de Nebo: Jeiel, Matitias, Zabade, Zebina,
Jadai, Joel e Benaia.
44 Todos esses tinham se casado com mulheres estrangei-
ras e alguns deles tinham filhos com elas.

A Oração de Neemias

1 As palavras de Neemias, filho de Hacalias. "E aconteceu
que no mês de quisleu, no vigésimo ano, quando eu
estava na cidade de Susã,
2 veio Hanani, um de meus irmãos, com alguns homens
de Judá; então lhes perguntei pelos judeus que escaparam
e que sobreviveram ao exílio, e a respeito de Jerusalém.
3 E disseram-me: 'Os restantes, que sobreviveram ao cati-
veiro, lá na província estão em grande miséria e desprezo;
o muro de Jerusalém está fendido e as suas portas queima-
das pelo fogo.'
4 Quando eu ouvi essas palavras, sentei-me, chorei e la-
mentei por alguns dias; estive jejuando e orando perante
o Deus dos céus.
5 E disse: Ah! Senhor Deus dos céus, Deus grande e te-
mível! Que guardas a aliança e a benignidade para com
aqueles que te amam e guardam os teus mandamentos;
6 estejam atentos os teus ouvidos e os teus olhos aber-
tos, para ouvires a oração do teu servo, que eu hoje faço
perante ti, dia e noite, pelos filhos de Israel, teus servos,
e faço confissão pelos pecados dos filhos de Israel, que
temos cometido contra ti; também eu e a casa de meu pai
temos pecado.
7 De todo nos corrompemos contra ti e não guardamos
os mandamentos, nem os estatutos, nem os juízos, que
ordenaste a Moisés, teu servo.
8 Lembra-te da palavra que ordenaste a Moisés, teu servo,
dizendo: 'Se vocês transgredirem, eu os espalharei entre
os povos.
9 Mas se vocês se converterem a mim, guardarem os meus
mandamentos e os cumprirem, então, ainda que os seus
rejeitados estejam na extremidade da terra, de lá os ajun-
tarei e os trarei para o lugar que escolhi para fazer habitar
o meu nome.'
10 Eles são os teus servos e o teu povo que resgataste com
a tua grande força e com a tua forte mão.
11 Ah! Senhor, estejam atentos os teus ouvidos à oração
do teu servo e à oração dos teus servos que desejam temer
o teu nome; faz prosperar hoje o teu servo e dá-lhe graça
perante este homem. Nessa época eu era o copeiro do rei.

A Permissão de Artaxerxes

2 No mês de nisã, no vigésimo ano do rei Artaxerxes,
estava posto vinho diante dele, e eu peguei o vinho e o
dei ao rei; porém eu nunca tinha estado triste diante dele.
2 E o rei me disse: 'Por que está triste se não está doente?
Isto é tristeza do coração'; então tive muito medo.
3 E disse ao rei: Que o rei viva para sempre! Como eu
não estaria triste, se a cidade em que estão sepultados os
meus pais está assolada e as suas portas foram consumidas
a fogo?
4 E o rei me disse: 'O que me pede agora?' Então orei ao
Deus dos céus,
5 e disse ao rei: Se é do agrado do rei e se o seu servo é
aceito em sua presença, peço que me envie a Judá, à cida-
de dos sepulcros dos meus pais, para que eu a reconstrua.
6 Então o rei, com a rainha sentada junto a ele, me per-
guntou: 'Quanto tempo durará a sua viagem e quando
voltará?' E o rei aprovou me enviar, e eu lhe marquei um
prazo.
7 Eu disse mais ao rei: Se for do agrado do rei, me dê cartas
para os governadores do outro lado do rio, para que me
permitam passar até chegar em Judá.
8 E uma carta para Asafe, guarda da floresta do rei, para
que ele me dê madeira para arrumar as portas, para o muro
da cidade e para a casa em que eu houver de entrar. E o
rei me deu, porque a boa mão de Deus estava sobre mim.
9 Então fui aos governadores das cidades do outro lado do
rio e lhes dei as cartas do rei; e o rei tinha enviado comigo
oficiais do exército e cavaleiros.
10 Mas quando Sambalate, o horonita, e Tobias, o servo
amonita, ficaram sabendo disto, ficaram muito irritados
de saber que alguém quisesse fazer o bem aos israelitas.
11 Cheguei a Jerusalém e fiquei ali por três dias.
12 E à noite me levantei, eu e poucos homens comigo, e

não declarei a ninguém o que o meu Deus me pôs no co-
ração para fazer em Jerusalém; e não havia comigo animal
algum, senão aquele em que eu estava montado.
13 E à noite saí pela porta do vale, para o lado da fonte do
dragão, para a porta do esterco, e contemplei os muros de
Jerusalém, que estavam derrubados, e as suas portas, que
tinham sido consumidas pelo fogo.
14 E fui até a porta da fonte, até o açude do rei; e não havia
lugar por onde pudesse passar o animal que eu cavalgava.
15 Ainda à noite, subi pelo ribeiro e contemplei o muro;
então voltei e entrei pela porta do vale; assim voltei.
16 E os magistrados não sabiam aonde eu tinha ido, nem o
que eu tinha feito; porque nem aos judeus, nem aos sacer-
dotes, aos nobres, aos magistrados, nem aos demais que
faziam a obra, até então eu tinha declarado alguma coisa.
17 Então eu lhes disse: Vejam vocês a miséria em que es-
tamos, Jerusalém está assolada e as suas portas foram quei-
madas pelo fogo; venham comigo e reedificaremos o muro
de Jerusalém, para que não passemos mais vergonha.
18 Então eu lhes declarei como o meu Deus tinha sido
bondoso comigo, e as palavras do rei, que ele me tinha
dito; então eles disseram: 'Vamos nos levantar e começar a
reconstrução.' E fortaleceram as suas mãos para este bom
projeto.
19 E quando Sambalate, o horonita, Tobias, o servo amo-
nita, e Gesém, o arábio, souberam disto, zombaram de
nós e nos desprezaram, dizendo: 'O que é isto que estão
fazendo? Querem se rebelar contra o rei?'
20 Então eu lhes respondi e disse: O Deus dos céus é
quem nos fará prosperar; nós, seus servos, nos levanta-
remos e reedificaremos; mas vocês não terão parte, nem
justiça, nem memória em Jerusalém.

A Reconstrução dos Muros

3 E Eliasibe, o sumo sacerdote, levantou-se com os seus
irmãos, os sacerdotes, reconstruíram a porta das ove-
lhas; eles a consagraram e colocaram as portas em seus
lugares; depois reconstruíram até à torre dos cem, que
consagraram, e até à torre de Hananel.
2 E junto a ele trabalharam os homens de Jericó; também,
ao seu lado, trabalhou Zacur, filho de Inri.
3 E os filhos de Hassenaá reconstruíram a porta do peixe,
puseram os batentes e levantaram as suas portas com as
suas fechaduras e os seus ferrolhos.
4 E ao seu lado trabalhou Meremote, filho de Urias, o filho
de Coz; ao seu lado trabalhou Mesulão, filho de Berequias,
o filho de Mesezabel; ao seu lado trabalhou Zadoque, filho
de Baaná.
5 E ao seu lado trabalharam os tecoítas; porém os seus
nobres não se submeteram ao serviço do seu senhor.
6 E Joiada, filho de Paseia, e Mesulão, filho de Besodias,
repararam a porta velha, puseram os batentes e levanta-
ram as portas com as fechaduras e os ferrolhos.
7 E, ao seu lado, trabalharam Melatias, o gibeonita, e Ja-
dom, meronotita, homens de Gibeão e Mispa, que perten-
ciam ao domínio do governador da cidade do outro lado
do rio.
8 Ao seu lado, trabalhou Uziel, filho de Haraías, um dos
ourives; ao seu lado, trabalhou Hananias, filho de um dos
perfumistas; e reconstruíram Jerusalém até ao muro largo.
9 E, ao seu lado, trabalhou Refaías, filho de Hur, governa-
dor da metade de Jerusalém.
10 E, ao seu lado, trabalhou Jedaías, filho de Harumafe;
ele fez reparos na frente de sua casa; e, ao seu lado, traba-
lhou Hatus, filho de Hasabneias.
11 Em outro trecho trabalhou Malquias, filho de Harim, e
Hassube, filho de Paate-Moabe; repararam também a torre
dos fornos.
12 E ao seu lado trabalhou Salum, filho de Haloés, gover-
nador da outra metade de Jerusalém, ele e as suas filhas.
13 A porta do vale, quem a reparou foi Hanum e os mora-
dores de Zanoa; esses a reconstruíram e lhe colocaram as
portas com as suas fechaduras e os seus ferrolhos; também
reconstruíram quatrocentos e cinquenta metros do muro,
até a porta do esterco.
14 E na porta do lixo trabalhou Malquias, filho de Recabe,
governador do distrito de Bete-Haquerém; ele a recons-
truiu, levantou as portas com as suas fechaduras e os seus
ferrolhos.
15 E Salum, filho de Col-Hozé, governador do distrito
de Mispa, reconstruiu a porta da fonte; a reconstruiu, a
cobriu e levantou as portas com as suas fechaduras e os
seus ferrolhos, e também reconstruiu o muro do viveiro de
Selá, ao pé do jardim do rei, até aos degraus que descem
da cidade de Davi.
16 Depois dele Neemias, filho de Azbuque, governador da
metade de Bete-Zur, fez os reparos até à frente dos sepul-
cros de Davi, até o tanque e até à casa dos valentes.
17 Depois dele trabalharam os levitas: Reum, filho de
Bani; ao seu lado trabalhou Hasabias, governador da meta-
de de Queila, no seu distrito.
18 Depois dele trabalharam seus irmãos, Bavai, filho de
Henadade, governador da outra meia parte de Queila.
19 Ao seu lado trabalhou Ezer, filho de Jesua, governador
de Mispa; reparou outro trecho, a frente da subida à casa
das armas, até à esquina do muro.
20 Depois dele trabalhou com grande ardor Baruque, filho
de Zabai; ele reparou outro trecho, desde a esquina até à
porta da casa de Eliasibe, o sumo sacerdote.
21 Depois dele trabalhou Meremote, filho de Urias, o fi-

lho de Coz; reparou outro trecho, desde a porta da casa de
Eliasibe, até à extremidade da casa de Eliasibe.
22 E depois dele trabalharam os sacerdotes que habitavam
na campina.
23 Depois trabalharam Benjamim e Hassube, fizeram re-
paros na frente da sua casa; depois deles trabalhou Azarias,
filho de Maaseias, o filho de Ananias, junto à sua casa.
24 Depois dele trabalhou Binui, filho de Henadade, em
outro trecho, desde a casa de Azarias até à esquina.
25 Palal, filho de Uzai, reparou a frente da esquina e a
torre que sai da casa real superior, que está junto ao pátio
da prisão; depois dele Pedaías, filho de Parós.
26 E os servos do templo, que habitavam em Ofel, até
a frente da porta das águas, para o leste, até à torre alta.
27 Depois os tecoítas repararam outro trecho, a frente da
torre grande e alta, até ao muro de Ofel.
28 Acima da porta dos cavalos, os sacerdotes repararam,
cada um a frente da sua casa.
29 Depois deles trabalhou Zadoque, filho de Imer, à frente
da sua casa; depois dele trabalhou Semaías, filho de Seca-
nias, guarda da porta oriental.
30 Depois dele trabalhou Hananias, filho de Selemias, e
Hanum, filho de Zalafe, o sexto, em outro trecho; depois
dele trabalhou Mesulão, filho de Berequias, à frente da
sua casa.
31 Depois dele trabalhou Malquias, filho de um ourives,
até à casa dos servos do templo e mercadores, à frente da
porta de Mifcade e até à câmara do canto.
32 E entre a câmara do canto e a porta das ovelhas, repa-
raram os ourives e os mercadores.

Os Inimigos Atrapalham as Obras

4 Quando Sambalate ouviu que estávamos reconstruindo
o muro, ardeu em ira, se indignou muito e ridicularizou
os judeus.
2 E na presença de seus irmãos e do exército de Samaria
ele disse: 'O que fazem esses fracos judeus? Vocês vão per-
mitir isso? Será que vão oferecer sacrifícios? Acham que
vão acabar a obra num só dia? Renascerão do pó as pedras
que foram queimadas?'
3 Tobias, o amonita, estava com ele e disse: 'Mesmo que
reconstruam, se vier uma raposa, derrubará facilmente o
seu muro de pedra.'
4 Ouve, ó nosso Deus, que somos tão desprezados, e faze
com que o seu desprezo recaia sobre a cabeça deles, e
que sejam levados como despojo, a uma terra de cativeiro.
5 E não cubras a sua iniquidade e não risques de dian-
te de ti o pecado deles, pois te irritaram na presença dos
construtores.
6 Porém reconstruímos o muro, até metade da sua altura;
porque o povo estava animado para trabalhar.
7 E, quando Sambalate e Tobias, os arábios, os amonitas e
os asdoditas ouviram que a reparação dos muros de Jeru-
salém ia crescendo, que já começavam a tapar os buracos,
eles iraram-se muito,
8 e todos se ajuntaram para virem guerrear contra Jerusa-
lém e para os desviarem do seu objetivo.
9 Porém nós oramos ao nosso Deus e pusemos guarda
contra eles, de dia e de noite.
10 Então Judá disse: 'Já acabaram as forças dos carrega-
dores, o entulho é muito e nós não poderemos edificar
o muro.'
11 Porém, os nossos inimigos disseram: 'Eles não ficarão
sabendo disto, nem verão nada, até que entremos no meio
deles e os matemos; assim faremos cessar a obra.'
12 E os judeus que habitavam entre eles nos avisaram dez
vezes: 'De todos os lugares, virão contra nós.'
13 Então pus guardas nos lugares baixos por trás do muro
e nos altos; também pus o povo, de acordo com suas fa-
mílias, com as suas espadas, com as suas lanças e com os
seus arcos.
14 Olhei, levantei-me e disse aos nobres, aos magistrados
e ao restante do povo: Não tenham medo deles; lembrem-
-se do grande e temível Senhor e lutem pelos seus irmãos,
seus filhos, suas mulheres e suas casas.
15 E, quando os nossos inimigos ouviram que já sabíamos
disso, e que Deus tinha dissipado o conselho deles, todos
voltamos ao muro, cada um à sua obra.
16 E, desde aquele dia, metade dos meus servos trabalha-
va na obra, e metade deles tinha as lanças, os escudos, os
arcos e as couraças; e os chefes estavam por trás de toda
a casa de Judá.
17 Os que edificavam o muro, os que traziam as cargas
e os que carregavam, cada um com uma das mãos fazia a
obra e na outra tinha as armas.
18 E os edificadores cada um trazia a sua espada cingida
na cintura, enquanto edificavam, e o que tocava a trombe-
ta estava junto comigo.
19 E eu disse aos nobres, aos magistrados e ao restante do
povo: Grande e extensa é a obra, e nós estamos espalhados
no muro, longe uns dos outros.
20 No lugar onde ouvirem o som da trombeta, ali se reú-
nam conosco e o nosso Deus lutará por nós.
21 Assim trabalhávamos na obra; e metade portava lanças
desde cedo até ao anoitecer.
22 Também naquele tempo eu disse ao povo: Fique cada
um com o seu servo em Jerusalém, para que à noite nos
sirvam de vigia, e de dia trabalhem na obra.
23 E nem eu, nem meus irmãos, nem meus servos, nem
os homens da guarda que me seguiam tirávamos as nossas
roupas; cada um tinha suas armas na mão.

O Clamor dos Pobres

5 Era grande o clamor do povo e de suas mulheres contra
os judeus, seus irmãos.
2 Porque havia quem dizia: 'Nós, nossos filhos e nossas
filhas somos muitos; então precisamos de trigo, para que
possamos comer e viver.'
3 Também havia quem dizia: 'Penhoramos as nossas ter-
ras, nossas vinhas e as nossas casas, para conseguirmos
trigo por causa da fome.'
4 Também havia quem dizia: 'Tomamos emprestado di-
nheiro até para o tributo do rei sobre as nossas terras e as
nossas vinhas.
5 Somos do mesmo sangue que os nossos irmãos e nossos
filhos são como os seus filhos; e sujeitamos nossos filhos
e nossas filhas para serem escravos; até algumas de nossas
filhas são como escravas, que já não estão no poder de nos-
sas mãos e outros têm as nossas terras e as nossas vinhas.'

Neemias Reprende os Ricos

6 Eu, quando ouvi o clamor deles e essas palavras, fiquei
indignado.
7 E pensei muito a respeito de tudo; depois adverti os no-
bres e os magistrados e lhes disse: Vocês estão exploran-
do os seus irmãos. E convoquei contra eles uma grande
assembleia.
8 E lhes disse: Nós, de acordo com as nossas posses, resga-
tamos os judeus, nossos irmãos, que foram vendidos como
escravos; e vocês querem outra vez vender os seus irmãos,
para termos que comprá-los novamente? Então eles se ca-
laram e não souberam o que responder.
9 Eu disse mais: Não é bom o que estão fazendo; não de-
veriam andar no temor do nosso Deus, para evitar a zom-
baria dos outros povos, os nossos inimigos?
10 Também eu, meus irmãos e meus servos, estamos em-
prestando dinheiro e trigo ao povo. Vamos acabar com a
cobrança de juros.
11 Peço que hoje mesmo lhes devolvam as suas terras, as
suas vinhas, os seus olivais e as suas casas; como também
os juros do dinheiro, do trigo, do vinho e do azeite, que
vocês exigiram deles.
12 Então disseram: 'Vamos devolver e nada pediremos de-
les; faremos assim como diz. Então chamei os sacerdotes e
os fiz jurar que fariam o que prometeram.'
13 Também sacudi as minhas roupas e disse: Assim Deus
sacuda todo homem da sua casa e do seu trabalho que não
cumprir esta palavra, e assim seja sacudido e fique sem
nada. E toda a congregação disse: 'Amém!' E louvaram ao
Senhor; e o povo fez conforme a sua promessa.
14 Também desde o dia em que fui nomeado seu gover-
nador na terra de Judá, desde o vigésimo até o trigésimo
segundo ano do reinado de Artaxerxes, por doze anos,
nem eu nem meus irmãos comemos o pão a que eu tinha
direito, por ser governador.
15 Mas os primeiros governadores, que governaram antes
de mim, oprimiram o povo e lhe tomaram pão e vinho,
além de quarenta moedas de prata, e até os seus servos
dominavam sobre o povo; porém eu não fiz assim, por
causa do temor de Deus.
16 Também trabalhei na reconstrução deste muro, fiz a
minha parte e terra nenhuma compramos; também todos
os meus servos se ajuntaram ali para trabalhar.
17 Além disso, dos judeus e dos magistrados, cento e
cinquenta homens, e os que vinham a nós das nações
vizinhas que estão ao redor de nós, também comiam na
minha mesa.
18 E a cada dia eram preparados às minhas custas um boi
e seis ovelhas escolhidas; também eram preparadas aves
de dez em dez dias, muito vinho de todos os tipos; nem
por isso exigi meus direitos como governador, porque a
servidão deste povo era grande.
19 Lembra-te de mim para o meu bem, ó meu Deus, e de
tudo que fiz a este povo.

Conspirações Contra Neemias

6 Quando Sambalate, Tobias, Gesém, o arábio, e o resto
dos nossos inimigos ficaram sabendo que eu tinha re-
construído o muro, e que nele já não havia brecha alguma,
ainda que até esse tempo não tivesse colocado os portões
em seu lugar,
2 Sambalate e Gesém enviaram mensageiros para me di-
zer: 'Venha, vamo-nos encontrar nas aldeias, no vale de
Ono.' Mas eles queriam era me fazer o mal.
3 Por isso lhes enviei mensageiros para dizer: 'Faço uma
grande obra, por isso não poderei ir; por que pararia essa
obra para ir falar com vocês?'
4 E do mesmo modo eles enviaram mensageiros a mim
quatro vezes; e da mesma forma lhes respondi.
5 Então Sambalate pela quinta vez me enviou seu servo
com uma carta aberta na mão;
6 e nela estava escrito: 'Dizem entre as nações, e Gesém
diz que isto é verdade, que você e os judeus estão plane-
jando uma revolta, e que por isso estão reconstruindo o
muro; e você quer se tornar o rei deles;
7 e que você pôs profetas para falarem de você em Jeru-
salém, dizendo: Ele é o rei de Judá; e o rei ficará sabendo
disto; então venha agora e vamos conversar a respeito.'
8 Porém mandei lhe dizer: Não aconteceu nada disto que
você disse; mas você inventou da sua cabeça.
9 Porque todos eles procuravam nos amedrontar, dizendo:
'As suas mãos largarão a obra e ela não será concluída.
Agora, ó Deus, fortalece as minhas mãos.'
10 E, quando eu fui à casa de Semaías, filho de Delaías,

o filho de Meetabel, que estava trancado dentro da sua
casa, ele disse: 'Vamo-nos encontrar na Casa de Deus, no
meio do templo, e fechar as portas do templo; porque virão
matar você; de noite virão matar você.'
11 Porém eu disse: Por que um homem como eu fugiria?
E alguém como eu entraria no templo para salvar a vida?
De maneira nenhuma entrarei.
12 E percebi que não era Deus quem o enviou; mas ele
falou esta profecia contra mim, porque Tobias e Sambalate
o subornaram.
13 Subornaram-no, para me intimidar, para que assim eu
pecasse, para terem alguma coisa para me difamarem, e
assim me desacreditarem.
14 Lembra-te, meu Deus, de Tobias e de Sambalate, con-
forme a essas suas obras e da profetisa Noadias e dos ou-
tros profetas que procuraram me amedrontar.
15 Terminaram de reconstruir o muro no dia vinte e cinco
do mês de Elul, em cinquenta e dois dias.
16 E, quando todos os nossos inimigos souberam disso,
todos os gentios que havia ao redor de nós temeram e sen-
tiram-se humilhados; porque reconheceram que o nosso
Deus fez esta obra.
17 Também naqueles dias alguns nobres de Judá escreve-
ram muitas cartas para Tobias; e as cartas de resposta de
Tobias vinham para eles.
18 Porque muitos em Judá eram comprometidos por ju-
ramento com ele, porque ele era genro de Secanias, filho
de Ará; e seu filho Joanã se casou com a filha de Mesulão,
filho de Berequias.
19 Também contavam as suas bondades perante mim e as
minhas palavras transmitiam a ele; portanto Tobias escre-
via cartas para me amedrontar.

Neemias Estabelece Guardas

7 E, depois que o muro foi edificado e colocadas as suas
portas, foram estabelecidos os porteiros, os cantores e
os levitas.
2 Eu nomeei Hanani, meu irmão e Hananias, comandan-
tes da fortaleza, em Jerusalém; porque Hananias era um
homem fiel e temente a Deus, mais do que muitos.
3 E eu lhes disse: Não abram as portas de Jerusalém até
que o sol aqueça, e fechem bem as portas enquanto os
guardas ainda estiverem ali; e ponham guardas dos mo-
radores de Jerusalém, cada um no seu turno, e cada um
diante da sua casa.
4 A cidade era espaçosa e grande, porém havia poucos
moradores dentro dela, pois as casas ainda não estavam
reconstruídas.

A Genealogia dos Que Voltaram

5 Então o meu Deus me pôs no coração que ajuntasse
os nobres, os magistrados e o povo, para registrar as ge-
nealogias; e achei o livro da genealogia dos que voltaram
primeiro e nele estava escrito o seguinte:
6 Estes são os filhos da província, que voltaram do cati-
veiro dos exilados, que Nabucodonosor, rei da Babilônia,
levou; estes voltaram para Jerusalém e para Judá, cada um
para a sua cidade.
7 Vieram com Zorobabel: Jesua, Neemias, Azarias, Raa-
mias, Naamani, Mardoqueu, Bilsã, Misperete, Bigvai,
Neum e Baaná. Este é o número dos homens do povo de
Israel:
8 Os filhos de Parós foram dois mil cento e setenta e dois.
9 Os filhos de Sefatias, trezentos e setenta e dois.
10 Os filhos de Ará, seiscentos e cinquenta e dois.
11 Os filhos de Paate-Moabe, dos filhos de Jesua e de
Joabe, dois mil oitocentos e dezoito.
12 Os filhos de Elão, mil duzentos e cinquenta e quatro.
13 Os filhos de Zatu, oitocentos e quarenta e cinco.
14 Os filhos de Zacai, setecentos e sessenta.
15 Os filhos de Binui, seiscentos e quarenta e oito.
16 Os filhos de Bebai, seiscentos e vinte e oito.
17 Os filhos de Azgade, dois mil trezentos e vinte e dois.
18 Os filhos de Adonicão, seiscentos e sessenta e sete.
19 Os filhos de Bigvai, dois mil e sessenta e sete.
20 Os filhos de Adim, seiscentos e cinquenta e cinco.
21 Os filhos de Ater, de Ezequias, noventa e oito.
22 Os filhos de Hasum, trezentos e vinte e oito.
23 Os filhos de Besai, trezentos e vinte e quatro.
24 Os filhos de Harife, cento e doze.
25 Os filhos de Gibeão, noventa e cinco.
26 Os homens de Belém e de Netofa, cento e oitenta e
oito.
27 Os homens de Anatote, cento e vinte e oito.
28 Os homens de Bete-Azmavete, quarenta e dois.
29 Os homens de Quiriate-Jearim, Cefira e Beerote, sete-
centos e quarenta e três.
30 Os homens de Ramá e Geba, seiscentos e vinte e um.
31 Os homens de Micmás, cento e vinte e dois.
32 Os homens de Betel e Ai, cento e vinte e três.
33 Os homens do outro Nebo, cinquenta e dois.
34 Os filhos do outro Elão, mil duzentos e cinquenta e
quatro:
35 Os filhos de Harim, trezentos e vinte.
36 Os filhos de Jericó, trezentos e quarenta e cinco.
37 Os filhos de Lode, Hadide e Ono, setecentos e vinte
e um.
38 Os filhos de Senaá, três mil novecentos e trinta.
39 Os sacerdotes: Os filhos de Jedaías, da casa de Jesua,
novecentos e setenta e três.
40 Os filhos de Imer, mil e cinquenta e dois.
41 Os filhos de Pasur, mil duzentos e quarenta e sete.

42 Os filhos de Harim, mil e dezessete.

43 Os levitas: Os filhos de Jesua, de Cadmiel, dos filhos de Hodeva, setenta e quatro.

44 Os cantores: Os filhos de Asafe, cento e quarenta e oito.

45 Os porteiros: Os filhos de Salum, os filhos de Ater, os filhos de Talmom, os filhos de Acube, os filhos de Hatita, os filhos de Sobai, cento e trinta e oito.

46 Os servidores do templo: Os filhos de Zia, os filhos de Hasufa, os filhos de Tabaote,

47 os filhos de Queros, os filhos de Sia, os filhos de Padom,

48 os filhos de Lebana, os filhos de Hagaba, os filhos de Salmai,

49 os filhos de Hanã, os filhos de Gidel, os filhos de Gaar,

50 os filhos de Reaías, os filhos de Rezim, os filhos de Necoda,

51 os filhos de Gazão, os filhos de Uzá, os filhos de Paseia,

52 os filhos de Besai, os filhos de Meunim, os filhos de Nefussim,

53 os filhos de Baquebuque, os filhos de Hacufa, os filhos de Harur,

54 os filhos de Bazlite, os filhos de Meida, os filhos de Harsa,

55 os filhos de Barcos, os filhos de Sísera, os filhos de Tama,

56 os filhos de Nesias, os filhos de Hatifa.

57 Os filhos dos servos de Salomão, os filhos de Sotai, os filhos de Soferete, os filhos de Perida,

58 os filhos de Jaala, os filhos de Darcom, os filhos de Gidel,

59 os filhos de Sefatias, os filhos de Hatil, os filhos de Poquerete-Hazebaim, os filhos de Amom.

60 Todos os servidores e os filhos dos servos de Salomão, trezentos e noventa e dois.

61 Estes também voltaram de Tel-Melá, Tel-Harsa, Querube, Adom e Imer, porém não puderam provar que as suas famílias e a sua linhagem eram de Israel:

62 Os filhos de Delaías, os filhos de Tobias, os filhos de Necoda, seiscentos e quarenta e dois.

63 E dos sacerdotes: os filhos de Habaías, os filhos de Coz, os filhos de Barzilai, que tinha se casado com uma das filhas de Barzilai, o gileadita e que foi chamado pelo seu nome.

64 Esses buscaram o seu registro, querendo contar a sua geração, porém não acharam; então, como impuros, foram excluídos do sacerdócio.

65 E o governador lhes disse que não comessem das coisas sagradas, até que se apresentasse o sacerdote capaz de decidir a questão por meio de Urim e Tumim.

66 Toda essa congregação junta foi de quarenta e dois mil trezentos e sessenta,

67 fora os seus servos e as suas servas, que foram sete mil trezentos e trinta e sete; e havia duzentos e quarenta e cinco cantores e cantoras.

68 Os seus cavalos, setecentos e trinta e seis; as suas mulas, duzentas e quarenta e cinco.

69 Camelos, quatrocentos e trinta e cinco; jumentos, seis mil setecentos e vinte.

70 E uma parte dos chefes das famílias contribuíram para a obra; o governador deu para o tesouro, em ouro, oito quilos, cinquenta bacias e quinhentas e trinta vestes sacerdotais.

71 E alguns mais dos chefes das famílias contribuíram para o tesouro da obra, em ouro, com cento e sessenta e oito quilos, e em prata, mil trezentos e vinte quilos.

72 E o que o restante do povo deu, em ouro, foram cento e sessenta quilos, e em prata, foram mil e duzentos quilos e sessenta e sete vestes sacerdotais.

73 E os sacerdotes, os levitas, os porteiros, os cantores, alguns do povo, os servidores do templo e todo o Israel estabeleceram-se nas suas cidades.

Esdras Faz a Leitura da Lei

8 Quando chegou o sétimo mês os israelitas estavam morando nas suas cidades, todo o povo se ajuntou como um só homem, na praça, diante da porta das águas e pediram a Esdras, o escriba, que trouxesse o livro da lei de Moisés que o Senhor tinha ordenado a Israel.

2 E Esdras, o sacerdote, trouxe a lei perante a congregação com todos os homens, as mulheres e todos os sábios para ouvirem, no primeiro dia do sétimo mês.

3 E leu o livro na praça, que está diante da porta das águas, desde o amanhecer até ao meio-dia, na presença de homens e mulheres e de todos que podiam entender; e os ouvidos de todo o povo estavam atentos ao livro da lei.

4 E Esdras, o escriba, estava sobre um púlpito de madeira, que fizeram para aquele fim; também estavam em pé junto a ele, à sua direita, Matitias, Sema, Anaías, Urias, Hilquias e Maaseias; à sua esquerda, Pedaías, Misael, Malquias, Hasum, Hasbadana, Zacarias e Mesulão.

5 E Esdras abriu o livro perante os olhos de todo o povo; porque estava mais alto que todo o povo; então, abrindo-o, todo o povo se pôs em pé.

6 E Esdras louvou ao Senhor, o grande Deus, e todo o povo respondeu: 'Amém, Amém!' Levantando as suas mãos, inclinaram suas cabeças e adoraram ao Senhor, com os rostos em terra.

7 E Jesua, Bani, Serebias, Jamim, Acube, Sabetai, Hodias, Maaseias, Quelita, Azarias, Jozabade, Hanã, Pelaías e os

levitas, ensinavam o povo sobre a lei; e o povo permanecia
no seu lugar.
8 Eles leram o livro da lei de Deus; iam declarando e ex-
plicando o sentido, e fazendo com que o povo entendesse.
9 E Neemias, que era o governador, o sacerdote Esdras,
que era escriba, e os levitas, que ensinavam ao povo, dis-
seram a todos: 'Este dia é consagrado ao Senhor seu Deus,
por isso não devem se lamentar, nem chorar.' Porque todo
o povo chorava, ouvindo as palavras da lei.
10 Então lhes disse: Vão, comam e bebam do melhor que
tiverem e enviem porções aos que não têm nada prepara-
do para si; porque este dia é consagrado ao nosso Senhor;
portanto não se entristeçam, porque a alegria do Senhor é
a força de vocês.
11 E os levitas tranquilizaram todo o povo, dizendo:
'Acalmem-se, porque este dia é santo; por isso não se
entristeçam.'
12 Então todo o povo se pôs a comer, a beber, a enviar
porções e a fazer grandes festas, porque entenderam as
palavras que lhes disseram.
13 E no dia seguinte os chefes das famílias de todo o povo,
os sacerdotes e os levitas se reuniram com Esdras, o escri-
ba, para estudarem as palavras da lei.
14 E acharam escrito na lei que o Senhor ordenou, por
meio de Moisés, que os israelitas morassem em cabanas,
durante a festa, no sétimo mês.
15 Assim publicaram e anunciaram por todas as suas cida-
des e em Jerusalém, dizendo: 'Venham ao monte, tragam
ramos de oliveiras, ramos de zambujeiros, ramos de mur-
tas, ramos de palmeiras e ramos de árvores espessas, para
fazerem cabanas, como está escrito."
16 O povo saiu, trouxeram os ramos e fizeram para si
cabanas, cada um no seu terraço, nos seus pátios e nos
pátios da Casa de Deus, na praça junto à porta das águas e
na praça da porta de Efraim.
17 E toda a congregação dos que voltaram do cativeiro
fizeram cabanas e moraram nelas, porque os israelitas
nunca tinham feito assim, desde os dias de Josué, filho de
Num, até àquele dia; e houve uma grande alegria.
18 E diariamente Esdras lia o livro da lei de Deus, desde o
primeiro dia até o último; então celebraram a festa duran-
te sete dias, e, no oitavo dia, houve uma reunião solene,
conforme à lei.

O Arrependimento do Povo

9 E, no dia vinte e quatro do sétimo mês, os israelitas
se reuniram para fazerem jejum vestidos com sacos e
puseram terra sobre a cabeça.
2 E a descendência de Israel se separou de todos os estran-
geiros; puseram-se em pé e fizeram confissão pelos seus
pecados e pelas iniquidades de seus pais.
3 E, levantando-se no seu lugar, leram no livro da lei do
Senhor seu Deus durante uma quarta parte do dia; na ou-
tra quarta parte fizeram confissão e adoraram ao Senhor
seu Deus.
4 E Jesua, Bani, Cadmiel, Sebanias, Buni, Serebias, Bani
e Quenani se puseram em pé no lugar alto dos levitas e
clamaram em alta voz ao Senhor seu Deus.
5 E os levitas, Jesua, Cadmiel, Bani, Hasabneias, Serebias,
Hodias, Sebanias e Petaías, disseram: 'Seja bendito o teu
glorioso nome, que está exaltado sobre toda a bênção e
louvor.
6 Só tu és o Senhor; tu fizeste o céu, o céu dos céus e todo
o seu exército, a terra e tudo que nela há, os mares e tudo
que neles há; tu guardas a todos com vida e o exército dos
céus te adora.
7 Tu és o Senhor, ó Deus, que escolheste Abrão e o tiraste
de Ur dos caldeus, e lhe puseste por nome Abraão.
8 E achaste o seu coração fiel perante ti, e fizeste com
ele a aliança, de que darias à sua descendência a terra dos
cananeus, dos heteus, dos amorreus, dos ferezeus, dos
jebuseus e dos girgaseus; e confirmaste as tuas palavras,
porque és justo.
9 E viste a aflição de nossos pais no Egito, e ouviste o seu
clamor junto ao Mar Vermelho.
10 E fizeste sinais e prodígios ao Faraó, a todos os seus
servos e a todo o povo da sua terra, porque soubeste que
soberbamente os trataram; assim adquiriste para ti fama,
como hoje se vê.
11 E fendeste o mar perante eles e passaram pelo meio do
mar, em seco; lançaste os seus perseguidores nas profun-
dezas, como uma pedra nas águas violentas.
12 E os guiaste durante o dia com uma coluna de nuvem,
durante a noite com uma coluna de fogo, para lhes ilumi-
nar o caminho por onde haviam de ir.
13 E sobre o monte Sinai desceste, dos céus falaste com
eles e deste-lhes juízos retos e leis verdadeiras, estatutos e
mandamentos bons.
14 E o teu santo sábado lhes fizeste conhecer; preceitos,
estatutos e lei lhes mandaste por meio de Moisés, teu
servo.
15 Pão dos céus lhes deste na sua fome e água da rocha
lhes produziste na sua sede; disseste-lhes que entrassem
para possuírem a terra pela qual juraste que lhes havias
de dar.
16 Porém eles e nossos pais se tornaram arrogantes e tei-
mosos e, não deram ouvidos aos teus mandamentos.
17 E recusaram ouvir-te, não se lembraram das maravilhas
que lhes fizeste, foram teimosos e na sua rebelião, fizeram
um chefe, a fim de voltarem para a sua servidão; porém tu,

ó Deus perdoador, clemente e misericordioso, tardio em
irar-te e grande em beneficência, tu não os desamparaste.
18 Nem mesmo quando eles fizeram para si um bezerro
de fundição e disseram: Este é o teu Deus, que te tirou do
Egito, e cometeram grandes blasfêmias.
19 Todavia tu, pela multidão das tuas misericórdias, não
os deixaste no deserto. A coluna de nuvem nunca se apar-
tou deles durante o dia, para os guiar pelo caminho, nem
a coluna de fogo à noite, para lhes iluminar o caminho por
onde haviam de ir.
20 E deste o teu bom espírito para os ensinar e o teu maná
não retiraste da sua boca; água lhes deste na sua sede.
21 E os sustentaste por quarenta anos no deserto; nada
lhes faltou; as suas roupas não se envelheceram e os seus
pés não se incharam.
22 Também lhes deste reinos e povos, e os repartiste em
porções; eles possuíram a terra de Seom, a saber, a terra do
rei de Hesbom e a terra de Ogue, rei de Basã.
23 E multiplicaste os seus filhos como as estrelas do céu,
e trouxeste-os à terra de que tinhas falado a seus pais que
nela entrariam para a possuírem.
24 Assim os filhos entraram e possuíram aquela terra; aba-
teste perante eles os moradores da terra, os cananeus e os
entregaste nas mãos deles, com os reis e os povos da terra,
para fazerem deles conforme à sua vontade.
25 Conquistaram cidades fortificadas e terra fértil e pos-
suíram casas cheias de toda a fartura, cisternas cavadas,
vinhas e olivais e árvores frutíferas em abundância; come-
ram e se fartaram e engordaram e viveram em delícias,
pela tua grande bondade.
26 Porém se obstinaram, se rebelaram contra ti, lançaram
a tua lei para trás das suas costas e mataram os teus profe-
tas, que protestavam contra eles, para que voltassem para
ti; assim fizeram grandes abominações.
27 Por isso os entregaste nas mãos dos seus adversários,
que os angustiaram; mas no tempo de sua angústia, cla-
mando a ti, dos céus tu ouviste e segundo a tua grande
misericórdia lhes deste libertadores que os livraram das
mãos de seus adversários.
28 Porém, em tendo paz, tornavam a fazer o mal diante
de ti; então tu os deixavas nas mãos dos seus inimigos,
para que dominassem sobre eles; porém convertendo-se
eles e clamando a ti, tu os ouviste dos céus e segundo a
tua misericórdia os livraste muitas vezes.
29 E testemunhaste contra eles, para que voltassem para
a tua lei; porém eles se tornaram arrogantes e não deram
ouvidos aos teus mandamentos, pecaram contra os teus
juízos, pelos quais o homem que os cumprir viverá; vira-
ram o ombro, foram teimosos e não quiseram ouvir.
30 Porém estendeste a tua benignidade sobre eles por
muitos anos e os advertiste pelo teu Espírito, através dos
teus profetas; porém eles não deram ouvidos; por isso os
entregaste nas mãos dos povos de outras terras.
31 Mas pela tua grande misericórdia não os destruís-
te nem desamparaste, porque és um Deus clemente e
misericordioso.
32 Agora, pois, nosso Deus, é grande, poderoso e temível
Deus, que guardas a aliança e a beneficência, não menos-
prezes toda a aflição que nos alcançou, a nós, aos nossos
reis, aos nossos príncipes, aos nossos sacerdotes, aos nos-
sos profetas, aos nossos pais e a todo o teu povo, desde os
dias dos reis da Assíria até ao dia de hoje.
33 Porém tu és justo em tudo quanto tem vindo sobre
nós; porque tu tens agido fielmente e nós temos agido
impiamente.
34 E os nossos reis, os nossos príncipes, os nossos sacer-
dotes e os nossos pais não guardaram a tua lei, nem deram
ouvidos aos teus mandamentos e aos teus testemunhos,
que deste contra eles.
35 Porque eles nem no seu reino, nem na muita abundân-
cia de bens que lhes deste, nem na terra espaçosa e fértil
que puseste diante deles, te serviram, nem se converteram
de suas más obras.
36 Eis que hoje somos escravos; e até na terra que deste a
nossos pais para comerem o seu fruto e para o seu bem, eis
que somos escravos nela.
37 E ela multiplica os seus produtos para os reis, que pu-
seste sobre nós, por causa dos nossos pecados; e conforme
a sua vontade dominam sobre os nossos corpos e sobre o
nosso gado; por isso estamos em grande angústia.
38 E, por causa disso, fizemos uma firme aliança e a escre-
vemos; selaram-na os nossos príncipes, os nossos levitas e
os nossos sacerdotes."

Os Nomes dos Que Fizeram a Aliança

10 E os que selaram a aliança foram: Neemias, o gover-
nador, filho de Hacalias, e Zedequias,
2 Seraías, Azarias, Jeremias,
3 Pasur, Amarias, Malquias,
4 Hatus, Sebanias, Maluque,
5 Harim, Meremote, Obadias,
6 Daniel, Ginetom, Baruque,
7 Mesulão, Abias, Miamim,
8 Maaseias, Bilgai, Semaías; esses eram os sacerdotes.
9 E os levitas: Jesua, filho de Azanias, Binui, dos filhos de
Henadade, Cadmiel,
10 e seus irmãos: Sebanias, Hodias, Quelita, Pelaías, Hanã,
11 Mica, Reobe, Hasabias,
12 Zacur, Serebias, Sebanias,
13 Hodias, Bani e Beninu.

14 Os chefes do povo: Parós, Paate-Moabe, Elão, Zatu,
Bani,
15 Buni, Azgade, Bebai,
16 Adonias, Bigvai, Adim,
17 Ater, Ezequias, Azur,
18 Hodias, Hasum, Besai,
19 Harife, Anatote, Nebai,
20 Magpias, Mesulão, Hezir,
21 Mesezabel, Zadoque, Jadua,
22 Pelatias, Hanã, Anaías,
23 Oseias, Hananias, Hassube,
24 Haloés, Pileá, Sobeque,
25 Reum, Hasabna, Maaseias,
26 Aías, Hanã, Anã,
27 Maluque, Harim e Baaná.
28 E o restante do povo, os sacerdotes, os levitas, os porteiros, os cantores, os servidores do templo e todos os que se tinham separado dos povos de outras terras para a lei de Deus, suas mulheres, seus filhos e suas filhas, todos os que tinham conhecimento e entendimento,
29 firmemente aderiram aos seus irmãos, os mais nobres dentre eles e se obrigaram, sob maldição e sob juramento, a seguir a lei de Deus, que foi dada por Moisés, servo de Deus; também que guardariam e cumpririam todos os mandamentos do Senhor nosso Deus, os seus juízos e os seus estatutos;
30 e que não daríam as nossas filhas em casamento aos povos de outras terras, nem escolheriam as filhas deles para os nossos filhos.
31 E quando os povos das outras terras trouxerem no dia de sábado qualquer mercadoria e qualquer grão para venderem, nada compraremos deles no sábado, nem no dia santificado; e no sétimo ano deixaremos a terra descansar e perdoaremos toda e qualquer cobrança.
32 Também nós assumimos a obrigação, impondo-nos cada ano a contribuição de quatro gramas de prata para o serviço do templo do nosso Deus;
33 para os pães da proposição, para a oferta contínua de cereais e para o holocausto contínuo dos sábados, das luas novas, para as festas solenes, para as coisas sagradas, para os sacrifícios pelo pecado, para expiação por Israel e para toda a obra do templo do nosso Deus.
34 Também lançamos sortes entre os sacerdotes, levitas e o povo, acerca da oferta da lenha que se havia de trazer ao templo do nosso Deus, segundo as nossas famílias, em tempos determinados, de ano em ano, para se queimar sobre o altar do Senhor nosso Deus, como está escrito na lei.
35 Também traremos os primeiros frutos da colheita de nossa terra e os primeiros frutos de todas as árvores frutíferas, de ano em ano, à casa do Senhor.
36 Bem como os primogênitos dos nossos filhos e do nosso gado, como está escrito na lei; tanto os primogênitos do nosso gado como os das nossas ovelhas, traríamos ao templo do nosso Deus, aos sacerdotes, que ministram na casa do nosso Deus.
37 E que as primícias da nossa massa, as nossas ofertas alçadas, o fruto de toda a árvore, o vinho e o azeite, traríamos para os sacerdotes, nos depósitos da casa do nosso Deus; os dízimos da nossa terra aos levitas e que eles receberiam os dízimos em todas as cidades, da nossa lavoura.
38 Também que o sacerdote, filho de Arão, estaria com os levitas quando esses recebessem os dízimos, e que os levitas trariam os dízimos dos dízimos ao Templo do nosso Deus, aos depósitos da casa do tesouro.
39 Porque os israelitas e os filhos de Levi devem trazer ofertas alçadas do grão, do vinho e do azeite para aqueles depósitos, porque ali estão os vasos do santuário, como também os sacerdotes que ministram, os porteiros e os cantores; dessa maneira não desampararíamos o Templo do nosso Deus.

O Repovoamento das Cidades

11 E os chefes do povo habitaram em Jerusalém, porém o restante do povo fez um sorteio para escolher um de cada dez para morar na santa cidade de Jerusalém e os outros nove nas outras cidades.
2 E o povo abençoou todos os homens que voluntariamente se ofereciam para morar em Jerusalém.
3 E estes são os chefes da província, que habitaram em Jerusalém, porém nas cidades de Judá morou cada um na sua propriedade, nas suas cidades, a saber, Israel, os sacerdotes, os levitas, os servidores do templo e os filhos dos servos de Salomão.
4 Habitaram em Jerusalém alguns dos filhos de Judá e dos filhos de Benjamim. Dos filhos de Judá, Ataías, filho de Uzias, filho de Zacarias, filho de Amarias, filho de Sefatias, filho de Maalalel, dos filhos de Perez;
5 e Maaseias, filho de Baruque, filho de Col-Hozé, filho de Hazaías, filho de Adaías, filho de Joiaribe, filho de Zacarias, filho do silonita.
6 Todos os filhos de Perez, que habitaram em Jerusalém, foram quatrocentos e sessenta e oito homens valentes.
7 E esses são os filhos de Benjamim: Salu, filho de Mesulão, filho de Joede, filho de Pedaías, filho de Colaías, filho de Maaseias, filho de Itiel, filho de Jesaías.
8 E depois dele Gabai e Salai, ao todo novecentos e vinte e oito.
9 E Joel, filho de Zicri, superintendente deles; sendo Judá, filho de Senua, o segundo sobre a cidade.
10 Dos sacerdotes: Jedaías, filho de Joiaribe, Jaquim,
11 Seraías, filho de Hilquias, filho de Mesulão, filho de

Zadoque, filho de Meraiote, filho de Aitube, superinten-
dente da casa de Deus,
12 e seus irmãos, que faziam o serviço do templo, oito-
centos e vinte e dois; e Adaías, filho de Jeroão, filho de
Pelalias, filho de Anzi, filho de Zacarias, filho de Pasur,
filho de Malquias,
13 e seus irmãos, chefes de famílias, duzentos e quarenta
e dois; e Amasai, filho de Azarel, filho de Azai, filho de
Mesilemote, filho de Imer,
14 e os irmãos deles, homens valentes, cento e vinte e
oito, e o superintendente deles Zabdiel, filho de Gedolim.
15 E dos levitas: Semaías, filho de Hassube, filho de Azri-
cão, filho de Hasabias, filho de Buni;
16 Sabetai e Jozabade, dos líderes dos levitas, presidiam
sobre a obra de fora da Casa de Deus.
17 E Matanias, filho de Mica, filho de Zabdi, filho de
Asafe, o chefe, que iniciava as ações de graças na oração
e Baquebuquias, o segundo de seus irmãos; depois Abda,
filho de Samua, filho de Galal, filho de Jedutum.
18 Todos os levitas na santa cidade, eram duzentos e oi-
tenta e quatro.
19 E os porteiros, Acube, Talmom, com seus irmãos, os
guardas das portas, cento e setenta e dois.
20 E o restante de Israel, dos sacerdotes e levitas, estavam
em todas as cidades de Judá, cada um na sua propriedade.
21 Os servidores habitaram em Ofel, sendo que Zia e Gis-
pa eram encarregados deles.
22 E o superintendente dos levitas em Jerusalém era Uzi,
filho de Bani, filho de Hasabias, filho de Matanias, filho de
Mica; dos filhos de Asafe, os cantores, a serviço da Casa
de Deus.
23 Porque havia um mandado do rei a respeito deles; um
acordo para os cantores, cada um com suas obrigações de
cada dia.
24 E Petaías, filho de Mesezabel, dos filhos de Zerá, filho
de Judá, estava à disposição do rei, em todos os negócios
do povo.
25 Alguns dos filhos de Judá habitaram em Quiriate-Arba
e nos seus povoados, em Dibom, e nos seus povoados, em
Jecabzeel e nos seus povoados,
26 e em Jesua, Molada e Bete-Palete,
27 e em Hazar-Sual, Berseba e nos seus povoados,
28 e em Ziclague, Mecona e nos seus povoados;
29 e em En-Rimom, Zorá e em Jarmute;
30 em Zanoa, Adulão e nos seus povoados; em Laquis e
nas suas terras; em Azeca e nos seus povoados. Acampa-
ram-se desde Berseba até ao vale de Hinom.
31 E os filhos de Benjamim habitaram desde Geba, em
Micmás, Aia e Betel, nos seus povoados;
32 e em Anatote, em Nobe, em Ananias,
33 em Hazor, em Ramá, em Gitaim,
34 em Hadide, em Zeboim, em Nebalate,
35 em Lode e em Ono, no vale dos artífices,
36 e alguns dos levitas habitaram nas divisões de Judá e
de Benjamim.

Os Sacerdotes e Levitas

12 Estes são os sacerdotes e levitas que voltaram com
Zorobabel, filho de Sealtiel e com Jesua: Seraías, Je-
remias, Esdras,
2 Amarias, Maluque, Hatus,
3 Secanias, Reum, Meremote,
4 Ido, Ginetoi, Abias,
5 Miamim, Maadias, Bilga,
6 Semaías, Joiaribe, Jedaías,
7 Salu, Amoque, Hilquias, Jedaías; esses foram os chefes
dos sacerdotes e de seus irmãos, nos dias de Jesua.
8 E os levitas Jesua, Binui, Cadmiel, Serebias, Judá, Mata-
nias; esse e seus irmãos presidiam aos louvores.
9 E Baquebuquias e Uni, seus irmãos, estavam à frente
deles, nas guardas.
10 E Jesua gerou Joiaquim, Joiaquim gerou Eliasibe e Elia-
sibe gerou Joiada,
11 e Joiada gerou Jônatas e Jônatas gerou Jadua.
12 E, nos dias de Joiaquim foram sacerdotes, chefes de
famílias: de Seraías, Meraías; de Jeremias, Hananias;
13 de Esdras, Mesulão; de Amarias, Joanã;
14 de Maluqui, Jônatas; de Sebanias, José;
15 de Harim, Adna; de Meraiote, Helcai;
16 de Ido, Zacarias; de Ginetom, Mesulão;
17 de Abias, Zicri; de Miniamim e de Moadias, Piltai;
18 de Bilga, Samua; de Semaías, Jônatas;
19 e de Joiaribe, Matenai; de Jedaías, Uzi;
20 de Salai, Calai; de Amoque, Héber;
21 de Hilquias, Hasabias; de Jedaías, Netanel.
22 Dos levitas, nos dias de Eliasibe foram inscritos como
chefes de famílias; Joiada, Jonã e Jadua; como também os
sacerdotes, até ao reinado de Dario, o persa.
23 Os filhos de Levi foram inscritos como chefes de fa-
mílias no livro das crônicas, até aos dias de Joanã, filho
de Eliasibe.
24 Os chefes dos levitas foram: Hasabias, Serebias e Jesua,
filho de Cadmiel; os seus irmãos estavam à frente deles,
para louvarem e darem graças, segundo o mandado de
Davi, homem de Deus; um grupo respondia ao outro.
25 Matanias, Baquebuquias, Obadias, Mesulão, Talmom e
Acube eram porteiros que faziam a guarda dos depósitos
junto às portas.
26 Esses serviram nos dias de Joiaquim, filho de Jesua, o
filho de Jozadaque; como também nos dias de Neemias, o
governador, e do sacerdote Esdras, o escriba.

A Dedicação dos Muros

27 E na dedicação dos muros de Jerusalém, buscaram os
levitas de todos os lugares para trazê-los a fim de fazerem
a dedicação com alegria, com louvores e com canto, címbalos, alaúdes e com harpas.
28 E assim reuniram os filhos dos cantores, tanto da
campina dos arredores de Jerusalém, como das aldeias de
Netofa;
29 como também de Bete-Gilgal, dos campos de Geba e
Azmavete; porque os cantores edificaram para si aldeias
nos arredores de Jerusalém.
30 E os sacerdotes e os levitas purificaram-se; também
purificaram o povo, as portas e o muro.
31 Então ordenei aos líderes de Judá para subirem sobre
o muro e ordenei dois grandes coros em procissão, um foi
para a direita sobre o muro do lado da porta do esterco.
32 E atrás deles iam Hosaías e a metade dos chefes de
Judá.
33 E Azarias, Esdras e Mesulão,
34 Judá, Benjamim, Semaías e Jeremias.
35 E alguns sacerdotes, com trombetas: Zacarias, filho de
Jônatas, filho de Semaías, filho de Matanias, filho de Micaías, filho de Zacur, filho de Asafe.
36 E seus irmãos, Semaías e Azarel, Milalai, Gilalai, Maai,
Netanel, Judá e Hanani, com os instrumentos musicais
de Davi, homem de Deus; porém Esdras, o escriba, ia na
frente deles.
37 Iam para a porta da fonte, Esdras ia na frente deles,
subiram as escadas da cidade de Davi, onde começa a subida do muro, desde cima da casa de Davi, até à porta das
águas, do lado leste.
38 E o segundo coro ia na direção oposta, e eu o seguia
com a metade do povo sobre o muro, desde a torre dos
fornos, até à muralha larga;
39 e desde a porta de Efraim, passaram por cima da porta
velha, da porta do peixe, pela torre de Hananel e a Torre
dos Cem, até à porta do gado; onde pararam à porta da
guarda.
40 Então ambos os coros pararam na Casa de Deus; eu e
a metade dos magistrados que estavam comigo também
paramos.
41 E os sacerdotes Eliaquim, Maaseias, Miniamim, Micaías, Elioenai, Zacarias e Hananias, com suas trombetas,
42 além de Maaseias, Semaías, Eleazar, Uzi, Joanã, Malquias, Elão e Ezer. Os coros cantavam juntamente com
Jezraías, o seu superintendente.
43 E ofereceram, no mesmo dia, grandes sacrifícios e se
alegraram; porque Deus os tinha enchido de grande alegria; até as mulheres e os meninos se alegraram, e a alegria
de Jerusalém podia ser ouvida de longe.

O Ministério do Templo

44 Também no mesmo dia nomearam homens para as
câmaras dos tesouros, das ofertas alçadas, dos dízimos dos
primeiros frutos das primeiras colheitas, para recolherem
nelas, dos campos das cidades, as partes da lei para os sacerdotes e para os levitas; porque Judá estava alegre por
causa dos sacerdotes e dos levitas que serviam ali.
45 E executaram o serviço do seu Deus, e os serviços da
purificação; como também os cantores e porteiros, conforme ao mandado de Davi e de seu filho Salomão.
46 Porque no passado, nos dias de Davi e Asafe, havia
dirigentes dos cantores, pessoas que dirigiam os cânticos
de louvores e ações de graças a Deus.
47 Por isso todo o Israel, nos dias de Zorobabel e nos dias
de Neemias, dava aos cantores e aos porteiros as porções
de cada dia; santificavam as porções aos levitas e os levitas
as santificavam aos filhos de Arão.

Diversas Reformas

13 Naquele dia leram o livro de Moisés para o povo, e
achou-se escrito nele que os amonitas e os moabitas
não deveriam jamais entrar na congregação de Deus,
2 porque não tinham saído ao encontro dos israelitas com
pão e água; e ainda contrataram Balaão para os amaldiçoar,
porém o nosso Deus converteu a maldição em bênção.
3 Quando eles ouviram esta lei, afastaram de Israel todos
os estrangeiros.
4 Antes disto, Eliasibe, sacerdote, encarregado dos depósitos do templo do nosso Deus, era parente próximo de
Tobias,
5 e lhe havia emprestado uma sala onde antes se utilizava para guardar ofertas de cereais, incenso, utensílios,
dízimos de grãos, vinho e azeite, que eram determinados
para os levitas, cantores e porteiros, e a oferta alçada para
os sacerdotes.
6 Mas durante tudo isto eu não estava em Jerusalém, porque no ano trinta e dois do reinado de Artaxerxes, rei da
Babilônia, voltei ao rei; mas após alguns dias consegui a
permissão do rei.
7 Voltei para Jerusalém e compreendi o mal que Eliasibe
havia feito para beneficiar Tobias, lhe cedendo uma sala
nos pátios da Casa de Deus.
8 Isto me desagradou tanto, que joguei todos os móveis da
sala de Tobias para fora.
9 E eu mandei purificar as salas e tornei a trazer para ali
os utensílios da Casa de Deus, com as ofertas de cereais
e o incenso.
10 Também entendi que as porções dos levitas não eram
dadas a eles, e os levitas e os cantores, que faziam a obra,
tinham fugido cada um para a sua terra.
11 Então repreendi os magistrados e disse: Por que desam-

pararam a Casa de Deus? Então eu os reuni e os restaurei
nos seus postos.
12 Assim, todo o Judá trouxe os dízimos de cereais, de
vinho e de azeite aos depósitos.
13 E, por tesoureiros dos depósitos, nomeei Selemias, o
sacerdote, Zadoque, o escrivão e Pedaías, chefe dos levitas;
também com eles Hanã, filho de Zacur, o filho de Mata-
nias; porque eram de confiança; eles ficaram encarregados
da distribuição das porções para os seus irmãos.
14 Por isto, meu Deus, lembra-te de mim e não esqueças
as bondades que eu fiz ao templo de meu Deus e pelos
serviços prestados.

A Reforma do Sábado

15 Naqueles dias vi em Judá que alguns pisavam uvas nos
tanques ao sábado e traziam feixes de trigo que carrega-
vam sobre os jumentos; como também vinho, uvas e figos,
e todo tipo de cargas, que traziam a Jerusalém no dia de
sábado; então protestei contra eles no dia em que vendiam
mantimentos.
16 Também tírios habitavam dentro e traziam peixe e
todo tipo de mercadoria, que no sábado vendiam aos filhos
de Judá e em Jerusalém.
17 E repreendi os nobres de Judá e lhes disse: Por que
fazem este grande mal, profanando o dia de sábado?
18 Seus pais não fizeram assim e o nosso Deus não trou-
xe todo este mal sobre nós e sobre esta cidade? E vocês
ainda acrescentam mais ao ardor de sua ira sobre Israel,
profanando o sábado.
19 Quando já fazia sombra do pôr do sol nas portas de Je-
rusalém antes do sábado, ordenei que as portas fossem fe-
chadas; mandei que não as abrissem até passado o sábado
e pus às portas alguns de meus servos, para que nenhuma
carga entrasse no dia de sábado.
20 Então os negociantes e os vendedores de todo tipo de
mercadoria passaram a noite do lado de fora de Jerusalém,
uma ou duas vezes.
21 Protestei contra eles e lhes disse: Por que passam a noi-
te à frente do muro? Se fizerem outra vez, mandarei pren-
dê-los. Daquele dia em diante não vieram mais no sábado.
22 Também disse aos levitas que se purificassem e vies-
sem guardar as portas, para santificar o sábado. Nisto tam-
bém, Deus meu, lembra-te de mim segundo a tua grande
bondade.

O Casamento Com Estrangeiras

23 Vi também naqueles dias que judeus tinham casado
com mulheres asdoditas, amonitas e moabitas.
24 E seus filhos falavam meio asdodita e não sabiam falar
hebraico, falavam a língua de cada povo.
25 E os repreendi, amaldiçoei e espanquei alguns deles,
lhes arranquei os cabelos e os fiz jurar por Deus, dizendo:
Não deem mais suas filhas em casamento aos filhos deles
e não escolham mais as filhas deles nem para seus filhos
nem para vocês mesmos.
26 Não foi por causa disto que Salomão, rei de Israel, pe-
cou? Entre muitas nações não havia rei semelhante a ele,
ele era amado de seu Deus, e Deus o fez rei sobre todo
o Israel, e, contudo, as mulheres estrangeiras o fizeram
pecar.
27 Devemos dar ouvidos a vocês, para fazermos todo esse
grande mal, prevaricando contra o nosso Deus, nos casan-
do com mulheres estrangeiras?
28 Também um dos filhos de Joiada, filho de Eliasibe, o
sumo sacerdote, era genro de Sambalate, o horonita, por
isso o expulsei para longe de mim.
29 Lembra-te deles, Deus meu, pois contaminaram o ofí-
cio sacerdotal e a aliança do sacerdócio e dos levitas.
30 Assim os purifiquei de todos os estrangeiros e desig-
nei os cargos dos sacerdotes e dos levitas, cada um na sua
obra.
31 Organizei também as ofertas de lenha em tempos de-
terminados e para as primícias; lembra-te de mim, meu
Deus, para o meu bem."

O LIVRO DE ESTER

O Banquete de Assuero

1 E aconteceu nos dias de Assuero, que reinou desde a
Índia até à Etiópia, sobre cento e vinte e sete províncias:
2 Naqueles dias, quando o rei Assuero reinava em seu tro-
no na cidade de Susã,
3 no terceiro ano de seu reinado, fez um convite a to-
dos os seus oficiais e seus servidores. O exército da Pérsia
e da Média e os nobres líderes das províncias estavam
presentes,
4 para mostrar as riquezas da glória do seu reino e o es-
plendor da sua excelente grandeza, por cento e oitenta
dias.
5 E passados aqueles dias, o rei fez um convite a todo o
povo que estava na cidade de Susã, para os maiores e para

os menores, por sete dias no pátio do jardim do palácio
real.
6 As tapeçarias eram de pano branco, verde e azul-celeste,
pendentes de cordões de linho fino e púrpura, argolas de
prata e colunas de mármore; os leitos eram de ouro e de
prata, sobre um pavimento de pórfiro, de mármore, de
alabastro e de pedras preciosas.
7 As bebidas eram servidas em copos de ouro, sendo que
os copos eram diferentes uns dos outros; havia muito vi-
nho real, graças à generosidade do rei.
8 E o bebiam à vontade por ordem do rei, sem que nin-
guém forçasse um ao outro; porque assim o rei tinha or-
denado expressamente a todos os oficiais da sua casa, que
fizessem conforme a vontade de cada um.
9 Também a rainha Vasti fez um banquete para as mulhe-
res no palácio do rei Assuero.

A Recusa da Rainha Vasti

10 E ao sétimo dia, quando o coração do rei já estava ale-
gre pelo vinho, mandou Meumã, Bizta, Harbona, Bigtá,
Abagta, Zetar e Carcas, os sete eunucos que o serviam,
11 para trazerem à sua presença a rainha Vasti, com a
coroa real, para mostrar aos povos e aos príncipes a sua
beleza, porque ela era muito bonita.
12 Porém, a rainha Vasti se recusou a vir ao rei; então o rei
ficou muito enfurecido e irado.
13 Então o rei perguntou aos sábios que entendiam dos
tempos, porque tratavam os negócios do rei na presença
de todos os que sabiam a lei e o direito;
14 e os mais chegados a ele eram: Carsena, Setar, Admata,
Társis, Meres, Marsena e Memucã, os sete príncipes dos
persas e dos medos, que tinham acesso direto ao rei e eram
os mais importantes no reino.
15 "De acordo com a lei, o que se deve fazer à rainha
Vasti por ela não ter obedecido ao rei Assuero, por meio
dos seus oficiais?"
16 Então Memucã disse na presença do rei e dos prínci-
pes: "A rainha Vasti não ofendeu somente o rei, ofendeu
também todos os príncipes e todos os povos de todas as
províncias do rei Assuero.
17 Porque a notícia do que a rainha fez chegará a todas as
mulheres, e assim também elas desprezarão os seus mari-
dos dizendo: 'O rei Assuero mandou chamar a rainha Vasti
à sua presença, porém ela não veio.'
18 E neste mesmo dia, as princesas da Pérsia e da Mé-
dia, ao ouvirem o que a rainha fez, dirão o mesmo a
todos os príncipes do rei; assim haverá muito desprezo e
indignação.
19 Se parecer bom ao rei, emita um decreto real, que seja
escrito nas leis dos persas e dos medos, e não se revogue,
que Vasti fique proibida de comparecer na presença do rei
Assuero, e que o rei dê o reino dela a outra que seja melhor
do que ela.
20 E quando o rei proclamar este decreto em todo o seu
reino, então todas as mulheres respeitarão os seus mari-
dos, do mais rico ao mais pobre."
21 E esse conselho agradou ao rei e aos príncipes; então, o
rei fez conforme o conselho de Memucã.
22 O rei enviou cartas a todas as províncias do reino, a
cada província de acordo com a sua escrita e a sua língua;
para que cada homem fosse senhor em sua casa, e para
que se publicasse isso conforme a língua de cada povo.

Assuero Casa Com Ester

2 Passadas essas coisas, e quando o furor do rei Assuero já
havia passado, ele se lembrou de Vasti, do que ela havia
feito e do que ele havia decretado a seu respeito.
2 Então, os conselheiros do rei disseram: "Procurem para
o rei moças virgens e bonitas.
3 E o rei nomeie comissários em todas as províncias do
seu reino para reunir todas as moças virgens e bonitas,
na fortaleza de Susã, aos cuidados de Hegai, servo do rei,
guarda das mulheres, e lhes deem os seus enfeites.
4 E a moça que cair nas graças do rei, que reine no lugar
de Vasti." E o rei achou isto bom, e ele assim fez.
5 Havia então um homem judeu na fortaleza de Susã cha-
mado Mardoqueu, filho de Jair, filho de Simei, filho de
Quis, homem benjamita,
6 que foi levado de Jerusalém com os cativos que foram
exilados com Jeconias, rei de Judá, que Nabucodonosor,
rei da Babilônia, levou.
7 Ele criou Hadassa, que é Ester, filha de seu tio, porque
ela não tinha pai nem mãe; ela era jovem e bonita; por ser
órfã, Mardoqueu a adotou como filha.
8 Divulgaram a ordem do rei e reuniram muitas moças na
fortaleza de Susã, aos cuidados de Hegai, levaram também
Ester ao palácio real, sob os cuidados de Hegai, guarda
das mulheres.
9 E Hegai achou Ester bonita e formosa; por isso se apres-
sou em lhe dar os seus enfeites e uma boa alimentação, e
lhe deu sete moças escolhidas do palácio real; e a levou
com as suas moças ao melhor lugar da casa das mulheres.
10 Ester, porém, não declarou qual era o seu povo e a sua
parentela, porque Mardoqueu lhe tinha ordenado que não
declarasse.
11 E Mardoqueu passeava todos os dias diante do pátio da
casa das mulheres, para se informar de como Ester estava
e como a tratavam.
12 E, chegando o prazo de cada moça se apresentar ao rei
Assuero, depois que foi feito a cada uma segundo a lei das
mulheres, por doze meses, porque assim se cumpriam os
dias das suas purificações, seis meses com óleo de mirra e

seis meses com especiarias e com as coisas para a purificação das mulheres;

13 desta maneira, a moça vinha ao rei com tudo o que ela desejava para se enfeitar para vir da casa das mulheres ao palácio real;

14 à noite ela entrava e, pela manhã, voltava para outra parte da casa das mulheres, sob os cuidados de Saasgaz, oficial do rei, guarda das concubinas; ela não voltava mais ao rei, a não ser que o rei a desejasse e fosse chamada pelo nome.

15 Chegando a vez de Ester, filha de Abiail, tio de Mardoqueu, que a adotou como filha, para ir ao rei, coisa nenhuma ela pediu, senão o que ofereceu Hegai, oficial do rei, guarda das mulheres, e Ester causava boa impressão em todos que a viam.

16 Assim Ester foi levada ao rei Assuero, ao seu palácio real, no décimo mês, que é o mês de Tebete, no sétimo ano do seu reinado.

17 E o rei amou Ester mais do que a todas as outras mulheres, e ela foi favorecida por ele mais do que todas as virgens; ele pôs a coroa real na sua cabeça e a fez rainha em lugar de Vasti.

18 Então o rei fez um grande banquete a todos os seus oficiais e aos seus servos; era o banquete de Ester; e diminuiu os tributos das províncias e deu presentes segundo a sua generosidade.

19 E quando as virgens foram reunidas pela segunda vez, Mardoqueu estava assentado à porta do palácio real.

20 Ester, porém, não declarava a sua parentela e o seu povo, como Mardoqueu lhe ordenou; pois Ester obedecia a Mardoqueu, porque ele a criou.

Mardoqueu e a Conspiração Contra o Rei

21 Naqueles dias, quando Mardoqueu estava sentado à porta do rei, dois eunucos do rei, guardas da porta, Bigtã e Teres, ficaram indignados e conspiraram para matar o rei Assuero.

22 E isto veio ao conhecimento de Mardoqueu, que contou à rainha Ester; então Ester contou ao rei, em nome de Mardoqueu.

23 E houve uma investigação e descobriu-se que era verdade; então ambos foram pendurados numa forca; e o fato foi escrito nas crônicas perante o rei.

O Ódio de Hamã Por Mardoqueu

3 Depois dessas coisas o rei Assuero engrandeceu Hamã, filho de Hamedata, agagita, exaltou-o e pôs o seu assento acima de todos os oficiais que estavam com ele.

2 E todos os servos do rei, que estavam à sua porta, se inclinavam e se prostravam perante Hamã, porque assim o rei tinha ordenado acerca dele; porém Mardoqueu não se inclinou nem se prostrou.

3 Então os servos do rei, que estavam à sua porta, perguntaram a Mardoqueu: "Por que transgride a ordem do rei?"

4 Eles lhe perguntavam isto dia após dia, e ele não lhes dava ouvidos. Então contaram isto a Hamã, para verem se as palavras de Mardoqueu se sustentariam, porque ele lhes tinha declarado que era judeu.

5 Quando Hamã viu que Mardoqueu não se inclinava nem se prostrava diante dele, Hamã se encheu de furor.

6 Porém achou que era pouco pôr as mãos só em Mardoqueu, porque lhe haviam contado de que povo era Mardoqueu; então Hamã procurou destruir todos os judeus, o povo de Mardoqueu, que havia em todo o reino de Assuero.

7 No primeiro mês, que é o mês de Nisã, no décimo segundo ano do reinado de Assuero, se lançou Pur, isto é, fizeram um sorteio perante Hamã, para escolher um dia e um mês para executar o plano, e sortearam o décimo segundo mês, que é o mês de Adar.

O Decreto de Hamã

8 E Hamã disse ao rei Assuero: "Existe espalhado e dividido entre os povos em todas as províncias do seu reino um povo cujas leis são diferentes das leis de todos os povos e que não cumpre as leis do rei; por isso não convém ao rei deixá-los viver.

9 Se for do agrado do rei, decrete-se que os matem; então eu porei nos tesouros do rei trezentos e cinquenta toneladas de prata à disposição dos que executarem este trabalho."

10 Então o rei tirou o seu anel da mão e o deu a Hamã, filho de Hamedata, agagita, adversário dos judeus.

11 E o rei disse a Hamã: "Fique com o anel de prata e faça com este povo o que achar melhor."

12 Então chamaram os escrivães do rei no primeiro mês, no dia treze do mesmo mês, e tudo o que Hamã ordenou se escreveu aos oficiais do rei, aos governadores que havia sobre cada província e aos chefes de cada povo; a cada província segundo a sua escrita e a cada povo segundo a sua língua; em nome do rei Assuero se escreveu e com o anel do rei se selou.

13 E enviaram as cartas por intermédio dos mensageiros a todas as províncias do rei, para que destruíssem, matassem e aniquilassem todos os judeus, tanto jovens como velhos, crianças e mulheres, em um mesmo dia, no dia treze do décimo segundo mês, que é o mês de Adar, e que saqueassem o seu despojo.

14 Uma cópia da carta foi enviada para cada província, para que se proclamasse a lei, foi publicada a todos os povos para que estivessem preparados para aquele dia.

15 Os mensageiros saíram, impelidos pela palavra do rei, e a lei se proclamou na fortaleza de Susã. E o rei Assuero e

Hamã se sentaram para beber, mas a cidade de Susã estava
confusa.

Mardoqueu Apela a Ester

4 Quando Mardoqueu soube de tudo que havia se pas-
sado, rasgou as suas roupas, vestiu-se com um saco e
cinzas, saiu pelo meio da cidade e clamou em voz alta.
2 E chegou até a porta do rei, porque ninguém vestido de
saco podia entrar pelas portas do rei.
3 E em todas as províncias aonde a palavra do rei e a sua
lei chegavam, havia entre os judeus grande luto, com je-
jum, choro e lamentação; e muitos estavam deitados em
saco e em cinzas.
4 Então vieram as servas de Ester e os seus oficiais e con-
taram a ela o que tinha acontecido, e a rainha ficou muito
aflita. Então ela mandou roupas para Mardoqueu vestir, e
tirar o pano de saco; mas ele não as aceitou.
5 Então Ester chamou Hataque, um dos servos do rei, que
este tinha posto para servi-la, e deu ordem para ele ir a
Mardoqueu, para saber o que era aquilo, e por quê.
6 E Hataque foi até Mardoqueu, na praça da cidade, que
ficava diante da porta do rei.
7 Mardoqueu lhe contou tudo o que tinha acontecido;
contou também sobre a oferta da prata que Hamã tinha
dito que daria para os tesouros do rei, pelos judeus, para
destruí-los.
8 Também lhe deu uma cópia do decreto escrito, que ha-
via sido publicado em Susã, para destruir os judeus, para
que o mostrasse a Ester e a fizesse saber; também para
pedir que ela fosse falar com o rei, para lhe pedir miseri-
córdia para o povo.
9 Hataque voltou e disse a Ester as palavras de Mardoqueu.
10 Então Ester falou a Hataque, mandando-o dizer a
Mardoqueu:
11 "Todos os servos do rei e o povo das províncias do rei
bem sabem que para todo homem ou mulher que chegar
ao rei no pátio interior, sem ser chamado, há uma sentença
de morte, salvo se o rei estender para essa pessoa o cetro
de ouro, para que viva; e eu nestes trinta dias não tenho
sido chamada para ir ao rei."
12 E disseram a Mardoqueu as palavras de Ester.
13 Então Mardoqueu mandou que respondessem a Ester:
"Não imagine no seu íntimo que, por estar na casa do rei,
só você escapará entre todos os outros judeus.
14 Porque, se ficar calada agora, de outro lugar virá socor-
ro e livramento para os judeus, mas você e a sua família
perecerão; e quem sabe se não foi para este momento que
você chegou à posição de rainha?"
15 Então Ester pediu que levassem a resposta a
Mardoqueu:
16 "Vá, reúna todos os judeus que estão em Susã, jejuem
por mim e não comam nem bebam por três dias, nem de
dia nem de noite, e eu e as minhas servas também jejua-
remos. E assim irei falar com o rei, ainda que seja contra a
lei; e se eu tiver que morrer, morrerei."
17 Então Mardoqueu foi e fez o que Ester lhe ordenou.

Ester se Apresenta ao Rei

5 No terceiro dia, Ester vestiu suas roupas reais e se pôs
no pátio interior do palácio real, à frente do aposento
do rei, e o rei estava sentado no seu trono, à frente da
porta do aposento.
2 Quando o rei viu a rainha Ester no pátio, teve misericór-
dia dela; e o rei estendeu para ela o cetro de ouro que tinha
na sua mão; então, Ester chegou e tocou a ponta do cetro.
3 E o rei lhe perguntou: "O que quer, rainha Ester, qual
é o seu pedido? Até metade do reino será dada a você."

O Banquete de Ester

4 E Ester respondeu: "Se for do agrado do rei, venha hoje
com Hamã ao banquete que lhe preparei."
5 Então o rei disse: "Peça a Hamã que venha depressa para
que possamos atender ao pedido de Ester." Quando o rei
e Hamã chegaram ao banquete que Ester tinha preparado,
6 o rei disse a Ester, enquanto bebiam vinho: "Qual é o seu
pedido? Peça e lhe será concedido. O que você quer? Será
dado mesmo que seja metade do reino."
7 Então Ester respondeu: "O meu pedido e o meu desejo
são:
8 Se achei favor diante do rei, se for do agrado do rei con-
ceder o meu pedido, então que o rei venha com Hamã
ao banquete que prepararei para vocês e amanhã farei o
pedido."
9 Assim Hamã saiu naquele dia alegre e animado, e viu
Mardoqueu junto à porta do rei, e que ele não se levantava
nem se movia diante dele, então Hamã se encheu de furor
contra Mardoqueu.
10 Hamã, porém, se conteve e foi para sua casa; e mandou
virem os seus amigos e Zeres, sua mulher.
11 E Hamã começou a falar da glória das suas riquezas, da
multidão de seus filhos e de tudo com que o rei o tinha
engrandecido, e como o tinha exaltado sobre os príncipes
e servos do rei.
12 Hamã disse mais: "A rainha Ester não convidou mais
ninguém para vir com o rei ao banquete que tinha pre-
parado, convidou somente a mim; e para amanhã estou
convidado por ela juntamente com o rei.
13 Porém tudo isto não me satisfaz, enquanto eu vir o
judeu Mardoqueu sentado à porta do rei."
14 Então Zeres, sua mulher, e todos os seus amigos lhe
disseram: "Mande fazer uma forca com mais de vinte me-
tros de altura e amanhã diga ao rei que nela enforque Mar-

doqueu e então vá alegre com o rei ao banquete." E este
conselho pareceu bom a Hamã, que mandou fazer a força.

Mardoqueu é Honrado e Hamã é Humilhado

6 Naquela mesma noite o rei ficou sem sono; então man-
dou trazer o livro das memórias das crônicas, que foi
lido diante do rei.
2 E achou-se escrito que Mardoqueu tinha denunciado
Bigtã e Teres, dois eunucos do rei, da guarda da porta, que
tinham conspirado para matar o rei Assuero.
3 Então o rei perguntou: "Que honra e reconhecimento
foram conferidos a Mardoqueu?" E os servos do rei, que o
serviam, disseram: "Coisa nenhuma se fez."
4 Então o rei perguntou: "Quem está no pátio?" E Hamã
tinha entrado no pátio externo da casa do rei, para pedir
ao rei que enforcassem Mardoqueu na força que lhe tinha
preparado.
5 E os servos do rei lhe disseram: "Hamã está no pátio." E
o rei mandou que ele entrasse.
6 E quando Hamã entrou, o rei lhe perguntou: "O que se
deve fazer ao homem a quem o rei deseja honrar?" Então
Hamã pensou: "A quem mais o rei poderia querer honrar
a não ser a mim?"
7 Por isso Hamã respondeu ao rei: "Para o homem que o
rei gostaria de honrar,
8 tragam a veste real que o rei costuma usar e o cavalo
em que o rei costuma montar e ponham a coroa real na
cabeça dele.
9 E entreguem a veste e o cavalo na mão de um dos ofi-
ciais mais nobres do rei e a vistam no homem que o rei
deseja honrar; então, levem-no a cavalo pelas ruas da cida-
de e proclamem diante dele: É isto que se faz ao homem a
quem o rei deseja honrar!"
10 Então o rei disse a Hamã: "Vá depressa, pegue a veste e
o cavalo, como disse, e faça com o judeu Mardoqueu tudo
que falou. Ele está assentado à porta do rei, e não omita
coisa nenhuma de tudo o que disse."
11 E Hamã pegou a veste e o cavalo, vestiu Mardoqueu,
levou-o a cavalo pelas ruas da cidade e proclamou diante
dele: "É isto que se faz ao homem a quem o rei deseja
honrar!"
12 Depois disto Mardoqueu voltou para a porta do rei,
porém Hamã se retirou correndo para sua casa, triste e de
cabeça coberta.
13 E Hamã contou a Zeres, sua mulher, e a todos os seus
amigos, tudo o que lhe tinha acontecido. Então os seus
amigos que eram sábios e Zeres, sua mulher, lhe disseram:
"Se Mardoqueu, diante de quem você já começou a cair, é
da descendência dos judeus, você não prevalecerá contra
ele; certamente cairá diante dele."
14 Enquanto ainda falavam com ele, chegaram os eunu-
cos do rei e se apressaram para levar Hamã ao banquete
que Ester havia preparado.

A Morte de Hamã

7 O rei foi com Hamã ao banquete da rainha Ester,
2 e, no segundo dia no banquete do vinho, perguntou
outra vez a Ester: "Qual é o seu pedido, rainha Ester? Você
será atendida. O que você quer? Até a metade do reino
lhe será dada."
3 Então a rainha Ester respondeu: "Se eu posso contar
com o favor do rei, e se isto lhe agrada, me dê a minha
vida como meu pedido e a vida do meu povo como o meu
desejo.
4 Porque fomos vendidos, eu e o meu povo, para nos des-
truírem, nos matarem e nos aniquilarem de vez; se ainda
como servos e servas nos tivessem vendido, eu me calaria;
ainda que o opressor não pudesse ter compensado o pre-
juízo causado ao rei."
5 Então o rei Assuero perguntou à rainha Ester: "Quem é
esse e onde está ele, cujo coração o instigou a fazer isso?"
6 E Ester disse: "O homem, o opressor e o inimigo, é esse
malvado Hamã." Então Hamã ficou apavorado perante o
rei e a rainha.
7 E o rei, no seu furor, se levantou do banquete do vinho
e foi para o jardim do palácio; então Hamã se pôs em pé,
para rogar à rainha Ester pela sua vida, porque viu que o
rei já estava determinado pela sua condenação.
8 Quando o rei retornou do jardim do palácio para a casa
do banquete do vinho, Hamã tinha caído prostrado sobre
o assento em que Ester estava. Então o rei disse: "Queria
ele também violentar a rainha perante mim nesta casa?"
Quando essas palavras saíram da boca do rei, cobriram o
rosto de Hamã.
9 Então Harbona, um dos eunucos que serviam o rei, dis-
se: "A força de mais de vinte metros de altura que Hamã
fez para Mardoqueu, que falou em defesa do rei, fica junto
à casa de Hamã." Então o rei disse: "Enforquem-no nela."
10 Assim enforcaram Hamã na força que ele tinha pre-
parado para Mardoqueu. Então o furor do rei se aplacou.

O Decreto em Favor dos Judeus

8 Naquele mesmo dia o rei Assuero deu para a rainha Es-
ter a casa de Hamã, inimigo dos judeus; e Mardoqueu
veio perante o rei, porque Ester revelou quem ele era.
2 E o rei tirou o seu anel, que tinha tomado de Hamã, e
o deu a Mardoqueu. E Ester encarregou Mardoqueu da
casa de Hamã.
3 Ester falou mais perante o rei e, ajoelhada aos seus pés,
chorou e lhe suplicou que revogasse a maldade de Hamã,
o agagita, e o plano que ele tinha arquitetado contra os
judeus.

4 E o rei estendeu o cetro de ouro para Ester. Então Ester se levantou e pôs-se em pé perante o rei,

5 e disse: "Se eu posso contar com o favor do rei, se isto lhe agrada e se este negócio é justo para o rei, que se escreva uma ordem revogando os decretos concebidos por Hamã, filho de Hamedata, o agagita, os quais ele escreveu para aniquilar os judeus, que estão em todas as províncias do rei.

6 Pois como poderei ver o mal que cairá sobre o meu povo? E como poderei ver a destruição da minha geração?"

7 Então o rei Assuero disse à rainha Ester e ao judeu Mardoqueu: "Eis que dei a Ester a casa de Hamã, que foi pendurado em uma forca, porque estendeu as mãos contra os judeus.

8 Escrevam aos judeus, em nome do rei, como acharem melhor, e selem com o anel do rei; porque os decretos feitos em nome do rei e selados com o anel do rei não podem ser revogados."

9 Então foram chamados os escrivães do rei no vigésimo terceiro dia do terceiro mês, que é o mês de Sivã, e escreveram tudo que Mardoqueu ordenou aos judeus, como também aos sátrapas, aos governadores e aos líderes das províncias, que se estendem da Índia até a Etiópia, cento e vinte e sete províncias, para cada província segundo o seu modo de escrever e para cada povo conforme a sua língua; como também aos judeus segundo o seu modo de escrever e conforme a sua língua.

10 E escreveram cartas em nome do rei Assuero, as selaram com o anel do rei e as enviaram pelas mãos de mensageiros montados a cavalo, que cavalgavam sobre ginetes, que eram da cavalaria do rei.

11 Nelas o rei permitia aos judeus de cada cidade que se reunissem e se organizassem para defenderem as suas vidas e para destruírem, matarem e aniquilarem todas as forças que viessem contra eles, contra suas crianças e mulheres, e terem o direito de saquearem os bens dos seus inimigos,

12 num mesmo dia, em todas as províncias do rei Assuero, no dia treze do décimo segundo mês, que é o mês de Adar;

13 e uma cópia da carta foi divulgada como decreto em todas as províncias e publicada entre todos os povos, para que os judeus estivessem preparados para aquele dia, para se vingarem dos seus inimigos.

14 Os mensageiros, sobre cavalos velozes, partiram apressadamente, impelidos pela palavra do rei; e essa ordem foi publicada na fortaleza de Susã.

15 Então Mardoqueu saiu da presença do rei com veste real azul-celeste e branco, com uma grande coroa de ouro e com uma capa de linho fino e púrpura, e a cidade de Susã exultou e se alegrou.

16 E para os judeus houve felicidade, alegria, júbilo e honra.

17 E em toda província e em toda cidade, aonde chegavam a palavra do rei e a sua ordem, havia entre os judeus alegria e júbilo, banquetes e festa; então muitos, dos povos da terra, se tornaram judeus, porque o temor dos judeus tinha caído sobre eles.

Os Judeus Derrotam Seus Inimigos

9 E no dia treze do décimo segundo mês, que é o mês de Adar, mês em que chegaram a palavra do rei e a sua ordem para ser executada, no dia em que os inimigos dos judeus esperavam apoderar-se deles, aconteceu o contrário, porque os judeus foram os que se apoderaram dos que os odiavam.

2 Porque os judeus nas suas cidades, em todas as províncias do rei Assuero, se ajuntaram para pôr as mãos naqueles que procuravam o seu mal e ninguém podia lhes resistir, porque o medo deles caiu sobre todos aqueles povos.

3 E todos os líderes das províncias, os sátrapas, os governadores e os que faziam a obra do rei, auxiliavam os judeus, porque tinha caído sobre eles o temor de Mardoqueu.

4 Porque Mardoqueu era grande na casa do rei e a sua fama crescia por todas as províncias, e o homem Mardoqueu ia sendo engrandecido.

5 Os judeus mataram todos os seus inimigos, a golpes de espada, e com destruição fizeram o que quiseram dos seus inimigos.

6 E na fortaleza de Susã os judeus mataram e destruíram quinhentos homens;

7 mataram também Parsandata, Dalfom, Aspata,

8 Porata, Adalia, Aridata,

9 Farmasta, Arisai, Aridai e Vaizata.

10 Mataram os dez filhos de Hamã, filho de Hamedata, o inimigo dos judeus, porém não estenderam a sua mão ao despojo.

11 No mesmo dia foi comunicado ao rei o número dos mortos na fortaleza de Susã.

12 E o rei disse à rainha Ester: "Na fortaleza de Susã os judeus mataram e destruíram quinhentos homens e os dez filhos de Hamã; e, nas outras províncias do rei, o que fizeram? E, agora, qual é o seu pedido? Peça e lhe será dado. Você tem ainda algum outro desejo? Ele lhe será concedido."

13 Então Ester disse: "Se for do agrado do rei, permita aos judeus de Susã que também façam amanhã de acordo com o decreto de hoje e pendurem numa forca os cadáveres dos dez filhos de Hamã."

14 Então o rei ordenou que assim se fizesse; publicou-se um decreto em Susã, e penduraram na forca os corpos dos dez filhos de Hamã.

15 E os judeus que estavam em Susã se reuniram no dia
quatorze do mês de Adar e mataram trezentos homens;
porém, no despojo, não puseram a mão.
16 Os demais judeus que também viviam nas províncias
do rei se reuniram e se organizaram para defenderem as
suas vidas e se livrarem dos seus inimigos; eles mataram
dos seus inimigos setenta e cinco mil; porém, no despojo,
não puseram a mão.
17 Isso aconteceu no dia treze do mês de Adar e descan-
saram no dia quatorze, fazendo, daquele dia, um dia de
festa e de alegria.
18 Os judeus que também estavam em Susã se reuniram
nos dias treze e quatorze do mesmo mês, e descansaram
no dia quinze; então fizeram daquele dia um dia de festa
e de alegria.
19 Os judeus, porém, das aldeias, que habitavam nas vilas,
fizeram do dia quatorze do mês de Adar dia de alegria e
de festa, dia de folga e de mandarem presentes uns aos
outros.

A Festa de Purim

20 Mardoqueu escreveu essas coisas e enviou cartas a to-
dos os judeus que moravam em todas as províncias do rei
Assuero, aos de perto e aos de longe,
21 ordenando-lhes que guardassem o dia quatorze do mês
de Adar e o dia quinze do mesmo mês, todos os anos,
22 como os dias em que os judeus se livraram dos seus
inimigos, o mês em que tristeza virou alegria e o luto em
dia de festa, e que estes fossem dias de festa e de alegria,
dias de mandarem presentes uns aos outros e dádivas aos
pobres.
23 E assim os judeus adotaram como costume aquela
comemoração conforme Mardoqueu lhes tinha ordenado
por escrito.
24 Porque Hamã, filho de Hamedata, o agagita, inimigo
de todos os judeus, tinha planejado destruir os judeus e
tinha lançado Pur, isto é, a sorte, para os assolar e destruir.
25 Mas, quando isto chegou ao rei, ele deu ordens escritas
para que o plano de Hamã contra os judeus se voltasse so-
bre a sua própria cabeça, para que ele e seus filhos fossem
pendurados em uma forca.
26 Por isso aqueles dias são chamados de Purim, do
nome Pur; e por causa de todas as palavras daquela carta
e do que testemunharam sobre isso, e do que lhes havia
acontecido,
27 os judeus, os seus descendentes e todos os que se tor-
nassem judeus não deixariam de guardar esses dois dias
conforme o que se havia escrito deles, segundo o seu tem-
po determinado, todos os anos.
28 E que esses dias seriam lembrados e guardados em
cada geração, família, província e cidade, que esses dias de
Purim não fossem revogados entre os judeus e que a me-
mória deles nunca teria fim entre os seus descendentes.
29 Então a rainha Ester, filha de Abiail, e Mardoqueu, o
judeu, escreveram com toda autoridade uma segunda vez,
para confirmar a carta de Purim.
30 E mandaram cartas a todos os judeus, às cento e vinte
e sete províncias do reino de Assuero, com palavras de
paz e verdade.
31 Para confirmarem esses dias de Purim nos seus tempos
determinados, como Mardoqueu, o judeu, e a rainha Ester
lhes tinham estabelecido, e como eles mesmos já o tinham
estabelecido sobre si e sobre a sua descendência, acerca do
jejum e do seu clamor.
32 E o decreto de Ester confirmou os regulamentos do
Purim; então registrou-se no livro.

A Ascensão de Mardoqueu

10 Depois disso o rei Assuero impôs tributo sobre a ter-
ra e sobre as ilhas do mar.
2 E todos os atos do seu poder e do seu valor, e o relato
da grandeza de Mardoqueu, a quem o rei exaltou, estão
escritos no livro das crônicas dos reis da Média e da Pérsia.
3 Porque o judeu Mardoqueu foi o segundo na hierarquia
depois do rei Assuero e grande entre os judeus, estima-
do pela multidão de seus irmãos, procurando o bem do
seu povo e proclamando a prosperidade de toda a sua
descendência.

Jó, Um Homem Íntegro

1 Havia um homem na terra de Uz, chamado Jó. Esse
homem era sincero, reto, temente a Deus e desviava-se
do mal.
2 E lhe nasceram sete filhos e três filhas.
3 Ele tinha sete mil ovelhas, três mil camelos, quinhentas
juntas de bois e quinhentas jumentas; também tinha mui-
tíssimos servos a seu serviço; esse homem era maior do
que todos os do Oriente.
4 E seus filhos iam à casa uns dos outros, faziam banque-

tes cada um por sua vez e mandavam convidar as suas três
irmãs para comerem e beberem com eles.
5 Quando terminavam os dias de seus banquetes, Jó os
santificava e se levantava de madrugada para oferecer
holocaustos segundo o número de todos eles; porque Jó
dizia: "Talvez meus filhos tenham pecado e amaldiçoado
a Deus no seu coração." Assim Jó fazia continuamente.

Os Ataques de Satanás

6 E num dia em que os filhos de Deus vieram apresen-
tar-se perante o Senhor, Satanás também veio entre eles.
7 Então o Senhor disse a Satanás: "de onde você vem?" E
Satanás respondeu ao Senhor: "De rodear a terra e passear
por ela."
8 E o Senhor disse a Satanás: "você observou o meu ser-
vo Jó? Porque não há ninguém na terra semelhante a ele,
homem sincero e reto, temente a Deus e que se desvia
do mal."
9 Então Satanás respondeu ao Senhor: "Será que Jó teme
a Deus em vão?
10 Por acaso tu não o cercaste de proteção, a sua casa e
tudo quanto ele tem? Abençoaste a obra de suas mãos e o
seu gado tem aumentado na terra.
11 Mas estende a tua mão, lhe toca em tudo quanto ele
tem e verás se não blasfema contra ti na tua face."

Os Infortúnios de Jó

12 E o Senhor disse a Satanás: "tudo quanto ele tem está
na sua mão; somente não estenda a sua mão contra ele." E
Satanás saiu da presença do Senhor.
13 E um dia, seus filhos e suas filhas comiam e bebiam
vinho na casa do irmão primogênito,
14 veio um mensageiro a Jó e lhe disse: "Os bois estavam
arando e as jumentas pastavam junto a eles;
15 de repente os sabeus os atacaram e os levaram, tam-
bém mataram os servos ao fio da espada e só eu escapei
para trazer-lhe a notícia."
16 Enquanto este ainda estava falando, veio outro e disse:
"Caiu fogo de Deus do céu e queimou as suas ovelhas e
os seus servos, e só eu escapei para trazer-lhe a notícia."
17 Enquanto este ainda estava falando, veio outro e disse:
"Os caldeus vieram em três bandos, atacaram os camelos
e os levaram, e mataram os servos ao fio da espada; só eu
escapei para trazer-lhe a notícia."
18 Enquanto este ainda estava falando, veio outro e disse:
"Seus filhos e suas filhas estavam comendo e bebendo
vinho na casa do irmão primogênito,
19 e um grande vento veio do deserto e atingiu os quatro
cantos da casa, ela caiu sobre os jovens, e eles morreram;
só eu escapei para trazer-lhe esta notícia."
20 Então Jó se levantou, rasgou o seu manto, rapou a sua
cabeça, se lançou em terra e adorou.
21 E disse: "Nu saí do ventre de minha mãe e nu tornarei
para lá; o Senhor o deu e o Senhor o tomou: bendito seja
o nome do Senhor."
22 Em tudo isto Jó não pecou, nem atribuiu a Deus falta
alguma.

Satanás Persiste em Afligir Jó

2 E, num outro dia, em que os filhos de Deus vieram
apresentar-se perante o Senhor, Satanás também veio,
entre eles, apresentar-se perante o Senhor.
2 Então o Senhor disse a Satanás: "De onde você vem?" E
Satanás respondeu ao Senhor: "De rodear a terra e passear
por ela."
3 E o Senhor disse a Satanás: "Observou o meu servo Jó?
Porque não há ninguém na terra semelhante a ele, homem
sincero e reto, temente a Deus e que se desvia do mal,
e que ainda retém a sua sinceridade, havendo você me
incitado contra ele, para o arruinar sem motivo."
4 Então Satanás respondeu ao Senhor: "Pele por pele,
tudo quanto um homem tem dará pela sua vida.
5 Mas estende a tua mão, lhe toca nos ossos e na carne, e
verás se não blasfema contra ti na tua face!"
6 E o Senhor disse a Satanás: "Eis que ele está na sua mão;
porém poupe a sua vida."
7 Então Satanás saiu da presença do Senhor e feriu Jó de
uma chaga maligna, desde a sola do pé até a cabeça.
8 E Jó assentou-se no meio da cinza e pegou um pedaço de
telha para raspar as feridas com ela.
9 Então sua mulher lhe disse: "Ainda mantém a sua inte-
gridade? Amaldiçoe a Deus e morra."
10 Porém Jó respondeu: "Você fala como uma doida; re-
cebemos o bem de Deus e não receberíamos o mal?" Em
tudo isto Jó não pecou com os seus lábios.
11 Três amigos de Jó, ouvindo todo esse mal que tinha
vindo sobre ele, vieram cada um do seu lugar: Elifaz, o te-
manita, Bildade, o suíta e Zofar, o naamatita; combinaram
de vir prestar-lhe solidariedade e consolo.
12 E, quando o viram de longe, não o reconheceram; en-
tão, levantaram a sua voz e choraram, rasgaram cada um o
seu manto e lançaram terra sobre as suas próprias cabeças.
13 E sentaram-se com ele na terra, por sete dias e sete
noites; porém, ninguém lhe dizia palavra alguma, porque
viam que a dor era muito grande.

A Lamentação de Jó

3 Depois disto Jó abriu a sua boca e amaldiçoou o dia do
seu nascimento.
2 E Jó disse:
3 "Pereça o dia em que nasci e a noite em que se disse:
'Foi concebido um homem!'
4 Transforme-se aquele dia em trevas; e Deus, lá de cima,
não se importe com ele, nem resplandeça a luz sobre ele.

5 Que as trevas e a sombra da morte o chamem de volta à
escuridão; que uma nuvem habite sobre ele e que a escu-
ridão do dia o espante!
6 Quanto àquela noite, dela se apodere a escuridão; e que
ela não seja incluída entre os dias do ano e nem entre no
número dos meses!
7 Ah! Que aquela noite seja estéril e que nela não se ouça
manifestação de alegria!
8 Amaldiçoem-na aqueles que amaldiçoam o dia, e são
capazes de instigar o Leviatã.
9 Escureçam-se as estrelas do seu crepúsculo; que espere
a luz e não venha; que não veja o despertar da alvorada!
10 Pois não fechou as portas do ventre da minha mãe;
nem escondeu dos meus olhos o sofrimento.
11 Por que eu não morri ao nascer? E, ao sair do ventre,
não expirei?
12 Por que os joelhos me receberam? E seios para que
eu mamasse?
13 Porque agora eu repousaria tranquilo; dormiria e então
haveria para mim descanso.
14 Com os reis e conselheiros da terra, que para si edifi-
cam casas nos lugares hoje assolados,
15 ou com os príncipes que possuíam ouro, que encheram
as suas casas de prata,
16 ou como aborto oculto, eu não existiria; como as crian-
ças que nunca viram a luz.
17 Ali os maus cessam de perturbar e ali repousam os
cansados.
18 Ali os presos juntamente repousam e não ouvem a voz
do feitor.
19 Ali estão o pequeno e o grande, e o servo livre de seu
senhor.
20 Por que se dá luz ao miserável e vida aos de alma
amargurada,
21 que esperam a morte e ela não vem, que cavam em
procura dela mais do que de tesouros ocultos,
22 e que de alegria saltam e exultam, quando acham a
sepultura?
23 Por que se dá luz ao homem, cujo caminho é oculto, e
a quem Deus o encobriu?
24 Pois antes do meu pão vem o meu suspiro; os meus
gemidos se derramam como água.
25 Porque aquilo que temia me sobreveio; o que receava
me aconteceu.
26 Nunca estive descansado, nem sossegui, nem repou-
sei, mas veio sobre mim a perturbação."

Elifaz Repreende a Jó

4 Então Elifaz, o temanita, respondeu:
2 "Se alguém tentar lhe falar, você ficará impaciente?
Mas quem poderia conter as palavras?
3 Você ensinou a muitos e fortaleceu as mãos fracas.
4 As suas palavras firmaram os que tropeçavam e os joe-
lhos fracos você fortaleceu.
5 Mas agora, que se trata de você, perde a paciência e ao
ser atingido fica perturbado.
6 Não é o seu temor de Deus a sua confiança, e a sua
esperança a sinceridade dos seus caminhos?
7 Lembre-se agora: Qual é o inocente que nunca pereceu?
E onde os justos foram destruídos?
8 Segundo eu tenho visto, os que lavram iniquidade e se-
meiam o mal colhem o mesmo.
9 Perecem com o hálito de Deus; com o sopro da sua ira
se consomem.
10 O rugido do leão, e a voz do leão feroz cessam, e os
dentes dos leõezinhos se quebram.
11 O leão velho morre, porque não tem presa e os filhos
da leoa andam dispersos.
12 Uma palavra me foi trazida em segredo e os meus ou-
vidos perceberam um sussurro dela.
13 Entre pensamentos vindos de visões da noite, quando
cai sobre os homens o sono profundo,
14 sobrevieram-me o espanto e o tremor, e todos os meus
ossos estremeceram.
15 Então um espírito passou por diante de mim; fez arre-
piarem os cabelos do meu corpo.
16 Ele parou, porém não o conheci; um vulto estava dian-
te dos meus olhos; houve silêncio e ouvi uma voz que
dizia:
17 'Pode o homem ser mais justo do que Deus? Seria o
homem mais puro do que o seu Criador?
18 Eis que Deus não confia nos seus servos e aos seus
anjos atribui loucura;
19 quanto menos àqueles que habitam em casas de bar-
ro, cujo fundamento está no pó e são esmagados como
a traça!
20 Desde a manhã até à tarde são despedaçados; eterna-
mente perecem sem que disso se faça caso.
21 Porventura não passa com eles a sua excelência? Mor-
rem, mas sem sabedoria.'

As Exortações de Elifaz

5 Chame agora; há alguém que lhe responda? E para qual
dos santos se voltará?
2 Porque a ira destrói o louco e o zelo mata o tolo.
3 Eu vi o louco lançar raízes, porém, logo amaldiçoei a
sua habitação.
4 Seus filhos estão longe da salvação e são despedaçados
nos tribunais, não havendo quem os livre.
5 A sua colheita, o faminto a devora, e até dentre os espi-
nhos a tira; e o sedento suga os seus bens.

6 Porque a aflição não brota do pó, e o sofrimento não
brota do chão.
7 Mas o homem nasce para as dificuldades, como as faís-
cas das brasas que se levantam para voar.
8 Porém eu buscaria a Deus e a ele entregaria a minha
causa.
9 Ele faz coisas tão grandiosas, que não se podem nume-
rar; maravilhas que se não podem contar.
10 Ele dá a chuva sobre a terra e envia águas sobre os
campos.
11 Põe os abatidos num lugar alto; e os enlutados num
lugar seguro.
12 Deus aniquila os planos dos astutos, para que não pos-
sam realizar coisa alguma.
13 Ele apanha os sábios na própria astúcia deles e o conse-
lho dos perversos não prospera.
14 De dia eles encontram as trevas e ao meio-dia andam
tateando como se fosse noite.
15 Porém, Deus livra os necessitados da espada que tra-
zem na boca e da mão dos poderosos.
16 Assim há esperança para os pobres e a iniquidade tapa
a sua própria boca.
17 Bem-aventurado é o homem a quem Deus castiga; não
desprezem o castigo do Todo-Poderoso.
18 Porque ele faz a ferida e ele mesmo a cura; ele fere e
as suas mãos curam.
19 De seis angústias ele o livrará; e na sétima o mal não
o tocará.
20 Na fome ele livrará você da morte; na guerra, da vio-
lência da espada.
21 Do açoite da língua estará protegido e não temerá a
destruição, quando ela vier.
22 Da destruição e da fome dará risadas e dos animais da
terra você não terá medo.
23 Porque até com as pedras do campo fará a sua aliança e
os animais selvagens serão pacíficos com você.
24 E saberá que a sua tenda está em paz; visitará a sua
casa, e não achará falta de nada.
25 Também saberá que a sua descendência se multiplicará
e a sua posteridade será como a erva da terra,
26 na velhice irá à sepultura, como se recolhe o feixe de
trigo a seu tempo.
27 Verificamos isso e vimos que é verdade; ouça e medite
nisso para seu bem."

Jó Responde a Elifaz

6 Então Jó respondeu:
2 "Oh! Se a minha mágoa pudesse ser pesada, e contra
ela se pusesse numa balança a minha miséria,
3 esta seria mais pesada do que a areia dos mares; por isso
é que as minhas palavras me afogam.
4 Porque as flechas do Todo-Poderoso estão em mim e o
ardente veneno delas sugam o meu espírito; os terrores de
Deus se armam contra mim.
5 O jumento montês zurra quando está junto à relva? Ou
o boi berra junto ao seu pasto?
6 Ou se come sem sal o que é insípido? Ou haverá sabor
na clara do ovo?
7 A minha alma recusa tocá-los, pois são para mim como
comida repugnante.
8 Quem dera que se cumprisse o meu pedido e que Deus
me desse o que desejo!
9 E se Deus quisesse esmagar-me, que soltasse a sua mão
e acabasse comigo!
10 Isto ainda seria a minha consolação e me livraria do
meu tormento; porque não tenho negado as palavras do
Santo.
11 Qual é a minha força, para que eu espere? Ou qual é o
meu fim, para que prolongue a minha vida?
12 A minha força é a força da pedra? Ou é de bronze a
minha carne?
13 Não está em mim a minha ajuda? A minha sabedoria
foi levada para longe de mim?
14 Ao aflito, o amigo deve mostrar compaixão, mesmo ao
que deixou o temor do Todo-Poderoso.
15 Meus irmãos me enganaram como um ribeiro, como a
torrente dos ribeiros que transbordam,
16 encobertos com a geada e neles se esconde a neve,
17 que no tempo do calor se derrete e desaparece do seu
lugar.
18 As caravanas se perdem procurando água, vão ao de-
serto e perecem.
19 As caravanas de Temá procuram água; os mercadores
de Sabá esperam por eles.
20 Foram envergonhados, por terem confiado; então, che-
gando ali, se confundem.
21 Agora são semelhantes a eles; viram o terror e temeram.
22 Por acaso eu pedi que me dessem presentes de seus
bens?
23 Ou que me livrassem das mãos do opressor? Ou que
me resgatassem das mãos dos tiranos?
24 Ensinem-me, e eu me calarei; façam-me entender em
que errei.
25 Oh! Quão fortes são as palavras corretas! Mas o que é
que a censura de vocês repreende?
26 Buscarão palavras para me repreenderem, visto que as
razões do desesperado são como vento?
27 Mas seriam capazes de pôr em sorteio o órfão e seriam
capazes de vender um amigo.
28 Agora, olhem para mim e vejam se minto na presença
de vocês.

29 Voltem, lhes peço, e não haja iniquidade; voltem, que
ainda a minha justiça está nisso.
30 Há iniquidade na minha língua? Ou não pode a minha
boca distinguir as coisas perversas?

Jó Prossegue a Sua Fala

7 A vida do ser humano não é uma luta sem fim sobre
a terra, e os seus dias não são como os dias de um
trabalhador?
2 Como o escravo que suspira pela sombra e como o traba-
lhador que espera pelo seu pagamento,
3 assim me deram por herança meses de ilusão; noites de
trabalho me prepararam.
4 Ao deitar-me, então digo: Quando me levantarei? Mas
a noite é comprida e estou farto de me virar na cama até
o amanhecer.
5 O meu corpo está coberto de vermes e de crosta de pó;
a minha pele está rachada e vertendo pus.
6 Os meus dias são mais velozes do que a lançadeira do
tecelão, e acabam-se, sem esperança.
7 Lembra-te, ó Deus, de que a minha vida é como o vento;
os meus olhos não tornarão a ver a felicidade.
8 Os olhos dos que agora me veem não me verão mais; os
teus olhos estarão sobre mim, porém não existirei mais.
9 Assim como a nuvem se desfaz e passa, aquele que desce
à sepultura nunca tornará a subir.
10 Nunca mais tornará para sua casa, o seu antigo lugar
nunca mais o conhecerá.
11 Por isso não reprimirei a minha boca; na angústia
do meu espírito falarei; na amargura da minha alma me
queixarei.
12 Sou eu o mar, ou um monstro marinho, para que me
ponhas sob guarda?
13 Quando digo: A minha cama me consolará; o meu leito
aliviará a minha queixa;
14 então me espantas com sonhos e com visões me
assombras;
15 por isso prefiro ser estrangulado; antes a morte do que
este sofrimento.
16 Abomino a minha vida, não quero viver para sempre;
retira-te de mim; pois os meus dias não têm sentido.
17 Que é o homem, para que tanto o estimes e ponhas
nele o teu coração,
18 e a cada manhã o visites, e a cada momento o ponhas
à prova?
19 Até quando não me deixarás, nem me largarás, até que
engula a minha saliva?
20 Se pequei, que mal te causei, ó Guarda dos homens?
Por que fizeste de mim o teu alvo, tornando-me um peso
para mim mesmo?
21 E por que não perdoas a minha transgressão e não tiras
a minha iniquidade? Pois agora me deitarei no pó, me pro-
curarás e não existirei mais."

Bildade Fala a Jó

8 Então Bildade, o suíta, respondendo, disse:
2 "Até quando falará estas coisas, e até quando as pala-
vras da sua boca serão como um vento impetuoso?
3 Deus perverteria o direito? E o Todo-Poderoso perver-
teria a justiça?
4 Se seus filhos pecaram contra ele, ele os castigou pelo
mal das transgressões deles.
5 Mas, se você buscar a Deus, ao Todo-Poderoso, e pedir
misericórdia;
6 se você for puro e reto, ele logo despertará para ajudá-lo
e restaurará a justiça da sua morada.
7 O seu começo, na verdade, parecerá pequeno, mas o seu
futuro será, porém, extremamente próspero.
8 Pergunte agora às gerações passadas e veja o que seus
pais aprenderam.
9 Porque nós somos de ontem e nada sabemos; pois os
nossos dias sobre a terra são como a sombra.
10 Será que eles não o ensinarão, não lhe falarão, e do seu
coração não tirarão palavras?
11 Cresce o papiro fora do pântano? Ou cresce o junco
sem água?
12 Quando ainda estão verdes, e ainda não foram colhi-
dos, secam antes de qualquer outra erva.
13 Assim são as veredas de todos que se esquecem de
Deus e a esperança dos ímpios perecerá.
14 A sua esperança será frustrada e a sua confiança será
como a teia de aranha.
15 Encosta-se em sua casa, mas ela não resiste; agarra-se a
ela, mas ela não ficará em pé.
16 Ele é como uma planta bem regada ao brilho do sol
espalhando os seus brotos pelo jardim;
17 as suas raízes se entrelaçam em torno de um monte de
pedras, e procura um lugar entre as rochas.
18 Mas, se arrancado do seu lugar, ninguém saberá que
esteve ali.
19 E chega ao fim a alegria do seu caminho, e outras plan-
tas brotam do solo em seu lugar.
20 Eis que Deus não rejeita o íntegro; nem apoia aos
malfeitores;
21 Ele ainda encherá a sua boca de riso e os seus lábios
de alegria.
22 Seus inimigos se vestirão de vergonha e a tenda dos
ímpios não existirá mais."

Jó Fala Sobre a Justiça de Deus

9 Então Jó respondeu:
2 "Na verdade sei que é assim; porque, como o homem
se justificaria para Deus?

3 Se quiser discutir com ele, nem a uma entre mil coisas
lhe poderá responder.
4 Ele é sábio de coração e forte em poder; quem se endu-
receu contra ele e teve paz?
5 Ele é quem remove os montes, sem que saibam, e quem
os transtorna no seu furor.
6 Deus remove a terra do seu lugar e estremece as suas
colunas.
7 Ele fala ao sol e este não sai. Ele apaga as estrelas.
8 O que sozinho estende os céus e anda sobre as ondas
do mar.
9 Ele fez a Ursa, o Órion, o Sete-Estrelo e as constelações
do Sul.
10 Deus faz coisas grandes e maravilhas, que não se po-
dem contar.
11 Ele passa diante de mim e não o vejo; torna a passar,
e não o sinto.
12 Se ele pegar alguma coisa, quem lhe impedirá? Quem
lhe dirá: O que fazes?
13 Deus não revogará a sua ira; debaixo dele se encurvam
os auxiliadores soberbos.
14 Quanto menos eu lhe responderia, ou escolheria diante
dele as minhas palavras!
15 Ainda que eu fosse justo, não lhe responderia; antes, ao
meu Juiz pediria misericórdia.
16 Ainda que o chamasse, e ele me respondesse, nem por
isso eu creria que desse ouvidos à minha voz.
17 Porque me esmaga com uma tempestade e multiplica
as minhas chagas.
18 Nem me permite respirar, e me enche de amarguras.
19 Quanto às forças, ele é o forte; quanto ao juízo, quem
o intimidaria?
20 Se eu me justificar, a minha boca me condenará; se for
íntegro, então ela me declarará culpado.
21 Se for íntegro, não estimo a minha vida; desprezo a
minha vida.
22 A coisa é assim; por isso eu digo que ele consome ao
íntegro e ao ímpio.
23 Quando o açoite mata de repente, então ele zomba do
desespero dos inocentes.
24 A terra está entregue nas mãos dos ímpios e Deus co-
bre o rosto dos juízes; se não é Deus, quem é então?
25 E os meus dias são mais velozes do que um mensagei-
ro; fugiram, e não viram o bem.
26 Passam como navios veleiros; como águia que se lança
sobre a presa.
27 Se eu disser: Eu me esquecerei da minha queixa, mu-
darei o meu rosto e tomarei alento,
28 sofrerei todas as minhas dores, porque sei que não me
terá por inocente.
29 E, sendo eu condenado, por que trabalharei em vão?
30 Ainda que me lave com água de neve e purifique as
minhas mãos com sabão,
31 mesmo assim, me lançarias no lodo e as minhas pró-
prias vestes teriam nojo de mim.
32 Porque ele não é humano, como eu, para que eu lhe
responda e nos enfrentemos em juízo.
33 Não há entre nós árbitro que ponha a mão sobre nós
dois.
34 Que ele tire a sua vara de cima de mim e não me ame-
dronte com o seu terror.
35 Então falarei e não o temerei; porque do contrário este
não seria eu.

Jó Suplica a Deus

10 Estou cansado da minha vida; darei livre curso à
minha queixa, falarei na amargura da minha alma.
2 Pedirei a Deus: Não me condenes; revela-me o que tens
contra mim.
3 Tens prazer em me oprimir e em rejeitar a obra das tuas
mãos, enquanto favoreces o conselho dos ímpios?
4 Tu tens olhos de humano? Tu vês como o homem vê?
5 Os teus dias são como os dias de um humano? Ou os
teus anos são como os anos de um humano,
6 para te informares da minha iniquidade e averiguares o
meu pecado?
7 Tu bem sabes que eu não sou culpado; todavia, ninguém
pode me livrar das tuas mãos.
8 As tuas mãos me fizeram e me formaram completamen-
te; contudo queres me destruir.
9 Lembra-te de que com barro me fizeste e agora me farás
voltar ao pó?
10 Não me derramaste como leite e como queijo não me
coalhaste?
11 De pele e carne me vestiste e de ossos e nervos me
ligaste.
12 Vida e bondade me deste; o teu cuidado guardou o
meu espírito.
13 Porém, estas coisas ocultaste no teu coração; eu agora
sei que este era o teu plano.
14 Se eu pecar, tu me observas, e da minha iniquidade
não me perdoarás.
15 Se for culpado, ai de mim! E se for justo, não levantarei
a minha cabeça; estou envergonhado e olho para a minha
miséria,
16 se ergo a cabeça, tu me caças como um leão feroz, e de
novo manifestas o teu poder contra mim.
17 Renovas contra mim as tuas testemunhas e multiplicas
contra mim a tua ira; teus exércitos me atacam sem parar.
18 Por que me tiraste do ventre? Eu preferia ter morrido e
ninguém teria me visto!

19 Então eu teria sido como alguém que nunca existiu e
do ventre teria sido levado à sepultura!
20 Os meus dias estão se acabando. Afasta-te e deixa-me
em paz, para que por um pouco de tempo eu me console.
21 Antes que eu vá para o lugar de que não voltarei, para
a terra da escuridão e da sombra da morte;
22 terra de trevas, como a própria escuridão, terra da som-
bra da morte e sem ordem alguma, onde a luz é como a
escuridão."

Zofar Repreende Jó

11 Então Zofar, o naamatita, respondeu e disse:
2 "Não se dará resposta a todas essas palavras? E o
homem que as falou será que tem razão?
3 Os homens se calarão com suas mentiras? E você zom-
bará sem que ninguém o envergonhe?
4 Pois você diz: 'A minha doutrina é pura e sou limpo aos
olhos de Deus.'
5 Mas, na verdade, quem dera que Deus falasse e abrisse
os seus lábios contra você!
6 E o fizesse conhecer os segredos da sabedoria, que são
complexos; Deus exige de você menos do que o seu pe-
cado merece.
7 Você entenderá os caminhos de Deus, ou chegará à per-
feição do Todo-Poderoso?
8 A sabedoria de Deus é como as alturas dos céus; o que
você poderá fazer? Ela é mais profunda do que o inferno,
o que você poderá saber?
9 Sua medida é mais comprida do que a terra e mais larga
do que o mar.
10 Se Deus prender e levar alguém a juízo, quem o
impedirá?
11 Porque Deus conhece os homens que não prestam, e,
vendo o pecado, não fará caso?
12 Mas o homem tolo é carente de entendimento; sim, o
homem nasce como a cria do jumento montês.
13 Se você preparar o seu coração, estender as suas mãos
para Deus,
14 se você lançar para longe a iniquidade que há nas suas
mãos, e não deixar a injustiça habitar na sua tenda,
15 então você levantará o seu rosto sem mácula; estará
firme e não temerá.
16 Porque você esquecerá os seus sofrimentos e se lem-
brará deles como águas passadas.
17 E a sua vida ficará mais clara do que o meio-dia; ainda
que venham trevas, será como a manhã.
18 E você terá confiança, porque haverá esperança; olhará
em volta e dormirá seguro.
19 Você se deitará e ninguém o espantará; muitos supli-
carão o seu favor.
20 Porém os olhos dos ímpios desfalecerão e não encon-
trarão refúgio; a esperança deles será o suspiro da morte.

Jó Responde a Zofar

12 Então Jó respondeu:
2 "Na verdade, vocês são o povo, e com vocês mor-
rerá a sabedoria.
3 Também, como vocês, eu tenho um coração e não sou
inferior; quem não sabe de coisas como essas?
4 Eu sou motivo de riso para os meus amigos; eu invocava
a Deus, e ele me respondia; o justo e o reto são motivo
de zombaria.
5 Quem está bem, despreza a desgraça; empurram aquele
que já está tropeçando.
6 Os assoladores têm descanso em suas tendas e os que
provocam a Deus estão seguros; o deus deles é a sua pró-
pria força.
7 Mas, pergunte agora aos animais e cada um deles lhe
ensinará; pergunte às aves dos céus e elas lhe ensinarão;
8 ou fale com a terra e ela lhe ensinará; até os peixes do
mar lhe ensinarão.
9 Quem não entende, por todas estas coisas, que a mão
do Senhor fez isto?
10 Em cuja mão está a vida de toda criatura, e o fôlego de
toda a humanidade.
11 Por acaso o ouvido não avalia as palavras, como o pala-
dar prova as comidas?
12 A sabedoria está com os idosos, e com longevidade
vem entendimento.
13 Com Deus estão a sabedoria e a força; o conselho e o
entendimento.
14 O que ele derruba não se reedificará; quem ele aprisio-
na não se pode soltar.
15 Se ele retém as águas, predomina a seca; se as solta,
elas destroem a terra.
16 A força e a sabedoria estão com ele; tanto o enganado
como o enganador a ele pertencem.
17 Ele dispensa os conselheiros, e faz os juízes de tolos.
18 Solta as amarras postas pelos reis, e amarra um cinto
à sua cintura.
19 Afasta os sacerdotes de seu cargo e transtorna os
poderosos.
20 Dos conselheiros tira a fala, e tira o entendimento dos
anciãos.
21 Derrama desprezo sobre os príncipes e afrouxa o cinto
dos fortes.
22 Das profundezas das trevas descobre coisas profundas
e traz à luz a sombra da morte.
23 Multiplica as nações e as faz perecerem; dispersa as
nações e de novo as reconduz.

24 Tira o entendimento dos chefes dos povos da terra e os faz vagarem pelos pelo deserto sem caminho.
25 Nas trevas andam tateando, sem terem luz, ele os faz cambalearem como bêbados.

Jó Continua a Sua Defesa

13 Eis que os meus olhos viram tudo isto, e os meus ouvidos o ouviram e entenderam.
2 O que vocês sabem, eu também sei; não sou inferior a vocês.
3 Mas eu falarei ao Todo-Poderoso, e quero defender-me perante Deus.
4 Vocês, porém, contam mentiras, são médicos que não valem nada.
5 Quem dera que vocês ficassem calados, isso mostraria a sabedoria de vocês.
6 Ouçam agora a minha defesa, e escutem os argumentos dos meus lábios.
7 Por Deus falarão perversidade e por ele falarão mentiras?
8 Ou serão parciais em favor dele? Argumentarão por Deus?
9 Seria bom, se ele os examinasse? Ou zombariam dele, como zombam das pessoas?
10 Ele certamente os repreenderá, se em oculto forem parciais.
11 A grandeza dele não espantará vocês, e não cairá sobre vocês o terror dele?
12 As suas memórias são como a cinza; as suas defesas são como defesas de barro.
13 Calem-se perante mim, deixem-me falar, que venha sobre mim o que vier.
14 Por que razão eu tomarei a minha carne nos meus dentes, e porei a minha vida nas minhas mãos?
15 Ainda que ele me mate, ele ainda é a minha esperança; contudo, os meus caminhos defenderei diante dele.
16 Também isto será a minha salvação; porém o ímpio não virá perante ele.
17 Ouçam com atenção as minhas palavras e a minha declaração.
18 Já tenho preparada a minha defesa, e sei que serei justificado.
19 Quem é o que discutirá isso comigo? Se eu me calasse agora, morreria.
20 Deus, faz para mim duas coisas somente; então não me esconderei de ti:
21 Desvia a tua mão para longe de mim, e não me assustes com o teu terror.
22 Chama-me, e eu responderei; ou deixa-me falar, e tu responderás.
23 Quantas culpas e pecados eu tenho? Mostra-me a minha transgressão e o meu pecado.
24 Por que escondes o teu rosto, e me consideras como teu inimigo?
25 Perseguirás a folha levada pelo vento? E perseguirás a palha seca?
26 Por que escreves contra mim coisas amargas e me fazes herdar as culpas da minha mocidade?
27 Acorrentas os meus pés e observas todos os meus caminhos, pondo limites aos meus passos.
28 Eu me consumo, entretanto, como uma coisa podre, como o vestido roído pela traça.

A Brevidade da Vida Humana

14 O humano, nascido da mulher, vive pouco tempo e está cheio de inquietação.
2 Nasce como a flor e murcha; foge como a sombra e não permanece.
3 E sobre ele abres os teus olhos e me fazes entrar em juízo contigo?
4 Quem poderá tirar coisa pura daquilo que é impuro? Ninguém.
5 Visto que os dias do ser humano estão determinados, com Deus está o número dos seus meses; tu lhe puseste limites, e não viverá além deles.
6 Desvia dele o teu olhar, para que tenha repouso, até que, como o trabalhador, tenha prazer no seu dia.
7 Porque há esperança para a árvore que, se for cortada, ainda se renovará, e não cessarão os seus renovos.
8 Se a sua raiz envelhecer na terra, e o seu tronco morrer no chão,
9 ao cheiro das águas brotará e dará ramos como uma planta nova.
10 Porém, quando o ser humano morre, morto permanece; saindo dele o espírito, então onde ele está?
11 Como as águas se retiram do mar, e o rio se esgota e fica seco,
12 assim o homem se deita, e não se levanta; enquanto existirem os céus, não acordará nem despertará de seu sono.
13 Quem dera me escondesses na sepultura até que a tua ira passasse; quem dera desses um prazo e depois te lembrasses de mim!
14 Quando alguém morre, será que volta a viver? Todos os dias do meu combate esperaria, até que viesse a minha mudança.
15 Tu me chamarias e eu responderia, então terias carinho pela obra de tuas mãos.
16 Mas agora contas os meus passos e não levarias em conta os meus pecados.
17 A minha transgressão está selada num saco e terias encoberto as minhas iniquidades.

18 Assim como vão se desfazendo as montanhas e as ro-
chas são removidas dos seus lugares,
19 como as águas gastam as pedras, as cheias apagam o
pó da terra, assim tu fazes perecer a esperança do homem,
20 tu prevaleces para sempre sobre ele, e ele se vai; tu
mudas o seu rosto, e o despedes.
21 Os seus filhos recebem honra, sem que ele saiba; ou
são humilhados, e ele não percebe:
22 Ele somente sente as dores no corpo e chora por si
mesmo."

Elifaz Fala Outra Vez

15 Então Elifaz, o temanita, respondeu:
2 "Será que um sábio daria respostas vazias? E será
que encheria o seu estômago com vento?
3 Argumentaria com palavras que de nada servem, e com
razões das quais nada se aproveita?
4 E você tem feito vão o temor, e diminui as orações a
Deus.
5 Porque a sua boca declara a sua iniquidade e você esco-
lhe a linguagem dos astutos.
6 A sua boca o condena, e não eu, e os seus lábios testifi-
cam contra você.
7 Por acaso você é o primeiro homem que nasceu? Ou foi
gerado antes dos montes?
8 Ou ouviu os segredos de Deus e somente a você perten-
ce a sabedoria?
9 O que você sabe, que nós não saibamos? O que entende,
que nós não entendemos?
10 Também há entre nós homens idosos, muito mais ido-
sos do que seu pai.
11 Porventura as consolações de Deus lhe são pequenas?
Ou você esconde alguma coisa?
12 Por que você se deixa levar pelo seu coração e por que
esse brilho nos seus olhos?
13 Para o seu espírito virar contra Deus e deixar sair tais
palavras da sua boca?
14 Como o homem pode ser puro? E como pode ser justo
quem nasce da mulher?
15 Deus não confia nos seus santos e nem os céus são
puros aos seus olhos.
16 Quanto mais abominável e corrupto é o homem que
bebe a iniquidade como a água.
17 Escute-me e lhe mostrarei o que tenho visto:
18 O que os sábios anunciaram, ouvindo de seus pais, e
não esconderam;
19 Aos quais foi dada a terra, e nenhum estranho passou
por entre eles,
20 todos os dias o ímpio é atormentado, como também o
tirano, nos poucos anos que vivem.
21 O som dos horrores está nos seus ouvidos; até na paz
lhe sobrevém o assolador.
22 Não crê que possa escapar das trevas, mas espada o
espera.
23 Anda vagando em busca de pão, dizendo: 'Onde está?'
Bem sabe que o dia das trevas já lhe está preparado.
24 A angústia e a tribulação o assombram; prevalecem
contra ele, como o rei preparado para a batalha;
25 Porque estendeu a sua mão contra Deus e contra o
Todo-Poderoso se embraveceu.
26 Arremete contra ele com a dura cerviz e com os pontos
grossos dos seus escudos.
27 porque o seu rosto ficou coberto de gordura, e criou
gordura também nos quadris.
28 E habitou em cidades assoladas, em casas em que nin-
guém morava, que estavam a ponto de virarem ruínas.
29 Por isso não enriquecerá, nem subsistirá a sua riqueza,
nem os seus bens se estenderão pela terra.
30 Não escapará das trevas; a chama do fogo secará os
seus ramos, e o sopro da sua boca desaparecerá.
31 Não confie na vaidade, enganando a si mesmo, porque
a vaidade será a sua recompensa.
32 Antes do seu dia ela se consumará; e o seu ramo não
reverdecerá.
33 E se sacudirá como as videiras que perdem suas uvas
verdes, e deixará cair a sua flor como a oliveira,
34 porque a companhia dos ímpios se fará estéril, e o fogo
consumirá as tendas do suborno.
35 Concebem o mal, dão à luz a iniquidade e o seu ventre
prepara enganos.

Jó Acusa Seus Amigos

16 Então Jó respondeu:
2 "Tenho ouvido muitas coisas como estas; todos
vocês são consoladores molestos.
3 Por acaso não terão fim essas palavras vazias? Ou o que
o irrita, para responder assim?
4 Eu também poderia falar como vocês falam; se vocês
estivessem em meu lugar, eu falaria muitas coisas contra
vocês e balançaria a minha cabeça contra vocês.
5 Antes fortaleceria vocês com as minhas palavras e a con-
solação dos meus lábios abrandaria a dor de vocês.
6 Se eu falar, a minha dor não cessa, mas, calando-me,
qual é o meu alívio?
7 Na verdade, ó Deus, tu tens me cansado; tu assolaste
toda a minha família.
8 Testemunha disto é que me deixaste enrugado, e a
minha magreza já se levanta contra mim e no meu rosto
testifica contra mim.
9 A tua ira me despedaçou e me perseguiu, rangeu os

dentes contra mim, e o meu adversário aguçou os olhos
contra mim.
10 Homens abrem a boca contra mim; com desprezo me
esbofetearam e contra mim se ajuntam todos.
11 Deus me entrega ao perverso, e nas mãos dos ímpios
me faz cair.
12 Eu estava tranquilo, porém ele me esmagou; pegou-me
pelo pescoço e me despedaçou; também me fez o seu alvo.
13 Os seus flecheiros me cercam; atravessa-me os rins e
não me perdoa; o meu fel derrama sobre a terra,
14 Fere-me com golpes e mais golpes; avança contra mim
como um guerreiro.
15 Costurei sobre a minha pele uma roupa feita de pano
de saco e cobri a minha cabeça com pó.
16 O meu rosto está todo descorado de tanto chorar, e
sobre as minhas pálpebras está a sombra da morte:
17 Apesar de não haver violência nas minhas mãos e de
ser pura a minha oração.
18 Ó Terra, não cubra o meu sangue e não haja lugar para
ocultar o meu clamor!
19 Agora a minha testemunha está no céu, e o meu fiador,
nas alturas.
20 Os meus amigos zombam de mim; os meus olhos se
desfazem em lágrimas diante de Deus.
21 Ah! Se alguém pudesse falar com Deus por mim, como
um homem que defende o seu amigo!
22 Porque, em poucos anos, eu seguirei o caminho por
onde não voltarei.

Continuação da Fala de Jó

17 O meu espírito vai se consumindo, os meus dias vão
se apagando, e só tenho perante mim a sepultura.
2 Estou cercado de zombadores, e os meus olhos passam
a noite chorando pelas minhas amarguras.
3 Promete agora, e dá-me um fiador para contigo; quem
mais me estenderia a mão?
4 Porque fechaste os corações deles para o entendimento,
por isso não os exaltarás.
5 Quem, lisonjeando, trai os amigos por dinheiro, os olhos
de seus filhos desfalecerão.
6 Porém Deus me pôs por um provérbio dos povos, de
modo que já sou uma abominação perante o rosto de cada
um.
7 Os meus olhos se escureceram de mágoa e todos os
meus membros são como a sombra.
8 Os retos ficarão admirados com isto, e o inocente se
levantará contra os ímpios.
9 E o justo seguirá o seu caminho firmemente, e o puro de
mãos se torna cada vez mais forte.
10 Mas, na verdade, voltem todos vocês e venham aqui;
porque não acharei nenhum sábio entre vocês.
11 Os meus dias passaram e fracassaram os meus planos,
as aspirações do meu coração.
12 Trocaram a noite pelo dia; a luz está perto do fim, por
causa das trevas.
13 Se eu esperar, a sepultura será a minha casa; nas trevas
estenderei a minha cama.
14 Direi à sepultura: Você é o meu pai; e aos vermes: Vo-
cês são a minha mãe e minha irmã.
15 Onde estaria agora a minha esperança? Sim, a minha
esperança, quem a poderá ver?
16 Ela descerá comigo à sepultura e haverá descanso no
pó.

Bildade Fala Outra Vez

18 Então Bildade, o suíta, disse:
2 "Quando você parará de falar? Considere bem e
então falaremos.
3 Por que somos tratados como animais e como imundos
aos seus olhos?
4 Você, que despedaça a sua alma na sua ira, a terra será
assolada por sua causa? E se removerão as rochas do seu
lugar?
5 Na verdade, a luz do ímpio se apagará e a faísca do seu
fogo não resplandecerá.
6 A luz se escurecerá nas suas tendas e a sua lâmpada
sobre ele se apagará.
7 Os seus passos firmes se estreitarão e o seu próprio con-
selho o derrubará.
8 Porque por seus próprios pés é lançado na rede e andará
sobre suas malhas.
9 A armadilha o apanhará pelo calcanhar e o laço o aperta.
10 Uma corda está escondida debaixo da terra e uma ar-
madilha no seu caminho.
11 Os assombros o espantarão por todos os lados e o farão
correr de um lado para outro, para onde quer que vá.
12 Será faminta a sua calamidade e a desgraça está pronta
ao seu lado.
13 Serão devorados os membros do seu corpo; sim, o pri-
mogênito da morte devorará os seus membros.
14 Ele será arrancado da segurança da sua tenda, e isto o
fará caminhar para o rei dos terrores.
15 Um estranho morará na sua tenda; e espalhará enxofre
sobre a sua habitação.
16 Por baixo secarão as suas raízes e por cima serão cor-
tados os seus ramos.
17 A sua memória desaparecerá da terra e pelas praças
não terá nome.
18 Da luz o lançarão nas trevas e o afugentarão do mundo.
19 Não terá filho nem neto entre o seu povo, e nenhum
descendente dele ficará nas suas moradas.

20 Os do Ocidente se espantarão do seu estado, e os do
Oriente ficarão tomados de horror.
21 Tais são, na verdade, as moradas do ímpio, e este é o
lugar daquele que não conhece Deus.”

Jó Responde a Bildade

19 Então Jó respondeu:
2 “Até quando entristecerão a minha alma e me es-
magarão com palavras?
3 Já dez vezes me envergonharam; vocês não têm vergo-
nha, vocês endureceram contra mim.
4 Embora eu tenha errado, comigo ficará o meu erro.
5 Se querem se engrandecer contra mim, e me acusar pela
minha vergonha,
6 saibam agora que Deus é quem fez isso comigo, e com
a sua rede me cercou.
7 Eis que clamo: Violência! Porém não sou ouvido. Grito:
Socorro! Porém não há justiça.
8 O meu caminho ele entrincheirou, já não posso passar e
nas minhas veredas pôs trevas.
9 Da minha honra me despojou, e tirou a coroa da minha
cabeça.
10 Quebrou-me de todos os lados e eu me vou; arrancou a
minha esperança, como se arranca uma árvore.
11 E fez inflamar contra mim a sua ira, e me considerou
como inimigo.
12 Juntas vieram as suas tropas e prepararam contra mim
o seu caminho, e acamparam ao redor da minha tenda.
13 Levou os meus irmãos para longe de mim, e os que me
conhecem me estranharam.
14 Os meus parentes me deixaram e os meus conhecidos
se esqueceram de mim.
15 Os meus hóspedes e as minhas servas me consideram
como um estranho, e virei um estranho aos seus olhos.
16 Chamei o meu criado e ele não me respondeu; cheguei
a suplicar-lhe com a minha própria boca.
17 O meu hálito se fez nojento à minha mulher; e até os
meus irmãos têm repugnância de mim.
18 Até as crianças me desprezam, e, quando me levanto,
falam contra mim.
19 Todos os meus amigos me abominam, e até os que eu
amava se viraram contra mim.
20 Os meus ossos se apegaram à minha pele e à minha
carne, e escapei só com a pele dos meus dentes.
21 Compadeçam-se de mim, amigos meus, compadeçam-
-se de mim, porque a mão de Deus me tocou.
22 Por que vocês me perseguem assim como Deus me
persegue, e da minha carne não se fartam?
23 Quem me dera, agora, que as minhas palavras fossem
escritas! Quem me dera, fossem gravadas num livro!
24 E que, com pena de ferro, e com chumbo, para sempre
fossem esculpidas na rocha.
25 Porque eu sei que o meu Redentor vive e que por fim
se levantará sobre a terra.
26 E depois de consumida a minha pele, contudo, ainda
em minha carne verei Deus;
27 eu o verei, por mim mesmo; os meus olhos o verão,
e não outros o contemplarão; por isto o meu coração se
consome no meu peito.
28 Na verdade, deveriam dizer: ‘Por que o perseguimos?’
Pois a raiz da acusação se acha em mim.
29 Peguem vocês mesmos a espada; porque a fúria traz os
castigos da espada, para saberem que há um juízo.

Zofar Fala Outra Vez

20 Então Zofar, o naamatita, respondeu:
2 “Por isso é que os meus pensamentos me fazem
responder, eu me apresso.
3 Eu ouvi a repreensão, que me envergonha, mas o espíri-
to do meu entendimento responderá por mim.
4 Por acaso você não sabe que desde todos os tempos,
desde que o homem foi posto sobre a terra,
5 o júbilo dos ímpios é breve, e a alegria dos hipócritas
momentânea?
6 Ainda que a sua altivez suba até ao céu, e a sua cabeça
chegue até às nuvens.
7 Contudo, como o seu próprio esterco, perecerá para
sempre; e os que o viam dirão: ‘Onde está?’
8 Como um sonho voará e não será achado, e será afugen-
tado como uma visão da noite.
9 O olho, que já o viu, jamais o verá, nem o seu lugar o
verá mais.
10 Os seus filhos procurarão agradar aos pobres e as suas
mãos restituirão os seus bens.
11 Os seus ossos estão cheios do vigor da sua mocidade,
mas este se deitará com ele no pó.
12 Ainda que o mal lhe seja doce na boca, e ele o esconda
debaixo da sua língua,
13 e o guarde, e não o deixe, antes o retenha no seu
paladar,
14 contudo a sua comida se mudará nas suas entranhas;
veneno de cobra será no seu interior.
15 Engoliu riquezas, porém as vomitará; do seu ventre
Deus as lançará.
16 Sugou veneno de cobra; a língua da víbora o matará.
17 Não verá as correntes, os rios e os ribeiros de mel e
manteiga.
18 Restituirá o fruto do seu trabalho e não o engolirá;
conforme o poder de sua mudança e não saltará de gozo.
19 Porque oprimiu e desamparou os pobres, e roubou a
casa que não edificou.

20 Porque não sentiu sossego no seu ventre, da sua tão
desejada fazenda coisa nenhuma reterá.
21 Nada lhe sobrará para comer; por isso as suas riquezas
não durarão.
22 Sendo plena a sua riqueza, estará angustiado; toda a
força da miséria virá sobre ele.
23 Porém, para que possa encher a sua barriga, Deus man-
dará sobre ele o ardor da sua ira, que fará chover sobre ele
quando for comer.
24 Ainda que fuja das armas de ferro, o arco de aço o
atravessará.
25 A flecha que o atravessou sairá do seu corpo, brilhando
com a bílis do seu fígado e o medo tomará conta dele.
26 Toda a escuridão se reservará para os seus tesouros;
um fogo não assoprado o consumirá e devorará o que ficar
na sua tenda.
27 Os céus manifestarão a sua iniquidade e a terra se le-
vantará contra ele.
28 As riquezas de sua casa serão transportadas; no dia da
ira de Deus todas se derramarão como águas.
29 Esta, da parte de Deus, é a porção do homem ímpio;
esta é a herança que Deus lhe decretou.

Jó Responde a Zofar

21 Então Jó respondeu:
2 "Ouçam atentamente as minhas razões; e isto me
sirva de consolação.
3 Tenham paciência e eu falarei; então, havendo eu falado,
poderão zombar.
4 Será que é de algum homem que eu me queixo? Porém,
ainda que fosse, por que não deveria eu estar impaciente?
5 Olhem para mim, pasmem e ponham a mão sobre a
boca.
6 Porque, quando me lembro disto, me perturbo, e a mi-
nha carne se arrepia de horror.
7 Por que razão vivem os ímpios, envelhecem e ainda se
tornam mais poderosos?
8 Os seus filhos se estabelecem na sua presença, e os seus
descendentes diante dos seus olhos.
9 As suas casas têm paz, sem temor, e a vara de Deus não
está sobre eles.
10 Os seus touros geram e não falham; as suas vacas dão
cria e não abortam.
11 Soltam as suas crianças como a um rebanho, e seus
filhos andam saltando.
12 Cantam ao som do tamboril e da harpa, e alegram-se
ao som da flauta.
13 Na prosperidade passam os seus dias, e em paz descem
à sepultura.
14 E dizem a Deus: 'Retire-se de nós; porque não deseja-
mos ter conhecimento dos seus caminhos.
15 Quem é o Todo-Poderoso, para que o sirvamos? E que
nos dará para que lhe façamos orações?'
16 Vejam que a prosperidade não está nas mãos deles; lon-
ge de mim o conselho dos ímpios!
17 Quantas vezes se apaga a lâmpada dos ímpios e lhes
sobrevém a sua destruição? E Deus na sua ira lhes reparte
dores?
18 Porque são como a palha diante do vento e como os
ciscos levados pelo redemoinho.
19 Deus guarda o seu castigo para os filhos do perverso, e
dá-lhe a punição, para que o conheça.
20 Seus olhos verão a sua ruína e ele beberá do furor do
Todo-Poderoso.
21 Porque, que prazer teria na sua casa, depois de morto,
acabado o número dos seus meses?
22 Porventura a Deus se ensinaria conhecimento, a ele
que julga os excelsos?
23 Um morre na força da sua plenitude, estando todo
quieto e sossegado.
24 Os seus baldes estão cheios de leite e os seus ossos
estão repletos de tutano.
25 E outro, ao contrário, morre na amargura do seu cora-
ção, não havendo provado do bem.
26 Juntamente jazem no pó, e os vermes os consomem.
27 Eis que conheço bem os seus pensamentos, e as más
intenções com que injustamente me fazem violência.
28 Porque perguntam: 'Onde está a casa do príncipe e
onde está a tenda em que moravam os ímpios?'
29 Porventura não perguntam aos que passam pelo cami-
nho, e não conhecem as suas respostas?
30 Que o mal é preservado para o dia da destruição; e
poupado no dia do furor?
31 Quem acusará diante dele o que faz, e quem lhe fará
pagar pelo que fez?
32 Finalmente é levado à sepultura e vigiam-lhe o túmulo.
33 A terra do vale lhe é macia e todos os homens seguirão
o mesmo caminho, sendo que já foram inumeráveis antes
dele.
34 Como querem me consolar com palavras vazias? Pois
nas suas respostas ainda resta a falsidade.

A Terceira Fala de Elifaz

22 Então Elifaz, o temanita, respondeu:
2 "Pode o homem ser de algum proveito a Deus?
Para si mesmo o prudente será proveitoso.
3 Será que o Todo-Poderoso tem prazer em que você seja
justo, ou ele tem algum lucro em que você seja perfeito
em seus caminhos?
4 Ou o repreende, pelo temor que tem por você, ou entra
em juízo contra você?

5 Não é grande a sua maldade, e sem limites as suas
iniquidades?
6 Porque sem motivo exigiu penhores dos seus irmãos e
você os despojava das suas vestes, deixando-os quase sem
nada.
7 Não deu água ao cansado, e reteve o pão do faminto.
8 Mas a terra era para o homem poderoso e para o homem
privilegiado que habitava nela.
9 As viúvas, despediu de mãos vazias, e os braços dos ór-
fãos foram quebrados.
10 Por isso é que está cercado de laços e um pavor repen-
tino o perturba.
11 Está cercado de trevas em que nada consegue ver, e a
abundância de águas o cobre.
12 Porventura Deus não está nas alturas dos céus? Olha
para a altura das estrelas; quão elevadas estão.
13 E você diz: 'O que Deus sabe? Porventura ele julgará
através da escuridão?
14 As nuvens são esconderijo para ele, para que não nos
veja quando passeia pelo circuito dos céus.'
15 Porventura considerou o caminho antigo, que os ho-
mens iníquos pisaram?
16 Eles foram levados antes do seu tempo; um dilúvio se
derramou sobre o seu alicerce.
17 Diziam a Deus: 'Retira-te de nós. O que é que o Todo-
-Poderoso fez por nós?'
18 Sendo ele quem encheu de bens as suas casas; mas o
conselho dos ímpios esteja longe de mim.
19 Os justos o viram e se alegraram, e o inocente zomba
deles.
20 Porque nossos inimigos foram destruídos e o fogo con-
sumiu o que restou deles.
21 Acostume-se, pois, com Deus, e tenha paz; assim, lhe
sobrevirá o bem.
22 Aceite a lei da sua boca e ponha as palavras dele no
seu coração.
23 Se você se converter ao Todo-Poderoso, será edificado;
se afastar a iniquidade da sua tenda,
24 então, amontoará ouro como pó e o ouro de Ofir, como
as pedras dos ribeiros.
25 E até o Todo-Poderoso será o seu ouro e a sua prata
amontoada.
26 Porque então se deleitará no Todo-Poderoso e levanta-
rá o seu rosto para Deus.
27 Orará e ele o ouvirá, e pagará os seus votos.
28 Se você planejar algum negócio, e for firme, a luz bri-
lhará em seus caminhos.
29 Quando pessoas forem abatidas, então você dirá: 'Haja
exaltação!' E Deus salvará o humilde.
30 E livrará até quem não é inocente; porque será liberta-
do pela pureza de suas mãos.

A Terceira Resposta de Jó a Elifaz

23 Então Jó respondeu:
2 "Ainda hoje falarei com amargura; a violência da
minha praga mais se agrava do que o meu gemido.
3 Ah, se eu soubesse onde o poderia achar! Então me che-
garia ao seu tribunal.
4 Exporia diante dele a minha causa, e a minha boca se
encheria de argumentos.
5 Saberia as palavras com que ele me responderia e enten-
deria o que me dissesse.

Jó Confia na Misericórdia Divina

6 Por causa da grandeza de seu poder, será que discutiria
comigo? Não: ele, antes, cuidaria de mim.
7 Ali o homem reto pleitearia com ele e eu me livraria para
sempre do meu Juiz.
8 Se me adianto, ali ele não está; se volto para trás, não
o percebo.
9 Se age à minha esquerda, não o vejo; se está à minha
direita, não o enxergo.
10 Porém ele sabe o meu caminho; se ele me provar, sairei
como o ouro.
11 Nas suas pisadas os meus pés se afirmaram; guardei o
seu caminho e não me desviei dele.
12 Do preceito de seus lábios nunca me apartei, e as pa-
lavras da sua boca guardei mais do que a minha porção.
13 Mas, se ele está contra alguém, quem então o desviará?
O que ele quiser, ele fará.
14 Porque cumprirá o que está ordenado a meu respeito, e
muitas coisas como estas ainda tem planejado.
15 Por isso me perturbo perante ele, e, quando penso nis-
to, tenho medo dele.
16 Porque Deus mortificou o meu coração, e o Todo-Po-
deroso me perturbou.
17 Porque não fui silenciado por causa das trevas, e nem
encobriu o meu rosto com a escuridão.

A Aparente Impunidade do Ímpio

24 Porque o Todo-Poderoso não estabelece uma data
para o julgamento; por que os que o conhecem não
veem estes dias?
2 Há os que até os marcos removem; roubam os rebanhos
e os apascentam.
3 Do órfão levam o jumento; tomam em penhor o boi
da viúva.
4 Desviam do caminho os necessitados e os miseráveis da
terra juntos se escondem deles.
5 Eis que, como jumentos monteses no deserto, saem de
madrugada para roubar; a campina dá mantimento a eles
e aos seus filhos.

6 No campo colhem o seu pasto e apanham a uva alheia.
7 Fazem o nu passar a noite sem roupa, não tendo ele
coberta contra o frio.
8 Pelas chuvas das montanhas são molhados e, não tendo
refúgio, abraçam-se com as rochas.
9 Os orfãozinhos arrancam dos peitos e penhoram o que
o pobre possui.
10 Fazem com que os pobres andem nus sem roupa e dos
famintos tiram as espigas.
11 Dentro das suas paredes espremem o azeite; pisam as
uvas nos lagares, e ainda têm sede.
12 Desde as cidades gemem os homens que estão mor-
rendo, e a alma dos feridos clama, e, contudo, Deus não
considera isso loucura.
13 Eles estão entre os que se opõem à luz; não conhecem
os seus caminhos e não permanecem nas suas veredas.
14 O assassino se levanta de madrugada, mata o pobre e o
necessitado, e, de noite, se torna ladrão.
15 Assim como o olho do adúltero aguarda o crepúsculo,
dizendo: 'Ninguém me verá'; e oculta o rosto.
16 Nas trevas invadem as casas, que durante o dia marca-
ram; não conhecem a luz.
17 Porque a manhã para todos eles é como sombra de
morte; pois, sendo conhecidos, sentem os pavores da som-
bra da morte.
18 Fogem rapidamente como as correntes de águas; mal-
dita é a sua porção de terra; não andarão pelo caminho
das vinhas.
19 A secura e o calor desfazem as águas da neve; assim se
desfará a sepultura dos que pecaram.
20 A mãe se esquecerá deles, os vermes os comerão gosto-
samente; nunca mais haverá lembrança deles e a iniquida-
de se quebrará como uma árvore.
21 Aflige à estéril que não dá à luz, e à viúva não faz o
bem:
22 Até os poderosos Deus arrasta com a sua força; se ele
se levanta, não há vida segura.
23 Se Deus lhes dá descanso, nisso se apoiam; os olhos de
Deus, porém, estão nos caminhos deles.
24 Por um pouco de tempo, são exaltados, mas logo desa-
parecem; são abatidos, encerrados como todos os demais;
e cortados como as espigas de cereal.
25 Se agora não é assim, quem me desmentirá e desfará
as minhas palavras?"

Bildade Fala Pela Terceira Vez

25 Então Bildade, o suíta, respondeu:
2 "Deus tem o domínio e temor; ele faz paz nas
suas alturas.
3 Seria possível contar os seus exércitos? E sobre quem
não se levanta a sua luz?
4 Como seria justo o homem para Deus, e como seria puro
aquele que nasce de mulher?
5 Se até a lua não é brilhante, e as estrelas não são puras
aos seus olhos.
6 Quanto menos o homem, que é um verme, e o filho do
homem, que é um bicho!"

A Terceira Resposta de Jó a Bildade

26 Jó, porém, respondeu:
2 "Como ajudou aquele que não tinha força e sus-
tentou o braço que não tinha vigor?
3 Como aconselhou aquele que não tinha sabedoria e ple-
namente fez saber a causa, assim como era?
4 A quem proferiu palavras, e de quem é o espírito que
saiu de você?
5 Os mortos tremem debaixo das águas, com os seus
moradores.
6 O inferno está nu perante ele, e não há coberta para a
perdição.
7 O Norte ele estende sobre o vazio; e suspende a terra
sobre o nada.
8 Prende as águas em densas nuvens, e a nuvem não se
rasga debaixo delas.
9 Encobre a face do seu trono e sobre ele estende a sua
nuvem.
10 Marcou um limite sobre a superfície das águas em re-
dor, até aos confins da luz e das trevas.
11 As colunas do céu tremem e se espantam diante da
sua ameaça.
12 Com a sua força fende o mar e com o seu entendimen-
to abate a soberba.
13 Pelo seu Espírito ornou os céus; a sua mão feriu a ser-
pente veloz.
14 Isto são apenas as beiradas dos seus caminhos, e quão
pouco temos ouvido dele! Quem entenderia o trovão do
seu poder?"

Jó Sustenta Sua Inocência

27 E prosseguindo Jó em seu discurso, disse:
2 "Vive Deus, que desviou a minha causa, o Todo-
-Poderoso, que amargurou a minha alma,
3 que, enquanto eu tiver vida, e o sopro de Deus nas mi-
nhas narinas,
4 os meus lábios não falarão iniquidade, nem a minha lín-
gua pronunciará engano.
5 Longe de mim que eu os justifique; até que eu morra,
nunca apartarei de mim a minha integridade.
6 À minha justiça me apegarei, e não a largarei; o meu
coração não me atormentará em toda a minha vida.
7 Que o meu inimigo seja como o ímpio, e como o perver-
so que se levantar contra mim.

8 Porque qual será a esperança do ímpio, quando é elimi-
nado, quando Deus lhe tirar a vida?
9 Será que Deus ouvirá o seu clamor, quando lhe sobrevier
a tribulação?
10 Ele se deleitará no Todo-Poderoso, ou invocará a Deus
a todo o momento?
11 Eu lhes ensinarei a respeito do poder de Deus, e não
lhes ocultarei os caminhos do Todo-Poderoso.
12 Sei que todos vocês já viram isto, por que permanecem
nesses devaneios tolos?
13 Esta é a porção do homem ímpio para com Deus, e a
herança que os tiranos receberão do Todo-Poderoso.
14 Se os seus filhos se multiplicarem, será para a espada, e
a sua prole não se fartará de pão.
15 Os que ficarem dele na morte serão enterrados, e as
suas viúvas não chorarão.
16 Se amontoar prata como pó e acumular roupas como
lodo,
17 o que ele acumular, porém o justo as vestirá e o inocen-
te repartirá a prata.
18 E edificará a sua casa como um casulo de traça, como
a cabana que o guarda faz.
19 Deita-se rico e nunca mais o será; quando abre os seus
olhos, não terá mais nada.
20 Pavores se apoderam dele como águas; de noite o arre-
batará a tempestade.
21 O vento oriental leva-o, e ele se vai; varre-o com ím-
peto do seu lugar.
22 Porque Deus lançará isto sobre ele e não o poupará; irá
fugindo da sua mão.
23 Cada um baterá palmas contra ele e assobiará tirando-o
do seu lugar.

Jó Fala Sobre a Sabedoria

28 Na verdade, há mina de onde se extrai a prata, e
lugar onde se refina o ouro.
2 O ferro tira-se da terra e da pedra se funde o cobre.
3 Os homens põem fim às trevas, e toda a extremidade ele
examina, procurando as pedras na escuridão e na sombra
da morte.
4 Abre um poço de mina longe dos homens, de maneira
que se não pode passar a pé; ficam pendurados longe dos
homens, balançando de um lado para outro.
5 Da terra procede o pão, mas por baixo é revolvida como
que pelo fogo.
6 As suas pedras são o lugar da safira e há pó de ouro.
7 Essa vereda, a ave de rapina a ignora, e os olhos da gra-
lha não a viram.
8 Nunca a pisaram filhos de animais altivos, nem o feroz
leão passou por ela.
9 Estende a sua mão contra o rochedo e revolve os montes
desde as suas raízes.
10 Dos rochedos faz sair rios e o seu olho vê tudo o que
há de precioso.
11 Tapa os rios e nem uma gota de água sai deles, e traz à
luz o que estava escondido.
12 Porém, onde se achará a sabedoria, e onde está o lugar
da inteligência?
13 O homem não conhece o seu valor e nem ela se acha
na terra dos viventes.
14 O abismo diz: 'Não está em mim'; e o mar diz: 'Ela
não está comigo.'
15 Não se dará por ela ouro fino, nem se pesará prata em
troca dela.
16 Nem se pode comprar por ouro fino de Ofir, nem pelo
precioso ônix, nem pela safira.
17 Com ela não se pode comparar o ouro nem o cristal;
nem se trocará por joia de ouro fino.
18 Não se fará menção de coral nem de pérolas; porque o
valor da sabedoria é maior que o dos rubis.
19 Não se lhe igualará o topázio da Etiópia, nem se pode
comprar por ouro puro.
20 Mas, de onde vem a sabedoria, e onde está o lugar da
inteligência?
21 Pois está encoberta aos olhos de todo o vivente, e ocul-
ta às aves do céu.
22 A destruição e a morte dizem: 'Ouvimos com os nossos
ouvidos a sua fama.'
23 Deus entende o seu caminho, e ele sabe o seu lugar.
24 Porque ele vê as extremidades da terra; vê tudo o que
há debaixo dos céus.
25 Quando deu peso ao vento e tomou a medida das
águas;
26 quando prescreveu leis para a chuva e caminho para o
relâmpago dos trovões;
27 então ele a viu e relatou; a preparou, e a examinou.
28 Mas disse ao homem: 'Eis que o temor do Senhor é a
sabedoria, e apartar-se do mal é a inteligência.'

Jó Relembra a Sua Vida

29 E Jó prosseguiu no seu discurso, dizendo:
2 "Ah! Quem me dera ser como eu fui nos meses
passados, como nos dias em que Deus me guardava!
3 Quando fazia resplandecer a sua lâmpada sobre a minha
cabeça e quando eu, pela sua, luz caminhava pelas trevas.
4 Como fui nos dias da minha mocidade, quando o segre-
do de Deus estava sobre a minha tenda;
5 quando o Todo-Poderoso ainda estava comigo e os meus
filhos em redor de mim.
6 Quando lavava os meus passos na manteiga e da rocha
me corriam rios de azeite;

7 quando me dirigia à porta que dá para a cidade e na
praça fazia preparar o meu assento.
8 Os moços me viam e me davam passagem; até os idosos
se levantavam e se punham em pé;
9 os príncipes continham as suas palavras e punham a mão
sobre a sua boca;
10 a voz dos chefes se calava, e a sua língua apegava-se
ao seu paladar.
11 O ouvinte que me ouvia, me tinha por bem-aventura-
do; o olho que me via, dava testemunho de mim;
12 porque eu livrava o miserável, que clamava, como tam-
bém o órfão que não tinha quem o socorresse.
13 A bênção do que ia perecendo vinha sobre mim e eu
fazia que rejubilasse o coração da viúva.
14 Vestia-me da justiça e ela me servia de vestimenta;
como manto e coroa era a minha justiça.
15 Eu era os olhos do cego, e os pés do aleijado.
16 Dos necessitados eu era pai, e as causas, de que eu não
tinha conhecimento, inquiria com diligência.
17 E quebrava os queixos do perverso e dos seus dentes
tirava a presa.
18 E dizia: No meu ninho morrerei e multiplicarei os
meus dias como a areia.
19 A minha raiz se estendia junto às águas, e o orvalho
fazia assento sobre os meus ramos;
20 a minha honra se renovava em mim, e o meu arco se
reforçava na minha mão.
21 Ouviam-me, esperavam e em silêncio atendiam ao
meu conselho.
22 Havendo eu falado, não replicavam, e minhas razões
destilavam sobre eles;
23 porque me esperavam, como à chuva; abriam a sua
boca, como à chuva tardia.
24 Se eu ria para eles, nem acreditavam, e a luz do meu
rosto não os abatia;
25 se eu escolhia o seu caminho, assentava-me como che-
fe, e habitava como rei entre as suas tropas; como aquele
que consola os que choram.

A Deplorável Miséria de Jó

30 Agora, porém, riem de mim os de menos idade do
que eu, cujos pais eu não queria nem para o lado
dos cães do meu rebanho.
2 De que também me serviria a força das mãos daqueles
cujo vigor se tinha esgotado?
3 De míngua e fome andavam sós, e recolhiam-se para os
lugares secos, tenebrosos, assolados e desertos.
4 Apanhavam malvas junto aos arbustos, e o seu manti-
mento eram as raízes dos zimbros.
5 Do meio dos homens eram expulsos e gritavam contra
eles, como contra o ladrão;
6 para habitarem nos barrancos dos vales, e nas cavernas
da terra e das rochas.
7 Bramavam entre os arbustos, e ajuntavam-se debaixo
das urtigas.
8 Eram filhos de doidos, e filhos de gente sem nome, e da
terra foram expulsos.
9 Agora, porém, sou a sua canção, e lhes sirvo de
provérbio.
10 Abominam-me, fogem para longe de mim e no meu
rosto não se privam de cuspir.
11 Porque Deus desatou a sua corda e me oprimiu, por
isso sacudiram de si o freio perante o meu rosto.
12 À minha direita se levantam os moços; empurram os
meus pés, e preparam contra mim os seus caminhos de
destruição.
13 Desbaratam-me o caminho; promovem a minha misé-
ria; contra eles não há ajudador.
14 Vêm contra mim como por uma grande brecha e revol-
vem-se entre a assolação.
15 Sobrevieram-me pavores; como vento perseguem a
minha honra e como nuvem passou a minha felicidade.
16 E agora se derrama em mim a minha alma; os dias da
aflição se apoderaram de mim.
17 De noite se me traspassam os meus ossos e os meus
nervos não descansam.
18 Pela grandeza do meu mal está desfigurada a minha
veste, que, como a gola da minha túnica, me cinge.
19 Deus lançou-me na lama e fiquei semelhante ao pó
e à cinza.
20 Clamo a ti, porém, tu não me respondes; estou em pé,
porém, para mim não atentas.
21 Tornaste-te cruel contra mim; com a força da tua mão
resistes violentamente.
22 Levantas-me sobre o vento, me fazes cavalgar sobre ele
e derretes-me o ser.
23 Porque eu sei que me levarás à morte e à casa determi-
nada a todos os viventes.
24 Porém não estenderá a mão para o túmulo, mesmo se
houver clamor neles contra mim na sua destruição.
25 Por acaso, não chorei sobre aquele que estava aflito, ou
não se angustiou a minha alma pelo necessitado?
26 Quando eu aguardava o bem, então me veio o mal,
quando eu esperava a luz, veio a escuridão.
27 As minhas entranhas fervem e não estão quietas; os
dias da aflição me surpreendem.
28 Ando escurecido, porém não do sol; levanto-me na
congregação, e clamo por socorro.
29 Tornei-me irmão dos chacais e companheiro dos
avestruzes.

30 A minha pele escureceu sobre mim e os meus ossos
estão queimados do calor.
31 A minha harpa se tornou em lamentação e a minha
flauta na voz dos que choram.

Jó Declara-se Íntegro

31 Fiz uma aliança com os meus olhos, de não cobiçar
uma virgem.
2 Que porção eu teria do Deus lá de cima, ou que herança
do Todo-Poderoso haveria para mim desde as alturas?
3 Por acaso não é a perdição para o perverso, o desastre
para os que praticam iniquidade?
4 Ou Deus não vê os meus caminhos e não conta todos
os meus passos?
5 Se andei com vaidade, e se o meu pé se apressou para
o engano,
6 que Deus me pese em uma balança fiel, e Deus saberá
a minha integridade;
7 se os meus passos se desviaram do caminho, se o meu
coração segue os meus olhos e se as minhas mãos se con-
taminaram com alguma coisa,
8 então, o que eu semeie, que outros comam, e seja a
minha descendência arrancada até à raiz.
9 Se o meu coração se deixou seduzir por uma mulher, ou
se eu armei traições à porta do meu próximo,
10 então que a minha mulher moa para outro, e outros se
deitem com ela,
11 porque é uma infâmia, e é delito pertencente aos juízes.
12 Porque é fogo que consome até à perdição e desarraiga-
ria toda a minha renda.
13 Se desprezei o direito do meu servo ou da minha serva,
quando eles reclamavam de mim;
14 então que faria eu quando Deus se levantasse? E, me
perguntando, o que eu lhe responderia?
15 Aquele que me formou no ventre não o fez também a
ele? Ou não é o mesmo Deus que nos formou do mesmo
modo no ventre?
16 Se não atendi os desejos do pobre, ou fiz desfalecer os
olhos da viúva,
17 ou se, sozinho, comi o meu bocado e o órfão não co-
meu o dele,
18 porque desde a minha mocidade cresceu comigo como
se eu fosse seu pai, e fui o guia das viúvas desde o ventre
de minha mãe,
19 se vi alguém perecer por falta de roupa e o necessitado
por não ter coberta,
20 se o seu coração não me abençoou, se ele não se
aquentava com as peles dos meus cordeiros,
21 se eu levantei a minha mão contra o órfão, porque na
minha porta pedia a minha ajuda,
22 então que o meu braço se desloque do meu ombro e
que o osso se quebre.
23 Porque o castigo de Deus era para mim um assombro,
e eu não podia suportar a sua grandeza.
24 Se no ouro pus a minha esperança, ou disse ao ouro
fino: Tu és a minha confiança;
25 se me alegrei porque era muita a minha riqueza e por-
que a minha mão tinha alcançado muito;
26 se olhei para o sol, quando resplandecia, ou para a lua,
caminhando gloriosa,
27 e o meu coração se deixou enganar em oculto, jogan-
do-lhes beijos com a minha mão,
28 também isto seria delito pertencente ao juiz; pois assim
negaria a Deus que está lá em cima.
29 Se me alegrei da desgraça de quem me odeia, e se exul-
tei quando o mal o atingiu,
30 também não deixei pecar a minha boca, desejando a
sua morte com maldição;
31 se as pessoas da minha tenda não disseram: 'Ah! Ha-
verá alguém que nunca comeu e se fartou da sua carne?'
32 O estrangeiro não passava a noite na rua, as minhas
portas se abriam aos viajantes.
33 Se, como homem, encobri as minhas transgressões,
ocultando o pecado no meu coração,
34 porque eu temia a grande multidão, e o desprezo das
famílias me apavorava, e se me calei e não saí da minha
porta.
35 Ah! Quem me dera que tivesse um que me ouvisse; eis
que o meu desejo é que o Todo-Poderoso me responda, e
que o meu adversário escreva um livro.
36 Por certo que o levaria sobre o meu ombro, sobre mim
o amarraria como se fosse uma coroa.
37 O número dos meus passos lhe mostraria; como prínci-
pe me chegaria a ele.
38 Se a minha terra clamar contra mim e se os seus sulcos
juntamente chorarem,
39 se comi os seus frutos sem dinheiro e sufoquei a alma
dos seus donos,
40 por trigo me produza espinhos, e por cevada joio." Aca-
baram-se as palavras de Jó.

Eliú Repreende Jó e Seus Três Amigos

32 Então aqueles três homens pararam de responder a
Jó; porque era justo aos seus próprios olhos.
2 E acendeu-se a ira de Eliú, filho de Baraquel, o buzita,
da família de Rão; contra Jó se acendeu a sua ira, porque se
justificava a si mesmo, mais do que a Deus.
3 Também a sua ira se acendeu contra os seus três amigos,
porque, mesmo não achando o que responder, todavia
condenavam Jó.

4 Eliú, porém, esperou para falar a Jó, porque os outros
eram mais velhos do que ele.
5 Eliú, vendo que já não havia resposta na boca daqueles
três homens, a sua ira se acendeu.
6 E Eliú, filho de Baraquel, o buzita, disse: "Eu sou mais
novo que vocês, e vocês são idosos; tive receio e medo de
declarar a minha opinião.
7 Eu pensei: Que falem os mais velhos, e a multidão dos
anos ensine a sabedoria.
8 Na verdade, há um espírito no homem, e a inspiração do
Todo-Poderoso o faz entender.
9 Os grandes não são os sábios, nem os velhos entendem
o que é direito.
10 Assim digo: Ouçam-me e eu darei a minha opinião.
11 Esperei vocês falarem e ouvi as suas considerações,
enquanto buscavam palavras.
12 Ouvindo com atenção vocês, eis que nenhum de vocês
conseguiu convencer Jó, nem conseguiu responder aos
seus argumentos;
13 Para que não digam: 'Achamos a sabedoria; Deus o
derrubou e não algum homem.'
14 Ora, ele não dirigiu contra mim palavra alguma, nem
lhe responderei com as suas palavras.
15 Estão pasmados, os três já não respondem mais, faltam-
-lhes as palavras.
16 Esperei, mas não falam; porque já pararam e não res-
pondem mais.
17 Também eu responderei pela minha parte; também eu
declararei a minha opinião.
18 Porque estou cheio de palavras e o meu espírito me
impulsiona a falar.
19 Eis que o meu coração é como o vinho novo, prestes a
arrebentar os odres novos sem respiradouro.
20 Eu falarei, para poder me sentir aliviado; abrirei os
meus lábios, e responderei.
21 Que eu não faça distinção das pessoas, nem use de
palavras lisonjeiras com ninguém.
22 Porque não sei bajular; em breve me levaria o meu
Criador.

Eliú Pretende Ensinar Jó

33 Assim, na verdade, ó Jó, ouça as minhas razões e dê
ouvidos a todas as minhas palavras.
2 Eis que já abri a minha boca e estou com as palavras na
ponta da língua.
3 As minhas razões sairão da integridade do meu coração;
e da pureza dos meus lábios.
4 O Espírito de Deus me fez; a inspiração do Todo-Pode-
roso me deu vida.
5 Se puder, responda-me, ponha em ordem as suas razões
diante de mim e apresente.
6 Eis que sou de Deus, como você; do barro também eu
fui tirado.
7 Eis que não o perturbará o meu terror, nem será pesada
sobre você a minha mão.
8 Na verdade você falou aos meus ouvidos; eu ouvi a voz
das suas palavras, dizendo:
9 Estou limpo, sem transgressão; sou puro e não tenho
culpa.
10 Eis que Deus procura pretexto contra mim e me consi-
dera como seu inimigo.
11 Põe no tronco os meus pés e observa todos os meus
caminhos.
12 Nisto lhe respondo: Não foi justo; porque maior é Deus
do que o homem.
13 Por que razão você discute com ele? É porque ele não
responde sobre todos os seus feitos?
14 Deus fala uma e duas vezes; porém ninguém atenta
para isso.
15 Em sonho ou em visão noturna, quando o homem cai
em sono profundo e adormece na cama,
16 então Deus revela aos ouvidos dos homens e lhes passa
a sua instrução,
17 para afastar o homem daquilo que faz, e livrar do ho-
mem a soberba.
18 Para desviar a sua alma da cova e a sua vida de passar
pela espada.
19 Também na sua cama é castigado com dores; com in-
cessante conflito nos seus ossos;
20 de modo que a sua vida abomina até o pão, e a sua
alma a comida apetitosa.
21 A sua carne desaparece à vista dos olhos, e os seus
ossos, que não se viam, agora aparecem.
22 E a sua alma vai se aproximando da cova, e a sua vida
dos que trazem a morte.
23 Se com ele, pois, houver um mensageiro, um intér-
prete, um entre milhares, para declarar ao homem a sua
retidão,
24 então Deus terá misericórdia dele e lhe dirá: "Livra-o,
para que não desça à cova; já achei resgate para ele."
25 Sua carne se rejuvenescerá mais do que era na sua mo-
cidade e retornará aos dias da sua juventude.
26 Ele orará a Deus, que se agradará dele e verá a sua face
com júbilo, e restituirá ao homem a sua justiça.
27 Olhará para os homens, e se algum disser: 'Pequei, per-
verti o direito, o que de nada me aproveitou.
28 Porém Deus livrou a minha alma de ir para a cova e a
minha vida verá a luz.'
29 Eis que tudo isto é obra de Deus, duas e três vezes para
com o homem,

30 para desviar a sua alma da perdição e o iluminar com
a luz dos viventes.
31 Escute, pois, ó Jó, ouça-me; cale-se e eu falarei.
32 Se tem alguma coisa para dizer, diga; porque desejo
lhe dar razão.
33 Se você não me escuta; cale-se e eu lhe ensinarei a
sabedoria."

Eliú Acusa Jó de Falar Injustamente Contra Deus

34 Eliú disse mais:
2 "Ouçam, vocês, sábios, as minhas razões; vocês,
entendidos, inclinem os seus ouvidos para mim.
3 Porque o ouvido prova as palavras, como o paladar ex-
perimenta a comida.
4 O que é direito escolhamos para nós; e conheçamos en-
tre nós o que é bom.
5 Porque Jó disse: 'Sou justo e Deus tirou o meu direito.
6 No meu direito sou considerado mentiroso; dolorosa é a
minha flechada sem transgressão.'
7 Que homem há como Jó, que bebe a zombaria como
água?
8 E caminha em companhia dos que praticam a iniquidade
e anda com homens ímpios?
9 Porque disse: 'De nada aproveita ao homem ter o seu
prazer em Deus.'
10 Portanto vocês, homens de entendimento, escutem-
-me: Longe de Deus esteja o praticar a maldade e do Todo-
-Poderoso o cometer a perversidade!
11 Porque, segundo a obra do homem, ele lhe paga; e faz
a cada um segundo o seu caminho.
12 Também, na verdade, Deus não pratica o mal; nem o
Todo-Poderoso perverte o direito.
13 Quem lhe entregou o governo da terra? E quem fez
todo o mundo?
14 Se ele pusesse o seu coração contra o homem e reco-
lhesse para si o seu espírito e o seu fôlego,
15 toda a carne juntamente morreria e o homem voltaria
para o pó.
16 Se há em você entendimento, ouça isto e incline os
seus ouvidos ao som da minha palavra.
17 Porventura quem odeia o direito se firmaria? E você
condenaria aquele que é justo e poderoso?
18 Alguém chamaria um rei de perverso, ou aos príncipes
de ímpios?
19 Quanto menos àquele que não faz distinção das pes-
soas de príncipes, nem estima o rico mais do que o pobre;
porque todos são obras de suas mãos.
20 Eles de repente morrem; e até à meia noite os povos
são perturbados, e passam, e os poderosos serão tomados
sem intervenção de mãos humanas.
21 Porque os olhos de Deus estão sobre os caminhos de
cada um, e ele vê todos os seus passos.
22 Não há trevas nem sombra de morte onde se escondam
os que praticam a iniquidade.
23 Porque Deus não sobrecarrega o homem mais do que
é justo, para o fazer ir a juízo diante dele.
24 Quebranta aos fortes, sem que se possa questionar, e
põe outros em seu lugar.
25 Ele conhece as suas obras; de noite os transtorna, e
são esmagados.
26 Ele os castiga como se fossem ímpios, à vista dos
espectadores;
27 porque se desviaram dele e não compreenderam ne-
nhum de seus caminhos,
28 para fazer que o clamor do pobre subisse até ele, para
que ouvisse o clamor dos aflitos.
29 Se ele ficar quieto, quem, então, o inquietará? Se en-
cobrir o rosto, quem, então, o poderá contemplar, seja um
povo, seja um homem só?
30 Para que o homem ímpio nunca mais reine, e não haja
laços no povo.
31 Na verdade, quem a Deus disse: 'Suportei castigo, não
pecarei mais;
32 ensine-me o que não vejo; se fiz alguma maldade, nun-
ca mais farei?'
33 Virá de você como há de ser a recompensa, para que
você a rejeite? Faça você, e não eu, a escolha; fale logo o
que sabe.
34 Os homens que têm entendimento, e os homens sábios
que me ouvirem, dirão comigo:
35 Jó falou sem conhecimento; às suas palavras falta
prudência.
36 Meu pai! Meu desejo é que Jó seja provado, seja Jó até
o fim, pelas suas respostas próprias de homens malignos.
37 Porque ao seu pecado acrescenta a transgressão; entre
nós bate palmas e multiplica contra Deus as suas palavras."

Deus Não Pode Ser Afetado Pelo Mal Nem Pelo Bem

35 Eliú disse mais:
2 "Você acha que tem por direito dizer: Maior é a
minha justiça do que a de Deus?
3 Porque você disse: 'De que me serviria a justiça? Que
vantagem eu teria se não pecar?'
4 Eu darei a resposta a você e aos seus amigos.
5 Olhe para o céu e veja; contemple as mais altas nuvens,
que são mais altas do que você.
6 Se pecar, que mal efetuar contra ele? Se as suas trans-
gressões se multiplicarem, no que isso o afetará?
7 Se for justo, o que isso lhe dará, ou o que ele receberá
de sua mão?

8 A sua impiedade só pode fazer mal aos homens e a sua
justiça só aproveitaria ao filho do homem.
9 Por causa das muitas opressões os homens clamam, por
causa do braço dos grandes.
10 Porém ninguém diz: 'Onde está Deus que me criou,
que dá salmos durante a noite;
11 que nos ensina mais do que aos animais da terra e nos
faz mais sábios do que as aves dos céus?'
12 Clamam, porém ele não responde, por causa da arro-
gância dos maus.
13 É certo que Deus não ouvirá a vaidade, nem atentará
para ela o Todo-Poderoso.
14 E quanto ao que disse que o não verá, juízo há perante
ele; por isso espere nele.
15 Mas agora, porque a sua ira ainda não se exerce, nem
grandemente considera a arrogância,
16 Jó em vão abre a sua boca, e sem conhecimento mul-
tiplica palavras."

Eliú Justifica a Deus

36 Eliú prosseguiu dizendo:
2 "Espere-me um pouco e mostrarei que ainda há
razões a favor de Deus.
3 De longe trarei o meu conhecimento; ao meu Criador
atribuirei a justiça.
4 Porque, na verdade, as minhas palavras não serão falsas;
com você está um que tem perfeito conhecimento.
5 Deus é muito grande, e não despreza ninguém; grande
é em força e sabedoria.
6 Ele não preserva a vida do ímpio e faz justiça aos aflitos.
7 Deus não tira os seus olhos do justo; antes estão com
os reis no trono; ali os assenta para sempre, e assim são
exaltados.
8 E, se estão presos com correntes, amarrados com cordas
de aflição,
9 então ele lhes faz saber as suas obras, e as suas transgres-
sões, porque prevaleceram nelas.
10 E revela isso aos seus ouvidos, para seu ensino, e para
dizer a eles que se convertam da maldade.
11 Se o ouvirem, e o servirem, acabarão os seus dias em
bem e os seus anos em delícias.
12 Porém, se não o ouvirem, à espada serão passados, e
morrerão sem conhecimento.
13 E os hipócritas de coração amontoam para si a ira; e,
amarrando-os ele, não clamam por socorro.
14 A sua alma morre na mocidade e a sua vida perece
entre os sodomitas.
15 O aflito, livra da sua aflição, e, na opressão, se revela
aos seus ouvidos.
16 Assim também o desviará da boca da angústia para um
lugar espaçoso, em que não há aperto, e as iguarias da sua
mesa serão cheias de gordura.
17 Mas você está cheio do juízo do ímpio; o juízo e a
justiça o sustentam.
18 Porque há furor, guarde-se para que não seja atingido
pelo castigo violento, pois nem com algum resgate se li-
vraria dele.
19 Estimaria ele tanto suas riquezas? Não, nem todas as
forças do poder.
20 Não suspire pela noite, em que os povos sejam tirados
do seu lugar.
21 Guarde-se e não decline para a iniquidade; porque es-
colheu isso no lugar da aflição.
22 Eis que Deus é grandioso em seu poder; quem ensina
como ele?
23 Quem lhe prescreveu o seu caminho? Ou, quem lhe
dirá: 'Tu cometeste maldade?'
24 Lembre-se de engrandecer a obra de Deus, que os ho-
mens contemplam.
25 Todos os homens a veem, e o homem a enxerga de
longe.
26 Eis que Deus é grande e nós não o compreendemos, e
o número dos seus anos não se pode calcular.
27 Porque faz miúdas as gotas das águas que, do seu va-
por, derramam a chuva,
28 a qual as nuvens destilam e gotejam sobre o homem
abundantemente.
29 Porventura alguém pode entender as extensões das
nuvens e os barulhos dos trovões na sua tenda?
30 Eis que estende sobre elas a sua luz e encobre as pro-
fundezas do mar.
31 Porque por estas coisas ele julga os povos, e lhes dá
mantimento em abundância.
32 Com as nuvens encobre a luz, e ordena-lhe que não
brilhe quando passa no meio delas.
33 O que nos dá a entender o seu pensamento, como tam-
bém até o gado, pressente o temporal que chega.

Os Grandes Feitos de Deus

37 Diante Disso, o meu coração treme e salta do seu
lugar.
2 Atentamente ouvi o estrondo da sua voz, e o som que
sai da sua boca.
3 Ele o envia por baixo de todos os céus, e a sua luz até
aos confins da terra.
4 Depois disto ruge uma voz; ele troveja com a sua voz
majestosa; e ele não os detém quando a sua voz é ouvida.
5 Com a sua voz troveja Deus maravilhosamente; faz gran-
des coisas, que nós não podemos compreender.
6 Porque ele diz à neve: 'Caia sobre a terra'; como tam-
bém ao aguaceiro e à sua forte chuva.

7 Ele sela as mãos de todos os homens, para que todos
conheçam a sua obra.
8 E as feras entram nos seus esconderijos e ficam nas suas
cavernas.
9 Da recâmara do Sul, sai o vendaval, e do Norte, o frio.
10 Pelo sopro de Deus, se dá a geada, e as largas águas
se congelam.
11 Também carrega de umidade as grossas nuvens, e as
espalha com a sua luz.
12 Então elas, segundo o seu prudente conselho, se espa-
lham em redor, para que façam tudo quanto lhes ordena
sobre a superfície da Terra.
13 Seja por castigo, ou para regar a terra, ou para miseri-
córdia, que as faz virem.
14 Dê ouvidos a isto, Jó; pare, e considere as maravilhas
de Deus.
15 Será que você sabe como Deus opera nelas, e faz res-
plandecer a luz da sua nuvem?
16 Você tem notícia do equilíbrio das grossas nuvens e
das maravilhas daquele que é perfeito nos conhecimentos?
17 Ou de como as suas roupas aquecem, quando o tempo
fica quente quando o vento do sul vem sobre a terra?
18 Ou você estende com ele os céus, que estão firmes
como espelho fundido?
19 Ensine-nos o que devemos dizer a Deus, porque nós
não poderemos fazer a nossa defesa, por causa das trevas.
20 Ou alguém lhe contaria o que eu falei? Alguém lhe dirá
isto? Pois será devorado.
21 E agora não se pode olhar para o sol, que resplande-
ce nas nuvens, quando o vento, tendo passado, o deixa
limpo.
22 O esplendor de ouro vem do Norte; pois em Deus há
uma tremenda majestade.
23 O Todo-Poderoso não podemos alcançar; grande é o
seu poder; porém, em sua retidão e justiça, não oprime
ninguém.
24 Por isso, os homens o temem; ele não respeita os que
se julgam sábios de coração."

Deus Responde a Jó

38 Depois disto, o Senhor respondeu a Jó de um rede-
moinho e disse:
2 "Quem é este que escurece o conselho com palavras
sem conhecimento?
3 Agora cinja a cintura, como homem; lhe perguntarei e
você me responderá.
4 Onde você estava, quando eu fundava a Terra? Faça-me
saber, se tem inteligência.
5 Quem determinou as medidas da Terra, se é que você o
sabe? Ou quem estendeu sobre ela uma linha de medir?
6 Sobre o que estão firmadas as suas bases, ou quem assen-
tou a sua pedra de esquina,
7 quando as estrelas da alva juntas alegremente cantavam
e todos os filhos de Deus jubilavam?
8 Ou quem encerrou o mar com portões, quando ele ir-
rompeu do ventre materno,
9 quando eu lhe pus as nuvens por sua vestimenta e a
escuridão por faixa?
10 Quando fixei os seus limites e lhe pus portas e ferrolhos,
11 e disse: Até aqui virá e não mais adiante, e aqui se
quebrará o orgulho das suas ondas?
12 Ou algum dia deu ordem à madrugada, ou mostrou à
manhã o seu lugar;
13 para que pegasse nas extremidades da Terra, e os ím-
pios fossem sacudidos dela;
14 e se transformasse como o barro sob o selo, e se puses-
sem como vestidos;
15 e dos ímpios é retirada a sua luz, e o braço levantado
se quebra;
16 ou você entrou até às nascentes do mar, ou passou pelo
mais profundo do abismo?
17 Ou lhe revelaram as portas da morte, ou você viu as
portas da sombra da morte?
18 Ou com o seu entendimento sabe as dimensões da Ter-
ra? Responda se sabe tudo isto.
19 Onde está o caminho para a morada da luz? E, quanto
às trevas, onde é o seu lugar;
20 para que as leve ao seu lugar e para que saiba os cami-
nhos da sua casa?
21 Você sabe disso, porque nesse tempo já tinha nascido,
e por ser grande o número dos seus dias!
22 Ou você entrou nos tesouros da neve e viu os tesouros
de saraiva,
23 que eu guardo até o tempo da angústia, até ao dia da
batalha e da guerra?
24 Onde está o caminho em que se reparte a luz, e se
espalha o vento oriental sobre a terra?
25 Quem abriu para a inundação um leito, e um caminho
para os relâmpagos dos trovões,
26 para chover sobre a terra, onde não há ninguém, e no
deserto, em que não há gente;
27 para fartar a terra deserta e assolada e para fazer crescer
os renovos da erva?
28 A chuva porventura tem pai? Ou quem gerou as gotas
do orvalho?
29 De que ventre procedeu o gelo? E quem gerou a geada
do céu?
30 Como debaixo de pedra as águas se endurecem e a
superfície do abismo se congela?

31 Ou poderá você ajuntar as delícias das sete estrelas ou
soltar as cordas do Órion?
32 Ou produzir as constelações a seu tempo e guiar a Ursa
com seus filhos?
33 Você sabe as leis dos céus, ou pode estabelecer o domí-
nio deles sobre a terra?
34 Ou pode levantar a sua voz até às nuvens, para que a
abundância das águas o cubra?
35 Ou mandará nos raios para que saiam e lhe digam:
'Estamos aqui?'
36 Quem pôs a sabedoria no íntimo, ou quem deu à men-
te o entendimento?
37 Quem numerará as nuvens com sabedoria? Ou os
odres dos céus, quem os esvaziará,
38 quando se funde o pó numa massa e se apegam os
torrões uns aos outros?
39 Porventura você caçará presa para a leoa, ou saciará a
fome dos filhos dos leões,
40 quando se agacham nos covis e estão à espreita nas
covas?
41 Quem prepara o alimento para os corvos, quando os
seus filhotes gritam a Deus e andam vagueando, por não
terem o que comer?

Continuação da Resposta de Deus a Jó

39 Você sabe o tempo em que as cabras montesas têm
filhos, ou cuidou das corças quando dão suas crias?
2 Você contará os meses que cumprem, ou sabe o tempo
do seu parto?
3 Quando se encurvam, produzem seus filhos e lançam
de si as suas dores.
4 Seus filhos engordam, crescem com o trigo; saem e nun-
ca mais voltam para elas.
5 Quem libertou o jumento montês, e quem libertou o
jumento bravo,
6 aos quais dei o deserto como casa, e a terra salgada como
morada?
7 Ele ri do ruído da cidade; não ouve os muitos gritos do
coletor.
8 O que descobre nos montes é o seu pasto e anda buscan-
do tudo que está verde.
9 Ou, o búfalo selvagem o servirá e ficará na sua cocheira?
10 Ou com corda amarrará o búfalo, no arado? Ou ele
escavará os vales após você?
11 Ou confiará nele, por ser grande a sua força, ou deixará
a cargo dele o seu trabalho?
12 Ou confiará que ele recolha na sua eira e traga para
casa o que você semeou?
13 Vêm de você as alegres asas dos pavões, ou as penas da
cegonha e da avestruz?
14 Ela deixa os seus ovos na terra, e os aquece na areia,
15 e se esquece de que algum pé os pode esmagar, ou que
os animais do campo os podem pisar.
16 É dura com seus filhos, como se não fossem seus; o seu
trabalho é em vão, mas ela está bem tranquila,
17 porque Deus a privou de sabedoria e não lhe deu
entendimento.
18 Quando se levanta ao alto, ri do cavalo e de quem vai
montado nele.
19 Ou você dará força ao cavalo, ou revestirá o seu pes-
coço com crinas?
20 Ou o faz saltar, como o gafanhoto? Terrível é o fogoso
respirar das suas narinas.
21 Escava a terra e mostra a sua força, e sai ao encontro
dos armados.
22 Ri do medo, não se espanta e não recua por causa da
espada.
23 Contra ele rangem a aljava, o ferro flamante da lança
e do dardo.
24 Agitando-se e movendo-se, revolve a terra e não faz
caso do som da buzina.
25 Na fúria do som das buzinas diz: 'Eia!' E cheira de
longe a guerra, o trovão dos príncipes e o alarido.
26 Ou o gavião voa pela sua inteligência e estende as suas
asas para o sul?
27 Ou é por sua ordem que a águia se eleva e põe no alto
o seu ninho?
28 Nos penhascos ela mora e habita; no cume dos penhas-
cos e nos lugares seguros.
29 Dali descobre a presa; os seus olhos a avistam de longe.
30 E os seus filhos chupam o sangue; e onde há mortos,
ali está ela."

40 O Senhor disse mais a Jó:
2 "Por acaso contender contra o Todo-Poderoso é
sabedoria? Quem argúi assim a Deus, responda por isso."

Jó Se Humilha Perante Deus

3 Então Jó respondeu ao Senhor e disse:
4 "Eis que sou indigno; o que eu te responderia? A minha
mão ponho à boca.
5 Falarei uma vez e não repetirei; ou ainda duas vezes,
porém não prosseguirei."

Deus Fala Outra Vez

6 Então o Senhor respondeu a Jó do meio de um redemoi-
nho, dizendo:
7 "Cinja a cintura como homem; eu lhe perguntarei e
você me explicará.
8 Será que quer anular o meu juízo, ou você me condena-
rá para se justificar?
9 Você tem braço como o de Deus, ou pode trovejar com
a sua voz como ele o faz?

10 Cubra-se de excelência e alteza; vista-se de majestade
e de glória.
11 Derrame os furores da sua ira, olhe para todo soberbo
e abata-o.
12 Olhe para todo soberbo, humilhe-o e atropele os ímpios
no seu lugar.
13 Enterre-os todos juntos no pó; encubra os rostos deles
no túmulo.
14 Então também eu a você confessarei que a sua mão
direita o poderá salvar.
15 Contemple agora o beemote, que eu fiz com você, que
come a erva como o boi.
16 A força dele está nos seus lombos e o seu poder nos
músculos do seu ventre.
17 Quando quer, move a sua cauda como cedro; os nervos
das suas coxas estão entretecidos.
18 Os seus ossos são como tubos de bronze; a sua ossada
é como barras de ferro.
19 Ele é obra-prima dos feitos de Deus; quem o fez o pro-
veu da sua espada.
20 Na verdade os montes lhe produzem pastos, onde to-
dos os animais do campo folgam.
21 Deita-se debaixo das árvores sombrias, no esconderijo
das canas e da lama.
22 As árvores sombrias o cobrem com sua sombra; os sal-
gueiros do ribeiro o cercam.
23 Eis que um rio transborda, e ele não se apressa, con-
fiando ainda que o Jordão se levante até à sua boca.
24 Poderiam porventura caçar à vista de seus olhos, ou
com laços lhe furar o nariz?

Continuação das Palavras de Deus a Jó

41 Poderá você tirar com anzol o leviatã, ou amarrar a
sua língua com uma corda?
2 Pode pôr um cordão no seu nariz ou furar o seu queixo
com um gancho?
3 Por acaso ele fará muitas súplicas para você, ou falará
calmamente?
4 Ele fará um acordo com você, ou tomará você como
escravo para sempre?
5 Brincará com ele, como se fora um passarinho, ou o
prenderá para as suas meninas?
6 Os seus companheiros farão dele um banquete, ou o
repartirão entre os negociantes?
7 Encherá a sua pele de ganchos, ou a sua cabeça com
arpões de pescadores?
8 Ponha a sua mão sobre ele, lembre-se da luta e nunca
mais fará isso.
9 Eis que a sua esperança em apanhá-lo é vã; porventura
ninguém à sua vista será derrubado?
10 Não há ninguém tão atrevido que se atreva a despertá-
-lo; quem, pois, ousa erguer-se diante de mim?
11 Quem primeiro me deu, para que eu tenha de retri-
buir-lhe? Pois o que está debaixo de todos os céus é meu.
12 Não me calarei a respeito dos seus membros, nem da
sua grande força, nem da graça da sua compostura.
13 Quem descobrirá a face da sua roupa? Quem entrará
na sua couraça dupla?
14 Quem abrirá a sua boca? Pois ao redor dos seus dentes
está o terror.
15 As suas fortes escamas são o seu orgulho, cada uma é
fechada como se fosse com selo apertado.
16 Entre uma e outra é tão apertado, que nem o ar passa
entre elas.
17 Umas às outras se ligam; aderem forte entre si, que não
se podem separar.
18 Cada um dos seus espirros faz resplandecer a luz e os
seus olhos são como os raios da alvorada.
19 Da sua boca saem tochas; faíscas de fogo saltam dela.
20 Das suas narinas procede fumaça, como de uma panela
fervente, ou de uma grande caldeira.
21 O seu hálito faz acender os carvões; e da sua boca sai
chama.
22 No seu pescoço reside a força; diante dele até o terror
salta de prazer.
23 Os músculos da sua carne estão colados entre si; cada
um está firme nele e nenhum se move.
24 O seu coração é firme como a pedra inferior do
moinho.
25 Quando ele se levanta, os valentes tremem; em razão
dos seus abalos se purificam.
26 Se alguém lhe tocar com a espada, ela não poderá pe-
netrar, nem lança, dardo ou flecha.
27 Ele considera o ferro como palha e o cobre como pau
podre.
28 As flechas não o farão fugir; as pedras das fundas se
transformam em palha.
29 As pedras atiradas são para ele como arestas e ele ri do
brandir da lança;
30 debaixo ele tem escamas pontiagudas; ele arrasta-se
sobre a lama.
31 As profundezas faz ferver, como uma panela; torna o
mar como uma vasilha de unguento.
32 Após si ele ilumina o caminho; parece o abismo trans-
formado em brancura de cabelos.
33 Na terra não há coisa que se possa comparar com ele,
pois foi feito para nunca ter medo.
34 Ele vê tudo que é alto; é rei sobre todos os filhos da
soberba."

O Arrependimento de Jó

42 Então Jó respondeu ao Senhor:
2 "Bem sei eu que tudo podes, e que nenhum dos
teus propósitos pode ser impedido.
3 Tu questionaste: 'Quem é este, que sem conhecimento
encobre o meu conselho?' Por isso relatei o que não en-
tendia; coisas que para mim eram maravilhosíssimas e que
eu não entendia.
4 'Escuta-me, pois, e eu falarei; eu te perguntarei e tu me
ensinarás.'
5 Conhecia-te somente de ouvir falar, mas agora os meus
olhos te veem.
6 Por isso me abomino e me arrependo no pó e na cinza."

A Restauração de Jó

7 Quando o Senhor acabou de falar a Jó aquelas palavras,
o Senhor disse a Elifaz, o temanita: "A minha ira se acen-
deu contra você e contra os seus dois amigos, porque não
falaram de mim o que era reto, como o meu servo Jó falou.
8 Peguem sete bezerros e sete carneiros, vão ao meu servo
Jó, ofereçam holocaustos por vocês e o meu servo Jó orará
por vocês; e eu aceitarei a oração dele, para que eu não os
trate conforme a sua loucura; porque vocês não falaram de
mim o que era reto como o meu servo Jó falou."
9 Então Elifaz, o temanita, Bildade, o suíta, e Zofar, o
naamatita, foram e fizeram como o Senhor lhes disse; e o
Senhor aceitou a oração de Jó.
10 E o Senhor mudou o cativeiro de Jó, quando ele orava
pelos seus amigos; o Senhor acrescentou, em dobro, tudo
o que Jó antes possuía.
11 Então vieram a ele todos os seus irmãos, todas as suas
irmãs e todos que antes o conheciam e comeram com ele
pão em sua casa, se condoeram dele e o consolaram acerca
de todo o mal que o Senhor lhe havia enviado; e cada um
deles lhe deu dinheiro, e um pendente de ouro.
12 E assim abençoou o Senhor o último estado de Jó, mais
do que o primeiro; pois teve catorze mil ovelhas, seis mil
camelos, mil juntas de bois e mil jumentas.
13 Também teve sete filhos e três filhas.
14 E deu o nome da primeira de Jemima, o nome da se-
gunda Quezia e o nome da terceira Quéren-Hapuque.
15 E em toda a terra não se acharam mulheres tão formo-
sas como as filhas de Jó; e seu pai lhes deu herança entre
seus irmãos.
16 E depois disto, Jó viveu cento e quarenta anos; e viu
seus filhos e os filhos de seus filhos, até à quarta geração.
17 Então Jó morreu, velho e farto de dias.

O LIVRO DOS SALMOS

O Justo e os Ímpios

1 Bem-aventurado o homem que não anda segundo o
conselho dos ímpios, nem se detém no caminho dos
pecadores, nem se assenta na roda dos escarnecedores.
2 Antes tem o seu prazer na lei do Senhor, e na sua lei
medita de dia e de noite.
3 Pois será como a árvore plantada junto ao riacho, que dá
o seu fruto no seu tempo; as suas folhas não cairão, e tudo
o que ele fizer prosperará.
4 Os ímpios não são assim; mas são como a palha que o
vento leva.
5 Por isso os ímpios não subsistirão no juízo, nem os peca-
dores na congregação dos justos.
6 Porque o Senhor conhece o caminho dos justos; porém
o caminho dos ímpios perecerá.

O Reinado do Ungido de Deus

2 Por que as nações se amotinam e os povos imaginam
coisas vãs?
2 Os reis da terra se levantam e os príncipes consultam
juntamente contra o Senhor e contra o seu Ungido,
dizendo:
3 "Romperemos as suas amarras e sacudiremos de nós as
suas cordas."
4 Aquele que habita nos céus dá risada; o Senhor zomba
deles.
5 Então lhes falará na sua ira, e no seu furor os
amedrontará:
6 "Eu, porém, ungi o meu Rei sobre o meu santo monte
de Sião."
7 Eu publicarei o decreto; o Senhor me disse: "Você é
meu Filho, eu hoje gerei você.
8 Peça-me, e eu lhe darei as nações por herança, e as
extremidades da terra por sua possessão.
9 Você os esmigalhará com uma vara de ferro; você os
despedaçará como um vaso de oleiro."
10 Agora, ó reis, sejam prudentes; deixem-se instruir,
juízes da terra.
11 Sirvam o Senhor com temor e alegrem-se com tremor.
12 Beijem o Filho, para que não se ire e pereçam no cami-

nho, quando em breve se acender a sua ira; bem-aventu-
rados todos aqueles que nele confiam.

Confiança na Adversidade

Salmo de Davi, quando fugiu de Absalão, seu filho

3 Senhor, como se têm multiplicado os meus adversá-
rios! São muitos os que se levantam contra mim.
2 Muitos dizem da minha alma: “Não há salvação para
ele em Deus.”
3 Porém tu, Senhor, és um escudo para mim, és a minha
glória, e o que exalta a minha cabeça.
4 Com a minha voz clamei ao Senhor, e ouviu-me lá do
seu santo monte.
5 Eu me deitei e dormi; acordei, porque o Senhor me
amparou.
6 Não temerei os milhares do povo que se puseram contra
mim e me cercam.
7 Levanta-te, Senhor; salva-me, Deus meu; pois feriste a
todos os meus inimigos nos queixos; quebraste os dentes
dos ímpios.
8 A salvação vem do Senhor; sobre o teu povo esteja a
tua bênção.

Confiança na Angústia

Salmo de Davi para o cantor-mor, sobre Neginote

4 Ouve-me quando eu clamo, ó Deus da minha justiça,
na angústia me deste alívio; tem misericórdia de mim
e ouve a minha oração.
2 Filhos dos homens, até quando converterão a minha
glória em infâmia? Até quando amarão a vaidade e bus-
carão a mentira?
3 Saibam que o Senhor separou para si aquele que lhe é
querido; o Senhor ouvirá quando eu clamar por ele.
4 Perturbem-se, mas não pequem; falem com o seu cora-
ção sobre a sua cama e calem-se.
5 Ofereçam sacrifícios de justiça e confiem no Senhor.
6 Muitos dizem: “Quem nos mostrará o bem?” Senhor,
exalta sobre nós a luz do teu rosto.
7 Puseste alegria no meu coração, mais do que no tempo
em que se multiplicam o seu trigo e o seu vinho.
8 Em paz também me deitarei e dormirei, porque só tu,
Senhor, me fazes habitar em segurança.

Proteção Contra os Ímpios

Salmo de Davi para o cantor-mor, sobre Neilote

5 Dá ouvidos às minhas palavras, ó Senhor, atende à mi-
nha meditação.
2 Atende à voz do meu clamor, Rei meu e Deus meu,
pois a ti orarei.
3 Pela manhã ouvirás a minha voz, ó Senhor; pela manhã
me apresentarei a ti e vigiarei.
4 Porque tu não és um Deus que tenha prazer na iniqui-
dade, nem contigo habitará o mal.
5 Os loucos não pararão à tua vista; aborreces a todos os
que praticam a maldade.
6 Destruirás aqueles que falam a mentira; o Senhor abor-
recerá o homem sanguinário e fraudulento.
7 Porém eu entrarei em tua casa pela grandeza da tua
benignidade; em teu temor me inclinarei para o teu santo
templo.
8 Senhor, guia-me na tua justiça, por causa dos meus ini-
migos; endireita diante de mim o teu caminho.
9 Porque não há retidão na boca deles; as suas entranhas
são verdadeiras maldades, a sua garganta é um sepulcro
aberto; lisonjeiam com a sua língua.
10 Declara-os culpados, ó Deus; caiam por seus próprios
planos; lança-os fora por causa da multidão de suas trans-
gressões, pois se rebelaram contra ti.
11 Porém alegrem-se todos os que confiam em ti; exul-
tem eternamente, porque tu os defendes; e em ti se glo-
riem os que amam o teu nome.
12 Pois tu, Senhor, abençoarás o justo; e o cercarás com a
tua benevolência como um escudo.

Davi Recorre à Misericórdia de Deus

*Salmo de Davi para o cantor-mor em Neginote, sobre
Seminite*

6 Senhor, não me repreendas na tua ira, nem me casti-
gues no teu furor.
2 Tem misericórdia de mim, Senhor, porque sou fraco;
sara-me, Senhor, porque os meus ossos estão debilitados.
3 Até a minha alma está perturbada; mas tu, Senhor, até
quando?
4 Volta-te, Senhor, livra a minha alma; salva-me com tua
benignidade.
5 Porque na morte não há lembrança de ti; no sepulcro
quem te louvará?
6 Já estou cansado do meu gemido, toda noite inundo a
minha cama; molho o meu leito com as minhas lágrimas.
7 Os meus olhos já estão consumidos pela mágoa e estão
envelhecidos por causa de todos os meus inimigos.
8 Afastem-se de mim todos os que praticam a iniquidade;
porque o Senhor já ouviu a voz do meu pranto.
9 O Senhor já ouviu a minha súplica; o Senhor aceitará
a minha oração.
10 Envergonhem-se e perturbem-se todos os meus inimi-
gos; voltem atrás e envergonhem-se num instante.

Oração Pedindo Justiça

*Cântico de Davi que cantou ao Senhor, sobre as palavras
de Cuxe, filho de Jemini*

7 Senhor meu Deus, em ti confio; salva-me de todos os
que me perseguem e livra-me;
2 para que eles não arrebatem a minha alma, como leões,
despedaçando-a, sem que haja quem a livre.

3 Senhor meu Deus, se eu fiz isto, se há perversidade nas
minhas mãos,
4 se paguei com o mal àquele que tinha paz comigo, an-
tes, livrei quem me oprimia sem causa,
5 então que o inimigo me persiga e me alcance; pisoteie
a minha vida sobre a terra e reduza à pó a minha glória.
6 Levanta-te, Senhor, na tua ira; exalta-te por causa do fu-
ror dos meus opressores e desperta em meu favor a justiça
que ordenaste.
7 Assim os povos se reunirão ao teu redor; por sobre eles,
reina nas alturas.
8 O Senhor julgará os povos; julga-me, Senhor, conforme
a minha justiça e conforme a integridade que há em mim.
9 Que a maldade dos ímpios tenha já fim; dá segurança
ao justo, pois tu, ó justo Deus, sondas os corações e os
pensamentos.
10 A minha proteção é Deus, que salva os retos de
coração.
11 Deus é um juiz justo, um Deus que ameaça todos os
dias.
12 Se o homem não se converter, Deus amolará a sua
espada; já tem armado o seu arco e está aparelhado.
13 E já para ele preparou armas mortais, e porá em ação as
suas setas inflamadas contra os perseguidores.
14 Eis que o homem gerou perversidade; concebeu malí-
cia e produziu mentiras.
15 Cavou um poço e o fez fundo, e caiu na cova que fez.
16 A sua obra cairá sobre a sua cabeça; a sua violência
descerá sobre o seu juízo.
17 Eu louvarei ao Senhor segundo a sua justiça e cantarei
louvores ao nome do Senhor altíssimo.

Cântico da Noite Estrelada

Salmo de Davi para o cantor-mor, sobre Gitite

8 Ó Senhor, Senhor nosso, quão admirável é o teu nome
em toda a terra, pois puseste a tua glória sobre os céus!
2 Tu ordenaste força da boca das crianças e dos que ma-
mam, por causa dos teus inimigos, para fazer calar o ini-
migo e o vingador.
3 Quando vejo os teus céus, obra dos teus dedos, a lua e
as estrelas que preparaste;
4 o que é o homem mortal para que te lembres dele? E o
filho do homem, para que o visites?
5 Pois pouco menor o fizeste do que os anjos, e de glória
e de honra o coroaste.
6 Fazes com que ele tenha domínio sobre as obras das
tuas mãos; tudo puseste debaixo de seus pés:
7 Todas as ovelhas e bois, assim como os animais do
campo,
8 as aves dos céus, os peixes do mar e tudo o que passa
pelas veredas dos mares.
9 Ó Senhor, Senhor nosso, quão admirável é o teu nome
sobre toda a terra!

Cântico de Ações de Graça

Salmo de Davi para o cantor-mor, sobre Mute-Laben

9 Eu te louvarei, Senhor, com todo o meu coração; can-
tarei todas as tuas maravilhas.
2 Em ti me alegrarei e saltarei de prazer; cantarei louvores
ao teu nome, ó Altíssimo.
3 Porque os meus inimigos retornaram, caíram e perece-
ram diante da tua face.
4 Pois tu tens sustentado o meu direito e a minha causa;
tu te assentaste no tribunal, julgando justamente;
5 repreendeste as nações, destruíste os ímpios; apagaste o
seu nome para sempre e eternamente.
6 Os inimigos foram destruídos e acabaram para sempre
as assolações; tu arrasaste as suas cidades, e a sua memó-
ria pereceu com elas.
7 Mas o Senhor está assentado como rei perpetuamente;
já preparou o seu tribunal para julgar.
8 Ele mesmo julgará o mundo com justiça; fará juízo aos
povos com retidão.
9 O Senhor será também um alto refúgio para o oprimido;
um alto refúgio em tempos de angústia.
10 E em ti confiarão os que conhecem o teu nome; por-
que tu, Senhor, nunca desamparaste os que te buscam.
11 Cantem louvores ao Senhor, que habita em Sião; anun-
ciem entre os povos os seus feitos.
12 Pois quando pede contas do sangue derramado, não se
esquece do clamor dos miseráveis.
13 Tem misericórdia de mim, Senhor, olha para a miséria
que sofro por causa daqueles que me aborrecem; tu que
me levantas das portas da morte,
14 para que eu conte todos os teus louvores nas portas da
filha de Sião e me alegre na tua salvação.
15 As nações caíram na cova que fizeram; na rede que
armaram ficou preso o seu pé.
16 O Senhor é conhecido pelo juízo que fez; enlaçado foi
o ímpio nas obras de suas mãos.
17 Os maus serão lançados no inferno, e todas as nações
que se esquecem de Deus.
18 Porque o necessitado não será esquecido para sempre,
nem a expectativa dos miseráveis será frustrada.
19 Levanta-te, Senhor; não prevaleça o homem; sejam
julgadas as nações diante da tua face.
20 Infunde-lhes o medo, Senhor, para que saibam as na-
ções que não são mais do que homens.

Oração Por Libertação

10 Por que estás tão longe, Senhor? Por que te escon-
des nos tempos de angústia?
2 Os ímpios na sua arrogância perseguem furiosamente

o miserável; que eles sejam apanhados nas ciladas que
maquinaram.
3 Porque o ímpio gloria-se do desejo da sua alma; bendiz
ao avarento e blasfema do Senhor.
4 Pela altivez do seu rosto o ímpio não busca a Deus;
todas as suas cogitações são: Não há Deus.
5 Os seus caminhos prosperam sempre; os teus juízos es-
tão longe da vista dele, em grande altura, e ele despreza
aos seus inimigos.
6 Diz em seu coração: "Não serei comovido, porque nun-
ca me verei na adversidade."
7 A sua boca está cheia de maldições, de enganos e de
opressão; debaixo da sua língua há moléstia e maldade.
8 Põe-se nas emboscadas das aldeias; nos lugares ocultos
mata o inocente; os seus olhos espreitam o pobre.
9 Arma ciladas no esconderijo, como o leão no seu covil;
arma ciladas para roubar o miserável; rouba o miserável,
trazendo-o na sua armadilha.
10 Encolhe-se, abaixa-se, para que os pobres caiam em
suas fortes garras.
11 Diz em seu coração: "Deus se esqueceu, cobriu o seu
rosto e nunca verá isto."
12 Levanta-te, Senhor. Oh! Deus, levanta a tua mão; não
te esqueças dos miseráveis.
13 Por que o ímpio blasfema de Deus? Dizendo no seu
coração: "Deus não lhe pedirá contas?"
14 Tu o viste, porque atentas para o trabalho e o enfado,
para o entregar em tuas mãos; a ti o pobre se entrega; tu
és o auxílio do órfão.
15 Quebra o braço do ímpio e malvado; pede conta da sua
impiedade, até que nenhuma encontres.
16 O Senhor é Rei eterno; da sua terra perecerão os
gentios.
17 Senhor, tu ouviste os desejos dos mansos; confortarás
os seus corações; os teus ouvidos estarão abertos para eles;
18 para fazeres justiça ao órfão e ao oprimido, a fim de
que o ser humano não prossiga mais em usar da violência.

Confiança em Deus

Salmo de Davi para o cantor-mor

11 No Senhor confio; como dizem à minha alma que
fuja para a montanha como um pássaro?
2 Pois eis que os ímpios armam o arco, põem as flechas
na corda, para com elas atirarem, às escuras, nos retos
de coração.
3 Na verdade, se os fundamentos forem destruídos, o que
pode fazer o justo?
4 O Senhor está no seu santo templo; o trono do Senhor
está nos céus; os seus olhos estão atentos, e as suas pálpe-
bras sondam os filhos dos homens.
5 O Senhor prova o justo; porém o ímpio e quem ama a
violência aborrecem a sua alma.
6 Sobre os ímpios fará chover brasas, fogo, enxofre e ven-
to tempestuoso; isto será a porção do seu copo.
7 Porque o Senhor é justo e ama a justiça; o seu rosto olha
para os retos.

Oração Contra a Falsidade

Salmo de Davi para o cantor-mor, sobre Seminite

12 Salva-nos, Senhor, porque faltam os homens bons;
porque são poucos os fiéis entre os filhos dos
homens.
2 Cada um fala com falsidade ao seu próximo; falam com
lábios bajuladores e coração fingido.
3 O Senhor cortará todos os lábios bajuladores e a língua
que fala soberbamente.
4 Pois dizem: "Com a nossa língua prevaleceremos; os
lábios são nossos; quem é o senhor sobre nós?"
5 Pela opressão dos miseráveis, pelo gemido dos neces-
sitados me levantarei agora, diz o Senhor; "Porei a salvo
aquele para quem eles assopram."
6 As palavras do Senhor são palavras puras, como prata
refinada em fornalha de barro, purificada sete vezes.
7 Tu os guardarás, Senhor; desta geração os livrarás para
sempre.
8 Os ímpios andam cercando, enquanto os mais vis dos
filhos dos homens são exaltados.

Oração de Fé

Salmo de Davi para o cantor-mor

13 Até quando te esquecerás de mim, Senhor? Para
sempre? Até quando esconderás de mim o teu
rosto?
2 Até quando consultarei com a minha alma, tendo triste-
za no meu coração cada dia? Até quando se exaltará sobre
mim o meu inimigo?
3 Atende-me, ouve-me, ó Senhor meu Deus; ilumina os
meus olhos para que eu não adormeça na morte;
4 para que o meu inimigo não diga: "Prevaleci contra ele";
e os meus adversários não se alegrem, vindo eu a vacilar.
5 Mas eu confio na tua benignidade; o meu coração se
alegrará na tua salvação.
6 Cantarei ao Senhor, porquanto me tem feito muito bem.

A Corrupção do Homem

Salmo de Davi para o cantor-mor

14 Disse o insensato no seu coração: "Não há Deus."
Têm-se corrompido, fazem-se abomináveis em suas
obras, não há ninguém que faça o bem.
2 O Senhor olhou dos céus para os filhos dos homens,
para ver se havia algum que tivesse entendimento e bus-
casse a Deus.

3 Desviaram-se todos e juntamente se fizeram imundos:
não há quem faça o bem, não há sequer um.
4 Não terão conhecimento os que praticam a iniquidade?
Os quais devoram o meu povo, como se comessem pão, e
não invocam o Senhor?
5 Ali se acharam em grande pavor, porque Deus está na
geração dos justos.
6 Vocês envergonham o conselho dos pobres, mas o Se-
nhor é o seu refúgio.
7 Oh! Se de Sião já tivesse vindo a redenção de Israel!
Quando o Senhor fizer voltarem os cativos do seu povo,
Jacó se regozijará e Israel se alegrará.

O Bom Cidadão

Salmo de Davi

15 Senhor, quem habitará no teu tabernáculo? Quem
morará no teu santo monte?
2 Aquele que anda sinceramente, pratica a justiça e fala a
verdade no seu coração.
3 Aquele que não murmura com a sua língua, nem faz
mal ao seu próximo, nem aceita nenhuma afronta contra
o seu próximo;
4 aquele cujos olhos desprezam o que é mal, mas honra
os que temem o Senhor; aquele que jura com prejuízo
próprio, e, contudo, não muda.
5 Aquele que não empresta o seu dinheiro com juros, nem
recebe suborno contra o inocente. Quem faz isto nunca
será abalado.

Felicidade na Submissão a Deus

Mictão de Davi

16 Guarda-me, ó Deus, porque em ti confio.
2 A minha alma disse ao Senhor: "Tu és o meu Se-
nhor, a minha bondade não chega à tua presença,
3 mas aos santos que estão na terra, e aos ilustres em
quem está todo o meu prazer."
4 As dores se multiplicarão àqueles que fazem oferendas
a outro deus; eu não oferecerei as suas ofertas de sangue,
nem tomarei os seus nomes nos meus lábios.
5 O Senhor é a porção da minha herança e do meu cálice;
tu sustentas a minha sorte.
6 As divisas caem-me em lugares deliciosos: sim, coube-
-me uma formosa herança.
7 Louvarei ao Senhor que me aconselhou; até os meus
pensamentos me ensinam de noite.
8 Tenho posto o Senhor continuamente diante de mim;
por isso que ele está à minha mão direita, nunca vacilarei.
9 Portanto o meu coração está alegre e se regozija a minha
glória; também o meu corpo repousará seguro.
10 Pois não deixarás a minha alma no inferno, nem per-
mitirás que o teu Santo veja corrupção.
11 Tu me farás ver a vereda da vida; na tua presen-
ça há fartura de alegrias; na tua mão direita há delícias
perpetuamente.

Oração Por Proteção Divina

Oração de Davi

17 Ouve, Senhor, a justiça; atende ao meu clamor; dá
ouvidos à minha oração, que não é feita com lábios
enganosos.
2 Saia o meu juízo de diante do teu rosto; atendam os
teus olhos à razão.
3 Provaste o meu coração; visitaste-me de noite; exami-
naste-me e nada achaste; a minha boca não transgride.
4 Quanto às obras humanas, pela palavra dos teus lábios
me guardei das veredas do destruidor.
5 Dirige os meus passos nos teus caminhos, para que as
minhas pegadas não vacilem.
6 Eu te invoquei, ó Deus, pois me queres ouvir; inclina
para mim os teus ouvidos, e escuta as minhas palavras.
7 Faz maravilhosas as tuas beneficências, ó tu, que livras
com a tua mão direita aqueles que em ti confiam dos que
se levantam contra eles.
8 Guarda-me como à menina dos olhos; esconde-me de-
baixo da sombra das tuas asas,
9 dos ímpios que me oprimem, dos meus inimigos mortais
que andam me cercando.
10 Na sua gordura se encerram, com a boca falam
soberbamente.
11 Têm-nos cercado agora nossos passos e baixaram os
seus olhos para a terra;
12 parecem-se com o leão que deseja arrebatar a sua pre-
sa, e com o leãozinho que se põe em esconderijos.
13 Levanta-te, Senhor, detém-no, derruba-o, livra a minha
alma do ímpio, com a tua espada;
14 dos homens com a tua mão, Senhor, dos homens do
mundo, cuja porção está nesta vida, e cujo ventre enches
do teu tesouro oculto. Estão fartos de filhos e dão do que
sobra às suas crianças.
15 Quanto a mim, contemplarei a tua face na justiça; eu
me satisfarei da tua semelhança quando acordar.

Cântico de Vitória

*Para o cantor-mor: salmo do servo do Senhor, Davi, que
falou as palavras deste cântico ao Senhor, no dia em que
o Senhor o livrou de todos os seus inimigos e das mãos
de Saul. E disse:*

18 Eu te amarei de coração, ó Senhor, minha fortaleza.
2 O Senhor é o meu rochedo, o meu lugar forte e o
meu libertador; o meu Deus, a minha fortaleza, em quem
confio; o meu escudo, a força da minha salvação e o meu
alto refúgio.
3 Invocarei o nome do Senhor, que é digno de louvor, e
ficarei livre dos meus inimigos.

4 Tristezas de morte me cercaram e torrentes de impieda-
de me assombraram.
5 Tristezas do inferno me cingiram, laços de morte me
surpreenderam.
6 Na angústia invoquei o Senhor e clamei ao meu Deus;
desde o seu templo ouviu a minha voz, o meu clamor
chegou aos seus ouvidos.
7 Então a terra se abalou e tremeu; os fundamentos dos
montes também se moveram e se abalaram, porque Deus
se indignou.
8 Das suas narinas subiu fumaça e da sua boca saiu fogo
que consumia; carvões se acenderam dele.
9 Ele baixou os céus, desceu e a escuridão estava debaixo
de seus pés.
10 Cavalgava um querubim e voou; sim, voou sobre as
asas do vento.
11 Fez das trevas o seu esconderijo; o pavilhão que o cer-
cava eram a escuridão das águas e as nuvens dos céus.
12 Ao resplendor da sua presença as nuvens se desfize-
ram em granizo e brasas de fogo.
13 E o Senhor trovejou nos céus, o Altíssimo levantou a
sua voz; houve granizo e brasas de fogo.
14 Atirou as suas flechas e espalhou os meus inimigos;
multiplicou raios e os perturbou.
15 Então as profundezas das águas foram vistas e desco-
bertos os fundamentos do mundo, pela tua repreensão,
Senhor, ao sopro das tuas narinas.
16 Estendeu-me a mão desde o alto e me segurou; tirou-
-me das muitas águas.
17 Livrou-me do meu inimigo forte e dos que me aborre-
ciam, pois eram mais poderosos do que eu.
18 Surpreenderam-me no dia da minha calamidade; mas
o Senhor foi o meu amparo.
19 Trouxe-me para um lugar espaçoso; livrou-me, porque
tinha prazer em mim.
20 O Senhor recompensou-me conforme a minha justiça,
retribuiu-me conforme a pureza das minhas mãos.
21 Porque guardei os caminhos do Senhor e não me apar-
tei impiamente do meu Deus.
22 Porque todos os seus juízos estavam diante de mim e
não rejeitei os seus estatutos.
23 Também fui sincero perante ele e me guardei da minha
iniquidade.
24 Portanto o Senhor me retribuiu conforme a minha jus-
tiça, conforme a pureza de minhas mãos perante os seus
olhos.
25 Com o benigno te mostrarás benigno; com o homem
sincero te mostrarás sincero;
26 com o puro te mostrarás puro; e com o perverso te
mostrarás indomável.
27 Porque tu livrarás o povo aflito e abaterás os olhos
soberbos.
28 Porque tu acenderás a minha lâmpada; o Senhor meu
Deus iluminará as minhas trevas.
29 Porque contigo entrei pelo meio de um esquadrão e
com o meu Deus saltei uma muralha.
30 O caminho de Deus é perfeito; a palavra do Senhor
é provada; é um escudo para todos os que nele confiam.
31 Porque quem é Deus senão o Senhor? E quem é roche-
do senão o nosso Deus?
32 Deus é quem me cinge de força e aperfeiçoa o meu
caminho.
33 Faz os meus pés ágeis como os das corsas e põe-me
nas alturas.
34 Ensina as minhas mãos para a guerra, tanto que os
meus braços quebraram um arco de cobre.
35 Também me deste o escudo da tua salvação; a tua mão
direita me susteve e a tua mansidão me engrandeceu.
36 Alargaste os meus passos debaixo de mim, e os meus
pés não vacilaram.
37 Persegui os meus inimigos e os alcancei; e só voltei
depois de os ter derrotado.
38 Derrotei-os e não puderam se levantar; caíram debaixo
dos meus pés.
39 Pois deste-me força para a batalha e fizeste caírem
debaixo de mim aqueles que contra mim se levantaram.
40 Deste-me também o pescoço dos meus inimigos para
que eu pudesse destruir os que me aborrecem.
41 Clamaram, mas não houve quem os livrasse; até ao
Senhor clamaram, mas ele não lhes respondeu.
42 Então os esmiucei como o pó diante do vento; lancei-
-os fora como a lama das ruas.
43 Livraste-me das contendas do povo e me fizeste cabeça
das nações; um povo que não conheci me servirá.
44 Em ouvindo a minha voz, me obedecerão; os estra-
nhos se submeterão a mim.
45 Os estranhos decairão e terão medo nos seus
esconderijos.
46 O Senhor vive; bendito seja o meu rochedo e exaltado
seja o Deus da minha salvação.
47 É Deus que me vinga inteiramente e sujeita os povos
debaixo de mim;
48 o Deus que me livra de meus inimigos; sim, tu me
exaltas sobre os que se levantam contra mim, tu me livras
dos homens violentos.
49 Por isso, ó Senhor, te louvarei entre as nações e canta-
rei louvores ao teu nome,
50 pois engrandece a salvação do seu rei e usa de benigni-
dade com o seu ungido, com Davi, e com a sua semente
para sempre.

A Glória da Criação

Salmo de Davi para o cantor-mor

19 Os céus declaram a glória de Deus e o firmamento
anuncia a obra das suas mãos.
2 Um dia faz declaração a outro dia e uma noite mostra
sabedoria a outra noite.
3 Não há linguagem nem fala onde não se ouça a sua voz.
4 A sua linha se estende por toda a terra, e as suas palavras
até o fim do mundo. Nele pôs uma tenda para o sol,
5 que é como um noivo que sai dos seus aposentos e se
alegra como um herói, a correr o seu caminho.
6 A sua saída é desde uma extremidade dos céus, e o
seu curso até à outra extremidade, e nada se esconde ao
seu calor.
7 A lei do Senhor é perfeita e refrigera a alma; o testemu-
nho do Senhor é fiel e dá sabedoria aos simples.
8 Os preceitos do Senhor são retos e alegram o coração; o
mandamento do Senhor é puro e ilumina os olhos.
9 O temor do Senhor é limpo e permanece eternamente;
os juízos do Senhor são verdadeiros e igualmente justos.
10 Mais desejáveis são do que o ouro, sim, do que muito
ouro fino; mais doces do que o mel e o licor dos favos.
11 Também por eles é admoestado o teu servo; em os
guardar há grande recompensa.
12 Quem pode entender os seus erros? Expurga-me tu
dos que me são ocultos.
13 Também da soberba guarda o teu servo, para que não
se assenhorie de mim. Então serei sincero e ficarei limpo
de grande transgressão.
14 Sejam agradáveis as palavras da minha boca e a medi-
tação do meu coração perante a tua face, Senhor, minha
rocha e meu libertador!

Oração Pela Vitória

Salmo de Davi para o cantor-mor

20 Que o Senhor ouça você no dia da angústia, o nome
do Deus de Jacó o proteja.
2 Envie-lhe socorro desde o seu santuário e o sustenha
desde Sião.
3 Lembre-se de todas as suas ofertas e aceite os seus
holocaustos.
4 Conceda a você conforme o seu coração e cumpra todo
o seu plano.
5 Nós nos alegraremos pela sua salvação e em nome do
nosso Deus hastearemos pendões; cumpra o Senhor todas
as suas petições.
6 Agora sei que o Senhor salva o seu ungido; ele o ouvirá
desde o seu santo céu, com a força salvadora da sua mão
direita.
7 Uns confiam em carros e outros em cavalos, mas nós
faremos menção do nome do Senhor nosso Deus.
8 Uns encurvam-se e caem, mas nós nos levantamos e
estamos de pé.
9 Salva-nos, Senhor; ouça-nos o rei quando clamarmos.

Gratidão Pela Vitória

Salmo de Davi para o cantor-mor

21 O rei se alegra em tua força, Senhor; na tua salva-
ção grandemente se regozija.
2 Cumpriste-lhe o desejo do seu coração e não negaste as
súplicas dos seus lábios.
3 Pois o provês das bênçãos de bondade; pões na sua ca-
beça uma coroa de ouro fino.
4 Vida te pediu e lha deste, longevidade para sempre e
eternamente.
5 Grande é a sua glória pela tua salvação; glória e majes-
tade puseste sobre ele.
6 Pois o abençoaste para sempre; tu o enches de gozo
com a tua face.
7 Porque o rei confia no Senhor e pela misericórdia do
Altíssimo nunca vacilará.
8 A tua mão alcançará todos os teus inimigos, a tua mão
direita alcançará aqueles que te aborrecem.
9 Tu os farás como um forno de fogo no tempo da tua
ira; o Senhor os devorará na sua indignação e o fogo os
consumirá.
10 Seu fruto destruirás da terra e a sua semente dentre os
filhos dos homens.
11 Porque intentaram o mal contra ti; maquinaram uma
trapaça, mas não prevalecerão.
12 Portanto, tu os farás fugirem, quando lhes apontares
as tuas flechas.
13 Exalta-te, Senhor, na tua força; então cantaremos e
louvaremos o teu poder.

O Salmo da Cruz

Salmo de Davi para o cantor-mor, sobre Aijelete-Hás-Saar

22 Deus meu, Deus meu, por que me desamparaste?
Por que te distancias do meu auxílio e das palavras
do meu clamor?
2 Deus meu, eu clamo de dia e tu não me ouves; de noite
e não tenho sossego.
3 Porém tu és Santo, e habitas entre os louvores de Israel.
4 Em ti confiaram nossos pais: confiaram, e tu os livraste.
5 A ti clamaram e escaparam; em ti confiaram e não foram
confundidos.
6 Mas eu sou verme e não um ser humano, vergonha dos
homens e desprezado do povo.
7 Todos os que me veem zombam de mim, estendem os
lábios e balançam a cabeça, dizendo:
8 "Confiou no Senhor, que o livre; livre-o, pois nele tem
prazer."

9 Mas tu és o que me tiraste do ventre; fizeste-me esperar,
estando aos peitos de minha mãe.
10 Sobre ti fui lançado desde o útero; tu és o meu Deus
desde o ventre de minha mãe.
11 Não te distancies de mim, pois a angústia está perto e
não há quem ajude.
12 Muitos touros me cercaram; fortes touros de Basã me
rodearam.
13 Abriram contra mim suas bocas, como um leão que
despedaça e que ruge.
14 Como água me derramei e todos os meus ossos se
desconjuntaram; o meu coração é como cera, derreteu-se
no meio das minhas entranhas.
15 A minha força secou como um caco e a minha língua
grudou no céu da boca; me puseste no pó da morte.
16 Cães me rodearam; o ajuntamento de malfeitores me
cercou, traspassaram-me as mãos e os pés.
17 Poderia contar todos os meus ossos; eles me veem e
me contemplam.
18 Repartem entre si as minhas vestes e lançam sortes
sobre a minha túnica.
19 Mas tu, Senhor, não te distancies de mim. Força mi-
nha, apressa-te em socorrer-me.
20 Livra a minha alma da espada e a minha vida da força
dos cães.
21 Salva-me da boca do leão; sim, e dos chifres dos touros
selvagens.
22 Então declararei o teu nome aos meus irmãos; louvar-
-te-ei no meio da congregação.
23 Vocês, que temem ao Senhor, louvem-no; todos vocês,
semente de Jacó, glorifiquem-no; temam-no todos vocês,
semente de Israel.
24 Porque não desprezou nem abominou a aflição do
aflito, nem escondeu dele o seu rosto; antes, quando ele
clamou, o ouviu.
25 O meu louvor virá de ti na grande congregação; paga-
rei os meus votos perante os que o temem.
26 Os mansos comerão e se fartarão; louvarão ao Senhor
os que o buscam; o seu coração viverá eternamente.
27 Todos os limites da terra se lembrarão e se converterão
ao Senhor; todas as gerações das nações adorarão perante
a sua face.
28 Porque o reino é do Senhor e ele domina entre as
nações.
29 Todos os que na terra são abastados comerão e adora-
rão e todos os que descem ao pó se prostrarão perante ele;
ninguém poderá reter viva a sua alma.
30 Uma semente o servirá; será contada ao Senhor de
geração em geração.
31 Chegarão e anunciarão a sua justiça ao povo que nas-
cer, porquanto ele o fez.

O Bom Pastor

Salmo de Davi

23 O Senhor é o meu pastor, nada me faltará.
2 Deitar-me faz em verdes pastos, guia-me mansa-
mente por águas tranquilas.
3 Refrigera a minha alma; guia-me pelas veredas da justi-
ça, por amor do seu nome.
4 Ainda que eu andasse pelo vale da sombra da morte,
não temeria mal algum, porque tu estás comigo; a tua vara
e o teu cajado me consolam.
5 Preparas uma mesa perante mim na presença dos meus
inimigos, unges a minha cabeça com óleo, o meu cálice
transborda.
6 Certamente que a bondade e a misericórdia me seguirão
por todos os dias da minha vida; e habitarei na casa do
Senhor por longos dias.

O Rei da Glória

Salmo de Davi

24 Do Senhor são a terra e a sua plenitude, o mundo e
aqueles que nele habitam.
2 Porque ele a fundou sobre os mares e a firmou sobre
os rios.
3 Quem subirá ao monte do Senhor, ou quem estará no
seu lugar santo?
4 Aquele que é limpo de mãos e puro de coração, que não
entrega a sua alma à vaidade, nem jura enganosamente.
5 Este receberá a bênção do Senhor e a justiça do Deus
da sua salvação.
6 Esta é a geração daqueles que buscam, daqueles que
buscam a tua face, ó Deus de Jacó.
7 Levantai, ó portas, as vossas cabeças; levantai-vos, ó en-
tradas eternas, e entrará o Rei da Glória.
8 Quem é este Rei da Glória? O Senhor forte e poderoso,
o Senhor poderoso na guerra.
9 Levantai, ó portas, as vossas cabeças, levantai-vos, ó en-
tradas eternas, e entrará o Rei da Glória.
10 Quem é este Rei da Glória? O Senhor dos Exércitos,
ele é o Rei da Glória.

Oração Por Orientação e Direção

Salmo de Davi

25 A ti, Senhor, levanto a minha alma.
2 Deus meu, em ti confio, não me deixes confundi-
do, nem que os meus inimigos triunfem sobre mim.
3 Na verdade, não serão confundidos os que esperam em
ti; confundidos serão os que transgridem sem causa.
4 Faz-me saber os teus caminhos, Senhor; ensina-me as
tuas veredas.

5 Guia-me na tua verdade e ensina-me, pois tu és o Deus
da minha salvação; por ti estou esperando todo o dia.
6 Lembra-te, Senhor, das tuas misericórdias e das tuas be-
nignidades, porque são desde a eternidade.
7 Não te lembres dos pecados da minha mocidade, nem
das minhas transgressões; mas, segundo a tua misericór-
dia, lembra-te de mim, por tua bondade, Senhor.
8 Bom e reto é o Senhor; por isso ensinará o caminho
aos pecadores.
9 Guiará os mansos em retidão e aos mansos ensinará o
seu caminho.
10 Todas as veredas do Senhor são misericórdia e ver-
dade para aqueles que guardam a sua aliança e os seus
testemunhos.
11 Por amor do teu nome, Senhor, perdoa a minha iniqui-
dade, pois é grande.
12 Qual é o homem que teme ao Senhor? Ele o ensinará
no caminho que deve escolher.
13 A sua alma pousará no bem e a sua semente herdará
a terra.
14 O segredo do Senhor está com aqueles que o temem;
ele lhes mostrará a sua aliança.
15 Os meus olhos estão continuamente no Senhor, pois
ele tirará os meus pés do laço.
16 Olha para mim e tem piedade de mim, porque estou
solitário e aflito.
17 As ânsias do meu coração têm se multiplicado; tira-me
dos meus apertos.
18 Olha para a minha aflição e para a minha dor, e perdoa
todos os meus pecados.
19 Olha para os meus inimigos, pois vão se multiplicando
e me aborrecem com ódio cruel.
20 Guarda a minha alma e livra-me; não me deixes con-
fundido, porquanto confio em ti.
21 Guardem-me a sinceridade e a retidão, porque espero
em ti.
22 Redime, ó Deus, Israel de todas as suas angústias.

Oração Por Justiça

Salmo de Davi

26 Julga-me, Senhor, pois tenho andado em minha sin-
ceridade; tenho confiado também no Senhor; não
vacilarei.
2 Examina-me, Senhor, e prova-me; sonda os meus pensa-
mentos e o meu coração.
3 Porque a tua benignidade está diante dos meus olhos e
tenho andado na tua verdade.
4 Não me tenho assentado com homens vãos, nem con-
verso com os homens dissimulados.
5 Tenho aborrecido a congregação de malfeitores, e não
me ajunto com os ímpios.
6 Lavo as minhas mãos na inocência e assim andarei, Se-
nhor, ao redor do teu altar,
7 para publicar com voz de louvor e contar todas as tuas
maravilhas.
8 Senhor, eu tenho amado a habitação da tua casa e o
lugar onde permanece a tua glória.
9 Não apanhes a minha alma com os pecadores, nem a
minha vida com os homens sanguinários,
10 em cujas mãos há malefício, e cuja mão direita está
cheia de subornos.
11 Mas eu ando na minha sinceridade; livra-me e tem
piedade de mim.
12 O meu pé está posto em caminho plano; nas congrega-
ções louvarei ao Senhor.

Salmo Restaurador

Salmo de Davi

27 O Senhor é a minha luz e a minha salvação; a quem
temerei? O Senhor é a força da minha vida; de
quem recearei?
2 Quando os malvados, meus adversários e meus inimi-
gos, se chegaram contra mim, para comerem as minhas
carnes, tropeçaram e caíram.
3 Ainda que um exército me cercasse, o meu coração não
temeria; ainda que a guerra se levantasse contra mim,
nisto confiaria.
4 Uma coisa pedi ao Senhor e a buscarei: que possa mo-
rar na casa do Senhor todos os dias da minha vida, para
contemplar a beleza do Senhor e indagar no seu templo.
5 Porque no dia da adversidade me esconderá no seu pa-
vilhão; no oculto do seu tabernáculo me esconderá; me
porá sobre uma rocha.
6 Também agora a minha cabeça será exaltada sobre os
meus inimigos que estão ao redor de mim; por isso ofere-
cerei sacrifício de júbilo no seu tabernáculo; cantarei, sim,
cantarei louvores ao Senhor.
7 Ouve, Senhor, a minha voz quando clamo; tem também
piedade de mim e responde-me.
8 Quando tu disseste: Busquem o meu rosto; o meu cora-
ção disse a ti: O teu rosto, Senhor, buscarei.
9 Não escondas de mim a tua face, não rejeites o teu servo
com ira; tu foste a minha ajuda, não me deixes nem me
desampares, ó Deus da minha salvação.
10 Porque, quando meu pai e minha mãe me desampara-
rem, o Senhor me recolherá.
11 Ensina-me, Senhor, o teu caminho, e guia-me pela ve-
reda direita, por causa dos que me andam espiando.
12 Não me entregues à vontade dos meus adversários,
pois levantaram falsas testemunhas contra mim, e tam-
bém os que respiram crueldade.

13 Pereceria sem dúvida, se não cresse que veria os bens
do Senhor na terra dos viventes.
14 Espere no Senhor, anime-se, e ele fortalecerá o seu
coração; espere no Senhor.

Oração Por Socorro e Ação de Graças

Salmo de Davi

28 A ti clamarei, ó Senhor, Rocha minha; não emudeças comigo; se te calares comigo, ficarei semelhante
aos que descem à cova.
2 Ouve a voz das minhas súplicas, quando a ti clamar,
quando levantar as minhas mãos para o teu santo oráculo.
3 Não me incluas com os ímpios e com os que praticam
a iniquidade; que falam de paz ao seu próximo, mas têm
mal nos seus corações.
4 Dá-lhes segundo as suas obras e segundo a maldade dos
seus atos; dá-lhes conforme a obra das suas mãos; retribui-lhes o que merecem.
5 Porque não atentam para as obras do Senhor, nem à
obra das suas mãos; ele os derrubará e não os reedificará.
6 Bendito seja o Senhor, porque ouviu a voz das minhas
súplicas.
7 O Senhor é a minha força e o meu escudo; nele confiou
o meu coração e fui socorrido; por isso o meu coração
salta de prazer e com o meu canto o louvarei.
8 O Senhor é a força do seu povo; também é a força salvadora do seu ungido.
9 Salva o teu povo e abençoa a tua herança; apascenta-os
e exalta-os para sempre.

A Poderosa Voz de Deus

Salmo de Davi

29 Deem ao Senhor, ó filhos dos poderosos, deem ao
Senhor glória e força.
2 Deem ao Senhor a glória devida ao seu nome, adorem o
Senhor na beleza da sua santidade.
3 A voz do Senhor ouve-se sobre as suas águas; o Deus da
glória troveja; o Senhor está sobre as muitas águas.
4 A voz do Senhor é poderosa; a voz do Senhor é cheia
de majestade.
5 A voz do Senhor quebra os cedros; sim, o Senhor quebra
os cedros do Líbano.
6 Ele os faz saltarem como um bezerro, o Líbano e Siriom,
como filhotes de búfalos.
7 A voz do Senhor separa as labaredas do fogo.
8 A voz do Senhor faz tremer o deserto; o Senhor faz
tremer o deserto de Cades.
9 A voz do Senhor faz as corsas darem cria, desfolha os
bosques e no seu templo todos clamam a sua glória.
10 O Senhor se assentou sobre o dilúvio; o Senhor se assenta como Rei, perpetuamente.
11 O Senhor dará força ao seu povo; o Senhor abençoará
o seu povo com paz.

Louvor Pelo Livramento

Salmo e canção na dedicação da casa. Salmo de Davi

30 Eu te exaltarei, ó Senhor, porque tu me livraste e
não fizeste com que meus inimigos se alegrassem
sobre mim.
2 Senhor meu Deus, clamei a ti, e tu me saraste.
3 Senhor, fizeste subir a minha alma da sepultura; conservaste-me a vida para que não descesse ao abismo.
4 Cantem ao Senhor, vocês que são os seus santos, e celebrem a memória da sua santidade.
5 Porque a sua ira dura só um momento; no seu favor
está a vida. O choro pode durar uma noite, mas a alegria
vem pela manhã.
6 Eu dizia na minha prosperidade: Não vacilarei jamais.
7 Tu, Senhor, pelo teu favor fizeste forte a minha montanha; tu encobriste o teu rosto e fiquei perturbado.
8 A ti, Senhor, clamei, e ao Senhor supliquei.
9 Que proveito há no meu sangue, quando desço à cova?
Porventura o pó te louvará? Ele anunciará a tua verdade?
10 Ouve, Senhor, e tem piedade de mim, Senhor; sê o
meu auxílio.
11 Tornaste o meu pranto em folguedo; desataste o meu
pano de saco, e me vestiste de alegria,
12 para que o meu espírito a ti cante louvores e não se
cale. Senhor, Deus meu, eu te louvarei para sempre.

Oração Por Libertação da Angústia

Salmo de Davi para o cantor-mor

31 Em ti, Senhor, confio; nunca me deixes confundido. Livra-me pela tua justiça.
2 Inclina para mim os teus ouvidos, livra-me depressa; sê
a minha firme rocha, uma casa fortíssima que me salve.
3 Porque tu és a minha rocha e a minha fortaleza; por
amor do teu nome, guia-me e encaminha-me.
4 Tira-me da rede que para mim esconderam, pois tu és
a minha força.
5 Nas tuas mãos entrego o meu espírito; tu me redimiste,
Senhor Deus da verdade.
6 Odeio aqueles que se entregam a vaidades enganosas;
eu, porém, confio no Senhor.
7 Eu me alegrarei e me regozijarei na tua bondade, pois
consideraste a minha aflição; conheceste a minha alma
nas angústias.
8 E não me entregaste nas mãos do inimigo; puseste os
meus pés num lugar espaçoso.
9 Tem misericórdia de mim, ó Senhor, porque estou angustiado; os meus olhos, a minha alma e o meu ventre
estão consumidos de tristeza.
10 Porque a minha vida está gasta de tristeza, e os meus

anos de suspiros; a minha força diminui por causa da mi-
nha iniquidade e os meus ossos se consomem.
11 Fui motivo de zombaria entre todos os meus inimigos
e até entre os meus vizinhos, e de horror para os meus
conhecidos; os que me viam na rua fugiam de mim.
12 Estou esquecido no coração deles, como um morto;
sou como um vaso quebrado.
13 Pois ouvi a murmuração de muitos, temor havia ao
redor; enquanto juntamente consultavam contra mim,
intentaram tirar-me a vida.
14 Mas eu confiei em ti, Senhor, e disse: Tu és o meu
Deus.
15 Os meus tempos estão nas tuas mãos; livra-me das
mãos dos meus inimigos e dos que me perseguem.
16 Faz resplandecer o teu rosto sobre o teu servo; salva-
-me por tuas misericórdias.
17 Não me deixes confundido, Senhor, porque te tenho
invocado; deixa confundidos os ímpios, e emudeçam na
sepultura.
18 Emudeçam os lábios mentirosos que falam coisas más
com soberba e desprezo contra o justo.
19 Oh! Quão grande é a tua bondade, que guardaste para
os que te temem! A qual usaste para aqueles que em ti
confiam na presença dos filhos dos homens!
20 Tu os esconderás, no secreto da tua presença, dos de-
saforos dos homens; e os encobrirás, em um pavilhão, da
contenda das línguas.
21 Bendito seja o Senhor, pois fez maravilhosa a sua mise-
ricórdia comigo em cidade segura.
22 Pois eu dizia na minha pressa: Estou excluído da tua
presença; não obstante, tu ouviste a voz das minhas súpli-
cas, quando eu a ti clamei.
23 Amem o Senhor, vocês todos que são seus santos; por-
que o Senhor guarda os fiéis e retribui com abundância
quem usa de soberba.
24 Esforcem-se e ele fortalecerá o seu coração, vocês to-
dos que esperam no Senhor.

Salmo Penitencial

Masquil de Davi

32 Bem-aventurado aquele cuja transgressão é perdoa-
da e cujo pecado é coberto.
2 Bem-aventurado o homem a quem o Senhor não imputa
maldade e em cujo espírito não há engano.
3 Quando eu guardei silêncio, envelheceram os meus os-
sos pelo meu gemido de todo dia.
4 Porque de dia e de noite a tua mão pesava sobre mim; o
meu vigor se esgotou como em tempo de seca.
5 Confessei-te o meu pecado e a minha maldade não en-
cobri; dizia eu: "Confessarei ao Senhor as minhas trans-
gressões"; e tu perdoaste a maldade do meu pecado.
6 Por isso, todo aquele que é santo orará a ti, a tempo de
te poder achar; até no transbordar de muitas águas, estas
não lhe chegarão.
7 Tu és o lugar em que me escondo; tu me preservas da
angústia; tu me cinges de alegres cantos de livramento.
8 Eu te instruirei e te ensinarei o caminho que deves se-
guir; te guiarei com os meus olhos.
9 Não sejais como o cavalo, nem como a mula, que não
têm entendimento, cuja boca precisa de cabresto e freio,
porque, senão, não se chegam a ti.
10 O ímpio tem muitas dores, mas aquele que confia no
Senhor a misericórdia o cercará.
11 Alegrai-vos no Senhor e regozijai-vos, vós os justos;
cantai alegremente, todos vós que sois retos de coração.

Louvor ao Deus Criador

33 Regozijai-vos no Senhor, vós justos, pois aos retos
convém o louvor.
2 Louvai ao Senhor com harpa, cantai a ele com o saltério
de dez cordas.
3 Cantai-lhe um cântico novo; tocai bem e com júbilo.
4 Porque a palavra do Senhor é reta e todas as suas obras
são fiéis.
5 Ele ama a justiça e o juízo; a terra está cheia da bondade
do Senhor.
6 Pela palavra do Senhor foram feitos os céus e todo o
exército deles, pelo espírito da sua boca.
7 Ele ajunta as águas do mar como num montão; põe os
abismos como reservatórios.
8 Tema toda a terra ao Senhor; temam-no todos os mora-
dores do mundo.
9 Porque falou e tudo se fez; mandou, e logo tudo
apareceu.
10 O Senhor desfaz o conselho das nações; frustra os pla-
nos dos povos.
11 O conselho do Senhor permanece para sempre; os pla-
nos do seu coração de geração em geração.
12 Bem-aventurada é a nação cujo Deus é o Senhor, e o
povo ao qual escolheu para sua herança.
13 O Senhor olha desde os céus e está vendo a todos os
filhos dos homens.
14 Do lugar da sua habitação contempla todos os mora-
dores da terra,
15 aquele que forma o coração de todos eles, que contem-
pla todas as suas obras.
16 Não há rei que se salve com a grandeza de um exérci-
to, nem o homem valente se livra pela muita força.
17 O cavalo não garante a sua segurança; não livra nin-
guém com a sua grande força.
18 Eis que os olhos do Senhor estão sobre os que o te-
mem, sobre os que esperam na sua misericórdia;

19 para lhes livrar as almas da morte e para os conservar
vivos na fome.
20 A nossa alma espera no Senhor; ele é o nosso auxílio
e o nosso escudo.
21 Pois nele se alegra o nosso coração; pois temos confia-
do no seu santo nome.
22 Seja a tua misericórdia, Senhor, sobre nós, como em
ti esperamos.

O Cuidado de Deus Pelos Aflitos

Salmo de Davi, quando mudou o seu semblante perante Abimeleque, que o lançou fora, e ele se foi

34 Louvarei ao Senhor em todo o tempo; o seu louvor
estará continuamente na minha boca.
2 A minha alma se gloriará no Senhor; os mansos o ouvi-
rão e se alegrarão.
3 Engrandecei ao Senhor comigo e juntos exaltemos o
seu nome.
4 Busquei ao Senhor e ele me respondeu; livrou-me de
todos os meus temores.
5 Olharam para ele e foram iluminados; os seus rostos não
ficaram confundidos.
6 Clamou este pobre, o Senhor o ouviu e o salvou de
todas as suas angústias.
7 O anjo do Senhor acampa-se ao redor dos que o temem,
e os livra.
8 Provem e vejam que o Senhor é bom; bem-aventurado
o homem que nele confia.
9 Temam o Senhor, vocês, os seus santos, pois nada falta
aos que o temem.
10 Os filhos dos leões passam necessidade e sentem fome,
mas aqueles que temem o Senhor não têm falta de coisa
alguma.
11 Venham, meninos, ouçam-me; eu os ensinarei o temor
do Senhor.
12 Quem é o homem que deseja a vida, que quer muitos
dias para ver o bem?
13 Guarda a sua língua do mal e os seus lábios de falarem
o engano.
14 Afaste-se do mal e faça o bem; procure a paz e a siga.
15 Os olhos do Senhor estão sobre os justos e os seus
ouvidos atentos ao seu clamor.
16 A face do Senhor está contra os que fazem o mal, para
desarraigar da terra a memória deles.
17 Os justos clamam, o Senhor os ouve e os livra de todas
as suas angústias.
18 Perto está o Senhor dos que têm o coração quebranta-
do e salva os contritos de espírito.
19 Muitas são as aflições do justo, mas o Senhor o livra
de todas.
20 Ele lhe guarda todos os seus ossos; nem sequer um
deles se quebra.
21 A malícia matará o ímpio e os que aborrecem o justo
serão punidos.
22 O Senhor resgata a alma dos seus servos, e nenhum
dos que nele confiam será condenado.

Oração de Proteção Contra os Adversários

Salmo de Davi

35 Pleiteia, Senhor, com aqueles que pleiteiam comi-
go; luta contra os que lutam contra mim.
2 Pega o escudo grande e o pequeno, e levanta-te em mi-
nha ajuda.
3 Tira a lança e obstrui o caminho aos que me perseguem;
diz à minha alma: “Eu sou a tua salvação.”
4 Sejam confundidos e envergonhados os que buscam a
minha vida; voltem atrás e envergonhem-se os que contra
mim tentam o mal.
5 Sejam como a palha perante o vento; o anjo do Senhor
os faça fugirem.
6 Seja o seu caminho tenebroso e escorregadio e o anjo
do Senhor os persiga.
7 Porque sem causa encobriram de mim a rede na cova, a
qual sem razão cavaram para a mim.
8 Sobrevenha-lhes destruição sem o saber e prenda-os a
rede que ocultaram; caiam eles nessa mesma destruição.
9 E a minha alma se alegrará no Senhor; se alegrará na
sua salvação.
10 Todos os meus ossos dirão: “Senhor, quem é como tu,
que livras o pobre de quem é mais forte do que ele? Sim,
o pobre e o necessitado de quem os rouba.”
11 Falsas testemunhas se levantaram; depuseram contra
mim coisas que eu não sabia.
12 Pagaram-me o mal pelo bem, roubando a minha alma.
13 Mas, quanto a mim, quando estavam enfermos, as mi-
nhas vestes eram o saco; humilhava a minha alma com o
jejum, e a minha oração voltava para o meu seio.
14 Portava-me como se ele fora meu irmão ou amigo; an-
dava lamentando e muito encurvado, como quem chora
por sua mãe.
15 Mas eles com a minha adversidade se alegravam e
se congregavam; gente desprezível se congregava contra
mim e eu não o sabia; desprezavam-me sem descanso.
16 Como hipócritas zombadores nas festas, rangiam os
dentes contra mim.
17 Senhor, até quando verás isto? Livra a minha alma das
suas violências, e dos leões a minha vida.
18 Te louvarei na grande congregação; entre muitíssimo
povo te celebrarei.
19 Não se alegrem os meus inimigos de mim sem razão,

nem acenem com os olhos aqueles que me aborrecem
sem causa.
20 Pois não falam de paz; antes projetam enganar os quie-
tos da terra.
21 Abrem a boca de par em par contra mim e dizem: "O
que fizeste os nossos olhos o viram."
22 Tu, Senhor, o tens visto, não te cales; Senhor, não te
distancies de mim:
23 Desperta e acorda para o meu julgamento, para a mi-
nha causa, meu Deus e meu Senhor.
24 Julga-me segundo a tua justiça, Senhor meu Deus, e
não deixes que se alegrem de mim.
25 Não digam em seus corações: "Este era o nosso dese-
jo!" Não digam: "Nós o havemos devorado."
26 Envergonhem-se e confundam-se à uma os que se ale-
gram com o meu mal; vistam-se de vergonha e de confu-
são os que se engrandecem contra mim.
27 Cantem e alegrem-se os que amam a minha justiça
e digam continuamente: "O Senhor seja engrandecido, o
qual ama a prosperidade do seu servo."
28 E assim a minha língua falará da tua justiça e do teu
louvor todo o dia.

A Maldade do Ímpio e a Benignidade de Deus

Salmo de Davi, servo do Senhor, para o cantor-mor

36 A prevaricação do ímpio diz no íntimo do seu cora-
ção: Não há temor de Deus perante os seus olhos.
2 Porque em seus olhos se lisonjeia, até que a sua iniqui-
dade se descubra ser detestável.
3 As palavras da sua boca são malícia e engano; deixou de
entender e de fazer o bem.
4 Projeta a malícia na sua cama; põe-se no caminho que
não é bom; não aborrece o mal.
5 A tua misericórdia, Senhor, está nos céus e a tua fideli-
dade chega até às mais excelsas nuvens.
6 A tua justiça é como as grandes montanhas; os teus
juízos são um grande abismo. Senhor, tu conservas os ho-
mens e os animais.
7 Quão preciosa é, ó Deus, a tua benignidade, pelo que
os filhos dos homens se abrigam à sombra das tuas asas.
8 Eles se fartarão da gordura da tua casa e os farás beber
da corrente das tuas delícias;
9 porque em ti está o manancial da vida; na tua luz ve-
remos a luz.
10 Estende a tua benignidade sobre os que te conhecem e
a tua justiça sobre os retos de coração.
11 Não venha sobre mim o pé dos soberbos e não me
mova a mão dos ímpios.
12 Ali caem os que praticam a iniquidade; cairão, e não
poderão levantar-se.

A Justiça de Deus Para Com Justos e Ímpios

Salmo de Davi

37 Não se indignem por causa dos malfeitores, nem
tenham inveja dos que praticam a iniquidade.
2 Porque cedo serão ceifados como a erva e murcharão
como a verdura.
3 Confie no Senhor e faça o bem; habitará na terra e ver-
dadeiramente será alimentado.
4 Deleite-se também no Senhor e lhe concederá os dese-
jos do seu coração.
5 Entregue o seu caminho ao Senhor; confie nele, e ele
agirá.
6 E ele fará sobressair a sua justiça como a luz e o seu
juízo como o meio-dia.
7 Descanse no Senhor e espere nele; não se indigne por
causa daquele que prospera em seu caminho, por causa do
homem que planeja o mal.
8 Deixe a ira e abandone o furor; não se indigne para fazer
somente o mal.
9 Porque os malfeitores serão desarraigados; mas aqueles
que esperam no Senhor herdarão a terra.
10 Pois mais um pouco e o ímpio não existirá; olhará para
o seu lugar e não aparecerá.
11 Mas os mansos herdarão a terra e se deleitarão na
abundância de paz.
12 O ímpio planeja contra o justo e contra ele range os
dentes.
13 O Senhor rirá dele, pois vê que vem chegando o seu
dia.
14 Os ímpios puxaram da espada e entesaram o arco, para
derrubarem o pobre e necessitado, e para matarem os que
seguem o reto caminho.
15 Porém a sua espada lhes entrará no coração e os seus
arcos se quebrarão.
16 Vale mais o pouco que tem o justo, do que as riquezas
de muitos ímpios.
17 Pois os braços dos ímpios se quebrarão, mas o Senhor
sustém os justos.
18 O Senhor conhece os dias dos retos e a sua herança
permanecerá para sempre.
19 Não serão envergonhados nos dias maus, e nos dias
de fome se fartarão.
20 Mas os ímpios perecerão, e os inimigos do Senhor se-
rão como a gordura dos cordeiros; desaparecerão, e em
fumaça se desfarão.
21 O ímpio toma emprestado e não paga; mas o justo se
compadece e dá.
22 Porque aqueles que ele abençoa herdarão a ter-
ra, mas aqueles que forem por ele amaldiçoados serão
desarraigados.

23 Os passos de um homem bom são confirmados pelo Senhor e deleita-se no seu caminho.

24 Ainda que caia, não ficará prostrado, pois o Senhor o sustém com a sua mão.

25 Fui moço e agora sou velho, mas nunca vi desamparado o justo, nem a sua semente a mendigar o pão.

26 Compadeça-se sempre, empreste e a sua semente é abençoada.

27 Afaste-se do mal e faça o bem; e viverá para sempre.

28 Porque o Senhor ama o juízo e não desampara os seus santos; eles são preservados para sempre; mas a semente dos ímpios será desarraigada.

29 Os justos herdarão a terra e habitarão nela para sempre.

30 A boca do justo fala a sabedoria; a sua língua fala do juízo.

31 A lei do seu Deus está em seu coração; os seus passos não resvalarão.

32 O ímpio espreita ao justo e procura matá-lo.

33 O Senhor não o deixará em suas mãos, nem o condenará quando for julgado.

34 Espere no Senhor, guarde o seu caminho e ele o exaltará para herdar a terra; você o verá quando os ímpios forem desarraigados.

35 Vi o ímpio com grande poder espalhar-se como a árvore verde na terra natal.

36 Mas passou e já não aparece; procurei-o, mas não se pôde encontrar.

37 Observe o homem sincero e considere o reto, porque o fim desse homem é a paz.

38 Quanto aos transgressores, serão totalmente destruídos, bem como os seus descendentes.

39 Mas a salvação dos justos vem do Senhor; ele é a sua fortaleza no tempo da angústia.

40 E o Senhor os ajudará e os livrará; ele os livrará dos ímpios e os salvará, porque confiam nele.

Oração de Arrependimento

Salmo de Davi para lembrança

38 Ó Senhor, não me repreendas na tua ira, nem me castigues no teu furor.

2 Porque as tuas flechas se cravaram em mim, e a tua mão sobre mim desceu.

3 Não há coisa sã na minha carne, por causa da tua cólera; nem há paz em meus ossos, por causa do meu pecado.

4 Pois já as minhas iniquidades sobrepassam a minha cabeça; como carga pesada são demais para as minhas forças.

5 As minhas chagas cheiram mal e estão cheias de pus, por causa da minha loucura.

6 Estou encurvado, estou muito abatido, ando lamentando todo o dia.

7 Porque o meu corpo está ardendo em febre e não há coisa sã na minha carne.

8 Estou fraco e muito quebrantado; tenho gemido pela inquietação do meu coração.

9 Senhor, diante de ti está todo o meu desejo e o meu gemido não te é oculto.

10 O meu coração está descompassado e a força me falta; quanto à luz dos meus olhos, ela me deixou.

11 Os meus amigos e os meus companheiros tomam distância da minha chaga; e também os meus parentes.

12 Também os que buscam a minha vida me armam laços e os que procuram o meu mal falam coisas que danificam, e imaginam astúcias todo o dia.

13 Mas eu, como surdo, não ouvia, e era como mudo, que não abre a boca.

14 Assim eu sou como homem que não ouve, e em cuja boca não há reprovação.

15 Porque em ti, Senhor, espero; tu, Senhor meu Deus, me ouvirás.

16 Porque dizia eu: "Ouve-me, para que não se alegrem de mim; quando escorrega o meu pé, eles se engrandecem contra mim."

17 Porque estou prestes a tropeçar; a minha dor está constantemente perante mim.

18 Porque eu declararei a minha iniquidade; afligir-me-ei por causa do meu pecado.

19 Mas os meus inimigos estão vivos e são fortes, e os que sem causa me odeiam se engrandecem.

20 Os que pagam o bem com o mal são meus adversários, porque eu sigo o que é bom.

21 Não me desampares, Senhor, meu Deus, não te distancies de mim.

22 Apressa-te em meu auxílio, Senhor, minha salvação.

Súplica de Arrependimento

Salmo de Davi para o cantor-mor, para Jedutum

39 Eu disse: Guardarei os meus caminhos para não delinquir com a minha língua; guardarei a boca com um freio, enquanto o ímpio estiver diante de mim.

2 Com o silêncio fiquei mudo; calava-me mesmo acerca do bem, e a minha dor se agravou.

3 Meu coração esquentou dentro de mim; enquanto eu meditava se acendeu um fogo; então falei com a minha língua:

4 Faz-me conhecer, Senhor, o meu fim, e a medida dos meus dias qual é, para que eu sinta quanto sou frágil.

5 Eis que deste aos meus dias o comprimento de alguns palmos; o tempo da minha vida é como nada diante de ti; na verdade, todo homem, por mais firme que esteja, é totalmente vaidade.

6 Na verdade, todo homem anda como uma sombra; na

verdade, em vão se inquietam; amontoam riquezas e não
sabem quem as levará.
7 Agora, pois, Senhor, que espero eu? A minha esperança
está em ti.
8 Livra-me de todas as minhas transgressões; não me faças
a vergonha dos loucos.
9 Emudeci; não abro a minha boca, porque tu o fizeste.
10 Tira de sobre mim a tua praga; estou desfalecido pelo
golpe da tua mão.
11 Quando castigas o homem, por causa da iniquidade,
com repreensões, fazes com que a sua beleza se consuma
como a traça; assim todo homem é vaidade.
12 Ouve, Senhor, a minha oração e inclina os teus ouvi-
dos ao meu clamor; não te cales perante as minhas lágri-
mas, porque sou forasteiro para ti e peregrino, como todos
os meus pais.
13 Poupa-me, até que tome alento, antes que me vá, e
não exista mais.

Cântico de Louvor e Petição

Salmo de Davi para o cantor-mor

40 Esperei com paciência no Senhor, ele se inclinou
para mim e ouviu o meu clamor.
2 Tirou-me dum lago horrível, dum charco de lodo, pôs os
meus pés sobre uma rocha, firmou os meus passos.
3 E pôs um novo cântico na minha boca, um hino ao
nosso Deus; muitos o verão, e temerão, e confiarão no
Senhor.
4 Bem-aventurado o homem que põe no Senhor a sua
confiança e que não respeita os soberbos nem os que se
desviam para a mentira.
5 Muitas são, Senhor meu Deus, as maravilhas que tens
operado para conosco e os teus pensamentos não se po-
dem contar diante de ti; se eu os quisera anunciar e deles
falar, são mais do que se podem contar.
6 Sacrifício e oferta não quiseste; os meus ouvidos abriste;
holocausto e expiação pelo pecado não reclamaste.
7 Então disse: "Eis que aqui venho"; no rolo do livro está
escrito sobre mim.
8 Deleito-me em fazer a tua vontade, ó Deus meu; sim, a
tua lei está dentro do meu coração.
9 Preguei a justiça na grande congregação; eis que não
retive os meus lábios, Senhor, tu o sabes.
10 Não escondi a tua justiça dentro do meu coração;
apregoei a tua fidelidade e a tua salvação; não escondi da
grande congregação a tua benignidade e a tua verdade.
11 Não retires de mim, Senhor, as tuas misericórdias;
guardem-me continuamente a tua benignidade e a tua
verdade.
12 Porque males sem número me têm rodeado; as minhas
iniquidades me prenderam de modo que não posso olhar
para cima; são mais numerosas do que os cabelos da mi-
nha cabeça, pelo que desfalece o meu coração.
13 Digna-te, Senhor, livrar-me: Senhor, apressa-te em meu
auxílio.
14 Sejam todos confundidos e envergonhados os que bus-
cam a minha vida para destruí-la; tornem atrás e confun-
dam-se os que me querem mal.
15 Desolados sejam em pagamento da sua afronta os que
me dizem: "Ha! Ha!"
16 Folguem e alegrem-se em ti os que te buscam; digam
constantemente os que amam a tua salvação: "Magnifica-
do seja o Senhor."
17 Mas eu sou pobre e necessitado; contudo o Senhor
cuida de mim. Tu és o meu auxílio e o meu libertador; não
te detenhas, ó meu Deus.

Oração Por Cura

Salmo de Davi para o cantor-mor

41 Bem-aventurado é aquele que atende ao pobre; o
Senhor o livrará no dia do mal.
2 O Senhor o livrará e o conservará em vida; será aben-
çoado na terra e tu não o entregarás à vontade de seus
inimigos.
3 O Senhor o sustentará no leito da enfermidade; tu o
restaurarás da sua cama da doença.
4 Dizia eu: "Senhor, tem piedade de mim; sara a minha
alma, porque pequei contra ti."
5 Os meus inimigos falam mal de mim, dizendo: "Quando
morrerá ele e perecerá o seu nome?"
6 E, se algum deles vem ver-me, fala coisas vãs; no seu
coração amontoa a maldade; saindo para fora, é disso que
fala.
7 Todos os que me odeiam murmuram contra mim; con-
tra mim imaginam o mal, dizendo:
8 "Uma doença má o pegou; agora que está deitado, não
se levantará mais."
9 Até o meu próprio amigo íntimo, em quem eu tanto
confiava, que comia do meu pão, levantou contra mim
o seu calcanhar.
10 Porém tu, Senhor, tem piedade de mim e levanta-me,
para que eu lhes dê o pagamento.
11 Por isto conheço eu que tu me favoreces: que o meu
inimigo não triunfa contra mim.
12 Quanto a mim, tu me sustentas na minha sinceridade
e me puseste diante da tua face para sempre.
13 Bendito seja o Senhor Deus de Israel de século em
século. Amém e amém!

A Necessidade da Alma Por Deus

Masquil para o cantor-mor, entre os filhos de Corá

42 Assim como o cervo brama pelas correntes das
águas, assim brama a minha alma por ti, ó Deus!

2 A minha alma tem sede de Deus, do Deus vivo; quando
entrarei e me apresentarei diante da face de Deus?
3 As minhas lágrimas servem-me de mantimento de dia
e de noite, enquanto me dizem constantemente: "Onde
está o teu Deus?"
4 Quando me lembro disto, dentro de mim derramo a
minha alma; pois eu havia ido com a multidão; fui com
eles à casa de Deus, com voz de alegria e louvor, com a
multidão que festejava.
5 Por que estás abatida, ó minha alma, e por que te perturbas
em mim? Espera em Deus, pois ainda o louvarei pela
salvação da minha face.
6 Ó meu Deus, dentro de mim a minha alma está abatida;
portanto, lembro-me de ti desde a terra do Jordão, e desde
os hermonitas, desde o pequeno monte.
7 Um abismo chama outro abismo, ao ruído das tuas cataratas;
todas as tuas ondas e os teus vagalhões têm passado
sobre mim.
8 Contudo o Senhor mandará a sua misericórdia de dia, e
de noite a sua canção estará comigo, uma oração ao Deus
da minha vida.
9 Direi a Deus, a minha Rocha: "Por que te esqueceste
de mim? Por que ando lamentando por causa da opressão
do inimigo?"
10 Com ferida mortal em meus ossos me afrontam os
meus adversários, quando todo dia me dizem: "Onde está
o teu Deus?"
11 Por que estás abatida, ó minha alma, e por que te
perturbas dentro de mim? Espera em Deus, pois ainda o
louvarei, o qual é a salvação da minha face e o meu Deus.

Oração Por Justiça Contra o Ímpio

43 Faz-me justiça, ó Deus, e pleiteia a minha causa
contra a gente ímpia; livra-me do homem fraudulento
e injusto.
2 Pois tu és o Deus da minha fortaleza; por que me rejeitas?
Por que ando lamentando por causa da opressão
do inimigo?
3 Envia a tua luz e a tua verdade, para que me guiem e
me levem ao teu santo monte, e aos teus tabernáculos.
4 Então irei ao altar de Deus, a Deus, que é a minha grande
alegria, e com harpa te louvarei, ó Deus, Deus meu.
5 Por que estás abatida, ó minha alma? E por que te
perturbas dentro de mim? Espera em Deus, pois ainda o
louvarei, o qual é a salvação da minha face e Deus meu.

Oração Por Livramento

Masquil para o cantor-mor, entre os filhos de Corá

44 Ó Deus, nós ouvimos com os nossos ouvidos e nossos
pais nos têm contado a obra que fizeste em seus
dias, nos tempos da antiguidade.
2 Como expulsaste as nações com a tua mão e os estabeleceste,
como afligiste os povos e os derrubaste.
3 Pois não conquistaram a terra pela sua espada, nem o
seu braço os salvou, mas a tua mão direita e o teu braço, e
a luz da tua face, porque te agradaste deles.
4 Tu és o meu Rei, ó Deus; ordena vitórias para Jacó.
5 Por ti venceremos os nossos inimigos; pelo teu nome
pisaremos os que se levantam contra nós.
6 Pois eu não confiarei no meu arco, nem a minha espada
me salvará.
7 Mas tu nos salvaste dos nossos inimigos e confundiste
os que nos aborreciam.
8 Em Deus nos gloriamos todo o dia e louvamos o teu
nome eternamente.
9 Mas agora tu nos rejeitaste e nos confundiste, e já não
sais com os nossos exércitos.
10 Tu nos fazes fugir do inimigo, e aqueles que nos
odeiam nos saqueiam.
11 Tu nos entregaste como ovelhas para sermos devorados
e nos espalhaste entre as nações.
12 Tu vendes por nada o teu povo, mas não aumentas a
tua riqueza com o seu preço.
13 Tu nos pões por vergonha diante dos nossos vizinhos,
por escárnio e zombaria daqueles que estão à roda de nós.
14 Tu nos pões por provérbio entre as nações, por balançar
de cabeça entre os povos.
15 A minha confusão está constantemente diante de
mim, e a vergonha do meu rosto me cobre,
16 por causa daquele que afronta e blasfema, por causa do
inimigo e do vingador.
17 Tudo isto nos sobreveio; contudo não nos esquecemos
de ti, nem nos houvemos falsamente contra a tua aliança.
18 O nosso coração não voltou atrás, nem os nossos passos
se desviaram dos teus caminhos;
19 ainda que nos tenhas quebrantado num lugar de chacais
e nos tenhas coberto com a sombra da morte.
20 Se nós esquecemos o nome do nosso Deus, e estendemos
as nossas mãos para um deus estranho,
21 porventura Deus não descobrirá isso? Pois ele sabe os
segredos do coração.
22 Sim, por amor de ti, somos mortos todo dia; somos
reputados como ovelhas para o matadouro.
23 Desperta, por que dormes, Senhor? Acorda, não nos
rejeites para sempre.
24 Por que escondes a tua face e te esqueces da nossa
miséria e da nossa opressão?
25 Pois a nossa alma está abatida até ao pó; o nosso ventre
se apega à terra.
26 Levanta-te em nosso auxílio e resgata-nos por amor das
tuas misericórdias.

O Rei e Sua Noiva

Masquil, cântico de amor, para o músico-mor, entre os filhos de Corá, sobre Sosanim

45 O meu coração ferve com palavras boas, falo do que
tenho feito no tocante ao Rei. A minha língua é a
pena de um destro escritor.
2 O senhor é mais formoso do que os filhos dos homens;
a graça se derramou em seus lábios; por isso Deus o aben-
çoou para sempre.
3 Prende a sua espada à coxa, ó valente, com a sua glória
e a sua majestade.
4 E neste seu esplendor cavalga prosperamente, por causa
da verdade, da mansidão e da justiça; e a sua mão direita
o ensinará coisas terríveis.
5 As suas flechas são agudas; elas estão no coração dos
inimigos do rei, e por elas os povos caíram debaixo do
senhor.
6 O teu trono, ó Deus, é eterno e perpétuo; o cetro do teu
reino é um cetro de equidade.
7 você ama a justiça e aborrece a impiedade; por isso
Deus, o seu Deus, o ungiu com óleo de alegria mais do
que a seus companheiros.
8 Todas as suas vestes cheiram a mirra, aloés e cássia,
desde os palácios de marfim de onde o alegram.
9 As filhas dos reis estavam entre as suas ilustres mulhe-
res; à sua direita estava a rainha ornada de finíssimo ouro
de Ofir.
10 Ouça, filha, olhe e incline os seus ouvidos; esqueça-se
do seu povo e da casa do seu pai.
11 Então o rei se afeiçoará da sua formosura, pois ele é
seu Senhor; adore-o.
12 E a filha de Tiro estará ali com presentes; os ricos do
povo suplicarão o seu favor.
13 A filha do rei é toda ilustre lá dentro; o seu vestido é
entretecido de ouro.
14 A Levarão ao rei com vestidos bordados; as virgens que
a acompanham a trarão a você.
15 Com alegria e regozijo a trarão; elas entrarão no pa-
lácio do rei.
16 Em lugar de seus pais estarão seus filhos; deles farão
príncipes sobre toda a terra.
17 Farei lembrado o teu nome de geração em geração;
pelo que os povos te louvarão eternamente.

A Segurança em Deus

Cântico sobre Alamote, para o cantor-mor entre os filhos de Corá

46 Deus é o nosso refúgio e fortaleza, socorro bem pre-
sente na angústia.
2 Portanto não temeremos, ainda que a terra se mude
e ainda que os montes se transportem para o meio dos
mares.
3 Ainda que as águas rujam e se perturbem, ainda que os
montes se abalem pela sua braveza.
4 Há um rio cujas correntes alegram a cidade de Deus, o
santuário das moradas do Altíssimo.
5 Deus está no meio dela; não se abalará. Deus a ajudará,
desde o romper da manhã.
6 As nações se embraveceram; os reinos se moveram; ele
levantou a sua voz e a terra se derreteu.
7 O Senhor dos Exércitos está conosco; o Deus de Jacó é
o nosso refúgio.
8 Venham, contemplem as obras do Senhor; que desola-
ções tem feito na terra!
9 Ele faz cessar as guerras até ao fim da terra; quebra o
arco e corta a lança; queima os carros no fogo.
10 "Aquietem-se e saibam que eu sou Deus; serei exalta-
do entre as nações; serei exaltado sobre a terra."
11 O Senhor dos Exércitos está conosco; o Deus de Jacó
é o nosso refúgio.

Deus, o Rei da Terra

Salmo para o cantor-mor, entre os filhos de Corá

47 Aplaudam com as mãos, todos os povos; cantem a
Deus com voz de triunfo.
2 Porque o Senhor Altíssimo é tremendo, e Rei grande
sobre toda a terra.
3 Ele nos subjugará os povos e as nações debaixo dos
nossos pés.
4 Escolherá para nós a nossa herança, a glória de Jacó, a
quem amou.
5 Deus subiu com júbilo, o Senhor subiu ao som de
trombeta.
6 Cantem louvores a Deus, cantem louvores; cantem lou-
vores ao nosso Rei, cantem louvores.
7 Pois Deus é o Rei de toda a terra, cantem louvores com
inteligência.
8 Deus reina sobre as nações; Deus se assenta sobre o
trono da sua santidade.
9 Os príncipes do povo se ajuntam, o povo do Deus de
Abraão; porque os escudos da terra são de Deus; ele está
muito elevado!

O Cântico de Sião

Cântico e salmo para os filhos de Corá

48 Grande é o Senhor e muito digno de louvor, na ci-
dade do nosso Deus, no seu monte santo.
2 Formoso, elevado, alegria de toda a terra é o monte Sião
sobre os lados do norte, a cidade do grande Rei.
3 Deus é conhecido nos seus palácios por um alto refúgio.
4 Porque eis que os reis se ajuntaram; eles passaram
juntos.

5 Viram-no e ficaram maravilhados; ficaram assombrados
e se apressaram em fugir.
6 Tremor ali os tomou e dores como de mulher de parto.
7 Tu quebras as naus de Társis com um vento oriental.
8 Como o ouvimos, assim o vimos na cidade do Senhor
dos Exércitos, na cidade do nosso Deus. Deus a confirmará para sempre.
9 Lembramo-nos, ó Deus, da tua benignidade, no meio
do teu templo.
10 Segundo é o teu nome, ó Deus, assim é o teu louvor,
até aos fins da terra; a tua mão direita está cheia de justiça.
11 Alegre-se o monte de Sião; alegrem-se as filhas de Judá
por causa dos teus juízos.
12 Rodeiem Sião e cerquem-na, contem as suas torres.
13 Marquem bem os seus antemuros, considerem os seus
palácios, para que o contem à geração seguinte.
14 Porque este Deus é o nosso Deus para sempre; ele será
nosso guia até à morte.

A Fragilidade das Riquezas

Salmo para o cantor-mor, entre os filhos de Corá

49 Ouçam isto, vocês, todos os povos; inclinem os ouvidos, todos os moradores do mundo,
2 tanto baixos como altos, tanto ricos como pobres.
3 A minha boca falará de sabedoria e a meditação do meu
coração será de entendimento.
4 Inclinarei os meus ouvidos a uma parábola; declararei o
meu enigma na harpa.
5 Por que eu temerei nos dias maus, quando me cercar a
iniquidade dos que me armam ciladas?
6 Aqueles que confiam na sua fazenda e se gloriam na
multidão das suas riquezas,
7 nenhum deles de modo algum pode remir a seu irmão,
ou dar a Deus o resgate dele,
8 pois a redenção da sua alma é caríssima e cessará para
sempre,
9 para que viva para sempre e não veja corrupção.
10 Porque ele vê que os sábios morrem; perecem igualmente tanto o louco como o brutal e deixam a outros os
seus bens.
11 O seu pensamento interior é que as suas casas serão
perpétuas e as suas habitações de geração em geração; dão
às suas terras os seus próprios nomes.
12 Todavia, o homem que está em honra não permanece;
antes, é como os brutos, que perecem.
13 Este caminho deles é a sua loucura; contudo a sua
posteridade aprova as suas palavras.
14 Como ovelhas são postos na sepultura; a morte se
alimentará deles e os retos terão domínio sobre eles na
manhã, e a sua formosura se consumirá na sepultura, a
morada deles.
15 Mas Deus remirá a minha alma do poder da sepultura,
pois me receberá.
16 Não tema, quando alguém se enriquece, quando a glória da sua casa se engrandece.
17 Porque, quando morrer, nada levará consigo, nem a
sua glória o acompanhará.
18 Ainda que na sua vida ele tenha bendito a sua alma;
e os homens o louvaram, quando fez o bem a si mesmo,
19 irá para a geração de seus pais; eles nunca verão a luz.
20 O homem que tem honrarias, mas não tem entendimento, é semelhante aos animais, que perecem.

Juízos Contra os Desobedientes

Salmo de Asafe

50 O Deus poderoso, o Senhor, falou e chamou a terra desde o nascimento do sol até ao seu ocaso.
2 Desde Sião, a perfeição da formosura, resplandeceu
Deus.
3 Virá o nosso Deus e não se calará; um fogo se irá consumindo diante dele e haverá grande tormenta ao redor
dele.
4 Chamará os céus lá do alto, e a terra, para julgar o seu
povo.
5 "Ajuntem-me os meus santos, aqueles que fizeram comigo uma aliança com sacrifícios."
6 E os céus anunciarão a sua justiça; pois Deus mesmo
é o Juiz.
7 "Ouça, povo meu, e eu falarei; ó Israel, e eu protestarei
contra você: Sou Deus, sou o seu Deus.
8 Não o repreenderei pelos seus sacrifícios, ou holocaustos, que estão continuamente perante mim.
9 Da sua casa não tirarei bezerro, nem bodes dos seus
currais.
10 Porque é meu todo animal da selva e o gado sobre
milhares de montanhas.
11 Conheço todas as aves dos montes; minhas são todas
as feras do campo.
12 Se eu tivesse fome, não diria, pois o mundo é meu e
toda a sua plenitude.
13 Eu comerei carne de touros? Ou beberei sangue de
bodes?
14 Ofereça a Deus sacrifício de louvor e pague ao Altíssimo os seus votos.
15 E invoque-me no dia da angústia; eu o livrarei e você
me glorificará."
16 Mas ao ímpio diz Deus: "O que você faz em recitar os
meus estatutos e em tomar a minha aliança na sua boca?
17 Visto que aborrece a correção e lança as minhas palavras para trás de você.
18 Quando vê um ladrão, concorda com ele, e tem a sua
parte com adúlteros.

19 Solta a sua boca para o mal e a sua língua compõe o engano.

20 Assenta-se para falar contra o seu irmão; fala mal contra o filho de sua mãe.

21 Você tem feito estas coisas e eu me calei; pensou que eu era igual a você, mas eu o arguirei, e as porei por ordem diante dos seus olhos:

22 Ouçam isto, vocês que se esquecem de Deus; para que eu não faça vocês em pedaços, sem haver quem os livre.

23 Aquele que oferece o sacrifício de louvor me glorificará; e àquele que bem ordena o seu caminho eu mostrarei a salvação de Deus."

Salmo de Confissão

Salmo de Davi para o cantor-mor, quando o profeta Natã veio a ele, depois de entrar a Bate-Seba

51 Tem misericórdia de mim, ó Deus, segundo a tua benignidade; apaga as minhas transgressões, segundo a multidão das tuas misericórdias.

2 Lava-me completamente da minha iniquidade e purifica-me do meu pecado.

3 Porque eu conheço as minhas transgressões e o meu pecado está sempre diante de mim.

4 Contra ti, contra ti somente pequei, e fiz o que é mal à tua vista, para que sejas justificado quando falares e puro quando julgares.

5 Eis que em iniquidade fui formado e em pecado me concebeu minha mãe.

6 Eis que amas a verdade no íntimo e no oculto me fazes conhecer a sabedoria.

7 Purifica-me com hissopo e ficarei puro; lava-me e ficarei mais branco do que a neve.

8 Faz-me ouvir júbilo e alegria, para que gozem os ossos que tu quebraste.

9 Esconde a tua face dos meus pecados e apaga todas as minhas iniquidades.

10 Cria em mim, ó Deus, um coração puro e renova em mim um espírito reto.

11 Não me lances fora da tua presença e não retires de mim o teu Espírito Santo.

12 Torna a dar-me a alegria da tua salvação e sustenta-me com o teu espírito voluntário.

13 Então ensinarei aos transgressores os teus caminhos e os pecadores a ti se converterão.

14 Livra-me dos crimes de sangue, ó Deus, Deus da minha salvação, então a minha língua louvará altamente a tua justiça.

15 Abre, Senhor, os meus lábios, então a minha boca entoará o teu louvor.

16 Pois não desejas sacrifícios, senão eu os daria; tu não te deleitas em holocaustos.

17 Os sacrifícios para Deus são o espírito quebrantado; a um coração quebrantado e contrito não desprezarás, ó Deus.

18 Faz o bem a Sião, segundo a tua boa vontade; edifica os muros de Jerusalém.

19 Então te agradarás dos sacrifícios de justiça, dos holocaustos e das ofertas queimadas; então se oferecerão novilhos sobre o teu altar.

A Condenação do Ímpio

Masquil de Davi para o cantor-mor, quando Doegue, o edomita, o denunciou a Saul, e lhe disse: Davi foi à casa de Abimeleque

52 Por que se gloria na malícia, ó homem poderoso? Pois a bondade de Deus permanece continuamente.

2 A sua língua intenta o mal, como uma navalha amolada, traçando enganos.

3 Você ama mais o mal do que o bem e a mentira mais do que falar a verdade.

4 Ama todas as palavras devoradoras, ó língua fraudulenta.

5 Também Deus o destruirá para sempre; o pegará, o arrancará da sua habitação e o desarraigará da terra dos viventes.

6 E os justos o verão e temerão: e rirão dele, dizendo:

7 "Eis aqui o homem que não pôs em Deus a sua fortaleza, antes confiou na abundância das suas riquezas e se fortaleceu na sua maldade."

8 Mas eu sou como a oliveira verde na casa de Deus; confio na misericórdia de Deus para sempre, eternamente.

9 Para sempre te louvarei, porque fizeste, e esperarei no teu nome, porque é bom diante de teus santos.

A Decadência do Homem

Masquil de Davi para o cantor-mor, sobre Maalate

53 Disse o insensato no seu coração: "Não há Deus." Têm-se corrompido e cometido abominável iniquidade; não há ninguém que faça o bem.

2 Deus olhou desde os céus para os filhos dos homens, para ver se havia algum que tivesse entendimento e buscasse a Deus.

3 Desviaram-se todos e juntamente se fizeram imundos; não há quem faça o bem, não, nem sequer um.

4 Por acaso não têm conhecimento os que praticam a iniquidade, os quais devoram o meu povo como se comessem pão? Eles não invocaram a Deus.

5 Ali se acharam em grande temor, onde não havia temor, pois Deus espalhou os ossos daquele que o cercava; você os confundiu, porque Deus os rejeitou.

6 Oh! Quem dera se de Sião já viesse a salvação de Israel! Quando Deus fizer voltarem os cativos do seu povo, então se regozijará Jacó e se alegrará Israel.

Oração Por Socorro

Masquil de Davi para o cantor-mor sobre Neginote, quando os zifeus vieram e disseram a Saul: Porventura não está escondido entre nós?

54 Salva-me, ó Deus, pelo teu nome e faz-me justiça
pelo teu poder.
2 Ó Deus, ouve a minha oração, inclina os teus ouvidos às
palavras da minha boca.
3 Porque os estrangeiros se levantam contra mim e tiranos
procuram a minha vida; estes não têm posto Deus perante
os seus olhos.
4 Eis que Deus é o meu ajudador, o Senhor está com aque-
les que sustentam a minha alma.
5 Ele recompensará com o mal aqueles que me andam
espiando; destrói-os por tua verdade.
6 Eu te oferecerei voluntariamente sacrifícios; louvarei o
teu nome, ó Senhor, porque é bom,
7 pois me tens livrado de toda a angústia e os meus olhos
viram o meu desejo sobre os meus inimigos.

Oração na Perseguição

Masquil de Davi para o cantor-mor, sobre Neginote

55 Inclina, ó Deus, os teus ouvidos à minha oração e
não te escondas da minha súplica.
2 Atende-me e ouve-me; lamento na minha queixa, e faço
ruído,
3 pelo clamor do inimigo e por causa da opressão do ím-
pio; pois lançam sobre mim a iniquidade e com furor me
aborrecem.
4 O meu coração está dolorido dentro de mim e terrores
da morte caíram sobre mim.
5 Temor e tremor vieram sobre mim e o horror me cobriu.
6 Pelo que eu disse: Oh! Quem me dera ter asas como de
pomba! Porque então voaria e estaria em descanso.
7 Eis que fugiria para longe e pernoitaria no deserto.
8 E me apressaria a escapar da fúria do vento e da
tempestade.
9 Despedaça, Senhor, e divide as suas línguas, pois tenho
visto violência e contenda na cidade.
10 De dia e de noite a cercam sobre os seus muros; iniqui-
dade e malícia estão no meio dela.
11 Maldade há dentro dela; astúcia e engano não se apar-
tam das suas ruas.
12 Pois não era um inimigo que me afrontava; então eu
o teria suportado; nem era o que me aborrecia que se en-
grandecia contra mim, porque dele me teria escondido.
13 Mas eras tu, meu companheiro, meu guia e meu ín-
timo amigo.
14 Consultávamos juntos suavemente e andávamos em
companhia na casa de Deus.
15 Que a morte os assalte e vivos desçam ao inferno;
porque há maldade nas suas habitações e no meio deles.
16 Eu, porém, invocarei a Deus e o Senhor me salvará.
17 De tarde e de manhã e ao meio-dia orarei; clamarei e
ele ouvirá a minha voz.
18 Livrou em paz a minha alma da batalha que havia con-
tra mim; pois havia muitos comigo.
19 Deus ouvirá e os afligirá. Aquele que preside desde a
antiguidade, porque não há neles nenhuma mudança e
portanto não temem a Deus.
20 Ele pôs as suas mãos naqueles que têm paz com ele;
quebrou a sua aliança.
21 As palavras da sua boca eram mais macias do que a
manteiga, mas havia guerra no seu coração: as suas pala-
vras eram mais brandas do que o azeite; contudo, eram
espadas nuas.
22 Lance o seu cuidado sobre o Senhor e ele o sustentará;
não permitirá jamais que o justo seja abalado.
23 Mas tu, ó Deus, os farás descerem ao poço da perdi-
ção; homens de sangue e de fraude não viverão metade
dos seus dias; mas eu em ti confiarei.

Oração Por Livramento I

Mictão de Davi para o cantor-mor sobre Jonate-Elém-Re-coquim, quando os filisteus o prenderam em Gate

56 Tem misericórdia de mim, ó Deus, porque o ho-
mem procura devorar-me; combatendo-me todo
dia, me oprime.
2 Os que andam me espiando procuram devorar-me todo
dia; pois são muitos os que combatem contra mim, ó
Altíssimo.
3 Em qualquer tempo em que eu temer, confiarei em ti.
4 Em Deus louvarei a sua palavra, em Deus pus a minha
confiança; não temerei o que me possa fazer a carne.
5 Todos os dias torcem as minhas palavras; todos os seus
pensamentos são contra mim para o mal.
6 Ajuntam-se, escondem-se, marcam os meus passos,
como aguardando a minha alma.
7 Porventura escaparão eles por meio da sua iniquidade?
Ó Deus, derruba os povos na tua ira!
8 Tu contas as minhas vagueações; põe as minhas lágri-
mas no teu odre; não estão elas no teu livro?
9 Quando eu a ti clamar, então voltarão para trás os meus
inimigos: isto eu sei, porque Deus é por mim.
10 Em Deus louvarei a sua palavra; no Senhor louvarei
a sua palavra.
11 Em Deus tenho posto a minha confiança; não temerei
o que me possa fazer o homem.
12 Os teus votos estão sobre mim, ó Deus; eu te renderei
ações de graças;
13 pois tu livraste a minha alma da morte; não livrarás

os meus pés da queda, para andar diante de Deus na luz
dos viventes?

Oração Por Livramento II

Mictão de Davi para o cantor-mor, sobre Al-Tachete, quando fugia de Saul na caverna

57 Tem misericórdia de mim, ó Deus, tem misericórdia de mim, porque a minha alma confia em
ti; à sombra das tuas asas me abrigo, até que passem as
calamidades.
2 Clamarei ao Deus altíssimo, ao Deus que por mim tudo
executa.
3 Ele enviará socorro desde os céus, e me salvará do desprezo daquele que procurava devorar-me. Deus enviará a
sua misericórdia e a sua verdade.
4 A minha alma está entre leões, e eu estou entre aqueles
que estão abrasados, filhos dos homens, cujos dentes são
lanças e flechas, e a sua língua espada afiada.
5 Sê exaltado, ó Deus, sobre os céus; seja a tua glória
sobre toda a terra.
6 Armaram uma rede aos meus passos; a minha alma está
abatida; cavaram uma cova diante de mim, porém eles
mesmos caíram no meio dela.
7 Preparado está o meu coração, ó Deus, preparado está o
meu coração; cantarei e direi salmos.
8 Desperta, glória minha, despertai, alaúde e harpa; eu
mesmo despertarei ao romper da alva.
9 Eu te louvarei, Senhor, entre os povos; eu te cantarei
entre as nações.
10 Pois a tua misericórdia é grande até aos céus e a tua
verdade até às nuvens.
11 Sê exaltado, ó Deus, sobre os céus; seja a tua glória
sobre toda a terra.

A Condenação da Injustiça

Mictão de Davi para o cantor-mor, sobre Al-Tachete

58 Por acaso vocês, ó congregação, fazem a justiça?
Julgam retamente, ó filhos dos homens?
2 Antes, no coração forjam iniquidades; sobre a terra pesa
a violência das suas mãos.
3 Perdem-se os ímpios desde o ventre; andam errados desde que nasceram, falando mentiras.
4 O seu veneno é semelhante ao veneno da serpente; são
como a víbora surda, que tapa os ouvidos,
5 para não ouvir a voz dos encantadores, do encantador
sábio em encantamentos.
6 Ó Deus, quebra-lhes os dentes nas suas bocas; arranca,
Senhor, as presas dos leões.
7 Escorram como águas que correm constantemente;
quando eles armarem as suas flechas, fiquem feitos em
pedaços.
8 Como a lesma se derrete, assim se vá cada um deles,
como o aborto duma mulher, que nunca viu o sol.
9 Antes que as vossas panelas sintam o calor dos gravetos,
como por um redemoinho os arrebatará ele, vivo e em
indignação.
10 O justo se alegrará quando vir a vingança; lavará os
seus pés no sangue do ímpio.
11 Então dirá o homem: "Há uma recompensa para o justo; de fato há um Deus que julga na terra."

Súplica Por Livramento

Mictão de Davi para o cantor-mor, sobre Al-Tachete, quando Saul lhes mandou que guardassem a sua casa para o matarem

59 Livra-me, meu Deus, dos meus inimigos, defende-
-me daqueles que se levantam contra mim.
2 Livra-me dos que praticam a iniquidade e salva-me dos
homens sanguinários.
3 Pois eis que põem ciladas à minha alma; os fortes se
ajuntam contra mim, não por transgressão minha ou por
pecado meu, ó Senhor.
4 Eles correm e se preparam, sem culpa minha; desperta
para me ajudares e olha.
5 Tu, pois, ó Senhor, Deus dos Exércitos, Deus de Israel,
desperta para castigares todos os gentios; não tenhas misericórdia de nenhum dos que traiçoeiramente praticam
a iniquidade.
6 Eles vêm ao cair da tarde; dão ganidos como cães e
rodeiam a cidade.
7 Eis que eles dão gritos com as suas bocas; espadas estão
nos seus lábios, porque, dizem eles: "Quem ouve?"
8 Mas tu, Senhor, rirás deles; zombarás de todos os
gentios;
9 por causa da sua força eu te aguardarei; pois Deus é a
minha alta defesa.
10 O Deus da minha misericórdia virá ao meu encontro;
Deus me fará ver o meu desejo sobre os meus inimigos.
11 Não os mates, para que o meu povo não se esqueça; espalha-os pelo teu poder e abate-os, ó Senhor, nosso
escudo.
12 Pelo pecado da sua boca e pelas palavras dos seus lábios, fiquem presos na sua soberba, e pelas maldições e
pelas mentiras que falam.
13 Consome-os na tua indignação, consome-os, para que
não existam, e para que saibam que Deus reina em Jacó
até aos fins da terra.
14 E tornem a vir à tarde, deem ganidos como cães e
cerquem a cidade.
15 Vagueiem para cima e para baixo por mantimento e
passem a noite sem comerem.
16 Eu, porém, cantarei a tua força; pela manhã louvarei

com alegria a tua misericórdia; porque tu foste o meu alto
refúgio e proteção no dia da minha angústia.
17 A ti, ó fortaleza minha, cantarei salmos; porque Deus é
a minha defesa e o Deus da minha misericórdia.

Súplica em Tempo de Guerra

Mictão de Davi, de doutrina, para o cantor-mor, sobre Susã-Edute, quando lutou com os sírios da Mesopotâmia, e com os sírios de Zobá, e Joabe, voltando, feriu no vale do Sal doze mil dos edomitas

60 Ó Deus, tu nos rejeitaste, tu nos espalhaste, tu te
indignaste; oh, volta-te para nós.
2 Abalaste a terra e a fendeste; sara as suas fendas, pois
ela treme.
3 Fizeste ver o teu povo coisas árduas; fizeste-nos beber o
vinho da perturbação.
4 Deste um estandarte aos que te temem, para o levantarem no alto, por causa da verdade.
5 Para que os teus amados sejam livres, salva-nos com a
tua mão direita e ouve-nos;
6 Deus falou na sua santidade: "Eu me regozijarei, repartirei Siquém e medirei o vale de Sucote.
7 Meu é Gileade e meu é Manassés; Efraim é a força da
minha cabeça; Judá é o meu legislador.
8 Moabe é a minha bacia de lavar; sobre Edom lançarei o
meu sapato; alegra-te, ó Filístia, por minha causa."
9 Quem me conduzirá à cidade forte? Quem me guiará
até Edom?
10 Não serás tu, ó Deus, que nos tinhas rejeitado? Tu, ó
Deus, que não saíste com os nossos exércitos?
11 Dá-nos auxílio na angústia, porque vão é o socorro
do homem.
12 Com Deus faremos proezas; porque ele é que pisará
os nossos inimigos.

Oração Pelo Rei

Salmo de Davi para o cantor-mor, sobre Neginote

61 Ouve, ó Deus, o meu clamor; atende à minha
oração.
2 Desde o fim da terra clamarei a ti, quando o meu coração estiver desmaiado; leva-me para a rocha que é mais
alta do que eu.
3 Pois tens sido um refúgio para mim e uma torre forte
contra o inimigo.
4 Habitarei no teu tabernáculo para sempre; me abrigarei
no esconderijo das tuas asas.
5 Pois tu, ó Deus, ouviste os meus votos; deste-me a herança dos que temem o teu nome.
6 Prolongarás os dias do rei e os seus anos serão como
muitas gerações.
7 Ele permanecerá diante de Deus para sempre; prepara-lhe misericórdia e verdade que o preservem.
8 Assim cantarei salmos ao teu nome perpetuamente,
para pagar os meus votos de dia em dia.

A Confiança em Deus

Salmo de Davi para o cantor-mor, sobre Jedutum

62 A minha alma espera somente em Deus; dele vem
a minha salvação.
2 Só ele é a minha rocha e a minha salvação; é a minha
defesa e não serei grandemente abalado.
3 Até quando maquinarão o mal contra um homem? Serão mortos todos vocês, serão como uma parede encurvada e um muro prestes a cair.
4 Eles somente consultam como o derrubarão da sua excelência; deleitam-se em mentiras; com a boca bendizem,
mas nas suas entranhas maldizem.
5 Ó minha alma, espera somente em Deus, porque dele
vem a minha esperança.
6 Só ele é a minha rocha e a minha salvação; é a minha
defesa e não serei abalado.
7 Em Deus está a minha salvação e a minha glória; a rocha
da minha fortaleza e o meu refúgio estão em Deus.
8 Confiem nele, ó povo, em todos os tempos; derramem
perante ele o seu coração. Deus é o nosso refúgio.
9 Certamente que os homens de classe baixa são vaidade,
e os homens de ordem elevada são mentira; pesados em
balanças, eles juntos são mais leves do que a vaidade.
10 Não confiem na opressão, nem se ensoberbem na rapina; se as suas riquezas aumentam, não ponham nelas
o coração.
11 Deus falou uma vez; duas vezes ouvi isto: que o poder
pertence a Deus.
12 A ti também, Senhor, pertence a misericórdia; pois retribuirás a cada um segundo a sua obra.

O Gozo da Comunhão Com Deus

Salmo de Davi quando estava no deserto de Judá

63 Ó Deus, tu és o meu Deus, de madrugada te buscarei; a minha alma tem sede de ti; a minha carne
te deseja muito em uma terra seca e cansada, onde não
há água;
2 para ver a tua fortaleza e a tua glória, como te vi no
santuário.
3 Porque a tua benignidade é melhor do que a vida, os
meus lábios te louvarão.
4 Assim eu te bendirei enquanto viver; em teu nome levantarei as minhas mãos.
5 A minha alma se fartará, como de tutano e de gordura;
a minha boca te louvará com alegres lábios.
6 Quando me lembrar de ti na minha cama, e meditar em
ti nas vigílias da noite.
7 Porque tu tens sido o meu auxílio; então, à sombra das
tuas asas me regozijarei.

8 A minha alma te segue de perto; a tua mão direita me
sustenta.
9 Mas aqueles que procuram a minha alma para a destruir
irão para as profundezas da terra.
10 Cairão à espada; serão uma ração para as raposas.
11 Mas o rei se regozijará em Deus; qualquer que por
ele jurar se gloriará; porque se taparão as bocas dos que
falam a mentira.

Súplica Por Proteção

Salmo de Davi para o cantor-mor

64 Ouve, ó Deus, a minha voz na minha oração; guar-
da a minha vida do temor do inimigo.
2 Esconde-me da conspiração dos maus e do tumulto dos
que praticam a iniquidade.
3 Que afiaram as suas línguas como espadas e armaram
por suas flechas palavras amargas,
4 a fim de atirarem em lugar oculto ao que é íntegro;
disparam sobre ele repentinamente e não temem.
5 Firmam-se em mau intento; falam de armar laços secre-
tamente e dizem: "Quem os verá?"
6 Andam inquirindo malícias, inquirem tudo o que se
pode inquirir; e ambos, o íntimo pensamento de cada um
deles e o coração, são profundos.
7 Mas Deus atirará sobre eles uma seta e de repente fi-
carão feridos.
8 Assim eles farão com que as suas línguas tropecem con-
tra si mesmos; todos aqueles que os virem fugirão.
9 E todos os homens temerão e anunciarão a obra de
Deus; considerarão prudentemente os feitos dele.
10 O justo se alegrará no Senhor, confiará nele e todos os
retos de coração se gloriarão.

Cântico de Louvor Pelas Bênçãos

Salmo e cântico de Davi para o cantor-mor

65 Por ti, ó Deus, espera o louvor em Sião, e a ti se
pagará o voto.
2 Ó tu, que ouves as orações, a ti virá toda a carne.
3 Prevalecem as iniquidades contra mim; porém tu expias
as nossas transgressões.
4 Bem-aventurado aquele a quem tu escolhes e fazes che-
gar a ti, para que habite em teus átrios; nós seremos fartos
da bondade da tua casa e do teu santo templo.
5 Pelas coisas tremendas em justiça nos responderás, ó
Deus da nossa salvação; tu és a esperança de todas as
extremidades da terra e daqueles que estão longe sobre
o mar.
6 O que pela sua força consolida os montes, cingido de
fortaleza;
7 o que aplaca o ruído dos mares, o ruído das suas ondas
e o tumulto das gentes.
8 E os que habitam nos fins da terra temem os teus sinais;
tu fazes alegres as saídas da manhã e da tarde.
9 Tu visitas a terra e a refrescas; tu a enriqueces grande-
mente com o rio de Deus, que está cheio de água; tu lhe
preparas o trigo, quando assim a tens preparada.
10 Enches de água os seus regos, fazendo-a descer em
suas margens; tu a amoleces com muita chuva; abençoas
as suas novidades.
11 Coroas o ano com a tua bondade e as tuas veredas
destilam gordura.
12 Destilam sobre os pastos do deserto e os outeiros se
vestem de alegria.
13 Os campos se vestem de rebanhos e os vales se cobrem
de trigo; eles se regozijam e cantam.

Cântico de Gratidão Pelas Obras de Deus

Cântico e salmo para o cantor-mor

66 Celebrai com júbilo a Deus, todas as terras.
2 Cantai a glória do seu nome; dai glória ao seu
louvor.
3 Dizei a Deus: "Quão terrível és tu nas tuas obras! Pela
grandeza do teu poder se submeterão a ti os teus inimigos.
4 Toda a terra te adorará e te cantará louvores; eles can-
tarão o teu nome."
5 Venham e vejam as obras de Deus: É terrível nos seus
feitos para com os filhos dos homens.
6 Converteu o mar em terra seca e passaram o rio a pé; ali
nos alegramos nele.
7 Ele domina eternamente pelo seu poder; os seus olhos
estão sobre as nações; não se exaltem os rebeldes.
8 Bendigam, povos, ao nosso Deus e façam ouvir a voz
do seu louvor,
9 ao que sustenta com vida a nossa alma e não consente
que sejam abalados os nossos pés.
10 Pois tu, ó Deus, nos provaste; tu nos afinaste como
se afina a prata.
11 Tu nos puseste na rede; afligiste os nossos lombos,
12 fizeste com que os homens cavalgassem sobre as nos-
sas cabeças; passamos pelo fogo e pela água; mas nos trou-
xeste a um lugar de abundância.
13 Entrarei em tua casa com holocaustos; pagar-te-ei os
meus votos,
14 os quais pronunciaram os meus lábios e falou a minha
boca, quando estava na angústia.
15 Te oferecerei holocaustos gordurosos com incenso de
carneiros; oferecerei novilhos e cabritos.
16 Venham e ouçam, todos os que temem a Deus, e eu
contarei o que ele tem feito à minha alma.
17 A ele clamei com a minha boca e ele foi exaltado pela
minha língua.

18 Se eu atender à iniquidade no meu coração, o Senhor
não me ouvirá;
19 mas, na verdade, Deus me ouviu; atendeu à voz da
minha oração.
20 Bendito seja Deus, que não rejeitou a minha oração,
nem desviou de mim a sua misericórdia.

O Governo Universal de Deus

Salmo e cântico para o cantor-mor, sobre Neginote

67 Deus tenha misericórdia de nós, nos abençoe e faça
resplandecer o seu rosto sobre nós.
2 Para que se conheça na terra o teu caminho e, entre
todas as nações, a tua salvação.
3 Louvem-te a ti, ó Deus, os povos; louvem-te os povos
todos.
4 Alegrem-se e regozijem-se as nações, pois julgarás os
povos com equidade e governarás as nações sobre a terra.
5 Louvem-te a ti, ó Deus, os povos; louvem-te os povos
todos.
6 Então a terra dará o seu fruto; e Deus, o nosso Deus,
nos abençoará.
7 Deus nos abençoará e todas as extremidades da terra
o temerão.

Louvor a Deus Que Conduz o Seu Povo

Salmo e cântico de Davi para o cantor-mor

68 Levante-se Deus, e sejam dissipados os seus inimi-
gos; fugirão de diante dele os que o aborrecem.
2 Como se impele a fumaça, assim tu os impeles; assim
como a cera se derrete diante do fogo, assim pereçam os
ímpios diante de Deus.
3 Mas alegrem-se os justos, se regozijem na presença de
Deus e folguem de alegria.
4 Cantem a Deus, cantem louvores ao seu nome; louvem
aquele que vai montado sobre os céus, pois Senhor é o seu
nome, e exultem diante dele.
5 Pai de órfãos e juiz de viúvas é Deus, no seu lugar santo.
6 Deus faz que o solitário viva em família; liberta aqueles
que estão presos em grilhões; mas os rebeldes habitam
em terra seca.
7 Ó Deus, quando saías diante do teu povo, quando cami-
nhavas pelo deserto,
8 a terra abalava-se e os céus destilavam perante a face de
Deus; até o próprio Sinai ficou comovido na presença de
Deus, do Deus de Israel.
9 Tu, ó Deus, mandaste a chuva em abundância, confor-
taste a tua herança, quando estava cansada.
10 Nela habitava o teu rebanho; tu, ó Deus, fizeste provi-
são da tua bondade para o pobre.
11 O Senhor deu a palavra; grande era o exército dos que
anunciavam as boas novas.
12 "Reis de exércitos fugiram às pressas; aquela que fica-
va em casa repartia os despojos.
13 Ainda que vocês tenham se deitado entre panelas, con-
tudo serão como as asas de uma pomba, cobertas de prata,
e as suas penas, de ouro amarelo."
14 Quando o Onipotente ali espalhou os reis, ela ficou
alva como a neve em Salmon.
15 O monte de Deus é como o monte de Basã, um monte
elevado como o monte de Basã.
16 Por que saltam, ó montes elevados? Este é o monte
que Deus desejou para a sua habitação e o Senhor habitará
nele eternamente.
17 Os carros de Deus são vinte milhares, milhares de mi-
lhares. O Senhor está entre eles, como no Sinai, no lugar
santo.
18 Tu subiste ao alto, levaste cativo o cativeiro, recebeste
dons para os homens e até para os rebeldes, para que o
Senhor Deus habitasse entre eles.
19 Bendito seja o Senhor, que de dia em dia nos carrega
de benefícios; o Deus que é a nossa salvação.
20 Aquele que é o nosso Deus é o Deus da salvação;
a Deus, o Senhor, pertencem as saídas para escapar da
morte.
21 Mas Deus ferirá gravemente a cabeça de seus inimigos
e o crânio cabeludo do que anda em suas culpas.
22 Disse o Senhor: "Eu os farei voltar de Basã, farei voltar
o meu povo das profundezas do mar;
23 para que o seu pé mergulhe no sangue de seus inimi-
gos e, no mesmo, a língua dos seus cães."
24 Ó Deus, eles têm visto os teus caminhos; os caminhos
do meu Deus, meu Rei, no santuário.
25 Os cantores iam adiante, os tocadores de instrumentos
atrás; entre eles as donzelas tocando adufes.
26 Celebrem a Deus nas congregações; ao Senhor, desde
a fonte de Israel.
27 Ali está o pequeno Benjamim, que domina sobre eles,
os príncipes de Judá com o seu ajuntamento, os príncipes
de Zebulom e os príncipes de Naftali.
28 O teu Deus ordenou a tua força; fortalece, ó Deus, o
que já fizeste para nós.
29 Por amor do teu templo em Jerusalém, os reis te trarão
presentes.
30 Repreende asperamente as feras das canas, a multidão
dos touros, com os novilhos dos povos, até que cada um
se submeta com barras de prata; dissipa os povos que de-
sejam a guerra.
31 Embaixadores reais virão do Egito; a Etiópia cedo es-
tenderá para Deus as suas mãos.
32 Reinos da terra, cantem a Deus, cantem louvores ao
Senhor.

33 Àquele que vai montado sobre os céus dos céus, que
existiam desde a antiguidade; eis que envia a sua voz, dá
um brado veemente.
34 Deem a Deus fortaleza; a sua excelência está sobre
Israel e a sua fortaleza nas mais altas nuvens.
35 Ó Deus, tu és tremendo desde os teus santuários; o
Deus de Israel é o que dá fortaleza e poder ao seu povo.
Bendito seja Deus!

Os Lamentos de Davi

Salmo de Davi para o cantor-mor, sobre Sosanim

69 Livra-me, ó Deus, pois as águas entraram até à mi-
nha alma.
2 Atolei-me em profundo lamaçal, onde não se pode estar
em pé; entrei na profundeza das águas, onde a corrente
me leva.
3 Estou cansado de clamar; a minha garganta secou; os
meus olhos desfalecem esperando o meu Deus.
4 Aqueles que me aborrecem sem causa são mais do que
os cabelos da minha cabeça; aqueles que procuram des-
truir-me, sendo injustamente meus inimigos, são podero-
sos; então restituí o que não furtei.
5 Tu, ó Deus, bem conheces a minha insipiência e os
meus pecados não te são encobertos.
6 Não sejam envergonhados por minha causa aqueles que
esperam em ti, ó Senhor, Senhor dos Exércitos; não sejam
confundidos por minha causa aqueles que te buscam, ó
Deus de Israel.
7 Porque por amor de ti tenho suportado afrontas; a con-
fusão cobriu o meu rosto.
8 Tenho-me tornado um estranho para com meus irmãos
e um desconhecido para com os filhos de minha mãe.
9 Pois o zelo da tua casa me devorou e as afrontas dos que
te afrontam caíram sobre mim.
10 Quando chorei e castiguei com jejum a minha alma,
isto se tornou em afrontas.
11 Pus por vestido um saco e me fiz um provérbio para
eles.
12 Aqueles que se assentam à porta falam contra mim; fui
o cântico dos bebedores de bebida forte.
13 Eu, porém, faço a minha oração a ti, Senhor, num tem-
po aceitável; ó Deus, ouve-me segundo a grandeza da tua
misericórdia, segundo a verdade da tua salvação.
14 Tira-me do lamaçal e não me deixes atolar; seja eu
livre dos que me aborrecem e das profundezas das águas.
15 Não me leve a corrente das águas, as profundezas não
me engulam, nem o poço feche a sua boca sobre mim.
16 Ouve-me, Senhor, pois boa é a tua misericórdia; olha
para mim segundo a tua muitíssima piedade.
17 E não escondas o teu rosto do teu servo, porque estou
angustiado; ouve-me depressa.
18 Aproxima-te da minha alma e resgata-a; livra-me por
causa dos meus inimigos.
19 Bem tens conhecido a minha afronta, a minha vergo-
nha e a minha confusão; diante de ti estão todos os meus
adversários.
20 Afrontas me quebrantaram o coração e estou fraquís-
simo; esperei por alguém que tivesse compaixão, mas não
houve nenhum; e por consoladores, mas não os achei.
21 Deram-me fel por aimento e na minha sede me deram
a beber vinagre.
22 Torne-se a sua mesa diante deles em laço, e o que é
para bem, em ruína.
23 Escureçam-se os seus olhos, para que não vejam e faz
com que os seus ombros tremam constantemente.
24 Derrama sobre eles a tua indignação e prenda-os o
ardor da tua ira.
25 Fique desolado o seu palácio e não haja quem habite
nas suas tendas.
26 Pois perseguem àquele a quem feriste e conversam
sobre a dor daqueles a quem castigaste.
27 Acrescenta iniquidade à iniquidade deles e não entrem
na tua justiça.
28 Sejam riscados do livro dos vivos e não sejam inscritos
com os justos.
29 Eu, porém, sou pobre e estou triste; ponha-me a tua
salvação, ó Deus, num alto retiro.
30 Louvarei o nome de Deus com um cântico e o engran-
decerei com ação de graças.
31 Isto será mais agradável ao Senhor do que boi, ou no-
vilho que tem chifres e unhas.
32 Os mansos verão isto e se agradarão; o seu coração
viverá, pois buscam a Deus.
33 Porque o Senhor ouve os necessitados e não despreza
os seus cativos.
34 Louvem-no os céus e a terra, os mares e tudo quanto
neles se move.
35 Porque Deus salvará a Sião e edificará as cidades de
Judá; para que habitem ali e a possuam.
36 E herdará a semente de seus servos e os que amam o
seu nome habitarão nela.

Clamor na Angústia

Salmo de Davi para o cantor-mor, para lembrança

70 Apressa-te, ó Deus, em me livrar; Senhor, apressa-te
em ajudar-me.
2 Fiquem envergonhados e confundidos os que procuram
a minha alma; voltem para trás e confundam-se os que
me desejam mal.
3 Virem as costas por causa da recompensa da sua vergo-
nha os que dizem: Ha! Ha!
4 Folguem e alegrem-se em ti todos os que te buscam;

aqueles que amam a tua salvação digam continuamente: "Engrandecido seja Deus."

5 Eu, porém, estou aflito e necessitado; apressa-te em vir a mim, ó Deus; tu és o meu auxílio e o meu libertador; Senhor, não te detenhas.

Súplicas na Velhice

71 Em ti, Senhor, confio; nunca seja eu confundido.

2 Livra-me na tua justiça e faz-me escapar; inclina os teus ouvidos para mim e salva-me.

3 Sê tu a minha habitação forte, à qual possa recorrer continuamente; deste um mandamento que me salva, pois tu és a minha rocha e a minha fortaleza.

4 Livra-me, meu Deus, das mãos do ímpio, das mãos do homem injusto e cruel.

5 Pois tu és a minha esperança, Senhor Deus; tu és a minha confiança desde a minha mocidade.

6 Por ti tenho sido sustentado desde o ventre; tu és aquele que me tiraste das entranhas de minha mãe; o meu louvor será para ti constantemente.

7 Sou como um prodígio para muitos, mas tu és o meu refúgio forte.

8 Encha-se a minha boca do teu louvor e da tua glória todo dia.

9 Não me rejeites no tempo da velhice; não me desampares, quando se for acabando a minha força.

10 Porque os meus inimigos falam contra mim e os que espiam a minha alma consultam juntos,

11 dizendo: "Deus o desamparou; persigam-no e prendam-no, pois não há quem o livre."

12 Ó Deus, não te distancies de mim; meu Deus, apressa-te em ajudar-me.

13 Sejam confundidos e consumidos os que são adversários da minha alma; cubram-se de opróbrio e de confusão aqueles que procuram o meu mal.

14 Mas eu esperarei continuamente e te louvarei cada vez mais.

15 A minha boca manifestará a tua justiça e a tua salvação todo dia, pois não conheço o número delas.

16 Sairei na força do Senhor Deus, farei menção da tua justiça, e só dela.

17 Ensinaste-me, ó Deus, desde a minha mocidade; até aqui tenho anunciado as tuas maravilhas.

18 Agora também, quando estou velho e de cabelos brancos, não me desampares, ó Deus, até que tenha anunciado a tua força a esta geração e o teu poder a todos os vindouros.

19 Também a tua justiça, ó Deus, está muito alta, pois fizeste grandes coisas; ó Deus, quem é semelhante a ti?

20 Tu, que me tens feito ver muitos males e angústias, me darás ainda a vida e me tirarás dos abismos da terra.

21 Aumentarás a minha grandeza e de novo me consolarás.

22 Também eu te louvarei com o saltério, bem como à tua verdade, ó meu Deus; cantarei com harpa a ti, ó Santo de Israel.

23 Os meus lábios exultarão quando eu te cantar, assim como a minha alma, que tu remiste.

24 A minha língua falará da tua justiça todo dia; pois estão confundidos e envergonhados aqueles que procuram o meu mal.

O Rei Justo

Salmo de Salomão

72 Ó Deus, dá ao rei os teus juízos e a tua justiça ao filho do rei.

2 Ele julgará o teu povo com justiça e os teus pobres com juízo.

3 Os montes trarão paz ao povo e os outeiros, justiça.

4 Julgará os aflitos do povo, salvará os filhos do necessitado e quebrantará o opressor.

5 Temer-te-ão enquanto durarem o sol e a lua, de geração em geração.

6 Ele descerá como a chuva sobre a erva ceifada, como os chuveiros que umedecem a terra.

7 Nos seus dias florescerá o justo e abundância de paz haverá enquanto durar a lua.

8 Dominará de mar a mar, desde o rio até às extremidades da terra.

9 Aqueles que habitam no deserto se inclinarão ante ele e os seus inimigos lamberão o pó.

10 Os reis de Társis e das ilhas trarão presentes; os reis de Sabá e de Sebá oferecerão dons.

11 E todos os reis se prostrarão perante ele; todas as nações o servirão.

12 Porque ele livrará ao necessitado quando clamar, como também ao aflito e ao que não tem quem o ajude.

13 Ele se compadecerá do pobre e do aflito e salvará as almas dos necessitados.

14 Libertará as suas almas do engano e da violência, e precioso será o seu sangue aos olhos dele.

15 E viverá, e lhe dará do ouro de Sabá; continuamente se fará por ele oração e todos os dias o bendirão.

16 Haverá um punhado de trigo na terra sobre as cabeças dos montes; o seu fruto se moverá como o Líbano, e os da cidade florescerão como a erva da terra.

17 O seu nome permanecerá eternamente; o seu nome se irá propagando de pais a filhos enquanto o sol durar, e os homens serão abençoados nele; todas as nações o chamarão bem-aventurado.

18 Bendito seja o Senhor Deus, o Deus de Israel, que só ele faz maravilhas.

19 E bendito seja para sempre o seu nome glorioso; en-
cha-se toda a terra da sua glória. Amém e Amém.
20 Aqui acabam as orações de Davi, filho de Jessé.

A Prosperidade dos Ímpios

Salmo de Asafe

73 Verdadeiramente bom é Deus para com Israel, para
com os limpos de coração.
2 Quanto a mim, os meus pés quase que se desviaram;
pouco faltou para que escorregassem os meus passos.
3 Pois eu tinha inveja dos loucos, quando via a prosperi-
dade dos ímpios.
4 Porque não há apertos na sua morte, mas firme está a
sua força.
5 Não se acham em trabalhos como outra gente, nem são
afligidos como outros homens.
6 Pelo que a soberba os cerca como um colar; vestem-se
de violência como de adorno.
7 Os olhos deles estão inchados de gordura; eles têm mais
do que o coração poderia desejar.
8 São corrompidos e tratam maliciosamente com opres-
são; falam arrogantemente.
9 Põem as suas bocas contra os céus e as suas línguas
andam pela terra.
10 Por isso o povo deles volta aqui, e águas de copo cheio
lhes espremem.
11 E eles dizem: "Como o sabe Deus? Há conhecimento
no Altíssimo?"
12 Eis que estes são ímpios e prosperam no mundo; au-
mentam em riquezas.
13 Na verdade em vão tenho purificado o meu coração e
lavado as minhas mãos na inocência.
14 Pois todo dia tenho sido afligido e castigado cada
manhã.
15 Se eu dissesse: "Falarei assim"; eis que ofenderia a ge-
ração de teus filhos.
16 Quando pensava em entender isto, foi para mim muito
doloroso;
17 até que entrei no santuário de Deus; então entendi
eu o fim deles.
18 Certamente tu os puseste em lugares escorregadios; tu
os lanças em destruição.
19 Como caem na desolação, quase num momento! Fi-
cam totalmente consumidos de terrores.
20 Como um sonho, quando se acorda, assim, ó Senhor,
quando acordares, desprezarás a aparência deles.
21 Assim o meu coração se azedou e sinto picadas nos
meus rins.
22 Assim me embruteci e nada sabia; fiquei como um
animal perante ti.
23 Todavia estou de contínuo contigo; tu me sustentaste
pela minha mão direita.
24 Guiar-me-ás com o teu conselho e depois me receberás
na glória.
25 Quem tenho eu no céu senão a ti? E na terra não há
quem eu deseje além de ti.
26 A minha carne e o meu coração desfalecem; mas
Deus é a fortaleza do meu coração, e a minha porção para
sempre.
27 Pois eis que os que se distanciam de ti perecerão; tu
tens destruído todos aqueles que se desviam de ti.
28 Mas, para mim, bom é aproximar-me de Deus; pus a
minha confiança no Senhor Deus, para anunciar todas as
tuas obras.

Lamentação Pela Destruição do Templo

Masquil de Asafe

74 Ó Deus, por que nos rejeitaste para sempre? Por
que se acende a tua ira contra as ovelhas do teu
pasto?
2 Lembra-te da tua congregação, que compraste desde a
antiguidade; da vara da tua herança, que remiste, deste
monte Sião, em que habitaste.
3 Levanta os teus pés para as perpétuas assolações, para
tudo o que o inimigo tem feito de mal no santuário.
4 Os teus inimigos bramam no meio dos teus lugares san-
tos; põem neles as suas insígnias por sinais.
5 Um homem se tornava famoso conforme houvesse le-
vantado machados contra a espessura do arvoredo.
6 Mas agora toda obra entalhada de uma vez quebram
com machados e martelos.
7 Lançaram fogo no teu santuário; profanaram, derruban-
do-a até ao chão, a morada do teu nome.
8 Disseram nos seus corações: "Despojemos eles de uma
vez." Queimaram todos os lugares santos de Deus na
terra.
9 Já não vemos os nossos sinais, já não há profeta, nem há
entre nós alguém que saiba até quando isto durará.
10 Até quando, ó Deus, nos afrontará o adversário? Blas-
femará o inimigo o teu nome para sempre?
11 Por que retiras a tua mão direita? Tira-a de dentro do
teu seio e consome-os.
12 Todavia Deus é o meu Rei desde a antiguidade, ope-
rando a salvação no meio da terra.
13 Tu dividiste o mar pela tua força; quebrantaste as cabe-
ças dos dragões nas águas.
14 Fizeste em pedaços as cabeças do leviatã e o deste por
mantimento aos habitantes do deserto.
15 Fendeste a fonte e o ribeiro; secaste os rios impetuosos.
16 Teu é o dia e tua é a noite; preparaste a luz e o sol.

17 Estabeleceste todos os limites da terra; verão e inverno
tu os formaste.
18 Lembra-te disto: que o inimigo afrontou ao Senhor e
que um povo louco blasfemou o teu nome.
19 Não entregues às feras a alma da tua pomba; não te
esqueças para sempre da vida dos teus aflitos.
20 Atende a tua aliança; pois os lugares tenebrosos da
terra estão cheios de moradas de crueldade.
21 Oh, que não volte envergonhado o oprimido; louvem
o teu nome o aflito e o necessitado.
22 Levanta-te, ó Deus, pleiteia a tua própria causa; lem-
bra-te da afronta que o louco te faz cada dia.
23 Não te esqueças dos gritos dos teus inimigos; o tu-
multo daqueles que se levantam contra ti aumenta
continuamente.

Deus é o Juiz

Para o cantor-mor, sobre Al-Tachete. Salmo e cântico de Asafe

75 A ti, ó Deus, glorificamos, a ti damos louvor, pois o
teu nome está perto, as tuas maravilhas o declaram.
2 "Quando eu ocupar o lugar determinado, julgarei
retamente.
3 A terra e todos os seus moradores estão dissolvidos, mas
eu fortaleci as suas colunas.
4 Disse eu aos loucos: Não enlouqueçam, e aos ímpios:
Não levantem o nariz;
5 não levantem o seu nariz, nem falem com insolência."
6 Porque nem do Oriente, nem do Ocidente, nem do de-
serto vem a exaltação.
7 Mas Deus é o Juiz: a um abate e a outro exalta.
8 Porque na mão do Senhor há um cálice cujo vinho é
tinto e está cheio de mistura; ele o derrama e dele todos os
ímpios da terra sorverão e beberão até que acabe.
9 E eu o declararei para sempre; cantarei louvores ao
Deus de Jacó.
10 E quebrarei todas as forças dos ímpios, mas as forças
dos justos serão exaltadas.

A Majestade Poderosa de Deus

Salmo e cântico de Asafe, para o cantor-mor, sobre Neginote

76 Conhecido é Deus em Judá; grande é o seu nome
em Israel.
2 Em Salém está o seu tabernáculo e a sua morada em
Sião.
3 Ali quebrou as flechas do arco, o escudo, a espada e
a guerra.
4 Tu és mais ilustre e glorioso do que os montes de caça.
5 Os que são ousados de coração são despojados; dormi-
ram o seu sono e nenhum dos homens de força achou as
próprias mãos.
6 À tua repreensão, ó Deus de Jacó, carros e cavalos são
lançados num sono profundo.
7 Tu, tu és terrível! E quem subsistirá à tua vista, uma
vez que te irares?
8 Desde os céus fizeste ouvir o teu juízo; a terra tremeu
e se aquietou,
9 quando Deus se levantou para fazer juízo, para livrar a
todos os mansos da terra.
10 Porque a cólera do homem redundará em teu louvor;
o restante da cólera tu o restringirás.
11 Façam votos e paguem ao Senhor seu Deus; tragam
presentes, os que estão ao redor dele, àquele que é temido.
12 Ele ceifará o espírito dos príncipes; é tremendo para
com os reis da terra.

Clamor Pela Misericórdia de Deus

Salmo de Asafe, para o cantor-mor, por Jedutum

77 Clamei a Deus com a minha voz, a Deus levantei
a minha voz e ele inclinou para mim os ouvidos.
2 No dia da minha angústia busquei ao Senhor; a minha
mão se estendeu de noite e não cessava; a minha alma
recusava ser consolada.
3 Lembrava-me de Deus e me perturbei; queixava-me, e o
meu espírito desfalecia.
4 Sustentaste os meus olhos acordados; estou tão pertur-
bado que não posso falar.
5 Considerava os dias da antiguidade, os anos dos tempos
antigos.
6 De noite chamei à lembrança o meu cântico; meditei
em meu coração e o meu espírito me esquadrinhou.
7 Rejeitará o Senhor para sempre e não tornará a ser
favorável?
8 Cessou para sempre a sua benignidade? Acabou-se já a
promessa de geração em geração?
9 Esqueceu-se Deus de ter misericórdia? Ou encerrou ele
as suas misericórdias na sua ira?
10 E eu disse: "A minha enfermidade é esta; mas eu me
lembrarei dos anos da mão direita do Altíssimo."
11 Eu me lembrarei das obras do Senhor; certamente que
eu me lembrarei das tuas maravilhas da antiguidade.
12 Meditarei também em todas as tuas obras e falarei dos
teus feitos.
13 O teu caminho, ó Deus, está no santuário. Quem é
Deus tão grande como o nosso Deus?
14 Tu és o Deus que fazes maravilhas; tu fizeste notória a
tua força entre os povos.
15 Com o teu braço remiste o teu povo, os filhos de Jacó
e de José.
16 As águas te viram, ó Deus, as águas te viram e treme-
ram; os abismos também se abalaram.

17 As nuvens lançaram água, os céus deram um som; as
tuas flechas correram de uma para outra parte.
18 A voz do teu trovão estava no céu; os relâmpagos ilu-
minaram o mundo; a terra se abalou e tremeu.
19 O teu caminho é no mar, as tuas veredas nas águas
grandes e os teus passos não são conhecidos.
20 Guiaste o teu povo, como a um rebanho, pela mão de
Moisés e de Arão.

Salmo Histórico

Masquil de Asafe

78 Escutem a minha lei, povo meu; inclinem os seus
ouvidos às palavras da minha boca.
2 Abrirei a minha boca numa parábola; falarei enigmas
da antiguidade.
3 Os quais temos ouvido e sabido e nossos pais nos têm
contado.
4 Não os encobriremos aos seus filhos, mostrando à gera-
ção futura os louvores do Senhor, assim como a sua força
e as maravilhas que fez.
5 Porque ele estabeleceu um testemunho em Jacó e pôs
uma lei em Israel, a qual deu aos nossos pais para que a
fizessem conhecer a seus filhos;
6 para que a geração vindoura a soubesse, os filhos que
nascessem se levantassem e a contassem a seus filhos;
7 para que pusessem em Deus a sua esperança e não se
esquecessem das obras de Deus, mas guardassem os seus
mandamentos.
8 E não fossem como seus pais, geração contumaz e re-
belde, geração que não regeu o seu coração e cujo espírito
não foi fiel a Deus.
9 Os filhos de Efraim, armados e trazendo arcos, viraram
as costas no dia do combate.
10 Não guardaram a aliança de Deus e recusaram andar
na sua lei;
11 e esqueceram-se das suas obras e das maravilhas que
lhes fizera ver.
12 Maravilhas que ele fez à vista de seus pais na terra do
Egito, no campo de Zoã.
13 Dividiu o mar e os fez passarem por ele; fez com que
as águas parassem como num montão.
14 De dia os guiou por uma nuvem e toda a noite por
uma luz de fogo.
15 Fendeu as penhas no deserto; deu-lhes de beber como
de grandes abismos.
16 Fez sair fontes da rocha e fez correrem as águas como
rios.
17 E ainda prosseguiram em pecar contra ele, provocando
o Altíssimo na solidão.
18 E tentaram a Deus nos seus corações, pedindo carne
para o seu apetite.
19 E falaram contra Deus e disseram: "Acaso pode Deus
preparar-nos uma mesa no deserto?
20 Eis que feriu a rocha e águas correram dela: rebenta-
ram ribeiros em abundância. Poderá também dar-nos pão,
ou preparar carne para o seu povo?"
21 Pelo que o Senhor os ouviu e se indignou; acendeu
um fogo contra Jacó e furor também subiu contra Israel;
22 porque não creram em Deus, nem confiaram na sua
salvação;
23 ainda que mandasse às altas nuvens e abrisse as portas
dos céus,
24 e chovesse sobre eles o maná para comerem e lhes
desse do trigo do céu.
25 O homem comeu o pão dos anjos; ele lhes mandou
comida a fartar.
26 Fez soprar o vento do oriente nos céus e o trouxe do
sul com a sua força.
27 E choveu sobre eles carne como pó e aves de asas
como a areia do mar.
28 E as fez cair no meio do seu arraial, ao redor de suas
habitações.
29 Então comeram e se fartaram bem; pois lhes cumpriu
o seu desejo.
30 Não refrearam o seu apetite. Ainda lhes estava a co-
mida na boca,
31 quando a ira de Deus desceu sobre eles e matou os
mais robustos deles, e feriu os escolhidos de Israel.
32 Com tudo isto ainda pecaram e não deram crédito às
suas maravilhas.
33 Pelo que ele consumiu os seus dias na vaidade e os
seus anos na angústia.
34 Quando os matava, então o procuravam, voltavam e
de madrugada buscavam a Deus.
35 E se lembravam de que Deus era a sua rocha e o Deus
Altíssimo, o seu Redentor.
36 Todavia lisonjeavam-no com a boca, mas com a língua
lhe mentiam.
37 Porque o seu coração não era reto para com ele, nem
foram fiéis na sua aliança.
38 Ele, porém, que é misericordioso, perdoou a sua ini-
quidade e não os destruiu; antes, muitas vezes, desviou
deles o seu furor e não despertou toda a sua ira.
39 Porque se lembrou de que eram de carne, vento que
passa e não volta.
40 Quantas vezes o provocaram no deserto e o molesta-
ram na solidão!
41 Voltaram atrás, tentaram a Deus e provocaram o Santo
de Israel.
42 Não se lembraram da sua mão, nem do dia em que os
livrou do adversário;

43 como operou os seus sinais no Egito e as suas maravi-
lhas no campo de Zoã;
44 e converteu os seus rios e as suas correntes em sangue,
para que não pudessem beber.
45 Enviou entre eles enxames de moscas que os consumi-
ram, e rãs que os destruíram.
46 Deu também às larvas a sua lavoura, e o seu trabalho
aos gafanhotos.
47 Destruiu as suas vinhas com saraiva e as suas figueiras
com granizo.
48 Também entregou o seu gado à saraiva e os seus re-
banhos aos raios.
49 Lançou sobre eles o ardor da sua ira, furor, indignação
e angústia, mandando maus anjos contra eles.
50 Preparou caminho à sua ira; não eximiu as suas almas
da morte, mas entregou à pestilência as suas vidas.
51 E feriu a todo primogênito no Egito, primícias da sua
força nas tendas de Cam.
52 Mas fez com que o seu povo saísse como ovelhas e os
guiou pelo deserto como um rebanho.
53 E os guiou com segurança, e não temeram; mas o mar
cobriu os seus inimigos.
54 E os trouxe até ao lugar do seu santuário, até este
monte que a sua mão direita adquiriu.
55 E expulsou as nações de diante deles, lhes dividiu uma
herança por medida e fez habitarem em suas tendas as
tribos de Israel.
56 Contudo, tentaram e provocaram o Deus Altíssimo e
não guardaram os seus testemunhos.
57 Mas retiraram-se para trás e portaram-se infielmente
como seus pais; viraram-se como um arco enganoso.
58 Pois o provocaram à ira com os seus altares, e desperta-
ram seu zelo com as suas imagens de escultura.
59 Deus ouviu isto e se indignou; e rejeitou completa-
mente o povo de Israel.
60 Pelo que desamparou o tabernáculo em Siló, a tenda
que estabeleceu entre os homens.
61 E deu a sua força ao cativeiro, e a sua glória à mão
do inimigo.
62 Entregou o seu povo à espada e se enfureceu contra
a sua herança.
63 O fogo consumiu os seus jovens e as suas moças não
foram dadas em casamento.
64 Os seus sacerdotes caíram à espada e as suas viúvas
não fizeram lamentação.
65 Então o Senhor despertou, como quem acaba de dor-
mir, como um valente que se alegra com o vinho.
66 E feriu os seus adversários por detrás e os pôs em per-
pétuo desprezo.
67 Além disto, recusou as tendas de José e não elegeu a
tribo de Efraim.
68 Antes, elegeu a tribo de Judá; o monte Sião, que ele
amava.
69 E edificou o seu santuário como altos palácios, como a
terra, que fundou para sempre.
70 Também elegeu a Davi seu servo e o tirou dos apriscos
das ovelhas;
71 e o tirou do cuidado das que se acharam prenhes, para
apascentar a Jacó, seu povo, e a Israel, sua herança.
72 Assim os apascentou, segundo a integridade do seu
coração, e os guiou pela habilidade de suas mãos.

Oração Por Justiça Contra os Inimigos

Salmo de Asafe

79 Ó Deus, os gentios vieram à tua herança; contami-
naram o teu santo templo; reduziram Jerusalém a
montões de pedras.
2 Deram os corpos mortos dos teus servos por comida às
aves dos céus, e a carne dos teus santos às feras da terra.
3 Derramaram o sangue deles como a água ao redor de
Jerusalém, e não houve quem os enterrasse.
4 Somos feitos vergonha para nossos vizinhos, escárnio e
zombaria para os que estão ao redor de nós.
5 Até quando, Senhor? Acaso te indignarás para sempre?
Arderá o teu zelo como fogo?
6 Derrama o teu furor sobre os gentios que não te conhe-
cem e sobre os reinos que não invocam o teu nome.
7 Porque devoraram Jacó e assolaram as suas moradas.
8 Não te lembres das nossas iniquidades passadas; ve-
nham-nos depressa as tuas misericórdias, pois já estamos
muito abatidos.
9 Ajuda-nos, ó Deus da nossa salvação, pela glória do teu
nome; livra-nos e perdoa os nossos pecados por amor do
teu nome.
10 Porque diriam os gentios: "Onde está o seu Deus?"
Seja ele conhecido entre os gentios, diante dos nossos
olhos, pela vingança do sangue dos teus servos, que foi
derramado.
11 Chegue à tua presença o gemido dos presos; segundo
a grandeza do teu braço preserva aqueles que estão sen-
tenciados à morte.
12 Retribui aos nossos vizinhos, sete vezes tanto da inju-
ria com a qual te injuriaram, Senhor.
13 Assim nós, teu povo e ovelhas de teu pasto, te louva-
remos eternamente; de geração em geração cantaremos
os teus louvores.

Oração Por Restauração

Para o cantor-mor. Sobre Sosanim Edute. Salmo de Asafe

80 Tu, que és pastor de Israel, dá ouvidos; tu, que guias
a José como a um rebanho; tu, que te assentas entre
os querubins, resplandece.
2 Perante Efraim, Benjamim e Manassés, desperta o teu
poder e vem salvar-nos.
3 Faz-nos voltar, ó Deus, e faz resplandecer o teu rosto,
e seremos salvos.
4 Ó Senhor Deus dos Exércitos, até quando te indignarás
contra a oração do teu povo?
5 Tu os sustentas com pão de lágrimas e lhes dás a beber
lágrimas com abundância.
6 Tu nos pões em contendas com os nossos vizinhos, e os
nossos inimigos zombam de nós entre si.
7 Faz-nos voltar, ó Deus dos Exércitos, e faz resplandecer
o teu rosto, e seremos salvos.
8 Trouxeste uma vinha do Egito; lançaste fora as nações
e a plantaste.
9 Preparaste-lhe lugar e fizeste com que ela deitasse raí-
zes, e encheu a terra.
10 Os montes foram cobertos da sua sombra e os seus
ramos se fizeram como os formosos cedros.
11 Ela estendeu a sua ramagem até ao mar e os seus ra-
mos até ao rio.
12 Por que quebraste, então, as suas cercas, de modo que
todos os que passam por ela a colhem?
13 O javali da selva a devasta, e as feras do campo a
devoram.
14 Oh! Deus dos Exércitos, volta-te, nós te rogamos, aten-
de dos céus, e vê, e visita esta videira;
15 a videira que a tua mão direita plantou, e o ramo que
fortificaste para ti.
16 Está queimada pelo fogo, está cortada; pereceu pela
repreensão da tua face.
17 Esteja a tua mão sobre o homem da tua mão direita,
sobre o filho do homem, que fortificaste para ti.
18 Assim nós não te viraremos as costas; guarda-nos em
vida e invocaremos o teu nome.
19 Faz-nos voltar, Senhor Deus dos Exércitos; faz resplan-
decer o teu rosto e seremos salvos.

Convite ao Louvor e à Obediência

Salmo de Asafe para o cantor-mor, sobre Gitite

81 Exultem a Deus, nossa fortaleza; jubilem perante
o Deus de Jacó.
2 Tomem um salmo e tragam junto o adufe, a harpa suave
e o alaúde.
3 Toquem a trombeta na lua nova, no tempo apontado da
nossa solenidade.
4 Porque isto era um estatuto para Israel e uma ordenança
do Deus de Jacó.
5 Ordenou-o em José por testemunho, quando saíram pela
terra do Egito, onde ouvi uma língua que não entendia.
6 "Tirei de seus ombros a carga; as suas mãos foram livres
dos cestos.
7 Clamaram na angústia e os livrei; respondi a vocês no
lugar oculto dos trovões; os provei nas águas de Meribá.
8 Ouça-me, povo meu, e eu o atestarei: Ah, Israel, se me
ouvisse!
9 Não haverá entre vocês deus alheio, nem prostrarão
diante de um deus estranho.
10 Eu sou o Senhor seu Deus, que os tirei da terra do
Egito; abram bem a sua boca, e a encherei.
11 Mas o meu povo não quis ouvir a minha voz; Israel
não me quis.
12 Por isso eu os entreguei aos desejos dos seus corações
e andaram nos seus próprios conselhos.
13 Oh! Se o meu povo tivesse me ouvido! Se Israel andas-
se nos meus caminhos!
14 Em breve abateria os seus inimigos, e viraria a minha
mão contra os seus adversários.
15 Os que aborrecem ao Senhor teriam se sujeitado, e o
seu tempo seria eterno.
16 E eu o sustentaria com o trigo mais fino, e o fartaria
com o mel saído da rocha."

O Juízo de Deus Sobre os Juízes Injustos

Salmo de Asafe

82 Deus está na congregação dos poderosos; julga no
meio dos deuses.
2 Até quando julgarão injustamente e aceitarão os ímpios?
3 Façam justiça ao pobre e ao órfão; justifiquem o aflito
e o necessitado.
4 Livrem o pobre e o necessitado; tirem-nos das mãos dos
ímpios.
5 Eles não conhecem, nem entendem; andam em trevas;
todos os fundamentos da terra vacilam.
6 Eu disse: "Vocês são deuses, e todos vocês, filhos do
Altíssimo."
7 Todavia morrerão como homens e cairão como qual-
quer príncipe.
8 Levanta-te, ó Deus, julga a terra, pois tu possuis todas
as nações.

Súplica Pela Preservação da Nação

Cântico e salmo de Asafe

83 Ó Deus, não estejas em silêncio; não te cales, nem
te aquietes, ó Deus,
2 porque eis que teus inimigos fazem tumulto, e os que te
aborrecem levantaram a cabeça.

3 Tomaram astuto conselho contra o teu povo e consulta-
ram contra os teus protegidos.
4 Disseram: “Vinde e desarraiguemo-los para que não se-
jam nação, nem haja mais memória do nome de Israel.”
5 Porque consultaram juntos e unânimes; eles se unem
contra ti:
6 As tendas de Edom, dos ismaelitas, de Moabe e dos
agarenos,
7 de Gebal, de Amom e de Amaleque; a Filístia, com os
moradores de Tiro,
8 também a Assíria se ajuntou com eles; foram ajudar aos
filhos de Ló.
9 Faz-lhes como aos midianitas; como a Sísera, como a
Jabim na ribeira de Quisom;
10 os quais pereceram em Endor; tornaram-se como es-
trume para a terra.
11 Faz aos seus nobres como a Orebe, e como a Zeebe; e
a todos os seus príncipes, como a Zeba e como a Zalmuna,
12 que disseram: “Tomemos para nós as casas de Deus
em possessão.”
13 Deus meu, faze-os como um tufão, como a aresta dian-
te do vento.
14 Como o fogo que queima um bosque e como a chama
que incendeia as matas,
15 assim os persegue com a tua tempestade e os assombra
com o teu torvelinho.
16 Encham-se de vergonha as suas faces, para que bus-
quem o teu nome, Senhor.
17 Confundam-se e assombrem-se perpetuamente; enver-
gonhem-se, e pereçam,
18 para que saibam que tu, a quem só pertence o nome de
Senhor, és o Altíssimo sobre toda a terra.

Saudades do Templo

Para o cantor-mor sobre Gitite. Salmo para os filhos de Corá

84 Quão amáveis são os teus tabernáculos, Senhor dos
Exércitos!
2 A minha alma está desejosa e desfalece pelos átrios do
Senhor; o meu coração e a minha carne clamam pelo
Deus vivo.
3 Até o pardal encontrou casa, e a andorinha ninho para si
e para seus filhotes, próximo dos teus altares, Senhor dos
Exércitos, Rei meu e Deus meu.
4 Bem-aventurados os que habitam em tua casa; te louva-
rão continuamente.
5 Bem-aventurado o homem cuja força está em ti, em cujo
coração estão os caminhos aplanados.
6 Que, passando pelo vale de Baca, faz dele uma fonte; a
chuva também enche os tanques.
7 Vão indo de força em força; cada um deles em Sião
aparece perante Deus.
8 Senhor Deus dos Exércitos, escuta a minha oração; in-
clina os ouvidos, ó Deus de Jacó!
9 Olha, ó Deus, escudo nosso, e contempla o rosto do
teu ungido.
10 Porque vale mais um dia nos teus átrios, do que noutro
lugar mil. Preferiria estar à porta da casa do meu Deus, a
habitar nas tendas dos ímpios.
11 Porque o Senhor Deus é um sol e escudo; o Senhor
dará graça e glória; não retirará bem algum aos que andam
na retidão.
12 Senhor dos Exércitos, bem-aventurado o homem que
em ti põe a sua confiança.

Pedido de Misericórdia

Salmo para o cantor-mor, entre os filhos de Corá

85 Abençoaste, Senhor, a tua terra; fizeste voltarem os
cativeiros de Jacó.
2 Perdoaste a iniquidade do teu povo; cobriste todos os
seus pecados.
3 Fizeste cessar toda a tua indignação; desviaste-te do
ardor da tua ira.
4 Torna-nos a trazer, ó Deus da nossa salvação, e faz cessar
a tua ira de sobre nós.
5 Acaso estarás sempre irado contra nós? Ou estenderás a
tua ira a todas as gerações?
6 Não tornarás a vivificar-nos, para que o teu povo se ale-
gre em ti?
7 Mostra-nos, Senhor, a tua misericórdia e concede-nos
a tua salvação.
8 Escutarei o que Deus, o Senhor, falar; porque falará
de paz ao seu povo e aos santos, para que não voltem
à loucura.
9 Certamente que a salvação está perto daqueles que o
temem, para que a glória habite na nossa terra.
10 A misericórdia e a verdade se encontraram; a justiça e
a paz se beijaram.
11 A verdade brotará da terra e a justiça olhará desde
os céus.
12 Também o Senhor dará o que é bom, e a nossa terra
dará o seu fruto.
13 A justiça irá adiante dele e nos porá no caminho das
suas pisadas.

Súplicas e Louvores

Oração de Davi

86 Inclina, Senhor, os teus ouvidos e ouve-me, porque
estou necessitado e aflito.
2 Guarda a minha alma, pois sou santo: ó Deus meu, salva
o teu servo, que em ti confia.

3 Tem misericórdia de mim, ó Senhor, pois a ti clamo todo
o dia.
4 Alegra a alma do teu servo, pois a ti, Senhor, levanto a
minha alma.
5 Pois tu, Senhor, és bom, pronto a perdoar e abundante
em benignidade para todos os que te invocam.
6 Dá ouvidos, Senhor, à minha oração e atende à voz das
minhas súplicas.
7 No dia da minha angústia clamo a ti, porque me
respondes.
8 Entre os deuses não há semelhante a ti, Senhor, nem há
obras como as tuas.
9 Todas as nações que fizeste virão e se prostrarão perante
a tua face, Senhor, e glorificarão o teu nome.
10 Porque tu és grande e fazes maravilhas; só tu és Deus.
11 Ensina-me, Senhor, o teu caminho, e andarei na tua
verdade; une o meu coração ao temor do teu nome.
12 Louvar-te-ei, Senhor Deus meu, com todo o meu cora-
ção, e glorificarei o teu nome para sempre.
13 Pois grande é a tua misericórdia para comigo; livraste
a minha alma da sepultura mais profunda.
14 Ó Deus, os soberbos se levantaram contra mim, as
assembleias dos tiranos procuraram a minha alma e não te
puseram perante os seus olhos.
15 Porém tu, Senhor, és um Deus cheio de compai-
xão, piedoso, compassivo, grande em benignidade e em
verdade.
16 Volta-te para mim, e tem misericórdia de mim; dá a tua
força ao teu servo, e salva ao filho da tua serva.
17 Mostra-me um sinal para bem, para que o vejam aque-
les que me aborrecem, e se confundam; porque tu, Se-
nhor, me ajudaste e me consolaste.

A Cidade de Sião

Salmo e canto para os filhos de Corá

87 O seu fundamento está nos montes santos.
2 O Senhor ama as portas de Sião, mais do que to-
das as habitações de Jacó.
3 Coisas gloriosas se dizem de você, ó cidade de Deus.
4 Farei menção de Raabe e da Babilônia àqueles que me
conhecem: eis que da Filístia, de Tiro e da Etiópia, se dirá:
"Este homem nasceu ali."
5 E de Sião se dirá: "Este e aquele homem nasceram ali";
e o próprio Altíssimo a estabelecerá.
6 O Senhor contará na descrição dos povos que este ho-
mem nasceu ali.
7 Tanto os cantores como os tocadores de instrumentos
estarão lá; todas as minhas fontes estão em ti.

Oração de Um Angustiado

Salmo e cântico para os filhos de Corá e para o cantor-
-mor, sobre Maalate Leanote, instrução de Hemã, ezraíta

88 Senhor Deus da minha salvação, diante de ti tenho
clamado de dia e de noite.
2 Chegue a minha oração perante a tua face, inclina os
teus ouvidos ao meu clamor;
3 porque a minha alma está cheia de angústia e a minha
vida se aproxima da sepultura.
4 Estou contado com aqueles que descem ao abismo; es-
tou como homem sem forças,
5 livre entre os mortos, como os feridos de morte que
jazem na sepultura, dos quais não te lembras mais e estão
cortados da tua mão.
6 Puseste-me no abismo mais profundo, em trevas e nas
profundezas.
7 Sobre mim pesa o teu furor; tu me afligiste com todas
as tuas ondas.
8 Afastaste de mim os meus conhecidos, puseste-me em
extrema abominação para com eles; estou preso e não
posso sair.
9 A minha vista desmaia por causa da aflição. Senhor,
tenho clamado a ti todo dia, tenho estendido para ti as
minhas mãos.
10 Mostrarás, tu, maravilhas aos mortos, ou os mortos se
levantarão e te louvarão?
11 Será anunciada a tua benignidade na sepultura, ou a
tua fidelidade na perdição?
12 Serão conhecidas as tuas maravilhas nas trevas e a tua
justiça na terra do esquecimento?
13 Eu, porém, Senhor, tenho clamado a ti, e de madruga-
da te esperará a minha oração.
14 Senhor, por que rejeitas a minha alma? Por que escon-
des de mim a tua face?
15 Estou aflito e ando perto da morte desde a minha mo-
cidade; os teus terrores me oprimem.
16 A tua ardente indignação sobre mim vai passando; os
teus terrores me têm retalhado.
17 Eles me rodeiam todo o dia como água; eles juntos
me sitiam.
18 Desviaste para longe de mim amigos e companheiros,
e os meus conhecidos estão em trevas.

Salmo da Aliança

Masquil de Etã, o ezraíta

89 As benignidades do Senhor cantarei perpetuamen-
te; com a minha boca manifestarei a tua fidelidade
de geração em geração.
2 Pois eu disse: A tua benignidade será edificada para sem-
pre; tu confirmarás a tua fidelidade até nos céus, dizendo:

3 "Fiz uma aliança com o meu escolhido e jurei ao meu
servo Davi:
4 A tua semente estabelecerei para sempre e edificarei o
teu trono de geração em geração."
5 E os céus louvarão as tuas maravilhas, ó Senhor, a tua
fidelidade também na congregação dos santos.
6 Pois quem no céu se pode igualar ao Senhor? Quem
entre os filhos dos poderosos pode ser semelhante ao
Senhor?
7 Deus é temível na assembleia dos santos, e reverenciado
por todos os que o cercam.
8 Ó Senhor Deus dos Exércitos, quem é poderoso como
tu? Senhor, a tua fidelidade está ao teu redor.
9 Tu dominas o ímpeto do mar; quando as suas ondas se
levantam, tu as fazes se aquietarem.
10 Tu quebraste Raabe como se fora ferida de morte; espa-
lhaste os teus inimigos com o teu braço forte.
11 Teus são os céus e tua é a terra; o mundo e a sua
plenitude tu os fundaste.
12 O Norte e o Sul tu os criaste; Tabor e Hermom cantam
em teu nome.
13 Tu tens um braço poderoso; forte é a tua mão e alta
está a tua mão direita.
14 Justiça e juízo são a base do teu trono; misericórdia e
verdade irão adiante do teu rosto.
15 Bem-aventurado o povo que conhece o som alegre;
andará, ó Senhor, na luz da tua face.
16 Em teu nome se alegrará todo o dia, e na tua justiça
se exaltará.
17 Pois tu és a glória da sua força; e pela tua boa vontade
será exaltado o nosso poder.
18 Porque o Senhor é a nossa defesa, e o Santo de Israel
o nosso Rei.
19 Então falaste em visão ao teu santo e disseste: "Pus o
socorro sobre um que é poderoso; exaltei a um escolhido
do povo.
20 Achei Davi, meu servo; com santo óleo o ungi,
21 com o qual a minha mão ficará firme e o meu braço
o fortalecerá.
22 O inimigo não o importunará, nem o filho da perver-
sidade o afligirá.
23 E eu derrubarei os seus inimigos perante a sua face e
ferirei os que o aborrecem.
24 E a minha fidelidade e a minha benignidade estarão
com ele; em meu nome será exaltado o seu poder.
25 Porei também a sua mão no mar e a sua direita nos
rios.
26 Ele me chamará, dizendo: 'Tu és meu pai, meu Deus,
e a rocha da minha salvação.'
27 Também o farei meu primogênito, mais elevado do
que os reis da terra.
28 A minha benignidade eu lhe conservarei para sempre,
e a minha aliança lhe será firme,
29 e conservarei para sempre a sua semente, e o seu trono
como os dias do céu.
30 Se os seus filhos deixarem a minha lei e não andarem
nos meus juízos,
31 se profanarem os meus preceitos e não guardarem os
meus mandamentos,
32 então visitarei a sua transgressão com a vara, e a sua
iniquidade com açoites.
33 Mas não retirarei totalmente dele a minha benignida-
de, nem faltarei à minha fidelidade.
34 Não quebrarei a minha aliança, não alterarei o que saiu
dos meus lábios.
35 Uma vez jurei pela minha santidade que não mentirei
a Davi.
36 A sua semente durará para sempre, e o seu trono,
como o sol diante de mim.
37 Será estabelecido para sempre como a lua e como uma
testemunha fiel no céu."
38 Mas tu o rejeitaste e aborreceste; tu te indignaste con-
tra o teu ungido.
39 Abominaste a aliança do teu servo; profanaste a sua
coroa, lançando-a por terra.
40 Derrubaste todos os seus muros; arruinaste as suas
fortificações.
41 Todos os que passam pelo caminho o despojam; é uma
vergonha para os seus vizinhos.
42 Exaltaste a mão direita dos seus adversários; fizeste
com que todos os seus inimigos se regozijassem.
43 Também embotaste o fio da sua espada e não o sus-
tentaste na batalha.
44 Fizeste cessar a sua glória e deitaste por terra o seu
trono.
45 Abreviaste os dias da sua mocidade; cobriste-o de
vergonha.
46 Até quando, Senhor? Acaso te esconderás para sem-
pre? Arderá a tua ira como fogo?
47 Lembra-te de quão breves são os meus dias; por que
criarias em vão todos os filhos dos homens?
48 Que homem há, que viva e não veja a morte? Livrará
ele a sua alma do poder da sepultura?
49 Senhor, onde estão as tuas antigas benignidades que
juraste a Davi pela tua verdade?
50 Lembra-te, Senhor, da vergonha dos teus servos; como
eu trago no meu peito a vergonha de todos os povos
poderosos,

51 com a qual, Senhor, os teus inimigos têm difamado, com a qual têm difamado as pisadas do teu ungido.
52 Bendito seja o Senhor para sempre. Amém, e Amém.

A Eternidade de Deus e a Fragilidade Humana

Oração de Moisés, homem de Deus

90 Senhor, tu tens sido o nosso refúgio, de geração em geração.
2 Antes que os montes nascessem, ou que tu formasses a terra e o mundo, de eternidade em eternidade, tu és Deus.
3 Tu reduzes o homem ao pó e dizes: "Tornai-vos pó, filhos dos homens!"
4 Porque mil anos são aos teus olhos como o dia de ontem que passou e como a vigília da noite.
5 Tu os levas como uma corrente de água; são como um sono; de manhã são como a erva que cresce.
6 De madrugada floresce e cresce; à tarde corta-se e seca.
7 Pois somos consumidos pela tua ira, e pelo teu furor somos angustiados.
8 Diante de ti puseste as nossas iniquidades, os nossos pecados ocultos, à luz do teu rosto.
9 Pois todos os nossos dias vão passando na tua indignação; passamos os nossos anos como um conto que se conta.
10 Os dias da nossa vida chegam a setenta anos, e se alguns, pela sua robustez, chegam a oitenta anos, o orgulho deles é canseira e enfado, pois cedo se corta e vamos voando.
11 Quem conhece o poder da tua ira? E a tua indignação pela qual deves ser temido?
12 Ensina-nos a contar os nossos dias, de tal maneira que alcancemos corações sábios.
13 Volta-te para nós, Senhor; até quando? E aplaca-te para com os teus servos.
14 Farta-nos de madrugada com a tua benignidade, para que nos regozijemos e nos alegremos todos os nossos dias.
15 Alegra-nos pelos dias em que nos afligiste e pelos anos em que vimos o mal.
16 Apareça a tua obra aos teus servos e a tua glória sobre seus filhos.
17 E esteja sobre nós a formosura do Senhor nosso Deus, e confirma sobre nós a obra das nossas mãos; sim, confirma a obra das nossas mãos.

Segurança em Deus

91 Aquele que habita no esconderijo do Altíssimo, à sombra do Onipotente descansará.
2 Dirá do Senhor: "Ele é o meu Deus, o meu refúgio, a minha fortaleza, e nele confiarei."
3 Porque ele te livrará do laço do passarinheiro e da peste perniciosa.
4 Ele te cobrirá com as suas penas e debaixo das suas asas estarás seguro; a sua verdade será o teu escudo e a tua defesa.
5 Não terás medo do terror de noite nem da seta que voa de dia,
6 nem da peste que anda na escuridão, nem da mortandade que assola ao meio-dia.
7 Mil cairão ao teu lado e dez mil à tua direita, mas nada chegará a ti.
8 Somente com os teus olhos contemplarás e verás a recompensa dos ímpios.
9 Porque o Senhor é o teu refúgio; o Altíssimo a tua habitação.
10 Nenhum mal te sucederá, nem praga alguma chegará à tua tenda.
11 Porque aos seus anjos dará ordem a teu respeito, para te guardarem em todos os teus caminhos.
12 Eles te sustentarão nas suas mãos, para que não tropeces com o teu pé em pedra.
13 Pisarás o leão e a cobra; calcarás aos pés o filho do leão e a serpente.
14 "Porquanto tão encarecidamente me amou, também eu o livrarei; e o porei em retiro alto, porque conheceu o meu nome.
15 Ele me invocará, e eu lhe responderei; estarei com ele na angústia; dela o retirarei, e o glorificarei.
16 E o fartarei com longevidade, e lhe mostrarei a minha salvação."

Hino de Louvor e Gratidão

Salmo e cântico para o sábado

92 Bom é louvar ao Senhor e cantar louvores ao teu nome, ó Altíssimo;
2 para de manhã anunciar a tua benignidade, e todas as noites a tua fidelidade;
3 com um instrumento de dez cordas, com o saltério e com a harpa de som solene.
4 Pois tu, Senhor, me alegraste pelos teus feitos; exultarei nas obras das tuas mãos.
5 Quão grandes são, Senhor, as tuas obras! Muito profundos são os teus pensamentos.
6 O homem insensato não conhece, nem o louco entende isto.
7 Quando o ímpio crescer como a erva, e quando florescerem todos os que praticam a iniquidade é que serão destruídos perpetuamente.
8 Mas tu, Senhor, és o Altíssimo para sempre.
9 Pois eis que os teus inimigos, Senhor, eis que os teus inimigos perecerão; serão dispersos todos os que praticam a iniquidade.

10 Porém tu exaltarás o meu poder, como o do búfalo:
serei ungido com óleo fresco.
11 Os meus olhos verão o meu desejo sobre os meus ini-
migos, e os meus ouvidos ouvirão o meu desejo acerca dos
malfeitores que se levantam contra mim.
12 O justo florescerá como a palmeira; crescerá como o
cedro no Líbano.
13 Os que estão plantados na casa do Senhor florescerão
nos átrios do nosso Deus.
14 Na velhice ainda darão frutos; serão viçosos e
florescentes,
15 para anunciarem que o Senhor é reto; ele é a minha
rocha e nele não há injustiça.

O Soberano do Universo

93 O Senhor reina; está vestido de majestade; o Senhor
está vestido de seu poder; o mundo também está
firmado, e não poderá vacilar.
2 O teu trono está firme desde então; tu és desde a
eternidade.
3 Os rios levantam, ó Senhor, os rios levantam o seu ruí-
do, os rios levantam as suas ondas.
4 Mas o Senhor nas alturas é mais poderoso do que o
ruído das grandes águas e do que as grandes ondas do mar.
5 Muito fiéis são os teus testemunhos; a santidade con-
vém à tua casa, Senhor, para sempre.

Súplica Por Justiça Contra os Injustos

94 Ó Senhor Deus, a quem a vingança pertence;
ó Deus, a quem a vingança pertence, mostra-te
resplandecente.
2 Levanta-te, juiz da terra; dá aos soberbos o que
merecem.
3 Até quando os ímpios, Senhor, até quando os ímpios
saltarão de prazer?
4 Até quando proferirão e falarão coisas duras, e se gloria-
rão todos os que praticam a iniquidade?
5 Reduzem a pedaços o teu povo, ó Senhor, e afligem a
tua herança.
6 Matam a viúva e o estrangeiro, e ao órfão tiram a vida.
7 Contudo dizem: "O Senhor não o verá; nem para isso
atentará o Deus de Jacó."
8 Prestem atenção, ó tolos dentre o povo; e vocês, loucos,
quando serão sábios?
9 Aquele que fez o ouvido não ouvirá? E o que formou o
olho, não verá?
10 Aquele que repreende as nações, não castigará? E o
que ensina ao homem o conhecimento, não saberá?
11 O Senhor conhece os pensamentos do homem, que
são vaidade.
12 Bem-aventurado é o homem a quem tu castigas, ó Se-
nhor, e a quem ensinas a tua lei;
13 para lhe dares descanso dos dias maus, até que se abra
a cova para o ímpio.
14 Pois o Senhor não rejeitará o seu povo, nem desampa-
rará a sua herança.
15 Mas o juízo voltará à retidão, e o seguirão todos os
retos de coração.
16 Quem será por mim contra os malfeitores? Quem se
porá por mim contra os que praticam a iniquidade?
17 Se o Senhor não tivesse ido em meu auxílio, a minha
alma quase que teria ficado no silêncio.
18 Quando eu disse: O meu pé vacila, a tua benignidade,
Senhor, me susteve.
19 Na multidão dos meus pensamentos dentro de mim, as
tuas consolações recriaram a minha alma.
20 Porventura pode o trono de iniquidade te fazer compa-
nhia, fazendo o mal em nome da lei?
21 Eles se ajuntam contra a alma do justo e condenam o
sangue inocente.
22 Mas o Senhor é a minha defesa; o meu Deus é a rocha
do meu refúgio.
23 E trará sobre eles a sua própria iniquidade; os destruirá
na sua própria malícia; o Senhor nosso Deus os destruirá.

Convite ao Culto

95 Venham, cantaremos ao Senhor; celebrem com jú-
bilo a rocha da nossa salvação.
2 Apresentemo-nos ante a sua face com louvores e cele-
bremo-lo com salmos.
3 Porque o Senhor é Deus grande, e Rei grande sobre
todos os deuses.
4 Nas suas mãos estão as profundezas da terra, e as alturas
dos montes são suas.
5 Seu é o mar, ele o fez e as suas mãos formaram a terra
seca.
6 Ó, vinde, adoremos e prostremo-nos; ajoelhemos diante
do Senhor que nos criou.
7 Porque ele é o nosso Deus, e nós povo do seu pasto e
ovelhas da sua mão. Se hoje ouvirem a sua voz,
8 não endureçam os seus corações, assim como na provo-
cação e como no dia da tentação no deserto;
9 quando seus pais me tentaram, me provaram, e viram
a minha obra.
10 Quarenta anos estive desgostado com esta geração e
disse: "É um povo que erra de coração e não tem conheci-
do os meus caminhos.
11 A quem jurei na minha ira que não entrarão no meu
repouso."

A Soberania de Deus

96 Cantem ao Senhor um cântico novo, cantem ao
Senhor toda a terra.

2 Cantem ao Senhor, bendigam o seu nome; anunciem a
sua salvação de dia em dia.
3 Anunciem entre as nações a sua glória; entre todos os
povos as suas maravilhas.
4 Porque grande é o Senhor e digno de louvor, mais temí-
vel do que todos os deuses.
5 Porque todos os deuses dos povos são ídolos, mas o Se-
nhor fez os céus.
6 Glória e majestade estão diante da sua face, força e for-
mosura no seu santuário.
7 Deem ao Senhor, ó famílias dos povos, deem ao Senhor
glória e força.
8 Deem ao Senhor a glória devida ao seu nome; tragam
oferenda e entrem nos seus átrios.
9 Adorem ao Senhor na beleza da sua santidade; trema
diante dele toda a terra.
10 Digam entre as nações que o Senhor reina. O mundo
também se firmará para que não se abale; julgará os povos
com retidão.
11 Alegrem-se os céus e regozije-se a terra; brame o mar
e a sua plenitude.
12 Alegre-se o campo com tudo o que há nele; então se
regozijarão todas as árvores do bosque,
13 e diante da face do Senhor, porque vem, porque vem
a julgar a terra; julgará o mundo com justiça e os povos
com a sua verdade.

A Majestade de Deus

97 O Senhor reina; regozije-se a terra; alegrem-se as
muitas ilhas.
2 Nuvens e escuridão estão ao redor dele; justiça e juízo
são a base do seu trono.
3 Um fogo vai adiante dele, e abrasa os seus inimigos ao
redor.
4 Os seus relâmpagos iluminam o mundo; a terra viu e
tremeu.
5 Os montes derretem como cera na presença do Senhor,
na presença do Senhor de toda a terra.
6 Os céus anunciam a sua justiça, e todos os povos veem
a sua glória.
7 Confundidos sejam todos os que servem imagens de es-
cultura, que se gloriam de ídolos; prostrem-se diante dele
todos os deuses.
8 Sião ouviu e se alegrou; os filhos de Judá se alegraram
por causa da tua justiça, ó Senhor.
9 Pois tu, Senhor, és o mais alto sobre toda a terra; tu és
muito mais exaltado do que todos os deuses.
10 Vocês, que amam o Senhor, odeiam o mal. Ele guarda
as almas dos seus santos; ele os livra das mãos dos ímpios.
11 A luz semeia-se para o justo e a alegria para os retos
de coração.
12 Alegrem-se, ó justos, no Senhor, e deem louvores à
memória da sua santidade.

A Justiça de Deus

Salmo

98 Cantem ao Senhor um cântico novo, porque fez
maravilhas; a sua mão direita e o seu braço santo
lhes alcançaram a salvação.
2 O Senhor fez notória a sua salvação, manifestou a sua
justiça perante os olhos das nações.
3 Lembrou-se da sua benignidade e da sua verdade para
com a casa de Israel; todas as extremidades da terra viram
a salvação do nosso Deus.
4 Exulte no Senhor toda a terra; exclamem e se alegrem
de prazer, e cantem louvores.
5 Cantem louvores ao Senhor com a harpa; com a harpa
e a voz do canto.
6 Com trombetas e som de cornetas, exultem perante a
face do Senhor, do Rei.
7 Brame o mar e a sua plenitude; o mundo e os que nele
habitam.
8 Os rios batam as palmas; regozijem-se também as
montanhas,
9 perante a face do Senhor, porque vem a julgar a terra;
com justiça julgará o mundo e o povo com equidade.

A Santidade de Deus

99 O Senhor reina; tremam as nações; ele está assenta-
do entre os querubins; comova-se a terra.
2 O Senhor é grande em Sião e mais alto do que todas
as nações.
3 Louvem o teu nome, grande e tremendo, pois é santo.
4 Também o poder do Rei ama o juízo; tu firmas a equida-
de, fazes juízo e justiça em Jacó.
5 Exaltem o Senhor nosso Deus e prostrem-se diante do
escabelo de seus pés, pois é santo.
6 Moisés e Arão, entre os seus sacerdotes, e Samuel entre
os que invocam o seu nome, clamavam ao Senhor, e ele
os ouvia.
7 Na coluna de nuvem lhes falava; eles guardavam os seus
testemunhos e os estatutos que lhes dera.
8 Tu os escutaste, Senhor nosso Deus: tu foste um Deus
que os perdoaste, ainda que tomasses vingança por seus
feitos.
9 Exaltem ao Senhor nosso Deus e o adorem no seu mon-
te santo, pois o Senhor nosso Deus é santo.

Cântico de Exaltação

Salmo de louvor

100 Celebrem com júbilo ao Senhor, todas as terras.
2 Sirvam ao Senhor com alegria e entrem diante
dele com canto.
3 Saibam que o Senhor é Deus; foi ele que nos fez, e não

nós a nós mesmos; somos o seu povo e ovelhas do seu
pastoreio.
4 Entrem pelas portas dele com louvor e em seus átrios
com hinos; louvem-no e bendigam o seu nome.
5 Porque o Senhor é bom e eterna a sua misericórdia; a
sua verdade dura de geração em geração.

A Conduta Ideal

Salmo de Davi

101 Cantarei a misericórdia e o juízo; a ti, Senhor,
cantarei.
2 E me portarei com inteligência no caminho reto. Quando
virás a mim? Andarei em minha casa com um coração
sincero.
3 Não porei coisa má diante dos meus olhos; aborreço a
obra daqueles que se desviam; nada disto se pegará a mim.
4 Um coração perverso se apartará de mim; não conhecerei
o homem mau.
5 Aquele que murmura do seu próximo às escondidas, eu
o destruirei; aquele que tem olhar altivo e coração soberbo,
não suportarei.
6 Os meus olhos estarão sobre os fiéis da terra, para que
se assentem comigo; quem anda num caminho reto, este
me servirá.
7 Quem usa de engano não ficará dentro da minha casa;
quem fala mentiras não estará firme perante os meus
olhos.
8 Pela manhã destruirei todos os ímpios da terra, para
desarraigar da cidade do Senhor todos os que praticam
a iniquidade.

Súplica de Um Sofredor

*Oração do aflito, vendo-se desfalecido e derramando a
sua queixa perante a face do Senhor*

102 Senhor, ouve a minha oração, e chegue a ti o
meu clamor.
2 Não escondas de mim o teu rosto no dia da minha angústia,
inclina para mim os teus ouvidos; no dia em que
eu clamar, ouve-me depressa.
3 Porque os meus dias se consomem como a fumaça e os
meus ossos ardem como uma lareira.
4 O meu coração está ferido e seco como a erva, por isso
me esqueço de comer o meu pão.
5 Por causa da voz do meu gemido os meus ossos se apegam
à minha pele.
6 Sou semelhante ao pelicano no deserto; como a coruja
das ruínas.
7 Vigio, sou como o pardal solitário no telhado.
8 Os meus inimigos me afrontam todo dia; os que se enfurecem
contra mim têm jurado.
9 Pois tenho comido cinza como pão e misturado com
lágrimas a minha bebida,
10 por causa da tua ira e da tua indignação, pois tu me
levantaste e me arremessaste.
11 Os meus dias são como a sombra que declina e como
a erva me vou secando.
12 Mas tu, Senhor, permanecerás para sempre, a tua memória
de geração em geração.
13 Tu te levantarás e terás piedade de Sião; pois o tempo
de te compadeceres dela, o tempo determinado, já
chegou.
14 Porque os teus servos têm prazer nas suas pedras, e se
compadecem do seu pó.
15 Então, as nações temerão o nome do Senhor e todos os
reis da terra a sua glória.
16 Quando o Senhor edificar Sião, aparecerá na sua
glória.
17 Ele atenderá à oração do desamparado e não desprezará
a sua oração.
18 Isto se escreverá para a geração futura e o povo que se
criar louvará ao Senhor.
19 Pois olhou desde o alto do seu santuário, desde os céus
o Senhor contemplou a terra,
20 para ouvir o gemido dos presos, para soltar os sentenciados
à morte,
21 para anunciarem o nome do Senhor em Sião e o seu
louvor em Jerusalém,
22 quando os povos e os reinos se ajuntarem, para servirem
ao Senhor.
23 Ele debilitou a minha força no caminho; abreviou os
meus dias.
24 Dizia eu: "Meu Deus, não me leves na metade da
minha vida, os teus anos duram por todas as gerações."
25 Desde a antiguidade fundaste a terra e os céus são obra
das tuas mãos.
26 Eles perecerão, mas tu permanecerás; todos eles envelhecerão
como um vestido; como roupa os mudarás e
ficarão mudados.
27 Porém tu és o mesmo, e os teus anos nunca terão fim.
28 Os filhos dos teus servos continuarão, e a sua semente
ficará estabelecida perante ti.

Louvor Pela Misericórdia de Deus

Salmo de Davi

103 Bendiga, ó minha alma, ao Senhor, e tudo o que
há em mim bendiga o seu santo nome.
2 Bendiga, ó minha alma, ao Senhor, e não se esqueça de
nenhum de seus benefícios.
3 Ele é quem perdoa todas as suas iniquidades, que sara
todas as suas enfermidades,
4 que redime a sua vida da perdição; que a coroa de benignidade
e de misericórdia,

5 que farta a sua boca de bens, e sua mocidade se renova
como a da águia.
6 O Senhor faz justiça e juízo a todos os oprimidos.
7 Fez conhecidos os seus caminhos a Moisés e os seus
feitos aos filhos de Israel.
8 Misericordioso e piedoso é o Senhor; longânimo e gran-
de em benignidade.
9 Não reprovará perpetuamente, nem para sempre reterá
a sua ira.
10 Não nos tratou segundo os nossos pecados, nem nos
recompensou segundo as nossas iniquidades.
11 Pois, assim como o céu está elevado acima da terra, as-
sim é grande a sua misericórdia para com os que o temem.
12 Assim como está longe o Oriente do Ocidente, assim
afasta de nós as nossas transgressões.
13 Assim como um pai se compadece de seus filhos, as-
sim o Senhor se compadece daqueles que o temem.
14 Pois ele conhece a nossa estrutura; lembra-se de que
somos pó.
15 Quanto ao homem, os seus dias são como a erva,
como a flor do campo assim floresce.
16 Passando por ela o vento, logo se vai, e o seu lugar não
será mais conhecido.
17 Mas a misericórdia do Senhor é desde a eternidade
e até a eternidade sobre aqueles que o temem, e a sua
justiça sobre os filhos dos filhos;
18 sobre aqueles que guardam a sua aliança e sobre os que
se lembram dos seus mandamentos para os cumprirem.
19 O Senhor tem estabelecido o seu trono nos céus, e o
seu reino domina sobre tudo.
20 Bendigam ao Senhor todos os seus anjos, vocês que
excedem em força, que guardam os seus mandamentos,
obedecendo à voz da sua palavra.
21 Bendigam ao Senhor todos os seus exércitos, vocês,
ministros seus, que executam a sua vontade.
22 Bendigam ao Senhor todas as suas obras, em todos
os lugares do seu domínio; bendiga, ó minha alma, ao
Senhor.

As Maravilhas da Criação Divina

104 Bendiga, ó minha alma, ao Senhor! Senhor meu
Deus, tu és magnificentíssimo; estás vestido de
glória e de majestade.
2 Ele se cobre de luz como de um vestido, estende os céus
como uma cortina.
3 Põe nas águas os alicerces dos seus aposentos; faz das
nuvens o seu carro, anda sobre as asas do vento.
4 Faz dos ventos seus mensageiros e dos relâmpagos seus
ministros.
5 Lançou os fundamentos da terra, para que não vacile
em tempo algum.
6 Tu a cobriste com o abismo, como com um vestido; as
águas estavam sobre os montes.
7 À tua repreensão fugiram; à voz do teu trovão se
apressaram.
8 Subiram por sobre os montes, desceram aos vales, até ao
lugar que para elas fundaste.
9 Limites lhes puseste, que não ultrapassarão, para que
não tornem mais a cobrirem a terra.
10 Tu fazes nascerem as fontes nos vales, as quais correm
entre os montes.
11 Dão de beber a todo animal do campo; os jumentos
monteses matam a sua sede.
12 Junto delas as aves do céu terão a sua habitação, can-
tando entre os ramos.
13 Ele rega os montes desde as suas câmaras; a terra far-
ta-se do fruto das suas obras.
14 Faz crescer a erva para o gado e a verdura para o servi-
ço do homem, para fazer sair da terra o pão,
15 o vinho que alegra o coração do homem, o azeite que
faz reluzir o seu rosto e o pão que fortalece o coração do
homem.
16 As árvores do Senhor fartam-se de seiva, os cedros do
Líbano que ele plantou,
17 ali as aves se aninham; e nos pinheiros a cegonha faz
a sua casa.
18 Os altos montes são um refúgio para as cabras monte-
ses, e as rochas para os coelhos.
19 Designou a lua para as estações; o sol sabe a hora de
se pôr.
20 Determinas a escuridão, e faz-se noite, na qual saem
todos os animais da selva.
21 Os leõezinhos bramam pela presa e de Deus buscam
o seu sustento.
22 Nasce o sol e logo se recolhem e se deitam nos seus
covis.
23 Então sai o homem à sua obra e ao seu trabalho, até
à tarde.
24 Ó Senhor, quão variadas são as tuas obras! Todas as
coisas fizeste com sabedoria; cheia está a terra das tuas
riquezas.
25 Assim é este mar grande e muito espaçoso, onde há
répteis sem número, animais pequenos e grandes.
26 Ali andam os navios; ali está o leviatã que formaste
para nele brincar.
27 Todos esperam de ti, que lhes dês o seu sustento em
tempo oportuno.
28 Tu dás e eles o recolhem; abres a tua mão e se enchem
de bens.
29 Escondes o teu rosto e ficam perturbados; se lhes tiras
o fôlego, morrem e voltam para o seu pó.

30 Sopras o teu fôlego e são criados; e assim renovas a
face da terra.
31 A glória do Senhor durará para sempre; o Senhor se
alegrará nas suas obras.
32 Quando ele olha para a terra, ela treme; tocando nos
montes, logo fumegam.
33 Cantarei ao Senhor enquanto eu viver; cantarei louvo-
res ao meu Deus, enquanto eu tiver existência.
34 A minha meditação acerca dele será suave; eu me ale-
grarei no Senhor.
35 Sejam consumidos da terra os pecadores, e os ímpios
deixem de existir. Bendiga, ó minha alma, ao Senhor. Lou-
vem ao Senhor.

Louvor Pela Direção de Deus

105 Louvem ao Senhor e invoquem o seu nome;
façam conhecidas as suas obras entre os povos.
2 Cantem-lhe, cantem-lhe salmos; falem de todas as suas
maravilhas.
3 Gloriem-se no seu santo nome; alegre-se o coração da-
queles que buscam ao Senhor.
4 Busquem ao Senhor e a sua força; busquem a sua face
continuamente.
5 Lembrem-se das maravilhas que fez, dos seus prodígios
e dos juízos da sua boca;
6 vocês, semente de Abraão, seu servo, vocês, filhos de
Jacó, seus escolhidos.
7 Ele é o Senhor nosso Deus; os seus juízos estão em toda
a terra.
8 Ele se lembra da aliança eterna, da palavra que empe-
nhou com milhares de gerações.
9 Da aliança que fez com Abraão, e do seu juramento a
Isaque.
10 O qual confirmou a Jacó por estatuto, e a Israel por
aliança eterna,
11 dizendo: "A você darei a terra de Canaã, como sua
herança."
12 Quando eram poucos homens em número, sim, muito
poucos, e peregrinos nela;
13 quando andavam de nação em nação e de um reino
para outro povo;
14 não permitiu a ninguém que os oprimisse, e por amor
deles repreendeu a reis, dizendo:
15 "Não toquem nos meus ungidos e não maltratem os
meus profetas."
16 Trouxe a fome sobre a terra, e acabou com todo o
sustento do pão.
17 Mandou perante eles um homem, José, que foi vendi-
do como escravo;
18 cujos pés apertaram com correntes e foi aprisionado
em ferros.
19 Até ao tempo em que se cumpriu a sua palavra; a pala-
vra do Senhor confirmou o que dissera.
20 Mandou o rei, e o fez soltar; o governador dos povos
o soltou.
21 Fê-lo senhor da sua casa e governador de toda a sua
fazenda;
22 para sujeitar os seus príncipes à sua vontade e instruir
os seus anciãos.
23 Então Israel entrou no Egito e Jacó peregrinou na terra
de Cam.
24 E aumentou o seu povo em grande maneira, e o fez
mais poderoso do que os seus inimigos.
25 Mudou o coração deles para que aborrecessem o seu
povo, para que tratassem astutamente aos seus servos.
26 Enviou Moisés e Arão, seus servos, a quem escolhera.
27 Mostraram entre eles os seus sinais e prodígios, na
terra de Cam.
28 Mandou trevas, e a terra escureceu; Moisés e Arão não
foram rebeldes à sua palavra.
29 Converteu as suas águas em sangue, e matou os seus
peixes.
30 A sua terra produziu rãs em abundância, até nos apo-
sentos dos seus reis.
31 Falou ele, e vieram enxames de moscas e piolhos em
todo o seu limite.
32 Transformou as suas chuvas em granizo e fogo abra-
sador na sua terra.
33 Feriu as suas vinhas e os seus figueirais, e quebrou as
árvores dos seus limites.
34 Falou ele e vieram gafanhotos e pulgão sem número,
35 e comeram toda a erva da sua terra e devoraram o
fruto dos seus campos.
36 Feriu também a todos os primogênitos da sua terra, as
primícias de todas as suas forças.
37 E tirou-os para fora com prata e ouro, e entre as suas
tribos não houve um só fraco.
38 O Egito se alegrou quando eles saíram, porque o seu
temor caíra sobre eles.
39 Estendeu uma nuvem por coberta e um fogo para ilu-
minar de noite.
40 Oraram, e ele fez vir codornizes, e os fartou de pão
do céu.
41 Abriu a rocha e dela correram águas; correram pelos
lugares secos, como um rio.
42 Porque se lembrou da sua santa palavra e de Abraão,
seu servo.
43 E tirou dali o seu povo com alegria, e os seus escolhi-
dos com regozijo.
44 E deu-lhes as terras das nações; e herdaram o trabalho
dos povos;

45 para que guardassem os seus preceitos e observassem
as suas leis. Louvem ao Senhor.

A Graça Divina e a Ingratidão de Israel

106 Louvem ao Senhor. Louvem ao Senhor, porque
ele é bom, porque a sua misericórdia dura para
sempre.
2 Quem pode contar as obras poderosas do Senhor?
Quem anunciará os seus louvores?
3 Bem-aventurados os que guardam o juízo, o que pratica
justiça em todos os tempos.
4 Lembra-te de mim, Senhor, segundo a tua boa vontade
para com o teu povo; visita-me com a tua salvação.
5 Para que eu veja os bens de teus escolhidos, para que eu
me alegre com a alegria do teu povo, para que me glorie
com a tua herança.
6 Nós pecamos como os nossos pais, cometemos a iniqui-
dade, operamos perversamente.
7 Nossos pais não entenderam as tuas maravilhas no Egi-
to; não se lembraram da multidão das tuas misericórdias;
antes te provocaram no mar, sim, no Mar Vermelho.
8 Não obstante, ele os salvou por amor do seu nome, para
fazer conhecido o seu poder.
9 Repreendeu, também, o Mar Vermelho, e este secou,
e os fez caminharem pelos abismos como pelo deserto.
10 Livrou-os da mão daquele que os aborrecia e os resga-
tou da mão do inimigo.
11 E as águas cobriram os seus adversários; nem um só
deles ficou.
12 Então creram nas suas palavras e cantaram os seus
louvores.
13 Porém, cedo se esqueceram das suas obras; não espe-
raram o seu conselho.
14 Mas deixaram-se levar por seus desejos no deserto e
tentaram a Deus na solidão.
15 E ele lhes atendeu o seu desejo, mas enviou magreza
às suas almas.
16 E tiveram inveja de Moisés no acampamento, e de
Arão, o santo do Senhor.
17 Abriu-se a terra, engoliu a Datã e cobriu a família de
Abirão.
18 E um fogo se acendeu na sua gente: a chama abrasou
os ímpios.
19 Fizeram um bezerro em Horebe e adoraram a imagem
fundida.
20 E converteram a sua glória na figura de um boi que
come erva.
21 Esqueceram-se de Deus, seu Salvador, que fizera gran-
dezas no Egito,
22 maravilhas na terra de Cam, coisas tremendas no Mar
Vermelho.
23 Por isso disse que os destruiria, não houvesse Moisés,
seu escolhido, ficado perante ele na abertura, para desviar
a sua indignação, a fim de não os destruir.
24 Também desprezaram a terra aprazível; não creram
na sua palavra.
25 Antes, murmuraram nas suas tendas e não deram ou-
vidos à voz do Senhor.
26 Por isso levantou a sua mão contra eles, para os der-
rubar no deserto;
27 para derrubar também a sua semente entre as nações
e espalhá-los pelas terras.
28 Também se juntaram com Baal-Peor e comeram os
sacrifícios dos mortos.
29 Assim o provocaram à ira com as suas obras, e a peste
rebentou entre eles.
30 Então se levantou Fineias e fez juízo, e cessou aquela
peste.
31 E isto lhe foi contado como justiça, de geração em
geração, para sempre.
32 Irritaram-no também junto às águas de Meribá, de sor-
te que Moisés se deu mal, por causa deles,
33 porque irritaram o seu espírito, de modo que falou im-
prudentemente com seus lábios.
34 Não destruíram os povos, como o Senhor lhes dissera.
35 Antes, se misturaram com as nações, e aprenderam
as suas obras.
36 E serviram aos seus ídolos, que vieram a ser-lhes um
laço.
37 Além disto, sacrificaram seus filhos e suas filhas aos
demônios,
38 e derramaram sangue inocente, o sangue de seus fi-
lhos e de suas filhas que sacrificaram aos ídolos de Canaã;
e a terra foi manchada com sangue.
39 Assim se contaminaram com as suas obras e se prosti-
tuíram com os seus feitos.
40 Então se acendeu a ira do Senhor contra o seu povo,
de modo que abominou a sua herança.
41 E os entregou nas mãos das nações; então aqueles que
os aborreciam se assenhorearam deles.
42 E os seus inimigos os oprimiram e foram humilhados
debaixo das suas mãos.
43 Muitas vezes os livrou, mas o provocaram com o seu
conselho e foram abatidos pela sua iniquidade.
44 Contudo, atendeu à sua aflição, ouvindo o seu clamor.
45 Lembrou-se da sua aliança e se arrependeu, segundo a
multidão das suas misericórdias.
46 Assim também, fez com que deles tivessem misericór-
dia os que os levaram cativos.
47 Salva-nos, Senhor nosso Deus, e congrega-nos dentre

as nações, para que louvemos o teu nome santo e nos
gloriemos no teu louvor.
48 Bendito seja o Senhor Deus de Israel, de eternidade
em eternidade, e todo o povo diga: "Amém." Louvem ao
Senhor.

Louvor Pela Bondade de Deus

107 Louvem ao Senhor, porque ele é bom, porque a
sua benignidade dura para sempre.
2 Digam-no os remidos do Senhor, os que remiu da mão
do inimigo,
3 e os que congregou das terras do oriente e do ocidente,
do norte e do sul.
4 Andaram desgarrados pelo deserto, por caminhos solitá-
rios; não acharam cidade para habitarem.
5 Famintos e sedentos, a sua alma neles desfalecia.
6 Eles clamaram ao Senhor na sua angústia e ele os livrou
das suas dificuldades.
7 E os conduziu por um caminho seguro, para irem morar
numa cidade habitada.
8 Louvem ao Senhor pela sua bondade e pelas suas mara-
vilhas para com os filhos dos homens.
9 Pois fartou a alma sedenta e encheu de bens a alma
faminta.
10 Tal como a que se assenta nas trevas e na sombra da
morte, presa em aflição e em ferro;
11 porque se rebelaram contra as palavras de Deus e des-
prezaram o conselho do Altíssimo.
12 Portanto, lhes abateu o coração com trabalho; tropeça-
ram e não houve quem os ajudasse.
13 Então clamaram ao Senhor na sua angústia e os livrou
das suas necessidades.
14 Tirou-os das trevas e sombra da morte e quebrou as
suas prisões.
15 Louvem ao Senhor pela sua bondade e pelas suas ma-
ravilhas para com os filhos dos homens.
16 Pois quebrou as portas de bronze e despedaçou os
ferrolhos.
17 Os loucos foram afligidos por causa da sua transgres-
são, e por causa das suas iniquidades;
18 a sua alma aborreceu toda comida e chegaram até às
portas da morte.
19 Então clamaram ao Senhor na sua angústia e ele os
livrou das suas necessidades.
20 Enviou a sua palavra, os sarou e os livrou da sua
destruição.
21 Louvem ao Senhor pela sua bondade e pelas suas ma-
ravilhas para com os filhos dos homens.
22 E ofereçam os sacrifícios de louvor e relatem as suas
obras com regozijo.
23 Os que descem ao mar em navios, ganhando a vida
nas grandes águas,
24 esses veem as obras do Senhor e as suas maravilhas
nas profundezas.
25 Pois ele manda, e se levanta o vento tempestuoso que
eleva as suas ondas.
26 Sobem aos céus; descem aos abismos, e a sua alma se
derrete em angústias.
27 Andam e cambaleiam como ébrios, e toda a sua habi-
lidade nada vale.
28 Então clamam ao Senhor na sua angústia; e ele os livra
das suas aflições.
29 Faz cessar a tormenta e acalmarem-se as ondas.
30 Então se alegram, porque se acalmaram; assim os leva
ao seu porto desejado.
31 Louvem ao Senhor pela sua bondade, e pelas suas ma-
ravilhas para com os filhos dos homens.
32 Exaltem-no na congregação do povo e glorifiquem-no
na assembleia dos anciãos.
33 Ele converte os rios em um deserto e as fontes em
terra sedenta;
34 a terra frutífera em estéril, pela maldade dos que nela
habitam.
35 Converte o deserto em lagoa e a terra seca em fontes.
36 E faz habitarem ali os famintos, para que edifiquem
cidade para habitação;
37 e semeiam os campos e plantam vinhas, que produ-
zem fruto abundante.
38 Também os abençoa, de modo que se multiplicam
muito; o seu gado não diminui.
39 Depois decrescem e se abatem, pela opressão, aflição
e tristeza.
40 Derrama o desprezo sobre os príncipes e os faz an-
darem desgarrados pelo deserto, onde não há caminho.
41 Porém livra ao necessitado da opressão, em um lugar
alto, e multiplica as famílias como rebanhos.
42 Os retos veem isto e se alegram, mas os perversos ca-
lam a boca.
43 Quem é sábio observará estas coisas e compreenderá
as benignidades do Senhor.

Louvor Pelas Vitórias

Salmo e cântico de Davi

108 Preparado está o meu coração, ó Deus; cantarei
e direi salmos, esta é a minha glória.
2 Despertem, saltério e harpa; eu mesmo despertarei ao
romper da alva.
3 Eu te louvarei entre os povos, Senhor, e a ti cantarei
salmos entre as nações.
4 Porque a tua benignidade se estende até aos céus e a tua
verdade chega até as mais altas nuvens.

5 Exalta-te sobre os céus, ó Deus, e a tua glória brilhe
sobre toda a terra.
6 Para que sejam livres os teus amados, salva-nos com a
tua mão direita e ouve-nos.
7 Deus falou no seu santuário: "Eu me regozijarei, repar-
tirei Siquém e medirei o vale de Sucote.
8 Meu é Galaade, meu é Manassés; Efraim é a força da
minha cabeça, Judá o meu legislador.
9 Moabe a minha bacia de lavar; sobre Edom lançarei o
meu sapato, sobre a Filístia jubilarei."
10 Quem me levará à cidade forte? Quem me guiará até
Edom?
11 Porventura não serás tu, ó Deus, que nos rejeitaste?
Não sairás, ó Deus, com os nossos exércitos?
12 Dá-nos auxílio para sairmos da angústia, porque vão é
o socorro da parte do homem.
13 Em Deus faremos proezas, pois ele pisará os nossos
inimigos.

Oração Por Proteção Contra os Inimigos

Salmo de Davi para o cantor-mor

109 Ó Deus do meu louvor, não te cales,
2 pois a boca do ímpio e a boca do enganador es-
tão abertas contra mim: têm falado contra mim com uma
língua mentirosa.
3 Eles me cercaram com palavras odiosas e brigaram con-
tra mim sem causa.
4 Em troca do meu amor, se tornam meus adversários;
mas eu faço oração.
5 E me pagam com o mal o bem, e com ódio o meu amor.
6 Põe sobre ele um ímpio e Satanás esteja à sua direita.
7 Quando for julgado, saia condenado; a sua oração se lhe
torne em pecado.
8 Sejam poucos os seus dias e outro tome o seu lugar.
9 Sejam órfãos os seus filhos e viúva sua mulher.
10 Sejam vagabundos e pedintes os seus filhos e busquem
pão fora dos seus lugares desolados.
11 Lance o credor mão de tudo quanto tenha e despojem
os estranhos o seu trabalho.
12 Não haja ninguém que se compadeça dele, nem haja
quem favoreça os seus órfãos.
13 Desapareça a sua posteridade, o seu nome seja apaga-
do na geração seguinte.
14 Esteja na memória do Senhor a iniquidade de seus pais
e não se apague o pecado de sua mãe.
15 Antes estejam sempre perante o Senhor, para que faça
desaparecer a sua memória da terra.
16 Porquanto não se lembrou de fazer misericórdia; antes
perseguiu ao homem aflito e ao necessitado, para que pu-
desse até matar o quebrantado de coração.
17 Visto que amou a maldição, ela lhe sobrevenha; assim
como não desejou a bênção, ela se afaste dele.
18 Assim como se vestiu de maldição, penetre ela nas
suas entranhas, como água, e em seus ossos como azeite.
19 Seja para ele como a roupa que o cobre e como cinto
que usa sempre.
20 Seja este o galardão dos meus adversários, da parte do
Senhor e dos que falam mal contra a minha alma.
21 Mas tu, Deus, o Senhor, trata comigo por amor do teu
nome, porque a tua misericórdia é boa; livra-me,
22 pois estou aflito e necessitado, e o meu coração está
ferido dentro de mim.
23 Vou-me como a sombra que declina; sou sacudido
como o gafanhoto.
24 De jejuar estão enfraquecidos os meus joelhos e a mi-
nha carne emagrece.
25 E ainda lhes sou motivo de zombaria; quando me con-
templam, balançam as cabeças.
26 Ajuda-me, ó Senhor meu Deus, salva-me segundo a
tua misericórdia.
27 Para que saibam que esta é a tua mão, e que tu, Se-
nhor, tens feito isto.
28 Amaldiçoem eles, mas abençoa tu; quando se levanta-
rem fiquem confundidos; e alegre-se o teu servo.
29 Vistam-se os meus adversários de vergonha e cubram-
-se com a sua própria confusão como com uma capa.
30 Louvarei grandemente ao Senhor com a minha boca; o
louvarei entre a multidão.
31 Pois se porá à direita do pobre, para o livrar dos que
condenam a sua alma.

O Reino do Messias

Salmo de Davi

110 Disse o Senhor ao meu Senhor: "Assente-se à mi-
nha mão direita, até que ponha os seus inimigos
por escabelo dos seus pés."
2 O Senhor enviará o cetro da sua fortaleza desde Sião,
dizendo: Domine no meio dos seus inimigos.
3 O seu povo será muito voluntário no dia do seu poder;
nos ornamentos de santidade, desde o nascer da alva,
você tem o orvalho da sua mocidade.
4 Jurou o Senhor, e não se arrependerá: "Você é um sacer-
dote eterno, segundo a ordem de Melquisedeque."
5 O Senhor, à sua direita, ferirá os reis no dia da sua ira.
6 Julgará entre as nações; todas encherá de corpos mortos;
ferirá os cabeças de muitas terras.
7 Beberá do ribeiro no caminho e prosseguirá de cabeça
erguida.

As Obras de Deus

111 Louvem ao Senhor. Louvarei ao Senhor de todo
o meu coração, na assembleia dos justos e na
congregação.
2 Grandes são as obras do Senhor, procuradas por todos os
que nelas tomam prazer.
3 A sua obra tem glória e majestade e a sua justiça perma-
nece para sempre.
4 Fez com que as suas maravilhas fossem lembradas; pie-
doso e misericordioso é o Senhor.
5 Deu mantimento aos que o temem; sempre se lembrará
da sua aliança.
6 Anunciou ao seu povo o poder das suas obras, para lhe
dar a herança das nações.
7 As obras das suas mãos são verdade e juízo, e seguros
todos os seus mandamentos.
8 Permanecem firmes para todo o sempre e são feitos em
verdade e retidão.
9 Redenção enviou ao seu povo; ordenou a sua aliança
para sempre; santo e tremendo é o seu nome.
10 O temor do Senhor é o princípio da sabedoria; bom
entendimento têm todos os que cumprem os seus manda-
mentos; o seu louvor permanece para sempre.

A Felicidade de Quem Teme ao Senhor

112 Louvem ao Senhor. Bem-aventurado o homem
que teme ao Senhor, que em seus mandamentos
tem grande prazer.
2 A sua descendência será poderosa na terra; a geração
dos retos será abençoada.
3 Prosperidade e riquezas haverá na sua casa e a sua justi-
ça permanece para sempre.
4 Aos justos nasce luz nas trevas; ele é piedoso, miseri-
cordioso e justo.
5 O homem bom se compadece e empresta; disporá as
suas coisas com juízo;
6 na verdade, jamais será abalado; o justo estará em me-
mória eterna.
7 Não temerá maus rumores; o seu coração está firme,
confiando no Senhor.
8 O seu coração está bem seguro, ele não temerá, até que
veja alcançado o seu desejo sobre os seus inimigos.
9 Ele repartiu, deu aos necessitados; a sua justiça perma-
nece para sempre e a sua força se exaltará em glória.
10 O ímpio o verá e se entristecerá; rangerá os dentes e se
consumirá; o desejo dos ímpios perecerá.

O Supremo Deus

113 Louvem ao Senhor. Louvem, servos do Senhor,
louvem o nome do Senhor.
2 Seja bendito o nome do Senhor, desde agora para
sempre.
3 Desde o nascimento do sol até ele se pôr, seja louvado
o nome do Senhor.
4 Exaltado está o Senhor acima de todas as nações e a sua
glória sobre os céus.
5 Quem é como o Senhor nosso Deus, que habita nas
alturas?
6 O qual se inclina, para ver o que está nos céus e na terra!
7 Levanta o pobre do pó e do lixo levanta o necessitado,
8 para fazê-los assentarem com os príncipes, sim, com os
príncipes do seu povo.
9 Faz com que a mulher estéril habite em casa e seja ale-
gre mãe de filhos. Louvem ao Senhor.

O Milagre do Êxodo

114 Quando Israel saiu do Egito e a casa de Jacó de
um povo bárbaro,
2 Judá tornou-se o seu santuário e Israel o seu domínio.
3 O mar o viu, e fugiu; o Jordão voltou para trás.
4 Os montes saltaram como carneiros, e os outeiros como
cordeiros.
5 O que você teve, ó mar, que fugiu? E você, ó Jordão,
que voltou para trás?
6 Montes, que saltaram como carneiros e outeiros, como
cordeiros?
7 Trema, terra, na presença do Senhor, na presença do
Deus de Jacó.
8 O qual converteu a rocha em lago de águas e o rochedo
em fonte de água.

A Adoração ao Deus Verdadeiro

115 Não a nós, Senhor, não a nós, mas ao teu nome
dá glória, por amor da tua benignidade e da tua
verdade.
2 Porque dirão as nações: “Onde está o seu Deus?”
3 Porém o nosso Deus está nos céus; fez tudo o que lhe
aprouve.
4 Os ídolos deles são prata e ouro, obra das mãos dos
homens.
5 Têm boca, mas não falam; olhos têm, mas não veem.
6 Têm ouvidos, mas não ouvem; narizes têm, mas não
cheiram.
7 Têm mãos, mas não apalpam; pés têm, mas não andam;
nem som algum sai da sua garganta.
8 A eles se tornem semelhantes os que os fazem, assim
como todos os que neles confiam.
9 Israel, confia no Senhor; ele é o seu auxílio e o seu
escudo.
10 Casa de Arão, confia no Senhor; ele é o seu auxílio e
o seu escudo.
11 Vocês, os que temem ao Senhor, confiem no Senhor;
ele é o seu auxílio e o seu escudo.

12 O Senhor se lembrou de nós; ele nos abençoará; aben-
çoará a casa de Israel; abençoará a casa de Arão.
13 Abençoará os que temem ao Senhor, tanto pequenos
como grandes.
14 O Senhor os multiplicará cada vez mais, a vocês e a
seus filhos.
15 São benditos do Senhor, que fez os céus e a terra.
16 Os céus são os céus do Senhor; mas a terra a deu aos
filhos dos homens.
17 Os mortos não louvam ao Senhor, nem os que descem
ao silêncio.
18 Mas nós bendiremos ao Senhor, desde agora e para
sempre. Louvem ao Senhor.

Ações de Graças Por Uma Libertação

116 Amo o Senhor, porque ele ouviu a minha voz e
a minha súplica.
2 Porque inclinou para mim os seus ouvidos; portanto, o
invocarei enquanto viver.
3 Os cordéis da morte me cercaram e angústias do inferno
se apoderaram de mim; encontrei angústia e tristeza.
4 Então invoquei o nome do Senhor, dizendo: Ó Senhor,
livra a minha alma.
5 Piedoso é o Senhor e justo; o nosso Deus tem
misericórdia.
6 O Senhor guarda aos simples; fui abatido, mas ele me
livrou.
7 Minha alma, volte para o seu repouso, pois o Senhor
lhe fez bem.
8 Porque tu, Senhor, livraste a minha alma da morte, os
meus olhos das lágrimas e os meus pés da queda.
9 Andarei perante a face do Senhor na terra dos viventes.
10 Cri, por isso falei: estive muito aflito.
11 Dizia na minha pressa: Todos os homens são
mentirosos.
12 Que darei eu ao Senhor, por todos os benefícios que
me tem feito?
13 Tomarei o cálice da salvação e invocarei o nome do
Senhor.
14 Pagarei os meus votos ao Senhor agora, na presença
de todo o seu povo.
15 Preciosa é à vista do Senhor a morte dos seus santos.
16 Ó Senhor, de fato sou teu servo; sou teu servo, filho da
tua serva; soltaste as minhas ataduras.
17 Eu te oferecerei sacrifícios de louvor e invocarei o
nome do Senhor.
18 Pagarei os meus votos ao Senhor agora, na presença
de todo o seu povo;
19 nos átrios da casa do Senhor, no meio de você, ó Jeru-
salém. Louvem ao Senhor.

Convite à Adoração

117 Louvem ao Senhor todas as nações, louvem-no
todos os povos.
2 Porque a sua benignidade é grande para conosco e a
verdade do Senhor dura para sempre. Louvem ao Senhor.

Hino de Ação de Graças

118 Louvem ao Senhor, porque ele é bom, porque a
sua benignidade dura para sempre.
2 Diga agora Israel que a sua benignidade dura para
sempre.
3 Diga agora a casa de Arão que a sua benignidade dura
para sempre.
4 Digam agora os que temem ao Senhor que a sua benig-
nidade dura para sempre.
5 Invoquei o Senhor na angústia; o Senhor me ouviu e me
tirou para um lugar espaçoso.
6 O Senhor está comigo; não temerei: O que me pode
fazer o homem?
7 O Senhor está comigo com aqueles que me ajudam;
por isso verei cumprido o meu desejo sobre os que me
aborrecem.
8 É melhor confiar no Senhor do que confiar no homem.
9 É melhor confiar no Senhor do que confiar nos
príncipes.
10 Todas as nações me cercaram, mas no nome do Senhor
as despedaçarei.
11 Cercaram-me e tornaram a cercar-me; mas no nome
do Senhor eu as despedaçarei.
12 Cercaram-me como abelhas; porém apagaram-se
como o fogo de gravetos; pois no nome do Senhor as
despedaçarei.
13 Com força me impeliste para me fazeres cair, porém o
Senhor me ajudou.
14 O Senhor é a minha força e o meu cântico; e se fez a
minha salvação.
15 Nas tendas dos justos há voz de júbilo e de salvação; a
mão direita do Senhor faz proezas.
16 A mão do Senhor se exalta; a mão do Senhor faz
proezas.
17 Não morrerei, mas viverei e contarei as obras do
Senhor.
18 O Senhor me castigou muito, mas não me entregou
à morte.
19 Abra-me as portas da justiça; entrarei por elas e lou-
varei ao Senhor.
20 Esta é a porta do Senhor, pela qual os justos entrarão.
21 Eu te louvarei, pois me escutaste e te fizeste a minha
salvação.
22 A Pedra que os edificadores rejeitaram tornou-se a ca-
beça da esquina.

23 Da parte do Senhor se fez isto; maravilhoso é aos nossos olhos.
24 Este é o dia que fez o Senhor; regozijemo-nos e alegremo-nos nele.
25 Salva-nos, agora, te pedimos, ó Senhor; ó Senhor, te pedimos, faz-nos prosperar.
26 Bendito aquele que vem em nome do Senhor; nós os bendizemos desde a casa do Senhor.
27 Deus é o Senhor que nos mostrou a luz; juntem-se ao cortejo levando ramos, até às pontas do altar.
28 Tu és o meu Deus e eu te louvarei; tu és o meu Deus e eu te exaltarei.
29 Louvem ao Senhor, porque ele é bom; porque a sua benignidade dura para sempre.

Considerações Sobre a Lei de Deus

Alefe

119 Bem-aventurados os retos em seus caminhos, que andam na lei do Senhor.
2 Bem-aventurados os que guardam os seus testemunhos, e que o buscam com todo o coração.
3 E não praticam iniquidade, mas andam nos seus caminhos.
4 Tu ordenaste os teus mandamentos, para que diligentemente os observássemos.
5 Quem dera que os meus caminhos fossem dirigidos a observar os teus estatutos!
6 Então não serei envergonhado, quando tiver respeito a todos os teus mandamentos.
7 Eu te louvarei com retidão de coração quando tiver aprendido os teus justos juízos.
8 Observarei os teus estatutos; não me desampares totalmente.

Bete

9 Com que purificará o jovem o seu caminho? Observando-o conforme a tua palavra.
10 Com todo o meu coração te busquei; não me deixes desviar dos teus mandamentos.
11 A tua palavra tenho eu escondida no meu coração, para eu não pecar contra ti.
12 Bendito és tu, ó Senhor; ensina-me os teus estatutos.
13 Com os meus lábios declarei todos os juízos da tua boca.
14 Regozijo-me mais no caminho dos teus testemunhos, do que em todas as riquezas.
15 Meditarei nos teus preceitos e terei respeito aos teus caminhos.
16 Eu me recrearei nos teus estatutos; não me esquecerei da tua palavra.

Guímel

17 Faz bem ao teu servo, para que viva e observe a tua palavra.
18 Abre tu os meus olhos, para que veja as maravilhas da tua lei.
19 Sou peregrino na terra; não escondas de mim os teus mandamentos.
20 A minha alma está quebrantada de desejar os teus juízos em todo o tempo.
21 Tu repreendeste asperamente os soberbos que são amaldiçoados, que se desviam dos teus mandamentos.
22 Tira de cima de mim a vergonha e o desprezo, pois guardei os teus testemunhos.
23 Príncipes também se assentaram e falaram contra mim, mas o teu servo meditou nos teus estatutos.
24 Também os teus testemunhos são o meu prazer e os meus conselheiros.

Dálete

25 A minha alma está abatida até o pó; vivifica-me segundo a tua palavra.
26 Eu te contei os meus caminhos e tu me ouviste; ensina-me os teus estatutos.
27 Faz-me entender o caminho dos teus preceitos; assim falarei das tuas maravilhas.
28 A minha alma se abate de tristeza; fortalece-me segundo a tua palavra.
29 Desvia de mim o caminho da falsidade e concede-me piedosamente a tua lei.
30 Tendo escolhido o caminho da verdade: os teus juízos tenho posto diante de mim.
31 Tenho me apegado aos teus testemunhos; ó Senhor, não me confundas.
32 Percorrerei o caminho dos teus mandamentos, quando dilatares o meu coração.

Hê

33 Ensina-me, ó Senhor, o caminho dos teus estatutos e os guardarei até o fim.
34 Dá-me entendimento e guardarei a tua lei; e a observarei de todo o meu coração.
35 Faz-me andar na vereda dos teus mandamentos, porque nela tenho prazer.
36 Inclina o meu coração aos teus testemunhos, e não à cobiça.
37 Desvia os meus olhos de contemplarem a vaidade e vivifica-me no teu caminho.
38 Confirma a tua palavra ao teu servo, que é dedicado ao teu temor.
39 Desvia de mim a vergonha que temo, pois os teus juízos são bons.

40 Eis que tenho desejado os teus preceitos; vivifica-me
na tua justiça.

Vau

41 Venham sobre mim também as tuas misericórdias, ó
Senhor, e a tua salvação segundo a tua palavra.
42 Assim terei que responder ao que me afronta, pois con-
fio na tua palavra.
43 E não tires totalmente a palavra de verdade da minha
boca, pois tenho esperado nos teus juízos.
44 Assim observarei de contínuo a tua lei para sempre e
eternamente.
45 E andarei em liberdade; pois busco os teus preceitos.
46 Também falarei dos teus testemunhos perante os reis e
não me envergonharei.
47 E me recrearei em teus mandamentos, que tenho
amado.
48 Também levantarei as minhas mãos para os teus man-
damentos, que amei, e meditarei nos teus estatutos.

Zain

49 Lembra-te da palavra dada ao teu servo, na qual me
fizeste esperar.
50 Isto é a minha consolação na minha aflição, porque a
tua palavra me vivificou.
51 Os soberbos zombaram grandemente de mim; contu-
do não me desviei da tua lei.
52 Lembrei-me dos teus juízos antiquíssimos, ó Senhor, e
assim me consolei.
53 Grande indignação se apoderou de mim por causa dos
ímpios que desprezaram a tua lei.
54 Os teus estatutos têm sido os meus cânticos na casa da
minha peregrinação.
55 Lembrei-me de noite do teu nome, ó Senhor, e obser-
vei a tua lei.
56 Isto eu fiz, porque guardei os teus mandamentos.

Hete

57 O Senhor é a minha porção; eu disse que observaria
as tuas palavras.
58 Roguei o teu favor com todo o meu coração; tem pie-
dade de mim, segundo a tua palavra.
59 Considerei os meus caminhos e voltei os meus pés
para os teus testemunhos.
60 Apressei-me e não hesitei em observar os teus
mandamentos.
61 Bandos de ímpios me cercaram, mas eu não me es-
queci da tua lei.
62 À meia-noite me levantarei para te louvar, pelos teus
justos juízos.
63 Companheiro sou de todos os que te temem e dos que
guardam os teus preceitos.
64 A terra, ó Senhor, está cheia da tua benignidade; ensi-
na-me os teus estatutos.

Tete

65 Fizeste bem ao teu servo, Senhor, segundo a tua
palavra.
66 Ensina-me o bom senso e o conhecimento, pois cri nos
teus mandamentos.
67 Antes de ser afligido andava errado; mas agora tenho
guardado a tua palavra.
68 Tu és bom e fazes o bem; ensina-me os teus estatutos.
69 Os soberbos forjaram mentiras contra mim; mas eu
com todo o meu coração guardarei os teus preceitos.
70 Insensível é o coração deles, como gordura, mas eu me
recreio na tua lei.
71 Foi-me bom ter sido afligido, para que aprendesse os
teus estatutos.
72 Melhor é para mim a lei da tua boca do que milhares
de peças em ouro ou prata.

Jode

73 As tuas mãos me fizeram e me formaram; dá-me inte-
ligência para entender os teus mandamentos.
74 Os que te temem alegraram-se quando me viram, por-
que tenho esperado na tua palavra.
75 Bem sei eu, ó Senhor, que os teus juízos são justos, e
que segundo a tua fidelidade me afligiste.
76 Sirva a tua benignidade para me consolar, segundo a
palavra que deste ao teu servo.
77 Venham sobre mim as tuas misericórdias, para que
viva, pois a tua lei é a minha delícia.
78 Confundam-se os soberbos, pois me trataram de uma
maneira perversa, sem causa; mas eu meditarei nos teus
preceitos.
79 Voltem-se para mim os que te temem e aqueles que
têm conhecido os teus testemunhos.
80 Seja reto o meu coração nos teus estatutos, para que
não seja confundido.

Cafe

81 Desfalece a minha alma pela tua salvação, mas espero
na tua palavra.
82 Os meus olhos desfalecem pela tua palavra; e pergun-
to: "Quando me consolarás tu?"
83 Pois estou como odre na fumaça; contudo não me es-
queço dos teus estatutos.
84 Quantos serão os dias do teu servo? Quando me farás
justiça contra os que me perseguem?
85 Os soberbos me cavaram covas, o que não é conforme
a tua lei.
86 Todos os teus mandamentos são verdade: com menti-
ras me perseguem; ajuda-me.

87 Quase acabaram comigo na terra, mas eu não deixei
os teus preceitos.
88 Vivifica-me segundo a tua benignidade; assim guarda-
rei o testemunho da tua boca.

Lâmede

89 Para sempre, ó Senhor, a tua palavra permanece no
céu.
90 A tua fidelidade dura de geração em geração; tu fir-
maste a terra e ela permanece firme.
91 Todas as coisas subsistem até ao dia de hoje, segundo
as tuas ordens; porque todos são teus servos.
92 Se a tua lei não tivesse sido toda a minha recreação, há
muito que teria perecido na minha aflição.
93 Nunca me esquecerei dos teus preceitos; pois por eles
me tens vivificado.
94 Sou teu, salva-me, pois tenho buscado os teus
preceitos.
95 Os ímpios me esperam para me destruírem, mas eu
considerarei os teus testemunhos.
96 Tenho visto limite para toda a perfeição, mas o teu
mandamento é amplíssimo.

Mem

97 Oh! Quanto amo a tua lei! É a minha meditação em
todo o dia.
98 Tu, pelos teus mandamentos, me fazes mais sábio do
que os meus inimigos; pois estão sempre comigo.
99 Tenho mais entendimento do que todos os meus mes-
tres, porque os teus testemunhos são a minha meditação.
100 Entendo mais do que os velhos; porque guardo os
teus preceitos.
101 Desviei os meus pés de todo caminho mau, para
guardar a tua palavra.
102 Não me apartei dos teus juízos, pois tu me ensinaste.
103 Oh! Quão doces são as tuas palavras ao meu paladar,
mais doces do que o mel à minha boca.
104 Pelos teus mandamentos alcancei entendimento;
pelo que aborreço todo falso caminho.

Num

105 A tua palavra é uma lâmpada para os meus pés e uma
luz para o meu caminho.
106 Jurei, e o cumprirei, que guardarei os teus justos
juízos.
107 Estou aflitíssimo; vivifica-me, ó Senhor, segundo a
tua palavra.
108 Aceita, eu te rogo, as oferendas voluntárias da minha
boca, ó Senhor; e ensina-me os teus juízos.
109 A minha alma está de contínuo nas minhas mãos;
todavia não me esqueço da tua lei.
110 Os ímpios me armaram laço; contudo não me desviei
dos teus preceitos.
111 Os teus testemunhos tenho eu tomado por herança
para sempre, pois são o gozo do meu coração.
112 Inclinei o meu coração para guardar os teus estatu-
tos, para sempre, até ao fim.

Sâmeque

113 Aborreço a duplicidade, mas amo a tua lei.
114 Tu és o meu refúgio e o meu escudo; espero na tua
palavra.
115 Apartem-se de mim, malfeitores, pois guardarei os
mandamentos do meu Deus.
116 Sustenta-me conforme a tua palavra, para que viva e
não me deixes envergonhado da minha esperança.
117 Sustenta-me e serei salvo, e de contínuo terei respei-
to aos teus estatutos.
118 Tu tens pisado todos os que se desviam dos teus esta-
tutos, pois o engano deles é falsidade.
119 Tu tiraste da terra todos os ímpios, como a escória,
por isso amo os teus testemunhos.
120 O meu corpo se arrepiou com temor de ti, dos teus
juízos tenho medo.

Ain

121 Fiz juízo e justiça; não me entregues aos meus
opressores.
122 Fica por fiador do teu servo para o bem; não deixes
que os soberbos me oprimam.
123 Os meus olhos desfaleceram pela tua salvação e pela
promessa da tua justiça.
124 Usa com o teu servo a tua benignidade e ensina-me
os teus estatutos.
125 Sou teu servo; dá-me inteligência, para entender os
teus testemunhos.
126 Já é tempo de operares, ó Senhor, pois eles têm que-
brantado a tua lei.
127 Por isso amo os teus mandamentos mais do que o
ouro, ainda mais do que o ouro fino.
128 Por isso estimo todos os teus preceitos acerca de tudo
como retos, e aborreço todo falso caminho.

Pê

129 Maravilhosos são os teus testemunhos; portanto, a
minha alma os guarda.
130 A entrada das tuas palavras dá luz, dá entendimento
aos simples.
131 Abri a minha boca e respirei, pois desejei os teus
mandamentos.
132 Olha para mim e tem piedade de mim, conforme
usas com os que amam o teu nome.
133 Ordena os meus passos na tua palavra e não se apo-
dere de mim iniquidade alguma.
134 Livra-me da opressão do homem; assim guardarei os
teus preceitos.

135 Faz resplandecer o teu rosto sobre o teu servo e ensina-me os teus estatutos.
136 Rios de águas correm dos meus olhos, porque outros não guardam a tua lei.

Tsadê

137 Justo és, ó Senhor, e retos são os teus juízos.
138 Os teus testemunhos que ordenaste são retos e muito fiéis.
139 O meu zelo me consumiu, porque os meus inimigos se esqueceram da tua palavra.
140 A tua palavra é muito pura; portanto, o teu servo a ama.
141 Pequeno sou e desprezado, porém não me esqueço dos teus mandamentos.
142 A tua justiça é uma justiça eterna, e a tua lei é a verdade.
143 Aflição e angústia se apoderam de mim; contudo os teus mandamentos são o meu prazer.
144 A justiça dos teus testemunhos é eterna; dá-me inteligência e viverei.

Cofe

145 Clamei de todo o meu coração; escuta-me, Senhor, e guardarei os teus estatutos.
146 A ti te invoquei; salva-me, e guardarei os teus testemunhos.
147 Levantei-me antes da alva e clamei: esperei na tua palavra.
148 Os meus olhos ficaram abertos durantes as vigílias da noite, para meditar na tua palavra.
149 Ouve a minha voz, segundo a tua benignidade: vivifica-me, ó Senhor, segundo o teu juízo.
150 Aproximam-se os que me dão maus tratos: afastam-se da tua lei.
151 Tu estás perto, ó Senhor, e todos os teus mandamentos são a verdade.
152 Acerca dos teus testemunhos soube, desde a antiguidade, que tu os fundaste para sempre.

Reche

153 Olha para a minha aflição e livra-me, pois não me esqueci da tua lei.
154 Pleiteia a minha causa e livra-me; vivifica-me segundo a tua palavra.
155 A salvação está longe dos ímpios, pois não buscam os teus estatutos.
156 Muitas são, ó Senhor, as tuas misericórdias; vivifica-me segundo os teus juízos.
157 Muitos são os meus perseguidores e os meus inimigos; porém não me desvio dos teus testemunhos.
158 Vi os transgressores e me afligi, porque não observam a tua palavra.
159 Considera como amo os teus preceitos; vivifica-me, ó Senhor, segundo a tua benignidade.
160 A tua palavra é a verdade desde o princípio e cada um dos teus juízos dura para sempre.

Chim

161 Príncipes me perseguiram sem causa, mas o meu coração temeu a tua palavra.
162 Folgo com a tua palavra, como aquele que acha um grande despojo.
163 Abomino e aborreço a falsidade, porém amo a tua lei.
164 Sete vezes no dia te louvo pelos juízos da tua justiça.
165 Muita paz têm os que amam a tua lei e para eles não há tropeço.
166 Senhor, tenho esperado na tua salvação e tenho cumprido os teus mandamentos.
167 A minha alma tem observado os teus testemunhos; amo-os excessivamente.
168 Tenho observado os teus preceitos e os teus testemunhos, porque todos os meus caminhos estão diante de ti.

Tau

169 Chegue a ti o meu clamor, ó Senhor; dá-me entendimento conforme a tua palavra.
170 Chegue a minha súplica perante a tua face; livra-me segundo a tua palavra.
171 Os meus lábios proferiram o louvor, quando me ensinaste os teus estatutos.
172 A minha língua falará da tua palavra, pois todos os teus mandamentos são justiça.
173 Venha a tua mão socorrer-me, pois escolhi os teus preceitos.
174 Tenho desejado a tua salvação, ó Senhor; a tua lei é todo o meu prazer.
175 Viva a minha alma e te louvará: ajudem-me os teus juízos.
176 Desgarrei-me como a ovelha perdida; busca o teu servo, pois não me esqueci dos teus mandamentos.

Proteção Contra a Maledicência

Cântico dos degraus

120 Na minha angústia clamei ao Senhor e ele me ouviu.
2 Senhor, livra a minha alma dos lábios mentirosos e da língua enganadora.
3 Que te será dado, ou que te será acrescentado, língua enganadora?
4 Flechas agudas do valente, com brasas vivas de zimbro.
5 Ai de mim, que peregrino em Meseque e habito nas tendas de Quedar.
6 A minha alma bastante tempo habitou com os que detestam a paz.

7 Pacífico sou; porém, quando eu falo, já eles procuram
a guerra.

Cântico de Fé e Confiança em Deus

Cântico dos degraus

121 Levanto os meus olhos para os montes, de onde
me virá o socorro?
2 O meu socorro vem do Senhor que fez o céu e a terra.
3 Não deixará vacilar o seu pé; aquele que o guarda não
tosquenejará.
4 Eis que não tosquenejará nem dormirá o guarda de
Israel.
5 O Senhor é quem te guarda; o Senhor é a sua sombra
à sua direita.
6 O sol não o molestará de dia, nem a lua de noite.
7 O Senhor o guardará de todo o mal; guardará a sua
alma.
8 O Senhor guardará a sua entrada e a sua saída, desde
agora e para sempre.

A Alegria de Estar na Casa de Deus

Cântico dos degraus, de Davi

122 Alegrei-me quando me disseram: "Vamos à casa
do Senhor."
2 Os nossos pés estão dentro das suas portas, ó Jerusalém.
3 Jerusalém está edificada como uma cidade que é bem
estabelecida.
4 Aonde sobem as tribos, as tribos do Senhor, até ao teste-
munho de Israel, para darem graças ao nome do Senhor.
5 Pois ali estão os tronos do juízo, os tronos da casa de
Davi.
6 Orem pela paz de Jerusalém: prosperarão aqueles que
o amam.
7 Haja paz dentro de seus muros e prosperidade dentro
dos seus palácios.
8 Por causa dos meus irmãos e amigos, direi: Paz esteja
em você.
9 Por causa da casa do Senhor nosso Deus, buscarei o
seu bem.

Socorro em Tempo de Angústia

Cântico dos degraus

123 A ti levanto os meus olhos, ó tu, que habitas nos
céus.
2 Assim como os olhos dos servos atentam para as mãos
dos seus senhores, e os olhos da serva para as mãos de
sua senhora, assim os nossos olhos atentam para o Senhor
nosso Deus, até que tenha piedade de nós.
3 Tem piedade de nós, ó Senhor, tem piedade de nós, pois
estamos fartos de desprezo.
4 A nossa alma está extremamente cansada da zombaria
dos folgados e do desprezo dos soberbos.

Gratidão Pela Proteção Divina

Cântico dos degraus, de Davi

124 Se não fosse o Senhor, que esteve ao nosso lado,
ora diga, Israel:
2 Se não fosse o Senhor, que esteve ao nosso lado, quando
os homens se levantaram contra nós,
3 eles então nos teriam engolido vivos quando a sua ira se
acendesse contra nós.
4 Então as águas teriam transbordado sobre nós e a cor-
rente teria passado sobre a nossa alma;
5 então as águas altivas teriam passado sobre a nossa alma.
6 Bendito seja o Senhor, que não nos deu por presa aos
seus dentes.
7 A nossa alma escapou, como um pássaro do laço dos
passarinheiros; o laço quebrou-se e nós escapamos.
8 O nosso socorro está no nome do Senhor, que fez o
céu e a terra.

A Fé em Deus Traz Segurança

Cântico dos degraus

125 Os que confiam no Senhor serão como o Mon-
te Sião, que não se abala, mas permanece para
sempre.
2 Assim como estão os montes à roda de Jerusalém, assim
o Senhor está em volta do seu povo desde agora e para
sempre.
3 Porque o cetro da impiedade não permanecerá sobre a
sorte dos justos, para que o justo não estenda as suas mãos
para a iniquidade.
4 Faz bem, ó Senhor, aos bons e aos que são retos de
coração.
5 Quanto àqueles que se desviam para os seus caminhos
tortuosos, os levará o Senhor com os que praticam a mal-
dade; paz haverá sobre Israel.

Alegria Pelo Retorno do Cativeiro

Cântico dos degraus

126 Quando o Senhor trouxe do cativeiro os que
voltaram a Sião, éramos como os que sonham.
2 Então a nossa boca se encheu de riso e a nossa língua
de cântico; então se dizia entre as nações: "Grandes coisas
fez o Senhor a estes."
3 Grandes coisas fez o Senhor por nós, pelas quais esta-
mos alegres.
4 Faz-nos voltar outra vez, ó Senhor, do nosso cativeiro,
como as correntes das águas no sul.
5 Os que semeiam em lágrimas segarão com alegria.
6 Aquele que leva a preciosa semente, andando e choran-
do, voltará, sem dúvida, com alegria, trazendo consigo os
seus molhos.

A Dependência de Deus

Cântico dos degraus, de Salomão

127 Se o Senhor não edificar a casa, em vão traba-
lham os que a edificam; se o Senhor não guardar
a cidade, em vão vigia a sentinela.
2 Inútil será levantar de madrugada, repousar tarde, co-
mer o pão de dores, pois assim dá ele aos seus amados
o sono.
3 Eis que os filhos são herança do Senhor e o fruto do
ventre o seu galardão.
4 Como flechas na mão de um homem valente, assim são
os filhos da mocidade.
5 Bem-aventurado o homem que enche deles a sua aljava;
não serão confundidos, mas falarão com os seus inimigos
à porta.

O Temor do Senhor e a Felicidade do Lar

Cântico dos degraus

128 Bem-aventurado aquele que teme ao Senhor e
anda nos seus caminhos.
2 Pois comerá do trabalho das suas mãos; feliz será e tudo
lhe irá bem.
3 A sua mulher será como a videira frutífera aos lados da
sua casa; os seus filhos como plantas de oliveira à roda
da sua mesa.
4 Eis que assim será abençoado o homem que teme ao
Senhor.
5 O Senhor o abençoará desde Sião e você verá o bem de
Jerusalém em todos os dias da sua vida.
6 E verá os filhos de seus filhos e a paz sobre Israel.

Recordações de Bênçãos

Cântico dos degraus

129 Muitas vezes me angustiaram desde a minha
mocidade; diga agora, Israel:
2 Muitas vezes me angustiaram desde a minha mocidade;
todavia não prevaleceram contra mim.
3 Os lavradores araram sobre as minhas costas; compridos
fizeram os seus sulcos.
4 O Senhor é justo; cortou as cordas dos ímpios.
5 Sejam confundidos e voltem para trás todos os que abor-
recem a Sião.
6 Sejam como a erva dos telhados que seca antes que a
arranquem.
7 Com a qual o segador não enche a sua mão, nem o que
ata os feixes enche o seu braço.
8 Nem tampouco os que passam dizem: A bênção do Se-
nhor seja sobre vocês; nós os abençoamos em nome do
Senhor.

Súplica Por Perdão

Cântico dos degraus

130 Das profundezas a ti clamo, ó Senhor.
2 Senhor, escuta a minha voz; estejam os teus
ouvidos atentos à voz das minhas súplicas.
3 Se tu, Senhor, observares as iniquidades, Senhor, quem
subsistirá?
4 Porém contigo está o perdão, para que sejas temido.
5 Aguardo o Senhor; a minha alma o aguarda, e espero
na sua palavra.
6 A minha alma aguarda o Senhor, mais do que os guardas
pela manhã, mais do que aqueles que vigiam pela manhã.
7 Espere Israel no Senhor, porque no Senhor há misericór-
dia, e nele há abundante redenção.
8 E ele remirá a Israel de todas as suas iniquidades.

Confiança em Deus

Cântico dos degraus, de Davi

131 Senhor, o meu coração não se elevou nem os
meus olhos se levantaram; não me exercito em
grandes matérias, nem em coisas muito elevadas para
mim.
2 Certamente me tenho portado e sossegado como uma
criança desmamada de sua mãe; a minha alma está como
uma criança desmamada.
3 Espere Israel no Senhor, desde agora e para sempre.

O Desejo de Construir um Templo

Cântico dos degraus

132 Lembra-te, Senhor, de Davi e de todas as suas
aflições.
2 Como jurou ao Senhor e fez votos ao poderoso de Jacó,
dizendo:
3 "Certamente não entrarei na tenda de minha casa, nem
subirei ao leito de minha cama,
4 não darei sono aos meus olhos, nem adormecimento às
minhas pálpebras,
5 enquanto não achar lugar para o Senhor, uma morada
para o Poderoso de Jacó."
6 Eis que ouvimos falar dela em Efrata e a achamos no
campo do bosque.
7 Entraremos nos seus tabernáculos; nos prostraremos
ante o escabelo de seus pés.
8 Levanta-te, Senhor, no teu repouso, tu e a arca da tua
força.
9 Vistam-se os teus sacerdotes de justiça e alegrem-se os
teus santos.
10 Por amor de Davi, teu servo, não faças virar o rosto
do teu ungido.
11 O Senhor jurou na verdade a Davi e não se apartará
dela: "Do fruto do seu ventre porei sobre o seu trono.
12 Se os seus filhos guardarem a minha aliança e os meus

testemunhos, que eu lhes hei de ensinar, também os seus
filhos se assentarão perpetuamente no seu trono."
13 Porque o Senhor elegeu Sião; desejou-a para a sua ha-
bitação, dizendo:
14 "Este é o meu repouso para sempre; aqui habitarei,
pois o desejei.
15 Abençoarei abundantemente o seu mantimento; farta-
rei de pão os seus necessitados.
16 Vestirei os seus sacerdotes de salvação e os seus santos
saltarão de prazer.
17 Ali farei brotar a força de Davi; preparei uma lâmpada
para o meu ungido.
18 Vestirei os seus inimigos de vergonha; mas sobre ele
florescerá a sua coroa."

A União Fraternal

Cântico dos degraus, de Davi

133 Oh! Quão bom e quão suave é que os irmãos
habitem em união.
2 É como o óleo precioso sobre a cabeça, que desce so-
bre a barba, a barba de Arão, e que desce à orla das suas
vestes.
3 Como o orvalho de Hermom, e como o que desce sobre
os montes de Sião, porque ali o Senhor ordena a bênção e
a vida para sempre.

Cântico Para o Culto Vespertino

Cântico dos degraus

134 Eis aqui, bendigam o Senhor todos vocês, servos
do Senhor, que assistem na casa do Senhor todas
as noites.
2 Levantem as suas mãos no santuário e bendigam o
Senhor.
3 O Senhor que fez o céu e a terra o abençoe desde Sião.

Convite Para Louvar o Senhor Pela Sua Direção

135 Louvem o Senhor. Louvem o nome do Senhor;
louvem-no, servos do Senhor.
2 Vocês que assistem na casa do Senhor, nos átrios da casa
do nosso Deus.
3 Louvem o Senhor, porque o Senhor é bom; cantem lou-
vores ao seu nome, porque é agradável.
4 Porque o Senhor escolheu para si Jacó e a Israel para
seu próprio tesouro.
5 Porque eu conheço que o Senhor é grande e que o nosso
Deus está acima de todos os deuses.
6 Tudo o que o Senhor quis, fez, nos céus e na terra, nos
mares e em todos os abismos.
7 Faz subirem os vapores das extremidades da terra; faz
os relâmpagos para a chuva; produz os ventos dos seus
tesouros.
8 O que feriu os primogênitos do Egito, desde os homens
até os animais;
9 o que enviou sinais e prodígios no meio de você, ó Egito,
contra o Faraó e contra os seus servos;
10 o que feriu muitas nações e matou poderosos reis:
11 A Siom, rei dos amorreus, a Ogue, rei de Basã e a todos
os reinos de Canaã;
12 e deu a sua terra em herança, em herança a Israel,
seu povo.
13 O teu nome, ó Senhor, dura perpetuamente, e a tua
memória, ó Senhor, de geração em geração.
14 Pois o Senhor julgará o seu povo, e se arrependerá com
respeito aos seus servos.
15 Os ídolos das nações são prata e ouro, obra das mãos
dos homens.
16 Têm boca, mas não falam; têm olhos, e não veem,
17 têm ouvidos, mas não ouvem, nem há respiração algu-
ma nas suas bocas.
18 Semelhantes a eles se tornem os que os fazem e todos
os que confiam neles.
19 Casa de Israel, bendigam o Senhor; casa de Arão, ben-
digam o Senhor;
20 casa de Levi, bendigam o Senhor; vocês os que temem
o Senhor, louvem o Senhor.
21 Bendito seja o Senhor desde Sião, o qual habita em
Jerusalém. Louvem o Senhor.

A Misericórdia de Deus

136 Louvem o Senhor, porque ele é bom; porque a
sua benignidade dura para sempre.
2 Louvem o Deus dos deuses; porque a sua benignidade
dura para sempre.
3 Louvem o Senhor dos senhores; porque a sua benignida-
de dura para sempre.
4 Aquele que só faz maravilhas; porque a sua benignidade
dura para sempre.
5 Aquele que com entendimento fez os céus; porque a sua
benignidade dura para sempre.
6 Aquele que estendeu a terra sobre as águas; porque a
sua benignidade dura para sempre.
7 Aquele que fez os grandes luminares; porque a sua be-
nignidade dura para sempre.
8 O sol para governar de dia; porque a sua benignidade
dura para sempre.
9 A lua e as estrelas para presidirem a noite; porque a sua
benignidade dura para sempre.
10 O que feriu o Egito nos seus primogênitos; porque a
sua benignidade dura para sempre.
11 E tirou Israel do meio deles; porque a sua benignidade
dura para sempre.
12 Com mão forte e com braço estendido; porque a sua
benignidade dura para sempre.

13 Aquele que dividiu o Mar Vermelho em duas partes;
porque a sua benignidade dura para sempre.
14 E fez passar Israel pelo meio dele; porque a sua benig-
nidade dura para sempre.
15 Mas derrubou o Faraó com o seu exército no Mar Ver-
melho; porque a sua benignidade dura para sempre.
16 Aquele que guiou o seu povo pelo deserto; porque a
sua benignidade dura para sempre.
17 Aquele que feriu os grandes reis; porque a sua benigni-
dade dura para sempre.
18 E matou reis famosos; porque a sua benignidade dura
para sempre.
19 Siom, rei dos amorreus; porque a sua benignidade
dura para sempre.
20 E Ogue, rei de Basã; porque a sua benignidade dura
para sempre.
21 E deu a terra deles em herança; porque a sua benigni-
dade dura para sempre.
22 Em herança a Israel, seu servo; porque a sua benigni-
dade dura para sempre.
23 Que se lembrou da nossa baixeza; porque a sua benig-
nidade dura para sempre.
24 E nos remiu dos nossos inimigos; porque a sua benig-
nidade dura para sempre.
25 O que dá mantimento a toda a carne; porque a sua
benignidade dura para sempre.
26 Louvem o Deus dos céus; porque a sua benignidade
dura para sempre.

O Lamento dos Cativos

137 Junto aos rios da Babilônia, ali nos assentamos e
choramos, quando nos lembramos de Sião.
2 Sobre os salgueiros que há no meio dela, penduramos
as nossas harpas.
3 Pois lá aqueles que nos levaram cativos nos pediam
uma canção; e aqueles que nos destruíram, que os ale-
grássemos, dizendo: "Cantem para nós uma das canções
de Sião."
4 Como cantaremos a canção do Senhor em terra
estranha?
5 Se eu me esquecer de você, ó Jerusalém, esqueça-se a
minha direita da sua destreza.
6 Se não me lembrar de você, que a minha língua cole
no céu da boca; se não preferir Jerusalém à minha maior
alegria.
7 Lembra-te, Senhor, dos filhos de Edom no dia de Je-
rusalém, que diziam: "Arrasai-a, arrasai-a até aos seus
alicerces."
8 Ah! Filha da Babilônia, que vai ser assolada; feliz aquele
que lhe retribuir o mal que você nos fez.
9 Feliz aquele que pegar seus filhos e der com eles nas
pedras.

Louvor Pela Aceitação Divina

Salmo de Davi

138 Eu te louvarei, Senhor, de todo o meu coração;
na presença dos deuses a ti cantarei louvores.
2 Eu me inclinarei para o teu santo templo, e louvarei o
teu nome pela tua benignidade e pela tua verdade; pois
engrandeceste a tua palavra acima de todo o teu nome.
3 No dia em que eu clamei, me escutaste; alentaste com
força a minha alma.
4 Todos os reis da terra te louvarão, ó Senhor, quando
ouvirem as palavras da tua boca;
5 e cantarão os caminhos do Senhor; pois grande é a glória
do Senhor.
6 Ainda que o Senhor seja excelso, todavia atenta para o
humilde; mas ao soberbo conhece-o de longe.
7 Andando eu no meio da angústia, tu me reviverás; es-
tenderás a tua mão contra a ira dos meus inimigos, e a tua
mão direita me salvará.
8 O Senhor aperfeiçoará o que me pertence; a tua benig-
nidade, ó Senhor, dura para sempre; não desampares as
obras das tuas mãos.

A Onisciência e Onipresença de Deus

Salmo de Davi para o cantor-mor

139 Senhor, tu me sondas e me conheces.
2 Tu sabes o meu assentar e o meu levantar; de
longe entendes o meu pensamento.
3 Cercas o meu andar e o meu deitar; e conheces todos
os meus caminhos.
4 Não havendo ainda palavra alguma na minha língua, eis
que logo, ó Senhor, tudo conheces.
5 Tu me cercaste por detrás e por diante, e puseste sobre
mim a tua mão.
6 Tal ciência é para mim maravilhosíssima; tão alta que
não a posso atingir.
7 Para onde escaparia do teu Espírito, ou para onde fugirei
da tua face?
8 Se subir ao céu, lá tu estás; se fizer na sepultura a minha
cama, eis que tu ali estás também.
9 Se tomar as asas da alva, se habitar nas extremidades
do mar,
10 até ali a tua mão me guiará e a tua mão direita me
susterá.
11 Se disser: Decerto que as trevas me encobrirão; então
a noite será luz em volta de mim.
12 Nem mesmo as trevas me encobrem de ti; mas a noite
resplandece como o dia; as trevas e a luz são para ti a
mesma coisa;

13 pois possuíste os meus rins; cobriste-me no ventre de
minha mãe.
14 Eu te louvarei, porque de um modo terrível e tão mara-
vilhoso fui feito; maravilhosas são as tuas obras e a minha
alma o sabe muito bem.
15 Os meus ossos não te foram encobertos, quando no
oculto fui feito e entretecido nas profundezas da terra.
16 Os teus olhos viram o meu corpo ainda informe; e
no teu livro todas estas coisas foram escritas; as quais em
continuação foram formadas, quando nem ainda uma de-
las havia.
17 E quão preciosos me são, ó Deus, os teus pensamen-
tos! Quão grandes são as somas deles!
18 Se as contasse, seriam em maior número do que a
areia; quando acordo ainda estou contigo.
19 Ó Deus, tu matarás decerto o ímpio; apartem-se, por-
tanto, de mim, homens de sangue.
20 Pois falam malvadamente contra ti; os teus inimigos
tomam o teu nome em vão.
21 Não aborreço, ó Senhor, aqueles que te aborrecem,
e não me aflijo por causa dos que se levantam contra ti?
22 Aborreço-os completamente; tenho-os por inimigos.
23 Sonda-me, ó Deus, e conhece o meu coração; prova-
-me, e conhece os meus pensamentos.
24 Vê se há em mim algum caminho mau e guia-me pelo
caminho eterno.

Súplica por Livramento dos Homens Maus

Salmo de Davi para o cantor-mor

140 Livra-me, ó Senhor, do homem mau; guarda-me
do homem violento,
2 que pensa o mal no coração; continuamente se ajuntam
para a guerra.
3 Aguçaram as línguas como a serpente; o veneno das
víboras está debaixo dos seus lábios.
4 Guarda-me, ó Senhor, das mãos do ímpio; guarda-me
do homem violento; os quais se propuseram empurrar os
meus passos.
5 Os soberbos armaram-me laços e cordas; estenderam a
rede ao lado do caminho; armaram-me laços corrediços.
6 Eu disse ao Senhor: Tu és o meu Deus; ouve a voz das
minhas súplicas, ó Senhor.
7 Senhor Deus, fortaleza da minha salvação, tu cobriste a
minha cabeça no dia da batalha.
8 Não concedas, ó Senhor, ao ímpio os seus desejos; não
promovas o seu mau propósito, para que não se exalte.
9 Quanto à cabeça dos que me cercam, cubra-os a malda-
de dos seus lábios.
10 Caiam sobre eles brasas vivas; sejam lançados no fogo,
em covas profundas, para que não tornem a se levantar.
11 Não terá firmeza na terra o homem de má língua; o
mal perseguirá o homem violento até que seja desterrado.
12 Sei que o Senhor sustentará a causa do oprimido e o
direito do necessitado.
13 Assim os justos louvarão o teu nome; os retos habita-
rão na tua presença.

Oração Por Direção e Ajuda

Salmo de Davi

141 Senhor, a ti clamo, escuta-me; inclina os teus ou-
vidos à minha voz, quando a ti clamar.
2 Suba a minha oração perante a tua face como incenso
e as minhas mãos levantadas sejam como o sacrifício da
tarde.
3 Põe, ó Senhor, uma guarda à minha boca; guarda a porta
dos meus lábios.
4 Não deixes que o meu coração se incline para coisas
más, para praticar obras más, com aqueles que praticam a
iniquidade; não coma eu das suas delícias.
5 Fira-me o justo e será isso uma benignidade; repreenda-
-me, e será um excelente óleo, que não me ferirá a cabeça;
porque orarei continuamente contra suas maldades.
6 Quando os seus juízes forem derrubados dos penhascos,
ouvirão as minhas palavras, pois são verdadeiras.
7 Os nossos ossos são espalhados à boca da sepultura
como se alguém fendera e partira lenha na terra.
8 Mas os meus olhos te contemplam, ó Deus, o Senhor;
em ti confio; não desnudes a minha alma.
9 Guarda-me dos laços que me armaram; dos laços corre-
diços dos que praticam a iniquidade.
10 Caiam os ímpios nas suas próprias redes, até que eu
tenha escapado inteiramente.

Socorro na Angústia

Masquil de Davi; oração que fez quando estava na caverna

142 Com a minha voz clamei ao Senhor; com a mi-
nha voz supliquei ao Senhor.
2 Derramei a minha queixa perante a sua face; expus-lhe
a minha angústia.
3 Quando o meu espírito estava angustiado em mim, en-
tão conheceste a minha vereda: no caminho em que eu
andava, esconderam-me um laço.
4 Olha para a minha direita e vê; não há ninguém que
me conheça; refúgio me faltou, ninguém cuidou da minha
alma.
5 A ti, ó Senhor, clamei e disse: Tu és o meu refúgio e a
minha porção na terra dos viventes.
6 Atende ao meu clamor, porque estou muito abatido;
livra-me dos meus perseguidores, porque são mais fortes
do que eu.

7 Tira a minha alma da prisão, para que louve o teu nome;
os justos me rodearão, pois me fizeste bem.

Súplica Por Proteção e Livramento

Salmo de Davi

143 Ó Senhor, ouve a minha oração, inclina os ouvidos às minhas súplicas; escuta-me segundo a tua
verdade e segundo a tua justiça.
2 E não entres em juízo com o teu servo, porque à tua
vista não se achará justo nenhum vivente.
3 Pois o inimigo perseguiu a minha alma; atropelou-me
até ao chão; fez-me habitar na escuridão, como aqueles
que morreram há muito tempo.
4 Pois que o meu espírito se angustia em mim e o meu
coração em mim está desolado.
5 Lembro-me dos dias antigos, considero todos os teus
feitos e medito na obra das tuas mãos.
6 Estendo para ti as minhas mãos; a minha alma tem sede
de ti, como terra sedenta.
7 Ouve-me depressa, ó Senhor; o meu espírito desmaia;
não escondas de mim a tua face, para que não seja semelhante aos que descem à cova.
8 Faz-me ouvir a tua benignidade pela manhã, pois em ti
confio; faz-me saber o caminho que devo seguir, porque a
ti levanto a minha alma.
9 Livra-me, ó Senhor, dos meus inimigos; fujo para ti, para
me esconder.
10 Ensina-me a fazer a tua vontade, pois és o meu Deus.
O teu Espírito é bom; guie-me por terra plana.
11 Vivifica-me, ó Senhor, por amor do teu nome; por
amor da tua justiça, tira a minha alma da angústia.
12 E por tua misericórdia, desarraíga os meus inimigos e
destrói a todos os que angustiam a minha alma; pois sou
teu servo.

Exaltação do Socorro Divino

Salmo de Davi

144 Bendito seja o Senhor, minha rocha, que adestra as minhas mãos para a guerra e os meus dedos
para a batalha;
2 benignidade minha e fortaleza minha; alto retiro meu e
meu libertador és tu; escudo meu, em quem eu confio, e
que me sujeita o meu povo.
3 Senhor, que é o homem, para que o conheças, e o filho
do homem, para que o estimes?
4 O homem é semelhante à vaidade; os seus dias são
como a sombra que passa.
5 Abaixa, ó Senhor, os teus céus e desce; toca os montes
e fumegarão.
6 Vibra os teus raios e dissipa-os; envia as tuas flechas e
desbarata-os.
7 Estende as tuas mãos desde o alto; livra-me e arrebata-me das muitas águas e das mãos dos filhos estranhos,
8 cuja boca fala vaidade e a sua mão direita é a direita
de falsidade.
9 A ti, ó Deus, cantarei um cântico novo; com o saltério e
instrumento de dez cordas te cantarei louvores;
10 a ti, que dás a salvação aos reis e que livras a Davi, teu
servo, da espada maligna.
11 Livra-me e tira-me das mãos dos filhos estranhos, cuja
boca fala vaidade, mas a sua mão direita é a direita de
iniquidade,
12 para que nossos filhos sejam como plantas crescidas
na sua mocidade; para que as nossas filhas sejam como
pedras de esquina lavradas à moda de palácio;
13 para que as nossas despensas se encham de todo o
provimento; para que os nossos rebanhos se reproduzam
a milhares e a dezenas de milhares em nossos campos.
14 Para que os nossos bois sejam fortes para o trabalho;
para que não haja nem assaltos, nem saídas, nem gritos
nas nossas ruas.
15 Bem-aventurado o povo ao qual assim acontece; bem-aventurado é o povo cujo Deus é o Senhor.

Cântico de Louvor e Exaltação

Cântico de Davi

145 Eu te exaltarei, ó Deus, rei meu, e bendirei o teu nome pelos séculos dos séculos e para sempre.
2 Cada dia te bendirei e louvarei o teu nome pelos séculos
dos séculos e para sempre.
3 Grande é o Senhor e muito digno de louvor, e a sua
grandeza inescrutável.
4 Uma geração louvará as tuas obras à outra geração, e
anunciarão as tuas proezas.
5 Falarei da gloriosa magnificência da tua majestade e das
tuas obras maravilhosas.
6 E se falará da força dos teus feitos terríveis; e contarei
a tua grandeza.
7 Proferirão abundantemente a memória da tua grande
bondade e cantarão a tua justiça.
8 Piedoso e benigno é o Senhor, paciente e de grande
misericórdia.
9 O Senhor é bom para todos e as suas misericórdias estão
sobre todas as suas obras.
10 Todas as tuas obras te louvarão, ó Senhor, e os teus
santos te bendirão.
11 Falarão da glória do teu reino e relatarão o teu poder,
12 para fazerem saber aos filhos dos homens as tuas proezas e a glória da magnificência do teu reino.
13 O teu reino é um reino eterno; o teu domínio dura em
todas as gerações.

14 O Senhor sustenta a todos os que caem e levanta a
todos os abatidos.
15 Os olhos de todos esperam em ti, e lhes dás o seu
mantimento a seu tempo.
16 Abres a tua mão e fartas os desejos de todos os viventes.
17 Justo é o Senhor em todos os seus caminhos e santo
em todas as suas obras.
18 Perto está o Senhor de todos os que o invocam, de
todos os que o invocam em verdade.
19 Ele cumprirá o desejo dos que o temem; ouvirá o seu
clamor e os salvará.
20 O Senhor guarda a todos os que o amam; porém todos
os ímpios serão destruídos.
21 A minha boca proclamará o louvor do Senhor e toda a
carne louvará o seu santo nome pelos séculos dos séculos
e para sempre.

Louvor Pelo Socorro Recebido

146 Louve o Senhor, ó minha alma, louve o Senhor.
2 Louvarei o Senhor durante a minha vida; can-
tarei louvores ao meu Deus enquanto eu for vivo.
3 Não confiem em príncipes, nem nos filhos dos homens,
em quem não há salvação.
4 Sai-lhes o espírito, volta para a terra; naquele mesmo dia
perecem os seus pensamentos.
5 Bem-aventurado aquele que tem o Deus de Jacó por seu
auxílio e cuja esperança está posta no Senhor seu Deus.
6 O que fez os céus e a terra, o mar e tudo quanto há
neles, e o que guarda a verdade para sempre;
7 o que faz justiça aos oprimidos, o que dá pão aos famin-
tos. O Senhor solta os encarcerados.
8 O Senhor abre os olhos dos cegos; o Senhor levanta os
abatidos; o Senhor ama os justos;
9 o Senhor guarda os estrangeiros; ampara o órfão e a
viúva, mas transtorna o caminho dos ímpios.
10 O Senhor reinará eternamente; o seu Deus, ó Sião, de
geração em geração. Louvem o Senhor.

Louvor ao Todo-Poderoso

147 Louvem o Senhor, porque é bom cantar louvores
ao nosso Deus; porque suave e decoroso é o seu
louvor.
2 O Senhor edifica Jerusalém, congrega os dispersos de
Israel.
3 Sara os quebrantados de coração e lhes ata as suas
feridas.
4 Conta o número das estrelas, chama-as a todas pelos
seus nomes.
5 Grande é o nosso Senhor e de grande poder; o seu en-
tendimento é infinito.
6 O Senhor eleva os humildes e abate os ímpios até à
terra.
7 Cantem ao Senhor em ação de graças; cantem louvores
ao nosso Deus com a harpa.
8 Ele é o que cobre o céu de nuvens, o que prepara a chu-
va para a terra e o que faz produzir erva sobre os montes;
9 o que dá aos animais o seu sustento, e aos filhos dos
corvos, quando clamam.
10 Não se deleita na força do cavalo, nem se compraz nas
pernas do homem.
11 O Senhor se agrada dos que o temem e dos que espe-
ram na sua misericórdia.
12 Louve, ó Jerusalém, o Senhor; louve, ó Sião, o seu
Deus.
13 Porque fortaleceu as trancas das suas portas; e abençoa
aos seus filhos dentro de você.
14 Ele é o que põe em paz o seu território, e da flor da
farinha farta você.
15 O que envia a sua palavra à terra; a sua palavra corre
velozmente.
16 O que dá a neve como lã; esparge a geada como cinza;
17 o que lança o seu gelo em pedaços; quem pode resistir
ao seu frio?
18 Ordena, e os faz derreter; faz soprar o vento e correm
as águas.
19 Mostra a sua palavra a Jacó, os seus estatutos e os seus
juízos a Israel.
20 Não fez assim a nenhuma outra nação; quanto aos
seus juízos, não os conhecem. Louvem o Senhor.

A Natureza é Convidada a Louvar a Deus

148 Louvem o Senhor. Louvem o Senhor desde os
céus, louvem-no nas alturas.
2 Louvem-no, todos os seus anjos; louvem-no, todos os
seus exércitos.
3 Louvem-no, sol e lua; louvem-no, todas as estrelas
luzentes.
4 Louvem-no, céus dos céus e as águas que estão sobre
os céus.
5 Louvem o nome do Senhor, pois mandou, e logo foram
criados.
6 E os confirmou para sempre, e lhes deu uma lei que
não ultrapassarão.
7 Louvem o Senhor desde a terra: Vocês, baleias e todos
os abismos;
8 fogo e saraiva, neve e vapores, vento tempestuoso que
executa a sua palavra;
9 montes e todos os outeiros, árvores frutíferas e todos
os cedros;
10 as feras e todos os gados, répteis e aves voadoras;
11 reis da terra e todos os povos, príncipes e todos os
juízes da terra;
12 moços e moças, velhos e crianças.

13 Louvem o nome do Senhor, pois só o seu nome é exaltado; a sua glória está sobre a terra e o céu.
14 Ele também exalta o poder do seu povo, o louvor de todos os seus santos, dos filhos de Israel, um povo que lhe é chegado. Louvem o Senhor.

Júbilo e Gozo ao Senhor

149 Louvem o Senhor. Cantem ao Senhor um cântico novo e o seu louvor na congregação dos santos.
2 Alegre-se Israel naquele que o fez, regozijem-se os filhos de Sião no seu Rei.
3 Louvem o seu nome com flauta; cantem-lhe o seu louvor com adufe e harpa.
4 Porque o Senhor se agrada do seu povo; ornará os mansos com a salvação.
5 Exultem os santos na glória; alegrem-se nas suas camas.
6 Estejam na sua garganta os altos louvores de Deus e espada de dois fios nas suas mãos,
7 para tomarem vingança das nações e darem repreensões aos povos;
8 para aprisionarem os seus reis com cadeias e os seus nobres com grilhões de ferro;
9 para fazerem neles o juízo escrito. Esta será a glória de todos os santos. Louvem o Senhor.

A Deus Todo o Louvor

150 Louvem o Senhor. Louvem a Deus no seu santuário; louvem no firmamento do seu poder.
2 Louvem-no pelos seus atos poderosos; louvem-no conforme a excelência da sua grandeza.
3 Louvem-no com o som de trombeta; louvem-no com o saltério e a harpa.
4 Louvem-no com o adufe e a flauta, louvem-no com instrumentos de cordas e com órgãos.
5 Louvem-no com os címbalos sonoros; louvem-no com címbalos altissonantes.
6 Tudo que tem fôlego louve o Senhor. Louvem o Senhor.

PROVÉRBIOS

DE SALOMÃO

Introdução e Propósito

1 Provérbios de Salomão, filho de Davi, rei de Israel;
2 para se conhecer a sabedoria e a instrução; para se entenderem as palavras da prudência.
3 Para se receberem a instrução do entendimento, a justiça, o juízo e a equidade;
4 para dar aos simples prudência, e, aos jovens, conhecimento e bom senso,
5 para o sábio ouvir e crescer em doutrina, e o entendido adquirir sábios conselhos;
6 para entender os provérbios e sua interpretação; como também as palavras dos sábios e as suas proposições.

Advertências

7 O temor do Senhor é o princípio da ciência; os loucos desprezam a sabedoria e a instrução.
8 Meu filho, ouça as instruções do seu pai e não deixe a doutrina da sua mãe,
9 porque serão como uma coroa graciosa em sua cabeça e colares em seu pescoço.
10 Meu filho, se os pecadores o atraírem com afagos, não consinta.
11 Se disserem: "Venha conosco, vamos fazer emboscada para matá-lo; vamos espreitar o inocente sem razão;
12 vamos engoli-los vivos, como a sepultura; e inteiros, como os que descem à cova;
13 acharemos toda espécie de bens preciosos; encheremos as nossas casas de despojos;
14 lance a sua sorte conosco; teremos todos uma só bolsa!"
15 Meu filho, não se ponha no caminho com eles; desvie o seu pé dos seus caminhos;
16 porque os seus pés correm para o mal, e se apressam a derramar sangue.
17 Na verdade é inútil estender a rede aos olhos de qualquer ave.
18 No entanto eles armam ciladas contra o seu próprio sangue; e espreitam suas próprias vidas.
19 São assim os caminhos de todos aqueles que usam de avareza: ela põe a perder a vida dos que a possuem.

O Convite da Sabedoria

20 A suprema sabedoria clama lá fora; pelas ruas levanta a sua voz.
21 Nas encruzilhadas, em que há tumultos, clama, às entradas das portas, na cidade, profere as suas palavras:
22 "Até quando, ó simples, amarão a simplicidade? E vocês, escarnecedores, desejam o escárnio? E vocês, loucos, odeiam o conhecimento?
23 Acatem a minha repreensão; pois eu derramarei abundantemente do meu espírito e farei vocês saberem as minhas palavras.

24 Eu chamei vocês e vocês recusaram; e estendi a mi-
nha mão, e não houve quem desse atenção,
25 mas rejeitaram todo o meu conselho, e não quiseram
a minha repreensão;
26 também de minha parte eu rirei na sua perdição e
zombarei, quando o seu temor chegar.
27 Quando o seu temor chegar como assolação, e, quan-
do a sua perdição vier como uma tormenta, sobrevirão a
vocês aperto e angústia.
28 Então clamarão a mim, mas eu não responderei; de
madrugada me buscarão, porém não me acharão.
29 Porque aborreceram o conhecimento; e não elegeram
o temor do Senhor:
30 Não aceitaram o meu conselho, e desprezaram toda
a minha repreensão.
31 Assim comerão do fruto da sua escolha, e se fartarão
dos seus próprios conselhos.
32 Porque o erro dos simples os matará, e a prosperidade
dos loucos os destruirá.
33 Porém, quem me der ouvidos habitará em segurança,
e estará descansado do temor do mal."

Benefícios Morais da Sabedoria

2 Meu filho, se aceitar as minhas palavras, e guardar os
meus mandamentos,
2 para fazer o seu ouvido atento à sabedoria; e inclinar o
seu coração ao entendimento;
3 se clamar por entendimento, e por inteligência alçar
a sua voz,
4 se como a prata a buscar e como a tesouros escondidos
a procurar,
5 então entenderá o temor do Senhor, e achará o conhe-
cimento de Deus.
6 Porque o Senhor é quem dá a sabedoria: da sua boca é
que saem o conhecimento e o entendimento.
7 Ele reserva a verdadeira sabedoria para os retos: é escu-
do para os que caminham na sinceridade,
8 é ele que guarda o caminho da justiça. Ele preservará o
caminho dos seus santos.
9 Então você entenderá a justiça, o juízo, a equidade e
todas as boas veredas.
10 Quando a sabedoria entrar no seu coração, e o conhe-
cimento for agradável à sua alma,
11 o bom senso o guardará e a inteligência o conservará;
12 para o afastar do mau caminho, e do homem que fala
coisas perversas;
13 dos que deixam as veredas da retidão para andarem
pelos caminhos das trevas.
14 Que se alegram em fazer o mal, e folgam com as per-
versidades dos maus,
15 cujas veredas são tortuosas e que se desviam nos seus
caminhos;
16 para o afastar da mulher estranha, sim, da estranha
que lisonjeia com suas palavras;
17 que deixa o companheiro da sua mocidade e se esque-
ce da aliança do seu Deus;
18 porque a sua casa se inclina para a morte, e os seus
caminhos para os defuntos.
19 Todos os que se dirigem a ela não voltarão e não en-
contrarão os caminhos da vida.
20 Para você andar pelos caminhos dos bons, e o conser-
var nas veredas dos justos.
21 Porque os retos habitarão a terra, e os sinceros per-
manecerão nela.
22 Mas os ímpios serão arrancados da terra e os infiéis
serão dela exterminados.

Conselhos da Sabedoria

3 Meu filho, não se esqueça da minha lei e o seu cora-
ção guarde os meus mandamentos.
2 Porque eles lhe trarão longevidade, e anos de vida e
paz.
3 Não deixe que a benignidade e a fidelidade o desam-
parem; amarre-as ao seu pescoço; escreva-as na tábua do
seu coração.
4 E achará graça e bom entendimento aos olhos de Deus
e do homem.
5 Confie no Senhor de todo o seu coração, e não se apoie
no seu próprio entendimento.
6 Reconheça-o em todos os seus caminhos, e ele endirei-
tará as suas veredas.
7 Não seja sábio aos seus próprios olhos; tema o Senhor
e se aparte do mal.
8 Isto será saúde para o seu corpo e vigor para os seus
ossos.
9 Honre o Senhor com os seus bens, e com a primeira
parte de todos os seus ganhos;
10 e se encherão os seus celeiros de fartura, e transborda-
rão de vinho os seus lagares.
11 Meu filho, não rejeite a correção do Senhor, nem se
aborreça com a sua repreensão.
12 Porque o Senhor repreende quem ele ama, assim
como o pai ao filho a quem quer o bem.
13 Bem-aventurado o homem que acha sabedoria, e o
homem que produz conhecimento;
14 porque é melhor a sua mercadoria do que artigos de
prata, e maior o seu lucro do que o ouro mais fino.
15 Mais preciosa é do que os rubis, e tudo o que mais
possas desejar não se pode comparar a ela.
16 Vida longa está na sua mão direita; e na esquerda,
riquezas e honra.

17 Os seus caminhos são caminhos de delícias, e todas as
suas veredas de paz.
18 É árvore da vida para os que dela comem, e são bem-
-aventurados todos os que a retêm.
19 O Senhor com sabedoria fundou a terra; com entendi-
mento preparou os céus.
20 Pelo seu conhecimento se fenderam os abismos, e as
nuvens destilam o orvalho.
21 Meu filho, não se apartem estas coisas dos seus olhos:
guarde a verdadeira sabedoria e o bom senso,
22 porque serão vida para a sua alma e enfeite para o
seu pescoço.
23 Então andará confiante pelo seu caminho e o seu pé
não tropeçará.
24 Quando se deitar, não temerá; ao contrário, o seu
sono será suave.
25 Não tema o mal repentino, nem a ruína dos ímpios
quando vier.
26 Porque o Senhor será a sua esperança; guardará os
seus pés de serem presos.
27 Não deixe de fazer o bem a quem necessite, estando
em condições de fazê-lo.
28 Não diga ao seu próximo: "Vá, volte amanhã que lhe
darei", se já o tem com você.
29 Não maquine o mal contra o seu próximo, pois ele
habita perto e confia em você.
30 Não brigue com alguém sem causa, se não lhe fez
nenhum mal.
31 Não tenha inveja do homem violento, nem escolha
nenhum dos seus caminhos.
32 Porque o perverso é abominável ao Senhor, mas com
os sinceros está a sua comunhão.
33 A maldição do Senhor habita na casa do ímpio, mas a
habitação dos justos ele abençoará.
34 Certamente ele escarnecerá dos escarnecedores, mas
dará graça aos mansos.
35 Os sábios herdarão honra, porém os loucos trarão so-
bre si confusão.

A Supremacia da Sabedoria

4 Ouçam, filhos, a correção do pai, e estejam atentos
para conhecerem a prudência.
2 Pois dou a vocês boa doutrina; não deixem a minha lei.
3 Porque eu era um filho pequeno na companhia de meu
pai, e único filho de minha mãe.
4 E ele me ensinava e me dizia: "Retenha o seu cora-
ção as minhas palavras; guarde os meus mandamentos,
e viva.
5 Adquira sabedoria, adquira inteligência, e não se esque-
ça nem se afaste das palavras da minha boca.
6 Não a abandone e ela o guardará; ame-a, e ela o
protegerá.
7 Sabedoria antes de tudo, adquira sabedoria; para
isso, empregue tudo o que possui na aquisição de
entendimento.
8 Exalte-a, e ela o exaltará; você abraçando-a, ela o
honrará.
9 Dará à sua cabeça uma coroa de graça e uma coroa de
glória lhe entregará."
10 Ouça, meu filho, aceite as minhas palavras e se multi-
plicarão os anos da sua vida.
11 No caminho da sabedoria o ensinei e por caminhos de
retidão o fiz andar.
12 Por elas andando, não se estreitarão os seus passos; e
se correr não tropeçará.
13 Apegue-se à correção e não a largue; guarde-a, porque
ela é a sua vida.
14 Não entre pelo caminho dos ímpios, nem ande no
caminho dos maus.
15 Rejeite-o; não passes por ele; desvie-se dele e passe
longe.
16 Pois não dormem se não fizerem o mal, e o sono foge
deles se não fizerem alguém tropeçar.
17 Porque comem o pão da impiedade, e bebem o vinho
da violência.
18 Porém, o caminho dos justos é como a luz da aurora,
que vai brilhando mais e mais até ser dia claro.
19 O caminho dos ímpios é como a escuridão; nem sa-
bem em que tropeçam.
20 Filho meu, atente para as minhas palavras; às minhas
razões incline o seu ouvido.
21 Não as deixe que se afastem dos seus olhos; guarde-as
no íntimo do seu coração.
22 Porque são vida para quem as encontra, e saúde para
todo o seu corpo.
23 Sobre tudo o que se deve guardar, guarde no seu cora-
ção, porque dele procedem as saídas da vida.
24 Desvie a mentira da sua boca, e afaste a maldade dos
seus lábios.
25 Os seus olhos olhem para a frente, e as suas pálpebras
olhem direto diante de você.
26 Examine o caminho de seus pés, e todos os seus cami-
nhos sejam bem ordenados!
27 Não decline nem para a direita nem para a esquerda;
retire o seu pé do mal.

Advertências Contra o Adultério

5 Filho meu, atenda à minha sabedoria; à minha inteli-
gência inclina o seu ouvido;
2 para que guarde os meus conselhos e os seus lábios
observem o conhecimento.

3 Porque os lábios da mulher estranha destilam favos de
mel, e o seu paladar é mais suave do que o azeite.
4 Porém, o seu fim é amargoso como o absinto, agudo
como a espada de dois gumes.
5 Os seus pés descem para a morte; os seus passos estão
impregnados do inferno.
6 Para que não pondere os caminhos da vida, as suas
andanças são errantes: jamais os conhecerá.
7 Agora, pois, filhos, deem-me ouvidos, e não se desviem
das palavras da minha boca.
8 Longe dela seja o seu caminho, e não se chegue à porta
da sua casa;
9 para que não dê a outros a sua honra, e não entregue a
cruéis os seus anos de vida;
10 para que estranhos não se fartem do seu trabalho, e
todo o fruto do seu trabalho vá parar em casa alheia;
11 e no fim venha a gemer, com o desgaste das suas for-
ças e do seu corpo.
12 E então diga: "Como aborreci a correção! E o meu
coração desprezou a repreensão!
13 E não escutei a voz dos que me ensinavam, nem aos
meus mestres inclinei o meu ouvido!
14 Quase cheguei à ruína completa no meio da minha
comunidade."
15 Beba a água da sua bica, e das correntes do seu poço.
16 Por que derramariam as suas fontes para fora, e pelas
ruas os ribeiros de águas?
17 Sejam para si somente e não para repartir com
estranhos.
18 Seja abençoada a sua fonte, e alegre-se com a mulher
da sua mocidade.
19 Como cerva amorosa, e gazela graciosa, que os seus
peitos lhe saciem todo o tempo; e pelo seu amor seja
atraído sempre.
20 E por que, meu filho, se deixaria atrair por outra mu-
lher, e abraçaria o peito de uma estranha?
21 Porque os caminhos do homem estão perante os olhos
do Senhor, e ele pesa todas as suas veredas.
22 Quanto ao ímpio, as suas iniquidades o prenderão, e
com as cordas do seu pecado será detido.
23 Ele morrerá, porque desavisadamente andou, e pelo
excesso da sua loucura se perdeu.

Advertências Contra a Insensatez

6 Meu filho, se ficou por fiador do seu próximo, se deu
a sua mão ao estranho,
2 se deixou se comprometer pelas próprias palavras, e se
prendeu nas palavras da sua boca;
3 faça, pois, isto agora, meu filho, e livre-se, já que caiu
nas mãos do seu próximo: Vá, se humilhe, e importune
o seu próximo.
4 Não dê sono aos seus olhos, nem deixe adormecerem
as suas pálpebras.
5 Livre-se como a gazela da mão do caçador.
6 Observe a formiga, ó preguiçoso; olhe para os seus ca-
minhos, e seja sábio.
7 Ela, não tendo chefe, nem oficial, nem dominador,
8 prepara no verão o seu pão; na colheita ajunta o seu
mantimento.
9 Oh! Preguiçoso, até quando ficará deitado? Quando se
levantará do seu sono?
10 Um pouco de sono, um pouco cochilando, um pouco
descansando de braços cruzados;
11 assim o surpreenderá a pobreza como um assaltante, e
a sua necessidade como um homem armado.
12 O homem mau, o homem iníquo, tem a boca
pervertida.
13 Acena com os olhos, fala com os pés e faz sinais com
os dedos.
14 Há no seu coração perversidade, todo o tempo planeja
o mal; anda semeando intrigas.
15 Por isso a sua destruição virá repentinamente; subita-
mente será quebrantado, sem que haja cura.
16 Estas seis coisas o Senhor aborrece, e a sétima a sua
alma abomina:
17 Olhos altivos, língua mentirosa, mãos que derramam
sangue inocente,
18 o coração que planeja pensamentos pecaminosos; pés
que se apressam a correr para o mal,
19 a testemunha falsa que respira mentiras, e quem se-
meia contendas entre irmãos.
20 Filho meu, guarde o mandamento do seu pai, e não
deixe a lei da sua mãe.
21 Amarre-os perpetuamente no seu coração e pendure-
-os no seu pescoço.
22 Quando caminhar, o guiarão; quando se deitar, o guar-
darão; quando acordar, falarão com você.

Contra a Prostituição

23 Porque o mandamento é uma lâmpada, e a lei uma
luz: e as repreensões da correção são o caminho da vida.
24 Para o guardarem da mulher imoral, e dos elogios da
língua estranha.
25 Não cobice no seu coração a sua formosura, nem se
prenda aos seus olhos.
26 Porque por causa de uma prostituta se chega a men-
digar o pão; e a mulher adúltera anda à caça da alma
preciosa.
27 Porventura levará alguém fogo no seu peito, sem que
suas vestes se queimem?
28 Ou andará alguém sobre brasas, sem que se queimem
os seus pés?

29 Assim ficará quem se deitar com a mulher do seu
próximo; não ficará inocente aquele que a tocar.
30 Não se condena o ladrão, quando furta para matar
a fome;
31 e se for pego pagará o que roubou sete vezes; terá de
dar todos os bens da sua casa.
32 Porém, quem adultera com uma mulher é sem entendimento; aquele que faz isso destrói a sua alma.
33 Achará castigo e vexame, e a sua vergonha nunca
se apagará.
34 Porque o ciúme desperta a fúria do marido, e de maneira nenhuma deixará de se vingar.
35 Nenhuma compensação aceitará, nem se acalmará
com os melhores presentes.

Contra a Mulher Adúltera

7 Meu filho, guarde as minhas palavras, e esconda dentro de si os meus mandamentos.
2 Obedeça aos meus mandamentos e viva; guarde a minha lei, como a menina dos seus olhos.
3 Amarre-os aos seus dedos, escreva-os na tábua do seu
coração.
4 Diga à sabedoria: "Você é minha irmã"; e à prudência
chame de parente.
5 Para que elas o guardem da mulher alheia, da estranha
que elogia com as suas palavras.
6 Porque da janela da minha casa, eu olhando por minhas
frestas,
7 vi entre os simples, descobri entre os moços, um moço
sem juízo,
8 que passava pela rua junto à sua esquina, e seguia o
caminho da sua casa;
9 no crepúsculo, ao findar o dia, na tenebrosa noite e
na escuridão.
10 E eis que uma mulher lhe saiu ao encontro com enfeites de prostituta, e astuta de coração.
11 Esta era alvoroçadora e irrequieta; não paravam em
sua casa os seus pés.
12 Agora por fora, depois pelas ruas, e ia espreitando por
todos os cantos;
13 e chegou-se para ele e o beijou. Descaradamente lhe
disse:
14 "A carne de sacrifícios pacíficos tenho comigo; hoje
paguei os meus votos.
15 Por isto saí ao seu encontro a buscar diligentemente
a sua face, e o achei.
16 Já cobri a minha cama com cobertas de tapeçaria, com
colchas bordadas, com linho fino do Egito.
17 Já perfumei o meu leito com mirra, aloés e canela.
18 Venha, saciemo-nos de amores até à manhã; nos alegremos com amores.
19 Porque meu marido não está em casa; foi fazer uma
longa viagem;
20 levou na sua mão um saco de dinheiro; voltará para
casa só no dia marcado."
21 Assim, o seduziu com palavras muito suaves e o persuadiu com elogios dos seus lábios.
22 E ele logo a segue, como o boi que vai para o matadouro, e como vai o insensato para o castigo das prisões;
23 até que a flecha lhe atravesse o fígado; ou como a ave
que se apressa para o laço, e não sabe que está armado
contra a sua vida.
24 Agora pois, filhos, deem-me ouvidos, e estejam atentos às palavras da minha boca.
25 Não se desvie para os caminhos dela o seu coração, e
não se deixem perder nas suas veredas.
26 Porque a muitos feridos derrubou; e são muitíssimos
os que, por causa dela, foram mortos.
27 Caminhos de sepultura é a sua casa, que descem às
câmaras da morte.

O Chamado à Sabedoria

8 A sabedoria clama, e a inteligência faz ouvir a sua voz!
2 No cume das alturas, junto ao caminho, nas encruzilhadas das veredas se posta.
3 Do lado das portas da cidade, à entrada da cidade, e à
entrada das portas está gritando:
4 "A vocês, ó homens, clamo; e a minha voz se dirige aos
filhos dos homens.
5 Entendam, ó simples, a prudência; e vocês, loucos, entendam do coração.
6 Ouçam, porque falarei coisas excelentes; os meus lábios se abrirão para a equidade.
7 Porque a minha boca proferirá a verdade e os meus
lábios abominam a impiedade.
8 São justas todas as palavras da minha boca: não há nelas
nenhuma coisa tortuosa nem pervertida.
9 Todas elas são retas para aquele que as entende bem e
justas para os que acham o conhecimento.
10 Aceitem a minha correção e não a prata; e o conhecimento, mais do que o ouro fino escolhido.
11 Porque melhor é a sabedoria do que os rubis; e tudo o
que mais se deseja não se pode comparar com ela.
12 Eu, a sabedoria, habito com a prudência e acho a ciência dos conselhos.
13 O temor do Senhor é aborrecer o mal; a soberba e a
arrogância, o mau caminho e a boca perversa aborreço.
14 Meus são o conselho e a verdadeira sabedoria; eu sou
o entendimento; minha é a fortaleza.
15 Por mim reinam os reis e os príncipes ordenam justiça.
16 Por mim dominam os dominadores e príncipes, todos
os juízes da terra.

17 Eu amo aos que me amam, e os que cedo me busca-
rem me acharão.
18 Riquezas e honra estão comigo; assim como os bens
duráveis e a justiça.
19 Melhor é o meu fruto do que o fino ouro, do que o
ouro refinado, e as minhas novidades são melhores do
que a prata escolhida.
20 Faço andar pelo caminho da justiça, no meio das ve-
redas do juízo.
21 Para que faça herdar bens permanentes aos que me
amam, e eu encho os seus tesouros.

As Origens da Sabedoria

22 O Senhor me possuiu no princípio de seus caminhos,
desde então, e antes de suas obras.
23 Desde a eternidade fui ungida, desde o princípio, an-
tes do começo da terra.
24 Quando ainda não havia abismos, fui gerada, quando
ainda não havia fontes carregadas de águas.
25 Antes que os montes se houvessem assentado, antes
dos outeiros, eu fui gerada.
26 Ainda ele não tinha feito a terra, nem os campos, nem
o princípio do pó do mundo.
27 Quando ele preparava os céus, aí estava eu, quando
traçava o horizonte sobre a face do abismo;
28 quando firmava as nuvens acima, quando fortificava
as fontes do abismo,
29 quando fixava ao mar o seu limite, para que as águas
não transpassassem a sua ordem, quando estabelecia os
fundamentos da terra.
30 Então eu estava com ele, e era seu arquiteto; era cada
dia as suas delícias, alegrando-me perante ele em todo
o tempo;
31 regozijando-me no seu mundo habitável e enchendo-
-me de prazer com os filhos dos homens.
32 Agora, pois, filhos, ouçam-me, porque bem-aventura-
dos serão os que guardarem os meus caminhos.
33 Ouçam a correção e sejam sábios, não a rejeitem.
34 Bem-aventurado o homem que me dá ouvidos, es-
perando às minhas portas cada dia, esperando junto da
minha entrada.
35 Porque quem me achar, achará a vida, e alcançará o
favor do Senhor.
36 Mas quem pecar contra mim violentará a sua própria
alma; todos os que me aborrecem amam a morte."

Contrastes Entre a Sabedoria e a Loucura

9 A sabedoria já edificou a sua casa, já lavrou as suas
sete colunas.
2 Já abateu os seus animais e misturou o seu vinho, e já
preparou a sua mesa.
3 Já ordenou às suas criadas, e está convidando desde as
alturas da cidade, dizendo:
4 "Quem é simples, volte-se para cá." Aos sem juízo diz:
5 "Venham, comam do meu pão, e bebam do vinho que
preparei.
6 Deixem a insensatez e vivam; e andem pelo caminho
do entendimento.
7 Quem repreende o escarnecedor, atrai afronta para si; e
quem corrige o ímpio recebe a sua mancha.
8 Não repreenda o escarnecedor, para que ele não o abor-
reça: repreenda o sábio, e ele o amará.
9 Dê instrução ao sábio, e ele se fará mais sábio; ensine o
justo e ele aumentará em doutrina.
10 O temor do Senhor é o princípio da sabedoria, e o
conhecimento do Santo é a prudência.
11 Porque por meu intermédio se multiplicam os seus
dias, e anos de vida aumentarão para você.
12 Se for sábio, para você será sábio; se for escarnecedor,
só você o suportará."
13 A mulher louca é alvoroçadora; é simples e ignorante.
14 Assenta-se à porta da sua casa numa cadeira, nas al-
turas da cidade,
15 e põe-se a chamar os que vão pelo caminho, e que
passam reto pelas ruas, dizendo:
16 "Quem é simples, volte-se para cá." E aos que não
têm juízo ela diz:
17 "As águas roubadas são doces e o pão tomado às es-
condidas é agradável."
18 Mas não sabem que ali estão os mortos; os seus convi-
dados estão nas profundezas do inferno.

Provérbios de Salomão

10 Provérbios de Salomão: O filho sábio alegra o seu
pai, mas o filho louco é a tristeza da sua mãe.
2 Os tesouros da impiedade de nada aproveitam; mas a
justiça livra da morte.
3 O Senhor não deixa o justo passar fome, mas rechaça a
aspiração dos ímpios.
4 Quem trabalha com mão displicente empobrece, mas a
mão dos diligentes enriquece.
5 Quem ajunta no verão é filho ajuizado, mas quem dor-
me na colheita é um filho que envergonha.
6 Sobre a cabeça do justo há bênçãos, mas a violência
cobre a boca dos ímpios.
7 A memória do justo é abençoada, mas o nome dos ím-
pios apodrecerá.
8 O sábio de coração aceita os mandamentos, mas o lou-
co de lábios ficará arruinado.
9 Quem anda em sinceridade anda seguro; mas quem
perverte os seus caminhos ficará conhecido.

10 Quem acena com os olhos causa dores e o tolo de
lábios ficará arruinado.
11 A boca do justo é fonte de vida, mas a violência cobre
a boca dos perversos.
12 O ódio provoca conflitos, mas o amor cobre todos
os pecados.
13 Nos lábios do entendido se acha a sabedoria, mas a
vara é para as costas de quem não tem entendimento.
14 Os sábios entesouram a sabedoria; mas a boca do tolo
o aproxima da ruína.
15 Os bens do rico são a sua cidade forte, a pobreza dos
pobres é a sua ruína.
16 A obra do justo conduz à vida, o fruto do perverso
leva ao pecado.
17 O caminho para a vida é daquele que guarda a corre-
ção, mas quem deixa a repreensão comete erro.
18 Quem encobre o ódio tem lábios falsos e quem divul-
ga má fama é um insensato.
19 Na multidão de palavras não falta pecado, mas quem
modera os seus lábios é sábio.
20 Prata escolhida é a língua do justo; o coração dos ím-
pios é de nenhum valor.
21 Os lábios do justo apascentam a muitos, mas os tolos
morrem por falta de entendimento.
22 A bênção do Senhor é que enriquece, e não traz con-
sigo dores.
23 Para o tolo, cometer desordem é divertimento; mas
para o homem entendido é ter sabedoria.
24 O temor do ímpio virá sobre ele, mas o desejo dos
justos Deus lhes cumprirá.
25 Como passa a tempestade, assim o perverso passa; o
justo tem perpétuo fundamento.
26 Como vinagre para os dentes, como fumaça para os
olhos, assim é o preguiçoso para aqueles que o mandam.
27 O temor do Senhor aumenta os dias, mas os ímpios
terão os anos da vida abreviados.
28 A esperança dos justos é alegria, mas a expectação dos
ímpios perecerá.
29 O caminho do Senhor é fortaleza para os retos, mas
ruína para os que praticam a iniquidade.
30 O justo jamais será abalado, mas os ímpios não habi-
tarão a terra.
31 A boca do justo em abundância produz sabedoria,
mas a língua da perversidade será desarraigada.
32 Os lábios do justo sabem o que agrada, mas a boca dos
ímpios anda cheia de perversidades.

11 Balança enganosa é abominação para o Senhor, mas
o peso justo é o seu prazer.
2 Em vindo a soberba, virá também a afronta; mas com
os humildes está a sabedoria.
3 A sinceridade dos sinceros os guiará, mas a perversida-
de dos falsos os destruirá.
4 De nada aproveitam as riquezas no dia da ira, mas a
justiça livra da morte.
5 A justiça do sincero endireitará o seu caminho, mas o
perverso pela sua falsidade cairá.
6 A justiça dos virtuosos os livrará, mas na sua perversi-
dade serão apanhados os iníquos.
7 Morrendo o homem ímpio, perece a sua esperança, e a
esperança dos injustos se perde.
8 O justo é libertado da angústia, que vem ao ímpio em
seu lugar.
9 O hipócrita com a boca destrói o seu próximo, mas os
justos se libertam pelo conhecimento.
10 No bem dos justos exulta a cidade; e, perecendo os
ímpios, há júbilo.
11 Pela bênção dos sinceros se exalta a cidade, mas pela
boca dos ímpios é derrubada.
12 Quem despreza o seu próximo necessita de entendi-
mento, mas o homem entendido se mantém calado.
13 O praguejador revela o segredo, mas o fiel de espírito
o mantém oculto.
14 Não havendo sábios conselhos, o povo cai, mas na
multidão de conselhos há segurança.
15 Decerto sofrerá severamente quem fica por fiador do
estranho, mas quem recusa estará seguro.
16 A mulher graciosa guarda a honra como os violentos
guardam as riquezas.
17 O homem bom cuida bem de si mesmo, mas o cruel
prejudica o seu corpo.
18 O ímpio faz obra falsa, mas para quem semeia justiça
haverá galardão fiel.
19 Como a justiça encaminha para a vida, assim quem
segue o mal vai para a sua morte.
20 Abominação ao Senhor são os perversos de coração,
mas os de caminho sincero são o seu deleite.
21 Ainda que junte as mãos, o mau não ficará impune,
mas a semente dos justos será liberada.
22 Como joia de ouro no focinho de uma porca, assim é
a mulher formosa que se aparta da razão.
23 O desejo dos justos é tão somente para o bem, mas a
esperança dos ímpios é a indignação.
24 Alguns dão generosamente, e ainda se acrescenta
mais, e outros, que retêm mais do que é justo, só perdem.
25 A alma generosa prosperará e aquele que atende tam-
bém será atendido.
26 Aquele que retém o trigo o povo amaldiçoa, mas bên-
ção haverá sobre a cabeça de quem o vende.
27 Quem cedo busca o bem, busca favor, mas quem pro-
cura o mal, este o encontrará.

28 Quem confia nas suas riquezas cairá, mas os justos
reverdecerão como um ramo.
29 Quem perturba a sua família herdará o vento, e o tolo
será servo do entendido de coração.
30 O fruto do justo é árvore de vida, e quem ganha almas
é sábio.
31 Eis que o justo recebe na terra a retribuição; quanto
mais o ímpio e o pecador!

12 Quem ama a correção ama o conhecimento, mas
quem aborrece a repreensão é brutal.
2 O homem de bem alcançará o favor do Senhor, mas o
homem de intenções perversas ele condenará.
3 O homem não se estabelecerá pela impiedade, mas a
raiz dos justos não será removida.
4 A mulher virtuosa é a coroa do seu marido, mas a que o
envergonha é como podridão nos seus ossos.
5 Os pensamentos dos justos são retos, mas os conselhos
dos ímpios são engano.
6 As palavras dos ímpios são ciladas para derramar san-
gue, mas a boca dos retos os livrará.
7 Transtornados serão os ímpios, e não subsistirão, mas a
casa dos justos permanecerá.
8 Cada um será louvado segundo o seu entendimento,
mas o perverso de coração estará em desprezo.
9 É melhor ser uma pessoa comum e ter servos, do que
quem se vangloria e não tem o que comer.
10 O justo tem consideração pela vida dos seus animais,
mas as afeições dos ímpios são cruéis.
11 O que lavra a sua terra se fartará de pão; mas quem
segue os preguiçosos é falto de juízo.
12 Deseja o ímpio a rede dos maus, mas a raiz dos justos
produz o seu fruto.
13 O ímpio se enrosca na transgressão dos lábios, mas o
justo sairá da angústia.
14 Cada um se fartará do fruto da sua boca, e da obra das
suas mãos o homem receberá a recompensa.
15 O caminho do tolo é reto aos seus próprios olhos, mas
quem dá ouvidos aos conselhos é sábio.
16 A ira do louco se conhece no mesmo dia, mas o pru-
dente encobre a afronta.
17 Quem diz a verdade manifesta a justiça, mas a falsa
testemunha diz engano.
18 Há alguns que falam como espada penetrante, mas a
língua dos sábios é saúde.
19 O lábio da verdade permanece para sempre, mas a
língua da falsidade dura por um só momento.
20 No coração de quem maquina o mal há engano, mas
os que aconselham a paz têm alegria.
21 Nenhum agravo sobrevirá ao justo, mas os ímpios fi-
cam cheios de problemas.
22 Os lábios mentirosos são abomináveis ao Senhor, mas
os que agem fielmente são o seu deleite.
23 O homem prudente encobre o conhecimento, mas o
coração dos tolos proclama a tolice.
24 A mão dos diligentes dominará, mas os enganadores
serão escravos.
25 A ansiedade no coração deixa o homem abatido, mas
uma boa palavra o alegra.
26 O justo é mais excelente do que o seu próximo, mas
o caminho dos ímpios faz errar.
27 O preguiçoso deixa de assar a sua caça, mas ser dili-
gente é o precioso bem do homem.
28 Na trilha da justiça está a vida, e no caminho da sua
vida não há morte.

13 O filho sábio ouve a correção do pai; mas o escarne-
cedor não ouve a repreensão.
2 Do fruto da boca cada um comerá o bem, mas a alma
dos prevaricadores comerá a violência.
3 Quem guarda a sua boca conserva a sua alma, mas
quem fala muito se destrói.
4 A alma do preguiçoso deseja, e coisa nenhuma alcança,
mas a alma dos diligentes se farta.
5 O justo odeia a mentira, mas o ímpio traz vergonha
e desonra.
6 A justiça guarda quem anda no caminho certo, mas a
impiedade transtornará o pecador.
7 Há alguns que se fazem de ricos, e não têm coisa ne-
nhuma, e outros que se fazem de pobres e têm muitas
riquezas.
8 O resgate da vida de cada um são as suas riquezas, mas
o pobre não ouve ameaças.
9 A luz dos justos alegra, mas a lâmpada dos ímpios se
apagará.
10 Do orgulho só provém a contenda, mas com os que se
aconselham se acha a sabedoria.
11 A riqueza que procede da vaidade diminuirá, mas
quem a ajunta com o próprio trabalho a aumentará.
12 A esperança adiada desfalece o coração, mas o desejo
atendido é árvore de vida.
13 Quem despreza a palavra perecerá, mas quem teme o
mandamento será recompensado.
14 A doutrina do sábio é uma fonte de vida para se des-
viar dos laços da morte.
15 O bom entendimento alcança favor, mas o caminho
dos infiéis é áspero.
16 Todo prudente age com conhecimento, mas o tolo
expõe a sua loucura.
17 Quem prega a maldade cai no mal, mas o embaixador
fiel produz cura.

18 Pobreza e afronta virão ao que rejeita a correção, mas quem guarda a repreensão será admirado.
19 O desejo alcançado alegra a alma, mas apartar-se do mal é abominável para os loucos.
20 Quem anda com os sábios ficará sábio, mas o companheiro dos tolos será destruído.
21 O mal perseguirá os pecadores, mas os justos serão recompensados com o bem.
22 O homem de bem deixa uma herança aos filhos de seus filhos, mas a riqueza do pecador é depositada para o justo.
23 A lavoura dos pobres dá abundância de mantimento, mas há alguns que se consomem por falta de juízo.
24 Quem não faz uso da vara odeia seu filho, mas quem o ama, desde cedo o castiga.
25 O justo come até ficar satisfeito, mas o ventre dos ímpios passará necessidade.

14 Toda mulher sábia edifica a sua casa; mas a tola a derruba com as próprias mãos.
2 Quem anda na retidão teme o Senhor, mas quem se desvia de seus caminhos o despreza.
3 Na boca do tolo está a punição da soberba, mas os sábios se conservam pelos próprios lábios.
4 Não havendo bois, a manjedoura fica limpa, mas pela força do boi há abundância de colheitas.
5 A verdadeira testemunha não mentirá, mas a testemunha falsa se desboca em mentiras.
6 O escarnecedor busca sabedoria e não acha nenhuma, para o prudente, porém, o conhecimento é fácil.
7 Desvie-se do homem insensato, porque nele não achará palavras de conhecimento.
8 A sabedoria do prudente é entender o seu caminho, mas a insensatez dos tolos é engano.
9 Os loucos zombam do pecado, mas entre os retos há benevolência.
10 O coração conhece a sua própria dor, e o estranho não participará da sua alegria.
11 A casa dos ímpios se desfará, mas a tenda dos retos florescerá.
12 Há um caminho que ao homem parece direito, mas o fim dele são os caminhos da morte.
13 Até no riso o coração sente dor e o fim da alegria é tristeza.
14 Dos seus caminhos se fartará quem se extravia, mas o homem bom se fartará de si mesmo.
15 O simples dá crédito a cada palavra, mas o prudente atenta para os seus passos.
16 O sábio teme, e desvia-se do mal, mas o tolo se encoleriza, e se dá por seguro.
17 Quem se indigna à toa fará doidices, e o homem de maus intentos será odiado.
18 Os ingênuos herdarão a tolice, mas os prudentes serão coroados de conhecimento.
19 Os maus inclinam-se diante dos bons, e os ímpios diante das portas dos justos.
20 O pobre é odiado até pelo seu próximo, porém os amigos dos ricos são muitos.
21 Quem despreza o seu próximo peca, mas quem se compadece dos humildes é bem-aventurado.
22 Porventura não erram os que praticam o mal? Mas beneficência e fidelidade serão para os que praticam o bem.
23 Em todo trabalho há proveito, mas ficar só em palavras leva à pobreza.
24 A coroa dos sábios é a sua riqueza, a tolice dos tolos é só tolice.
25 A testemunha verdadeira salva vidas, mas quem se desboca em mentiras é enganador.
26 No temor do Senhor há firme confiança e ele será um refúgio para seus filhos.
27 O temor do Senhor é fonte de vida, para desviar dos laços da morte.
28 Na multidão do povo está a glória do rei, mas na falta de povo está a ruína do príncipe.
29 O longânimo é grande em entendimento, mas quem é de espírito impaciente mostra a sua loucura.
30 O coração feliz é vida para o corpo, mas a inveja é podridão para os ossos.
31 Quem oprime o pobre insulta àquele que o criou, mas quem se compadece do necessitado o honra.
32 Pela sua própria malícia é lançado fora o ímpio, mas o justo até na morte se mantém confiante.
33 No coração do prudente a sabedoria permanece, mas o que está no interior dos tolos se faz conhecido.
34 A justiça exalta os povos, mas o pecado é a vergonha das nações.
35 O rei se alegra no servo prudente, mas sobre quem o envergonha cairá o seu furor.

15 A resposta branda desvia o furor, mas a palavra dura suscita a ira.
2 A língua dos sábios adorna a sabedoria, mas a boca dos tolos derrama a tolice.
3 Os olhos do Senhor estão em todo lugar, contemplando os maus e os bons.
4 A língua benigna é árvore de vida, mas a perversidade deprime o espírito.
5 O tolo despreza a correção de seu pai, mas quem aceita a repreensão será prudente.
6 Na casa do justo há um grande tesouro, mas nos ganhos do ímpio há perturbação.

7 Os lábios dos sábios derramam o conhecimento, mas o
coração dos tolos não faz assim.
8 O sacrifício dos ímpios é abominável ao Senhor, mas a
oração dos retos é o seu contentamento.
9 O caminho do ímpio é abominável ao Senhor, mas
quem segue a justiça ele ama.
10 Correção severa há para quem deixa a vereda, e quem
aborrece a repreensão morrerá.
11 A sepultura e a perdição estão perante o Senhor;
quanto mais os corações dos filhos dos homens.
12 O escarnecedor não ama aquele que o repreende,
nem se chegará aos sábios.
13 O coração alegre embeleza o rosto, mas pela dor do
coração o espírito se abate.
14 O coração entendido buscará o conhecimento, mas a
boca dos tolos se apascentará de estupidez.
15 Todos os dias do oprimido são maus, mas o coração
alegre é um banquete contínuo.
16 Melhor é o pouco com o temor do Senhor, do que um
grande tesouro onde há inquietação.
17 Melhor é a comida de hortaliça, onde há amor, do que
o boi cevado, e com ele o ódio.
18 O homem que se ira facilmente suscita contendas,
mas o longânimo apaziguará a luta.
19 O caminho do preguiçoso é cercado de espinhos, mas
a vereda dos retos é bem aplanada.
20 O filho sábio alegra seu pai, mas o homem insensato
despreza a sua mãe.
21 A falta de juízo é alegria para quem carece de entendi-
mento, mas o homem entendido anda retamente.
22 Quando não há conselhos os planos se dispersam, mas
havendo muitos conselheiros eles se firmam.
23 O homem se alegra em responder bem, e quão boa é
a palavra dita a seu tempo!
24 Para o entendido, o caminho da vida leva para cima,
para que não desça à sepultura.
25 O Senhor derruba a casa dos soberbos, mas estabelece
a herança da viúva.
26 Abomináveis são para o Senhor os pensamentos do
mau, mas as palavras dos puros são aprazíveis.
27 Quem agir com avareza perturba a sua casa, mas
quem odeia suborno viverá.
28 O coração do justo medita no que há de responder,
mas a boca dos ímpios derrama em abundância coisas
más.
29 O Senhor está longe dos ímpios, mas a oração dos
justos escutará.
30 A luz dos olhos alegra o coração, a boa notícia forta-
lece os ossos.
31 Os ouvidos que atendem à repreensão da vida farão a
sua morada no meio dos sábios.
32 Quem rejeita a correção menospreza a própria alma,
mas quem escuta a repreensão adquire entendimento.
33 O temor do Senhor ensina a sabedoria, e precedendo
a honra vai a humildade.

16 Do homem são as preparações do coração, mas é do
Senhor a resposta certa.
2 Todos os caminhos do homem são puros aos seus olhos,
mas o Senhor pesa o espírito.
3 Confie ao Senhor as suas obras, e seus pensamentos
serão estabelecidos.
4 O Senhor fez todas as coisas para atender aos seus pró-
prios desígnios, até o ímpio para o dia do mal.
5 Abominação é ao Senhor todo orgulhoso de coração;
não ficará impune mesmo de mãos postas.
6 Pela misericórdia e verdade a iniquidade é perdoada, e
pelo temor do Senhor os homens se desviam do pecado.
7 Sendo os caminhos do homem agradáveis ao Senhor,
até a seus inimigos faz com que tenham paz com ele.
8 Melhor é o pouco com justiça, do que a abundância de
colheita com injustiça.
9 O coração do homem planeja o seu caminho, mas o
Senhor lhe dirige os passos.
10 Nos lábios do rei se acha a sentença divina; a sua boca
não transgride quando julga.
11 O peso e a balança justos são do Senhor; obra sua são
os pesos da bolsa.
12 Abominação é para os reis praticarem impiedade, por-
que com justiça é que se estabelece o trono.
13 Os lábios de justiça são o contentamento dos reis; eles
amarão quem fala coisas retas.
14 O furor do rei é mensageiro da morte, mas o homem
sábio o apaziguará.
15 No semblante iluminado do rei está a vida, e a sua
benevolência é como a nuvem da chuva fora de época.
16 Quanto melhor é adquirir a sabedoria do que o ouro!
E quanto mais excelente é adquirir a prudência do que
a prata!
17 Os retos fazem o seu caminho desviar-se do mal;
quem guarda o seu caminho preserva a sua alma.
18 A soberba precede a ruína e a altivez do espírito pre-
cede a queda.
19 Melhor é ser humilde de espírito com os mansos, do
que repartir o despojo com os soberbos.
20 Quem atenta prudentemente para o assunto achará
o bem, e quem confia no Senhor será bem-aventurado.
21 O sábio de coração será chamado prudente e a doçura
dos lábios aumentará o conhecimento.

22 O entendimento para aqueles que o possuem é uma
fonte de vida, mas a instrução dos tolos é a sua punição.
23 O coração do sábio instrui a sua boca e aumenta o
ensino dos seus lábios.
24 As palavras suaves são favos de mel, doces para a
alma, e saúde para os ossos.
25 Há um caminho que parece direito ao homem, mas o
seu fim são os caminhos da morte.
26 O trabalhador trabalha para si mesmo, porque a sua
boca o estimula.
27 O homem mau cava o mal, e nos seus lábios há como
que uma fogueira.
28 O homem perverso instiga a contenda, e o intrigante
separa os maiores amigos.
29 O homem violento persuade o seu companheiro, e o
guia por caminhos nada bons.
30 Quem fecha os olhos para imaginar coisas ruins, ao
cerrar os lábios pratica o mal.
31 Coroa de honra são os cabelos brancos, quando ela
está no caminho da justiça.
32 Melhor é o paciente do que o valente, e oque controla
o seu espírito do que aquele que conquista uma cidade.
33 A sorte se lança no colo, mas do Senhor procede toda
a determinação.

17 É melhor um bocado seco, e com ele a tranquilidade, do que a casa cheia de iguarias e com
desavença.
2 O servo prudente dominará sobre o filho que faz envergonhar e repartirá a herança entre os irmãos.
3 O crisol é para a prata, e o forno para o ouro; mas o
Senhor é quem prova os corações.
4 Quem pratica o mal atenta para o lábio iníquo, o mentiroso inclina os ouvidos à língua maligna.
5 Quem escarnece do pobre insulta ao seu Criador, quem
se alegra da desgraça não ficará impune.
6 A coroa dos velhos são os filhos dos filhos; e a glória dos
filhos são seus pais.
7 Não convém ao tolo a fala eloquente; quanto menos ao
príncipe, o lábio mentiroso.
8 Pedra preciosa é o suborno aos olhos quem o recebem;
aonde quer que vá, achará quem o pague.
9 Aquele que encobre a transgressão promove a amizade,
mas quem a espalha separa os maiores amigos.
10 A repreensão penetra mais profundamente no prudente do que cem açoites no tolo.
11 Na verdade o rebelde não busca senão o mal; afinal,
um mensageiro cruel será enviado contra ele.
12 Melhor é encontrar-se com a ursa que teve os filhos
roubados, do que com o louco na sua insensatez.
13 Quanto àquele que paga o bem com o mal, não se
apartará o mal da sua casa.
14 Como o soltar das águas de um dique é o início da
contenda, assim, antes que seja envolvido afaste-se da
questão.
15 Quem justifica o ímpio e quem condena o justo, tanto
um como o outro são abomináveis ao Senhor.
16 De que serviria o dinheiro na mão do tolo para comprar sabedoria, visto que não tem entendimento?
17 Em todo o tempo ama o amigo, e na hora da angústia
nasce o irmão.
18 O homem sem entendimento compromete-se, ficando por fiador na presença do seu companheiro.
19 Quem ama a transgressão ama a contenda; quem
exalta a sua porta busca a ruína.
20 O perverso de coração jamais achará o bem; e quem
tem a língua dupla vem a cair no mal.
21 Quem gera um tolo, para a sua tristeza o faz e o pai do
insensato não tem alegria.
22 O coração alegre é como o bom remédio, mas o espírito abatido seca até os ossos.
23 O ímpio recebe suborno secretamente para perverter
o caminho da justiça.
24 No rosto do entendido se vê a sabedoria, porém os
olhos do tolo vagam pelas extremidades da terra.
25 O filho insensato é tristeza para seu pai, e amargura
para aquela que o deu à luz.
26 Não é bom castigar o inocente, nem ferir os que fazem o que é certo.
27 Quem possui o conhecimento guarda as suas palavras,
e o homem de entendimento é de precioso espírito.
28 Até o tolo, quando se cala, é tido por sábio; e quem
fecha a boca é tido por inteligente

18 Quem se isola busca satisfazer o seu próprio desejo;
ele se insurge contra toda sabedoria.
2 O tolo não tem prazer na sabedoria, mas só em que se
manifeste aquilo que agrada o seu coração.
3 Vindo o ímpio, vem também o desprezo, e com a desonra vem a vergonha.
4 Águas profundas são as palavras da boca do homem, e
ribeiro transbordante é a fonte da sabedoria.
5 Não é bom favorecer o ímpio, e, com isso, fazer o justo
perder a questão.
6 Os lábios do tolo entram na contenda, e a sua boca
chama por açoites.
7 A boca do tolo é a sua própria destruição, e os seus
lábios um laço para a sua alma.
8 As palavras do mexeriqueiro são como doces bocados;
elas descem ao íntimo do ventre.

9 Quem é negligente na sua obra é também irmão do
desperdiçador.
10 Torre forte é o nome do Senhor; para ela correrá o
justo, e estará em alto refúgio.
11 Os bens do rico são a sua cidade forte, e como uma
muralha na sua imaginação.
12 O coração do homem se exalta antes de ser abatido e
diante da honra vai a humildade.
13 Quem responde antes de ouvir comete tolice que é
para vergonha sua.
14 O ânimo do homem o sustentará na sua enfermidade,
mas o deprimido, quem o levantará?
15 O coração do entendido adquire o conhecimento, e o
ouvido dos sábios busca a sabedoria.
16 Com presentes o homem alarga o seu caminho e o
eleva diante dos grandes.
17 Quem defende sua própria causa, a princípio parece
justo, porém vem o seu próximo e o derruba.
18 A sorte faz cessarem as disputas e decide entre os
poderosos.
19 O irmão ofendido é mais difícil de conquistar do que
uma cidade forte; e as contendas são como os portais de
um palácio.
20 Do fruto da boca de cada um se fartará o seu ventre;
dos renovos dos seus lábios ficará satisfeito.
21 A morte e a vida estão no poder da língua; e quem a
ama comerá do seu fruto.
22 Quem encontra uma esposa acha o bem, e alcança a
benevolência do Senhor.
23 O pobre fala com humildade, mas o rico responde
com dureza.
24 O homem de muitos amigos deve mostrar-se amigá-
vel, mas há um amigo mais chegado do que um irmão.

19 Melhor é o pobre que anda na sua sinceridade do
que o perverso de lábios e tolo.
2 Assim como não é bom ficar a alma sem conhecimento,
peca quem se apressa com seus pés.
3 A falta de juízo do homem perverterá o seu caminho, e
o seu coração se irará contra o Senhor.
4 As riquezas conquistam muitos amigos, mas ao pobre,
o seu próprio amigo o deixa.
5 A falsa testemunha não ficará impune e quem respira
mentiras não escapará.
6 Muitos se deixam acomodar pelos favores do príncipe,
e cada um é amigo daquele que dá presentes.
7 Todos os irmãos do pobre o aborrecem; quanto mais
se afastarão dele os seus amigos! Corre após eles com
palavras, que não servem de nada.
8 Quem adquire entendimento ama a sua alma; quem
cultiva a inteligência achará o bem.
9 A falsa testemunha não ficará impune; e quem profere
mentiras perecerá.
10 Ao tolo não fica bem desfrutar do luxo; quanto menos
ao servo dominar sobre os príncipes!
11 A prudência do homem o faz conter sua ira, e é glória
sua ignorar as ofensas.
12 Como o rugido do leão jovem é a indignação do rei,
mas como o orvalho sobre a relva é a sua benevolência.
13 O filho insensato é uma desgraça para o pai, e um
gotejar contínuo as briguinhas da mulher.
14 A casa e os bens são herança dos pais; porém do Se-
nhor vem a esposa prudente.
15 A preguiça faz cair em profundo sono, e a alma enga-
nadora passará fome.
16 Quem guardar o mandamento guardará a sua alma;
porém quem desprezar os seus caminhos morrerá.
17 Ao Senhor empresta quem se compadece do pobre,
ele lhe pagará o seu benefício.
18 Castigue o seu filho enquanto há esperança, mas não
deixe que a sua ira se exceda a ponto de matá-lo.
19 O homem de gênio difícil deve sofrer o dano; porque
se você o defender ainda terá de tornar a fazê-lo.
20 Ouça o conselho, e receba a correção, para que no
fim seja sábio.
21 Muitos propósitos há no coração do homem, porém o
conselho do Senhor permanecerá.
22 O que o homem mais deseja é o que lhe faz bem;
porém é melhor ser pobre do que mentiroso.
23 O temor do Senhor encaminha para a vida; aquele
que o tem ficará satisfeito, e não o visitará mal nenhum.
24 O preguiçoso esconde a sua mão no peito; e não tem
disposição nem de levá-la à sua boca.
25 Açoite o escarnecedor, e o simples ficará avisado; re-
preenda o entendido, e aprenderá conhecimento.
26 Quem aflige o seu pai, ou manda embora sua mãe, é
filho que traz vergonha e desonra.
27 Meu filho, ouvindo a instrução, pare de se desviar das
palavras do conhecimento.
28 A má testemunha zomba do juízo, e a boca dos ímpios
engole a iniquidade.
29 Preparados estão os juízos para os escarnecedores, e
os açoites para as costas dos tolos.

20 O vinho é escarnecedor, a bebida forte alvoroçado-
ra; e todo aquele que neles errar nunca será sábio.
2 Como o rugido do leão é a raiva do rei; quem o provoca
peca contra a sua própria vida.
3 Honroso é para o homem desviar-se de contendas, mas
todo tolo é intrometido.
4 O preguiçoso não lavrará por causa do inverno, por isso
mendigará na colheita, mas nada receberá.

5 Como as águas profundas é o conselho no coração do
homem; mas o homem de inteligência o trará para fora.
6 A multidão dos homens apregoa a sua beneficência;
porém o homem fiel quem o achará?
7 O justo anda na sua sinceridade; bem-aventurados se-
rão os seus filhos depois dele.
8 Assentando-se o rei no trono do juízo, com os seus
olhos dissipa todo o mal.
9 Quem poderá dizer: "Purifiquei o meu coração, limpo
estou de meu pecado"?
10 Dois pesos diferentes e duas espécies de medida são
abominação ao Senhor, tanto um como outro.
11 Até a criança se dará a conhecer pelas suas ações, se a
sua obra é pura e reta.
12 O ouvido que ouve, e o olho que vê, o Senhor os fez
a ambos.
13 Não ame o sono, para que não empobreça; abra os
seus olhos, e se fartará de pão.
14 "Não vale nada, não vale nada", dirá o comprador,
mas, quando vai embora, então se gabará.
15 Há ouro e abundância de rubis, mas os lábios do co-
nhecimento são joia preciosa.
16 Ficando alguém por fiador de um estranho, que se
tome a roupa dele; e também daquele que dá penhor à
mulher prostituta.
17 Saboroso é ao homem o pão da mentira, mas depois a
sua boca se encherá de areia.
18 Cada pensamento se confirma com conselho e com
bons conselhos se faz a guerra.
19 Quem anda tagarelando revela o segredo; não se in-
trometa com quem fala demais.
20 Quem amaldiçoa seu pai ou sua mãe, se apagará a sua
lâmpada em negras trevas.
21 A herança que no princípio é adquirida às pressas, no
fim não será abençoada.
22 Não diga: "Eu me vingarei do mal; espere pelo Se-
nhor, e ele o livrará."
23 Pesos adulterados são abomináveis ao Senhor, e balan-
ça enganosa não é boa.
24 Os passos do homem são dirigidos pelo Senhor; como
o homem poderá entender o seu caminho?
25 Laço é para o homem fazer votos precipitados, e só
refletir depois de feitos os votos.
26 O rei sábio dispersa os ímpios e faz passar sobre eles
a roda.
27 A alma do homem é a lâmpada do Senhor, que exami-
na todo o interior até o mais íntimo do ventre.
28 Benignidade e verdade preservam o rei, e com benig-
nidade ele sustenta o seu trono.
29 A glória do jovem é a sua força; e a beleza dos velhos
são os cabelos brancos.
30 Os vergões dos açoites são a purificação dos maus,
como também as pancadas que penetram até o mais ín-
timo do ventre.

21 Como ribeiros de águas assim é o coração do rei na
mão do Senhor, que o inclina a todo o seu querer.
2 Todo caminho do homem é reto aos seus olhos, mas o
Senhor sonda os corações.
3 Fazer justiça e juízo é mais aceitável ao Senhor do que
oferecer-lhe sacrifício.
4 Os olhos altivos, o coração orgulhoso e a lavoura dos
ímpios são pecados.
5 Os pensamentos do diligente tendem só para a abun-
dância, porém os de todo apressado, tão somente para
a pobreza.
6 Trabalhar com mentiras para ajuntar tesouros é vaidade
que conduz aqueles que buscam a morte.
7 As rapinas dos ímpios os destruirão, porque se recusam
a fazer justiça.
8 O caminho do homem é todo perverso e estranho, po-
rém a obra do homem puro é reta.
9 É melhor morar numa meia-água, do que numa mansão
e ter como companheira uma mulher briguenta.
10 A alma do ímpio deseja o mal; o seu próximo não
agrada aos seus olhos.
11 Quando o escarnecedor é castigado, o inexperiente
torna-se sábio; e o sábio quando é instruído aumenta o
seu conhecimento.
12 O justo considera com prudência a casa do ímpio; mas
Deus destrói os ímpios por causa dos seus males.
13 Quem tapa o seu ouvido ao clamor do pobre, ele mes-
mo também clamará e não será ouvido.
14 O presente dado em segredo aplaca a ira, e a dádiva
em sigilo põe fim à maior indignação.
15 O fazer justiça é alegria para o justo, mas destruição
para os que praticam a iniquidade.
16 O homem que anda desviado do caminho do entendi-
mento, na congregação dos mortos repousará.
17 Necessidade padecerá quem ama a folia: quem ama o
vinho e o azeite nunca enriquecerá.
18 O resgate do justo é o ímpio; o do reto é o iníquo.
19 É melhor morar numa terra deserta do que com a
mulher briguenta e irritada.
20 Tesouro desejável e azeite há na casa do sábio, mas o
homem insensato os esgota.
21 Quem segue a justiça e a beneficência achará a vida,
a justiça e a honra.
22 O sábio escala a cidade do poderoso e derruba a força
da sua confiança.

23 Quem guarda a sua boca e a sua língua guarda a sua
alma das angústias.
24 O soberbo e presumido, zombador é o seu nome, trata
com indignação e soberba.
25 O desejo do preguiçoso o mata, porque as suas mãos
recusam trabalhar.
26 O cobiçador cobiça o dia todo, mas o justo dá, e nada
retém.
27 A oferta dos ímpios já é abominação; quanto mais ofe-
recendo-a com má intenção!
28 A falsa testemunha perecerá, porém o homem que dá
ouvidos falará sempre.
29 O homem ímpio endurece o seu rosto; mas o reto
considera o seu caminho.
30 Não há sabedoria, nem inteligência, nem conselho
contra o Senhor.
31 Prepara-se o cavalo para o dia da batalha, porém do
Senhor vem a vitória.

22 Vale mais ter um bom nome do que muitas rique-
zas; e o ser estimado é melhor do que a prata e
o ouro.
2 O rico e o pobre se encontram; a todos o Senhor os fez.
3 O prudente prevê o mal e esconde-se; mas os simples
passam e acabam pagando.
4 A recompensa da humildade e o temor do Senhor são
riquezas, honra e vida.
5 Há Espinhos e laços no caminho do perverso; quem
guarda a sua alma retira-se para longe dele.
6 Eduque a criança no caminho em que ela deve andar e
até quando envelhecer não se desviará dele.
7 O rico domina sobre os pobres e quem toma empresta-
do é servo de quem empresta.
8 Quem semear a perversidade colherá males; com a vara
da sua própria indignação será extinto.
9 Quem vê com bons olhos será abençoado, porque dá
do seu pão ao pobre.
10 Lance fora o escarnecedor, e acabará a contenda; ces-
sarão a disputa e a vergonha.
11 Quem ama a pureza de coração, e é amável de lábios,
será amigo do rei.
12 Os olhos do Senhor conservam o conhecimento, mas
ele transtornará as palavras do iníquo.
13 Diz o preguiçoso: "Um leão está lá fora; serei morto
no meio das ruas."
14 Cova profunda é a boca das mulheres imorais; aquele
contra quem o Senhor se irar cairá nela.
15 A falta de juízo está ligada ao coração do menino, mas
a vara da correção a afugentará dele.
16 Quem oprime o pobre para se engrandecer a si mes-
mo, ou o que dá ao rico, certamente empobrecerá.
17 Incline o seu ouvido e ouça as palavras dos sábios, e
aplique o seu coração à minha ciência.
18 Porque será agradável a você se as guardar no seu
íntimo, se aplicar todas elas aos seus lábios.
19 Para que a sua confiança esteja no Senhor: a você as
faço saber hoje; você também a outros as faça saberem.
20 Por acaso não lhe escrevi excelentes coisas, a respeito
de todo conselho e conhecimento,
21 para fazer-lhe saber a certeza das palavras da verdade,
e assim possa responder palavras de verdade aos que lhe
enviarem perguntas?
22 Não roube o pobre, porque é pobre, nem atropele na
porta o aflito;
23 porque o Senhor defenderá a sua causa em juízo, e
aos que os roubam ele lhes tirará a vida.
24 Não seja companheiro de pessoas mal-humoradas,
nem ande com o colérico,
25 para que não aprenda os seus caminhos, e tome um
laço para a sua alma.
26 Não esteja entre os que se comprometem, e entre os
que ficam por fiadores de dívidas,
27 pois, se não tem com que pagar, deixará que lhe tirem
até a sua cama de você?
28 Não remova os antigos limites que seus pais fizeram.
29 Viu o homem diligente na sua obra? Perante reis será
posto; ele não permanecerá entre os de posição inferior.

23 Quando se sentar para comer com um governador,
atente bem para o que é posto diante de você,
2 e, se for um homem de grande apetite, ponha uma faca
na sua garganta.
3 Não cobice os seus manjares gostosos, porque são co-
midas enganosas.
4 Não se mate de trabalhar para enriquecer; e não apli-
que nisso a sua sabedoria.
5 Porventura fixará os seus olhos naquilo que não é
nada? Porque certamente criará asas e voará ao céu como
a águia.
6 Não coma o pão daquele que é avarento, nem cobice os
seus manjares gostosos.
7 Porque, como imaginou no seu coração, assim é
ele. "Coma e beba", ele lhe diz; porém não está sendo
sincero.
8 Vomitará o bocado que comeu, e perderá as suas suaves
palavras.
9 Não fale ao ouvido do tolo, porque desprezará a sabe-
doria das suas palavras.
10 Não remova os limites antigos nem entre nos campos
dos órfãos,
11 porque o seu redentor é o Forte, que pleiteará a causa
deles contra você.

12 Aplique o seu coração à instrução e os seus ouvidos às
palavras do conhecimento.
13 Não retire a disciplina da criança; pois se a castigar
com a vara, nem por isso ela morrerá.
14 Você a castigará com a vara e livrará a sua alma do
inferno.
15 Meu Filho, se o seu coração for sábio, o meu coração
se alegrará, sim, o meu próprio.
16 E me alegrarei quando os seus lábios falarem coisas
retas.
17 O seu coração não inveje os pecadores; antes, perma-
neça no temor do Senhor todo dia.
18 Porque certamente acabará bem; não será frustrada a
sua expectativa.
19 Ouça você, meu filho, seja sábio, e seu coração siga
no caminho reto.
20 Não esteja entre os beberrões de vinho, nem entre os
comilões de carne.
21 Porque o beberrão e o comilão acabarão na pobreza; e
a sonolência os vestirá de trapos.
22 Ouça seu pai, que o gerou, e não despreze sua mãe,
quando vier a envelhecer.
23 Compre a verdade e não a venda; e também a sabedo-
ria, a instrução e a prudência.
24 Grandemente se regozijará o pai do justo, e quem
gerar um sábio se alegrará nele.
25 Alegrem-se seu pai e sua mãe e sejam felizes aqueles
que o geraram.
26 Dê-me, meu filho, o seu coração e os seus olhos obser-
vem os meus caminhos.
27 Porque cova profunda é a prostituta e poço estreito a
mulher estranha.
28 Pois ela, como um salteador, se põe à espreita, e mul-
tiplica entre os homens os iníquos.
29 Para quem são os ais? Para quem são os pesares? Para
quem são as batalhas? Para quem são as queixas? Para
quem são as feridas sem causa? E para quem são os olhos
vermelhos?
30 Para os que se demoram perto do vinho, para os que
andam buscando bebida misturada.
31 Não olhe para o vinho quando se mostra vermelho,
quando resplandece no copo e se escoa suavemente.
32 No fim, picará como a cobra, e como a víbora
morderá.
33 Os seus olhos olharão para as mulheres estranhas, e o
seu coração falará perversidades.
34 E será como o que se deita no meio do mar, e como o
que fica no topo do mastro.
35 E dirá: "Espancaram-me e não doeu; bateram em mim
e nem senti; quando despertarei? Ainda voltarei a beber
outra vez."

24 Não tenha inveja dos homens malignos, nem dese-
je estar com eles.
2 Porque o seu coração medita a rapina e os seus lábios
falam a malícia.
3 Com a sabedoria se edifica a casa, e com a inteligência
se estabelece;
4 e pelo conhecimento se encherão as câmaras com to-
dos os bens preciosos e agradáveis.
5 O homem sábio é forte, e o homem de conhecimento
consolida a força.
6 Com conselhos prudentes você fará a guerra; e há vitó-
ria na multidão dos conselheiros.
7 A sabedoria é demasiadamente alta para o tolo, na porta
não abrirá a sua boca.
8 Àquele que cuida em fazer o mal, chamarão de pessoa
danosa.
9 O pensamento do tolo é pecado, e abominável aos ho-
mens é o escarnecedor.
10 Se você se mostrar fraco no dia da angústia, é porque
a sua força é pequena.
11 Se você deixar de livrar os que estão sendo levados
para a morte, os que estão sendo levados para a matança;
12 se disser: "Eis que não sabemos de nada"; porventura
não o considerará aquele que pondera os corações? Não
o saberá aquele que atenta para a sua alma? Não dará ele
ao homem conforme a sua obra?
13 Coma mel, meu filho, porque é bom; o favo de mel é
doce ao seu paladar.
14 Assim será para a sua alma o conhecimento da sabe-
doria; se a achar, haverá recompensa para você e não será
cortada a sua expectativa.
15 Não espie a habitação do justo, ó ímpio, nem assole o
seu lugar de repouso,
16 porque sete vezes cairá o justo e se levantará; mas os
ímpios tropeçarão no mal.
17 Quando o seu inimigo cair, não se alegre, nem se re-
gozije o seu coração quando ele tropeçar;
18 para que o Senhor não veja isso, e seja isso mau aos
seus olhos, e desvie dele a sua ira.
19 Não se indigne por causa dos malfeitores, nem tenha
inveja dos ímpios,
20 porque o homem maligno não terá futuro e a lâmpada
dos ímpios se apagará.
21 Tema ao Senhor, meu filho, e ao rei, e não se ponha
com os que buscam mudanças,
22 porque de repente se levantará a sua perdição, e a
ruína de ambos, quem o sabe?

Provérbios dos Sábios

23 Também estes são provérbios dos sábios: Ser parcial
com as pessoas no julgamento não é bom.
24 Quem disser ao ímpio: "É Justo", os povos o amaldi-
çoarão, as nações o detestarão.
25 Mas para os que o repreenderem haverá delícias, e
sobre eles virá a bênção do bem.
26 Beijados serão os lábios de quem responde com pa-
lavras retas.
27 Prepare de fora a sua obra, prepare a sua lavoura no
campo e então edifique a sua casa.
28 Não seja testemunha sem causa contra o seu próximo;
por que enganaria com os seus lábios?
29 Não diga: "Como ele fez a mim, assim o farei a ele;
pagarei a cada um segundo a sua obra."
30 Passei pelo campo do preguiçoso, e junto à vinha do
homem sem juízo;
31 eis que estava toda cheia de espinhos, e a sua super-
fície coberta de urtiga, e o seu muro de pedras estava
derrubado.
32 O que eu tenho visto, o guardarei no coração, e ven-
do-o recebi instrução.
33 Um pouco a dormir, um pouco a cochilar; outro pou-
co deitado de mãos cruzadas, para dormir,
34 assim lhe sobrevirá a sua pobreza como um cami-
nhante, e a sua necessidade como um homem armado.

Outros Provérbios de Salomão

25 Também estes são provérbios de Salomão, os quais
transcreveram os homens de Ezequias, rei de Judá.
2 A glória de Deus está nas coisas encobertas; mas a gló-
ria dos reis está em descobri-las.
3 Para a altura dos céus, e para a profundeza da terra, e
para o coração dos reis, não há investigação.
4 Tire as escórias da prata e sairá um vaso para o fundidor;
5 tire o ímpio da presença do rei e o seu trono se firmará
na justiça.
6 Não se glorie na presença do rei, nem se ponha no
lugar dos grandes;
7 porque é melhor que lhe digam: "Suba aqui"; do que
ser humilhado diante do príncipe a respeito do que os
seus olhos já viram.
8 Não se precipite em demandar contra alguém, para que
depois, ao fim, fique sem ação, quando seu próximo o
puser em apuros.
9 Pleiteie a sua causa com o seu próximo e não revele o
problema a outros,
10 para que não o desonre quem o ouvir e a sua infâmia
não se aparte de você.
11 Como maçãs de ouro em salvas de prata, assim é a
palavra dita a seu tempo.
12 Como pendentes de ouro e gargantilhas de ouro fino,
assim é o sábio repreensor para o ouvido atento.
13 Como o frio da neve no tempo da colheita, assim é o
mensageiro fiel para com os que o enviam; porque recreia
a alma dos seus senhores.
14 Como nuvens e ventos que não trazem chuva, assim é
o homem que se gaba falsamente de dádivas.
15 Pela paciência se convence o príncipe, e a língua bran-
da quebra os ossos.
16 Achou mel? Coma só o que lhe basta; para que não se
farte dele, e venha a vomitá-lo.
17 Não ponha muito os pés na casa do seu próximo, para
que não se enfade de você e passe a odiá-lo.
18 Martelo, espada e flecha aguda é o homem que profe-
re falso testemunho contra o seu próximo.
19 Como dente quebrado e pé sem firmeza, é no tempo
da angústia a confiança no desleal.
20 Quem canta canções com o coração aflito é como
quem despe a veste num dia de frio, ou como o vinagre
sobre salitre.
21 Se quem o aborrece tiver fome, dê-lhe pão para co-
mer; e se tiver sede, dê-lhe água para beber;
22 porque assim lhe amontoará brasas sobre a cabeça e o
Senhor retribuirá você.
23 O vento norte afugenta a chuva, e a face irada, a lín-
gua fingida.
24 Melhor é morar só num canto do terraço do que com
uma mulher briguenta numa casa ampla.
25 Como água fresca para a alma cansada, tais são as
boas novas vindas da terra distante.
26 Como fonte turvada e manancial degradado, assim é
o justo que cai diante do ímpio.
27 Comer muito mel não é bom; assim, a busca da pró-
pria glória não é glória.
28 Como a cidade derrubada, sem muro, assim é o ho-
mem que não pode dominar-se.
26 Como a neve no verão, e como a chuva na colhei-
ta, assim não convém ao louco a honra.
2 Como ao pássaro o vaguear, como à andorinha o voar,
assim a maldição sem causa não virá.
3 O açoite é para o cavalo, o freio é para o jumento, e a
vara é para as costas dos tolos.
4 Não responda ao tolo segundo a sua tolice, para que
também não se faça semelhante a ele.
5 Responda ao tolo segundo a sua tolice, para que não
seja sábio aos seus próprios olhos.
6 Como cortar o pé e beber veneno, é mandar mensagem
pela mão de um tolo.
7 Como as pernas do aleijado, que pendem frouxas, as-
sim é o provérbio na boca dos tolos.

8 Como quem arma a funda com pedra preciosa, assim é
quem concede honra ao tolo.
9 Como o espinho que entra na mão do bêbado, assim é
o provérbio na boca dos tolos.
10 Os grandes molestam a todos, e alugam os tolos e
transgressores.
11 Como o cão torna ao seu vômito, assim o tolo repete
a sua tolice.
12 Viu algum homem que se acha sábio para ele mesmo?
Pode-se esperar mais do tolo do que dele.
13 Diz o preguiçoso: "Um leão está no caminho; um leão
está nas ruas."
14 Como a porta gira nas suas dobradiças, assim o pre-
guiçoso na sua cama.
15 O preguiçoso esconde a sua mão no peito; e cansa-se
até de levá-la à sua boca.
16 Mais sábio é o preguiçoso a seus próprios olhos do que
sete homens que respondem bem.
17 Quem, passando, se mete em questão alheia, é como
quem pega um cão pelas orelhas.
18 Como o louco que solta faíscas, flechas, e mortandades,
19 assim é o homem que engana o seu próximo e diz:
"Fiz isso por brincadeira."
20 Sem lenha, o fogo se apagará; e não havendo provoca-
dor, cessará a contenda.
21 Como o carvão para as brasas, e a lenha para o fogo,
assim é o homem provocador para acender rixas.
22 As palavras do murmurador são as palavras do espan-
cado, e elas descem ao mais íntimo do ventre.
23 Como o vaso de barro coberto de pó de prata, assim
são os lábios amistosos que ocultam um coração maligno.
24 Quem odeia dissimula com seus lábios, mas no seu
interior encobre o engano;
25 quando lhe suplicar com voz suave, não confie nele,
porque abriga sete abominações no seu coração,
26 cujo ódio se encobre com engano; a sua malícia se
descobrirá na congregação.
27 Quem cava uma cova cairá nela; e quem remove a
pedra, esta cairá sobre ele.
28 A língua falsa odeia os que ela aflige, e a boca escorre-
gadia causa a ruína.

27 Não conte com o dia de amanhã, porque não sabe
o que ele trará.
2 Deixe que o estranho o louve, e não a sua própria boca;
deixe o estrangeiro, e não você mesmo.
3 A pedra é pesada, e a areia é espessa; porém, a ira do
insensato é mais pesada que ambas.
4 Cruéis são o furor e a ira impetuosa, mas quem poderá
enfrentar a inveja?
5 Melhor é a repreensão franca do que o amor encoberto.
6 Fiéis são as feridas feitas pelo amigo, mas os beijos do
inimigo são enganosos.
7 A alma farta pisa o favo de mel, mas para a alma famin-
ta todo amargo é doce.
8 Qual a ave que vagueia longe do seu ninho, assim é o
homem que anda vagueando longe da sua morada.
9 O óleo e o perfume alegram o coração; assim o faz a
doçura do amigo, que provém do conselho cordial.
10 Não deixe o seu amigo, nem o amigo do seu pai; nem
entre na casa do seu irmão no dia da sua adversidade;
melhor é o vizinho perto do que o irmão longe.
11 Seja sábio, filho meu, e alegre o meu coração, para
que tenha alguma coisa que responder àquele que me
desprezar.
12 O avisado vê o mal e esconde-se; mas os simples pas-
sam e pagam a pena.
13 Quando alguém fica por fiador do estranho, tome-lhe
até a sua roupa, e por penhor àquele que se obriga a uma
prostituta.
14 Quem, pela manhã de madrugada, bendiz o seu ami-
go em alta voz, isso lhe será imputado por maldição.
15 O gotejar contínuo em dia de grande chuva, e a mu-
lher briguenta, uma coisa e outra são semelhantes;
16 tentar contê-la será como deter o vento, ou como con-
ter o óleo dentro da sua mão.
17 Como o ferro com ferro se afia, assim o homem afia
o rosto do seu amigo.
18 Quem cuida da figueira comerá do seu fruto; e quem
atenta para o seu senhor será honrado.
19 Como a água reflete o rosto, assim o coração do ho-
mem reflete quem ele é.
20 Como a sepultura e a morte nunca se fartam, assim os
olhos do homem nunca se satisfazem.
21 Como o crisol é para a prata, e o forno para o ouro,
assim o homem é provado pelos elogios.
22 Ainda que o tolo seja moído como os grãos de cevada
pilada, não deixará ele a sua estupidez.
23 Procure conhecer o estado das suas ovelhas; ponha o
seu coração sobre os seus rebanhos,
24 porque o tesouro não dura para sempre; e durará a
coroa de geração em geração?
25 Quando brotar a erva, e aparecerem os renovos, e se
juntarem as ervas dos montes,
26 então os cordeiros serão para o vestir, e os bodes ren-
derão o preço do campo;
27 e a abastança do leite das cabras para o seu sustento,
para sustento da sua casa e para sustento das suas criadas.

28 Os ímpios fogem sem que haja ninguém para per-
segui-los; mas os justos são ousados como um leão.
2 Pelos pecados da terra são mudados os seus príncipes,

mas, sendo um homem prudente e entendido, a sua esta-
bilidade será prolongada.
3 O homem pobre que oprime os pobres é como a chuva
impetuosa, que causa a falta de pão.
4 Quem deixa a lei louva o ímpio; porém, quem guarda a
lei contende com ele.
5 Os homens maus não entendem o juízo, mas os que
buscam o Senhor entendem tudo.
6 Melhor é o pobre que anda na sua sinceridade do que
aquele de caminhos perversos, ainda que seja rico.
7 Quem guarda a lei é filho entendido, mas o companhei-
ro dos comilões envergonha o seu pai.
8 Quem aumenta os seus bens com usura e ganância
ajunta-os para quem se compadece do pobre.
9 Quem desvia os seus ouvidos de ouvir a lei, até a sua
oração será abominável.
10 Quem faz com que os retos errem por mau caminho,
ele mesmo cairá na sua cova; mas os bons herdarão o
bem.
11 O homem rico é sábio aos seus próprios olhos, mas o
pobre que é entendido o conhece muito bem.
12 Quando os justos exultam, grande é a glória; mas
quando os ímpios sobem, os homens se escondem.
13 Quem encobre as suas transgressões nunca pros-
perará, mas quem as confessa e as deixa alcançará
misericórdia.
14 Bem-aventurado o homem que continuamente teme
o Senhor; mas quem endurece o seu coração cairá no
mal.
15 Como leão rugidor, e urso faminto, assim é o ímpio
que domina sobre um povo pobre.
16 O príncipe sem inteligência é também um grande
opressor, mas quem odeia a avareza prolongará os seus
dias.
17 O homem culpado do sangue de qualquer pessoa fugi-
rá até à sepultura; que ninguém o detenha.
18 Quem anda sinceramente se salvará, mas o perverso
em seus caminhos cairá logo.
19 Quem lavrar a sua terra virá a fartar-se de pão, mas
quem segue a ociosos se fartará de pobreza.
20 O homem fiel será coberto de bênçãos, mas quem se
apressa a enriquecer não será inocente.
21 Dar importância à aparência das pessoas não é bom,
porque até por um bocado de pão um homem prevaricará.
22 Quem quer enriquecer depressa é um homem de olho
maligno, porém não sabe que a pobreza virá sobre ele.
23 Quem repreende o homem gozará depois de mais
amizade do que aquele que lisonjeia com a língua.
24 Quem rouba a seu próprio pai, ou a sua mãe, e
diz: "Não é transgressão", companheiro é do homem
dissipador.
25 O soberbo de coração levanta contendas, mas quem
confia no Senhor prosperará.
26 Quem confia no seu próprio coração é insensato, mas
quem anda em sabedoria será salvo.
27 Quem dá ao pobre não terá necessidade, mas quem
esconde os seus olhos terá muitas maldições.
28 Quando os ímpios assumem o poder, os homens an-
dam se escondendo, mas, quando morrem, os justos se
multiplicam.

29 O homem que muitas vezes repreendido endurece
a cerviz, de repente será destruído sem que seja
avisado.
2 Quando os justos se engrandecem, o povo se alegra,
mas quando o ímpio domina, o povo padece.
3 O homem que ama a sabedoria alegra o seu pai, mas o
companheiro de prostitutas desperdiça os bens.
4 O rei com juízo mantém a terra, mas o amigo de su-
borno a transtorna.
5 O homem que lisonjeia o seu próximo arma uma rede
aos seus passos.
6 Na transgressão do homem mau há laço, mas o justo
jubila e se alegra.
7 O justo se informa da causa dos pobres, mas o ímpio
nem sequer toma conhecimento.
8 Os homens escarnecedores alvoroçam a cidade, mas os
sábios desviam a ira.
9 O homem sábio que for a juízo contra o tolo, quer se
enfureça, quer se ria, não terá descanso.
10 Os homens sanguinários odeiam o sincero, mas os
retos procuram o seu bem.
11 O tolo revela todo o seu pensamento, mas o sábio o
guarda até o fim.
12 O governador que dá atenção às palavras mentirosas
achará que todos os seus servos são ímpios.
13 O pobre e o opressor têm algo em comum: O Senhor
ilumina os olhos de ambos.
14 O rei que julga os pobres conforme a verdade firmará
o seu trono para sempre.
15 A vara e a repreensão dão sabedoria, mas o jovem
entregue a si mesmo envergonha a sua mãe.
16 Quando os ímpios se multiplicam, multiplicam-se as
transgressões, mas os justos verão a sua queda.
17 Castigue o seu filho e se dará descanso; dará delícias
à sua alma.
18 Não havendo profecia, o povo perece; porém, quem
guarda a lei, este é bem-aventurado.
19 O servo não se emendará com palavras, porque, ainda
que entenda, todavia não atenderá.

20 Já viu um homem que é precipitado no falar? Maior
esperança há para um tolo do que para ele.
21 Quando alguém cria o seu servo com mimos desde a
mocidade, por fim ele se tornará seu filho.
22 O homem irado levanta contendas; e o furioso multi-
plica as transgressões.
23 A soberba do homem o abaterá, mas a honra susten-
tará o humilde de espírito.
24 Quem tem parte com o ladrão odeia a sua própria
alma; ouve maldições, e não o denuncia.
25 O temor do homem armará laços, mas quem confia
no Senhor será posto em alto retiro.
26 Muitos buscam o favor do príncipe, mas o juízo de
cada um vem do Senhor.
27 Abominação é, para os justos, o homem iníquo; mas
abominação é para o ímpio o de retos caminhos.

Palavras de Agur

30 Palavras de Agur, filho de Jaque. Este homem disse
a Itiel, a Itiel e a Ucal:
2 "Na verdade eu sou o mais rude dos homens, nem
mesmo tenho o entendimento do homem.
3 Nem aprendi a sabedoria, nem tenho o conhecimento
do santo.
4 Quem subiu ao céu e desceu? Quem encerrou os ven-
tos nos seus punhos? Quem amarrou as águas na roupa?
Quem estabeleceu todas as extremidades da terra? Qual
é o seu nome? E qual é o nome de seu filho, se é que
você sabe?
5 Toda a palavra de Deus é pura; é escudo para os que
confiam nele.
6 Nada acrescente às suas palavras, para que ele não o
repreenda e seja achado mentiroso.
7 Duas coisas te pedi; não me negues, antes que morra:
8 Afasta de mim a vaidade e a palavra mentirosa; não me
dês nem a pobreza nem a riqueza; mantém-me do pão da
minha porção de costume;
9 para que, porventura, estando farto não te negue e ve-
nha a dizer: 'Quem é o Senhor?' Ou então, empobrecen-
do, não venha a furtar e tome o nome de Deus em vão.
10 Não calunie o servo diante de seu senhor, para que ele
não o amaldiçoe e você fique o culpado.
11 Há uma geração que amaldiçoa o seu pai, e que não
bendiz a sua mãe.
12 Há uma geração que é pura aos seus próprios olhos,
mas que nunca foi lavada da sua imundícia.
13 Há uma geração cujos olhos são altivos, e as suas pál-
pebras são sempre levantadas.
14 Há uma geração cujos dentes são espadas, e cujas
mandíbulas são facas, para consumirem da terra os afli-
tos, e os necessitados dentre os homens.
15 A sanguessuga tem duas filhas: 'Dá e Dá.' Estas três
coisas nunca se fartam; e com a quarta, nunca dizem:
'Basta!'
16 A sepultura; o ventre estéril; a terra que não se farta
de água e o fogo. Nunca dizem: 'Basta!'
17 Os olhos que zombam do pai, ou desprezam a obe-
diência à mãe, corvos do ribeiro os arrancarão e os filho-
tes da águia os comerão.
18 Estas três coisas me maravilham; quatro há que não
conheço:
19 O caminho da águia no ar; o caminho da cobra na
rocha; o caminho do navio no meio do mar; e o caminho
do homem com uma virgem.
20 O caminho da mulher adúltera é assim: ela come,
depois limpa a sua boca e diz: 'Não fiz nada de mal!'
21 Há três coisas pelas quais se alvoroça a terra; e quatro
ninguém pode suportar:
22 O servo, quando reina; o tolo, quando anda farto de
pão;
23 a mulher desprezada, quando é casada; e a serva,
quando fica herdeira da sua senhora.
24 Estas quatro coisas são das menores da terra, porém
bem providas de sabedoria:
25 As formigas são criaturas de pouca força, todavia no
verão preparam a sua comida;
26 os coelhos que também são fracos, e contudo, fazem
a sua casa na rocha;
27 os gafanhotos não têm rei, e contudo todos saem, e
em bandos se repartem;
28 a aranha se pendura com as mãos, e está nos palácios
dos reis.
29 Há três que têm bom andar elegante e quatro andam
com imponência.
30 O leão, o mais forte entre os animais, o qual ninguém
faz correr,
31 o cavalo de guerra bem arreado, o bode, e o rei a
quem não se pode resistir.
32 Se proceder loucamente, se exaltando, e se planejar o
mal, ponha a mão na boca.
33 Porque o bater do leite produz manteiga, o espremer
do nariz produz sangue; assim, o provocar da ira produz
contenda."

Palavras do Rei Lemuel

31 Palavras do rei Lemuel, a profecia que a sua mãe
lhe ensinou.
2 "Como, meu filho? E como, filho do meu ventre? E
como, filho dos meus votos?
3 Não dê às mulheres a sua força, nem os seus caminhos
ao que destrói os reis.

4 Não é próprio dos reis, ó Lemuel, não é próprio dos
reis beber vinho, nem dos príncipes desejar bebida forte;
5 para que, bebendo, se esqueçam da lei e pervertam o
direito de todos os aflitos.
6 Deem bebida forte aos que estão prestes a perecer, e o
vinho aos amargurados de espírito.
7 Para que bebam, e se esqueçam da sua pobreza, e do
seu trabalho não se lembrem mais.
8 Abra a sua boca a favor do mudo, pela causa de todos
que são designados à destruição.
9 Abra a sua boca; julgue retamente; e faça justiça aos
pobres e aos necessitados."

A Mulher Virtuosa

10 Alefe. Mulher virtuosa quem a achará? O seu valor
muito excede ao de rubis.
11 Bete. O coração do seu marido está nela tão confiado;
assim ele não necessitará de despojo.
12 Guímel. Ela só lhe faz bem, e não mal, todos os dias
da sua vida.
13 Dálete. Busca lã e linho e trabalha de boa vontade
com suas mãos.
14 Hê. É como o navio mercante, ela traz de longe o
seu pão.
15 Vau. Levanta-se, mesmo à noite, para dar de comer
aos da casa e distribuir a tarefa das servas.
16 Zain. Avalia uma propriedade e adquire-a; planta uma
vinha com o fruto de suas mãos.
17 Hete. Veste os seus ombros de força, e fortalece os
seus braços.
18 Tete. Prova e vê que é boa a sua mercadoria; e a sua
lâmpada não se apaga de noite.
19 Jode. Estende as suas mãos ao fuso, e as palmas das
suas mãos pegam na roca.
20 Cafe. Abre a sua mão ao aflito, e estende as suas mãos
ao necessitado.
21 Lâmede. Não teme a neve na sua casa, porque toda a
sua família está vestida de roupa dobrada.
22 Mem. Faz para si cobertas de tapeçaria; a sua veste é
de linho fino e púrpura.
23 Num. Conhece-se o seu marido nas portas, quando se
assenta com os anciãos da terra.
24 Sâmeque. Faz panos de linho fino e vende-os, e entre-
ga cintos aos mercadores.
25 Ain. A força e a glória são seu vestido, e se alegrará
com o dia futuro.
26 Pê. Abre a sua boca com sabedoria e a lei da benefi-
cência está na sua língua.
27 Tsadê. Está atenta ao andamento da sua casa e não
come o pão da preguiça.
28 Cofe. Levantam-se seus filhos, chamam-na bem-aven-
turada; como também seu marido, que a louva, dizendo:
29 Rexe. "Muitas filhas procederam virtuosamente; po-
rém você é, de todas, a mais excelente!"
30 Chim. Enganosa é a beleza e vã a formosura, mas a
mulher que teme ao Senhor, esta, sim, será louvada.
31 Tau. Deem do fruto das suas mãos, e deixem o seu
próprio trabalho louvá-la nas portas.

LIVRO DO ECLESIASTES

Tudo é Vaidade

1 Palavras do pregador, filho de Davi, rei em Jerusalém.
2 "Vaidade de vaidades", diz o pregador, "vaidade de
vaidades! Tudo é vaidade."
3 Que vantagem tem o homem, de todo o seu trabalho,
que faz debaixo do sol?
4 Uma geração vai, e outra geração vem; mas a terra para
sempre permanece.
5 Nasce o sol, e o sol se põe, e apressa-se em voltar ao
lugar de onde nasceu.
6 O vento vai para o sul, e faz o seu giro para o norte;
continuamente vai girando o vento, e volta fazendo os
seus circuitos.
7 Todos os rios vão para o mar, e, contudo, o mar não se
enche; ao lugar de onde os rios vieram, para ali voltam
eles, para correrem de novo.
8 Todas as coisas são trabalhosas; mais do que o homem
o pode exprimir; os olhos não se fartam de ver, nem os
ouvidos de ouvir.
9 O que foi, isso é o que há de ser; e o que se fez, isso se
fará; não há nada de novo debaixo do sol.
10 Há alguma coisa de que se possa dizer: "Veja, isto é
novo?" Já existiu nos tempos passados, muito antes de
nós.
11 Já não há lembrança das coisas que se foram, e das
coisas que ainda virão também delas não haverá lembran-
ça, entre os que virão depois delas.
12 Eu, o pregador, fui rei sobre Israel em Jerusalém.

13 E dediquei-me a investigar e a me informar com sa-
bedoria de tudo que acontece debaixo do céu; esta enfa-
donha ocupação Deus deu aos filhos dos homens, para
nela os exercitar.
14 Vi todas as obras que se fazem debaixo do sol, e vi que
tudo era vaidade e aflição de espírito.
15 Aquilo que é torto não se pode endireitar; aquilo que
falta não se pode contar.
16 Eu falei com o meu coração, dizendo: Eu me engran-
deci e superei em sabedoria a todos os que vieram antes
de mim em Jerusalém; o meu coração contemplou abun-
dantemente a sabedoria e o conhecimento.
17 E apliquei o meu coração para entender a sabedoria,
os desvarios e as loucuras, e vim a saber que também isto
era aflição de espírito.
18 Porque na muita sabedoria há muito enfado; e quanto
maior o conhecimento, maior o trabalho.

Os Prazeres e a Riqueza São Vaidade

2 Eu disse a mim mesmo: Ora, venha, experimente a
alegria; portanto sinta o prazer; mas eis que também
isto era vaidade.
2 Ao riso disse: É loucura; e da alegria: Não serve para
nada.
3 Decidi me entregar ao vinho, mas com sabedoria, e
entregar-me à loucura, até ver o que de bom os filhos
dos homens fazem debaixo do céu, durante os dias de
sua vida.
4 Fiz para mim obras magníficas; edifiquei para mim ca-
sas; plantei para mim vinhas.
5 Fiz para mim hortas e jardins, e plantei neles árvores de
todas as espécies de frutas.
6 Fiz para mim tanques de águas, para regar com eles o
bosque em que reverdeciam as árvores.
7 Adquiri servos e servas, e tive servos nascidos em
casa; também tive grandes quantidades de gados e ove-
lhas, mais do que todos os que vieram antes de mim em
Jerusalém.
8 Ajuntei também para mim prata e ouro, e joias de reis
e das províncias; provi-me de cantores e cantoras e de
muitas mulheres, e de instrumentos musicais de toda a
espécie.
9 Fui grande, mais do que todos os que existiram antes
de mim em Jerusalém; conservando comigo a minha
sabedoria.
10 E tudo que eu desejei, eu tive, nem privei o meu co-
ração de alegria alguma; mas eu me alegrei por todo o
meu trabalho e esta foi a minha recompensa por todo o
meu trabalho.
11 E eu olhei para todas as obras que eu fiz, e também
para o trabalho que eu tinha feito, e vi que tudo era vaida-
de e inútil, e que proveito nenhum havia debaixo do sol.
12 Então passei a refletir na sabedoria, na loucura e na
insensatez. Pois o que fará o homem que suceder ao rei?
O mesmo que outros já fizeram.
13 Então eu vi que a sabedoria é mais excelente do que
a insensatez, assim como a luz é mais excelente do que
as trevas.
14 Os olhos do homem sábio estão na sua cabeça, mas
o tolo anda em trevas; então também eu entendi que o
mesmo acontece a ambos.
15 Assim eu disse a mim mesmo: O que acontece ao
tolo, assim acontece comigo também; por que então eu
busquei mais sabedoria? Então eu disse a mim mesmo
que também isto era vaidade.
16 Porque nunca haverá mais lembrança do sábio do que
do tolo; porque, nos dias futuros, haverá total esqueci-
mento de ambos. E o sábio morre do mesmo modo que
o tolo!
17 Por isso, odiei esta vida, porque a obra que se faz de-
baixo do sol me era penosa; sim, tudo é vaidade e aflição
de espírito.
18 Também eu me aborreci de todo o meu trabalho, em
que trabalhei debaixo do sol, visto que eu haveria de dei-
xá-lo para quem viesse depois de mim.
19 Porque quem sabe se ele será sábio ou tolo? No entan-
to, ele se apossará de todo o trabalho que realizei sabia-
mente debaixo do sol; também isto é vaidade.
20 Então eu me voltei e entreguei o meu coração ao de-
sespero por todo o trabalho que realizei debaixo do sol.
21 Porque o trabalho do homem é feito com sabedoria,
conhecimento e habilidade; mas deixará o seu trabalho
como herança para quem nele não trabalhou; também
isto é vaidade e uma grande injustiça.
22 Porque, o que mais tem o homem além de todo o seu
trabalho e da fadiga do seu coração, em que ele trabalhou
debaixo do sol?
23 Porque todos os seus dias são dores, e o seu trabalho é
desgosto; nem de noite o seu coração descansa; também
isto é vaidade.
24 Não há nada melhor para o homem do que comer
e beber e fazer com que sua alma desfrute do que con-
quistou com o seu trabalho. Também vi que isto vem da
mão de Deus.
25 Porque, quem pode comer, ou quem o pode aprovei-
tar melhor do que eu?
26 Porque Deus dá sabedoria, conhecimento e alegria
ao homem que é bom diante dele; mas ao pecador dá
trabalho, para que ele ajunte e amontoe, para dar a quem

é bom perante Deus. Também, isto é vaidade e aflição
de espírito.

Há Tempo Para Tudo

3 Tudo tem o seu tempo determinado, e há tempo para
todo o propósito debaixo do céu.
2 Há tempo de nascer e tempo de morrer; tempo de plan-
tar e tempo de arrancar o que se plantou;
3 tempo de matar e tempo de curar; tempo de derrubar
e tempo de edificar;
4 tempo de chorar e tempo de rir; tempo de prantear e
tempo de dançar;
5 tempo de espalhar pedras e tempo de ajuntar pedras;
tempo de abraçar e tempo de deixar de abraçar;
6 tempo de buscar e tempo de perder; tempo de guardar
e tempo de lançar fora;
7 tempo de rasgar e tempo de costurar; tempo de estar
calado e tempo de falar;
8 tempo de amar e tempo de odiar; tempo de guerra e
tempo de paz.
9 Que proveito tem o trabalhador naquilo em que
trabalha?
10 Vi o trabalho que Deus deu aos filhos dos homens,
para com ele os afligir.
11 Deus fez tudo formoso em seu tempo; também pôs o
mundo no coração do homem, sem que este possa des-
cobrir a obra que Deus fez desde o princípio até ao fim.
12 Descobri que não há nada melhor para o homem do
que se alegrar e fazer bem na sua vida;
13 sei também que todo homem pode comer, beber e
desfrutar de tudo que conquistou com todo o seu traba-
lho; isto é um dom de Deus.
14 Eu sei que tudo o que Deus faz durará eternamente;
nada se deve acrescentar e nada se deve tirar; Deus faz
isto para que haja temor diante dele.
15 O que é, já foi; e o que será, também já foi; e Deus
pede conta do que passou.
16 Vi ainda debaixo do sol: Que no lugar do juízo havia
ali maldade e no lugar da justiça havia ali maldade.
17 Então eu disse a mim mesmo: Deus julgará o justo
e o ímpio; porque há tempo para todo propósito e para
toda obra.
18 Eu disse mais sobre os filhos dos homens: Que Deus
os prove, para que vejam que eles mesmos são como os
animais.
19 Porque o que acontece aos filhos dos homens também
acontece com os animais; como morre um, assim morre
o outro; todos têm o mesmo fôlego, e a vantagem dos
homens sobre os animais não é nenhuma; como se pode
ver, tudo é vaidade.
20 Todos vão para um lugar; todos foram feitos do pó e
todos voltarão ao pó.
21 Quem sabe se o fôlego do homem vai para cima e o
fôlego dos animais vai para baixo da terra?
22 Assim vi que não há nada melhor do que se alegrar o
homem nas suas obras, porque essa é a sua recompensa;
pois quem o fará voltar para ver o que será depois dele?

Reflexões Sobre Diversas Circunstâncias da Vida

4 Depois prestei atenção e observei todas as violências
que se fazem debaixo do sol; e eis que vi as lágrimas
dos que foram oprimidos e que não têm quem os console,
o poder estava do lado dos seus opressores; mas eles não
tinham quem os consolasse.
2 Por isso considerei os que já morreram, mais felizes do
que os que vivem ainda.
3 E melhor que uns e outros é aquele que ainda não nas-
ceu, pois não viu as más obras que se fazem debaixo do
sol.
4 Também eu vi que todo o trabalho e toda a habilidade
no trabalho trazem ao homem a inveja do seu próximo.
Isto também é vaidade e aflição de espírito.
5 O tolo cruza as suas mãos e arruína a sua própria vida
dizendo:
6 "Melhor é a mão cheia com descanso, do que ambas as
mãos cheias com trabalho e aflição de espírito."
7 Outra vez considerei e vi vaidade debaixo do sol.
8 Um homem sozinho, que não tem ninguém, nem filho,
nem irmão; contudo não para de trabalhar, e também não
se satisfaz com riqueza e nem pergunta: "Para quem eu
trabalho, me privando de aproveitar as coisas?" Também
isto é vaidade e enfadonho trabalho.
9 Melhor serem dois do que um, porque têm melhor pa-
gamento pelo seu trabalho.
10 Porque se um cair, o outro levanta o seu companhei-
ro; mas ai de quem estiver só; pois, caindo, não haverá
quem que o levante.
11 Também, se dois dormirem juntos, eles se aquenta-
rão; mas um só, como se aquentará?
12 E, se alguém quiser dominar um deles, os dois re-
sistirão; e o cordão de três dobras não se quebra tão
facilmente.
13 Melhor é um jovem pobre e sábio, do que um rei
velho e tolo, que não se deixa mais aconselhar.
14 Porque um jovem pode sair do cárcere para reinar;
enquanto o outro, que nasceu no trono, pode tornar-se
pobre.
15 Vi todo o povo andar debaixo do sol com o jovem, o
sucessor, que ficará no seu lugar.
16 É incontável todo o povo que o seguiu; tampouco os

descendentes se alegrarão com ele. Na verdade, também
isto é vaidade e aflição de espírito.

Falsa Adoração

5 Guarde o seu pé, quando entrar na casa de Deus; por-
que aproximar-se para ouvir é melhor do que oferecer
sacrifícios de tolos, pois não sabem que fazem mal.
2 Não se precipite com a sua boca, nem o seu coração
se apresse a pronunciar palavra alguma diante de Deus;
porque Deus está nos céus e você está na terra; assim
sejam poucas as suas palavras.
3 Porque, das muitas preocupações, vêm os sonhos, e, de
falar muito, vem a voz do tolo.
4 Quando fizer algum voto a Deus, não demore em cum-
pri-lo, porque ele não se agrada de tolos; cumpra o seu
voto.
5 É melhor não fazer votos do que fazer votos e não
cumprir.
6 Não consinta que a sua boca o faça pecar, nem diga
diante do anjo que o seu voto foi um erro; por que fazer
com que Deus fique irado contra você e destrua o que
você construiu?
7 Porque, como na multidão dos sonhos há vaidades, as-
sim também nas muitas palavras; mas você, tema a Deus.

A Ilusão das Riquezas

8 Se vir em alguma província opressão ao pobre, e violên-
cia em lugar do juízo e da justiça, não se admire com isso;
pois quem está altamente posicionado tem superior que o
vigie; e há outros ainda, mais altos do que eles.
9 O proveito da terra é para todos; até o rei se serve do
campo.
10 Quem amar o dinheiro jamais dele se fartará e quem
amar a abundância nunca se fartará da renda; também
isto é vaidade.
11 Onde os bens se multiplicam, ali se multiplicam tam-
bém os que deles comem; que mais proveito têm os seus
donos do que ver esses bens com os seus olhos?
12 Doce é o sono do trabalhador, quer coma pouco, quer
muito; mas a fartura do rico não o deixa dormir.
13 Há um grave mal que vi debaixo do sol e que atrai
enfermidades: As riquezas que os seus donos guardam
para o seu próprio mal;
14 porque as mesmas riquezas podem se perder por
qualquer mau negócio, e, tendo ele algum filho, nada lhe
sobrará na sua mão.
15 Como saiu do ventre de sua mãe, assim nu voltará,
indo-se como veio; nada levará do seu trabalho, que possa
levar consigo.
16 Também isto é um grave mal que, justamente como
veio, assim há de ir; que proveito terá de trabalhar para
o vento?
17 E de haver comido todos os seus dias nas trevas, com
muito enfado, com enfermidade e furor?
18 Eis aqui o que descobri: O que mais vale é comer,
beber e desfrutar cada um do resultado de todo o seu tra-
balho, em que trabalhou debaixo do sol, todos os dias da
vida que Deus lhe deu, porque esta é a sua recompensa.
19 Assim, a todo homem a quem Deus deu riquezas e
bens, dá também capacidade para deles comer, para rece-
ber a sua porção e desfrutar do seu trabalho; isto é dom
de Deus.
20 Porque não se lembrará muito dos dias da sua vida;
porque Deus enche de alegria o seu coração.

As Incertezas da Vida e a Vaidade

6 Há um mal que tenho visto debaixo do sol e é muito
frequente entre os homens:
2 Um homem a quem Deus deu riquezas, bens e honra, e
nada lhe faltando de tudo o que ele deseja, mas Deus não
permite que ele desfrute disto, ficando para um estranho
delas desfrutar; isto é sem sentido, e um mal terrível.
3 Se o homem gerar cem filhos, e viver muitos e muitos
anos, porém, se a sua alma não se fartar do bem, e além
disso não tiver sepultura, um aborto é melhor do que ele.
4 Porque nasceu em vão e em trevas se vai, e de trevas
se cobre o seu nome.
5 E ainda que nunca tenha visto o sol, nem conhecido
nada, mais descanso tem este, do que aquele.
6 E, ainda que vivesse duas vezes mil anos e não desfru-
tasse do bem, porventura não vão todos para o mesmo
lugar?
7 Todo o trabalho do homem é para ter o que comer,
contudo nunca se acaba o seu apetite.
8 Porque, que vantagem leva o sábio sobre o tolo? E
que vantagem tem o pobre que sabe se portar diante dos
outros?
9 Melhor é se contentar com aquilo que se tem, do que
viver cobiçando; isto é vaidade e ilusão.
10 Não importa quem seja, não importa o nome que te-
nha, ele nasceu homem e sabe que não pode enfrentar
quem é mais forte do que ele.
11 Na verdade as muitas palavras multiplicam a vaidade;
que proveito tem o homem com elas?
12 Porque, quem sabe o que é bom nesta vida para o
homem, por todos os dias da sua vida de vaidade, os quais
gasta como sombra? Quem poderá contar ao homem o
que acontecerá debaixo do sol depois que ele morrer?

Remédios Contra a Vaidade

7 Melhor é a boa fama do que o melhor remédio, e o
dia da morte do que o dia do nascimento de alguém.
2 Melhor é ir à casa onde há luto do que ir à casa onde há

banquete, porque naquela está o fim de todos os homens,
e os vivos devem levar isso em consideração.
3 Melhor é a tristeza do que o riso, porque com a tristeza
do rosto se faz melhor o coração.
4 O coração dos sábios está na casa do luto, mas o cora-
ção dos tolos na casa da alegria.
5 Melhor é ouvir a repreensão do sábio, do que alguém
ouvir a canção do tolo.
6 Porque como o estalar dos espinhos debaixo de uma
panela é o riso do tolo; também isto é vaidade.
7 Verdadeiramente a opressão transforma até o sábio em
tolo e o suborno corrompe o coração.
8 Melhor é o fim das coisas do que o princípio delas;
melhor é o paciente de espírito do que o orgulhoso de
coração.
9 Não se apresse em irar-se, porque a ira habita no íntimo
dos tolos.
10 Nunca pergunte: "Por que os dias do passado foram
melhores do que os de agora?" Porque não é sábio fazer
esta pergunta.
11 A sabedoria é tão boa como a herança, e dela tiram
proveito os que veem o sol.
12 Porque a sabedoria serve de proteção, como serve o
dinheiro; mas a vantagem da sabedoria é que ela prolonga
a vida do seu possuidor.
13 Atente para a obra de Deus; porque quem poderá en-
direitar o que ele fez torto?
14 No dia da prosperidade, aproveite bem, mas no dia
ruim, considere; porque também Deus fez tanto este
como aquele, para que o homem nada descubra do que
virá depois dele.
15 Tudo isto vi nos dias da minha vaidade: Há justos que
perecem na sua justiça, e há ímpios que prolongam os
seus dias na sua maldade.
16 Não seja demasiadamente justo, nem demasiadamen-
te sábio; por que você destruiria a si mesmo?
17 Não seja demasiadamente ímpio, nem seja tolo; por
que morreria antes da hora?
18 Bom é que retenha isto e também não abra mão da-
quilo; porque quem teme a Deus escapa de tudo isso.
19 A sabedoria fortalece o sábio, mais do que dez gover-
nadores de uma cidade.
20 Não há nenhum homem justo sobre a terra, que faça
o bem, e nunca peque.
21 Tampouco dê atenção a todas as palavras que se dis-
serem, para que você não venha a ouvir o seu servo o
amaldiçoar.
22 Porque você sabe que muitas vezes já amaldiçoou os
outros.
23 Tudo isto eu examinei pela sabedoria; eu disse: Serei
sábio; mas a sabedoria ainda estava longe de mim.
24 O que já aconteceu é passado e muito profundo;
quem o poderá encontrar?
25 Eu procurei aprender, para investigar e buscar a sabe-
doria e a razão das coisas, e para conhecer que a maldade
é insensatez e que a tolice é loucura.
26 E eu achei uma coisa mais amarga do que a morte: a
mulher cujo coração são redes e armadilhas, e cujas mãos
são ataduras; quem for bom diante de Deus escapará
dela, mas o pecador virá a ser preso por ela.
27 "Veja", diz o pregador, "ao comparar uma coisa com
outra para, a respeito delas, formar um juízo,
28 minha alma ainda busca, porém ainda não o achei;
eu achei um homem entre mil, mas uma mulher entre
todas, esta não achei.
29 Eis aqui, o que descobri: Que Deus fez o homem reto,
porém eles se metem em muitas confusões."

A Obediência Devida ao Rei

8 Quem é como o sábio? E quem sabe a interpretação
das coisas? A sabedoria do homem faz brilhar o seu
rosto e a dureza do seu rosto muda.
2 Eu digo: Obedeça às ordens do rei, isto em considera-
ção ao juramento que você fez a Deus.
3 Não se apresse em sair da presença dele, nem insista
em fazer o que é mau, porque ele faz tudo o que quer.
4 Porque a palavra do rei tem autoridade suprema; e
quem lhe perguntará: "O que esta fazendo?
5 Quem guardar o mandamento não experimentará ne-
nhum mal; porque o sábio saberá o tempo e a maneira
certa de agir.

Reflexões Sobre a Providência Divina

6 Porque para todo propósito há um tempo e um modo;
porque o mal do homem pesa sobre ele.
7 Ninguém sabe o que vai acontecer; quem poderá lhe
dizer o que vai acontecer?
8 Não há nenhum homem que tenha domínio sobre o
espírito, para o reter; nem tampouco poder sobre o dia
da morte; não há como escapar desse combate; nem tam-
pouco a maldade livrará aos ímpios.
9 Tudo isto vi quando refleti sobre tudo que se faz debai-
xo do sol; há ocasiões em que um homem tem domínio
sobre outro homem, para a sua desgraça.
10 Assim também vi os ímpios serem sepultados com
honra, mas os que frequentavam o lugar santo foram es-
quecidos na cidade na qual faziam o que é certo; também
isso é vaidade.
11 Quando não se executa logo o juízo sobre o mal, os
homens logo estão inteiramente dispostos para fazer o
mal.

12 Ainda que o pecador faça o mal cem vezes, e a vida dele se prolongue, contudo eu sei, com certeza, que tudo correrá bem aos que temem a Deus.
13 Mas para o ímpio, nada irá bem, e ele não prolongará os seus dias, que são como a sombra; porque ele não teme a Deus.
14 Ainda há outra vaidade que se faz sobre a terra: Há justos a quem acontece segundo as obras dos ímpios, e há ímpios a quem acontece segundo as obras dos justos. Digo que também isto é vaidade.
15 Assim exaltei a alegria, porque para o homem não há nada melhor debaixo do sol do que comer, beber e alegrar-se; porque isso o acompanhará no seu trabalho nos dias da sua vida que Deus lhe dá debaixo do sol.
16 Quando quis conhecer a sabedoria, para ver o trabalho que há sobre a terra, nem de dia nem de noite o homem vê o sono nos seus olhos;
17 então, vi toda a obra de Deus, e o homem não pode entender a obra que se faz debaixo do sol; por mais que trabalhe para descobrir, porém não entenderá; ainda que o sábio diga que irá entendê-la, nem por isso poderá alcançar.

Conselhos Diversos

9 Considerei todas estas coisas para declarar tudo isto: Que os justos, os sábios e as suas obras, estão nas mãos de Deus, e que o homem não conhece nem o amor nem o ódio; tudo o que se passa perante ele.
2 Tudo acontece igualmente a todos; o mesmo acontece ao justo e ao ímpio, ao bom e ao mau, ao puro, como ao impuro; assim também acontece ao que sacrifica como ao que não sacrifica, ao bom como ao pecador, ao que jura como ao que teme o juramento.
3 Este é o mal que acontece a todos que estão debaixo do sol: A todos acontece o mesmo; também os homens estão cheios de maldade e há desvarios no seu coração enquanto vivem, e depois se vão aos mortos.
4 Para aquele que está entre os vivos há esperança, porque é melhor um cão vivo do que um leão morto.
5 Porque os vivos sabem que vão morrer, mas os mortos não sabem coisa nenhuma, nem tampouco terão eles mais recompensa, e já não haverá lembrança deles.
6 Também o seu amor, o seu ódio e a sua inveja já passaram, e eles não têm parte alguma neste século, e em coisa alguma do que se faz debaixo do sol.
7 Vá, coma com alegria o seu pão e beba com coração contente o seu vinho, pois Deus já se agradou das suas obras.
8 Em todo o tempo sejam limpas as suas roupas, e nunca falte o óleo sobre a sua cabeça.
9 Aproveite a vida com a mulher que ama, por todos os dias da sua breve vida, que Deus lhe deu debaixo do sol, porque esta é a sua porção nesta vida, pelo seu trabalho, que você fez debaixo do sol.
10 Tudo o que vier para você fazer, faça conforme as suas forças, porque na sepultura, para onde você vai, não há obra nem projeto, nem conhecimento, nem sabedoria alguma.
11 Notei também que, debaixo do sol, não é dos mais rápidos a corrida, nem dos valentes a batalha, nem tampouco dos sábios o pão, nem dos prudentes as riquezas, nem dos inteligentes o favor, mas que o tempo e a sorte pertencem a todos.
12 Que também o homem não conhece a hora da sua morte, assim como os peixes que se pescam com a rede fatal, e como os passarinhos que se prendem com o laço, assim são enlaçados também homens no tempo das calamidades que vêm de surpresa sobre eles.
13 Também vi esta sabedoria debaixo do sol, que para mim foi grande:
14 Houve uma pequena cidade em que havia poucos homens, e veio contra ela um grande rei, que a cercou e levantou contra ela grandes baluartes;
15 e nela se encontrava um sábio pobre, que livrou aquela cidade pela sua sabedoria, mas ninguém se lembrava daquele pobre homem.
16 Então eu disse: Melhor é a sabedoria do que a força, ainda que a sabedoria do pobre seja desprezada e as suas palavras não sejam ouvidas.
17 As palavras dos sábios devem em silêncio ser ouvidas, mais do que o clamor de quem domina entre os tolos.
18 Melhor é a sabedoria do que as armas de guerra, porém um só pecador destrói muitos bens.

Continuação dos Conselhos

10 Assim como a mosca morta faz exalar mau cheiro e inutilizar a essência do perfumista, assim é, para o famoso em sabedoria e em honra, um pouco de tolice.
2 O coração do sábio se inclina para o bem, mas o coração do tolo para o mal.
3 Quando o tolo vai pelo caminho, falta-lhe o entendimento e assim mostra a todos que é mesmo um tolo.
4 Se um governante se levantar contra você, não deixe o seu lugar, porque a submissão é um remédio que aplaca grandes pecados.
5 Ainda há um mal que vi debaixo do sol, um erro que procede dos que governam:
6 Os tolos ocupando grandes cargos e os ricos ocupando cargos inferiores.
7 Vi os servos a cavalo, e os príncipes andando a pé sobre a terra como servos.

8 Quem abrir uma cova, nela cairá, e quem romper um
muro, uma cobra o morderá.
9 Aquele que transporta pedras pode se ferir com elas, e
quem racha lenha expõe-se ao perigo.
10 Se o machado estiver cego e não for afiado, então se
deve redobrar a força; mas a sabedoria é proveitosa para
resolver o problema.
11 Seguramente se a serpente morder antes de estar en-
cantada, o encantador não é bom.
12 As palavras do sábio lhe trazem favor, porém os lábios
do tolo o destroem,
13 as primeiras palavras da sua boca são tolice, e o fim da
sua fala é uma loucura total.
14 O tolo multiplica as palavras, porém, ninguém enten-
de o que ele diz; e quem dirá o que será depois dele?
15 O trabalho do tolo o fatiga, porque não sabe como
ir à cidade.
16 Ai de você, ó terra, quando seu rei é uma criança, e
cujos príncipes fazem banquete logo de manhã.
17 Feliz é você, ó terra, quando o seu rei é filho dos
nobres, e seus príncipes comem no devido tempo, para
se fortalecerem e não para embriagarem-se.
18 Por causa da preguiça se enfraquece o teto, e pelas
mãos indolentes a casa goteja.
19 Para rir se fazem banquetes, o vinho produz alegria, e
o dinheiro atende a tudo.
20 Nem no seu pensamento amaldiçoe o rei, nem tam-
pouco no mais interior do seu quarto amaldiçoe o rico;
porque as aves dos céus levariam a sua voz, e os que têm
asas dariam notícia do assunto.

Outros Conselhos

11 Lance o seu pão sobre as águas, porque depois de
muitos dias o achará.
2 Reparta com sete, ou até com oito, porque você não
sabe que mal virá sobre a terra.
3 Quando as nuvens estão cheias, derramam a chuva
sobre a terra, e se uma árvore cair para o sul, ou para o
norte, no lugar em que a árvore cair, ali ela ficará.
4 Quem observa o vento, nunca semeará, e quem olha
para as nuvens, nunca colherá.
5 Assim como você não sabe qual é o caminho do vento,
nem como se formam os ossos no ventre da mulher grá-
vida, assim também não sabe as obras de Deus, que faz
todas as coisas.
6 Pela manhã semeie a sua semente, e à tarde não dê des-
canso a sua mão, porque você não sabe qual irá prosperar,
se esta, se aquela, ou se ambas serão igualmente boas.
7 Suave é a luz, e agradável aos olhos é ver o sol.
8 Porém, se o homem viver muitos anos, e em todos eles
se alegrar, também deve se lembrar dos dias das trevas,
porque serão muitos. Tudo que acontece é vaidade.
9 Alegre-se, jovem, na sua mocidade, e alegre-se nos dias
da sua juventude; ande pelos caminhos que satisfazem o
seu coração e que agradam os seus olhos; saiba, porém,
que, por todas estas coisas, será julgado por Deus.
10 Afaste a ira do seu coração e remova da sua vida o
mal, porque a adolescência e a juventude são vaidade.

Conselhos sobre a Brevidade Humana

12 Lembre-se também do seu Criador nos dias da sua
mocidade, antes que venham os maus dias e che-
guem os anos dos quais venha a dizer: "Não tenho neles
satisfação";
2 antes que se escureçam o sol, a luz, a lua e as estrelas,
e tornem a vir as nuvens depois da chuva;
3 no dia em que tremerem os guardas da casa, e se en-
curvarem os homens fortes, e cessarem os moedores, por
já serem poucos, e se escurecerem os seus olhos quando
olham pelas janelas;
4 e as portas da rua se fecharem por causa do baixo ruído
da moedura, e se levantar a voz das aves, e todas as vozes
do canto baixarem;
5 como também quando temerem o que é alto, e houver
medo das ruas, e florescer a amendoeira, e o gafanhoto
for um peso, e acabar o apetite; porque o homem se vai
à sua casa eterna, e os pranteadores andarão rodeando
pela praça;
6 antes que se quebre a cadeia de prata, e se despedace o
copo de ouro, e se despedace o cântaro junto à fonte, e se
despedace a roda junto ao poço,
7 e o pó volte à terra, como o era, e o espírito volte a
Deus, que o deu.
8 "Vaidade de vaidades", diz o pregador, "tudo é
vaidade."
9 E, quanto mais sábio foi o pregador, tanto mais ensinou
ao povo sabedoria; e atentando e esquadrinhando, com-
pôs muitos provérbios.
10 Procurou o pregador achar palavras agradáveis e es-
creveu-as com retidão, palavras de verdade.
11 As palavras dos sábios são como aguilhões e como
pregos, bem fixados pelos mestres das congregações, que
nos foram dadas pelo único Pastor.
12 E, além do mais, meu filho, preste atenção: Não há
limite para fazer livros, e o muito estudar é enfado da
carne.
13 De tudo o que se tem ouvido, a conclusão é: Tema
a Deus e guarde os seus mandamentos; porque isto é o
dever de todo homem.
14 Porque Deus há de trazer a juízo toda obra e até todas
que estão escondidas, quer sejam boas, quer sejam más.

CANTARES
DE SALOMÃO

1 Cântico dos cânticos, que é de Salomão.

Esposa

2 Beije-me com os beijos da sua boca; porque melhor é o seu amor do que o vinho.
3 Suave é o aroma dos seus perfumes; como o perfume derramado é o seu nome; por isso as virgens o amam.

Coro

4 Leve-me com você; correremos após você. O rei me introduziu nos seus aposentos; em você nos regozijaremos e nos alegraremos; do seu amor nos lembraremos, mais do que do vinho; os retos o amam.

Esposa

5 Eu sou morena, porém linda, ó filhas de Jerusalém, como as tendas de Quedar, como as cortinas de Salomão.
6 Não olhem por eu ser morena; porque o sol resplandeceu sobre mim; os filhos de minha mãe indignaram-se contra mim, puseram-me como guarda das vinhas; a minha vinha, porém, não guardei.
7 Diga-me, você, a quem a minha alma ama: Onde apascenta o seu rebanho, onde o faz descansar ao meio-dia; pois por que razão seria eu como a que anda vagando junto aos rebanhos dos seus companheiros?

Esposo

8 Se você não o sabe, ó mais bela entre as mulheres, siga pelas pisadas do rebanho, e apascente as suas cabras junto às moradas dos pastores.
9 Comparo você às éguas dos carros do Faraó, ó meu amor.
10 Lindo é o seu rosto entre os seus enfeites, o seu pescoço com os colares.
11 Para você enfeites de ouro faremos, com bicos de prata.

Esposa

12 Enquanto o rei está assentado à sua mesa, o meu nardo exala o seu cheiro.
13 O meu amado é para mim como um ramalhete de mirra, posto entre os meus seios.
14 Um ramo de flores aromáticas nas vinhas de Engedi é para mim o meu amado.

Esposo

15 Eis que você é formosa, ó meu amor, eis que é linda; os seus olhos são como os das pombas.

Esposa

16 Eis que você é belo, ó meu amado, e também encantador; o nosso leito é verde.
17 As vigas da nossa casa são de cedro, as nossas varandas de cipreste.

2 Eu sou a rosa de Sarom, o lírio dos vales.

Esposo

2 Como o lírio entre os espinhos, assim é meu amor entre as jovens.

Esposa

3 Como a macieira entre as árvores do bosque, assim é o meu amado entre os jovens; desejo muito a sua sombra, e debaixo dela me assento; o seu fruto é doce ao meu paladar.
4 Levou-me à casa do banquete, e o seu estandarte sobre mim era o amor.
5 Sustente-me com passas, conforte-me com maçãs, porque desfaleço de amor.
6 A sua mão esquerda está debaixo da minha cabeça e a sua mão direita me abraça.
7 Jurem, ó filhas de Jerusalém, pelas corças e cervas do campo, que não acordarão nem despertarão o meu amor, até que ele queira.
8 Esta é a voz do meu amado; veja aí, que já vem saltando sobre os montes, pulando sobre as colinas.
9 O meu amado é semelhante ao corço, ou ao filho do cervo; eis que está atrás da nossa parede, olhando pelas janelas, espreitando pelas grades.
10 O meu amado fala e me diz:

Esposo

Levante-se, meu amor, minha linda, e venha.
11 Porque passou o inverno; a chuva cessou e se foi;
12 aparecem as flores na terra, o tempo de cantar chegou, e a voz da rolinha ouve-se em nossa terra.
13 A figueira já deu os seus figos, e as vinhas em flor exalam o seu aroma; levante-se, meu amor, minha linda, e venha comigo.
14 Minha pomba, que anda pelas fendas dos penhascos, no esconderijo das ladeiras, mostre-me a sua face, faça-me ouvir a sua voz, porque a sua voz é doce, e a sua face graciosa.

Esposa

15 Apanhem as raposas, as raposinhas, que fazem mal às vinhas, porque as nossas vinhas estão em flor.
16 O meu amado é meu, e eu sou dele; ele apascenta o seu rebanho entre os lírios.
17 Até que refresque o dia e fujam as sombras, volte, amado meu; faça como a corça ou o filho da gazela sobre os montes de Beter.

3 De noite, em minha cama, busquei aquele a quem a
minha alma ama; busquei-o e não o achei.
2 Eu disse: Eu me levantarei, e rodearei a cidade; pelas
ruas e pelas praças buscarei aquele a quem a minha alma
ama; busquei-o e não o achei.
3 Os guardas que rondavam pela cidade me acharam;
eu lhes perguntei: "Viram aquele a quem a minha alma
ama?"
4 Apartando-me um pouco deles, logo achei aquele a
quem a minha alma ama; agarrei-me a ele e não o larguei,
até que o introduzi na casa de minha mãe, no quarto da-
quela que me gerou.
5 Jurem, ó filhas de Jerusalém, pelas corças e cervas do
campo, que não acordarão, nem despertarão o meu amor,
até que ele queira.

Coro

6 Quem é esta que sobe do deserto, como colunas de fu-
maça, perfumada de mirra, de incenso e de todos os pós
dos mercadores?
7 É a cama de Salomão; sessenta valentes estão ao redor
dela, dos valentes de Israel;
8 todos armados de espadas, destros na guerra; cada
um com a sua espada na cintura por causa dos temores
noturnos.
9 O rei Salomão fez para si um leito nupcial de madeira
do Líbano.
10 Fez as colunas de prata, o estrado de ouro, o assento
de púrpura, o interior revestido com amor, pelas filhas de
Jerusalém.
11 Saiam, ó filhas de Sião, e contemplem o rei Salomão
com a coroa com que a sua mãe o coroou no dia do seu
casamento e no dia do júbilo do seu coração.

Esposo

4 Como você é linda, minha querida, eis que é bela; os
seus olhos são como os olhos das pombas entre as suas
tranças; o seu cabelo é como o rebanho de cabras que
pastam no monte de Gileade.
2 Os seus dentes são como o rebanho das ovelhas tosquia-
das, que sobem do lavadouro, as quais todas produzem
gêmeos, e não há nenhuma estéril entre elas.
3 Os seus lábios são como um fio de escarlate, e a sua fala
é agradável; a sua face é igual a um pedaço de romã entre
as suas tranças.
4 O seu pescoço é como a torre de Davi, edificada para
pendurar armas; mil escudos pendem dela, todos escudos
de valentes.
5 Os seus dois seios são como dois filhos gêmeos da corça,
que se apascentam entre os lírios.

Esposa

6 Até que refresque o dia, e fujam as sombras, irei ao mon-
te da mirra, e à colina do incenso.

Esposo

7 Você é toda linda, meu amor, e em você não há mancha.
8 Venha comigo do Líbano, ó minha esposa, venha comi-
go do Líbano; olhe do alto do Amana, do alto de Senir e de
Hermom, dos covis dos leões, dos montes dos leopardos.
9 Roubou o meu coração, meu amor, minha esposa; rou-
bou o meu coração com um dos seus olhares, com um
colar do seu pescoço.
10 Que delícia são as suas carícias, meu amor, minha es-
posa! O seu amor é melhor do que o vinho! E o aroma
do seu perfume é mais suave do que todas as especiarias!
11 Favos de mel manam dos seus lábios, minha esposa!
Mel e leite estão debaixo da sua língua, e o cheiro dos seus
vestidos é como o cheiro do Líbano.
12 Meu amor, minha esposa, você é um jardim fechado,
uma fonte selada.
13 Os seus renovos são um pomar de romãs, com frutos
excelentes, o cipreste com o nardo.
14 O nardo, e o açafrão, o cálamo, e a canela, com todo o
tipo de árvores de incenso, a mirra e aloés, com todas as
principais especiarias.
15 É a fonte dos jardins, poço das águas vivas, que correm
do Líbano!

Esposa

16 Levante-se, vento norte, e venha, vento sul; soprem
no meu jardim, para que destilem os seus aromas: Ah! Se
viesse o meu amado para o seu jardim e comesse os seus
frutos excelentes!

Esposo

5 Já entrei no meu jardim, meu amor, minha esposa; co-
lhi a minha mirra com a minha especiaria, comi o meu
favo com o meu mel, bebi o meu vinho com o meu leite;
comam, amigos, bebam abundantemente, ó amados.

Esposa

2 Eu dormia, mas o meu coração velava; e ouço a voz do
meu amado que está batendo:

Esposo

Abre-me, meu amor, minha querida, minha pomba, mi-
nha imaculada, porque a minha cabeça está cheia de orva-
lho, os meus cabelos das gotas da noite.

Esposa

3 Já tirei a minha roupa; como voltarei a vestir? Já lavei os
meus pés; como voltarei a sujá-los?
4 O meu amado pôs a sua mão pela fresta da porta, e o
meu coração estremeceu.
5 Eu me levantei para abrir a porta ao meu amado, e as

minhas mãos gotejavam mirra, e os meus dedos mirra
com doce aroma, sobre as maçanetas da fechadura.
6 Eu abri ao meu amado, mas o meu amado já tinha se
retirado, e tinha ido embora; a minha alma desfaleceu
quando ele se foi; busquei-o e não o achei, chamei-o e
não me respondeu.
7 Os guardas que rondavam pela cidade me encontraram;
eles me espancaram, e me feriram, os guardas das mura-
lhas tomaram-me o manto.
8 Jurem, ó filhas de Jerusalém, que, se acharem o meu
amado, lhe dirão que estou doente de amor.

Coro

9 O que o seu amado tem mais do que os outros, ó você,
a mais linda entre as mulheres? O que o seu amado tem
mais do que os outros, que tanto nos cobra?

Esposa

10 O meu amado é claro e rosado; ele é o primeiro entre
dez mil.
11 A sua cabeça é como o ouro mais apurado, os seus
cabelos são crespos, pretos como o corvo.
12 Os seus olhos são como os olhos das pombas junto às
correntes das águas, lavados em leite, postos em engaste.
13 Suas faces são como um canteiro de especiaria, como
caixas aromáticas; os seus lábios são como lírios que gote-
jam mirra destilante.
14 As suas mãos são como anéis de ouro engastados
de berilo; o seu corpo como marfim branco, coberto de
safiras.
15 As suas pernas são como colunas de mármore colo-
cadas sobre bases de ouro puro; o seu aspecto como o
Líbano, excelente como os cedros.
16 A sua fala é muito suave e todo ele é totalmente dese-
jável. Assim é o meu amado, e assim é o meu esposo, ó
filhas de Jerusalém.

Coro

6 Para onde foi o seu amado, ó mais bela entre as mu-
lheres? Para onde se retirou o seu amado, para que o
procuremos com você?

Esposa

2 O meu amado desceu ao seu jardim, aos canteiros de
bálsamo, para apascentar nos jardins e para colher os
lírios.
3 Eu sou do meu amado, e o meu amado é meu; ele apas-
centa entre os lírios.

Esposo

4 Você é linda, meu amor, como Tirza, aprazível como
Jerusalém, terrível como um exército com bandeiras.
5 Desvie de mim os seus olhos, porque eles me pertur-
bam. O seu cabelo é como o rebanho das cabras que pas-
tam em Gileade.
6 Os seus dentes são como o rebanho de ovelhas que
sobem do lavadouro, todas produzem gêmeos, e não há
estéril entre elas.
7 Como um pedaço de romã, assim são as suas faces entre
os seus cabelos.
8 Sessenta são as rainhas, oitenta as concubinas e as vir-
gens sem número.
9 Porém uma é a minha pomba, a minha imaculada, a
única de sua mãe e a mais querida daquela que deu à luz;
as mulheres a viram e a chamaram de bem-aventurada, as
rainhas e as concubinas a louvaram.

Coro

10 Quem é esta que aparece como a alva do dia, bonita
como a lua, brilhante como o sol, terrível como um exér-
cito com bandeiras?

Esposa

11 Desci ao jardim das nogueiras, para ver os frutos do
vale, para ver se floresciam as videiras e brotavam as
romãzeiras.
12 Antes de eu o sentir, me pôs nos carros do meu nobre
povo.

Coro

13 Volte, volte, ó Sulamita, volte, volte, para que nós a
vejamos.

Esposa

Por que olham para a Sulamita como para as fileiras de
dois exércitos?

Esposo

7 Como são bonitos os seus pés nas sandálias, ó filha do
príncipe! Os contornos de suas coxas são como joias,
trabalhadas por mãos de artista.
2 O seu umbigo como uma taça redonda, a que não falta
bebida; o seu ventre como monte de trigo, cercado de
lírios.
3 Os seus dois seios como dois filhos gêmeos da corça.
4 O seu pescoço como a torre de marfim; os seus olhos
como as piscinas de Hesbom, junto à porta de Bate-Rabim;
o seu nariz como torre do Líbano, que olha para Damasco.
5 A sua cabeça está erguida como o monte Carmelo, e os
cabelos da sua cabeça como a púrpura; o rei está preso
nas suas tranças.
6 Como você é linda, e como você é atraente, ó amor,
com as suas delícias!
7 A sua estatura é semelhante à palmeira; e os seus seios
são semelhantes aos cachos de uvas.
8 Eu disse: Subirei na palmeira, pegarei em seus ramos;
então os seus seios serão como os cachos de uvas, e o
cheiro da sua respiração como o das maçãs.
9 E seus beijos como o bom vinho.

Esposa

Vinho para o meu amado, que desce suavemente, escor-
rendo pelos lábios de quem vai adormecendo.
10 Eu sou do meu amado, e ele tem afeição por mim.
11 Venha, ó meu amado, saiamos ao campo, passemos as
noites nas aldeias.
12 Levantemo-nos de manhã para ir às vinhas, vejamos se
florescem as videiras, se já aparecem as tenras uvas, se já
brotam as romãzeiras; ali lhe darei o meu amor.
13 As mandrágoras exalam o seu perfume, e às nossas
portas há todos os tipos de excelentes frutos, novos e ve-
lhos; ó meu amado, eu os guardei para você.
8 Ah! Quem me dera que fosse como meu irmão, que
mamou os seios de minha mãe! Quando o encontrasse
lá fora, o beijaria e não me desprezariam!
2 Eu o levaria e o introduziria na casa de minha mãe e
você me ensinaria; eu lhe daria para beber o vinho aromá-
tico e o suco das minhas romãs.
3 A sua mão esquerda estaria debaixo da minha cabeça, e
a sua direita me abraçaria.
4 Jurem, ó filhas de Jerusalém, que não acordarão nem
despertarão o meu amor, até que ele queira.

Coro

5 Quem é esta que sobe do deserto e vem encostada ao
seu amado?

Esposo

Debaixo da macieira a despertei, ali sua mãe a teve com
dores; ali esteve com dores aquela que lhe deu à luz.
6 Ponha-me como selo sobre o seu coração, como selo
sobre o seu braço, porque o amor é forte como a morte, e
o ciúme é duro como a sepultura; as suas brasas são brasas
de fogo, labaredas do Senhor.
7 As muitas águas não podem apagar este amor, nem os
rios afogá-lo; ainda que alguém desse todos os bens de sua
casa pelo amor, certamente o desprezariam.

Coro

8 Temos uma irmã pequena, que ainda não tem seios; o
que faremos por esta nossa irmã, no dia em que for pedida
em casamento?
9 Se ela for um muro, edificaremos sobre ela um palácio
de prata; se ela for uma porta, a cercaremos com tábuas
de cedro.

Esposa

10 Eu sou um muro, e os meus seios são como as suas
torres; então eu era aos seus olhos como aquela que en-
contra a paz.

Coro

11 Salomão teve uma vinha em Baal-Hamom; ele a entre-
gou a uns lavradores, e cada um lhe trazia pelo seu fruto
mil moedas de prata.

Esposa

12 A minha vinha, que me pertence, está diante de mim;
as mil moedas de prata são para você, ó Salomão, e duzen-
tas para os que guardam o seu fruto.

Esposo

13 Ó você, que habita nos jardins, os companheiros estão
atentos para ouvir a sua voz; faça-me também a ouvir.

Esposa

14 Venha depressa, meu amado, e faça semelhante ao
corço ou ao filho dos cervos sobre os montes dos aromas.

ISAÍAS

Os Pecados de Judá

1 Visão de Isaías, filho de Amós, que ele teve a respeito
de Judá e Jerusalém, nos dias de Uzias, Jotão, Acaz e
Ezequias, reis de Judá.
2 Ouçam, ó céus, e dê ouvidos, ó terra; porque o Senhor
falou: "Criei filhos e os fiz crescerem, mas eles se rebela-
ram contra mim.
3 O boi conhece o seu dono e o jumento a manjedoura do
seu dono, mas Israel não tem conhecimento, o meu povo
não entende."
4 Ai, nação pecadora, povo carregado de iniquidade, des-
cendência de malfeitores, filhos corruptores; deixaram o
Senhor, desprezaram o Santo de Israel e o abandonaram.
5 Por que ainda serão castigados, e ainda se rebelam? Toda
cabeça está doente e todo coração fraco.
6 Desde a planta do pé até a cabeça não há nele coisa sã,
senão feridas, inchaços e chagas podres não espremidas,
nem atadas, nem tratadas com óleo.
7 A sua terra está assolada, as suas cidades estão abrasa-
das pelo fogo; a sua terra os estrangeiros a devoram na
presença de vocês e está devastada, numa invasão de
estrangeiros.
8 E a filha de Sião é deixada como a cabana na vinha,
como a choupana no pepinal, como uma cidade cercada.
9 Se o Senhor dos Exércitos não nos tivesse deixado algum

sobrevivente, já seríamos como Sodoma e semelhantes a
Gomorra.

Contra o Culto Hipócrita

10 Ouçam a palavra do Senhor, vocês, príncipes de So-
doma; deem ouvidos à lei do nosso Deus, vocês, ó povo
de Gomorra.
11 Diz o Senhor: "De que me serve a grande quantida-
de de sacrifícios de vocês? Já estou farto dos holocaustos
de carneiros e da gordura de animais cevados; nem me
agrado de sangue de bezerros, nem de cordeiros, nem de
bodes.
12 Quando vierem para comparecer perante mim, quem
requereu isto de vocês, que viessem a pisar os meus pátios?
13 Não continuem a trazer ofertas vãs; o incenso é para
mim abominação, e também as luas novas, os sábados e a
convocação das congregações; não posso suportar iniqui-
dade, nem mesmo a reunião solene.
14 As suas festas de lua nova e as suas solenidades a mi-
nha alma as odeia; já me são pesadas e estou cansado de
as suportar.
15 Por isso, quando estendem as suas mãos, escondo de
vocês os meus olhos; ainda que multipliquem as suas ora-
ções, não as ouvirei, porque as suas mãos estão cheias de
sangue.
16 Lavem-se, purifiquem-se, tirem a maldade de seus atos
da frente dos meus olhos; parem de fazer o mal.
17 Aprendam a fazer o bem; procurem o que é justo; aju-
dem o oprimido; façam justiça ao órfão; tratem da causa
das viúvas."

O Convite da Graça

18 Diz o Senhor: "Venham então e vamos discutir a ques-
tão; ainda que os seus pecados sejam como a escarlata, eles
se tornarão brancos como a neve; ainda que sejam ver-
melhos como o carmesim, se tornarão como a branca lã.
19 Se quiserem e obedecerem, comerão o bem desta terra.
20 Mas, se recusarem e forem rebeldes, serão devorados à
espada; porque a boca do Senhor o disse."
21 Como se fez prostituta a cidade fiel! Ela que estava
cheia de juízo, a justiça habitava nela, mas agora está cheia
de homicidas.
22 A sua prata virou escória e o seu vinho ficou aguado.
23 Os seus príncipes são rebeldes e companheiros de
ladrões; cada um deles ama o suborno e anda atrás das
recompensas; não fazem justiça ao órfão, e não chega pe-
rante eles a causa da viúva.
24 Porque diz o Senhor Deus dos Exércitos, o Forte de
Israel: "Ah, me consolarei acerca dos meus adversários e
me vingarei dos meus inimigos,
25 voltarei contra você a minha mão e purificarei inteira-
mente as suas escórias; lhe tirarei toda a impureza,
26 restaurarei os seus juízes, como foram no passado e os
seus conselheiros, como antigamente; então a chamarão
de cidade de justiça, cidade fiel."
27 Sião será resgatada com justiça, juntamente com os
que se arrependeram.
28 Mas os transgressores e os pecadores serão juntamente
destruídos; e os que deixarem o Senhor serão consumidos.
29 "Porque vocês se envergonharão dos carvalhos
que cobiçaram, e serão confundidos pelos jardins que
escolheram.
30 Porque serão como o carvalho, ao qual caem as folhas,
e como a floresta que não tem água.
31 E o forte se tornará como estopa, e a sua obra como
faísca; e ambos serão queimados juntos, e não haverá
quem apague o fogo."

A Glória do Israel Espiritual

2 Visão que teve Isaías, filho de Amós, a respeito de Judá
e Jerusalém:
2 Nos últimos dias, o monte da casa do Senhor será es-
tabelecido no alto dos montes, e se elevará por cima das
colinas; e todas as nações correrão para ele.
3 Virão muitos povos e dirão: "Venham, subamos ao mon-
te do Senhor, à casa do Deus de Jacó, para que nos ensine
os seus caminhos e andemos nas suas veredas"; porque de
Sião sairá a lei e de Jerusalém a palavra do Senhor.
4 Ele julgará entre as nações e repreenderá muitos povos;
estes converterão as suas espadas em enxadões e as suas
lanças em foices; uma nação não levantará espada contra
outra, nem aprenderão mais a guerrear.
5 Venha, ó casa de Jacó, e andaremos na luz do Senhor.
6 Porém tu, Senhor, desamparaste o teu povo, a casa de
Jacó, porque se encheram dos costumes do Oriente, são
adivinhos como os filisteus e associam-se com os filhos
dos estrangeiros,
7 e a sua terra está cheia de prata e ouro, e não têm fim os
seus tesouros; também a sua terra está cheia de cavalos, e
os seus carros não têm fim.
8 Também a sua terra está cheia de ídolos; inclinam-se
perante a obra das suas mãos, diante daquilo que os seus
dedos fabricaram.
9 O povo se inclina e os nobres se humilham; portanto o
Senhor não os perdoará.
10 Vá, entre nas rochas e esconda-se no pó, da presença
espantosa do Senhor e da glória da sua majestade.
11 Os olhos arrogantes dos homens serão abatidos e a sua
soberba será humilhada; só o Senhor será exaltado naque-
le dia.
12 Porque o dia do Senhor dos Exércitos será contra todo
soberbo e orgulhoso e contra todo o que se exalta, para
que seja abatido;

13 e contra todos os cedros do Líbano, altos e sublimes;
contra todos os carvalhos de Basã;
14 contra todos os montes altos e contra todos as colinas
elevadas;
15 contra toda torre alta e contra todo muro fortificado;
16 contra todos os navios de Társis e contra todas as pin-
turas desejáveis.
17 A arrogância do homem será humilhada e a sua so-
berba se abaterá, e só o Senhor será exaltado naquele dia.
18 E todos os ídolos desaparecerão totalmente.
19 Então se meterão pelas cavernas das rochas e pelas
cavidades da terra, por causa da presença espantosa do
Senhor e por causa da glória da sua majestade, quando ele
se levantar para espantar a terra.
20 Naquele dia o homem lançará às toupeiras e aos mor-
cegos os seus ídolos de prata e os seus ídolos de ouro, que
fizeram para diante deles se prostrarem.
21 E entrarão pelas fendas das rochas e pelas cavernas das
montanhas, por causa da presença espantosa do Senhor, e
por causa da glória da sua majestade, quando ele se levan-
tar para espantar a terra.
22 Afastem-se do homem cuja vida não passa do sopro de
suas narinas, pois qual é o seu valor?

O Julgamento de Judá e Jerusalém

3 Porque o Senhor Deus dos Exércitos tirará de Jerusa-
lém e de Judá o bordão e o cajado, todo o sustento do
pão e todo o sustento de água,
2 e tirará o valente, o soldado, o juiz, o profeta, o adivinho
e o ancião,
3 o capitão de cinquenta, o homem respeitável, o conse-
lheiro, o sábio entre os artífices e o eloquente orador.
4 E lhes dará meninos por príncipes, e crianças governarão
sobre eles.
5 E o povo será oprimido; um será contra o outro e cada
um contra o seu próximo; o menino se atreverá contra o
ancião e o vil contra o nobre.
6 Quando alguém for falar com o seu irmão, na casa de
seu pai, dizendo: "Você pelo menos tem roupa, seja nosso
príncipe, e assuma o controle dessas ruínas";
7 naquele dia alguém levantará a voz, dizendo: "Não pos-
so ser médico, nem em minha casa há pão, ou roupa; não
me ponham como governador sobre o povo."
8 Porque Jerusalém está arruinada e Judá caída; porque a
sua língua e as suas obras são contra o Senhor, desafiando
a sua presença gloriosa.
9 O aspecto do rosto testifica contra eles, porque exibem
os seus pecados, como Sodoma, e não os encobrem. Ai de
vocês! Porque fazem mal a vocês mesmos.
10 Digam ao justo que tudo irá bem com ele, porque co-
merá do fruto das suas obras.
11 Ai do ímpio! Tudo irá mal com ele, porque será pago
pelo que fez.
12 Os opressores do meu povo são crianças e as mulheres
governam como querem. Ah, povo meu! Os que guiam
enganam vocês, e desviam os seus caminhos.
13 O Senhor se levanta para exercer juízo, e se põe de pé
para julgar os povos.
14 O Senhor entrará em juízo contra os anciãos do seu
povo e contra os seus príncipes; foram vocês que arruina-
ram esta vinha; "O que roubaram do pobre está em suas
casas.
15 Que direito vocês têm de esmagar o meu povo, e
moem as faces dos pobres?" Diz o Senhor, o Deus dos
Exércitos.
16 O Senhor diz: "Porque as filhas de Sião se exaltam
e andam com o pescoço erguido, lançando olhares impu-
dentes; e, quando andam, caminham afetadamente, fazen-
do um tilintar com os seus pés;
17 portanto o Senhor raspará a cabeça das filhas de Sião, e
o Senhor descobrirá a sua nudez";
18 naquele dia o Senhor tirará os ornamentos dos seus
pés, as toucas e adornos em forma de lua,
19 os pendentes, as manilhas e os vestidos resplandecentes,
20 os diademas, os enfeites dos braços, os véus, as caixi-
nhas de perfumes e os brincos,
21 os anéis e as joias pendentes do nariz,
22 os vestidos de festa, os mantos, os xales e as bolsas.
23 Os espelhos, o linho finíssimo, os turbantes e os véus.
24 E, em lugar de perfume, haverá mau cheiro; em vez
de cinto, uma corda; em lugar de penteados dos cabelos,
calvície; em lugar de veste luxuosa, pano de saco e quei-
madura em lugar de formosura.
25 Seus homens cairão à espada e os seus valentes na
guerra.
26 E gemerão e prantearão em suas portas; e ela, desolada,
se assentará no chão.

4 E, naquele dia, sete mulheres agarrarão um homem, di-
zendo: "Nós comeremos do nosso pão e nos vestiremos
do que é nosso; somente queremos ser chamadas pelo seu
nome; tire a nossa vergonha."

O Renovo do Senhor

2 Naquele dia o renovo do Senhor será cheio de beleza e
de glória, e o fruto da terra excelente e formoso para os
que escaparem de Israel.
3 E aquele que for deixado em Sião e ficar em Jerusalém
será chamado santo; todos que estiverem inscritos entre os
sobreviventes em Jerusalém;
4 quando o Senhor lavar a impureza das filhas de Sião, e
limpar o sangue de Jerusalém, do meio dela, com o espírito
de justiça e com o espírito de ardor.

5 E o Senhor, sobre todos os lugares do monte de Sião
e sobre as suas congregações, criará uma nuvem de dia,
uma fumaça e um resplendor de fogo flamejante de noite;
porque sobre toda a glória haverá proteção.
6 E haverá um tabernáculo para sombra contra o calor
do dia, e para refúgio e esconderijo contra a tempestade
e a chuva.

A Parábola da Vinha

5 Agora cantarei ao meu amado o cântico do meu que-
rido a respeito da sua vinha. O meu amado tem uma
vinha numa colina fértil.
2 Cercou-a, tirou as pedras e plantou excelentes videiras;
construiu no meio dela uma torre e um lagar; e esperava
que desse uvas boas, porém deu uvas bravas.
3 "Agora, ó moradores de Jerusalém e homens de Judá,
peço a vocês que julguem entre mim e a minha vinha.
4 O que mais se podia fazer à minha vinha, que eu não
tenha feito? Por que, eu esperando que desse uvas boas,
deu uvas bravas?
5 Agora, lhes direi o que eu farei com a minha vinha: Ti-
rarei a sua cerca, para que sirva de pasto; derrubarei o seu
muro, para que seja pisada;
6 e a abandonarei; não será podada nem cavada; porém
crescerão nela sarças e espinheiros, e, às nuvens, darei or-
dem para que não derramem chuva sobre ela."
7 Porque a vinha do Senhor dos Exércitos é a casa de Israel
e os homens de Judá são a planta das suas delícias; ele
esperou que houvesse justiça, e eis aqui opressão; esperou
retidão, e eis aqui clamor.

Os Ais Contra os Maus

8 Ai dos que ajuntam casas e mais casas, reúnem campos
e mais campos, até que não haja mais lugar e fiquem como
únicos moradores no meio da terra!
9 Disse o Senhor dos Exércitos aos meus ouvidos: "Na
verdade, muitas casas ficarão desertas, e até as grandes e
excelentes ficarão sem moradores.
10 Dez alqueires de vinha não darão mais do que um pote
de vinho; e um barril de semente não dará mais do que
uma arroba de trigo."
11 Ai dos que se levantam pela manhã e seguem a be-
bedeira e assim continuam até à noite, até que o vinho
os esquente!
12 Harpas, alaúdes, tamboris, gaitas e vinho não faltam
nos seus banquetes; e não olham para a obra do Senhor,
nem consideram as obras das suas mãos.
13 Portanto o meu povo será levado cativo, por falta de
entendimento; os seus nobres passarão fome e o seu povo
morrerá de sede.
14 Por isso a sepultura aumentou o seu apetite e escancara
a sua boca; para lá descerão o seu esplendor, a sua multi-
dão, a sua pompa e os que entre eles se alegram.
15 Então o povo se abaterá e o nobre se humilhará; os
olhos dos orgulhosos serão humilhados.
16 Porém o Senhor dos Exércitos será exaltado em juízo;
e Deus, o Santo, será santificado em justiça.
17 Então os cordeiros pastarão como de costume e os
nômades comerão dos lugares devastados abandonados
pelos ricos.
18 Ai dos que se apegam à iniquidade, arrastando-a com
as cordas do engano, e ao pecado com cordas de carroça!
19 E dizem: "Apresse-se com isso e acabe a sua obra, para
que logo a vejamos; aproxime-se e venha o conselho do
Santo de Israel, para que o conheçamos."
20 Ai dos que ao mal chamam de bem, e ao bem chamam
de mal; que fazem das trevas luz e, da luz, trevas; fazem
do amargo doce e do doce fazem amargo!
21 Ai dos que são sábios aos seus próprios olhos e pruden-
tes diante de si mesmos!
22 Ai dos que são campeões em beber vinho e homens
fortes para misturar bebida forte;
23 dos que justificam o ímpio por suborno e aos justos
negam a justiça!
24 Por isso, como a labareda de fogo consome a palha, e o
restolho se desfaz pela chama, assim será a sua raiz como
podridão, e a sua flor subirá como pó; porque rejeitaram
a lei do Senhor dos Exércitos e desprezaram a palavra do
Santo de Israel.
25 Por isso, a ira do Senhor se acendeu contra o seu povo,
e Deus estendeu a sua mão contra ele, e o feriu, de modo
que as montanhas tremeram e os seus cadáveres ficaram
como lixo no meio das ruas; com tudo isto, ele não retirou
a sua ira, e sua mão ainda está estendida.
26 E ele erguerá o estandarte para as nações distantes, e
assobiará para que elas venham das extremidades da terra;
e eis que virão rapidamente.
27 Não haverá entre elas cansado, nem quem tropece;
ninguém cochilará nem dormirá; não desatarão o cinto
dos seus lombos, e as correias das suas sandálias não se
quebrarão.
28 As suas flechas serão afiadas e todos os seus arcos rete-
sados; os cascos dos seus cavalos são duros como pedras e
as rodas dos seus carros são como um redemoinho.
29 O seu rugido será como o do leão; rugirão como filhos
de leão, sim, rugirão e arrebatarão a presa, então a levarão
e não haverá quem a livre.
30 E, naquele dia, bramarão contra eles, como o bramido
do mar; então olharão para a terra, e verão trevas e angús-
tia, e a luz se escurecerá pelas nuvens escuras.

O Chamado de Isaías

6 No ano em que morreu o rei Uzias, eu vi também o
Senhor assentado sobre um alto e sublime trono e o seu
séquito enchia o templo.
2 Serafins estavam por cima dele e cada um tinha seis asas;
com duas cobriam os seus rostos, com duas cobriam os
seus pés e com duas voavam.
3 E clamavam uns aos outros, dizendo: "Santo, Santo,
Santo é o Senhor dos Exércitos; toda a terra está cheia
da sua glória."
4 E os umbrais das portas se moveram à voz do que clama-
va e a casa se encheu de fumaça.
5 Então eu disse: Ai de mim! Pois estou perdido; porque
sou um homem de lábios impuros, e habito no meio de
um povo de lábios impuros; os meus olhos viram o Rei, o
Senhor dos Exércitos.
6 Porém um dos serafins voou para mim, trazendo na sua
mão uma brasa viva, que tirou do altar com uma pinça;
7 e com a brasa tocou a minha boca e disse: "Isto tocou
os seus lábios e a sua iniquidade foi tirada, e o seu pecado
perdoado."
8 Depois disto ouvi a voz do Senhor, que dizia: "Quem
enviarei, e quem irá por nós?" Então eu disse: "Estou aqui,
me envie."
9 Então ele disse: "Vá e diga a este povo: Ouvem, mas não
entendem, enxergam, mas não percebem.
10 Torne sensível o coração deste povo, torne surdos os
seus ouvidos, e feche-lhe os olhos; para que não veja com
os seus olhos e não ouça com os seus ouvidos, nem en-
tenda com o seu coração, nem se converta e seja curado."
11 Então eu perguntei: "Até quando, Senhor?" E ele res-
pondeu: "Até que as cidades sejam desoladas e fiquem
sem habitantes, as casas sem moradores e a terra seja toda
assolada,
12 e o Senhor afaste dela os homens e no meio da terra,
seja grande o desamparo.
13 Porém, se a décima parte ainda ficar nela, ela tornará
a ser destruída; como o carvalho e como a azinheira, que,
depois de se desfolharem, ainda ficam firmes, assim a san-
ta semente será a firmeza dela."

Profecia Contra Israel e Síria

7 Nos dias em que Acaz, filho de Jotão, filho de Uzias, rei
de Judá, Rezim, rei da Síria, e Peca, filho de Remalias,
rei de Israel, subiram a Jerusalém, para guerrearem contra
ela, e não conseguiram conquistá-la.
2 E avisaram à casa de Davi, dizendo: "A Síria fez aliança
com Efraim." Então o coração de Acaz e o coração do seu
povo se moveram, como se movem as árvores do bosque
com o vento.
3 Então disse o Senhor a Isaías: "Agora, você e seu filho
Sear-Jasube vão ao encontro de Acaz, no final do canal do
tanque superior, no caminho do campo do lavadeiro.
4 E diga-lhe: 'Tome cuidado e se aquiete; não tema, nem
se desanime por causa destes dois pedaços de tições fume-
gantes, por causa do ardor da ira de Rezim, da Síria, e do
filho de Remalias.'
5 Porque a Síria teve contra você um conselho maligno,
com Efraim e com o filho de Remalias, dizendo:
6 'Vamos atacar Judá, conquistá-lo e reparti-lo entre nós;
então faremos o filho de Tabeal reinar no meio dele.'"
7 Assim diz o Senhor Deus: "Isto não acontecerá.
8 Porém a capital da Síria será Damasco e o cabeça de
Damasco é Rezim; dentro de sessenta e cinco anos Efraim
será destruído e deixará de ser povo.
9 Entretanto a capital de Efraim é Samaria, e o cabeça
de Samaria será o filho de Remalias; se não acreditarem,
certamente não permanecerão."

Emanuel

10 E o Senhor continuou a falar com Acaz, dizendo:
11 "Peça para você ao Senhor seu Deus um sinal; peça em
baixo nas profundezas, ou em cima nas alturas."
12 Acaz, porém, disse: "Não pedirei, nem tentarei o
Senhor."
13 Então Isaías disse: "Ouça agora, ó casa de Davi: É pou-
co para vocês abusarem da paciência dos homens, e que-
rem também abusar da paciência do meu Deus?
14 Portanto, o próprio Senhor lhes dará um sinal: Eis que
a virgem conceberá e dará à luz um filho, e o seu nome
será Emanuel.
15 Ele comerá manteiga e mel, quando ele souber rejeitar
o mal e escolher o bem.
16 Na verdade, antes que este menino saiba rejeitar o mal
e escolher o bem, a terra, que você teme, será desampara-
da dos seus dois reis.
17 Porém o Senhor fará virem sobre você, sobre o seu
povo e sobre a casa de seu pai, pelo rei da Assíria, dias tais
como nunca houve, desde o dia em que Efraim se separou
de Judá."
18 Porque naquele dia o Senhor assobiará às moscas que
estão no extremo dos rios do Egito e às abelhas que estão
na terra da Assíria;
19 e todas elas virão e pousarão nos vales desertos, nas
fendas das rochas, em todos os espinheiros e em todos os
arbustos.
20 Naquele mesmo dia o Senhor rapará com uma na-
valha alugada do outro lado do rio, isto é, através do rei
da Assíria, a cabeça e os pelos dos pés; até a barba tirará
totalmente.
21 Naquele dia, um homem criará uma novilha e duas
ovelhas.

22 E, por causa da abundância do leite que elas darão, comerá manteiga; todo o restante que ficar no meio da terra comerá manteiga e mel.

23 Também, naquele dia, todo lugar em que houver mil videiras, no valor de mil moedas de prata, será para as sarças e para os espinheiros.

24 Com arco e flecha se entrará ali, porque todo o lugar será de sarças e espinheiros.

25 Quanto a todos os montes, que costumavam cavar com enxadas, para ali não irão por causa do temor das sarças e dos espinheiros; porém servirão para pasto dos bois e para serem pisados pelas ovelhas.

A Invasão Assíria

8 O Senhor também me disse: "Pegue uma placa grande e escreva nela bem legível: Apressando-se o despojo, apressurou-se à presa."

2 Então peguei comigo, como fiéis testemunhas, o sacerdote Urias e Zacarias, filho de Jeberequias,

3 e fui ter relações com a profetiza, ela concebeu e deu à luz um filho; e o Senhor me disse: "Ponha nele o nome de Maer-Salal-Has-Baz.

4 Porque antes que o menino saiba dizer meu pai, ou minha mãe, as riquezas de Damasco e os despojos de Samaria serão levados ao rei da Assíria."

5 E o Senhor continuou a falar comigo, dizendo:

6 "Porque este povo desprezou as águas de Siloé, que correm brandamente, e alegrou-se com Rezim e com o filho de Remalias,

7 eis que o Senhor fará vir sobre eles as águas do rio fortes e impetuosas, isto é, o rei da Assíria, com toda a sua glória; e subirá sobre todos os seus leitos, e transbordará por todas as suas ribanceiras.

8 E passará por Judá, inundando-o, e irá passando por ele e chegarão até o pescoço e a extensão das suas asas encherá a sua terra, ó Emanuel.

9 Juntem-se, ó povos, e serão despedaçados; deem ouvidos, todos os que são de terras longínquas; preparem-se e serão despedaçados, preparem-se e serão despedaçados.

10 Façam planos e eles serão frustrados; digam o plano e ele não será cumprido, porque Deus está conosco.

11 Porque assim o Senhor me disse com mão forte, e me ensinou que eu não andasse pelo caminho deste povo, dizendo:

12 "Não chamem conspiração, tudo neste povo chama conspiração; não tema o que ele teme, nem tampouco se assombre.

13 Ao Senhor dos Exércitos, a ele santifiquem; seja ele o seu temor e seja ele o seu assombro.

14 Então ele será um santuário para vocês; mas será uma pedra de tropeço e rocha de escândalo às duas casas de Israel; armadilha e laço aos moradores de Jerusalém.

15 E muitos entre eles tropeçarão, cairão, serão despedaçados, enlaçados e presos."

16 Guarde o testemunho e sele a lei entre os meus discípulos.

17 Esperarei no Senhor, que esconde o seu rosto da casa de Jacó; a ele aguardarei.

18 Estou aqui, com os filhos que o Senhor me deu, como sinais e como maravilhas em Israel, da parte do Senhor dos Exércitos, que habita no monte Sião.

19 Quando disserem a vocês: "Consultem os adivinhos que falam com os espíritos, que sussurram e murmuram: 'Será que o povo não deveria consultar a Deus? A favor dos vivos, consultará os mortos?'

20 À lei e ao testemunho!" Se eles não falarem segundo esta palavra, é porque não há luz neles.

21 E passarão pela terra duramente oprimidos e famintos; e tendo fome e enfurecendo-se, então amaldiçoarão ao seu rei e ao seu Deus, olhando para cima.

22 E, olhando para a terra, haverá angústia e escuridão e sombras de ansiedade, e serão empurrados para as trevas.

O Príncipe da Paz

9 Mas a terra, que foi angustiada, não continuará na escuridão; ele humilhou no passado a terra de Zebulom, e a terra de Naftali; mas nos últimos tempos a enobreceu junto ao caminho do mar, além do Jordão, na Galileia dos gentios.

2 O povo que andava em trevas viu uma grande luz e sobre os que habitavam na terra da sombra da morte resplandeceu a luz.

3 Tu, Senhor, multiplicaste a nação, a alegria lhe aumentaste; todos se alegrarão perante ti, como se alegram na ceifa, e como exultam quando se repartem os despojos.

4 Porque tu quebraste o jugo da sua carga, e o bordão do seu ombro, e a vara do seu opressor, como no dia dos midianitas.

5 Porque todo calçado que levava o guerreiro no tumulto da batalha e todo manto sujo de sangue serão queimados, servindo de combustível ao fogo.

6 Porque um menino nos nasceu, um filho se nos deu, e o principado está sobre os seus ombros, e seu nome será: Maravilhoso, Conselheiro, Deus Forte, Pai da Eternidade, Príncipe da Paz.

7 Do aumento deste principado e da paz não haverá fim, sobre o trono de Davi e no seu reino, para o firmar e o fortificar com juízo e com justiça, desde agora e para sempre; o zelo do Senhor dos Exércitos fará isto.

Profecia Contra Israel

8 O Senhor enviou uma palavra a Jacó e ela caiu em Israel.

9 E todo este povo o saberá, Efraim e os moradores de
Samaria, que, em soberba e orgulho de coração, dizem:
10 "Os tijolos caíram, mas com pedras lapidadas tornare-
mos a edificar; cortaram-se os sicômoros, mas por cedros
os mudaremos."
11 Portanto o Senhor suscitará, contra ele, os adversários
de Rezim e juntará os seus inimigos.
12 Pela frente virão os sírios e por trás os filisteus, e devo-
rarão Israel com a boca escancarada; nem com tudo isto
cessou a sua ira, mas a sua mão ainda está estendida.
13 Mas este povo não se voltou para quem o feria, nem
buscou ao Senhor dos Exércitos.
14 Assim o Senhor cortará de Israel a cabeça e a cauda, o
ramo e o junco, num mesmo dia.
15 O ancião e o homem de respeito são a cabeça; e o
profeta que ensina a mentira é a cauda.
16 Porque os guias deste povo são enganadores e os que
por eles são guiados são destruídos.
17 Por isso o Senhor não se alegra nos seus jovens, e não
se compadecerá dos seus órfãos e das suas viúvas, porque
todos eles são ímpios e maus, e toda boca profere tolices;
nem com tudo isto cessou a sua ira, mas a sua mão ainda
está estendida.
18 Porque a impiedade destrói como um fogo, ela devora
as sarças e os espinheiros; e ela se incendiará no emara-
nhado da floresta e subirão espessas nuvens de fumaça.
19 Por causa da ira do Senhor dos Exércitos a terra se
escurecerá, e o povo será como combustível para o fogo;
ninguém poupará o seu irmão.
20 Se colher à direita, ainda terá fome, e se comer à es-
querda, ainda não se fartará; cada um comerá a carne de
seu braço.
21 Manassés contra Efraim, Efraim contra Manassés, e
ambos contra Judá. Com tudo isto não cessou a sua ira,
mas a sua mão ainda está estendida.
10 Ai daqueles que decretam leis injustas e dos escri-
vães que prescrevem opressão.
2 Para desviarem os pobres do seu direito e para tirarem o
direito dos aflitos do meu povo; para despojarem as viúvas
e roubarem os órfãos!
3 Mas o que farão no dia da visitação e da desolação, que
virá de longe? A quem recorrerão para obter socorro e
onde deixarão a sua glória,
4 sem que cada um se abata entre os presos e caia entre
os mortos? Com tudo isto a sua ira não cessou, mas a sua
mão ainda está estendida.

Profecia Contra a Assíria

5 "Ai da Assíria, a vara da minha ira, porque a minha in-
dignação é como bordão nas suas mãos.
6 Eu a enviarei contra uma nação ímpia e contra o povo
que me enfureceu; darei ordem, para que lhe roube a pre-
sa, lhe tome o despojo e o ponha para ser pisado aos pés,
como a lama das ruas.
7 Ainda que ele não acredite, nem o seu coração assim o
imagine; antes no seu coração intenta destruir e extermi-
nar não poucas nações.
8 Porque diz: 'Por acaso todos os meus príncipes não são
eles reis?'
9 Não é Calno como Carquemis? Não é Hamate como
Arpade? E Samaria como Damasco?
10 Como a minha mão alcançou os reinos dos ídolos,
cujas imagens esculpidas eram melhores do que as de Je-
rusalém e do que as de Samaria,
11 por acaso, como fiz a Samaria e aos seus ídolos, não o
faria igualmente a Jerusalém e aos seus ídolos?"
12 Por isso quando o Senhor tiver acabado toda a sua obra
no monte Sião e em Jerusalém, ele dirá: "Então castigarei
o fruto da arrogante grandeza do coração do rei da Assíria
e o excesso de orgulho dos seus olhos."
13 Porque disse: "Com a força da minha mão o fiz, e com
a minha sabedoria, porque sou prudente; removi os limites
dos povos, roubei os seus tesouros e como valente abati
os habitantes.
14 E meti a minha mão nas riquezas dos povos como se
mete a mão em um ninho e como se ajuntam os ovos
abandonados, assim eu ajuntei toda a terra, e não houve
quem movesse a asa, ou abrisse a boca, ou murmurasse."
15 Por acaso o machado se gloriará contra quem corta
com ele, ou a serra se engrandecerá contra quem puxa por
ela, como se o cetro movesse quem o levanta, ou a vara
levantasse como não sendo pau?
16 Por isso o Senhor, o Senhor dos Exércitos, fará definha-
rem os que entre eles são fortes e debaixo da sua glória
acenderá uma chama, como a chama de fogo.
17 Porque a Luz de Israel virá a ser como fogo e o seu
Santo como labareda, que abrase e consuma os seus espi-
nheiros e as suas sarças num só dia.
18 Também consumirá a glória da sua floresta e do seu
campo fértil, desde a alma até à carne, e será como quando
desmaia o porta-bandeira.
19 E o resto das árvores da sua floresta será tão pouco que
um menino poderá contá-las.
20 E, naquele dia, os restantes de Israel e os que tiverem
escapado da casa de Jacó nunca mais se apoiarão naquele
que os feriu; antes se apoiarão no Senhor, o Santo de Israel.
21 Os restantes se converterão ao Deus forte, sim, os res-
tantes de Jacó.
22 Porque, ainda que o seu povo, ó Israel, seja como a
areia do mar, só um remanescente dele se converterá; uma
destruição está determinada, transbordando em justiça.

23 Porque a destruição já está determinada, o Senhor dos
Exércitos a executará no meio de toda esta terra.
24 Por isso assim diz o Senhor dos Exércitos: "Meu povo,
que habita em Sião, não tema a Assíria, quando o ferir com
uma vara e contra você levantar o seu bastão à maneira
dos egípcios.
25 Porque daqui a bem pouco se cumprirão a minha indig-
nação e a minha ira, para a consumirem."
26 Porque o Senhor dos Exércitos suscitará contra ela um
flagelo, como na matança de Midiã junto à rocha de Ore-
be; a sua vara estará sobre o mar, e ele a levantará como
fez aos egípcios.
27 Naquele dia, a sua carga será tirada do seu ombro e o
seu jugo será removido do seu pescoço; o jugo será despe-
daçado por causa da unção.
28 Já vem chegando a Aiate, já vai passando por Migrom
e em Micmás deixa a sua bagagem.
29 Já passaram o desfiladeiro, já se alojam em Geba; já
Ramá treme e Gibeá de Saul vai fugindo.
30 Clame alto com a sua voz, ó filha de Galim! Ouça, ó
Laís! Ó você, pobre Anatote!
31 Madmena já se foi; os moradores de Gebim vão fugin-
do em bandos.
32 Ainda um dia parará em Nobe; acenará com a sua mão
contra o monte da filha de Sião, a colina de Jerusalém.
33 Mas eis que o Senhor dos Exércitos cortará os ramos
com violência, os altos serão cortados e os mais altos serão
abatidos.
34 E cortará com machado as árvores da floresta e o Líba-
no cairá pela mão de um poderoso.

O Rebento de Jessé

11 Porque brotará um rebento do tronco de Jessé e das
suas raízes um renovo frutificará.
2 E repousará sobre ele o Espírito do Senhor, o espírito de
sabedoria e de inteligência, o espírito de conselho e de for-
taleza, o espírito de conhecimento e de temor do Senhor.
3 E se deleitará no temor do Senhor e não julgará segundo
a aparência dos seus olhos, nem repreenderá segundo o
que ouviu,
4 mas julgará com justiça os pobres e repreenderá com
equidade os mansos da terra; ferirá a terra com a vara de
sua boca e com o sopro dos seus lábios matará o ímpio,
5 e a justiça será o cinto da sua cintura, e a fidelidade o
cinto de suas entranhas.
6 E o lobo morará com o cordeiro e o leopardo se deitará
com o cabrito; o bezerro, o filho do leão e o novilho gordo
andarão juntos, e um menino pequeno os guiará.
7 A vaca e a ursa pastarão juntas, seus filhos se deitarão
juntos e o leão comerá palha como o boi.
8 E a criança de peito brincará sobre a toca da serpente,
e o já desmamado colocará a sua mão na cova da víbora.
9 Não se fará mal nem dano algum em todo o meu santo
monte, porque a terra se encherá do conhecimento do Se-
nhor, como as águas cobrem o mar.
10 Naquele dia, a raiz de Jessé estará posta por estandarte
dos povos, será buscada por outros povos e o lugar do seu
repouso será glorioso.

A Restauração de Israel

11 Naquele dia o Senhor tornará a pôr a sua mão para
resgatar outra vez o remanescente do seu povo, que for
deixado da Assíria, do Egito, de Patros, da Etiópia, de Elã,
de Sinar, de Hamate e das ilhas do mar.
12 E levantará um estandarte entre as nações, ajuntará
os desterrados de Israel e os dispersos de Judá congregará
desde os quatro cantos da terra.
13 E se afastará a inveja de Efraim e os adversários de
Judá serão eliminados; Efraim não invejará Judá e Judá não
oprimirá Efraim.
14 Ao contrário, voarão sobre os ombros dos filisteus ao
Ocidente e juntos despojarão os do Oriente; em Edom
e Moabe porão as suas mãos e os filhos de Amom lhes
obedecerão.
15 E o Senhor destruirá totalmente o golfo do mar do Egi-
to e moverá a sua mão contra o rio com a força do seu
vento; ferindo-o, dividindo-o em sete correntes e fará que
por ele passem com sandálias secas.
16 E haverá um caminho plano para o remanescente do
seu povo, que for deixado na Assíria, como aconteceu a
Israel no dia em que saiu da terra do Egito.

Cântico de Louvor Pela Restauração de Israel

12 E você dirá naquele dia: "Graças te dou, ó Senhor,
porque, ainda que tenhas te irado contra mim, a tua
ira se retirou e tu me consolas.
2 Deus é a minha salvação; nele confiarei e não temerei;
porque a minha força e o meu cântico é Deus, e se tornou
a minha salvação."
3 E vocês, com alegria, tirarão água das fontes da salvação.
4 E, naquele dia, vocês dirão: "Deem graças ao Senhor,
invoquem o seu nome, façam notórios os seus feitos entre
os povos, cantem quão excelso é o seu nome.
5 Cantem salmos ao Senhor, porque ele fez coisas grandio-
sas; saiba-se isto em toda a terra.
6 Exultem e jubilem, ó habitantes de Sião, porque grande
é o Santo de Israel no meio de vocês."

Profecia Contra a Babilônia

13 Profecia contra a Babilônia, que viu Isaías, filho de
Amós e recebeu numa visão.
2 "Levantem uma bandeira sobre o monte elevado, levan-

tem a voz para eles; acenem a eles com a mão, para que
entrem pelas portas dos nobres.
3 Eu dei ordens aos meus santificados, sim, já chamei os
meus valentes para executarem a minha ira, os que exul-
tam com a minha majestade.
4 Já se ouve a gritaria de uma grande multidão sobre os
montes; o som do rebuliço de reinos e de nações já congre-
gados. O Senhor dos Exércitos passa em revista o exército
de guerra.
5 Eles vêm de uma terra remota, desde a extremidade do
céu; é o Senhor e os instrumentos da sua indignação, para
destruírem toda aquela terra.
6 Clamem, pois o dia do Senhor está perto; vem do Todo-
-Poderoso como assolação.
7 Portanto, todas as mãos se debilitarão e o coração de
todos os homens se desanimará.
8 E se assombrarão e se apoderarão deles dores, e se an-
gustiarão, como a mulher com dores de parto; cada um
se assombrará ao olhar o rosto do seu próximo, vermelho
de pavor.
9 Eis que vem o dia do Senhor, dia terrível, com ira e ar-
dente furor, para pôr a terra em assolação, e dela destruir
os pecadores.
10 Porque as estrelas dos céus e as suas constelações não
darão a sua luz; o sol se escurecerá ao nascer e a lua não
resplandecerá com a sua luz.
11 E castigarei o mundo por causa da sua maldade, e os
ímpios por causa da sua iniquidade; farei cessar a arrogân-
cia dos atrevidos e abaterei a soberba dos tiranos.
12 Farei com que o homem seja mais precioso do que o
ouro puro, e mais raro do que o ouro fino de Ofir.
13 Por isso farei estremecerem os céus; a terra se moverá
do seu lugar, por causa do furor do Senhor dos Exércitos e
por causa do dia da sua ardente ira.
14 E cada um será como a corça que foge, e como a ovelha
que ninguém recolhe; cada um voltará para o seu povo e
cada um fugirá para a sua terra.
15 Quem for achado será transpassado, e quem se unir a
ele cairá à espada.
16 E suas crianças serão despedaçadas perante os seus
olhos; as suas casas serão saqueadas e as suas mulheres
violentadas.
17 Eis que eu despertarei contra eles os medos, que não
farão caso da prata, nem tampouco desejarão ouro.
18 E os seus arcos ferirão os jovens, e não se compadece-
rão das criancinhas; os seus olhos não pouparão aos filhos.
19 E a Babilônia, o ornamento dos reinos, a glória e orgu-
lho dos caldeus, será como Sodoma e Gomorra, quando
Deus as destruiu.
20 Nunca mais será habitada, nem nela morará alguém
de geração em geração; nem o árabe armará ali a sua
tenda, nem tampouco os pastores ali farão deitar os seus
rebanhos.
21 Mas as feras do deserto repousarão ali, e as suas casas
se encherão de horríveis animais; ali habitarão os avestru-
zes e os bodes selvagens pularão ali.
22 E os animais selvagens das ilhas uivarão em suas casas
vazias, como também os chacais nos seus palácios de pra-
zer; pois bem perto já vem chegando o seu tempo e os seus
dias não se prolongarão."

Louvor Pela Queda da Babilônia

14 Porque o Senhor se compadecerá de Jacó e ainda
escolherá Israel e os porá na sua própria terra; se
ajuntarão com eles os estrangeiros e se achegarão à casa
de Jacó.
2 E os povos os receberão, os levarão aos seus lugares,
e a casa de Israel os possuirá por servos e por servas, na
terra do Senhor; aprisionarão aqueles que os aprisionaram
e dominarão sobre os seus opressores.
3 E acontecerá que, no dia em que o Senhor vier a dar-lhe
descanso do seu sofrimento, do seu pavor e da dura servi-
dão que lhe foram impostas,
4 então proferirá este provérbio contra o rei da Babilônia e
dirá: "Como já cessou o opressor, como já cessou a cidade
dourada!
5 O Senhor Já quebrou o bastão dos ímpios e o cetro dos
dominadores."
6 Aquele que feria aos povos com furor, com golpes inces-
santes, e que com ira dominavam sobre as nações, agora é
perseguido, sem que alguém o possa impedir.
7 Toda a terra já descansa, já está sossegada; rompem
cantando.
8 Até as faias se alegram por causa de você, e os cedros do
Líbano, dizem: "Desde que você caiu ninguém vem contra
nós para nos cortar."
9 A sepultura nas profundezas, se agitou por causa de
você, para sair ao seu encontro na sua chegada; despertou
por causa de você, os mortos e todos os chefes da terra, e
fez levantar dos seus tronos todos os reis das nações.
10 Todos estes responderão e lhe dirão: "Você também
adoece como nós e é semelhante a nós."
11 Já foi derrubada na sepultura a sua soberba com o som
das suas harpas; os vermes debaixo de você se estenderão
e os bichos o cobrirão.
12 Como você caiu do céu, ó estrela da manhã, filho da
alva! Como foi derrubado por terra, você que debilitava
as nações!
13 E você dizia assim: "Eu subirei ao céu, acima das estre-
las de Deus, exaltarei o meu trono, e no monte da congre-
gação, me assentarei, ao lado norte.

14 Subirei sobre as alturas das nuvens e serei semelhante
ao Altíssimo."
15 E, contudo, você será levado ao inferno, ao mais pro-
fundo do abismo.
16 Os que o virem o olharão atentamente e perguntarão:
"É este o homem que fazia estremecer a terra e que fazia
tremerem os reinos?
17 Que fazia o mundo como um deserto e assolava as
suas cidades? Que não deixava os prisioneiros voltarem
para casa?"
18 Todos os reis das nações, todos eles, jazem com honra,
cada um no seu túmulo.
19 Porém você é lançado fora da sua sepultura, como um
ramo abominável, como as vestes dos que foram mortos
atravessados à espada, como os que descem à cova de pe-
dras, como um cadáver pisado.
20 Com eles você não se reunirá na sepultura; porque
você destruiu a sua terra e matou o seu povo; a descen-
dência dos malignos jamais será nomeada.
21 Preparem a matança para os seus filhos por causa da
maldade de seus pais, para que não se levantem, nem pos-
suam a terra e encham o mundo de cidades.
22 "Porque me levantarei contra eles", diz o Senhor dos
Exércitos, "e extirparei da Babilônia o nome, os sobrevi-
ventes, os descendentes", diz o Senhor.
23 "E farei dela uma habitação de ouriços e uma terra
pantanosa; a varrerei com vassoura de destruição", diz o
Senhor dos Exércitos.

Contra os Assírios

24 O Senhor dos Exércitos jurou, dizendo: "Como pensei,
assim será, e como determinei, assim acontecerá.
25 Quebrarei a Assíria na minha terra, e nas minhas mon-
tanhas a pisarei, para que o seu jugo se afaste deles e a sua
carga se desvie dos seus ombros.
26 Este é o propósito que foi determinado sobre toda a ter-
ra; esta é a mão que está estendida sobre todas as nações.
27 Porque o Senhor dos Exércitos o determinou; quem o
invalidará? E a sua mão está estendida; quem a fará voltar
atrás?

Contra os Filisteus

28 No ano em que o rei Acaz morreu, foi dada esta
sentença.
29 Não se alegrem, você e toda a Filístia, por estar quebra-
da a vara que os feria; porque da raiz da cobra sairá uma
víbora, e o seu fruto será uma serpente ardente voadora.
30 E os primogênitos dos pobres serão apascentados e os
necessitados se deitarão seguros; porém farei morrer de
fome a sua raiz, e ele matará os seus sobreviventes.
31 Dê uivos, ó porta, grita, ó cidade; você, ó Filístia, está
toda derretida; porque do norte vem uma fumaça e não
haverá quem fique sozinho nas suas convocações.
32 O que se responderá aos mensageiros da nação? "O
Senhor fundou Sião, para que os oprimidos do seu povo
nela encontrem refúgio."

Profecia Contra Moabe

15 Profecia contra Moabe. Certamente numa noite foi
arrasada Ar de Moabe e foi destruída; certamente
numa noite foi arrasada Quir de Moabe e foi destruída.
2 Vão subindo Bajite e Dibom aos lugares altos para cho-
rarem; por Nebo e por Medeba clamará Moabe; todas as
cabeças ficarão calvas e toda barba será rapada.
3 Vestiram-se de sacos nas suas ruas; nos seus terra-
ços e nas suas praças todos andam gritando, e choram
abundantemente.
4 Assim Hesbom como Eleale andam gritando; até em Jaaz
se ouve a sua voz; por isso os soldados de Moabe clamam;
o coração deles treme de pavor.
5 O meu coração clama por causa de Moabe; os seus fu-
gitivos foram até Zoar, como uma novilha de três anos;
porque vão chorando pela subida de Luíte, e no caminho
de Horonaim choram desesperados.
6 E as águas de Ninrim serão pura assolação; porque já
secou o feno, acabou a erva, e não há mais nada verde.
7 Por isso a riqueza que ajuntaram e o que guardaram, ao
ribeiro dos salgueiros o levarão.
8 Porque o pranto rodeará os limites de Moabe; até Eglaim
chegará o seu clamor e ainda até Beer-Elim chegará o seu
lamento.
9 Porque as águas de Dimom estão cheias de sangue, e
ainda acrescentarei mais a Dimom; leões contra aqueles
que escaparem de Moabe e contra o restante da terra.
16 Enviem o cordeiro ao governador da terra, desde
Sela, no deserto, até o monte da filha de Sião.
2 Serão as filhas de Moabe, junto aos vaus de Arnom,
como aves perdidas, lançadas fora do ninho.
3 "Dê-nos um conselho, tome uma decisão, ponha a sua
sombra em pleno meio-dia como a noite; esconda os des-
terrados e não descubra os fugitivos.
4 Que os meus fugitivos habitem contigo, ó Moabe; sir-
va-lhes de refúgio perante a face do destruidor; porque
o homem violento terá fim; a destruição é desfeita e os
opressores são consumidos sobre a terra";
5 porque o trono se firmará em bondade e sobre ele no ta-
bernáculo de Davi se assentará em verdade um que julgue,
busque o juízo e se apresse a fazer justiça.
6 Ouvimos falar da extrema soberba de Moabe; da sua
arrogância, do seu orgulho e do seu furor; porém, as suas
mentiras não serão firmes.
7 Portanto os moabitas clamarão por Moabe; todos cla-

marão; gemerão pelos fundamentos de Quir-Haresete, pois
certamente já estão abatidos.
8 Porque os campos de Hesbom já enfraqueceram, como
também a videira de Sibma; já os senhores das nações que-
braram as suas melhores plantas e vão chegando a Jazer;
andam vagueando pelo deserto e os seus ramos se esten-
deram e já passaram além do mar.
9 Por isso chorarei, com o pranto de Jazer, pela vinha de
Sibma; eu as regarei com as minhas lágrimas, ó Hesbom
e Eleale; porque o júbilo dos seus frutos de verão e da sua
colheita desapareceu.
10 E fugiram a alegria e o regozijo do campo fértil, e nas
vinhas não se canta, nem há júbilo algum; já não se pisarão
as uvas nos lagares. Eu fiz cessar o júbilo.
11 Por isso, o meu íntimo vibra por Moabe como harpa, e
o meu interior por Quir-Heres.
12 E acontecerá que, quando Moabe, cansado, for aos
altos, então entrará no seu santuário a orar, porém não
prevalecerá.
13 Esta é a palavra que o Senhor falou contra Moabe des-
de aquele tempo.
14 Porém agora falou o Senhor, dizendo: "Dentro de três
anos, tais como os anos dos assalariados, então será humi-
lhada a glória de Moabe, com toda a sua grande multidão;
e o resto que ficar será pouco, pequeno e fraco."

Profecia Contra Damasco e Efraim

17 Profecia contra Damasco. Eis que Damasco não será
mais cidade, será um montão de ruínas.
2 As cidades de Aroer serão abandonadas; será para os
rebanhos que se deitarão sem que alguém os espante.
3 E a fortaleza de Efraim desaparecerá, como também o
reino de Damasco e o restante da Síria; serão como a glória
dos filhos de Israel, diz o Senhor dos Exércitos.
4 E naquele dia será diminuída a glória de Jacó e a gordura
da sua carne ficará emagrecida.
5 Porque será como o ceifeiro que colhe o trigo e com o
seu braço colhe as espigas; será como quem colhe espigas
no vale de Refaim.
6 Porém ainda ficarão nele algumas espigas, como no
sacudir da oliveira: Duas ou três azeitonas, na mais alta
ponta dos ramos, e quatro ou cinco nos seus ramos mais
frutíferos, diz o Senhor Deus de Israel.
7 Naquele dia, o homem olhará para o seu Criador e os
seus olhos olharão para o Santo de Israel.
8 E não olharão para os altares, obra das suas mãos, nem
olhará para o que seus dedos fizeram, nem para os bos-
ques, nem para as imagens.
9 Naquele dia as suas cidades fortificadas serão como lu-
gares abandonados, no bosque ou sobre o cume das mon-
tanhas, os quais foram abandonados diante dos filhos de
Israel; e haverá assolação.
10 Porque se esqueceu do Deus da sua salvação, e não se
lembrou da rocha da sua fortaleza, portanto fará planta-
ções formosas e plantará nelas videiras importadas
11 e, no dia em que as plantar, as fará crescer, e pela ma-
nhã fará com que a sua semente brote; mas a colheita voa-
rá no dia da angústia e das dores incuráveis.
12 Ai do bramido dos grandes povos que bramam como
os mares, e do rugido das nações que rugem como as im-
petuosas águas.
13 Rugirão as nações, como rugem as muitas águas, mas
Deus as repreenderá e elas fugirão para longe; serão afu-
gentadas como a palha dos montes diante do vento, e
como o que rola levado pelo tufão.
14 Ao anoitecer, eis que há pavor, mas, antes que ama-
nheça o dia, já não existe; esta é a parte daqueles que nos
despojam e a sorte daqueles que nos saqueiam.

Profecia Contra a Etiópia

18 Ai da terra que ensombreia com as suas asas, que
está além dos rios da Etiópia.
2 Que envia embaixadores por mar em navios de junco so-
bre as águas, dizendo: Vão, mensageiros velozes, um povo
de elevada estatura e de pele lisa; um povo terrível desde
o seu princípio; uma nação forte e esmagadora, cuja terra
é dividida por rios.
3 Vocês, todos os habitantes do mundo e os moradores
da terra, quando se levantar a bandeira nos montes, vocês
verão; e quando se tocar a trombeta, vocês ouvirão.
4 Porque assim me disse o Senhor: "Estarei quieto, olhan-
do desde a minha morada, como o ardor do sol resplan-
decente depois da chuva, como a nuvem do orvalho no
calor da colheita."
5 Porque antes da colheita, quando o fruto já está perfeito
e, caída a flor, as uvas verdes amadurecerem, então, com
a foice, podará os galhos, tirará os ramos e os lançará fora.
6 Serão deixados juntos às aves dos montes e aos animais
da terra, e sobre eles veranearão as aves de rapina, e todos
os animais da terra invernarão sobre eles.
7 Naquele tempo trará um presente ao Senhor dos Exérci-
tos um povo de elevada estatura e de pele lisa, e um povo
terrível desde o seu princípio; uma nação forte e esmaga-
dora, cuja terra é dividida por rios; ao lugar do nome do
Senhor dos Exércitos, ao monte Sião.

Profecia Contra o Egito

19 Profecia contra o Egito. Eis que o Senhor vem caval-
gando numa nuvem ligeira e entrará no Egito; e os
ídolos do Egito estremecerão diante dele, e o coração dos
egípcios se derreterá no meio deles.
2 "Porque farei com que os egípcios se levantem contra

os egípcios, cada um lutará contra o seu irmão, e cada um
contra o seu próximo, cidade contra cidade, reino contra
reino.
3 E o espírito do Egito se esvaecerá no seu interior e des-
truirei o seu conselho; eles consultarão aos seus ídolos e
encantadores, médiuns e feiticeiros.
4 E entregarei os egípcios nas mãos de um senhor cruel
e um rei rigoroso os dominará", diz o Senhor, o Senhor
dos Exércitos.
5 E secarão as águas do mar e o rio secará.
6 Também os rios exalarão mau cheiro, e os canais do Egi-
to se esgotarão e secarão; as canas e os juncos murcharão.
7 A relva junto ao rio, junto às ribanceiras dos rios e tudo
o que foi semeado junto ao rio secarão, serão arrancados
e não resistirão.
8 Os pescadores gemerão, e suspirarão todos os que lan-
çam anzol ao rio, e os que estendem rede sobre as águas
desfalecerão.
9 Os trabalhadores com linho fino e os que tecem pano
branco se envergonharão.
10 Os seus fundamentos serão despedaçados, e todos os
que trabalham por salário ficarão com a alma entristecida.
11 Na verdade são loucos os príncipes de Zoã; os sábios
conselheiros do Faraó se embruteceram; como dirão ao
Faraó: "Sou filho de sábios, filho de antigos reis?"
12 Onde estão agora os seus sábios? Notifiquem-lhe, ou
lhe informem sobre o que o Senhor dos Exércitos deter-
minou contra o Egito.
13 Os príncipes de Zoã se tornaram loucos, e os príncipes
de Nofe estão enganados; eles fizeram o Egito errar, eles
são a pedra de esquina das suas tribos.
14 O Senhor derramou no meio deles um perverso espíri-
to, e eles fizeram errar o Egito em toda a sua obra, como o
bêbado quando se revolve no seu vômito.
15 E no Egito, não se aproveitará obra alguma que a cabe-
ça, a cauda, o ramo, ou o junco possam fazer.
16 Naquele tempo, os egípcios serão como mulheres,
tremerão e temerão por causa do movimento da mão do
Senhor dos Exércitos, que se levantará contra eles.
17 E a terra de Judá será um espanto para o Egito; e todos
que ficarem sabendo disso se assombrarão, por causa do
propósito do Senhor dos Exércitos, que determinou contra
eles.
18 Naquele tempo haverá cinco cidades na terra do Egito
que falarão a língua de Canaã, e farão juramento ao Senhor
dos Exércitos; e uma se chamará Cidade de Destruição.
19 Naquele tempo o Senhor terá um altar no meio da terra
do Egito, e uma coluna será erguida ao Senhor, junto da
sua fronteira.
20 E servirá de sinal e de testemunho ao Senhor dos Exér-
citos na terra do Egito, porque ao Senhor clamarão por
causa dos opressores, e ele lhes enviará um salvador e um
protetor, que os livrarão.
21 O Senhor se dará a conhecer ao Egito e os egípcios
conhecerão o Senhor naquele dia, e o adorarão com sa-
crifícios e ofertas; farão votos ao Senhor e os cumprirão.
22 E o Senhor ferirá o Egito, ferirá e o curará; então se
converterão ao Senhor, e ele atenderá as suas orações e
os curará;
23 naquele dia haverá uma estrada do Egito até à Assíria,
e os assírios virão ao Egito e os egípcios irão à Assíria; e os
egípcios com os assírios cultuarão juntos.
24 Naquele dia Israel será o terceiro com os egípcios e os
assírios, uma bênção no meio da terra.
25 Porque o Senhor dos Exércitos os abençoará, dizendo:
"Bendito seja o Egito, meu povo, e a Assíria, obra de mi-
nhas mãos, e Israel, minha herança."

O Cativeiro dos Egípcios e dos Etíopes

20 No ano em que Tartã, enviado por Sargom, rei da
Assíria, veio a Asdode e guerreou contra ela, e a
conquistou,
2 nesse mesmo tempo, falou o Senhor por intermédio de
Isaías, filho de Amós, dizendo: "Vá, tire o pano de saco do
seu corpo e descalce as sandálias dos seus pés." E ele assim
o fez, indo nu e descalço.
3 Então disse o Senhor: "Assim como o meu servo Isaías
andou três anos nu e descalço, por sinal de advertência
contra o Egito e sobre a Etiópia,
4 assim também o rei da Assíria levará em cativeiro os pre-
sos do Egito, e os exilados da Etiópia, tanto os novos como
os velhos, nus e descalços, e com as nádegas descobertas,
para vergonha do Egito.
5 E se assombrarão e se envergonharão por causa dos etío-
pes, sua esperança, como também dos egípcios, sua glória.
6 Então os moradores desta ilha dirão naquele dia: 'Veja
que tal é a nossa esperança, à qual fugimos por socorro,
para nos livrarmos da face do rei da Assíria! Como nós
escaparemos?'"

Profecia Contra a Babilônia

21 Profecia contra o deserto junto ao mar. Como os tu-
fões de vento do sul, que tudo assolam, ele virá do
deserto, de uma terra horrível.
2 Uma dura visão me foi anunciada: O traidor anda train-
do e o destruidor anda destruindo. Suba, ó Elão, sitie, ó
Média, que já fiz cessar todo o seu gemido.
3 Por isso os meus lombos estão cheios de angústia; dores
se apoderam de mim, como as dores daquela que dá à
luz; fiquei abatido quando ouvi, e desanimado vendo isso.
4 O meu coração se agita, o horror apavora-me; a noite
que desejava me trouxe temor.

5 Põem-se à mesa, estão de sentinela, comem, bebem;
levantem-se, príncipes, e preparem o escudo.
6 Porque assim me disse o Senhor: "Vá, ponha uma senti-
nela, e ela diga o que viu.
7 E quando vir um carro com um par de cavaleiros, um
carro com jumentos e um carro com camelos, ela que ob-
serve atentamente com grande cuidado."
8 E ela gritou: "Um leão, meu Senhor! Sobre a torre de
vigia estou em pé continuamente de dia, e fico de guarda
noites inteiras.
9 E eis que agora vem um carro com homens e um par de
cavaleiros. Então ele respondeu: 'Caiu a Babilônia, caiu!'
E todas as imagens de escultura dos seus deuses quebra-
ram-se no chão."
10 Ah, povo meu e trigo da minha eira! O que ouvi do
Senhor dos Exércitos, Deus de Israel, isso lhes anunciei.

Profecia Contra Dumá

11 Profecia contra Dumá. Perguntaram-me de Seir: "Guar-
da, falta muito para acabar a noite? Guarda, falta muito?"
12 E o guarda responde: "O dia vai chegar, e também
a noite; se querem perguntar novamente, voltem e
perguntem."

Profecia Contra a Arábia

13 Profecia contra a Arábia. Nos bosques da Arábia, passa-
rão a noite, ó caravanas de Dedanim.
14 Levem água para os sedentos, ó moradores da terra de
Tema. Levem pão aos fugitivos.
15 Porque fogem das espadas, da espada desembainhada,
fogem do arco armado, e do peso da guerra.
16 Porque assim me disse o Senhor: "Dentro de exato um
ano, desaparecerá toda a glória de Quedar.
17 E o que restar dos flecheiros, homens valentes dos fi-
lhos de Quedar, serão diminuídos"; porque assim disse o
Senhor Deus de Israel.

Profecia Contra Jerusalém

22 Profecia contra o vale da visão. O que aconteceu,
que levou todos vocês a subirem nos telhados?
2 Você, cheia de clamores, cidade turbulenta, cidade
alegre, os seus mortos não foram mortos à espada, nem
morreram na guerra.
3 Todos os seus governadores juntamente fugiram, foram
presos pelos arqueiros; todos os que foram encontrados
foram presos quando fugiam para longe.
4 Portanto digo: Não olhem para mim e deixem-me chorar
amargamente; não tentem mais me consolar pela destrui-
ção da filha do meu povo.
5 Porque este é dia de alvoroço, de atropelamento, e de
confusão da parte do Senhor dos Exércitos, no vale da vi-
são; dia de derrubar o muro, e de clamar até aos montes.
6 Porque Elão pegou a sua aljava, juntamente com carros
de guerra e cavaleiros, e Quir preparou os escudos.
7 E os seus mais formosos vales se encherão de carros
de guerra, e os cavaleiros, se posicionarão junto às suas
portas.
8 E ele tirou a proteção de Judá, e naquele dia olharam
para as armas da casa do bosque.
9 E viram as brechas da cidade de Davi, porque já eram
muitas e ajuntaram as águas do tanque de baixo.
10 Também contaram as casas de Jerusalém, e derruba-
ram as casas, para fortalecerem os muros.
11 Fizeram também um reservatório entre os dois muros
para as águas do tanque velho, porém, não olharam para
acima, para aquele que tinha feito isto, nem consideraram
quem as formou desde a antiguidade.
12 E o Senhor Deus dos Exércitos chamou o povo naque-
le dia para chorarem e para prantearem, para rasparem a
cabeça e para se vestirem com pano de saco.
13 Porém, o que se via era só festa e alegria, mataram
bois e degolaram ovelhas, comeram carne, beberam vi-
nho, e disseram: "Comemos e bebemos, porque amanhã
morreremos."
14 Mas o Senhor dos Exércitos me disse: "Certamente
esta maldade não será perdoada até que morram", diz o
Senhor dos Exércitos.

Sebna e Eliaquim

15 Assim diz o Senhor, o Deus dos Exércitos: "Ande e vá
falar com o tesoureiro, com Sebna, o mordomo, e diga-lhe:
16 O que está fazendo aqui, ou quem você tem aqui, para
que cavasse aqui uma sepultura? Cavando em lugar alto
a sua sepultura e escavando na rocha uma morada para
você mesmo?
17 Por isso o Senhor, como um homem forte, o agarrará e
o jogará violentamente para bem longe.
18 Certamente com violência o fará rolar, como se faz
rolar uma bola num lugar espaçoso; ali você morrerá e
ali acabarão os carros da sua glória, ó vergonha da casa
do seu senhor.
19 E o demitirei do seu posto, e o arrancarei do seu
assento.
20 E, nesse dia, chamarei o meu servo Eliaquim, filho de
Hilquias;
21 e o vestirei com sua túnica, e o cingirei com o seu
cinto, então entregarei nas suas mãos o seu domínio, e ele
será como um pai para os moradores de Jerusalém e para
a casa de Judá.
22 E porei a chave da casa de Davi sobre o seu ombro; o
que ele abrir, ninguém fechará; o que ele fechar, ninguém
abrirá.

23 E o fixarei como a um prego num lugar firme, e será
como um trono de honra para a casa de seu pai.
24 E nele pendurarão toda a honra da casa de seu pai,
a prole e os descendentes, como também todos os vasos
menores, desde as taças até os frascos.
25 Naquele dia, diz o Senhor dos Exércitos, o prego fin-
cado em lugar firme será retirado; será cortado, cairá, e a
carga que nele estava se desprenderá"; porque o Senhor
o disse.

Profecia Contra Tiro

23 Profecia contra Tiro. Lamentem, navios de Társis,
porque Tiro está assolada, a ponto de não haver nela
nenhuma casa, e ninguém mais entra nela; da terra de
Quitim, isto lhes foi revelado.
2 Calem-se, moradores da ilha, vocês, mercadores de Si-
dom, enriquecidos pelos mercadores, navegando pelo mar.
3 E a sua provisão era a semente de Sior, que vinha com
as muitas águas, a colheita do Nilo, e ela era a feira das
nações.
4 Envergonhe-se, ó Sidom, porque o mar, a fortaleza do
mar, fala, dizendo: "Eu não tive dores de parto, nem dei à
luz, nem ainda criei jovens, nem eduquei moças."
5 Como quando se ouviram as notícias do Egito, assim
haverá dores quando se ouvirem as de Tiro.
6 Fujam para Társis; clamem, moradores da ilha.
7 Esta é a cidade de vocês que andava alegre, cuja origem
é dos tempos antigos, cujos pés a levaram para longe, para
se estabelecer?
8 Quem ordenou isto contra Tiro, a cidade distribuidora
de coroas, onde os mercadores são príncipes e onde os
negociantes são os mais nobres da terra?
9 O Senhor dos Exércitos determinou isto, para abater o
orgulho e a vaidade, e para humilhar os mais nobres da
terra.
10 Passa como o Nilo pela sua terra, ó filha de Társis; já
não há quem a restrinja.
11 O Senhor estendeu a sua mão sobre o mar e fez tre-
merem os reinos; o Senhor deu ordens contra Canaã, para
que se destruíssem as suas fortalezas.
12 Ele disse: "Nunca mais se alegrará, ó oprimida virgem,
filha de Sidom; levante-se, vá a Quitim, e mesmo lá não
terá descanso."
13 Veja a terra dos caldeus, este povo que não existe mais;
a Assíria a deixou para os que moravam no deserto; eles le-
vantaram as suas fortalezas, e edificaram os seus palácios,
porém, tudo virou ruína.
14 Lamentem, navios de Társis, porque a fortaleza de vo-
cês está destruída.
15 Naquele dia, Tiro será posta em esquecimento por se-
tenta anos, o tempo da vida de um rei; porém no fim de
setenta anos, Tiro cantará como uma prostituta.
16 "Pegue a harpa, rodeie a cidade, ó prostituta entregue
ao esquecimento; faça doces melodias, cante muitas can-
ções, para que se lembrem de você."
17 Porque será no fim de setenta anos que o Senhor se
lembrará de Tiro, e ela voltará ao seu ofício de prostituta,
e se prostituirá com todos os reinos que há sobre a face
da terra.
18 O seu lucro e a sua renda serão consagrados ao Senhor;
não serão armazenados, nem guardados; mas os seus lu-
cros serão para os que habitam perante o Senhor, para que
comam até se saciarem, e tenham roupas duráveis.
24 Eis que o Senhor esvazia a terra e a desola, trans-
torna a sua superfície e dispersa os seus moradores.
2 E o que acontecer ao povo, assim acontecerá ao sacer-
dote; ao servo, ao seu senhor; à serva, como também à
sua senhora; ao comprador, como também ao vendedor; a
quem empresta, como também a quem toma emprestado;
ao devedor, como também ao credor.
3 A terra será devastada e totalmente saqueada, porque o
Senhor pronunciou esta palavra.
4 A terra pranteia e murcha; o mundo enfraquece e mur-
cha; enfraquecem os mais nobres do povo da terra.
5 Na verdade a terra está contaminada por causa dos seus
moradores; porque têm transgredido as leis, mudado os
estatutos e quebrado a aliança eterna.
6 Por isso a maldição tem consumido a terra; os seus ha-
bitantes são culpados, por isso são queimados, e poucos
homens restam.
7 Perdeu-se o vinho, enfraquece a videira; e suspiram to-
dos os que estão alegres de coração.
8 Cessou o som dos tamborins, acabou o ruído dos que
exultam e cessou a alegria da harpa.
9 Já não beberão mais vinho com canções; a bebida forte
será amarga para os que a beberem.
10 A cidade está demolida, vazia, todas as casas estão fe-
chadas, e ninguém pode entrar.
11 Há clamor nas ruas por falta de vinho; toda a alegria
desapareceu, toda a alegria foi eliminada da terra.
12 Na cidade só ficou a desolação, o portão ficou reduzido
a ruínas.
13 Porque assim será no interior da terra e no meio destes
povos, como o sacudir da oliveira, e como se buscam os
restos das uvas, quando está acabada a colheita.

A Alegria dos Justos e a Ruína dos Ímpios

14 Estes levantarão a sua voz e cantarão com alegria; por
causa da glória do Senhor, exultarão desde o mar.
15 Por isso glorifiquem ao Senhor no Oriente, e nas ilhas
do mar, o nome do Senhor Deus de Israel.

16 Dos confins da terra ouvimos cantar: "Glória ao justo."
Mas eu disse: "Ai de mim, ai de mim! Os traidores têm
agido traiçoeiramente; sim, os traidores têm traído."
17 O temor, a cova e o laço vêm sobre você, ó morador
da terra.
18 E aquele que fugir da voz de temor cairá na cova, e
quem sair da cova, o laço o prenderá; porque as janelas
do alto estão abertas, e os fundamentos da terra tremem.
19 A terra será totalmente quebrada, a terra será totalmen-
te destruída, e a terra será totalmente abalada.
20 A terra cambaleará como um bêbado, e será balançada
como uma cabana; a sua transgressão se agravará sobre
ela, e ela cairá, e nunca mais se levantará.
21 E, naquele dia, o Senhor castigará os exércitos do alto,
nas alturas, e os reis da terra, sobre a terra.
22 Serão ajuntados como presos numa masmorra, e serão
aprisionados num cárcere; e, depois de muitos dias, serão
castigados.
23 E a lua se envergonhará, e o sol se confundirá quando
o Senhor dos Exércitos reinar no monte Sião, e em Jerusa-
lém; perante os seus anciãos haverá glória.

Cântico de Louvor dos Redimidos

25 Ó Senhor, tu és o meu Deus; te exaltarei e louvarei
o teu nome, porque fizeste maravilhas; os teus con-
selhos antigos são verdade e firmeza.
2 Porque da cidade fizeste um montão de pedras, e da
cidade fortificada uma ruína, e da cidade dos estrangeiros,
que não exista mais, e jamais seja reconstruída.
3 Por isso um povo forte te glorificará, e a cidade das na-
ções opressoras te temerá.
4 Porque foste a fortaleza do pobre e a fortaleza do ne-
cessitado, na sua angústia; refúgio contra a tempestade e
sombra contra o calor; porque o sopro dos opressores é
como a tempestade contra o muro.
5 Como o calor em lugar seco, assim abaterás o ímpeto dos
estrangeiros; como se abranda o calor pela sombra da es-
pessa nuvem, assim o cântico dos tiranos será humilhado.
6 E o Senhor dos Exércitos dará neste monte a todos os
povos uma festa com animais gordos, uma festa de vinhos
velhos, com tutanos gordos, e com vinhos velhos, bem
classificados.
7 E destruirá neste monte a face da cobertura, com que
todos os povos andam cobertos e o véu com que todas as
nações se cobrem.
8 Aniquilará a morte para sempre, e assim o Senhor enxu-
gará as lágrimas de todos os rostos, e tirará a vergonha do
seu povo, de toda a terra; porque o Senhor o disse.
9 E naquele dia se dirá: "Eis que este é o nosso Deus, a
quem aguardávamos, e ele nos salvará; este é o Senhor,
a quem aguardávamos; na sua salvação gozaremos e nos
alegraremos."
10 Porque a mão do Senhor descansará neste monte; mas
Moabe será pisoteado debaixo dele, como se pisa a palha.
11 E estenderá as suas mãos por entre eles, como as es-
tende o nadador para nadar; mas o Senhor abaterá o seu
orgulho, apesar da destreza das suas mãos.
12 E abaixará as altas fortalezas dos seus muros, as abate-
rá, e as derrubará por terra, até o pó.

Louvor Pela Confiança

26 Naquele dia se entoará este cântico na terra de Judá:
Temos uma cidade forte, aquela em que Deus pôs a
salvação por muros e defesas.
2 Abram as portas, para que entre nelas a nação justa, que
observa a verdade.
3 Tu conservarás em paz aquele cuja mente está firme em
ti; porque ele confia em ti.
4 Confiem no Senhor perpetuamente; porque o Senhor
Deus é uma rocha eterna.
5 Porque ele abate os que habitam no alto, na cidade ele-
vada; humilha-a até ao chão, e derruba-a até ao pó.
6 O pé a pisará; os pés dos aflitos e os pés dos pobres.
7 O caminho do justo é todo plano; tu retamente pesas o
andar do justo.
8 Também no caminho dos teus juízos, Senhor, te espe-
ramos; no teu nome e na tua memória está o desejo da
nossa alma.
9 Com minha alma te desejei de noite, e com o meu es-
pírito, que está dentro de mim, madrugarei a buscar-te;
porque, havendo os teus juízos na terra, os moradores do
mundo aprendem justiça.
10 Ainda que se mostre favor ao ímpio, nem por isso ele
aprende a justiça; até na terra da retidão ele pratica a ini-
quidade, e não olha para a majestade do Senhor.
11 Senhor, a tua mão está exaltada, mas nem por isso a
veem; porém, eles verão, e se confundirão por causa do
zelo que tens pelo teu povo; o fogo consumirá os teus
adversários.
12 Senhor, tu nos darás a paz, porque tu és o que fizeste
em nós todas as nossas obras.
13 Ó Senhor, nosso Deus, já outros senhores têm tido
domínio sobre nós; porém, por ti só, nos lembramos de
teu nome.
14 Morrendo eles, não tornarão a viver; falecendo, não
ressuscitarão; por isso os castigaste, os destruíste e apagas-
te toda a sua memória.
15 Tu, Senhor, fizeste crescer esta nação, tu fizeste crescer
esta nação, fizeste-te glorioso; alargaste todas as fronteiras
da nossa terra.

16 Ó Senhor, na angústia te buscaram; vindo sobre eles a
tua correção, derramaram a sua oração secreta.
17 Como a mulher grávida, quando está próxima a sua
hora, tem dores de parto, e dá gritos nas suas dores, assim
fomos nós diante de ti, ó Senhor!
18 Nós concebemos e tivemos dores de parto, porém de-
mos à luz o vento; não trouxemos livramento à terra, nem
nasceram moradores do mundo.
19 Os teus mortos e também o meu cadáver viverão e
ressuscitarão; despertem e exultem os que habitam no pó,
porque o teu orvalho será como o orvalho das ervas, e a
terra lançará de si os mortos.
20 Vá, pois, povo meu, entrem nos seus quartos e fechem
as suas portas sobre vocês; escondam-se só por um mo-
mento, até que passe a ira.
21 Porque eis que o Senhor sairá do seu lugar, para cas-
tigar os moradores da terra, por causa da sua iniquidade,
e a terra descobrirá o seu sangue e não encobrirá mais os
seus mortos.

Deus Ama e Salva Seu Povo

27 Naquele dia o Senhor castigará com a sua dura es-
pada, grande e forte, o leviatã, serpente veloz, e o
leviatã, a serpente tortuosa, e matará o dragão, que está
no mar.
2 "Naquele dia cantem a respeito da vinha de vinho tinto.
3 Eu, o Senhor, a guardo e cada momento a regarei; para
que ninguém lhe faça dano, de noite e de dia a guardarei.
4 Não há indignação em mim. Quem poria sarças e es-
pinheiros diante de mim na guerra? Eu iria contra eles e
juntos os queimaria.
5 A não ser que se rendam e façam paz comigo; sim, que
façam paz comigo."
6 Virão dias em que Jacó lançará raízes, e florescerá e bro-
tará Israel, e encherão de fruto a face do mundo.
7 Será que o Senhor o feriu como aqueles que os feriram?
Ou o matou, assim como fez aos que os mataram?
8 Com a mesma medida lotou-a, quando a rejeitou, quan-
do a expulsou com o seu vento forte, no dia do vento leste.
9 Por isso se expiará a iniquidade de Jacó, e este será todo
o fruto do perdão do seu pecado; quando ele fizer com que
todas as pedras do altar sejam feitas em pedaços, então os
bosques e as imagens não poderão ficar em pé.
10 Porque a cidade fortificada ficará solitária, será uma ha-
bitação rejeitada e abandonada como um deserto; ali pasta-
rão os bezerros, ali se deitarão e devorarão os seus ramos.
11 Quando os seus ramos secarem, serão quebrados e
quando as mulheres vierem, os queimarão, porque este
povo não tem entendimento, assim, aquele que o fez não
se compadecerá dele, e aquele que o formou não lhe mos-
trará nenhum favor.
12 E, naquele dia, o Senhor debulhará seus cereais desde
as correntes do rio até ao rio do Egito, e vocês, ó filhos de
Israel, serão colhidos um a um.
13 E, naquele dia, se tocará uma grande trombeta, então,
os que andavam perdidos pela terra da Assíria e os que
foram desterrados para a terra do Egito virão e adorarão ao
Senhor no monte santo em Jerusalém.

Castigo Sobre Efraim

28 Ai da coroa de orgulho dos bêbados de Efraim, cujo
glorioso ornamento é como a flor que cai, que está
sobre a cabeça do fértil vale dos vencidos pelo vinho.
2 Eis que o Senhor envia um homem forte e poderoso;
como tempestade de saraiva, tormenta destruidora, e
como tempestade de impetuosas águas que transbordam,
ele, com a mão, derrubará tudo por terra.
3 A coroa de orgulho dos bêbados de Efraim será pisada
com os pés.
4 E a flor caída do seu glorioso ornamento, que está sobre
a cabeça do fértil vale, será como o fruto fora de época an-
tes do verão, que, quando alguém o vê, o pega e o engole.
5 Naquele dia o Senhor dos Exércitos será uma coroa glo-
riosa, uma coroa formosa para os restantes de seu povo.
6 Ele será um espírito de justiça para quem se assenta para
julgar, e uma fortaleza para os que fazem recuar o ataque
na porta.

Contra Jerusalém

7 Mas também estes erram por causa do vinho, e com a
bebida forte se desencaminham; até o sacerdote e o pro-
feta erram por causa da bebida forte; são vencidos pelo vi-
nho, desencaminham-se por causa da bebida forte; andam
errados na visão e tropeçam no juízo.
8 Porque todas as suas mesas estão cheias de vômitos e
imundície, e não há lugar limpo.
9 A quem se ensinaria o conhecimento? E a quem se da-
ria a entender a doutrina? À criança desmamada, ou ao
arrancado dos seios?
10 Porque é mandamento sobre mandamento, manda-
mento sobre mandamento, regra sobre regra, regra sobre
regra, um pouco aqui, um pouco ali.
11 Assim, por lábios gaguejantes e por outras línguas, o
Senhor falará a este povo,
12 ao qual ele disse: "Este é o descanso, deem descanso
ao cansado; este é o refrigério, porém não quiseram ouvir.
13 Assim, a palavra do Senhor lhes será mandamento so-
bre mandamento, mandamento sobre mandamento, regra
sobre regra, regra sobre regra, um pouco aqui, um pouco
ali; para que vão e caiam para trás, e se machuquem, fi-
quem enlaçados e sejam presos.
14 Ouçam a palavra do Senhor, homens zombadores, que
governam este povo que está em Jerusalém.

15 Porque vocês dizem: 'Fizemos aliança com a morte,
e com o inferno fizemos acordo; quando passar a cala-
midade destruidora, não chegará a nós, porque pusemos
a mentira por nosso refúgio e debaixo da falsidade nos
escondemos.'"
16 Portanto assim diz o Senhor: "Eis que eu assentei em
Sião uma pedra, uma pedra já provada, pedra preciosa de
esquina, que está bem firme e fundada; aquele que crer
não foge.
17 E farei do juízo a linha de medir; da justiça o fio de
prumo, e o granizo varrerá o refúgio da mentira, e as águas
cobrirão o esconderijo.
18 E a sua aliança com a morte se anulará; o seu acordo
com o inferno não subsistirá; e, quando o dilúvio do açoite
passar, então serão por ele pisados.
19 Todas as vezes que passar, arrastará vocês, porque ma-
nhã após manhã passará, de dia e de noite"; e somente
ouvir esta notícia causará grande pavor.
20 Porque a cama será tão curta que ninguém poderá se
estender nela, e o cobertor tão estreito que ninguém pode-
rá se cobrir com ele.
21 Porque o Senhor se levantará como no monte Perazim,
e ficará irado, como no vale de Gibeão, para fazer a sua
obra, a sua estranha obra, e para executar o seu ato, o seu
estranho ato.
22 Agora, parem de zombaria, para que as suas corren-
tes não fiquem mais fortes; porque já ouvi o Senhor dos
Exércitos falar de uma destruição, que já está determinada
sobre toda a terra.
23 Inclinem os ouvidos e ouçam a minha voz; estejam
bem atentos e ouçam o meu discurso.
24 Será que todo dia o lavrador lavra, para semear? Ou
abre e destorroa todo dia a sua terra?
25 Não, pelo contrário: Depois de ter nivelado a sua su-
perfície, então espalha nela o endro e semeia o cominho;
ou planta nela do melhor trigo, ou cevada escolhida, ou
centeio; cada um no seu lugar.
26 O seu Deus o ensina, e o instrui sobre o que fazer.
27 Porque o endro não se debulha com trilho, e sobre o
cominho, não se passa roda de carro; mas com uma vara
se sacode o endro, e o cominho com um pau.
28 O trigo é debulhado, mas não se trilha continuamente,
nem se debulha com as rodas do seu carro, nem se quebra
com os seus cavalos.
29 Até isto procede do Senhor dos Exércitos; porque é
maravilhoso em conselho e grande em sabedoria.

Ais Sobre Jerusalém

29 Ai de Ariel, Ariel, a cidade onde Davi acampou!
Acrescentem ano a ano, e que as festas aconteçam.
2 Contudo porei Ariel em aperto e haverá pranto e triste-
za; ela será para mim como Ariel.
3 Porque a cercarei com o meu acampamento, a sitiarei
com baluartes e levantarei trincheiras contra ela.
4 Então será abatida, falará de debaixo da terra, e a sua fala
do pó sairá fraca, e será a sua voz debaixo da terra como a
de um fantasma, e a sua fala será um sussurro vindo do pó.
5 E a multidão dos seus inimigos será como o pó fino, e a
multidão dos tiranos como a palha levada pelo vento, e de
repente isso acontecerá.
6 Do Senhor dos Exércitos virão trovões, terremotos e
grande estrondo, com tufão de vento, tempestade e laba-
reda de fogo consumidor.
7 Como sonho e visão noturna será a multidão de todas
as nações que lutam contra Ariel, como também todos os
que lutam contra ela e contra a sua fortaleza, e a põem
em aperto.
8 Será também como o faminto que sonha que está co-
mendo, porém, acordando, sente-se vazio; ou como o
sedento que sonha que está bebendo, porém, acordando,
ainda fraco e com sede; assim será toda a multidão das
nações que lutam contra o monte Sião.
9 Demorem, e maravilhem-se, alegrem-se e clamem; bê-
bados estão, mas não de vinho, andam cambaleando, mas
não de bebida forte.
10 Porque o Senhor derramou sobre vocês um espírito de
profundo sono, fechou os seus olhos, vendou os profetas e
os seus principais videntes.
11 Por isso, toda a visão é para vocês como as palavras
de um livro selado, que, se derem a quem sabe ler, dizen-
do: "Leia isto", ele responderá: "Não posso, porque está
selado."
12 Ou se derem o livro a quem não sabe ler, dizendo:
"Leia isto", ele responderá: "Não sei ler."
13 Porque o Senhor disse: "Este povo se aproxima de mim
e com a sua boca e com os seus lábios me honra, mas o
seu coração se afasta para longe de mim e o seu temor
para comigo consiste só em regras ensinadas por homens,
14 portanto, continuarei a fazer uma obra maravilhosa no
meio deste povo, uma obra maravilhosa e um assombro;
porque a sabedoria dos seus sábios perecerá, e o entendi-
mento dos seus prudentes desaparecerá.
15 Ai dos que querem esconder profundamente o seu
propósito do Senhor, e fazem as suas obras às escuras, e
dizem: 'Quem nos vê? E quem ficará sabendo?'
16 Vocês pervertem tudo, como se o oleiro fosse igual ao
barro e a obra dissesse do seu artífice: 'Não me fez'; e o
vaso formado dissesse do seu oleiro: 'Ele nada sabe.'"
17 Por acaso o Líbano, em pouco tempo, se tornará em

campo fértil? E o campo fértil não será confundido com
um bosque?
18 E naquele dia os surdos ouvirão as palavras do livro,
e, sem a escuridão e sem as trevas, os olhos dos cegos
as verão.
19 E os mansos terão alegria no Senhor, e os pobres se
alegrarão no Santo de Israel.
20 Porque o tirano será reduzido a nada e o zombador
desaparecerá, e todos os que praticam a iniquidade serão
eliminados;
21 os que culpam o homem com uma palavra, e põem
armadilhas ao que repreende no tribunal, e os que sem
motivo negam ao justo o seu direito.
22 Portanto assim diz o Senhor, que remiu Abraão, a res-
peito da casa de Jacó: "Jacó não será mais envergonhado,
nem mais ficará pálida a sua face.
23 Mas quando ele e seus filhos virem obra das minhas
mãos no meio deles, santificarão o meu nome; sim, santi-
ficarão o Santo de Jacó e temerão o Deus de Israel.
24 E os desorientados virão a ter entendimento, e os mur-
muradores aprenderão a instrução."

Por Sua Rebeldia

30 "Ai dos filhos rebeldes", diz o Senhor, "que execu-
tam planos que não são meus; e fazem aliança sem
consultar o meu espírito, para acrescentarem pecado sobre
pecado;
2 que descem ao Egito, sem pedirem o meu conselho; para
se fortificarem com a força do Faraó, e para confiarem na
sombra do Egito.
3 Porque a força do Faraó se transformará em vergonha, e
a confiança na sombra do Egito em humilhação.
4 Porque os seus príncipes já estão em Zoã e os seus em-
baixadores já chegaram a Hanes.
5 Todos se envergonharão de um povo que não os ajudará
em nada, nem trará qualquer proveito, mas trará vergonha
e zombaria."
6 Profecia sobre os animais do Neguebe. Para a terra de
aflição e de angústia, de onde vêm a leoa e o leão, a víbora,
e a serpente voadora, os enviados levarão as suas riquezas
nas costas de jumentos, e os seus tesouros sobre as corco-
vas de camelos, a um povo que em nada os ajudará.
7 Porque a ajuda do Egito será em vão; por isso o chamei
de monstro preguiçoso.
8 Vá agora, escreva isto numa tábua perante eles, e regis-
tre num livro; para que fique até o último dia, para sempre
e perpetuamente.
9 Porque este é um povo rebelde, filhos mentirosos, filhos
que não querem ouvir a lei do Senhor.
10 Que dizem aos videntes: "Não vejam"; e aos profetas:
"Não profetizem para nós o que é reto; digam-nos coisas
aprazíveis e vejam para nós enganos.
11 Desviem-se do caminho, afastem-se da vereda; façam
que o Santo de Israel deixe de estar perante nós."
12 Por isso, assim diz o Santo de Israel: "Porque rejei-
tam esta palavra, confiam na opressão e perversidade, e se
apoiam sobre isso,
13 por isso esta maldade será para vocês como a brecha de
um alto muro, que, formando uma barriga, está prestes a
cair, e a quebra é iminente.
14 E o Senhor o quebrará como se quebra um vaso do
oleiro, e, quebrando-o por inteiro, não se achará entre os
seus pedaços um caco que sirva para pegar brasa da lareira,
ou tirar água da cisterna."
15 Porque assim diz o Senhor, o Santo de Israel: "Conver-
tendo-se e descansando no Senhor serão salvos; no sossego
e na confiança, está a sua força, mas vocês não quiseram.
16 Mas disseram: 'Não; preferimos fugir a cavalo; portanto
fugiremos, e sobre cavalos ligeiros cavalgaremos; por isso
os seus perseguidores também serão ligeiros.'
17 Mil homens fugirão pela ameaça de um, e pela amea-
ça de cinco todos vocês fugirão, até que sejam deixados
como um mastro no cume do monte, e como a bandeira
na colina."
18 Por isso, o Senhor esperará, para ter misericórdia de
vocês; por isso se levantará, para se compadecer de vocês,
porque o Senhor é um Deus de justiça, bem-aventurados
todos os que nele esperam.
19 Porque o povo habitará em Sião, em Jerusalém; não
chorarão mais; certamente ele se compadecerá de você, à
voz do seu clamor, e, ouvindo-a, lhe responderá.
20 Embora o Senhor lhes dê o pão da angústia e água da
aflição, os seus mestres nunca mais fugirão de vocês; vocês
os verão com os seus próprios olhos.
21 E ouvirão uma palavra de quem está por detrás de
vocês, dizendo: "Este é o caminho; andem nele, sem se
desviarem nem para a direita nem para a esquerda."
22 E terão como impuras as suas esculturas de prata e suas
esculturas fundidas de ouro; vocês as lançarão fora como
um trapo imundo, e dirão a cada uma delas: "Fora daqui."
23 Então Senhor lhes dará chuva para as sementes que vo-
cês semearem na terra, dará também o pão produzido da
terra; e ela será fértil e cheia; nesse dia o seu gado pastará
em grandes pastos.
24 Os bois e os jumentos que lavram a terra comerão
grãos puros, que foram amontoados com a pá, e peneira-
dos com a peneira.
25 No dia da grande matança, quando caírem as torres, e
em todos os montes altos, e em todas as colinas elevadas,
haverá ribeiros e correntes de águas.

26 E a luz da lua será como a luz do sol, e a luz do sol será
sete vezes mais, como a luz de sete dias, no dia em que
o Senhor tratar as fraturas do seu povo, e curar a chaga
da sua ferida.
27 O nome do Senhor vem de longe, ardendo a sua ira,
sendo pesada a sua carga; os seus lábios estão cheios de
indignação, e a sua língua é como um fogo consumidor.
28 E a sua respiração é como o ribeiro transbordante, que
chega até ao pescoço, para peneirar as nações com a pe-
neira da destruição, e colocará um freio na boca dos povos
que os guiará para fora do caminho.
29 Um cântico haverá entre vocês, como na noite em que
se celebra uma festa santa, e terão uma alegria de coração,
como nos dias em que saem com a flauta, para entrarem
no monte do Senhor, na Rocha de Israel.
30 E o Senhor fará ouvir a sua voz majestosa, e fará ver o
abaixamento do seu braço, com indignação de ira e labare-
da de fogo consumidor, raios, dilúvio e pedras de granizo.
31 Porque com a voz do Senhor será desfeita em pedaços
a Assíria, que ele feriu com a sua vara.
32 E a cada pancada do bastão do juízo que o Senhor lhe
der, haverá tamborins e harpas, e com golpes combaterá
contra eles.
33 Porque Tofete está preparada há muito tempo; sim,
está preparada para o rei; ele a fez profunda e larga; a sua
pira é de fogo e tem muita lenha; o assopro do Senhor
como torrente de enxofre a acenderá.

Por Confiar no Egito

31 Ai dos que descem ao Egito para buscar socorro,
e se estribam em cavalos; e confiam em carros de
guerra, porque são muitos, e nos cavaleiros, porque são
poderosíssimos; e não atentam para o Santo de Israel, e
não buscam o Senhor.
2 Porém o Senhor é sábio, e fará vir o mal; ele não retirará
as suas palavras, mas se levantará contra a casa dos mal-
feitores, e contra a ajuda dos que praticam a iniquidade.
3 Porque os egípcios são homens e não Deus; os seus ca-
valos são carne e não espírito; quando o Senhor estender a
sua mão, tropeçará o auxiliador, e cairá o ajudado, e todos
juntamente serão consumidos.
4 Porque assim me disse o Senhor: "Como o leão e o leão-
zinho rugem sobre a sua presa, ainda que se convoque
contra eles uma multidão de pastores, não se espantam
com suas vozes, nem se abatem pela sua multidão, assim
o Senhor dos Exércitos descerá, para lutar sobre o monte
Sião e sobre a sua colina.
5 Como as aves voam, assim o Senhor dos Exércitos am-
parará Jerusalém; a livrará e a salvará."
6 Convertam-se para aquele contra quem os filhos de Is-
rael se rebelaram tão profundamente.
7 Porque naquele dia cada um lançará fora os seus ídolos
de prata e os seus ídolos de ouro que fabricaram com as
suas mãos para pecarem.
8 "E a Assíria cairá pela espada; a espada, não de homem,
a consumirá; ela fugirá perante a espada e os seus jovens
serão escravizados.
9 A sua rocha cairá por medo, e os seus príncipes terão
pavor da bandeira", diz o Senhor, cujo fogo está em Sião e
a sua fornalha em Jerusalém.

O Reinado do Messias

32 Um rei reinará com justiça, e os príncipes governa-
rão com justiça.
2 E cada homem será como um esconderijo contra o ven-
to, e um refúgio contra a tempestade, como ribeiros de
águas em lugares secos, e como a sombra de uma grande
rocha em terra sedenta.
3 E os olhos dos que veem não olharão para trás; os ouvi-
dos dos que ouvem estarão atentos.
4 E o coração dos imprudentes entenderá o conhecimento;
a língua dos gagos estará pronta para falar distintamente.
5 O tolo nunca mais será chamado nobre; e, do avarento,
nunca mais se dirá que é generoso.
6 Porque o tolo fala obscenidade, e o seu coração pratica
a iniquidade, para usar hipocrisia e para proferir mentiras
contra o Senhor, para deixar vazia a alma do faminto, e
fazer com que o sedento venha a ter falta de bebida.
7 Também todas as armas do avarento são más; ele ma-
quina invenções malignas, para destruir os pobres com
palavras falsas, mesmo quando a causa do pobre é justa.
8 Mas o nobre projeta coisas nobres, e, pela sua nobreza,
será exaltado.
9 Levantem-se, mulheres, que estão sossegadas, e ouçam
a minha voz; vocês, filhas, que estão tão seguras, ouçam
as minhas palavras.
10 Porque a pouco mais de um ano ficarão apavoradas,
ó mulheres que estão tão seguras; porque a vindima se
acabará e a colheita não virá.
11 Tremam, mulheres que estão sossegadas, e apavorem-
-se, porque estão tão seguras; tirem as suas roupas, fiquem
nuas e vistam-se com panos de sacos.
12 Batam no peito e chorem, pelos campos agradáveis e
pelas vinhas frutíferas.
13 Sobre a terra do meu povo virão espinheiros e sarças,
como também sobre todas as casas onde há alegria, na ci-
dade jubilosa.
14 Porque os palácios serão abandonados, e a cidade
populosa acabará; as fortificações e as torres servirão de
cavernas para sempre, para alegria dos jumentos monteses
e para pasto dos rebanhos;
15 até que se derrame sobre nós o Espírito lá do alto; en-

tão, o deserto se tornará um campo fértil e o campo fértil será tido por um bosque.

16 O juízo habitará no deserto, e a justiça morará no campo fértil.

17 O efeito da justiça será paz, e o efeito da justiça será repouso e segurança para sempre.

18 O meu povo habitará em moradas de paz e bem seguras, e em lugares quietos e tranquilos.

19 Mesmo que caia granizo no bosque, e a cidade seja inteiramente abatida.

20 Bem-aventurados vocês, os que semeiam junto a todas as águas, e deixam livres os bois e os jumentos.

Retribuição da Crueldade Assíria

33 Ai de você, que destrói, enquanto ainda não foi destruído, e que trai enquanto nunca foi traído! Quando acabar de destruir, será destruído; e, quando acabar de trair, será traído.

2 Senhor, tem misericórdia de nós, por ti temos esperado; sê tu o nosso braço a cada manhã, como também a nossa salvação no tempo da tribulação.

3 Ao ruído do tumulto, os povos fugirão; na tua exaltação, as nações serão dispersas.

4 Então o despojo que vocês ajuntaram será recolhido; como se devorado por uma nuvem de gafanhotos, assim os homens saltarão sobre ele.

5 O Senhor é exaltado, pois habita nas alturas; encheu Sião de juízo e justiça.

6 E haverá estabilidade nos seus tempos, abundância de salvação, sabedoria e conhecimento; o temor do Senhor será o seu tesouro.

7 Eis que os seus heróis estão clamando nas ruas, e os mensageiros de paz estão chorando amargamente.

8 As estradas estão desoladas, ninguém passa por elas, ele rompeu a aliança, desprezou as cidades e já não faz caso dos homens.

9 A terra geme e pranteia, o Líbano se envergonha e murcha; Sarom se tornou um deserto, Basã e Carmelo foram sacudidos.

10 "Agora me levantarei", diz o Senhor; "agora me erguerei. Agora serei exaltado.

11 Vocês conceberam palha, darão à luz restolho, e o seu espírito os devorará como o fogo.

12 E os povos serão queimados como se queima a cal; como espinhos cortados arderão no fogo.

13 Ouçam, vocês que estão longe, o que tenho feito; vocês que estão perto, conheçam o meu poder."

14 Os pecadores de Sião estão assombrados, o tremor se apodera dos ímpios. "Quem de nós habitará com o fogo consumidor? Quem de nós habitará com as labaredas eternas?"

15 Aquele que anda em justiça e que fala com retidão; que rejeita o ganho da opressão, que sacode das suas mãos todo presente; que tapa os seus ouvidos para não ouvir falar de derramamento de sangue e fecha os seus olhos para não ver o mal:

16 Este habitará nas alturas; as fortalezas das rochas serão o seu alto refúgio, o seu pão lhe será dado, a sua água não lhe faltará.

17 Os seus olhos verão o rei na sua formosura, e verão a terra que está longe.

18 O seu coração se lembrará dos terrores, dizendo: "Onde está o escrivão? Onde está quem recebeu o tributo? Onde está quem contou as torres?"

19 Não verá mais aquele povo atrevido, povo de fala obscura, que não se pode compreender, e de língua tão estranha, que não se pode entender.

20 Olhe para Sião, a cidade das nossas solenidades; os seus olhos verão Jerusalém, habitação tranquila, tenda que não será removida, cujas estacas nunca serão arrancadas, e, das suas cordas, nenhuma se quebrará.

21 Mas ali o glorioso Senhor será para nós um lugar de rios e correntes largas; barco nenhum de remo passará por ele, nem navio grande navegará por ele.

22 Porque o Senhor é o nosso Juiz; o Senhor é o nosso legislador; o Senhor é o nosso rei, ele nos salvará.

23 As suas cordas se afrouxaram; não puderam firmar o seu mastro nem estender a vela; então grande quantidade de despojos se repartirá, e até os aleijados participarão.

24 E nenhum morador dirá: "Estou doente"; porque o povo que habitar nela terá o seu pecado perdoado.

Juízos de Deus Contra as Nações

34 Aproximem-se, nações, para ouvir, e vocês, povos, escutem; que a terra e a sua plenitude, o mundo, e tudo quanto produz, ouçam.

2 Porque a indignação do Senhor está sobre todas as nações, e o seu furor está sobre todo o exército delas; ele as destruiu totalmente, entregou-as à matança.

3 E os seus mortos serão lançados fora, e dos seus cadáveres subirá o mau cheiro; os montes se encharcarão com o seu sangue.

4 E as estrelas dos céus se derreterão, e os céus se enrolarão como um livro; todo o seu exército cairá, como cai a folha da parreira, e como cai o figo da figueira.

5 Porque a minha espada se embriagou nos céus; e sobre Edom descerá, e sobre o povo que condenei para destruição.

6 A espada do Senhor está cheia de sangue, está engordurada da gordura do sangue de cordeiros e de bodes, da gordura dos rins de carneiros; porque o Senhor fará um sacrifício em Bozra, e grande matança na terra de Edom.

7 E os bois selvagens cairão com eles e os bezerros com os
touros; a sua terra se embriagará de sangue até se fartar, e
o seu pó se engrossará com a gordura.
8 Porque será o dia da vingança do Senhor, ano de retribui-
ções pela causa de Sião.
9 E os seus ribeiros se transformarão em piche, e o seu pó,
em enxofre, e a sua terra, em piche ardente.
10 Nem de noite nem de dia o fogo se apagará, e para sem-
pre a sua fumaça subirá; de geração em geração será asso-
lada; pelos séculos dos séculos ninguém passará por ela.
11 Mas o pelicano e a coruja a possuirão, e o corujão e
o corvo habitarão nela; e o Senhor estenderá sobre ela o
cordel de destruição, e o prumo de desolação.
12 Eles chamarão ao reino os seus nobres, mas nenhum
haverá, e todos os seus príncipes já não existirão.
13 E nos palácios crescerão espinhos, urtigas e cardos nas
suas fortalezas; ela será uma habitação de chacais, e mo-
rada de avestruzes.
14 As feras do deserto se encontrarão com as feras da ilha,
e o bode selvagem clamará ao seu companheiro; os ani-
mais noturnos ali pousarão, e acharão lugar de repouso
para si.
15 Ali se aninhará a coruja e porá os seus ovos; chocará os
seus filhotes e os recolherá debaixo da sua sombra; tam-
bém ali os abutres se ajuntarão uns com os outros.
16 Procurem no livro do Senhor e leiam; nenhuma destas
criaturas faltará, nenhuma ficará sem a sua companheira;
porque a minha boca ordenou, e o seu espírito mesmo as
ajuntará.
17 Porque ele mesmo lançou as sortes por elas, e sua mão
lhes repartiu a terra com o cordel; para sempre a possuirão,
de geração em geração habitarão nela.

A Felicidade dos Redimidos

35 O deserto e o lugar solitário se alegrarão disto, e o
ermo exultará e florescerá como a rosa.
2 Abundantemente florescerá, jubilará de alegria e canta-
rá; a glória do Líbano lhe será dada, como também a exce-
lência do Carmelo e Sarom; eles verão a glória do Senhor,
o esplendor do nosso Deus.
3 Fortaleçam as mãos fracas e firmem os joelhos que
tremem.
4 Digam aos desanimados de coração: "Sejam fortes, não
temam; eis que o seu Deus virá com vingança, com recom-
pensa de Deus; ele virá e os salvará."
5 Então os olhos dos cegos serão abertos, e os ouvidos dos
surdos se abrirão.
6 Então os aleijados saltarão como cervos, e a língua dos
mudos cantará; porque águas rebentarão no deserto, e ri-
beiros, no ermo.
7 A terra seca se transformará em lagos, e a terra sedenta
em mananciais de águas; nas habitações em que viviam os
chacais, haverá erva com canas e juncos.
8 E ali haverá uma estrada, um caminho, que se chamará
o caminho santo; os impuros não passarão por ele, mas
será apenas para os que são do caminho, até mesmo os
loucos não errarão.
9 Ali não haverá leão, nenhum animal feroz passará por
ele, nem será encontrado nele; porém, só os remidos an-
darão por ele.
10 E os resgatados do Senhor voltarão, e virão a Sião com
júbilo, e alegria eterna haverá sobre as suas cabeças; gozo
e alegria alcançarão, e deles fugirão a tristeza e o gemido.

Ameaça Assíria

36 No ano décimo quarto do reinado do rei Ezequias,
Senaqueribe, rei da Assíria, atacou todas as cidades
fortificadas de Judá e as conquistou.
2 Então o rei da Assíria enviou Rabsaqué, de Laquis a Je-
rusalém, ao rei Ezequias, com um grande exército, e ele
parou junto ao aqueduto do açude superior, junto ao cami-
nho do campo do lavandeiro.
3 Então saíram para falar com ele Eliaquim, filho de Hil-
quias, o mordomo, Sebna, o escrivão, e Joá, filho de Asafe,
o chanceler.
4 E Rabsaqué lhes disse: "Digam a Ezequias: "Assim diz
o grande rei, o rei da Assíria: 'Que confiança é esta, em
que se apega?
5 Bem posso dizer que o seu conselho e poder para a guer-
ra são apenas palavras; em quem agora você confia, que
contra mim se rebela?
6 Você confia no Egito, aquele bordão de cana quebrada,
que, se alguém se apoiar nele, lhe entrará pela mão e a
furará; assim é o Faraó, rei do Egito, com todos que nele
confiam.
7 Porém se me disser: "No Senhor, nosso Deus, confia-
mos"; porventura não é este aquele cujos lugares altos e
altares Ezequias removeu, e disse a Judá e a Jerusalém:
"Perante este altar adorarão?"
8 Agora, pois, comprometa-se com meu senhor, o rei da
Assíria, e lhe darei dois mil cavalos, se você tiver cavaleiros
para eles.
9 Como poderá repelir um só dos menores oficiais do meu
senhor, quando confia no Egito, por causa dos carros e
cavaleiros?
10 Agora, acha que eu subi para atacar esta terra, para des-
truí-la, sem o Senhor? O Senhor mesmo me disse: 'Suba
contra esta terra e a destrua.'"
11 Então, Eliaquim, Sebna e Joá, disseram a Rabsaqué:
"Pedimos que você fale aos seus servos em siríaco, porque
o entendemos bem; não nos fale em hebraico aos ouvidos
do povo que está sobre o muro."

12 Rabsaqué, porém, disse: "Porventura acham que o
meu senhor me mandou somente ao seu senhor e a você,
para dizer estas palavras, e não também aos homens que
estão assentados sobre o muro, para que comam com vo-
cês o seu esterco e bebam a sua urina?"
13 Então, Rabsaqué se pôs em pé, e falou em alta voz
em hebraico: "Ouçam as palavras do grande rei, do rei
da Assíria.
14 Assim diz o rei: 'Não deixem que Ezequias os engane;
porque ele não poderá livrá-los.
15 Nem deixem que Ezequias os façam confiar no Senhor,
dizendo: "Infalivelmente o Senhor nos livrará, e esta cida-
de não será entregue nas mãos do rei da Assíria."
16 Não deem ouvidos a Ezequias', porque assim diz o rei
da Assíria: 'Façam as pazes comigo e venham a mim, então
coma cada um da sua videira, da sua figueira e beba cada
um da água da sua cisterna;
17 até que eu venha e os leve para uma terra como as
suas; terra de trigo e de vinho, terra de pão e de vinhas.
18 Não deixem que Ezequias os engane, dizendo: O Se-
nhor nos livrará. Porventura os deuses das nações livraram
cada um a sua terra das mãos do rei da Assíria?
19 Onde estão os deuses de Hamate e de Arpade? Onde
estão os deuses de Sefarvaim? Porventura livraram a Sama-
ria da minha mão?
20 Quais dentre todos os deuses destes países livraram a
sua terra das minhas mãos? Então, como o Senhor livrará
Jerusalém das minhas mãos?'"
21 Eles, porém, se calaram e não lhe responderam nada;
porque o rei lhes havia ordenado assim, dizendo: "Não
lhe respondam."
22 Então Eliaquim, filho de Hilquias, o mordomo, Sebna,
o escrivão, e Joá, filho de Asafe, o chanceler, vieram a Eze-
quias, com as vestes rasgadas e lhe contaram as palavras
de Rabsaqué.

Profecia de Livramento

37 Então, quando o rei Ezequias ouviu isso, ele rasgou
as suas vestes, se cobriu de pano de saco e entrou
na casa do Senhor.
2 Então ele enviou Eliaquim, o mordomo, Sebna, o es-
crivão, e os anciãos dos sacerdotes, vestidos de panos de
sacos, ao profeta Isaías, filho de Amós.
3 E disseram-lhe: "Assim diz Ezequias: Este dia é um dia
de angústia, de castigo e de vergonha, porque chegou a
hora do parto, e não tem força a que dá à luz.
4 Talvez o Senhor seu Deus ouviu as palavras de Rabsa-
qué, a quem o rei da Assíria, seu senhor, enviou para afron-
tar o Deus vivo e para repreendê-lo com as palavras que o
Senhor seu Deus ouviu; faça oração pelo resto que ficou."
5 E os servos do rei Ezequias foram falar com Isaías,
6 e Isaías lhes disse: "Assim dirão ao seu rei: Assim diz o
Senhor: 'Não tenha medo das palavras que ouviu, com as
quais os servos do rei da Assíria me blasfemaram.
7 Eis que porei nele um espírito, e ele ouvirá um rumor,
então voltará para a sua terra, onde cairá morto à espada.'"
8 Rabsaqué voltou e encontrou o rei da Assíria lutando
contra Libna; porque tinha ouvido que o rei já havia se
retirado de Laquis.
9 Quando o rei ouviu dizer que Tiraca, rei da Etiópia, ha-
via saído para guerrear contra ele, enviou mensageiros a
Ezequias, dizendo:
10 "Digam a Ezequias, rei de Judá: Não deixe que o seu
Deus, em quem você confia, o engane, dizendo: 'Jerusa-
lém não será entregue nas mãos do rei da Assíria.'
11 Você já ouviu sobre o que os reis da Assíria fizeram a
todas as terras, destruindo-as totalmente; e você escaparia?
12 Será que os deuses das nações livraram os povos que
meus pais destruíram: Gozã, Harã, Rezefe e os filhos de
Éden, que estavam em Telassar?
13 Onde está o rei de Hamate, o rei de Arpade e o rei da
cidade de Sefarvaim, Hena e Iva?"
14 Quando Ezequias recebeu as cartas das mãos dos men-
sageiros, as leu, e subiu à casa do Senhor; então Ezequias
as estendeu perante o Senhor.
15 E Ezequias orou ao Senhor, dizendo:
16 "Ó Senhor dos Exércitos, Deus de Israel, que habitas
entre os querubins; tu mesmo, só tu és Deus de todos os
reinos da terra; tu fizeste os céus e a terra.
17 Inclina, ó Senhor, o teu ouvido e ouve; abre, Senhor, os
teus olhos, vê e ouve todas as palavras de Senaqueribe, as
quais ele enviou para afrontar o Deus vivo.
18 Verdade é, Senhor, que os reis da Assíria assolaram to-
das as nações e suas terras,
19 e lançaram no fogo os seus deuses; porque deuses não
eram, senão obras de mãos humanas, madeira e pedra; por
isso os destruíram.
20 Agora, ó Senhor nosso Deus, livra-nos das mãos dele;
assim, todos os reinos da terra saberão que só tu és o
Senhor."

A Derrota de Senaqueribe

21 Então, Isaías, filho de Amós, mandou dizer a Ezequias:
"Assim diz o Senhor Deus de Israel: 'Quanto ao que você
pediu sobre Senaqueribe, rei da Assíria,
22 esta é a palavra que o Senhor falou a respeito dele: A
virgem, a filha de Sião, o despreza e zomba de você; a filha
de Jerusalém balança a cabeça por detrás de você.
23 Quem você afrontou e contra quem blasfemou? E con-
tra quem ergueu a voz, e os seus olhos para o alto? Contra
o Santo de Israel.
24 Por meio dos seus servos afrontou o Senhor, e disse:

Com a multidão dos meus carros de guerra, eu subi aos
cumes dos montes, aos mais inacessíveis cumes do Líbano;
cortei os seus altos cedros e os seus melhores pinheiros e
subi ao lugar mais alto do seu cume, ao bosque do seu
campo fértil.
25 Eu cavei e bebi as águas; com as plantas de meus pés
sequei todos os rios do Egito.
26 Por acaso você não ouviu que já há muito tempo eu fiz
isto, e já desde os dias remotos o tinha planejado? Agora, o
fiz acontecer, para que você destrua as cidades fortificadas
e as reduza a ruínas.
27 Por isso os seus moradores, já sem forças, andaram ate-
morizados e envergonhados; tornaram-se como a erva do
campo, como a relva verde, o feno dos telhados e o trigo
queimado antes da seara.
28 Porém eu sei onde você está, quando sai, quando en-
tra, e o seu furor contra mim.
29 Por causa do seu furor contra mim, e porque a sua
arrogância subiu até os meus ouvidos, porei o meu anzol
no seu nariz e o meu freio nos seus lábios, e lhe farei voltar
pelo caminho por onde veio.
30 E isto lhe será por sinal: Este ano se comerá o que
espontaneamente nascer, e no segundo ano o que daí pro-
ceder; porém, no terceiro ano semeiem, colham, plantem
vinhas e comam os frutos delas.
31 Porque o que restou da casa de Judá tornará a lançar
raízes e dar frutos.
32 E de Jerusalém sairá o restante, e do monte Sião os que
escaparem; o zelo do Senhor dos Exércitos fará isto.
33 Portanto, assim diz o Senhor a respeito do rei da Assí-
ria: Ele não entrará nesta cidade, nem lançará nela flecha
alguma; tampouco virá perante ela com escudo, ou levan-
tará trincheira contra ela.
34 Pelo mesmo caminho de onde vier, voltará; porém nes-
ta cidade não entrará, diz o Senhor.
35 Porque eu ampararei esta cidade, para livrá-la, por
amor de mim e por amor do meu servo Davi.'"
36 Então o anjo do Senhor saiu e matou, no arraial dos
assírios, cento e oitenta e cinco mil homens; e, quando
os restantes se levantaram pela manhã, todos estavam
mortos.
37 Assim, Senaqueribe, rei da Assíria, retirou-se e voltou
para morar em Nínive.
38 E, quando ele estava prostrado na casa do seu deus
Nisroque, seus filhos, Adrameleque e Sarezer, o mataram
à espada; fugiram para a terra de Ararate, e seu filho, Esar-
-Hadom, reinou em seu lugar.

A Doença e a Cura de Ezequias

38 Naqueles dias Ezequias adoeceu de uma enfermida-
de mortal e veio a ele o profeta Isaías, filho de Amós
e lhe disse: "Assim diz o Senhor: 'Ponha em ordem a sua
casa, porque morrerá e não viverá.'"
2 Então Ezequias virou o rosto para a parede e orou ao
Senhor.
3 E disse: "Ah! Senhor, peço-te, lembra-te agora de que
andei diante de ti em verdade, com coração perfeito
e fiz o que era reto aos teus olhos." E Ezequias chorou
muitíssimo.
4 Então a palavra do Senhor veio a Isaías, dizendo:
5 "Vá e diga a Ezequias: Assim diz o Senhor, o Deus de
Davi seu pai: Ouvi a sua oração e vi as suas lágrimas; eis
que acrescentarei quinze anos a sua vida.
6 E o livrarei das mãos do rei da Assíria, e defenderei esta
cidade.
7 E isto lhe será da parte do Senhor como sinal de que o
Senhor cumprirá o que prometeu:
8 Eis que farei retroceder dez graus a sombra lançada pelo
sol declinante no relógio de Acaz." Assim o sol retrocedeu
os dez graus que já havia declinado.
9 Este é o relato de Ezequias, rei de Judá, de quando adoe-
ceu e sarou de sua enfermidade:
10 Eu disse: "No final dos meus dias irei às portas da se-
pultura; já estou privado do restante dos meus anos.
11 Eu disse: Não verei o Senhor, o Senhor na terra dos
viventes; não verei mais a humanidade nem caminharei
mais com os moradores deste mundo.
12 O tempo da minha vida já se foi, e foi arrebatada de
mim, como tenda de pastor; cortei a minha vida como te-
celão; ele me cortará do tear; desde a manhã até à noite
acabará comigo.
13 Esperei com paciência até à madrugada; mas como um
leão quebrou todos os meus ossos; desde a manhã até à
noite acabará comigo.
14 Como o grou, ou a andorinha, assim eu sussurrava e
gemia como a pomba; virava os meus olhos para o alto e
dizia: Ó Senhor, estou oprimido, fica por meu fiador.
15 Que direi? Como me prometeu, assim o fez; assim pas-
sarei mansamente por todos os meus anos, por causa da
amargura da minha alma.
16 Senhor, por estas coisas os homens vivem, e, por elas,
vive o meu espírito, portanto cura-me e faz-me viver.
17 Eis que foi para a minha paz que tive grande amargura,
mas o Senhor livrou a minha alma da cova da corrupção;
porque lançaste para trás das tuas costas todos os meus
pecados.
18 Porque a sepultura não te louvará, nem a morte te glo-
rificará; nem esperarão em tua verdade os que descem à
cova.
19 Os vivos, somente os vivos, estes te louvam, como eu
hoje o faço; os pais, aos filhos, farão notória a tua verdade.

20 O Senhor veio salvar-me, por isso, tocando meus instrumentos, nós o louvaremos por todos os dias de nossa vida na casa do Senhor."

21 E Isaías tinha dito: "Peguem uma pasta de figos e a ponham como emplastro sobre a chaga; e ele sarará."

22 Ezequias também tinha perguntado: "Qual será o sinal de que subirei à casa do Senhor?"

Os Embaixadores da Babilônia

39 Naquele tempo, Merodaque-Baladã, filho de Baladã, rei da Babilônia, enviou cartas e um presente a Ezequias, porque tinha ouvido dizer que ele havia estado doente, e que já tinha sido curado.

2 E Ezequias se alegrou disso, e lhes mostrou a casa do seu tesouro, a prata, o ouro, as especiarias, os melhores unguentos, todas as suas armas, e tudo que havia nos seus tesouros; não ficou nada, nem em seu palácio, nem em todo o seu domínio, que Ezequias não lhes mostrasse.

3 Então o profeta Isaías foi ao rei Ezequias e lhe disse: "O que foi que aqueles homens disseram, e de onde vieram?" E Ezequias respondeu: "Vieram a mim de uma terra distante, da Babilônia."

4 E Isaías perguntou: "O que foi que eles viram em seu palácio?" E Ezequias respondeu: "Viram tudo que há em meu palácio; não deixei nada nos meus tesouros sem lhes mostrar."

5 Então Isaías disse a Ezequias: "Ouça a palavra do Senhor dos Exércitos:

6 'Eis que virão dias em que tudo que houver no seu palácio e tudo o que seus pais juntaram até o dia de hoje será levado para a Babilônia; não ficará coisa alguma, disse o Senhor.

7 E até alguns de seus filhos, gerados por você, eles os levarão, para que sejam eunucos no palácio do rei da Babilônia.'"

8 Então Ezequias disse a Isaías: "Boa é a palavra do Senhor que você falou, pois haverá paz e segurança enquanto eu viver."

Palavra de Consolo

40 "Consolem, consolem o meu povo", diz o Deus de vocês.

2 Falem ao coração de Jerusalém e digam-lhe que a sua missão está completa, e que a sua iniquidade está perdoada, e que Jerusalém já recebeu em dobro das mãos do Senhor, por todos os seus pecados.

3 Uma voz clama no deserto: "Preparem o caminho do Senhor; façam no deserto um caminho reto para o nosso Deus.

4 Todo vale será exaltado, e todo monte e toda colina serão aplainados; o que é torto será endireitado e o que é áspero será aplainado.

5 A glória do Senhor se manifestará, e, juntos, todos a verão, pois a boca do Senhor o disse."

6 Uma voz diz: "Clame!" E alguém pergunta: "O que clamarei? Toda a humanidade é erva, e toda a sua glória é como a flor do campo.

7 Seca a erva e cai a flor, soprando nela o Espírito do Senhor. Na verdade, o povo é erva.

8 Seca a erva e cai a flor, porém a palavra do nosso Deus permanece eternamente."

9 Você, ó Sião, que anuncia boa nova, suba a um monte alto. Você, ó Jerusalém, que anuncia boas novas, levante a sua voz fortemente; levante-a, não tema, e diga às cidades de Judá: "Aqui está o seu Deus."

10 O Senhor Deus virá com poder, e o seu braço dominará por ele; o seu galardão está com ele, e a sua recompensa está diante da sua face.

11 Como pastor apascentará o seu rebanho; entre os seus braços recolherá os cordeirinhos e os levará no seu colo; as que amamentam ele guiará suavemente.

12 Quem mediu na concha da sua mão as águas, e tomou a medida dos céus a palmos, e recolheu numa medida o pó da terra, e pesou os montes e as colinas em uma balança?

13 Quem guiou o Espírito do Senhor, ou como seu conselheiro o ensinou?

14 Com quem ele tomou conselho, para que lhe desse entendimento, e lhe ensinasse o caminho do juízo, lhe ensinasse conhecimento e lhe mostrasse o caminho do entendimento?

15 As nações são consideradas por ele como a gota de um balde, e como um grão de pó na balança; eis que ele levanta as ilhas como se fossem um grão de areia.

16 Nem todo o Líbano basta para o fogo, nem os seus animais bastam para holocaustos.

17 Todas as nações são como nada perante ele; ele as considera menos do que nada, como uma coisa vã.

18 Com que Deus se parece, ou com quem ele pode ser comparado?

19 O artesão funde a imagem, e o ourives a cobre de ouro e forja para ela correntes de prata.

20 O pobre, que não pode oferecer tanto, escolhe madeira que não apodrece; e busca artesão sábio, para gravar uma imagem que não se move.

21 Será que vocês não sabem? Ou não ouviram, ou não foi anunciado a vocês desde o princípio, não entenderam desde a fundação da terra?

22 Ele é quem está assentado sobre o círculo da terra, cujos moradores são para ele como gafanhotos; é ele quem estende os céus como cortina, e os desenrola como tenda, para neles habitar;

23 é ele quem reduz a nada os príncipes, e torna em coisa
vã os juízes da terra.
24 Mal foram plantados e semeados; mal se enraizaram
na terra os seus troncos e já secam, quando ele sopra sobre
eles, e uma tempestade os leva como a palha.
25 "Com quem me compararão, para que eu lhe seja
igual?", diz o Santo
26 Levantem os seus olhos para cima e vejam; quem criou
estas coisas? Foi aquele que fez sair o seu incontável exér-
cito de estrelas, ele as chama todas pelos seus nomes; por-
que ele é forte, e poderoso, nenhuma delas faltará.
27 Por que você diz, ó Jacó, e por que fala, ó Israel: "O
meu caminho está encoberto ao Senhor, e o meu direito
passa despercebido ao meu Deus?"
28 Não sabe, não ouviu que o eterno Deus, o Senhor, o
Criador dos fins da terra, não se cansa nem se fatiga? É
insondável a sua sabedoria.
29 Ele dá força ao cansado e multiplica as forças de quem
não tem nenhum vigor.
30 Os jovens se cansarão e se fatigarão e os moços certa-
mente cairão,
31 mas os que esperam no Senhor renovam as suas forças,
sobem como águias; correm, e não se cansam; caminham
e não se fatigam.

O Ajudador de Israel

41 "Calem-se perante mim, ó ilhas, que os povos re-
novem as suas forças; aproximem-se e então falem;
vamo-nos reunir para o julgamento.
2 Quem suscitou do Oriente aquele cujos passos segue a
vitória? Quem lhe deu as nações e o faz dominar sobre
reis? Ele os entregou à sua espada como o pó, e como
palha arrebatada pelo vento com o seu arco.
3 Ele os persegue e passa em paz, por um caminho por
onde ele nunca tinha passado.
4 Quem realizou tudo isto, chamando as gerações desde o
princípio? Eu, o Senhor, o primeiro, eu mesmo, que estarei
até o fim."
5 As ilhas o viram e temeram; os confins da terra treme-
ram; aproximaram-se e vieram.
6 Um ajuda o outro e diz ao seu irmão: "Seja forte."
7 E o artesão anima o ourives, e quem trabalha com o
martelo anima quem bate na bigorna, dizendo que a sol-
dagem foi bem feita. Então firma tudo com pregos, para
que não se mova.
8 "Porém você, ó Israel, meu servo, você, Jacó, a quem
escolhi, descendente de Abraão, meu amigo,
9 a quem eu trouxe dos confins da terra e dos lugares
mais distantes o chamei, dizendo: Você é o meu servo, eu
o escolhi e nunca o rejeitei.
10 Não tema, porque eu estou com você; não se assom-
bre, porque eu sou o seu Deus; eu o fortaleço, e o ajudo, e
o seguro com a mão direita da minha justiça.
11 Eis que serão envergonhados e constrangidos todos os
que se indignaram contra você; e os que lutarem contra
você serão reduzidos a nada, e perecerão.
12 Você procurará os que lutarem contra você, e não os
achará, serão reduzidos a nada e em coisa sem valor os que
guerrearem contra você.
13 Porque eu, o Senhor seu Deus, seguro-o pela sua mão
direita e lhe digo: Não tema, pois eu o ajudo.
14 Não tema, você, verme de Jacó, povozinho de Israel;
eu o ajudo, diz o Senhor; e o seu redentor é o Santo de
Israel.
15 Eis que farei de você um trilho novo, com dentes agu-
dos; você trilhará os montes, reduzirá as colinas como a
palha.
16 Você as peneirará e o vento as levará, e o redemoinho
as espalhará; mas você se alegrará no Senhor, e se gloriará
no Santo de Israel.
17 Os aflitos e necessitados buscam águas e não encon-
tram, e a sua língua seca de sede; eu, o Senhor, os ouvirei;
eu, o Deus de Israel, não os desampararei.
18 Abrirei rios nos altos dos montes e fontes no meio dos
vales; tornarei o deserto em lagos de águas e a terra seca
em mananciais.
19 Plantarei no deserto o cedro, a acácia, a murta e a oli-
veira; porei no deserto, juntos, o cipreste, o pinheiro e o
álamo.
20 Para que todos vejam, saibam, considerem e juntamen-
te entendam que a mão do Senhor fez isto, o Santo de
Israel o criou."
21 "Apresentem a sua demanda", diz o Senhor; "tragam
as suas firmes razões, diz o Rei de Jacó.
22 Tragam e anunciem-nos as coisas que acontecerão;
anunciem-nos as coisas passadas, para que atentemos para
elas e saibamos o fim delas; ou façam-nos ouvir as coisas
futuras.
23 Anunciem-nos as coisas que ainda virão, para que sai-
bamos que são deuses; ou façam o bem, ou façam o mal,
para que nos assombremos e juntamente o vejamos.
24 Eis que são menos do que nada e a sua obra é menos
do que nada; abominável é quem os escolhe.
25 Suscitei um homem do Norte, e ele virá; desde onde
nasce o sol, ele invocará o meu nome; e pisará sobre os
príncipes como se fossem lama; como o oleiro pisa o barro,
os pisará.
26 Quem anunciou isto desde o princípio, para que o pos-
samos saber, ou desde antes, para que digamos: É Justo?
Porém não há quem anuncie, nem tampouco quem mani-
feste, nem tampouco quem ouça as suas palavras.

27 Eu sou quem primeiro disse a Sião: Ali estão eles; e a Jerusalém darei um mensageiro de boas novas.
28 E, quando olho, não há ninguém; nem mesmo entre eles, não há nenhum conselheiro a quem eu pergunte, e me responda.
29 Eis que todos são nada; as suas obras não são nada; as suas imagens de fundição são vento e confusão.

O Servo do Senhor

42 Eis aqui o meu servo, a quem sustento, o meu eleito, em quem tenho prazer; pus o meu Espírito sobre ele; ele trará justiça aos gentios.
2 Não clamará, não se exaltará, nem fará ouvir a sua voz na praça.
3 A cana trilhada não quebrará, nem apagará o pavio que fumega; com verdade trará justiça.
4 Não faltará, nem será quebrado, até que ponha na terra a justiça e as ilhas aguardarão a sua lei."
5 Assim diz Deus, o Senhor, que criou os céus e os estendeu; que formou a terra e tudo que ela produz; que dá a respiração ao povo que nela está, e o espírito aos que andam nela.
6 "Eu, o Senhor, o chamei em justiça e o pegarei pela mão, o guardarei e lhe darei por aliança do povo e para luz dos gentios.
7 Para abrir os olhos dos cegos, para tirar da prisão os presos, e do cárcere os que jazem em trevas.
8 Eu sou o Senhor, este é o meu nome; a minha glória, pois, a outro não darei, nem o meu louvor às imagens de escultura.
9 Eis que as primeiras coisas já se cumpriram, e as novas eu anuncio a vocês; antes que venham à luz, faço vocês ouvirem."
10 Cantem ao Senhor um cântico novo, e o seu louvor desde a extremidade da terra; vocês, os que navegam pelo mar e tudo que há nele; vocês, ilhas e seus habitantes.
11 Ergam a voz o deserto e as suas cidades, com as aldeias que Quedar habita; exultem os que habitam nas rochas e clamem do cume dos montes.
12 Deem glória ao Senhor e anunciem o seu louvor nas ilhas.
13 O Senhor sairá como poderoso, como homem de guerra despertará o zelo; clamará, fará grande ruído e prevalecerá contra os seus inimigos.
14 "Por muito tempo me calei; estive em silêncio e me contive; mas agora darei gritos como a mulher que está dando à luz, e a todos os assolarei e juntamente devorarei.
15 Os montes e colinas transformarei em deserto, e toda a sua erva farei secar; tornarei os rios em ilhas e as lagoas secarei.
16 E guiarei os cegos pelo caminho que nunca conheceram, os farei caminhar pelos caminhos que não conheceram; transformarei as trevas em luz perante eles e as coisas tortas farei direitas. Estas coisas lhes farei e nunca os desampararei.
17 Voltarão atrás e se confundirão de vergonha os que confiam em imagens de escultura e dizem às imagens de fundição: 'Vocês são nossos deuses.'
18 Surdos, ouçam, e vocês, cegos, olhem, para que possam ver.
19 Quem é cego, senão o meu servo, ou surdo como o meu mensageiro, a quem envio? E quem é cego, senão o meu servo, e cego como o servo do Senhor?
20 Você vê muitas coisas, mas não as guarda; ainda que tenha os ouvidos abertos, nada ouve."
21 O Senhor se agradava dele por amor da sua justiça; engrandeceu-o pela lei e o fez glorioso.
22 Mas este é um povo roubado e saqueado; todos estão refugiados em cavernas e escondidos em cárceres; são feitos prisioneiros e não há ninguém que os livre; foram levados como despojo e ninguém diz: "Devolvam."
23 Quem de vocês ouvirá isto, que atenda e ouça o que virá depois?
24 Quem entregou Jacó por despojo e Israel aos assaltantes? Porventura não foi o Senhor, aquele contra quem pecamos e nos caminhos do qual não queriam andar, não dando ouvidos à sua lei?
25 Por isso derramou sobre eles a indignação da sua ira e a força da guerra; pôs fogo em tudo, porém, para isso não atentaram; queimou-os, mas ainda assim não levaram a sério.

O Restaurador de Israel

43 Mas agora, assim diz o Senhor que o criou, ó Jacó, e que o formou, ó Israel: "Não tema, porque eu o remi; eu o chamei pelo seu nome, você é meu.
2 Quando passar pelas águas estarei com você e, quando passar pelos rios, eles não o submergirão; quando passar pelo fogo, não se queimará, nem a chama arderá em você.
3 Porque eu sou o Senhor seu Deus, o Santo de Israel, o seu Salvador; dei o Egito por seu resgate, a Etiópia e a Seba em seu lugar.
4 Visto que foi precioso aos meus olhos, também foi honrado, e eu o amei; assim dei os homens por você e os povos pela sua vida.
5 Não tema, porque estou com você; trarei a sua descendência desde o Oriente e o ajuntarei desde o Ocidente.
6 Direi ao Norte: Entregue; e ao Sul: Não os retenha; tragam meus filhos de longe e minhas filhas das extremidades da terra.
7 A todos os que são chamados pelo meu nome, e os que criei para a minha glória, os formei, e também os fiz."

8 Traga o povo cego, que tem olhos, e os surdos, que têm
ouvidos.
9 Todas as nações se congreguem, e os povos se reúnam;
quem dentre eles pode anunciar isto e fazer-nos ouvir as
coisas antigas? Apresentem as suas testemunhas, para que
se justifiquem, se ouça e se diga: "É verdade."
10 "Vocês são as minhas testemunhas", diz o Senhor, "e
meu servo, a quem escolhi; para que o saibam, creiam e
entendam que eu sou o mesmo, e que antes de mim deus
nenhum se formou, e depois de mim nenhum haverá.
11 Eu, eu sou o Senhor, e fora de mim não há Salvador.
12 Eu anunciei, salvei e o fiz ouvir, e deus estranho não
houve entre vocês, pois vocês são as minhas testemu-
nhas", diz o Senhor; "eu sou Deus."
13 Ainda antes que houvesse dia, eu sou; não há ninguém
que possa livrar alguém das minhas mãos; agindo eu,
quem o impedirá?"
14 Assim diz o Senhor, seu Redentor, o Santo de Israel:
"Por amor de vocês enviarei inimigos contra a Babilônia,
e a todos os caldeus farei descerem como fugitivos nos
navios com que se vangloriavam.
15 Eu sou o Senhor, seu Santo, o Criador de Israel, seu
Rei."
16 Assim diz o Senhor, que preparou no mar um caminho
e nas águas impetuosas uma vereda;
17 que fez saírem o carro e o cavalo, o exército e a força;
eles juntamente se deitaram e nunca se levantarão; estão
extintos, como um pavio apagado.
18 "Não se lembrem das coisas passadas, nem considerem
as antigas.
19 Eis que faço uma coisa nova, logo a conhecerão; será
que não a percebem? Eis que porei um caminho no deser-
to e rios no ermo.
20 Os animais do campo me honrarão, os chacais e os
avestruzes; porque porei águas no deserto e rios no ermo,
para dar de beber ao meu povo, ao meu eleito,
21 a esse povo que formei para mim; o meu louvor
relatarão.
22 Contudo, você não invocou a mim, ó Jacó, mas se can-
sou de mim, ó Israel.
23 Não me trouxe o gado miúdo dos seus holocaustos,
nem me honra com os seus sacrifícios; não os fiz servirem
com ofertas, nem os fatiguei com incenso.
24 Não me comprou com dinheiro e com cana aromática,
nem com a gordura dos seus sacrifícios me satisfez; mas
me deu trabalho com os seus pecados e me cansou com
as suas iniquidades.
25 Eu, eu mesmo, sou o que apago as suas transgressões
por amor de mim, e dos seus pecados não me lembro.
26 Faça-me lembrar; entremos juntos em juízo; apresente
as suas razões, para que possa se justificar.
27 Seu primeiro pai pecou, e os seus intérpretes prevari-
caram contra mim.
28 Por isso profanei os príncipes do santuário; entreguei
Jacó à destruição e Israel à zombaria.

Deus Anima o Seu Escolhido

44 Agora, ouça, ó Jacó, meu servo, e você, ó Israel, a
quem escolhi."
2 Assim diz o Senhor que o criou e o formou desde o
ventre, e que o ajudará: "Não tema, ó Jacó, meu servo, e
você, Jesurum, a quem escolhi.
3 Porque derramarei água sobre o sedento e rios sobre
a terra seca; derramarei o meu Espírito sobre a sua des-
cendência e a minha bênção sobre os seus descendentes.
4 E brotarão como a erva, como salgueiros junto aos ri-
beiros das águas.
5 Um dirá: 'Eu sou do Senhor'; e outro se chamará pelo
nome de Jacó, e ainda outro escreverá na sua mão que
pertence ao Senhor, e por sobrenome tomará o nome de
Israel."
6 Assim diz o Senhor, Rei de Israel e seu Redentor, o Se-
nhor dos Exércitos: "Eu sou o primeiro, e eu sou o último
e fora de mim não há Deus.
7 E quem proclamará o futuro como eu, e anunciará isto,
e o porá em ordem perante mim, desde que ordenei um
povo eterno? E anuncie-lhes as coisas vindouras, e as que
ainda hão de vir.
8 Não se assombrem, nem temam; por acaso desde então
não fiz vocês ouvirem e não lhes anunciei? Porque vocês
são as minhas testemunhas. Porventura há outro Deus
além de mim? Não, não há outra Rocha que eu conheça.
9 Todos os artesãos de imagens de escultura são nada e as
suas coisas mais estimadas não têm valor nenhum; suas
próprias testemunhas nada veem nem entendem, para que
sejam envergonhados.
10 Quem forma um deus e funde uma imagem de escul-
tura, que é de nenhum préstimo?
11 Eis que todos os seus companheiros ficarão confun-
didos, pois os mesmos artesãos não passam de homens;
ajuntem-se todos e levantem-se; se assombrarão e serão
juntamente confundidos.
12 O ferreiro, com a ferramenta, trabalha nas brasas, o
forma com martelos e o forja com a força do seu braço;
ele tem fome e a sua força enfraquece, não bebe água e
desfalece.
13 O carpinteiro estende a régua, desenha-o com uma
linha, aplaina-o com a plaina, traça-o com o compasso,
assim o faz à semelhança de um homem, segundo a forma
de um homem, para ficar em casa.

14 Quando um homem corta para si cedros, corta também o cipreste e o carvalho; assim escolhe dentre as árvores do bosque; planta um pinheiro e a chuva o faz crescer.
15 Então serve ao homem para queimar; ele se aquece, o acende e assa o pão; também faz um deus e se prostra diante dele; também fabrica uma imagem de escultura e ajoelha-se diante dela.
16 A metade queima no fogo, com a outra metade prepara a carne para comer, assa-a e farta-se dela; depois diz: 'Ora, já me aqueci, neste fogo bom.'
17 Então do resto faz um deus, uma imagem de escultura; ajoelha-se diante dela, se inclina, roga-lhe e diz: 'Livra-me, porque tu és o meu deus.'
18 Nada sabem, nem entendem; porque taparam os olhos para que não vejam e os seus corações para que não entendam.
19 E nenhum deles cai em si e já não têm conhecimento nem entendimento para dizer: 'Com a metade queimei no fogo e assei pão sobre as suas brasas, assei sobre elas carne e a comi; eu faria com o resto uma abominação? E me ajoelharia à madeira que saiu de uma árvore?'
20 Ele se apascenta de cinza; o seu coração enganado o desviou, de maneira que já não pode livrar a sua alma, nem dizer: 'Isto não é uma mentira que tenho na minha mão direita?'
21 Lembre-se destas coisas, ó Jacó, e Israel, porque é o meu servo; eu o formei, é meu servo, ó Israel, não me esquecerei de você.
22 Apaguei as suas transgressões como a névoa e os seus pecados como a nuvem; volte para mim, porque eu o remi.
23 Cantem alegres, vocês, ó céus, porque o Senhor fez isto; exultem vocês, as partes mais baixas da terra; vocês, montes, retumbem com júbilo; também vocês, bosques e todas as suas árvores; porque o Senhor remiu Jacó e glorificou-se em Israel."
24 Assim diz o Senhor, seu redentor, e que o formou desde o ventre: "Eu sou o Senhor que faço tudo, que sozinho estendo os céus e espraio a terra por mim mesmo;
25 que desfaço os sinais dos inventores de mentiras e enlouqueço os adivinhos; que faço voltarem atrás os sábios e converto em loucura o conhecimento deles;
26 que confirmo a palavra do seu servo e cumpro o conselho dos seus mensageiros; que digo a Jerusalém: Você será habitada, e às cidades de Judá: Serão edificadas e levantarei as suas ruínas;
27 que digo à profundeza das águas: Seque-se, e eu secarei os seus rios;
28 que digo a respeito de Ciro: Ele é meu pastor e cumprirá tudo o que me agrada, dizendo também a Jerusalém: Você será edificada; e ao templo: Você será fundado.

Ciro, o Escolhido

45 Assim diz o Senhor ao seu ungido, a Ciro, a quem tomo pela mão direita, para abater as nações diante de sua face, e deixar nus os lombos dos reis, para abrir diante dele as portas, as quais não se fecharão.
2 Eu irei adiante de você, e endireitarei os caminhos tortuosos; quebrarei as portas de bronze e despedaçarei os ferrolhos de ferro.
3 Darei a você os tesouros escondidos, e as riquezas encobertas, para que saiba que eu sou o Senhor, o Deus de Israel, que o chama pelo seu nome.
4 Por amor de meu servo Jacó e de Israel, meu eleito, eu o chamei pelo seu nome, pus o seu sobrenome, ainda que não me conhecesse.
5 Eu sou o Senhor e não há outro; fora de mim não há Deus; eu o fortalecerei, ainda que você não me conheça;
6 para que se saiba, desde o nascer do sol até o poente, que fora de mim não há outro; eu sou o Senhor e não há outro.
7 Eu formo a luz e crio as trevas; eu faço a paz e causo o mal; eu, o Senhor, faço todas estas coisas.
8 Destilem, ó céus, dessas alturas, e das nuvens chovam justiça; abra-se a terra e produza a salvação, e ao mesmo tempo frutifique a justiça; eu, o Senhor, as criei.
9 Ai daquele que contende com o seu Criador! Sendo um simples caco entre outros cacos de barro! Porventura dirá o barro a quem o formou: 'O que está fazendo?' Ou a sua obra: 'Não tem alça?'
10 Ai daquele que diz ao pai: 'O que você gerou?' E à sua mãe: 'Por que você deu à luz?'"
11 Assim diz o Senhor, o Santo de Israel, aquele que o formou: "Perguntem-me as coisas futuras; perguntem sobre os meus filhos e sobre a obra das minhas mãos.
12 Eu fiz a terra e criei nela o homem; eu o fiz; as minhas mãos estenderam os céus e a todos os seus exércitos dei as minhas ordens.
13 Eu o despertei em justiça e todos os seus caminhos endireitarei; ele edificará a minha cidade, e soltará os meus cativos, não por preço nem por presente, diz o Senhor dos Exércitos."
14 Assim diz o Senhor: "O trabalho do Egito e o comércio dos etíopes e dos sabeus, homens de alta estatura, passarão para você e serão seus; irão atrás de você, virão em grilhões e diante de você se prostrarão; lhe farão as suas súplicas, dizendo: 'Certamente Deus está com você, e não há nenhum outro deus.'"
15 Verdadeiramente tu és o Deus que te ocultas, o Deus de Israel, o Salvador.
16 Todos se envergonharão e se confundirão; cairão juntos na afronta os que fabricam imagens.
17 Porém Israel é salvo pelo Senhor, com uma eterna sal-

vação; por isso não serão envergonhados, nem confundi-
dos em toda a eternidade.
18 "Porque assim diz o Senhor que criou os céus, o Deus
que formou a terra e a fez; ele a confirmou, não a criou
vazia, mas a formou para que fosse habitada: Eu sou o
Senhor e não há outro.
19 Não falei em oculto, nem em lugar algum escuro da
terra; não disse à descendência de Jacó: Busquem-me em
vão; eu sou o Senhor, que falo a justiça e anuncio coisas
retas.
20 Reúnam-se e venham; cheguem juntos, os que esca-
param das nações; nada sabem os que conduzem em pro-
cissão as suas imagens de escultura, feitas de madeira e
rogam a um deus que não pode salvar.
21 Anunciem, cheguem-se e tomem conselho todos jun-
tos; quem fez ouvir isto desde a antiguidade? Quem desde
então o anunciou? Porventura não sou eu, o Senhor? Pois
não há outro Deus senão eu; Deus justo e Salvador não
há além de mim.
22 Olhem para mim e serão salvos, vocês, todos os lugares
da terra; porque eu sou Deus e não há outro.
23 Por mim mesmo tenho jurado, já saiu da minha boca a
palavra de justiça e não tornará atrás; que diante de mim
se dobrará todo joelho e por mim jurará toda língua.
24 De mim se dirá: Somente no Senhor há justiça e força;
até ele virão, mas serão envergonhados todos os que se
indignarem contra ele."
25 Mas no Senhor será justificada e se gloriará toda a des-
cendência de Israel.

Os Ídolos da Babilônia

46 Bel está abatido, Nebo se encurvou, os seus ídolos
são postos sobre os animais e sobre as feras; as car-
gas dos seus fardos são canseiras para as feras já cansadas.
2 Juntamente se encurvaram e se abateram; não puderam
livrar-se da carga, mas a sua alma entrou em cativeiro.
3 "Ouçam-me, ó casa de Jacó e todo o restante da casa de
Israel; vocês que eu trouxe nos braços desde o ventre e
tenho carregado desde o nascimento.
4 E até à velhice eu serei o mesmo, até que tenham cabe-
los brancos eu os carregarei; eu os fiz, eu os levarei, eu os
trarei e os livrarei.
5 Com quem me assemelhariam, com quem me iguala-
riam e me comparariam, para que sejamos semelhantes?
6 Gastam o ouro da bolsa e pesam a prata nas balanças;
assalariam o ourives e ele faz um deus, e diante dele se
prostram e se inclinam.
7 Sobre os ombros o tomam, o levam e o põem no seu
lugar; ali fica em pé e do seu lugar não se move; se alguém
clama a ele, resposta nenhuma dá, nem livra alguém da
sua tribulação.
8 Lembrem-se disto e considerem; tragam-no na memória,
ó prevaricadores.
9 Lembrem-se das coisas passadas desde a antiguidade;
que eu sou Deus e não há outro Deus, não há outro se-
melhante a mim,
10 que anuncio o fim desde o princípio, que falo desde a
antiguidade as coisas que ainda não aconteceram e digo:
O meu conselho será firme e farei toda a minha vontade.
11 Que chamo a ave de rapina desde o Oriente; e de uma
terra remota vem o homem do meu conselho; porque as-
sim o disse e assim o farei vir; eu o formei e também o
farei.
12 Ouçam-me, ó duros de coração, os que estão longe
da justiça.
13 Faço chegar a minha justiça a qual não estará longe, e
a minha salvação não tardará; mas estabelecerei em Sião a
salvação, e, em Israel, a minha glória.

A Queda da Babilônia

47 Desça e assente-se no pó, ó virgem filha da Babi-
lônia; assente-se no chão; já não há trono, ó filha
dos caldeus, porque nunca mais será chamada nova, nem
delicada.
2 Pegue o moinho e moa a farinha; remova o seu véu,
descalce os pés, descubra as pernas e atravesse os rios.
3 A sua nudez se descobrirá, e se verá a sua vergonha;
tomarei vingança e não pouparei homem algum."
4 O nosso redentor cujo nome é o Senhor dos Exércitos é
o Santo de Israel.
5 "Assente-se calada e entre nas trevas, ó filha dos caldeus,
porque nunca mais será chamada senhora dos reinos.
6 Muito me irei contra o meu povo, profanei a minha he-
rança e os entreguei na sua mão; porém não usou com eles
de misericórdia, e até sobre os velhos fez muito pesado o
seu jugo.
7 E você disse: 'Eu serei senhora para sempre; até agora
não se importou com estas coisas, nem se lembrou do fim
delas.'
8 Agora, ouça isto, você que é dada a prazeres, que habita
tão segura, que diz no seu coração: Eu sou a única, e além
de mim não há outra; não ficarei viúva, nem conhecerei
a perda de filhos.
9 Porém, ambas estas coisas virão sobre você num mo-
mento, no mesmo dia: Perda de filhos e viuvez; em toda a
sua plenitude virão sobre você, por causa da multidão das
suas feitiçarias, e da grande abundância dos seus muitos
encantamentos.
10 Porque confiou na sua maldade e disse: 'Ninguém
pode me ver'; a sua sabedoria e o seu conhecimento, isto a
fez desviar, e disse no seu coração: 'Eu sou a única e além
de mim não há outra.'

11 Portanto sobre você virá o mal, sem que saiba a sua
origem, e grande destruição cairá sobre você, sem que
possa evitar; virá sobre você, de repente, desolação que
não poderá imaginar.
12 Continue com os seus encantamentos, e com a multi-
dão das suas feitiçarias, em que trabalhou desde a sua mo-
cidade, para ver se pode tirar proveito, ou se porventura
a pode fortalecer.
13 Cansou-se da multidão dos seus conselhos; levantem-
-se agora os agoureiros dos céus, os que contemplavam os
astros, os prognosticadores das luas novas e salvem-se do
que há de vir sobre você.
14 Eis que serão como o capim seco, o fogo os queimará;
não poderão salvar a sua vida do poder das chamas; não
haverá brasas para se aquecerem, nem fogo para se assen-
tarem junto dele.
15 Assim farão contigo aqueles com quem trabalhou, os
seus negociantes desde a sua mocidade; cada um irá va-
gueando pelo seu caminho e ninguém a salvará.

Profecias Dadas Para Convencer Israel

48 Ouça isto, casa de Jacó, que vocês chamam pelo
nome de Israel, que saíram da linhagem de Judá,
que juraram pelo nome do Senhor, e fazem menção do
Deus de Israel, mas não em verdade nem em justiça.
2 E até da santa cidade tomam o nome, e se firmam sobre
o Deus de Israel; o Senhor dos Exércitos é o seu nome.
3 As primeiras coisas, desde a antiguidade as anunciei; da
minha boca saíram e eu as fiz ouvir; de repente as fiz, e
aconteceram.
4 Porque eu sabia que você era duro, e o seu pescoço, um
nervo de ferro, e a sua testa era de bronze.
5 Por isso lhe anunciei desde então, e lhe fiz ouvir antes
que acontecesse, para que não dissesse: 'O meu ídolo fez
estas coisas, a minha imagem de escultura e a minha ima-
gem de fundição as mandaram.'
6 Você já ouviu; olha bem para tudo isto; porventura não o
anunciei? Desde agora o faço ouvir coisas novas e ocultas,
e que nunca conheceu.
7 Agora foram criadas, e não há muito tempo, e antes des-
te dia não as ouviu, para que não diga: 'Eu já sabia.'
8 Nem você as ouviu, nem você as conheceu, nem tam-
pouco foi aberto o seu ouvido, porque eu sabia que pro-
cederia traiçoeiramente, e que era chamado prevaricador
desde o ventre.
9 Por amor do meu nome, retardarei a minha ira, e por
amor do meu louvor, me refrearei com você, para que não
venha a exterminá-lo.
10 Eis que já o purifiquei, mas não como a prata; eu o
escolhi na fornalha da aflição.
11 Por amor de mim, por amor de mim, isto farei, porque,
como seria profanado o meu nome? E a minha honra não
darei a outro.

Deus Exorta Seu Povo

12 Escute-me, ó Jacó, e você, ó Israel, a quem chamei;
eu sou o mesmo, eu sou o primeiro, e também o último.
13 Também a minha mão fundou a terra, e a minha mão
direita mediu os céus a palmos; eu os chamarei e apare-
cerão juntos.
14 Ajuntem-se todos vocês e ouçam: Quem, dentre eles,
tem anunciado estas coisas? O Senhor o amou e executará
a sua vontade contra a Babilônia, e o seu braço será contra
os caldeus.
15 Eu, eu o tenho falado; também já o chamei, o trarei e
farei próspero o seu caminho.
16 Cheguem-se a mim, ouçam isto: Não falei em oculto
desde o princípio; desde o tempo em que aquilo se fez eu
estava ali"; e, agora, o Senhor Deus enviou a mim com
seu Espírito.
17 Assim diz o Senhor, o seu Redentor, o Santo de Israel:
"Eu sou o Senhor seu Deus, que lhe ensina o que é útil, e
o guia pelo caminho em que deve andar.
18 Ah! Se tivesse dado ouvidos aos meus mandamentos,
então seria a sua paz, como o rio, e a sua justiça, como as
ondas do mar!
19 Também a sua descendência seria como a areia, e os
seus descendentes, como os grãos da areia; o seu nome
nunca seria cortado nem destruído de diante de mim."
20 Saiam da Babilônia, fujam do meio dos caldeus. E
anunciem com voz de júbilo, façam ouvir isto, e levem até
o fim da terra; digam: "O Senhor remiu a seu servo Jacó."
21 E não tinham sede, quando os levava pelos desertos;
fez-lhes correr água da rocha; fendeu a rocha, e as águas
correram.
22 "Mas os ímpios não têm paz", diz o Senhor.

O Servo do Senhor

49 Ouçam-me, ilhas, e escutem vocês, povos de longe:
O Senhor me chamou desde o meu nascimento,
desde o ventre da minha mãe fez menção do meu nome.
2 Ele fez a minha boca como uma espada aguda, com a
sombra da sua mão me cobriu; me pôs como uma flecha
limpa, e me escondeu na sua aljava.
3 E me disse: "Você é meu servo; é Israel, aquele por
quem serei glorificado."
4 Porém eu disse: Em vão tenho trabalhado, inútil e por
nada gastei as minhas forças; todavia o meu direito está
perante o Senhor, e a minha recompensa perante o meu
Deus.
5 E agora, diz o Senhor, que me formou desde o ventre
para ser o seu servo, para que faça Jacó voltar para ele,

porém, Israel não se deixará ajuntar; contudo, aos olhos do
Senhor serei glorificado, e o meu Deus será a minha força.
6 Disse mais: "Para você é pouco ser o meu servo, para
restaurar as tribos de Jacó, e tornar a trazer os preservados
de Israel; também o dei para luz dos gentios, para serem a
minha salvação até à extremidade da terra."
7 Assim diz o Senhor, o Redentor de Israel, o seu Santo,
à alma desprezada, ao que a nação abomina, ao servo
dos que dominam: "Os reis o verão e se levantarão, como
também os príncipes, e eles diante de você se inclinarão,
por amor do Senhor, que é fiel, e do Santo de Israel, que
o escolheu."
8 Assim diz o Senhor: "No tempo aceitável o ouvi, e no
dia da salvação o ajudei; o guardarei e o darei por aliança
ao povo, para restaurar a terra, e para dar-lhes em herança
as propriedades assoladas;
9 para dizer aos presos: Saiam; e aos que estão em trevas:
Apareçam. Eles pastarão nos caminhos, e em todos os
montes terão o seu pasto.
10 Nunca terão fome, nem sede, nem calor, nem o sol os
afligirá; porque o que se compadece deles os guiará e os
levará mansamente aos mananciais das águas.
11 E farei de todos os meus montes um caminho, e as
minhas estradas serão levantadas.
12 Eis que estes virão de longe, e aqueles do Norte e do
Ocidente, e aqueles outros da terra de Sinim."
13 Exultem, ó céus, e alegre-se, ó terra, e vocês, montes,
estalem com júbilo, porque o Senhor consolou o seu povo,
e dos seus aflitos se compadecerá.
14 Porém Sião diz: "O Senhor já me desamparou, e o meu
Senhor se esqueceu de mim."
15 "Por acaso pode uma mulher esquecer-se do seu filho
que cria, de maneira que não se compadeça dele, do filho
do seu ventre? Mas ainda que esta se esquecesse dele, contudo,
eu não me esquecerei de você.
16 Eis que eu gravei você nas palmas das minhas mãos; os
seus muros estão continuamente diante de mim.
17 Os seus filhos virão depressa, mas os seus destruidores
e os seus assoladores sairão do meio de você.
18 Levante os seus olhos ao redor e olhe; todos estes que
se ajuntam vêm a você. Eu juro, diz o Senhor, que de todos
estes você se vestirá como um ornamento, e se vestirá
deles como uma noiva.
19 Porque nos seus desertos, nos seus lugares solitários e
na sua terra destruída, agora se verá apertada de moradores,
e os que a devoravam se afastarão para longe de você.
20 E até mesmo os filhos da sua orfandade dirão aos seus
ouvidos: Este lugar é muito pequeno para nós; dê-nos mais
espaço, para que possamos habitar nele.
21 Então você dirá no seu coração: 'Quem me gerou estes
filhos? Pois eu estava sem filhos e solitária; estava em cativeiro
e me retirou; quem, pois, me criou estes filhos? Eu
fui deixada sozinha e estes onde estavam?'"
22 Assim diz o Senhor Deus: "Eis que levantarei a minha
mão para as nações e diante dos povos levantarei a minha
bandeira; então trarão os seus filhos nos braços e as suas
filhas serão levadas sobre os ombros.
23 E os reis serão os seus guardiões, e as suas princesas
serão as suas amas; diante de você se inclinarão com o
rosto em terra e lamberão o pó dos seus pés; então saberá
que eu sou o Senhor, e que os que confiam em mim não
serão confundidos.
24 Porventura poderia se tirar o despojo de um poderoso,
ou os legalmente presos conseguiriam escapar dele?"
25 Porém, assim diz o Senhor: "Certamente que os presos
serão tirados do poderoso, e a presa do tirano escapará;
porque eu lutarei com os que lutam contra você, e os seus
filhos eu remirei.
26 E sustentarei os seus opressores com a sua própria carne,
e com o seu próprio sangue se embriagarão, como com
vinho; então toda carne saberá que eu sou o Senhor, o seu
Salvador e o seu Redentor, o Forte de Jacó."

A Desobediência de Israel Contrasta Com a Obediência do Servo

50 Assim diz o Senhor: "Onde está a carta de divórcio
da sua mãe, pela qual eu a repudiei? Ou quem é o
meu credor a quem eu vendi? Eis que por suas maldades
foram vendidos, e por suas transgressões sua mãe foi mandada
embora.
2 Por que razão eu vim e ninguém apareceu? Chamei e
ninguém respondeu? Será que a minha mão se encolheu
tanto, que já não possa remir? Ou não há mais força em
mim para livrar? Eis que com a minha repreensão faço secar
o mar, torno os rios em deserto, até que cheirem mal os
seus peixes, pois, não tendo água, morrem de sede.
3 Eu visto os céus de negridão, lhes porei um pano de saco
para a sua cobertura."
4 O Senhor Deus me deu uma língua erudita, para que eu
saiba dizer a seu tempo uma boa palavra ao cansado. Ele
me desperta todas as manhãs, desperta-me o ouvido para
que ouça, como aqueles que aprendem.
5 O Senhor Deus me abriu os ouvidos e eu não fui rebelde;
não me retirei para trás.
6 As minhas costas ofereci aos que me feriam, e a minha
face aos que me arrancavam os cabelos; não escondi a minha
face dos que me afrontavam e me cuspiam.
7 Porque o Senhor Deus me ajuda, assim não me confundo;
por isso pus o meu rosto como uma rocha, porque sei
que não serei envergonhado.
8 Perto está o que me justifica; quem lutará comigo?

Compareçamos juntos; quem tem alguma acusação contra
mim? Chegue-se para mim.
9 Eis que o Senhor Deus me ajuda; quem poderá me con-
denar? Eis que todos eles como roupas envelhecerão, e a
traça os comerá.
10 Quem há entre vocês que tema a Deus e ouça a voz
do seu servo? Quando andar em trevas, e não tiver luz
nenhuma, confie no nome do Senhor e firme-se sobre o
seu Deus.
11 Eis que todos vocês, que acendem fogo e fazem tochas
com faíscas, andam entre as labaredas do seu fogo e entre
as faíscas, que acenderam. Isto lhes virá da minha mão, e
em tormentos jazerão.

Salvação Para Sião

51 "Ouçam-me, vocês, os que seguem a justiça, os
que buscam o Senhor. Olhem para a rocha de onde
foram cortados e para a caverna do poço de onde foram
cavados.
2 Olhem para Abraão, seu pai, e para Sara, que os deu
à luz; porque, sendo ele só, o chamei, o abençoei e o
multipliquei.
3 Porque o Senhor consolará Sião; consolará todos os seus
lugares assolados, e fará o seu deserto como o Éden, e a
sua solidão como o jardim do Senhor; gozo e alegria se
acharão nela, ação de graças e voz de melodia.
4 Atendam-me, povo meu e nação minha, inclinem os ou-
vidos para mim; porque de mim sairá a lei, e o meu juízo
farei repousar para a luz dos povos.
5 Perto está a minha justiça, vem saindo a minha salvação
e os meus braços julgarão os povos; as ilhas me aguarda-
rão, e no meu braço esperarão.
6 Levantem os seus olhos para os céus e olhem para a terra
em baixo, porque os céus desaparecerão como a fumaça,
a terra se envelhecerá como roupa, e os seus moradores
morrerão semelhantemente; porém, a minha salvação du-
rará para sempre, e a minha justiça não será debilitada.
7 Ouçam-me, vocês que conhecem a justiça, povo em cujo
coração está a minha lei; não temam a zombaria dos ho-
mens, nem se perturbem pelas suas injúrias.
8 Porque a traça os roerá como a roupa, e o bicho os co-
merá como a lã; mas a minha justiça durará para sempre,
e a minha salvação, de geração em geração."
9 Desperta, desperta, veste-te de força, ó braço do Senhor;
desperta como nos dias passados, como nas gerações an-
tigas. Não és tu aquele que cortou em pedaços a Raabe, o
que feriu o chacal?
10 Não és tu aquele que secou o mar, as águas do grande
abismo? O que fez o caminho no fundo do mar, para que
passassem os remidos?
11 Assim voltarão os resgatados do Senhor, virão a Sião
com júbilo, e perpétua alegria haverá sobre as suas ca-
beças; gozo e alegria alcançarão, a tristeza e o gemido
fugirão.
12 "Eu, eu sou aquele que os consola. Quem é você, para
temer o homem que é mortal, ou o filho do homem, que
se tornará em feno?
13 E se esquece do Senhor que o criou, que estendeu os
céus, fundou a terra e teme continuamente todo o dia o
furor do angustiador, quando se prepara para destruir; pois
onde está o furor de quem o atribulava?
14 O exilado cativo depressa será solto, não morrerá na
caverna, e o seu pão não lhe faltará.
15 Porque eu sou o Senhor seu Deus, que agito o mar, de
modo que bramem as suas ondas. O Senhor dos Exércitos
é o seu nome.
16 E ponho as minhas palavras na sua boca, e o cubro com
a sombra da minha mão; para plantar os céus, para fundar
a terra, e para dizer a Sião: Você é o meu povo."
17 Desperte, desperte, levante-se, ó Jerusalém, que bebeu
da mão do Senhor o cálice do seu furor; bebeu e sorveu as
fezes do cálice do atordoamento.
18 De todos os filhos que ela teve, nenhum há que a guie
mansamente; de todos os filhos que criou, nenhum há que
a tome pela mão.
19 Estas duas coisas lhe aconteceram, e quem terá com-
paixão de você? A assolação, o quebrantamento, a fome e
a espada! Quem o consolará?
20 Os seus filhos já desmaiaram, jazem nas entradas de
todos os caminhos, como o boi montês na rede; cheios
estão do furor do Senhor, e da repreensão do seu Deus.
21 Portanto, agora ouça isto, ó aflita e embriagada, mas
não de vinho.
22 Assim diz o seu Senhor, o seu Deus, que pleiteará a
causa do seu povo: "Eis que eu tomo da sua mão o cálice
do atordoamento; os sedimentos do cálice do meu furor,
nunca mais beberá dele.
23 Porém, o porei nas mãos dos que a entristeceram, que
disseram à sua alma: 'Abaixe-se e passaremos sobre você';
então, você pôs as suas costas como chão e como caminho
aos que passavam."

Salvação Gratuita

52 Desperte, desperte, vista-se da sua fortaleza, ó Sião;
vista-se das suas roupas formosas, ó Jerusalém, ci-
dade santa, porque nunca mais entrará em você nenhum
incircunciso ou imundo.
2 Sacuda-se do pó, levante-se e assente-se, ó Jerusalém:
Solte-se das cadeias de seu pescoço, ó cativa filha de Sião.
3 Porque assim diz o Senhor: "Por nada foram vendidos e
também sem dinheiro serão resgatados."
4 Porque assim diz o Senhor Deus: "O meu povo em tem-

pos passados desceu ao Egito, para morar lá, e a Assíria
sem razão o oprimiu.
5 E agora, o que eu tenho que fazer aqui", diz o Senhor,
"pois o meu povo foi tomado sem nenhuma razão? Os que
dominam sobre ele dão uivos", diz o Senhor, "e o meu
nome é blasfemado incessantemente o dia todo.
6 Portanto, o meu povo saberá o meu nome, pois, naquele
dia, saberá que sou eu mesmo que falo: Eis-me aqui."
7 Quão suaves são, sobre os montes, os pés de quem anuncia as boas novas, que faz ouvir a paz, de quem anuncia o bem, que faz ouvir a salvação, de quem diz a Sião: "O seu Deus reina!"
8 Uma voz das suas sentinelas se ouve, alçam a voz, juntamente exultam; porque com os seus próprios olhos verão quando o Senhor tornar a trazer Sião.
9 Clamem cantando, exultem juntos, desertos de Jerusalém; porque o Senhor consolou o seu povo, remiu Jerusalém.
10 O Senhor desnudou o seu santo braço perante os olhos de todas as nações, e todos os confins da terra verão a salvação do nosso Deus.
11 Retirem-se, retirem-se, saiam daí, não toquem em coisa imunda; saiam do meio dela, purifiquem-se os que levam os vasos do Senhor.
12 Porque vocês não sairão apressadamente, nem fugirão; porque o Senhor irá diante de vocês, e o Deus de Israel será a sua retaguarda.
13 Eis que o meu servo procederá com prudência; será exaltado, elevado e muito sublime.
14 Como muitos pasmaram à vista dele, pois a sua aparência estava tão desfigurada, mais do que a de outro qualquer, e a sua aparência mais do que a dos outros filhos dos homens,
15 assim deixará maravilhadas muitas nações e os reis fecharão as suas bocas por causa dele; porque aquilo que não lhes foi anunciado verão, e aquilo que eles não ouviram, entenderão.

Os Sofrimentos do Messias

53 Quem deu crédito à nossa pregação? E a quem se manifestou o braço do Senhor?
2 Porque foi subindo como renovo perante ele, e como raiz de uma terra seca; não tinha parecer nem formosura, e, olhando para ele, não havia boa aparência, para que o desejássemos.
3 Era desprezado e o mais indigno entre os homens, homem de dores e experiente nos trabalhos; como um de quem os homens escondiam o rosto, era desprezado e não fizemos dele caso algum.
4 Verdadeiramente ele tomou sobre si as nossas enfermidades, e as nossas dores levou sobre si; e nós o reputávamos por aflito, ferido de Deus e oprimido.
5 Mas ele foi ferido por causa das nossas transgressões e moído por causa das nossas iniquidades; o castigo que nos traz a paz estava sobre ele, e pelas suas feridas fomos sarados.
6 Todos nós andávamos desgarrados como ovelhas; cada um se desviava pelo seu caminho; mas o Senhor fez cair sobre ele a iniquidade de todos nós.
7 Ele foi oprimido e afligido, mas não abriu a sua boca; como um cordeiro foi levado ao matadouro, e como a ovelha muda perante os seus tosquiadores, assim ele não abriu a sua boca.
8 Da opressão e do juízo foi tirado, e quem contará o tempo da sua vida? Porque ele foi cortado da terra dos viventes; pela transgressão do meu povo ele foi atingido.
9 E puseram a sua sepultura com os ímpios, e com o rico na sua morte; ainda que nunca tivesse cometido injustiça, nem houvesse engano na sua boca.
10 Porém, ao Senhor agradou moê-lo, fazendo-o sofrer; quando a sua alma se puser por expiação do pecado, verá a sua descendência, prolongará os seus dias e a boa vontade do Senhor prosperará na sua mão.
11 Ele verá o fruto do trabalho da sua alma e ficará satisfeito; com o seu conhecimento o meu servo, o justo, justificará muitos; porque as iniquidades deles levará sobre si.
12 Por isso lhe darei a parte de muitos, e com os poderosos repartirá ele o despojo; porque derramou a sua alma na morte, e foi contado com os transgressores; mas ele levou sobre si o pecado de muitos e intercedeu pelos transgressores.

A Glória de Sião

54 "Cante alegremente, ó estéril, que não deu à luz; rompa em cântico e exclame com alegria, você que não teve dores de parto; porque mais são os filhos da mulher solitária do que os filhos da casada", diz o Senhor.
2 "Alargue o lugar da sua tenda e estendam-se as cortinas das suas habitações e não o impeça; alongue as suas cordas e fixe bem as suas estacas.
3 Porque transbordará para a direita e para a esquerda e a sua descendência possuirá as nações, assim fará que sejam habitadas as cidades assoladas.
4 Não tema, porque não será envergonhada; não se envergonhe, porque não será humilhada; antes se esquecerá da vergonha da sua mocidade e não se lembrará mais da desgraça da sua viuvez.
5 Porque o seu Criador é o seu marido; o Senhor dos Exércitos é o seu nome, e o Santo de Israel é o seu Redentor, que é chamado de o Deus de toda a terra.
6 Porque o Senhor a chamou como a mulher desamparada

e triste de espírito; como a mulher da mocidade, que foi
desprezada, diz o seu Deus.
7 Por um breve momento a deixei, mas com grandes mi-
sericórdias a recolherei;
8 com um pouco de ira escondi a minha face de você por
um momento; mas com benignidade eterna me compade-
cerei de você, diz o Senhor, o seu Redentor.
9 Porque isto será para mim como as águas de Noé; pois
jurei que as águas de Noé não passariam mais sobre a terra;
assim jurei que não me irarei mais contra você, nem a
repreenderei.
10 Porque os montes se retirarão e as colinas serão abala-
das; porém a minha benignidade não se afastará de você,
e a aliança da minha paz não mudará, diz o Senhor que se
compadece de você.
11 Você, oprimida, arrojada com a tormenta e descon-
solada, eis que eu assentarei as suas pedras com todo o
ornamento e a fundarei sobre as safiras.
12 E farei os seus vitrais de rubis, as suas portas de berilo
e todas as suas muralhas de pedras preciosas.
13 E todos os seus filhos serão doutrinados no Senhor, e a
paz de seus filhos será abundante.
14 Com justiça será estabelecida e estará longe da opres-
são, porque já não temerá; também não temerá o terror,
porque não chegará a você.
15 Eis que seguramente poderão vir a juntar-se contra
você, mas não com o meu consentimento; quem se ajun-
tar contra você, por você será derrotado.
16 Eis que eu criei o ferreiro, que assopra as brasas no fogo
e que produz a ferramenta para a sua obra; também criei o
destruidor para destruir.
17 Toda a ferramenta preparada contra você não prospe-
rará, e toda a língua que se levantar contra você em juízo,
você a condenará; esta é a herança dos servos do Senhor e
a sua justiça que de mim procede", diz o Senhor.

Convite aos Sedentos e Famintos

55 "Ó vocês, todos os que têm sede, venham às águas;
e os que não têm dinheiro, venham, comprem, e
comam; sim, venham, comprem, sem dinheiro e sem pre-
ço, vinho e leite.
2 Por que gastam o dinheiro naquilo que não é pão? E o
produto do seu trabalho naquilo que não pode satisfazer?
Ouçam-me atentamente e comam o que é bom, e a sua
alma se deleite com a gordura.
3 Inclinem os seus ouvidos e venham a mim; ouçam, e
a sua alma viverá; porque com vocês farei uma aliança
perpétua, dando a vocês as firmes beneficências prome-
tidas a Davi.
4 Eis que eu o dei por testemunha aos povos, por príncipe
e governador dos povos.
5 Eis que chamará uma nação que não conhece e uma
nação que nunca o conheceu correrá para você, por amor
do Senhor seu Deus e do Santo de Israel; porque ele o
glorificou."
6 Busquem ao Senhor enquanto se pode achar, invoquem-
-no enquanto está perto.
7 Deixe o ímpio o seu caminho, o homem maligno os seus
pensamentos e se converta ao Senhor, que se compadecerá
dele; volte-se para o nosso Deus, porque ele é grandioso
em perdoar.
8 "Porque os meus pensamentos não são os seus pensa-
mentos, nem os seus caminhos são os meus caminhos",
diz o Senhor.
9 "Porque assim como os céus são mais altos do que a
terra, assim são os meus caminhos mais altos do que os
seus caminhos, e os meus pensamentos são mais altos do
que os seus pensamentos.
10 Porque, assim como descem a chuva e a neve dos céus
e para lá não tornam, mas regam a terra e a fazem produ-
zir, brotar, dar semente ao semeador e pão ao que come,
11 assim será a minha palavra, que sair da minha boca; ela
não voltará para mim vazia, antes fará o que me apraz e
prosperará naquilo para que a enviei.
12 Porque com alegria sairão e em paz serão guiados; os
montes e as colinas romperão em cântico diante de vocês,
e todas as árvores do campo baterão palmas.
13 Em lugar do espinheiro, crescerá o cipreste, e em lugar
da sarça crescerá a murta; o que será para o Senhor por
nome e por sinal eterno, que nunca se apagará."

Salvação Para os Gentios

56 Assim diz o Senhor: "Guardem o juízo e façam jus-
tiça, porque a minha salvação está prestes a vir e a
minha justiça está prestes a se manifestar.
2 Bem-aventurado o homem que fizer isto, e o filho do
homem que lançar mão disto; que se guarda de profanar o
sábado e guarda a sua mão de cometer algum mal.
3 E não fale o filho do estrangeiro, que se houver unido
ao Senhor, dizendo: 'Certamente o Senhor me separará
do seu povo'; nem tampouco diga o eunuco: 'Eis que sou
uma árvore seca.'
4 Porque assim diz o Senhor, a respeito dos eunucos, que
guardam os meus sábados, que escolhem aquilo em que
eu me agrado e abraçam a minha aliança:
5 Também lhes darei na minha casa e dentro dos meus
muros um lugar e um nome, melhor do que o de filhos e
filhas; um nome eterno darei a cada um deles, que nunca
se apagará.
6 E os filhos dos estrangeiros, que se unirem ao Senhor
para o servirem, para amarem o nome do Senhor e serem

seus servos, todos os que guardarem o sábado, não o pro-
fanando, e os que abraçarem a minha aliança,
7 também os levarei ao meu santo monte e os alegrarei
na minha casa de oração; os seus holocaustos e os seus
sacrifícios serão aceitos no meu altar; porque a minha casa
será chamada casa de oração para todos os povos."
8 Assim diz o Senhor Deus, que congrega os dispersos de
Israel: "Ainda ajuntarei outros aos que já se ajuntaram.

Condenação Para os Chefes de Israel

9 Vocês, todos os animais do campo, todos os animais dos
bosques, venham comer.
10 Todos as suas sentinelas são cegas, nada sabem; todos
são cães mudos, não podem latir; andam adormecidos, es-
tão deitados e gostam do sono.
11 E estes cães são tão gulosos que não se fartam; eles
são pastores que nada compreendem; todos eles seguem
o seu caminho, cada um para a sua ganância, cada um
por sua parte.
12 Venham, digam: 'Trarei vinho e beberemos bebida for-
te, pois o dia de amanhã será como este e ainda muito
melhor.'

57 Perece o justo e não há quem considere isso em seu
coração, e os homens compassivos são recolhidos,
sem que alguém considere que o justo é levado antes do
mal.
2 Entrarão em paz, descansarão nas suas camas os que
houverem andado na sua retidão.
3 Porém, cheguem aqui, vocês, os filhos de feiticeiras, des-
cendência de adúlteros e que cometem fornicação.
4 De quem fazem o seu passatempo? Contra quem alar-
gam a boca mostrando a língua? Por acaso não são filhos
da transgressão, descendência da falsidade,
5 que se esquentam com os deuses debaixo de toda árvore
verde, e sacrificam os filhos nos ribeiros, debaixo dos can-
tos dos penhascos?
6 Nas pedras lisas dos ribeiros está a sua parte; estas, estas
são a sua sorte; a estas também derramam as suas libações
e lhes oferecem ofertas. Eu me aplacarei por causa destas
coisas?
7 Sobre os montes altos e elevados põem a sua cama, e lá
sobem para oferecer sacrifícios.
8 E atrás das portas e dos umbrais põem os seus memo-
riais; porque, desviando-se de mim, a outros se desco-
brem, e sobem, alargam a sua cama, e fazem aliança com
alguns deles; amam a sua cama, onde quer que a vejam.
9 E vai ao rei com óleo e multiplica os seus perfumes;
envia os seus embaixadores para longe e se abate até aos
infernos.
10 Na sua comprida viagem, se cansa, porém não diz:
'Não há esperança'; o que buscava achou e por isso não
adoece.
11 Mas de quem teve receio, ou a quem temeu? Por que
mentiu e não se lembrou de mim, nem no seu coração me
pôs? Não é porque estou calado desde muito tempo, que
não me teme?
12 Eu publicarei a sua justiça e as suas obras, mas não lhe
aproveitarão.

Promessas aos Penitentes

13 Quando vierem a clamar, livrem-se dos seus ídolos; po-
rém o vento levará todos eles, e a vaidade os arrebatará;
mas quem confia em mim possuirá a terra e herdará o
meu santo monte.
14 E se dirá: Aplainem, aplainem a estrada, preparem o
caminho; tirem os tropeços do caminho do meu povo."
15 Porque assim diz o alto e o sublime, que habita na eter-
nidade e cujo nome é santo: "Na altura e no lugar santo
habito; como também com o contrito e abatido de espírito,
para vivificar o espírito dos abatidos e para vivificar o co-
ração dos contritos.
16 Porque para sempre não contenderei, nem continua-
mente me indignarei, porque o homem perante a minha
face se oprimiria, bem como as almas que eu fiz.
17 Pela iniquidade da sua avareza me indignei e os feri:
Escondi-me e indignei-me, contudo, os rebeldes seguiram
o caminho do seu coração.
18 Eu vejo os seus caminhos e os curarei, os guiarei e
tornarei a dar consolações aos seus pranteadores.
19 Eu crio os frutos dos lábios: Paz, paz, para os que estão
longe e para os que estão perto", diz o Senhor; "e eu os
sararei.
20 Mas os ímpios são como o mar bravo, porque não se
pode aquietar, e as suas águas lançam de si lama e lodo.
21 Os ímpios", diz o meu Deus, "não têm paz.

O Jejum Aceitável

58 Clame em alta voz, não se retenha, levante a sua
voz como a trombeta e anuncie ao meu povo a sua
transgressão, e à casa de Jacó, os seus pecados.
2 Todavia me procuram a cada dia, tomam prazer em sa-
ber os meus caminhos, como um povo que pratica justiça
e não deixa o direito do seu Deus; perguntam-me pelos
direitos da justiça e têm prazer em se chegarem a Deus,
3 dizendo: Por que nós jejuamos e tu não atentas para
isso? Por que afligimos as nossas almas, e tu não o sabes?
Eis que no dia em que jejuam, vocês acham o seu próprio
contentamento e oprimem todos os seus trabalhadores.
4 Eis que para contendas e debates jejuam e para ferirem
com punho iníquo; não jejuam como hoje, para fazer ouvir
a sua voz no alto.
5 Seria este o jejum que eu escolheria, que o homem um

dia aflija a sua alma, que incline a sua cabeça como o junco
e estenda debaixo de si pano de saco e cinza? Você chamaria isto de jejum e dia aceitável ao Senhor?
6 Será que é este o jejum que escolhi: que soltem as ligaduras da impiedade, que desfaçam as ataduras do jugo e que deixem livres os oprimidos e despedacem todo o jugo?
7 Porventura não é também que repartam o seu pão com o faminto e recolham em casa os pobres abandonados; então, quando virem o nu, o cubram e não se escondam dele?
8 Então romperá a sua luz como a alva, a sua cura apressadamente brotará, a sua justiça irá adiante de você, e a glória do Senhor será a sua retaguarda.
9 Então clamará e o Senhor lhe responderá; gritará e ele dirá: 'Eis-me aqui.' Se tirarem do meio de vocês o jugo opressor, o dedo acusador e a falsidade do falar;
10 e se abrirem a sua alma ao faminto e socorrerem os aflitos, então, a sua luz nascerá nas trevas, e a sua escuridão será como o meio-dia.
11 E o Senhor o guiará continuamente e fartará a sua alma até em lugares áridos; fortificará os seus ossos e será como um jardim regado e como um manancial, cujas águas nunca faltam.
12 E os que de você procederem edificarão as antigas ruínas; assim levantarão os fundamentos de geração em geração e o chamarão de reparador das roturas e restaurador de veredas para morar.
13 Se não desviar o seu pé do sábado, nem fizer a sua vontade no meu santo dia, e chamar o sábado deleitoso e o santo dia do Senhor digno de honra, e o honrar não seguindo os seus caminhos, nem pretendendo fazer a sua própria vontade, nem falar as suas próprias palavras,
14 então se deleitará no Senhor, e o farei cavalgar sobre as alturas da terra e o sustentarei com a herança de seu pai Jacó"; porque a boca do Senhor o falou.

O Pecado e Suas Consequências

59 Eis que a mão do Senhor não está encolhida, para que não possa salvar; nem surdo o seu ouvido, para não poder ouvir.
2 Mas as suas iniquidades fazem separação entre vocês e o seu Deus e os seus pecados encobrem o seu rosto de vocês, para que ele não os ouça.
3 Porque as suas mãos estão contaminadas de sangue e os seus dedos de iniquidade; os seus lábios falam falsidade, a sua língua pronuncia perversidade.
4 Ninguém há que clame pela justiça, nem ninguém que compareça em juízo pela verdade; confiam na vaidade e falam mentiras; concebem o mal e dão à luz a iniquidade.
5 Chocam ovos de cobra e tecem teias de aranha; quem comer dos ovos deles morrerá, e, quebrando-os, sairá uma víbora.
6 As suas teias não prestam para vestes, nem poderão se cobrir com as suas obras; as suas obras são obras de iniquidade e obra de violência há nas suas mãos.
7 Os seus pés correm para o mal e se apressam para derramarem o sangue inocente; os seus pensamentos são pensamentos de iniquidade; há destruição nas suas estradas.
8 Não conhecem o caminho da paz, nem há justiça nos seus passos; fizeram para si veredas tortuosas e todos que andam por elas não têm conhecimento da paz.
9 Por isso o juízo está longe de nós e a justiça não nos alcança; esperamos pela luz e eis que trevas nos vêm; buscamos claridade, mas andamos em escuridão.
10 Apalpamos as paredes como cegos e como quem não tem olhos andamos apalpando; tropeçamos ao meio-dia como nas trevas e nos lugares escuros como mortos.
11 Todos nós bramamos como ursos e continuamente gememos como pombas; esperamos pelo juízo e ele não existe; pela salvação e está longe de nós.
12 Porque as nossas transgressões se multiplicaram perante ti e os nossos pecados testificam contra nós; porque as nossas transgressões estão conosco e conhecemos as nossas iniquidades:
13 como prevaricar, mentir contra o Senhor, nos desviarmos do nosso Deus, falar de opressão e rebelião e conceber e proferir do coração palavras de falsidade.
14 Por isso o direito se retirou e a justiça se pôs de longe; porque a verdade anda tropeçando pelas ruas, e a equidade não pode entrar.
15 Sim, a verdade desfalece e quem se desvia do mal arrisca-se a ser despojado; o Senhor viu, e pareceu mal aos seus olhos que não houvesse justiça.

Promessa de Redenção

16 E vendo que ninguém havia, maravilhou-se de que não houvesse um intercessor; por isso o seu próprio braço lhe trouxe a salvação e a sua própria justiça o sustentou.
17 Pois vestiu-se de justiça, como de uma couraça e pôs o capacete da salvação na sua cabeça, e por vestidura pôs sobre si vestes de vingança e cobriu-se de zelo, como de um manto.
18 Conforme forem as obras deles, assim será a sua retribuição, furor aos seus adversários e recompensa aos seus inimigos; às ilhas dará ele a sua recompensa.
19 Então temerão o nome do Senhor desde o poente, e a sua glória, desde o nascente do sol; vindo o inimigo como uma corrente de águas, o Espírito do Senhor erguerá contra ele a sua bandeira.
20 "E virá um Redentor a Sião e aos que em Jacó se converterem da transgressão", diz o Senhor.

21 "Quanto a mim, esta é a minha aliança com eles", diz o
Senhor: "O meu Espírito, que está sobre você, e as minhas
palavras, que pus na sua boca, não se desviarão da sua
boca nem da boca da sua descendência, nem da boca da
descendência da sua descendência", diz o Senhor, "desde
agora e para todo o sempre."

A Glória de Sião

60 Levante-se, resplandeça, porque vem a sua luz, e a
glória do Senhor vai nascendo sobre você;
2 porque as trevas cobriram a terra e a escuridão envolve
os povos; mas sobre você o Senhor virá surgindo e a sua
glória se verá sobre você.
3 E as nações caminharão à sua luz e os reis ao resplendor
que lhes nasceu.
4 Levante os seus olhos ao redor e veja: Todos estes já se
ajuntaram e vêm a você; seus filhos virão de longe e suas
filhas se criarão em seus braços.
5 Então o verá, será iluminado e o seu coração estreme-
cerá e se alargará; porque a abundância do mar se tornará
para você e as riquezas das nações virão a você.
6 A multidão de camelos o cobrirá, os dromedários de
Midiã e Efá; todos virão de Sabá; ouro e incenso trarão e
publicarão os louvores do Senhor.
7 Todas as ovelhas de Quedar se congregarão a você; os
carneiros de Nebaiote lhe servirão; com agrado subirão ao
meu altar e eu glorificarei a casa da minha glória.
8 Quem são estes que vêm voando como nuvens e como
pombas às suas janelas?
9 Certamente as ilhas me aguardarão, e virão primeiro os
navios de Társis, para trazerem seus filhos de longe e com
eles a sua prata e o seu ouro, para o nome do Senhor seu
Deus e para o Santo de Israel, porque ele o glorificou.
10 E os filhos dos estrangeiros edificarão os seus muros e
os seus reis lhe servirão; porque no meu furor o feri, mas
na minha benignidade tive misericórdia de você.
11 E as suas portas estarão abertas sempre, nem de dia
nem de noite se fecharão; para que tragam a você as rique-
zas das nações, conduzidas pelos seus reis.
12 Porque a nação e o reino que não lhe servirem perece-
rão; sim, essas nações serão totalmente assoladas.
13 A glória do Líbano virá a você: O cipreste, o pinheiro
e o álamo conjuntamente, para ornarem o lugar do meu
santuário; assim, glorificarei o lugar dos meus pés.
14 Também virão a você, inclinando-se, os filhos dos que
o oprimiram; se prostrarão diante dos seus pés todos os
que o desprezaram e a chamarão de cidade do Senhor, a
Sião do Santo de Israel.
15 Em lugar de ser deixada e odiada, de modo que nin-
guém passe por você, lhe farei uma excelência perpétua,
um gozo de geração em geração.
16 E mamará o leite das nações e se alimentará ao peito
dos reis; então, saberá que eu sou o Senhor, o seu Salvador
e o seu Redentor, o Poderoso de Jacó.
17 Em vez de bronze trarei ouro, em vez de ferro, trarei
prata, em vez de madeira, bronze e em vez de pedras,
ferro; farei pacíficos os seus inspetores e justos os seus
opressores.
18 Nunca mais se ouvirá falar de violência na sua terra,
nem de desolação, nem de destruição nos seus territórios;
mas, às suas muralhas, você chamará Salvação, e às suas
portas, Louvor.
19 Nunca mais lhe servirá o sol para luz do dia, nem com
o seu resplendor a lua a iluminará; mas o Senhor será a sua
luz perpétua e o seu Deus a sua glória.
20 Nunca mais se porá o seu sol, nem a sua lua minguará;
porque o Senhor será a sua luz perpétua, e os dias do seu
luto findarão.
21 E todos os do seu povo serão justos, para sempre her-
darão a terra; serão renovos por mim plantados, obra das
minhas mãos, para que eu seja glorificado.
22 O pequeno virá a ser mil e o menor uma nação forte;
eu, o Senhor, ao seu tempo o farei prontamente."

O Ministério do Messias

61 O espírito do Senhor Deus está sobre mim; porque o
Senhor me ungiu, para pregar boas novas aos man-
sos; enviou-me para restaurar os contritos de coração, para
proclamar liberdade aos cativos e a abertura de prisão aos
presos;
2 para apregoar o ano aceitável do Senhor e o dia da vin-
gança do nosso Deus; para consolar todos os tristes,
3 para ordenar acerca dos tristes de Sião que lhes dê glória
em vez de cinza, óleo de gozo em vez de tristeza, vestes
de louvor em vez de espírito angustiado; a fim de que se
chamem árvores de justiça, plantações do Senhor, para que
ele seja glorificado.
4 E edificarão os lugares antigamente assolados, restau-
rarão os anteriormente destruídos e renovarão as cidades
assoladas, destruídas de geração em geração.
5 E haverá estrangeiros que apascentarão os seus re-
banhos; estrangeiros serão os seus lavradores e os seus
vinhateiros.
6 Porém vocês serão chamados de sacerdotes do Senhor,
e serão chamados de ministros do seu Deus; comerão a
abundância das nações e na sua glória se gloriarão.
7 Por sua dupla vergonha e afronta, exultarão sobre a sua
parte: Pelo que na sua terra possuirão o dobro e terão per-
pétua alegria.
8 "Porque eu, o Senhor, amo o juízo, aborreço o roubo no
holocausto; farei que a sua obra seja em verdade e farei
uma aliança eterna com eles.

9 E a sua posteridade será conhecida entre as nações e os seus descendentes no meio dos povos; todos que os virem os conhecerão, como descendência bendita do Senhor."

10 Eu me regozijarei muito no Senhor, a minha alma se alegrará no meu Deus; porque me vestiu de roupas de salvação, cobriu-me com o manto de justiça, como um noivo se adorna com turbante sacerdotal e como a noiva que se enfeita com as suas joias.

11 Porque, como a terra produz os seus renovos e como o jardim faz brotar o que nele se semeia, assim o Senhor Deus fará brotarem a justiça e o louvor para todas as nações.

A Proclamação da Salvação

62 Por amor de Sião, não me calarei, e, por amor de Jerusalém, não me aquietarei, até que saia a sua justiça como um resplendor, e a sua salvação, como uma tocha acesa.

2 E as nações verão a sua justiça, e todos os reis contemplarão a sua glória; o chamarão por um nome novo, que a boca do Senhor nomeará.

3 E será uma coroa de glória na mão do Senhor, e uma coroa real na mão do seu Deus.

4 Nunca mais a chamarão de desamparada, nem a sua terra se denominará jamais: Assolada; mas a chamarão: O meu prazer está nela, e à sua terra: A casada; porque o Senhor se agrada de você e a sua terra se casará.

5 Porque, como o jovem se casa com a virgem, assim seus filhos se casarão com você; como o noivo se alegra da noiva, assim se alegrará de você o seu Deus.

6 Ó Jerusalém, sobre os seus muros pus guardas, que todo o dia e toda a noite jamais se calarão; ó vocês, os que fazem lembrar ao Senhor, não haja silêncio em vocês,

7 nem deem a ele descanso, até que confirme e até que ponha Jerusalém por louvor na terra.

8 Jurou o Senhor pela sua mão direita e pelo seu braço forte: "Nunca mais darei o seu trigo por comida aos seus inimigos, nem os estrangeiros beberão o seu vinho, em que trabalhou.

9 Porém, os que ajuntarem o cereal, serão os que o comerão, e louvarão ao Senhor; os que colherem as uvas, beberão nos átrios do meu santuário."

10 Passem, passem pelas portas; preparem o caminho ao povo; aplainem, aplainem a estrada, limpem-na das pedras e levantem a bandeira aos povos.

11 Eis que o Senhor fez ouvir até às extremidades da terra: "Digam à filha de Sião: Eis que vem a sua salvação; eis que com ele vêm o seu galardão e a sua obra diante dele."

12 E a chamarão: Povo santo, remidos do Senhor; e você será chamada: Procurada, a cidade não desamparada.

O Castigo dos Inimigos do Povo de Deus

63 Quem é este, que vem de Edom, com vestidos tintos de Bozra? Este ornado com a sua roupa, que marcha com a sua grande força? "Eu, que falo em justiça, poderoso para salvar."

2 Por que está vermelha a sua vestidura e as suas roupas como as de quem pisa as uvas no lagar?

3 "Eu sozinho pisei no lagar e dos povos ninguém esteve comigo; eu as pisei na minha ira, as esmaguei no meu furor, o seu sangue salpicou as minhas vestes e manchei todas as minhas roupas.

4 Porque o dia da vingança estava no meu coração e o ano da redenção havia chegado.

5 Olhei e não havia quem me ajudasse; admirei-me de não haver quem me apoiasse, por isso o meu braço me trouxe a salvação, e o meu furor me apoiou.

6 E atropelei os povos na minha ira e os embriaguei no meu furor; a sua força derrubei por terra."

7 As benignidades do Senhor mencionarei e os muitos louvores do Senhor, conforme tudo quanto o Senhor nos concedeu; sua grande bondade para com a casa de Israel, que usou com eles segundo as suas misericórdias e segundo a multidão das suas benignidades.

8 Porque dizia: "Certamente eles são meu povo, filhos que não me trairão"; assim ele se fez o seu Salvador.

9 Em toda a angústia deles, ele foi angustiado; e o anjo da sua presença os salvou; pelo seu amor, e pela sua compaixão ele os remiu; e os tomou e os conduziu por todos os dias da antiguidade.

10 Porém eles foram rebeldes e contristaram o seu Espírito Santo, por isso, os tornou inimigos e ele mesmo lutou contra eles.

11 Então o seu povo se lembrou dos dias da antiguidade, de Moisés e do seu povo, dizendo: Onde está agora aquele que os fez subir do mar com os pastores do seu rebanho? Onde está aquele que pôs no meio deles o seu Espírito Santo?

12 Aquele cujo braço glorioso ele fez andar à mão direita de Moisés, que fendeu as águas diante deles, para fazer para si um nome eterno?

13 Aquele que os guiou pelos abismos, como o cavalo no deserto, de modo que nunca tropeçaram?

14 Como o animal que desce ao vale, o Espírito do Senhor lhes deu descanso; assim guiaste ao teu povo, para te fazeres um nome glorioso.

Súplica Por Ajuda Divina

15 Olha para nós lá do céus, da tua santa e gloriosa habitação. Onde estão o teu zelo e as tuas obras poderosas? A comoção das tuas entranhas e das tuas misericórdias detêm-se para comigo?

16 Mas tu és nosso Pai, ainda que Abraão não nos conheça
e Israel não nos reconheça; tu, ó Senhor, és nosso Pai; nos-
so Redentor desde a antiguidade é o teu nome.
17 Por que, ó Senhor, nos fazes errar dos teus caminhos?
Por que endureces o nosso coração, para que não te te-
mamos? Volta, por amor dos teus servos, às tribos da tua
herança.
18 Só por um pouco de tempo o teu santo povo a possuiu;
nossos adversários pisaram o teu santuário.
19 Somos feitos como aqueles sobre quem tu nunca domi-
naste e como os que nunca se chamaram pelo teu nome.
64 Oh! Se fendesses os céus e descesses e os montes se
escoassem de diante da tua face,
2 como o fogo abrasador de fundição, fogo que faz ferver
as águas, para fazeres notório o teu nome aos teus adversá-
rios e assim as nações tremessem na tua presença!
3 Quando fazias coisas terríveis, que nunca esperávamos,
descias e os montes se escoavam diante da tua face.
4 Porque desde a antiguidade não se ouviu, nem com ou-
vidos se percebeu, nem com os olhos se viu um Deus além
de ti que trabalha para aquele que nele espera.
5 Saíste ao encontro daquele que se alegrava e praticava
justiça e dos que se lembram de ti nos teus caminhos; eis
que te enfureceste, porque pecamos; neles há eternidade,
para que sejamos salvos?
6 Mas todos nós somos como o imundo e todas as nossas
justiças como trapo da imundícia; e todos nós murchamos
como a folha e as nossas iniquidades como um vento nos
arrebatam.
7 E já ninguém há que invoque o teu nome, que se desper-
te, e te detenha; porque escondes de nós o teu rosto e nos
fazes derreter, por causa das nossas iniquidades.
8 Mas agora, ó Senhor, tu és nosso Pai; nós somos o barro
e tu és o nosso oleiro e todos nós somos obra das tuas
mãos.
9 Não te enfureças tanto, ó Senhor, nem perpetuamente
te lembres da iniquidade; olha, pois, nós te pedimos, todos
nós somos o teu povo.
10 As tuas santas cidades tornaram-se um deserto; Sião
está feita um deserto, Jerusalém está assolada.
11 A nossa santa e gloriosa casa, em que te louvavam
nossos pais, foi queimada a fogo e todas as nossas coisas
preciosas se tornaram em assolação.
12 Ainda te conterias ainda sobre estas coisas, ó Senhor?
Ficarias calado e nos afligirias tanto?

Julgamento e Salvação

65 "Fui buscado pelos que não perguntavam por mim,
fui achado por aqueles que não me buscavam; a um
povo que não se chamava pelo meu nome eu disse: Eis-me
aqui. Eis-me aqui.
2 Estendi as minhas mãos o dia todo a um povo rebelde,
que anda por um caminho que não é bom, após os seus
pensamentos;
3 povo que de contínuo me irrita diante da minha face,
sacrificando em jardins e queimando incenso sobre altares
de tijolos;
4 que habita entre as sepulturas e passa as noites junto aos
lugares misteriosos; come carne de porco e tem caldo de
coisas abomináveis nos seus pratos;
5 que dizem: 'Fica onde estás e não te chegues a mim,
porque sou mais santo do que tu.' Estes são fumaça no
meu nariz, um fogo que arde todo o dia.
6 Eis que está escrito diante de mim: Não me calarei; mas
eu pagarei, sim, me vingarei totalmente,
7 as suas iniquidades, juntamente com as iniquidades
dos seus pais, diz o Senhor, que queimaram incenso nos
montes e me afrontaram nas colinas, usarei para medir e
retribuir as suas obras antigas."
8 Assim diz o Senhor: "Como, quando se acha vinho num
cacho de uvas, dizem: 'Não o desperdicem, pois há bênção
nele'; assim farei por amor de meus servos, que não os
destruirei a todos.
9 E produzirei descendência a Jacó, e a Judá um herdeiro
que possua os meus montes; os meus eleitos herdarão a
terra, e os meus servos habitarão ali.
10 E Sarom servirá de curral de ovelhas, e o vale de Acor,
lugar de repouso de gados, para o meu povo, que me
buscou.
11 Mas a vocês, os que se afastaram do Senhor, os que
se esqueceram do meu santo monte, os que prepararam
uma mesa para a fortuna e que misturaram a bebida para
o destino,
12 também os destinarei à espada, e todos vocês se encur-
varão à matança; porque chamei e não responderam; falei
e não ouviram; mas fizeram o que era mau aos meus olhos
e escolheram aquilo em que eu não tenho prazer."
13 Portanto, assim diz o Senhor Deus: "Eis que os meus
servos comerão, mas vocês passarão fome; eis que os meus
servos beberão, porém vocês terão sede; eis que os meus
servos se alegrarão, mas vocês se envergonharão;
14 os meus servos exultarão pela alegria de coração, mas
vocês gritarão pela tristeza de coração e uivarão pelo que-
brantamento de espírito.
15 E vocês deixarão o seu nome aos meus eleitos por mal-
dição e o Senhor Deus matará vocês; então ele chamará os
seus servos por outro nome.
16 Assim, quem quiser ser abençoado na terra será aben-
çoado pelo Deus da verdade; aquele que jurar na terra,
jurará pelo Deus da verdade; porque já estão esquecidas
as angústias passadas e estão escondidas dos meus olhos.

Novos Céus e Nova Terra

17 Porque eis que eu crio novos céus e nova terra; e não
haverá mais lembrança das coisas passadas, nem mais su-
birão ao coração.
18 Mas vocês folguem e exultem para sempre no que eu
crio; porque eis que crio para Jerusalém uma alegria e, para
o seu povo, gozo.
19 E me regozijarei por Jerusalém e me alegrarei no meu
povo; nunca mais se ouvirá nela voz de choro nem voz
de clamor.
20 Não haverá mais nela criança de poucos dias, nem
velho que não complete os seus dias; porque o jovem
morrerá aos cem anos; porém o pecador de cem anos será
amaldiçoado.
21 E edificarão casas e as habitarão; plantarão vinhas, e
comerão o seu fruto.
22 Não edificarão para que outros habitem; não plantarão
para que outros comam; porque os dias do meu povo se-
rão como os dias da árvore, e os meus eleitos gozarão das
obras das suas mãos.
23 Não trabalharão em vão, nem terão filhos para a per-
turbação; porque são a descendência bendita do Senhor e
os seus descendentes estarão com eles.
24 E antes que clamem eu responderei; estando eles ainda
falando, eu os ouvirei.
25 O lobo e o cordeiro comerão juntos, o leão comerá
palha como o boi, e pó será a comida da serpente. Não
farão mal nem dano algum em todo o meu santo monte",
diz o Senhor.

A Hipocrisia é Condenada

66 Assim diz o Senhor: "O céu é o meu trono, e a terra
o estrado dos meus pés: Qual seria a casa que vocês
me edificarão? E qual seria o lugar do meu descanso?
2 Porque a minha mão fez todas estas coisas, e, assim,
todas elas foram feitas, diz o Senhor; mas para este olharei,
para o pobre e abatido de espírito e que treme diante da
minha palavra.
3 Quem mata um boi é como quem tira a vida de um
homem; quem sacrifica um cordeiro é como quem degola
um cão; quem oferece oferta de cereais é como quem ofe-
rece sangue de porco; quem queima incenso em memorial
é como quem bendiz a um ídolo; também estes escolhem
os seus próprios caminhos, e a sua alma se deleita nas suas
abominações.
4 Também eu escolherei as suas calamidades, farei vir
sobre eles os seus temores; porque clamei e ninguém
respondeu, falei e não escutaram; mas fizeram o que era
mau aos meus olhos, e escolheram aquilo em que eu não
tinha prazer."
5 Ouçam a palavra do Senhor, os que tremem diante da
sua palavra: "Seus irmãos, que vocês odeiam e que para
longe os lançam por amor do meu nome, dizem: 'Seja glo-
rificado o Senhor, para que vejamos a sua alegria'; mas eles
serão confundidos.
6 Uma voz de grande rumor virá da cidade, uma voz do
templo, a voz do Senhor, que dá a devida retribuição aos
seus inimigos.
7 Antes que estivesse em trabalho de parto, deu à luz;
antes que lhe viessem as dores, deu à luz um menino.
8 Quem nunca ouviu isso? Quem já viu coisas semelhan-
tes? Alguém poderia fazer nascer uma terra num só dia?
Nasceria uma nação de uma só vez? Mas Sião esteve de
parto e já deu à luz seus filhos.
9 Por acaso faço chegar a hora do parto e não deixo nas-
cer?" diz o Senhor. "Por acaso fecho o ventre, sendo que
sou eu que faço dar à luz?

Regozijo dos Fiéis

10 Regozijem-se com Jerusalém e se alegrem por ela, vo-
cês todos os que a amam; encham-se por ela de alegria,
todos os que por ela prantearam,
11 para que vocês mamem e se fartem nos peitos das suas
consolações; para que suguem e se deleitem com o res-
plendor da sua glória."
12 Porque assim diz o Senhor: "Eis que estenderei sobre
ela a paz como um rio, e a glória das nações como um
ribeiro que transborda; então mamarão, ao colo serão tra-
zidos e sobre os joelhos serão afagados.
13 Como alguém que a sua mãe consola, assim eu os con-
solarei, e em Jerusalém vocês serão consolados."
14 Vocês verão e se alegrarão e os seus ossos serão revi-
gorados como a erva tenra; então a mão do Senhor será
notória aos seus servos, e ele se indignará contra os seus
inimigos.
15 Porque eis que o Senhor virá com fogo, e os seus carros
são como um turbilhão, para tornar a sua ira em furor e a
sua repreensão, em chamas de fogo.
16 Porque com fogo e com a sua espada, o Senhor entrará
em juízo com toda a humanidade, e os mortos pelo Senhor
serão multiplicados."
17 "Os que se santificam e se purificam nos jardins, uns
após os outros, mas que comem carne de porco e de rato,
juntamente serão consumidos", diz o Senhor.
18 "Porque eu conheço as suas obras e os seus pensamen-
tos; vem o dia em que ajuntarei todas as nações e línguas,
as quais virão e verão a minha glória.
19 E porei entre eles um sinal, e os que deles escaparem
enviarei às nações, a Társis, Pul e Lude, flecheiros, a Tubal
e Javã, até às ilhas mais longe, que não ouviram a minha
fama, nem viram a minha glória, então, anunciarão a mi-
nha glória entre as nações.

20 E trarão todos os seus irmãos, dentre todas as nações,
por oferta ao Senhor, sobre cavalos, em carros, em liteiras,
sobre mulas e sobre dromedários, trarão ao meu santo
monte, a Jerusalém", diz o Senhor; "como quando os
filhos de Israel trazem as suas ofertas em vasos limpos à
casa do Senhor.
21 E também deles tomarei alguns para sacerdotes e para
levitas", diz o Senhor.
22 "Porque, como os novos céus e a nova terra, que hei de
fazer, estarão diante da minha face", diz o Senhor, "assim
também estarão a sua posteridade e o seu nome.
23 E desde uma lua nova até à outra, e desde um sábado
até ao outro, virá toda a humanidade para adorar perante
mim", diz o Senhor.
24 "E sairão e verão os cadáveres dos homens que prevaricaram contra mim; porque o seu verme nunca morrerá,
nem o seu fogo se apagará; assim, eles serão um horror
para toda a humanidade."

O Chamado de Jeremias

1 Palavras de Jeremias, filho de Hilquias, um dos sacerdotes que estavam em Anatote, na terra de Benjamim;
2 ao qual veio a palavra do Senhor, nos dias de Josias,
filho de Amom, rei de Judá, no décimo terceiro ano do
seu reinado.
3 E lhe veio também nos dias de Jeoiaquim, filho de Josias, rei de Judá, até ao fim do décimo primeiro ano de
Zedequias, filho de Josias, rei de Judá, até que Jerusalém
foi levada em cativeiro no quinto mês.
4 Assim veio a mim a palavra do Senhor, dizendo:
5 "Antes que o formasse no ventre, eu o conheci, e, antes
que saísse do ventre, eu o santifiquei; e o dei por profeta
às nações."
6 Então eu disse: Ah, Senhor Deus! Eis que não sei falar;
porque eu ainda sou um menino.
7 Porém, disse-me o Senhor: "Não diga: Eu sou um menino; porque a todos a quem eu o enviar, você irá, e tudo o
que eu lhe ordenar, você falará.
8 Não tema diante deles; porque eu estou com você para
o livrar", diz o Senhor.
9 E o Senhor estendeu a sua mão, tocou na minha boca e
disse-me: "Eis que ponho as minhas palavras na sua boca;
10 olhe, eu ponho você neste dia sobre as nações e sobre
os reinos, para arrancar, para derrubar, para destruir, para
arruinar e também para edificar e para plantar."
11 Ainda veio a mim a palavra do Senhor, dizendo: "O
que é que está vendo, Jeremias?" E eu disse: Vejo uma
vara de amendoeira.
12 E disse-me o Senhor: "Viu bem, porque eu estou vigiando para que a minha palavra seja cumprida."
13 E veio a mim a palavra do Senhor pela segunda vez,
dizendo: "O que é que está vendo?" E eu disse: Vejo uma
panela fervendo, e a boca está virada para o lado do Norte.
14 E disse-me o Senhor: "Do Norte se descobrirá o mal
sobre todos os habitantes da terra.
15 Porque eis que eu convoco todas as famílias dos reinos
do Norte", diz o Senhor; "eles virão, e cada um porá o
seu trono diante das portas de Jerusalém, e contra os seus
muros em redor, e contra todas as cidades de Judá.
16 E eu pronunciarei os meus juízos contra meu povo
por causa de toda a sua maldade; pois me deixaram, e
queimaram incenso a deuses estranhos e se encurvaram
diante das obras das suas mãos.
17 Você, pois, cinja a cintura, levante-se e diga-lhes tudo
que eu lhe mandar; não tema diante deles, para que eu
não o envergonhe diante deles.
18 Porque, hoje o ponho por cidade fortificada, por coluna de ferro e por muros de bronze, contra toda a terra,
contra os reis de Judá, contra os seus príncipes, contra os
seus sacerdotes e contra o povo da terra.
19 E lutarão contra você, mas não prevalecerão contra
você; porque eu estou com você", diz o Senhor, "para
livrá-lo."

Deus Repreende Israel

2 E a palavra do Senhor veio a mim, dizendo:
2 "Vá e clame aos ouvidos de Jerusalém, dizendo: Assim diz o Senhor: Lembro-me de você, da beneficência
da sua mocidade, e do amor do seu noivado, quando me
seguiu no deserto, numa terra em que não se semeava.
3 Então Israel era santidade para o Senhor, e as primícias
da sua novidade; todos os que o devoravam eram tidos
por culpados; o mal vinha sobre eles", diz o Senhor.
4 Ouçam a palavra do Senhor, ó casa de Jacó e todas as
famílias da casa de Israel.
5 Assim diz o Senhor: "Que injustiça acharam seus pais
em mim, para se afastarem de mim, indo após a vaidade e
tornando-se levianos?

6 Eles não perguntaram: Onde está o Senhor, que nos fez
subir da terra do Egito, que nos guiou através do deserto,
por uma terra árida, e de covas, por uma terra de sequidão e sombra de morte, por uma terra pela qual ninguém
transitava, e na qual não morava ninguém?
7 E eu os introduzi numa terra fértil, para comerem o seu
fruto e o seu bem; mas, quando nela entraram, contaminaram a minha terra, e da minha herança fizeram uma
abominação.
8 Os sacerdotes não perguntaram: 'Onde está o Senhor?'
E os que tratavam da lei não me conheciam, os pastores
prevaricavam contra mim, os profetas profetizavam por
Baal e andaram atrás de coisas que não têm nenhum
proveito.
9 Portanto acuso vocês", diz o Senhor; "até com os filhos
dos seus filhos entrarei em litígio.
10 Passem às ilhas de Quitim e vejam; enviem mensageiros a Quedar, observem bem e vejam se já aconteceu
coisa semelhante.
11 Houve alguma nação que trocasse os seus deuses, ainda que não fossem deuses? Todavia o meu povo trocou a
sua glória por aquilo que é de nenhum proveito.
12 Espantem-se com isto, ó céus, e se horrorizem! Fiquem verdadeiramente desolados", diz o Senhor.
13 "Porque o meu povo fez duas maldades: A mim me
deixaram, o manancial de águas vivas, e cavaram cisternas, cisternas rachadas, que não retêm águas.
14 Por acaso Israel é um servo? Ele é um escravo nascido
em casa? Por que veio a ser presa de outros?
15 Os filhos de leão rugiram sobre ele, levantaram a sua
voz e fizeram da sua terra uma desolação; as suas cidades
se queimaram e ninguém habita nelas.
16 Até os filhos de Nofe e de Tafnes lhe rasparam o alto
da cabeça.
17 Por acaso não fez isto a você mesmo, deixando o
Senhor seu Deus, no tempo em que ele o guiava pelo
caminho?
18 Agora, o que lhe importa ir ao Egito, para beber as
águas do Nilo? E o que importa a você ir à Assíria, para
beber as águas do rio Eufrates?
19 A sua maldade o castigará, e as suas infidelidades o
repreenderão; compreenda e veja como é mal e quão
amargo é deixar o Senhor seu Deus, e não ter em você o
meu temor", diz o Senhor Deus dos Exércitos.
20 "Quando eu já há muito tempo quebrei o seu jugo,
e rompi as suas ataduras, você dizia: 'Nunca mais transgredirei'; contudo, em todos os montes altos, e debaixo
de todas as árvores verdes, você anda se encurvando e
prostituindo-se.
21 Eu mesmo o plantei como videira excelente, uma semente inteiramente fiel; como, pois, se tornou para mim
uma planta degenerada como uma videira estranha?
22 Por isso, ainda que se lave com salitre e com muito
sabão, a sua iniquidade está gravada diante de mim", diz
o Senhor Deus.
23 "Como você pode dizer: 'Não estou contaminado,
nem andei atrás de baalins'? Veja o seu caminho no vale,
reconheça o que você fez; você é como uma dromedária
ligeira, que anda ziguezagueando pelo caminho.
24 Você é como uma jumenta montês, acostumada ao deserto, e que, conforme o seu desejo, fareja o vento; quem
a deteria no seu cio? Porque todos os que a buscarem não
se cansarão; no mês dela a acharão.
25 Evite que os seus pés andem descalços, e que a sua
garganta tenha sede. Mas você diz: 'Não há esperança,
porque amo os estranhos e atrás deles andarei.'
26 Como o ladrão fica confundido quando o apanham,
assim se confundem os da casa de Israel; eles, os seus reis,
os seus príncipes, os seus sacerdotes e os seus profetas.
27 Pois dizem ao pedaço de pau: 'Você é o meu pai'; e
à pedra: 'Você me gerou'; porque me viraram as costas e
não o rosto; mas no tempo da sua angústia dirão: 'Levanta-te e livra-nos.'
28 Onde, pois, estão os seus deuses, que fez para você?
Que se levantem, se podem livrar você no tempo da sua
angústia; porque os seus deuses, ó Judá, são tão numerosos como as suas cidades.
29 Por que discutem comigo? Todos vocês transgrediram
contra mim", diz o Senhor.
30 "Em vão castiguei os seus filhos, pois eles não aceitaram a correção; a sua espada devorou os seus profetas
como um leão destruidor.
31 Oh, geração! Considerem vocês a palavra do Senhor:
Por acaso tenho eu sido para Israel um deserto? Ou uma
terra da mais espessa escuridão? Por que, então, o meu
povo diz: 'Temos determinado, não viremos mais a ti'?
32 Porventura a virgem se esquece dos seus enfeites, ou a
noiva dos seus adornos? Todavia, o meu povo se esqueceu
de mim por inumeráveis dias.
33 Por que ornamenta o seu caminho para buscar o amor?
Pois até às mulheres perdidas ensinou os seus caminhos.
34 Até nas bordas dos seus vestidos se achou o sangue das
almas dos inocentes e necessitados; não cavei para achar,
pois se vê em todas estas coisas,
35 e você ainda diz: 'Eu estou inocente, e certamente
a sua ira se desviou de mim'. Eis que entrarei em juízo
contra você, porque você diz: 'Não pequei.'
36 Por que se desviou tanto, mudando o seu caminho?
Também pelo Egito será envergonhada, como foi envergonhada pela Assíria.

37 Também, do Egito, você sairá com as mãos sobre a sua
cabeça, porque o Senhor rejeitou aqueles em que você
confiava, e não prosperará com eles.

A Disposição de Deus em Perdoar

3 Dizem: 'Se um homem despedir a sua mulher, e ela se
for, e se ajuntar com outro homem, por acaso poderá
voltar para ela?' Por acaso aquela terra não se profanaria
totalmente? Ora, você fornicou com tantos amantes; ain-
da assim, volte para mim", diz o Senhor.
2 Levante os seus olhos para o alto e veja: Onde não se
prostituiu? Nos caminhos se assentava para eles, como o
árabe no deserto; assim profanou a terra com as suas for-
nicações e com a sua maldade.
3 Por isso, as chuvas foram retiradas, e não houve chuva
fora de época; mas você tem a cara de uma prostituta, e
não quer ter vergonha.
4 Agora não chamou por mim, dizendo: 'Meu pai, tu és o
guia da minha mocidade'?
5 Conservarás para sempre a tua ira? Ou a guardarás até
o fim? Eis que você tem falado assim e feito quantas mal-
dades pôde."

Os Pecados de Judá

6 Disse mais o Senhor nos dias do rei Josias: "Viu o que
fez a rebelde Israel? Ela foi a todos os montes altos, debai-
xo de todas as árvores verdes e ali andou se prostituindo.
7 E eu disse: Depois que fizer tudo isto, voltará para mim,
mas não voltou, e a sua traiçoeira irmã, Judá, viu isto.
8 E vi que, por causa de tudo isto, por ter a rebelde Israel
cometido adultério, a despedi e lhe dei a sua carta de di-
vórcio, que a traiçoeira Judá, sua irmã, não temeu; mas se
foi e ela mesma se prostituiu.
9 E aconteceu que, pela fama da sua fornicação, conta-
minou a terra; porque adulterou com a pedra e com a
madeira.
10 E, contudo, apesar de tudo isso, a sua traiçoeira irmã
Judá não voltou para mim de todo o seu coração, mas
falsamente", diz o Senhor.
11 E o Senhor me disse: "Já a rebelde Israel mostrou-se
mais justa do que a traiçoeira Judá.
12 Vá, pois, e apregoe estas palavras para o lado norte e
diga: Volte, ó rebelde Israel", diz o Senhor, "e não farei
cair a minha ira sobre você; porque sou misericordioso",
diz o Senhor, "e não conservarei para sempre a minha ira.
13 Somente reconheça a sua iniquidade, que transgrediu
contra o Senhor seu Deus, que estendeu os seus caminhos
aos estranhos, debaixo de todas as árvores verdes, e não
deu ouvido à minha voz", diz o Senhor.
14 "Voltem, ó filhos rebeldes", diz o Senhor, "porque eu
sou o seu esposo, e os tomarei, um de cada cidade, e dois
de cada família, e os levarei para Sião.
15 E lhes darei pastores segundo o meu coração, que
apascentarão vocês com sabedoria e com inteligência.
16 E, quando se multiplicarem e frutificarem na terra, na-
queles dias", diz o Senhor, "nunca mais se dirá: 'A arca da
aliança do Senhor'; nem lhes virá ao pensamento e nem
dela se lembrarão, nem a visitarão e nem se fará outra.
17 Naquele tempo chamarão Jerusalém de o trono do
Senhor, e todas as nações se ajuntarão a ela, em nome
do Senhor, em Jerusalém; nunca mais andarão segundo o
propósito do seu coração maligno.
18 Naqueles dias, a casa de Judá andará com a casa de
Israel, e virão juntas da terra do Norte, para a terra que
dei em herança a seus pais.
19 Mas eu disse: Como os porei entre os filhos, e lhes
darei a terra desejável, a excelente herança dos exércitos
das nações? Mas eu disse: Você me chamará de meu pai,
e de mim não se desviará.
20 Mas, como a mulher que se separa traiçoeiramente do
seu marido, assim traiçoeiramente agiu comigo, ó casa de
Israel", diz o Senhor.
21 Nos lugares altos se ouviu uma voz, pranto e súplicas
dos filhos de Israel; porque perverteram o seu caminho, e
se esqueceram do Senhor seu Deus.
22 Voltem, ó filhos rebeldes; eu curarei as suas rebeliões.
"Eis-nos aqui, vimos a ti; porque tu és o Senhor nosso
Deus."
23 Na verdade, em vão se confia nas colinas, e na mul-
tidão das montanhas; mas no Senhor nosso Deus está a
salvação de Israel.
24 Porque a confusão devorou o trabalho dos nossos pais
desde a nossa mocidade; as suas ovelhas e o seu gado, os
seus filhos e as suas filhas.
25 Deveríamos nos prostrar em nossa vergonha; cubra-
mos a nossa confusão, porque pecamos contra o Senhor
nosso Deus, nós e nossos pais, desde a nossa mocidade,
até o dia de hoje, e não demos ouvidos à voz do Senhor
nosso Deus.

Predições de Juízo e Castigo

4 "Se você voltar para mim, ó Israel", diz o Senhor; "e
se tirar as suas abominações de diante de mim, não
andará mais vagueando,
2 e se você jurar pelo nome do Senhor, na verdade, no
juízo e na justiça; nele serão benditas as nações, e nele
se gloriarão."
3 Porque assim diz o Senhor aos homens de Judá e a Je-
rusalém: "Preparem para vocês o campo de lavoura, e não
semeiem entre os espinhos.
4 Circuncidem-se ao Senhor e tirem os prepúcios do seu
coração, ó homens de Judá e habitantes de Jerusalém,
para que o meu furor não venha a sair como fogo, e arda

de modo que não haja quem o apague, por causa da mal-
dade das suas obras.
5 Anunciem em Judá, façam ouvir em Jerusalém e digam:
'Toquem a trombeta na terra', gritem em alta voz, dizen-
do: 'Reúnam-se e entremos nas cidades fortificadas'.
6 Levantem a bandeira rumo a Sião, fujam, e não se dete-
nham; porque eu trago, do Norte, um mal, e uma grande
destruição."
7 Um leão já saiu do seu esconderijo, e um destruidor saiu
das nações; ele já partiu; e saiu do seu lugar para fazer da
terra de vocês uma desolação, a fim de que as suas cida-
des sejam destruídas e ninguém habite nelas.
8 Por isto vistam-se de panos de sacos, lamentem e uivem,
porque o ardor da ira do Senhor não se desviou de nós.
9 "E acontecerá naquele tempo", diz o Senhor, "que o rei
e os príncipes perderão a coragem; os sacerdotes ficarão
atônitos e os profetas, perplexos."
10 Então eu disse: Ah, Senhor Deus! Verdadeiramente
enganaste grandemente este povo e Jerusalém, dizendo:
"Terão paz"; pois a espada lhes penetra até à alma.
11 Naquele tempo, se dirá a este povo e a Jerusalém: "Um
vento seco das alturas do deserto veio ao caminho da filha
do meu povo, não para peneirar, nem para limpar;
12 mas um vento mais forte virá da minha parte; agora,
também, eu pronunciarei juízos contra eles."
13 Eis que ele virá subindo como as nuvens, e os seus car-
ros como a tormenta; os seus cavalos serão mais ligeiros
do que as águias; ai de nós, que somos assolados!
14 Lave o seu coração da malícia, ó Jerusalém, para que
seja salva; até quando permanecerão no meio de você os
pensamentos da sua iniquidade?
15 Porque uma voz anuncia desde Dã, e faz ouvir a cala-
midade desde o monte de Efraim.
16 "Lembrem isto às nações; façam ouvir contra Jerusa-
lém que vêm soldados de uma terra remota, e levantarão
a sua voz contra as cidades de Judá.
17 Como os guardas de um campo, estão contra ela ao
redor; porque ela se rebelou contra mim", diz o Senhor.
18 "O seu caminho e as suas obras lhe fizeram estas coi-
sas; esta é a sua maldade, e é amarga, que chega até o
coração."
19 Ah, que angústia, que angústia! Estou com dores no
meu coração! O meu coração se agita em mim. Não posso
me calar; porque você, ó minha alma, ouviu o som da
trombeta e os gritos de guerra.
20 Destruição sobre destruição se apregoa, porque toda
a terra já está destruída; de repente foram destruídas as
minhas tendas e as minhas cortinas num instante.
21 Até quando verei a bandeira e ouvirei a voz da
trombeta?
22 "O meu povo está louco, já não me conhece; são filhos
tolos e não entendidos; são sábios para fazer o mal, mas
não sabem fazer o bem."
23 Vi a terra e eis que era sem forma e vazia; também vi
os céus, e não tinham a sua luz.
24 Vi os montes e eis que estavam tremendo; todas as
colinas estremeciam.
25 Vi que não havia homem algum, e todas as aves do
céu tinham fugido.
26 Vi também que a terra fértil era um deserto, e que to-
das as suas cidades estavam derrubadas diante do Senhor,
diante do furor da sua ira.
27 Porque assim diz o Senhor: "Toda esta terra será des-
truída totalmente, porém, não a consumirei.
28 Por isto a terra lamentará, e os céus em cima se ene-
grecerão; porque assim o disse, assim o propus, e não me
arrependi nem me desviarei disto.
29 Todas as cidades fugiram ao clamor dos cavaleiros e
dos flecheiros; entraram pelas matas e treparam pelos
penhascos; todas as cidades ficaram abandonadas, e nin-
guém mais habita nelas.
30 Agora, pois, o que fará, ó cidade assolada? Ainda que
se vista de carmesim, ainda que se adorne com enfeites
de ouro, ainda que se pinte em volta dos seus olhos, se
embelezaria em vão; os amantes a desprezam e procuram
tirar-lhe a vida.
31 Porque ouço uma voz, como a voz de uma mulher
que está de parto, uma angústia como a de quem está com
dores de parto do primeiro filho; a voz da filha de Sião,
ofegante, que estende as suas mãos, dizendo: 'Oh! Ai de
mim agora, porque a minha alma já desmaia por causa
dos assassinos.'"

Razões Para a Condenação

5 "Deem voltas nas ruas de Jerusalém e vejam agora;
se informem e busquem pelas suas praças, para ver se
acham alguém, ou se há homem que pratique a justiça ou
busque a verdade e eu o perdoarei.
2 E ainda que digam: 'Juro por Deus', de certo falsamente
juram.
3 Ah, Senhor, por acaso os teus olhos não atentam para
a verdade? Feriste este povo, eles não sentiram dor; os
consumiste e não quiseram receber a correção; endurece-
ram as suas faces mais do que uma rocha e não quiseram
voltar.
4 Eu, porém, disse: Estes são pobres e são loucos, pois não
sabem o caminho do Senhor, nem o juízo do seu Deus.
5 Irei aos grandes e falarei com eles; porque eles sabem o
caminho do Senhor, o juízo do seu Deus; mas estes junta-
mente quebraram o jugo e romperam as correntes.
6 Por isso um leão do bosque os feriu, um lobo dos deser-

tos os assolará, e um leopardo vigia contra as suas cidades;
qualquer um que sair delas será despedaçado, porque as
suas transgressões se avolumam, multiplicaram-se as suas
apostasias.
7 Como, vendo isto, o perdoaria? Seus filhos me deixam e
juram pelos que não são deuses; quando supri as suas ne-
cessidades, então adulteraram, e em casas de prostituição
se ajuntaram em bandos.
8 Como cavalos bem fartos, levantam-se pela manhã, rin-
chando cada um para a mulher do seu próximo.
9 Eu deixaria de castigar por estas coisas", diz o Senhor,
"ou a minha alma não se vingaria de uma nação como
esta?
10 Vão para as suas vinhas e destruam-nas, porém não
façam uma destruição total; tirem os seus ramos, porque
não são do Senhor.
11 Porque a casa de Israel e a casa de Judá foram infiéis a
mim", diz o Senhor.
12 Negaram o Senhor e disseram: "Não é ele; nenhum
mal nos sobrevirá, nem veremos a espada nem a fome.
13 E até os profetas serão como o vento, porque a palavra
não está com eles; assim, acontecerá a eles."
14 Portanto assim diz o Senhor, Deus dos Exércitos: "Por-
que disseram estas palavras, eis que converterei as minhas
palavras na sua boca em fogo, e a este povo em lenha, eles
serão consumidos.
15 Eis que trarei sobre vocês uma nação de longe, ó casa
de Israel", diz o Senhor; "é uma nação robusta, uma na-
ção antiquíssima, uma nação cuja língua vocês não conhe-
cem, e não entenderão o que ela falar.
16 A sua aljava é como uma sepultura aberta; todos eles
são valentes.
17 E comerão a sua colheita e o seu pão, que seus filhos e
suas filhas iriam comer; comerão as suas ovelhas e as suas
vacas; comerão a sua vinha e a sua figueira; as suas cida-
des fortificadas, em que confiavam, as abaterão à espada.
18 Contudo, ainda naqueles dias", diz o Senhor, "não
farei de vocês uma destruição final.
19 E acontecerá que, quando disserem: 'Por que o Senhor
nosso Deus nos fez todas estas coisas?' Então lhes res-
ponderei: Como vocês me deixaram e serviram a deuses
estranhos na sua terra, assim servirão a estrangeiros, em
uma terra que não de vocês.
20 Anunciem isto na casa de Jacó, e façam ouvir em Judá,
dizendo:
21 Ouçam agora isto, ó povo louco e sem coração, que
têm olhos e não veem, que têm ouvidos e não ouvem.
22 Por que", diz o Senhor, "não temeram a mim? Não
temeram diante de mim, que pus a areia como limite ao
mar, por ordenança eterna, para ele não traspassar? Ainda
que se levantem as suas ondas, não prevalecerão; ainda
que bramem, não a traspassarão.
23 Mas este povo tem um coração rebelde e persistente:
Rebelaram-se e se foram.
24 E não dizem no seu coração: 'Temamos agora ao Se-
nhor nosso Deus, que dá chuva, ao seu tempo, a temporã
e a tardia; e nos conserva as semanas determinadas da
colheita.'
25 As suas iniquidades desviam estas coisas e os seus pe-
cados afastam de vocês o bem.
26 Porque se encontram ímpios entre o meu povo; an-
dam espiando, como quem arma laços; põem armadilhas
e prendem os homens.
27 Como uma gaiola cheia de pássaros, assim as suas ca-
sas estão cheias de engano; por isso se engrandeceram e
enriqueceram;
28 engordaram, estão bem alimentados, e não há limites
para as suas maldades; não julgam a causa do órfão, toda-
via prosperam, e não julgam o direito dos necessitados.
29 Por acaso eu não castigaria por causa destas coisas?"
Diz o Senhor. "Eu não me vingaria de uma nação como
esta?
30 Uma coisa espantosa e horrível se anda fazendo na
terra.
31 Os profetas profetizam falsamente, os sacerdotes do-
minam pelas mãos deles, e o meu povo assim o deseja;
mas o que farão ao fim disto?

Profecias Contra Jerusalém

6 Fujam do meio de Jerusalém para a sua salvação, filhos
de Benjamim; toquem a trombeta em Tecoa e levan-
tem um sinal de fogo sobre Bete-Haquerém, porque do
lado norte surgem um mal e uma grande destruição.
2 Destruirei a formosa e delicada filha de Sião.
3 Contra ela virão pastores com os seus rebanhos; levanta-
rão contra ela tendas em seu redor e cada um apascentará
no seu lugar.
4 Preparem a guerra contra ela, levantem-se e vamos
subir ao meio-dia. Ai de nós! Já declina o dia, já vão se
estendendo as sombras da tarde.
5 Levantem-se, subiremos de noite e destruiremos os seus
palácios."
6 Porque assim diz o Senhor dos Exércitos: "Cortem ár-
vores e façam trincheiras contra Jerusalém; esta é a cidade
que há de ser castigada, só há opressão no meio dela.
7 Como a fonte produz as suas águas, assim ela produz a
sua malícia; violência e estrago se ouvem nela; enfermida-
des e feridas há diante de mim continuamente.
8 Corrija-se, ó Jerusalém, para que a minha alma não se
afaste de você, para que não se torne em desolação e terra
não habitada."

9 Assim diz o Senhor dos Exércitos: "Cuidadosamente re-
unirão os remanescentes de Israel como uma vinha; como
o vindimador põe a sua mão nos cestos."
10 A quem falarei e testemunharei, para que ouça? Eis
que os seus ouvidos estão tapados, e não podem ouvir; eis
que a palavra do Senhor é para eles uma coisa vergonho-
sa, e eles não gostam dela.
11 Por isso estou cheio do furor do Senhor; estou cansado
de o guardar; "O derramarei sobre os meninos pelas ruas,
e na reunião de todos os jovens, porque até o marido com
a mulher serão presos e o velho com os que têm idade
avançada.
12 E as suas casas passarão a outros, como também os
seus campos com as suas mulheres juntamente; porque
estenderei a minha mão contra os habitantes desta terra",
diz o Senhor.
13 Porque desde o menor deles até ao maior, cada um
se dá à avareza; desde o profeta até o sacerdote, cada um
usa de falsidade.
14 E curam superficialmente a ferida da filha do meu
povo, dizendo: 'Paz, paz'; quando não há paz.
15 Será que se envergonham de cometer abominação?
Pelo contrário, de maneira nenhuma se envergonham,
nem tampouco sabem o que é envergonhar-se; portanto,
cairão quando eu os castigar, tropeçarão," diz o Senhor.
16 Assim diz o Senhor: "Ponham-se nos caminhos, vejam
e perguntem pelas veredas antigas qual é o bom caminho,
e andem por ele; e acharão descanso para as suas almas;
mas eles dizem: 'Não andaremos nele.'
17 Também pus guardas sobre vocês, dizendo: Fiquem
atentos ao som da trombeta; mas vocês disseram: 'Não
escutaremos.'
18 Portanto ouçam, vocês nações, e se informe, ó congre-
gação, do que acontecerá a eles!
19 Ouça, ó terra! Eis que eu trarei um mal sobre este
povo, o próprio fruto dos seus pensamentos; porque não
estão atentos às minhas palavras e rejeitam a minha lei.
20 Para que me vêm o incenso de Sabá e a melhor cana
aromática de terras remotas? Seus holocaustos não me
agradam, nem me são suaves os seus sacrifícios."
21 Portanto assim diz o Senhor: "Eis que armarei tro-
peços a este povo, para que tropecem neles pais e filhos
juntamente; o vizinho e o seu companheiro perecerão."
22 Assim diz o Senhor: "Eis que um povo vem da terra do
norte, e uma grande nação se levantará das extremidades
da terra.
23 Trarão arco e lança; são cruéis e não usarão de mise-
ricórdia; a sua voz rugirá como o mar, e em cavalos virão
montados, dispostos como homens de guerra contra você,
ó filha de Sião."
24 Ouvimos a sua fama, afrouxaram-se as nossas mãos; a
angústia nos tomou, e dores como as de um parto.
25 Não saiam ao campo, nem andem pelo caminho; por-
que, ao redor, há a espada do inimigo e terror.
26 Ó filha do meu povo, vista-se de pano de saco e revol-
va-se na cinza; chore como por um filho único pranto de
amargura; porque, de repente, virá o destruidor sobre nós.
27 Como uma torre de guarda o pus entre o meu povo,
por fortaleza, para que soubessem e examinassem o seu
caminho.
28 Todos eles são mais do que rebeldes, andam mur-
murando; são duros como bronze e ferro; todos eles são
corruptores.
29 O fole já se queimou, o chumbo se consumiu com o
fogo; o fundidor tão cuidadosamente fundiu em vão, pois
os maus não são arrancados.
30 E os chamarão de prata rejeitada, porque o Senhor
os rejeitou.

A Falsidade da Religião dos Judeus

7 Esta é a palavra que veio a Jeremias, da parte do
Senhor:
2 "Ponha-se à porta da casa do Senhor, proclame ali esta
palavra e diga: 'Ouçam a palavra do Senhor, todos de
Judá, os que entram por estas portas para adorarem ao
Senhor.'"
3 Assim diz o Senhor dos Exércitos, o Deus de Israel:
"Melhorem os seus caminhos e as suas obras, e eu os farei
habitar neste lugar.
4 Não confiem em palavras falsas, dizendo: 'Templo do
Senhor, templo do Senhor, este é o templo do Senhor.'
5 Mas, se de fato melhorarem os seus caminhos e as suas
obras; se de fato praticarem a justiça, cada um com o seu
próximo;
6 se não oprimirem o estrangeiro, o órfão e a viúva, nem
derramarem sangue inocente neste lugar, nem andarem
após outros deuses para seu próprio mal,
7 eu os farei habitar neste lugar, na terra que dei a seus
pais, desde os tempos antigos e para sempre.
8 Eis que vocês confiam em palavras falsas, que para nada
se aproveitam.
9 Porque vocês furtam, matam, adulteram, juram falsa-
mente, queimam incenso a Baal e andam após outros
deuses que não conhecem,
10 e então virão e se porão diante de mim nesta casa, que
se chama pelo meu nome, e dirão: 'Fomos libertados para
fazermos todas estas abominações?'
11 É esta casa, que se chama pelo meu nome, uma ca-
verna de ladrões para vocês? Eis que eu, eu mesmo, vi
isto," diz o Senhor.
12 "Mas vão agora ao meu lugar, que estava em Siló,

onde, no princípio, fiz habitar o meu nome, e vejam o
que lhe fiz, por causa da maldade do meu povo Israel.
13 Agora, façam todas estas obras", diz o Senhor, "das
quais eu falei a vocês por muitas vezes, e não ouviram;
chamei vocês e não me responderam,
14 farei também a esta casa, que se chama pelo meu
nome, na qual confiam, e a este lugar, que dei a vocês e a
seus pais, como fiz com Siló.
15 E os lançarei de diante de minha face, como lancei
todos os seus irmãos, toda a geração de Efraim.
16 Você, pois, não ore por este povo, nem levante por
ele clamor ou oração, nem me suplique, porque eu não
o ouvirei.
17 Será que você não vê o que andam fazendo nas cida-
des de Judá e nas ruas de Jerusalém?
18 Os filhos apanham a lenha, os pais acendem o fogo,
e as mulheres preparam a massa, para fazerem bolos à
rainha dos céus, então oferecem libações a outros deuses,
para me provocarem à ira.
19 Por acaso é a mim que eles provocam à ira?", diz o Se-
nhor; "E não a si mesmos, para confusão dos seus rostos?"
20 Portanto assim diz o Senhor Deus: "Eis que a minha
ira e o meu furor se derramarão sobre este lugar, sobre os
homens, sobre os animais, sobre as árvores do campo e
sobre os frutos da terra; se acenderão e não se apagarão."
21 Assim diz o Senhor dos Exércitos, o Deus de Israel:
"Ajuntem os seus holocaustos aos seus sacrifícios e co-
mam carne.
22 Porque nunca falei a seus pais, no dia em que os tirei
da terra do Egito, nem lhes ordenei coisa alguma acerca
de holocaustos ou sacrifícios.
23 Mas isto lhes ordenei, dizendo: Deem ouvidos à mi-
nha voz, e eu serei o seu Deus, e vocês serão o meu povo;
andem em todo o caminho que eu lhes mandar, para que
tudo vá bem com vocês.
24 Mas não ouviram, nem inclinaram os seus ouvidos,
pois andaram nos seus próprios conselhos, no propósito
do seu coração malvado; andaram para trás e não para
a frente.
25 Desde o dia em que seus pais saíram da terra do Egito,
até hoje, enviei a vocês todos os meus servos, os profetas,
todos os dias madrugando e enviando-os.
26 Mas não me deram ouvidos, nem inclinaram os seus
ouvidos, mas endureceram a sua cerviz, e fizeram pior do
que os seus pais.
27 Dirá a eles todas estas palavras, mas não lhe darão
ouvidos; os chamará, mas não lhe responderão.
28 Então lhes dirá: 'Esta é nação que não deu ouvidos
à voz do Senhor seu Deus e não aceitou a correção'; já
pereceu a verdade e foi cortada da sua boca.
29 Corte o seu cabelo, jogue-o fora e levante um pranto
sobre as alturas; porque o Senhor já rejeitou e desamparou
a geração do seu furor.
30 Porque os filhos de Judá fizeram o que era mau aos
meus olhos", diz o Senhor; "puseram as suas abominações
na casa que se chama pelo meu nome, para contaminá-la.
31 E edificaram os altos de Tofete, que está no Vale do
Filho de Hinom, para queimarem no fogo seus filhos e
suas filhas, o que nunca ordenei, nem me passou pela
mente tal coisa.
32 Portanto, eis que virão dias", diz o Senhor, "em que
não se chamará mais Tofete, nem Vale do Filho de Hinom,
mas o Vale da Matança; e enterrarão em Tofete, por não
haver outro lugar.
33 E os cadáveres deste povo servirão de pasto às aves
dos céus e aos animais da terra, e ninguém os espantará.
34 E farei cessarem, nas cidades de Judá e nas ruas de
Jerusalém, a voz de gozo, a voz de alegria, a voz de esposo
e a voz de esposa; porque a terra se tornará em desolação.

Calamidades Contra os Vivos e os Mortos

8 Naquele tempo", diz o Senhor, "tirarão para fora das
suas sepulturas os ossos dos reis de Judá, os ossos dos
seus príncipes, os ossos dos sacerdotes, os ossos dos profe-
tas e os ossos dos habitantes de Jerusalém;
2 e os exporão ao sol, à lua e a todo o exército do céu, a
quem tinham amado, a quem tinham servido, após quem
tinham ido, e a quem tinham buscado, e diante de quem
se tinham prostrado; não serão recolhidos nem sepulta-
dos; serão como esterco sobre a face da terra.
3 E será escolhida antes a morte do que a vida por todos
os que restarem desta raça maligna, que ficarem em todos
os lugares onde os lancei", diz o Senhor dos Exércitos.

O Pecado do Povo e Seu Castigo

4 "Diga-lhes mais: Assim diz o Senhor: Porventura cai-
rão e não tornarão a se levantar? E se desviarão e não
voltarão?
5 Por que, pois, se desvia este povo de Jerusalém com
uma apostasia tão contínua? Persiste no engano e não
quer voltar.
6 Eu escutei e ouvi; não falam o que é reto, não há nin-
guém que se arrependa da sua maldade, dizendo: 'O que
eu fiz?' Cada um se desvia na sua carreira, como um ca-
valo que arremete com ímpeto na batalha.
7 Até a cegonha no céu conhece os seus tempos deter-
minados; a rola, o grou e a andorinha observam o tempo
da sua migração; mas o meu povo não conhece o juízo
do Senhor.
8 Como, pois, dirão: 'Nós somos sábios, e a lei do Senhor
está conosco'? Eis que em vão tem trabalhado a falsa pena
dos escribas.

9 Os sábios são envergonhados, espantados e presos; rejei-
taram a palavra do Senhor; que sabedoria, pois, têm eles?
10 Portanto darei suas mulheres a outros homens, e os
seus campos a novos possuidores; porque desde o menor
até ao maior, cada um deles se dá à avareza; do profeta ao
sacerdote, cada um deles usa de falsidade.
11 E curam a ferida da filha do meu povo levianamente,
dizendo: 'Paz, paz'; quando não há paz.
12 Porventura envergonham-se de cometerem abomina-
ção? Não, de maneira nenhuma se envergonham, nem
sabem que coisa é envergonhar-se; portanto cairão e tro-
peçarão no tempo em que eu os visitar," diz o Senhor.
13 "Certamente os apanharei," diz o Senhor; "já não há
uvas na vide, nem figos na figueira, e até a folha caiu; o
que lhes dei, passará deles.
14 Por que nós estamos sentados aqui? Reúnam-se e en-
tremos nas cidades fortificadas, e ali pereçamos; pois o
Senhor nosso Deus já nos destinou a perecer e nos deu
para beber água envenenada; porque pecamos contra o
Senhor.
15 Espera-se a paz, mas não há nada de bom; espera-se o
tempo da cura, e eis o terror.
16 Desde Dã, se ouve o resfolegar dos seus cavalos, toda
a terra treme ao som dos relinchos dos seus cavalos fortes;
eles vêm, e devoram a terra, sua abundância, a cidade e
os que habitam nela.
17 Porque eis que envio entre vocês serpentes venenosas,
contra as quais não há encantamento, e elas morderão
vocês," diz o Senhor.
18 Oh! Se eu pudesse consolar-me na minha tristeza! O
meu coração desfalece em mim.
19 Eis a voz do clamor da filha do meu povo de terra mui-
to remota: "O Senhor não está em Sião? O seu rei não está
nela? Por que me provocaram à ira com as suas imagens
de escultura, com vaidades estranhas?"
20 Já se passou a colheita, acabou o verão e nós não es-
tamos salvos.
21 Já estou quebrantado pela ferida da filha do meu povo;
ando de luto, e o medo se apoderou de mim.
22 Será que não há bálsamo em Gileade? Ou não há mé-
dico lá? Por que, então, não se realizou a cura da filha
do meu povo?

Jeremias Lamenta os Pecados do Povo

9 Ah! Se a minha cabeça se tornasse em águas e os meus
olhos numa fonte de lágrimas! Então choraria de dia e
de noite os mortos da filha do meu povo.
2 Ah! Se eu tivesse no deserto um abrigo para viajantes!
Então deixaria o meu povo e me apartaria dele, porque
todos eles são adúlteros, um bando de traidores.
3 "E encurvam a língua como se fosse o seu arco, para a
mentira; fortalecem-se na terra, mas não para a verdade;
porque avançam de malícia em malícia e, a mim, não co-
nhecem," diz o Senhor.
4 "Guarde-se cada um do seu próximo, e não confiem em
nenhum irmão; porque todo irmão não faz mais do que
enganar, e todo próximo anda caluniando.
5 E cada um zomba do seu próximo e não falam a verda-
de; ensinam a sua língua para falar mentira, cansam-se de
tanto praticar perversidade.
6 A sua habitação está no meio do engano; pelo engano
recusam conhecer-me," diz o Senhor.
7 "Portanto", assim diz o Senhor dos Exércitos: "Eis que
eu os fundirei e os provarei; pois, de que outra maneira
procederia com a filha do meu povo?
8 Uma flecha mortífera é a língua deles; falam engano;
com a sua boca fala cada um de paz com o seu próximo,
mas no seu coração arma-lhe ciladas.
9 Porventura", diz o Senhor, "por estas coisas não os
castigaria? A minha alma não se vingaria de uma nação
como esta?
10 Sobre os montes levantarei choro e pranto e, pelas
pastagens do deserto, lamentação; porque já estão quei-
madas e ninguém passa por elas; nem se ouve mugido de
gado, e as aves dos céus e os animais andaram vagueando
e fugiram.
11 E farei de Jerusalém montões de pedras, morada de
chacais, e das cidades de Judá farei assolação, para que
não haja mais habitantes."
12 Quem é o homem sábio, que entenda isto? E a quem
falou a boca do Senhor, para que o possa anunciar? Por
que razão pereceu a terra e se queimou como deserto,
sem que ninguém passe por ela?
13 E disse o Senhor: "Porque deixaram a minha lei, que
pus perante eles, e não deram ouvidos à minha voz, nem
andaram nela,
14 antes andaram após o propósito do seu próprio coração
e após os baalins, como lhes ensinaram os seus pais.
15 Portanto, assim diz o Senhor dos Exércitos, Deus de
Israel: "Eis que darei para comer losna a este povo e lhe
darei para beber água envenenada.
16 E os espalharei entre nações, que não conheceram,
nem eles nem seus pais, e mandarei a espada após eles,
até que venha a consumi-los."
17 Assim diz o Senhor dos Exércitos: "Considerem e cha-
mem carpideiras, que venham; mandem procurar mulhe-
res hábeis, para que venham.
18 Apressem-se e levantem o seu lamento sobre nós; des-
façam-se em lágrimas os nossos olhos, e as nossas pálpe-
bras destilem águas.
19 Porque uma voz de pranto se ouviu de Sião: 'Como es-

tamos arruinados! Estamos muito envergonhados porque deixamos a terra, e por eles terem derrubado as nossas moradas.'"

20 Ouçam, pois, vocês, mulheres, a palavra do Senhor, e os seus ouvidos recebam a palavra da sua boca; ensinem o pranto a suas filhas e cada uma ensine à sua vizinha a lamentação;

21 porque a morte já subiu pelas nossas janelas e entrou em nossos palácios, para exterminar as crianças das ruas e os jovens das praças.

22 Fale: "Assim diz o Senhor: 'Até os cadáveres dos homens ficarão espalhados como esterco sobre o campo, e como o trigo atrás do segador, e não há quem o recolha.'"

23 Assim diz o Senhor: "Não se glorie o sábio na sua sabedoria, nem se glorie o forte na sua força; não se glorie o rico nas suas riquezas.

24 Mas quem se gloriar, glorie-se nisto: Em me entender e me conhecer, que eu sou o Senhor que faço beneficência, juízo e justiça na terra; porque destas coisas me agrado", diz o Senhor.

25 "Eis que vêm dias", diz o Senhor, "em que castigarei todos os circuncidados apenas no corpo.

26 Ao Egito, a Judá, a Edom, aos filhos de Amom, a Moabe e a todos os que cortam os cantos do seu cabelo, que habitam no deserto; porque todas as nações são incircuncisas, e toda a casa de Israel é incircuncisa de coração."

Comparações Entre Deus e os Ídolos

10 Ouçam a palavra que o Senhor fala a vocês, ó casa de Israel.

2 Assim diz o Senhor: "Não aprendam o caminho das nações, nem se espantem com os sinais dos céus; porque com eles se atemorizam as nações.

3 Porque os costumes dos povos são vaidade; pois cortam do bosque uma árvore, um artesão a modela com as suas ferramentas;

4 com prata e com ouro a enfeitam, com pregos e com martelos a fixam, para que não se mova.

5 São como a palmeira, obra torneada, porém não podem falar; certamente são levados, porque não podem andar. Não tenham receio deles, pois não podem fazer mal, nem tampouco têm poder de fazer o bem."

6 Pois não há ninguém semelhante a ti, ó Senhor; tu és grande e grande é o teu nome em poder.

7 Quem não temeria a ti, ó Rei das nações? Pois isto só a ti pertence; porque, entre todos os sábios das nações, e em todo o seu reino, não há ninguém semelhante a ti.

8 Pois juntamente todos se embruteceram e tornaram-se loucos; acreditam que podem ser orientados por um pedaço de madeira.

9 Trazem prata batida de Társis e ouro de Ufaz, trabalho do artífice e das mãos do fundidor; fazem suas roupas de azul e púrpura; todos eles são obras de peritos.

10 Porém o Senhor Deus é a verdade; ele mesmo é o Deus vivo e o Rei eterno; ao seu furor a terra treme, e as nações não podem suportar a sua indignação.

11 Assim lhes dirá: "Os deuses que não fizeram os céus e a terra desaparecerão da terra e de debaixo deste céu."

12 Ele é aquele que fez a terra com o seu poder; ele estabeleceu o mundo com a sua sabedoria e com a sua inteligência estendeu os céus.

13 Quando ele mostra a sua voz, logo há rugidos de águas no céu e ele faz subir os vapores da extremidade da terra; faz os relâmpagos para a chuva e dos seus depósitos faz sair o vento.

14 Todo homem é embrutecido no seu conhecimento; envergonha-se todo fundidor da sua imagem de escultura; porque sua imagem fundida é mentira e nelas não há espírito.

15 São vaidade, obras de enganos: No tempo da sua visitação virão a perecer.

16 Aquele que é a porção de Jacó não é semelhante a estas imagens; porque foi ele quem formou tudo, e Israel é a vara da sua herança: Senhor dos Exércitos é o seu nome.

17 Ajunte da terra a sua mercadoria, ó você que habita em lugar sitiado.

18 Porque assim diz o Senhor: "Eis que desta vez lançarei fora os moradores desta terra, e os angustiarei, para que venham a achá-los."

19 Ai de mim por causa do meu quebrantamento! A minha chaga me causa grande dor; eu havia dito: Certamente isto é enfermidade que eu poderei suportar.

20 Já a minha tenda está destruída e todas as minhas cordas se romperam; os meus filhos foram-se de mim e não existem; não há mais ninguém que estenda a minha tenda, nem que levante as minhas cortinas,

21 porque os pastores se embruteceram e não buscaram ao Senhor; por isso, não prosperaram e todos os seus rebanhos se espalharam.

22 Eis que vem uma voz de rumor, grande tremor da terra do Norte, para fazer das cidades de Judá uma assolação, uma morada de chacais.

23 Bem eu sei, ó Senhor, que não pertence ao homem o seu caminho; nem cabe ao homem dirigir os seus passos.

24 Castiga-me, ó Senhor, porém com juízo, não na tua ira, para que não me reduzas a nada.

25 Derrama a tua indignação sobre as nações que não te conhecem e sobre as gerações que não invocam o teu nome; porque devoraram Jacó, devoraram-no, consumiram-no e assolaram a sua morada.

A Quebra da Aliança

11 Palavra que veio a Jeremias, da parte do Senhor:
2 "Ouça as palavras desta aliança, fale aos homens
de Judá e aos habitantes de Jerusalém.
3 Diga-lhes pois: Assim diz o Senhor Deus de Israel: Mal-
dito o homem que não escutar as palavras desta aliança,
4 que ordenei a seus pais no dia em que os tirei da terra
do Egito, da fornalha de ferro, dizendo: Deem ouvidos à
minha voz e façam tudo que lhes ordeno; vocês serão o
meu povo e eu serei o seu Deus.
5 Para que confirme o juramento que fiz a seus pais de
lhes dar uma terra que manasse leite e mel, como se vê
neste dia." Então eu respondi e disse: "Amém, ó Senhor."
6 E disse-me o Senhor: "Proclame todas estas palavras nas
cidades de Judá e nas ruas de Jerusalém, dizendo: 'Ouçam
as palavras desta aliança e as cumpram!'
7 Porque adverti seus pais, no dia em que os tirei da terra
do Egito, até o dia de hoje, madrugando, protestando e
dizendo: Deem ouvidos à minha voz!
8 Porém não ouviram, nem inclinaram os seus ouvidos,
antes andaram cada um conforme o propósito do seu
coração malvado; por isso, trouxe sobre eles todas as
palavras desta aliança que lhes mandei que cumprissem,
porém não cumpriram."
9 Disse mais o Senhor: "Uma conspiração se achou entre
os homens de Judá, entre os habitantes de Jerusalém.
10 Retornaram às maldades de seus primeiros pais, que
não quiseram ouvir as minhas palavras e andaram após
outros deuses para servi-los; a casa de Israel e a casa de
Judá quebraram a minha aliança, que eu tinha feito com
seus pais."
11 Portanto, assim diz o Senhor: "Eis que trarei um mal
sobre eles, de que não poderão escapar, por isso clamarão
a mim, mas eu não os ouvirei.
12 Então irão as cidades de Judá e os habitantes de Je-
rusalém e clamarão aos deuses a quem eles queimaram
incenso; estes, porém, de nenhum modo os livrarão no
tempo do seu mal.
13 Porque os seus deuses são tantos quantas as suas ci-
dades, ó Judá! E levantaram altares à impudência, altares
para queimarem incenso a Baal, tantos quantas as ruas
de Jerusalém.
14 Você, Jeremias, não ore por este povo, nem levante
por ele clamor nem oração; porque não os ouvirei quando
eles clamarem a mim, por causa do seu mal.
15 Que direito tem a minha amada na minha casa, vis-
to que com muitos tem cometido grande lascívia? Você
acredita que os sacrifícios e as carnes santificadas poderão
afastar de você o mal? Então saltaria de prazer."
16 O Senhor chamou o seu nome de oliveira verde, for-
mosa por seus deliciosos frutos, mas agora, à voz de um
grande tumulto, acendeu fogo ao redor dela e se quebra-
ram os seus ramos.
17 Porque o Senhor dos Exércitos, que a plantou, pronun-
ciou contra você o mal, pela maldade da casa de Israel e
da casa de Judá, que para vocês mesmas fizeram, pois me
provocaram à ira, queimando incenso a Baal.

Conspiração Para Matar Jeremias

18 E o Senhor me fez saber e assim o soube; então me fez
ver as suas ações.
19 E eu era como um cordeiro, como um boi que levam
à matança; porque não sabia que maquinavam propósitos
contra mim, dizendo: "Vamos destruir a árvore com o seu
fruto, vamos cortá-lo da terra dos viventes e não haverá
mais lembrança do seu nome."
20 Mas, ó Senhor dos Exércitos, justo Juiz, que provas
o coração e a mente, permite que eu veja a tua vingança
sobre eles; pois a ti descobri a minha causa.
21 Portanto, assim diz o Senhor a respeito dos homens de
Anatote, que buscam tirar a minha vida, dizendo: "Não
profetizem em nome do Senhor, para que não morram
em nossas mãos."
22 Portanto, assim diz o Senhor dos Exércitos: "Eis que
eu os castigarei; os jovens morrerão à espada, os seus fi-
lhos e as suas filhas morrerão de fome.
23 E não sobrará deles um remanescente, porque farei
vir o mal sobre os homens de Anatote, no ano da sua
visitação."

A Queixa do Profeta

12 Justo serias, ó Senhor, ainda que eu entrasse contigo
num pleito; contudo falarei contigo dos teus juízos.
Por que prospera o caminho dos ímpios e vivem em paz
todos os traidores?
2 Plantaste-os e eles se arraigaram; crescem, dão também
fruto; chegado estás à sua boca, porém longe dos seus
corações.
3 Mas tu, ó Senhor, me conheces, tu me vês e provas
o meu coração para contigo; arranca-os como as ovelhas
para o matadouro e dedica-os para o dia da matança.
4 Até quando a terra lamentará e a erva do campo secará?
Pela maldade dos que habitam nela, perecem os animais e
as aves; porque dizem: "Ele não verá o nosso fim."
5 "Jeremias, se você se cansa correndo com homens que
vão a pé, como poderá competir com os cavalos? Se tão-
-somente numa terra de paz está confiado, como fará na
enchente do Jordão?
6 Porque até os seus irmãos e a casa do seu pai, eles pró-
prios são desleais com você; eles mesmos clamam após
você em altas vozes. Não confie neles, ainda que lhe di-
gam coisas boas.

7 Desamparei a minha casa, abandonei a minha herança;
entreguei a minha amada nas mãos de seus inimigos.
8 Tornou-se a minha herança para mim como um leão
numa floresta; levantou a sua voz contra mim, por isso
eu a odeio.
9 A minha herança é para mim uma ave de rapina de
várias cores. As aves de rapina se juntam ao redor dela.
Venham, pois, ajuntem todos os animais do campo, e os
tragam para a devorarem.
10 Muitos pastores destruíram a minha vinha, pisaram o
meu campo; tornaram em desolado deserto o meu campo
desejado.
11 Em desolação a puseram e clama a mim na sua deso-
lação; toda a terra está desolada, porque não há ninguém
que leve isso a sério.
12 Sobre todos os lugares altos do deserto vieram des-
truidores; porque a espada do Senhor devora desde um
extremo da terra até o outro; não há paz para ninguém.
13 Semearam trigo e colheram espinhos; cansaram-se,
mas de nada se aproveitaram; envergonhados serão das
suas colheitas, por causa do ardor da ira do Senhor.
14 Assim diz o Senhor, a respeito de todos os meus maus
vizinhos, que tocam a minha herança, que deixei ao meu
povo Israel: Eis que os arrancarei da sua terra e a casa de
Judá arrancarei do meio deles.
15 E, depois de os haver arrancado, voltarei e terei com-
paixão deles, então os farei voltar cada um à sua herança
e cada um à sua terra.
16 E, se cuidadosamente aprenderem os caminhos do
meu povo, jurando pelo meu nome: 'Juro por Deus', as-
sim como ensinaram o meu povo a jurar por Baal; então
serão edificados no meio do meu povo.
17 Mas se não quiserem ouvir, arrancarei totalmente a tal
nação e a farei perecer", diz o Senhor.

O Cinto de Linho, Símbolo de Judá

13 Assim me disse o Senhor: "Vá e compre um cinto
de linho e ponha-o em volta da cintura, mas não o
coloque na água."
2 E comprei o cinto, conforme a palavra do Senhor, e o
pus em volta da minha cintura.
3 Então, pela segunda vez, a palavra do Senhor veio a
mim, dizendo:
4 "Pegue o cinto que comprou e que traz na sua cintura,
levante-se; vá ao rio Eufrates e esconda-o ali na fenda de
uma rocha."
5 Então eu fui, e o escondi junto ao Eufrates, como o
Senhor me ordenou.
6 E, depois de muitos dias, o Senhor me disse: "Levante-
-se, vá ao Eufrates e pegue o cinto que lhe ordenei que o
escondesse ali."
7 E fui ao Eufrates, cavei e peguei o cinto do lugar onde o
havia escondido; e eis que o cinto tinha apodrecido e não
prestava para nada.
8 Então a palavra do Senhor veio a mim, dizendo:
9 "Assim diz o Senhor: Do mesmo modo farei apodrecer o
orgulho de Judá, e o grande orgulho de Jerusalém.
10 Este povo maligno, que recusa ouvir as minhas pa-
lavras, que caminha segundo a dureza do seu coração e
anda após deuses alheios, para servi-los e inclinar-se dian-
te deles, será tal como este cinto, que para nada presta.
11 Porque, assim como o cinto se apega à cintura de um
homem, assim eu fiz apegar-se a mim toda a casa de Israel
e toda a casa de Judá", diz o Senhor, "para me serem por
povo, por nome, por louvor e por glória; mas não deram
ouvidos.

Os Odres de Vinho

12 Diga-lhes também esta palavra: Assim diz o Senhor
Deus de Israel: Todo odre se encherá de vinho; então eles
dirão: 'Porventura nós não sabemos muito bem que todo
odre ficará cheio de vinho?'
13 Porém, você diga-lhes: Assim diz o Senhor: Eis que eu
encherei de embriaguez todos os habitantes desta terra e
os reis da estirpe de Davi, que estão assentados sobre o
seu trono, os sacerdotes, os profetas e todos os habitantes
de Jerusalém.
14 E os farei em pedaços atirando uns contra os outros,
tanto os pais como os filhos, diz o Senhor; não perdoarei,
nem pouparei, nem terei deles compaixão para que não
os destrua."

Ameaça de Cativeiro

15 Escutem e inclinem os ouvidos; não sejam arrogantes;
porque o Senhor falou.
16 Deem glória ao Senhor seu Deus, antes que venha a
escuridão, e antes que os seus pés tropecem nos mon-
tes tenebrosos; e antes que, esperando vocês a luz, ele a
mude em sombra de morte e a reduza à escuridão.
17 E, se isto não ouvirem, a minha alma chorará em se-
gredo, por causa do orgulho de vocês; amargamente cho-
rarei, e os meus olhos se desfarão em lágrimas, porque o
rebanho do Senhor foi levado cativo.
18 Diga ao rei e à rainha: "Humilhem-se e sentem-se no
chão; porque já caiu todo o ornato de suas cabeças, a co-
roa da sua glória."
19 As cidades do Sul estão fechadas e não há ninguém
que as abra; todo Judá foi levado cativo, sim, inteiramente
cativo.
20 Levantem os seus olhos e vejam os que vêm do Norte;
onde está o rebanho que lhe foi confiado, o rebanho da
sua glória?
21 O que você dirá, quando ele castigar você porque os

ensinou a serem príncipes e chefes sobre você? Porventura as dores não tomarão você, como à mulher que está de parto?

A Causa das Desgraças

22 Quando você disser no seu coração: "Por que me aconteceram estas coisas?" Pela multidão das suas maldades se descobriram as suas vestes e os seus calcanhares sofrem violência.
23 Será que o etíope pode mudar a sua pele, ou o leopardo as suas manchas? Então vocês poderiam fazer o bem, sendo ensinados a fazer o mal.
24 "Por isso eu os espalharei como a palha, que é levada pelo vento do deserto.
25 Esta será a sua sorte, a porção que determinei para você", diz o Senhor; "pois se esqueceu de mim e confiou em mentiras.
26 Assim também eu levantarei as suas vestes até o seu rosto, e aparecerá a sua vergonha.
27 Já vi as suas abominações, os seus adultérios, os seus rinchos e a enormidade da sua fornicação sobre as colinas no campo. Ai de você, Jerusalém! Até quando ainda não se purificará?"

Seca, Fome e Miséria

14 A palavra do Senhor, que veio a Jeremias, a respeito da grande seca.
2 "Judá anda chorando e as suas portas estão enfraquecidas; andam de luto e se curvam até ao chão e o clamor de Jerusalém vai subindo.
3 E os seus mais ilustres enviam os seus pequenos para buscarem água; vão às cisternas e não acham água; voltam com os seus cântaros vazios; envergonham-se, confundem-se e cobrem as suas cabeças.
4 Por causa da terra que se fendeu, porque não há chuva sobre a terra, os lavradores se envergonham e cobrem as suas cabeças.
5 Porque até as cervas no campo têm as suas crias e abandonam seus filhotes, porque não há erva.
6 E os jumentos monteses se põem nos lugares altos, sorvem o vento como os chacais; desfalecem os seus olhos, porque não há erva."

A Oração de Jeremias e a Resposta de Deus

7 Ainda que as nossas maldades testifiquem contra nós, ó Senhor, age por amor do teu nome; porque as nossas rebeldias se multiplicaram; contra ti pecamos.
8 Ah! Esperança de Israel, e Redentor do teu povo no tempo da angústia, por que serias como um estrangeiro na terra e como o viajante que fica somente uma noite?
9 Por que serias como um homem que foi surpreendido, como um poderoso que não pode salvar? Mas tu estás no meio de nós, ó Senhor, e nós somos chamados pelo teu nome; não nos desampares.
10 Assim diz o Senhor, a respeito deste povo: "Pois que tanto gostaram de andar errantes e não retiveram os seus pés, por isso o Senhor não se agrada deles, mas agora se lembrará da iniquidade deles e castigará os seus pecados."
11 Então o Senhor me disse mais: "Não rogue por este povo para o bem dele.
12 Quando jejuarem, não ouvirei o seu clamor, e, quando oferecerem holocaustos e ofertas de manjares, não me agradarei deles; antes eu os consumirei pela espada, pela fome e pela peste."
13 Então eu disse: Ah! Senhor Deus, eis que os profetas lhes dizem: "Não verão espada e não terão fome; antes darei a vocês paz verdadeira neste lugar."
14 E o Senhor respondeu: "Os profetas profetizam falsamente no meu nome; nunca os enviei, nem lhes dei ordem, nem lhes falei; eles profetizam, para vocês, visão falsa, adivinhação, vaidade e o engano do seu coração.
15 Portanto", assim diz o Senhor, "a respeito dos profetas que profetizam em meu nome, sem que eu os tenha mandado e que dizem: 'Nem espada, nem fome haverá nesta terra', esses profetas serão consumidos pela espada e pela fome.
16 E o povo para quem eles profetizam será lançado nas ruas de Jerusalém, por causa da fome e da espada; não haverá quem os sepulte, tanto a eles como as suas mulheres e aos seus filhos e filhas; porque derramarei sobre eles a sua maldade.
17 Portanto, lhes diga esta palavra: 'Que os meus olhos derramem lágrimas de noite e de dia e não cessem; porque a virgem, filha do meu povo, está gravemente ferida, de chaga muito dolorosa.
18 Se eu saio ao campo, eis ali os mortos à espada, e, se entro na cidade, estão ali os debilitados pela fome; até os profetas e os sacerdotes percorrem uma terra que não conhecem.'"
19 Será que de todo rejeitaste Judá? Ou repugna a tua alma a Sião? Por que nos feriste de tal modo que já não há cura para nós? Aguardamos a paz e não aparece o bem; esperamos o tempo da cura e eis aqui o terror.
20 Ah! Senhor! Conhecemos a nossa impiedade e a maldade de nossos pais; porque pecamos contra ti.
21 Não nos rejeites por amor do teu nome; não abatas o trono da tua glória; lembra-te e não anules a tua aliança conosco.
22 Porventura há, entre as vaidades dos gentios, alguém que faça chover? Ou podem os céus dar chuvas? Não és tu, ó Senhor nosso Deus? Portanto em ti esperamos, pois tu fazes todas estas coisas.

Continuação do Diálogo de Deus Com Jeremias

15 Disse-me, porém, o Senhor: "Ainda que Moisés e
Samuel se pusessem diante de mim, não estaria a
minha alma com este povo; lança-os de diante da minha
face e saiam.
2 E, quando lhe perguntarem: 'Para onde iremos?' Diga-
-lhes: Assim diz o Senhor: Quem é para a morte, vai para
a morte, quem é para a espada, vai para a espada, quem
é para a fome, vai para a fome, e quem é para o cativeiro,
vai para o cativeiro.
3 Porque os visitarei com quatro tipos de castigo", diz o
Senhor: "Com espada para matar, com cães para os arras-
tarem, com aves dos céus e com animais da terra, para os
devorarem e destruírem.
4 E os entregarei ao desterro em todos os reinos da terra;
por causa de Manassés, filho de Ezequias, rei de Judá, e
por tudo o que ele fez em Jerusalém.
5 Porque quem se compadeceria de você, ó Jerusalém?
Ou quem se entristeceria por você? Ou quem se desviaria
do caminho para perguntar pela sua paz?
6 Você me deixou", diz o Senhor, "e voltou para trás; por
isso estenderei a minha mão contra você e a destruirei; já
estou cansado de me arrepender.
7 E os amontoarei com a pá nos portões das cidades; já
desfilhei e destruí o meu povo, pois não voltaram dos seus
caminhos.
8 As suas viúvas se multiplicaram mais do que a areia dos
mares; eu trouxe ao meio-dia um destruidor sobre a mãe
dos jovens; fiz que caísse de repente sobre ela e enchesse
a cidade de terrores.
9 Aquela que dava à luz sete filhos se enfraqueceu; está
ofegante; para ela o sol se pôs, quando ainda era dia; ela
ficou confusa e envergonhada; e os sobreviventes dela en-
tregarei à espada, diante dos seus inimigos," diz o Senhor.
10 Ai de mim, minha mãe, porque me deu à luz para ser
homem de rixa e homem de contendas para toda a terra!
Nunca lhes emprestei com juros, nem eles me empres-
taram com juros, todavia cada um deles me amaldiçoa.
11 Disse o Senhor: "Certamente o seu remanescente será
para o bem; no tempo da calamidade e no tempo da an-
gústia, farei com que o inimigo lhe dirija súplicas.
12 Pode alguém quebrar o ferro, o ferro do Norte, ou
o aço?
13 As suas riquezas e os seus tesouros entregarei sem pre-
ço ao saque, e isso por todos os seus pecados, mesmo em
todos os seus territórios.
14 E os farei escravos dos seus inimigos numa terra que
não conhecem; porque o fogo se acendeu em minha ira e
sobre vocês arderá."
15 Tu, ó Senhor, o sabes; lembra-te de mim, visita-me e
vinga-me dos meus perseguidores; não me arrebates por
tua longanimidade; sabe que por amor de ti tenho sofrido
afronta.
16 Achando as tuas palavras, logo as comi e a tua palavra
foi para mim o gozo e alegria do meu coração; porque pelo
teu nome sou chamado, ó Senhor, Deus dos Exércitos.
17 Nunca me assentei na assembleia dos zombadores,
nem me regozijei; por causa da tua mão me assentei soli-
tário, pois me encheste de indignação.
18 Por que dura a minha dor continuamente, a minha
ferida me dói e já não admite cura? Serias tu para mim
como coisa mentirosa e como águas inconstantes?
19 Portanto assim diz o Senhor: "Se você voltar, então
o trarei e estará diante de mim; se separar o precioso do
vil, será como a minha boca; eles voltarão para você, mas
você não voltará para eles.
20 E eu o porei contra este povo como forte muro de
bronze; lutarão contra você, mas não prevalecerão; por-
que eu estou com você para o guardar, para livrá-lo deles,"
diz o Senhor.
21 "E o livrarei das mãos dos malignos e o livrarei das
mãos dos fortes."

A Vida Celibatária de Jeremias Como Sinal de Deus

16 E a palavra do Senhor veio a mim, dizendo:
2 "Não se casará, nem terá filhos nem filhas neste
lugar."
3 Porque assim diz o Senhor, a respeito dos filhos e das
filhas que nascerem neste lugar, a respeito das suas mães,
que os tiverem, e dos seus pais que os gerarem nesta terra:
4 "Morrerão de enfermidades dolorosas e não serão pran-
teados nem sepultados; servirão de esterco sobre a face da
terra, pela espada e pela fome serão consumidos, e os seus
cadáveres servirão de alimento para as aves do céu e para
os animais da terra."
5 Porque assim diz o Senhor: "Não entre em casa onde há
luto, nem vá lamentar, nem se compadeça deles; porque
deste povo", diz o Senhor, "retirei a minha paz, benigni-
dade e misericórdia.
6 E morrerão tanto os grandes como os pequenos nes-
ta terra, não serão sepultados, nem prantearão por eles,
nem se farão por eles incisões, nem por eles se raparão
os cabelos.
7 E não se partirá pão para consolá-los por causa de seus
mortos; nem lhes darão a beber do copo de consolação,
pelo pai ou pela mãe de alguém.
8 Nem entre na casa do banquete, para se assentar com
eles para comer e beber."
9 Porque assim diz o Senhor dos Exércitos, o Deus de
Israel: "Eis que farei cessarem, neste lugar, perante os seus

olhos e em seus dias, a voz de gozo e a voz de alegria, a voz do esposo e a voz da esposa.

10 E quando você anunciar a este povo todas estas palavras e eles lhe perguntarem: 'Por que o Senhor pronuncia sobre nós todo este grande mal? E qual é a nossa iniquidade, e qual é o nosso pecado, que cometemos contra o Senhor nosso Deus?'

11 Então lhes dirá: Porque os seus pais me deixaram", diz o Senhor, "e foram atrás de outros deuses, os serviram e se inclinaram diante deles, e a mim me deixaram, e a minha lei não guardaram.

12 E vocês fizeram pior do que os seus pais; porque eis que cada um de vocês anda segundo o propósito do seu mau coração, para não me dar ouvidos.

13 Portanto os lançarei fora desta terra, para uma terra que não conhecem, nem vocês nem seus pais; ali servirão a deuses alheios de dia e de noite, porque não terei misericórdia de vocês.

14 Portanto, eis que vêm dias", diz o Senhor, "em que nunca mais se dirá: 'Juro pelo Senhor, que tirou os filhos de Israel da terra do Egito.'

15 Mas dirão: 'Juro pelo Senhor, que tirou os filhos de Israel da terra do Norte e de todas as terras para onde os tinha lançado'; porque eu os farei voltar à sua terra, que dei a seus pais.

16 Eis que mandarei muitos pescadores", diz o Senhor, "os quais os pescarão; depois enviarei muitos caçadores, os quais os caçarão em todos os montes, em todas as colinas e até nas fendas das rochas.

17 Porque os meus olhos estão sobre todos os seus caminhos; não se escondem da minha face, nem a sua maldade se encobre aos meus olhos.

18 E primeiramente pagarei em dobro a sua maldade e o seu pecado, porque profanaram a minha terra com os cadáveres das suas coisas detestáveis e com as suas abominações encheram a minha herança."

19 Ó Senhor, minha fortaleza, minha força e meu refúgio no dia da angústia; a ti virão as nações desde os confins da terra e dirão: "Nossos pais herdaram somente mentiras e vaidade, em que não havia proveito.

20 Será que um homem pode fazer deuses para si? Pode; contudo, não são deuses!"

21 "Portanto, eis que lhes farei conhecer, desta vez lhes farei conhecer a minha mão e o meu poder, e saberão que o meu nome é o Senhor.

A Loucura de Confiar no Homem

17 O pecado de Judá está escrito com um ponteiro de ferro, com ponta de diamante, gravado na tábua do seu coração e nas pontas dos seus altares;

2 como também seus filhos se lembram dos seus altares e dos seus bosques, junto às árvores frondosas, sobre as altas colinas,

3 e sobre as montanhas do campo; a sua riqueza e todos os seus tesouros darei como despojo, como também os seus altos, por causa do pecado, em todos os seus territórios.

4 Assim por você mesmo se privará da sua herança que lhe dei e lhe farei servir aos seus inimigos, numa terra que não conhece; porque o fogo que acendeu a minha ira arderá para sempre."

5 Assim diz o Senhor: "Maldito quem confia no ser humano, que faz da carne mortal o seu braço, e afasta o seu coração do Senhor!

6 Porque será como o arbusto no deserto e não verá quando vem o bem; antes morará nos lugares secos do deserto, na terra salgada e inabitável.

O Valor da Confiança em Deus e Sua Salvação

7 Bendito quem confia no Senhor e cuja confiança é o Senhor.

8 Porque ele será como uma árvore plantada junto às águas, que estende as suas raízes para o ribeiro, e não receia quando vem o calor, mas a sua folha fica verde e, no ano da seca, não se fadiga, nem deixa de dar fruto.

9 Enganoso e perverso é o coração, mais do que todas as coisas; quem o conhece?

10 Eu, o Senhor, esquadrinho o coração e provo os pensamentos, e isto para dar a cada um segundo os seus caminhos e segundo o fruto das suas ações."

11 Como a perdiz, que choca ovos que não pôs, assim é quem ajunta riquezas, mas não honestamente; no meio da sua vida, ficará sem elas, e no seu fim será um tolo.

12 Um trono de glória, posto bem alto desde o princípio, é o lugar do nosso santuário.

13 Ó Senhor, esperança de Israel, todos aqueles que te deixam serão envergonhados; os que se afastam de ti terão seus nomes escritos no chão; porque abandonam o Senhor, a fonte das águas vivas.

14 Cura-me, Senhor, e sararei; salva-me e serei salvo; porque tu és o meu louvor.

O Profeta Sofre Com o Descrédito

15 Eis que eles me dizem: "Onde está a palavra do Senhor? Venha agora."

16 Porém eu não me apressei em ser o pastor seguindo-te; nem tampouco desejei o dia da aflição, tu o sabes; o que saiu dos meus lábios está diante de tua face.

17 Não me sejas por espanto; meu refúgio és tu no dia do mal.

18 Envergonha os que me perseguem e não me envergonhes; assombra-os e não me assombres; traz sobre eles o dia do mal, e destrói-os com dobrada destruição.

Apelo Pela Renovação da Guarda do Sábado

19 Assim me disse o Senhor: "Vá e fique junto ao portão
do povo, pelo qual entram os reis de Judá e pelo qual
saem; vá também a todos os outros portões de Jerusalém.
20 E diga-lhes: Ouçam a palavra do Senhor, vocês, reis de
Judá e todo o povo; vocês todos os moradores de Jerusa-
lém que entram por estes portões."
21 Assim diz o Senhor: "Guardem as suas almas e não
tragam cargas no dia de sábado, nem as introduzam pelos
portões de Jerusalém;
22 nem tirem cargas de suas casas no dia de sábado, nem
façam obra alguma; antes santifiquem o dia de sábado,
como eu ordenei a seus pais.
23 Porém eles não escutaram, nem inclinaram os seus
ouvidos; pelo contrário, eles endureceram a sua cerviz,
para não ouvirem e para não receberem correção.
24 Mas se vocês cuidadosamente me ouvirem", diz o Se-
nhor, "não introduzindo cargas pelos portões desta cidade
no dia de sábado e santificarem o dia de sábado, não fa-
zendo nele obra nenhuma,
25 então entrarão pelos portões desta cidade reis e prínci-
pes, que se assentem sobre o trono de Davi, andando em
carros e em cavalos; e eles e seus príncipes, os homens
de Judá e os moradores de Jerusalém; e esta cidade será
habitada para sempre.
26 E virão das cidades de Judá, dos arredores de Jerusa-
lém, da terra de Benjamim, das planícies, das montanhas
e do Sul, trazendo holocaustos, sacrifícios, ofertas de man-
jares e incenso, trazendo também sacrifícios de louvores
à casa do Senhor.
27 Mas, se não me ouvirem, para santificarem o dia de
sábado, e para não trazerem carga alguma, quando en-
trarem pelas portas de Jerusalém no dia de sábado, então
acenderei fogo nos seus portões, que consumirá os palá-
cios de Jerusalém e não se apagará."

A Casa do Oleiro

18 A palavra do Senhor, que veio a Jeremias, dizendo:
2 "Levante-se, desça à casa do oleiro e lá o farei
ouvir as minhas palavras."
3 E eu desci à casa do oleiro e vi que ele estava fazendo a
sua obra sobre a roda,
4 e o vaso, que ele fazia de barro, quebrou-se na sua mão;
então, tornou a fazer dele outro vaso, de acordo com a
sua vontade.
5 Então a palavra do Senhor veio a mim, dizendo:
6 "Ó casa de Israel, será que eu não poderei fazer de você
como fez este oleiro? Eis que, como o barro na mão do
oleiro, assim são vocês na minha mão, ó casa de Israel.
7 No momento em que eu falar contra uma nação e con-
tra um reino para o arrancar, para derrubar e para destruir,
8 se a tal nação, contra a qual falar, se converter da sua
maldade, também eu me arrependerei do mal que pen-
sava fazer-lhe.
9 No momento em que eu falar de uma nação e de um
reino, para edificar e para plantar,
10 se fizerem o mal diante dos meus olhos, não dando
ouvidos à minha voz, então me arrependerei do bem que
tinha falado que lhes faria.
11 Portanto, fale agora aos homens de Judá e aos mora-
dores de Jerusalém, dizendo: Assim diz o Senhor: Eis que
estou forjando um mal, e projeto um plano contra vocês;
convertam-se, pois, agora cada um do seu mau caminho,
melhorem os seus caminhos e as suas ações.
12 Porém eles dizem: 'Não há esperança, porque andare-
mos segundo as nossas imaginações e cada um fará segun-
do o propósito do seu mau coração.'"
13 Portanto, assim diz o Senhor: Perguntem agora entre
os gentios quem ouviu tal coisa. A virgem de Israel faz
uma coisa muito horrível.
14 Será que a neve do Líbano deixará a rocha do cam-
po, ou se esgotarão as águas frias que correm de terras
estranhas?
15 Contudo o meu povo tem se esquecido de mim, quei-
mando incenso a ídolos, que os fez tropeçarem nos seus
caminhos, e nas veredas antigas, para que andassem por
caminhos afastados, não aplainados;
16 para fazerem da sua terra objeto de espanto e de per-
pétuos assobios; todos aqueles que passarem por ela se
espantarão e balançarão a sua cabeça;
17 com vento oriental os espalharei diante do inimigo;
eu lhes mostrarei as costas e não o rosto, no dia da sua
perdição."
18 Então disseram: "Venham e faremos planos contra
Jeremias; porque a lei do sacerdote não perecerá, nem o
conselho do sábio, nem a palavra do profeta; venham e
faremos acusações contra ele, e não atenderemos a ne-
nhuma das suas palavras."
19 Olha para mim, Senhor, e ouve a voz dos que conten-
dem comigo.
20 Por acaso é com o mal que se paga o bem? Pois cava-
ram uma cova para a minha alma. Lembra-te de que eu
compareci à tua presença, para falar a favor deles e para
desviar deles a tua indignação;
21 portanto entrega seus filhos à fome e entrega-os ao
poder da espada; sejam suas mulheres roubadas dos filhos
e fiquem viúvas; seus maridos sejam feridos de morte e os
seus jovens sejam feridos à espada na batalha.
22 Ouça-se o clamor de suas casas, quando de repente
trouxeres uma tropa sobre eles. Porque cavaram uma
cova para prender-me e armaram laços aos meus pés.

23 Mas tu, ó Senhor, sabes todos os planos deles contra
mim, para matar-me; não perdoes a sua maldade, nem
apagues o seu pecado de diante da tua face, mas tropecem
diante de ti; trata-os assim no tempo da tua ira.

A Botija Quebrada

19 Assim disse o Senhor: "Vá, compre uma botija de
oleiro e leve com você alguns dos anciãos do povo e
alguns dos anciãos dos sacerdotes;
2 e vá ao Vale do Filho de Hinom, que fica junto à en-
trada do portão do sol e proclame ali as palavras que eu
lhe disser,
3 e diga: Ouçam a palavra do Senhor, ó reis de Judá e mo-
radores de Jerusalém. Assim diz o Senhor dos Exércitos,
o Deus de Israel: Eis que trarei um mal sobre este lugar
e quem dele ouvir falar ficará com os ouvidos tinindo.
4 Porque me deixaram e alienaram este lugar, nele quei-
maram incenso a outros deuses, que nunca conheceram,
nem eles nem os seus pais, nem os reis de Judá conhece-
ram, e encheram este lugar de sangue de inocentes.
5 Porque edificaram os altos de Baal, para queimarem
seus filhos no fogo em holocaustos a Baal; o que nunca
lhes ordenei, nem falei, e nem me veio ao pensamento.
6 Por isso, eis que vêm dias", diz o Senhor, "em que este
lugar não se chamará mais Tofete, nem o Vale do Filho de
Hinom, mas o Vale da Matança.
7 Porque dissiparei o conselho de Judá e de Jerusalém
neste lugar e os farei cair à espada diante de seus inimigos,
pelas mãos dos que os perseguem; e darei os seus cadá-
veres para pasto às aves dos céus e aos animais da terra.
8 E farei esta cidade objeto de espanto e de assobio; todos
que passarem por ela se espantarão, e assobiarão por cau-
sa de todas as suas pragas.
9 E os farei comerem a carne de seus filhos e a carne
de suas filhas; comerá cada um a carne do seu amigo,
no cerco e no aperto dos seus inimigos, os que buscam
a vida deles.
10 Então quebre a botija à vista dos homens que foram
com você.
11 E diga-lhes: Assim diz o Senhor dos Exércitos: Deste
modo eu quebrarei este povo e esta cidade, como se que-
bra o vaso do oleiro, que não pode mais ser refeito, e os
enterrarão em Tofete, porque não haverá mais lugar para
os enterrar.
12 Assim farei a este lugar", diz o Senhor, "e aos seus
moradores; farei com que esta cidade seja como Tofete.
13 E as casas de Jerusalém e as casas dos reis de Judá
serão imundas como o lugar de Tofete, como também to-
das as casas, onde em seus terraços queimaram incenso a
todo o exército dos céus, e ofereceram libações a deuses
estranhos."
14 Jeremias voltou de Tofete aonde o Senhor o tinha en-
viado para profetizar, se pôs em pé no átrio da casa do
Senhor e disse a todo o povo:
15 "Assim diz o Senhor dos Exércitos, o Deus de Israel:
'Eis que trarei sobre esta cidade e sobre todas as suas vilas
todo o mal que pronunciei contra ela, porque endurece-
ram a sua cerviz, para não ouvirem as minhas palavras.'"

Jeremias é Perseguido

20 E Pasur, filho de Imer, o sacerdote, que havia sido
nomeado superintendente na casa do Senhor, ou-
viu Jeremias, que profetizava estas palavras.
2 E Pasur feriu o profeta Jeremias e o colocou no tron-
co que ficava na porta superior de Benjamim, na casa do
Senhor.
3 E, no dia seguinte, Pasur tirou Jeremias do tronco.
Então, Jeremias lhe disse: "O Senhor já não o chama de
Pasur, mas sim de Magor-Missabibe.
4 Porque assim diz o Senhor: 'Eis que farei de você um
terror para você mesmo, e para todos os seus amigos. Eles
cairão à espada pelos seus inimigos, e você verá isto. En-
tregarei todo o povo de Judá nas mãos do rei da Babilônia;
ele os levará presos à Babilônia e os matará à espada.
5 Também entregarei toda a riqueza desta cidade, todo o
seu trabalho e todas as suas coisas preciosas, sim, todos
os tesouros dos reis de Judá entregarei nas mãos dos seus
inimigos, e eles os saquearão, os tomarão e os levarão para
a Babilônia.
6 E você, Pasur, e todos os moradores da sua casa irão
para o cativeiro; será levado à Babilônia, ali morrerá e ali
você será sepultado, você e todos os seus amigos, para os
quais você profetizou falsamente.'"
7 Tu me persuadiste, ó Senhor, e persuadido fiquei; foste
mais forte do que eu e prevaleceste; sirvo de escárnio to-
dos os dias; cada um deles zomba de mim.
8 Porque, sempre que falo, tenho que gritar e clamar:
"Violência e destruição!" Porque a palavra do Senhor me
trouxe deboche e zombaria por todos os dias.
9 Então eu disse: "Não me lembrarei dele e não falarei
mais no seu nome"; mas isso foi no meu coração como
um fogo ardente, encerrado nos meus ossos; estou cansa-
do de sofrer e não posso mais.
10 Porque ouvi a murmuração de muitos: "Há terror por
todos os lados! Denunciem, e nós o denunciaremos!"
Todos os meus amigos estão esperando que eu tropece,
dizendo: "Pode ser que ele se deixe persuadir; então nós
o venceremos, e nos vingaremos dele."
11 Porém o Senhor está comigo como um valente terrí-
vel; por isso os meus perseguidores tropeçarão e não ven-
cerão; ficarão muito envergonhados, porque não foram

prudentes, e sofrerão uma afronta perpétua que nunca
será esquecida.
12 Tu, pois, ó Senhor dos Exércitos, que provas o justo
e conheces os pensamentos e o coração, permite que eu
veja a tua vingança contra eles; pois já te revelei a minha
causa.
13 Cantem ao Senhor, louvem ao Senhor; pois livrou a
alma do necessitado da mão dos malfeitores.
14 Maldito o dia em que nasci; não seja bendito o dia em
que minha mãe me deu à luz.
15 Maldito o homem que deu a notícia ao meu pai,
dizendo: "Nasceu o seu filho"; alegrando-o com isso
grandemente.
16 E seja esse homem como as cidades que o Senhor
destruiu e não se arrependeu; que ele ouça clamor pela
manhã, e, ao meio-dia, um alarido de guerra.
17 Por que não me matou no ventre materno? Assim mi-
nha mãe teria sido a minha sepultura e ela teria ficado
grávida perpetuamente!
18 Por que saí do ventre materno, para ver trabalho e tris-
teza e para que os meus dias se consumam de vergonha?

Zedequias Manda Consultar Jeremias

21 A palavra que foi dita a Jeremias da parte do Se-
nhor, quando o rei Zedequias o enviou a Pasur, filho
de Malquias e ao sacerdote Sofonias, filho de Maaseias,
dizendo:
2 "Pergunte agora por nós ao Senhor, por que Nabucodo-
nosor, rei da Babilônia, guerreia contra nós; pode ser que
o Senhor nos trate segundo todas as suas maravilhas e faça
com que o rei se retire de nós."
3 Então Jeremias mandou dizer ao rei Zedequias:
4 "Assim diz o Senhor Deus de Israel: 'Eis que virarei
contra vocês as suas armas de guerra, que estão nas suas
mãos, com as quais vocês lutam contra o rei da Babilônia
e contra os caldeus, que os têm cercado de fora dos muros
e as ajuntarei no meio desta cidade.
5 E eu lutarei contra vocês com a mão estendida e com
braço forte, com ira, com indignação e com grande furor.
6 E matarei os habitantes desta cidade; tanto os homens
como os animais morrerão com grande peste.
7 E, depois disto', diz o Senhor, 'entregarei Zedequias,
rei de Judá, seus servos e os que sobreviverem à peste, à
espada e à fome, nas mãos de Nabucodonosor, rei da Babi-
lônia, nas mãos dos seus inimigos e nas mãos dos que bus-
cam tirar a sua vida; ele os matará ao fio da espada; não
os poupará, nem se compadecerá, nem terá misericórdia.'
8 E a este povo dirá: Assim diz o Senhor: 'Eis que ponho
diante de vocês o caminho da vida e o caminho da morte.
9 Quem ficar nesta cidade morrerá à espada ou de fome,
ou de peste; mas quem sair e se render aos caldeus, que
estão cercando a cidade, viverá e terá a sua vida poupada.
10 Porque pus o meu rosto contra esta cidade para mal
e não para o bem', diz o Senhor; 'ela será entregue nas
mãos do rei da Babilônia e ele a queimará.'
11 E à casa do rei de Judá você dirá: Ouçam a palavra
do Senhor:
12 Ó casa de Davi, assim diz o Senhor: 'Julguem pela ma-
nhã justamente e livrem o oprimido da mão do opressor;
para que não saia o meu furor como fogo e se acenda,
sem que haja quem o apague, por causa da maldade das
suas ações.
13 Eis que eu sou contra você, ó moradora do vale, ó ro-
cha da campina', diz o Senhor; 'contra vocês que dizem:
"Quem descerá contra nós? Ou quem entrará nas nossas
moradas?"
14 Eu os castigarei segundo o fruto das suas ações', diz o
Senhor; 'acenderei o fogo no seu bosque, que consumirá
tudo o que está em seu redor.'"

Exortações e Ameaças

22 Assim diz o Senhor: "Desça à casa do rei de Judá e
anuncie ali esta palavra,
2 e diga: Ouça a palavra do Senhor, ó rei de Judá, que
se assenta no trono de Davi, você e os seus servos, o seu
povo, que entra por estas portas."
3 Assim diz o Senhor: "Exerçam o juízo e a justiça e li-
vrem o oprimido das mãos do opressor; não oprimam o es-
trangeiro, nem o órfão, nem a viúva; não façam violência,
nem derramem sangue inocente neste lugar.
4 Porque, se de fato cumprirem esta palavra, entrarão
pelas portas desta casa; os reis que se assentarão no lugar
de Davi sobre o seu trono entrarão andando em carros e
montados em cavalos, eles, os seus servos e o seu povo.
5 Mas, se não derem ouvidos a estas palavras, juro por
mim mesmo", diz o Senhor, "que esta casa se tornará em
ruínas."
6 Porque assim diz o Senhor a respeito da casa do rei de
Judá: "Você é para mim como Gileade e a cabeça do Lí-
bano; mas é certo que farei de você um deserto e cidades
desabitadas.
7 Porque preparei contra você destruidores, cada um com
as suas armas, que cortarão os seus melhores cedros e os
lançarão no fogo.
8 E muitas nações passarão por esta cidade e dirá cada
um ao seu próximo: 'Por que o Senhor fez isso com esta
grande cidade?'
9 Então responderão: 'Porque deixaram a aliança do Se-
nhor seu Deus e se inclinaram diante de outros deuses, e
os serviram.'"
10 Não chorem o morto, nem lastimem; chorem abun-

dantemente por aquele que sai, porque nunca mais voltará, e nem verá a terra onde nasceu.

Profecias Contra Salum, Jeoaquim e Conias

11 Porque assim diz o Senhor a respeito de Salum, filho
de Josias, rei de Judá, que reinou no lugar de Josias, seu
pai, e que foi levado deste lugar e nunca mais voltará:
12 "E no lugar para onde o levaram cativo, ali ele morrerá
e nunca mais verá esta terra.
13 Ai daquele que edifica a sua casa com injustiça e os
seus aposentos sem direito, que se serve do serviço do
seu próximo sem remunerá-lo e não lhe dá o salário do
seu trabalho.
14 Ai daquele que diz: 'Edificarei para mim uma casa
grande com aposentos espaçosos'; faz janelas, paredes
forradas de cedro e pintadas de vermelho.
15 Por acaso você acha que reinará porque se cobre de
cedro? Por acaso o seu pai não comeu e bebeu e não praticou o juízo e a justiça? Por isso tudo lhe ocorria bem.
16 Julgou a causa do aflito e do necessitado; então tudo
lhe ocorria bem. Por acaso não é isto conhecer-me?", diz
o Senhor.
17 "Mas os seus olhos e o seu coração atentam para a
avareza e para derramar sangue inocente, para praticar a
opressão e a violência."
18 Portanto assim diz o Senhor a respeito de Jeoaquim,
filho de Josias, rei de Judá: "Não o lamentarão, dizendo:
'Ai, meu irmão', ou 'ai, minha irmã!' Nem o lamentarão,
dizendo: 'Ai, senhor', ou, 'ai, sua glória!'
19 Em sepultura de jumento será sepultado, sendo
arrastado e lançado para bem longe, fora das portas de
Jerusalém.
20 Suba ao Líbano, clame, levante a sua voz em Basã
e clame desde Abarim; porque estão destruídos todos os
seus namorados.
21 Falei com você na sua prosperidade, mas você disse:
'Não ouvirei.' Este foi o seu caminho, desde a sua mocidade, pois nunca deu ouvidos à minha voz.
22 O vento apascentará todos os seus pastores e os seus
namorados irão para o cativeiro; certamente então se
confundirá e se envergonhará por causa de toda a sua
maldade.
23 Ó você, que habita no Líbano e faz o seu ninho nos
cedros, como lastimará quando lhe vierem as dores e as
angústias, como as dores de um parto!
24 Eu juro", diz o Senhor, "que ainda que Conias, filho de
Jeoaquim, rei de Judá, fosse o anel do selo na minha mão
direita, contudo dali o arrancaria.
25 E o entregarei nas mãos dos que querem tirar a sua
vida, e nas mãos daqueles de quem ele teme, a saber, nas
mãos de Nabucodonosor, rei da Babilônia, e nas mãos dos
babilônios.
26 E o lançarei, você e sua mãe que o deu à luz, para
uma terra estranha, em que não nasceram, e ali morrerão.
27 Mas à terra, para onde eles com toda a alma desejam
voltar, para lá não voltarão."
28 Será que este homem Conias é como um ídolo desprezado e quebrado, ou um vaso de que ninguém se agrada?
Por que razão foram arremessados fora, ele e a sua geração, e jogados para uma terra que não conhecem?
29 Ó terra, terra, terra! Ouça a palavra do Senhor.
30 Assim diz o Senhor: "Escrevam que este homem está
privado de filhos, homem que não prosperará nos seus
dias; porque nenhum da sua geração prosperará, para se
assentar no trono de Davi e reinar em Judá.

Profecia Sobre o Messias

23 Ai dos pastores que destroem e dispersam as ovelhas do meu pasto", diz o Senhor.
2 Portanto assim diz o Senhor Deus de Israel, contra os
pastores que apascentam o meu povo: "Vocês dispersaram
as minhas ovelhas, as afugentaram e não cuidaram delas;
eis que trarei sobre vocês a maldade das suas ações", diz
o Senhor.
3 "E eu mesmo recolherei o restante das minhas ovelhas,
de todas as terras para onde as tiver afugentado e as farei
voltar aos seus apriscos; e frutificarão e se multiplicarão.
4 E porei sobre elas pastores que as apascentem e nunca
mais temerão, nem se assombrarão e nem uma delas faltará", diz o Senhor.
5 "Eis que vêm dias", diz o Senhor, "em que levantarei a
Davi um Renovo justo; e, sendo rei, reinará e agirá sabiamente e praticará o juízo e a justiça na terra.
6 Nos seus dias Judá será salvo e Israel habitará seguro;
este será o seu nome, com o qual Deus o chamará: O
Senhor Justiça Nossa.
7 Portanto, eis que vêm dias", diz o Senhor, "em que nunca mais dirão: 'Juro pelo nome do Senhor, que tirou os
filhos de Israel da terra do Egito,'
8 mas: 'Juro pelo nome do Senhor, que tirou e que trouxe
a geração da casa de Israel da terra do Norte, e de todas
as terras para onde os tinha dispersado'; e habitarão na
sua terra."
9 Quanto aos profetas, o meu coração já está partido dentro de mim; todos os meus ossos estremecem; sou como
um homem embriagado, como um homem vencido pelo
vinho, por causa do Senhor e por causa das suas santas
palavras.
10 Porque a terra está cheia de adúlteros e chora por
causa da maldição; os pastos do deserto secam; porque o
modo de vida deles é mau e a sua força não é reta.

11 "Porque tanto o profeta como o sacerdote estão con-
taminados; até na minha casa achei a sua maldade", diz
o Senhor.
12 "Portanto o caminho deles será como lugares escorre-
gadios na escuridão; eles serão empurrados e cairão nele;
porque trarei sobre eles mal, no ano da sua punição", diz
o Senhor.
13 "Nos profetas de Samaria vi loucura; profetizavam da
parte de Baal e faziam o meu povo Israel errar.
14 Mas nos profetas de Jerusalém vejo uma coisa horren-
da: cometem adultérios, andam com falsidade e fortale-
cem as mãos dos malfeitores, para que não se convertam
da sua maldade; eles têm se tornado para mim como So-
doma e os seus moradores como Gomorra."
15 Portanto assim diz o Senhor dos Exércitos a respeito
dos profetas: "Eis que lhes darei a comer losna e os farei
beber água envenenada; porque dos profetas de Jerusalém
saiu a contaminação sobre toda a terra."
16 Assim diz o Senhor dos Exércitos: "Não deem ouvi-
dos às palavras dos profetas, que entre vocês profetizam;
fazem vocês ficarem sem esperanças, pois falam da visão
do seu coração, não da boca do Senhor.
17 Dizem continuamente aos que me desprezam: 'O Se-
nhor disse: Paz terão'; e a todos que andam segundo a
dureza do seu coração dizem: 'Não virá mal sobre vocês.'
18 Porque, quem esteve no conselho do Senhor, e viu e
ouviu a sua palavra? Quem esteve atento à sua palavra
e a ouviu?
19 Eis que saiu com indignação a tempestade do Senhor;
uma grande tempestade cairá cruelmente sobre a cabeça
dos ímpios.
20 A ira do Senhor não se desviará, até que execute e
cumpra os desígnios do seu coração; nos últimos dias en-
tenderão isso claramente.
21 Não mandei esses profetas, contudo eles foram corren-
do; não lhes falei, contudo eles profetizaram.
22 Mas, se tivessem estado no meu conselho, então te-
riam feito o meu povo ouvir as minhas palavras e o teriam
feito voltar do seu mau caminho e da maldade das suas
ações.
23 Não sou eu Deus de perto", diz o Senhor, "e também
Deus de longe?
24 Pode alguém se esconder, de modo que eu não o
veja?", diz o Senhor. "Porventura eu não encho os céus e
a terra?", diz o Senhor.
25 "Tenho ouvido o que dizem aqueles profetas, profeti-
zando mentiras em meu nome, dizendo: 'Sonhei, sonhei.'
26 Até quando acontecerá isso no coração dos profetas
que profetizam mentiras e que só profetizam do engano
do seu coração?
27 Os quais fazem com que o meu povo se esqueça do
meu nome pelos seus sonhos que cada um conta ao seu
próximo, assim como seus pais se esqueceram do meu
nome por causa de Baal.
28 O profeta que tem um sonho conte-o como um sim-
ples sonho, mas aquele que tem a minha palavra fale a
minha palavra com verdade. O que a palha tem a ver com
o trigo?", diz o Senhor.
29 "A minha palavra não é como o fogo", diz o Senhor, "e
como um martelo que esmiúça a pedra?
30 Portanto, eu sou contra os profetas", diz o Senhor,
"que furtam as minhas palavras, cada um do seu próximo.
31 Eu sou contra os profetas", diz o Senhor, "que usam de
sua própria linguagem e dizem: 'Ele disse.'
32 Eis que eu sou contra os que profetizam sonhos men-
tirosos", diz o Senhor, "e que os contam, e fazem errar
o meu povo com as suas mentiras e com as suas levian-
dades; pois eu não os enviei, nem lhes dei ordem e não
trouxeram proveito algum a este povo", diz o Senhor.
33 "Quando este povo, ou qualquer profeta, ou sacerdo-
te, perguntar a você, Jeremias: 'Qual é a mensagem do
Senhor?' Então responda: 'Esta é a mensagem: Eu os dei-
xarei', diz o Senhor.
34 E, quanto ao profeta, ao sacerdote e ao povo, que dis-
serem: 'Mensagem do Senhor', eu castigarei o tal homem
e a sua casa.
35 Assim dirão, cada um ao seu próximo e cada um ao
seu irmão: 'O que o Senhor respondeu? E o que o Senhor
falou?'
36 Mas nunca mais usem a expressão: 'Mensagem do Se-
nhor', porque a cada um lhe servirá de peso a sua própria
palavra; pois torcem as palavras do Deus vivo, do Senhor
dos Exércitos, o nosso Deus.
37 Assim perguntará ao profeta: 'O que o Senhor lhe res-
pondeu, e o que o Senhor falou?'
38 Mas, porque dizem: 'Mensagem do Senhor', assim
diz o Senhor: "Porque dizem esta palavra: 'Mensagem
do Senhor', havendo lhes ordenado, dizendo: Não digam:
'Mensagem do Senhor';
39 por isso, eu também me esquecerei totalmente de vo-
cês e tirarei da minha presença vocês e a cidade que dei a
vocês e aos seus pais;
40 e porei sobre vocês um perpétuo desprezo e eterna
vergonha, que não será esquecida."

As Duas Cestas de Figo

24 O Senhor me fez ver, e eu vi dois cestos de figos,
postos diante do templo do Senhor, depois que
Nabucodonosor, rei da Babilônia, levou em cativeiro Je-
conias, filho de Jeoaquim, rei de Judá, e os príncipes de

Judá, os carpinteiros, os ferreiros de Jerusalém e os trouxe à Babilônia.

2 Um cesto tinha figos muito bons, como os figos do começo da colheita; mas o outro cesto tinha figos muito ruins, que não se podiam comer, de tão ruins que eram.

3 E o Senhor me perguntou: "O que você vê, Jeremias?" E eu respondi: Figos: Os figos bons, muito bons e os ruins, muito ruins, que não se podem comer, de tão ruins que são.

4 Então a palavra do Senhor veio a mim, dizendo:

5 "Assim diz o Senhor, o Deus de Israel: Os exilados de Judá, levados em cativeiro, os quais enviei deste lugar para a terra dos caldeus, para o seu bem, estes são como os figos bons, assim também os conhecerei.

6 Porei os meus olhos sobre eles, para o seu bem, e os farei voltar a esta terra, os edificarei e não os destruirei; plantarei e não os arrancarei.

7 Eu lhes darei um coração para que me conheçam, porque eu sou o Senhor; eles serão o meu povo e eu serei o seu Deus; porque se converterão a mim de todo o seu coração.

A Condenação de Zedequias

8 E como os figos ruins, que não se podem comer de tão ruins que são, assim entregarei Zedequias, rei de Judá, os seus príncipes, o restante de Jerusalém, que ficou nesta terra e os que habitam na terra do Egito.

9 Eu os entregarei para que sejam um prejuízo, uma ofensa para todos os reinos da terra, uma vergonha e um provérbio, um escárnio e uma maldição em todos os lugares para onde eu os enviar.

10 E enviarei entre eles a espada, a fome e a peste, até que desapareçam da terra que dei a eles e aos seus pais."

Profecia dos Setenta Anos

25 Palavra que veio a Jeremias a respeito de todo o povo de Judá no quarto ano do reinado de Jeoaquim, filho de Josias, rei de Judá, que era o primeiro ano do reinado de Nabucodonosor, rei da Babilônia,

2 que o profeta Jeremias anunciou a todo o povo de Judá e a todos os habitantes de Jerusalém, dizendo:

3 "Desde o décimo terceiro ano do reinado de Josias, filho de Amom, rei de Judá, até este dia, que é o ano vinte e três, veio a mim a palavra do Senhor, e eu a anunciei a vocês, madrugando e falando; porém não escutaram.

4 Também o Senhor enviou todos os seus servos a vocês, os profetas, porém não escutaram nem inclinaram os seus ouvidos para ouvir,

5 quando eles diziam: 'Convertam-se agora cada um do seu mau caminho e da maldade das suas ações, e habitem na terra que o Senhor deu a vocês e aos seus pais, para sempre.

6 E não andem atrás de outros deuses para os servirem e para se inclinarem diante deles, nem me provoquem à ira com as obras de suas mãos, para que não faça mal a vocês.

7 Porém não me deram ouvidos', diz o Senhor, 'mas me provocaram à ira com as obras de suas mãos, para o mal de vocês.

8 Portanto', assim diz o Senhor dos Exércitos, 'visto que não escutaram as minhas palavras,

9 eis que eu enviarei e tomarei todos os povos do Norte', diz o Senhor, 'como também Nabucodonosor, rei da Babilônia, meu servo, e os trarei sobre esta terra e sobre os seus moradores, e sobre todas estas nações em redor, e os destruirei totalmente e farei que sejam objeto de espanto, de assobio e de perpétuas desolações.

10 E farei desaparecerem dentre eles a voz de gozo e a voz de alegria, a voz do esposo, a voz da esposa, como também o som dos moinhos e a luz do candeeiro.

11 E toda esta terra virá a ser um deserto e um espanto, e estas nações servirão ao rei da Babilônia por setenta anos.

12 E, quando se cumprirem setenta anos, castigarei o rei da Babilônia e esta nação, a terra dos caldeus', diz o Senhor, 'castigando a sua iniquidade; farei deles um deserto perpétuo.

13 E trarei sobre aquela terra todas as palavras que disse contra ela, tudo que está escrito neste livro, que Jeremias profetizou contra todas estas nações.

14 Porque eles também servirão como escravos a muitas nações e grandes reis; assim lhes retribuirei segundo os seus feitos e segundo as obras das suas mãos.'"

15 Porque assim me disse o Senhor Deus de Israel: "Pegue da minha mão este copo do vinho do furor e o dê a todas as nações para beberem, às quais eu o enviarei.

16 Para que bebam, tremam e enlouqueçam, por causa da espada que eu enviarei entre eles."

17 E peguei o copo da mão do Senhor e dei a todas as nações para beberem, às quais o Senhor me enviou;

18 a Jerusalém e às cidades de Judá, aos seus reis e aos seus príncipes, para fazer deles uma desolação, um espanto, um assobio e uma maldição, como hoje se vê;

19 como também ao Faraó, rei do Egito, e aos seus servos, aos seus príncipes e a todo o seu povo;

20 e a toda a mistura de povo, a todos os reis da terra de Uz, a todos os reis da terra dos filisteus, a Asquelon, a Gaza, a Ecrom e ao resto de Asdode,

21 e a Edom, a Moabe e aos filhos de Amom;

22 e a todos os reis de Tiro e a todos os reis de Sidom; aos reis das ilhas que estão além do mar;

23 a Dedã, a Tema, a Buz e a todos os que estão nos lugares mais distantes.

24 E a todos os reis da Arábia e a todos os reis do povo
misto que habita no deserto;
25 e a todos os reis de Zinri, a todos os reis de Elão e a
todos os reis da Média;
26 e a todos os reis do Norte, os de perto e os de longe,
tanto uns como os outro, a todos os reinos do mundo,
que estão sobre a face da terra, e o rei de Sesaque beberá
depois deles.
27 Então você lhes dirá: "Assim diz o Senhor dos Exércitos, o Deus de Israel: 'Bebam e se embebedem; vomitem
e caiam, e não tornem a se levantar, por causa da espada
que eu lhes enviarei.'
28 E, se não quiserem pegar o copo da sua mão para beber, então lhes diga: Assim diz o Senhor dos Exércitos:
'Certamente beberão.
29 Por que na cidade que se chama pelo meu nome eu
começo a castigar e vocês ficarão totalmente impunes?
Não ficarão impunes, porque eu chamo a espada sobre
todos os moradores da terra', diz o Senhor dos Exércitos.
30 Você profetizará contra eles todas estas palavras e diga-lhes: 'O Senhor desde o alto bramirá e fará ouvir a sua
voz desde a morada da sua santidade; terrivelmente bramirá contra a sua habitação, com grito de alegria, como
quem pisa as uvas, contra todos os moradores da terra.
31 Chegará o estrondo até à extremidade da terra, porque
o Senhor tem uma contenda com as nações, entrará em
juízo contra toda a humanidade; entregará os ímpios à
espada', diz o Senhor.
32 Assim diz o Senhor dos Exércitos: 'Eis que o mal passa
de nação para nação e grande tormenta se levantará desde
os confins da terra.'"
33 E os mortos do Senhor, naquele dia, desde uma extremidade da terra até à outra, não serão pranteados, nem
recolhidos, nem sepultados; mas serão por esterco sobre
a face da terra.
34 Lamentem, pastores, clamem e se revolvam na cinza,
donos do rebanho, porque já se cumpriram os seus dias
para serem mortos e dispersos, e vocês então cairão como
um vaso precioso.
35 E não haverá refúgio para os pastores, nem salvamento
para os donos do rebanho.
36 Haverá vozes de grito dos pastores e lamentos dos donos do rebanho, porque o Senhor está destruindo o pasto
deles.
37 Porque as suas pastagens tranquilas serão devastadas,
por causa do furor da ira do Senhor.
38 Como o filho do leão, deixou a sua toca; porque a
sua terra foi posta em assolação, por causa do furor do
opressor e por causa do furor da sua ira.

Jeremias é Ameaçado de Morte

26 No princípio do reinado de Jeoaquim, filho de
Josias, rei de Judá, veio esta palavra do Senhor,
dizendo:
2 "Assim diz o Senhor: Ponha-se no átrio da casa do Senhor e fale para todas as cidades de Judá que vêm adorar
na casa do Senhor todas as palavras que mandei que você
falasse; não deixe palavra nenhuma;
3 pode ser que ouçam e se convertam, cada um do seu
mau caminho, e que eu me arrependa do mal que pretendo fazer-lhes por causa da maldade das suas ações.
4 Diga-lhes: Assim diz o Senhor: Se não me derem ouvidos para andarem na minha lei, que pus diante de vocês,
5 para que ouvissem as palavras dos meus servos, os profetas, que eu lhes enviei, mas não ouviram;
6 então farei que esta casa seja como Siló, e farei desta
cidade uma maldição para todas as nações da terra."
7 E os sacerdotes, os profetas e todo o povo ouviram Jeremias falando estas palavras na casa do Senhor.
8 E quando Jeremias acabou de dizer tudo o que o Senhor
havia ordenado que ele dissesse a todo o povo, os sacerdotes, os profetas e todo o povo o prenderam, dizendo:
"Certamente morrerá!
9 Por que você profetizou no nome do Senhor, dizendo:
Como Siló será esta casa e esta cidade será assolada, de
modo que não fique nenhum morador nela?" E todo o
povo se ajuntou contra Jeremias, na casa do Senhor.
10 E, quando os príncipes de Judá ouviram estas palavras,
foram do palácio do rei para a casa do Senhor e se assentaram na entrada da porta nova da casa do Senhor.
11 Então os sacerdotes e os profetas falaram aos príncipes
e a todo o povo, dizendo: "Este homem é réu de morte,
porque profetizou contra esta cidade, como ouviram com
seus próprios ouvidos."
12 E Jeremias falou a todos os príncipes e a todo o povo,
dizendo: "O Senhor me enviou para profetizar contra
esta casa e contra esta cidade todas as palavras que vocês
ouviram.
13 Agora, melhorem os seus caminhos e as suas ações, e
ouçam a voz do Senhor seu Deus, e o Senhor se arrependerá do mal que falou contra vocês.
14 Quanto a mim, estou nas suas mãos; façam comigo o
que for bom e reto aos seus olhos.
15 Porém saibam, com certeza, que, se me matarem,
trarão sangue inocente sobre vocês, sobre esta cidade e
sobre os seus habitantes; porque, na verdade, o Senhor
me enviou a vocês para dizer aos seus ouvidos todas estas
palavras."
16 Então, os príncipes e todo o povo disseram aos sacer-

dotes e aos profetas: "Este homem não é réu de morte,
porque em nome do Senhor, nosso Deus, nos falou."
17 Também alguns homens dos anciãos da terra se levantaram e falaram a toda a congregação do povo, dizendo:
18 "Miqueias, o morastita, profetizou nos dias de Ezequias, rei de Judá, e falou a todo o povo de Judá, dizendo: 'Assim disse o Senhor dos Exércitos: 'Sião será lavrada como um campo, Jerusalém se tornará em montões de pedras e o monte desta casa como colinas cobertas de mato.'
19 Por acaso, Ezequias, rei de Judá, e todo o Judá o mataram? Antes Ezequias não temeu ao Senhor e não implorou o favor do Senhor? E o Senhor não se arrependeu do mal que falou contra eles? Nós vamos trazer um grande mal contra nós mesmos."
20 Também houve outro homem que profetizava em nome do Senhor: Urias, filho de Semaías, de Quiriate-Jearim, que profetizou contra esta cidade e contra esta terra, como Jeremias está fazendo.
21 Quando o rei Jeoaquim e todos os seus valentes e todos os príncipes ouviram as palavras de Urias, o rei procurou matá-lo; mas Urias, ouvindo isto, ficou com medo e fugiu para o Egito;
22 mas o rei Jeoaquim enviou Elnatã, filho de Acbor, e outros homens com ele ao Egito.
23 Eles trouxeram Urias do Egito e o entregaram ao rei Jeoaquim, que o matou à espada, e lançou o seu cadáver em uma sepultura comum.
24 Mas Aicão, filho de Safã, foi com Jeremias para protegê-lo, para que não o entregassem nas mãos do povo, para ser morto.

Profecia Sobre a Vinda de Nabucodonosor

27 No início do reinado de Zedequias, filho de Josias, rei de Judá, veio esta palavra a Jeremias da parte do Senhor, dizendo:
2 "Assim me disse o Senhor: Faça uma canga com tiras de couro e ponha no seu pescoço.
3 E envie cangas ao rei de Edom, ao rei de Moabe, ao rei dos filhos de Amom, ao rei de Tiro e ao rei de Sidom, pela mão dos mensageiros que vêm a Jerusalém para se encontrarem com Zedequias, rei de Judá.
4 E lhes ordene que digam aos seus senhores: Assim diz o Senhor dos Exércitos, o Deus de Israel: Digam assim aos seus senhores:
5 Eu fiz a terra, os humanos e os animais que estão sobre a face da terra, com o meu grande poder, e com o meu braço estendido, e a dou a quem é reto aos meus olhos.
6 E agora eu entreguei todas estas terras nas mãos de Nabucodonosor, rei da Babilônia, meu servo; até os animais do campo lhe dei, para que o sirvam.
7 E todas as nações servirão a ele, a seu filho e ao filho de seu filho, até que também chegue a vez da sua própria terra, quando muitas nações e grandes reis se servirão dele.
8 Se alguma nação ou reino não servirem Nabucodonosor, rei da Babilônia, e não puserem o seu pescoço debaixo do jugo do rei da Babilônia, então castigarei essa nação com espada, com fome e com peste, diz o Senhor, até que a consuma pela mão de Nabucodonosor.
9 E vocês, não deem ouvidos aos seus profetas, aos seus adivinhos, aos seus sonhadores, aos seus agoureiros e aos seus encantadores, que falam a vocês, dizendo: 'Não servirão ao rei da Babilônia.'
10 Porque eles profetizam mentiras para vocês, para mandarem vocês para longe da sua terra, para que eu os expulse dela e pereçam.
11 Porém, a nação que colocar o seu pescoço sob o jugo do rei da Babilônia e o servir, eu a deixarei na sua terra", diz o Senhor, e a cultivará e habitará nela."
12 E falei com Zedequias, rei de Judá, estas mesmas palavras, dizendo: Coloquem os seus pescoços no jugo do rei da Babilônia e sirvam a ele e ao seu povo, e viverão.
13 Por que você e o seu povo morreriam à espada, de fome e de peste, como o Senhor disse da nação que não servir ao rei da Babilônia?
14 E não deem ouvidos às palavras dos profetas, que falam a vocês, dizendo: "Não sirvam ao rei da Babilônia"; porque profetizam mentiras a vocês.
15 "Porque eu não os enviei", diz o Senhor, "e profetizam falsamente em meu nome; para que eu os expulse e pereçam, vocês e os profetas que profetizam para vocês."
16 Também falei aos sacerdotes e a todo este povo, dizendo: "Assim diz o Senhor: Não deem ouvidos às palavras dos seus profetas, que profetizam a vocês, dizendo: Os utensílios da casa do Senhor em breve voltarão da Babilônia, porque eles profetizam mentiras.
17 Não lhes deem ouvidos, sirvam ao rei da Babilônia e viverão; por que esta cidade se tornaria um deserto?
18 Porém, se são profetas, e se há palavras do Senhor com eles, orem agora ao Senhor dos Exércitos, para que os utensílios que ficaram na casa do Senhor, na casa do rei de Judá e em Jerusalém, não sejam levados para a Babilônia.
19 Porque assim diz o Senhor dos Exércitos a respeito das colunas, do mar de bronze, das bases e dos demais utensílios que ficaram na cidade,
20 que Nabucodonosor, rei da Babilônia, não levou, quando transportou Jeconias, filho de Jeoaquim, rei de Judá, de Jerusalém para a Babilônia, como também todos os nobres de Jerusalém:
21 Assim diz o Senhor dos Exércitos, o Deus de Israel, a respeito dos utensílios que ficaram na casa do Senhor, na casa do rei de Judá e em Jerusalém:

22 Para a Babilônia serão levados e ali ficarão até o dia
em que eu os visitarei, diz o Senhor; então farei com que
sejam trazidos e devolvidos a este lugar."

Hananias, o Falso Profeta

28 E no mesmo ano, no princípio do reinado de Zede-
quias, rei de Judá, no quarto ano, no quinto mês,
Hananias, filho de Azur, o profeta que era de Gibeão, me
falou na casa do Senhor, na presença dos sacerdotes e de
todo o povo, dizendo:
2 Assim diz o Senhor dos Exércitos, o Deus de Israel: "Eu
quebrei o jugo do rei da Babilônia.
3 Depois de passados dois anos completos, eu trarei de
volta a este lugar todos os utensílios da casa do Senhor,
que Nabucodonosor, rei da Babilônia, tomou deste lugar,
levando-os para a Babilônia.
4 Também Jeconias, filho de Jeoaquim, rei de Judá, e to-
dos os exilados de Judá, que entraram na Babilônia, eu
também trarei de volta a este lugar', diz o Senhor, 'porque
quebrarei o jugo do rei da Babilônia.'"
5 Então o profeta Jeremias falou ao profeta Hananias, na
presença dos sacerdotes e na presença de todo o povo que
estava na casa do Senhor.
6 Jeremias, o profeta, disse: "Amém! Que assim faça o
Senhor; que o Senhor confirme as suas palavras, que
profetizou e que ele traga de volta os utensílios da casa
do Senhor e todos os cativos que estão na Babilônia para
este lugar.
7 Porém, ouça agora esta palavra, que eu falo aos seus
ouvidos e aos ouvidos de todo o povo:
8 Os profetas que houve antes de mim e antes de você,
desde a antiguidade, profetizaram contra muitas terras e
contra grandes reinos, a respeito de guerra, de mal e de
peste.
9 O profeta que profetizar paz, quando se cumprirem
as palavras desse profeta, será conhecido como aquele a
quem o Senhor na verdade enviou."
10 Então Hananias, o profeta, tomou o jugo do pescoço
do profeta Jeremias e o quebrou.
11 E Hananias falou na presença de todo o povo, dizendo:
"Assim diz o Senhor: 'Assim, passados dois anos comple-
tos, quebrarei o jugo de Nabucodonosor, rei da Babilônia,
sobre o pescoço de todas as nações.'" E Jeremias, o profe-
ta, seguiu o seu caminho.
12 Mas veio a palavra do Senhor a Jeremias, depois que
Hananias, o profeta, quebrou o jugo que estava no pesco-
ço de Jeremias, o profeta, dizendo:
13 "Vá e fale a Hananias, dizendo: Assim diz o Senhor:
Você quebrou o jugo de madeira, mas ele será substituído
por jugos de ferro.
14 Porque assim diz o Senhor dos Exércitos, o Deus de
Israel: Pus jugo de ferro sobre o pescoço de todas estas
nações, para servirem a Nabucodonosor, rei da Babilônia,
e o servirão, e até os animais do campo lhe dei."
15 E disse o profeta Jeremias ao profeta Hananias: "Ouça
agora, Hananias: o Senhor não o enviou, mas você fez
com que este povo confiasse em mentiras.
16 Por isso assim diz o Senhor: "Eis que o expulsarei da
face da terra; você morrerá ainda este ano, porque falou
rebeldia contra o Senhor."
17 E Hananias, o profeta, morreu no mesmo ano, no sé-
timo mês.

Carta aos Exilados

29 E estas são as palavras da carta que Jeremias, o
profeta, enviou de Jerusalém aos que restaram dos
anciãos do cativeiro, como também aos sacerdotes, aos
profetas e a todo o povo que Nabucodonosor havia depor-
tado de Jerusalém para a Babilônia.
2 Isso aconteceu depois que saíram de Jerusalém o rei
Jeconias, a rainha, os eunucos, os príncipes de Judá e Je-
rusalém, e os carpinteiros e ferreiros.
3 A carta foi levada por Elasa, filho de Safã, e de Gema-
rias, filho de Hilquias, os quais Zedequias, rei de Judá,
tinha enviado à Babilônia, a Nabucodonosor, rei da Babi-
lônia, dizendo:
4 Assim diz o Senhor dos Exércitos, o Deus de Israel,
a todos os cativos que eu deportei de Jerusalém para a
Babilônia:
5 "Construam casas e habitem nelas; plantem pomares e
comam o seu fruto.
6 Escolham mulheres para casar e gerem filhos e filhas;
escolham mulheres para os seus filhos e deem suas filhas
a maridos, para que tenham filhos e filhas; multipliquem-
-se ali e não diminuam.
7 E procurem a paz da cidade, para onde eu os deportei
e orem por ela ao Senhor; porque na sua paz vocês terão
paz."
8 Porque assim diz o Senhor dos Exércitos, o Deus de Is-
rael: "Não se deixem enganar pelos profetas que estão no
meio de vocês, nem pelos adivinhos, nem deem ouvidos
aos sonhadores;
9 porque eles profetizam falsamente para vocês em meu
nome; eu não os enviei", diz o Senhor.
10 Porque assim diz o Senhor: "Certamente que, passa-
dos setenta anos na Babilônia, visitarei vocês e cumprirei
sobre vocês a minha boa palavra, trazendo vocês de volta
a este lugar.
11 Porque eu bem sei os pensamentos que tenho a res-
peito de vocês", diz o Senhor; "são pensamentos de paz e
não de mal, para dar a vocês o futuro que esperam.

12 Então vocês me invocarão, orarão a mim e eu os
ouvirei.
13 E me buscarão e me acharão, quando me buscarem
com todo o seu coração.
14 E serei achado por vocês", diz o Senhor, "e trarei de
volta os seus cativos, e os congregarei de todas as nações
e de todos os lugares para onde os lancei", diz o Senhor;
"trarei vocês de volta ao lugar de onde os levei.
15 Porque vocês dizem: 'O Senhor nos levantou profetas
na Babilônia.'
16 Porque assim diz o Senhor a respeito do rei que se
assenta no trono de Davi e de todo o povo que habita
nesta cidade, seus irmãos, que não foram com vocês para
o cativeiro."
17 Assim diz o Senhor dos Exércitos: "Eis que enviarei
entre eles a espada, a fome e a peste, e farei com que
sejam como figos podres que não se podem comer, de tão
ruins que são.
18 E os perseguirei com a espada, com a fome e com a
peste; os darei para deslocarem-se por todos os reinos da
terra, para serem uma maldição, um espanto, um assobio
e uma vergonha entre todas as nações para onde os tiver
lançado.
19 Porque não deram ouvidos às minhas palavras", diz o
Senhor, "mandando-lhes eu os meus servos, os profetas;
mas vocês não escutaram", diz o Senhor.
20 "Vocês, ouçam a palavra do Senhor, todos os cativos
que enviei de Jerusalém para a Babilônia.
21 Assim diz o Senhor dos Exércitos, o Deus de Israel, a
respeito de Acabe, filho de Colaías e de Zedequias, filho
de Maaseias, que profetizam a vocês falsamente em meu
nome: 'Eis que os entregarei nas mãos de Nabucodonosor,
rei da Babilônia, e ele os ferirá diante dos seus olhos.
22 E todos os transportados de Judá que estão na Babilô-
nia receberão deles uma maldição, dizendo: "Que o Se-
nhor faça a você o que fez com Zedequias e com Acabe,
os quais o rei da Babilônia assou no fogo";
23 porque fizeram loucura em Israel, cometeram adulté-
rio com as mulheres dos seus vizinhos e anunciaram falsa-
mente, em meu nome, uma palavra que não lhes mandei,
e eu sei, e sou testemunha disso'", diz o Senhor.
24 E a Semaías, o neelamita, diga:
25 Assim fala o Senhor dos Exércitos, o Deus de Israel:
Porque você enviou em seu nome cartas a todo o povo
que está em Jerusalém, como também a Sofonias, filho de
Maaseias, o sacerdote, e a todos os sacerdotes, dizendo:
26 'O Senhor o pôs como sacerdote no lugar de Joiada,
o sacerdote, para que seja encarregado da casa do Senhor
sobre todo o homem fanático e que profetiza, para o lan-
çarem na prisão e no tronco.
27 Agora, por que não repreendeu Jeremias, o anatotita,
que profetiza a vocês?
28 Porque até nos mandou dizer na Babilônia: O cativeiro
ainda vai durar muito; construam casas, habitem nelas,
plantem pomares e comam o seu fruto.'"
29 E Sofonias, o sacerdote, leu esta carta aos ouvidos de
Jeremias, o profeta.
30 E veio a palavra do Senhor a Jeremias, dizendo:
31 "Mande dizer a todos os do cativeiro: Assim diz o Se-
nhor a respeito de Semaías, o neelamita: Porque Semaías
profetizou a vocês e eu não o enviei, e fez vocês confia-
rem em mentiras,
32 portanto, assim diz o Senhor: Eis que castigarei Se-
maías, o neelamita, e a sua descendência; ele não terá
ninguém que habite entre este povo e não verá o bem que
farei ao meu povo, diz o Senhor, porque falou rebeldia
contra o Senhor."

A Restauração de Israel

30 A palavra da parte do Senhor veio a Jeremias:
2 "Assim diz o Senhor Deus de Israel: 'Escreva
num livro todas as palavras que lhe falei.
3 Porque eis que vêm dias', diz o Senhor, em que farei
voltar do cativeiro o meu povo Israel e Judá, diz o Senhor;
tornarei a trazê-los à terra que dei a seus pais e eles a
possuirão.'"
4 E estas são as palavras que falou o Senhor, a respeito de
Israel e de Judá.
5 Porque assim diz o Senhor: "Ouvimos uma voz de tre-
mor, de temor, mas não de paz.
6 Perguntem e vejam se um homem pode dar à luz. Por
que vejo cada homem com as mãos sobre o ventre como
a mulher que está dando à luz? E por que se tornaram
pálidos todos os rostos?
7 Ah! Porque aquele dia é tão grande que não houve ou-
tro semelhante; é tempo de angústia para Jacó; ele, po-
rém, será salvo dela.
8 Porque naquele dia", diz o Senhor dos Exércitos, "eu
quebrarei o jugo que está sobre o pescoço de vocês, que-
brarei os seus grilhões e nunca mais os estrangeiros escra-
vizarão este povo.
9 Mas servirão ao Senhor, seu Deus, como também a
Davi, que lhes dei como rei.
10 Não tema, meu servo Jacó", diz o Senhor, "nem se
espante, ó Israel; porque eis que eu o livrarei desta terra
distante, e salvarei a sua descendência da terra do seu ca-
tiveiro; Jacó voltará, descansará, ficará em sossego e não
haverá quem o atemorize.
11 Porque eu estou com você", diz o Senhor, "para o
salvar; porque darei fim a todas as nações entre as quais o

espalhei; a você, porém, não darei fim, mas castigarei com justa medida e não o terei por inocente."

12 Porque assim diz o Senhor: "A sua ferida é incurável; a sua chaga é dolorosa.

13 Não há quem defenda a sua causa para lhe aplicar curativo; não há remédios que o possam curar.

14 Todos os seus amantes se esqueceram de você e não perguntam por você; porque o feri com ferida de inimigo e com castigo de quem é cruel, pela grandeza da sua maldade e da multidão dos seus pecados.

15 Por que grita por causa da sua ferida? Sua dor é incurável. Pela grandeza da sua maldade e da multidão dos seus pecados é que eu fiz estas coisas.

16 Por isso todos os que o devoram serão devorados e todos os seus adversários irão, todos eles, para o cativeiro; os que o roubam serão roubados e todos os que o despojam entregarei ao saque.

17 Porque restaurarei a sua saúde e curarei as suas chagas", diz o Senhor, "porque a chamaram de repudiada, dizendo: É Sião, ninguém mais pergunta por ela."

18 Assim diz o Senhor: "Eis que trarei o cativo das tendas de Jacó e me apiedarei das suas moradas; a cidade será reedificada sobre o seu montão de ruínas e o palácio permanecerá como habitualmente.

19 E sairão deles o louvor e a voz de júbilo; eu os multiplicarei e não serão diminuídos; os glorificarei e não serão desprezados.

20 E seus filhos serão como na antiguidade e a sua congregação será confirmada diante de mim; e castigarei todos os seus opressores.

21 Os seus nobres serão deles e o seu governador sairá do meio deles, e o farei se aproximar de mim; pois, quem por si mesmo ousaria se aproximar de mim?", diz o Senhor.

22 "E vocês serão o meu povo e eu serei o seu Deus."

23 Eis que a tormenta do Senhor, a sua indignação, já saiu; uma tormenta varredoura cairá cruelmente sobre a cabeça dos ímpios.

24 Não voltará atrás o furor da ira do Senhor, até que tenha executado e até que tenha cumprido os desígnios do seu coração; no fim dos dias entenderão isto.

Profecias de Restauração

31 "Naquele tempo", diz o Senhor, "serei o Deus de todas as gerações de Israel e elas serão o meu povo."

2 Assim diz o Senhor: "O povo que escapou da espada achou graça no deserto. Israel mesmo, quando eu o fizer descansar."

3 Há muito que o Senhor me apareceu, dizendo: "Porque com amor eterno a amei, por isso com benignidade a atraí.

4 Ainda a edificarei e você será edificada, ó virgem de Israel! Ainda será adornada com os seus adufes e sairá com o coro dos que dançam.

5 Ainda plantará vinhas nos montes de Samaria; os plantadores as plantarão e comerão como coisas comuns.

6 Porque haverá um dia em que os vigias gritarão sobre o monte de Efraim: 'Levantem-se e subam a Sião, ao Senhor nosso Deus.'"

7 Porque assim diz o Senhor: "Cantem sobre Jacó com alegria e exultem por causa do chefe das nações; proclamem, cantem louvores e digam: 'Salva, Senhor, o teu povo, o restante de Israel.'

8 Eis que os trarei da terra do Norte e os congregarei das extremidades da terra; entre os quais haverá cegos e aleijados, grávidas e as que estão em trabalho de parto juntamente; em grande congregação voltarão para aqui.

9 Virão com choro, e com súplicas os levarei; eu os guiarei aos ribeiros de águas, por caminho direito, no qual não tropeçarão, porque sou um pai para Israel e Efraim é o meu primogênito.

10 Ouçam a palavra do Senhor, ó nações, e anunciem nas ilhas longínquas e digam: 'Aquele que espalhou Israel o congregará e o guardará, como o pastor faz com o seu rebanho.'

11 Porque o Senhor resgatou Jacó e o livrou das mãos dos que eram mais fortes do que ele.

12 Virão e exultarão no Monte Sião, e correrão aos bens do Senhor, ao trigo, ao vinho, ao azeite e aos cordeiros e bezerros; a sua alma será como um jardim regado e nunca mais andarão tristes.

13 Então a virgem se alegrará na dança, como também os jovens e os velhos juntamente; tornarei o seu pranto em alegria, os consolarei e lhes darei alegria no lugar da tristeza.

14 E saciarei a alma dos sacerdotes com gordura e o meu povo se fartará dos meus bens", diz o Senhor.

15 Assim diz o Senhor: "Uma voz se ouviu em Ramá, lamentação, choro amargo; Raquel chora por seus filhos; não quer ser consolada por causa dos seus filhos, porque já não existem."

16 Assim diz o Senhor: "Reprima a sua voz de choro e enxugue as lágrimas dos seus olhos; porque há recompensa para o seu trabalho," diz o Senhor, "pois eles voltarão da terra do inimigo.

17 E há esperança quanto ao seu futuro", diz o Senhor, "porque os seus filhos voltarão para as suas terras.

18 Eu ouvi que Efraim se queixava, dizendo: 'Tu me castigaste e fui castigado, como novilho ainda não domado; converte-me e me converterei, porque tu és o Senhor meu Deus.

19 Na verdade, depois que eu me converti, tive arre-
pendimento; depois que fui instruído, bati no meu peito,
fiquei confuso e me envergonhei; porque suportei a ver-
gonha da minha mocidade.'
20 Não é Efraim para mim um filho precioso, criança das
minhas delícias? Porque, depois que falo contra ele, ainda
me lembro dele com ternura; por isso o meu coração se
comove por ele; certamente me compadecerei dele", diz
o Senhor.
21 Levante para você sinais, faça para você marcos, preste
atenção na vereda, no caminho por onde andou; volte, ó
virgem de Israel, regresse a estas suas cidades.
22 Até quando andará errante, ó filha rebelde? Porque o
Senhor criou uma coisa nova sobre a terra: Uma mulher
cortejará um homem."
23 Assim diz o Senhor dos Exércitos, o Deus de Israel:
"Ainda dirão esta palavra na terra de Judá e nas suas ci-
dades, quando eu os trouxer do cativeiro: 'O Senhor a
abençoe, ó morada da justiça, ó monte da santidade!'
24 E nela habitarão Judá e todas as suas cidades; como
também os lavradores e os que pastoreiam os rebanhos.
25 Porque satisfiz a alma cansada e toda alma entristecida
saciei."
26 Sobre isto despertei, olhei ao redor, e o meu sono foi
doce para mim.
27 "Eis que vêm dias", diz o Senhor, "em que semearei a
casa de Israel e a casa de Judá, com a semente de homens
e com a semente de animais.
28 Como os vigiei para arrancar, para derrubar, para trans-
tornar, para destruir e para afligir, assim os vigiarei para
edificar e para plantar", diz o Senhor.
29 "Naqueles dias nunca mais dirão: 'Os pais comeram
uvas verdes e os dentes dos filhos se embotaram.'
30 Mas cada um morrerá pela sua iniquidade; quem
comer as uvas verdes é quem ficará com os dentes
embotados.
31 Eis que dias vêm", diz o Senhor, "em que farei uma
aliança nova com a casa de Israel e com a casa de Judá.
32 Não conforme a aliança que fiz com seus pais, no dia
em que os tomei pela mão, para os tirar da terra do Egito;
porque eles invalidaram a minha aliança apesar de eu ter
sido seu esposo", diz o Senhor.
33 Mas esta é a aliança que farei com a casa de Israel
depois daqueles dias", diz o Senhor: "Porei a minha lei no
seu interior e a escreverei no seu coração; eu serei o seu
Deus e eles serão o meu povo.
34 E não ensinará jamais cada um ao seu próximo, nem
cada um ao seu irmão, dizendo: 'Conheça o Senhor'; por-
que todos me conhecerão, desde o menor até ao maior de-
les", diz o Senhor; "porque lhes perdoarei a sua maldade e
nunca mais me lembrarei dos seus pecados."
35 Assim diz o Senhor, que dá o sol para luz do dia e a lua
e as estrelas para luz da noite, que agita o mar, bramindo
as suas ondas; o Senhor dos Exércitos é o seu nome.
36 "Se estas leis falharem diante de mim", diz o Senhor,
"também a descendência de Israel deixará de ser uma na-
ção diante de mim para sempre."
37 Assim disse o Senhor: "Se puderem ser medidos os
céus lá em cima e sondados os fundamentos da terra aqui
embaixo, também eu rejeitarei toda a descendência de
Israel, por tudo que fizeram", diz o Senhor.
38 "Eis que vêm dias", diz o Senhor, "em que esta cidade
será reedificada para o Senhor, desde a torre de Hanameel
até à porta da esquina.
39 E a linha de medir se estenderá para a frente dela, até a
colina de Garebe, e se virará na direção de Goa.
40 E todo o vale dos cadáveres e da cinza e todos os
campos até o ribeiro de Cedrom, até à esquina da porta
dos cavalos para o oriente, serão consagrados ao Senhor;
jamais será arrancada ou derrubada."

Jeremias Compra um Campo

32 A palavra que foi dita a Jeremias da parte do Se-
nhor, no décimo ano do reinado de Zedequias,
rei de Judá, que foi o décimo oitavo ano do reinado de
Nabucodonosor.
2 Nesse tempo o exército do rei da Babilônia cercava Je-
rusalém, e Jeremias, o profeta, estava preso no pátio da
guarda na casa do rei de Judá;
3 porque Zedequias, rei de Judá, o tinha prendido, di-
zendo: "Por que você profetiza, dizendo: 'Assim diz o
Senhor: Eis que entrego esta cidade nas mãos do rei da
Babilônia, e ele a tomará;
4 e Zedequias, rei de Judá, não escapará das mãos dos
caldeus, mas certamente será entregue nas mãos do rei
da Babilônia e com ele falará cara a cara, e os seus olhos
verão os dele;
5 e ele levará Zedequias para a Babilônia, e ali ficará, até
que eu o visite, diz o Senhor, e ainda que lutem contra os
caldeus, não ganharão?'"
6 Disse Jeremias: "Veio a mim a palavra do Senhor,
dizendo:
7 'Eis que Hanameel, filho de Salum, seu tio, virá falar
com você, dizendo: "Compre para você a minha proprie-
dade que fica em Anatote, pois você tem o direito de res-
gate para comprá-la."'
8 Então, Hanameel, filho do meu tio, veio falar comigo no
pátio da guarda, segundo a palavra do Senhor e me disse:
'Compre agora a minha propriedade que fica em Anatote,
na terra de Benjamim, porque é seu o direito de herança

e de resgate; compre-a para você.' Então entendi que isto
era a palavra do Senhor.
9 Comprei a propriedade de Hanameel, filho do meu tio,
que fica em Anatote; então paguei a ele dezessete peças
de prata.
10 E assinei a escritura, selei-a e fiz confirmar por teste-
munhas; então, pesei para ele o dinheiro numa balança.
11 E peguei a escritura da compra, selada segundo a lei e
os estatutos, e a cópia aberta.
12 E entreguei a escritura da compra para Baruque, filho
de Nerias, filho de Maaseias, na presença de Hanameel,
filho do meu tio, e na presença das testemunhas, que
subscreveram a escritura da compra e na presença de to-
dos os judeus que estavam sentados no pátio da guarda.
13 E dei ordem a Baruque, na presença deles, dizendo:
14 Assim diz o Senhor dos Exércitos, o Deus de Israel:
'Pegue estas escrituras, este auto de compra, tanto a sela-
da como a aberta, e coloque-as num vaso de barro, para
que possam se conservar por muitos dias.'
15 Porque assim diz o Senhor dos Exércitos, o Deus de
Israel: 'Ainda se comprarão casas, campos e vinhas nesta
terra.

A Oração de Jeremias

16 E, depois que dei a escritura da compra a Baruque,
filho de Nerias, orei ao Senhor, dizendo:
17 "Ah, Senhor Deus! Eis que tu fizeste os céus e a terra
com o teu grande poder, e com o teu braço estendido; não
há nada que seja muito difícil para ti;
18 tu que usas de benignidade com milhares e retribuis a
maldade dos pais ao seio dos filhos depois deles; o grande,
o poderoso Deus cujo nome é o Senhor dos Exércitos;
19 grande em conselho e magnífico em obras; porque
os teus olhos estão abertos sobre todos os caminhos dos
filhos dos homens, para dar a cada um segundo os seus
caminhos e segundo o fruto das suas obras.
20 Tu puseste sinais e maravilhas na terra do Egito até o
dia de hoje, tanto em Israel como entre os outros homens,
e te fizeste um nome, o qual tu tens neste dia.
21 E tiraste o teu povo Israel da terra do Egito, com sinais
e com maravilhas, com mão forte, com braço estendido e
com grande pavor,
22 e lhes deste esta terra, que juraste a seus pais que lhes
daria, terra que mana leite e mel.
23 E entraram nela e a possuíram, mas não obedeceram à
tua voz, nem andaram na tua lei; tudo o que lhes mandas-
te que fizessem eles não fizeram, por isso ordenaste que
lhes sucedesse todo este mal.
24 Eis aqui os valados; já vieram contra a cidade para
tomá-la e a cidade está entregue na mão dos caldeus, que
lutam contra ela, pela espada, pela fome e pela peste; o
que disseste se cumpriu.
25 Contudo tu me disseste, ó Senhor Deus: 'Compre para
você o campo por dinheiro e chame testemunhas, embora
a cidade já esteja sendo entregue na mão dos caldeus.'

Deus Confirma o Cativeiro

26 Então a palavra do Senhor veio a Jeremias, dizendo:
27 'Eis que eu sou o Senhor, o Deus de toda a carne; por
acaso haveria alguma coisa muito difícil para mim?'
28 Portanto, assim diz o Senhor: 'Eis que eu entrego esta
cidade nas mãos dos caldeus, na mão de Nabucodonosor,
rei da Babilônia, e ele a tomará.
29 E os caldeus, que lutam contra esta cidade, entrarão
nela e lhe porão fogo; queimarão as casas onde sobre seus
terraços queimaram incenso a Baal e ofereceram libações
a outros deuses, para me provocarem à ira.
30 Porque os filhos de Israel e os filhos de Judá não fi-
zeram senão mal aos meus olhos, desde a sua mocidade;
porque os filhos de Israel nada fizeram senão provocar-me
à ira com as obras das suas mãos', diz o Senhor.
31 'Porque esta cidade, desde o dia em que a edificaram
até ao dia de hoje, tem servido para provocar a minha ira
e o meu furor, para que eu a tirasse da minha presença;
32 por causa de toda a maldade dos filhos de Israel e dos
filhos de Judá, que fizeram, para me provocarem à ira,
eles e os seus reis, os seus príncipes, os seus sacerdotes e
os seus profetas, como também os homens de Judá e os
moradores de Jerusalém.
33 E eles me viraram as costas e não o rosto; ainda que
eu os ensinasse, contudo eles não deram ouvidos, para
receberem o ensino.
34 Antes puseram as suas abominações na casa que se
chama pelo meu nome, para a profanarem.
35 E edificaram os altos de Baal, que estão no Vale do
Filho de Hinom, para fazerem passar seus filhos e suas
filhas pelo fogo a Moloque, o que nunca lhes ordenei,
nem veio ao meu coração que fizessem tal abominação,
para fazerem Judá pecar.

Promessas de Restauração

36 E, por isso', agora assim diz o Senhor, 'o Deus de Is-
rael, a respeito desta cidade, da qual vocês dizem: "Já foi
entregue nas mãos do rei da Babilônia, pela espada, pela
fome e pela peste."
37 Eis que eu os congregarei de todas as terras, para onde
os lancei na minha ira e no meu furor, e na minha grande
indignação; eu os farei voltar a este lugar e farei com que
habitem nele seguramente.
38 E eles serão o meu povo e eu serei o seu Deus.
39 Eu lhes darei um só coração e um só caminho, para

que me temam todos os dias, para seu bem e o bem de
seus filhos.
40 E farei com eles uma aliança eterna de não me desviar
de fazer-lhes o bem; e porei o meu temor nos seus corações, para que nunca se afastem de mim.
41 E me alegrarei deles, fazendo-lhes o bem e os plantarei
nesta terra firmemente, com todo o meu coração e com
toda a minha alma.'
42 Porque assim diz o Senhor: 'Como eu trouxe sobre
este povo todo este grande mal, assim eu trarei sobre ele
todo o bem que lhes tenho declarado.
43 E se comprarão campos nesta terra, da qual vocês
dizem: "Está desolada, sem homens, sem animais; está
entregue nas mãos dos caldeus."
44 Comprarão campos por dinheiro e assinarão as escrituras, as selarão e farão que testemunhas confirmem, na
terra de Benjamim, nos contornos de Jerusalém, nas cidades de Judá, nas cidades das montanhas, nas cidades das
planícies e nas cidades do sul; porque os farei voltar do
seu cativeiro,' diz o Senhor."

A Restauração é Assegurada

33 E a palavra do Senhor veio a Jeremias, pela segunda vez, quando ele ainda estava preso no pátio da
guarda, dizendo:
2 "Assim diz o Senhor que faz isto, o Senhor que forma
isto para o estabelecer; o Senhor é o seu nome.
3 Clame a mim e lhe responderei e lhe anunciarei coisas
grandes e firmes que você não conhece."
4 Porque assim diz o Senhor, o Deus de Israel, a respeito
das casas desta cidade e das casas dos reis de Judá, que
foram derrubadas com os aríetes e à espada.
5 Eles entraram para lutar contra os caldeus, mas isso é
para os encher de cadáveres de homens, que feri na minha ira e no meu furor; porque escondi o meu rosto desta
cidade, por causa de toda a sua maldade.
6 Eis que eu trarei a ela saúde e cura, eu os sararei e lhes
manifestarei abundância de paz e de verdade.
7 E removerei o cativeiro de Judá e o cativeiro de Israel e
os edificarei como no princípio.
8 E os purificarei de toda a sua maldade com que pecaram
contra mim e perdoarei todas as suas maldades, com que
pecaram e transgrediram contra mim;
9 e este lugar me servirá de nome, de gozo, de louvor e de
glória, entre todas as nações da terra, que ouvirem todo
o bem que eu lhe faço; e se espantarão e se perturbarão
por causa de todo o bem, e por causa de toda a paz que
eu lhe dou."
10 Assim diz o Senhor: "Neste lugar que vocês dizem
que está desolado sem pessoas e sem animais nas cidades
de Judá e nas ruas de Jerusalém, que estão assoladas, sem
pessoas, sem moradores, sem animais, ainda se ouvirão
11 a voz de gozo, a voz de alegria, a voz do esposo e a
voz da esposa, a voz dos que dizem: 'Louvem ao Senhor
dos Exércitos, porque ele é bom, porque a sua benignidade dura para sempre'; também se ouvirá a voz dos que
trazem ofertas de ação de graças à casa do Senhor; pois
farei voltarem os cativos da terra como no princípio", diz
o Senhor.
12 Assim diz o Senhor dos Exércitos: "Ainda neste lugar,
que está deserto, sem pessoas nem animais, e em todas as
suas cidades, haverá uma morada de pastores que façam
repousar os seus rebanhos.
13 Nas cidades das montanhas, nas cidades das planícies,
nas cidades do Sul, na terra de Benjamim, nos contornos
de Jerusalém e nas cidades de Judá, ainda passarão os rebanhos pelas mãos dos contadores", diz o Senhor.
14 "Eis que vêm dias", diz o Senhor, "em que cumprirei
a boa palavra que falei à casa de Israel e à casa de Judá.
15 Naqueles dias e naquele tempo farei brotar a Davi um
Renovo de justiça, e ele fará o juízo e justiça na terra.
16 Naqueles dias Judá será salvo e Jerusalém habitará seguramente; este é o nome com o qual Deus a chamará: O
Senhor é a nossa justiça."
17 Porque assim diz o Senhor: "Nunca faltará a Davi homem que se assente sobre o trono da casa de Israel;
18 nem aos sacerdotes levíticos faltará homem diante de
mim, que ofereça holocausto, queime oferta de manjares
e faça sacrifício todos os dias."
19 E veio a palavra do Senhor a Jeremias, dizendo:
20 "Assim diz o Senhor: 'Se puderem invalidar a minha
aliança com o dia e a minha aliança com a noite, de tal
modo que não haja dia nem noite, a seu tempo,
21 também se poderá invalidar a minha aliança com Davi,
meu servo, para que não tenha filho que reine no seu
trono; como também com os levitas, sacerdotes, meus
ministros.
22 Como não se pode contar o exército dos céus, nem
medir a areia do mar, assim multiplicarei a descendência
de Davi, meu servo, e os levitas que ministram diante de
mim.'"
23 E veio ainda a palavra do Senhor a Jeremias, dizendo:
24 "Por acaso não viu o que este povo está dizendo: 'As
duas famílias, que o Senhor escolheu, agora as rejeitou?'
Assim desprezam o meu povo, como se não fosse mais
uma nação diante deles.'"
25 Assim diz o Senhor: "Se a minha aliança com o dia e
com a noite não permanecer e eu não puser as leis dos
céus e da terra,
26 também rejeitarei a descendência de Jacó e de Davi,

meu servo, para que não tome da sua descendência quem
domine sobre a descendência de Abraão, Isaque e Jacó;
porque removerei o seu cativeiro e me apiedarei deles."

Profecia Contra Zedequias

34 A palavra que veio do Senhor a Jeremias, quando
Nabucodonosor, rei da Babilônia, e todo o seu exército, e todos os reinos da terra, que estavam sob o domínio
da sua mão, e todos os povos lutavam contra Jerusalém e
contra todas as suas cidades, dizendo:
2 "Assim diz o Senhor, o Deus de Israel: "Vá, e fale a
Zedequias, rei de Judá, e diga-lhe: Assim diz o Senhor: Eis
que eu entrego esta cidade nas mãos do rei da Babilônia,
o qual a queimará.
3 E você não escapará das mãos dele, pelo contrário, será
preso e entregue nas suas mãos; seus olhos verão os olhos
do rei da Babilônia e ele falará com você cara a cara, e
você entrará na Babilônia.
4 Todavia ouça a palavra do Senhor, ó Zedequias, rei de
Judá; assim diz o Senhor a respeito de você: Não morrerá
à espada,
5 morrerá em paz assim como queimaram incensos para
os seus pais, os reis que o precederam, assim queimarão
incenso para você e eles o prantearão, dizendo: Ah, Senhor! Pois sou eu quem diz isto", diz o Senhor.
6 E o profeta Jeremias falou a Zedequias, rei de Judá, todas essas palavras, em Jerusalém,
7 quando o exército do rei da Babilônia lutava contra Jerusalém e contra todas as cidades que restavam de Judá,
contra Laquis e contra Azeca; porque estas fortes cidades
foram as que ficaram dentre as cidades de Judá.
8 A palavra que do Senhor veio a Jeremias, depois que o
rei Zedequias fez aliança com todo o povo que havia em
Jerusalém, para lhes apregoar a liberdade:
9 Que cada um libertasse os seus escravos, hebreu ou
hebreia, para que ninguém se servisse deles, dos judeus,
seus irmãos.
10 E todos os príncipes obedeceram, e todo o povo que
havia entrado na aliança, que cada um libertasse os seus
escravos, para ninguém mais se servir deles; então obedeceram e os libertaram,
11 mas depois se arrependeram e fizeram os escravos e
escravas que haviam libertado voltarem, e os sujeitaram
outra vez à escravidão.
12 Então a palavra do Senhor veio a Jeremias, dizendo:
13 "Assim diz o Senhor, Deus de Israel: 'Eu fiz aliança
com seus pais, no dia em que os tirei da terra do Egito, da
casa da servidão, dizendo:
14 Ao fim de sete anos cada um libertará o seu irmão
hebreu, que foi vendido a vocês como escravo, depois que
eles os houverem servido por seis anos; vocês os libertarão; mas seus pais não me ouviram, nem me atenderam.
15 E vocês haviam se arrependido e fizeram o que é reto
aos meus olhos, apregoando liberdade cada um ao seu
próximo; e fizeram diante de mim uma aliança, na casa
que se chama pelo meu nome;
16 porém, vocês voltaram atrás e profanaram o meu
nome, trazendo de volta cada um o seu servo e sua serva,
os que já tinham libertado conforme a vontade deles; e os
sujeitaram, para serem servos e servas de vocês.'"
17 Portanto, assim diz o Senhor: "Vocês não me ouviram,
para apregoarem a liberdade, cada um ao seu irmão e cada
um ao seu próximo; por isso eu apregoo a liberdade a
vocês", diz o Senhor, "para a espada, para a peste e para
a fome; farei que sejam um espanto a todos os reinos da
terra.
18 E entregarei as pessoas que transgrediram a minha
aliança, que não cumpriram as palavras da aliança que
fizeram diante de mim, com o bezerro, que dividiram em
duas partes e passaram pelo meio das suas partes;
19 a saber, os príncipes de Judá e os príncipes de Jerusalém, os eunucos, os sacerdotes e todo o povo da terra, que
passaram entre as duas partes do bezerro;
20 eu os entregarei nas mãos de seus inimigos e nas mãos
dos que procuram tirar-lhes a vida, e os cadáveres de vocês servirão de alimento para as aves dos céus e para os
animais da terra.
21 E até o rei Zedequias, rei de Judá, e seus príncipes, eu
entregarei nas mãos de seus inimigos e nas mãos dos que
procuram tirar-lhes a vida, na mão do exército do rei da
Babilônia, que já se retirou de vocês.
22 Eis que eu darei ordem", diz o Senhor, "e os farei voltar a esta cidade, eles lutarão contra ela, a tomarão e a
queimarão, então as cidades de Judá porei em assolação, e
ficarão sem moradores."

Bênçãos Sobre os Recabitas

35 A palavra que do Senhor veio a Jeremias, nos dias
de Jeoaquim, filho de Josias, rei de Judá, dizendo:
2 "Vá à casa dos recabitas, fale com eles e leve-os à casa do
Senhor, a uma das câmaras, e dê-lhes vinho para beber."
3 Então peguei Jazanias, filho de Jeremias, filho de Habazinias, e seus irmãos, todos os seus filhos e toda a casa
dos recabitas;
4 e os levei à casa do Senhor, à câmara dos filhos de Hanã,
filho de Jigdalias, homem de Deus, que estava junto à câmara dos príncipes, que ficava sobre a câmara de Maaseias, filho de Salum, guarda do vestíbulo;
5 e pus diante dos filhos da casa dos recabitas taças cheias
de vinho e copos, e lhes disse: "Bebam o vinho."
6 Porém, eles disseram: "Não beberemos o vinho, porque

Jonadabe, filho de Recabe, nosso pai, nos ordenou, dizendo: 'Nunca bebam vinho, nem vocês nem seus filhos;
7 não edifiquem casa, não plantem semente, não plantem
vinhas, nem as possuam; mas habitem em tendas por todos os seus dias, para que vivam por muitos dias sobre a face da terra, em que vocês andam peregrinando.'
8 E obedecemos à voz de Jonadabe, filho de Recabe, nosso pai, em tudo que nos ordenou; e não bebemos vinho por todos os nossos dias, nem nós, nem nossas mulheres, nem nossos filhos, nem nossas filhas;
9 nem construímos casas para nossa habitação; nem temos vinhas, nem campo, nem semente.
10 Mas habitamos em tendas e assim obedecemos e fazemos tudo conforme Jonadabe, nosso pai, nos ordenou.
11 E quando Nabucodonosor, rei da Babilônia, veio a esta terra, dissemos: Venham e vamos para Jerusalém, por causa do exército dos caldeus e por causa do exército dos sírios; e assim ficamos em Jerusalém."
12 Então veio a palavra do Senhor a Jeremias, dizendo:
13 "Assim diz o Senhor dos Exércitos, o Deus de Israel:
'Vá e diga aos homens de Judá e aos moradores de Jerusalém: Vocês nunca aceitarão instrução para ouvirem as minhas palavras?', diz o Senhor.
14 'As palavras de Jonadabe, filho de Recabe, que ordenou a seus filhos que não bebessem vinho, foram guardadas; pois não beberam até este dia, eles obedeceram ao mandamento de seu pai; a mim, porém, o que tenho falado a vocês, não me ouviram.
15 E tenho enviado todos os meus servos a vocês, os profetas, insistindo e dizendo: Convertam-se, agora, cada um do seu mau caminho, façam boas as suas ações e não sigam a outros deuses para servi-los; assim ficarão na terra que dei a vocês e a seus pais; porém não me ouviram, nem me obedeceram.
16 Os filhos de Jonadabe, filho de Recabe, guardaram o mandamento de seu pai que ele lhes ordenou, mas este povo não me obedeceu.'
17 Por isso, assim diz o Senhor Deus dos Exércitos, o Deus de Israel: 'Eis que trarei sobre Judá e sobre todos os moradores de Jerusalém todo o mal que falei contra eles; pois lhes tenho falado e não ouviram; clamei a eles e não responderam.'"
18 E à casa dos recabitas disse Jeremias: "Assim diz o Senhor dos Exércitos, o Deus de Israel: 'Vocês que obedeceram ao mandamento de Jonadabe, seu pai, e guardaram todos os seus mandamentos, e fizeram tudo conforme lhes ordenou,
19 portanto', assim diz o Senhor dos Exércitos, Deus de Israel: 'Nunca faltará filho homem a Jonadabe, filho de Recabe, que esteja na minha presença todos os dias.'"

Jeoaquim Queima a Profecia de Jeremias

36 No quarto ano do reinado de Jeoaquim, filho de Josias, rei de Judá, veio esta palavra do Senhor a Jeremias, dizendo:
2 "Pegue o rolo de um livro e escreva nele todas as palavras que eu falei de Israel a você, de Judá e de todas as nações, desde o dia em que eu falei a você, desde os dias de Josias até hoje.
3 Portanto, todos da casa de Judá ouvirão todo o mal que eu pretendo fazer-lhes, para que cada um se converta do seu mau caminho, e eu lhes perdoe a sua maldade e o seu pecado."
4 Então Jeremias chamou Baruque, filho de Nerias, e Baruque escreveu as palavras de Jeremias no rolo de um livro, todas as palavras que o Senhor lhe havia falado.
5 E Jeremias deu ordem a Baruque, dizendo: "Eu estou encarcerado; não posso entrar na casa do Senhor.
6 Entre, pois, você, e pegue o rolo em que escreveu as minhas palavras, e leia as palavras do Senhor aos ouvidos do povo, na casa do Senhor, no dia de jejum; também aos ouvidos de todos os de Judá, que vêm das suas cidades.
7 Talvez a súplica deles chegue diante do Senhor, e cada um se converta do seu mau caminho; porque grandes são a ira e o furor que o Senhor tem expressado contra este povo."
8 E Baruque, filho de Nerias, fez tudo conforme Jeremias, o profeta, havia lhe ordenado, lendo naquele livro as palavras do Senhor, na casa do Senhor.
9 E aconteceu, no quinto ano do reinado de Jeoaquim, filho de Josias, rei de Judá, no nono mês, que apregoaram jejum diante do Senhor a todo o povo em Jerusalém, como também a todo o povo que vinha das cidades de Judá a Jerusalém.
10 Baruque leu naquele livro as palavras de Jeremias, na casa do Senhor, na câmara de Gemarias, filho de Safã, o escriba, no átrio superior, à entrada da porta nova da casa do Senhor, aos ouvidos de todo o povo.
11 E, ouvindo Micaías, filho de Gemarias, filho de Safã, todas as palavras do Senhor, daquele livro,
12 desceu à casa do rei, à câmara do escriba. E todos os príncipes estavam ali assentados: Elisama, o escriba, Delaías, filho de Semaías, Elnatã, filho de Acbor, Gemarias, filho de Safã, Zedequias, filho de Hananias, e todos os outros príncipes.
13 E Micaías anunciou-lhes todas as palavras que ouvira, quando Baruque leu o livro aos ouvidos do povo.
14 Então todos os príncipes mandaram Jeudi, filho de Netanias, filho de Selemias, filho de Cusi, a Baruque, para lhe dizer: "O rolo que leu aos ouvidos do povo, pegue-o

e venha." E Baruque, filho de Nerias, pegou o rolo e foi
falar com eles.
15 E disseram-lhe: "Sente-se agora e leia-o para nós." E
Baruque leu para eles.
16 E quando eles ouviram todas aquelas palavras, olha-
ram-se temerosos uns para os outros e disseram a Baru-
que: "Sem dúvida alguma anunciaremos ao rei todas estas
palavras."
17 E perguntaram a Baruque: "Diga-nos, agora, como
escreveu todas estas palavras? Foi Jeremias quem ditou
a você?"
18 E Baruque respondeu: "Da sua boca ele me ditava to-
das estas palavras e eu, com tinta, as escrevia no livro."
19 Então os príncipes disseram a Baruque: "Veja, escon-
dam-se, você e Jeremias, e que ninguém saiba onde vocês
estão."
20 E foram falar com o rei no átrio, depositaram o rolo
na câmara de Elisama, o escriba, e disseram ao rei todas
aquelas palavras.
21 Então o rei enviou Jeudi para buscar o rolo; e Jeudi
pegou o rolo na câmara de Elisama, o escriba, e leu-o para
o rei e para todos os príncipes que estavam com ele.
22 O rei estava sentado na casa de inverno, pelo nono
mês, diante de um braseiro aceso.
23 E aconteceu que, depois de Jeudi ter lido três ou qua-
tro folhas, o rei cortou-as com um canivete de escrivão,
e lançou-as no fogo que havia no braseiro, até que todo
o rolo se consumiu no fogo que estava sobre o braseiro.
24 E não temeram, nem rasgaram as suas vestes, nem
o rei, nem os seus servos que ouviram todas aquelas
palavras.
25 Por mais que Elnatã, Delaías e Gemarias tivessem in-
sistido ao rei que não queimasse o rolo, ele não lhes deu
ouvidos.
26 Ao invés disso, o rei deu ordem a Jerameel, filho de
Hameleque, a Seraías, filho de Azriel, e a Selemias, filho
de Abdeel, que prendessem Baruque, o escrivão, e Jere-
mias, o profeta; mas o Senhor os escondeu.
27 Então a palavra do Senhor veio a Jeremias, depois que
o rei queimou o rolo, com as palavras que Baruque tinha
escrito da boca de Jeremias, dizendo:
28 "Pegue outro rolo e escreva nele todas aquelas pala-
vras que estavam no primeiro rolo, que Jeoaquim, rei de
Judá, queimou.
29 E diga a Jeoaquim, rei de Judá: Assim diz o Senhor:
Você queimou aquele rolo, e perguntou por que Jeremias
escreveu nele que certamente o rei da Babilônia virá e
destruirá esta terra, e acabará com todas as pessoas e
animais."
30 Portanto, assim diz o Senhor, a respeito de Jeoaquim,
rei de Judá: "Ele não terá quem se assente sobre o trono
de Davi e o seu cadáver será largado ao calor do dia, e à
geada da noite.
31 E eu castigarei a sua iniquidade na sua descendência
e nos seus servos; trarei sobre ele, sobre os moradores de
Jerusalém e sobre os homens de Judá, todo o mal que lhes
tenho falado e não ouviram."
32 Então Jeremias pegou o outro rolo e deu-o a Baruque,
filho de Nerias, o escrivão, o qual escreveu nele as pala-
vras que Jeremias ditou, todas as palavras do livro que
Jeoaquim, rei de Judá, tinha queimado no fogo e ainda
acrescentaram a elas muitas palavras semelhantes.

Jeremias é Aprisionado

37 E o rei Zedequias, filho de Josias, a quem Nabuco-
donosor, rei da Babilônia, constituiu rei na terra de
Judá, reinou em lugar de Conias, filho de Jeoaquim.
2 Porém, nem ele, nem os seus servos, nem o povo da
terra deram ouvidos às palavras do Senhor, que falou por
meio do profeta Jeremias.
3 Contudo, o rei Zedequias enviou Jeucal, filho de Sele-
mias, e Sofonias, filho de Maaseias, o sacerdote, a Jere-
mias, o profeta, dizendo: "Rogue agora por nós ao Senhor
nosso Deus."
4 E Jeremias andava livremente entre o povo, porque ain-
da não tinha sido preso.
5 E o exército do Faraó tinha vindo do Egito; e quando
os caldeus, que tinham sitiado Jerusalém, ouviram esta
notícia, retiraram-se de Jerusalém.
6 Então a palavra do Senhor veio ao profeta Jeremias,
dizendo:
7 "Assim diz o Senhor, Deus de Israel: 'Assim dirão ao rei
de Judá, que os enviou a mim para me consultar: Eis que
o exército do Faraó, que saiu em seu socorro, voltará para
a sua terra no Egito.
8 E os caldeus voltarão e lutarão contra esta cidade, a
tomarão e a queimarão.'
9 Assim diz o Senhor: 'Não enganem as suas almas, dizen-
do: Sem dúvida os caldeus se retirarão de nós, pois eles
não irão embora.
10 Porque ainda que ferissem todo o exército dos caldeus,
que lutam contra vocês, e só ficassem deles apenas ho-
mens feridos, cada um se levantaria na sua tenda e quei-
mariam esta cidade.'"
11 E quando o exército dos caldeus se retirou de Jerusa-
lém, por causa do exército do Faraó,
12 Jeremias saiu de Jerusalém, para ir à terra de Benja-
mim, para tomar posse de uma propriedade que tinha
entre o povo daquele lugar.
13 Porém, quando ele estava à porta de Benjamim, acha-
va-se ali um capitão da guarda, cujo nome era Jerias, filho

de Selemias, filho de Hananias, que o prendeu, dizendo:
"Você está fugindo para o lado dos caldeus."
14 E Jeremias disse: "Isto é falso, não estou fugindo para
o lado dos caldeus." Porém, Jerias não lhe deu ouvidos,
antes prendeu Jeremias e o levou aos príncipes.
15 Os príncipes se iraram muito contra Jeremias e o fe-
riram; então o puseram na prisão, na casa de Jônatas, o
escrivão; porque a tinham transformado em cárcere.
16 Entrando Jeremias nas celas do calabouço, ali ele ficou
por muitos dias.
17 E o rei Zedequias mandou trazê-lo para sua casa em
segredo e lhe perguntou: "Há por acaso alguma palavra do
Senhor?" E Jeremias disse: "Há!" E continuou: "Você será
entregue nas mãos do rei da Babilônia."
18 Jeremias perguntou ao rei Zedequias: "Em que tenho
pecado contra você e contra os seus servos, e contra este
povo, para que me pusessem na prisão?
19 Onde estão agora os seus profetas, que profetizavam a
vocês, dizendo: 'O rei da Babilônia não virá contra vocês
nem contra esta terra?'
20 Ouça agora, ó rei, meu senhor: Seja aceita agora a
minha súplica diante de você e não me deixe voltar à casa
de Jônatas, o escriba, para que eu não venha a morrer ali."
21 Então o rei Zedequias ordenou que pusessem Jeremias
no pátio da guarda, e cada dia davam-lhe um pão, da rua
dos padeiros, até que acabou todo o pão da cidade; assim
Jeremias ficou no pátio da guarda.

Jeremias é Jogado Num Poço

38 Sefatias, filho de Matã, e Gedalias, filho de Pasur,
Jeucal, filho de Selemias, Pasur, filho de Malquias,
ouviram as palavras que Jeremias anunciava a todo o
povo, dizendo:
2 "Assim diz o Senhor: 'Quem ficar nesta cidade morrerá
à espada, de fome e de peste; mas quem sair e se render
aos caldeus viverá; porque a sua vida lhe será por despojo
e viverá.'
3 Assim diz o Senhor: 'Esta cidade infalivelmente será
entregue nas mãos do exército do rei da Babilônia e ele
a tomará.'"
4 E os príncipes disseram ao rei: "Mate este homem, por-
que assim ele enfraquece as mãos dos homens de guerra
que restam nesta cidade e as mãos de todo o povo, dizen-
do-lhes estas palavras; porque este homem não busca a
paz para este povo, porém busca o mal."
5 E o rei Zedequias respondeu: "Eis que ele está nas mãos
de vocês; porque o rei nada pode fazer contra vocês."
6 Então pegaram Jeremias e o lançaram na cisterna de
Malquias, filho do rei, que ficava no pátio da guarda, e
desceram Jeremias com cordas, porém na cisterna não
havia água, somente lama; e Jeremias se atolou na lama.

Um Etíope Intercede Por Jeremias e o Salva

7 E, Ebede-Meleque, o etíope, um eunuco que então es-
tava na casa do rei, ouviu que tinham posto Jeremias na
cisterna, e quando o rei estava sentado junto à porta de
Benjamim,
8 Ebede-Meleque saiu da casa do rei e lhe falou:
9 "Ó rei, meu senhor, estes homens agiram mal em tudo
que fizeram ao profeta Jeremias, lançando-o na cisterna;
ele morrerá de fome no lugar que está, pois não há mais
pão nesta cidade."
10 Então o rei deu ordem a Ebede-Meleque, o etíope,
dizendo: "Leve com você trinta homens daqui e tire o
profeta Jeremias da cisterna, antes que ele morra."
11 E Ebede-Meleque levou os homens consigo, e foi à
casa do rei, por debaixo da tesouraria e pegou dali uns
trapos velhos de roupas velhas, e os desceu a Jeremias na
cisterna com cordas.
12 E Ebede-Meleque, o etíope, disse a Jeremias: "Ponha
agora estes trapos velhos, debaixo das suas axilas, por de-
baixo das cordas." E Jeremias assim o fez.
13 E puxaram Jeremias com as cordas e o tiraram da cis-
terna; então Jeremias ficou no pátio da guarda.
14 Depois o rei Zedequias mandou trazer o profeta Jere-
mias à sua presença, à terceira entrada da casa do Senhor
e lhe disse: "Quero lhe perguntar uma coisa, não me es-
conda nada."
15 E Jeremias disse a Zedequias: "Se eu lhe disser algo,
por acaso não me matará? E mesmo que eu lhe dê conse-
lhos, o senhor não me escutará."
16 Então o rei Zedequias jurou a Jeremias, em segredo,
dizendo: "Juro pelo nome do Senhor, que nos deu a vida,
que eu não o matarei nem o entregarei nas mãos destes
homens que procuram a sua morte."
17 Então Jeremias disse a Zedequias: "Assim diz o Senhor,
Deus dos Exércitos, Deus de Israel: 'Se voluntariamente
se renderem aos oficiais do rei da Babilônia, a sua vida
será poupada, e esta cidade não será queimada, e você e a
sua casa ficarão vivos.
18 Porém, se não se entregarem aos oficiais do rei da
Babilônia, então esta cidade será entregue nas mãos dos
caldeus e eles a queimarão, e você não escapará das mãos
deles.'"
19 E o rei Zedequias disse a Jeremias: "Tenho receio dos
judeus que passaram para o lado dos caldeus; que eles me
entreguem nas mãos deles e eles escarneçam de mim."
20 E Jeremias disse: "Não o entregarão; ouça a voz do
Senhor e faça o que eu falo e tudo acabará bem, e a sua
vida será poupada.
21 Porém, se você não quiser sair, esta é a palavra que o
Senhor me mostrou:

22 'Todas as mulheres que ficaram na casa do rei de Judá serão levadas aos oficiais do rei da Babilônia, e elas dirão: "Seus pacificadores o incitaram e prevaleceram contra você, mas agora que os pés do rei se atolaram na lama, eles o abandonaram." '

23 Assim todas as suas mulheres e os seus filhos serão levados aos caldeus e nem você escapará das mãos deles, mas será preso pela mão do rei da Babilônia e esta cidade será queimada."

24 Então Zedequias disse a Jeremias: "Que ninguém saiba estas palavras e você não morrerá.

25 E quando os príncipes souberem que eu falei com você, vierem e lhe perguntarem: 'Diga-nos o que falou ao rei e o que ele lhe disse, não esconda nada e nós não mataremos você',

26 então você lhes dirá: 'Eu supliquei ao rei que não me fizesse retornar à casa de Jônatas, para morrer ali.'"

27 Então todos os príncipes vieram a Jeremias para interrogá-lo, e ele falou todas as palavras que o rei lhe havia ordenado; então o deixaram em paz, porque o assunto não foi revelado.

28 E Jeremias ficou no pátio da guarda, até o dia em que Jerusalém foi tomada.

A Queda de Jerusalém

39 No nono ano do reinado de Zedequias, rei de Judá, no décimo mês, Nabucodonosor, rei da Babilônia, veio com todo o seu exército contra Jerusalém e a cercaram.

2 No décimo primeiro ano do reinado de Zedequias, no quarto mês, aos nove dias do mês, fizeram uma brecha na muralha da cidade.

3 Então todos os oficiais do rei da Babilônia entraram nela e pararam na porta do meio: Nergal-Sarezer, Sangar-Nebo, Sarsequim, Rabe-Saris, Nergal-Sarezer, Rabe-Mague e todos os outros oficiais do rei da Babilônia.

4 E quando Zedequias, o rei de Judá, e todos os soldados viram, eles fugiram saindo à noite da cidade, pelo caminho do jardim do rei, pela porta que ficava entre os dois muros e seguiram pelo caminho da campina.

5 Porém, o exército dos caldeus os perseguiu e alcançou Zedequias nas campinas de Jericó; eles o prenderam e o levaram a Nabucodonosor, rei da Babilônia, em Ribla, na terra de Hamate e o rei o sentenciou.

6 E o rei da Babilônia matou em Ribla os filhos de Zedequias, diante dos seus olhos; o rei da Babilônia também matou todos os nobres de Judá.

7 E cegou os olhos de Zedequias e o amarrou com duas correntes de bronze, para levá-lo à Babilônia.

8 E os caldeus incendiaram a casa do rei e as casas do povo, e derrubaram os muros de Jerusalém.

9 Nebuzaradã, capitão da guarda, levou cativo para a Babilônia o restante do povo que ficou na cidade, bem como os rebeldes que tinham se entregado a ele e o restante do povo que ficou.

10 Porém os pobres dentre o povo, que não tinham nada, Nebuzaradã, capitão da guarda, deixou na terra de Judá e deu-lhes vinhas e campos naquele dia.

11 Mas Nabucodonosor, rei da Babilônia, havia ordenado a respeito de Jeremias, a Nebuzaradã, capitão da guarda, dizendo:

12 "Pegue-o e ponha os seus olhos sobre ele e não lhe faça nenhum mal; faça com Jeremias o que ele disser."

13 Enviaram Nebuzaradã, o capitão da guarda, e Nebusazbã, Rabe-Saris, Nergal-Sarezer, Rabe-Mague e todos os príncipes do rei da Babilônia,

14 e pegaram Jeremias no pátio da guarda e o entregaram a Gedalias, filho de Aicão, filho de Safã, para que o levasse para casa; e assim ele habitou no meio do povo.

15 A palavra do Senhor veio a Jeremias, enquanto ele ainda estava encarcerado no pátio da guarda, dizendo:

16 "Vá e fale a Ebede-Meleque, o etíope, dizendo: Assim diz o Senhor dos Exércitos, Deus de Israel: Eis que eu cumprirei as minhas palavras contra esta cidade para mal e não para bem; e elas se cumprirão diante de você naquele dia.

17 Porém eu o livrarei naquele dia", diz o Senhor, "e você não será entregue nas mãos dos homens que você teme.

18 Porque certamente o salvarei e não cairá à espada; mas a sua vida lhe será por despojo, porque confiou em mim", diz o Senhor.

Jeremias é Libertado

40 A palavra que veio a Jeremias da parte do Senhor, depois que Nebuzaradã, capitão da guarda, o libertou em Ramá, quando o encontrou acorrentado no meio de todos os cativos de Jerusalém e de Judá, que foram levados cativos para a Babilônia.

2 Porque o capitão da guarda veio a Jeremias e disse-lhe: "O Senhor seu Deus pronunciou este mal contra este lugar.

3 E o Senhor trouxe e fez o que havia falado; porque pecaram contra o Senhor e não obedeceram à sua voz, portanto aconteceu isto a vocês.

4 Agora, hoje estou soltando você das correntes que estavam sobre as suas mãos; se você quiser vir comigo para a Babilônia, venha, e eu cuidarei bem de você; porém, se não quiser vir comigo para a Babilônia, não venha. Olhe toda esta terra que está diante de você; vá para onde for melhor para você."

5 Mas, porque Jeremias ainda não tinha decidido, o capitão lhe disse: "Volte a Gedalias, filho de Aicão, filho de

Safã, que o rei da Babilônia pôs sobre as cidades de Judá
e more com ele no meio do povo; ou a qualquer parte
onde for melhor para você, que vá." E o capitão da guarda
deu-lhe mantimento para o caminho e um presente, e o
deixou ir.
6 Assim Jeremias foi a Gedalias, filho de Aicão, a Mispa;
ali morou com ele no meio do povo que havia ficado na
terra.

Conspiração Contra Gedalias

7 Quando os oficiais dos exércitos, que estavam no cam-
po, eles e os seus homens ouviram que o rei da Babilônia
tinha nomeado Gedalias, filho de Aicão, como governa-
dor, e que o havia encarregado dos homens, das mulheres,
dos meninos e dos mais pobres da terra, os que não foram
levados cativos para a Babilônia,
8 foram falar com Gedalias em Mispa, a saber: Ismael,
filho de Netanias, Joanã e Jônatas, filhos de Careá, Se-
raías, filho de Tanumete, os filhos de Efai, o netofatita, e
Jezanias, filho de um maacatita, eles e os seus homens.
9 E Gedalias, filho de Aicão, filho de Safã, jurou a eles e
aos seus homens, dizendo: "Não temam servir aos cal-
deus; fiquem na terra, sirvam o rei da Babilônia e tudo
irá bem com vocês.
10 Eu, porém, moro em Mispa, para estar às ordens dos
caldeus que vierem a nós; e vocês colham as uvas para o
vinho, as frutas de verão e o azeite, coloquem tudo nos
seus vasos e morem nas cidades que já tomaram."
11 E todos os judeus que estavam em Moabe e entre os
filhos de Amom, em Edom, e os que havia em todas aque-
las terras, ouviram que o rei da Babilônia havia deixado
alguns em Judá, e que havia posto sobre eles Gedalias,
filho de Aicão, filho de Safã, como governador,
12 e todos os judeus de todos os lugares, para onde foram
lançados, voltaram e vieram à terra de Judá, a Gedalias,
em Mispa; e colheram vinho e frutas do verão com muita
abundância.
13 Joanã, filho de Careá, e todos os oficiais dos exércitos,
que estavam no campo, vieram a Gedalias, em Mispa,
14 e lhe disseram: "Você sabia que Baalis, rei dos filhos de
Amom, enviou Ismael, filho de Netanias, para tirar-lhe a
vida?" Mas Gedalias, filho de Aicão, não lhes deu crédito.
15 Então Joanã, filho de Careá, falou a Gedalias em se-
gredo, em Mispa, dizendo: "Irei agora, e matarei Ismael,
filho de Netanias, sem que ninguém saiba; por que razão
ele tiraria a sua vida, para que todos os judeus, que se re-
uniram a você, sejam dispersos e o restante de Judá venha
a perecer?"
16 Porém disse Gedalias, filho de Aicão, a Joanã, filho
de Careá: "Não faça isso, porque fala falsamente contra
Ismael."

A Morte de Gedalias

41 No sétimo mês, Ismael, filho de Netanias, filho de
Elisama, de sangue real, foi a Mispa com dez ho-
mens, príncipes do rei, para se encontrar com Gedalias,
filho de Aicão; e comeram pão juntos ali em Mispa.
2 E Ismael, filho de Netanias, levantou-se com os dez ho-
mens que estavam com ele e mataram à espada Gedalias,
filho de Aicão, filho de Safã, matando assim aquele que o
rei da Babilônia havia nomeado governador de Judá.
3 Ismael também matou todos os judeus que estavam
com Gedalias em Mispa, e matou também os caldeus,
homens de guerra que se achavam ali.
4 No dia seguinte, depois que ele matou Gedalias, sem
ninguém saber,
5 vieram alguns homens de Siquém, de Siló e de Samaria;
oitenta homens, com a barba rapada, as vestes rasgadas e
retalhando-se, trazendo nas suas mãos ofertas e incenso,
para levarem à casa do Senhor.
6 E Ismael, filho de Netanias, de Mispa, saiu ao encontro
deles, chorando; e, encontrando-os, lhes disse: "Venham
a Gedalias, filho de Aicão."
7 Mas quando eles entraram no meio da cidade, Ismael,
filho de Netanias, os matou e os lançou num poço, ele e
os homens que estavam com ele.
8 Mas houve dez homens entre eles que disseram a Is-
mael: "Não nos matem, porque temos, no campo, tesou-
ros, trigo, cevada, azeite e mel." E ele por isso os deixou
e não os matou.
9 E o poço em que Ismael lançou todos os cadáveres dos
homens que matou por causa de Gedalias é o mesmo que
o rei Asa havia feito, por causa de Baasa, rei de Israel; foi
esse mesmo poço que Ismael, filho de Netanias, encheu
de mortos.
10 E Ismael levou cativo todo o restante do povo que
estava em Mispa, as filhas do rei, e todo o povo que ti-
nha ficado em Mispa, que Nebuzaradã, chefe da guarda,
havia confiado a Gedalias, filho de Aicão. E Ismael, filho
de Netanias, levou-os como prisioneiros, e atravessou o
território dos filhos de Amom.

Joanã Persegue Ismael

11 Quando Joanã, filho de Careá, e todos os príncipes dos
exércitos que estavam com ele, ficaram sabendo de todo o
mal que Ismael, filho de Netanias, havia feito,
12 pegaram todos os seus homens e foram lutar contra
Ismael, filho de Netanias, e acharam-no junto das grandes
águas que há em Gibeão.
13 E todo o povo que estava com Ismael se alegrou quan-
do viram Joanã, filho de Careá, e todos os oficiais dos
exércitos, que vinham com ele.
14 E todo o povo que Ismael havia levado cativo de Mispa

virou as costas, e voltou, e foi para o lado de Joanã, filho
de Careá.
15 Mas Ismael, filho de Netanias, escapou de Joanã com
oito homens e fugiu para o território dos filhos de Amom.
16 Então Joanã, filho de Careá, e todos os oficiais dos
exércitos que estavam com ele, pegaram todo o restante
do povo que ele havia resgatado de Ismael, filho de Netanias, que havia levado de Mispa, depois de haver matado
Gedalias, filho de Aicão, os homens valentes de guerra, e
as mulheres, os meninos e os eunucos que havia recuperado em Gibeão.
17 E partiram, indo habitar em Gerute-Quimã, que fica
perto de Belém, para dali irem ao Egito,
18 por causa dos caldeus; porque os temiam, pois Ismael,
filho de Netanias, tinha matado Gedalias, filho de Aicão,
a quem o rei da Babilônia havia nomeado governador de
Judá.

Jeremias é Consultado Pelos Príncipes

42 Então chegaram todos os oficiais dos exércitos, e
Joanã, filho de Careá, e Jezanias, filho de Hosaías,
e todo o povo, desde o menor até ao maior,
2 e disseram a Jeremias, o profeta: "Aceite agora a nossa
súplica diante de você, e rogue ao Senhor seu Deus por
nós e por todo este remanescente; porque de muitos restamos uns poucos, como você pode ver:
3 Ore para que o Senhor seu Deus nos ensine o caminho
por onde devemos andar e o que devemos fazer."
4 E o profeta Jeremias respondeu: "Eu ouvi o pedido de
vocês; eu orarei ao Senhor seu Deus conforme as suas
palavras; e seja o que for que o Senhor responder a vocês,
eu declararei a vocês; não ocultarei de vocês nem uma
só palavra."
5 Então eles disseram a Jeremias: "Que o Senhor seja uma
testemunha verdadeira e fiel contra nós, se não fizermos
conforme toda a palavra que o Senhor seu Deus nos disser.
6 Seja ela boa ou má, à voz do Senhor nosso Deus, a
quem pedimos, obedeceremos, para que nos suceda bem,
obedecendo à voz do Senhor nosso Deus."
7 E ao fim de dez dias veio a palavra do Senhor a Jeremias.
8 Então ele chamou Joanã, filho de Careá, e todos os oficiais dos exércitos, que estavam com ele, e todo o povo,
desde o menor até ao maior,
9 e lhes disse: "Assim diz o Senhor, Deus de Israel, a
quem vocês me enviaram, para apresentar a sua súplica
diante dele:
10 'Se vocês ficarem nesta terra, então eu os edificarei
e não os derrubarei; eu os plantarei e não os arrancarei;
porque me pesa o mal que lhes fiz.
11 Não temam o rei da Babilônia, a quem vocês temem;
não o temam', diz o Senhor, 'porque eu estou com vocês,
para os salvar e para os livrar das mãos dele.
12 E concederei misericórdia a vocês, para que ele tenha
misericórdia de vocês e os faça voltarem à sua terra.
13 Mas se vocês disserem: "Não ficaremos nesta terra",
não obedecendo à voz do Senhor seu Deus,
14 dizendo: "Não, preferimos ir à terra do Egito, onde
não veremos guerra, nem ouviremos som de trombeta,
nem teremos fome de pão e ali ficarmos",
15 neste caso ouçam a palavra do Senhor, ó remanescente
de Judá: Assim diz o Senhor dos Exércitos, Deus de Israel:
Se vocês absolutamente propuserem entrar no Egito e entrarem para lá habitar,
16 acontecerá que a espada que vocês temem os alcançará ali na terra do Egito, e a fome que vocês receiam os
seguirá de perto no Egito e ali morrerão.
17 Assim será com todos os homens que tiverem o propósito de entrar no Egito, para lá morarem: Morrerão à
espada, de fome e de peste; não haverá quem reste deles
e escape do mal que eu farei vir sobre eles.
18 Porque assim diz o Senhor dos Exércitos, Deus de Israel: Como se derramou a minha ira e a minha indignação
sobre os habitantes de Jerusalém, assim se derramará a
minha indignação sobre vocês, quando entrarem no Egito; vocês serão objeto de maldição, de espanto, de execração, de vergonha e não verão mais este lugar.'"
19 "O Senhor falou a respeito de vocês, ó remanescente
de Judá! 'Não entrem no Egito'; tenham certeza de que
hoje testifiquei contra vocês.
20 Porque vocês enganam a vocês mesmos, pois me enviaram ao Senhor seu Deus, dizendo: 'Ore por nós ao Senhor nosso Deus e tudo o que disser o Senhor nosso Deus
nos declare, e o faremos.'
21 E lhes tenho declarado hoje mas não deram ouvidos à
voz do Senhor seu Deus, em coisa nenhuma pela qual ele
me enviou a vocês.
22 Agora, pois, saibam por certo que morrerão à espada,
de fome e de peste no mesmo lugar aonde desejam ir para
morarem."

O Conselho de Jeremias é Desprezado

43 E quando Jeremias acabou de falar ao povo todas
as palavras do Senhor seu Deus, com as quais o
Senhor seu Deus lhe havia enviado, para que lhes dissesse
todas estas palavras,
2 então Azarias, filho de Hosaías, Joanã, filho de Careá, e
todos os homens soberbos, disseram a Jeremias: "Você diz
mentiras; o Senhor nosso Deus não o enviou para dizer:
Não entrem no Egito, para ali morarem;
3 Baruque, filho de Nerias, o incita contra nós, para nos

entregar nas mãos dos caldeus, para nos matarem, ou para
nos levarem cativos para a Babilônia."
4 Assim, nem Joanã, filho de Careá, nem os oficiais dos
exércitos, nem o povo todo, obedeceram à voz do Senhor,
para ficarem na terra de Judá.
5 Pelo contrário, Joanã, filho de Careá, e todos os oficiais
dos exércitos reuniram todo o restante de Judá, que havia
voltado dentre todas as nações, para onde haviam sido
lançados, para morarem na terra de Judá;
6 os homens, as mulheres, os meninos, as filhas do rei
e todos que Nebuzaradã, capitão da guarda, deixou com
Gedalias, filho de Aicão, filho de Safã, como também Je-
remias, o profeta, e Baruque, filho de Nerias;
7 e entraram na terra do Egito, porque não obedeceram à
voz do Senhor e chegaram até Tafnes.

Profecia Contra o Egito

8 Então veio a palavra do Senhor a Jeremias, em Tafnes,
dizendo:
9 "Pegue na sua mão algumas pedras grandes e escon-
da-as no barro, no forno que fica na entrada da casa do
Faraó, em Tafnes, perante os olhos dos homens judeus.
10 E diga-lhes: Assim diz o Senhor dos Exércitos, Deus
de Israel: Eis que eu enviarei e pegarei Nabucodonosor,
rei da Babilônia, meu servo, e porei o seu trono sobre
estas pedras que escondi e ele estenderá a sua tenda real
sobre elas.
11 Ele virá e ferirá a terra do Egito, entregando para a
morte quem é para a morte; e quem é para o cativeiro,
para o cativeiro; e quem é para a espada, para a espada.
12 E porá fogo nas casas dos deuses do Egito e os queima-
rá, e os levará cativos; então se vestirá da terra do Egito,
como o pastor veste a sua roupa, e sairá dali em paz.
13 E quebrará as estátuas de Bete-Semes, que está na
terra do Egito e as casas dos deuses do Egito queimará
a fogo."

As Consequências da Idolatria

44 A palavra que veio a Jeremias, a respeito de todos
os judeus, habitantes da terra do Egito, que habita-
vam em Migdol, em Tafnes, em Nofe e na terra de Patros,
dizendo:
2 "Assim diz o Senhor dos Exércitos, Deus de Israel: 'Vo-
cês viram todo o mal que eu trouxe sobre Jerusalém e
sobre todas as cidades de Judá; eis que elas são hoje uma
desolação e ninguém habita nelas;
3 por causa da maldade que fizeram, para me irarem,
indo queimar incenso e servir a deuses estranhos que
nunca conheceram, nem eles, nem vocês, nem seus pais.
4 E eu enviei todos os meus servos, os profetas, a vocês
para lhes dizer: 'Não façam esta coisa abominável que eu
aborreço.'
5 Porém não escutaram, nem inclinaram os seus ouvidos
para se converterem da sua maldade, para não queima-
rem incenso a outros deuses.
6 Por isso a minha indignação se derramou, e a minha ira
acendeu-se nas cidades de Judá e nas ruas de Jerusalém,
e elas se tornaram em deserto e em assolação, como hoje
se vê.'"
7 "Agora, assim diz o Senhor, Deus dos Exércitos, Deus
de Israel: 'Por que vocês fazem tão grande mal contra vo-
cês mesmos, para se eliminarem, o homem e a mulher,
a criança e o que mama, do meio de Judá, a fim de não
deixarem remanescente algum;
8 irando-me com as obras de suas mãos, queimando in-
censo a deuses estranhos na terra do Egito, aonde vocês
entraram para morar; para que a vocês mesmos se elimi-
nassem e para que sirvam de maldição e vergonha entre
todas as nações da terra?
9 Já esqueceram as maldades dos seus pais e as maldades
dos reis de Judá, as maldades das suas mulheres e as suas
maldades, as maldades das suas mulheres, que comete-
ram na terra de Judá e nas ruas de Jerusalém?
10 Não se humilharam até o dia de hoje, nem temeram,
nem andaram na minha lei, nem nos meus estatutos, que
pus diante de vocês e diante dos seus pais.'"

Profecia Contra os Que Fugiram Para o Egito

11 "Portanto assim diz o Senhor dos Exércitos, Deus de
Israel: 'Eis que eu ponho o meu rosto contra vocês para o
mal e para eliminar todo o povo de Judá.
12 E tomarei os que restam de Judá, os que puseram os
seus rostos para entrarem na terra do Egito, para lá morar
e todos eles serão consumidos na terra do Egito; cairão à
espada e de fome morrerão; se consumirão, desde o me-
nor até o maior; à espada e de fome morrerão; servirão
de execração e de espanto, de maldição e de vergonha.
13 Porque castigarei os que moram na terra do Egito,
como castiguei Jerusalém, com a espada, com a fome e
com a peste.
14 De maneira que dos remanescentes de Judá, que en-
traram na terra do Egito, para lá morarem, não haverá
quem escape e fique para voltar à terra de Judá, à qual eles
desejam voltar para nela morarem; porém não voltarão a
não ser alguns fugitivos.'"

A Obstinação dos Judeus

15 Então todos os homens que sabiam que suas mulheres
queimavam incenso a deuses estranhos e todas as mu-
lheres que estavam presentes em grande multidão, como
também todo o povo que habitava na terra do Egito, em
Patros, disseram a Jeremias:
16 "Quanto à palavra que nos anunciou em nome do Se-
nhor, não obedeceremos;

17 antes certamente cumpriremos toda a palavra que saiu da nossa boca, queimando incenso à rainha dos céus e oferecendo-lhe libações, como nós e nossos pais, nossos reis e nossos príncipes, temos feito, nas cidades de Judá e nas ruas de Jerusalém, quando tínhamos fartura de pão e andávamos alegres, e não víamos mal algum.

18 Mas desde que paramos de queimar incenso à rainha dos céus, e de lhe oferecer libações, tivemos falta de tudo e fomos consumidos pela espada e pela fome."

19 E as mulheres disseram: "Quando nós queimávamos incenso à rainha dos céus e lhe oferecíamos libações, será que era sem consentimento de nossos maridos que fizemos bolos para a adorar, e lhe oferecemos libações?"

O Egito Como Sinal

20 Então Jeremias disse a todo o povo, aos homens, às mulheres e a todo o povo que lhe havia dado esta resposta, dizendo:

21 "Quanto ao incenso que queimaram nas cidades de Judá e nas ruas de Jerusalém, vocês e seus pais, seus reis e seus príncipes, como também o povo da terra, por acaso o Senhor não se lembrou disso e não lhe veio isso à mente?

22 O Senhor não podia suportar a maldade das suas ações, as abominações que cometeram por mais tempo; por isso a sua terra se tornou em deserto, em espanto e em maldição, sem habitantes, como hoje se vê.

23 Porque queimaram incenso, porque pecaram contra o Senhor e não obedeceram à voz do Senhor, na sua lei e nos seus testemunhos não andaram, por isso aconteceu este mal a vocês, como se vê neste dia."

24 Jeremias disse mais a todo o povo e a todas as mulheres: "Ouçam a palavra do Senhor, vocês, todo o povo de Judá, que estão na terra do Egito:

25 Assim fala o Senhor dos Exércitos, Deus de Israel: 'Vocês e suas mulheres não somente falaram por sua boca, mas também cumpriram com suas mãos, dizendo: "Certamente cumpriremos os nossos votos que fizemos de queimar incenso à rainha dos céus e de lhe oferecer libações; confirmem, pois, os seus votos e os cumpram."

26 Portanto ouçam a palavra do Senhor, todo o povo de Judá, que habitam na terra do Egito: Eis que eu juro pelo meu grande nome, diz o Senhor, que nunca mais será pronunciado o meu nome pela boca de nenhum homem de Judá em toda a terra do Egito, dizendo: "Juro pelo nome do Senhor Deus."

27 Eis que vigiarei sobre eles para mal e não para bem; e serão consumidos todos os homens de Judá que estão na terra do Egito, pela espada e pela fome, até que de todo se acabem.

28 E os que escaparem da espada voltarão da terra do Egito à terra de Judá, uns poucos; e todo o restante de Judá, que entrou na terra do Egito, para morar ali, saberá se prevalecerá a minha palavra ou a sua.

29 E isto servirá de sinal a vocês, diz o Senhor, que eu castigarei vocês neste lugar, para que saibam que certamente prevalecerão as minhas palavras contra vocês para mal.'

30 Assim diz o Senhor: 'Eis que eu entregarei o Faraó-Hofra, rei do Egito, nas mãos dos seus inimigos e nas mãos dos que procuram matá-lo; como entreguei Zedequias, rei de Judá, nas mãos de Nabucodonosor, rei da Babilônia, seu inimigo, que procurava matá-lo.'"

Mensagem a Baruque

45 A palavra que o profeta Jeremias falou a Baruque, filho de Nerias, quando este escrevia, num livro, estas palavras, da boca de Jeremias, no quarto ano do reinado de Jeoaquim, filho de Josias, rei de Judá, dizendo:

2 "Assim diz o Senhor, Deus de Israel, a respeito de você, Baruque:

3 "Você disse: Ai de mim agora, porque o Senhor acrescentou tristeza sobre minha dor! Estou cansado do meu gemido e não acho descanso.

4 Assim diz o Senhor: Eis que o que eu edifiquei eu derrubo e o que plantei eu arranco, e isso em toda esta terra.

5 E você procura grandezas para você mesmo? Não as procure; porque eis que trarei um mal sobre toda a humanidade, diz o Senhor; porém lhe darei a sua vida como despojo, em todos os lugares para onde for."

Profecia Contra o Egito

46 A palavra do Senhor, que veio ao profeta Jeremias, contra as nações,

2 a respeito do Egito, contra o exército do Faraó-Neco, rei do Egito, que estava junto ao rio Eufrates em Carquemis, que Nabucodonosor, rei da Babilônia, feriu no quarto ano do reinado de Jeoaquim, filho de Josias, rei de Judá:

3 "Preparem o escudo e as couraças e marchem para a batalha.

4 Selem os cavalos e montem, cavaleiros, e se apresentem com elmos; afiem as lanças, se vistam de couraças.

5 Diz o Senhor: Por que razão vejo os medrosos voltando as costas? Os seus valentes estão abatidos e vão fugindo, sem olharem para trás; há terror ao redor.

6 O ligeiro não pode fugir, e o valente não consegue escapar; no lado norte, junto à borda do rio Eufrates, tropeçaram e caíram.

7 Quem é este que vem subindo como o Nilo, cujas águas se movem como os rios?

8 O Egito vem subindo como o Nilo e como rios cujas águas se movem; ele disse: Subirei, cobrirei a terra, destruirei a cidade e os seus moradores.

9 Avancem, cavalos, e estrondem, ó carros, e saiam os

valentes; os etíopes, os do Líbano, que manejam o escudo
e os lídios, que manejam e entesam o arco.
10 Porque este dia é o dia do Senhor Deus dos Exércitos,
dia de vingança, para ele se vingar dos seus adversários; a
espada devorará, se fartará e se embriagará com o sangue
deles; porque o Senhor Deus dos Exércitos tem um sacrifício na terra do Norte, junto ao rio Eufrates.
11 Suba a Gileade e pegue bálsamo, ó virgem filha do
Egito; em vão multiplica remédios, pois já não há cura
para você.
12 As nações ouviram a sua vergonha e a terra está cheia
do seu clamor; porque o valente tropeçou com outro e
ambos caíram juntos."
13 A palavra que o Senhor falou ao profeta Jeremias, a respeito da vinda de Nabucodonosor, rei da Babilônia, para
atacar a terra do Egito.
14 "Anunciem no Egito e façam ouvir isto em Migdol;
façam também ouvi-lo em Nofe, e em Tafnes, dizendo:
Apresente-se e prepare-se, porque a espada já devorou
quem está ao redor de você.
15 Por que foram derrubados os seus valentes? Não puderam manter-se firmes, porque o Senhor os abateu.
16 Multiplicou os que tropeçavam; também caíram uns
sobre os outros e disseram: Levantem-se, e voltemos ao
nosso povo e à terra do nosso nascimento, por causa da
espada que oprime.
17 Clamaram ali: Faraó, rei do Egito, é apenas um barulho; deixou passar o tempo assinalado.
18 Eu Juro, diz o rei, cujo nome é o Senhor dos Exércitos,
que certamente como o Tabor entre os montes e como o
Carmelo junto ao mar, certamente assim ele virá.
19 Prepare os utensílios para ir ao cativeiro, ó moradora,
filha do Egito; porque Nofe será tornada em desolação e
será incendiada, até que ninguém mais aí more.
20 O Egito é uma bezerra muito bonita, mas já vem uma
destruição do Norte.
21 Até os seus mercenários no meio dela são como bezerros cevados, mas também eles viraram as costas, fugiram
juntos e não ficaram firmes, porque vieram sobre eles o
dia da sua ruína e o tempo do seu castigo.
22 A sua voz irá como a da serpente; porque marcharão
com um exército e virão contra ela com machados, como
cortadores de lenha.
23 Cortarão o seu bosque, diz o Senhor, embora seja impenetrável; porque se multiplicaram mais do que os gafanhotos; são inumeráveis.
24 A filha do Egito será envergonhada; será entregue nas
mãos do povo do Norte."
25 Diz o Senhor dos Exércitos, o Deus de Israel: "Eis que
eu castigarei Amom de Nó, o Faraó, o Egito, os seus deuses e os seus reis; o próprio Faraó e os que nele confiam.
26 E os entregarei nas mãos dos que querem a sua morte,
nas mãos de Nabucodonosor, rei da Babilônia, e nas mãos
dos seus servos; mas depois será habitada, como nos dias
antigos", diz o Senhor.
27 "Mas não tema, meu servo Jacó, nem se espante, ó
Israel; porque eis que o livrarei mesmo de longe, como
também a sua descendência da terra do seu cativeiro;
Jacó voltará, descansará, sossegará e não haverá quem o
atemorize.
28 Você não tema, meu servo Jacó, diz o Senhor, porque
estou com você; porque porei limites a todas as nações
entre as quais o enviei; mas a você não darei fim, contudo
o castigarei com justiça, e não o terei por inocente."

Profecia Contra os Filisteus

47 A palavra do Senhor, que veio ao profeta Jeremias
contra os filisteus, antes que o Faraó atacasse Gaza.
2 Assim diz o Senhor: "Eis que se levantam as águas do
Norte e se tornarão em torrente transbordante, alagarão
a terra e sua plenitude, a cidade e os que nela habitam;
e os homens clamarão e todos os moradores da terra se
lamentarão,
3 ao ruído dos cascos dos seus fortes cavalos, ao barulho
dos seus carros, ao estrondo das suas rodas; os pais não
atendem os filhos, por causa da fraqueza das suas mãos;
4 por causa do dia que vem para destruir todos os filisteus, para cortar de Tiro e de Sidom todo o restante que
os poderia socorrer; porque o Senhor destruirá os filisteus,
o remanescente da ilha de Caftor.
5 A calvície veio sobre Gaza, Asquelon foi exterminada,
com o restante do seu vale; até quando se retalharão?
6 Ah, espada do Senhor! Até quando você vai parar? Volte
para a sua bainha, descanse e se aquiete.
7 Mas como pode se aquietar? Pois o Senhor deu ordem
à espada contra Asquelon e contra a praia do mar, para
onde ele a enviou."

Profecia Contra Moabe

48 Contra Moabe, assim diz o Senhor dos Exércitos,
Deus de Israel: "Ai de Nebo, porque foi destruída;
envergonhada está Quiriataim, já está tomada; Misgabe
está envergonhada e desanimada.
2 A glória de Moabe já não existe mais; em Hesbom tramaram mal contra ela, dizendo: 'Venham e a exterminaremos, para que não seja mais nação'; também você, ó
Madmém, será silenciada; a espada a perseguirá.
3 Ouve-se uma voz de clamor de Horonaim; ruína e grande destruição!
4 Está destruída Moabe, seus filhinhos fizeram ouvir um
clamor.

5 Porque pela subida de Luíte eles irão com choro con-
tínuo; pois na descida de Horonaim os adversários de
Moabe ouviram as angústias do grito da destruição.
6 Fujam, salvem a sua vida; sejam como arbusto no
deserto;
7 porque, por causa da sua confiança nas suas obras e nos
seus tesouros, você também será tomada; Quemós sairá
para o cativeiro, com os seus sacerdotes e juntamente
com os seus príncipes.
8 Porque o destruidor virá sobre cada uma das cidades e
nenhuma cidade escapará; perecerá o vale e a campina
será destruída, porque o Senhor o disse.
9 Deem asas a Moabe, porque sairá voando, e as suas
cidades se tornarão em assolação e ninguém morará nelas.
10 Maldito aquele que fizer a obra do Senhor fraudulosa-
mente; maldito aquele que retém a sua espada do sangue.
11 Moabe esteve descansado desde a sua mocidade, re-
pousou nas suas fezes e não foi mudado de vasilha para
vasilha, nem foi para o cativeiro; por isso conservou o seu
sabor e o seu cheiro não se alterou.
12 Portanto, eis que vêm dias", diz o Senhor, "em que
lhe enviarei derramadores que o derramarão; despejarão
as suas vasilhas e romperão os seus odres.
13 E Moabe terá vergonha de Quemós como a casa de
Israel se envergonhou de Betel, sua confiança.
14 Como dirão: 'Somos valentes e homens fortes para
a guerra?'
15 Moabe está destruído e fugiu das suas cidades, e os
seus jovens escolhidos desceram à matança, diz o Rei,
cujo nome é o Senhor dos Exércitos.
16 Está prestes a vir a calamidade de Moabe; apressa-se
muito a sua aflição.
17 Tenham pena dele todos os que estão ao seu redor e
todos os que sabem o seu nome digam: 'Como se quebrou
a vara forte, o cajado formoso?'
18 Desça da sua glória e assente-se em terra seca, ó mo-
radora, filha de Dibom; porque o destruidor de Moabe
subiu contra você e desfez as suas fortalezas.
19 Ponha-se no caminho e espie, ó moradora de Aroer;
pergunte a quem vai fugindo; e a quem escapou diga: 'O
que aconteceu?'
20 Moabe está envergonhado, porque foi destruído; la-
mentem e gritem; anunciem em Arnom que Moabe está
destruído.
21 Também o julgamento veio sobre a terra da campina;
sobre Holom, sobre Jaza, sobre Mefaate,
22 sobre Dibom, sobre Nebo, sobre Bete-Diblataim,
23 sobre Quiriataim, sobre Bete-Gamul, sobre
Bete-Meom,
24 sobre Queriote e sobre Bozra; e até sobre todas as cida-
des da terra de Moabe, as de longe e as de perto.
25 O poder de Moabe foi cortado e o seu braço foi que-
brantado", diz o Senhor.
26 "Embriaguem-no, porque contra o Senhor se engran-
deceu; Moabe se revolverá no seu vômito e ele também
se tornará objeto de escárnio.
27 Pois Israel também não foi objeto de escárnio? Por aca-
so foi achado entre ladrões, para que sempre que alguém
fale dele, salte de alegria?
28 Deixem as cidades e morem no rochedo, ó moradores
de Moabe; sejam como a pomba que se aninha nos lados
da boca da caverna.
29 Ouvimos falar da soberba de Moabe, que ele é muito
soberbo; ouvimos falar também da sua arrogância, da sua
vaidade, da sua altivez e do seu orgulhoso coração.
30 Eu conheço a sua arrogância", diz o Senhor, "mas isso
não é nada; as suas arrogâncias nada farão.
31 Por isso, vou chorar por Moabe, sim, gritarei por todo
o Moabe; pelos homens de Quir-Heres lamentarei;
32 com o choro de Jazer o chorarei, ó videira de Sibma; os
seus ramos passaram o mar, chegaram até ao mar de Jazer;
porém o destruidor caiu sobre os seus frutos do verão e
sobre as suas uvas.
33 Foram tiradas a satisfação e a alegria do campo fértil e
da terra de Moabe; porque fiz cessar o vinho nos lagares;
já não pisarão as uvas com gritos de alegria, e os gritos não
serão gritos de alegria.
34 O grito de Hesbom é ouvido em Eleale e Jaaz, e de
Zoar dão gritos até Horonaim e Eglate-Selisia; porque até
as águas do Ninrim secaram.
35 E farei desaparecer de Moabe, diz o Senhor, quem sa-
crifique nos altos e queime incenso aos seus deuses.
36 Por isso o meu coração ressoa como flauta por Moabe,
também o meu coração ressoa como flauta pelos ho-
mens de Quir-Heres; pois a abundância que ajuntaram se
perdeu.
37 Porque toda cabeça será raspada e toda barba será cor-
tada; sobre todas as mãos haverá incisões, e sacos sobre
as costas.
38 Sobre todos os telhados de Moabe e nas suas ruas ha-
verá um pranto geral; porque quebrei Moabe, como a um
vaso que não agrada", diz o Senhor.
39 "Como está quebrado! Como gritam! Como Moabe
virou as costas envergonhado! Assim Moabe será objeto
de escárnio e de espanto, para todos que estão ao redor
dele."
40 Porque assim diz o Senhor: "Eis que uma nação voará
como a águia e estenderá as suas asas contra Moabe.
41 As cidades serão tomadas e as fortalezas ocupadas; na-

quele dia o coração dos valentes de Moabe será como o
coração da mulher que está com dores de parto.
42 E Moabe será destruído, para que não seja povo; porque se engrandeceu contra o Senhor.
43 Temor, cova e armadilha vêm sobre vocês, ó moradores de Moabe", diz o Senhor.
44 "E quem fugir do temor, cairá na cova e quem sair da cova, ficará preso na armadilha; porque trarei sobre ele, sobre Moabe, o ano do seu castigo", diz o Senhor.
45 Os que fugiam, sem forças pararam à sombra de Hesbom; pois saiu fogo de Hesbom e a labareda do meio de Siom, e devorou o canto de Moabe e o alto da cabeça dos homens turbulentos.
46 Ai de você, Moabe! O povo de Quemós pereceu; porque os seus filhos e as suas filhas foram levados para o cativeiro.
47 Mas nos últimos dias farei voltarem os cativos de Moabe", diz o Senhor. Aqui termina o juízo sobre Moabe.

Profecia Contra Amom

49 Contra os filhos de Amom, assim diz o Senhor:
"Por acaso Israel não tem filhos, nem tem herdeiro? Por que Malcã herdou Gade e o seu povo habitou nas suas cidades?
2 Portanto, eis que vêm dias", diz o Senhor, "em que farei ouvir em Rabá, dos filhos de Amom, o alarido de guerra, ele se tornará um montão de ruínas, os lugares da sua jurisdição serão queimados a fogo, então Israel expulsará aos que o expulsaram", diz o Senhor.
3 "Lamente, ó Hesbom, porque Ai foi destruída; clamem, ó filhas de Rabá, vistam-se de roupas de panos de sacos, lamentem e deem voltas por entre as muralhas; porque Malcã irá para o cativeiro, junto com os seus sacerdotes e os seus príncipes.
4 Por que você se gloria nos vales, nos seus férteis vales, ó filha rebelde, que confia nos seus tesouros, dizendo: 'Quem virá contra mim?'
5 Eis que eu trarei terror sobre você, de todos os lados, diz o Senhor dos Exércitos, e serão dispersos, cada um em uma direção, e ninguém conseguirá reunir os fugitivos.
6 Mas depois disto farei voltarem os cativos dos filhos de Amom", diz o Senhor.

Profecia Contra Edom

7 A respeito de Edom, assim diz o Senhor dos Exércitos:
"Por acaso não há mais sabedoria em Temã? Pereceu o conselho dos sábios? Corrompeu-se a sabedoria deles?
8 Fujam, voltem, busquem cavernas para morar, ó moradores de Dedã, porque eu trarei sobre ele a ruína de Esaú, no tempo em que o castiguei.
9 Se os colhedores de uvas viessem a você, não deixariam alguns cachos? Se ladrões viessem de noite, não roubariam o que desejassem?
10 Mas eu despi Esaú, descobri os seus esconderijos e ele não poderá se esconder; foi destruída a sua descendência, como também os seus irmãos e os seus vizinhos, e ele já não existe.
11 Deixe os seus órfãos, que eu os guardarei em vida; confiem as suas viúvas em mim.
12 Porque assim diz o Senhor: Os que não estavam condenados a beber do copo, totalmente o beberão e você ficaria inteiramente impune? Não ficará impune, mas certamente o beberá.
13 Porque por mim mesmo jurei", diz o Senhor, "que Bozra servirá de espanto, de vergonha, de assolação e de maldição; todas as suas cidades se tornarão em desolações perpétuas."
14 Ouvi notícias vindas do Senhor, que um mensageiro foi enviado às nações para lhes dizer: "Reúnam-se, venham contra ela e preparem-se para a guerra.
15 Porque fiz você pequeno entre as nações, desprezado entre os homens.
16 Quanto ao terror que você inspira, a arrogância do seu coração o engana, você que mora nas cavernas das rochas, que ocupa as alturas dos montes; ainda que eleve o seu ninho como a águia, de lá o derrubarei", diz o Senhor.
17 "Assim Edom servirá de desolação; todos que passarem por ela se espantarão e zombarão por causa de todas as suas pragas.
18 Será como a destruição de Sodoma e Gomorra e dos seus vizinhos", diz o Senhor: "Não habitará ninguém ali, nem morará nela homem nenhum.
19 Eis que, como o leão, ele subirá da enchente do Jordão contra a morada do forte; porque num momento eu o farei correr dali; e quem é o escolhido que porei sobre ela? Pois quem é semelhante a mim? E quem me fixará o tempo? E quem é o pastor que subsistirá perante mim?
20 Portanto, ouçam a sentença do Senhor, que ele decretou contra Edom e os planos que ele fez contra os moradores de Temã: Certamente os menores do rebanho serão arrastados; certamente ele assolará as suas moradas.
21 A terra estremeceu com o estrondo da sua queda e do seu grito, até ao Mar Vermelho se ouviu o som.
22 Eis que ele como águia subirá, voará e estenderá as suas asas contra Bozra; o coração dos valentes de Edom naquele dia será como o coração da mulher que está com dores de parto."

Profecia Contra Damasco

23 A respeito de Damasco: "Envergonharam-se Hamate e Arpade, porque ouviram más notícias, desmaiaram; perturbadas como no mar agitado, que não se pode sossegar.

24 Damasco está enfraquecida; virou as costas para fugir e o tremor a tomou; angústia e dores a tomaram como da mulher que está em trabalho de parto.

25 Como está abandonada a cidade do louvor, a cidade da minha alegria!

26 Portanto os seus jovens cairão nas suas ruas e todos os homens de guerra serão consumidos naquele dia", diz o Senhor dos Exércitos.

27 "E porei fogo nos muros de Damasco que consumirá os palácios de Ben-Hadade."

Profecia Contra Quedar

28 A respeito de Quedar e dos reinos de Hazor, que Nabucodonosor, rei da Babilônia, derrotou, assim diz o Senhor: "Levantem-se, ataquem Quedar e destruam os filhos do Oriente.

29 Eles pegarão as suas tendas, os seus gados, as suas cortinas, todos os seus utensílios e os seus camelos levarão para si e lhes clamarão: 'Há medo por todos os lados.'

Profecia Contra Hazor

30 Fujam, se desviem para muito longe, busquem cavernas para habitar, ó moradores de Hazor", diz o Senhor; "porque Nabucodonosor, rei da Babilônia, tomou uma decisão e formou um plano contra vocês.

31 Levantem-se e ataquem contra uma nação tranquila, que vive sem desconfiar de nada, diz o Senhor, que não tem portas, nem ferrolhos; eles moram isolados.

32 Os seus camelos serão para presa e os seus muitos gados serão levados como despojo; eu os espalharei a todos os ventos, àqueles que estão nos lugares mais distantes, e de todos os seus lados lhes trarei a sua ruína", diz o Senhor.

33 "E Hazor se tornará morada de chacais, em assolação para sempre; ninguém habitará ali, nem morará nela homem nenhum."

Profecia Contra Elão

34 A palavra do Senhor, que veio ao profeta Jeremias, contra Elão, no princípio do reinado de Zedequias, rei de Judá, dizendo:

35 "Assim diz o Senhor dos Exércitos: 'Eis que eu quebrarei o arco de Elão, a fonte do seu poder.

36 E trarei sobre Elão os quatro ventos dos quatro cantos dos céus, e os espalharei na direção de todos estes ventos e não haverá nação aonde não cheguem os fugitivos de Elão.

37 E farei que Elão tema diante de seus inimigos e diante dos que procuram a sua morte; farei vir sobre eles o mal, o furor da minha ira', diz o Senhor, 'e enviarei após eles a espada, até que venha a consumi-los.

38 Porei o meu trono em Elão e destruirei dali o rei e os príncipes', diz o Senhor.

39 'Acontecerá, porém, nos últimos dias, que farei voltar os cativos de Elão', diz o Senhor."

Profecia Contra a Babilônia

50 A palavra que o Senhor falou contra a Babilônia, contra a terra dos caldeus, por intermédio do profeta Jeremias.

2 "Anunciem entre as nações; façam ouvir e levantem um estandarte, façam ouvir, não encubram nada; digam: 'A Babilônia foi tomada, Bel foi humilhado, espatifado está Merodaque, confundidos estão os seus ídolos e quebradas estão as suas imagens.'

3 Porque veio contra ela uma nação do Norte, que fará da sua terra uma solidão e não haverá quem nela habite; tanto os homens como os animais fugiram e se foram.

4 Naqueles dias e naquele tempo", diz o Senhor, "os filhos de Israel virão, eles e os filhos de Judá juntamente; andando e chorando virão e buscarão ao Senhor seu Deus.

5 Perguntarão pelo caminho de Sião, com os seus rostos voltados para lá, dizendo: 'Venham e vamos nos unir ao Senhor, em aliança eterna que nunca será esquecida.'

6 O meu povo tem sido ovelhas perdidas, os seus pastores as fizeram errar, as desviaram para os montes; andaram de monte em monte, e se esqueceram do lugar do seu repouso.

7 Todos os que as achavam as devoravam e os seus adversários diziam: 'Não temos culpa nenhuma, porque pecaram contra o Senhor, a morada da justiça, sim, o Senhor, a esperança de seus pais.'

8 Fujam do meio da Babilônia, saiam da terra dos caldeus e sejam como os bodes diante do rebanho.

9 Porque eu suscitarei e farei subir contra a Babilônia uma congregação de grandes nações da terra do Norte, e se prepararão contra ela; dali ela será tomada; as suas flechas serão como as flechas de um valente herói, nenhuma tornará sem efeito.

10 A Caldeia servirá de presa; todos os que a saquearem se fartarão", diz o Senhor.

11 "Porque se alegraram e se regozijaram, ó saqueadores da minha herança, porque vocês engordaram como novilha no pasto e mugiram como touros.

12 A mãe de vocês será muito confundida, aquela que os deu à luz ficará envergonhada; ela será a última das nações, um deserto, uma terra seca e uma solidão.

13 Por causa do furor do Senhor não será habitada, antes se tornará em total assolação; quem passar pela Babilônia se espantará, zombará por todas as suas pragas.

14 Ponham-se em ordem de batalha ao redor da Babilônia; todos que manejam arcos atirem; não poupem as flechas, porque ela pecou contra o Senhor.

15 Gritem contra ela ao redor, ela já se submeteu; os seus

fundamentos caíram, estão derrubados os seus muros;
porque esta é a vingança do Senhor; vinguem-se dela;
como ela fez com os outros, assim lhe façam.
16 Arranquem da Babilônia quem semeia e quem usa a
foice no tempo da colheita; por causa da espada que aflige,
cada um voltará para o seu povo e cada um fugirá para a
sua terra.

A Restauração de Israel

17 Israel é um Cordeiro desgarrado; os leões o afugenta-
ram; o primeiro a devorá-lo foi o rei da Assíria e por último
Nabucodonosor, rei da Babilônia, lhe quebrou os ossos."
18 Portanto, assim diz o Senhor dos Exércitos, Deus de
Israel: "Eis que castigarei o rei da Babilônia e a sua terra,
como castiguei o rei da Assíria.
19 E farei Israel voltar para a sua morada e ele pastará
no Carmelo e em Basã; matará a sua fome no monte de
Efraim e em Gileade.
20 Naqueles dias e naquele tempo, diz o Senhor, se bus-
cará a maldade de Israel e não será achada, e os pecados
de Judá, mas não se acharão; porque perdoarei os rema-
nescentes que eu deixar.
21 Ataque a terra de Merataim e os moradores de Pecode;
mate e destrua tudo após eles, diz o Senhor, e faça tudo
o que lhe mandei.
22 Há na terra um estrondo de batalha e de grande
destruição.
23 Como foi cortado e quebrado o martelo de toda a ter-
ra! Como a Babilônia se tornou objeto de espanto entre
as nações!
24 Preparei-lhe uma armadilha, ó Babilônia; e você foi
apanhada de surpresa; foi achada e capturada, porque se
opôs ao Senhor.
25 O Senhor abriu o seu depósito e tirou os instrumentos
da sua indignação; porque o Senhor dos Exércitos tem
uma obra a realizar na terra dos caldeus.
26 Venham contra ela dos confins da terra, abram os seus
celeiros; façam dela um monte de ruínas e destruam-na
por completo; não deixem restar nada.
27 Matem todos os seus novilhos, desçam à matança. Ai
deles, porque chegou o seu dia, o tempo do seu castigo!
28 Ouve-se a voz dos que fugiram e escaparam da terra da
Babilônia, para anunciarem em Sião a vingança do Senhor
nosso Deus, a vingança do seu templo.
29 Convoquem contra a Babilônia os flecheiros, todos os
que armam arcos; acampem ao redor dela, não deixem
ninguém escapar dela; lhe paguem conforme a sua obra,
conforme tudo o que fez, façam-lhe; porque ela foi arro-
gante contra o Senhor, contra o Santo de Israel.
30 Portanto, os seus jovens cairão nas suas ruas e todos
os seus homens de guerra serão eliminados naquele dia",
diz o Senhor.
31 "Eis que eu sou contra você, ó soberbo, diz o Senhor
Deus dos Exércitos; porque chegou o seu dia, o tempo em
que o castigarei.
32 Então o soberbo tropeçará, cairá e não haverá nin-
guém que o levante; porei fogo nas suas cidades, que
consumirá todos os seus arredores."

A Redenção de Israel

33 Assim diz o Senhor dos Exércitos: "Os filhos de Israel
e os filhos de Judá foram oprimidos juntamente; todos
os que os levaram cativos os retiveram, não os quiseram
soltar.
34 Mas o seu Redentor é forte, o Senhor dos Exércitos é
o seu nome; certamente pleiteará a causa deles, para dar
descanso à terra e inquietar os moradores da Babilônia.
35 A espada virá sobre os caldeus", diz o Senhor, "e sobre
os moradores da Babilônia, sobre os seus príncipes e sobre
os seus sábios.
36 A espada virá sobre os mentirosos e eles ficarão in-
sensatos; a espada virá sobre os seus valentes e eles
desfalecerão.
37 A espada virá sobre os seus cavalos, sobre os seus car-
ros e sobre toda a mistura de povos, que está no meio
dela; eles ficarão com medo como se fossem mulheres;
a espada virá sobre os seus tesouros e serão saqueados.
38 Virá a seca sobre as suas águas e elas secarão; porque
é uma terra de imagens esculpidas, e pelos seus ídolos os
moradores andam enfurecidos.
39 Por isso, as feras do deserto habitarão nela, com os
animais selvagens das ilhas; também habitarão nela as
avestruzes e nunca mais será povoada, nem será habitada
de geração em geração.
40 Como quando Deus destruiu Sodoma e Gomorra, e
as suas cidades vizinhas", diz o Senhor, "assim ninguém
habitará ali, nem morará nela homem algum.
41 Eis que um povo vem do Norte; uma grande nação e
muitos reis se levantarão dos extremos da terra.
42 Armam-se de arco e lança; eles são cruéis e não têm
piedade; a sua voz bramirá como o mar, e sobre cavalos
cavalgarão, todos postos em ordem como um homem
para a batalha, contra você, ó filha da Babilônia.
43 O rei da Babilônia ouviu a fama deles e as suas mãos
desfaleceram; a angústia se apoderou dele, como da mu-
lher que está em trabalho de parto.
44 Eis que, como o leão, ele subirá da enchente do Jordão
contra a morada forte, porque num momento o farei cor-
rer dali; quem é o escolhido que porei sobre ela? Porque
quem é semelhante a mim e quem me fixará o tempo? E
quem é o pastor que poderá permanecer perante mim?"

45 Portanto ouçam a sentença do Senhor, que ele decre-
tou contra a Babilônia, e os seus planos contra a terra dos
caldeus: "Certamente os menores do rebanho serão arras-
tados; certamente ele assolará as suas moradas."
46 A terra estremeceu com o estrondo da tomada da Babi-
lônia, e o seu grito se ouviu entre as nações.

Juízos de Deus Contra a Babilônia

51 Assim diz o Senhor: "Eis que levantarei um vento
destruidor contra a Babilônia, e contra os seus habi-
tantes que se levantam contra mim.
2 Eu enviarei peneiradores contra a Babilônia, que a pe-
neirarão e despejarão a sua terra; porque virão contra ela
de todos os lados no dia da calamidade.
3 Que o flecheiro arme o seu arco contra quem arma arco
para atacá-lo e contra quem se exalta na sua couraça; não
perdoem os seus jovens; destruam todo o seu exército.
4 E os mortos cairão na terra dos caldeus atravessados
pela espada nas suas ruas.
5 Porque Israel e Judá não foram abandonados pelo seu
Deus, o Senhor dos Exércitos, ainda que a sua terra esteja
cheia de culpas contra o Santo de Israel.
6 Fujam do meio da Babilônia, salvem cada um a sua vida
e não se destruam por causa da maldade dela; porque este
é o tempo da vingança do Senhor; ele lhe dará a recom-
pensa que ela merece.
7 A Babilônia era um copo de ouro nas mãos do Senhor,
que embriagava toda a terra; do seu vinho beberam as
nações, por isso as nações enlouqueceram.
8 De repente a Babilônia caiu e ficou arruinada; lamen-
tem por ela, peguem bálsamo para a sua dor, talvez ela
possa ser curada.
9 'Queríamos curar a Babilônia, porém ela não sarou;
deixem-na e vamos cada um para a sua terra, porque o
seu juízo chegou até ao céu e se elevou até às mais altas
nuvens.
10 O Senhor trouxe a nossa justiça à luz; venham e conte-
mos em Sião a obra do Senhor, nosso Deus.'
11 Agucem as flechas, preparem os escudos; o Senhor
despertou o espírito dos reis da Média; pois o seu propó-
sito é destruir a Babilônia; porque esta é a vingança do
Senhor, a vingança do seu templo.
12 Levantem um estandarte contra os muros da Babilô-
nia, reforcem a guarda, coloquem sentinelas, preparem
uma emboscada; porque, como o Senhor planejou, assim
fez o que tinha falado contra os moradores da Babilônia.
13 Você, que mora sobre muitas águas, rica de tesouros, é
chegado o seu fim, a medida da sua avareza.
14 O Senhor dos Exércitos jurou por si mesmo, dizendo:
Com certeza a encherei de homens, como um enxame de
gafanhotos, e eles gritarão triunfantes sobre você.
15 Ele fez a terra com o seu poder, ordenou o mun-
do com a sua sabedoria e estendeu os céus com o seu
entendimento.
16 Quando ele fez ouvir a sua voz, houve um grande
estrondo de águas nos céus, e ele faz subir os vapores de
toda a terra; ele faz os relâmpagos com a chuva e tira o
vento dos seus tesouros.
17 Todas as pessoas são tolas, ignorantes no seu conhe-
cimento; todo artesão se envergonha da sua imagem de
escultura; porque a sua imagem de fundição é mentira e
nelas não há espírito.
18 São vaidades, obras de enganos; no tempo da sua vi-
sitação perecerão.
19 A porção de Jacó não é semelhante a estes, porque ele
é quem formou tudo; Israel é a tribo da sua herança; o
Senhor dos Exércitos é o seu nome.
20 Babilônia, você é meu machado de batalha e minhas
armas de guerra, e, por meio de você, despedaçarei as
nações, e, por você, destruirei os reis;
21 e, por meio de você, despedaçarei o cavalo e o seu ca-
valeiro; por meio de você, despedaçarei o carro de guerra
e quem vai nele;
22 e, por meio de você, despedaçarei o homem e a mu-
lher; por meio de você, despedaçarei o velho e o moço;
por meio de você, despedaçarei o jovem e a virgem;
23 e, por meio de você, despedaçarei o pastor e o seu re-
banho; por meio de você, despedaçarei o lavrador e a sua
junta de bois; por meio de você, despedaçarei os capitães
e os magistrados.
24 E pagarei à Babilônia e a todos os moradores da Cal-
deia toda a maldade que fizeram em Sião, aos seus olhos",
diz o Senhor.
25 "Estou aqui contra você, ó monte destruidor", diz o
Senhor, "que destrói toda a terra; estenderei a minha mão
contra você e a revolverei das rochas, e farei de você um
monte queimado.
26 E não tomarão de você pedra para esquina, nem pedra
para fundamentos, porque você será uma assolação per-
pétua", diz o Senhor.
27 "Levantem um estandarte na terra, toquem a trom-
beta entre as nações, preparem as nações para lutarem
contra ela, convoquem contra ela os reinos de Ararate,
Mini e Asquenaz; ordenem contra ela um capitão, façam
subir cavalos, como gafanhotos eriçados.
28 Preparem contra ela as nações, os reis da Média, os
seus capitães e todos os seus magistrados, e toda a terra
do seu domínio.
29 Então a terra tremerá e sentirá dores, porque cada um
dos planos do Senhor está firme contra a Babilônia, para
fazer da terra da Babilônia uma desolação, sem habitantes.

30 Os valentes da Babilônia pararam de lutar, ficaram
nas fortalezas, desfaleceu a sua força, tornaram-se como
mulheres, incendiaram as suas moradas, os seus ferrolhos
foram quebrados.
31 Um emissário correrá ao encontro de outro emissário,
e um mensageiro ao encontro de outro mensageiro, para
anunciar ao rei da Babilônia que a sua cidade está tomada
por todos os lados.
32 E os vales dos rios estão ocupados e os canaviais queimados, e os homens de guerra ficaram assombrados."
33 Porque assim diz o Senhor dos Exércitos, o Deus de
Israel: "A filha da Babilônia é como uma eira, o tempo da
colheita logo chegará para ela."
34 Nabucodonosor, rei da Babilônia, devorou-me, colocou-me de lado, fez de mim um vaso vazio, como um
dragão me tragou, encheu o seu ventre das minhas delicadezas, lançou-me fora.
35 Assim dirá a moradora de Sião: 'A violência que se
fez a mim e à minha carne caia sobre a Babilônia; e Jerusalém dirá: 'Que o meu sangue caia sobre os moradores
da Caldeia.'"
36 Portanto, assim diz o Senhor: "Eis que defenderei a
sua causa, e vingarei você, secarei o seu mar e farei que se
esgote o seu manancial.
37 E a Babilônia se tornará um montão de ruínas, morada
de chacais, motivo de espanto e de vaias, sem que haja
quem nela habite.
38 O seu povo ruge e rosna como filhotes de leões.
39 Estando eles excitados, lhes darei a sua bebida e os
embriagarei, para que andem saltando; porém dormirão
um perpétuo sono e não acordarão", diz o Senhor.
40 "E os farei descer como cordeiros à matança, como
carneiros e bodes.
41 Como foi tomada Sesaque e apanhada de surpresa a
glória de toda a terra! Como se tornou a Babilônia objeto
de espanto entre as nações!
42 O mar subiu sobre a Babilônia; com a multidão das
suas ondas se cobriu.
43 As suas cidades tornaram-se em assolação, terra seca
e deserta, terra em que ninguém habita, nem passa ninguém por ela.
44 Castigarei Bel na Babilônia, tirarei da sua boca o que
tragou e as nações nunca mais concorrerão a ele; também
o muro da Babilônia cairá.
45 Saia do meio dela, ó povo meu, e salve cada um a sua
vida do ardor da ira do Senhor.
46 Para que o seu coração não desanime e não tema pelo
rumor que se ouvir na terra; porque virá num ano um
rumor, depois noutro ano outro rumor; haverá violência
na terra, dominador contra dominador.
47 Portanto, eis que vêm dias, em que farei juízo sobre
as imagens de escultura da Babilônia e toda a sua terra
será envergonhada, e todos os seus mortos cairão no meio
dela.
48 E os céus e a terra, com tudo que neles há, se jubilarão
sobre a Babilônia; porque do Norte lhe virão os destruidores, diz o Senhor.
49 Como a Babilônia fez caírem os mortos de Israel, assim
na Babilônia cairão os mortos de toda a terra.
50 Vocês, que escaparam da espada, vão, e não parem;
de longe lembrem-se do Senhor e pensem em Jerusalém.
51 E vocês dirão: 'Estamos envergonhados, porque ouvimos insultos; a vergonha cobriu o nosso rosto, porque
vieram estrangeiros e entraram nos santuários da casa do
Senhor.'
52 Portanto, eis que vêm dias", diz o Senhor, "em que
farei juízo sobre as suas imagens de escultura da Babilônia
e os feridos gemerão em toda a sua terra.
53 Ainda que a Babilônia subisse aos céus, e ainda que
fortificasse no alto a sua fortaleza, ainda assim de mim
virão destruidores sobre ela", diz o Senhor.
54 Da Babilônia se ouve clamor de grande destruição da
terra dos caldeus;
55 Porque o Senhor tem destruído a Babilônia e tem feito
perecer nela a sua grande voz; quando as suas ondas bramam como muitas águas, é emitido o ruído da sua voz.
56 Porque o destruidor vem sobre ela, sobre a Babilônia,
e os seus valentes serão presos; já estão quebrados os seus
arcos, porque o Senhor, Deus das recompensas, certamente lhe retribuirá.
57 E embriagarei os seus príncipes, os seus sábios, os seus
capitães, os seus magistrados e os seus valentes; eles dormirão um sono eterno e não acordarão, diz o Rei, cujo
nome é o Senhor dos Exércitos."
58 Assim diz o Senhor dos Exércitos: "Os largos muros
da Babilônia serão totalmente derrubados e as suas altas
portas serão abrasadas pelo fogo; os povos trabalharão em
vão para apagar o fogo, e se cansarão."

A Profecia Lançada no Rio

59 Esta é a ordem que o profeta Jeremias deu a Seraías,
filho de Nerias, filho de Maaseias, quando ele foi com
Zedequias, rei de Judá, à Babilônia, no quarto ano do seu
reinado. E Seraías era o chefe dos camareiros.
60 Jeremias escreveu num livro todo o mal que viria sobre a Babilônia, todas estas palavras que estavam escritas
contra a Babilônia.
61 E Jeremias disse a Seraías: "Quando você chegar à Babilônia, leia todas estas palavras.
62 Depois diga: Senhor, tu falaste contra este lugar, que o
havias de exterminar, até não ficar nele morador algum,

nem homem nem animal, e que se tornaria em perpétua desolação.

63 E quando você acabar de ler este livro, amarre o livro em uma pedra e o jogue no meio do Eufrates.

64 Então diga: Assim será afundada a Babilônia e ela não se levantará, por causa do mal que eu trarei sobre ela; e os seus moradores sucumbirão." Até aqui são as palavras de Jeremias.

A Rebelião de Zedequias

52 Zedequias tinha vinte e um anos de idade quando começou a reinar, e reinou por onze anos em Jerusalém; o nome de sua mãe era Hamutal, filha de Jeremias, de Libna.

2 E Zedequias fez o que era mau aos olhos do Senhor, conforme tudo o que Jeoiaquim havia feito.

3 Assim, por causa da ira do Senhor contra Jerusalém e Judá, ele os lançou da sua presença, e Zedequias se rebelou contra o rei da Babilônia.

Jerusalém é Sitiada e Tomada

4 E aconteceu que, no ano nono do seu reinado, no décimo mês, no décimo dia do mês, Nabucodonosor, rei da Babilônia, veio contra Jerusalém, ele e todo o seu exército, e acamparam contra ela, e levantaram trincheiras ao redor dela.

5 Assim a cidade ficou cercada até o décimo primeiro ano do reinado de Zedequias.

6 No quarto mês, aos nove dias do mês, quando a fome já prevalecia na cidade e o povo não tinha pão,

7 então foi aberta uma brecha na cidade, e todos os homens de guerra fugiram, saíram da cidade à noite, pelo caminho da porta entre os dois muros, que ficava perto do jardim do rei, porque os caldeus cercavam a cidade, e foram pelo caminho da campina.

8 Mas o exército dos caldeus perseguiu e alcançou o rei Zedequias nas campinas de Jericó, então, todo o seu exército se espalhou, abandonando-o.

9 E prenderam o rei Zedequias e o levaram ao rei da Babilônia, em Ribla, na terra de Hamate, o qual lhe pronunciou a sentença.

10 E o rei da Babilônia degolou os filhos de Zedequias à sua vista, e também degolou todos os príncipes de Judá em Ribla.

11 E cegou os olhos de Zedequias e o prendeu com correntes; e o rei da Babilônia o levou para a Babilônia e o manteve na prisão até o dia da sua morte.

12 E no quinto mês, no décimo dia do mês, que era o décimo nono ano do reinado de Nabucodonosor, rei da Babilônia, Nebuzaradã, capitão da guarda e assistente do rei da Babilônia, veio a Jerusalém.

A Destruição do Templo

13 E queimou a casa do Senhor e a casa do rei; também queimou todas as casas de Jerusalém e todas as casas dos grandes.

14 E todo o exército dos caldeus, que estava com o capitão da guarda, derrubou todos os muros ao redor de Jerusalém.

15 Então os mais pobres e o restante do povo que tinha ficado na cidade, junto com os desertores que haviam passado para o lado do rei da Babilônia, e o restante da população, Nebuzaradã, capitão da guarda, levou presos.

16 Mas dos mais pobres da terra, Nebuzaradã, capitão da guarda, deixou ficar alguns, para serem vinhateiros e lavradores.

17 Os caldeus também quebraram as colunas de bronze que estavam na casa do Senhor, as bases e o mar de bronze, que estavam na casa do Senhor, e levaram todo o bronze para a Babilônia.

18 Também levaram os caldeirões, as pás, as espevitadeiras, as bacias, as colheres e todos os utensílios de bronze com que se ministrava.

19 E o capitão da guarda levou as bacias, os braseiros, as tigelas, os caldeirões, os castiçais, as colheres e os copos; tudo o que era de puro ouro, e o que era de prata maciça.

20 Quanto às duas colunas, o único mar de bronze e os doze bois de bronze, que estavam debaixo das bases, que o rei Salomão havia feito para a casa do Senhor, o peso do bronze de todos estes utensílios era incalculável.

21 Quanto às colunas, a altura de cada uma era de oito metros, e um fio de cinco metros e trinta e cinco centímetros a cercava; elas tinham uma espessura de quatro dedos e eram ocas.

22 E havia sobre elas um capitel de bronze que media dois metros e vinte centímetros de altura cada um; a rede e as romãs ao redor do capitel eram de bronze, e semelhante a esta era a segunda coluna, com as romãs.

23 E havia noventa e seis romãs em cada lado; as romãs todas, ao redor da rede, eram cem.

Os Cativos

24 O capitão da guarda também levou cativos Seraías, o sacerdote-chefe, Sofonias, o segundo sacerdote e os três guardas da porta.

25 E da cidade ele levou um comandante das tropas de guerra e sete homens conselheiros do rei, que ainda estavam na cidade, e o escrivão-chefe do exército, que alistava o povo da terra para a guerra, e sessenta homens do povo que estavam no meio da cidade.

26 Nebuzaradã, capitão da guarda, levou-os ao rei da Babilônia, em Ribla.

27 E o rei da Babilônia os matou em Ribla, na terra de Ha-
mate; assim Judá foi levado cativo para fora de sua terra.
28 Este é o povo que Nabucodonosor levou cativo, no
sétimo ano: Três mil e vinte e três judeus.
29 No décimo oitavo ano do reinado de Nabucodonosor,
ele levou cativas de Jerusalém oitocentas e trinta e duas
pessoas.
30 No vigésimo terceiro ano do reinado de Nabucodo-
nosor, Nebuzaradã, capitão da guarda, levou cativas, dos
judeus, setecentas e quarenta e cinco pessoas; todas as
pessoas foram quatro mil e seiscentas.

A Libertação de Joaquim

31 No trigésimo sétimo ano do cativeiro de Joaquim, rei
de Judá, no décimo segundo mês, aos vinte e cinco dias
do mês, Evil-Merodaque, rei da Babilônia, no primeiro
ano do seu reinado, libertou Joaquim, rei de Judá, e ti-
rou-o do cárcere.
32 Falou com ele bondosamente e lhe deu um lugar de
honra acima dos reis que estavam com ele na Babilônia;
33 e lhe fez mudar as vestes da prisão, e Joaquim passou
a comer pão sempre na presença do rei, todos os dias da
sua vida.
34 E, quanto à sua alimentação, foi-lhe dada refeição con-
tínua do rei da Babilônia, porção cotidiana, no seu dia, até
o dia da sua morte, todos os dias da sua vida.

LAMENTAÇÕES
DE JEREMIAS

A Desolação de Jerusalém

1 Como está solitária aquela cidade, antes tão populosa!
Tornou-se como uma viúva a que foi grande entre as
nações! A que era princesa entre as províncias tornou-se
uma escrava.
2 Chora amargamente de noite e as suas lágrimas lhe cor-
rem pela face; não tem quem a console entre todos os seus
amantes; todos os seus amigos a traíram, e tornaram-se
seus inimigos.
3 Judá foi levada em cativeiro por causa da aflição e por
causa da grande servidão; ela habita entre as nações, não
acha descanso; todos os seus perseguidores a alcançam
entre as suas dificuldades.
4 Os caminhos para Sião pranteiam, porque não há quem
venha à festa solene; todas as suas portas estão desoladas;
os seus sacerdotes suspiram; as suas virgens estão tristes e
ela mesma está em amargura.
5 Os seus adversários tornaram-se chefes, os seus inimigos
prosperam; porque o Senhor a afligiu, por causa da multi-
dão das suas transgressões; os seus filhinhos foram para o
cativeiro na frente do adversário.
6 E da filha de Sião já se foi toda a sua formosura; os
seus príncipes ficaram sendo como corços que não acham
pasto e caminham sem força diante do perseguidor.
7 Lembra-se Jerusalém, nos dias da sua aflição e dos seus
exílios, de todas as suas mais queridas coisas, que teve
desde os tempos antigos; quando o seu povo caía nas
mãos do adversário e não havia quem a socorresse; os
adversários a viram e fizeram escárnio da sua ruína.
8 Jerusalém gravemente pecou, por isso se fez errante;
todos os que a honravam a desprezaram, porque viram a
sua nudez; ela também suspira e volta para trás.
9 A sua impureza está nas suas saias; nunca se lembrou do
seu fim; por isso foi surpreendentemente abatida, não tem
consolador; vê, Senhor, a minha aflição, porque o inimigo
se tem engrandecido.
10 O adversário estendeu a sua mão em todas as coisas
mais preciosas dela; pois ela viu as nações entrarem no
seu santuário, apesar de ter proibido que entrassem na
tua congregação.
11 Todo o seu povo anda suspirando, buscando o pão; de-
ram as suas coisas mais preciosas a troco de mantimento
para restaurarem as forças; vê, Senhor, e contempla, que
sou desprezível.
12 Não os comove isto, a todos vocês que passam pelo
caminho? Vejam, se há dor como a minha dor, que veio
sobre mim, com que o Senhor me afligiu, no dia do furor
da sua ira.
13 Desde o alto enviou fogo a meus ossos, que se apode-
rou deles; estendeu uma rede aos meus pés, me fez voltar
para trás, e me deixou assolada e enferma todo o dia.
14 O jugo das minhas transgressões está atado pela sua
mão; elas estão entretecidas, subiram sobre o meu pesco-
ço e ele abateu a minha força; o Senhor me entregou nas
mãos daqueles a quem não posso resistir.
15 O Senhor atropelou todos os meus valentes que esta-
vam comigo; convocou contra mim uma assembleia, para
esmagar os meus jovens; o Senhor pisou como num lagar
a virgem filha de Judá.
16 Por estas coisas eu ando chorando; os meus olhos se

desfazem em águas; porque o consolador que devia restaurar a minha alma se afastou de mim; os meus filhos estão assolados, porque o inimigo prevaleceu.

17 Sião estende as suas mãos, não há quem a console; o Senhor ordenou a respeito de Jacó que lhe fossem inimigos os que estão ao redor dele; Jerusalém é entre eles como uma mulher imunda.

18 Justo é o Senhor, pois me rebelei contra o seu mandamento; ouvi todos os povos e vejam a minha dor; as minhas virgens e os meus jovens foram levados para o cativeiro.

19 Chamei os meus amantes, mas eles me enganaram; os meus sacerdotes e os meus anciãos morreram na cidade; enquanto buscavam para si mantimento, para restaurarem as suas forças.

20 Olha, Senhor, porque estou angustiada; estou atormentada; o meu coração está transtornado dentro de mim, porque gravemente me rebelei; lá fora a espada me desfilhou, em casa está a morte.

21 Ouvem o meu suspiro, mas não tenho quem me console; todos os meus inimigos que souberam do meu mal se alegram, porque tu o fizeste; mas, em trazendo tu o dia que anunciaste, eles serão como eu.

22 Venha toda a sua maldade diante de ti e faze-lhes como fizeste comigo por causa de todas as minhas transgressões; porque os meus suspiros são muitos e o meu coração está desfalecido.

Jerusalém Destruída

2 Como o Senhor cobriu de nuvens na sua ira a filha de Sião! Derrubou do céu à terra a glória de Israel e não se lembrou do estrado de seus pés, no dia da sua ira.

2 O Senhor devorou todas as moradas de Jacó e não se apiedou; derrubou no seu furor as fortalezas da filha de Judá e abateu-as até à terra; profanou o reino e os seus príncipes.

3 No furor da sua ira cortou toda a força de Israel; retirou para trás a sua mão direita da frente do inimigo e ardeu contra Jacó, como uma labareda de fogo que consome tudo em redor.

4 Armou o seu arco como inimigo, firmou a sua mão direita como adversário e matou tudo o que era formoso à vista; derramou a sua indignação como fogo na tenda da filha de Sião.

5 O Senhor se tornou como inimigo; devorou Israel, devorou todos os seus palácios, destruiu as suas fortalezas e multiplicou na filha de Judá a lamentação e a tristeza.

6 E arrancou o seu tabernáculo com violência, como se fosse uma horta; destruiu o lugar da sua congregação; o Senhor, em Sião, pôs em esquecimento a festa solene e o sábado, e na indignação da sua ira, rejeitou com desprezo o rei e o sacerdote.

7 O Senhor rejeitou o seu altar, detestou o seu santuário; entregou nas mãos do inimigo os muros dos seus palácios; deram gritos na casa do Senhor, como em dia de festa solene.

8 O Senhor resolveu destruir o muro da filha de Sião; estendeu o cordel sobre ele, não retirou a sua mão destruidora; fez gemerem o antemuro e o muro; eles estão enfraquecidos.

9 As suas portas caíram por terra; ele destruiu e quebrou os seus ferrolhos; o seu rei e os seus príncipes estão entre os gentios, onde não há lei, e os seus profetas já não recebem visões do Senhor.

10 Os anciãos da filha de Sião estão sentados na terra, silenciosos; lançam pó sobre as suas cabeças, vestiram roupas de panos de sacos; as virgens de Jerusalém abaixam as suas cabeças até à terra.

11 Com lágrimas já se consumiram os meus olhos, as minhas entranhas estão angustiadas, o meu fígado se derramou pela terra por causa da calamidade da filha do meu povo; pois os meninos e as crianças de peito desfalecem pelas ruas da cidade.

12 Ao desfalecerem, como feridos, pelas ruas da cidade, ao darem o último suspiro nos braços de suas mães, perguntam a elas: "Onde estão o pão e o vinho?"

13 Que testemunho lhe trarei? A quem a compararei, ó filha de Jerusalém? A quem a assemelharei, para a consolar, ó virgem filha de Sião? Porque grande como o mar é a sua calamidade; quem poderá curá-la?

14 Os seus profetas tiveram visões de vaidade e loucura para você, e não manifestaram a sua maldade, para impedirem o seu cativeiro; mas anunciaram para você visões falsas que a levaram ao cativeiro.

15 Todos os que passam pelo caminho batem palmas, assobiam e balançam as suas cabeças sobre a filha de Jerusalém, dizendo: "É esta a cidade que denominavam: Perfeita em formosura, gozo de toda a terra?"

16 Todos os seus inimigos abrem as suas bocas contra você, assobiam, rangem os dentes e dizem: "Nós a destruímos; certamente este é o dia que esperávamos; vivemos até vê-lo chegar."

17 O Senhor fez o que planejou; cumpriu a sua palavra que ordenou desde os dias da antiguidade; derrubou e não se apiedou; fez com que o inimigo se alegrasse por sua causa, exaltou o poder dos seus adversários.

18 O coração deles clamou ao Senhor: Ó muralha da filha de Sião, corram as suas lágrimas como um ribeiro, de dia e de noite; não descanse, que as meninas dos seus olhos não parem de chorar.

19 Levante-se, clame de noite no princípio das vigílias;
derrame o seu coração como águas diante da presença do
Senhor; levante a ele as suas mãos pela vida dos seus filhi-
nhos, que desfalecem de fome à entrada de todas as ruas.
20 Vê, ó Senhor, e considera a quem fizeste assim! As mu-
lheres hão de comer o fruto de si mesmas, as crianças que
trazem nos braços? Ou o sacerdote e o profeta deveriam
matá-las no santuário do Senhor?
21 Os jovens e os velhos jazem por terra pelas ruas, as
minhas virgens e os meus jovens caíram à espada; tu os
mataste no dia da tua ira; mataste e não te apiedaste.
22 Convocaste os meus temores ao redor como num dia
de solenidade; não houve no dia da ira do Senhor quem
escapasse ou ficasse com vida; os filhos que eu carreguei
nas mãos e criei, o meu inimigo os consumiu.

O Lamento de Jeremias

3 Eu sou aquele homem que viu a aflição pela vara do
seu furor.
2 Ele me guiou e me fez andar em trevas e não na luz.
3 Ele fez virar e revirar a sua mão contra mim o dia todo.
4 Fez envelhecerem a minha carne e a minha pele, que-
brou os meus ossos.
5 Edificou contra mim e me cercou de fel e trabalho.
6 Assentou-me em lugares tenebrosos, como os que esta-
vam mortos há muito tempo.
7 Cercou-me de muralhas e não posso sair; agravou os
meus grilhões.
8 Até quando clamo e grito, ele exclui a minha oração.
9 Fechou os meus caminhos com pedras lavradas, fez tor-
tuosas as minhas veredas.
10 Fez-se como um urso de emboscada, um leão no
esconderijo.
11 Desviou os meus caminhos e me fez em pedaços; dei-
xou-me assolado.
12 Armou o seu arco e me pôs como alvo da flecha.
13 Fez entrar nos meus rins as flechas da sua aljava.
14 Fui feito um objeto de escárnio para todo o meu povo
e a sua canção de deboche o dia inteiro.
15 Fartou-me de amarguras, embriagou-me de absinto.
16 Quebrou com cascalho os meus dentes, abaixou-me
na cinza.
17 E afastou da paz a minha alma; me esqueci do bem.
18 Então disse eu: "As minhas forças já acabaram, como
também a minha esperança no Senhor."

A Esperança do Profeta

19 Lembra-te da minha aflição e do meu pranto, do ab-
sinto e do fel.
20 Minha alma certamente disto se lembra e se abate
dentro de mim.
21 Disto me recordarei na minha mente; por isso
esperarei.
22 As misericórdias do Senhor são a causa de não sermos
consumidos, porque as suas misericórdias não têm fim.
23 São novas a cada manhã; grande é a tua fidelidade.
24 A minha porção é o Senhor, diz a minha alma; portan-
to esperarei nele.
25 Bom é o Senhor para os que esperam por ele, para a
alma que o busca.
26 Bom é ter esperança e aguardar em silêncio a salvação
do Senhor.
27 Bom é para o homem suportar o jugo na sua mocidade;
28 assente-se solitário e fique em silêncio; porque Deus
pôs isso sobre ele.
29 Ponha a sua boca no pó; talvez ainda haja esperança.
30 Dê a sua face ao que o fere; farte-se de afronta.
31 Pois o Senhor não rejeitará para sempre.
32 Pois, ainda que entristeça a alguém, usará de compai-
xão, segundo a grandeza das suas misericórdias.
33 Porque não aflige nem entristece de bom grado os fi-
lhos dos homens.
34 Pisar debaixo dos seus pés a todos os presos da terra,
35 perverter o direito do homem perante a face do
Altíssimo,
36 subverter o homem no seu pleito, o Senhor não veria
isto?
37 Quem é aquele que diz e assim acontece, quando o
Senhor não manda?
38 Por acaso da boca do Altíssimo não saem tanto o mal
como o bem?
39 De que o homem se queixa? Queixe-se cada um dos
seus pecados.
40 Examinemos os nossos caminhos e voltemos para o
Senhor.
41 Levantemos os nossos corações com as mãos para
Deus nos céus, dizendo:
42 "Nós transgredimos e fomos rebeldes; por isso tu não
perdoaste.

Os Sofrimentos de Jeremias

43 Tu te cobriste de ira e nos perseguiste; mataste, não
perdoaste.
44 Tu te cobriste de nuvens, para que não passe a nossa
oração.
45 Como escória e refugo nos puseste no meio dos povos.
46 Todos os nossos inimigos abriram contra nós a sua
boca.
47 Temor e armadilha vieram sobre nós, assolação e
destruição."
48 Os meus olhos derramam torrentes de água, por causa
da destruição da filha do meu povo.

49 Os meus olhos choram e não cessam, porque não há
descanso,
50 até que o Senhor atente e veja dos céus.
51 Os meus olhos entristecem a minha alma, por causa de
todas as filhas da minha cidade.
52 Como ave me caçam os que, sem causa, são meus
inimigos.
53 Cortaram-me a vida na masmorra e lançaram pedras
sobre mim.
54 Águas correram sobre a minha cabeça; eu disse: "Estou cortado".

A Oração do Profeta

55 Invoquei o teu nome, Senhor, desde a mais profunda
masmorra.
56 Ouviste a minha voz; não escondas o teu ouvido ao
meu suspiro, ao meu clamor.
57 Tu te aproximaste no dia em que te invoquei; disseste:
"Não temas."
58 Pleiteaste, Senhor, as causas da minha alma, remiste
a minha vida.
59 Viste, Senhor, a injustiça que me fizeram; julga a minha causa.
60 Viste toda a sua vingança, todos os seus pensamentos
contra mim.
61 Ouviste a sua afronta, Senhor, todos os seus pensamentos contra mim.
62 Os lábios dos que se levantam contra mim e os seus
desígnios me são contrários todo o dia.
63 Observa-os ao assentarem-se e ao levantarem-se; eu
sou a sua música.
64 Tu lhes darás recompensa, Senhor, conforme a obra
das suas mãos.
65 Tu lhes darás dureza de coração, maldição tua sobre
eles.
66 Na tua ira os perseguirás e os destruirás de debaixo
dos céus do Senhor.

O Cerco de Jerusalém

4 Como se escureceu o ouro! Como mudou o ouro puro
e bom! Como estão espalhadas as pedras do santuário
sobre cada rua!
2 Os preciosos filhos de Sião, avaliados a puro ouro, agora
são tratados como vasos de barro, obra das mãos do oleiro!
3 Até os chacais abaixam o peito, dão de mamar aos seus
filhotes; mas a filha do meu povo tornou-se cruel como os
avestruzes no deserto.
4 A língua do que mama fica pegada pela sede ao céu da
boca; os meninos pedem pão e ninguém dá a eles.
5 Os que comiam comidas finas agora desfalecem nas
ruas; os que se criaram em carmesim abraçam montes de
lixo.
6 Porque maior é a iniquidade da filha do meu povo do
que o pecado de Sodoma, que foi destruída num momento, sem que mãos a tocassem.
7 Os seus nobres eram mais puros do que a neve, mais
brancos do que o leite, mais vermelhos de corpo do que
os rubis e mais polidos do que a safira.
8 Mas agora escureceu-se o seu aspecto mais do que o
negrume; não são conhecidos nas ruas; a sua pele grudou
nos ossos, secou-se, tornou-se como um pau.
9 Os mortos à espada foram mais felizes do que os mortos
pela fome; porque estes morreram lentamente, por falta
dos frutos dos campos.
10 As mãos das mulheres compassivas cozinharam seus
próprios filhos; eles lhes serviram de alimento na destruição da filha do meu povo.
11 O Senhor deu cumprimento ao seu furor; derramou o
ardor da sua ira e acendeu fogo em Sião, que consumiu os
seus fundamentos.
12 Os reis da terra não acreditavam, nem todos os moradores do mundo, que o adversário e o inimigo entrassem
pelas portas de Jerusalém.
13 Foi por causa dos pecados dos profetas, das maldades
dos seus sacerdotes, que derramaram o sangue dos justos
no meio dela.
14 Vagueiam como cegos nas ruas, andam contaminados
de sangue; de tal modo que ninguém pode tocar nas suas
roupas.
15 "Afastem-se, imundos!" Gritavam-lhes; "afastem-se,
afastem-se, não toquem!" Quando fugiram e também
andaram errantes, dizia-se entre as nações: "Nunca mais
morarão aqui."
16 A face indignada do Senhor os espalhou, ele nunca
mais tornará a olhar para eles; não respeitaram os sacerdotes, nem se compadeceram dos velhos.
17 Os nossos olhos desfaleciam, esperando o nosso vão
socorro; olhávamos atentamente para uma nação que não
nos podia livrar.
18 Espiaram os nossos passos, e não podíamos andar pelas
nossas ruas; está chegado o nosso fim, estão cumpridos os
nossos dias, porque é chegado o nosso fim.
19 Os nossos perseguidores foram mais ligeiros do que
as águias dos céus; sobre os montes nos perseguiram, no
deserto nos armaram ciladas.
20 O fôlego das nossas narinas, o ungido do Senhor, foi
preso nas suas covas; dele dizíamos: "Debaixo da sua sombra viveremos entre as nações."
21 Regozije-se e alegre-se, ó filha de Edom, que habita na
terra de Uz; o cálice passará também para você; se embebedará e se descobrirá.
22 O castigo da sua maldade está consumado, ó filha de

Sião; ele nunca mais o levará para o cativeiro; ele visitará a
sua maldade, ó filha de Edom, descobrirá os seus pecados.

A Súplica Intercessória

5 Lembra-te, Senhor, do que nos tem acontecido; consi-
dera e olha a nossa desgraça.
2 A nossa herança passou a estrangeiros e as nossas casas
a forasteiros.
3 Órfãos somos sem pai, nossas mães são como viúvas.
4 A nossa água que bebemos temos que comprar, por di-
nheiro vem a nossa lenha.
5 Os nossos perseguidores estão sobre os nossos pescoços;
estamos cansados e não temos descanso.
6 Aos egípcios e aos assírios estendemos as mãos para nos
fartarem de pão.
7 Nossos pais pecaram e já não existem; e nós recebemos
o castigo pelas suas maldades.
8 Servos dominam sobre nós; não há quem nos livre da
sua mão.
9 Com perigo de nossas vidas trazemos o nosso pão, por
causa da espada do deserto.
10 Nossa pele se queimou como um forno, por causa do
ardor da fome.
11 Violentaram as mulheres em Sião, as virgens nas ci-
dades de Judá.
12 Os príncipes foram enforcados pelas mãos deles; as
faces dos velhos não foram reverenciadas.
13 Os jovens foram obrigados a moer e os meninos caíram
debaixo das cargas de lenha.
14 Os velhos já não estão mais às portas, os jovens já dei-
xaram a sua música.
15 Cessou o gozo de nosso coração; converteu-se em la-
mentação a nossa dança.
16 Caiu a coroa da nossa cabeça; ai de nós! Porque
pecamos.
17 Por isso desfaleceu o nosso coração, por isso se escure-
ceram os nossos olhos.
18 Pelo monte de Sião, que está assolado, andam as
raposas.
19 Tu, Senhor, permaneces eternamente e o teu trono
subsiste de geração em geração.
20 Por que te esquecerias de nós para sempre? Por que
nos desampararias por tanto tempo?
21 Converte-nos a ti, Senhor, e seremos convertidos; re-
nova os nossos dias como antes.
22 Mas tu nos rejeitaste totalmente. Tu estás muito enfu-
recido contra nós.

EZEQUIEL

O Chamado de Ezequiel

1 No trigésimo ano, no quarto mês, no quinto dia do mês,
quando eu estava no meio dos cativos, junto ao rio Que-
bar, se abriram os céus e eu tive visões de Deus.
2 No quinto dia do mês, no quinto ano do cativeiro do
rei Joaquim,
3 veio expressamente a palavra do Senhor a Ezequiel, fi-
lho de Buzi, o sacerdote, na terra dos caldeus, junto ao rio
Quebar, e ali a mão do Senhor esteve sobre ele.

Visão dos Querubins

4 Olhei, e um vento tempestuoso vinha do Norte, uma
grande nuvem, com um fogo revolvendo-se nela e um res-
plendor ao redor, e no meio dela havia uma coisa, cor de
âmbar, que saía do meio do fogo.
5 E do meio dela saía algo semelhante a quatro seres vi-
ventes. E esta era a sua aparência: Tinham a semelhança
de homem.
6 E cada um tinha quatro rostos, e também cada um deles
quatro asas.
7 E os seus pés eram pés direitos; as plantas dos seus pés
eram como a planta do pé de uma bezerra e brilhavam
como cobre polido.
8 E tinham mãos de homem debaixo das suas asas, dos
quatro lados; assim todos os quatro tinham seus rostos e
suas asas.
9 Uniam-se as suas asas uma à outra; não se viravam quan-
do andavam e cada um andava para a frente.
10 E a semelhança dos seus rostos era como o rosto de
um homem; do lado direito todos os quatro tinham rosto
de leão, e, do lado esquerdo, todos tinham rosto de boi;
também todos tinham rosto de águia.
11 Assim eram os seus rostos. As suas asas estavam es-
tendidas por cima; cada um tinha duas asas juntas uma à
outra e duas cobriam os seus corpos.
12 E cada um andava para a sua frente; para onde o espí-
rito havia de ir, iam; e não se viravam quando andavam.
13 E, quanto à semelhança dos seres viventes, o seu as-
pecto era como ardentes brasas de fogo, com uma aparên-

cia de lâmpadas; o fogo subia e descia por entre os seres viventes, e o fogo resplandecia, e do fogo saíam relâmpagos.
14 E os seres viventes iam e vinham, à semelhança de um clarão de relâmpago.

Visão das Quatro Rodas

15 E vi os seres viventes; e havia uma roda sobre a terra junto aos seres viventes, uma para cada um dos quatro rostos.
16 O aspecto das rodas e a estrutura delas eram cor de turquesa; as quatro tinham uma mesma semelhança e o seu aspecto e estrutura eram como se estivesse uma roda no meio de outra roda.
17 Quando elas andavam, andavam pelos seus quatro lados; não se viravam quando andavam.
18 E os seus aros eram tão altos que faziam medo; estas quatro rodas tinham os seus aros cheios de olhos ao redor.
19 E, quando os seres viventes andavam, as rodas andavam ao lado deles; e quando os seres viventes se elevavam, as rodas também se elevavam.
20 Para onde o espírito queria ir, eles iam; para onde o espírito tinha de ir, as rodas se elevavam junto com eles, porque o espírito do ser vivente estava nas rodas.
21 Quando eles andavam, elas também andavam e, quando eles paravam, elas também paravam e, quando eles se elevavam da terra, as rodas também se elevavam com eles; porque o espírito do ser vivente estava nas rodas.
22 E sobre as cabeças dos seres viventes havia uma semelhança de firmamento, com a aparência de cristal brilhante, estendido por cima, sobre as suas cabeças.
23 E debaixo do firmamento estavam as suas asas direitas uma em direção à outra; cada um tinha duas, que lhe cobriam o corpo de um lado, e cada um tinha outras duas asas, que o cobriam do outro lado.
24 E, quando eles andavam, ouvi o ruído das suas asas, como o ruído de muitas águas, como a voz do Onipotente, um som de tumulto como o barulho de um exército; quando eles paravam, abaixavam as suas asas.
25 E ouviu-se uma voz vinda do firmamento, que estava por cima das suas cabeças; quando eles paravam, abaixavam as suas asas.

Visão da Glória de Deus

26 E por cima do firmamento, que estava por cima das suas cabeças, havia algo semelhante a um trono que parecia de pedra de safira, e, sobre esta espécie de trono, havia uma figura semelhante a um homem.
27 E vi que ela tinha a cor de âmbar, como um fogo pelo interior dele e ao redor, desde a sua cintura e daí para cima; desde a sua cintura e daí para baixo; vi que ela era como fogo e havia um resplendor ao redor dela.
28 Como o aspecto do arco que aparece na nuvem no dia da chuva, assim era o resplendor ao redor. Esta era a aparência da glória do Senhor; vendo isto, caí sobre o meu rosto e ouvi a voz de quem falava.

A Comissão do Profeta

2 E esta voz me disse: "Filho do homem, ponha-se em pé e falarei com você."
2 Então o Espírito entrou em mim; quando ele falava comigo e me pôs em pé, então ouvi o que me falava.
3 E ele me disse: "Filho do homem, eu o envio aos filhos de Israel, às nações rebeldes que se rebelaram contra mim; eles e seus pais transgrediram contra mim até este dia de hoje.
4 E os filhos são rebeldes e obstinados; eu vou enviá-lo a eles e você lhes dirá: Assim diz o Senhor Deus.
5 E eles, quer ouçam, quer deixem de ouvir, porque eles são casa rebelde, saberão que um profeta esteve no meio deles.

Instruções ao Profeta

6 E você, ó filho do homem, não tenha medo deles, nem das suas palavras; ainda que estejam contigo sarças e espinhos e você habite entre escorpiões, não tema as palavras deles, nem se assuste com os seus semblantes, porque são casa rebelde.
7 Mas você lhes dirá as minhas palavras, quer ouçam, quer deixem de ouvir, pois eles são rebeldes.
8 Mas você, ó filho do homem, ouça o que eu lhe falo, não seja rebelde como a casa rebelde; abra a sua boca e coma o que eu lhe dou."

O Rolo

9 Então olhei e uma mão se estendia para mim, e nela havia um rolo de livro.
10 E estendeu-o diante de mim, e ele estava escrito por dentro e por fora; nele estavam escritas lamentações, suspiros e ais.

Ezequiel Come o Rolo

3 Depois me disse: "Filho do homem, coma este rolo, então vá e fale à casa de Israel."
2 Então abri a minha boca e ele me deu o rolo para comer.
3 E me disse: "Filho do homem, coma e encha o seu estômago com este rolo que eu lhe dou." Então o comi e era doce como o mel.
4 E disse-me ainda: "Filho do homem, vá, entre na casa de Israel e diga-lhes as minhas palavras.
5 Porque você não é enviado a um povo de fala estranha, nem de língua difícil, mas à casa de Israel.
6 Você não está sendo enviado a muitos povos de fala estranha e de língua difícil, cujas palavras não possa entender; se eu a esses o enviasse, certamente lhe dariam ouvidos.
7 Mas a casa de Israel não vai querer ouvi-lo, porque não

querem dar ouvidos a mim; pois toda a casa de Israel é
obstinada e endurecida.
8 Eis que fiz duro o seu rosto contra os rostos deles e forte
a sua fronte contra a fronte deles.
9 Fiz como diamante a sua fronte, mais forte do que a
pederneira; não os tema, nem se assombre com os seus
rostos, porque são casa rebelde."
10 Disse-me mais: "Filho do homem, receba no seu cora-
ção todas as minhas palavras que lhe direi e ouça-as com
muita atenção.
11 Vá falar com os exilados, os filhos do seu povo, então
lhes fale e lhes diga: Assim diz o Senhor Deus, quer ou-
çam, quer deixem de ouvir."
12 Então o Espírito me levantou e eu ouvi por detrás de
mim uma voz de grande estrondo, que dizia: "Bendita seja
a glória do Senhor, desde o seu lugar."
13 E ouvi o ruído das asas dos seres viventes, que tocavam
umas nas outras, o ruído das rodas e o som de um grande
estrondo.
14 Então o espírito me levantou e me levou; e eu fui amar-
gurado, na indignação do meu espírito, porém a mão do
Senhor era forte sobre mim.
15 E fui a Tel-Abibe, aos exilados, que moravam junto ao
rio Quebar e eu morava onde eles moravam; fiquei ali por
sete dias, assustado no meio deles.

A Obrigação do Profeta

16 Ao fim de sete dias, veio a palavra do Senhor a mim,
dizendo:
17 "Filho do homem: Eu o coloquei como sentinela sobre
a casa de Israel e você da minha boca ouvirá a palavra e os
avisará da minha parte.
18 Quando eu disser ao ímpio: Certamente morrerá, e
você não o avisar, nem falar para avisar o ímpio do seu
mau caminho, para salvar a sua vida, aquele ímpio mor-
rerá na sua iniquidade, mas o seu sangue, da sua mão o
requererei.
19 Mas, se avisar o ímpio e ele não se converter da sua
impiedade e do seu mau caminho, ele morrerá na sua ini-
quidade, mas você livrou a sua vida.
20 Semelhantemente, quando o justo se desviar da sua
justiça e cometer a iniquidade, e eu puser diante dele um
tropeço, ele morrerá: Porque você não o avisou, no seu
pecado morrerá; suas justiças, que tiver praticado, não se-
rão lembradas, mas o seu sangue, da sua mão o requererei.
21 Mas, avisando você o justo, para que não peque, e ele
não pecar, certamente ele viverá; porque foi avisado e você
livrou a sua vida."
22 E a mão do Senhor estava sobre mim ali e ele me disse:
"Levante-se, vá até o vale e ali falarei com você."
23 E levantei-me, fui ao vale, e a glória do Senhor estava
ali, como a glória que vi junto ao rio Quebar; e caí sobre
o meu rosto.

A Mudez do Profeta

24 Então entrou em mim o Espírito, me pôs em pé, falou
comigo e me disse: "Entre, tranque-se dentro da sua casa.
25 E quanto a você, ó filho do homem, eis que porão
cordas sobre você e o amarrarão com elas; e você não sairá
para o meio do povo.
26 E eu farei que a sua língua se pegue ao céu da sua boca
e você ficará mudo, e não lhes servirá de repreendedor;
porque eles são casa rebelde.
27 Mas, quando eu falar com você, abrirei a sua boca e
você lhes dirá: Assim diz o Senhor Deus: Quem quer ouvir
que ouça, e quem quer deixar de ouvir, que deixe; porque
eles são casa rebelde.

Profecias Contra Judá

4 Você, ó filho do homem, pegue um tijolo e ponha-o
diante de você, e desenhe nele a cidade de Jerusalém.
2 E desenhe contra ela um cerco e edifique contra ela uma
fortificação; levante contra ela uma trincheira, ponha con-
tra ela rampas e torres de ataque, acampamento e aríetes
ao redor dela.
3 E você pegue uma panela de ferro, e coloque-a como
muro de ferro entre você e a cidade; dirija para ela o seu
rosto e assim ela será cercada, e você a cercará; isto servirá
de sinal à casa de Israel.
4 Você também se deite sobre o seu lado esquerdo e po-
nha a iniquidade da casa de Israel sobre ele; conforme o
número dos dias que se deitar sobre ele, você levará as
suas iniquidades.
5 Porque eu já fixei os anos da sua iniquidade, conforme
o número dos dias, trezentos e noventa dias, e levará a
iniquidade da casa de Israel.
6 E, quando você tiver cumprido estes dias, torne-se a dei-
tar sobre o seu lado direito e levará a iniquidade da casa de
Judá durante quarenta dias; um dia para cada ano.
7 Dirigirá o seu rosto para o cerco de Jerusalém, com o seu
braço descoberto, e profetizará contra ela.
8 E porei sobre você cordas; assim você não poderá se
virar de um lado para outro, até que se cumpram os dias
do seu cerco.

O Pão de Ezequias

9 E você, pegue trigo, cevada, favas, lentilhas, milho e
aveia, e coloque-os numa vasilha e faça deles pão; confor-
me o número dos dias que você se deitar sobre o seu lado,
trezentos e noventa dias, você comerá isso.
10 E a sua comida, que comerá, terá o peso de duzentos e
quarenta gramas por dia; de tempos em tempos a comerá.
11 Também beberá a água por medida, meio litro por dia;
de tempos em tempos beberá.

12 E o que comer será como bolos de cevada, e os cozi-
nhará sobre o esterco humano, diante dos olhos deles."
13 E disse o Senhor: "Assim comerão os filhos de Israel o
seu pão imundo, entre as nações para onde os lançarei."
14 Então eu disse: "Ah! Senhor Deus! Eis que a minha
alma não foi contaminada, pois desde a minha mocidade
até agora, nunca comi carne do que morrer por si mesmo,
ou que é despedaçado por feras; nem carne abominável
entrou na minha boca."
15 Então ele me disse: "Veja, deixarei que use esterco de
vaca, em lugar de esterco humano, e sobre ele preparará
o seu pão."
16 Disse-me ainda: "Filho do homem, eis que eu quebra-
rei o sustento de pão em Jerusalém, e comerão o pão por
peso e com ansiedade; e a água beberão por medida e com
espanto;
17 para que lhes faltem o pão e a água, e se espantem uns
com os outros, e se consumam nas suas iniquidades.

A Raspagem de Ezequias, Símbolo dos Juízos de Deus

5 E você, ó filho do homem, pegue uma faca afiada,
como navalha de barbeiro, e passe pela sua cabeça
e pela sua barba; então pegue uma balança e reparta os
cabelos.
2 Uma terça parte queime no fogo, no meio da cidade,
quando se cumprirem os dias do cerco; então pegue outra
terça parte e a corte com uma faca ao redor da cidade; e a
outra terça parte espalhe ao vento; porque desembainharei
a espada atrás deles.
3 Também pegue dali uns poucos cabelos e amarre-os nas
bordas da sua roupa.
4 E ainda destes pegue alguns e os lance no meio do fogo,
e deixe que o fogo os queime, e dali sairá um fogo contra
toda a casa de Israel."
5 Assim diz o Senhor Deus: "Esta é Jerusalém; coloquei-a
no meio das nações e das terras que estão ao redor dela.
6 Ela, porém, se rebelou contra os meus juízos, mais do
que as nações, e contra os meus estatutos mais do que as
terras que estão ao redor dela; porque rejeitaram os meus
juízos e os meus estatutos e não andaram neles."
7 Portanto, assim diz o Senhor Deus: "Vocês têm sido
mais rebeldes do que as nações que estão ao redor de vo-
cês, e não andaram nos meus estatutos, nem guardaram
os meus juízos, nem ainda procederam segundo os juízos
das nações que estão ao redor de vocês."
8 Por isso, assim diz o Senhor Deus: "Eis que eu, sim eu,
estou contra você e executarei juízos no meio de você aos
olhos das nações.
9 E farei em você o que nunca fiz e o que jamais farei, por
causa de todas as suas abominações.
10 Portanto, os pais comerão os seus filhos no meio de
você, e os filhos comerão os seus pais; executarei em você
juízos e tudo o que restar de você espalharei a todos os
ventos.
11 Portanto, juro pela minha vida, diz o Senhor Deus, cer-
tamente porque profanou o meu santuário com todas as
suas coisas detestáveis e com todas as suas abominações,
eu também a diminuirei, e os meus olhos não perdoarão
você, e também não terei piedade.
12 Uma terça parte de você morrerá de peste e se consu-
mirá de fome no meio de você; outra terça parte cairá à es-
pada ao redor de você, e a outra terça parte eu espalharei
a todos os ventos e desembainharei a espada atrás deles.
13 Assim se cumprirá a minha ira, e satisfarei neles o meu
furor e me consolarei; então saberão que eu, o Senhor,
tenho falado no meu zelo, quando eu cumprir neles o meu
furor.
14 E a porei em assolação e por objeto de vergonha entre
as nações que estão ao redor de você, aos olhos de todos
os que passarem.
15 E será objeto de vergonha e zombaria, exemplo e es-
panto às nações que estão ao redor de você, quando eu
executar em você juízos com ira, com furor e com terríveis
castigos. Eu, o Senhor, falei.
16 Quando eu enviar as malignas flechas da fome contra
eles, que servirão para destruição, as quais eu mandarei
para destruir vocês, então aumentarei a fome sobre vocês
e lhes cortarei o sustento do pão.
17 E enviarei sobre vocês a fome e as feras que os desfi-
lharão; a peste e o sangue passarão por você e eu trarei a
espada sobre você. Eu, o Senhor, falei."

Profecias Contra Israel

6 E veio a mim a palavra do Senhor, dizendo:
2 "Filho do homem, dirija o seu rosto para os montes
de Israel e profetize contra eles,
3 e diga: Montes de Israel, ouçam a palavra do Senhor
Deus: Assim diz o Senhor Deus aos montes, às colinas,
aos ribeiros e aos vales: Eis que eu, sim eu, trarei a espada
sobre vocês e destruirei os seus lugares altos.
4 E serão assolados os seus altares e quebradas as suas
imagens do sol, e derrubarei os seus mortos, diante dos
seus ídolos.
5 E porei os cadáveres dos filhos de Israel diante dos seus
ídolos; espalharei os seus ossos ao redor dos seus altares.
6 Em todos os seus lugares habitáveis, as cidades serão
destruídas e os lugares altos assolados; para que os seus
altares sejam destruídos e assolados e os seus ídolos se
quebrem e se acabem, para que as suas imagens sejam
cortadas e desfeitas as suas obras.

7 E os mortos cairão no meio de vocês, para que saibam
que eu sou o Senhor.
8 Porém, deixarei um remanescente, para que tenham
entre as nações alguns que escapem da espada, quando
forem espalhados pelas terras.
9 Então os que escaparem dentre vocês se lembrarão de
mim entre as nações para onde foram levados em cati-
veiro; porque eu me entristeci por causa do seu coração
corrompido, que se desviou de mim e por causa dos seus
olhos, que andaram se corrompendo após os seus ídolos;
então terão nojo de vocês mesmos, por causa das malda-
des que fizeram em todas as suas abominações.
10 E saberão que eu sou o Senhor e que não seria sem
motivo que lhes faria este mal."
11 **Assim diz o Senhor Deus:** "Bata com a mão e bata com
o seu pé, e diga: 'Ah!' Por todas as grandes abominações
da casa de Israel! Por isso cairão à espada, de fome e de
peste.
12 Quem estiver longe morrerá de peste e quem estiver
perto cairá à espada; quem restar e ficar cercado morrerá
de fome; assim cumprirei o meu furor sobre eles.
13 Então saberão que eu sou o Senhor, quando os seus
mortos estiverem no meio dos seus ídolos, ao redor dos
seus altares, em todas as colinas elevadas, em todos os
cumes dos montes, debaixo de todas as árvores verdes e
debaixo de todos os carvalhos frondosos, no lugar onde
ofereciam cheiro suave a todos os seus ídolos.
14 E estenderei a minha mão sobre eles e farei a terra de-
solada, mais devastada do que o deserto do lado de Dibla,
em todas as suas habitações; então saberão que eu sou o
Senhor."

A Aproximação do Fim

7 **Depois a palavra do Senhor veio a mim, dizendo:**
2 "Ó filho do homem, assim diz o Senhor Deus a res-
peito da terra de Israel: Vem o fim, o fim vem sobre os
quatro cantos da terra.
3 Agora vem o fim sobre você e eu enviarei sobre você a
minha ira, e os julgarei conforme os seus caminhos e trarei
sobre você todas as suas abominações.
4 E os meus olhos não pouparão você, nem terei piedade
de você, mas porei sobre você os seus caminhos e as suas
abominações estarão no meio de você; então saberão que
eu sou o Senhor."
5 **Assim diz o Senhor Deus:** "Um mal, eis que um só mal
vem.
6 Vem o fim, o fim vem, despertou-se contra você; eis
que vem.
7 A manhã vem para você, ó habitante da terra. Vem o
tempo; chegado é o dia da turbação e não mais o som de
alegria dos montes.
8 Agora depressa derramarei o meu furor sobre você, cum-
prirei a minha ira contra você, o julgarei conforme os seus
caminhos e porei sobre você todas as suas abominações.
9 E os meus olhos não pouparão você, nem terei piedade
de você; conforme os seus caminhos, assim os punirei e as
suas abominações estarão no meio de você; saberão que
eu o Senhor, sou o que firo.
10 Eis aqui o dia, eis que vem; veio a manhã, já floresceu
a vara, já reverdeceu a soberba.
11 A violência se levantou como uma vara punindo a im-
piedade; nada restará deles, nem da sua multidão, nem do
seu rumor, nem haverá lamentação por eles.
12 Vem o tempo, é chegado o dia; quem compra não se
alegre e quem vende não se entristeça; porque a ira arden-
te está sobre toda a multidão deles.
13 Porque quem vende não tornará a possuir o que ven-
deu, ainda que esteja entre os vivos; porque a visão sobre
toda a sua multidão não será revogada, nem ninguém for-
talecerá a sua vida com a sua iniquidade.
14 Já tocaram a trombeta e prepararam tudo, mas não há
quem vá à batalha, porque a minha ardente ira está sobre
toda a sua multidão.
15 Fora está a espada e dentro, a peste e a fome; quem
estiver no campo morrerá à espada, e quem estiver na ci-
dade, a fome e a peste o consumirão.
16 E aqueles que fugirem deles escaparão, mas estarão
pelos montes, como pombas dos vales, todos gemendo,
cada um por causa da sua iniquidade.
17 Todas as mãos se enfraquecerão e todos os joelhos se-
rão débeis como água.
18 E se vestirão de roupas de sacos, e o terror os cobrirá;
sobre todos os rostos haverá vergonha, e todas as suas ca-
beças serão raspadas.
19 Lançarão pelas ruas a sua prata e o seu ouro será re-
movido; nem a sua prata nem o seu ouro poderão livrá-los
no dia do furor do Senhor; eles não saciarão a sua fome,
nem lhes encherão o estômago, porque isto foi o tropeço
da sua iniquidade.
20 E tinham orgulho de suas joias e ornamentos, mas eles
fizeram com elas imagens das suas abominações e coisas
detestáveis; por isso eu lhes fiz coisa imunda.
21 E eu entregarei você por presa, na mão dos estrangei-
ros, e aos ímpios da terra, por despojo; e eles o profanarão.
22 E desviarei deles o meu rosto e profanarão o meu lugar
oculto; porque saqueadores entrarão nele e o profanarão.
23 Faça uma corrente, porque a terra está cheia de crimes
de sangue e a cidade está cheia de violência.
24 E farei vir os piores dentre as nações e possuirão as
suas casas; farei cessar a arrogância dos valentes e os seus
lugares santos serão profanados.

25 Vem a destruição; eles buscarão a paz, mas não há
nenhuma.
26 Miséria sobre miséria virá e se levantará rumor sobre
rumor; então buscarão do profeta uma visão, mas do sacer-
dote se afastará a lei, e dos anciãos, o conselho.
27 O rei lamentará, e o príncipe se vestirá de desespero, e
as mãos do povo da terra tremerão; lhes farei conforme o
seu caminho e conforme os seus merecimentos os julgarei;
então, saberão que eu sou o Senhor."

A Visão da Profanação do Templo

8 No sexto ano, no sexto mês, no quinto dia do mês,
eu estava sentado na minha casa, e os anciãos de Judá
estavam sentados diante de mim, e ali a mão do Senhor
Deus caiu sobre mim.
2 Olhei e vi uma figura que parecia um homem; da cintu-
ra para baixo era fogo e, da cintura para cima, seu aspecto
era como o brilho do bronze.
3 E estendeu o que parecia uma mão e pegou-me pelos
cabelos da minha cabeça, então o Espírito me levantou
entre a terra e o céu e levou-me a Jerusalém em visões de
Deus, até à entrada da porta do pátio de dentro, que dá
para o Norte, onde estava o assento da imagem do zelo,
que provoca o ciúme de Deus.
4 E a glória do Deus de Israel estava ali, conforme o aspec-
to que eu tinha visto no vale.
5 E disse-me: "Filho do homem, levante agora os seus
olhos para o caminho do Norte." E levantei os meus olhos
para o caminho do norte, e vi que, ao Norte da porta do
altar, estava esta imagem de ciúmes na entrada.
6 E ele me disse: "Filho do homem, vê você o que eles es-
tão fazendo? As grandes abominações que a casa de Israel
faz aqui, para que eu me afaste do meu santuário? Mas
ainda tornará a ver abominações maiores."
7 E levou-me à porta do átrio; então olhei, e eis que havia
um buraco na parede.
8 Então me disse: "Filho do homem, cave agora naquela
parede." E eu cavei na parede, e eis que havia uma porta.
9 Então ele me disse: "Entre, e veja as malignas abomina-
ções que eles fazem aqui."
10 Eu entrei, e olhei, e eis que toda forma de répteis, e ani-
mais abomináveis, e de todos os ídolos da casa de Israel,
estavam pintados na parede em todo o redor.
11 E estavam em pé diante deles setenta homens dos an-
ciãos da casa de Israel, e Jaazanias, filho de Safã, em pé,
no meio deles, e cada um tinha na mão o seu incensário; e
subia uma espessa nuvem de incenso.
12 Então me disse: "Viu, filho do homem, o que os an-
ciãos da casa de Israel fazem nas trevas, cada um nas suas
câmaras pintadas de imagens? Pois dizem: 'O Senhor não
nos vê; o Senhor abandonou a terra.'"
13 E também me disse: "Ainda verá maiores abominações
que eles fazem."
14 E levou-me à entrada da porta da casa do Senhor, que
está do lado norte, e eis que estavam ali mulheres assenta-
das chorando a Tamuz.
15 E ele me disse: "Vê isto, filho do homem? Ainda torna-
rá a ver abominações maiores do que estas."
16 E levou-me para o átrio interior da casa do Senhor, en-
tão vi que estavam à entrada do templo do Senhor, entre o
pórtico e o altar, cerca de vinte e cinco homens, de costas
para o templo do Senhor e com os rostos para o Oriente; vi
que eles, virados para o Oriente, adoravam o Sol.
17 Então me disse: "Vê isto, filho do homem? Há por-
ventura coisa mais leviana para a casa de Judá do que tais
abominações que fazem aqui? Havendo enchido a terra
de violência, tornam a me irritar, e eis que eles chegam o
ramo ao seu nariz.
18 Por isso também eu os tratarei com furor; os meus
olhos não pouparão, nem terei piedade; ainda que me gri-
tem aos ouvidos com grande voz, contudo não os ouvirei.

Visão do Massacre de Jerusalém

9 Então ele me gritou aos ouvidos com alta voz, dizendo:
"Traga aqui os guardas da cidade, cada um com as suas
armas destruidoras na mão."
2 E eis que vinham seis homens no caminho da porta su-
perior, que dá para o norte, e cada um com a sua arma des-
truidora na mão, e entre eles um homem vestido de linho,
com um tinteiro de escrivão à sua cintura; eles entraram e
se puseram junto ao altar de bronze.
3 E a glória do Deus de Israel se levantou do querubim,
sobre o qual estava indo até a entrada da casa; e clamou ao
homem vestido de linho, que tinha o tinteiro de escrivão
à sua cintura.
4 E o Senhor lhe disse: "Passe pelo meio da cidade, pelo
meio de Jerusalém, e marque com um sinal as testas dos
homens que suspiram e que gemem, por causa de todas as
abominações que se cometem no meio dela."
5 E aos outros homens ele disse: "Passem pela cidade
após ele, e matem; não tenham piedade, e não poupem
ninguém.
6 Matem velhos, jovens, virgens, meninos e mulheres,
até exterminá-los; mas, todo homem que tiver o sinal, não
cheguem a ele; e comecem pelo meu santuário. E come-
çaram pelos homens mais velhos que estavam diante da
casa."
7 E ele lhes disse: "Contaminem a casa e encham os átrios
de mortos; vão!" Então saíram e mataram na cidade.
8 Enquanto eles matavam, eu fiquei ali sozinho, eu caí
sobre a minha face, clamei e disse: Ah! Senhor Deus! Por

acaso vais destruir todo o restante de Israel, derramando a
tua indignação sobre Jerusalém?
9 Então me disse: "A maldade da casa de Israel e de Judá
é grandíssima, a terra se encheu de sangue e a cidade se
encheu de perversidade; porque dizem: O Senhor abando-
nou a terra e o Senhor não nos vê.
10 Quanto a mim, os meus olhos não terão piedade, nem
me compadecerei; sobre a cabeça deles farei recair o seu
caminho."
11 Eis que o homem que estava vestido de linho, em cuja
cintura estava o tinteiro, voltou com a resposta, dizendo:
"Fiz como me mandaste."

A Visão dos Querubins e o Incêndio de Jerusalém

10 Depois olhei e vi que no firmamento, que estava por
cima da cabeça dos querubins, apareceu sobre eles
algo como uma pedra de safira, semelhante à forma de
um trono.
2 E falou ao homem vestido de linho, dizendo: "Vá por
entre as rodas, até debaixo do querubim, e encha as suas
mãos de brasas acesas que estão entre os querubins e espa-
lhe-as sobre a cidade." E ele entrou quando eu observava.
3 E os querubins estavam ao lado direito da casa, quando
entrou aquele homem; então uma nuvem encheu o átrio
interior.
4 Então a glória do Senhor se levantou de sobre o que-
rubim indo para a entrada da casa; e a casa se encheu de
uma nuvem, e o átrio se encheu do resplendor da glória
do Senhor.
5 E se ouviu o ruído das asas dos querubins até ao átrio
exterior, como a voz do Deus Todo-Poderoso quando fala.
6 Quando o Senhor ordenou ao homem vestido de linho,
dizendo: "Pegue o fogo entre as rodas, entre os queru-
bins", ele entrou e parou junto às rodas.
7 Então um dos querubins estendeu a sua mão para o fogo
que estava entre os querubins; e pegou algumas brasas e
as pôs nas mãos do homem que estava vestido de linho; o
qual as pegou e saiu.
8 E debaixo das asas dos querubins podia se ver algo que
se parecia com mãos humanas.
9 Então olhei e vi quatro rodas junto aos querubins, uma
roda junto a um querubim e outra roda junto a outro que-
rubim; o aspecto das rodas era como a cor da pedra de
berilo.
10 E quanto ao seu aspecto, as quatro tinham uma mes-
ma semelhança; como se estivesse uma roda no meio da
outra.
11 Quando elas andavam, andavam para os quatro lados
deles; não se viravam quando andavam, mas para onde
o querubim olhava elas seguiam; não se viravam quando
andavam.
12 E todo o seu corpo, as suas costas, as suas mãos, as
suas asas e as rodas que os quatro tinham, estavam cheios
de olhos ao redor.
13 E, quanto às rodas, ouvi que as chamavam giratórias.
14 E cada um tinha quatro rostos; o rosto do primeiro era
rosto de querubim, e o rosto do segundo, rosto de huma-
no, e do terceiro era rosto de leão, e o do quarto, rosto
de águia.
15 E os querubins se elevaram ao alto; estes são os mes-
mos seres viventes que vi junto ao rio Quebar.
16 E, quando os querubins andavam, as rodas andavam
junto com eles e, quando os querubins levantavam as suas
asas, para se elevarem da terra, as rodas também não se
separavam deles.
17 Quando eles paravam, as rodas paravam e, quando eles
se elevavam, elas também se elevavam, porque o espírito
do ser vivente estava nelas.
18 Então a glória do Senhor saiu da entrada da casa e
parou sobre os querubins.
19 E os querubins levantaram as suas asas e se elevaram
da terra diante dos meus olhos, e quando saíram as rodas
os acompanhavam, e cada um parou à entrada da porta
oriental da casa do Senhor; e a glória do Deus de Israel
estava em cima sobre eles.
20 Estes são os seres viventes que vi debaixo do Deus de
Israel, junto ao rio Quebar, e percebi que eram querubins.
21 Cada um tinha quatro rostos e quatro asas, e debaixo
das suas asas havia algo parecido com mãos humanas.
22 E a semelhança dos seus rostos era a dos rostos que eu
tinha visto junto ao rio Quebar, seu aspecto e aparência
eram os mesmos e caminhavam direto para a frente.

O Julgamento dos Príncipes

11 Então o Espírito me levantou e me levou à porta
oriental da casa do Senhor, a qual dá para o Oriente,
e vi que estavam à entrada da porta vinte e cinco homens;
no meio deles vi Jaazanias, filho de Azur, e Pelatias, filho
de Benaia, chefes do povo.
2 E disse-me: "Filho do homem, estes são os homens que
planejam perversidade, e dão mau conselho nesta cidade.
3 Eles dizem: Não está próximo o tempo de edificar casas;
esta cidade é o caldeirão e nós somos a carne.
4 Portanto, profetize contra eles; profetize, ó filho do
homem."
5 Então o Espírito do Senhor caiu sobre mim e me disse:
"Fale: Assim diz o Senhor: Assim estão falando, ó casa de
Israel, porque as coisas que vocês estão pensando, eu as
conheço.
6 Vocês multiplicaram os seus mortos nesta cidade e en-
cheram as suas ruas de mortos.
7 Portanto, assim diz o Senhor Deus: Seus mortos, que

deixaram no meio da cidade, estes são a carne e a cidade
é o caldeirão; quanto a vocês, porém, eu os tirarei do meio
da cidade.
8 Vocês temeram a espada, mas trarei a espada sobre vo-
cês", diz o Senhor Deus.
9 "Eu farei vocês saírem do meio dela e entregarei vocês
nas mãos de estrangeiros, então exercerei os meus juízos
entre vocês.
10 Cairão à espada e nos confins de Israel os julgarei; as-
sim saberão que eu sou o Senhor.
11 Esta cidade não servirá a vocês de caldeirão, nem ser-
virão vocês de carne no meio dela; nos confins de Israel
os julgarei.
12 E saberão que eu sou o Senhor, porque não andaram
nos meus estatutos, nem cumpriram os meus juízos, antes
fizeram conforme os juízos das nações que estão ao redor
de vocês."
13 Enquanto eu profetizava, Pelatias, filho de Benaia,
morreu; então caí sobre o meu rosto, clamei com grande
voz e disse: "Ah! Senhor Deus! Porventura tu darás fim ao
remanescente de Israel?"
14 Então veio a mim a palavra do Senhor, dizendo:
15 "Filho do homem, seus irmãos, sim, seus irmãos, os
homens de seu parentesco, e toda a casa de Israel, todos
eles são aqueles a quem os habitantes de Jerusalém disse-
ram: 'Afastem-se para longe do Senhor; esta terra nos foi
dada em herança.'
16 Portanto, diga: Assim diz o Senhor Deus: Ainda que
os tenha lançado para longe entre as nações, e ainda que
os tenha espalhado pelas terras, eu lhes servirei como
um santuário por um breve período, nas terras para onde
forem.
17 Por isso, diga: Assim diz o Senhor Deus: Eu os ajunta-
rei do meio dos povos e os recolherei das terras para onde
foram lançados, e darei a vocês a terra de Israel.
18 E virão ali e tirarão dela todas as suas coisas detestáveis
e todas as suas abominações.
19 Eu lhes darei um só coração e porei um espírito novo
dentro dele; tirarei deles o coração de pedra e lhes darei
um coração de carne,
20 para que andem nos meus estatutos, guardem os meus
juízos e os cumpram; eles serão o meu povo e eu serei o
seu Deus.
21 Mas quem andar atrás de coisas detestáveis e de suas
abominações, eu farei recair sobre as suas cabeças aquilo
que fizerem, diz o Senhor Deus."
22 Então os querubins elevaram as suas asas e as rodas
os acompanhavam, e a glória do Deus de Israel estava em
cima sobre eles.
23 E a glória do Senhor se levantou do meio da cidade, e
se pôs sobre o monte que está ao Oriente da cidade.
24 Depois, o Espírito me levantou e me levou à Caldeia,
para junto dos exilados, em visão, pelo Espírito de Deus; e
saiu de mim a visão que eu havia tido.
25 Então contei aos cativos todas as coisas que o Senhor
havia me mostrado.

A Visão do Exílio

12 E a palavra do Senhor veio a mim, dizendo:
2 "Filho do homem, você mora no meio da casa
rebelde, que tem olhos para ver e não vê, e tem ouvidos
para ouvir e não ouve; porque eles são casa rebelde.
3 Você, pois, ó filho do homem, prepare a bagagem para
mudar, e mude durante o dia aos olhos deles; mudará do
seu lugar para outro lugar aos olhos deles; pode ser que
eles reparem nisso, ainda que eles sejam casa rebelde.
4 Durante o dia, aos olhos deles, tirará para fora as suas
mobílias, como quem vai mudar; então você sairá de
tarde aos olhos deles, como quem está mudando para o
cativeiro.
5 Faça para você, à vista deles, uma abertura na parede e
tire-as para fora, por ali.
6 Aos olhos deles, nos seus ombros, às escuras as tirará, e
cobrirá o seu rosto, para que não veja a terra; porque o fiz
por sinal à casa de Israel."
7 E fiz assim, como me ordenou; tirei para fora durante
o dia as minhas mobílias, como bagagem do cativeiro; en-
tão, à tarde, fiz uma abertura na parede com as mãos; às
escuras as tirei para fora e nos meus ombros as levei, aos
olhos deles.
8 E, pela manhã, veio a mim a palavra do Senhor, dizendo:
9 "Filho do homem, por acaso a casa de Israel, aquela casa
rebelde, não lhe perguntou o que você estava fazendo?
10 Diga-lhes: Assim diz o Senhor Deus: Esta advertência
se refere ao príncipe em Jerusalém e a toda a casa de Israel,
que está no meio dela.
11 Diga: Eu sou o seu sinal. Assim como eu fiz, assim será
feito a eles; irão para o exílio em cativeiro.
12 E o príncipe que está no meio deles levará nos ombros
a bagagem, e às escuras sairá; farão uma abertura na pa-
rede para as tirarem por ela; cobrirá o seu rosto, para que
com os seus olhos não veja a terra.
13 Também estenderei a minha rede sobre ele e será apa-
nhado no meu laço; então o levarei à Babilônia, à terra dos
caldeus, mas ele não a verá, e ali morrerá.
14 E a todos os ventos espalharei os que estiverem ao
redor dele para seu socorro e a todas as suas tropas; e de-
sembainharei a espada atrás deles.
15 Assim saberão que eu sou o Senhor, quando eu os dis-
persar entre as nações e os espalhar pelas terras.

16 Mas deles deixarei ficar alguns poucos, que escaparão
da espada, da fome e da peste, para que contem todas as
suas abominações entre as nações para onde forem; e sa-
berão que eu sou o Senhor."

O Tremor do Profeta é Um Sinal

17 Então a palavra do Senhor veio a mim, dizendo:
18 "Filho do homem, o seu pão comerá com tremor, e a
sua água beberá com estremecimento e com receio.
19 E dirá ao povo da terra: Assim diz o Senhor Deus a
respeito dos habitantes de Jerusalém, na terra de Israel: O
seu pão comerão com receio, e a sua água beberão com
medo, pois a sua terra será despojada de sua abundância,
por causa da violência de todos os que nela habitam.
20 E as cidades habitadas serão devastadas, e a terra se
tornará em assolação; então saberão que eu sou o Senhor."
21 E a palavra do Senhor veio a mim, dizendo:
22 "Filho do homem, que provérbio é este que vocês têm
na terra de Israel, dizendo: 'Os dias passam, e as profecias
dão em nada?'
23 Portanto, diga-lhes: Assim diz o Senhor Deus: Farei
cessar este provérbio e já não se servirão mais dele em
Israel; mas diga-lhes: Estão próximos os dias e o cumpri-
mento de toda a visão!
24 Porque não haverá mais nenhuma profecia falsa, nem
adivinhação lisonjeira no meio da casa de Israel.
25 Porque eu, o Senhor, falarei, e a palavra que eu falar
se cumprirá; não será mais adiada, porque em seus dias,
ó casa rebelde, falarei uma palavra e a cumprirei", diz o
Senhor Deus.
26 Veio mais a mim a palavra do Senhor, dizendo:
27 "Filho do homem, eis que os da casa de Israel dizem:
A visão que este homem tem é para muitos dias, e ele
profetiza de tempos que estão longe.
28 Portanto diga-lhes: Assim diz o Senhor Deus: Não será
mais adiada nenhuma das minhas palavras; a palavra que
falar se cumprirá, diz o Senhor Deus."

Mensagem Contra os Falsos Profetas

13 E a palavra do Senhor veio a mim, dizendo:
2 "Filho do homem, profetize contra os profetas de
Israel que profetizam, e diga aos que só profetizam de seu
coração: Ouçam a palavra do Senhor:
3 Assim diz o Senhor Deus: Ai dos profetas loucos, que
seguem o seu próprio espírito e que nada viram!
4 Os seus profetas, ó Israel, são como raposas nos desertos.
5 Não subiram às brechas, nem repararam o muro para
a casa de Israel, para estarem firmes na batalha no dia do
Senhor.
6 Viram vaidade e adivinhação mentirosa. Dizem: 'O Se-
nhor disse, quando o Senhor não os enviou; e ainda espe-
ram o cumprimento da palavra.'
7 Por acaso não tiveram visão de vaidade e não falaram
adivinhação mentirosa, quando disseram: 'O Senhor diz',
sendo que eu não falei?
8 Portanto, assim diz o Senhor Deus: Como vocês falaram
vaidades e tiveram visões mentirosas, por isso eu sou con-
tra vocês, diz o Senhor Deus.
9 E a minha mão será contra os profetas que veem vaidade
e que adivinham mentira; não estarão na congregação do
meu povo, nem inscritos nos registros da casa de Israel,
nem entrarão na terra de Israel; e saberão que eu sou o
Senhor Deus.
10 Porque andam enganando o meu povo, dizendo: 'Paz',
quando não há paz; e quando um edifica uma parede, ou-
tros a cobrem com argamassa não temperada.
11 Diga aos que a cobrem com argamassa não temperada
que ela cairá. Haverá uma grande pancada de chuva, e
vocês, pedras grandes de granizo, cairão, e um vento tem-
pestuoso a fenderá.
12 Quando a parede cair, não perguntarão a vocês: 'Onde
está a argamassa com que a cobriram?'
13 Portanto, assim diz o Senhor Deus: E a fenderei no
meu furor com vento tempestuoso e chuva de inundar;
haverá, na minha ira, grandes pedras de granizo, na minha
indignação, para a consumir.
14 E derrubarei a parede que cobriram com argamassa
não temperada, a derrubarei por terra, e o seu fundamento
se descobrirá; assim cairão e perecerão no meio dela, e
saberão que eu sou o Senhor.
15 Assim cumprirei o meu furor contra a parede e contra
os que a cobriram com argamassa não temperada. E direi
a vocês: Já não há parede, nem existem os que a cobriram,
16 os profetas de Israel, que profetizam a respeito de Je-
rusalém, e veem para ela visão de paz, não havendo paz,
diz o Senhor Deus.
17 E você, filho do homem, dirija o seu rosto contra as
filhas do seu povo, que profetizam de seu coração, e pro-
fetize contra elas.
18 Diga-lhes: Assim diz o Senhor Deus: Ai daquelas que
costuram pulseiras mágicas para as mãos e fazem véus en-
feitiçados para a cabeça das pessoas a fim de enganá-las.
Por acaso enganarão o meu povo para manterem a sua
própria vida?
19 E vocês me profanaram entre o meu povo, por pu-
nhados de cevada e por pedaços de pão, para matarem as
pessoas que não devem morrer, e para deixarem com vida
as pessoas que não deviam viver, mentindo assim ao meu
povo que escuta a mentira?
20 Portanto assim diz o Senhor Deus: Eu sou contra as
suas pulseiras, com que vocês ali caçam as pessoas como
se fossem pássaros, eu as arrancarei dos seus braços e sol-

tarei as pessoas, sim, as pessoas que vocês caçam como
pássaros.
21 E rasgarei os seus véus, livrarei o meu povo das suas
mãos, e ele nunca mais estará em suas mãos para ser caça-
do; e vocês saberão que eu sou o Senhor.
22 Visto que entristeceram o coração do justo com falsida-
de, não o havendo eu entristecido, e fortaleceram as mãos
do ímpio, para que não se desviasse do seu mau caminho,
para conservá-lo em vida.
23 Portanto, não verão mais vaidade, nem farão mais adi-
vinhações; mas livrarei o meu povo da sua mão, e saberão
que eu sou o Senhor.

Advertência aos Anciãos Idólatras

14 E vieram a mim alguns homens dos anciãos de Is-
rael, e se assentaram diante de mim.
2 Então a palavra do Senhor veio a mim, dizendo:
3 "Filho do homem, estes homens levantaram os seus ído-
los nos seus corações, e o tropeço da sua maldade puseram
diante da sua face; eu devo de alguma maneira permitir ser
consultado por eles?
4 Portanto fale com eles e diga-lhes: Assim diz o Senhor
Deus: Qualquer homem da casa de Israel que levantar os
seus ídolos no seu coração e puser o tropeço da sua mal-
dade diante da sua face, e vier consultar um profeta, eu,
o Senhor, lhe responderei conforme a multidão dos seus
ídolos;
5 para que eu possa reconquistar a casa de Israel no seu
coração, porque todos se apartaram de mim para seguirem
os seus ídolos.
6 Portanto diga à casa de Israel: Assim diz o Senhor Deus:
Convertam-se e abandonem os seus ídolos; e desviem os
seus rostos de todas as suas abominações;
7 porque qualquer homem da casa de Israel, e dos estran-
geiros que peregrinam em Israel, que se afastar de mim, e
levantar os seus ídolos no seu coração, e puser o tropeço
da sua maldade diante do seu rosto, e vier ao profeta, para
me consultar por meio dele, eu, o Senhor, lhe responderei
por mim mesmo.
8 E porei o meu rosto contra tal homem, e o assolarei para
que sirva de sinal e provérbio; então, o arrancarei do meio
do meu povo e saberão que eu sou o Senhor.
9 E, se o profeta for enganado e falar alguma coisa, eu, o
Senhor, terei enganado esse profeta; e estenderei a minha
mão contra ele e o destruirei do meio do meu povo Israel.
10 E levarão sobre eles o castigo da sua iniquidade; o cas-
tigo do profeta será como o castigo de quem o consultar.
11 Para que a casa de Israel não se desvie mais de mim,
nem mais se contamine com todas as suas transgressões;
então eles serão o meu povo, e eu lhes serei o seu Deus,
diz o Senhor Deus."
12 A palavra do Senhor veio ainda a mim, dizendo:
13 "Filho do homem, quando uma terra pecar contra
mim, se rebelando gravemente, então estenderei a minha
mão contra ela, e lhe quebrarei o sustento do pão, e en-
viarei contra ela fome, e cortarei dela homens e animais.
14 Ainda que estivessem no meio dela estes três homens,
Noé, Daniel e Jó, eles pela sua justiça livrariam apenas as
suas vidas, diz o Senhor Deus.
15 Se eu fizer passar pela terra as feras selvagens, e elas
a devastarem, de modo que fique desolada, e ninguém
possa passar por ela por causa das feras;
16 e mesmo que estes três homens estivessem no meio
dela, juro pela minha vida, diz o Senhor Deus, que nem
os seus filhos nem as suas filhas livrariam; só eles ficariam
salvos, e a terra seria assolada.
17 Ou, se eu trouxer a espada sobre aquela terra e dis-
ser: Espada, passe pela terra; e eu eliminar dela pessoas
e animais;
18 ainda que aqueles três homens estivessem nela, juro
pela minha vida, diz o Senhor Deus, que nem seus filhos
e nem suas filhas livrariam, mas somente eles ficariam
vivos.
19 Ou, se eu enviar a peste sobre aquela terra e derramar
o meu furor sobre ela com sangue, para eliminar dela pes-
soas e animais,
20 ainda que Noé, Daniel e Jó estivessem no meio dela,
juro pela minha vida, diz o Senhor Deus, que nem um
filho nem uma filha eles livrariam, mas somente eles livra-
riam as suas próprias vidas pela sua justiça.
21 Porque assim diz o Senhor Deus: Quanto pior não será,
se eu enviar os meus quatro maus juízos, a espada, a fome,
as feras e a peste, contra Jerusalém, para cortar dela pes-
soas e animais?
22 Mas alguns fugitivos restarão nela, que serão levados
para fora, assim filhos como filhas; eis que eles virão a
vocês e verão o seu caminho e os seus feitos; e ficarão
consolados do mal que eu trouxe sobre Jerusalém, e de
tudo o que trouxe sobre ela.
23 E serão consolados, quando virem o seu caminho e os
seus feitos; então saberão que não fiz sem razão tudo que
nela tenho feito, diz o Senhor Deus."

A Videira Infrutífera

15 E a palavra do Senhor veio a mim, dizendo:
2 "Filho do homem, em que a madeira da videira é
mais do que qualquer outra árvore, ou do que o sarmento
que está entre as árvores do bosque?
3 Pega-se dela madeira para fazer alguma obra? Ou pe-
ga-se dela alguma estaca, para que se pendure um vaso?
4 Eis que é lançada no fogo, para ser consumida; ambas as

suas extremidades o fogo consome, e o meio dela também
fica queimado; por acaso serviria para alguma obra?
5 Ora, se estando inteiro, não servia para obra nenhuma,
quanto menos sendo consumido pelo fogo, e, sendo queimado,
se faria ainda obra dele?
6 Portanto, assim diz o Senhor Deus: Como a videira entre
as árvores do bosque, que entreguei ao fogo para que seja
consumida, assim entregarei os habitantes de Jerusalém.
7 E porei a minha face contra eles; do fogo sairão, mas o
fogo os consumirá; assim saberão que eu sou o Senhor,
quando tiver posto a minha face contra eles.
8 E tornarei a terra em assolação, porque grandemente
transgrediram, diz o Senhor Deus."

Parábola da Mulher Adúltera

16 E a palavra do Senhor veio a mim, outra vez,
dizendo:
2 "Filho do homem, faça Jerusalém conhecer as suas
abominações.
3 E diga: Assim diz o Senhor Deus a Jerusalém: A sua origem
e o seu nascimento procedem da terra dos cananeus.
Seu pai era amorreu e a sua mãe era heteia.
4 E, quanto ao seu nascimento, no dia em que nasceu, não
lhe foi cortado o umbigo, nem foi lavada com água para
ficar limpa; nem tampouco foi esfregada com sal, nem envolta
em faixas.
5 Não se apiedou de você olho algum, para lhe fazer alguma
dessas coisas, compadecendo-se de você; pelo contrário,
foi jogada em pleno campo, e a menosprezaram no
dia em que nasceu.
6 E, quando eu passei perto de você, que se revolvia no
seu sangue, eu lhe disse: Ainda que esteja no seu sangue,
fique viva; sim, lhe disse: Ainda que esteja no seu sangue,
fique viva.
7 Eu a fiz multiplicar-se como o renovo do campo e você
cresceu, e se engrandeceu e ficou muito formosa; os seus
seios se formaram e o seu cabelo cresceu; mas estava nua
e descoberta.
8 E, quando eu passei perto de você, a vi, e eis que o seu
tempo era tempo de amores; e estendi sobre você a aba
do meu manto e cobri a sua nudez; fiz um juramento e
entrei em aliança com você, diz o Senhor Deus, e você
ficou sendo minha.
9 Então a lavei com água e a enxuguei do seu sangue e a
ungi com óleo.
10 E a vesti com roupas bordadas, a calcei com pele de
texugo, a cingi com linho fino e a cobri de seda.
11 E a enfeitei com adornos, lhe pus braceletes nas mãos
e um colar ao redor do seu pescoço.
12 E lhe pus um pendente na testa, brincos nas orelhas e
uma coroa de glória na cabeça.
13 E assim foi enfeitada de ouro e prata, e o seu vestido
era de linho fino, de seda e de bordados; você se nutriu de
flor de farinha, de mel e de óleo; foi formosa ao extremo e
foi próspera, até chegar à realeza.
14 E a sua fama correu entre as nações, por causa da sua
formosura, pois você era perfeita, por causa da minha glória
que eu tinha posto sobre você, diz o Senhor Deus.

Sua Degradante Prostituição

15 Mas confiou na sua formosura, se corrompeu por causa
da sua fama e se prostituiu com todos que passavam,
para ser deles.
16 E pegou alguns dos seus vestidos, fez lugares altos pintados
de diversas cores, e se prostituiu sobre eles, como
nunca tinha acontecido, e jamais acontecerá novamente.
17 E pegou as suas joias de enfeite, que eu lhe dei do
meu ouro e da minha prata, e fez imagens de homens e se
prostituiu com elas.
18 E pegou os seus vestidos bordados e as cobriu; o meu
azeite e o meu perfume você pôs diante delas.
19 E o meu pão que lhe dei, a flor de farinha e o óleo e o
mel com que eu a sustentava, também pôs diante delas em
cheiro suave; assim foi, diz o Senhor Deus.
20 Além disto, você pegou os seus filhos e suas filhas, que
teve comigo, e os sacrificou a elas, para serem consumidos;
por acaso é pequena a sua fornicação?
21 E matou os meus filhos e os entregou a elas para os
fazer passarem pelo fogo.
22 E em todas as suas abominações e nas suas prostituições,
não se lembrou dos dias da sua mocidade, quando
você estava nua e descoberta, e revolvida no seu sangue.
23 E, depois de toda a sua maldade, ai, ai de você! Diz o
Senhor Deus,
24 que edificou um altar e fez lugares altos em cada rua.
25 A cada canto do caminho edificou o seu lugar alto e
fez abominável a sua beleza; se ofereceu a todos que passavam
e multiplicou as suas prostituições.
26 Também se prostituiu com os filhos do Egito, seus vizinhos
de membros grandes, e multiplicou a sua prostituição
para me provocar à ira.
27 Por isso, estendi a minha mão sobre você e diminuí o
seu território; e a entreguei à vontade das que a odeiam,
das filhas dos filisteus, as quais se envergonhavam do seu
caminho depravado.
28 Também se prostituiu com os filhos da Assíria, porque
era insaciável; e, prostituindo-se com eles, nem ainda assim
ficou satisfeita;
29 antes multiplicou as suas prostituições na terra de Canaã
até a Caldeia, e nem ainda com isso ficou satisfeita.
30 Como é fraco o seu coração, diz o Senhor Deus,

você fazendo todas estas coisas, obras de uma prostituta
descarada!
31 Você edificando o seu altar à beira de cada caminho, e
fazendo o seu lugar alto em cada rua! Nem foi como uma
prostituta, pois desprezou o pagamento;
32 foi como uma mulher adúltera, que, em lugar do seu
marido, recebe os estranhos.
33 A todas as prostitutas dão pagamento, mas você dá os
seus presentes a todos os seus amantes; lhes dá presen-
tes para que venham a você de todas as partes, pelas suas
prostituições.
34 Assim, com você acontece o contrário das outras mu-
lheres nas suas prostituições, pois ninguém a procura para
prostituição; porque você, dando o pagamento, e a você
não sendo dado a pagamento, faz o contrário.

Sua Condenação

35 Portanto, ó prostituta, ouça a palavra do Senhor.
36 Assim diz o Senhor Deus: Porque se derramou o seu
dinheiro, e se descobriu a sua nudez nas suas prostitui-
ções com os seus amantes, como também com todos os
ídolos das suas abominações e do sangue dos seus filhos
que lhes deu;
37 portanto, eis que ajuntarei todos os seus amantes, com
os quais se deleitou, como também todos os que amou,
com todos os que você odiava e os ajuntarei contra você
ao seu redor, e descobrirei a sua nudez diante deles, para
que vejam toda a sua nudez.
38 E a julgarei como são julgadas as adúlteras e as que
derramam sangue, e a entregarei ao sangue de furor e de
ciúme.
39 E a entregarei nas mãos deles; eles derrubarão o seu
altar e transtornarão os seus altos lugares, despirão os seus
vestidos, tomarão as suas joias de enfeite e a deixarão nua
e descoberta.
40 Então farão subir contra você uma multidão, e a ape-
drejarão, e a traspassarão com as suas espadas.
41 E queimarão as suas casas a fogo e executarão juízos
contra você aos olhos de muitas mulheres; e a farei parar
de ser prostituta, e você não dará mais pagamento.
42 Assim satisfarei em você o meu furor e os meus ciúmes
se desviarão de você, e me aquietarei, e nunca mais me
indignarei.
43 Porque não se lembrou dos dias da sua mocidade e
me provocou à ira com tudo isto, eis que também eu farei
recair o seu caminho sobre a sua cabeça, diz o Senhor
Deus, e não mais fará tal perversidade sobre todas as suas
abominações.
44 Eis que todos que usam provérbios, usarão contra você
este provérbio, dizendo: 'Tal mãe, tal filha.'
45 Você é filha da sua mãe, que tinha nojo do seu marido
e dos seus filhos; você é irmã das suas irmãs, que tinham
nojo dos seus maridos e dos seus filhos; sua mãe foi heteia
e o seu pai amorreu.
46 E sua irmã, a maior, é Samaria, ela e suas filhas, a que
mora à sua esquerda; a sua irmã menor, que mora à sua
direita, é Sodoma e suas filhas.
47 Todavia não andaram nos seus caminhos, nem fizeram
conforme as suas abominações; mas como se isto fosse
muito pouco, ainda se corrompeu mais do que elas, em
todos os seus caminhos.
48 Juro pela minha vida, diz o Senhor Deus, que não fez
Sodoma, sua irmã, nem ela, nem suas filhas, como você e
suas filhas fizeram.
49 Eis que esta foi a iniquidade de Sodoma, sua irmã: So-
berba, fartura de pão e abundância de ociosidade tiveram
ela e suas filhas; mas nunca fortaleceram a mão do pobre
e do necessitado.
50 E se ensoberbeceram e fizeram abominações diante de
mim; portanto, eu, vendo isto, as tirei dali.
51 Também Samaria não cometeu a metade de seus pe-
cados; você multiplicou as suas abominações mais do que
elas e justificou suas irmãs, com todas as suas abomina-
ções que fez.
52 Você, também, que julgou as suas irmãs, leve a sua
vergonha pelos pecados que cometeu, que são mais abo-
mináveis do que elas; são mais justas do que você; enver-
gonhe-se logo também e leve a sua vergonha, pois justifi-
cou as suas irmãs.

Misericórdia e Restauração

53 Eu, pois, farei voltar os cativos delas; os cativos de So-
doma e suas filhas, os cativos de Samaria e suas filhas e os
cativos do seu cativeiro dentre elas;
54 para que leve a sua vergonha e seja envergonhada por
tudo o que fez, dando-lhes você consolação.
55 Quando suas irmãs, Sodoma e suas filhas, voltarem ao
seu primeiro estado, e também Samaria e suas filhas vol-
tarem ao seu primeiro estado, também você e suas filhas
voltarão ao seu primeiro estado.
56 Nem mesmo Sodoma, sua irmã, foi mencionada pela
sua boca, no dia da sua soberba,
57 antes que se descobrisse a sua maldade, como no tempo
do desprezo das filhas da Síria e de todos os que estavam
ao redor dela, as filhas dos filisteus, que a desprezavam.
58 Você sofrerá as consequências da sua perversidade e
das suas abominações", diz o Senhor.
59 "Porque assim diz o Senhor Deus: Eu farei a você o
mesmo que fez comigo, que desprezou o juramento, que-
brando a aliança.
60 Contudo eu me lembrarei da minha aliança, que fiz

com você nos dias da sua mocidade, e estabelecerei com
você uma aliança eterna.
61 Então você se lembrará dos seus caminhos e se con-
fundirá quando receber suas irmãs maiores do que você,
com as menores do que você, porque as darei a você como
filhas, mas não pela sua aliança.
62 Porque eu estabelecerei a minha aliança com você e
você saberá que eu sou o Senhor;
63 para que se lembre disso, se envergonhe e nunca mais
abra a sua boca por causa da sua vergonha, quando eu lhe
perdoar tudo o que você fez, diz o Senhor Deus."

A Parábola das Duas Águias

17 E a palavra do Senhor veio a mim, dizendo:
2 "Filho do homem, proponha um enigma e apre-
sente uma parábola para a casa de Israel.
3 E diga: Assim diz o Senhor Deus: Uma grande águia,
de grandes asas, de plumagem comprida e cheia de penas
de várias cores, veio ao Líbano e levou o mais alto ramo
de um cedro.
4 E arrancou a ponta mais alta dos seus brotos e a levou
a uma terra de comerciantes; numa cidade de mercadores
a deixou.
5 Pegou da semente da terra e a lançou num solo frutífero;
tomando-a, colocou-a junto às muitas águas, plantando-a
como salgueiro.
6 Esta brotou e tornou-se numa videira de grande rama-
gem e de pouca altura, com os galhos voltados para a
águia, mas as suas raízes estavam debaixo dela; e se tornou
uma videira e produzia ramos e folhas.
7 E houve mais uma grande águia, de grandes asas e cheia
de penas; e esta videira lançou as suas raízes em direção a
ela, e estendeu para ela os seus ramos, desde as covas do
seu plantio, para que a regasse.
8 Num bom campo, junto a muitas águas, ela estava plan-
tada, para produzir ramos e para dar fruto, a fim de que
fosse videira excelente.
9 Diga: Assim diz o Senhor Deus: Será que ela vai prospe-
rar? As suas raízes não serão arrancadas, e não cortarão o
seu fruto, para que seque? Para que sequem todas as folhas
de seus renovos, não precisará de muita força, nem de
muita gente, para arrancá-la pelas suas raízes.
10 Mas, quando estiver plantada, prosperará? Por acaso,
quando vento oriental tocar nela, não secará completa-
mente? Nas covas do seu plantio secará."
11 Então veio a mim a palavra do Senhor, dizendo:
12 "Diga agora à casa rebelde: Não sabem o que signifi-
cam estas coisas? Diga: Eis que o rei da Babilônia veio a
Jerusalém e pegou o seu rei e os seus príncipes, e os levou
com ele para a Babilônia.
13 E pegou um da descendência real, fez aliança com ele
e o fez prestar juramento; e levou com ele os poderosos
da terra,
14 para que o reino ficasse humilhado e não se levantasse,
embora, guardando a sua aliança, pudesse subsistir.
15 Mas ele rebelou-se contra o rei da Babilônia, enviando
os seus mensageiros ao Egito, para que lhe mandassem
cavalos e muita gente. Por acaso prosperará ou escapará
aquele que faz tais coisas, ou quebrará a aliança e ainda
escapará?
16 Juro pela minha vida", diz o Senhor Deus, "que no
lugar em que mora o rei que o fez reinar, cujo juramento
desprezou, e cuja aliança quebrou, sim, com ele no meio
da Babilônia certamente morrerá.
17 E o Faraó, nem com um grande exército nem com uma
companhia numerosa, não o ajudará na guerra, quando le-
vantarem trincheiras e edificarem torres, para destruírem
muitas vidas.
18 Porque desprezou o juramento, quebrando a aliança
que ele tinha feito com aperto de mão; contudo fez todas
estas coisas; ele não escapará.
19 Portanto, assim diz o Senhor Deus: Juro pela minha
vida, que o meu juramento que desprezou, e a minha
aliança que ele quebrou, isto farei recair sobre a sua
cabeça.
20 E estenderei sobre ele a minha rede e ele ficará preso
no meu laço; eu o levarei para a Babilônia, e ali entrarei
em juízo com ele por causa da rebeldia que praticou con-
tra mim.
21 E todos os seus fugitivos, com todas as suas tropas,
cairão à espada e os que restarem serão espalhados pelo
vento, então saberão que eu, o Senhor, o disse."
22 Assim diz o Senhor Deus: "Eu também pegarei um
broto do topo de um cedro, e o plantarei; cortarei o mais
tenro do principal dos seus renovos e o plantarei sobre um
monte alto e sublime.
23 No monte alto de Israel, o plantarei; e ele produzirá
ramos, dará fruto e se tornará um cedro excelente; e aves
de todo tipo habitarão debaixo dele, à sombra dos seus
ramos habitarão.
24 Assim, todas as árvores do campo saberão que eu, o
Senhor, abati a árvore alta e elevei a árvore baixa, sequei a
árvore verde e fiz reverdecer a árvore seca; eu, o Senhor,
o disse, e o fiz."

Quem Pecar Morrerá

18 E a palavra do Senhor veio a mim, dizendo:
2 "O que pensam, vocês, os que usam esta parábola
sobre a terra de Israel, dizendo: Os pais comeram uvas
verdes, e os dentes dos filhos é que se embotaram?
3 Juro pela minha vida, diz o Senhor Deus, que nunca
mais dirão esta parábola em Israel.

4 Todas as pessoas são minhas; assim como o pai, também
o filho é meu: A pessoa que pecar, essa morrerá.
5 Sendo o homem justo, e praticando juízo e justiça,
6 não comendo carne sobre os altares, nem levantando
os seus olhos para os ídolos da casa de Israel, nem conta-
minando a mulher do seu próximo, nem se chegando à
mulher nos dias da sua menstruação,
7 não oprimindo ninguém, devolvendo ao devedor o seu
penhor, não roubando, dando o seu pão ao faminto e co-
brindo o nu com roupa,
8 não emprestando o seu dinheiro a juros, e não receben-
do demais, desviando a sua mão da injustiça, e fazendo
verdadeiro juízo entre duas pessoas;
9 andando nos meus estatutos, guardando os meus juízos
e procedendo retamente, o tal justo certamente viverá",
diz o Senhor Deus.
10 "E se ele gerar um filho ladrão, derramador de sangue,
que fizer a seu irmão qualquer destas coisas;
11 e não cumprir todos aqueles deveres, mas antes co-
mer carne sobre os montes e contaminar a mulher do seu
próximo,
12 oprimir o aflito e necessitado, praticar roubos, não de-
volver o penhor e levantar os seus olhos para os ídolos, e
cometer abominação,
13 e emprestar com juros, e receber demais, será que
esse viverá? Não viverá. Ele fez todas estas abominações,
certamente morrerá; ele será responsável pela sua própria
morte.
14 E, se ele gerar um filho que veja todos os pecados que o
seu pai cometeu e, vendo-os, não fizer coisas semelhantes,
15 não comer carne sobre os montes, não levantar os seus
olhos para os ídolos da casa de Israel, não contaminar a
mulher de seu próximo,
16 não oprimir ninguém, não retiver o penhor, não roubar,
mas der o seu pão ao faminto e cobrir o nu com roupa,
17 desviar do aflito a sua mão, não receber dinheiro a
juros, cumprir os meus juízos e andar nos meus estatutos,
esse filho não morrerá pela iniquidade do seu pai; certa-
mente ele viverá.
18 O seu pai, porque praticou a extorsão, roubou os bens
do irmão e fez o que não era bom no meio de seu povo,
ele morrerá pela sua iniquidade.
19 Mas dizem: 'Por que o filho não levará a iniquidade
do pai?' Porque o filho procedeu com retidão e justiça,
guardou todos os meus estatutos e os praticou; por isso,
certamente ele viverá.
20 A pessoa que pecar, essa morrerá; o filho não levará a
iniquidade do pai, nem o pai levará a iniquidade do filho.
A justiça do justo ficará sobre ele e a impiedade do ímpio
cairá sobre ele.
21 Mas se o ímpio se converter de todos os pecados que
cometeu e guardar todos os meus estatutos, e proceder
com retidão e justiça, certamente ele viverá; não morrerá.
22 De todas as transgressões que cometeu não haverá
lembrança contra ele; pela justiça que praticou viverá.
23 Eu desejaria, de qualquer maneira, a morte do ímpio?"
diz o Senhor Deus. "Não desejo primeiro que ele se con-
verta dos seus caminhos e viva?
24 Mas, desviando-se o justo da sua justiça e cometendo
a iniquidade, fazendo conforme todas as abominações que
faz o ímpio, por acaso viverá? Por todas as justiças que
tiver feito não será lembrado; na sua transgressão com
que transgrediu e no seu pecado com que pecou, neles
morrerá.
25 Dizem, porém: 'O caminho do Senhor não é direito.'
Ouça agora, ó casa de Israel: Por acaso o meu caminho
não é direito? Os seus caminhos não são tortuosos?
26 Desviando-se o justo da sua justiça e cometendo ini-
quidade, morrerá por ela; na iniquidade que cometeu,
morrerá.
27 Mas, convertendo-se o ímpio da impiedade que come-
teu e procedendo com retidão e justiça, este conservará
a sua vida.
28 Pois se ele reconsiderar e se converter de todas as suas
transgressões que cometeu, certamente ele viverá, e não
morrerá.
29 Contudo, diz a casa de Israel: 'O caminho do Senhor
não é direito.' Por acaso os meus caminhos não são direi-
tos, ó casa de Israel? E os seus caminhos não são tortuosos?
30 Portanto, eu os julgarei, cada um conforme os seus
caminhos, ó casa de Israel, diz o Senhor Deus. Voltem e se
convertam de todas as suas transgressões, e a iniquidade
não lhes servirá de tropeço.
31 Abandonem todas as suas transgressões que comete-
ram e busquem um coração novo e um espírito novo; pois,
por que razão morrerão, ó casa de Israel?
32 Porque não tenho prazer na morte de ninguém, diz o
Senhor Deus: Convertam-se e vivam.

Lamentação Pelos Príncipes

19 E você faça uma lamentação sobre os príncipes de
Israel,
2 e diga: 'Quem foi sua mãe?' Uma leoa entre os leões,
que, deitada no meio dos leõezinhos, criou os seus filhotes.
3 E educou um dos seus filhotes, que veio a ser um leão-
zinho que aprendeu a apanhar a presa e devorou homens,
4 e as nações, ouvindo falar dele, foi apanhado na cova
delas, e o trouxeram com correntes à terra do Egito.
5 Ela, vendo que havia esperado muito, e que a sua espe-
rança era perdida, pegou outro dos seus filhotes e fez dele
um leãozinho.

6 Este, andando continuamente no meio dos leões, veio
a ser leãozinho, e aprendeu a apanhar a presa e devorou
homens.
7 Saqueou os seus palácios e destruiu as suas cidades;
desolou a terra e tudo o que havia nela, ao som do seu
rugido.
8 Então se ajuntaram contra ele os povos das províncias
vizinhas, estenderam sobre ele a rede, e ele foi apanhado
na cova em que estava.
9 E com correntes colocaram-no em uma jaula e o levaram
ao rei da Babilônia; fizeram-no entrar na prisão, para que
não se ouvisse mais a sua voz nos montes de Israel.
10 Sua mãe era como uma videira, plantada junto às
águas; ela frutificou, e encheu-se de ramos por causa das
muitas águas.
11 E tinha galhos fortes que serviam para cetros de domi-
nadores, a sua estatura elevou-se entre os espessos ramos,
e na sua altura era vista com a multidão dos seus ramos.
12 Mas foi arrancada com furor, foi lançada por terra e o
vento oriental secou o seu fruto; as suas fortes varas que-
braram-se e secaram, o fogo as consumiu,
13 e agora está plantada no deserto, numa terra seca e
sedenta.
14 E de um dos seus ramos saiu fogo que consumiu o seu
fruto, de maneira que não há mais nela galho forte, que
sirva de cetro para dominar. Esta é uma lamentação e ela
servirá de lamentação."

A Infidelidade de Israel

20 No sétimo ano, no quinto mês, aos dez dias do mês,
vieram alguns dos anciãos de Israel para consulta-
rem o Senhor e assentaram-se diante de mim.
2 Então a palavra do Senhor veio a mim, dizendo:
3 "Filho do homem, fale aos anciãos de Israel e diga-lhes:
Assim diz o Senhor Deus: Vieram me consultar? Juro pela
minha vida que não me deixarei ser consultado por vo-
cês", diz o Senhor Deus.
4 "Por acaso você os julgaria? Não os julgaria, ó filho do
homem? Mostre a eles as abominações dos seus pais;
5 e diga-lhes: Assim diz o Senhor Deus: No dia em que
escolhi Israel, e jurei para a descendência da casa de Jacó,
me dei a conhecer a eles na terra do Egito, e jurei para
eles, dizendo: Eu sou o Senhor seu Deus.
6 Naquele dia jurei para eles que os tiraria da terra do
Egito, e os levaria para uma terra que já tinha previsto
para eles, terra que mana leite e mel, e ela é glória de
todas as terras.
7 Então lhes disse: Cada um jogue fora as abominações
que agradam aos seus olhos e não se contaminem com os
ídolos do Egito; eu sou o Senhor seu Deus.
8 Mas rebelaram-se contra mim e não quiseram me ouvir;
ninguém jogava fora as abominações de que se agradavam
os seus olhos, nem deixavam os ídolos do Egito; então eu
disse que derramaria sobre eles o meu furor, para cumprir
a minha ira contra eles no meio da terra do Egito.
9 O que fiz, porém, foi por amor do meu nome, para que
não fosse profanado diante dos olhos das nações, no meio
das quais eles estavam, diante das quais eu me dei a co-
nhecer a eles, para os tirar da terra do Egito.
10 Eu os tirei da terra do Egito e os levei ao deserto.
11 E dei-lhes os meus estatutos e lhes mostrei os meus
juízos, pelos quais o homem, cumprindo-os, viverá.
12 E lhes dei os meus sábados, para que servissem de si-
nal entre mim e eles; para que soubessem que eu sou o
Senhor que os santifica.
13 Mas a casa de Israel se rebelou contra mim no de-
serto, não andando nos meus estatutos e rejeitando os
meus juízos, pelos quais viverá o homem que os cumprir;
e profanaram grandemente os meus sábados, e eu disse
que derramaria sobre eles o meu furor no deserto, para
os consumir.
14 O que fiz, porém, foi por amor do meu nome, para que
não fosse profanado diante dos olhos das nações perante a
vista das quais eu os fiz sair do Egito.
15 E, contudo, eu levantei a minha mão para eles no de-
serto, para não os deixar entrar na terra que lhes tinha
dado, a qual mana leite e mel, e é a glória de todas as
terras;
16 porque rejeitaram os meus juízos, não andaram nos
meus estatutos e profanaram os meus sábados; porque o
seu coração andava após os seus ídolos.
17 Mas os meus olhos os perdoaram e eu não os destruí,
nem os consumi no deserto.
18 Mas eu disse aos seus filhos no deserto: Não andem
nos estatutos dos seus pais, nem guardem os seus juízos,
nem se contaminem com os seus ídolos.
19 Eu sou o Senhor seu Deus; andem nos meus estatutos,
guardem os meus juízos e os executem.
20 Santifiquem os meus sábados e eles servirão de sinal
entre mim e vocês, para que saibam que eu sou o Senhor
seu Deus.
21 Porém, também os filhos se rebelaram contra mim e
não andaram nos meus estatutos, nem guardaram os meus
juízos, pelos quais, cumprindo-os, o homem viverá; eles
profanaram os meus sábados; por isso eu disse que derra-
maria sobre eles o meu furor, para cumprir contra eles a
minha ira no deserto.
22 Mas contive a minha mão e agi por amor do meu
nome, para que não fosse profanado perante os olhos das
nações, à vista das quais eu os fiz sair do Egito.
23 Também levantei a minha mão para eles no deserto,

para os espalhar entre as nações, e os espalhar por outras terras,

24 porque não executaram os meus juízos, rejeitaram os meus estatutos, profanaram os meus sábados e os seus olhos se voltaram para os ídolos de seus pais.

25 Por isso também lhes dei estatutos que não eram bons, juízos pelos quais não haviam de viver;

26 e os contaminei em suas próprias ofertas, quando faziam passar pelo fogo os seus filhos primogênitos; para assolá-los para que soubessem que eu sou o Senhor.

27 Portanto fale à casa de Israel, ó filho do homem, e diga-lhe: Assim diz o Senhor Deus: Ainda nisto os seus pais blasfemaram contra mim, ao procederem traiçoeiramente contra mim.

28 Porque, havendo eu os introduzido na terra que eu jurei lhes dar, então olharam para todo monte alto, para toda árvore frondosa e ofereceram ali os seus sacrifícios e apresentaram ali a provocação das suas ofertas; puseram ali os seus cheiros suaves e ali derramaram as suas libações.

29 E eu lhes disse: Que altar é este aonde vocês vão? Por isso o seu nome tem sido Bamá até o dia de hoje.

30 Portanto diga à casa de Israel: Assim diz o Senhor Deus: Vocês estão contaminados no caminho de seus pais? E fornicam após as suas abominações?

31 E, quando oferecem as suas ofertas, e fazem passar os seus filhos pelo fogo, não é certo que estão contaminados com todos os seus ídolos, até este dia? E eu deveria deixar que vocês me consultem, ó casa de Israel? Juro pela minha vida, diz o Senhor Deus, que vocês não me consultarão.

32 E o que veio à sua mente de modo algum acontecerá, quando dizem: 'Seremos como as nações, como as outras famílias da terra, servindo à madeira e à pedra.'

Promessas de Restauração

33 Juro pela minha vida, diz o Senhor Deus, que com mão forte, com braço estendido e com indignação derramada, reinarei sobre vocês.

34 Eu os tirarei do meio dos povos e os congregarei das terras em que andam espalhados, com mão forte, com braço estendido e com indignação derramada.

35 E os levarei ao deserto dos povos, então ali, face a face entrarei em juízo com vocês.

36 Como entrei em juízo com seus pais, no deserto da terra do Egito, assim entrarei em juízo com vocês", diz o Senhor Deus.

37 "Também os farei passar debaixo da vara e os farei entrar no vínculo da aliança.

38 E separarei do meio de vocês os rebeldes e os que transgrediram contra mim; da terra das suas peregrinações os tirarei, mas à terra de Israel não voltarão; e saberão que eu sou o Senhor.

39 Quanto a vocês, ó casa de Israel, assim diz o Senhor Deus: Vão, sirva cada um os seus ídolos, pois não querem me ouvir; mas não profanem mais o meu santo nome com as suas dádivas e com os seus ídolos.

40 Porque no meu santo monte, no monte alto de Israel, diz o Senhor Deus, ali me servirá toda a casa de Israel, toda ela naquela terra; ali me deleitarei neles, ali requererei as suas ofertas alçadas e as primícias das suas oblações, com todas as suas coisas santas;

41 com cheiro suave me deleitarei em vocês, quando eu os tirar do meio dos povos e os congregar das terras em que andam espalhados; e serei santificado por vocês perante os olhos das nações.

42 E saberão que eu sou o Senhor, quando eu os introduzir na terra de Israel, terra que jurei dar aos seus pais.

43 E ali se lembrarão dos seus caminhos, de todos os seus atos com que se contaminaram e terão nojo de vocês mesmos, por causa de todas as suas maldades que cometeram.

44 E saberão que eu sou o Senhor, quando eu agir para com vocês por amor do meu nome; não conforme os seus maus caminhos, nem conforme os seus atos corruptos, ó casa de Israel", disse o Senhor Deus.

A Parábola do Fogo no Bosque

45 E a palavra do Senhor veio a mim, dizendo:

46 "Filho do homem, dirija o seu rosto para o caminho do Sul, derrame as suas palavras contra o Sul e profetize contra o bosque do campo do Sul.

47 E diga ao bosque do Sul: Ouça a palavra do Senhor: Assim diz o Senhor Deus: Eis que acenderei em você um fogo que em você consumirá toda árvore verde e toda árvore seca; não se apagará a chama flamejante, antes com ela se queimarão todos os rostos, desde o Sul até o Norte,

48 e todos verão que eu, o Senhor, o acendi; não se apagará."

49 Então eu disse: "Ah! Senhor Deus! Eles dizem de mim: 'Não é este um proferidor de parábolas?'"

Profecia Contra Israel

21 E a palavra do Senhor veio a mim, dizendo:

2 "Filho do homem, dirija o seu rosto contra Jerusalém, derrame as suas palavras sobre os santuários e profetize contra a terra de Israel.

3 E diga à terra de Israel: Assim diz o Senhor: Eis que sou contra você e tirarei a minha espada da bainha e exterminarei do meio de você o justo e o ímpio.

4 E, porque exterminarei do meio de você o justo e o ímpio, a minha espada sairá da sua bainha contra todos, desde o Sul até o Norte.

5 E todos saberão que eu, o Senhor, tirei a minha espada da bainha; e nunca mais a porei de volta.

6 Você, porém, ó filho do homem, suspire; suspire aos
olhos deles, com quebrantamento e com amargura.
7 E quando eles perguntarem: 'Por que você suspira?' Res-
ponda: Por causa das notícias que estão chegando: todo
coração se afligirá, todas as mãos se enfraquecerão, todo
espírito se angustiará e todos os joelhos se desfarão em
águas; eis que virão e se cumprirão, diz o Senhor Deus."

A Espada Reluzente

8 E a palavra do Senhor veio a mim, dizendo:
9 "Filho do homem, profetize e diga: Assim diz o Senhor:
A espada, a espada está afiada e polida.
10 Para grande matança está afiada, para reluzir está poli-
da. Vamos nos alegrar? O cetro do meu filho ela despreza
como um pedaço de madeira qualquer.
11 Ela foi dada para ser polida, para ser manejada; esta
espada está afiada e está polida, para ser posta na mão
do matador.
12 Grite e gema, ó filho do homem, porque ela será contra
o meu povo, contra todos os príncipes de Israel. Estes, jun-
tamente com o meu povo, estão assustados com a espada;
bata no seu peito.
13 Pois se faz uma prova; o que seria se a espada despre-
zasse mesmo o cetro? Ela não seria mais, diz o Senhor
Deus.
14 Você, ó filho do homem, profetize e bata com as mãos
uma na outra; e seja dobrado e triplicado o furor da espada
destinada à matança; ela é a espada da grande matança,
que os traspassará.
15 Para que desmaie o coração e se multipliquem as
destruições; contra todas as suas portas, pus a ponta da
espada, que está pronta para reluzir e está preparada para
a matança!
16 Ó espada, vire-se para a direita; prepare-se, vire-se para
a esquerda, para onde quer que a sua lâmina se dirigir.
17 E eu baterei com as minhas mãos uma na outra e farei
descansar a minha indignação; eu, o Senhor, o disse."
18 E a palavra do Senhor veio a mim, dizendo:
19 "Você, pois, ó filho do homem, proponha dois cami-
nhos, por onde venha a espada do rei da Babilônia. Esses
caminhos procederão de uma mesma terra, então, pnha
um sinal no começo de cada caminho que indique a cida-
de para onde ele vai.
20 Um que indique o caminho por onde virá a espada
contra Rabá dos filhos de Amom, e outro contra Judá, em
Jerusalém, a fortificada.
21 Porque o rei da Babilônia parará na encruzilhada, na
entrada dos dois caminhos, para fazer adivinhações; ele
aguçará as suas flechas, consultará as imagens e o fígado
de um animal.
22 À sua direita estará a adivinhação sobre Jerusalém, para
ordenar os capitães, para abrirem a boca, ordenando a ma-
tança, para levantarem a voz com júbilo, para porem os
aríetes contra as portas, para levantarem trincheiras, para
edificarem baluartes.
23 Isto será como adivinhação falsa, aos olhos daqueles
que lhes fizeram juramentos; mas ele se lembrará da ini-
quidade, para que sejam apanhados.
24 Portanto assim diz o Senhor Deus: Visto que me fazem
lembrar da sua iniquidade, se descobrindo as suas trans-
gressões, aparecendo os seus pecados em todos os seus
atos; visto que foram lembrados, por isso serão apanhados.
25 E você, ó profano e ímpio príncipe de Israel, o seu dia
chegou, o dia do seu castigo.
26 Assim diz o Senhor Deus: Tire o turbante e remova
a coroa; nada mais será como antes; os humildes serão
exaltados e os soberbos serão humilhados.
27 Em ruína, em ruína, em ruína porei aquela coroa, e ela
não mais será, até que venha aquele a quem pertence de
direito; a ele a darei.
28 E você, ó filho do homem, profetize e diga: Assim diz
o Senhor Deus a respeito dos filhos de Amom e a respeito
dos seus insultos; diga: A espada, a espada está desem-
bainhada, polida para a matança, para consumir, por estar
reluzente;
29 entretanto lhe profetizam vaidade, lhe adivinham men-
tira, para porem a espada no pescoço dos ímpios, daqueles
que estão mortos, cujo dia veio no tempo da iniquidade
final.
30 Torne a sua espada à sua bainha. No lugar em que foi
criado, na terra do seu nascimento, eu o julgarei.
31 E derramarei sobre você a minha indignação, assopra-
rei contra você o fogo do meu furor, o entregarei nas mãos
dos homens brutais, inventores de destruição.
32 Ao fogo servirá para ser consumido; o seu sangue esta-
rá no meio da terra; já não será mais lembrado, porque eu,
o Senhor, o disse."

Os Pecados de Jerusalém

22 E a palavra do Senhor veio a mim, dizendo:
2 "Você, ó filho do homem, por acaso a julgará? Jul-
gará a cidade sanguinária? Faça-a conhecer todas as suas
abominações.
3 E diga: Assim diz o Senhor Deus: Ai da cidade que der-
rama o sangue no meio de si para que venha o seu tempo!
Que faz ídolos contra si mesma, para se contaminar!
4 Pelo seu sangue que derramou se fez culpada, pelos seus
ídolos que fabricou se contaminou, fez aproximarem-se os
seus dias e tem chegado o fim dos seus anos; por isso eu
fiz de você a vergonha das nações e o escárnio de todas
as terras.

5 Tanto as que estão perto como as que estão longe escarnecerão de você, difamada, cheia de inquietação.

6 Eis que os príncipes de Israel, cada um conforme o seu poder, estavam em você para derramarem sangue.

7 Ao pai e à mãe desprezaram em você; usaram de opressão contra o estrangeiro no meio de você; ao órfão e à viúva oprimiram.

8 Você desprezou as minhas coisas santas e profanou os meus sábados.

9 Homens caluniadores se acharam no meio de você, para derramarem sangue; e em você sobre os montes comeram; perversidade cometeram no meio de você.

10 A vergonha do pai descobriram em você; a que estava imunda, na sua separação, humilharam no meio de você.

11 Um cometeu abominação com a mulher do seu próximo, outro contaminou abominavelmente a sua nora e outro humilhou no meio de você a sua irmã, filha do seu pai.

12 Subornos receberam no meio de você para derramarem sangue; usura e juros ilícitos tomaram e usaram de avareza com o seu próximo, oprimindo-o; mas de mim você se esqueceu, diz o Senhor Deus.

O Forno Ardente

13 E eis que bati as mãos contra a avareza que cometeu e por causa do sangue que foi derramado no meio de você.

14 Por acaso estará firme o seu coração? Por acaso estarão fortes as suas mãos, nos dias em que eu tratarei com você? Eu, o Senhor, o disse, e o farei.

15 E a espalharei entre as nações, a dispersarei por outras terras e porei fim à sua imundícia.

16 E você será profanada em você mesma aos olhos das nações, e saberá que eu sou o Senhor.”

17 E veio a palavra do Senhor a mim, dizendo:

18 “Filho do homem, a casa de Israel se tornou para mim em escórias; todos eles são bronze, estanho, ferro e chumbo no meio do forno; em escórias de prata se tornaram.

19 Portanto assim diz o Senhor Deus: Pois que todos vocês se tornaram em escórias, por isso eis que eu os ajuntarei no meio de Jerusalém.

20 Como se ajuntam a prata, o bronze, o ferro, o chumbo e o estanho, no meio do forno, para assoprar o fogo sobre eles, a fim de se fundirem, assim os ajuntarei na minha ira e no meu furor, e ali os deixarei e fundirei.

21 E os congregarei e assoprarei sobre vocês o fogo do meu furor, e serão fundidos no meio dela.

22 Como se funde a prata no meio do forno, assim serão fundidos no meio dela; assim saberão que eu, o Senhor, derramei o meu furor sobre vocês.”

A Corrupção Generalizada

23 E a palavra do Senhor veio a mim, dizendo:

24 “Filho do homem, diga-lhe: Você é uma terra que não está purificada e que não tem chuva no dia da indignação.

25 Conspiração dos seus profetas há no meio dela, como um leão que ruge, que arrebata a presa; eles devoram as pessoas; tomam tesouros e coisas preciosas, multiplicam as suas viúvas no meio dela.

26 Os seus sacerdotes violentam a minha lei e profanam as minhas coisas santas; não fazem diferença entre o santo e o profano, nem discernem o impuro do puro; dos meus sábados escondem os seus olhos e assim sou profanado no meio deles.

27 Os seus príncipes no meio dela são como lobos que arrebatam a presa, para derramarem sangue, para destruírem as vidas, para seguirem a avareza.

28 E os seus profetas têm feito para eles cobertura com argamassa não temperada, profetizando vaidade, adivinhando-lhes mentira, dizendo: Assim diz o Senhor Deus; sem que o Senhor tivesse falado.

29 Ao povo da terra oprimem gravemente, andam roubando, fazendo violência ao aflito e necessitado, e ao estrangeiro oprimem sem razão.

30 E busquei dentre eles um homem que estivesse tapando o muro e estivesse na brecha perante mim por esta terra, para que eu não a destruísse; porém ninguém achei.

31 Por isso eu derramei sobre eles a minha indignação; com o fogo do meu furor os consumi; fiz que o seu caminho recaísse sobre a sua cabeça”, diz o Senhor Deus.

Aolá e Aolibá

23 A palavra do Senhor veio a mim, dizendo:

2 “Filho do homem, houve duas mulheres, filhas de uma mesma mãe.

3 Estas se prostituíram no Egito; prostituíram-se na sua mocidade; ali foram apertados os seus seios e ali foram apalpados os seios da sua virgindade.

4 E os seus nomes eram: Aolá, a mais velha, e Aolibá, sua irmã; elas foram minhas e tiveram filhos e filhas; quanto aos seus nomes, Samaria é Aolá, e Jerusalém é Aolibá.

5 E Aolá se prostituiu sendo minha; enamorou-se dos seus amantes, dos assírios, seus vizinhos,

6 vestidos de azul, capitães e magistrados, todos jovens cobiçáveis, cavaleiros montados a cavalo.

7 Assim ela cometeu as suas devassidões com eles, que eram todos a flor dos filhos da Assíria, e com todos com quem se enamorava; com todos os seus ídolos se contaminou.

8 E as suas prostituições, que trouxe do Egito, não a deixaram; porque com ela se deitaram na sua mocidade, e eles apalparam os seios da sua virgindade e derramaram sobre ela a sua prostituição.

9 Portanto, a entreguei nas mãos dos seus amantes, nas mãos dos filhos da Assíria, de quem se enamorou.

10 Estes descobriram a sua vergonha, levaram seus filhos e suas filhas, mas a ela mataram à espada; tornou-se falada entre as mulheres e sobre ela executaram os juízos.

11 Vendo isto, sua irmã Aolibá se corrompeu em sua paixão mais do que ela, e as suas devassidões foram mais do que as de sua irmã.

12 Enamorou-se dos filhos da Assíria, dos capitães e dos magistrados, seus vizinhos, vestidos com primor, cavaleiros que andam montados em cavalos, todos jovens cobiçáveis.

13 E vi que ela também tinha se contaminado; o caminho de ambas era o mesmo.

14 E aumentou as suas prostituições, porque viu homens pintados na parede, imagens dos caldeus pintadas de vermelho;

15 cingidos de cinto na cintura e tiaras largas e tingidas nas suas cabeças, todos com aparência de príncipes, semelhantes aos filhos da Babilônia na Caldeia, terra do seu nascimento.

16 E enamorou-se deles, ao lançar sobre eles os seus olhos, e lhes mandou mensageiros à Caldeia.

17 Então vieram a ela os filhos da Babilônia para o leito dos amores, e a contaminaram com as suas prostituições; e ela se contaminou com eles; então a sua alma apartou-se deles.

18 Assim pôs a descoberto as suas devassidões e descobriu a sua vergonha; então a minha alma se apartou dela, como já tinha se apartado da sua irmã.

19 Mas ela multiplicou as suas prostituições, lembrando-se dos dias da sua mocidade, em que se prostituiu na terra do Egito.

20 E enamorou-se dos seus amantes, cujos membros eram como o de jumento, e cuja ejaculação era como a de cavalos.

21 Assim você trouxe à memória a perversidade da sua mocidade, quando os do Egito apalpavam os seus seios, por causa dos peitos da sua mocidade.

Seus Castigos

22 Por isso, ó Aolibá, assim diz o Senhor Deus: Eis que eu suscitarei contra você os seus amantes, dos quais se tinha apartado a sua alma, e os trarei contra você de todos os lados:

23 Os filhos da Babilônia e todos os caldeus de Pecode, de Soa, de Coa e todos os filhos da Assíria com eles, jovens cobiçáveis, capitães e magistrados, todos eles, grandes e afamados senhores, todos eles montados a cavalo.

24 E virão contra você com carros, carretas e rodas, e com grande exército. Eles se colocarão ao redor de você com paveses, escudos e capacetes, e porei diante deles o juízo, e a julgarão segundo os seus juízos.

25 E porei contra você o meu zelo, e usarão de indignação com você, cortarão o nariz e as orelhas, e o que restar cairá à espada. Eles tomarão seus filhos e suas filhas, e quem ficar por último em você será consumido pelo fogo.

26 Também despirão as suas vestes e tomarão as suas belas joias.

27 Assim farei cessar em você a sua perversidade e a sua fornicação trazida da terra do Egito; assim não levantará os seus olhos para eles, nem se lembrará nunca mais do Egito.

28 Porque assim diz o Senhor Deus: Eis que eu a entregarei nas mãos dos que você odeia, nas mãos daqueles de quem tem se apartado a sua alma.

29 E eles a tratarão com ódio, levarão todo o fruto do seu trabalho e a deixarão nua e despida; se descobrirão a vergonha da sua fornicação, a sua perversidade e as suas devassidões.

30 Estas coisas lhe farão porque se prostituiu com os gentios e se contaminou com os seus ídolos.

31 No caminho da sua irmã andou; por isso entregarei o cálice dela na sua mão.

32 Assim diz o Senhor Deus: Você beberá o cálice da sua irmã, que é fundo e largo; você servirá de riso e escárnio, pois nele cabe muito.

33 De embriaguez e de dor se encherá; o cálice da sua irmã Samaria é cálice de espanto e de assolação.

34 Você o beberá e o esgotará, os seus cacos roerão e os seus seios arrancará; porque eu o falei", diz o Senhor Deus.

35 Portanto, assim diz o Senhor Deus: "Como se esqueceu de mim e me lançou para trás das suas costas, também sofrerá as consequências da sua perversidade e das suas devassidões."

36 Disse-me ainda o Senhor: "Filho do homem, porventura você julgará Aolá e Aolibá? Mostre-lhes as suas abominações.

37 Porque adulteraram e sangue se acha nas suas mãos; com os seus ídolos adulteraram e até os seus filhos, que de mim geraram, fizeram passar pelo fogo, para os consumir.

38 E ainda me fizeram isto: Contaminaram o meu santuário no mesmo dia e profanaram os meus sábados.

39 Porque, havendo sacrificado seus filhos aos seus ídolos, vinham ao meu santuário no mesmo dia para o profanarem; assim fizeram no meio da minha casa.

40 E, mais ainda, mandaram virem alguns homens de longe, aos quais fora enviado um mensageiro, e eles vieram. Por amor deles se lavou, pintou os seus olhos e se enfeitou.

41 E se assentou sobre um leito de honra, diante do qual

estava uma mesa preparada; pôs sobre ela o meu incenso
e o meu azeite.
42 Com ela se ouvia a voz de uma multidão satisfeita;
com homens de classe baixa foram trazidos beberrões do
deserto, e puseram braceletes nas mãos das mulheres e
coroas de esplendor nas suas cabeças.
43 Então eu disse à envelhecida em adultérios: Agora ela
vai continuar com as suas prostituições?
44 Então tiveram relações com ela, como quem tem rela-
ções com uma prostituta; assim tiveram relações com Aolá
e Aolibá, mulheres infames.
45 Mas homens justos as julgarão como se julgam as adúl-
teras e como se julgam as que derramam sangue; porque
são adúlteras e sangue há nas suas mãos.
46 Porque assim diz o Senhor Deus: Farei subir contra elas
uma multidão e as entregarei ao exílio e ao saque.
47 E a multidão as apedrejará e as golpeará com as suas
espadas; eles matarão seus filhos e suas filhas, e queimarão
as suas casas.
48 Assim farei cessar a perversidade da terra, para que to-
das as mulheres aprendam pelo seu exemplo, e não façam
conforme a sua perversidade;
49 o castigo da sua perversidade eles farão recair sobre
vocês e levarão os pecados dos seus ídolos; assim saberão
que eu sou o Senhor Deus."

A Parábola da Panela Fervente

24 E a palavra do Senhor veio a mim, no nono ano, no
décimo mês, aos dez dias do mês, dizendo:
2 "Filho do homem, escreva o nome deste dia, deste mes-
mo dia; porque o rei da Babilônia se pôs contra Jerusalém
neste mesmo dia.
3 E fale por parábola à casa rebelde e diga-lhes: Assim diz
o Senhor Deus: Ponha a panela no fogo e a encha de água,
4 ponha nela pedaços de carne, todos os bons pedaços, as
coxas e as espáduas; encha-a de ossos escolhidos.
5 Escolha o melhor do rebanho e queime também os ossos
debaixo dela; faça-a ferver bem e cozinhe dentro dela os
seus ossos.
6 Portanto, assim diz o Senhor Deus: Ai da cidade sangui-
nária, da panela que tem crosta por dentro e cuja crosta
não saiu dela! Tire dela a carne pedaço por pedaço, sem
escolha;
7 porque o seu sangue está no meio dela, sobre uma rocha
descalvada o pôs; não o derramou sobre a terra, para o
cobrir com pó.
8 Para fazer subir a indignação, para tomar vingança, eu
pus o seu sangue numa rocha descalvada, para que não
fosse coberto.
9 Portanto, assim diz o Senhor Deus: Ai da cidade sangui-
nária! Também eu farei uma grande fogueira.
10 Amontoe muita lenha, acenda o fogo, ferva bem a car-
ne, tempere o caldo e queime os ossos.
11 Então a porá vazia sobre as suas brasas, para que ela
aqueça e se queime o seu cobre, se funda a sua imundícia
no meio dela e se consuma a sua crosta.
12 Ela com mentiras se cansou e não saiu dela a sua cros-
ta; ao fogo irá a sua crosta.
13 Na imundícia está a infâmia, porque a purifiquei e
não permaneceu pura; nunca mais será purificada da sua
imundícia, enquanto eu não fizer descansar sobre você a
minha indignação.
14 Eu, o Senhor, o disse: Farei isso, não voltarei atrás, e
não pouparei, nem me arrependerei; conforme os seus ca-
minhos e conforme os seus feitos a julgarão", diz o Senhor
Deus.

Lamentação Pela Morte da Esposa de Ezequiel

15 E a palavra do Senhor veio a mim, dizendo:
16 "Filho do homem, com um só golpe tirarei de você o
desejo dos seus olhos, mas não lamentará, nem chorará,
nem correrão as suas lágrimas.
17 Sofra em silêncio, não faça luto por mortos; amarre o
seu turbante, ponha nos pés as suas sandálias, não cubra
os seus lábios, e não coma o pão que lhe derem."
18 Falei ao povo pela manhã e à tarde a minha mulher
morreu; e pela manhã fiz como me foi mandado.
19 E o povo me perguntou: "Por acaso não nos explicará o
que significam estas coisas que está fazendo?"
20 E eu respondi: "A palavra do Senhor veio a mim,
dizendo:
21 'Diga à casa de Israel: Assim diz o Senhor Deus: Eis
que eu profanarei o meu santuário, a glória da sua força,
o desejo dos seus olhos, e o desejo de seu coração; seus
filhos e suas filhas, que deixou, cairão à espada.
22 E farão como eu fiz; não cobrirão os lábios de vocês e
não comerão o pão que lhes derem.
23 E terão nas cabeças os seus turbantes e as suas sandá-
lias nos pés; não lamentarão nem chorarão, mas definha-
rão nas suas maldades e gemerão uns com os outros.
24 Assim Ezequiel servirá de sinal a vocês; tudo o que ele
fez, vocês farão; quando isso acontecer, saberão que eu
sou o Senhor Deus.
25 Filho do homem, no dia em que eu lhes tirar a força,
a alegria da glória deles, o desejo dos seus olhos e o desejo
do coração deles, com seus filhos e suas filhas,
26 nesse dia um sobrevivente virá falar com você, para lhe
dar as notícias pessoalmente.
27 Naquele dia, você abrirá a sua boca para falar com o
sobrevivente, e não mais ficará mudo; assim você será um
sinal para eles, e saberão que eu sou o Senhor."

Profecia Contra Amom

25 E a palavra do Senhor veio a mim, dizendo:

2 "Filho do homem, dirija o seu rosto contra os filhos de Amom e profetize contra eles.

3 E diga aos filhos de Amom: Ouçam a palavra do Senhor Deus: Assim diz o Senhor Deus: Porque vocês disseram: 'Ah! Ah! Ah!' Contra o meu santuário, quando foi profanado, e contra a terra de Israel, quando foi assolada, e contra a casa de Judá, quando foi ao cativeiro;

4 por isso, eis que eu os entregarei como propriedade ao povo do Oriente que estabelecerão os seus acampamentos no meio de vocês, e farão em vocês as suas moradas; eles comerão os seus frutos e beberão o seu leite.

5 Farei de Rabá uma estrebaria de camelos, e, dos filhos de Amom, um curral de ovelhas; então saberão que eu sou o Senhor.

6 Pois assim diz o Senhor Deus: Porque vocês bateram palmas, pularam de alegria, e, com todo o desprezo do seu coração, se alegraram contra a terra de Israel,

7 portanto, eis que eu tenho estendido a minha mão sobre vocês e os darei por despojo às nações; eu os arrancarei do meio dos povos, os destruirei dentre as terras e acabarei com vocês; então saberão que eu sou o Senhor.

Profecia Contra Moabe

8 Assim diz o Senhor Deus: Porque Moabe e Seir dizem: A casa de Judá é como qualquer outra nação;

9 portanto, eu abrirei o lado de Moabe começando pelas cidades, pelas suas cidades da fronteira, a glória da terra, Bete-Jesimote, Baal-Meom e Quiriataim.

10 Eu as entregarei como propriedade aos povos do Oriente, junto com os filhos de Amom, para que não haja lembrança dos filhos de Amom entre as nações.

11 Também executarei juízos sobre Moabe, e eles saberão que eu sou o Senhor.

Profecia Contra Edom

12 Assim diz o Senhor Deus: Porque Edom se vingou da casa de Judá e se fez culpadíssima, quando se vingou deles,

13 assim diz o Senhor Deus: Também estenderei a minha mão sobre Edom e arrancarei dela pessoas e animais; eu a tornarei em deserto, e desde Temã até Dedã cairão à espada.

14 E exercerei a minha vingança contra Edom, pela mão do meu povo de Israel; então farão em Edom segundo a minha ira e segundo o meu furor e conhecerão a minha vingança, diz o Senhor Deus.

Profecia Contra os Filisteus

15 Assim diz o Senhor Deus: Porque os filisteus se vingaram e executaram vingança com desprezo de coração, para destruírem com perpétua inimizade,

16 portanto assim diz o Senhor Deus: Eis que eu estendo a minha mão sobre os filisteus, arrancarei os quereteus e destruirei o restante da costa do mar.

17 E executarei sobre eles grandes vinganças, com furiosos castigos, e saberão que eu sou o Senhor, quando eu tiver exercido a minha vingança contra eles."

Profecia Contra Tiro

26 E aconteceu no décimo primeiro ano, no primeiro dia do mês, que a palavra do Senhor veio a mim, dizendo:

2 "Filho do homem, visto que Tiro disse contra Jerusalém: 'Ah! Ah! Ah!' Está quebrada a porta dos povos, ela se abriu para mim, eu me encherei de riquezas, agora que ela está assolada;

3 portanto assim diz o Senhor Deus: Eis que eu estou contra você, ó Tiro, e farei subirem contra você muitas nações, como o mar faz subirem as suas ondas,

4 elas destruirão os muros de Tiro e derrubarão as suas torres; eu varrerei o seu pó e dela farei uma rocha descalvada.

5 No meio do mar virá a ser um enxugadouro das redes de pesca; porque eu o falei, diz o Senhor Deus; e ela servirá de despojo para as nações.

6 E suas filhas, que estão no campo, serão mortas à espada; e vocês saberão que eu sou o Senhor.

7 Porque assim diz o Senhor Deus: Eis que eu, desde o Norte, trarei contra Tiro Nabucodonosor, rei da Babilônia, o rei dos reis, com cavalos, com carros, com cavaleiros, companhias e um grande exército.

8 As suas filhas que estão no campo, ele as matará à espada e levantará uma torre de ataque contra você, cavará uma trincheira contra você e levantará escudos contra você.

9 E disporá os seus aríetes contra os seus muros e derrubará as suas torres com os seus machados.

10 Por causa da multidão de seus cavalos você ficará coberta de pó, e os seus muros tremerão com o estrondo dos cavaleiros, das rodas e dos carros, quando ele entrar pelas suas portas, como os homens que entram numa cidade em que se faz uma brecha na muralha.

11 Com os cascos dos seus cavalos pisará todas as suas ruas; matará o seu povo à espada e as suas fortes colunas cairão por terra.

12 E roubarão as suas riquezas e saquearão as suas mercadorias, derrubarão os seus muros e arrasarão as suas casas agradáveis; lançarão no meio das águas as suas pedras, as suas madeiras e o seu pó.

13 E farei cessar o ruído das suas cantigas e o som das suas harpas não se ouvirá mais.

14 E farei de você uma rocha descalvada; você virá a ser um enxugadouro de redes, nunca mais será edificada; porque eu, o Senhor, o falei, diz o Senhor Deus.

15 Assim diz o Senhor Deus a Tiro: Por acaso as ilhas não tremerão com o estrondo da sua queda, quando gemerem os feridos, quando se fizer uma espantosa matança no meio de você?

16 E todos os príncipes do mar descerão dos seus tronos, tirarão de si os seus mantos e despirão as suas vestes bordadas; se vestirão de tremores, sobre a terra se assentarão e estremecerão a cada momento; por sua causa pasmarão.

17 E levantarão uma lamentação sobre você e lhe dirão: 'Como pereceu, ó bem povoada e afamada cidade, que foi forte no mar; ela e os seus moradores, que atemorizaram a todos os seus habitantes!

18 Agora, as ilhas estremecerão no dia da sua queda; sim, as ilhas, que estão no mar se turbarão com sua ruína.'

19 Porque assim diz o Senhor Deus: Quando eu fizer de você uma cidade assolada, como as cidades que não se habitam, quando eu fizer subir sobre você o abismo e as muitas águas a cobrirem,

20 então a farei descer com os que descem à cova, ao povo antigo, e a farei habitar nas mais baixas partes da terra, em lugares desertos antigos, como os que descem à cova, para que não seja habitada; assim estabelecerei a glória na terra dos viventes.

21 Farei de você um grande espanto e você não mais existirá; e, quando a procurarem, você nunca mais será achada para sempre", diz o Senhor Deus.

Lamentação Por Tiro

27 E a palavra do Senhor veio a mim, dizendo:

2 "Você, ó filho do homem, faça uma lamentação sobre Tiro.

3 E diga a Tiro, que habita nas entradas do mar e negocia com os povos em muitas ilhas: Assim diz o Senhor Deus: Ó Tiro, você que diz: 'Eu sou perfeita em formosura.'

4 No coração dos mares estão as suas fronteiras; os que a edificaram aperfeiçoaram a sua formosura.

5 Fabricaram todos os seus conveses de faias de Senir; trouxeram cedros do Líbano para lhe fazerem mastros.

6 Fizeram os seus remos de carvalhos de Basã; o seu convés o fizeram de cipreste engastado de marfim das ilhas dos quiteus.

7 Linho fino bordado do Egito era a sua cortina, para lhe servir de vela; azul e púrpura das ilhas de Elisá eram a sua cobertura.

8 Os moradores de Sidom e de Arvade foram os seus remadores; os seus sábios, ó Tiro, que se achavam em você, esses foram os seus pilotos.

9 Os anciãos de Gebal e seus sábios foram a você para calafetarem as suas fendas; todos os navios do mar e os marinheiros se acharam em você, para tratarem dos seus negócios.

10 Os persas, os lídios e os de Pute eram no seu exército os seus soldados; escudos e capacetes penduraram em você; eles manifestaram a sua beleza.

11 Os filhos de Arvade e o seu exército estavam sobre os seus muros e ao redor, e os gamaditas nas suas torres; penduravam os seus escudos nos seus muros em redor; eles aperfeiçoavam a sua formosura.

12 Társis negociava com você, por causa da abundância de todo o tipo de riquezas; com prata, ferro, estanho e chumbo, negociavam em suas feiras.

13 Javã, Tubal e Meseque eram seus mercadores; em troca das suas mercadorias davam escravos e objetos de bronze.

14 Os da casa de Togarma trocavam, pelas suas mercadorias, cavalos, cavaleiros e mulas.

15 Os filhos de Dedã eram os seus mercadores; muitas ilhas eram o comércio da sua mão; dentes de marfim e madeira de ébano davam-lhe de presente.

16 A Síria negociava com você por causa da multidão das suas manufaturas; pelas suas mercadorias davam esmeralda, púrpura, obra bordada, linho fino, corais e ágata.

17 Judá e a terra de Israel eram os seus mercadores; pelas suas mercadorias trocavam trigo de Minite, panague, mel, azeite e bálsamo.

18 Damasco negociava com você, por causa da multidão das suas obras, por causa da abundância de todo o tipo de riqueza, dando em troca vinho de Helbom e lã branca.

19 Também Dã e Javã, de Uzal, pelas suas mercadorias davam em troca ferro trabalhado, cássia e cálamo aromático, que assim entravam no seu comércio.

20 Dedã negociava com você com panos preciosos para selas.

21 A Arábia e todos os príncipes de Quedar eram mercadores ao seu serviço com cordeiros, carneiros e bodes; estas coisas negociavam com você.

22 Os mercadores de Sabá e Raamá eram os seus mercadores; com todos os seus mais finos aromas, com toda a pedra preciosa e ouro negociaram nas suas feiras.

23 Harã, Cane e Éden, os mercadores de Sabá, Assur e Quilmade negociavam com você.

24 Estes eram seus mercadores em roupas escolhidas, em pano azul e bordados, e em cofres de roupas preciosas, amarrados com cordas e feitos de cedros, entre sua mercadoria.

25 Os navios de Társis eram as suas caravanas que traziam suas mercadorias; e você se encheu e se glorificou muito no meio dos mares.

26 Os seus remadores a conduziram sobre grandes águas; o vento oriental a quebrou no meio dos mares.

27 As suas riquezas, as suas feiras, suas mercadorias, os seus marinheiros, os seus pilotos, os seus calafetadores, os

que faziam os seus negócios e todos os seus soldados, que estão em você, juntamente com toda a sua companhia, que está no meio de você, cairão no meio dos mares no dia da sua queda;
28 ao estrondo da gritaria dos seus pilotos, as praias tremerão.
29 E todos os que pegam no remo, os marinheiros e todos os pilotos do mar descerão de seus navios e pararão em terra.
30 E farão ouvir a sua voz sobre você e gritarão amargamente; lançarão pó sobre as cabeças, e na cinza se revolverão.
31 Raparão a cabeça por sua causa e se vestirão de roupas feitas de sacos; chorarão sobre você com amargura de alma e com amarga lamentação.
32 E no seu pranto levantarão uma lamentação sobre você, dizendo: Quem foi como Tiro, como a que foi destruída no meio do mar?
33 Quando as suas mercadorias saíam pelos mares, satisfazia a muitos povos; com a multidão das suas riquezas e do seu negócio enriqueceu os reis da terra.
34 No tempo em que foi quebrada pelos mares, nas profundezas das águas, caíram no meio de você os seus negócios e toda a sua companhia.
35 Todos os moradores das ilhas estão a seu respeito cheios de espanto; e os seus reis tremeram muito e ficaram perturbados nos seus rostos;
36 os mercadores dentre os povos assobiaram contra você; você se tornou em grande espanto e você não mais existirá."

A Queda do Rei de Tiro

28 E a palavra do Senhor veio a mim, dizendo:
2 "Filho do homem, diga ao príncipe de Tiro: Assim diz o Senhor Deus: Porque o seu coração se elevou e disse: Eu sou Deus, sobre o trono de um deus me assento no meio dos mares; e não passa de um simples homem, e não é um deus, ainda que pense no seu coração que é um deus;
3 eis que você pensa que é mais sábio que Daniel; e não há segredo algum que se possa esconder de você.
4 Pela sua sabedoria e pelo seu entendimento alcançou para você riquezas e adquiriu ouro e prata nos seus tesouros.
5 Pela extensão da sua sabedoria no seu comércio aumentou as suas riquezas e elevou o seu coração por causa das suas riquezas;
6 por isso, assim diz o Senhor Deus: Porque você pensa que é Deus,
7 por isso eis que eu trarei contra você estrangeiros, os mais terríveis entre as nações, os quais desembainharão as suas espadas contra a formosura da sua sabedoria e mancharão o seu resplendor.
8 Eles farão você descer à cova e você morrerá traspassado por uma espada no meio dos mares.
9 Por acaso ainda dirá diante daquele que o matar: 'Eu sou Deus?' Mas você é um homem e não Deus, na mão de quem o traspassa.
10 Da morte dos incircuncisos morrerá, pela mão de estrangeiros, porque eu o falei", diz o Senhor Deus.

Lamentação Sobre o Rei de Tiro

11 A palavra do Senhor veio a mim, dizendo:
12 "Filho do homem, faça uma lamentação sobre o rei de Tiro, e diga-lhe: Assim diz o Senhor Deus: Você era o selo da medida, cheio de sabedoria e perfeito em formosura.
13 Esteve no Éden, jardim de Deus; de toda a pedra preciosa era a sua cobertura: Sardônia, topázio, diamante, turquesa, ônix, jaspe, safira, carbúnculo, esmeralda e ouro; em você se faziam os seus tambores e os seus pífaros; no dia em que foi criado foram preparados.
14 Você era o querubim; ungido para cobrir, eu o estabeleci; no monte santo de Deus estava, no meio das pedras afogueadas andava.
15 Você era perfeito nos seus caminhos, desde o dia em que foi criado, até que se achou iniquidade em você.
16 Na multiplicação do seu comércio encheu o seu interior de violência, e pecou; por isso o lancei, profanado, do monte de Deus, e o fiz perecer, ó querubim cobridor, do meio das pedras afogueadas.
17 O seu coração se elevou por causa da sua formosura, corrompeu a sua sabedoria por causa do seu resplendor; por terra o lancei, eu o coloquei diante dos reis, para que olhem para você.
18 Pela multidão das suas iniquidades, pela injustiça do seu comércio profanou os seus santuários; eu, pois, fiz sair do meio de você um fogo, que o consumiu, e o transformei em cinza sobre a terra, aos olhos de todos os que o viam.
19 Todos os que o conhecem entre os povos estão espantados por causa de você; em grande espanto se tornou, e nunca mais existirá."

Profecia Contra Sidom

20 E a palavra do Senhor veio a mim, dizendo:
21 "Filho do homem, dirija o seu rosto contra Sidom e profetize contra ela,
22 e diga: Assim diz o Senhor Deus: Estou contra você, ó Sidom, e serei glorificado no meio de você; e saberão que eu sou o Senhor, quando nela executar juízos e nela me santificar.
23 Porque enviarei contra ela a peste e o sangue nas suas ruas; os traspassados cairão no meio dela, estando a es-

pada contra ela por todos os lados e saberão que eu sou
o Senhor.
24 E a casa de Israel nunca mais terá espinho que a fira,
nem espinho que cause dor, entre os que se acham ao re-
dor deles e que os desprezam; e saberão que eu sou o
Senhor Deus.
25 Assim diz o Senhor Deus: Quando eu congregar a casa
de Israel dentre os povos por onde estão espalhados, e eu
me santificar entre eles, perante os olhos das nações, en-
tão habitarão na sua terra que dei a meu servo Jacó.
26 E habitarão nela seguros e edificarão casas, plantarão
vinhas e habitarão seguros, quando eu executar juízos
contra todos os que estão ao seu redor e que os despre-
zam; e saberão que eu sou o Senhor seu Deus."

Profecia Contra o Egito

29 No décimo ano, no décimo mês, no dia doze do
mês, a palavra do Senhor veio a mim, dizendo:
2 "Filho do homem, dirija o seu rosto contra o Faraó, rei
do Egito, e profetize contra ele e contra todo o Egito.
3 Fale e diga: Assim diz o Senhor Deus: Estou contra você,
ó Faraó, rei do Egito, grande dragão, que pousa no meio
dos seus rios e que diz: 'O meu rio é meu, eu o fiz para
mim.'
4 Mas eu porei anzóis em seus queixos, e farei que os
peixes dos seus rios se apeguem às suas escamas; então, o
tirarei do meio dos seus rios e todos os peixes dos seus rios
sairão apegados às suas escamas.
5 E o deixarei no deserto, você e todos os peixes dos seus
rios; você cairá sobre o campo aberto; não será recolhido
nem ajuntado; aos animais da terra e às aves do céu o dei
como mantimento.
6 E todos os moradores do Egito saberão que eu sou o
Senhor, porque se tornaram um bordão de junco para a
casa de Israel.
7 Quando eles o pegaram com as mãos, você quebrou, e
rasgou todo o ombro deles; quando se apoiaram em você,
você se quebrou, e fez tremer o lombo deles.
8 Portanto, assim diz o Senhor Deus: Eis que eu trarei so-
bre você a espada, e de você destruirei homens e animais.
9 E a terra do Egito se tornará em assolação e deserto;
então saberão que eu sou o Senhor, porque disse: 'O rio
é meu, e eu o fiz';
10 portanto, eu estou contra você e contra os seus rios; fa-
rei a terra do Egito deserta, em completa desolação, desde
a torre de Syene até aos confins da Etiópia.
11 Não passará por ela pé de homem, nem de animal,
nem será habitada por quarenta anos.
12 Porque tornarei a terra do Egito em assolação no meio
das terras desoladas; as suas cidades entre as cidades de-
sertas se tornarão em assolação por quarenta anos, e es-
palharei os egípcios entre as nações, e os dispersarei por
outras terras.
13 Porém, assim diz o Senhor Deus: Ao fim de quarenta
anos, ajuntarei os egípcios do meio dos povos onde foram
espalhados.
14 E removerei o cativeiro dos egípcios e os farei voltar
à terra de Patros, à terra de sua origem; e serão ali um
reino humilde;
15 e se tornarão o mais humilde dos reinos, e nunca mais
se exaltarão sobre as nações; porque eu os diminuirei, para
que não dominem sobre as nações.
16 A casa de Israel não confiará mais no Egito, mas ele
será lembrado pela sua iniquidade, quando Israel tentar
buscar no Egito alguma ajuda, então eles saberão que eu
sou o Senhor Deus."
17 No vigésimo sétimo ano, no primeiro mês, no primeiro
dia do mês, a palavra do Senhor veio a mim, dizendo:
18 "Filho do homem, Nabucodonosor, rei da Babilônia,
fez com que o seu exército prestasse um grande serviço
contra Tiro; todas as cabeças se tornaram calvas e todos
os ombros ficaram esfolados; e não houve pagamento de
Tiro para ele, nem para o seu exército, pelo serviço que
prestou contra ela.
19 Portanto, assim diz o Senhor Deus: Eu darei a Nabuco-
donosor, rei da Babilônia, a terra do Egito; ele levará o seu
povo, tomará o seu despojo e roubará a sua presa, e isto
será a recompensa para o seu exército.
20 Como recompensa do seu trabalho, que fez contra ela,
eu lhe dei a terra do Egito; porque trabalharam por mim,
diz o Senhor Deus.
21 Naquele dia farei brotar o poder na casa de Israel, e
abrirei a sua boca no meio deles; e eles saberão que eu
sou o Senhor."

A Desolação dos Egípcios e Seus Aliados

30 E a palavra do Senhor veio a mim, dizendo:
2 "Filho do homem, profetize e diga: Assim diz o
Senhor Deus; clamem e lamentem dizendo: Ai! Aquele
dia!
3 Porque está perto o dia, sim, está perto o dia do Senhor;
será um dia nublado, o tempo dos gentios.
4 A espada virá contra o Egito e haverá grande dor na
Etiópia, quando caírem os feridos no Egito; e aprisionarão
o seu povo, e os seus fundamentos serão destruídos.
5 Etiópia, Pute, Lude e toda a mistura de gente; também
Cube e os homens da terra da aliança juntamente com eles
cairão à espada.
6 Assim diz o Senhor: Também cairão os que sustentam o
Egito, e acabará a soberba de seu poder; desde a torre de
Syene, ali cairão à espada, diz o Senhor Deus.

7 E serão desolados no meio das terras assoladas; as suas
cidades estarão no meio das cidades desertas.
8 E saberão que eu sou o Senhor, quando eu puser fogo no
Egito e forem destruídos todos os que lhe davam auxílio.
9 Naquele dia enviarei mensageiros em navios para sur-
preenderem a Etiópia descuidada; e haverá neles grandes
dores, no dia da ruína do Egito; pois, eis que já vem.
10 Assim diz o Senhor Deus: Eu farei cessar a população
do Egito, pela mão de Nabucodonosor, rei da Babilônia.
11 Ele e o seu povo com ele, os mais terríveis das nações,
serão levados para destruírem a terra; e desembainharão as
suas espadas contra o Egito e encherão a terra de mortos.
12 E secarei os rios, venderei a terra, entregando-a nas
mãos dos maus, e assolarei a terra e a sua plenitude pelas
mãos dos estrangeiros; eu, o Senhor, o disse.
13 Assim diz o Senhor Deus: Também destruirei os ídolos
e as imagens de Mênfis; não haverá mais príncipe na terra
do Egito, e nela porei o temor.
14 E assolarei Patros, porei fogo em Zoã e executarei juí-
zos em Tebas.
15 E derramarei o meu furor sobre Sim, a fortaleza do
Egito, e exterminarei a população de Tebas.
16 E porei fogo no Egito; Sim terá grande dor, Tebas será
fendida, e Mênfis terá angústias cotidianas.
17 Os jovens de Aven e Pi-Besete cairão à espada, e as
cidades irão em cativeiro.
18 E em Tafnes escurecerá o dia, quando eu quebrar ali os
jugos do Egito, e nela cessar a soberba do seu poder; uma
nuvem a cobrirá, e suas filhas irão em cativeiro.
19 Assim executarei juízos no Egito, e saberão que eu sou
o Senhor."

O Fortalecimento da Babilônia

20 No décimo primeiro ano, no primeiro mês, aos sete
dias do mês, a palavra do Senhor veio a mim, dizendo:
21 "Filho do homem, eu quebrei o braço do Faraó, rei do
Egito, e eis que não foi atado para se aplicarem remédios,
nem lhe colocarão ataduras, a fim de torná-lo forte, para
pegar na espada.
22 Portanto assim diz o Senhor Deus: Eis que eu estou
contra o Faraó, rei do Egito, e quebrarei os seus braços,
tanto o forte como o quebrado, e farei a espada cair da
sua mão.
23 Espalharei os egípcios entre as nações e os dispersarei
por outras terras.
24 Fortalecerei os braços do rei da Babilônia e porei a mi-
nha espada na sua mão; mas quebrarei os braços do Faraó
que diante dele gemerá como geme o ferido pela espada.
25 Eu fortalecerei os braços do rei da Babilônia, mas os
braços do Faraó cairão; assim saberão que eu sou o Senhor,
quando eu puser a minha espada na mão do rei da Babilô-
nia, e ele a estender sobre a terra do Egito
26 Espalharei os egípcios entre as nações e os dispersarei
entre outras terras; assim saberão que eu sou o Senhor."

Comparações Entre o Egito e a Assíria

31 No décimo primeiro ano, no terceiro mês, no pri-
meiro dia do mês, a palavra do Senhor veio a mim,
dizendo:
2 "Filho do homem, diga ao Faraó, rei do Egito, e ao seu
povo: A quem você é semelhante na sua grandeza?
3 Eis que a Assíria era um cedro no Líbano, de ramos for-
mosos, de sombrosa ramagem e de grande estatura, e a
sua copa estava entre os ramos espessos.
4 As águas o fizeram crescer, o abismo o exaltou; as suas
correntes corriam em torno da sua plantação e ele enviava
os riachos a todas as árvores do campo.
5 Por isso a sua estatura se elevou sobre todas as árvores
do campo, os seus ramos se multiplicaram e os seus galhos
se alongaram, por causa das muitas águas quando brotava.
6 Todas as aves do céu se aninhavam nos seus ramos,
todos os animais do campo geravam debaixo dos seus ra-
mos, e todas as grandes nações habitavam à sua sombra.
7 Assim ele era formoso na sua grandeza, na extensão dos
seus ramos, porque a sua raiz estava junto às muitas águas.
8 Os cedros, no jardim de Deus, não o podiam obscurecer;
as faias não igualavam os seus ramos e os castanheiros não
eram como os seus renovos; nenhuma árvore no jardim de
Deus se assemelhou a ele na sua formosura.
9 Formoso o fiz com a multidão dos seus ramos e todas as
árvores do Éden, que estavam no jardim de Deus, tinham
inveja dele.
10 Portanto assim diz o Senhor Deus: Porque se elevou na
sua estatura, e levantou a sua copa no meio dos espessos
ramos, e o seu coração se exaltou na sua altura,
11 eu o entregarei nas mãos do mais poderoso dos gentios,
que lhe dará o tratamento merecido; pela sua impiedade
o lançarei fora.
12 E estrangeiros das mais terríveis nações o cortarão e
o abandonarão; os seus ramos cairão sobre os montes e
por todos os vales, e os seus renovos serão quebrados por
todos os rios da terra; todos os povos da terra se retirarão
da sua sombra, e o deixarão.
13 Todas as aves do céu habitarão sobre as suas ruínas,
e todos os animais do campo se acolherão sob os seus
renovos;
14 para que todas as árvores junto às águas não se exaltem
na sua estatura, nem levantem a sua copa no meio dos
ramos espessos, nem as que bebem as águas venham a
confiar em si, por causa da sua altura; porque todos estão

entregues à morte, até à terra mais baixa, no meio dos
filhos dos homens, com os que descem à cova.
15 Assim diz o Senhor Deus: No dia em que ele desceu à
sepultura, eu fiz com que houvesse luto; fiz cobrir o abis-
mo, por sua causa, retive as suas correntes e detiveram-se
as muitas águas; cobri o Líbano de preto por causa dele,
e todas as árvores do campo por causa dele desfaleceram.
16 Fiz tremerem as nações ao som da sua queda, quando
o fiz descer à sepultura, com os que descem à cova; e
todas as árvores do Éden, a flor e o melhor do Líbano, to-
das as árvores que bebem águas, se consolavam nas partes
mais baixas da terra.
17 Também estes com ele descerão à sepultura, para jun-
tarem-se aos que foram traspassados à espada, sim, aos que
foram seu braço, e que habitavam à sombra no meio das
nações.
18 A quem é semelhante em glória e em grandeza entre as
árvores do Éden? No entanto você descerá com as árvores
do Éden às partes mais baixas da terra; no meio dos incir-
cuncisos jazerá com os que foram traspassados à espada;
este é o Faraó e toda a sua população, diz o Senhor Deus."

A Lamentação Pelo Egito

32 No décimo segundo ano, no décimo segundo mês,
no primeiro dia do mês, a palavra do Senhor veio a
mim, dizendo:
2 "Filho do homem, faça uma lamentação sobre o Faraó,
rei do Egito, e diga-lhe: Você era semelhante a um filho
do leão entre as nações, mas você é como uma baleia nos
mares, e rompia os seus rios, turbava as águas com os seus
pés e pisava os seus rios.
3 Assim diz o Senhor Deus: Portanto, estenderei sobre
você a minha rede no meio de muitos povos que o farão
subir na minha rede.
4 Então o deixarei em terra; sobre a face do campo o lan-
çarei e farei pousarem sobre você todas as aves do céu, e
fartarei de você os animais de toda a terra.
5 E porei as suas carnes sobre os montes e encherei os
vales com os seus restos.
6 E regarei com o seu sangue a terra onde nada, até aos
montes; e os rios se encherão de você.
7 E, quando eu o extinguir, cobrirei os céus e enegrecerei
as suas estrelas; o sol encobrirei com uma nuvem e a lua
não fará resplandecer a sua luz.
8 Todas as brilhantes luzes do céu enegrecerei sobre você,
e trarei trevas sobre a sua terra", diz o Senhor Deus.
9 "E afligirei os corações de muitos povos, quando eu le-
var a sua destruição entre as nações, às terras que não
conheceu.
10 E farei com que muitos povos fiquem espantados com
você, e os seus reis tremerem de medo, quando eu bran-
dir a minha espada diante dos seus rostos; e estremecerão
a cada momento, cada um pela sua vida, no dia da sua
queda.
11 Porque assim diz o Senhor Deus: A espada do rei da
Babilônia virá sobre você.
12 Farei cair a sua grande população pelas espadas dos
valentes, que são todos os mais terríveis das nações; eles
destruirão a soberba do Egito e todo o seu povo será
destruído.
13 E exterminarei todos os seus animais sobre as muitas
águas; nunca mais serão turvadas pelos pés dos homens,
nem pelas patas de animais.
14 Então farei assentarem as suas águas, e farei correrem
os seus rios como o azeite", diz o Senhor Deus.
15 "Quando eu tornar a terra do Egito em assolação e ela
for despojada da sua plenitude, e quando destruir todos
os que habitam nela, então saberão que eu sou o Senhor.
16 Esta é a lamentação que se fará; que as filhas das na-
ções farão sobre o Egito e sobre todo o seu povo", diz o
Senhor Deus.
17 No décimo segundo ano, no decimo quinto dia do mês,
veio a mim a palavra do Senhor, dizendo:
18 "Filho do homem, pranteie sobre o povo do Egito, e
faça-o descer, a ele e às filhas das nações magníficas, às
partes mais baixas da terra, juntamente com os que des-
cem à cova.
19 Diga o seguinte: A quem você supera em formosura?
Desça e deite-se com os incircuncisos.
20 No meio daqueles que foram mortos à espada, eles
cairão; à espada ele está entregue; arraste a ele e a todo
o seu povo.
21 Os mais poderosos dos valentes lhe falarão do meio da
sepultura, com os que o socorrem: 'Eles desceram, jaze-
ram com os incircuncisos mortos à espada.'
22 Ali está a Assíria com todo o seu exército; ao redor dele
estão os seus sepulcros; todos eles foram mortos, abatidos
à espada.
23 Os seus sepulcros foram postos nas extremidades da
cova, e o seu exército está ao redor do seu sepulcro; todos
eles mortos, abatidos à espada; esses que tinham causado
espanto na terra dos viventes.
24 Ali está Elão com todo o seu exército ao redor do seu
sepulcro; todos eles mortos, abatidos à espada; desceram
incircuncisos às partes mais baixas da terra, causaram ter-
ror na terra dos viventes, e levaram a sua vergonha com os
que desceram à cova.
25 No meio dos mortos lhe puseram uma cama, entre
todo o seu exército; ao redor dele estão os seus sepulcros;
todos eles são incircuncisos, mortos à espada; porque cau-
saram terror na terra dos viventes e levaram a sua vergo-

nha com os que desceram à cova; foram postos no meio
dos mortos.
26 Ali estão Meseque, Tubal e todo o seu exército; ao
redor deles estão os seus sepulcros; todos eles são incir-
cuncisos e mortos à espada, porque causaram terror na
terra dos viventes.
27 Porém não jazerão com os valentes que caíram dos
incircuncisos, os quais desceram à sepultura com as suas
armas de guerra e puseram as suas espadas debaixo das
suas cabeças; mas a sua iniquidade está sobre os seus os-
sos, porque eram o terror dos fortes na terra dos viventes.
28 Também você será quebrado no meio dos incircuncisos
e jazerá com os que foram mortos à espada.
29 Ali estão Edom, os seus reis e todos os seus príncipes,
que com o seu poder foram postos com os que foram mor-
tos à espada; estes jazem com os incircuncisos e com os
que desceram à cova.
30 Ali estão os príncipes do Norte, todos eles, e todos os
sidônios, que desceram com os mortos, envergonhados
com o terror causado pelo seu poder; e jazem incircun-
cisos com os que foram mortos à espada, e levam a sua
vergonha com os que desceram à cova.
31 O Faraó os verá e se consolará com todo o seu exército;
sim, o próprio Faraó e todo o seu exército, mortos à espa-
da, diz o Senhor Deus.
32 Porque eu também o pus como o meu terror na terra
dos viventes; por isso jazerão no meio dos incircuncisos,
com os mortos à espada, o Faraó e todo o seu povo", diz
o Senhor Deus.

A Restauração de Israel

33 E a palavra do Senhor veio a mim, dizendo:
2 "Filho do homem, fale aos filhos do seu povo e
diga-lhes: Quando eu fizer vir a espada sobre a terra, e o
povo da terra escolher um homem dos seus territórios e o
constituir como sua sentinela;
3 e, vendo ele que a espada vem sobre a terra, e tocar a
trombeta e avisar o povo;
4 se aquele que ouvir o som da trombeta não se der por
avisado, e vier a espada, e o alcançar, este será responsável
pela sua própria morte.
5 Ele ouviu o som da trombeta e não se deu por avisado,
será responsável pela sua própria morte; mas quem se der
por avisado salvará a sua vida.
6 Mas, se quando a sentinela vir que vem a espada e não
tocar a trombeta, e o povo não for avisado, e a espada vier,
e levar uma vida dentre eles, este foi levado na sua iniqui-
dade, porém o seu sangue requererei da mão da sentinela.
7 A você, ó filho do homem, eu o constituí por sentinela
sobre a casa de Israel; você ouvirá a palavra da minha boca
e a anunciará da minha parte.
8 Se eu disser ao ímpio: Ó ímpio, certamente morrerá;
e você não falar, para dissuadir o ímpio do seu caminho,
esse ímpio morrerá na sua iniquidade, porém você será
responsável pela morte dele.
9 Mas, se advertir o ímpio do seu caminho, para que dele
se converta, e ele não se converter do seu caminho, ele
morrerá na sua iniquidade; mas você terá salvo a sua vida.
10 Você, filho do homem, diga à casa de Israel: Assim
vocês falam: Visto que as nossas transgressões e os nossos
pecados estão sobre nós, e nós desfalecemos por causa de-
les, como viveremos então?
11 Diga-lhes: Juro pela minha vida, diz o Senhor Deus,
que não tenho prazer na morte do ímpio, mas em que
o ímpio se converta do seu caminho, e viva. Convertam-
-se, convertam-se dos seus maus caminhos. Por que razão
morrerão, ó casa de Israel?
12 Você, filho do homem, diga aos filhos do seu povo: A
justiça do justo não o livrará no dia da sua transgressão; e
quanto à impiedade do ímpio, não cairá por ela, no dia em
que se converter da sua impiedade; nem o justo poderá
viver pela sua justiça no dia em que pecar.
13 Quando eu disser ao justo que certamente viverá, e
ele, confiando na sua justiça, praticar a iniquidade, não
virão à memória todas as suas justiças, mas na sua iniqui-
dade, que pratica, ele morrerá.
14 Quando eu também disser ao ímpio: Certamente mor-
rerá; se ele se converter do seu pecado, e praticar juízo
e justiça,
15 restituindo esse ímpio o penhor, indenizando o que
furtou, andando nos estatutos da vida, e não praticando
iniquidade, certamente ele viverá, não morrerá.
16 De todos os seus pecados que cometeu não se terá
memória contra ele; fez juízo e justiça, certamente viverá.
17 No entanto os filhos do seu povo dizem: 'Não é reto o
caminho do Senhor; mas o próprio caminho deles é que
não é reto.'
18 Desviando-se o justo da sua justiça e praticando iniqui-
dade, morrerá nela.
19 E, convertendo-se o ímpio da sua impiedade e pratican-
do juízo e justiça, ele viverá por isto.
20 No entanto, vocês dizem: 'Não é reto o caminho do
Senhor'; mas eu os julgarei a cada um conforme os seus
caminhos, ó casa de Israel."
21 No décimo segundo ano do nosso cativeiro, no décimo
mês, no quinto dia do mês, veio a mim um sobrevivente
de Jerusalém, dizendo: "A cidade caiu."
22 A mão do Senhor esteve sobre mim pela tarde, antes
que viesse o sobrevivente; ele abriu a minha boca antes
que esse homem viesse falar comigo pela manhã; então
abriu-se a minha boca e não fiquei mais calado.

23 Então a palavra do Senhor veio a mim, dizendo:
24 "Filho do homem, os moradores destes lugares deser-
tos da terra de Israel falam, dizendo: 'Abraão era um só e
possuiu esta terra; mas nós somos muitos, esta terra nos foi
dada como propriedade.'
25 Diga-lhes: Assim diz o Senhor Deus: Comem a carne
com o sangue, levantam os olhos para os seus ídolos e
derramam o sangue! Por acaso possuirão a terra?
26 Vocês se estribam sobre a sua espada, cometem abomi-
nações, e cada um contamina a mulher do seu próximo! E
pensam que possuirão a terra?
27 Assim lhes diga: Assim diz o Senhor Deus: Juro pela
minha vida, que quem estiver em lugares desertos, cairá
à espada, e quem estiver em campo aberto, o entregarei
às feras, para que o devorem, e quem estiver em lugares
fortes e em cavernas morrerá de peste.
28 E tornarei a terra em assolação e espanto, e cessará
a soberba do seu poder; os montes de Israel ficarão tão
desolados que ninguém passará por eles.
29 Então saberão que eu sou o Senhor, quando eu tornar
a terra em assolação e espanto, por causa de todas as abo-
minações que cometeram.
30 Quanto a você, ó filho do homem, os filhos do seu
povo falam de você junto às paredes e nas portas das casas;
e fala um com o outro, cada um ao seu irmão, dizendo:
Venham e ouçam a palavra que vem do Senhor.
31 E eles vêm a você, como o povo costumava vir, e se
sentam diante de você, como meu povo, e ouvem as suas
palavras, mas não as põem em prática; pois lisonjeiam com
a sua boca, mas o seu coração segue a sua avareza.
32 E você é para eles como uma canção de amores, can-
tada com voz suave, e bem tocada; porque ouvem as suas
palavras, mas não as põem em prática.
33 Porém, quando isso vier, e certamente virá, então sabe-
rão que houve um profeta no meio deles."

Profecia Contra os Falsos Pastores de Israel

34 E a palavra do Senhor veio a mim, dizendo:
2 "Filho do homem, profetize contra os pastores de
Israel; profetize e diga aos pastores: Assim diz o Senhor
Deus: Ai dos pastores de Israel que apascentam a si mes-
mos! Os pastores não devem apascentar as ovelhas?
3 Comem a gordura e se vestem da lã; matam as melhores
ovelhas, mas não apascentam.
4 As fracas não fortalecem, as doentes não curam, a que-
brada não enfaixam, as desgarradas não tornam a trazer
e a perdida não buscam; mas dominam sobre elas com
rigor e dureza.
5 Assim se espalharam, por não haver pastor, e tornaram-se
pasto para todas as feras do campo, porque se espalharam.
6 As minhas ovelhas andaram desgarradas por todos os
montes, e por todas as colinas; sim, as minhas ovelhas
andaram espalhadas por toda a face da terra, sem haver
quem pergunte por elas, nem quem as busque.
7 Portanto, ó pastores, ouçam a palavra do Senhor:
8 Juro pela minha vida, diz o Senhor Deus, que, porque
as minhas ovelhas foram entregues à rapina, e as minhas
ovelhas vieram a servir de pasto a todas as feras do campo,
por falta de pastor, e os meus pastores não procuraram as
minhas ovelhas, antes, apascentando a si mesmos, deixa-
ram de apascentar as minhas ovelhas;
9 Por isso, ó pastores, ouçam a palavra do Senhor:
10 Assim diz o Senhor Deus: Eis que eu estou contra os
pastores; das suas mãos demandarei as minhas ovelhas e
eles deixarão de apascentar as ovelhas; os pastores não
apascentarão mais a si mesmos; livrarei as minhas ovelhas
da sua boca e não lhes servirão mais de pasto.
11 Porque assim diz o Senhor Deus: Eis que eu, eu mes-
mo, procurarei pelas minhas ovelhas, e as buscarei.
12 Como o pastor busca o seu rebanho, no dia em que
está no meio das suas ovelhas dispersas, assim buscarei as
minhas ovelhas; eu as livrarei de todos os lugares por onde
andam espalhadas, no dia nublado e de escuridão.
13 E as tirarei dos povos, as congregarei dos países, as
trarei à sua própria terra e as apascentarei nos montes de
Israel, junto aos rios, e em todas as habitações da terra.
14 Em bons pastos as apascentarei e nos altos montes de
Israel estará o seu aprisco; ali se deitarão num bom redil e
pastarão em pastos fartos nos montes de Israel.
15 Eu mesmo apascentarei as minhas ovelhas e as farei
repousarem", diz o Senhor Deus.
16 "A perdida buscarei e a desgarrada tornarei a trazer; a
quebrada enfaixarei e a enferma fortalecerei; mas a gorda
e a forte destruirei; as apascentarei com justiça.
17 E quanto a vocês, ó minhas ovelhas, assim diz o Senhor
Deus: Eis que eu julgarei entre ovelhas e ovelhas, entre
carneiros e bodes.
18 Por acaso não lhes basta pastarem os bons pastos?
Ainda precisam pisar o resto dos seus pastos com os seus
pés? E não basta a vocês beberem as águas claras? Ainda
precisam sujar o resto com os seus pés?
19 As minhas ovelhas, elas têm que pastar o que pisaram,
e beberem a água que sujaram com os seus pés.
20 Por isso o Senhor Deus assim diz: Eis que eu, eu mes-
mo, julgarei entre a ovelha gorda e a ovelha magra.
21 Porque com o lado e com o ombro dão empurrões, e
com os seus chifres escorneiam todas as fracas, até que as
espalhem para fora.
22 Portanto livrarei as minhas ovelhas, para que não sir-
vam mais de rapina, e julgarei entre ovelhas e ovelhas.
23 E porei sobre elas um só pastor, e ele as apascentará;

o meu servo Davi é que as apascentará; ele lhes servirá
de pastor.
24 E eu, o Senhor, lhes serei por Deus, e o meu servo Davi
será príncipe no meio delas; eu, o Senhor, o disse.
25 E farei com elas uma aliança de paz, e acabarei com
as feras da terra, e habitarão em segurança no deserto e
dormirão nos bosques.
26 E delas e dos lugares ao redor do meu monte, farei
uma bênção; farei descer a chuva a seu tempo; chuvas de
bênção serão.
27 E as árvores do campo darão o seu fruto, a terra dará a
sua colheita e estarão seguras na sua terra; todos saberão
que eu sou o Senhor, quando eu quebrar as ataduras do
seu jugo e as livrar das mãos dos que se serviam delas.
28 E não servirão mais de rapina aos gentios, as feras da
terra nunca mais as devorarão; habitarão seguras e não
haverá ninguém que as espante.
29 Eu lhes darei uma plantação de renome, e nunca mais
serão consumidas pela fome na terra, nem mais levarão
sobre si a vergonha dos gentios.
30 Saberão, porém, que eu, o Senhor seu Deus, estou com
elas, e que elas são o meu povo, a casa de Israel", diz o
Senhor Deus.
31 "Vocês, ó minhas ovelhas, ovelhas do meu pasto, são
o meu povo; e eu sou o seu Deus", diz o Senhor Deus.

A Destruição de Edom

35 E a palavra do Senhor veio a mim, dizendo:
2 "Filho do homem, dirija o seu rosto contra o mon-
te Seir e profetize contra ele.
3 E diga-lhe: Assim diz o Senhor Deus: Eis que eu estou
contra você, ó monte Seir, e estenderei a minha mão con-
tra você e lhe farei uma grande desolação.
4 As suas cidades farei desertas e você será desolado; en-
tão saberão que eu sou o Senhor.
5 Porque guardou inimizade perpétua e espalhou os filhos
de Israel pelo poder da espada no tempo da sua calamida-
de e no tempo da iniquidade final.
6 Por isso juro pela minha vida, diz o Senhor Deus, que
farei você sangrar, e o sangue o perseguirá; porque não
odiou o derramamento de sangue, o sangue o perseguirá.
7 E farei do monte Seir uma extrema assolação e exter-
minarei dele quem por ele passar, e quem por ele voltar.
8 E encherei os seus montes com seus mortos; nas suas
colinas, nos seus vales e em todos os seus rios cairão os
mortos à espada.
9 Em desolações perpétuas o porei, e as suas cidades
nunca mais serão habitadas; assim saberão que eu sou o
Senhor.
10 Porque você disse: 'As duas nações e as duas terras
serão minhas, e as possuiremos', sendo que o Senhor es-
tava ali.
11 Por isso, juro pela minha vida, diz o Senhor Deus, que
procederei conforme a sua ira e conforme a sua inveja, de
que usou, no seu ódio contra eles; e me farei conhecer
entre eles, quando julgar você.
12 E saberão que eu, o Senhor, ouvi todas as suas blasfê-
mias, que proferiram contra os montes de Israel, dizendo:
Já estão assolados, e foram entregues por pasto a nós.
13 Assim se engrandeceram contra mim com a sua boca
e multiplicaram as suas palavras contra mim. Eu ouvi isso.
14 Assim diz o Senhor Deus: Quando toda a terra se ale-
grar eu o farei em assolação.
15 Como se alegrou da herança da casa de Israel, porque
foi assolada, assim farei a você; será assolado, ó monte
Seir, e todo o Edom, sim, todo ele; e saberão que eu sou
o Senhor.

A Nova Aliança Com Israel

36 E você, ó filho do homem, profetize aos montes de
Israel e diga: Montes de Israel, ouçam a palavra do
Senhor.
2 Assim diz o Senhor Deus: Porque o inimigo disse con-
tra vocês: 'Ah! Ah!' Até as alturas eternas serão nossa
herança;
3 profetize, e diga: Assim diz o Senhor Deus: Porque vo-
cês assolaram e devoraram de todos os lados, para que
ficassem como herança do restante das nações, e andaram
falando infâmia entre o povo,
4 portanto, ouçam, ó montes de Israel, a palavra do Se-
nhor Deus: Assim diz o Senhor Deus aos montes e às coli-
nas, aos rios e aos vales, aos lugares assolados e solitários,
e às cidades desamparadas que se tornaram rapina e escár-
nio ao restante das nações que estão ao seu redor;
5 assim diz o Senhor Deus: Certamente no fogo do meu
zelo falei contra o restante das nações e contra todo o
Edom, que se apropriaram da minha terra, com toda a
alegria de seu coração e com menosprezo da alma, para a
lançarem fora e a saquearem.
6 Portanto, profetize sobre a terra de Israel e diga aos mon-
tes, às colinas, aos rios e aos vales: Assim diz o Senhor
Deus: Eis que falei no meu zelo e no meu furor, porque
levaram sobre vocês a vergonha dos gentios.
7 Portanto, assim diz o Senhor Deus: Eu jurei, para que
os gentios, que estão ao redor de vocês, levem a sua
vergonha.
8 Mas vocês, ó montes de Israel, produzirão os seus ramos
e darão o seu fruto para o meu povo de Israel; porque estão
prestes a virem.
9 Porque eu estou com vocês, e me voltarei para vocês, e
serão lavrados e semeados.

10 E multiplicarei homens sobre vocês, toda a casa de
Israel, toda ela; suas cidades serão habitadas e os lugares
devastados serão edificados.
11 E multiplicarei homens e animais sobre vocês, e eles
se multiplicarão e frutificarão. E farei com que sejam habi-
tados como antes, e tratarei vocês melhor do que no seu
começo; e saberão que eu sou o Senhor.
12 E farei homens andarem sobre vocês, o meu povo
de Israel; eles lhes serão a sua herança e nunca mais os
desfilharão.
13 Assim diz o Senhor Deus: Porque vocês dizem: 'Você
é uma terra que devora os homens, e é uma terra que
desfilha as suas nações';
14 por isso você não devorará mais os homens, nem desfi-
lhará mais as suas nações, diz o Senhor Deus.
15 E farei que nunca mais você ouça a afronta dos gentios;
nem levará mais sobre você a vergonha dos povos, nem
mais desfilhará a sua nação, diz o Senhor Deus."
16 E a palavra do Senhor veio a mim, dizendo:
17 "Filho do homem, quando a casa de Israel habitava na
sua terra, então a contaminaram com os seus caminhos e
com as suas ações. Como a imundícia de uma mulher em
sua separação, tal era o seu caminho perante o meu rosto.
18 Derramei o meu furor sobre eles, por causa do sangue
que derramaram sobre a terra, e dos seus ídolos, com que
a contaminaram.
19 E os espalhei entre as nações e foram dispersos pelas
terras; conforme os seus caminhos e conforme os seus fei-
tos, eu os julguei.
20 E, chegando às nações para onde foram, profanaram o
meu santo nome, porque se dizia deles: 'Estes são o povo
do Senhor, e saíram da sua terra.'
21 Mas eu os poupei por amor do meu santo nome, que
a casa de Israel profanou entre as nações para onde foi.
22 Diga à casa de Israel: Assim diz o Senhor Deus: Não é
por respeito a vocês que eu faço isto, ó casa de Israel, mas
pelo meu santo nome, que profanaram entre as nações
para onde foram.
23 E eu santificarei o meu grande nome, que foi profana-
do entre as nações, o qual profanaram no meio delas; e as
nações saberão que eu sou o Senhor, diz o Senhor Deus,
quando eu for santificado aos seus olhos.
24 Eu os tirarei do meio das nações, os congregarei de
todas as terras e os trarei para a sua terra.
25 Então aspergirei água pura sobre vocês e ficarão pu-
rificados; de todas as suas imundícias e de todos os seus
ídolos os purificarei.
26 E lhes darei um coração novo e porei dentro de vocês
um espírito novo; e tirarei da sua carne o coração de pedra
e lhes darei um coração de carne.
27 E porei dentro de vocês o meu Espírito e farei com
que andem nos meus estatutos, guardem os meus juízos
e os observem.
28 E habitarão na terra que eu dei aos seus pais e vocês
serão o meu povo, e eu serei o seu Deus.
29 E os livrarei de todas as suas imundícias; chamarei o
trigo e o multiplicarei, e não trarei fome sobre vocês.
30 E multiplicarei o fruto das árvores e a colheita do cam-
po, para que nunca mais recebam a vergonha da fome
entre as nações.
31 Então se lembrarão dos seus maus caminhos e dos seus
feitos, que não foram bons; e terão nojo de vocês mesmos,
das suas iniquidades e das suas abominações.
32 Não é por amor de vocês que eu faço isto, diz o Se-
nhor Deus; isto notório seja a vocês; se envergonhem e se
confundam por causa dos seus caminhos, ó casa de Israel.
33 Assim diz o Senhor Deus: No dia em que eu os pu-
rificar de todas as suas iniquidades, então farei com que
sejam habitadas as cidades e sejam edificados os lugares
devastados.
34 E a terra assolada será lavrada, em vez de ficar assolada
aos olhos de todos os que passavam.
35 E dirão: 'Esta terra assolada ficou como o jardim do
Éden; e as cidades solitárias, assoladas e destruídas, estão
fortalecidas e habitadas.'
36 Então saberão as nações, que tiverem ficado ao redor
de vocês, que eu, o Senhor, tenho reedificado as cidades
destruídas e plantado o que estava devastado. Eu, o Se-
nhor, o disse e o farei.
37 Assim diz o Senhor Deus: Ainda por isso serei solicita-
do pela casa de Israel, que eu lhe faça; lhe multiplicarei os
homens, como a um rebanho.
38 Como o rebanho santificado, como o rebanho de Je-
rusalém nas suas solenidades, assim as cidades desertas
se encherão de rebanhos de homens; e saberão que eu
sou o Senhor."

O Vale dos Ossos Secos

37 A mão do Senhor veio sobre mim, e ele me levou
no Espírito do Senhor, e me pôs no meio de um vale
que estava cheio de ossos.
2 E me fez passar em volta deles que eram muito numero-
sos sobre a face do vale, e estavam sequíssimos.
3 E o Senhor me perguntou: "Filho do homem, por aca-
so estes ossos viverão?" E eu disse: "Senhor Deus, tu o
sabes."
4 Então ele me disse: "Profetize sobre estes ossos e diga-
-lhes: Ossos secos, ouçam a palavra do Senhor.
5 Assim diz o Senhor Deus a estes ossos: Eis que farei
entrar em vocês o espírito, e vocês viverão.
6 E porei nervos sobre vocês e farei crescer carne sobre vo-

cês; sobre vocês estenderei pele, porei em vocês o espírito,
viverão, e saberão que eu sou o Senhor."
7 Então profetizei como me ordenou. E houve um ruído,
enquanto eu profetizava; e eis que se fez um rebuliço, e os
ossos se juntaram osso com osso.
8 E olhei, e eis que cresceram nervos sobre eles, e cresceu
a carne, e estendeu-se a pele sobre eles por cima; mas não
havia neles espírito.
9 E ele me disse: "Profetize ao espírito, profetize, ó filho
do homem, e diga ao espírito: Assim diz o Senhor Deus:
Venha dos quatro ventos, ó espírito, e assopre sobre estes
mortos, para que vivam."
10 E profetizei como ele me ordenou, então o espírito en-
trou neles e eles viveram, pondo-se em pé, um exército
muito grande.
11 Então me disse: "Filho do homem, estes ossos são toda
a casa de Israel. Eis que dizem: Os nossos ossos secaram e
pereceu a nossa esperança; nós mesmos estamos cortados.
12 Portanto profetize e diga-lhes: Assim diz o Senhor
Deus: Eis que eu abrirei os seus sepulcros e os farei su-
birem das suas sepulturas, ó povo meu, e os trarei à terra
de Israel.
13 E saberão que eu sou o Senhor, quando eu abrir os
seus sepulcros e os fizer subirem das suas sepulturas, ó
povo meu.
14 E porei em vocês o meu Espírito, e viverão, e os porei
na sua terra; então saberão que eu, o Senhor, disse isto, e
o fiz, diz o Senhor."

A União da Nação

15 E outra vez a palavra do Senhor veio a mim, dizendo:
16 "Você, ó filho do homem, pegue um pedaço de ma-
deira e escreva nele: Por Judá e pelos filhos de Israel, seus
companheiros. E pegue outro pedaço de madeira e escreva
nele: Por José, vara de Efraim, e por toda a casa de Israel,
seus companheiros.
17 E ajunte um ao outro, para que se unam, e se tornem
uma só vara na sua mão.
18 E quando os filhos do seu povo lhe falarem, dizendo:
'Por acaso não nos dirá o que significam estas coisas?'
19 Você lhes dirá: Assim diz o Senhor Deus: Eis que eu
tomarei a vara de José que esteve na mão de Efraim, e a
das tribos de Israel, suas companheiras, e as ajuntarei à
vara de Judá, e farei delas uma só vara, e elas se farão uma
só na minha mão.
20 E os pedaços de madeira, em que você escreveu, esta-
rão na sua mão, perante os olhos deles.
21 E diga-lhes: Assim diz o Senhor Deus: Eu tirarei os
israelitas do meio das nações, para onde eles foram, e os
congregarei de todas as partes, e os levarei à sua terra.
22 E deles farei uma nação na terra, nos montes de Israel,
e um rei será rei de todos eles, e nunca mais serão duas
nações; nunca mais no futuro se dividirão em dois reinos.
23 E nunca mais se contaminarão com os seus ídolos, nem
com as suas abominações, nem com as suas transgressões,
e os livrarei de todas as suas rebeliões com que pecaram,
e os purificarei. Assim eles serão o meu povo, e eu serei
o seu Deus.
24 O meu servo Davi será rei sobre eles e todos eles terão
um só pastor; e andarão nos meus juízos e guardarão os
meus estatutos, e os observarão.
25 E habitarão na terra que dei a meu servo Jacó, terra em
que seus pais habitaram; habitarão nela, eles e seus filhos,
e os filhos de seus filhos, para sempre, e Davi, meu servo,
será seu príncipe eternamente.
26 E farei com eles uma aliança de paz, uma aliança per-
pétua. Eu os estabelecerei e os multiplicarei, e porei o meu
santuário no meio deles para sempre.
27 E o meu tabernáculo estará com eles, e eu serei o seu
Deus e eles serão o meu povo.
28 E as nações saberão que eu sou o Senhor que santifico
Israel, quando o meu santuário estiver no meio deles para
sempre."

Profecia Contra Gogue

38 A palavra do Senhor veio a mim, dizendo:
2 "Filho do homem, dirija o seu rosto contra Go-
gue, terra de Magogue, príncipe e chefe de Meseque e
Tubal, e profetize contra ele.
3 E diga: Assim diz o Senhor Deus: Eu sou contra você, ó
Gogue, príncipe e chefe de Meseque e de Tubal.
4 Eu o farei voltar e porei anzóis nos seus queixos, e le-
varei você, com todo o seu exército, cavalos e cavaleiros,
todos vestidos com primor, grande multidão, com escudo,
manejando todos a espada;
5 persas, etíopes, e os de Pute com eles, todos com escudo
e capacete;
6 Gómer e todas as suas tropas; a casa de Togarma, do
extremo Norte e todas as suas tropas, muitos povos com
você.
7 Prepare-se e disponha-se, você e todo o seu povo que se
reuniu a você, e sirva-lhes de guarda.
8 Depois de muitos dias será visitado. No fim dos anos virá
à terra que se recuperou da espada, e que foi congregada
dentre muitos povos, junto aos montes de Israel, que sem-
pre se faziam desertos; mas aquela terra foi tirada dentre
as nações e todas elas habitarão seguramente.
9 Então você subirá, virá como uma tempestade, se fará
como uma nuvem para cobrir a terra, você e todas as suas
tropas, e muitos povos com você.
10 Assim diz o Senhor Deus: E acontecerá naquele dia

que subirão palavras no seu coração, e fará um plano
perverso,
11 e dirá: 'Subirei contra a terra das aldeias não mura-
das; virei contra os que estão em repouso, que habitam
seguros; todos eles habitam sem muro e não têm ferrolhos
nem portas,
12 a fim de tomar o despojo e arrebatar a presa, de pôr a
sua mão contra as terras desertas que agora se acham habi-
tadas, e contra o povo que se congregou dentre as nações,
o qual adquiriu gado e bens, e habita no meio da terra.
13 Sebá e Dedã, os mercadores de Társis e todos os seus
povoados lhe dirão: Você vem para levar o despojo? Ajun-
tou a sua multidão para arrebatar a sua presa? Para levar a
prata e o ouro, para tomar o gado e os bens, para saquear
o grande despojo?'
14 Portanto, profetize, ó filho do homem, e diga a Gogue:
Assim diz o Senhor Deus: Por acaso não o saberá naquele
dia, quando o meu povo Israel habitar em segurança?
15 Você virá do seu lugar, do extremo Norte, você e mui-
tos povos com você, montados todos a cavalo, grande
ajuntamento, e exército poderoso,
16 e subirá contra o meu povo Israel, como uma nuvem,
para cobrir a terra. Nos últimos dias trarei você contra a
minha terra, para que as nações me conheçam, quando eu
tiver me santificado em você, ó Gogue, diante dos seus
olhos.
17 Assim diz o Senhor Deus: Não é você aquele de quem
eu disse nos dias antigos, por intermédio dos meus servos,
os profetas de Israel, que naquele tempo profetizaram du-
rante anos, que o traria contra eles?
18 Naquele dia, no dia em que vier Gogue contra a terra
de Israel, diz o Senhor Deus, a minha indignação subirá
à minha face.
19 Porque disse no meu zelo, no fogo do meu furor, que,
certamente, naquele dia haverá grande tremor sobre a
terra de Israel;
20 tremerão diante da minha face os peixes do mar, as
aves do céu, os animais do campo, todos os répteis que se
arrastam sobre a terra e todos os homens que estão sobre
a face da terra; porque os montes serão deitados abaixo,
os precipícios se desfarão e todos os muros desabarão por
terra.
21 Porque chamarei contra ele a espada sobre todos os
meus montes, diz o Senhor Deus; a espada de cada um se
voltará contra o seu irmão.
22 Eu o castigarei com peste e sangue; uma grande chuva
e grandes pedras de granizo, fogo e enxofre farei chove-
rem sobre ele, sobre as suas tropas e sobre os muitos povos
que estiverem com ele.
23 Assim eu me engrandecerei e me santificarei, e me da-
rei a conhecer aos olhos de muitas nações; então saberão
que eu sou o Senhor.

Outras Profecias Contra Gogue

39 Você, ó filho do homem, profetize ainda contra Go-
gue e diga: Assim diz o Senhor Deus: Eu sou contra
você, ó Gogue, príncipe e chefe de Meseque e de Tubal.
2 E o farei voltar, mas deixarei uma sexta parte de você; fa-
rei subir do extremo Norte e o trarei aos montes de Israel.
3 E, com um golpe, tirarei o seu arco da sua mão esquerda
e farei caírem as suas flechas da sua mão direita.
4 Nos montes de Israel cairão, você e todas as suas tropas,
e os povos que estão com você; e às aves de rapina, de
toda espécie, e aos animais do campo, o darei por comida.
5 Sobre a face do campo cairá, porque eu o falei", diz o
Senhor Deus.
6 "E enviarei um fogo sobre Magogue e entre os que habi-
tam seguros nas ilhas; assim saberão que eu sou o Senhor.
7 E farei conhecido o meu santo nome no meio do meu
povo Israel, e nunca mais deixarei profanar o meu santo
nome; assim, as nações saberão que eu sou o Senhor, o
Santo em Israel.
8 Eis que vem e se cumprirá, diz o Senhor Deus; este é o
dia de que tenho falado.
9 E os habitantes das cidades de Israel sairão, acenderão o
fogo e queimarão as armas, os escudos e as rodelas, com os
arcos e as flechas, com os bastões de mão e com as lanças;
e acenderão fogo com elas por sete anos.
10 E não trarão lenha do campo, nem a cortarão dos bos-
ques, mas com as armas acenderão fogo; saquearão os que
os roubaram e despojarão os que os despojaram", diz o
Senhor Deus.
11 E, naquele dia, darei ali a Gogue um lugar de sepultura
em Israel, o vale dos que passam ao oriente do mar; e
pararão os que por ele passarem, e ali sepultarão Gogue
e todo o seu exército, e o chamarão de Vale do exército
de Gogue.
12 E a casa de Israel os enterrará durante sete meses, para
purificar a terra.
13 Sim, todo o povo da terra os enterrará, e será para eles
um memorável dia em que eu for glorificado, diz o Senhor
Deus.
14 E separarão homens que incessantemente percorrerão
a terra, para que eles, juntamente com os que passam, se-
pultem os que tiverem ficado sobre a face da terra, para a
purificarem; durante sete meses farão esta busca.
15 E os que percorrerem a terra, a qual atravessarão, ven-
do algum osso de homem, porão ao lado um sinal; até que
os enterradores o tenham enterrado no Vale do exército
de Gogue.

16 E o nome da cidade será Hamona; assim purificarão
a terra.
17 Você, pois, ó filho do homem, assim diz o Senhor
Deus, diga às aves de toda espécie e a todos os animais
do campo: Ajuntem-se e venham, congreguem-se de toda
parte para o meu sacrifício, que eu ofereci por vocês, um
sacrifício grande, nos montes de Israel, e comerão carne e
beberão o sangue.
18 Comerão a carne dos poderosos e beberão o sangue
dos príncipes da terra; dos carneiros, dos cordeiros, dos
bodes e dos bezerros, todos cevados de Basã.
19 E comerão a gordura até se fartarem e beberão o san-
gue até se embebedarem no meu sacrifício que ofereci por
vocês.
20 E, à minha mesa, os fartarei de cavalos, de carros, de
valentes e de todos os homens de guerra", diz o Senhor
Deus.
21 E eu porei a minha glória entre as nações e elas verão
o meu juízo, que eu tiver executado, e a minha mão, que
sobre elas tiver descarregado.
22 E saberão os da casa de Israel que eu sou o Senhor seu
Deus, desde aquele dia em diante.
23 E as nações saberão que os da casa de Israel, por causa
da sua iniquidade, foram levados em cativeiro, porque se
rebelaram contra mim, e eu escondi deles a minha face, e
os entreguei nas mãos de seus adversários, e todos caíram
à espada.
24 Conforme a sua imundícia e conforme as suas trans-
gressões me acertei com eles, e escondi deles a minha face.
25 Portanto assim diz o Senhor Deus: Agora tornarei a
trazer os cativos de Jacó e me compadecerei de toda a casa
de Israel; zelarei pelo meu santo nome.
26 E levarão sobre si a sua vergonha e toda a sua rebeldia,
com que se rebelaram contra mim, quando eles habitarem
seguros na sua terra, sem haver quem os amedronte.
27 Quando eu os tornar a trazer de entre os povos, e os
houver ajuntado das terras de seus inimigos, e eu for san-
tificado neles aos olhos de muitas nações,
28 então saberão que eu sou o Senhor seu Deus, ven-
do que eu os fiz irem em cativeiro entre as nações, e os
ajuntarei para voltarem a sua terra, e não mais deixarei lá
nenhum deles.
29 Nem lhes esconderei mais a minha face, pois derra-
marei o meu Espírito sobre a casa de Israel, diz o Senhor
Deus."

O Novo Templo

40 No ano vinte e cinco do nosso cativeiro, no princí-
pio do ano, no décimo dia do mês, quatorze anos
depois que a cidade foi conquistada, naquele mesmo dia
veio sobre mim a mão do Senhor, e me levou para lá.
2 Em visões de Deus me levou à terra de Israel e me pôs
sobre um monte muito alto, sobre o qual havia como que
um edifício de cidade para o lado sul.
3 E, havendo-me levado ali, vi um homem cuja aparência
era como a do bronze, tendo um cordel de linho na sua
mão e uma cana de medir, e que estava em pé na porta.
4 E disse-me o homem: "Filho do homem, veja com os
seus olhos e ouça com os seus ouvidos, e ponha no seu
coração tudo o que eu o fizer ver; porque para lhe mostrar
você foi trazido aqui; anuncie à casa de Israel tudo o que
você vir."

O Portão Leste

5 E havia um muro fora da casa, ao seu redor, e na mão
do homem havia uma cana de medir, de três metros de
comprimento; ele mediu o muro que tinha três metros de
espessura e três metros de altura.
6 Então ele veio ao portão que dava para o oriente e subiu
pelos seus degraus; mediu o umbral do portão, que deu
três metros de largura.
7 E cada câmara tinha três metros de comprimento e três
de largura, e o espaço entre os aposentos era de dois me-
tros e meio; e o umbral do portão, ao pé do vestíbulo do
portão, por dentro, tinha três metros.
8 Também mediu o vestíbulo do portão, por dentro, tinha
três metros.
9 Então mediu o vestíbulo do portão, que tinha quatro me-
tros, e os seus pilares tinham um metro, e este vestíbulo do
portão estava por dentro.
10 Os portões do lado do oriente tinham três câmaras de
um lado e três do outro; as três tinham a mesma medida;
também os pilares de um lado e do outro tinham a mesma
medida.
11 Mediu a largura da entrada do portão, que tinha cinco
metros; e o comprimento do portão, seis metros e meio.
12 E o espaço em frente das câmaras era de meio metro,
e de meio metro o espaço do outro lado; e cada câmara
tinha três metros de cada lado.
13 Então ele mediu o portão desde o telhado de uma câ-
mara até o telhado da outra, deu doze metros e meio, uma
porta ficava em frente à outra.
14 Mediu também a distância dos pilares, e deu trinta me-
tros entre os pilares do átrio, ao redor do portão.
15 E, desde a face do portão da entrada até à face do ves-
tíbulo do portão interior, a distância era de vinte e cinco
metros.
16 Havia também janelas estreitas nas câmaras e nos seus
pilares, dentro do portão e ao redor, e também nos vestí-
bulos; e as janelas ficavam ao redor, na parte de dentro, e
nos pilares havia palmeiras esculpidas.

O Átrio Exterior

17 E ele me levou ao átrio exterior, e vi que havia nele
câmaras e um pavimento ao redor do átrio; trinta câmaras
havia naquele pavimento.
18 E o pavimento do lado das portas era proporcional ao
comprimento das portas; o pavimento estava mais baixo.
19 E mediu a largura desde a dianteira do portão inferior
até a dianteira do átrio interior, por fora, cinquenta metros,
do lado do oriente e do norte.

O Portão Norte

20 E, quanto ao portão que dava para o norte, no átrio
exterior, ele mediu o seu comprimento e a sua largura.
21 E as suas câmaras eram três de um lado e três do ou-
tro, e os seus pilares e os seus arcos tinham a medida do
primeiro portão: vinte e cinco metros de comprimento, e a
largura, doze metros e meio.
22 As suas janelas, os seus arcos e as suas palmeiras, eram
da medida do portão que dava para o oriente; e subia-se
para ela por sete degraus, e os seus arcos estavam diante
dele.
23 E o portão do átrio interior ficava em frente do portão
do norte, bem como o portão do oriente; e mediu de por-
tão a portão cinquenta metros.

O Portão Sul

24 Então ele me levou ao lado do sul, e havia ali um por-
tão, e mediu os seus pilares e os seus arcos conforme estas
medidas.
25 E havia também janelas ao redor dos seus arcos, como
as outras janelas; vinte e cinco metros era o comprimento,
e a largura doze metros e meio.
26 E de sete degraus eram as suas escadas, e os seus arcos
estavam diante delas; e tinha palmeiras esculpidas, uma de
um lado e outra do outro nos seus pilares.
27 Também havia um portão no átrio interior que dava
para o sul; e mediu de um portão a outro, na direção sul,
cinquenta metros.

O Átrio Interior (Sul)

28 Então me levou ao átrio interior pelo portão do sul; e
mediu o portão do sul, conforme estas medidas.
29 As suas câmaras, os seus pilares e os seus arcos eram
conforme estas medidas; e tinham também janelas ao re-
dor dos seus arcos; o comprimento era de vinte e cinco
metros e a largura de doze metros e meio.
30 E havia arcos ao redor; o comprimento era de doze
metros e meio e a largura de dois metros e meio.
31 Os seus arcos estavam na direção do átrio exterior e ha-
via palmeiras esculpidas nos seus pilares; e de oito degraus
eram as suas escadas.

O Átrio Interior (Leste)

32 Depois me levou ao átrio interior, para o lado do orien-
te, e mediu o portão conforme estas medidas;
33 também as suas câmaras, os seus pilares e os seus ar-
cos, conforme estas medidas; e havia também janelas ao
redor dos seus arcos; o comprimento era de vinte e cinco
metros, e a largura de doze metros e meio.
34 Os seus arcos estavam no átrio de fora e havia palmei-
ras esculpidas nos seus pilares de um e de outro lado; e
eram as suas escadas de oito degraus.

O Átrio Interior (Norte)

35 Então me levou ao portão norte e mediu conforme
estas medidas:
36 As suas câmaras, os seus pilares, e os seus arcos; tam-
bém tinha janelas ao redor; o comprimento era de vinte e
cinco metros, e a largura de doze metros e meio.
37 E os seus pilares estavam no átrio exterior; também ha-
via palmeiras esculpidas nos seus pilares de um e de outro
lado; e eram as suas escadas de oito degraus.

As Edificações do Lado Norte

38 E as suas câmaras e as suas entradas estavam junto aos
pilares dos portões onde lavavam o holocausto.
39 E no vestíbulo do portão havia duas mesas de um lado
e duas mesas do outro, para nelas se abaterem o holocaus-
to e a oferta pelo pecado e pela culpa.
40 Também do lado de fora da subida para a entrada do
portão norte havia duas mesas; e do outro lado, que estava
no vestíbulo do portão, havia duas mesas.
41 Quatro mesas de um lado e quatro mesas do outro; aos
lados do portão havia oito mesas, sobre as quais imolavam.
42 E as quatro mesas para o holocausto eram de pedras la-
vradas; o comprimento era de setenta e cinco centímetros,
a largura de setenta e cinco centímetros, e a altura de meio
metro; e sobre elas se punham os instrumentos com que
imolavam o holocausto e o sacrifício.
43 E os ganchos de um palmo de comprimento estavam
fixos por dentro em redor, e sobre as mesas estava a carne
da oferta.
44 E fora do portão interior estavam as câmaras dos canto-
res, no átrio de dentro, que estava ao lado do portão norte
e dava para o sul; uma estava ao lado do portão oriente, e
dava para o norte.
45 E ele me disse: "Esta câmara que dá para o sul é para
os sacerdotes que têm a guarda da casa.
46 Mas a câmara que dá para o norte é para os sacerdotes
que têm a guarda do altar; são estes os filhos de Zadoque,
que se chegam ao Senhor, dentre os filhos de Levi, para
o servirem."
47 E mediu o átrio; o comprimento de cinquenta metros e

a largura de cinquenta metros, era um quadrado; e o altar
estava diante da casa.

O Pórtico do Templo

48 Então me levou ao vestíbulo da casa, e mediu cada
pilar do vestíbulo, dois metros e meio de um lado, e dois
metros e meio do outro; e a largura do portão, um metro e
meio de um lado, e um metro e meio do outro.
49 O comprimento do vestíbulo era de dez metros, e a
largura de cinco metros e meio, e era por degraus que se
subia a ele; e havia colunas junto aos pilares, uma de um
lado e outra do outro.

Medidas, Divisões, Salões e Adornos do Templo

41 Então ele me levou ao templo e mediu os pilares,
três metros de largura de um lado e três metros de
largura do outro, que era a largura do tabernáculo.
2 E a largura da entrada, cinco metros; os lados da entrada,
dois metros e meio de um lado e dois metros e meio do
outro; também mediu o seu comprimento, vinte metros, e
a largura, dez metros.
3 E entrou no interior e mediu o pilar da entrada, um
metro, e a entrada, três metros, e a largura da entrada,
três metros e meio.
4 Também mediu o seu comprimento, dez metros, e a
largura, dez metros, diante do templo, e disse-me: "Este é
o Santo dos Santos."
5 E mediu a parede do templo, três metros, e a largura das
câmaras laterais, dois metros, por todo o redor do templo.
6 As câmaras laterais estavam em três andares, câmara
sobre câmara, trinta em cada andar, e elas entravam na
parede que tocava no templo pelas câmaras laterais ao redor,
para se prenderem nela, e não travavam na parede
do templo.
7 E havia maior largura nas câmaras laterais superiores,
porque o caracol do templo ia subindo muito alto por todo
o redor do templo, por isso que o templo era mais alto;
e assim da câmara baixa se subia à mais alta pelo meio.
8 E olhei para a altura do templo ao redor; e tinham os
fundamentos das câmaras laterais três metros.
9 A grossura da parede das câmaras laterais de fora tinha
dois metros e meio; e o que foi deixado vazio era o lugar
das câmaras laterais, que estavam por dentro.
10 Entre as câmaras havia a largura de dez metros por
todo o redor do templo.
11 E as entradas das câmaras laterais estavam voltadas
para o lugar vazio; uma entrada para o norte, e outra para
o sul; e a largura do lugar vazio era de dois metros e meio
ao redor.
12 Era também o edifício que ficava separado, do lado
ocidente, da largura de trinta e cinco metros; e a parede do
edifício de dois metros e meio de largura ao redor, e o seu
comprimento era de quarenta e cinco metros.
13 Assim mediu o templo, cinquenta metros de comprimento,
e também o lugar separado, o edifício e as suas
paredes, cinquenta metros de comprimento.
14 E a largura da frente do templo e do lugar separado
para o oriente, de uma e de outra parte, de cinquenta
metros.
15 Também mediu o comprimento do edifício, diante do
lugar separado, que estava por detrás, e as suas galerias de
uma e de outra parte, cinquenta metros, com o templo de
dentro e os vestíbulos do átrio.
16 Os umbrais e as janelas estreitas, e as galerias ao redor
nos três andares, de frente do umbral, estavam cobertos
de madeira ao redor; isto desde o chão até às janelas; e as
janelas estavam cobertas.
17 No espaço em cima da porta, e até no templo, no seu
interior e na parte de fora, e até em toda a parede ao redor,
por dentro e por fora, havia obras de escultura.
18 E foram feitas com querubins e palmeiras, e cada palmeira
estava entre os querubins, e cada querubim tinha
dois rostos,
19 um rosto de homem olhava para a palmeira de um
lado, e um rosto de leão para a palmeira do outro lado;
assim foi feito por todo o redor do templo.
20 Desde o chão até acima da entrada havia os querubins
e as palmeiras, e também pela parede do templo.
21 As ombreiras do templo eram quadradas, e a frente do
santuário tinha a mesma aparência,
22 o altar de madeira tinha um metro e meio de altura,
e o seu comprimento era de um metro; os seus cantos, o
seu comprimento e as suas paredes eram de madeira; e
disse-me: Esta é a mesa que está perante a face do Senhor.
23 O templo e o santuário, ambos tinham duas portas.
24 E as portas tinham duas folhas; duas folhas que viravam;
duas para uma porta e duas para a outra.
25 E nelas, nas portas do templo, foram feitos querubins
e palmeiras, como estavam feitos nas paredes e havia uma
trave grossa de madeira na frente do vestíbulo por fora.
26 E havia janelas estreitas e palmeiras nos dois lados do
vestíbulo, nas câmaras do templo e nas grossas traves.

As Salas dos Sacerdotes

42 Depois disto fez-me sair para fora, ao átrio exterior,
para o lado norte, e me levou às câmaras que estavam
de frente do lugar separado, e que estavam de frente
do edifício, do lado norte.
2 Do comprimento de cinquenta metros era a entrada do
norte; a largura era de vinte e cinco metros.
3 Em frente dos dez metros que tinha o átrio interior, e

em frente do pavimento que tinha o átrio exterior, havia
galeria em frente de outra galeria em três andares.
4 E diante das câmaras havia uma passagem de cinco
metros de largura, do lado de dentro, e uma passagem
de cinquenta metros de comprimento, e as suas entradas
eram para o lado norte.
5 E as câmaras superiores eram mais estreitas; porque as
galerias tomavam mais espaço do que as de baixo e as do
meio do edifício.
6 Porque elas eram de três andares, e não tinham colunas
como as colunas dos átrios; por isso desde o chão iam se
estreitando, mais do que as de baixo e as do meio.
7 E o muro que estava de fora, de frente das câmaras, no
caminho do átrio exterior, diante das câmaras, tinha vinte
e cinco metros de comprimento.
8 E o comprimento das câmaras, que estavam no átrio
exterior, era de vinte e cinco metros; e de frente do templo
havia cinquenta metros.
9 Por baixo destas câmaras estava a entrada do lado orien-
te, quando se entra nelas pelo átrio exterior.
10 Na largura do muro do átrio para o lado oriente, dian-
te do lugar separado, e diante do edifício, havia também
câmaras.
11 E a passagem que havia diante delas tinha a aparência
das câmaras que davam para o norte; conforme o seu com-
primento, assim era a sua largura; e todas as suas saídas
eram também conforme os seus padrões, e conforme as
suas entradas.
12 E conforme as portas das câmaras, que davam para
o sul, havia também uma entrada no início do caminho
em frente do muro direito, para o lado oriente, quando
se entra por elas.
13 Então me disse: "As câmaras do norte e as câmaras do
sul, que estão diante do lugar separado, elas são câmaras
santas, em que os sacerdotes, que se chegam ao Senhor,
comerão as coisas mais santas; ali porão as coisas mais san-
tas, a oferta de manjar, a oferta pelo pecado e a oferta pela
culpa; porque o lugar é santo.
14 Quando os sacerdotes entrarem, não sairão do santuá-
rio para o átrio exterior, mas porão ali as suas vestes com
que ministraram, porque elas são santas, então se vestirão
de outras roupas e assim se aproximarão do lugar perten-
cente ao povo."
15 E, acabando ele de medir a casa interior, ele me fez
sair pelo caminho da porta, ao oriente, e a mediu ao redor.
16 Mediu o lado oriental com a cana de medir, mil e qui-
nhentos metros, com a cana de medir, ao redor.
17 Mediu o lado do norte, com a cana de medir, mil e
quinhentos metros ao redor.
18 Mediu também o lado sul, com a cana de medir, mil e
quinhentos metros.

Medidas Exteriores

19 Deu uma volta para o lado do ocidente, e mediu com a
cana de medir, mil e quinhentos metros.
20 Mediu pelos quatro lados; e havia um muro ao redor,
de mil e quinhentos metros de comprimento, e mil e qui-
nhentos metros de largura, para fazer separação entre o
santo e o profano.

A Glória de Deus Volta ao Templo

43 Então me levou ao portão, ao portão do lado
oriente.
2 E eis que a glória do Deus de Israel vinha do lado orien-
te, e a sua voz era como a voz de muitas águas, e a terra
resplandeceu por causa da sua glória.
3 E o aspecto da visão que tive era como o da visão que eu
tive quando veio destruir a cidade; e eram as visões como
as que tive junto ao rio Quebar; e caí sobre o meu rosto.
4 E a glória do Senhor entrou no templo pelo portão, do
lado oriente.
5 E levantou-me o Espírito e me levou ao átrio interior;
então, a glória do Senhor encheu o templo.
6 E ouvi alguém que falava comigo de dentro da casa, e
um homem se pôs em pé junto de mim.
7 E disse-me: "Filho do homem, este é o lugar do meu tro-
no, e o lugar das plantas dos meus pés, onde habitarei no
meio dos filhos de Israel para sempre; os da casa de Israel
não contaminarão mais o meu nome santo, nem eles nem
os seus reis, com suas prostituições e com os cadáveres dos
seus reis, nos seus altos,
8 pondo o seu limiar ao pé do meu limiar, e o seu umbral
junto ao meu umbral, havendo apenas uma parede entre
mim e eles; contaminaram o meu santo nome com as suas
abominações que cometiam; por isso eu os consumi na
minha ira.
9 Agora lancem eles para longe de mim a sua fornicação
e os cadáveres dos seus reis, e habitarei no meio deles
para sempre.
10 Você, ó filho do homem, mostre este templo à casa de
Israel, para que se envergonhe das suas maldades e tirem
as medidas deste modelo.
11 E, envergonhando-se eles de tudo que fizeram, faça-os
conhecerem a planta deste templo, e o seu arranjo, as suas
saídas, as suas entradas, todos os seus estatutos, todas as
suas formas e todas as suas leis; escreva isto aos seus olhos,
para que guardem toda a sua forma, todos os seus estatu-
tos e os cumpram.
12 Esta é a lei do templo: Sobre o cume do monte todo
o seu contorno ao redor será santíssimo; eis que esta é a
lei do templo.

Medidas

13 E estas são as medidas do altar: o fundo será de meio
metro de altura, meio metro de largura e a sua borda, em
todo o seu contorno, de um palmo; esta é a base do altar.
14 E do fundo, desde a terra até a armação inferior, um
metro, e de largura meio metro, e desde a pequena arma-
ção até a grande, dois metros, e a largura de meio metro.
15 E o altar, de dois metros; e desde o altar e para cima
havia quatro pontas.
16 E o altar terá seis metros de comprimento e seis de
largura, quadrado nos quatro lados.
17 E a armação, sete metros de comprimento e sete de lar-
gura, nos seus quatro lados; e o contorno, ao redor dela, de
vinte e cinco centímetros, e o fundo dela de meio metro,
ao redor; e os seus degraus davam para o oriente."

As Leis do Altar

18 E disse-me: "Filho do homem, assim diz o Senhor
Deus: Estes são os estatutos do altar, no dia em que o fize-
rem, para oferecerem sobre ele holocausto e para aspergi-
rem sobre ele sangue.
19 E aos sacerdotes levitas, que são da descendência de
Zadoque, que se chegam a mim", diz o Senhor Deus,
"para me servirem, você dará um bezerro, para oferta pelo
pecado.
20 E pegará do seu sangue e o porá sobre as suas quatro
pontas, sobre os quatro cantos da armação e no contorno
ao redor; assim o purificará e o expiará.
21 Então pegará o bezerro da oferta pelo pecado e o
queimará no lugar do templo designado para isso, fora do
santuário.
22 E no segundo dia oferecerão um bode, sem defeito,
como oferta pelo pecado; assim purificarão o altar, como o
purificaram com o bezerro.
23 E, acabando de purificá-lo, oferecerá um bezerro, sem
defeito, e um carneiro do rebanho, sem defeito.
24 E os oferecerá perante a face do Senhor; os sacerdotes
derramarão sal sobre eles e os oferecerão em holocausto
ao Senhor.
25 Por sete dias prepararão, cada dia um bode como oferta
pelo pecado; também prepararão um bezerro e um carnei-
ro do rebanho, sem defeito.
26 Por sete dias expiarão o altar e o purificarão; assim se
consagrarão.
27 E, cumprindo eles estes dias, no oitavo dia e dali em
diante, os sacerdotes oferecerão sobre o altar os seus holo-
caustos e as suas ofertas pacíficas; então eu me deleitarei
em vocês, diz o Senhor Deus."

O Portão Leste

44 Então me fez voltar para o portão exterior do san-
tuário, que dá para o oriente, que estava fechado.
2 E disse-me o Senhor: "Este portão permanecerá fechado,
não se abrirá; ninguém entrará por ele, porque o Senhor,
o Deus de Israel, entrou por ele; por isso permanecerá
fechado.
3 Quanto ao príncipe, por ser príncipe, se assentará nele
para sempre, para comer o pão diante do Senhor; pelo ca-
minho do vestíbulo do portão entrará e por este mesmo
caminho sairá."
4 Depois me levou pelo caminho do portão norte, diante
da casa; então olhei, e vi que a glória do Senhor encheu a
casa do Senhor; então caí sobre o meu rosto.
5 E disse-me o Senhor: "Filho do homem, pondere no seu
coração, veja com os seus olhos e ouça com os seus ouvi-
dos, tudo que eu lhe disser, de todos os estatutos da casa
do Senhor e de todas as suas leis; e considere no seu cora-
ção a entrada do templo, com todas as saídas do santuário.
6 E diga ao rebelde, à casa de Israel: Assim diz o Senhor
Deus: Basta de todas as suas abominações, ó casa de Israel!
7 Porque introduziram estrangeiros, incircuncisos de cora-
ção e incircuncisos de carne, para estarem no meu santuá-
rio, para o profanarem em minha casa, quando oferecem
o meu pão, a gordura, e o sangue; e vocês invalidaram a
minha aliança, por causa de todas as suas abominações.
8 E não guardaram a ordenança a respeito das minhas
coisas sagradas; antes vocês constituíram a vocês mesmos
guardas da minha ordenança no meu santuário.
9 Assim diz o Senhor Deus: Nenhum estrangeiro, incir-
cunciso de coração ou incircunciso de carne, entrará no
meu santuário, dentre os estrangeiros que se acharem no
meio dos filhos de Israel.
10 Mas os levitas que se apartaram para longe de mim,
quando Israel andava errado; os quais andavam transvia-
dos, desviados de mim, para irem atrás dos seus ídolos,
levarão sobre si a sua iniquidade.
11 Contudo serão ministros no meu santuário, como guar-
das dos portões do templo, e servirão ao templo; eles imo-
larão as vítimas do holocausto e o sacrifício para o povo, e
estarão perante eles, para os servirem.
12 Porque eles ministraram diante dos seus ídolos, e fize-
ram a casa de Israel cair em iniquidade; por isso eu levan-
tei a minha mão contra eles, diz o Senhor Deus, e levarão
sobre si a sua iniquidade.
13 E não se chegarão a mim, para me servirem no sacer-
dócio, nem para se chegarem a alguma de todas as minhas
coisas sagradas, às coisas que são santíssimas, mas leva-
rão sobre si a sua vergonha e as suas abominações que
cometeram.
14 Contudo, eu os constituirei guardas da ordenança do
templo, em todo o seu serviço, e em tudo o que nela se
fizer.

Os Sacerdotes

15 Mas os sacerdotes levitas, os filhos de Zadoque, que
guardaram a ordenança do meu santuário quando os filhos
de Israel se extraviaram de mim, eles se chegarão a mim,
para me servirem, e estarão diante de mim, para me ofere-
cerem a gordura e o sangue", diz o Senhor Deus.
16 "Eles entrarão no meu santuário, e se chegarão à minha
mesa, para me servirem, e guardarão a minha ordenança.
17 E, quando entrarem pelas portas do átrio interior, se
vestirão com roupas de linho; e não se porá lã sobre eles,
quando servirem nas portas do átrio interior e dentro.
18 Gorros de linho estarão sobre as suas cabeças e calções
de linho sobre a cintura; não se vestirão de roupas que os
façam suarem.
19 E, saindo eles ao átrio exterior, ao átrio de fora, ao
povo, despirão as suas vestes com que ministraram, e as
porão nas santas câmaras e se vestirão de outras roupas,
para que não santifiquem o povo estando com as suas
vestes.
20 E não raparão a sua cabeça, nem deixarão crescer o
cabelo; antes, como convém, cortarão os seus cabelos.
21 E nenhum sacerdote beberá vinho quando entrar no
átrio interior.
22 E eles não se casarão nem com viúva nem com repu-
diada, mas tomarão virgens da descendência da casa de
Israel, ou viúva que for viúva de um sacerdote.
23 E a meu povo ensinarão a distinguir entre o santo e o
profano, e o farão discernir entre o impuro e o puro.
24 E, quando houver disputa, eles assistirão a ela para a
julgarem;
25 e eles não se aproximarão de nenhum homem morto,
para não se contaminarem; mas por pai, ou por mãe, ou
por filho, ou por filha, ou por irmão, ou por irmã que não
tiver marido, poderão se contaminar.
26 E, depois da sua purificação, se contarão a eles sete
dias.
27 E, no dia em que ele entrar no lugar santo, no átrio
interior, para ministrar no lugar santo, oferecerá a sua ex-
piação pelo pecado, diz o Senhor Deus.
28 Eles terão uma herança: Eu serei a sua herança. Não
lhes darei, portanto, posses em Israel; eu sou a sua posse.
29 Eles comerão a oferta de manjares, a oferta pelo pecado
e a oferta pela culpa; e toda coisa consagrada em Israel
será deles.
30 Darão ao sacerdote o melhor dos primeiros frutos de
toda espécie e toda oferta, como também a primeira por-
ção do seu cereal moído, para que faça cair bênçãos sobre
a sua casa.
31 Nenhum animal, que tenha morrido ou tenha sido des-
pedaçado, de aves e de animais, os sacerdotes comerão.

O Terreno Para o Santuário

45 Quando repartirem a terra em herança, ofereçam
uma oferta ao Senhor, uma porção santa da terra;
o seu comprimento será de doze quilômetros e meio e a
largura de cinco quilômetros. Esta será santa em toda a sua
extensão e ao redor.
2 Desta porção o santuário ocupará duzentos e cinquenta
metros de comprimento e duzentos e cinquenta metros de
largura, um quadrado, e terá ao redor um espaço vazio de
vinte e cinco metros de largura.
3 E desta porção medirá doze quilômetros e meio de
comprimento, e cinco quilômetros de largura; ali estará o
santuário, o lugar santíssimo.
4 Esta será a porção santa da terra; ela será para os sacer-
dotes, ministros do santuário, que dele se aproximam para
servir ao Senhor; e lhes servirá de lugar para suas casas e
de lugar santo para o santuário.
5 E os levitas, ministros do templo, terão, como sua pos-
sessão, doze quilômetros e meio de comprimento, e cinco
quilômetros de largura, para vinte câmaras.

Terreno Para a Cidade e Para o Príncipe

6 E para possessão da cidade, de largura darão dois qui-
lômetros e meio, e de comprimento doze quilômetros e
meio, de frente da oferta santa; o que será para toda a
casa de Israel.
7 O príncipe, porém, terá a sua parte deste e do outro lado
da área santa, e da possessão da cidade, diante da santa
oferta, e em frente da possessão da cidade, desde o extre-
mo ocidental até o extremo oriental, e, de comprimento,
corresponderá a uma das porções, desde o termo ocidental
até ao termo oriental.
8 E esta terra será a sua possessão em Israel; os meus prín-
cipes nunca mais oprimirão o meu povo, antes distribuirão
a terra à casa de Israel, conforme as suas tribos.

Pesos e Medidas

9 Assim diz o Senhor Deus: Já basta, ó príncipes de Is-
rael; afastem a violência e a assolação e pratiquem juízo
e justiça; tirem as suas imposições do meu povo, diz o
Senhor Deus.
10 Tenham balanças justas, efa justo e bato justo.
11 O efa e o bato serão de uma mesma medida, de modo
que o bato contenha a décima parte do ômer, e o efa a
décima parte do ômer; conforme o ômer será a sua medida
padrão.
12 E o siclo será de vinte geras; vinte siclos, vinte e cinco
siclos, e quinze siclos terá a sua mina.
13 Esta será a oferta que haverão de oferecer: A sexta par-
te de um efa por cada ômer de trigo; também darão a sexta
parte de um efa por cada ômer de cevada.
14 Quanto à ordenança do azeite, de cada bato de azeite

oferecerão a décima parte de um bato tirado de um coro,
que é um ômer de dez batos; porque dez batos fazem um
ômer.
15 E um cordeiro do rebanho, de cada duzentos, da terra
mais regada de Israel, para oferta de manjares, para holo-
causto e para sacrifício pacífico; para que façam expiação
por eles, diz o Senhor Deus.
16 Todo o povo da terra contribuirá com esta oferta para
o príncipe em Israel.
17 E estarão a cargo do príncipe os holocaustos, as ofer-
tas de manjares e as libações, nas festas, nas luas novas e
nos sábados, em todas as solenidades da casa de Israel.
Ele preparará a oferta pelo pecado, a oferta de manjares,
o holocausto e os sacrifícios pacíficos, para fazer expiação
pela casa de Israel.

A Páscoa

18 Assim diz o Senhor Deus: No primeiro mês, no pri-
meiro dia do mês, você pegará um bezerro sem mancha e
purificará o santuário.
19 E o sacerdote pegará um pouco do sangue do sacrifício
pelo pecado, e o porá nas ombreiras do templo, nos quatro
cantos da armação do altar e nas ombreiras do portão do
átrio interior.
20 Assim também farão no sétimo dia do mês, pelos que
pecam sem intenção ou por ignorância; assim farão expia-
ção pelo templo.
21 No primeiro mês, no dia quatorze do mês, terão a pás-
coa, uma festa de sete dias; e comerão pão sem fermento.
22 E no mesmo dia o príncipe preparará, por si e por todo
o povo da terra, um bezerro como oferta pelo pecado.
23 E durante os sete dias da festa preparará um holocausto
ao Senhor, de sete bezerros e sete carneiros sem manchas,
cada dia, durante os sete dias; em sacrifício pelo pecado,
um bode a cada dia.
24 Também preparará uma oferta de cereais, dezessete
litros e meio para cada bezerro, três litros e meio de azeite
para cada carneiro.

Festa dos Tabernáculos

25 No sétimo mês, no dia quinze do mês, na festa, fará o
mesmo por sete dias, tanto o sacrifício pelo pecado, como
o holocausto, como a oferta de manjares e como o azeite.

O Príncipe e as Festas

46 Assim diz o Senhor Deus: A porta do átrio interior
que dá para o Oriente estará fechada durante os seis
dias que são de trabalho; mas no dia de sábado ela se abri-
rá; também no dia da lua nova se abrirá.
2 E o príncipe entrará pelo caminho do vestíbulo do por-
tão, por fora, e permanecerá junto do batente do portão;
então os sacerdotes prepararão o holocausto e os sacrifí-
cios pacíficos dele; assim ele adorará junto ao umbral do
portão e sairá; mas o portão não se fechará até à tarde.
3 E o povo da terra adorará à entrada do mesmo portão,
nos sábados e nas luas novas, diante do Senhor.
4 E o holocausto, que o príncipe oferecer ao Senhor, será,
no dia de sábado, seis cordeiros sem defeitos e um carnei-
ro sem defeito.
5 E a oferta de cereais será de dezessete litros e meio para
cada carneiro; para o cordeiro, a oferta de cereais será o
que ele quiser dar; para cada medida de cereais, três litros
e meio de azeite.
6 Mas no dia da festa da lua nova será um bezerro sem de-
feito, seis cordeiros e um carneiro; eles serão sem defeitos.
7 E preparará por oferta de cereais dezessete litros e meio
para o bezerro e dezessete litros e meio para o carneiro,
mas, para os cordeiros, o que a sua mão puder dar, e, para
cada medida de cereais, três litros e meio de azeite.
8 O príncipe entrará pelo caminho do vestíbulo do portão
e sairá pelo mesmo caminho.
9 Mas, quando vier o povo da terra perante a face do Se-
nhor nas solenidades, aquele que entrar pelo portão do
norte, para adorar, sairá pelo portão do sul; aquele que
entrar pelo portão sul, sairá pelo portão norte; não sairá
pelo mesmo portão por onde entrou, mas sairá pelo portão
oposto.
10 E o príncipe entrará no meio deles quando eles entra-
rem, e, quando eles saírem, ele sairá.
11 Nas festas e nas solenidades, a oferta de cereais será
de dezessete litros e meio para cada bezerro, e dezessete
litros e meio para cada carneiro, mas, para os cordeiros, o
que puder dar; e, para cada medida de cereais, três litros
e meio de azeite.
12 E, quando o príncipe fizer oferta voluntária de holo-
caustos, ou de sacrifícios pacíficos, uma oferta voluntária
ao Senhor, então lhe abrirão o portão do oriente e ele fará
o seu holocausto e os seus sacrifícios pacíficos, como faz
no dia de sábado; então ele sairá, e o portão será fechado
depois que ele sair.

O Sacrifício Contínuo

13 E prepararão um cordeiro de um ano sem defeito,
em holocausto ao Senhor, a cada dia; todas as manhãs o
prepararão.
14 E, juntamente com ele, prepararão uma oferta de ali-
mentos, todas as manhãs, e um litro de azeite, para mistu-
rar com três litros da flor de farinha; por oferta de manjares
para o Senhor, em estatutos perpétuos e contínuos.
15 Assim prepararão o cordeiro, a oferta de cereais e o
azeite, todas as manhãs, em holocausto contínuo.

O Rei e a Terra

16 Assim diz o Senhor Deus: Quando o príncipe der um

presente a algum de seus filhos, é sua herança, pertencerá
a seus filhos; será propriedade deles por herança.
17 Mas, se ele der um presente da sua herança a algum
dos seus servos, isso será deste até ao ano da liberdade,
então voltará para o príncipe, porque é herança; seus fi-
lhos a herdarão.
18 E o príncipe não tomará nada da herança do povo
por opressão, expulsando-os da sua propriedade; da sua
própria propriedade deixará herança a seus filhos, para
que o meu povo não seja separado, cada um da sua
propriedade."

As Cozinhas do Templo

19 Depois disto me trouxe, pela entrada que estava ao
lado do portão, às câmaras santas dos sacerdotes, que da-
vam para o norte, e vi que ali havia um lugar nos fundos,
do lado do ocidente.
20 E ele me disse: "Este é o lugar onde os sacerdotes co-
zinharão a oferta pela culpa, a oferta pelo pecado e onde
cozinharão a oferta de cereais, para que não as tragam ao
átrio exterior para santificarem o povo."
21 Então me levou para fora, para o átrio exterior, e me
fez passar pelos quatro cantos do átrio; e eis que em cada
canto do átrio havia outro átrio.
22 Nos quatro cantos do átrio havia outros átrios juntos,
de vinte metros de comprimento e de quinze de largura;
estes quatro cantos tinham uma mesma medida.
23 E havia uma parede construída ao redor deles, ao redor
dos quatro; e havia cozinhas feitas aos pés das paredes ao
redor.
24 E me disse: "Estas são as cozinhas onde os ministros do
templo cozinharão o sacrifício do povo."

Um Riacho no Templo

47 Depois disto me fez voltar à porta do templo, e eis
que saíam águas por debaixo do umbral do templo
para o Oriente; porque a face do templo dava para o Orien-
te e as águas desciam por debaixo, desde o lado direito do
templo, ao sul do altar.
2 E ele me fez sair pelo portão do norte, e me fez dar uma
volta por fora, até o portão exterior, que dá para o oriente,
e corriam as águas do lado direito.
3 E saiu aquele homem para o Oriente, tendo na mão um
cordel de medir; ele mediu quinhentos metros, e me fez
passar pelas águas, águas que me davam pelos tornozelos.
4 E mediu mais quinhentos metros e me fez passar pelas
águas, águas que me davam pelos joelhos; e outra vez me-
diu quinhentos metros e me fez passar pelas águas que me
davam pela cintura.
5 E mediu mais outros quinhentos metros, e já era um
rio, que eu não podia atravessar, porque as águas eram
profundas, águas que se deviam passar a nado, rio pelo
qual não se podia passar.
6 E ele me perguntou: "Viu isto, filho do homem?" Então
levou-me e me fez voltar para a margem do rio.
7 E quando eu voltei, na margem do rio havia uma grande
abundância de árvores, dos dois lados do rio.
8 Então ele me disse: "Estas águas saem para a região
oriental e descem ao deserto, onde entram no mar; e, sen-
do levadas ao mar, as águas se tornarão saudáveis.
9 E todos os seres vivos que habitam nos lugares por onde
este rio passar, eles viverão; e haverá muitíssimo peixe,
porque lá chegarão estas águas, e serão saudáveis, e viverá
tudo por onde quer que passar este rio.
10 Os pescadores estarão em pé junto dele; desde Engedi
até En-Eglaim haverá lugar para estender as redes; o seu
peixe, segundo a sua espécie, será como o peixe do mar
grande, em quantidade excessiva.
11 Mas os seus charcos e os seus pântanos não se tornarão
saudáveis; serão deixados para sal.
12 E junto ao rio, à sua margem, de um e de outro lado,
nascerão todas as espécies de árvore que dão frutos para se
comer; não cairá a sua folha, nem acabará o seu fruto; nos
seus meses produzirá novos frutos, porque as suas águas
saem do santuário, e o seu fruto servirá de comida e a sua
folha de remédio."

Os Limites da Terra

13 Assim diz o Senhor Deus: "Este será o limite pelos
quais vocês repartirão a terra como herança, segundo as
doze tribos de Israel; José terá duas partes.
14 E vocês a herdarão, tanto um como o outro; terra sobre
a qual jurei dá-la a seus pais; assim esta mesma terra será
dada a vocês como herança.
15 E este será o limite da terra: do lado do Norte, desde o
mar grande, caminho de Hetlom, até à entrada de Zedade;
16 Hamate, Berota, Sibraim, que estão entre o limite de
Damasco e o limite de Hamate; Hazer-Haticom, que está
junto à fronteira de Haurã.
17 E o limite será desde o mar até Hazar-Enom, o limite
de Damasco, e na direção do Norte, para o Norte, está o
limite de Hamate. Este será o lado do Norte.
18 E o lado do Oriente, entre Haurã, e Damasco, e Gi-
leade, e a terra de Israel será o Jordão; desde o limite do
Norte até o mar do Oriente medirão. Este será o lado do
Oriente.
19 E o lado do Sul, para o Sul, será desde Tamar até às
águas da contenda de Cades, junto ao ribeiro, até o mar
grande. Este será o lado do Sul.
20 E o lado do Ocidente será o mar grande, desde o li-
mite do sul até a entrada de Hamate. Este será o lado do
Ocidente.

21 Repartirão esta terra entre vocês, segundo as tribos de Israel.

22 E a dividirão para sua herança e para a herança dos estrangeiros que habitam no meio de vocês, que gerarão filhos no meio de vocês; estes serão a vocês como naturais entre os filhos de Israel; com vocês entrarão em herança, no meio das tribos de Israel.

23 E na tribo em que habitar o estrangeiro, ali darão a sua herança", diz o Senhor Deus.

A Divisão das Terras Entre as Tribos

48 "E estes são os nomes das tribos: Desde o extremo norte, ao longo do caminho de Hetlom, vindo para Hamate, até Hazar-Enom, limite de Damasco para o norte, ao pé de Hamate, Dã terá uma parte, desde o lado oriental até o ocidental.

2 E junto ao limite de Dã, desde o lado oriental até o ocidental, Aser terá uma porção.

3 E junto ao limite de Aser, desde o lado oriental até o ocidental, Naftali terá uma porção.

4 E junto ao limite de Naftali, desde o lado oriental até o lado ocidental, Manassés terá uma porção.

5 E junto ao limite de Manassés, desde o lado oriental até o lado ocidental, Efraim terá uma porção.

6 E junto ao limite de Efraim, desde o lado oriental até o lado ocidental, Rúben terá uma porção.

7 E junto ao limite de Rúben, desde o lado oriental até o lado ocidental, Judá terá uma porção.

As Terras Santas

8 E junto ao limite de Judá, desde o lado oriental até o lado ocidental, será a oferta que haverão de fazer de doze quilômetros e meio de largura e de comprimento, de cada uma das porções, desde o lado oriental até o lado ocidental; e o santuário estará no meio dela.

9 A oferta que haverão de oferecer ao Senhor será do comprimento de doze quilômetros e meio, e cinco quilômetros de largura.

10 E ali será a oferta santa para os sacerdotes, medindo para o norte doze quilômetros e meio de comprimento, para o ocidente cinco quilômetros de largura, para o oriente cinco quilômetro de largura e para o sul doze quilômetros e meio de comprimento; e o santuário do Senhor estará no meio dela.

11 E será para os sacerdotes santificados dentre os filhos de Zadoque, que guardaram a minha ordenança, que não se desviaram, quando os filhos de Israel se extraviaram, como se extraviaram os outros levitas.

12 E eles terão uma oferta, da oferta da terra, lugar santíssimo, junto ao limite dos levitas.

13 E os levitas terão, de frente do limite dos sacerdotes, doze quilômetros e meio de comprimento, e cinco quilômetros de largura; todo o comprimento será de doze quilômetros e meio, e a largura de cinco quilômetros.

14 E não venderão disto, nem trocarão, nem transferirão as primícias da terra, porque é santidade ao Senhor.

15 Porém os dois quilômetros e meio, que restaram da largura, diante dos doze quilômetros e meio, ficarão para uso comum da cidade, para habitação e para arredores; e a cidade ficará no meio.

16 E estas serão as suas medidas: O lado do norte de dois mil duzentos e cinquenta metros, o lado do sul de dois mil duzentos e cinquenta metros, o lado oriental de dois mil duzentos e cinquenta metros e o lado ocidental de dois mil duzentos e cinquenta metros.

17 E os arredores da cidade serão, para o norte, de cento e vinte e cinco metros, para o sul de cento e vinte e cinco metros, para o oriente de cento e vinte e cinco metros e para o ocidente de cento e vinte e cinco metros.

18 E, quanto ao que restou do comprimento, de frente da santa oferta, será cinco quilômetros para o oriente e cinco quilômetros para o ocidente; estará de frente da santa oferta e a sua produção será para sustento daqueles que servem a cidade.

19 E os que servem à cidade se servirão dentre todas as tribos de Israel.

20 Toda a oferta será de doze quilômetros e meio de cada lado; formando um quadrado, oferecerão a oferta santa, com a possessão da cidade.

As Terras do Rei

21 E o que restou será para o príncipe; deste e do outro lado da oferta santa e da possessão da cidade, diante dos doze quilômetros e meio da oferta, até ao limite do oriente e do ocidente, diante dos doze quilômetros e meio, até ao limite do ocidente, correspondente às porções, será para o príncipe; e a santa oferta e o santuário do templo estarão no meio dela.

22 E desde a possessão dos levitas e desde a possessão da cidade, no meio do que pertencer ao príncipe, entre o limite de Judá e o limite de Benjamim, isso será para o príncipe.

O Restante das Tribos

23 E, quanto ao restante das tribos, desde o lado oriental até o lado ocidental, Benjamim terá uma porção.

24 E junto ao limite de Benjamim, desde o lado oriental até o lado ocidental, Simeão terá uma porção.

25 E junto ao limite de Simeão, desde o lado oriental até o lado ocidental, Issacar terá uma porção.

26 E junto ao limite de Issacar, desde o lado oriental até o lado ocidental, Zebulom terá uma porção.

27 E junto ao limite de Zebulom, desde o lado oriental até o lado ocidental, Gade terá uma porção.

28 E junto ao limite de Gade, ao sul, do lado sul, será o
limite desde Tamar até às águas da contenda de Cades,
junto do ribeiro até ao mar grande.
29 Esta é a terra que repartirão em herança às tribos de
Israel; e estas são as suas porções", diz o Senhor Deus.

Os Portões da Cidade

30 "E estas são as saídas da cidade, desde o lado norte:
Dois mil e duzentos e cinquenta metros.
31 E os portões da cidade serão conforme os nomes das
tribos de Israel; três portões para o norte: O portão de Rúben um, o portão de Judá outro, o portão de Levi outro.
32 E do lado oriental dois mil duzentos e cinquenta
metros, e três portões: O portão de José um, o portão de
Benjamim outro, o portão de Dã outro.
33 E do lado sul dois mil duzentos e cinquenta metros, e
três portões: O portão de Simeão um, o portão de Issacar
outro, o portão de Zebulom outro.
34 Do lado ocidental dois mil duzentos e cinquenta metros, e os seus três portões: O portão de Gade um, o portão
de Aser outro, o portão de Naftali outro.
35 O contorno será de nove quilômetros; e o nome da
cidade desde aquele dia será: O Senhor está ali."

DANIEL

Daniel na Babilônia

1 No terceiro ano do reinado de Jeoaquim, rei de Judá,
Nabucodonosor, rei da Babilônia, veio a Jerusalém, e
a sitiou.
2 E o Senhor entregou nas suas mãos Jeoaquim, rei de
Judá, e uma parte dos utensílios da casa de Deus, que os
levou para a terra de Sinar, para a casa do seu deus, e pôs
os utensílios na casa do tesouro do seu deus.
3 E o rei pediu a Aspenaz, chefe dos seus eunucos, que
trouxesse alguns dos filhos de Israel, da descendência real
e dos príncipes,
4 jovens sem defeito, de boa aparência, instruídos em
toda a sabedoria, sábios em ciência e entendidos no conhecimento; que tivessem habilidade para servirem no
palácio do rei e que lhes ensinassem as letras e a língua
dos caldeus.
5 E o rei lhes ordenou a ração de cada dia, da porção
do manjar do rei e do vinho que ele bebia, e que assim
fossem mantidos por três anos, para que no fim destes
pudessem estar diante do rei.
6 E entre eles se achavam, dos filhos de Judá, Daniel,
Hananias, Misael e Azarias.
7 E o chefe dos eunucos lhes pôs outros nomes: Em
Daniel, pôs o nome de Beltessazar; em Hananias, pôs o
nome de Sadraque; em Misael, pôs o nome de Mesaque;
e em Azarias, pôs o nome de Abednego.
8 E Daniel propôs no seu coração não se contaminar com
a porção das iguarias do rei, nem com o vinho que ele
bebia; portanto pediu ao chefe dos eunucos que lhe permitisse não se contaminar.
9 E Deus fez com que Daniel achasse graça e misericórdia
diante do chefe dos eunucos.
10 E disse o chefe dos eunucos a Daniel: "Tenho medo do
meu senhor, o rei, que determinou a sua comida e a sua
bebida; pois por que veria ele os seus rostos mais tristes
do que os dos outros jovens da sua idade? Assim poria em
perigo a minha cabeça diante do rei."
11 Então Daniel disse ao homem que o chefe dos eunucos havia constituído sobre Daniel, Hananias, Misael
e Azarias:
12 "Experimente fazer um teste com os seus servos por
dez dias, e nos deem somente legumes para comer e água
para beber.
13 Então examine diante de você a nossa aparência e a
aparência dos jovens que comem a porção das iguarias
do rei; então, conforme virem, decida o que fazer com
os seus servos."
14 E ele concordou com isto, e os experimentou por dez
dias.
15 E, ao fim dos dez dias, os seus semblantes pareceram
melhores, e eles estavam mais gordos do que os outros
jovens que comiam das iguarias do rei.
16 Assim, o homem tirou-lhes a porção das iguarias e o
vinho que deviam beber, e lhes dava legumes.
17 A estes quatro jovens, Deus lhes deu o conhecimento
e a inteligência em todas as letras e sabedoria; mas a Daniel deu entendimento em toda visão e sonhos.
18 E ao fim dos dias, em que o rei tinha falado que os
trouxessem, o chefe dos eunucos os trouxe diante de
Nabucodonosor.
19 E o rei falou com eles; e entre todos eles não foram
achados outros como Daniel, Hananias, Misael e Azarias;
portanto, ficaram servindo o rei.
20 E em toda matéria de sabedoria e de conhecimento

que o rei lhes perguntou, os achou dez vezes mais sábios
do que todos os magos e astrólogos que havia em todo o
seu reino.
21 E Daniel permaneceu até o primeiro ano do rei Ciro.

O Sonho de Nabucodonosor

2 E, no segundo ano do reinado de Nabucodonosor, este
teve sonhos; e ele se perturbou e perdeu o sono.
2 Então o rei mandou chamar os magos, os astrólogos, os
encantadores e os caldeus, para que interpretassem ao rei
os seus sonhos; e vieram e se apresentaram diante dele.
3 E o rei lhes disse: "Tive um sonho e o meu espírito está
perturbado para saber o significado do sonho.
4 E os caldeus disseram ao rei em siríaco: "Ó rei, viva
eternamente! Diga o sonho aos seus servos e daremos a
interpretação."
5 Mas o rei respondeu aos caldeus: "Se não me contarem
o sonho e a sua interpretação, serão despedaçados e as
suas casas serão derrubadas.
6 Mas se vocês me contarem o sonho e a sua interpretação,
receberão de mim dádivas, recompensas e
grande honra; portanto, declarem-me o sonho e a sua
interpretação."
7 Então responderam pela segunda vez e disseram: "Conte
o sonho a seus servos e daremos a sua interpretação."
8 O rei respondeu e disse: "Percebo muito bem que vocês
querem ganhar tempo; porque sabem o que eu disse.
9 Se não me contarem o sonho, uma só sentença será a
sua; pois vocês combinaram palavras mentirosas e perversas
para as proferirem na minha presença, até que se
passe o tempo; portanto, digam-me o sonho, para que eu
entenda que podem me dar a sua interpretação."
10 Os caldeus responderam na presença do rei e disseram:
"Não há ninguém sobre a terra que possa fazer o
que o rei pede; pois nunca houve um rei, grande ou dominador,
que pediu coisas semelhantes de algum mago,
ou astrólogo, ou caldeu.
11 Porque o assunto que o rei pede é difícil e não há ninguém
que o possa revelar diante do rei, senão os deuses,
cuja morada não é com os homens."
12 Por isso o rei se irou muito e se enfureceu; assim ordenou
que matassem todos os sábios da Babilônia.
13 E saiu o decreto, segundo o qual deviam ser mortos os
sábios, por isso, buscaram Daniel e os seus companheiros,
para que fossem mortos.
14 Então Daniel falou prudentemente com Arioque, capitão
da guarda do rei, que tinha saído para matar os sábios
da Babilônia.
15 E perguntou a Arioque, encarregado do rei: "Por que
tem tanta pressa em cumprir o decreto do rei?" Então
Arioque explicou o caso a Daniel.
16 E Daniel entrou e pediu ao rei que lhe desse tempo,
para que lhe pudesse dar a interpretação.
17 Então Daniel foi para a sua casa e contou o caso a
Hananias, Misael e Azarias, seus companheiros,
18 para que pedissem misericórdia ao Deus do céu, sobre
este segredo, para que Daniel e seus companheiros não
fossem mortos, juntamente com o restante dos sábios da
Babilônia.
19 Então, numa visão à noite, foi revelado o segredo a
Daniel; e Daniel louvou o Deus do céu.
20 E Daniel falou: "Seja bendito o nome de Deus, de
eternidade a eternidade, porque são dele a sabedoria e
a força,
21 e ele muda os tempos e as horas; ele remove e estabelece
os reis; ele dá sabedoria aos sábios e ciência aos
entendidos.
22 Ele revela o profundo e o escondido, conhece o que
está em trevas e com ele mora a luz.
23 Ó Deus de meus pais, eu te dou graças e te louvo,
porque me deste sabedoria e força, e agora me fizeste
saber o que te pedimos, porque nos fizeste saber este assunto
do rei."

Daniel Interpreta o Sonho

24 Por isso Daniel foi falar com Arioque, a quem o rei
tinha encarregado de matar os sábios da Babilônia; entrou
e disse-lhe assim: "Não mate os sábios da Babilônia; leve-me
na presença do rei e revelarei ao rei a interpretação."
25 Então Arioque depressa levou Daniel à presença do rei
e lhe disse: "Achei um homem, dentre os cativos de Judá,
que revelará ao rei a interpretação."
26 O rei perguntou a Daniel, cujo nome era Beltessazar:
"Você pode me contar o sonho que tive e a sua
interpretação?"
27 Daniel respondeu: "O mistério que o rei pede, nem
sábios, nem astrólogos, nem magos, nem adivinhos o podem
revelar ao rei.
28 Mas há um Deus no céu que revela os mistérios; ele
fez saber ao rei Nabucodonosor o que acontecerá nos últimos
dias; o seu sonho e as visões que teve na sua cama
são estes:
29 Quando o senhor estava na sua cama, ó rei, vieram
aos seus pensamentos o que virá depois disto. Deus, que
revela os mistérios, o fez saber o que vai acontecer.
30 E a mim foi revelado esse mistério, não porque haja
em mim mais sabedoria do que nos outros homens, mas
para que a interpretação fosse revelada ao rei, e para que
ele entendesse os pensamentos do seu coração.
31 O senhor, ó rei, estava olhando, e viu uma grande
estátua; esta estátua, que era imensa, cujo esplendor era

excelente, estava em pé diante do senhor, e a sua aparência era terrível.
32 A cabeça daquela estátua era de ouro fino; o seu peito
e os seus braços de prata; o seu ventre e as suas coxas
de cobre;
33 as pernas de ferro; os seus pés em parte de ferro e em
parte de barro.
34 Estava vendo isto, quando uma pedra foi cortada, sem
auxílio de mão, a qual feriu a estátua nos pés de ferro e de
barro, e os esmiuçou.
35 Então foram juntamente esmiuçados o ferro, o barro,
o cobre, a prata e o ouro, os quais se fizeram como palhas
das eiras no verão, o vento os levou e não se achou lugar
algum para eles; mas a pedra, que feriu a estátua, se tornou um grande monte, que encheu toda a terra.
36 Este é o sonho; também a sua interpretação diremos
na presença do rei.
37 O senhor, ó rei, é rei de reis; a quem o Deus do céu
tem dado o reino, o poder, a força e a glória.
38 E onde quer que habitem os filhos dos homens, na
sua mão entregou os animais do campo e as aves do céu,
e fez que reinasse sobre todos eles; o senhor é a cabeça
de ouro.
39 E depois do senhor, se levantará outro reino, inferior
ao seu; e um terceiro reino, de bronze, que dominará sobre toda a terra.
40 E o quarto reino será forte como ferro; pois, como o
ferro, esmiúça e quebra tudo; como o ferro que quebra todas as coisas, assim ele esmiuçará e quebrará em pedaços.
41 E, quanto ao que viu dos pés e dos dedos, em parte
de barro de oleiro e em parte de ferro, isso será um reino
dividido; contudo haverá nele alguma coisa da firmeza do
ferro, porque viu o ferro misturado com barro de lodo.
42 E como os dedos dos pés eram em parte de ferro e em
parte de barro, assim, por uma parte o reino será forte, e,
por outra, será frágil.
43 Quanto ao que viu do ferro misturado com barro de
lodo, se misturarão com semente humana, mas não se
apegarão um ao outro, assim como o ferro não se mistura
com o barro.
44 Mas, nos dias desses reis, o Deus do céu levantará
um reino que não será jamais destruído; este reino não
passará a outro povo; esmiuçará e consumirá todos esses
reinos, mas ele mesmo subsistirá para sempre.
45 Da maneira como viu que do monte foi cortada uma
pedra, sem auxílio de mãos, e ela esmiuçou o ferro, o
cobre, o barro, a prata e o ouro, o grande Deus fez o rei
saber o que virá depois disto. Certo é o sonho e fiel a sua
interpretação."
46 Então o rei Nabucodonosor caiu sobre a sua face e
adorou Daniel, e ordenou que lhe oferecessem uma oblação e perfumes suaves.
47 O rei disse a Daniel: "Certamente o seu Deus é Deus
dos deuses, o Senhor dos reis e revelador de mistérios,
pois pôde revelar este segredo."
48 Então o rei engrandeceu Daniel e lhe deu muitas e
grandes dádivas, e o pôs como governador de toda a província da Babilônia, como também o fez chefe sobre todos
os sábios da Babilônia.
49 E Daniel pediu ao rei, e ele constituiu sobre os negócios da província da Babilônia Sadraque, Mesaque e
Abednego; mas Daniel ficou na corte do rei.

A Imagem de Ouro

3 O rei Nabucodonosor fez uma estátua de ouro, e sua
altura era de vinte e sete metros, e a sua largura de
dois metros e setenta centímetros; levantou-a no campo
de Dura, na província da Babilônia.
2 Então o rei Nabucodonosor mandou reunir os sátrapas,
os prefeitos, os governadores, os juízes, os tesoureiros, os
conselheiros e todos os oficiais das províncias, para que
viessem à inauguração da estátua que o rei Nabucodonosor tinha levantado.
3 Então os sátrapas, os prefeitos, os governadores, os juízes, os tesoureiros, os conselheiros, e todos os oficiais das
províncias, se reuniram para a inauguração da estátua que
o rei Nabucodonosor tinha levantado, e ficaram em pé
diante da estátua.
4 E o arauto proclamou em alta voz: "Ordena-se a vocês,
povos, nações e línguas:
5 Quando ouvirem o som da buzina, do pífaro, da harpa,
da sambuca, do saltério, da sinfonia, e todo tipo de música, prostrem-se e adorem a estátua de ouro que o rei
Nabucodonosor levantou.
6 E quem não se prostrar e não a adorar, será na mesma
hora lançado dentro da fornalha de fogo ardente."
7 Portanto, no mesmo instante em que todos os povos ouviram o som da buzina, do pífaro, da harpa, da sambuca,
do saltério e todos os tipos de música, prostraram-se todos
os povos, nações e línguas e adoraram a estátua de ouro
que o rei Nabucodonosor tinha levantado.
8 Naquela ocasião, alguns homens caldeus se aproximaram e acusaram os judeus.
9 Falaram e disseram ao rei Nabucodonosor: "Ó rei, viva
eternamente!
10 O senhor, ó rei, fez um decreto, que todo homem que
ouvisse o som da buzina, do pífaro, da harpa, da sambuca,
do saltério, da sinfonia e de todo tipo de música, se prostrasse e adorasse a estátua de ouro;
11 e, quem não se prostrasse e adorasse, seria lançado
dentro da fornalha de fogo ardente.

12 Há uns homens judeus, os quais constituiu como ad-
ministradores da província da Babilônia: Sadraque, Mesa-
que e Abednego; estes homens, ó rei, não fizeram caso
do Senhor; aos seus deuses não servem, nem adoram a
estátua de ouro que levantou."
13 Então Nabucodonosor, com ira e furor, mandou trazer
Sadraque, Mesaque e Abednego. E trouxeram estes ho-
mens perante o rei.
14 Nabucodonosor lhes perguntou: "Sadraque, Mesaque
e Abednego, é verdade que vocês não servem aos meus
deuses nem adoram a estátua de ouro que levantei?
15 Agora, se estão prontos, quando ouvirem o som da
buzina, do pífaro, da cítara, da harpa, do saltério, da sin-
fonia e de todos os tipos de música, é bom se prostrarem
e adorarem a estátua que fiz; mas, se não a adorarem,
serão lançados na mesma hora dentro da fornalha de fogo
ardente. E quem é o Deus que os poderá livrar das minhas
mãos?"
16 Responderam Sadraque, Mesaque e Abednego, e
disseram ao rei Nabucodonosor: "Não necessitamos de
responder sobre este negócio.
17 O nosso Deus, a quem nós servimos, é quem nos pode
livrar; ele nos livrará da fornalha de fogo ardente e das
suas mãos, ó rei.
18 E, se não, fique sabendo, ó rei, que não serviremos
aos seus deuses nem adoraremos a estátua de ouro que
levantou."
19 Então Nabucodonosor se encheu de furor e o aspecto
do seu semblante mudou contra Sadraque, Mesaque e
Abednego; o rei ordenou que se aquecesse a fornalha sete
vezes mais do que se costumava aquecer.
20 E ordenou aos homens mais poderosos, que estavam
no seu exército, que amarrassem Sadraque, Mesaque e
Abednego, para lançá-los na fornalha de fogo ardente.
21 Então estes homens foram amarrados, vestidos com as
suas capas, suas túnicas, seus chapéus e demais roupas, e
foram lançados dentro da fornalha de fogo ardente.
22 E, porque a palavra do rei era urgente e a fornalha
estava muito quente, a chama do fogo matou os homens
que jogaram Sadraque, Mesaque e Abednego.
23 E estes três homens, Sadraque, Mesaque e Abednego,
caíram amarrados dentro da fornalha de fogo ardente.
24 Então o rei Nabucodonosor se espantou e se levantou
depressa; falou e disse aos seus capitães: "Porventura nós
não lançamos os três homens amarrados dentro do fogo?"
Eles Responderam e disseram ao rei: "É verdade, ó rei."
25 E o rei disse: "Eu vejo quatro homens soltos, que an-
dam passeando dentro do fogo e não há nenhuma lesão
neles: E o aspecto do quarto homem é semelhante a um
filho dos deuses."
26 Então Nabucodonosor chegou à porta da fornalha de
fogo ardente, e disse: "Sadraque, Mesaque e Abednego,
servos do Deus Altíssimo, saiam e venham!" Então Sadra-
que, Mesaque e Abednego saíram do meio do fogo.
27 E reuniram-se os sátrapas, os prefeitos, os presidentes
e os capitães do rei, para estes homens verem como o
fogo não tinha tido poder algum sobre os seus corpos;
nem um só cabelo da sua cabeça se tinha queimado, nem
as suas capas se mudaram, nem cheiro de fogo tinha pas-
sado sobre elas.
28 Nabucodonosor disse: "Bendito seja o Deus de Sadra-
que, Mesaque e Abednego, que enviou o seu anjo e livrou
os seus servos, que confiaram nele, pois violaram a pala-
vra do rei, preferindo entregar os seus corpos, para que
não servissem nem adorassem algum outro deus, senão
o seu Deus.
29 Por mim foi feito um outro decreto, pelo qual todo
povo, nação e língua que disserem blasfêmia contra o
Deus de Sadraque, Mesaque e Abednego, sejam despe-
daçados, e as suas casas sejam derrubadas; porque não há
outro Deus que possa livrar como este."
30 Então o rei fez Sadraque, Mesaque e Abednego pros-
perarem na província da Babilônia.

O Outro Sonho de Nabucodonosor

4 O rei Nabucodonosor, a todos os povos, nações e lín-
guas, que moram em toda a terra: Que a paz lhes seja
multiplicada.
2 Pareceu-me bem fazer notórios os sinais e maravilhas
que Deus, o Altíssimo, tem feito para mim.
3 Como são grandes os seus sinais e como são poderosas
as suas maravilhas! O seu reino é um reino eterno e o seu
domínio se estende de geração em geração.
4 Eu, Nabucodonosor, estava sossegado em minha casa e
próspero no meu palácio.
5 Tive um sonho, que me espantou; e, estando eu na
minha cama, as imaginações e as visões da minha cabeça
me perturbaram.
6 Por isso expedi um decreto, para que fossem introduzi-
dos à minha presença todos os sábios da Babilônia, para
que me fizessem saber a interpretação do sonho.
7 Então entraram os magos, os astrólogos, os caldeus e os
adivinhadores, e eu contei o sonho diante deles, mas não
me fizeram saber a sua interpretação.
8 Mas, por fim, entrou na minha presença Daniel, cujo
nome é Beltessazar, em honra ao nome do meu deus, ele
tem o espírito dos santos deuses, e então eu lhe contei o
sonho, dizendo:
9 "Beltessazar, príncipe dos magos, eu sei que há em você
o espírito dos deuses santos e nenhum mistério é difícil

para você desvendar; diga-me o significado das visões do
sonho que tive e a sua interpretação.
10 Estas foram as visões da minha cabeça quando eu es-
tava na minha cama: Eu estava olhando, e vi uma árvore
no meio da terra, ela era muito grande.
11 Esta árvore crescia e se tornava forte, e a sua altura
chegava até o céu, e era vista até nos confins da terra.
12 A sua folhagem era formosa, o seu fruto abundante e
havia nela sustento para todos; debaixo dela os animais
do campo achavam sombra, as aves do céu faziam mora-
da nos seus ramos e todos os seres vivos se mantinham
dela.
13 Estava vendo isso nas visões da minha cabeça, quando
eu estava na minha cama; e um anjo, um santo, descia
do céu,
14 clamando fortemente e dizendo assim: 'Derrubem a
árvore, cortem os seus ramos, sacudam as suas folhas e
espalhem o seu fruto; afugentem os animais que estão
debaixo dela e as aves que estão nos seus ramos.
15 Porém, deixem na terra o tronco com as suas raízes,
amarrado com correntes de ferro e de bronze, na erva do
campo; que esse tronco seja molhado do orvalho do céu,
e a sua porção seja com os animais na erva da terra;
16 que o seu coração seja mudado, para que não seja
mais um coração de homem e lhe seja dado um coração
de animal, e passem sobre ele sete tempos.
17 Esta sentença é por decreto dos anjos, e esta ordem
por mandado dos santos, para que os seres vivos saibam
que o Altíssimo tem domínio sobre o reino dos homens
e o dá a quem quer, e até ao mais humilde dos homens
constitui como rei.'
18 Este foi o sonho que eu, rei Nabucodonosor, tive.
Você, pois, Beltessazar, diga a interpretação, porque todos
os sábios do meu reino não puderam fazer-me saber a sua
interpretação, mas você pode, pois há em você o espírito
dos deuses santos."

Daniel Interpreta o Sonho

19 Então Daniel, cujo nome era Beltessazar, ficou atônito
por um instante, e os seus pensamentos o perturbavam;
então o rei lhe disse: "Beltessazar, não deixe o sonho o
espantar, nem a sua interpretação." Beltessazar respon-
deu: "Meu senhor, quem dera que o sonho fosse contra
os que têm ódio do senhor, e a sua interpretação contra
os seus inimigos.
20 A árvore que viu, que cresceu e se tornou forte, cuja
altura chegava até ao céu, e que foi vista por toda a terra,
21 e cujas folhas eram formosas, o seu fruto abundante,
na qual havia sustento para todos, debaixo da qual mora-
vam os animais do campo, e em cujos ramos habitavam
as aves do céu,
22 esta árvore é o senhor, ó rei, que cresceu e se fez forte;
a sua grandeza cresceu, chegou até o céu e o seu domínio
se estende até à extremidade da terra.
23 E, quanto ao que o rei viu, um anjo, um santo, que
descia do céu e dizia: 'Cortem a árvore e a destruam, mas
o tronco com as suas raízes deixem na terra, amarrado
com correntes de ferro e de bronze, na erva do campo, e
que este tronco seja molhado pelo orvalho do céu e a sua
porção fique com os animais do campo, até que passem
sobre ele sete tempos':
24 Esta é a interpretação, ó rei, e este é o decreto do
Altíssimo, que virá sobre o rei, meu senhor:
25 O senhor será lançado do meio dos homens e a sua
morada será com os animais do campo; e comerá erva
como os bois, será molhado do orvalho do céu e passarão
sete tempos por cima do senhor, até que conheça que o
Altíssimo tem domínio sobre o reino dos homens e o dá
a quem ele quer.
26 E, quanto ao que foi falado, que deixassem o tronco
com as raízes da árvore, o seu reino voltará para o senhor,
depois que tiver reconhecido que o céu reina.
27 Portanto, ó rei, aceite o meu conselho e ponha fim
nos seus pecados, praticando a justiça, e deixe as suas
iniquidades, usando de misericórdia com os pobres, pois
talvez se prolongue a sua paz."

O Cumprimento do Sonho

28 Todas estas coisas vieram sobre o rei Nabucodonosor.
29 Porque ao final de doze meses, quando passeava no
palácio real da Babilônia,
30 o rei disse: "Não é esta a grande Babilônia que eu
edifiquei para a casa real, com a força do meu poder, e
para glória da minha majestade?"
31 O rei ainda estava falando, quando caiu uma voz do
céu e lhe disse: "Ó rei Nabucodonosor: Este reino lhe
foi tirado.
32 E você será tirado do meio dos homens e a sua morada
será com os animais do campo; e comerá erva como os
bois e passarão sete tempos sobre você, até que reconheça
que o Altíssimo domina sobre o reino dos homens e o dá
a quem ele quer."
33 Na mesma hora se cumpriu a palavra sobre Nabuco-
donosor, que foi tirado do meio dos homens, comia erva
como os bois e o seu corpo foi molhado do orvalho do
céu, até que lhe cresceu pelo, como as penas da águia e
as suas unhas como as garras das aves.
34 "Mas, ao fim daqueles dias, eu, Nabucodonosor, le-
vantei os meus olhos ao céu e me retornou o entendimen-
to; então eu bendisse ao Altíssimo e louvei e glorifiquei
aquele que vive para sempre, cujo domínio é um domínio
eterno, e cujo reino se estende de geração em geração.

35 E todos os moradores da terra são considerados como
nada, e segundo a sua vontade ele opera com o exército
do céu e os moradores da terra; não há quem possa deter
a sua mão e lhe dizer: 'O que ele faz?'
36 Nesse tempo recuperei o meu entendimento e, para a
dignidade do meu reino, recuperei a minha majestade e o
meu resplendor; os meus capitães e os meus grandes me
buscaram e eu fui restabelecido no meu reino, e a minha
glória se tornou maior do que nunca.
37 Agora, eu, Nabucodonosor, louvo, engrandeço e glorifico o Rei do céu; porque todas as suas obras são verdadeiras, os seus caminhos são justos e ele pode humilhar
os que andam na soberba."

O Banquete de Belsazar

5 O rei Belsazar deu um grande banquete a mil pessoas
importantes e bebeu vinho na presença deles.
2 Depois que Belsazar provou o vinho, mandou trazer os
vasos de ouro e de prata, que Nabucodonosor, seu pai,
tinha tirado do templo que estava em Jerusalém, para que
eles bebessem neles: O rei, os seus convidados importantes, as suas mulheres e as suas concubinas.
3 Então trouxeram os vasos de ouro que foram tirados
do templo da casa de Deus que estava em Jerusalém e
beberam neles o rei, os seus convidados importantes, as
suas mulheres e concubinas.
4 Beberam o vinho e deram louvores aos deuses de ouro,
de prata, de cobre, de ferro, de madeira e de pedra.
5 Na mesma hora apareceram uns dedos de mão de
homem, que escreviam, em frente ao castiçal, na parede do palácio real, e o rei via a parte da mão que estava
escrevendo.
6 Então o semblante do rei se mudou e os seus pensamentos o perturbaram; as juntas dos seus ombros se relaxaram
e os seus joelhos batiam um no outro.
7 E o rei falou alto: "Tragam os astrólogos, os caldeus e
os adivinhadores"; então o rei disse aos sábios da Babilônia: "Qualquer um que ler este escrito e me declarar a
sua interpretação será vestido de púrpura, receberá uma
corrente de ouro no pescoço e, no reino, será o terceiro
dominador."
8 Então todos os sábios do rei entraram, mas não puderam ler o escrito, nem revelar ao rei a sua interpretação.
9 Então o rei Belsazar se perturbou e o seu semblante
mudou muito; e os seus convidados importantes estavam
sobressaltados.
10 A rainha, por causa das palavras do rei e dos seus convidados, entrou na casa do banquete; então ela disse: "Ó
rei, viva para sempre; não deixe que os seus pensamentos
o perturbem, nem que o seu semblante mude.
11 Há no seu reino um homem que tem o espírito dos
deuses santos; nos dias do seu pai se acharam nele luz,
inteligência e sabedoria, como a sabedoria dos deuses; e
seu pai, o rei Nabucodonosor, sim, seu pai, o rei, o constituiu chefe dos magos, dos astrólogos, dos caldeus e dos
adivinhadores;
12 porque se acharam neste Daniel um espírito excelente, ciência, e entendimento, interpretando sonhos, explicando enigmas e resolvendo dúvidas, ao qual o rei pôs o
nome de Beltessazar. Chame agora Daniel, e ele dará a
interpretação."

Daniel Explica o Mistério

13 Então Daniel foi trazido à presença do rei. E o rei
perguntou-lhe: "Você é aquele Daniel, um dos filhos dos
cativos de Judá, que o rei, meu pai, trouxe de Judá?
14 Porque tenho ouvido dizer a seu respeito que o espírito dos deuses está em você, e que em você se acham a
luz, o entendimento e a excelente sabedoria.
15 Agora mesmo foram trazidos à minha presença os sábios e os astrólogos, para lerem este escrito e me fazerem
saber a sua interpretação; mas não puderam dar a interpretação destas palavras.
16 Eu, porém, tenho ouvido dizer que você pode dar a
interpretação e resolver mistérios. Agora, se puder ler este
escrito e me revelar a sua interpretação, você será vestido
de púrpura e terá uma corrente de ouro no pescoço, e no
reino será o terceiro dominador."
17 Então Daniel respondeu e disse na presença do rei:
"Os seus presentes fiquem com o senhor e dê os seus
presentes a outro; contudo lerei ao rei o escrito e o farei
saber a interpretação.
18 Ó rei! Deus, o Altíssimo, deu a Nabucodonosor, seu
pai, o reino, a grandeza, a glória e a majestade.
19 E, por causa da grandeza que lhe deu, todos os povos,
nações e línguas tremiam e temiam diante dele; a quem
queria ele matava, e a quem queria conservava em vida; a
quem queria engrandecia e a quem queria abatia.
20 Mas quando o seu coração se exaltou, e o seu espírito
se endureceu em soberba, foi derrubado do seu trono real
e passou dele a sua glória.
21 E foi tirado do meio dos filhos dos homens e o seu coração foi feito semelhante ao dos animais, e a sua morada
foi com os jumentos monteses; ele comeu a erva como os
bois e do orvalho do céu foi molhado o seu corpo, até que
reconheceu que Deus, o Altíssimo, tem domínio sobre o
reino dos homens e a quem quer constituir rei.
22 O senhor, rei Belsazar, que é seu filho, não humilhou o
seu coração, ainda que soubesse de tudo isto.
23 E se levantou contra o Senhor do céu, pois trouxeram
os vasos da casa dele, e o senhor, os seus convidados, as
suas mulheres e as suas concubinas beberam vinho neles;

além disso, deram louvores aos deuses de prata, de ouro,
de cobre, de ferro, de madeira e de pedra, que não veem,
não ouvem, nem sabem; mas a Deus, em cuja mão está
a sua vida e de quem são todos os seus caminhos, a ele
não glorificaram.
24 Então dele foi enviada aquela parte da mão, que es-
creveu este escrito.
25 Isto é o que está escrito: MENE, MENE, TEQUEL,
PARSIM.
26 Esta é a interpretação daquilo: MENE: Contou Deus o
seu reino e o acabou.
27 TEQUEL: Você foi pesado na balança e foi achado em
falta.
28 PERES: O seu reino foi dividido e entregue aos medos
e aos persas."
29 Então Belsazar mandou que vestissem Daniel de púr-
pura e que lhe pusessem uma corrente de ouro no pes-
coço, e proclamassem que ele seria o terceiro dominador
do seu reino.
30 Mas, na mesma noite, Belsazar, rei dos caldeus, foi
morto.
31 E Dario, o medo, ocupou o reino, tendo a idade de
sessenta e dois anos.

Daniel na Cova dos Leões

6 Dario decidiu constituir sobre o reino cento e vinte
sátrapas para administrarem todo o reino;
2 e colocou sobre eles três governadores, dos quais Daniel
era um, aos quais estes sátrapas deveriam prestar contas
para que o rei não tivesse prejuízo.
3 Então o mesmo Daniel se destacou entre os governado-
res e os sátrapas, porque nele havia um espírito excelente,
e o rei pensava constituí-lo sobre todo o reino.
4 Então os governadores e os sátrapas procuravam achar
motivos contra Daniel a respeito do reino; mas não en-
contravam nada, porque ele era fiel e não se achavam
nele nenhum erro nem culpa.
5 Então estes homens disseram: "Nunca encontraremos
motivo algum contra este Daniel, a não ser que achemos
algo contra ele na lei do seu Deus."
6 Então estes governadores e sátrapas foram juntos ao
rei e disseram-lhe assim: "Ó rei Dario, viva para sempre!
7 Todos os príncipes do reino, os prefeitos e sátrapas,
capitães e governadores, tomaram uma decisão a fim de
pedir que o rei faça um decreto real ordenando que todo
aquele que, nos próximos trinta dias, fizer uma petição a
qualquer deus, ou a qualquer homem e não ao senhor, ó
rei, seja lançado na cova dos leões.
8 Agora, pois, ó rei, confirme a proibição e assine o decre-
to, para que não seja mudado, conforme a lei dos medos
e dos persas, que não pode ser revogada."
9 E assim o rei Dario assinou o decreto e a proibição.
10 Daniel, quando soube que o decreto estava assinado,
entrou em sua casa. Havia no seu quarto janelas abertas
para o lado de Jerusalém, e três vezes no dia se punha de
joelhos e orava, e dava graças diante do seu Deus, como
era acostumado fazer.
11 Então aqueles homens foram juntos e acharam Daniel
orando e suplicando diante do seu Deus.
12 Então se apresentaram ao rei, para falar a respeito do
decreto real, e perguntaram: "Por acaso não assinou o
decreto, pelo qual todo homem que fizesse um pedido a
qualquer deus, ou a qualquer homem, no período de trin-
ta dias, e não ao senhor, ó rei, fosse lançado na cova dos
leões?" O rei respondeu: "Esta palavra é certa, conforme
a lei dos medos e dos persas, que não se pode revogar."
13 Então responderam e disseram diante do rei: "Daniel,
que é um dos transportados de Judá, faz pouco caso do
senhor, ó rei, e do decreto que o senhor assinou: três ve-
zes por dia ele faz a sua oração."
14 Quando o rei ouviu essas palavras, ficou muito contra-
riado e a favor de Daniel, e propôs dentro do seu coração
livrá-lo; assim, até ao pôr do sol, trabalhou para salvá-lo.
15 Então aqueles homens foram juntos ao rei e disseram-
-lhe: "Sabe, ó rei, que é uma lei dos medos e dos persas
que nenhum decreto ou edito, que o rei estabeleça, pode
ser mudado."
16 Então o rei ordenou que trouxessem Daniel e o lan-
çaram na cova dos leões. E o rei disse a Daniel: "O seu
Deus, a quem você continuamente serve, ele o livrará."
17 E foi trazida uma pedra e posta sobre a entrada da
cova; então o rei a selou com o seu anel e com o anel
dos seus nobres, para que não se mudasse a sentença de
Daniel.
18 Então o rei se dirigiu para o seu palácio, passou a noite
em jejum e não deixou trazer à sua presença instrumen-
tos de música; e perdeu o sono.
19 Então o rei se levantou pela manhã cedo e foi depressa
à cova dos leões.
20 E, chegando à cova, chamou por Daniel com a voz
triste, e o rei disse: "Daniel, servo do Deus vivo, será que
o seu Deus, a quem você continuamente serve, conse-
guiu livrá-lo dos leões?"
21 Então Daniel falou ao rei: "Ó rei, viva para sempre!
22 O meu Deus enviou o seu anjo e fechou a boca dos
leões, para que não me fizessem dano, porque fui consi-
derado inocente diante dele, e contra o senhor, ó rei, não
tenho cometido delito algum."
23 Então o rei muito se alegrou, e mandou tirar Daniel da
cova. Assim, Daniel foi tirado da cova e nenhum ferimen-
to se achou nele, porque confiou no seu Deus.

24 Então o rei ordenou e aqueles homens que tinham
acusado Daniel foram trazidos, e foram lançados na cova
dos leões, eles, seus filhos e suas mulheres; e ainda não
tinham chegado no fundo da cova quando os leões se apo-
deraram deles e lhes esmigalharam todos os ossos.
25 Então o rei Dario escreveu a todos os povos, nações
e línguas que moram em toda a terra: "A paz lhes seja
multiplicada.
26 Faço um decreto, que em todo o domínio do meu
reino os homens tremam e temam perante o Deus de
Daniel; porque ele é o Deus vivo e que permanece para
sempre, o seu reino não se pode destruir e o seu domínio
não terá fim.
27 Ele salva, livra e opera sinais e maravilhas no céu e
na terra; ele salvou e livrou Daniel do poder dos leões."
28 Este Daniel prosperou no reinado de Dario e no reina-
do de Ciro, o persa.

A Visão dos Quatro Animais

7 No primeiro ano de Belsazar, rei da Babilônia, Daniel
teve um sonho e visões quando estava na sua cama;
ele escreveu logo o sonho e relatou o resumo de todas
as coisas.
2 Daniel disse: "Eu estava olhando na minha visão da
noite e vi que os quatro ventos do céu agitavam o mar
grande.
3 E quatro animais grandes, diferentes uns dos outros,
subiam do mar.
4 O primeiro era como leão e tinha asas de águia; enquan-
to eu olhava, foram-lhe arrancadas as asas, foi levantado
da terra, posto em pé como um homem e foi-lhe dado um
coração de homem.
5 Continuei olhando e vi um segundo animal, semelhan-
te a um urso, que se levantou de um lado, tendo na boca
três costelas entre os seus dentes e foi-lhe dito assim: 'Le-
vante-se, devore muita carne.'
6 Depois disto, eu continuei olhando e vi outro, seme-
lhante a um leopardo, que tinha quatro asas de ave nas
suas costas; este animal tinha também quatro cabeças, e
foi-lhe dado domínio.
7 Depois disto eu continuei olhando nas visões da noite
e vi o quarto animal, terrível e espantoso, e muito forte,
tinha dentes grandes de ferro; ele devorava e fazia em
pedaços e pisava com os pés o que sobrava; era diferente
de todos os animais que apareceram antes dele, e tinha
dez chifres.
8 Enquanto eu observava os chifres, eis que, entre eles,
subiu outro chifre pequeno, e três dos primeiros chifres
foram arrancados; e neste chifre havia olhos como os de
homem e uma boca que falava grandes coisas.

O Reino de Deus

9 Eu continuei olhando, até que foram postos uns tronos
e um ancião de dias se assentou; a sua veste era branca
como a neve e o cabelo da sua cabeça como a pura lã; o
seu trono era de chamas de fogo e as suas rodas de fogo
ardente.
10 Um rio de fogo manava e saía da frente dele; milha-
res de milhares o serviam e milhões de milhões assistiam
diante dele; assentou-se o juízo e abriram-se os livros.
11 Então estive olhando, por causa da voz das grandes
palavras que o chifre proferia; estive olhando até que o
animal foi morto, o seu corpo desfeito e entregue para ser
queimado pelo fogo;
12 e, quanto aos outros animais, foi-lhes tirado o domí-
nio; todavia foi-lhes prolongada a vida por um espaço de
tempo.
13 Eu estava olhando nas minhas visões da noite, e vi
que vinha nas nuvens do céu alguém como um filho do
homem; e dirigiu-se ao ancião de dias e o fizeram chegar
até ele.
14 E foram-lhe dados o domínio, a honra e o reino, para
que todos os povos, nações e línguas o servissem; o seu
domínio é um domínio eterno, que não passará, e o seu
reino jamais será destruído.

A Interpretação das Visões

15 Quanto a mim, Daniel, o meu espírito foi abati-
do dentro do corpo, e as visões da minha cabeça me
perturbaram.
16 Cheguei a um dos que estavam perto e pedi-lhe a ver-
dade sobre tudo isto. E ele me disse, e fez-me saber a
interpretação das coisas.
17 'Estes grandes animais, que são quatro, são quatro
reis, que se levantarão da terra.
18 Mas os santos do Altíssimo receberão o reino, o possui-
rão para todo o sempre e de eternidade em eternidade.'
19 Então tive desejo de conhecer a verdade a respeito
do quarto animal, que era diferente de todos os outros,
muito terrível, seus dentes eram de ferro e as suas unhas
de bronze; que devorava, fazia em pedaços e pisava com
os pés o que sobrava;
20 e quis saber a respeito dos dez chifres que tinha na
cabeça, e do outro que subiu e diante do qual caíram
três, isto é, daquele que tinha olhos e uma boca que fa-
lava grandes coisas, que parecia mais forte do que seus
companheiros.
21 Eu olhava, e vi que este chifre fazia guerra contra os
santos, e prevalecia contra eles.
22 Até que veio o ancião de dias e fez justiça aos santos
do Altíssimo; e chegou o tempo em que os santos possuí-
ram o reino.

23 Então ele disse assim: 'O quarto animal será o quarto
reino na terra, ele será diferente de todos os reinos; devo-
rará toda a terra, a pisará e a fará em pedaços.
24 E, quanto aos dez chifres, daquele mesmo reino se
levantarão dez reis; depois deles se levantará outro, que
será diferente dos primeiros e abaterá três reis.
25 E proferirá palavras contra o Altíssimo, destruirá os
santos do Altíssimo e cuidará em mudar os tempos e a
lei; eles serão entregues na sua mão, por um tempo, dois
tempos, e a metade de um tempo.
26 Mas o juízo será estabelecido e eles tirarão o seu domí-
nio, para o destruir e para o desfazer até ao fim.
27 E o reino, o domínio e a majestade dos reinos debaixo
de todo o céu serão dados ao povo dos santos do Altíssi-
mo; o seu reino será um reino eterno, todos os domínios
o servirão e lhe obedecerão.'
28 Aqui termina a explicação. Quanto a mim, Daniel, os
meus pensamentos muito me perturbaram, e mudou-se
em mim o meu semblante; mas guardei o assunto no meu
coração.

A Visão do Carneiro e do Bode

8 No terceiro ano do reinado do rei Belsazar, eu, Daniel,
tive uma visão, depois daquela que tive no começo.
2 E vi na visão que eu estava na cidadela de Susã, na
província de Elão; vi, nesta visão, que eu estava junto ao
rio Ulai.
3 E levantei os meus olhos e vi que um carneiro estava
diante do rio, ele tinha dois chifres; os dois chifres eram
altos, mas um era mais alto do que o outro, e o mais alto
subiu por último.
4 Vi que o carneiro dava chifradas para o ocidente, para
o norte e para o sul, e nenhum dos animais lhe podia re-
sistir; nem havia quem pudesse livrar-se do seu poder; ele
fazia conforme a sua vontade e se engrandecia.
5 E, enquanto eu observava, um bode vinha do ocidente
sobre toda a terra, mas sem tocar no chão; aquele bode
tinha um chifre notável entre os olhos.
6 E dirigiu-se ao carneiro que tinha os dois chifres, que
eu tinha visto em pé diante do rio, e correu contra ele no
ímpeto da sua força.
7 E o vi chegar perto do carneiro, enfurecido contra ele, e
ferindo-o quebrou-lhe os dois chifres, pois não havia força
no carneiro para lhe resistir; então o bode o lançou por
terra e o pisou; não houve quem pudesse livrar o carneiro
do seu poder.
8 E o bode se engrandeceu muito; mas, quando estava na
sua maior força, aquele grande chifre foi quebrado, e no
seu lugar subiram outros quatro também notáveis, para os
quatro ventos do céu.
9 E de um deles saiu um chifre muito pequeno, que
cresceu muito para o sul, para o oriente e para a terra
formosa.
10 E se engrandeceu até contra o exército do céu; e al-
guns desses exércitos e das estrelas lançou por terra e os
pisou.
11 E se engrandeceu até contra o príncipe do exército;
e por ele foi tirado o sacrifício contínuo, e o lugar do seu
santuário foi lançado por terra.
12 E o exército foi entregue a ele com o sacrifício contí-
nuo, por causa da transgressão; ele lançou a verdade por
terra, e o fez, e prosperou.

Os Dois Mil e Trezentos Dias

13 Depois, ouvi um santo que falava, e outro santo lhe
perguntou: 'Até quando durará a visão do sacrifício con-
tínuo e da transgressão assoladora, para que sejam entre-
gues o santuário e o exército, a fim de serem pisados?'
14 E ele me disse: 'Até duas mil e trezentas tardes e ma-
nhãs e depois o santuário será purificado.'

Gabriel Interpreta a Visão

15 E, havendo eu, Daniel, tido a visão, procurei o sig-
nificado, e eis que se apresentou para mim um ser com
aparência de homem.
16 E ouvi uma voz de homem entre as margens do Ulai,
que gritou: 'Gabriel, explique a este homem a visão.'
17 Ele veio perto de onde eu estava; então, quando ele
chegou, me amedrontei e caí sobre o meu rosto; mas ele
me disse: 'Entenda, filho do homem, porque esta visão
acontecerá no fim do tempo.'
18 E, enquanto ele falava comigo, caí adormecido com o
rosto em terra; ele, porém, me tocou e me fez ficar em pé.
19 E disse: 'Eu o farei saber o que acontecerá no último
tempo da ira, pois isso pertence ao tempo determinado
do fim.
20 Aquele carneiro que viu com dois chifres, são os reis
da Média e da Pérsia.
21 Porém, o bode peludo é o rei da Grécia, e o grande
chifre que tinha entre os olhos é o primeiro rei.
22 O fato de o chifre ter sido quebrado, levantando-se
quatro no lugar dele, significa que quatro reinos se levan-
tarão da mesma nação, mas não com a força dele.
23 Mas, no fim do seu reinado, quando acabarem os pre-
varicadores, se levantará um rei, de duro semblante, e
será entendido em adivinhação.
24 E se fortalecerá o seu poder, mas não pela sua própria
força; destruirá assombrosamente, prosperará e fará o que
lhe convém; e destruirá os poderosos e o povo santo.
25 E pelo seu entendimento também fará prosperar o
engano na sua mão; no seu coração se engrandecerá e
destruirá muitos que vivem em segurança, e se levantará

contra o príncipe dos príncipes, e será destruído, mas não
pelo poder dos homens.
26 E a visão da tarde e da manhã que foi falada, é ver-
dadeira. Você, porém, guarde a visão, porque se refere a
dias muito distantes.'
27 E eu, Daniel, enfraqueci e estive enfermo por alguns
dias; então levantei-me e tratei dos negócios do rei. E es-
pantei-me com a visão e não havia quem a entendesse.

A Oração de Daniel

9 No primeiro ano do reinado de Dario, filho de Assue-
ro, da linhagem dos medos, que foi constituído rei so-
bre o reino dos caldeus,
2 no primeiro ano do seu reinado, eu, Daniel, entendi
pelos livros que o número de anos, de que o Senhor falou
ao profeta Jeremias, em que haviam de se cumprir as de-
solações de Jerusalém, era de setenta anos.
3 E eu dirigi o meu rosto ao Senhor Deus, para o buscar
com oração e súplicas, com jejum, vestido de panos de
sacos e coberto de cinza.
4 E orei ao Senhor meu Deus, confessei e disse: 'Ah! Se-
nhor! Deus grande e tremendo, que guardas a aliança e a
misericórdia para com os que te amam e guardam os teus
mandamentos;
5 pecamos e cometemos iniquidades, operamos impia-
mente e fomos rebeldes, apartando-nos dos teus manda-
mentos e dos teus juízos;
6 e não demos ouvidos aos teus servos, os profetas, que
em teu nome falaram aos nossos reis, aos nossos príncipes
e a nossos pais, como também a todo o povo da terra.
7 A ti, ó Senhor, pertence a justiça, mas a nós a confusão
de rosto, como hoje se vê; aos homens de Judá, aos mo-
radores de Jerusalém e a todo o Israel, aos de perto e aos
de longe, em todas as terras por onde os tens lançado, por
causa das suas rebeliões que cometeram contra ti.
8 Ó Senhor, a nós pertence a confusão de rosto, aos nos-
sos reis, aos nossos príncipes e a nossos pais, porque pe-
camos contra ti.'
9 Ao Senhor, nosso Deus, pertencem a misericórdia e o
perdão; pois nos rebelamos contra ele,
10 e não obedecemos à voz do Senhor, nosso Deus, para
andarmos nas suas leis, que nos deu por intermédio dos
seus servos, os profetas.
11 Sim, todo o Israel transgrediu a tua lei, desviando-se
para não obedecer à tua voz; por isso a maldição e o jura-
mento, que estão escritos na lei de Moisés, servo de Deus,
se derramaram sobre nós; porque pecamos contra ti.
12 E ele confirmou a sua palavra, que falou contra nós e
contra os nossos juízes que nos julgavam, trazendo sobre
nós um grande mal; porque debaixo de todo o céu nunca
se fez como se tem feito em Jerusalém.
13 Como está escrito na lei de Moisés, todo este mal nos
sobreveio; apesar disso, não suplicamos à face do Senhor
nosso Deus, para nos convertermos das nossas iniquida-
des e para nos aplicarmos à tua verdade.
14 E apressou-se o Senhor e vigiou sobre o mal e o trouxe
sobre nós; porque justo é o Senhor, nosso Deus, em todas
as suas obras, que fez, pois não obedecemos à sua voz.
15 Ó Senhor, nosso Deus, que tiraste o teu povo da
terra do Egito com mão poderosa, e ganhaste para ti
nome, como hoje se vê; temos pecado, temos procedido
impiamente.
16 Ó Senhor, segundo todas as tuas justiças, apartem-se
a tua ira e o teu furor da tua cidade de Jerusalém, do teu
santo monte; porque, por causa dos nossos pecados, e por
causa das iniquidades de nossos pais, vieram Jerusalém e
o teu povo a servir de vergonha para todos os que estão
ao redor de nós.
17 Agora, ó nosso Deus, ouve a oração do teu servo e as
suas súplicas, e sobre o teu santuário assolado faz resplan-
decer o teu rosto, por amor do Senhor.
18 Inclina, ó Deus meu, os teus ouvidos e ouve; abre os
teus olhos e olha para a nossa desolação e para a cidade
que é chamada pelo teu nome, porque não lançamos as
nossas súplicas perante a tua face confiando em nossas
justiças, mas em tuas muitas misericórdias.
19 Ó Senhor, ouve; ó Senhor, perdoa; ó Senhor, atende-
-nos e age sem tardar; por amor de ti mesmo, ó Deus
meu; porque a tua cidade e o teu povo são chamados
pelo teu nome.

Gabriel Explica as Setenta Semanas

20 Quando eu ainda estava falando e orando, e confes-
sando o meu pecado e o pecado do meu povo Israel, e
lançando a minha súplica perante a face do Senhor, meu
Deus, pelo monte santo do meu Deus,
21 quando eu ainda estava falando na oração, o homem
Gabriel, que eu tinha visto na minha visão anterior, veio
voando rapidamente e me tocou; era hora do sacrifício
da tarde.
22 Ele me instruiu, falou comigo e disse: 'Daniel, vim
agora para lhe explicar o sentido da visão.
23 No começo das suas súplicas, foi-me dada uma ordem,
e eu vim para lhe explicar tudo, porque é muito amado;
preste atenção nas palavras, e entenda a visão.
24 Setenta semanas estão determinadas sobre o seu povo
e sobre a sua santa cidade, para cessar a transgressão, para
dar fim aos pecados, para expiar a iniquidade, para trazer
a justiça eterna, para selar a visão e a profecia, e para
ungir o Santíssimo.
25 Saiba e entenda: Desde a saída da ordem para res-
taurar e para edificar Jerusalém até a vinda do Ungido,

o Príncipe, haverá sete semanas e sessenta e duas sema-
nas; as ruas e o muro se reedificarão, mas em tempos
angustiosos.
26 E depois das sessenta e duas semanas o Ungido será
morto e não terá nada; e o povo do príncipe, que há de
vir, destruirá a cidade e o santuário, e o seu fim será com
uma inundação; e até ao fim haverá guerra; estão deter-
minadas as assolações.
27 E ele firmará aliança com muitos por uma semana, e
na metade da semana fará cessar o sacrifício e a oferta de
manjares; sobre a ala das abominações virá o assolador
e isso até à consumação; e o que está determinado será
derramado sobre o assolador.'"

A Visão às Margens do Rio Tigre

10 No terceiro ano do reinado de Ciro, rei da Pérsia,
foi revelada uma palavra a Daniel, cujo nome era
Beltessazar; a palavra era verdadeira e envolvia grande
conflito; e ele entendeu esta palavra e tinha entendimen-
to da visão.
2 "Naqueles dias eu, Daniel, estive triste por três semanas.
3 Não comi nada agradável, nem carne nem vinho entra-
ram na minha boca, nem me ungi com óleo, até que se
cumpriram as três semanas.
4 E no dia vinte e quatro do primeiro mês eu estava na
beira do grande rio Tigre,
5 eu levantei os meus olhos e olhei, e vi um homem vesti-
do de linho, e a sua cintura com ouro fino de Ufaz;
6 e o seu corpo era como turquesa, o seu rosto parecia
um relâmpago, os seus olhos como tochas de fogo, os seus
braços e os seus pés brilhavam como bronze polido e o
som das suas palavras era como a voz de uma multidão.
7 E só eu, Daniel, tive aquela visão. Os homens que es-
tavam comigo não a viram; contudo, caiu sobre eles um
grande temor e fugiram, escondendo-se.
8 Eu fiquei sozinho a contemplar essa grande visão e não
ficou força em mim; mudou-se o meu semblante, empali-
deci e perdi as forças.
9 Contudo ouvi a voz das suas palavras; então, ouvindo
o som das suas palavras, eu caí sobre o meu rosto num
profundo sono, com o meu rosto em terra.
10 E uma mão me tocou e fez com que me movesse so-
bre os meus joelhos e sobre as palmas das minhas mãos.
11 E me disse: "Daniel, homem muito amado, entenda as
palavras que vou lhe dizer e levante-se sobre os seus pés,
porque a você sou enviado." E, falando ele isso comigo,
levantei-me tremendo.
12 Então me disse: "Não tema, Daniel, porque desde
o primeiro dia em que aplicou o seu coração para com-
preender e para se humilhar perante o seu Deus, são ouvi-
das as suas palavras; e eu vim por causa das suas palavras.
13 Contudo o príncipe do reino da Pérsia me resistiu du-
rante vinte e um dias, porém Miguel, um dos primeiros
príncipes, veio para me ajudar e eu fiquei ali com os reis
da Pérsia.
14 Agora vim para lhe fazer entender o que acontecerá
ao seu povo nos últimos dias; porque a visão é ainda para
muitos dias."
15 E, falando ele comigo estas palavras, abaixei o meu
rosto para a terra e emudeci.
16 E alguém, semelhante aos filhos dos homens, tocou-
-me os lábios; então abri a minha boca e falei, dizendo
àquele que estava em pé diante de mim: Meu senhor, esta
visão me trouxe muitas dores e fiquei sem forças.
17 Como pode este servo do meu senhor falar com o
meu senhor? Porque, quanto a mim, agora não me restam
mais força nem fôlego.
18 E aquele, que tinha aparência de um homem, tocou
em mim outra vez e me fortaleceu.
19 E disse: 'Não tema, homem muito amado, que a paz
esteja com você; anime-se, sim, anime-se.' E, enquanto
ele falava comigo, fiquei fortalecido e disse: Fale, meu
senhor, porque me confortou.
20 E ele disse: 'Sabe por que eu vim a você? Agora, tor-
narei a lutar contra o príncipe da Pérsia; então, quando eu
sair, virá o príncipe da Grécia.
21 Mas eu lhe revelarei o que está escrito no livro da
verdade; nessa luta não há ninguém que me ajude contra
eles, senão Miguel, o príncipe de vocês.

Os Reis do Egito e da Síria

11 Eu, no primeiro ano do reinado de Dario, o medo,
me levantei para animá-lo e fortalecê-lo.
2 E agora lhe direi a verdade: Eis que ainda três reis esta-
rão na Pérsia e o quarto acumulará grandes riquezas, mais
do que todos; então, tornando-se forte, por suas riquezas,
instigará a todos contra o reino da Grécia.
3 Depois se levantará um rei valente, que reinará com
grande domínio e fará o que lhe convém.
4 Mas, estando ele em pé, o seu reino será quebrado e
será repartido para os quatro ventos do céu; mas não para
a sua posteridade, nem tampouco segundo o seu poder
com que reinou, porque o seu reino será arrancado e pas-
sará a outros que não serão seus descendentes.

Alianças e Conflitos Entre os Reis

5 E o rei do Sul será forte; mas um dos seus príncipes
será mais forte do que ele, e reinará poderosamente; seu
domínio será grande.
6 Mas, ao fim de alguns anos, eles se aliarão; e a filha do
rei do Sul virá ao rei do Norte para fazer um tratado; mas
ela não conservará o seu poder, e nem ele permanecerá,
nem o seu braço, porque ela será entregue com os que a

tiverem trazido com o seu pai e com os que a fortaleciam
naqueles tempos.
7 Mas, de um renovo da linhagem dela, um se levantará
em seu lugar, virá com o exército e entrará na fortaleza do
rei do Norte, lutará contra eles e prevalecerá.
8 Também levará como despojo para o Egito os seus deu-
ses com as suas imagens de fundição, com os seus objetos
preciosos de prata e ouro, e por alguns anos ele deixará o
rei do Norte em paz.
9 Então o rei do Norte invadirá as terras do rei do Sul,
mas terá que se retirar para a sua terra.
10 Porém seus filhos intervirão e reunirão um grande
exército; um deles virá apressadamente, arrasará tudo e
passará adiante; então, voltando levará a guerra até a sua
fortaleza.
11 Então o rei do Sul se enfurecerá, sairá e lutará contra
ele, contra o rei do Norte; este porá em campo um grande
exército e ele será entregue na sua mão.
12 O seu exército será levado e o coração do rei do Sul
se exaltará; ele ainda derrubará milhares, contudo não
prevalecerá.
13 Porque o rei do Norte voltará e porá em campo um
exército maior do que o primeiro, e, depois de alguns
anos, virá ao rei do Sul com grande exército e com muitas
riquezas.
14 E, naqueles tempos, muitos se levantarão contra o rei
do Sul e os violentos do seu povo se levantarão para cum-
prir a visão, mas eles cairão.
15 E o rei do Norte virá, levantará baluartes e tomará a
cidade forte; e as forças do Sul não poderão resistir, nem
o seu povo escolhido, pois não haverá força para resistir.
16 Ele fará o que quiser com quem vier contra ele, e
ninguém poderá resistir; ele ocupará a terra gloriosa e por
sua mão haverá destruição.
17 Ele virá com toda a potência de todo o seu reino, e fará
um pacto com o rei do Sul e lhe dará uma filha em casa-
mento com o objetivo de destruir o reino; porém, o plano
dela não terá êxito, nem lhe dará nenhuma vantagem.
18 Depois se voltará para as ilhas e tomará muitas delas;
mas um príncipe fará cessar a sua arrogância contra ele e
ainda fará com que ele pague por isso.
19 Então ele se voltará para as fortalezas da sua própria
terra, mas tropeçará, cairá e não será mais achado.
20 E em seu lugar se levantará um que fará passar um
arrecadador de impostos pela glória do reino; mas em
poucos dias será destruído sem ira e sem batalha.
21 Depois se levantará em seu lugar um homem despre-
zível, que não recebeu a honra da majestade; mas ele virá
de surpresa e tomará o reino com intrigas.
22 Então um exército arrasador será exterminado diante
dele e serão esmagados junto com o príncipe da aliança.
23 E, depois da aliança com ele, usará de engano, subirá
e se tornará forte com pouca gente.
24 Virá também de surpresa aos lugares mais férteis da
província e fará o que nunca fizeram seus pais, nem os
pais de seus pais; repartirá entre eles a presa, os despojos
e os bens, e fará os seus planos contra as fortalezas, mas
só por certo tempo.
25 E despertará a sua força e a sua coragem contra o rei
do Sul com um grande exército; o rei do Sul se envolverá
na guerra com um grande e muito poderoso exército, mas
não prevalecerá, porque farão planos contra ele.
26 E os que comerem os seus manjares o destruirão; o
exército dele será arrasado e muitos cairão mortos.
27 Também estes dois reis se empenharão para fazerem
o mal, e em uma mesma mesa falarão mentiras; mas
isso não prosperará, porque ainda virá o fim no tempo
determinado.
28 Então o rei voltará para a sua terra com muitos bens
e o seu coração será contra a santa aliança; ele fará o que
quiser e voltará para a sua terra.
29 No tempo determinado tornará a vir contra o Sul; mas
desta vez não será como foi na primeira.

A Invasão Romana

30 Porque virão contra ele navios de Quitim, e ele se
entristecerá; voltará e se indignará contra a santa aliança,
e fará o que ele quiser, porque voltará a atender os que
abandonaram a santa aliança.
31 E as forças enviadas por ele profanarão o santuário e
a fortaleza, e tirarão o contínuo sacrifício e porão a abo-
minação assoladora.
32 E com lisonjas ele perverterá os violadores da aliança,
mas o povo que conhece o seu Deus se tornará forte e
fará proezas.
33 E os sábios entre o povo ensinarão muitos; mas cairão
pela espada, pelo fogo, pelo cativeiro e pelo roubo, por
muitos dias.
34 E, caindo eles, serão ajudados com um pequeno socor-
ro; mas muitos se ajuntarão a eles com lisonjas.
35 E alguns dos sábios cairão para serem provados, puri-
ficados e limpos, até o tempo do fim, porque isso ainda
acontecerá no tempo determinado.
36 E este rei fará conforme a sua vontade, se levantará e
se engrandecerá acima de todos os deuses; também con-
tra o Deus dos deuses falará coisas maravilhosas e será
próspero, até que a ira se complete; porque aquilo que
está determinado será feito.
37 E ele não terá respeito aos deuses dos seus pais, nem

terá respeito ao amor das mulheres, nem a deus algum,
porque sobre tudo se engrandecerá.
38 Mas em seu lugar honrará a um deus das fortalezas;
a um deus que seus pais não conheceram honrará com
ouro, com prata, com pedras preciosas e com coisas
agradáveis.
39 Com o auxílio de um deus estranho agirá contra as
poderosas fortalezas; aos que o reconhecerem multipli-
cará a honra, e os fará reinar sobre muitos e repartirá a
terra por um preço.
40 E, no fim do tempo, o rei do Sul lutará com ele, e
o rei do Norte se levantará contra ele com carros, com
cavaleiros e com muitos navios; e entrará nas suas terras
e as inundará, e passará.
41 E entrará na terra gloriosa, e muitas terras cairão, mas
da sua mão escaparão estes: Edom, Moabe e as primícias
dos filhos de Amom.
42 E estenderá a sua mão às terras, e a terra do Egito
não escapará.
43 E se apoderará dos tesouros de ouro e de prata e de
todas as coisas preciosas do Egito; e os líbios e os etíopes
o seguirão.
44 Mas os rumores do Oriente e do Norte o espantarão;
então, sairá com grande furor, para destruir e exterminar
muitos.
45 E armará as tendas do seu palácio entre o mar grande
e o monte santo e glorioso; mas chegará ao seu fim e não
haverá quem o socorra.

Os Tempos do Fim

12 E naquele tempo se levantará Miguel, o grande
príncipe, que se levanta a favor dos filhos do seu
povo e haverá um tempo de angústia como nunca houve,
desde que existem nações até àquele tempo; mas naque-
le tempo livrará o seu povo; todo aquele que for achado
inscrito no livro.
2 E muitos dos que dormem no pó da terra ressuscitarão,
uns para a vida eterna e outros para vergonha e para nojo
eterno.
3 Os que forem sábios resplandecerão como o fulgor do
firmamento; e os que a muitos ensinam a justiça brilharão
como as estrelas sempre e eternamente.
4 E você, Daniel, encerre estas palavras e sele este livro,
até o tempo do fim; muitos correrão de uma parte para
outra e a ciência se multiplicará.'
5 Então eu, Daniel, olhei, e eis que estavam em pé outros
dois homens, um deste lado, à beira do rio, e outro do
outro lado, à beira do rio.
6 E ele disse ao homem vestido de linho, que estava sobre
as águas do rio: 'Quando se cumprirão estas maravilhas?'
7 E ouvi o homem vestido de linho, que estava sobre as
águas do rio, que levantou ao céu a sua mão direita e a
sua mão esquerda e jurou por aquele que vive eternamen-
te que isso seria para um tempo, tempos e metade de um
tempo e, quando tiverem acabado de espalhar o poder do
povo santo, todas estas coisas serão cumpridas.
8 Eu ouvi, mas não entendi; por isso eu perguntei: Meu
Senhor, qual será o fim destas coisas?
9 E ele disse: 'Vá, Daniel, porque estas palavras estão fe-
chadas e seladas até o tempo do fim.
10 Muitos serão purificados, limpos e provados; mas os
ímpios procederão impiamente e nenhum dos ímpios en-
tenderá, mas os sábios entenderão.
11 E desde o tempo em que o sacrifício contínuo for tira-
do e posta a abominação desoladora, haverá mil duzentos
e noventa dias.
12 Bem-aventurado quem espera e chega até mil trezen-
tos e trinta e cinco dias.
13 Você, porém, vá até o fim; porque descansará e se
levantará na sua herança, no fim dos dias.

OSEIAS

A Mulher e os Filhos de Oseias

1 Palavra do Senhor que foi dirigida a Oseias, filho de
Beeri, nos dias de Uzias, Jotão, Acaz, Ezequias, reis de
Judá, e nos dias de Jeroboão, filho de Joás, rei de Israel.
2 Quando o Senhor começou a falar por meio de Oseias,
o Senhor disse a ele: "Vá, case com uma mulher prostitu-
ta e tenha filhos da infidelidade; porque a terra certamen-
te se prostitui, desviando-se do Senhor."
3 Oseias foi e se casou com Gómer, filha de Diblaim, e ela
engravidou e lhe deu um filho.
4 E o Senhor disse a Oseias: "Ponha nele o nome de Ji-
zreel; porque daqui a pouco castigarei a casa de Jeú e
darei fim ao reino da casa de Israel.
5 E naquele dia quebrarei o arco de Israel no vale de
Jizreel."
6 E ela tornou a engravidar e deu à luz uma filha. E Deus

disse: "Ponha nela o nome de Lo-Ruama, porque eu não
terei mais compaixão da casa de Israel, e tudo lhe tirarei.
7 Mas da casa de Judá terei compaixão e os salvarei pelo
nome do Senhor seu Deus, pois não os salvarei pelo arco,
nem pela espada, nem pela guerra, nem pelos cavalos,
nem pelos cavaleiros."
8 E, depois de haver desmamado Lo-Ruama, Gómer ficou
grávida e deu à luz mais um filho.
9 E Deus disse: "Ponha nele o nome de Lo-Ami, porque
vocês não são o meu povo, nem eu serei o seu Deus.
10 E o número dos filhos de Israel será como a areia
do mar, que não se pode medir nem contar; e, no lugar
onde lhes dizia: 'Vocês não são o meu povo', ali lhes dirá:
'Vocês são filhos do Deus vivo.'
11 E os filhos de Judá e os filhos de Israel juntos se con-
gregarão e constituirão sobre si um só líder, e se levanta-
rão da terra; porque será grande o dia de Jizreel.

Os Juízos e a Restauração de Israel

2 Chamem seus irmãos de Ami, e suas irmãs de Ruama.
2 Repreendam a mãe de vocês, repreendam, porque
ela não é minha mulher, e eu não sou seu marido; que
ela afaste as prostituições da sua vista e os adultérios do
meio dos seus seios.
3 Para que eu não a deixe despida, ficando ela nua, e
a deixe como no dia em que nasceu, e a faça como um
deserto, a torne como uma terra seca e a mate de sede;
4 e não terei compaixão de seus filhos, porque são filhos
de prostituições.
5 Porque a sua mãe se prostituiu; aquela que os concebeu
comportou-se de maneira errada, porque diz: Irei atrás
de meus namorados, que me dão o meu pão e a minha
água, a minha lã e o meu linho, o meu óleo e as minhas
bebidas.
6 Portanto, eis que cercarei o seu caminho com espi-
nhos; levantarei uma cerca para que ela não ache as suas
veredas.
7 Ela irá atrás dos seus amantes, mas não alcançará; os
buscará, mas não os achará; então dirá: 'Voltarei para o
meu primeiro marido, porque eu estava melhor do que
agora.'
8 Ela, porém, não reconhece que eu lhe dei o grão, o
vinho e o azeite, e que lhe multipliquei a prata e o ouro,
que eles usaram para Baal.
9 Portanto, tirarei o meu grão a seu tempo e o meu vinho
no seu tempo determinado; e tirarei dela minha lã e o
meu linho, com que cobria a sua nudez.
10 E agora descobrirei a sua vergonha diante dos olhos
dos seus namorados, e ninguém a livrará da minha mão.
11 E acabarei com toda a sua alegria, com as suas fes-
tas, as suas luas novas, os seus sábados e todas as suas
festividades.
12 Eu devastarei a sua videira e a sua figueira, das quais
ela diz: 'Este é o meu pagamento que os meus amantes
me deram'; eu, pois, farei delas um bosque e as feras do
campo as devorarão.
13 Eu a castigarei pelos dias de Baal, em que lhe queimou
incenso e se adornou com seus pendentes e suas joias, e
andou atrás de seus namorados, mas de mim se esque-
ceu", diz o Senhor.
14 "Portanto, eis que eu a atrairei e a levarei para o de-
serto, e lhe falarei ao coração.
15 E lhe darei as suas vinhas dali e o vale de Acor, uma
porta de esperança; ali cantará, como nos dias da sua
mocidade e como no dia em que saiu da terra do Egito.
16 E, naquele dia", diz o Senhor, "você me chamará de
meu marido, e não mais me chamará de meu senhor.
17 E da sua boca tirarei os nomes dos baalins e não se
lembrará mais desses nomes.
18 E naquele dia farei, por eles, aliança com as feras do
campo, com as aves do céu e com os répteis da terra;
da terra quebrarei o arco, a espada e a guerra, e os farei
deitar em segurança.
19 E farei de você minha esposa para sempre; casará
comigo em justiça e em juízo, em benignidade e em
misericórdias.
20 E casará comigo em fidelidade e conhecerá o Senhor.
21 E acontecerá naquele dia que eu atenderei", diz o
Senhor; "eu atenderei aos céus e eles atenderão à terra.
22 E a terra responderá ao trigo, ao vinho e ao azeite, e
estes responderão a Jizreel.
23 E semearei Israel para mim na terra e terei compaixão
dela que não obteve misericórdia; eu direi àquele que não
era meu povo: Você é o meu povo, e ele responderá: 'Tu
és meu Deus!'"

A Reconciliação de Oseias Com Sua Mulher

3 E o Senhor me disse: "Vá outra vez e ame uma mu-
lher, amada de outro, uma adúltera, assim como o
Senhor ama os filhos de Israel, embora eles olhem para
outros deuses e amem os bolos de uvas."
2 Assim comprei-a para mim por quinze peças de prata e
cento e cinquenta quilos de cevada;
3 e eu disse a ela: "Você ficará comigo por muitos dias;
não se prostituirá, nem será de outro homem; assim tam-
bém eu farei por você."
4 Porque os filhos de Israel ficarão por muitos dias sem
rei, sem príncipe, sem sacrifício, sem estátua e sem éfode
ou terafim.
5 Depois os filhos de Israel voltarão e buscarão ao Senhor

seu Deus, e a Davi, seu rei; temerão ao Senhor e à sua
bondade, no fim dos dias.

Os Juízos de Deus Contra Israel

4 "Ouçam a palavra do Senhor, vocês, filhos de Israel,
porque o Senhor tem uma acusação contra os habitan-
tes da terra; porque na terra não há verdade, nem benig-
nidade, nem conhecimento de Deus.
2 Só permanecem o juramento falso, mentiras, assassina-
tos, furtos e adultério; fazem violência, um ato sanguiná-
rio atrás do outro.
3 Por isso a terra se lamentará e qualquer um que morar
nela desfalecerá com os animais do campo e com as aves
do céu; até os peixes do mar serão mortos.
4 E que ninguém acuse nem repreenda o povo, porque a
minha acusação é contra os sacerdotes.
5 Por isso vocês tropeçarão de dia, e os profetas junto
com vocês tropeçarão de noite; e destruirei a mãe de
vocês.
6 O meu povo foi destruído, porque lhe faltou o conhe-
cimento: Porque você rejeitou o conhecimento, também
eu o rejeitarei, para que não seja sacerdote diante de
mim; e, visto que se esqueceu da lei do seu Deus, tam-
bém eu me esquecerei dos seus filhos.
7 Como eles se multiplicaram, assim pecaram contra
mim; eu mudarei a sua honra em vergonha.
8 Eles comem da oferta pelo pecado do meu povo e têm
prazer na sua transgressão.
9 Por isso, como é o povo assim é o sacerdote; eu os
castigarei segundo os seus caminhos e lhes darei a recom-
pensa das suas obras.
10 Comerão, mas não se fartarão; eles se entregarão à
luxúria, mas não se multiplicarão; porque deixaram de
adorar ao Senhor.
11 A luxúria, o vinho velho e o vinho novo tiram o
entendimento.
12 O meu povo consulta a sua madeira e a sua vara lhe
responde, porque o espírito da luxúria os engana, e pros-
tituem-se, apartando-se da sujeição do seu Deus.
13 Sacrificam sobre os cumes dos montes e queimam
incenso sobre as colinas, debaixo do carvalho, do álamo
e do olmeiro, porque a sua sombra é boa; por isso suas
filhas se prostituem e as suas noras adulteram.
14 Eu não castigarei suas filhas quando se prostituem,
nem suas noras quando adulteram; porque eles próprios
com as prostitutas se desviam, e com as meretrizes sa-
crificam; pois um povo que não tem entendimento se
arruinará.
15 Ainda que você, ó Israel, queira se prostituir, contudo
não faça Judá culpado; não venham a Gilgal e não subam
a Bete-Aven, e não jurem, dizendo: Juro pelo nome do
Senhor.
16 Porque como uma novilha obstinada Israel se rebelou;
agora o Senhor os apascentará como se fossem um cordei-
ro num lugar espaçoso.
17 Efraim está entregue aos ídolos; deixe-o.
18 Quando a sua bebida se acabou, se lançaram à luxúria
continuamente; certamente os seus governadores amam
a vergonha.
19 Um vento os envolveu nas suas asas, e se envergonha-
rão por causa dos seus sacrifícios.

Juízos de Deus Contra os Sacerdotes, Príncipes e o Povo

5 Ouçam isto, ó sacerdotes, e escute, ó casa de Israel,
e dê ouvidos, ó casa do rei, porque contra vocês se
dirige este juízo, visto que foram um laço para Mispa, e
uma rede estendida sobre o Tabor.
2 Os revoltados se aprofundaram na matança; mas eu
castigarei todos eles.
3 Eu conheço Efraim, e Israel não se esconde de mim;
porque agora tem se prostituído, ó Efraim, e Israel se
contaminou.
4 Não querem ordenar as suas ações a fim de voltarem
para o seu Deus, porque o espírito das prostituições está
no meio deles e não conhecem o Senhor.
5 A soberba de Israel testificará no seu rosto; Israel e
Efraim cairão pela sua injustiça e Judá cairá juntamente
com eles.
6 Então irão com os seus rebanhos e com o seu gado para
buscarem ao Senhor, mas não o acharão; ele se retirou
deles.
7 Foram infiéis ao Senhor, porque geraram filhos estra-
nhos; agora suas festas de lua nova os consumirão com
as suas porções.
8 Toquem a corneta em Gibeá, a trombeta em Ramá;
gritem altamente em Bete-Áven: Alerta! Ó Benjamim.
9 Efraim será assolado no dia do castigo; entre as tribos
de Israel manifestei o que se cumprirá.
10 Os príncipes de Judá são como os que mudam os limi-
tes; derramarei, pois, o meu furor sobre eles como água.
11 Efraim está oprimido e quebrantado pelo juízo, por-
que quis andar seguindo o mandamento dos homens.
12 Portanto, para Efraim serei como a traça, e para a casa
de Judá como a podridão.
13 Quando Efraim viu a sua enfermidade e Judá as suas
feridas, Efraim foi à Assíria e buscou a ajuda do rei Jarebe;
mas ele não poderá curá-los, nem curar a sua chaga.
14 Porque para Efraim serei como um leão, e como um
leãozinho para a casa de Judá: Eu, eu o despedaçarei e
irei embora; os levarei e não haverá quem os livre.

15 Irei e voltarei ao meu lugar, até que se reconheçam
culpados e busquem a minha face; quando eles estiverem
angustiados, de madrugada me buscarão.

Exortação ao Arrependimento

6 Venham e voltemos para o Senhor, porque ele nos
despedaçou, e vai nos curar; ele nos feriu, e nos atará
a ferida.
2 Depois de dois dias nos dará a vida; no terceiro dia nos
ressuscitará e viveremos diante dele.
3 Então conheçamos e prossigamos em conhecer o Se-
nhor; a sua vinda, como o amanhecer, é certa; e ele virá
a nós como a chuva, como chuva fora de época que rega
a terra.
4 O que farei com você, ó Efraim? O que farei com você,
ó Judá? Porque a sua benignidade é como a nuvem da
manhã e como o orvalho da madrugada, que logo passa.
5 Por isso os abati pelos profetas; com as palavras da mi-
nha boca os matei; os seus juízos sairão como a luz,
6 porque eu quero a misericórdia e não o sacrifício, e
o conhecimento de Deus, mais do que os holocaustos.
7 Mas eles transgrediram a aliança, como Adão; eles fo-
ram infiéis a mim.
8 Gileade é a cidade dos que praticam iniquidade, man-
chada de sangue.
9 Como os bandos de assaltantes que esperam alguém,
assim é a companhia dos sacerdotes que matam no
caminho num mesmo consenso; sim, eles cometem
abominações.
10 Vejo uma coisa horrenda na casa de Israel, ali está a
fornicação de Efraim; Israel está contaminado.
11 Também para você, ó Judá, foi determinada uma co-
lheita, quando eu trouxer do cativeiro o meu povo.

Repreensões Diversas

7 Quando eu tento curar Israel, se descobrem a iniqui-
dade de Efraim e as maldades de Samaria, porque
praticaram a falsidade; o ladrão entra e o bando de assal-
tantes despoja por fora.
2 E não dizem no seu coração que eu me lembro de toda
a sua maldade; agora estão cercados pelas suas obras, que
estão diante da minha face.
3 Com a sua malícia alegram o rei e com as suas mentiras
os príncipes.
4 Todos eles são adúlteros; são semelhantes ao forno ace-
so pelo padeiro, que para de mexer nas brasas depois que
sovou a massa, até que seja levedada.
5 E no dia do nosso rei, os príncipes ficaram doentes de
tanto beberem vinho; o rei estendeu a sua mão com os
escarnecedores.
6 Porque prepararam o coração como um forno, na sua
emboscada; o seu padeiro dorme toda a noite, pela ma-
nhã arde como fogo.
7 Todos eles estão quentes como um forno e consomem
os seus juízes; todos os seus reis caem, não há ninguém
entre eles que me invoque.
8 Efraim se mistura com os povos; Efraim é um bolo que
não foi virado.
9 Estrangeiros sugaram as suas forças e ele não percebe;
também os cabelos brancos se espalharam sobre ele, mas
ele não sabe.
10 E a soberba de Israel testificará contra eles; mas eles
não voltarão para o Senhor seu Deus, nem o buscarão
em tudo isto.
11 Porque Efraim é como uma pomba ingênua, sem en-
tendimento; invocam o Egito, vão para a Assíria.
12 Quando forem, sobre eles estenderei a minha rede e
como aves do céu os farei descer; eu os castigarei, confor-
me o que eles ouviram na sua congregação.
13 Ai deles, porque fugiram de mim; destruição sobre
eles, porque se rebelaram contra mim; eu os remiria, mas
disseram mentiras contra mim.
14 E não clamaram a mim com o coração, mas gemiam
nas suas camas; para o trigo e para o vinho se ajuntam,
mas contra mim se rebelam.
15 Eu os corrigi e lhes fortaleci os braços, mas pensam
mal contra mim.
16 Eles voltaram, mas não para o Altíssimo. Fizeram-se
como um arco enganador; os seus príncipes caem à es-
pada, por causa do furor da sua língua; este será o seu
escárnio na terra do Egito.

O Castigo de Israel

8 Ponha a trombeta na sua boca. Ele virá como a águia
contra a casa do Senhor, porque transgrediram a mi-
nha aliança e se rebelaram contra a minha lei.
2 E a mim clamarão: 'Meu Deus! Nós, Israel, te
conhecemos.'
3 Israel rejeitou o bem; o inimigo o perseguirá.
4 Eles fizeram reis, mas não por mim; constituíram prín-
cipes, mas eu não o soube; da sua prata e do seu ouro
fizeram ídolos para si, para serem destruídos.
5 O seu bezerro, ó Samaria, a rejeitou; a minha ira se
acendeu contra eles; até quando eles serão incapazes da
inocência?
6 Porque isso vem de Israel, um artífice o fez, e não é
Deus; mas o bezerro de Samaria será desfeito em pedaços.
7 Porque semearam vento e colherão tempestade, não
haverá seara, a erva não dará farinha; se a der, os estran-
geiros a comerão.
8 Israel foi devorado; agora está entre as nações e será
tido como um vaso que não agrada a ninguém.

9 Porque foram para a Assíria, como um jumento mon-
tês, por si só; Efraim se vendeu para os seus amantes.
10 Todavia, ainda que eles se vendam entre as nações,
eu os congregarei e serão um pouco afligidos, por causa
da opressão do rei.
11 Porque Efraim multiplicou os altares para pecar; teve
altares para pecar.
12 Escrevi a ele as grandezas da minha lei, porém essas
são tidas como coisa estranha.
13 Quanto aos sacrifícios das minhas ofertas, sacrificam
carne e a comem, mas o Senhor não as aceita; agora se
lembrará da sua iniquidade e punirá os seus pecados; eles
voltarão para o Egito.
14 Porque Israel se esqueceu do seu Criador e edificou
templos, e Judá multiplicou cidades fortificadas. Mas eu
enviarei um fogo contra as suas cidades, que consumirá
os seus palácios."

A Angústia Trazida Pelos Pecados e Idolatria

9 Não se alegre, ó Israel, nem exulte como os outros
povos; porque ao se prostituir abandonou o seu Deus;
amou o pagamento de prostituta sobre todas as eiras de
trigo.
2 A eira e o lagar não os manterão, e o vinho lhes faltará.
3 Na terra do Senhor não permanecerão; Efraim voltará
ao Egito, e na Assíria comerão comida imunda.
4 Não derramarão libações de vinho ao Senhor, nem as
suas ofertas lhes agradarão. Os seus sacrifícios lhes serão
como pão de pranteadores; todos os que dele comerem
serão imundos, porque o seu pão será somente para eles
mesmos; não entrará na casa do Senhor.
5 O que vocês farão no dia da solenidade e no dia da
festa do Senhor?
6 Porque eis que eles se foram por causa da destruição,
mas o Egito os recolherá, Mênfis os sepultará; o desejável
da sua prata as urtigas o possuirão por herança, espinhos
crescerão nas suas tendas.
7 Chegarão os dias da punição, chegarão os dias da re-
tribuição; Israel o saberá; o profeta é considerado um in-
sensato, o homem de espírito como um louco; por causa
da abundância da sua iniquidade também haverá grande
ódio.
8 Efraim era o vigia com o meu Deus, mas o profeta é
como um laço de caçador de aves em todos os seus cami-
nhos, e ódio se assenta na casa do seu Deus.
9 Muito profundamente se corromperam, como nos dias
de Gibeá; o Senhor se lembrará das suas injustiças e cas-
tigará os pecados deles.
10 "Achei Israel como uvas no deserto, vi os seus pais
como a fruta temporã da figueira no seu princípio; mas
eles foram para Baal-Peor, se consagraram a essa vergo-
nha e se tornaram abomináveis como aquilo que amaram.
11 Quanto a Efraim, a sua glória como uma ave voa-
rá, não haverá nascimento, não haverá gestação nem
concepção.
12 Ainda que venham a criar seus filhos, contudo os pri-
varei deles para que não fique nenhum homem. Ai deles,
quando deles eu me afastar!
13 Efraim, assim como Tiro, está plantado num lugar
aprazível; mas Efraim levará os seus filhos ao matador."
14 Dá-lhes, ó Senhor; mas o que lhes darás? Dá-lhes um
ventre que aborte e seios secos.
15 "Toda a sua malícia se acha em Gilgal, porque ali os
odiei; por causa da maldade das suas obras eu os expulsa-
rei para fora da minha casa. Não os amarei mais; todos os
seus príncipes são rebeldes.
16 Efraim foi ferido, secou a sua raiz; não darão fruto;
ainda que gerem, matarei os frutos desejáveis do seu
ventre."
17 O meu Deus os rejeitará, porque não o ouviram, e
andarão errantes entre as nações.

Ameaças por Causa da Idolatria

10 Israel é uma videira estéril que dá fruto para si mes-
ma; conforme a abundância do seu fruto, multipli-
cou também os altares; conforme a bondade da sua terra,
assim fizeram boas as estátuas.
2 O seu coração está dividido, por isso serão culpados;
o Senhor demolirá os seus altares e destruirá as suas
estátuas.
3 Certamente agora dirão: "Não temos rei, porque não
tememos ao Senhor; e o rei, o que faria por nós?"
4 Falaram palavras jurando falsamente, fazendo uma
aliança; por isso florescerá o juízo como a erva peçonhen-
ta nos sulcos dos campos.
5 Os moradores de Samaria serão atemorizados pelo be-
zerro de Bete-Áven; porque o seu povo se lamentará por
causa dele, como também os seus sacerdotes idólatras
que nele se regozijavam, por causa da sua glória, que se
afastou dela.
6 Também será levada para a Assíria como um presente
ao rei Jarebe; Efraim ficará confuso e Israel se envergo-
nhará por causa do seu próprio conselho.
7 O rei de Samaria será desfeito como espuma sobre a
face da água.
8 E os altares de Áven, pecado de Israel, serão destruídos;
espinhos e cardos crescerão sobre os seus altares e dirão
aos montes: "Cubram-nos!" E às colinas: "Caiam sobre
nós!"
9 "Desde os dias de Gibeá pecou, ó Israel; ali permanece-

ram; a batalha em Gibeá, contra os filhos da perversida-
de, não os alcançará.
10 Eu os castigarei na medida do meu desejo, e os povos
se congregarão contra eles, quando eu os punir pela sua
dupla transgressão.
11 Porque Efraim é uma bezerra domada que gosta de
pisar o trigo na eira; eu poupava a formosura do seu pes-
coço, mas farei Efraim cavalgar. Judá lavrará, Jacó lhe
desfará os torrões.
12 Semeiem justiça para vocês e colham a misericórdia;
lavrem o campo de lavoura, porque é tempo de buscar o
Senhor, até que ele venha, e chova a justiça sobre vocês.
13 Vocês lavraram a impiedade, colheram a iniquidade
e comeram o fruto da mentira; porque confiaram no seu
caminho, na multidão dos seus valentes;
14 portanto, entre o seu povo se levantará um grande
tumulto e todas as suas fortalezas serão destruídas, como
Salmã destruiu Bete-Arbel no dia da guerra; a mãe ali foi
despedaçada com os filhos.
15 Assim farão a você, Betel, por causa da sua grande
maldade; de madrugada o rei de Israel será totalmente
destruído.

O Amor de Deus Por Israel

11 Quando Israel era menino, eu o amei, e do Egito
chamei o meu filho.
2 Mas, quanto mais eu os chamava, mais eles fugiam da
minha face; sacrificavam a baalins e queimavam incenso
às imagens de escultura.
3 Mas eu ensinei Efraim a andar, pegando-o pelos braços,
mas não entenderam que eu os curava.
4 Atraí-os com cordas humanas, com laços de amor, e fui
para eles como quem tira o jugo dos seus pescoços e lhes
dei mantimento.
5 Não voltarão para a terra do Egito, mas a Assíria será
seu rei; porque recusam converter-se a mim.
6 E a espada cairá sobre as suas cidades, consumirá os
seus ramos e os devorará, por causa dos seus próprios
conselhos.
7 Porque o meu povo é inclinado a desviar-se de mim;
ainda que chamem o Altíssimo, nenhum deles o exalta.
8 Como o deixaria, ó Efraim? Como o entregaria, ó Is-
rael? Como o trataria como tratei Admá? Como faria com
você o que fiz com Zeboim? O meu coração está comovi-
do em mim, as minhas compaixões se acendem.
9 Não executarei o furor da minha ira; não voltarei para
destruir Efraim, porque eu sou Deus e não homem, o
Santo no meio de vocês; eu não entrarei na cidade.
10 Andarão após o Senhor; ele rugirá como leão; quando
ele rugir, os filhos do Ocidente tremerão.
11 Os do Egito virão tremendo como um passarinho, e os
da terra da Assíria como uma pomba; eu os farei habitar
em suas casas", diz o Senhor.
12 Efraim me cercou com mentiras e a casa de Israel
com enganos; mas Judá ainda domina com Deus e com o
santo permanece fiel.

Os Pecados de Israel

12 Efraim se apascenta de vento e segue o vento leste;
todo dia multiplica a mentira e a destruição; fazem
aliança com a Assíria e o azeite levam ao Egito.
2 O Senhor também tem uma acusação contra Judá, e
castigará Jacó segundo os seus caminhos; segundo as suas
obras o recompensará.
3 No ventre, Jacó pegou no calcanhar de seu irmão e na
sua força lutou com Deus.
4 Lutou com o anjo e prevaleceu; chorou e lhe suplicou;
em Betel encontrou Deus e ali falou com ele.
5 Sim, o Senhor, o Deus dos Exércitos; o Senhor é o seu
memorial.
6 Você, pois, converta-se a seu Deus; guarde a benevolên-
cia e o juízo, e em seu Deus espere sempre.
7 É um mercador que tem nas mãos uma balança enga-
nosa e ama a opressão.
8 E diz Efraim: "Contudo tenho me enriquecido e tenho
adquirido grandes bens; em todo o meu trabalho não
acharão em mim iniquidade alguma que seja pecado."
9 "Mas eu sou o Senhor seu Deus desde a terra do Egito;
eu ainda os farei habitar em tendas, como nos dias da
festa solene.
10 Falei aos profetas e multipliquei as visões; pelo minis-
tério dos profetas propus parábolas."
11 Gileade não é iniquidade? Eles são pura vaidade; em
Gilgal sacrificam bois e os seus altares são como montões
de pedras nos sulcos dos campos.
12 Jacó fugiu para o campo da Síria e Israel trabalhou
para comprar uma mulher, e por uma mulher guardou
o gado.
13 Mas o Senhor, por meio de um profeta, tirou Israel do
Egito, e, por um profeta, ele foi cuidado.
14 Efraim amargamente provocou a sua ira; por isso, o
Senhor fará com que ele pague pelo sangue que derra-
mou, e o seu Senhor o recompensará pelo seu desprezo.

A Ira de Deus Contra a Ingratidão

13 Quando Efraim falava, os homens tremiam; foi
exaltado em Israel, mas ele se fez culpado por cau-
sa de Baal e morreu.
2 E agora multiplicaram pecados e da sua prata fizeram
uma imagem de fundição, ídolos segundo o seu entendi-
mento, todos obra de artesão, e dizem deles: "Os homens
fazem sacrifícios e ainda beijam os ídolos em forma de
bezerros."

3 Por isso, serão como a nuvem da manhã e como o or-
valho da madrugada, que logo passa; como a palha que a
tempestade lança da eira e como a fumaça da chaminé.
4 "Mas, eu sou o Senhor seu Deus, desde a terra do Egi-
to; portanto, vocês não reconhecerão outro deus além de
mim, porque não há outro salvador, senão eu.
5 Eu os conheci no deserto, na terra muito seca.
6 Depois eles se fartaram na proporção do seu pasto;
quando estavam fartos, o seu coração se ensoberbeceu,
por isso se esqueceram de mim.
7 Portanto, serei para eles como um leão; como um leo-
pardo espreitarei no caminho.
8 Como uma ursa que teve os seus filhotes roubados, eu
os atacarei, e os rasgarei; e como um leão, ali os devora-
rei; as feras do campo os despedaçarão.
9 Para a sua perda, ó Israel, se rebelaram contra mim,
contra o seu ajudador.
10 Onde está agora o seu rei, para que o guarde em todas
as suas cidades, e os seus juízes, dos quais disse: 'Deem-
-me um rei e príncipes?'
11 Eu lhe dei um rei na minha ira, e o tirei no meu furor.
12 As iniquidades de Efraim estão atadas juntas, o seu
pecado está armazenado.
13 Dores de mulher de parto lhe sobrevirão; ele é um
filho insensato, porque é tempo de nascer e ele não está
no lugar em que deve vir à luz.
14 Eu os remirei do poder do inferno e os resgatarei da
morte. Onde estão, ó morte, as suas pragas? Onde está,
ó inferno, a sua perdição? O arrependimento está escon-
dido dos meus olhos.
15 Ainda que Efraim dê fruto entre os irmãos, virá o ven-
to leste, vento do Senhor, subindo do deserto; ele secará
a sua nascente e secará a sua fonte; ele saqueará o tesouro
de todos os vasos desejáveis.
16 Samaria virá a ser deserta, porque se rebelou contra o
seu Deus; cairão à espada, seus filhos serão despedaçados
e as suas grávidas serão abertas pelo meio."

Exortações e Bênçãos

14 Converta-se, ó Israel, ao Senhor seu Deus; porque
pelos seus pecados caiu.
2 Preparem o que vão dizer e convertam-se ao Senhor, di-
zendo: "Tira toda a iniquidade, aceita o que é bom e ofe-
receremos como novilhos os sacrifícios dos nossos lábios.
3 A Assíria não nos salvará, não iremos montados em
cavalos, e à obra das nossas mãos já não diremos mais:
Você é o nosso deus; porque por ti o órfão alcança
misericórdia."
4 "Eu sararei a sua infidelidade, eu voluntariamente os
amarei; porque a minha ira se afastou deles.
5 Eu serei para Israel como o orvalho. Ele florescerá como
o lírio e lançará as suas raízes como o cedro do Líbano.
6 Os seus galhos se estenderão, a sua glória será como a
da oliveira e sua fragrância como a do Líbano.
7 Voltarão os que habitam debaixo da sua sombra; serão
vivificados como o trigo e florescerão como a videira; a
sua memória será como o vinho do Líbano.
8 Ó Efraim: O que mais tenho eu a ver com os ídolos? Eu
tenho ouvido as suas orações e cuidarei de você; eu sou
como a faia verde e de mim vem o seu fruto."
9 Quem é sábio, para que entenda estas coisas? Quem
é prudente, para que as saiba? Porque os caminhos do
Senhor são retos e os justos andarão neles, mas os trans-
gressores neles cairão.

A Praga dos Gafanhotos

1 Palavra do Senhor, que foi dirigida a Joel, filho de
Petuel.
2 "Ouçam isto, vocês, anciãos, e escutem, todos os mo-
radores da terra: Porventura isto aconteceu em seus dias,
ou nos dias de seus pais?
3 Façam sobre isto uma narração a seus filhos, e seus
filhos aos filhos deles, e os filhos destes à outra geração.
4 O que ficou da lagarta, o gafanhoto comeu, e o que
ficou do gafanhoto, a locusta comeu, e o que ficou da
locusta, o pulgão comeu.
5 Despertem, bêbados, e chorem; gemam todos os que
bebem vinho, porque é tirado da sua boca.
6 Porque subiu contra a minha terra uma nação poderosa
e inumerável; os seus dentes e suas presas são como as
de um leão.
7 Fez da minha videira uma assolação e tirou a casca da
minha figueira; despiu-a toda e a lançou por terra; os seus
brotinhos se embranqueceram.
8 Lamentem como a virgem que está vestida de panos de
saco pela morte do marido da sua mocidade.
9 Foram cortadas a oferta de alimentos e a libação da

casa do Senhor; os sacerdotes, ministros do Senhor, estão
entristecidos.
10 O campo está assolado e a terra triste; porque o trigo
está destruído, o mosto secou, o azeite acabou.
11 Envergonhem-se, lavradores; gemam, vinhateiros,
sobre o trigo e a cevada; porque a colheita do campo foi
destruída.
12 A videira secou, a figueira murchou, e também a
romãzeira, a palmeira e a macieira; todas as árvores do
campo secaram e já não há alegria entre os filhos dos
homens."

Chamada ao Arrependimento

13 Vistam-se e lamentem, sacerdotes; gemam, ministros
do altar; entrem e passem a noite vestidos de panos de
saco, ministros do meu Deus; porque a oferta de manja-
res e a libação foram cortadas da casa do seu Deus.
14 Proclamem um Santo jejum, convoquem uma assem-
bleia solene, congreguem os anciãos, e todos os morado-
res desta terra na casa do Senhor seu Deus, e clamem
ao Senhor.
15 Ai que dia! Porque o dia do Senhor está perto e virá
como uma assolação do Todo-Poderoso.
16 Por acaso o mantimento não está cortado diante dos
nossos olhos, e a alegria e o regozijo também não desapa-
receram da casa de nosso Deus?
17 As sementes apodreceram debaixo dos seus torrões,
os celeiros foram assolados, os armazéns derrubados, por-
que secou o trigo.
18 Como geme o animal! As manadas de gados estão
confusas, porque não têm pasto; também os rebanhos de
ovelhas estão sofrendo.
19 A ti, ó Senhor, clamo, porque o fogo consumiu os
pastos do deserto e a chama destruiu todas as árvores
do campo.
20 Também todos os animais do campo clamam a ti; por-
que as correntes de água secaram e o fogo consumiu os
pastos do deserto.

O Dia do Senhor

2 Toquem a trombeta em Sião e clamem em alta voz
no meu santo monte; tremam todos os moradores da
terra, porque o dia do Senhor vem; já está perto;
2 dia de trevas e de escuridão; dia de nuvens e densas tre-
vas, como a alva espalhada sobre os montes; povo grande
e poderoso, como nunca houve desde os tempos antigos,
nem depois dele haverá outro pelos anos seguintes, de
geração em geração.
3 Diante dele um fogo consomem, e atrás dele uma
chama abrasa; a terra diante dele é como o jardim do
Éden, mas atrás dele um desolado deserto; sim, nada lhe
escapará.
4 A sua aparência é como a de cavalos; e, como cavalei-
ros, assim correm.
5 Como o estrondo de carros de guerra, irão saltando so-
bre os cumes dos montes, como o ruído da chama de fogo
que consome a palha, como um povo poderoso, posto em
ordem para o combate.
6 Diante dele temerão os povos; todos os rostos se torna-
rão enegrecidos.
7 Como valentes correrão, como homens de guerra subi-
rão os muros; cada um marchará no seu caminho e não
se desviará da sua fileira.
8 Ninguém apertará o seu irmão; marchará cada um pelo
seu caminho; sobre a mesma espada se arremessarão e
não serão feridos.
9 Irão pela cidade, correrão pelos muros, subirão às casas,
entrarão pelas janelas como o ladrão.
10 A terra tremerá diante deles, os céus se abalarão; o
sol e a lua se enegrecerão e as estrelas retirarão o seu
resplendor.
11 E o Senhor levantará a sua voz diante do seu exército;
porque o seu arraial é muitíssimo grande; pois é poderoso
executando a sua palavra; porque o dia do Senhor é gran-
de e muito terrível, e quem o poderá suportar?
12 Ainda assim, agora mesmo diz o Senhor: "Convertam-
-se a mim de todo o seu coração; façam isso com jejuns,
com choro e com pranto."
13 E rasguem o seu coração, não as suas vestes, e conver-
tam-se ao Senhor seu Deus; porque ele é misericordioso,
compassivo, tardio em irar-se, grande em benignidade e
se arrepende do mal.
14 Quem sabe se ele não se voltará e se arrependerá, e,
ao passar, deixe a uma bênção, para que vocês possam
fazer oferta de alimentos e libação para o Senhor nosso
Deus?
15 Toquem a trombeta em Sião, proclamem um jejum,
convoquem uma assembleia solene.
16 Congreguem o povo, santifiquem a congregação,
ajuntem os anciãos, congreguem as crianças e os que
mamam; saia o noivo do seu quarto e a noiva do seu
leito conjugal.
17 Chorem os sacerdotes, ministros do Senhor, entre o
alpendre e o altar, e digam: "Poupa o teu povo, ó Senhor,
e não entregues a tua herança ao desprezo, para que as
nações zombem deles; porque diriam entre os povos:
'Onde está o seu Deus?'"
18 Então o Senhor se mostrou zeloso da sua terra e com-
padeceu-se do seu povo.
19 E o Senhor, respondendo, disse ao seu povo: "Eis que
lhes envio o trigo, o mosto e o azeite, e deles serão fartos,
e não entregarei mais vocês à vergonha entre as nações;

20 mas removerei para longe de vocês o exército do
norte e os lançarei em uma terra seca e deserta; a sua
frente para o mar oriental e a sua retaguarda para o mar
ocidental; então subirá o seu mau cheiro e subirá a sua
podridão"; porque o Senhor fez grandes coisas.
21 Não tema, ó terra: Regozije-se e alegre-se, porque o
Senhor fez grandes coisas.
22 Não temam, animais do campo, porque os pastos do
deserto reverdecerão, porque o arvoredo dará o seu fruto,
a videira e a figueira darão a sua força.
23 E vocês, filhos de Sião, regozijem-se e alegrem-se no
Senhor seu Deus, porque ele lhes dará em justa medida
a chuva temporã; fará descer a chuva no primeiro mês, a
temporã e a serôdia.
24 E as eiras se encherão de trigo e os lagares transbordarão de vinho e de azeite.
25 "E lhes restituirei os anos em que o meu grande exército enviei contra vocês; o gafanhoto, a locusta, o pulgão
e a lagarta comeram.
26 E comerão abundantemente e se fartarão, louvarão
o nome do Senhor seu Deus, que fez maravilhas com
vocês, e o meu povo nunca mais será envergonhado.
27 Vocês saberão que eu estou no meio de Israel e que eu
sou o Senhor seu Deus, e que não há outro; o meu povo
nunca mais será envergonhado.
28 E depois derramarei o meu Espírito sobre toda a humanidade, e seus filhos e suas filhas profetizarão, os seus
velhos terão sonhos, os seus jovens terão visões.
29 E sobre os seus servos e sobre as suas servas naqueles
dias derramarei o meu Espírito.
30 E mostrarei prodígios no céu e na terra; sangue, fogo
e colunas de fumaça.
31 O sol se converterá em trevas e a lua em sangue, antes
que venha o grande e terrível dia do Senhor.
32 E todos que invocarem o nome do Senhor serão salvos; porque no monte Sião e em Jerusalém haverá livramento, assim como disse o Senhor; e, entre os sobreviventes, aqueles que o Senhor chamar.

O Julgamento das Nações

3 Porque naqueles dias e naquele tempo, em que removerei o cativeiro de Judá e de Jerusalém,
2 congregarei todas as nações e as farei descer ao vale de
Jeosafá; ali com elas entrarei em juízo, por causa do meu
povo e da minha herança, Israel, a quem elas espalharam
entre as nações e repartiram a minha terra.
3 E lançaram sortes sobre o meu povo e deram um menino em troca de uma prostituta, e venderam uma menina
por vinho, para beberem.
4 E também o que vocês têm contra mim, Tiro e Sidom,
e todas as regiões da Filístia? Este é o pagamento que
vocês me dão? Pois, se me pagam assim, bem depressa
farei tornar a vocês o pagamento sobre as suas cabeças.
5 Visto que levaram a minha prata e o meu ouro, e as
minhas coisas desejáveis e formosas puseram nos seus
templos,
6 e venderam os filhos de Judá e os filhos de Jerusalém
aos filhos dos gregos, para os afastarem para longe dos
seus limites.
7 Então eu os trarei do lugar para onde os venderam, e
farei voltar o seu pagamento sobre a sua própria cabeça.
8 Venderei seus filhos e suas filhas aos filhos de Judá,
que os venderão aos sabeus, a um povo distante, porque
o Senhor o disse."

Os Juízos de Deus

9 Proclamem isto entre as nações, preparem a guerra,
convoquem os valentes; aproximem-se, subam todos os
homens de guerra.
10 Forjem espadas das suas enxadas e lanças das suas
foices; que o fraco diga: "Eu sou forte."
11 Ajuntem-se e venham, todos os povos ao redor, e congreguem-se. Faz descer ali os teus fortes, ó Senhor!
12 "Levantem-se as nações e subam ao vale de Jeosafá;
pois ali me assentarei para julgar todas as nações ao redor.
13 Lancem a foice, porque a seara já está madura; venham, desçam, porque o lagar está cheio, e os vasos dos
lagares transbordam, porque a sua malícia é grande.
14 Multidões, multidões no vale da decisão; porque o dia
do Senhor está perto, no vale da decisão.
15 O sol e a lua enegrecerão e as estrelas retirarão o seu
resplendor.
16 E o Senhor bramará de Sião e de Jerusalém fará ouvir
a sua voz; os céus e a terra tremerão, mas o Senhor será
o refúgio do seu povo e a fortaleza dos filhos de Israel.
17 E vocês saberão que eu sou o Senhor seu Deus, que
habito em Sião, o meu santo monte; Jerusalém será santa
e estranhos não passarão mais por ela.

Bênçãos Sobre o Povo de Deus

18 E, naquele dia, os montes destilarão mosto, as colinas
manarão leite e todos os rios de Judá estarão cheios de
águas; e sairá uma fonte da casa do Senhor, e regará o
vale de Sitim.
19 O Egito se tornará uma assolação, e Edom se tornará
um deserto assolado, por causa da violência que fizeram
aos filhos de Judá, na terra em que derramaram sangue
inocente.
20 Mas Judá será habitada para sempre, e Jerusalém, de
geração em geração.
21 E purificarei o sangue dos que eu não tinha purificado; porque o Senhor habitará em Sião."

Juízos de Deus Contra Diversas Nações

1 As palavras de Amós, que estava entre os pastores de
Tecoa, a respeito de Israel, nos dias de Uzias, rei de
Judá, e nos dias de Jeroboão, filho de Joás, rei de Israel,
dois anos antes do terremoto.
2 Amós disse: O Senhor bramará de Sião e de Jerusalém
fará ouvir a sua voz; os campos dos pastores prantearão e
secará o cume do Carmelo.
3 Assim diz o Senhor: "Por três transgressões de Damas-
co, e por quatro, não retirarei o castigo, porque trilharam
Gileade com trilhos de ferro.
4 Por isso porei fogo à casa de Hazael e ele consumirá os
palácios de Ben-Hadade.
5 E quebrarei o ferrolho de Damasco, e exterminarei o
morador do vale de Áven e quem tem o cetro de Bete-É-
den; o povo da Síria será levado em cativeiro para Quir",
diz o Senhor.
6 Assim diz o Senhor: "Por três transgressões de Gaza,
e por quatro, não retirarei o castigo, porque levaram em
cativeiro todo o povo, para os entregarem a Edom.
7 Por isso porei fogo no muro de Gaza e ele consumirá
os seus palácios.
8 E exterminarei o morador de Asdode e quem possui o
cetro de Asquelon, e porei a minha mão contra Ecrom,
e o restante dos filisteus perecerá", diz o Senhor Deus.
9 Assim diz o Senhor: "Por três transgressões de Tiro,
e por quatro, não retirarei o castigo, porque entregaram
todo o povo a Edom, e não se lembraram da aliança dos
irmãos.
10 Por isso porei fogo no muro de Tiro e ele consumirá
os seus palácios.
11 Assim diz o Senhor: Por três transgressões de Edom, e
por quatro, não retirarei o castigo, porque perseguiu o seu
irmão à espada e aniquilou as suas misericórdias; a sua ira
não parou de despedaçar, e conservou a sua indignação
para sempre.
12 Por isso porei fogo em Temã, e ele consumirá os pa-
lácios de Bozra.
13 Assim diz o Senhor: Por três transgressões dos filhos
de Amom, e por quatro, não retirarei o castigo, porque
rasgaram o ventre das grávidas de Gileade, para amplia-
rem os seus territórios.
14 Por isso porei fogo no muro de Rabá e ele consumirá
os seus palácios com alarido no dia da batalha, e com tem-
pestade no dia da tormenta.
15 E o seu rei irá para o cativeiro, ele e os seus príncipes
juntamente", diz o Senhor.

Contra Moabe

2 Assim diz o Senhor: "Por três transgressões de Moabe,
e por quatro, não retirarei o castigo, porque queimou
os ossos do rei de Edom, até eles virarem cinzas.
2 Por isso porei fogo em Moabe e ele consumirá os palá-
cios de Queriote; Moabe morrerá com grande estrondo,
com alarido, e com som de trombeta.
3 E exterminarei o juiz do meio dele, e matarei todos os
seus príncipes com ele", diz o Senhor.

Contra Judá

4 Assim diz o Senhor: "Por três transgressões de Judá,
e por quatro, não retirarei o castigo, porque rejeitaram a
lei do Senhor e não guardaram os seus estatutos; antes,
se deixaram enganar por suas próprias mentiras, após as
quais seus pais andaram.
5 Por isso porei fogo em Judá e ele consumirá os palácios
de Jerusalém."

Contra Israel

6 Assim diz o Senhor: "Por três transgressões de Israel, e
por quatro, não retirarei o castigo, porque vendem o justo
por dinheiro e o necessitado por um par de sapatos,
7 suspirando pelo pó da terra, sobre a cabeça dos pobres,
pervertem o caminho dos mansos, e um homem e seu
pai têm relações com a mesma moça, para profanarem o
meu santo nome.
8 E se deitam junto a qualquer altar sobre roupas empe-
nhadas dos pobres, e na casa dos seus deuses bebem o
vinho dos que tinham multado.
9 Todavia eu destruí diante deles o amorreu, cuja altura
era como a altura dos cedros e forte como os carvalhos;
mas destruí o seu fruto por cima e as suas raízes por baixo.
10 Também os tirei da terra do Egito, e quarenta anos os
guiei no deserto, para que possuíssem a terra do amorreu.
11 Dentre seus filhos levantei profetas e, dentre os seus
jovens, nazireus. Não é isto assim, filhos de Israel?" Diz
o Senhor.
12 "Mas vocês deram vinho aos nazireus para eles bebe-
rem, e aos profetas ordenaram, dizendo: Não profetizarão.
13 Eis que eu os esmagarei no seu lugar, como faz um
carro cheio de feixes.
14 Assim o ágil não conseguirá fugir; nem o forte aprovei-
tará a sua força, nem o valente livrará a sua vida.
15 E quem maneja o arco não ficará em pé, nem os

velozes se livrarão, nem tampouco quem vai montado a
cavalo se livrará.
16 E o mais corajoso entre os valentes fugirá nu naquele
dia", diz o Senhor.

Juízos São Proclamados Contra Israel

3 Ouçam esta palavra que o Senhor fala contra vocês,
filhos de Israel, contra toda a família que ele tirou da
terra do Egito, dizendo:
2 "De todas as gerações da terra, só a vocês os tenho
conhecido; portanto eu os punirei por todas as suas
iniquidades."
3 Será que dois andarão juntos, se não estiverem de
acordo?
4 Rugirá o leão no bosque, sem que tenha presa? O
leãozinho no seu covil levantará a sua voz, se nada tiver
apanhado?
5 Cairá a ave no laço em terra, se não houver armadilha
para ela? O laço se levantará da terra, sem que tenha apa-
nhado alguma coisa?
6 Será tocada a trombeta na cidade e o povo não estreme-
cerá? Acontecerá algum mal na cidade, sem que o Senhor
o tenha feito?
7 Certamente o Senhor Deus não fará coisa alguma sem
ter revelado o seu segredo aos seus servos, os profetas.
8 O leão rugiu, quem não temerá? O Senhor Deus falou,
quem não profetizará?
9 Façam ouvir isso nos palácios de Asdode, nos palácios
da terra do Egito e digam: "Ajuntem-se sobre os montes
de Samaria e vejam que grandes alvoroços existem no
meio dela, e como são oprimidos dentro dela."
10 "Porque não sabem fazer o que é reto", diz o Senhor,
"aqueles que entesouram nos seus palácios a violência e
a destruição."
11 Portanto, assim diz o Senhor Deus: "O inimigo virá e
cercará a terra, derrubará a sua fortaleza e os seus palácios
serão saqueados."
12 Assim diz o Senhor: "Como o pastor livra da boca do
leão as duas pernas, ou um pedaço da orelha, assim os
filhos de Israel que habitam em Samaria serão livrados, no
canto da cama, e no lado de um leito.
13 Ouçam e protestem contra a casa de Jacó", diz o Se-
nhor Deus, o Deus dos Exércitos;
14 "pois, no dia em que eu punir as transgressões de Is-
rael, também castigarei os altares de Betel; e as pontas do
altar serão cortadas e cairão por terra.
15 E derrubarei a casa de inverno juntamente com a casa
de verão; as casas de marfim serão destruídas e as grandes
casas terão fim", diz o Senhor.

A Idolatria e a Obstinação de Israel

4 Ouçam estas palavras, vocês, vacas de Basã, que estão
no monte de Samaria, que oprimem os pobres, que
esmagam os necessitados, que dizem aos seus maridos:
"Tragam bebidas e vamos beber."
2 O Senhor Deus jurou pela sua santidade que virão dias
sobre vocês, em que os levarão com ganchos, e os seus
descendentes com anzóis de pesca.
3 "E sairão pelas brechas, uma após outra, e serão lança-
das para Harmom", disse o Senhor.
4 "Venham a Betel e pequem; venham a Gilgal e multipli-
quem os pecados; a cada manhã tragam os seus sacrifícios
e os seus dízimos de três em três dias.
5 E ofereçam o sacrifício de louvores do pão levedado,
proclamem ofertas voluntárias e as publiquem, porque é
disso que gostam, ó filhos de Israel", disse o Senhor Deus.
6 "Por isso também deixei vocês sem terem o que masti-
gar em todas as suas cidades, e com falta de pão em todos
os seus lugares; contudo, não se converteram a mim",
disse o Senhor.
7 "Além disso, retive de vocês a chuva quando ainda fal-
tavam três meses para a colheita; fiz que chovesse sobre
uma cidade e não chovesse sobre a outra cidade; sobre
um campo choveu, mas o outro, sobre o qual não choveu,
secou.
8 E andaram por duas ou três cidades, indo a outra cidade
para beberem água, mas não se saciaram; contudo, não se
converteram a mim", disse o Senhor.
9 "Feri-os com queimadura e com ferrugem, e as suas hor-
tas, as suas vinhas, as suas figueiras e as suas oliveiras, o
gafanhoto comeu; contudo, não se converteram a mim",
disse o Senhor.
10 "Enviei a peste contra vocês, à maneira do Egito; os
seus jovens matei à espada, os seus cavalos deixei levar
presos e o mau cheiro dos seus arraiais fiz subir às suas
narinas; contudo, não se converteram a mim", disse o
Senhor.
11 "Destruí alguns dentre vocês, como Deus destruiu
Sodoma e Gomorra, e vocês foram como um tição tirado
do incêndio; contudo, não se converteram a mim", disse
o Senhor.
12 "Portanto, assim farei com você, ó Israel! E, porque
farei isso com você, prepare-se, ó Israel, para se encontrar
com o seu Deus."
13 Porque eis aqui quem forma os montes, cria o vento e
declara ao homem qual é o seu pensamento, o que faz da
manhã trevas e pisa os altos da terra; o Senhor, o Deus dos
Exércitos é o seu nome.

Lamento Por Israel

5 "Ouçam esta palavra, que levanto como uma lamenta-
ção sobre vocês, ó casa de Israel.
2 A virgem de Israel caiu e não mais tornará a se levantar;
está desamparada na sua terra, não há quem a levante.
3 Porque assim diz o Senhor Deus para a casa de Israel: A
cidade da qual saem mil conservará cem, e aquela da qual
saem cem conservará dez."

Exortação ao Arrependimento

4 Porque assim diz o Senhor à casa de Israel: "Busquem-
-me e vivam.
5 Mas não busquem Betel, nem venham a Gilgal, nem
passem em Berseba, porque Gilgal certamente será levada
ao cativeiro, e Betel será reduzida a nada."
6 Busquem o Senhor e vivam, para que ele não irrompa
na casa de José como um fogo, a consuma e não haja em
Betel quem o apague.
7 Vocês, que convertem o juízo em veneno e deitam por
terra a justiça,
8 procurem quem fez as Sete-estrelas e o Órion e aquele
que torna a sombra da noite em manhã, e faz escurecer o
dia como a noite, que chama as águas do mar e as derra-
ma sobre a terra; o Senhor é o seu nome.
9 É ele que promove súbita destruição contra o forte; e
destruição contra a fortaleza.
10 Vocês odeiam quem os repreende no tribunal e abomi-
nam quem fala sinceramente.
11 Portanto, visto que pisam o pobre e dele exigem um
tributo de trigo, edificaram casas de pedras lavradas, mas
nelas não habitarão; plantaram vinhas desejáveis, mas não
beberão do seu vinho.
12 Porque sei que são muitas as suas transgressões e
graves os seus pecados; afligem o justo, tomam resgate e
rejeitam as causas dos necessitados no tribunal.
13 Portanto, quem for prudente guardará silêncio naque-
le tempo, porque o tempo será mau.
14 Busquem o bem, e não o mal, para que vivam; assim
o Senhor, o Deus dos Exércitos, estará com vocês, como
dizem.
15 Odeiem o mal, amem o bem, e estabeleçam no tribu-
nal a justiça. Talvez o Senhor Deus dos Exércitos tenha
piedade do remanescente de José.
16 Portanto, assim diz o Senhor, o Deus dos Exércitos, o
Senhor: "Em todas as ruas haverá pranto, e em todas as
estradas dirão: Ai! Ai! E ao lavrador chamarão para choro,
e para pranto os que souberem prantear.
17 E em todas as vinhas haverá pranto; porque passarei
pelo meio de você", diz o Senhor.
18 Ai daqueles que desejam o dia do Senhor! Para que
vocês querem esse dia do Senhor? Será de trevas e não
de luz.
19 É como se um homem fugisse da frente do leão e se
encontrasse com o urso; ou como se, entrando ele numa
casa, a sua mão encostasse na parede e fosse mordido por
uma cobra.
20 Não será o dia do Senhor de trevas e não de luz, e de
escuridão, sem que haja resplendor?

Deus Despreza a Hipocrisia

21 "Odeio e desprezo as suas festas e as suas assembleias
solenes, não me exalarão bom cheiro.
22 E ainda que me ofereçam holocaustos, ofertas de
manjares, não me agradarei delas; nem atentarei para as
ofertas pacíficas de seus animais gordos.
23 Afastem de mim o som dos seus cânticos; porque não
ouvirei as melodias das suas liras.
24 Corra o juízo como as águas, e a justiça como o ribeiro
impetuoso.
25 Ó casa de Israel, por acaso vocês me ofereceram sacri-
fícios e oblações no deserto por quarenta anos?
26 Antes, levaram a tenda de Moloque e a estátua das
suas imagens, a estrela do seu deus, que fizeram para vo-
cês mesmos.
27 Por isso os levarei cativos, para além de Damasco", diz
o Senhor, "cujo nome é o Deus dos Exércitos."

A Indiferença da Nação

6 Ai dos que vivem sossegados em Sião e dos que estão
tranquilos no monte de Samaria, homens notáveis da
primeira entre as nações, e aos quais vem a casa de Israel!
2 Passem em Calne e vejam; dali vão para a grande Ha-
mate e depois desçam a Gate dos filisteus; são melhores
que estes reinos? Ou o seu território é maior do que o
território deles?
3 Ó vocês, que afastam o dia mau e fazem chegar o as-
sento da violência!
4 Ai dos que dormem em camas de marfim e se estendem
sobre os seus leitos, e comem os cordeiros do rebanho e
os bezerros do meio do curral.
5 Que cantam ao som da lira e inventam para si instru-
mentos musicais, assim como Davi;
6 e que bebem vinho em taças e se ungem com o mais
excelente óleo: Mas não se afligem pela ruína de José.

A Desolação é Proclamada

7 Portanto, agora serão os primeiros levados em cativeiro,
de todos os que forem levados cativos, e cessarão as festas
e banquetes.
8 "O Senhor Deus jurou por si mesmo", diz o Senhor, o
Deus dos Exércitos: "Abomino a soberba de Jacó e abor-
reço os seus palácios; por isso entregarei a cidade e tudo
o que nela há."

9 E acontecerá que, se numa casa ficarem dez homens,
todos morrerão.
10 Quando o seu parente vier para cremá-lo e pegar os
ossos para levá-los para fora da casa, e perguntar a quem
estiver no interior da casa: "Há mais alguém com você?"
E ele responder: "Mais ninguém"; então diga a ele: "Cale-se, porque não devemos fazer menção do nome do
Senhor."
11 Porque, eis que o Senhor ordena, e ele ferirá a casa
grande de rachaduras, e a casa pequena de trincas.
12 Por acaso cavalos podem correr sobre rocha? Será possível lavrar nela com bois? Mas vocês transformaram o
juízo em fel, e o fruto da justiça em veneno;
13 vocês que se alegram do nada, vocês que dizem: "Não
é fato que por nossa própria força nos temos tornado
poderosos?"
14 "Porque, eis que eu levantarei sobre vocês, ó casa de
Israel, um povo", diz o Senhor, "o Deus dos Exércitos,
que os oprimirá, desde a entrada de Hamate até ao ribeiro
do deserto."

A Visão dos Gafanhotos

7 O Senhor Deus me mostrou: Ele formava uma nuvem de gafanhotos no começo da germinação das plantas,
e era a cultura tardia depois de terminadas as colheitas
do rei.
2 E depois de eles terem comido completamente a plantação, eu disse: "Senhor Deus, perdoa, rogo-te; como Jacó
poderá sobreviver? Pois ele é pequeno."
3 Então o Senhor se arrependeu disso e disse: "Isso não
acontecerá."

O Fogo Consumidor

4 Então o Senhor Deus revelou-me que, para o julgamento, estava convocando o fogo, que consumiu o grande
abismo e uma parte da terra.
5 Então eu disse: "Senhor Deus, cessa, eu te peço; como
Jacó suportará isso? Pois ele é pequeno."
6 E o Senhor se arrependeu disso. "Nem isso acontecerá",
disse o Senhor Deus.

A Visão do Prumo

7 Mostrou-me também isso: E eis que o Senhor estava
sobre um muro levantado a prumo; e tinha um prumo
na sua mão.
8 E o Senhor me perguntou: "O que você vê, Amós?" E
eu disse: "Um prumo." Então o Senhor disse: "Eis que eu
porei o prumo no meio do meu povo Israel e nunca mais
passarei por ele.
9 Mas os altos de Isaque serão assolados e os santuários
de Israel serão destruídos; e me levantarei com a espada
contra a casa de Jeroboão."

Amazias Contesta Amós

10 Então Amazias, o sacerdote de Betel, mandou dizer
a Jeroboão, rei de Israel: "Amós tem conspirado contra
o senhor no meio da casa de Israel; a terra não poderá
suportar todas as suas palavras.
11 Porque assim diz Amós: 'Jeroboão morrerá à espada,
e Israel certamente será levado para fora da sua terra em
cativeiro.'"
12 Depois Amazias disse a Amós: "Vá, ó vidente, e fuja
para a terra de Judá, ali coma o pão e ali profetize;
13 mas, em Betel, daqui por diante não profetizará mais,
porque é o santuário do rei e casa real."
14 E Amós respondeu, dizendo a Amazias: "Eu não sou
profeta, nem filho de profeta, mas boiadeiro e catador de
figos silvestres.
15 Mas o Senhor me tirou de seguir o rebanho e o Senhor
me disse: 'Vá e profetize ao meu povo Israel.'
16 Agora, ouça a palavra do Senhor. Você diz: 'Não profetize contra Israel, nem fale contra a casa de Isaque.'
17 Portanto, assim diz o Senhor: 'A sua mulher se prostituirá na cidade, e os seus filhos e suas filhas cairão à
espada, a sua terra será repartida em lotes, você morrerá
na terra imunda e Israel certamente será levado cativo
para fora da sua terra.'

O Cesto de Frutas

8 O Senhor Deus também me mostrou isto: Eis aqui um cesto de frutos de verão.
2 E perguntou: "O que você vê, Amós?" E eu respondi:
"Um cesto de frutos de verão." Então o Senhor me disse:
"Chegou o fim para o meu povo de Israel; nunca mais
passarei por ele.
3 E os cânticos do templo naquele dia serão gemidos", diz
o Senhor Deus; "os cadáveres se multiplicarão; por todos
os lugares serão jogados em silêncio."
4 Ouçam isto, vocês que pisam os necessitados e destroem os miseráveis da terra,
5 dizendo: "Quando passará a lua nova, para vendermos
o grão, e o sábado, para abrirmos os celeiros de trigo, diminuindo a porção, aumentando o preço e enganando
dolosamente com balanças enganosas,
6 para comprarmos os pobres por dinheiro, os necessitados por um par de sandálias e para vendermos o refugo
do trigo?"
7 O Senhor jurou pela glória de Jacó: "Eu não me esquecerei de todas as suas obras para sempre.
8 Por causa disto será que a terra não estremecerá e todos
que nela habitam não chorarão? Certamente se levantará
toda ela como o grande rio, ela será agitada e abaixará
como o rio do Egito.
9 E naquele dia", diz o Senhor Deus, "farei com que o

sol se ponha ao meio-dia, e a terra se escureça em pleno
dia claro.
10 E transformarei as suas festas em luto e todos os seus
cânticos em lamentações; farei com que todos vistam pa-
nos de sacos e rapem a cabeça; farei com que isso seja
como um luto por um filho único e o seu fim como um
dia de amarguras.

Fome da Palavra de Deus

11 Eis que vêm dias", diz o Senhor Deus, "em que en-
viarei fome sobre a terra; não fome de pão, nem sede de
água, mas de ouvir as palavras do Senhor.
12 E andarão de um mar até outro, e do Norte até o
Oriente; correrão por todas as partes, buscando a palavra
do Senhor, mas não a acharão.
13 Naquele dia as virgens formosas e os jovens desmaia-
rão de sede.
14 Os que juram pela culpa de Samaria, dizendo: 'Juro
pelo nome do seu deus, ó Dã, ou, juro pelo poder de Ber-
seba', esses mesmos cairão e não se levantarão jamais.

A Certeza da Desolação

9 Vi o Senhor, que estava em pé sobre o altar e me dis-
se: "Bata no topo das colunas para que estremeçam os
umbrais e faça tudo em pedaços sobre a cabeça de todos
eles; eu matarei à espada até o último deles e nenhum
conseguirá fugir, nenhum deles escapará.
2 Ainda que cavem até ao inferno, a minha mão os tirará
dali; se subirem ao céu, dali os farei descer.
3 E, se eles se esconderem no cume do Carmelo, os bus-
carei, e dali os tirarei; se dos meus olhos se ocultarem no
fundo do mar, ali darei ordem à serpente e ela os picará.
4 E, se forem em cativeiro pelos seus inimigos, ali darei
ordem à espada que os mate; eu porei os meus olhos sobre
eles para o mal e não para o bem.
5 Porque o Senhor Deus dos Exércitos é quem toca a terra
e ela se derrete, e todos os que habitam nela chorarão; ela
subirá toda como um rio e abaixará como o rio do Egito.
6 Ele é quem edifica as suas câmaras superiores no céu,
quem fundou na terra a sua abóbada, quem chama as
águas do mar e as derrama sobre a terra; o Senhor é o
seu nome.
7 Não me são, vocês, ó filhos de Israel, como os filhos dos
etíopes?" Diz o Senhor: "Eu não tirei Israel da terra do
Egito, os filisteus de Caftor e os sírios de Quir?
8 E os olhos do Senhor Deus estão contra este reino peca-
dor, e eu o destruirei da face da terra; mas não destruirei
totalmente a casa de Jacó", diz o Senhor.
9 "Porque darei ordem, e sacudirei a casa de Israel entre
todas as nações, assim como se sacode o grão na peneira,
sem que caia na terra um só grão.
10 Todos os pecadores do meu povo morrerão à espa-
da, os que dizem: 'O mal não nos alcançará nem nos
encontrará.'

A Restauração de Israel

11 Naquele dia tornarei a levantar o tabernáculo caído de
Davi, repararei as suas brechas, tornarei a levantar as suas
ruínas e o edificarei como nos dias da antiguidade;
12 para que possuam o restante de Edom e todas as na-
ções que são chamadas pelo meu nome", diz o Senhor,
"que faz essas coisas.
13 Eis que vêm dias", diz o Senhor, "em que quem la-
vra alcançará quem colhe, e quem pisa as uvas alcançará
quem lança a semente; os montes destilarão vinho e todas
as colinas se derreterão.
14 E trarei do cativeiro o meu povo Israel, e eles reedi-
ficarão as cidades assoladas e nelas habitarão, plantarão
vinhas e beberão o seu vinho, farão pomares e comerão
os seus frutos.
15 Eu os plantarei na sua terra e não serão mais arran-
cados da sua terra que lhes dei", diz o Senhor seu Deus.

OBADIAS

A Destruição de Edom

1 Visão de Obadias: Assim diz o Senhor Deus a respeito
de Edom: "Temos ouvido a pregação do Senhor, e um
mensageiro foi enviado entre as nações, dizendo: Levan-
tem-se e nos levantemos contra Edom para a guerra.
2 Eis que o fiz pequeno entre as nações; você é muito
desprezado.
3 A soberba do seu coração o enganou, como quem habi-
ta nas fendas das rochas, na sua alta morada, e que diz no
seu coração: Quem me derrubará por terra?
4 Se voar como a águia e puser o seu ninho entre as
estrelas, dali o derrubarei", diz o Senhor.
5 "Se viessem a você ladrões ou assaltantes à noite, como
você está destruído, não furtariam o que lhes bastasse? Se
a você viessem os vindimadores, não deixariam algumas
uvas?

6 Como foram saqueados os bens de Esaú! Como foram
investigados os seus tesouros escondidos!
7 Todos os seus aliados o levaram até a fronteira; os que
gozam da sua paz o enganaram, prevaleceram contra
você; os que comem o seu pão puseram debaixo de você
uma armadilha; não há neles entendimento.
8 Porventura não acontecerá naquele dia", diz o Senhor,
"que destruirei os sábios de Edom, e o entendimento do
monte de Esaú?
9 E os seus valentes, ó Temã, estarão atemorizados, para
que do monte de Esaú seja cada um exterminado pela
matança.
10 Por causa da violência feita ao seu irmão Jacó, se co-
brirá de confusão e será exterminado para sempre.
11 No dia em que o confrontaram, no dia em que es-
tranhos levaram cativo o seu exército e os estrangeiros
entravam pelas suas portas, e lançaram sortes sobre Jeru-
salém, você era também como um deles.
12 Mas você não devia olhar com prazer para o dia do
seu irmão, no dia do seu infortúnio, nem alegrar-se sobre
os filhos de Judá, no dia da sua ruína, nem falar com
arrogância, no dia da angústia;
13 nem entrar pela porta do meu povo, no dia da sua
calamidade; sim, você não devia olhar satisfeito para o
seu mal, no dia da sua calamidade, nem lançar mão dos
seus bens, no dia da sua calamidade;
14 nem parar nas encruzilhadas, para exterminar os que
escapassem; nem entregar os que lhe restassem, no dia
da angústia.
15 Porque o dia do Senhor está perto para todas as
nações; como você fez, assim farão com você, e a sua
recompensa cairá sobre a sua cabeça.
16 Porque, como vocês beberam no meu santo monte,
assim todas as nações beberão também continuamen-
te; beberão, engolirão e serão como se nunca tivessem
existido.

O Livramento de Jacó

17 Mas no monte Sião haverá livramento e ele será san-
to; os da casa de Jacó possuirão as suas heranças.
18 A casa de Jacó será fogo, a casa de José uma chama e
a casa de Esaú palha; se acenderão contra eles e os con-
sumirão; e ninguém mais restará da casa de Esaú, porque
o Senhor o falou."
19 E os do sul possuirão o monte de Esaú, e os das planí-
cies, os filisteus; possuirão também os campos de Efraim
e os campos de Samaria; Benjamim possuirá Gileade.
20 E os cativos deste exército, dos filhos de Israel, pos-
suirão os cananeus, até Zarefate; os cativos de Jerusalém,
que estão em Sefarade, possuirão as cidades do sul.
21 E subirão salvadores ao monte Sião, para julgarem o
monte de Esaú, e o reino será do Senhor.

O Chamado e a Fuga de Jonas

1 E a palavra do Senhor veio a Jonas, filho de Amitai,
dizendo:
2 "Levante-se, vá à grande cidade de Nínive, e clame con-
tra ela, porque a sua maldade subiu até à minha presença."
3 Porém, Jonas se levantou para fugir da presença do Se-
nhor para Társis. E, descendo a Jope, achou um navio que
ia para Társis; pagou a sua passagem e desceu para dentro
dele, para ir com eles para Társis, para longe da presença
do Senhor.
4 Mas o Senhor mandou ao mar um grande vento e fez-se
no mar uma forte tempestade, e o navio estava a ponto
de quebrar-se.
5 Então os marinheiros temeram e clamavam cada um ao
seu deus, e lançaram ao mar as cargas, que estavam no
navio, para o aliviarem do seu peso; Jonas, porém, des-
ceu ao porão do navio, e, tendo-se deitado, dormia um
profundo sono.
6 E o mestre do navio chegou a ele e lhe disse: "O que
você tem, dorminhoco? Levante-se, clame ao seu Deus;
talvez assim ele se lembre de nós para não morrermos."
7 E diziam cada um ao seu companheiro: "Vamos lançar
sortes, para sabermos por que nos sobreveio este mal." E
lançaram sortes, e a sorte caiu sobre Jonas.
8 Então lhe disseram: "Diga você agora, por causa de
quem nos sobreveio este mal. Qual é a sua ocupação? De
onde vem? Qual é a sua terra? E de que povo você é?"
9 E Jonas lhes respondeu: "Eu sou hebreu e temo ao Se-
nhor, o Deus do céu, que fez o mar e a terra seca."
10 Então estes homens se encheram de grande temor e
lhe perguntaram: "Por que você fez isto?" Pois os homens
sabiam que ele fugia da presença do Senhor, porque ele
tinha falado.

11 Então lhe perguntaram: “O que nós devemos fazer com você, para que o mar se acalme?” Porque o mar ia se tornando cada vez mais tempestuoso.

12 E Jonas lhes respondeu: “Peguem-me, lancem-me ao mar e o mar se acalmará; porque eu sei que, por minha causa, esta grande tempestade veio sobre vocês.”

13 Entretanto, os homens remavam, para fazerem o navio voltar à terra, mas não podiam, porque o mar ia se embravecendo cada vez mais contra eles.

14 Então clamaram ao Senhor e disseram: “Ah, Senhor! Nós te rogamos que não pereçamos por causa da alma deste homem, e que não ponhas sobre nós o sangue inocente; porque tu, Senhor, fizeste como te aprouve.”

15 E levantaram Jonas e o lançaram ao mar, e o mar se acalmou.

16 Estes homens temeram ao Senhor com grande temor; ofereceram sacrifício ao Senhor e fizeram votos.

17 E o Senhor preparou um grande peixe para que engolisse Jonas; e Jonas esteve por três dias e três noites nas entranhas do peixe.

A Oração de Jonas

2 E Jonas orou ao Senhor, seu Deus, das entranhas do peixe.

2 E disse: “Na minha angústia clamei ao Senhor, e ele me respondeu; do ventre do inferno gritei e tu ouviste a minha voz.

3 Porque tu me lançaste no profundo, no coração dos mares, e a corrente das águas me cercou; todas as tuas ondas e as tuas vagas têm passado por cima de mim.

4 E eu disse: Estou excluído da tua presença: Será que tornarei a ver o teu santo templo?

5 As águas me cercaram até à alma, o abismo me rodeou, e as algas se enrolaram na minha cabeça.

6 Eu desci até aos fundamentos dos montes; a terra me encerrou para sempre com os seus ferrolhos; mas tu fizeste subir a minha vida da perdição, ó Senhor meu Deus.

7 Quando desfalecia em mim a minha alma, lembrei-me do Senhor, e subiu a ti a minha oração, no teu santo templo.

8 Aqueles que acreditam em ídolos inúteis deixam a sua misericórdia.

9 Mas eu te oferecerei sacrifício com a voz do agradecimento; o que prometi cumprirei. Do Senhor vem a salvação.”

10 E o Senhor falou ao peixe, e este vomitou Jonas na terra seca.

A Conversão de Nínive

3 E a palavra do Senhor veio pela segunda vez a Jonas, dizendo:

2 “Levante-se, vá à grande cidade de Nínive e pregue contra ela a mensagem que eu lhe digo.”

3 E Jonas se levantou e foi a Nínive, segundo a palavra do Senhor. Nínive era uma cidade muito grande, sendo necessários três dias para percorrê-la.

4 E Jonas começou a entrar pela cidade, caminhou durante um dia e pregava, dizendo: “Daqui a quarenta dias Nínive será destruída.”

5 E os homens de Nínive creram em Deus; proclamaram um jejum e vestiram-se de sacos, desde o maior até o menor.

6 Esta palavra chegou também ao rei de Nínive; então ele levantou-se do seu trono, tirou as suas vestes, se cobriu de panos de sacos e sentou-se sobre a cinza.

7 E fez uma proclamação que se divulgou em Nínive, pelo decreto do rei e dos seus nobres, dizendo: “Nem homens, nem animais, nem bois, nem ovelhas podem comer coisa alguma, não lhes deem alimentos, nem deixem que bebam água;

8 mas os homens e os animais sejam cobertos de sacos, clamem fortemente a Deus, convertam-se, cada um do seu mau caminho e da violência que há nas suas mãos.

9 Quem sabe Deus se arrependa e abandone o furor da sua ira, e não sejamos destruídos!”

10 E Deus viu as obras deles, como se converteram do seu mau caminho; então Deus se arrependeu do mal que tinha anunciado que lhes faria e não o fez.

A Revolta de Jonas

4 Mas isso desagradou extremamente a Jonas, e ele ficou irado.

2 E orou ao Senhor e disse: “Ah! Senhor! Não foi esta minha palavra, quando eu ainda estava na minha terra? Por isso é que me preveni, fugindo para Társis, pois sabia que és Deus compassivo e misericordioso, paciente, grande em benignidade e que te arrependes do mal.

3 Peço-te, ó Senhor, tira-me a vida, porque me é melhor morrer do que viver.”

4 E o Senhor disse: “Tem alguma razão para ficar irado?”

5 Então Jonas saiu da cidade e sentou-se ao oriente dela; ali fez uma cabana e sentou-se debaixo dela, à sombra, até ver o que aconteceria à cidade.

6 E o Senhor Deus fez nascer uma planta, que subiu por cima de Jonas, para que fizesse sombra sobre a sua cabeça, para o livrar do seu enfado; assim Jonas se alegrou bastante por causa da planta.

7 Mas Deus enviou um verme, no dia seguinte, ao amanhecer, que feriu a planta e ela secou.

8 E, quando o sol apareceu, Deus mandou um vento oriental muito quente, o sol feriu a cabeça de Jonas e ele

desmaiou, então, desejou com toda a sua alma morrer, dizendo: "É melhor eu morrer do que viver."
9 Então Deus perguntou a Jonas: "Você acha certo ficar
irado por causa da planta?" E ele respondeu: "Acho tão
certo que até quero morrer."
10 E o Senhor disse: "Você teve compaixão da planta, pela
qual não trabalhou, nem a fez crescer, que numa noite
nasceu e numa noite morreu;
11 e eu não terei compaixão da grande cidade de Nínive
onde estão mais de cento e vinte mil homens que não sabem discernir entre a sua mão direita e a sua mão esquerda, além de muitos animais?"

Juízos Contra Samaria e Jerusalém

1 Palavra do Senhor, que veio a Miqueias, morastita, nos
dias de Jotão, Acaz e Ezequias, reis de Judá, sobre o
que ele viu sobre Samaria e Jerusalém.
2 Ouçam, todos os povos, prestem atenção, ó terra, e
tudo o que nela há; seja o Senhor Deus testemunha contra vocês, desde o seu santo templo.
3 Porque o Senhor está para sair do seu lugar, descerá e
andará sobre as alturas da terra.
4 E os montes debaixo dele se derreterão e os vales se
fenderão como a cera diante do fogo, como as águas que
se precipitam num abismo.
5 Tudo isto por causa da transgressão de Jacó e dos pecados da casa de Israel. Qual é a transgressão de Jacó? Não
é Samaria? E quais os altos de Judá? Não é Jerusalém?
6 "Por isso farei de Samaria um montão de pedras do
campo, uma terra de plantar vinhas, e farei rolar as suas
pedras no vale e descobrirei os seus fundamentos.
7 E todas as suas imagens de escultura serão despedaçadas, todas as suas ofertas serão queimadas pelo fogo e de
todos os seus ídolos eu farei uma assolação; porque pelo
pagamento de prostituta os ajuntou, e para o pagamento
de prostituta voltarão."
8 Por isso lamentarei e gemerei, andarei despojado e
nu; farei lamentação como de chacais e pranto como de
avestruzes.
9 Porque a sua chaga é incurável, pois chegou até Judá;
estendeu-se até à porta do meu povo, até Jerusalém.
10 Não anunciem isso em Gate, nem chorem muito; revolva-se no pó, na casa de Afra.
11 Passe, ó moradora de Safir, em vergonhosa nudez;
a moradora de Zaanã não saiu e o pranto de Bete-Ezel
tirará de você a sua posição.
12 Porque a moradora de Marote sofre pelo bem; pois
desceu do Senhor o mal até à porta de Jerusalém.
13 Prenda os animais ligeiros ao carro, ó moradora de
Laquis; este foi o princípio do pecado para a filha de Sião,
porque em você se acharam as transgressões de Israel.
14 Por isso vocês darão presentes a Moresete-Gate; as
casas de Aczibe se tornarão em engano para os reis de
Israel.
15 Ainda trarei a você, ó moradora de Maressa, aquele
que a possuirá; a glória de Israel chegará até Adulão.
16 Corte o cabelo e rape a cabeça, por causa dos filhos
das suas delícias; alargue a sua calva como a águia, porque de você seus filhos foram levados cativos.

O Castigo Sobre os Opressores

2 Ai daqueles que nas suas camas intentam a iniquidade
e planejam o mal; à luz da manhã o praticam, porque
está no poder da sua mão!
2 E cobiçam campos, cobiçam casas e as tomam; assim
fazem violência a um homem e à sua casa, a uma pessoa
e à sua herança.
3 Portanto, assim diz o Senhor: "Eis que projeto um mal
contra esta família, do qual não livrarão os seus pescoços
e não andarão tão altivos, porque o tempo será mau.
4 Naquele dia se levantará sobre vocês um provérbio e
se lamentará com um pranto lastimoso, dizendo: 'Nós
estamos inteiramente desolados; a porção do meu povo
ele a troca e como me despoja! Tira os nossos campos e
os reparte!'"
5 Portanto, na congregação do Senhor, quando a terra
for dividida por sorteio, vocês não receberão nenhuma
parte dela.
6 "Não preguem", dizem os seus profetas: "Não profetizem tais coisas; porque a desgraça não cairá sobre nós."

Contra a Injustiça e a Idolatria

7 "Ó vocês, que são chamados casa de Jacó, porventura encurtou-se o Espírito do Senhor? São estas as suas
obras? E não é assim que fazem bem as minhas palavras
a quem anda retamente?
8 Mas ontem, o meu povo se levantou como inimigo;

além da roupa tiraram a capa daqueles que passavam se-
guros, como homens que voltavam da guerra.
9 Expulsaram as mulheres do meu povo, da casa das
suas delícias; das suas crianças tiram para sempre a mi-
nha glória.
10 Levantem-se e vão embora, porque este não é lugar
de descanso; por causa da imundícia que traz destruição,
sim, destruição enorme.
11 Se houver alguém que, andando com espírito de fal-
sidade, mentir, dizendo: 'Eu profetizarei a você sobre o
vinho e a bebida forte'; esse tal será o profeta deste povo.

Promessas de Restauração

12 Certamente o ajuntarei todo, ó Jacó; certamente con-
gregarei o restante de Israel; os porei todos juntos, como
ovelhas de Bozra; como o rebanho no meio do seu pasto,
farão estrondo por causa da multidão dos homens.
13 Quem abre o caminho subirá diante deles; eles rom-
perão, entrarão pela porta e sairão por ela; o rei irá adian-
te deles e o Senhor irá à frente."

A Crueldade dos Príncipes

3 Eu disse: Ouçam, peço a vocês, ó chefes de Jacó, e a
vocês, príncipes da casa de Israel: Não é a vocês que
compete saber a justiça?
2 A vocês que odeiam o bem e amam o mal, que ar-
rancam a pele de cima deles e a carne de cima dos seus
ossos.
3 E que comem a carne do meu povo, lhes arrancam a
pele, lhes esmiúçam os ossos e os repartem como para a
panela e como carne dentro do caldeirão.
4 Então clamarão ao Senhor, mas ele não os ouvirá; antes
esconderá deles a sua face naquele tempo, visto que eles
fizeram mal nas suas obras.

A Falsidade dos Profetas

5 "Assim diz o Senhor a respeito dos profetas que fazem
o meu povo errar, que mordem com os seus dentes e
clamam paz, mas contra aqueles que nada lhes dão para
comer, a eles preparam guerra.
6 Por isso, vocês terão noite sem visão, terão trevas sem
adivinhação, o sol se porá sobre os profetas e o dia sobre
eles se enegrecerá.
7 Os videntes se envergonharão e os adivinhadores se
confundirão; sim, todos eles cobrirão os seus lábios, por-
que não haverá resposta de Deus."

Exortação aos Líderes

8 Mas eu estou cheio do poder do Espírito do Senhor, de
juízo e de força, para anunciar a Jacó a sua transgressão e
a Israel o seu pecado.
9 Ouçam agora vocês, chefes da casa de Jacó e príncipes
da casa de Israel, que abominam a justiça e pervertem
tudo o que é direito,
10 edificando Sião com sangue e Jerusalém com
iniquidade.
11 Os seus chefes dão as sentenças por suborno, os seus
sacerdotes ensinam por interesse, e os seus profetas adi-
vinham por dinheiro; e ainda se encostam no Senhor,
dizendo: "O Senhor não está no meio de nós? Nenhum
mal nos sobrevirá."
12 Portanto, por causa de vocês, Sião será lavrada como
um campo, e Jerusalém se tornará um montão de pedras,
e o monte desta casa como os altos de um bosque.

A Glória da Nação Restaurada

4 Mas nos últimos dias acontecerá que o monte da casa
do Senhor será estabelecido no cume dos montes, e
se elevará sobre as colinas e para ele afluirão os povos.
2 E muitas nações virão e dirão: "Venham e subiremos
ao monte do Senhor, à casa do Deus de Jacó, para que
nos ensine os seus caminhos, e andaremos pelas suas
veredas"; porque de Sião sairá a lei, e de Jerusalém a
palavra do Senhor.
3 Ele julgará entre muitos povos, castigará nações pode-
rosas e longínquas e converterão as suas espadas em pás,
e as suas lanças em foices; uma nação não levantará a es-
pada contra outra nação, nem aprenderão mais a guerra.
4 Mas se assentará cada um debaixo da sua videira, da
sua figueira, e não haverá quem os espante, pois a boca
do Senhor dos Exércitos o disse.
5 Porque todos os povos andam, cada um em nome do
seu deus; mas nós andaremos em nome do Senhor nosso
Deus, para todo o sempre.
6 "Naquele dia", diz o Senhor, "congregarei a que co-
xeava e recolherei a que tinha sido expulsa e a que eu
tinha maltratado.
7 E da que coxeava farei um remanescente e da que
tinha sido lançada para longe, uma nação poderosa; o
Senhor reinará sobre eles no monte Sião, desde agora e
para sempre.
8 E a você, ó torre do rebanho, fortaleza da filha de Sião,
a você virá, sim, a você virá o primeiro domínio, o reino
da filha de Jerusalém."
9 E agora, por que está em tão grande pranto? É porque
você não tem rei? O seu conselheiro morreu? A dor apo-
derou-se de você, como da mulher que está de parto?
10 Sofre dores e trabalha para dar à luz, ó filha de Sião,
como a mulher que está de parto, porque agora sairá da
cidade, morará no campo e irá até a Babilônia; ali, porém,
será livrada; ali o Senhor remirá você da mão de seus
inimigos.
11 Agora se congregaram muitas nações contra você,
que dizem: "Que Jerusalém seja profanada e os nossos
olhos vejam o seu desejo sobre Sião."

12 Mas elas não sabem os pensamentos do Senhor, nem
entendem o seu conselho; porque as ajuntou como feixes
numa eira.
13 "Levante-se e debulhe, ó filha de Sião, porque eu farei
o seu chifre de ferro e as suas unhas de cobre; esmiuçará
a muitos povos e o seu ganho será consagrado ao Senhor;
e os seus bens ao Senhor de toda a terra."

O Surgimento do Messias

5 Agora ajunte-se em tropas, ó filha de tropas; farão cer-
co contra nós e ferirão com uma vara a face do juiz
de Israel.
2 "E você, Belém-Efrata, pequena entre os milhares de
Judá, de você me sairá quem governará em Israel e cujas
origens são desde os tempos antigos, desde os dias da
eternidade."
3 Portanto o Senhor entregará os israelitas até ao tempo
em que a que está de parto tiver dado à luz; então o res-
tante de seus irmãos voltará aos filhos de Israel.
4 E ele permanecerá e apascentará o povo na força do
Senhor, na excelência do nome do Senhor seu Deus, e
eles permanecerão, porque agora ele será engrandecido
até os fins da terra.
5 E este será a nossa paz; quando a Assíria vier à nos-
sa terra e quando pisar em nossos palácios, levantare-
mos contra ela sete pastores e oito príncipes dentre os
homens.
6 Estes consumirão a terra da Assíria à espada e a terra de
Ninrode nas suas entradas. Assim nos livrarão da Assíria,
quando ela vier à nossa terra e quando invadir os nossos
territórios.
7 E o remanescente de Jacó estará no meio de muitos
povos, como orvalho da parte do Senhor, como chuvisco
sobre a erva, que não espera pelo homem, nem depende
dos filhos de homens.
8 E o restante de Jacó estará entre as nações, no meio de
muitos povos, como um leão entre os animais do bosque,
como um leãozinho entre os rebanhos de ovelhas, o qual,
quando passar, pisará e despedaçará, sem que haja quem
as livre.
9 A sua mão se exaltará sobre os seus adversários e todos
os seus inimigos serão exterminados.
10 "E naquele dia", diz o Senhor, "eu exterminarei do
meio de você os seus cavalos e destruirei os seus carros
de guerra.
11 E destruirei as cidades da sua terra e derrubarei todas
as suas fortalezas;
12 e exterminarei as feitiçarias da sua mão e não terá
mais adivinhos;
13 e destruirei do meio de você as suas imagens de es-
cultura e as suas estátuas, e você não se inclinará mais
diante da obra das suas mãos.
14 E arrancarei os seus bosques do meio de você e des-
truirei as suas cidades.
15 E com ira e com furor farei vingança sobre as nações
que não me ouvem.

Acusações Contra Israel

6 Ouça agora o que diz o Senhor: Levante-se, contenda
com os montes, e as colinas ouçam a sua voz.
2 Ouçam, montes, a demanda do Senhor, e vocês, fortes
fundamentos da terra; porque o Senhor tem uma deman-
da com o seu povo e com Israel entrará em juízo.
3 Ó meu povo, o que fiz a você? E com que o enfadei?
Testifique contra mim.
4 Pois o tirei da terra do Egito e da casa da servidão e
o remi; e enviei Moisés, Arão e Miriã à frente de você.
5 Meu povo, lembre-se agora do que Balaque, rei de
Moabe, consultou, e o que Balaão, filho de Beor, lhe res-
pondeu, e do que aconteceu desde Sitim até Gilgal, para
que conheça as justiças do Senhor.
6 Com que me apresentarei ao Senhor e me inclinarei
diante do Deus altíssimo? Eu me apresentarei diante dele
com holocaustos, com bezerros de um ano?
7 O Senhor se agradará de milhares de carneiros, ou de
dez mil ribeiros de azeite? Darei o meu primogênito pela
minha transgressão, o fruto do meu ventre pelo pecado
da minha alma?
8 Ele lhe declarou, ó homem, o que é bom; e o que é
que o Senhor pede de você, senão que pratique a justiça,
ame a fidelidade e ande humildemente com o seu Deus?
9 A voz do Senhor clama à cidade; é sábio temer o seu
nome. Ouçam, tribos, a quem o ordenou.
10 Ainda há na casa do ímpio tesouros da impiedade e
medida escassa, que é detestável?
11 Seria eu limpo com balanças falsas e com uma bolsa
de pesos enganosos?
12 Porque os seus ricos estão cheios de violência, os seus
habitantes falam mentiras e a sua língua é enganosa na
sua boca.
13 Assim eu também o enfraquecerei, ferindo-o e asso-
lando-o por causa dos seus pecados.
14 Você comerá, mas não se fartará e a sua humilhação
estará no meio de você; removerá os seus bens, mas não
os livrará; aquilo que livrar, eu o entregarei à espada.
15 Você semeará, mas não colherá; pisará a azeitona,
mas não se ungirá com azeite; pisará as uvas, mas não
beberá o vinho.
16 Porque observam os estatutos de Onri e toda a obra
da casa de Acabe, e andam nos conselhos deles; para que

eu os faça uma desolação e dos seus habitantes um asso-
bio; assim trarei sobre vocês a vergonha do meu povo."

A Desgraça de Israel

7 Ai de mim! Porque estou como as colheitas de frutas
do verão, como os rabiscos da vindima; não há cacho
de uvas para comer, nem figos temporãos que a minha
alma deseja.
2 Já desapareceram da terra os homens piedosos e não há
entre os homens um que seja reto; todos armam ciladas
para sangue; cada um caça o seu irmão com a rede,
3 as suas mãos fazem diligentemente o mal; assim de-
manda o príncipe, o juiz julga pela recompensa, o grande
fala da corrupção da sua alma e assim todos eles tecem
o mal.
4 O melhor deles é como um espinho, e o mais reto é
pior do que a cerca de espinhos; veio o dia dos seus vi-
gias, veio o dia da sua punição; agora será a sua confusão.
5 Não acreditam no amigo, nem confiam no seu guia; da
sua esposa, escondem os seus segredos.
6 Porque o filho despreza o pai, a filha se levanta contra
sua mãe, a nora contra a sua sogra, os inimigos do ho-
mem são os da sua própria casa.
7 Eu, porém, olharei para o Senhor; esperarei no Deus da
minha salvação; o meu Deus me ouvirá.

O Triunfo Sobre Seus Inimigos

8 Ó inimiga minha, não se alegre a meu respeito; ainda
que eu tenha caído, me levantarei; se morar nas trevas, o
Senhor será a minha luz.
9 Sofrerei a ira do Senhor, porque pequei contra ele, até
que julgue a minha causa e execute o meu direito; ele me
tirará para a luz e eu verei a sua justiça.
10 E a minha inimiga verá isso e ficará coberta de vergo-
nha, aquela que me diz: "Onde está o Senhor seu Deus?"
Os meus olhos a contemplarão; agora ela será pisada
como a lama das ruas.
11 No dia em que reedificar os seus muros, ó Jerusalém,
nesse dia estarão ampliados os seus limites.
12 Naquele dia virão a você, desde a Assíria e das cidades
fortificadas, das cidades fortificadas até ao rio, do mar até
ao mar e da montanha até à montanha.
13 Mas esta terra será posta em desolação, por causa dos
seus moradores, por causa do fruto das suas obras.
14 O Senhor apascenta o seu povo com a sua vara, o
rebanho da sua herança, que habita a sós, no bosque,
no meio do Carmelo; apascentem-se em Basã e Gileade,
como nos dias do passado.
15 "Eu lhes mostrarei maravilhas, como nos dias da sua
saída da terra do Egito."
16 As nações o verão e se envergonharão, por causa de
todo o seu poder; porão a mão sobre a boca e os seus
ouvidos ficarão surdos.
17 Lamberão o pó como serpente, como vermes da terra,
tremendo, sairão dos seus esconderijos; com pavor virão
ao Senhor nosso Deus e terão medo de você.
18 Quem é Deus semelhante ao Senhor, que perdoa a
iniquidade e que passa por cima da rebelião do restante
da sua herança? Ele não retém a sua ira para sempre,
porque tem prazer na sua benignidade.
19 Tornará a apiedar-se de nós, sujeitará as nossas iniqui-
dades e lançará todos os nossos pecados nas profundezas
do mar.
20 Mostrará a Jacó a fidelidade e a Abraão a benignidade
que jurou a nossos pais desde os dias antigos.

A Vingança de Deus Contra Seus Inimigos

1 Profecia contra Nínive. Livro da visão de Naum, o
elcosita.
2 O Senhor é Deus zeloso e vingador; o Senhor é vin-
gador e cheio de furor; o Senhor usa vingança contra os
seus adversários e guarda a ira contra os seus inimigos.
3 O Senhor é tardio em irar-se, mas grande em poder,
e o culpado não tem por inocente; o Senhor tem o seu
caminho na tormenta e na tempestade, e as nuvens são
o pó dos seus pés.
4 Ele repreende o mar, o faz secar e esgota todos os rios;
desfalecem Basã e o Carmelo, e a flor do Líbano murcha.
5 Os montes tremem perante ele, e as colinas se derre-
tem; a terra se levanta na sua presença, o mundo e todos
os que nele habitam.
6 Quem parará diante do seu furor, e quem persistirá
diante do ardor da sua ira? A sua cólera se derramou
como um fogo, e as rochas foram por ele derrubadas.
7 O Senhor é bom, ele serve de fortaleza no dia da angús-
tia e conhece os que confiam nele.

8 Com uma inundação transbordante, acabará de uma
vez com Nínive e as trevas perseguirão os seus inimigos.
9 O que vocês estão pensando contra o Senhor? Ele
mesmo os consumirá completamente; a angústia não se
levantará por duas vezes.
10 Porque ainda que eles se entrelacem como os espinhos, e se saturem de vinho como bêbados, serão inteiramente consumidos como palha seca.
11 De você saiu um que planejou o mal contra o Senhor,
um conselheiro mau.
12 Assim diz o Senhor: "Por mais seguros que estejam
e por mais numerosos que sejam, ainda assim serão exterminados, e ele passará; eu o afligi, mas não o afligirei
mais.
13 Mas agora quebrarei o seu jugo de sobre você e romperei os seus laços.
14 Contra você, porém, o Senhor deu ordem para que
não haja mais linhagem do seu nome; da casa dos seus
deuses exterminarei as imagens de escultura e de fundição; ali farei o seu sepulcro, porque é vil."
15 Eis sobre os montes os pés de quem traz as boas novas, de quem anuncia a paz! Celebre as suas festas, ó
Judá, cumpra os seus votos, porque o ímpio não voltará
mais a passar por você; ele foi inteiramente exterminado.

O Exército do Senhor Contra Nínive

2 O destruidor subiu contra você, Nínive. Guarde a fortaleza, vigie o caminho, fortaleça os ombros, reforce
muito o seu poder.
2 Porque o Senhor restaurará a excelência de Jacó como
a excelência de Israel; porque os saqueadores os despojaram e destruíram os brotos das suas videiras.
3 Os escudos dos seus valentes serão vermelhos, os homens valorosos estarão vestidos de escarlate, os carros
como tochas flamejantes no dia da sua preparação e os
ciprestes serão terrivelmente abalados.
4 Os carros de guerra correrão furiosamente pelas ruas,
colidirão um contra o outro nos largos caminhos; o seu aspecto será como o de tochas, correrão como relâmpagos.
5 Ele se lembrará dos seus valentes; eles, porém, tropeçarão na sua marcha; se apressarão para chegar ao seu
muro, quando o amparo for preparado.
6 As portas dos rios se abrirão e o palácio será dissolvido.
7 Está decretado: Ela será levada cativa, conduzida para
cima, e as suas servas a acompanharão, gemendo como
pombas, batendo em seus peitos.
8 Nínive desde que existiu tem sido como um tanque
de águas, porém, elas agora vazam. "Parem! Parem!" se
clamará, mas ninguém olhará para trás.
9 Saqueiem a prata, saqueiem o ouro, porque não têm
fim as provisões, há riquezas de todos os gêneros de bens
desejáveis.
10 Está vazia, esgotada e devastada; o seu coração se
derrete, os joelhos tremem, em todos os corpos há dor e
os rostos de todos eles empalidecem.
11 Onde está agora o covil dos leões e as pastagens dos
leõezinhos, onde passeava o leão velho, e o filhote do
leão, sem haver ninguém que os espantasse?
12 O leão arrebatava o que bastava para os seus filhotes,
estrangulava a presa para as suas leoas, enchia de presas
as suas cavernas e os seus covis de rapina.
13 "Eis que eu estou contra você!, diz o Senhor dos
Exércitos, "e queimarei na fumaça os seus carros de guerra, a espada devorará os seus leõezinhos, arrancarei da
terra a sua presa e não se ouvirá mais a voz dos seus
mensageiros."

A Completa Ruína de Nínive

3 Ai da cidade sanguinária, que está toda cheia de mentiras e de rapina; o roubo não se aparta dela.
2 Há estalo dos açoites e o barulho do ruído das rodas; os
cavalos atropelam e os carros vão saltando.
3 O cavaleiro levanta a espada flamejante, como a lança relampejante, e ali haverá uma multidão de mortos,
abundância de cadáveres, e não terão fim os defuntos;
tropeçarão nos seus corpos;
4 por causa da multidão dos pecados da prostituta muito
graciosa, da mestra das feitiçarias, que seduziu as nações
com as suas fornicações e povos com suas feitiçarias.
5 "Eis que eu estou contra você", diz o Senhor dos Exércitos; "levantarei a sua saia sobre a sua face, mostrarei a
sua nudez às nações e aos reinos a sua vergonha.
6 E lançarei sobre você coisas abomináveis, a envergonharei e porei você como espetáculo.
7 E todos os que a virem fugirão de você e dirão: Nínive
está destruída, quem terá compaixão dela? De onde buscarei consoladores?"
8 Você é melhor do que Nó-Amom, que está assentada
entre os canais do Nilo, cercada de águas, tendo por esplanada o mar e ainda o mar por muralha?
9 Etiópia e Egito eram a sua força ilimitada; Pute e Líbia
foram o seu socorro.
10 Todavia foi levada cativa para o desterro; também os
seus filhos foram despedaçados nas entradas de todas as
ruas, sobre os seus nobres lançaram sortes e todos os seus
grandes foram presos com correntes.
11 Você também será embriagada e se esconderá; também buscará força por causa do inimigo.
12 Todas as suas fortalezas serão como figueiras com figos temporãos; se os sacodem, caem na boca de quem
há de comer.

13 Os seus soldados no meio de vocês são como mulhe-
res; as portas da sua terra estarão completamente abertas
aos seus inimigos; o fogo consumirá os seus ferrolhos.
14 Tire águas para o cerco, reforce as suas fortalezas;
entre no lodo e pise o barro, pegue a forma para os tijolos.
15 O fogo ali a consumirá, a espada a exterminará; a
consumirá como um gafanhoto devorador. Multiplique-se
como o gafanhoto, multiplique-se como eles.
16 Você multiplicou os seus negociantes mais do que as
estrelas do céu; o gafanhoto se espalhará e voará.
17 Os seus príncipes são como os gafanhotos e os seus
chefes como os gafanhotos grandes, que acampam nos
muros nos dias de frio; quando o sol sobe, eles voam, e
não se sabe mais o lugar onde estão.
18 Os seus pastores dormirão, ó rei da Assíria, os seus
ilustres repousarão, o seu povo se espalhará pelos mon-
tes, sem ter quem o ajunte.
19 Não há cura para a sua ferida, a sua chaga é incurável.
Todos os que ouvirem falar da sua queda baterão palmas
por isso, porque, sobre quem não passou continuamente
a sua maldade?

HABACUQUE

A Queixa de Habacuque

1 A profecia que o profeta Habacuque viu.
2 Até quando, Senhor, eu clamarei, e tu não me escu-
tarás? Até quando gritarei: "Violência!" E tu não salvarás?
3 Por que razão me mostras a iniquidade e me fazes ver
a opressão? Pois a destruição e a violência estão diante de
mim, há também contenda e litígio.
4 Por isso, a lei se afrouxa e a justiça nunca se manifesta;
porque o ímpio cerca o justo, e a justiça se manifesta
distorcida.

A Resposta de Deus

5 "Vejam entre as nações, olhem, se maravilhem e ad-
mirem; porque realizarei em seus dias uma obra em que
vocês não acreditarão, quando lhes contarem.
6 Porque eis que trago os caldeus, nação amarga e impe-
tuosa, que marcha sobre a largura da terra, para apode-
rar-se de moradas que não são suas.
7 É horrível e terrível; dela mesma sairão o seu juízo e
a sua dignidade.
8 E os seus cavalos são mais ligeiros do que os leopardos
e mais espertos do que os lobos à tarde; os seus cavaleiros
espalham-se por toda parte; os seus cavaleiros virão de
longe e voarão como águias que se apressam a devorar.
9 Eles todos virão para praticarem violência; os seus ros-
tos buscarão o vento oriental e reunirão os cativos como
areia.
10 Escarnecerão dos reis, e dos príncipes farão zombaria;
eles rirão de todas as fortalezas, porque amontoarão terra
e as tomarão.
11 Passarão como o furacão e se farão culpados, atribuin-
do este seu poder ao seu deus."

O Protesto do Profeta

12 Não és tu desde a eternidade, ó Senhor meu Deus,
meu Santo? Nós não morreremos. Ó Senhor, puseste
aquele povo para juízo, e tu, ó Rocha, o fundaste para
castigar.
13 Tu és tão puro de olhos, que não podes ver o mal, e
a opressão não podes contemplar. Por que olhas para os
que procedem traiçoeiramente e te calas quando o ímpio
devora aquele que é mais justo do que ele?
14 E por que farias os homens como os peixes do mar,
como os répteis, que não têm quem os governe?
15 Ele a todos levantará com o anzol, os apanhará com
a sua rede e os ajuntará na sua rede varredoura; por isso
ele se alegrará e se regozijará.
16 Por isso sacrificará à sua rede e queimará incenso à
sua varredoura; porque com elas engordou a sua porção
e engrossou a sua comida.
17 Mas será que por isso esvaziará a sua rede e não terá
piedade de destruir as nações continuamente?
2 Sobre a minha guarda estarei, e sobre a fortaleza me
apresentarei e vigiarei, para ver o que falará a mim, e
o que eu responderei quando eu for perguntado.

A Resposta de Deus

2 Então o Senhor me respondeu e disse: "Escreva a visão
e torne-a bem legível sobre tábuas, para que possa ser lida
por quem passa correndo.
3 Porque a visão é ainda para o tempo determinado, mas
se apresse para o fim e não falhará; se tardar, espere-o,
porque certamente virá, não tardará.
4 Eis que a sua alma está orgulhosa, não é reta nele; mas
o justo pela sua fé viverá.
5 Assim como ser dado ao vinho é enganoso, homem

soberbo não permanecerá; que alarga como o inferno a
sua alma; e é como a morte que não se farta, que ajunta a
si todas as nações e congrega a si todos os povos.
6 Não é fato que todos estes povos lançarão contra ele
uma parábola e um provérbio sarcástico? E eles dirão: 'Ai
daquele que multiplica o que não é seu! Até quando? E
daquele que carrega dívidas sobre si!'
7 Será que os seus credores não se levantarão de repen-
te? Não despertarão aqueles que farão você tremer e
você não lhes servirá de despojo?
8 Porque despojou muitas nações, todos os demais po-
vos despojarão você, por causa do sangue dos homens e
da violência feita à terra, à cidade e a todos os que nela
habitam.
9 Ai daquele que, para a sua casa, ajunta cobiçosamente
bens mal adquiridos, para pôr o seu ninho no alto, a fim
de se livrar do poder do mal!
10 Planejou vergonha para a sua casa; você, destruindo
muitos povos, pecou contra a sua vida.
11 Porque a pedra clamará da parede e a trave lhe res-
ponderá do madeiramento.
12 Ai daquele que edifica a cidade com sangue e que
funda a cidade com iniquidade!
13 Porventura não vem do Senhor dos Exércitos que os
povos trabalhem pelo fogo e os homens se cansem em
vão?
14 Porque a terra se encherá do conhecimento da glória
do Senhor, como as águas cobrem o mar.
15 Ai daquele que dá bebida forte ao seu companheiro!
Ai de você, que adiciona à bebida o seu furor, e o embe-
beda para ver a sua nudez!
16 Será farto de vergonha no lugar de honra; beba você
também e seja como um incircunciso; o cálice da mão
direita do Senhor voltará a você e a vergonha cairá sobre
a sua glória.
17 Porque a violência cometida contra o Líbano cairá
sobre você e a destruição das feras o amedrontará, por
causa do sangue dos homens, da violência feita à terra, à
cidade e a todos os que nela habitam.
18 Que proveito tem a imagem de escultura, depois que
o seu artífice a esculpiu? Ela é imagem de fundição que
ensina mentira, para que quem a formou confie na sua
obra, fazendo ídolos mudos?
19 Ai daquele que diz ao pau: 'Acorde!' E à pedra muda:
'Desperte!' Pode o ídolo ensinar? Eis que está coberto de
ouro e de prata, mas dentro dele não há espírito algum.
20 Mas o Senhor está no seu santo templo; cale-se diante
dele toda a terra."

A Oração de Habacuque

3 Oração do profeta Habacuque sobre Sigionote.
2 Senhor, ouvi falar da tua fama e temi; aviva a tua
obra, ó Senhor, a tua obra no meio dos anos, no meio
dos anos faze-a conhecida; na tua ira lembra-te da
misericórdia.
3 Deus veio de Temã, e do monte de Parã o Santo. A sua
glória cobriu os céus e a terra encheu-se do seu louvor.
4 E o resplendor se fez como a luz, raios brilhantes saíam
da sua mão e ali estava o esconderijo da sua força.
5 Adiante dele ia a peste e brasas ardentes saíam dos
seus passos.
6 Parou e mediu a terra; olhou e separou as nações; os
montes antigos foram esmiuçados; as colinas antigas se
abateram, porque os caminhos eternos lhe pertencem.
7 Vi as tendas de Cusã em aflição; as cortinas da terra de
Midiã tremiam.
8 Acaso é contra os rios, Senhor, que estás irado? É con-
tra os ribeiros a tua ira, ou contra o mar o teu furor, visto
que andas montado sobre os teus cavalos e nos teus car-
ros de salvação?
9 Descoberto se movimentou o teu arco; os juramentos
feitos às tribos foram uma palavra segura. Tu fendeste a
terra com rios.
10 Os montes te viram e tremeram; a inundação das
águas passou; o abismo deu a sua voz, levantou ao alto
as suas mãos.
11 O sol e a lua pararam nas suas moradas; andaram
à luz das tuas flechas, ao resplendor do relâmpago da
tua lança.
12 Com indignação marchaste pela terra, com ira trilhas-
te as nações.
13 Tu saíste para salvação do teu povo, para salvação do
teu ungido; tu feriste o cabeça da casa do ímpio, desco-
brindo o alicerce até a base.
14 Tu traspassaste com as suas próprias lanças a cabeça
dos inimigos; eles me acometeram tempestuosos para
me espalharem; alegravam-se, como se estivessem para
devorar o pobre em segredo.
15 Tu com os teus cavalos marchaste pelo mar, pela mas-
sa de grandes águas.
16 Ouvindo-o eu, o meu ventre se comoveu, à sua voz
tremeram os meus lábios; meus ossos enfraqueceram e
estremeci dentro de mim; no dia da angústia descansa-
rei, quando subir contra o povo que invadirá com suas
tropas.
17 Porque ainda que a figueira não floresça, nem haja
fruto na videira; ainda que decepcione o produto da
oliveira e os campos não produzam mantimento; ainda

que as ovelhas desapareçam do aprisco e nos currais não haja gado:

18 todavia eu me alegrarei no Senhor; exultarei no Deus da minha salvação.

19 Deus, o Senhor, é a minha força, que faz os meus pés como os das cervas e me faz andar nas alturas. Para o mestre de canto, e para os meus instrumentos de música.

SOFONIAS

Os Castigos de Judá

1 Palavra do Senhor, que veio a Sofonias, filho de Cusi, filho de Gedalias, filho de Amarias, filho de Ezequias, nos dias de Josias, filho de Amom, rei de Judá.

2 "Consumirei por completo tudo que estiver sobre a terra", diz o Senhor.

3 "Consumirei os homens e os animais, consumirei as aves do céu, os peixes do mar e os que causam tropeços juntamente com os ímpios; exterminarei os homens da face da terra", diz o Senhor.

4 E estenderei a minha mão contra Judá, contra todos os habitantes de Jerusalém e exterminarei deste lugar o restante de Baal e o nome dos sacerdotes dos ídolos, juntamente com os sacerdotes;

5 e os que sobre os telhados adoram o exército do céu, e os que se inclinam jurando ao Senhor, e juram por Milcom;

6 e os que deixam de andar nos caminhos do Senhor, e os que não buscam o Senhor, nem perguntam por ele.

7 Cale-se diante do Senhor Deus, porque o dia do Senhor está perto; porque o Senhor preparou o sacrifício e santificou os seus convidados.

8 Acontecerá que, no dia do sacrifício do Senhor, castigarei os príncipes, os filhos do rei e todos os que se vestem de trajes estrangeiros.

9 Castigarei naquele dia todo aquele que pula a soleira da porta do templo dos seus ídolos, que enche de violência e engano a casa dos seus senhores.

10 E naquele dia", diz o Senhor, "se fará ouvir uma voz de clamor na porta do peixe, um uivo perto da segunda porta e grande estrondo vindo dos montes.

11 Lamentem vocês, moradores de Mactes, porque todo o povo que comerciava está arruinado, todos os que estavam carregados de dinheiro foram destruídos.

12 Naquele tempo, vasculharei Jerusalém com lanternas e castigarei os homens que se acomodam como a borra do vinho, que dizem no seu coração: 'O Senhor não faz o bem nem faz o mal.'

13 Por isso serão saqueados os seus bens e assoladas as suas casas; edificarão casas, mas não habitarão nelas e plantarão vinhas, mas não beberão o seu vinho.

O Dia do Senhor

14 O grande dia do Senhor está perto, sim, está perto, e se apressa muito; amarga é a voz do dia do Senhor; clamará ali o valente.

15 Aquele dia será um dia de indignação, dia de tribulação e de angústia, dia de alvoroço e de assolação, dia de trevas e de escuridão, dia de nuvens e de densas trevas,

16 dia de trombeta e de alarido contra as cidades fortificadas e contra as torres altas.

17 E angustiarei os homens, que andarão como cegos, porque pecaram contra o Senhor; o seu sangue se derramará como pó e a sua carne será como esterco.

18 Nem a sua prata nem o seu ouro os poderão livrar no dia da indignação do Senhor, mas pelo fogo do seu zelo toda esta terra será consumida, porque certamente fará de todos os moradores da terra uma destruição total e repentina."

2 Congregue-se, sim, congregue-se, ó nação não desejável;

2 antes que o decreto produza o seu efeito e o dia passe como a palha; antes que venha sobre vocês o furor da ira do Senhor, antes que venha sobre vocês o dia da ira do Senhor.

3 Busquem ao Senhor, vocês, todos os mansos da terra, que andam conforme a sua palavra; busquem a justiça, busquem a mansidão; pode ser que sejam escondidos no dia da ira do Senhor.

Juízo Sobre os Filisteus

4 Porque Gaza será desamparada e Ascalom assolada; Asdode ao meio-dia será banida e Ecrom será desarraigada.

5 "Ai dos habitantes da costa do mar, a nação dos quereteus! A palavra do Senhor será contra vocês, ó Canaã, terra dos filisteus, e eu destruirei vocês, até que não haja mais morador."

6 A costa do mar será de pastos e cabanas para os pastores e currais para os rebanhos.

7 E será a costa para o restante da casa de Judá e ali apas-

centarão os seus rebanhos; de tarde se deitarão nas casas
de Ascalom, porque o Senhor seu Deus os visitará e os fará
tornarem do seu cativeiro.

Juízos Sobre Moabe e Amom

8 "Eu ouvi o escárnio de Moabe e as injuriosas palavras
dos filhos de Amom, com que escarneceram do meu povo
e se engrandeceram contra o seu território.
9 Portanto, juro pela minha vida, diz o Senhor dos Exérci-
tos, o Deus de Israel, que Moabe será como Sodoma, e os
filhos de Amom como Gomorra, campo de urtigas e poços
de sal, e assolação perpétua; o remanescente do meu povo
os saqueará e o restante do meu povo os possuirá."
10 Isso terão em recompensa da sua soberba, porque es-
carneceram e se engrandeceram contra o povo do Senhor
dos Exércitos.
11 O Senhor será terrível para eles, porque destruirá todos
os deuses da terra; e todos virão adorá-lo, cada um do seu
lugar, de todas as ilhas das nações.

Juízos Sobre a Etiópia e a Assíria

12 "Também vocês, ó etíopes, serão mortos com a minha
espada."
13 Estenderá também a sua mão contra o Norte e des-
truirá a Assíria; fará de Nínive uma assolação, terra seca
como o deserto.
14 E no meio dela repousarão os rebanhos, todos os ani-
mais das nações; se alojarão nos seus capitéis tanto o peli-
cano como o ouriço; o canto das aves se ouvirá nas janelas
e haverá desolação nos umbrais das portas, quando tiver
descoberto a sua obra de cedro.
15 Esta é a cidade alegre, que habita despreocupadamen-
te, que diz no seu coração: "Eu sou e não há outra além
de mim"; como se tornou em desolação, em pousada de
animais! Todos os que passarem por ela assobiarão e ba-
lançarão a sua mão.

Reprovação e Exortação Para Com Jerusalém

3 Ai da cidade rebelde, contaminada e opressora!
2 Não obedeceu à sua voz, não aceitou o castigo; não
confiou no Senhor e nem se aproximou do seu Deus.
3 Os seus príncipes são leões rugidores no meio dela; os
seus juízes são lobos da tarde, que não deixam os ossos
para amanhã.
4 Os seus profetas são levianos, homens aleivosos; os seus
sacerdotes profanaram o santuário e fizeram violência à
lei.
5 O Senhor é justo no meio dela e não comete iniquidade;
cada manhã traz o seu juízo à luz e nunca falta; mas o
perverso não conhece a vergonha.
6 "Exterminei as nações, as suas torres estão assoladas; fiz
desertas as suas praças, a ponto de não ficar quem passe
por elas; as suas cidades foram destruídas, até não ficar
ninguém, até não haver quem as habite.
7 Eu dizia: Certamente me temerão, aceitarão a correção
e assim a sua morada não seria destruída, conforme tudo
aquilo por que a castiguei; mas eles se levantaram de ma-
drugada, corromperam todas as suas obras.
8 Portanto, esperem por mim", diz o Senhor, "no dia em
que eu me levantar para o despojo; porque o meu decreto
é ajuntar as nações e congregar os reinos, para sobre eles
derramar a minha indignação, e todo o ardor da minha ira;
pois toda esta terra será consumida pelo fogo do meu zelo.
9 Então darei uma linguagem pura aos povos, para que
todos invoquem o nome do Senhor, para que o sirvam
com um mesmo consenso.
10 Além dos rios da Etiópia, meus zelosos adoradores,
que constituem a filha dos meus dispersos, me trarão
sacrifício.
11 Naquele dia não se envergonharão de nenhuma das
suas obras, com as quais se rebelaram contra mim; por-
que então tirarei do meio de vocês os que exultam na sua
soberba e vocês nunca mais se ensoberbecerão no meu
monte santo.
12 Mas deixarei no meio de vocês um povo humilde e
pobre, e eles confiarão no nome do Senhor.
13 O remanescente de Israel não cometerá iniquidade,
não proferirá mentira e na sua boca não se achará língua
enganosa; mas serão apascentados, se deitarão e não have-
rá quem os espante."

Regozijo Pela Salvação

14 Cante alegremente, ó filha de Sião; rejubile, ó Israel; re-
gozije-se e exulte de todo o coração, ó filha de Jerusalém.
15 O Senhor afastou os seus juízos, exterminou o seu ini-
migo; o Senhor, o rei de Israel, está no meio de vocês; você
não verá mais mal nenhum.
16 Naquele dia se dirá a Jerusalém: "Não tema, ó Sião,
não se enfraqueçam as suas mãos.
17 O Senhor seu Deus, o poderoso, está no meio de você,
ele salvará e se deleitará em você com alegria; se calará
por seu amor, se regozijará em você com júbilo."
18 "Os entristecidos por causa da reunião solene, congre-
garei; esses que são de você e para os quais a vergonha de
você era um peso.
19 Eis que naquele tempo procederei contra todos os que
a afligem, salvarei quem coxeia, recolherei a que foi expul-
sa e deles farei um louvor e um nome em toda a terra em
que foram envergonhados.
20 Naquele tempo os farei voltar, naquele tempo os reco-
lherei; certamente farei de vocês um nome e um louvor
entre todos os povos da terra, quando fizer voltar os seus
cativos diante dos seus olhos", diz o Senhor.

A Negligência na Reconstrução do Templo

1 No segundo ano do reinado de Dario, no sexto mês,
no primeiro dia do mês, veio a palavra do Senhor, por
intermédio do profeta Ageu, a Zorobabel, filho de Sealtiel,
príncipe de Judá, e a Josué, filho de Jozadaque, o sumo
sacerdote, dizendo:
2 “Assim fala o Senhor dos Exércitos: Este povo diz: ‘Não
chegou ainda o tempo, o tempo em que a casa do Senhor
deve ser edificada.’”
3 A palavra do Senhor veio por intermédio do profeta
Ageu, dizendo:
4 “Porventura é para vocês tempo de habitarem nas suas
casas forradas, enquanto esta casa fica deserta?
5 Ora, assim diz o Senhor dos Exércitos: Considerem os
seus caminhos.
6 Semeiam muito e recolhem pouco; comem, porém não
se fartam; bebem, porém não se saciam; vestem-se, porém
ninguém se aquece, e quem recebe salário recebe-o num
saco furado.

Ageu Incentiva a Construção

7 Assim diz o Senhor dos Exércitos: Considerem os seus
caminhos.
8 Subam ao monte, tragam madeira e edifiquem o templo;
então dele me agradarei e serei glorificado”, diz o Senhor.
9 Esperavam muito, mas veio pouco; esse pouco, quando
trouxerem para casa, eu o dissiparei com um sopro. E por
quê? Pergunta o Senhor dos Exércitos. Por causa do meu
templo, que está deserto, enquanto cada um de vocês cor-
re por causa da sua própria casa.
10 Por isso os céus retêm o orvalho sobre vocês e a terra
não produz os seus frutos.
11 Eu mandei vir a seca sobre a terra, sobre os montes,
sobre o trigo, sobre o mosto, sobre o azeite e sobre o que
a terra produz; como também sobre os homens, sobre o
gado e sobre todo o trabalho das mãos.”

Promessas de Ajuda Divina

12 Então Zorobabel, filho de Sealtiel, e Josué, filho de
Jozadaque, sumo sacerdote, e todo o restante do povo
obedeceram à voz do Senhor seu Deus e às palavras do
profeta Ageu, assim como o Senhor seu Deus o enviou; e
o povo temeu diante do Senhor.
13 Então Ageu, o mensageiro do Senhor, falou ao povo
conforme a mensagem do Senhor, dizendo: “Eu estou com
vocês”, diz o Senhor.
14 E o Senhor despertou o espírito de Zorobabel, filho de
Sealtiel, príncipe de Judá, e o espírito de Josué, filho de
Jozadaque, sumo sacerdote, e o espírito de todo o restante
do povo, e eles vieram e fizeram a obra na casa do Senhor
dos Exércitos, seu Deus,
15 no vigésimo quarto dia do sexto mês, no segundo ano
do rei Dario.

A Glória do Segundo Templo é Maior do que a do Primeiro

2 No sétimo mês, no vigésimo primeiro dia do mês, veio
a palavra do Senhor por intermédio do profeta Ageu,
dizendo:
2 “Fale agora a Zorobabel, filho de Sealtiel, príncipe de
Judá, e a Josué, filho de Jozadaque, sumo sacerdote, e ao
restante do povo, dizendo:
3 Quem entre vocês que, tendo sobrevivido, viu este tem-
plo na sua primeira glória? E como o veem agora? Não é
este como nada diante dos seus olhos, comparado com
aquele?
4 Agora, diz o Senhor, se esforce Zorobabel, e se esforce
Josué, filho de Jozadaque, sumo sacerdote, e se esforce
todo o povo da terra, diz o Senhor, e trabalhem; porque eu
estou com vocês, diz o Senhor dos Exércitos.
5 Segundo a aliança que fiz com vocês, quando saíram
do Egito, o meu Espírito permanece no meio de vocês;
não temam.
6 Porque assim diz o Senhor dos Exércitos: Ainda uma
vez, daqui a pouco, farei tremerem os céus e a terra, o
mar e a terra seca;
7 e farei tremerem todas as nações, e virão coisas preciosas
de todas as nações, então encherei este templo de glória,
diz o Senhor dos Exércitos.
8 Minha é a prata e meu é o ouro, disse o Senhor dos
Exércitos.
9 A glória deste último templo será maior do que a do
primeiro, diz o Senhor dos Exércitos, e neste lugar darei a
paz, diz o Senhor dos Exércitos.”

Obstáculos à Construção

10 No vigésimo quarto dia do mês nono, no segundo ano
do reinado de Dario, a palavra do Senhor veio por intermé-
dio do profeta Ageu, dizendo:
11 Assim diz o Senhor dos Exércitos: “Pergunte agora aos
sacerdotes, em relação à lei, dizendo:
12 Se alguém levar carne santa na orla das suas vestes e
com ela tocar no pão, ou no guisado, ou no vinho, ou no
azeite, ou em qualquer outro mantimento, por acaso isso
ficará santificado?” E os sacerdotes responderam: “Não.”
13 E disse Ageu: “Se alguém que for contaminado pelo

contato com um corpo morto, e tocar em alguma destas
coisas, ela ficará impura?" E os sacerdotes responderam,
dizendo: "Sim, ficará impura."
14 Então Ageu continuou: "Assim é este povo e assim é
esta nação diante de mim, diz o Senhor; 'Assim é toda a
obra das suas mãos, e tudo o que ali oferecem é impuro.
15 Agora considerem isto, desde este dia em diante, antes
que se lançasse pedra sobre pedra no templo do Senhor,
16 antes que acontecessem estas coisas, vinha alguém a
um montão de grão, de vinte medidas, e havia somente
dez; quando vinha ao lagar para tirar cinquenta, havia so-
mente vinte.
17 Eu os feri com queimadura, com ferrugem e com grani-
zo, em toda a obra das suas mãos, porém, não houve entre
vocês quem voltasse para mim', diz o Senhor.
18 'Por isso, desde este dia em diante; desde o vigésimo
quarto dia do nono mês, desde o dia em que se fundou o
templo do Senhor, considerem essas coisas.
19 Ainda há semente no celeiro? Além disso a videira,
a figueira, a romãzeira, a oliveira, não têm dado os seus
frutos; mas desde este dia abençoarei vocês.'"

Promessas a Zorobabel

20 E a palavra do Senhor veio a Ageu pela segunda vez, ao
vigésimo quarto dia do mês, dizendo:
21 "Fale a Zorobabel, príncipe de Judá, dizendo: Farei tre-
merem os céus e a terra;
22 transtornarei o trono dos reinos e destruirei a força dos
reinos das nações; transtornarei os carros de guerra e os
que neles andam; os cavalos e os seus cavaleiros cairão,
cada um pela espada do seu irmão.
23 Naquele dia, diz o Senhor dos Exércitos, o tomarei,
ó Zorobabel, meu servo, filho de Sealtiel, diz o Senhor,
e o farei como um anel de selar; porque o escolhi", diz o
Senhor dos Exércitos.

ZACARIAS

Chamado ao Arrependimento

1 No oitavo mês do segundo ano do reinado de Dario,
a palavra do Senhor veio ao profeta Zacarias, filho de
Baraquias, filho de Ido, dizendo:
2 "O Senhor se irou fortemente contra seus pais.
3 Portanto, diga-lhes: Assim diz o Senhor dos Exércitos:
Voltem vocês para mim, e eu voltarei para vocês", diz o
Senhor dos Exércitos.
4 "E não sejam como seus pais, aos quais clamavam os
primeiros profetas, dizendo: Assim diz o Senhor dos Exér-
citos: Convertam-se agora dos seus maus caminhos e das
suas más obras; mas não ouviram, nem me escutaram",
diz o Senhor.
5 "Seus pais, onde estão? E os profetas, eles viverão para
sempre?
6 Contudo, as minhas palavras e os meus estatutos, que eu
ordenei aos profetas, meus servos, não alcançaram a seus
pais? E eles voltaram e disseram: 'Assim como o Senhor
dos Exércitos pensou em nos tratar, segundo os nossos ca-
minhos e segundo as nossas obras, assim ele nos tratou.'"

Os Quatro Cavalos

7 No vigésimo quarto dia do décimo primeiro mês, que é o
mês de Sebate, no segundo ano do reinado de Dario, veio
a palavra do Senhor ao profeta Zacarias, filho de Baraquias,
filho de Ido, dizendo:
8 "Olhei de noite e vi um homem montado num cavalo
vermelho; ele estava parado entre as murtas que estavam
na baixada e atrás dele estavam cavalos vermelhos, ma-
lhados e brancos.
9 E eu disse: Meu senhor, quem são estes? E o anjo que fa-
lava comigo respondeu: 'Eu lhe mostrarei quem são eles.'
10 Então o homem que estava entre as murtas disse: 'Eles
são os que o Senhor enviou para percorrerem a terra.
11 E eles responderam ao anjo do Senhor, que estava entre
as murtas e disseram: Nós já percorremos a terra e toda a
terra está tranquila e quieta.'
12 Então o anjo do Senhor respondeu e disse: 'Ó Senhor
dos Exércitos, até quando não terás compaixão de Jerusa-
lém e das cidades de Judá, contra as quais estiveste irado
estes setenta anos?'
13 E respondeu o Senhor ao anjo, que falava comigo, com
palavras boas, palavras consoladoras.
14 E o anjo que falava comigo me disse: 'Clame, dizendo:
Assim diz o Senhor dos Exércitos: Com grande empenho
estou zelando por Jerusalém e por Sião.
15 E com grande indignação estou irado contra as nações
descansadas; porque eu estava pouco indignado, mas eles
agravaram o mal.'
16 Portanto, assim diz o Senhor: 'Voltei-me para Jerusa-
lém com misericórdia; nela será reconstruído o meu tem-

plo', diz o Senhor dos Exércitos, 'e a corda de medir será
estendida sobre Jerusalém.
17 Clame outra vez, dizendo: Assim diz o Senhor dos
Exércitos: As minhas cidades ainda aumentarão e prosperarão;
porque o Senhor ainda consolará Sião e ainda escolherá
Jerusalém.'

Os Quatro Chifres

18 E levantei os meus olhos, e vi, e eis quatro chifres.
19 E eu disse ao anjo que falava comigo: O que são estes?
E ele me disse: 'Estes são os chifres que dispersaram Judá,
Israel e Jerusalém.'
20 E o Senhor me mostrou quatro carpinteiros.
21 Então eu disse: O que estes vêm fazer? E ele falou:
'Estes são os chifres que dispersaram Judá, de maneira que
ninguém pôde levantar a sua cabeça; estes vieram para
os amedrontarem, para derrubarem os chifres das nações
que levantaram o seu poder contra a terra de Judá, para a
espalharem.'

O Homem Com a Corda de Medir

2 Tornei a levantar os meus olhos, e vi, e eis um homem
que tinha na mão uma corda de medir.
2 E eu disse: Para onde você vai? E ele me respondeu:
'Vou medir Jerusalém, para ver qual é a sua largura e qual
o seu comprimento.'
3 E eis que saiu o anjo que falava comigo, e outro anjo lhe
saiu ao encontro,
4 e lhe disse: 'Corra, fale a este jovem, dizendo: Jerusalém
será habitada como as aldeias sem muros, por causa da
multidão dos homens e dos animais que haverá nela.
5 Pois eu', diz o Senhor, 'serei para ela um muro de fogo
ao redor, e para glória estarei no meio dela.'"

A Redenção de Sião

6 "Atenção! Atenção! Fujam agora da terra do Norte, diz
o Senhor, porque espalhei vocês pelos quatro ventos do
céu", diz o Senhor.
7 "Atenção! Sião! Escape, você, que habita com a filha
da Babilônia.
8 Porque assim diz o Senhor dos Exércitos: Depois da glória
ele me enviou às nações que os despojaram; porque
aquele que tocar em vocês toca na menina do meu olho.
9 Porque aí levantarei a minha mão contra eles, e eles
virão a ser a presa daqueles que os serviram; assim vocês
saberão que o Senhor dos Exércitos me enviou.
10 Exulte e alegre-se, ó filha de Sião, porque eis que venho
e habitarei no meio de você", diz o Senhor.
11 "E naquele dia muitas nações se ajuntarão ao Senhor e
serão o meu povo; habitarei no meio de você e saberá que
o Senhor dos Exércitos me enviou a você.
12 Então o Senhor herdará Judá como sua porção na terra
santa e ainda escolherá Jerusalém.
13 Calem-se todos diante do Senhor, porque ele se levantou
da sua santa morada."

As Vestes do Sumo Sacerdote Josué

3 E ele me mostrou o sumo sacerdote Josué, que estava
diante do anjo do Senhor, e Satanás estava à sua direita,
para o acusar.
2 Mas o Senhor disse a Satanás: "Que o Senhor o repreenda,
ó Satanás, sim, o Senhor, que escolheu Jerusalém, o
repreenda; não é este um tição tirado do fogo?"
3 Josué, vestido de vestes sujas, estava diante do anjo.
4 Então o anjo respondeu aos que estavam diante dele,
dizendo: "Tire estas vestes sujas." E a Josué ele disse: "Eis
que tenho feito com que passe de você a sua iniquidade e
o vestirei de roupas finas."
5 E disse: "Ponham-lhe uma mitra limpa sobre a sua cabeça."
E puseram uma mitra limpa sobre a sua cabeça e
vestiram-no com roupas; e o anjo do Senhor estava em pé.
6 E o anjo do Senhor protestou a Josué, dizendo:
7 "Assim diz o Senhor dos Exércitos: Se andarem nos
meus caminhos e se observarem a minha ordenança, também
você julgará a minha casa, também guardará os meus
átrios e lhe darei livre acesso entre os que estão aqui.
8 Ouça, pois, Josué, sumo sacerdote, você e os seus companheiros
que se assentam diante de você, porque são
homens simbólicos; eis que eu farei vir o meu servo, o
Renovo.
9 Porque eis aqui a pedra que pus diante de Josué; sobre
esta pedra única estão sete olhos; eis que eu esculpirei nela
uma inscrição, diz o Senhor dos Exércitos, e tirarei a iniquidade
desta terra num só dia.
10 Naquele dia, diz o Senhor dos Exércitos, cada um de
vocês convidará o seu próximo para debaixo da videira e
para debaixo da figueira."

O Castiçal de Ouro e as Duas Oliveiras

4 E o anjo que falava comigo voltou e me despertou,
como a um homem que é despertado do seu sono,
2 e me perguntou: "O que você está vendo?" E eu respondi:
"Vejo um castiçal todo de ouro e um vaso de azeite no
seu topo, com as suas sete lâmpadas e sete canudos, um
para cada uma das lâmpadas que estão no seu topo.
3 E, por cima dele, duas oliveiras, uma à direita do vaso de
azeite e outra à sua esquerda."
4 E respondi, dizendo ao anjo que falava comigo: "Meu
senhor, o que é isto?"
5 Então o anjo que falava comigo, disse: "Você não sabe o
que é isto?" E eu disse: "Não, meu senhor."
6 E ele me disse: "Esta é a palavra do Senhor a Zorobabel,
dizendo: 'Não por força nem por violência, mas sim pelo
meu Espírito", diz o Senhor dos Exércitos.
7 "Quem é você, ó grande monte? Diante de Zorobabel

se tornará uma campina; porque ele trará a pedra angular
com aclamações: Graça, graça a ela."
8 E a palavra do Senhor veio novamente a mim, dizendo:
9 "As mãos de Zorobabel têm lançado os alicerces deste
templo; também as suas mãos o acabarão, para que saibam
que o Senhor dos Exércitos me enviou a vocês.
10 Porque, quem despreza o dia das coisas pequenas? Pois
esses sete se alegrarão, vendo o prumo na mão de Zorobabel;
esses são os sete olhos do Senhor, que percorrem
toda a terra."
11 E perguntei: "O que são as duas oliveiras à direita e à
esquerda do castiçal?"
12 E perguntei novamente: "Que são aqueles dois ramos
de oliveira, que estão junto aos dois tubos de ouro e que
vertem azeite dourado?"
13 E ele me respondeu: "Você não sabe o que é isto?" E eu
disse: "Não, meu senhor."
14 Então ele disse: "Estes são os dois ungidos, que estão
diante do Senhor de toda a terra."

A Visão do Pergaminho

5 E outra vez levantei os meus olhos, e vi, e eis um rolo
que voava.
2 E o anjo me perguntou: "O que você vê?" E eu Respondi:
"Vejo um rolo voando, que tem nove metros de
comprimento e quatro metros e meio de largura."
3 Então ele me disse: "Esta é a maldição que sairá pela face
de toda a terra; porque quem furtar será expulso, conforme
está estabelecido de um lado do rolo; como também
quem jurar falsamente será expulso, conforme está estabelecido
do outro lado do rolo.
4 Eu farei sair essa maldição", disse o Senhor dos Exércitos,
"e ela entrará na casa do ladrão e na casa de quem
jurar falsamente pelo meu nome; e ela permanecerá no
meio da sua casa e a consumirá juntamente com a sua
madeira e com as suas pedras."

A Mulher Dentro do Cesto

5 E saiu o anjo que falava comigo e disse-me: "Levante
agora os seus olhos e veja o que é isto que sai."
6 E eu disse: "O que é isto?" E ele disse: "Isto é um cesto
que serve para medir." Disse ainda: "Este é o pecado deles
em toda a terra."
7 E eis que foi levantada uma tampa de chumbo, e uma
mulher estava sentada no meio do cesto.
8 E ele disse: "Esta é a impiedade." E a lançou para dentro
do cesto; e pôs sobre a boca do cesto o peso de chumbo.
9 E levantei os meus olhos, e vi, e eis que saíram duas
mulheres que traziam vento nas suas asas, pois tinham
asas como as da cegonha; e levantaram o cesto entre a
terra e o céu.
10 Então eu disse ao anjo que falava comigo: "Para onde
elas levam o cesto?"
11 E ele me disse: "Para lhe edificarem uma casa na terra
de Sinar; então, quando ela estiver acabada, ele será posto
ali na sua base."

As Quatro Carruagens

6 E outra vez levantei os meus olhos, e vi, e eis que quatro
carros saíam do meio de dois montes e estes montes
eram de bronze.
2 No primeiro carro os cavalos eram vermelhos, e, no segundo
carro, eram pretos,
3 e, no terceiro carro, os cavalos eram brancos, e, no quarto
carro, eram malhados, e todos eles eram fortes.
4 E perguntei ao anjo que falava comigo: "O que é isto,
meu senhor?"
5 E o anjo respondeu: "Estes são os quatro espíritos do
céu, saindo de onde estavam perante o Senhor de toda
a terra.
6 O carro em que estão os cavalos pretos sai para a terra
do Norte, os brancos saem atrás deles e os malhados saem
para a terra do Sul.
7 E os cavalos fortes saíam e procuravam ir adiante, para
percorrerem a terra." E ele disse: "Vão, percorram a terra."
E percorreram a terra.
8 E ele me disse: "Aqueles que saíram para a terra do Norte
fizeram repousar o meu Espírito na terra do Norte."

A Coroa de Josué

9 E a palavra do Senhor veio a mim, dizendo:
10 "Pegue dos que foram levados cativos, de Heldai, de
Tobias e de Jedaías, que vieram da Babilônia, e venha você
no mesmo dia e entre na casa de Josias, filho de Sofonias.
11 Pegue prata e ouro, faça coroas e coloque na cabeça do
sumo sacerdote Josué, filho de Jozadaque.
12 E lhe diga: Assim diz o Senhor dos Exércitos: Eis aqui
o homem cujo nome é Renovo; ele brotará do seu lugar e
edificará o templo do Senhor.
13 Ele mesmo edificará o templo do Senhor e ele levará a
glória; se assentará no seu trono e dominará, será sacerdote
no seu trono e haverá paz entre ambos os ofícios.
14 E estas coroas serão para Helém, para Tobias, para Jedaías
e para Hem, filho de Sofonias, como um memorial
no templo do Senhor.
15 E aqueles que estão longe virão e edificarão o templo
do Senhor, então, vocês saberão que o Senhor dos Exércitos
me enviou a vocês; isto acontecerá assim, se diligentemente
ouvirem a voz do Senhor seu Deus."

O Falso Jejum

7 Aconteceu, no quarto ano do reinado de Dario, que
a palavra do Senhor veio a Zacarias, no quarto dia do
nono mês, que é o mês de Quisleu.

2 Quando o povo enviou Sarezer e Régen-Meleque e os
seus homens à casa de Deus, para suplicarem o favor do
Senhor.
3 E para dizerem aos sacerdotes que estavam na casa do
Senhor dos Exércitos e aos profetas: "Devemos chorar no
quinto mês, fazendo jejum, como temos feito por tantos
anos?"
4 Então a palavra do Senhor dos Exércitos veio a mim,
dizendo:
5 "Pergunte a todo o povo desta terra e aos sacerdotes:
Quando jejuaram e prantearam, no quinto e no sétimo
mês, durante estes setenta anos, porventura foi mesmo
para mim que jejuaram?
6 Ou, quando comiam e quando bebiam, não foi para vo-
cês mesmos que comeram e beberam?
7 Não foram estas as palavras que o Senhor pregou pelo
ministério dos primeiros profetas, quando Jerusalém esta-
va habitada e em paz, com as suas cidades ao redor dela, e
o Sul e a campina eram habitados?"

A Causa do Cativeiro

8 E a palavra do Senhor veio a Zacarias:
9 "Assim falou o Senhor dos Exércitos: Executem juízo
verdadeiro, mostrem piedade e misericórdia cada um para
com seu irmão.
10 E não oprimam a viúva, nem o órfão, nem o estrangei-
ro, nem o pobre, nem intente cada um, em seu coração, o
mal contra o seu irmão."
11 Eles, porém, não quiseram escutar e deram-me de om-
bro rebelde, e ensurdeceram os seus ouvidos, para que não
ouvissem.
12 Sim, fizeram os seus corações como pedra de diaman-
te, para que não ouvissem a lei, nem as palavras que o
Senhor dos Exércitos enviou pelo seu Espírito por intermé-
dio dos primeiros profetas; daí veio a grande ira do Senhor
dos Exércitos.
13 "E, assim como eles clamaram e não ouviram, também
eles clamaram e eu não ouvi", diz o Senhor dos Exércitos.
14 "Assim os espalhei com um vendaval por entre todas as
nações que eles não conheciam, e a terra foi assolada atrás
deles, de modo que ninguém ia ou vinha por ela; porque
fizeram da terra desejada uma desolação."

Promessas de Deus a Jerusalém

8 Depois veio a mim a palavra do Senhor dos Exércitos,
dizendo:
2 "Assim diz o Senhor dos Exércitos: Zelei por Sião com
grande zelo e com grande indignação zelei por ela.
3 Assim diz o Senhor: Voltarei para Sião, habitarei no meio
de Jerusalém, que será chamada a cidade da verdade, e o
monte do Senhor dos Exércitos, o monte santo.
4 Assim diz o Senhor dos Exércitos: Ainda nas praças de
Jerusalém habitarão velhos e velhas; levando cada um na
mão o seu bordão, por causa da sua muita idade.
5 E as ruas da cidade se encherão de meninos e meninas,
que nelas brincarão.
6 Assim diz o Senhor dos Exércitos: Se isto for maravilhoso
aos olhos do restante deste povo naqueles dias, será tam-
bém maravilhoso para mim?", diz o Senhor dos Exércitos.
7 Assim diz o Senhor dos Exércitos: "Eis que salvarei o
meu povo da terra do Oriente e da terra do Ocidente;
8 e os trarei e habitarão no meio de Jerusalém; eles serão
o meu povo e eu lhes serei o seu Deus em verdade e em
justiça.
9 Assim diz o Senhor dos Exércitos: Esforcem-se as suas
mãos, ó vocês, que nestes dias ouvem estas palavras da
boca dos profetas, que estiveram no dia em que foi posto
o fundamento da casa do Senhor dos Exércitos, para que o
templo fosse edificado.
10 Porque antes destes dias não havia salário para os ho-
mens, nem pagamento pelo trabalho dos animais; nem ha-
via paz para quem entrava nem para quem saía, por causa
do inimigo, porque eu incitei a todos os homens, cada um
contra o seu próximo.
11 Mas agora não serei com o restante deste povo como
nos primeiros dias, diz o Senhor dos Exércitos.
12 Porque haverá semente de prosperidade; a videira dará
o seu fruto, a terra dará a sua novidade e os céus darão o
seu orvalho; e farei com que o restante deste povo herde
tudo isto.
13 Ó casa de Judá, e casa de Israel, assim como foram uma
maldição entre as nações, assim os salvarei e serão uma
bênção; não temam, sejam fortes.
14 Porque assim diz o Senhor dos Exércitos: Como pensei
em fazer o mal a vocês, quando seus pais me provocaram à
ira, diz o Senhor dos Exércitos, e não me arrependi,
15 assim tornei a pensar nestes dias em fazer o bem a
Jerusalém e à casa de Judá; não temam.
16 Estas são as coisas que devem fazer: Falem a verdade
cada um com o seu próximo; executem juízo de verdade e
de paz nas suas portas.
17 E nenhum de vocês pense mal no seu coração contra o
seu próximo, nem amem o juramento falso; porque todas
estas são coisas que eu odeio", diz o Senhor.
18 E a palavra do Senhor dos Exércitos veio a mim,
dizendo:
19 "Assim diz o Senhor dos Exércitos: O jejum do quarto,
o jejum do quinto, o jejum do sétimo e o jejum do décimo
mês será para a casa de Judá um dia de gozo, alegria e
festividades solenes; amem a verdade e a paz.
20 Assim diz o Senhor dos Exércitos: Ainda acontecerá
que virão os povos e os habitantes de muitas cidades,

21 e os habitantes de uma cidade irão à outra, dizendo:
'Vamos depressa suplicar o favor do Senhor e buscar o Se-
nhor dos Exércitos; eu também irei.'
22 Assim virão muitos povos e poderosas nações para bus-
carem em Jerusalém o Senhor dos Exércitos e para supli-
carem o favor do Senhor.
23 Assim diz o Senhor dos Exércitos: Naquele dia acon-
tecerá que pegarão dez homens, de todas as línguas das
nações, pegarão, sim, na orla das vestes de um judeu, di-
zendo: Iremos com vocês, porque ouvimos que Deus está
com vocês."

Profecias Contra os Inimigos

9 "Profecia da palavra do Senhor contra a terra de Hadra-
que e Damasco, o seu repouso; porque o olhar do ho-
mem e de todas as tribos de Israel se volta para o Senhor.
2 E também Hamate que faz fronteira com ela, e Tiro e
Sidom, ainda que sejam mais sábias.
3 Tiro edificou para si fortalezas, amontoou prata como o
pó e ouro fino como a lama das ruas.
4 Eis que o Senhor a despojará e ferirá com o mar a sua
força, e ela será consumida pelo fogo.
5 Asquelon o verá e temerá; também Gaza, e terá gran-
de dor; igualmente Ecrom; porque a sua esperança será
confundida; o rei de Gaza perecerá e Asquelon não será
habitada.
6 Um bastardo habitará em Asdode e exterminarei a so-
berba dos filisteus.
7 Da sua boca tirarei o seu sangue e dentre os seus dentes
as suas abominações; ele também ficará como um rema-
nescente para o nosso Deus, será como príncipe em Judá
e Ecrom como um jebuseu.
8 E me acamparei ao redor da minha casa, contra o exér-
cito, para que ninguém passe, nem volte; para que não
passe mais sobre eles o opressor; porque agora vi com os
meus olhos.

A Vinda do Messias e o Seu Reino

9 Alegre-se muito, ó filha de Sião; exulte, ó filha de Jerusa-
lém; eis que o seu rei virá a você, justo e salvador, pobre, e
montado sobre um jumento, sobre um jumentinho, filho
de jumenta.
10 De Efraim destruirei os carros e de Jerusalém os cava-
los; o arco de guerra será destruído, e ele anunciará paz às
nações; o seu domínio se estenderá de mar a mar, desde o
rio até às extremidades da terra.
11 Ainda quanto a você, por causa do sangue da sua alian-
ça, libertei os seus presos da cova em que não havia água.
12 Voltem para a fortaleza, ó presos com esperança; tam-
bém hoje anuncio que os restaurarei em dobro.
13 Porque entesei Judá para mim como um arco e fiz de
Efraim sua flecha; despertarei os seus filhos, ó Sião, contra
os seus filhos, ó Grécia! E a farei, ó Sião, como a espada
de um valente.
14 E o Senhor será visto sobre eles e as suas flechas sairão
como o relâmpago; o Senhor Deus fará soar a trombeta e
irá com os redemoinhos do Sul.
15 O Senhor dos Exércitos os amparará; eles devorarão
os inimigos, depois que tiverem pisado nas pedras atiradas
com a funda; também beberão e farão barulho como ex-
citados pelo vinho; se encherão como bacias de sacrifício,
como os cantos do altar.
16 E o Senhor seu Deus naquele dia os salvará, como o
rebanho do seu povo: Porque como pedras de uma coroa
eles resplandecerão na sua terra.
17 Porque é grande é a sua bondade! E quão grande é a
sua formosura! O trigo fará florescer os jovens e o vinho
as virgens.

Os Cuidados de Deus por Seu Povo

10 Pedi ao Senhor chuva no tempo da chuva serôdia,
sim, ao Senhor que faz relâmpagos; ele lhes dará
chuvas abundantes e a cada um erva no campo.
2 Porque os ídolos têm falado vaidade e os adivinhos têm
visto mentira, e contam sonhos falsos; com vaidade conso-
lam, por isso seguem o seu caminho como ovelhas; estão
aflitos, porque não há pastor.
3 Contra os pastores se acendeu a minha ira e castigarei os
bodes; mas o Senhor dos Exércitos visitará o seu rebanho,
a casa de Judá, e os fará como o seu majestoso cavalo na
batalha.
4 Dele sairá a pedra de esquina, dele a estaca, dele o arco
de guerra, dele juntamente sairá todo o opressor.
5 E serão como poderosos que na batalha esmagam o ini-
migo no lodo das ruas; porque o Senhor estará com eles e
confundirão os que andam montados em cavalos.
6 E fortalecerei a casa de Judá, salvarei a casa de José e
os farei voltar, porque me compadeci deles; então serão
como se eu não os tivesse rejeitado, porque eu sou o Se-
nhor seu Deus, e os ouvirei.
7 E os de Efraim serão como um valente, e o seu coração
se alegrará como pelo vinho; seus filhos o verão e se ale-
grarão; o seu coração se regozijará no Senhor.
8 Eu lhes assobiarei e os ajuntarei, porque eu os tenho
remido; então se multiplicarão como antes se tinham
multiplicado.
9 Ainda que os tenha espalhado por entre os povos, eles
se lembrarão de mim nos lugares remotos, viverão com
seus filhos e voltarão.
10 Porque eu os farei voltar da terra do Egito e os con-
gregarei da Assíria; eu os trarei da terra de Gileade e do
Líbano, e não se achará lugar bastante para eles.
11 E ele passará pelo mar da angústia, ferirá as ondas

no mar e todas as profundezas do Nilo secarão; então
será derrubada a soberba da Assíria e o cetro do Egito se
retirará.
12 E eu os fortalecerei no Senhor e andarão no seu
nome", diz o Senhor.

A Derrota dos Opressores

11 Abra, ó Líbano, as suas portas para que o fogo con-
suma os seus cedros.
2 Chore, ó cipreste, porque o cedro caiu, porque os mais
poderosos são destruídos; chorem, ó carvalhos de Basã,
porque o bosque forte foi derrubado.
3 Voz de uivo dos pastores! Porque a sua glória foi destruí-
da; voz de bramido dos filhos de leões, porque foi destruí-
da a soberba do Jordão.
4 Assim diz o Senhor meu Deus: "Apascente as ovelhas
da matança,
5 cujos compradores as matam e não se têm por culpados,
e cujos vendedores dizem: 'Louvado seja o Senhor, por-
que tenho enriquecido'; os seus pastores não têm piedade
delas.
6 Certamente não terei mais piedade dos moradores desta
terra", diz o Senhor, "mas, eis que entregarei os homens
cada um na mão do seu próximo e na mão do seu rei; eles
ferirão a terra e eu não os livrarei da sua mão."

Os Dois Cajados

7 Eu, pois, apascentei as ovelhas da matança, as pobres
ovelhas do rebanho. Tomei para mim duas varas: À uma
chamei Graça e à outra chamei União; assim apascentei
as ovelhas.
8 E destruí os três pastores num mês; porque perdi a pa-
ciência com eles e eles se cansaram de mim.
9 E eu disse: Não apascentarei mais vocês; quem tiver de
morrer, que morra; e quem for destruído, que seja destruí-
do; e as que restarem comam cada uma a carne da outra.
10 E peguei a minha vara Graça, e a quebrei, para des-
fazer a minha aliança, que tinha estabelecido com todos
estes povos.
11 E foi desfeita naquele dia; assim conheceram os pobres
do rebanho, que me respeitavam, que isto era palavra do
Senhor.
12 Porque eu lhes disse: Se parece bem para vocês, pa-
guem o meu salário e, se não, deixem por isso mesmo. E
pesaram o meu salário, trinta moedas de prata.
13 O Senhor me disse: "Lance isso ao oleiro, esse belo
preço em que fui avaliado por eles." E peguei as trinta
moedas de prata e as lancei ao oleiro, na casa do Senhor.
14 Então quebrei a minha segunda vara União, para rom-
per a irmandade entre Judá e Israel.
15 E o Senhor me disse: "Tome ainda para você o instru-
mento de um pastor insensato.
16 Porque levantarei um pastor na terra que não cuidará
das ovelhas que estão perecendo, não buscará a pequena,
não curará a ferida, nem apascentará a sã; mas comerá a
carne da gorda e lhe despedaçará as unhas.
17 Ai do pastor inútil, que abandona o rebanho! A espada
cairá sobre o seu braço e sobre o seu olho direito; o seu
braço completamente secará e o seu olho direito comple-
tamente se escurecerá."

A Libertação de Jerusalém

12 A palavra do Senhor sobre Israel: Palavra do Senhor,
que estende o céu, que funda a terra e que forma o
espírito do homem dentro dele.
2 Eis que eu farei de Jerusalém uma taça de tremor para
todos os povos ao redor, e para Judá, durante o cerco con-
tra Jerusalém.
3 E acontecerá naquele dia que farei de Jerusalém uma pe-
dra pesada para todos os povos; todos os que a carregarem
certamente serão despedaçados; e se ajuntarão contra ela
todos os povos da terra.
4 Naquele dia", diz o Senhor, "ferirei de espanto todos
os cavalos e de loucura os que montam neles; mas sobre
a casa de Judá abrirei os meus olhos e ferirei de cegueira
todos os cavalos dos povos.
5 Então os governadores de Judá dirão no seu coração: Os
habitantes de Jerusalém são a minha força no Senhor dos
Exércitos, seu Deus.
6 Naquele dia porei os governadores de Judá como um
braseiro ardente no meio da lenha e como um facho de
fogo entre gravetos; e à direita e à esquerda consumirão
todos os povos ao redor, e Jerusalém será habitada outra
vez no seu lugar, em Jerusalém;
7 e o Senhor salvará primeiramente as tendas de Judá,
para que a glória da casa de Davi e a glória dos habitantes
de Jerusalém não sejam exaltadas sobre Judá.
8 Naquele dia o Senhor protegerá os habitantes de Jerusa-
lém; o mais fraco dentre eles naquele dia será como Davi,
e a casa de Davi será como Deus, como o anjo do Senhor
diante deles.
9 E acontecerá, naquele dia, que procurarei destruir todas
as nações que vierem contra Jerusalém;
10 mas, sobre a casa de Davi e sobre os habitantes de Jeru-
salém, derramarei o Espírito de graça e de súplicas; olha-
rão para mim, a quem traspassaram; e chorarão por ele,
como quem chora pelo filho único; chorarão amargamen-
te por ele, como se chora amargamente pelo primogênito.
11 Naquele dia será grande o pranto em Jerusalém, como
o pranto de Hadade-Rimom no vale de Megido.
12 E a terra pranteará, cada família chorará à parte: A
família da casa de Davi à parte, suas mulheres à parte; e
a família da casa de Natã à parte e suas mulheres à parte;

13 a família da casa de Levi à parte, suas mulheres à parte;
a família de Simei à parte e suas mulheres à parte.
14 Todas as outras famílias remanescentes, cada família à
parte, e suas mulheres à parte.

Purificação da Idolatria e dos Falsos Profetas

13 Naquele dia haverá uma fonte aberta para a casa de
Davi e para os habitantes de Jerusalém, para purifi-
cação do pecado e da impureza.
2 E naquele dia", diz o Senhor dos Exércitos, "tirarei da
terra os nomes dos ídolos, e deles não haverá mais memó-
ria; também farei saírem da terra os profetas e o espírito
da impureza.
3 E quando alguém ainda profetizar, seu pai e sua mãe,
que o geraram, lhe dirão: 'Não viverá, porque falou men-
tira em nome do Senhor', e seu pai e sua mãe, que o gera-
ram, o matarão quando profetizar.
4 E os profetas se envergonharão, cada um da sua visão,
quando profetizarem; nem mais se vestirão de manto de
pelos, para mentirem.

A Morte do Pastor

5 Mas dirão: 'Não sou profeta, sou lavrador da terra; por-
que certo homem me ensinou a guardar o gado desde a
minha mocidade.'
6 E se alguém lhe perguntar: 'Que feridas são estas nas
suas mãos?' Ele responderá: 'São feridas com que fui feri-
do na casa dos meus amigos.'
7 Ó espada, desperte contra o meu pastor e contra o
homem que é o meu companheiro", diz o Senhor dos
Exércitos. "Fira o pastor e as ovelhas se espalharão; mas
voltarei a minha mão para os pequenos.
8 E acontecerá em toda a terra", diz o Senhor, "que duas
partes dela serão extirpadas e morrerão, mas uma terceira
parte restará nela.
9 E farei passar esta terceira parte pelo fogo e a purificarei,
como se purifica a prata, e a provarei, como se prova o
ouro. Ela invocará o meu nome e eu a ouvirei; e eu direi:
Este é o meu povo; e ela dirá: 'O Senhor é o meu Deus.'"

A Vinda do Reino da Graça

14 Eis que vem o dia do Senhor, em que seus despojos
se repartirão no meio de você,
2 porque eu ajuntarei todas as nações para a batalha contra
Jerusalém, e a cidade será tomada, as casas serão saqueadas
e as mulheres violentadas; metade da cidade irá para o ca-
tiveiro, mas o restante do povo não será expulso da cidade.
3 E o Senhor sairá e lutará contra estas nações, como lu-
tava no dia da batalha.
4 E naquele dia os seus pés estarão sobre o monte das
Oliveiras, que está de frente de Jerusalém para o oriente; o
monte das Oliveiras será fendido pelo meio, para o oriente
e para o ocidente e haverá um vale muito grande; metade
do monte se afastará para o norte e a outra metade dele
para o sul.
5 E fugirão pelo vale dos meus montes, pois o vale dos
montes chegará até Azel; então fugirão assim como fu-
giram do terremoto nos dias de Uzias, rei de Judá. Então
virá o Senhor meu Deus e todos os santos com ele.
6 E acontecerá, naquele dia, que não haverá preciosa luz,
nem espessa escuridão.
7 Mas será um dia conhecido do Senhor; não será nem
dia nem noite; mas acontecerá que, ao cair da tarde, ha-
verá luz.
8 Naquele dia também acontecerá que sairão de Jerusa-
lém águas vivas, metade delas para o mar oriental e me-
tade delas para o mar ocidental; no verão e no inverno
acontecerá isto.
9 E o Senhor será rei sobre toda a terra; naquele dia um só
será o Senhor e um só será o seu nome.
10 Toda a terra ao redor se tornará uma planície, desde
Geba até Rimom, ao sul de Jerusalém, e ela será exaltada
e habitada no seu lugar, desde a porta de Benjamim até o
lugar da primeira porta, até à porta da esquina, e desde a
torre de Hananeel até os lagares do rei.
11 E habitarão nela e não haverá mais destruição, porque
Jerusalém habitará segura.
12 E esta será a praga com que o Senhor ferirá todos os
povos que guerrearem contra Jerusalém: A sua carne apo-
drecerá, estando eles em pé, e lhes apodrecerão os olhos
nas suas órbitas e a língua lhes apodrecerá na sua boca.
13 Naquele dia também acontecerá que haverá da parte
do Senhor uma grande perturbação entre eles, porque
cada um pegará na mão do seu próximo e cada um levan-
tará a mão contra o seu próximo.
14 Também Judá lutará em Jerusalém e as riquezas de
todas as nações serão ajuntadas ao redor; ouro, prata e
roupas em grande abundância.
15 Assim será também a praga dos cavalos, dos mulos,
dos camelos e dos jumentos e de todos os animais que
estiverem naqueles arraiais.
16 E acontecerá que todos os que restarem de todas as
nações que vieram contra Jerusalém subirão de ano em
ano para adorar o Rei, o Senhor dos Exércitos, e para cele-
brarem a festa dos tabernáculos.
17 E acontecerá que, se alguma das famílias da terra não
subir a Jerusalém para adorar o Rei, o Senhor dos Exérci-
tos não mandará a chuva sobre ela.
18 E, se a família dos egípcios não subir, nem vier, não
virá a chuva sobre ela; virá sobre eles a praga com que o
Senhor ferirá as nações que não subirem para celebrar a
festa dos tabernáculos.
19 Este será o castigo do pecado dos egípcios e o castigo

do pecado de todas as nações que não subirem para cele-
brar a festa dos tabernáculos.
20 Naquele dia será gravado sobre as campainhas dos
cavalos: "Santidade ao Senhor." E as panelas na casa do
Senhor serão como as bacias diante do altar.
21 E todas as panelas em Jerusalém e Judá serão consagra-
das ao Senhor dos Exércitos, e todos os que sacrificarem
virão, delas tomarão e nelas cozerão. E, naquele dia, não
haverá mais comerciante cananeu na casa do Senhor dos
Exércitos.

MALAQUIAS

O Amor de Deus Por Israel

1 Profecia do Senhor contra Israel, por intermédio de
Malaquias.
2 "Eu sempre os amei, diz o Senhor. Mas vocês pergun-
tam: De que maneira nos tens amado? Não era Esaú irmão
de Jacó?, disse o Senhor; "todavia amei Jacó,
3 e rejeitei Esaú; fiz dos seus montes uma assolação e dei
a sua herança aos chacais do deserto.
4 Ainda que Edom diga: Estamos empobrecidos, porém
voltaremos a edificar os lugares desolados; assim diz o Se-
nhor dos Exércitos: Eles edificarão e eu destruirei; eles se-
rão chamados território de impiedade, e povo contra quem
o Senhor está irado para sempre.
5 E os seus olhos o verão e dirão: O Senhor seja engrande-
cido além dos limites de Israel.
6 O filho honra o pai e o servo o seu senhor; se eu sou
pai, onde está a minha honra? E, se eu sou senhor, onde
está o meu temor? Diz o Senhor dos Exércitos a vocês, ó
sacerdotes, que desprezam o meu nome. E vocês dizem:
'Em que nós temos desprezado o teu nome?'
7 Oferecem sobre o meu altar pão impuro e dizem: 'Em
que te havemos profanado?' Nisto que dizem: 'A mesa do
Senhor é desprezível.'
8 Porque, quando oferecem animal cego para o sacrifício,
isso não é mau? E quando oferecem o coxo ou enfermo,
isso não é mau? Ora, apresente-o ao seu príncipe; será que
ele se agradará de você? Ou ele aceitará a sua pessoa?", diz
o Senhor dos Exércitos.
9 "Agora, orem pelo favor de Deus, para que ele seja mi-
sericordioso para nós: Se fazem estas coisas, ele aceitará
vocês?, diz o Senhor dos Exércitos.
10 Quem há também entre vocês que feche as portas por
nada e não acenda em vão o fogo do meu altar? Eu não
tenho prazer em vocês", diz o Senhor dos Exércitos, "nem
aceitarei oferta da sua mão.
11 Mas desde o nascente do sol até o poente, é grande en-
tre as nações o meu nome; em todo lugar se oferecerão ao
meu nome incenso e uma oferta pura; porque o meu nome
é grande entre as nações", diz o Senhor dos Exércitos.
12 Mas vocês o profanam, quando dizem: 'A mesa do Se-
nhor é impura e a sua comida é desprezível.'
13 E dizem ainda: 'Isto é uma canseira!' E a consideram
com desprezo", diz o Senhor dos Exércitos. "Vocês ofere-
cem o que foi roubado, o coxo e o enfermo; assim trazem a
oferta. Eu aceitaria isso da sua mão?", diz o Senhor.
14 Pois seja maldito o enganador que, tendo macho no seu
rebanho, promete e oferece ao Senhor o que tem defeito;
porque eu sou grande Rei", diz o Senhor dos Exércitos, "e
o meu nome é temível entre as nações."

Exortação aos Sacerdotes

2 "Agora, ó sacerdotes, este mandamento é para vocês.
2 Se não ouvirem e se não propuserem, no seu cora-
ção, dar honra ao meu nome", diz o Senhor dos Exércitos,
"enviarei a maldição contra vocês e amaldiçoarei as suas
bênçãos; aliás, já as tenho amaldiçoado, porque não apli-
cam isso ao coração.
3 Eis que reprovarei a sua semente e espalharei esterco
sobre os seus rostos, o esterco das suas festas solenes, e
para junto deste serão levados.
4 Então saberão que eu lhes enviei este mandamento, para
que a minha aliança fosse com Levi", diz o Senhor dos
Exércitos.
5 "Minha aliança com ele foi de vida e de paz, e eu lhe
dei para que temesse; então temeu-me e humilhou-se por
causa do meu nome.
6 A lei da verdade esteve na sua boca e a iniquidade não se
achou nos seus lábios; andou comigo em paz e em retidão,
e da iniquidade converteu a muitos.
7 Porque os lábios do sacerdote devem guardar o conhe-
cimento, e da sua boca devem os homens buscar a lei,
porque ele é o mensageiro do Senhor dos Exércitos.
8 Mas vocês se desviaram do caminho e a muitos fizeram
tropeçar na lei; corromperam a aliança de Levi", diz o Se-
nhor dos Exércitos.
9 "Por isso também eu os fiz desprezíveis e indignos diante

de todo o povo, visto que não guardaram os meus cami-
nhos, mas fizeram acepção de pessoas na lei."
10 Não temos nós todos um mesmo Pai? Um mesmo Deus
não nos criou? Por que agimos deslealmente cada um con-
tra seu irmão, profanando a aliança de nossos pais?

Contra a Idolatria

11 Judá tem sido desleal, e abominação se cometeu em
Israel e em Jerusalém; porque Judá profanou o santuário
do Senhor, o qual ele ama, e se casou com a filha de deus
estranho.
12 O Senhor destruirá das tendas de Jacó o homem que
fizer isto, o que vela, e o que responde, e o que apresenta
uma oferta ao Senhor dos Exércitos.
13 Ainda fazem isto outra vez, cobrindo o altar do Senhor
de lágrimas, com choro e com gemidos; de sorte que ele
não olha mais para a oferta, nem a aceitará com prazer
da sua mão.

Contra o Adultério

14 E dizem: "Por quê?" Porque o Senhor foi testemunha
entre você e a mulher da sua mocidade, com a qual você
foi desleal, sendo ela a sua companheira e a mulher da
sua aliança.
15 E não os fez ele somente um, ainda que lhe sobrasse
espírito? E por que somente um? Ele buscava uma des-
cendência para Deus. Portanto cuidado para que não seja
infiel para com a mulher da sua mocidade.
16 "Porque o Senhor, o Deus de Israel, diz que odeia o re-
púdio, e aquele que encobre a violência com a sua roupa",
diz o Senhor dos Exércitos; "portanto guardem seu espírito
e não sejam infiéis."

O Dia do Juízo de Deus

17 Cansam o Senhor com suas palavras e ainda dizem: Em
que o enfadamos? Nisto que dizem: Qualquer um que faz
o mal passa por bom aos olhos do Senhor, e desses é que
ele se agrada, ou, onde está o Deus do juízo?

3 "Eis que eu envio o meu mensageiro, que preparará o
caminho diante de mim, e de repente o Senhor virá ao
seu templo, a quem vocês buscam; e o anjo da aliança, a
quem vocês desejam, eis que ele vem", diz o Senhor dos
Exércitos.
2 Mas quem suportará o dia da sua vinda? E quem subsis-
tirá quando ele aparecer? Porque ele será como o fogo do
ourives e como o sabão dos lavandeiros.
3 E se assentará como fundidor e purificador de prata; pu-
rificará os filhos de Levi e os refinará como ouro e como
prata; então trarão ofertas justas ao Senhor.
4 E a oferta de Judá e de Jerusalém será agradável ao Se-
nhor, como nos dias antigos, e como nos primeiros anos.
5 "E virei a vocês para juízo; serei uma testemunha veloz
contra os feiticeiros, contra os adúlteros, contra os que ju-
ram falsamente, contra os que fraudam o diarista em seu
salário, a viúva e o órfão, e que pervertem o direito do
estrangeiro, e não me temem", diz o Senhor dos Exércitos.

Roubando a Deus

6 "Porque eu, o Senhor, não mudo; por isso vocês, ó filhos
de Jacó, não foram consumidos.
7 Desde os dias de seus pais vocês se desviaram dos meus
estatutos e não os guardaram; voltem para mim, e eu vol-
tarei para vocês", diz o Senhor dos Exércitos; "mas vocês
perguntam: 'Como havemos de voltar?'
8 Alguém pode roubar Deus? Todavia vocês me roubam e
dizem: 'Em que te roubamos?' Nos dízimos e nas ofertas.
9 Com maldição são amaldiçoados, porque a mim me rou-
bam, sim, toda esta nação.
10 Tragam todos os dízimos à casa do tesouro, para que
haja mantimento na minha casa, e depois ponham-me à
prova nisto", diz o Senhor dos Exércitos, "e vejam se eu
não vou lhes abrir as janelas do céu e não derramarei sobre
vocês tantas bênçãos que não haverá lugar suficiente para
guardá-las.
11 E por causa de vocês repreenderei o devorador e ele
não destruirá os frutos da sua terra; a sua videira no campo
não será estéril", diz o Senhor dos Exércitos.
12 "E todas as nações os chamarão de bem-aventurados;
porque vocês serão uma terra de delícias", diz o Senhor
dos Exércitos.
13 "As suas palavras foram agressivas para mim", diz o
Senhor; "mas vocês perguntam: 'O que temos falado con-
tra ti?'
14 Vocês têm dito: 'Inútil é servir a Deus; de que nos
adianta guardar os seus preceitos e andar de luto diante do
Senhor dos Exércitos?
15 Agora, pois, nós dizemos bem-aventurados os soberbos;
também os que cometem impiedade são edificados; sim,
eles tentam a Deus, e escapam.'"

Promessas aos Fiéis

16 Então aqueles que temeram ao Senhor falaram frequen-
temente um ao outro e o Senhor ouviu com atenção; um
memorial foi escrito diante dele, para os que temeram ao
Senhor e para os que se lembraram do seu nome.
17 "E eles serão meus", diz o Senhor dos Exércitos; "na-
quele dia serão para mim joias e os pouparei, como um
homem poupa o seu filho, que o serve.
18 Então vocês verão a diferença entre o justo e o ímpio;
entre quem serve a Deus e quem não o serve.

O Dia do Senhor

4 Pois eis que aquele dia vem ardendo como fornalha;
todos os soberbos e todos os que cometem impiedade
serão como a palha; o dia que está para vir os abrasará",

diz o Senhor dos Exércitos, "de modo que não lhes deixará
nem raiz nem ramo.
2 Mas para vocês, os que temem o meu nome, nascerá o
sol da justiça e trará cura nas suas asas; e sairão e saltarão
como bezerros soltos no curral.
3 E pisarão os ímpios, porque se farão cinza debaixo das
plantas de seus pés, naquele dia que estou preparando",
diz o Senhor dos Exércitos.
4 "Lembrem-se da lei de Moisés, meu servo, que man-
dei em Horebe para todo o Israel, a saber, estatutos e
juízos.
5 Eis que eu lhes enviarei o profeta Elias, antes que venha
o grande e terrível dia do Senhor;
6 e ele converterá o coração dos pais aos filhos, e o coração
dos filhos aos seus pais; para que eu não venha e castigue
a terra com maldição.

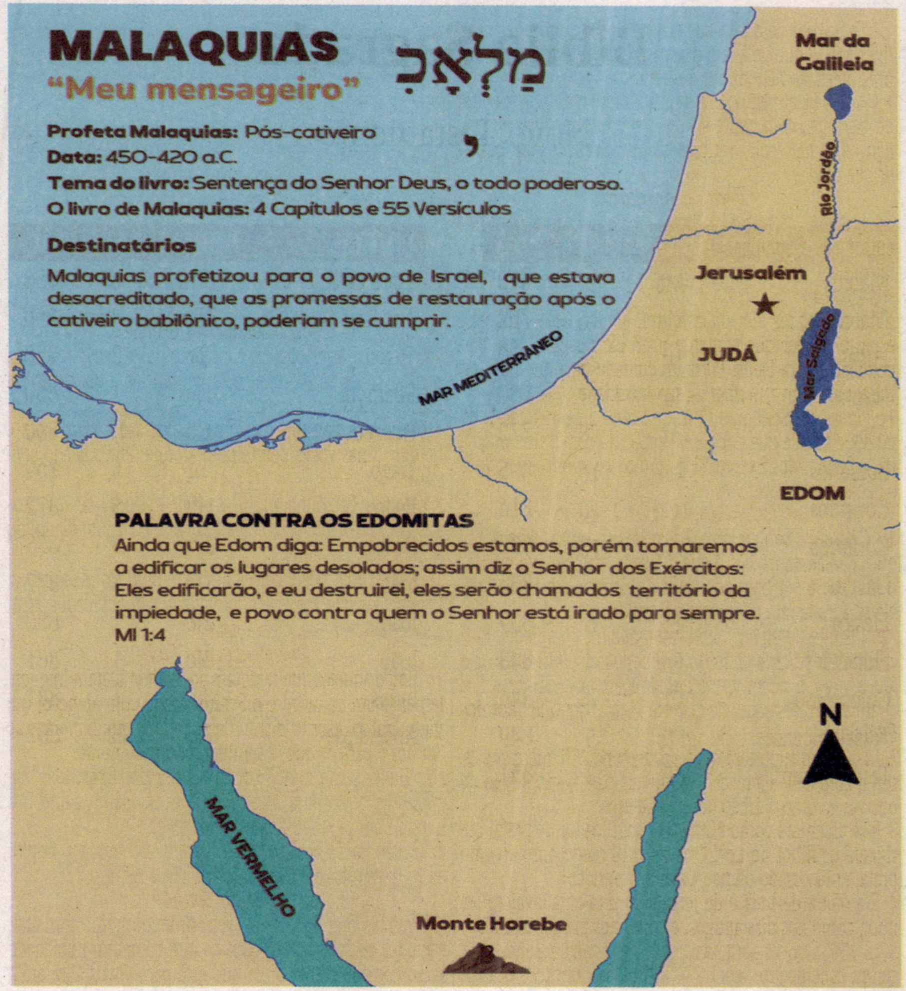

Índice dos livros que contém

A
Bíblia Sagrada

Novo Testamento

O SANTO EVANGELHO SEGUNDO

MATEUS

A Genealogia de Jesus

1 Livro da geração de Jesus Cristo, filho de Davi, filho
de Abraão.
2 Abraão gerou Isaque; Isaque gerou Jacó, e Jacó gerou
Judá e seus irmãos;
3 e Judá gerou, de Tamar, Perez e Zerá; Perez gerou Es-
rom, e Esrom gerou Arão;
4 e Arão gerou Aminadabe; Aminadabe gerou Naassom;
Naassom gerou Salmom;
5 e Salmom gerou, de Raabe, Boaz; Boaz gerou, de Rute,
Obede; Obede gerou Jessé;
6 e Jessé gerou o rei Davi; o rei Davi gerou Salomão da
que foi mulher de Urias.
7 E Salomão gerou Roboão; Roboão gerou Abias; Abias
gerou Asa;
8 e Asa gerou Josafá; Josafá gerou Jorão; Jorão gerou Uzias;
9 e Uzias gerou Jotão; Jotão gerou Acaz; Acaz gerou
Ezequias;
10 e Ezequias gerou Manassés; Manassés gerou Amom;
Amom gerou Josias;
11 e Josias gerou Jeconias e seus irmãos na deportação
para a Babilônia.
12 E, depois da deportação para a Babilônia, Jeconias ge-
rou Salatiel; Salatiel gerou Zorobabel;
13 e Zorobabel gerou Abiúde; Abiúde gerou Eliaquim;
Eliaquim gerou Azor;
14 e Azor gerou Sadoque; Sadoque gerou Aquim; Aquim
gerou Eliúde;
15 e Eliúde gerou Eleazar; Eleazar gerou Matã; Matã
gerou Jacó;
16 e Jacó gerou José, marido de Maria, da qual nasceu
Jesus, que se chama o Cristo.
17 De sorte que todas as gerações, desde Abraão até Davi,
são catorze gerações; e desde Davi até o exílio na Babilô-
nia, catorze gerações; e desde o exílio na Babilônia até
Cristo, catorze gerações.

O Nascimento de Jesus

18 O nascimento de Jesus Cristo foi assim: Maria, sua
mãe, estava comprometida em casamento com José,
mas, antes que se unissem, achou-se grávida pelo Espírito
Santo.
19 Então José, seu marido, como era justo e não que-
ria envergonhá-la publicamente, resolveu deixá-la
secretamente.
20 E, pensando ele nisto, eis que um anjo do Senhor lhe
apareceu em sonho, dizendo: "José, filho de Davi, não
tenha medo de receber Maria, sua mulher, porque quem
está nela é gerado pelo Espírito Santo;
21 ela dará à luz um filho e você deverá dar-lhe o nome de
JESUS; porque ele salvará o seu povo dos seus pecados."
22 Tudo isso aconteceu para que se cumprisse o que foi
dito da parte do Senhor, pelo profeta, que diz:
23 "Eis que a virgem conceberá e dará à luz um filho, e
ele será chamado pelo nome de EMANUEL, que significa
Deus conosco."
24 E José, quando despertou do sono, fez o que o anjo do
Senhor lhe tinha ordenado e recebeu Maria como esposa;
25 e ele não teve relações com ela até que ela deu à luz
seu filho, o primogênito, e lhe pôs o nome de JESUS.

A Visita dos Magos

2 E, tendo Jesus nascido em Belém da Judeia, no tempo
do rei Herodes, eis que uns magos vieram do Oriente
a Jerusalém,
2 e perguntavam: "Onde está o recém-nascido rei dos
judeus? Porque vimos a sua estrela no Oriente e viemos
para adorá-lo."
3 E o rei Herodes, ouvindo isso, ficou perturbado, e com
ele toda a Jerusalém.
4 Então Herodes reuniu todos os principais sacerdotes e
escribas do povo e lhes perguntou onde deveria nascer
o Cristo.
5 E eles responderam: "Em Belém da Judeia; porque as-
sim está escrito pelo profeta:
6 'E você, Belém, terra de Judá, de modo nenhum é a
menor entre as capitais de Judá; porque de você sairá o
Guia que apascentará o meu povo Israel.'"
7 Então Herodes, chamando secretamente os magos, in-
formou-se com eles a respeito do tempo exato em que a
estrela tinha aparecido.
8 E, enviando-os a Belém, disse-lhes: "Vão informar-se
com exatidão sobre o menino e, quando o encontrarem,
avisem-me, para que eu também vá e o adore."
9 E, tendo eles ouvido o rei, partiram; e eis que a estrela,
que tinham visto no Oriente, ia adiante deles, até que,
chegando, parou sobre o lugar onde o menino estava.
10 E eles, vendo a estrela, alegraram-se muito com in-
tensa alegria.
11 E, entrando na casa, encontraram o menino com
Maria, sua mãe, e, prostrando-se, o adoraram. E então,
abrindo os seus tesouros, lhe deram presentes: ouro, in-
censo e mirra.
12 E, sendo avisados em sonhos por divina revelação para

A TERRA DE ISRAEL
NO TEMPO DO
NOVO TESTAMENTO
ITURÉIA
N
Cesareia
de Filipe
Tiro
FENÍCIA
GAULANITES
TRACONITES
Betsaida
GALILÉIA
Mar da
Galiléia
BATANÉIA
Tiberíades
AURANITES
Nazaré
DECÁPOLIS
Cesareia
Marítima
Jope
SAMARIA
Jerusalém
Azoto
JUDÉIA
PERÉIA
IDUMÉIA
Belém
Mar Morto
Hebrom
LOCALIDADES
FILIPE
ARQUELAU
ANTIPAS
PROVÍNCIA DA
SÍRIA

que não voltassem para junto de Herodes, partiram para a
sua terra por outro caminho.

Fuga Para o Egito

13 E, depois que eles se retiraram, eis que o anjo do Se-
nhor apareceu a José em sonhos, dizendo: "Levante-se,
pegue o menino e sua mãe e fuja para o Egito, e fique lá
até que eu lhe diga; porque Herodes irá procurar o menino
para matá-lo."
14 E ele, levantando-se, pegou de noite o menino e a sua
mãe e foi para o Egito.
15 E ficou lá até à morte de Herodes, para que se cumpris-
se o que foi dito da parte do Senhor pelo profeta, que diz:
"Do Egito chamei o meu Filho."
16 Então Herodes, vendo que havia sido enganado pelos
magos, irritou-se muito e mandou matar todos os meni-
nos de dois anos para baixo que havia em Belém e nas
proximidades, segundo as informações que havia recebido
dos magos.
17 Então se cumpriu o que foi dito pelo profeta Jeremias,
que disse:
18 "Em Ramá se ouviu uma voz, lamentação, choro e
grande pranto. Raquel chorando os seus filhos e não que-
rendo ser consolada, porque já não existem."

O Retorno Para Nazaré

19 Depois que Herodes morreu, um anjo do Senhor apa-
receu num sonho a José no Egito,
20 dizendo: "Levante-se, pegue o menino e sua mãe e vá
para a terra de Israel; porque quem queria matar o menino
já está morto."
21 Então José se levantou, pegou o menino e sua mãe e
foi para a terra de Israel.
22 E, ouvindo que Arquelau reinava na Judeia no lugar
de Herodes, seu pai, José teve medo de ir para lá; mas
avisado em sonhos, por divina revelação, foi para as re-
giões da Galileia.
23 Então foi morar numa cidade chamada Nazaré, para
que se cumprisse o que foi dito pelos profetas: "Ele será
chamado Nazareno."

A Pregação de João Batista

3 E, naqueles dias, apareceu João Batista pregando no
deserto da Judeia,
2 e dizendo: "Arrependam-se, porque é chegado o Reino
dos Céus.
3 Porque este é o anunciado pelo profeta Isaías: 'Voz do
que clama no deserto: Preparem o caminho do Senhor,
endireitem as suas veredas.'"
4 E João usava roupas feitas de pelos de camelo e um cinto
de couro; e alimentava-se de gafanhotos e de mel silvestre.
5 Então vinha gente de Jerusalém, da Judeia e de toda a
região ao redor do Jordão para falar com ele;
6 e, confessando os seus pecados, eram batizados por ele
no rio Jordão.
7 E João, vendo que muitos fariseus e saduceus vinham
ao seu batismo, lhes dizia: "Raça de víboras, quem os en-
sinou a fugir da ira futura?
8 Produzam fruto digno de arrependimento;
9 e não pensem que vocês podem dizer a si mesmos: 'Te-
mos por pai Abraão;' pois eu lhes digo que, mesmo destas
pedras, Deus pode fazer surgirem filhos a Abraão.
10 E agora o machado está posto na raiz das árvores; toda
árvore que não produz bom fruto é cortada e lançada no
fogo.
11 E eu, em verdade, os batizo com água, para o arrepen-
dimento; mas aquele que vem após mim é mais poderoso
do que eu; cujas sandálias não sou digno de levar; ele os
batizará com o Espírito Santo e com fogo.
12 Ele tem a pá em suas mãos, e limpará a sua eira, reco-
lherá no celeiro o seu trigo e queimará a palha com fogo
que nunca se apagará."

O Batismo de Jesus

13 Então Jesus veio da Galileia ao Jordão para ser batizado
por João.
14 João, porém, tentou impedi-lo, dizendo: "Eu é que pre-
ciso ser batizado por ti e és tu que vens a mim?"
15 Jesus, porém, respondendo, lhe disse: "Deixe por en-
quanto, porque assim nos convém cumprir toda a justiça."
Então João concordou.
16 E Jesus, depois de batizado, saiu logo da água, e eis que
os céus se abriram para ele, e ele viu o Espírito de Deus
descendo como uma pomba e vindo sobre ele.
17 E uma voz dizia dos céus: "Este é o meu Filho amado,
em quem me agrado."

A Tentação de Jesus

4 Então Jesus foi levado pelo Espírito ao deserto, para ser
tentado pelo diabo.
2 E, depois de ter jejuado por quarenta dias e quarenta
noites, teve fome.
3 Então o tentador, aproximando-se dele, disse: "Se tu és
o Filho de Deus, manda que estas pedras se transformem
em pães."
4 Jesus, porém, respondeu: "Está escrito: 'Nem só de pão
viverá o ser humano, mas de toda palavra que sai da boca
de Deus.'"
5 Então o diabo levou Jesus à Cidade Santa e colocou-o
sobre o pináculo do templo,
6 e lhe disse: "Se tu és o Filho de Deus, joga-te daqui para
baixo; porque está escrito que aos seus anjos dará ordens a
teu respeito, e eles te pegarão pelas mãos, para que nunca
tropeces em pedra alguma."

7 Jesus disse: "Também está escrito: 'Não ponhas à prova
o Senhor, o teu Deus.'"
8 Novamente o diabo o levou a um monte muito alto e
lhe mostrou todos os reinos do mundo e a glória deles.
9 E lhe disse: "Tudo isto te darei se, prostrado, me
adorares."
10 Então Jesus disse: "Vá embora, Satanás, porque está
escrito: 'Adora ao Senhor, teu Deus, e só a ele servirás.'"
11 Então o diabo o deixou; e os anjos chegaram e o
serviam.

O Início do Ministério de Jesus

12 Jesus, porém, ao ouvir que João estava preso, voltou
para a Galileia;
13 deixou Nazaré, e foi morar em Cafarnaum, cidade marítima, nos confins de Zabulom e Naftali;
14 para que se cumprisse o que foi dito pelo profeta Isaías,
que disse:
15 "Terra de Zabulom e terra de Naftali, junto ao caminho
do mar, além do Jordão, a Galileia das nações;
16 o povo que vivia em trevas viu uma grande luz; e, para
os que estavam assentados na região e sombra da morte,
a luz raiou."
17 Daí em diante Jesus começou a pregar e a dizer: "Arrependam-se, porque é chegado o Reino dos Céus."

Os Primeiros Discípulos

18 E Jesus, andando junto ao mar da Galileia, viu dois
irmãos, Simão, chamado Pedro, e André, que lançavam as
redes ao mar, porque eram pescadores.
19 E Jesus lhes disse: "Sigam-me e eu os farei pescadores
de pessoas."
20 Então eles deixaram imediatamente as redes, e o
seguiram.
21 E, indo adiante, Jesus viu outros dois irmãos: Tiago,
filho de Zebedeu, e João, seu irmão, num barco com seu
pai, Zebedeu, consertando as redes. E Jesus os chamou.
22 Então eles deixaram imediatamente o barco e seu pai
e o seguiram.
23 E Jesus percorria toda a Galileia ensinando nas suas sinagogas, pregando o Evangelho do Reino e curando todas
as enfermidades e doenças entre o povo.
24 E a sua fama correu por toda a Síria, e lhe traziam
todos os doentes acometidos de várias enfermidades e
tormentos, os endemoniados, os epiléticos, os paralíticos
e ele os curava.
25 E numerosas multidões o seguiam, vindas da Galileia,
da Decápolis, de Jerusalém, da Judeia, e do outro lado do
Jordão.

O Sermão da Montanha

5 E Jesus, vendo a multidão, subiu ao monte e sentou-se,
e os seus discípulos se aproximaram dele.
2 Então Jesus passou a ensiná-los, dizendo:

As Bem-Aventuranças

3 "Bem-aventurados os pobres de espírito, porque deles é
o Reino dos Céus.
4 Bem-aventurados os que choram, porque eles serão
consolados.
5 Bem-aventurados os mansos, porque eles herdarão a
terra.
6 Bem-aventurados os que têm fome e sede de justiça,
porque eles serão satisfeitos.
7 Bem-aventurados os misericordiosos, porque eles alcançarão misericórdia.
8 Bem-aventurados os puros de coração, porque eles verão Deus.
9 Bem-aventurados os pacificadores, porque eles serão
chamados filhos de Deus.
10 Bem-aventurados os que sofrem perseguição por causa
da justiça, porque deles é o Reino dos Céus.
11 Bem-aventurados são vocês, quando por minha causa os insultarem e os perseguirem e, mentindo, disserem
todo o mal contra vocês.
12 Exultem e alegrem-se, porque é grande a recompensa
de vocês nos céus; porque assim perseguiram os profetas
que vieram antes de vocês.
13 Vocês são o sal da terra; se o sal for insípido, como
restaurá-lo? Para nada mais presta, senão para ser jogado
fora e ser pisado pelos homens.
14 Vocês são a luz do mundo; não se pode esconder uma
cidade construída sobre um monte;
15 nem se acende uma lamparina e se coloca debaixo de
um cesto, mas no velador, no lugar apropriado para dar luz
a todos que estão na casa.
16 Assim brilhe a luz de vocês diante dos outros, para que
vejam as suas boas obras e glorifiquem o Pai de vocês, que
está nos céus.

A Importância da Lei

17 Não pensem que vim abolir a Lei ou os Profetas. Não
vim abolir, mas cumprir.
18 Porque em verdade lhes digo: Até que o céu e a terra
passem, nem um i ou um til se omitirá da Lei, sem que
tudo seja cumprido.
19 Quem desobedecer a um desses mandamentos, por
menor que seja, e ensinar os outros a fazerem o mesmo,
será considerado o menor no Reino dos Céus; quem, porém, os praticar e ensinar será chamado grande no Reino
dos Céus.
20 Porque lhes digo que, se a justiça de vocês não exceder em muito a dos escribas e fariseus, jamais entrarão no
Reino dos Céus.

Sobre o Homicídio

21 Ouviram o que foi dito aos antigos: 'Não matem; quem
matar estará sujeito a julgamento.'
22 Eu, porém, lhes digo que qualquer pessoa que, sem
motivo, se irar contra seu irmão estará sujeita a julgamen-
to; e quem insultar o seu irmão será levado ao tribunal, e
quem o chamar de tolo estará sujeito ao fogo do inferno.
23 Portanto, se você estiver apresentando a sua oferta
diante do altar, e ali se lembrar de que o seu irmão tem
alguma coisa contra você,
24 deixe a sua oferta diante do altar e vá reconciliar-se
primeiro com o seu irmão; depois, venha e apresente a
sua oferta.
25 Entre em acordo depressa com o seu adversário, en-
quanto você está no caminho com ele, para que o seu
adversário não entregue você ao juiz, e o juiz entregue
você ao oficial de justiça, e você seja jogado na prisão.
26 Em verdade lhe digo que de maneira nenhuma você
sairá dali enquanto não pagar o último centavo.

Sobre o Adultério

27 Vocês ouviram o que foi dito aos antigos: 'Não cometa
adultério.'
28 Eu, porém, lhes digo: Qualquer um que olhar para
uma mulher para desejá-la, em seu coração já cometeu
adultério com ela.
29 Portanto, se o seu olho direito leva você a pecar, ar-
ranque-o e jogue-o para longe de você, pois é melhor você
perder um dos seus membros do que todo o seu corpo ser
lançado no inferno.
30 E, se a sua mão direita leva você a pecar, corte-a e
jogue-a para longe de você, porque é melhor você perder
um dos seus membros do que todo o seu corpo ser lança-
do no inferno.

Sobre o Divórcio

31 Também foi dito: 'Aquele que repudiar a sua mulher
deve dar-lhe uma carta de divórcio.'
32 Eu, porém, lhes digo: Quem repudiar a sua mulher,
exceto por imoralidade sexual, faz com que ela se tor-
ne adúltera; e quem se casar com a repudiada comete
adultério.

Sobre os Juramentos

33 Vocês ouviram o que foi dito aos antigos: 'Não jure
falsamente, mas cumpra os seus juramentos ao Senhor.'
34 Eu, porém, lhes digo: Não jurem de forma alguma;
nem pelo céu, porque é o trono de Deus;
35 nem pela terra, porque é o estrado de seus pés; nem
por Jerusalém, porque é a cidade do grande Rei;
36 nem jure pela sua cabeça, porque você não pode tornar
branco ou preto nem um fio do seu cabelo.
37 Seja, porém, a palavra de vocês: Sim, sim; não, não;
porque o que passar disto é de procedência maligna.

Sobre a Vingança

38 Vocês ouviram o que foi dito: 'Olho por olho e dente
por dente.'
39 Eu, porém, lhes digo que não resistam ao perverso,
mas, se alguém lhe bater na face direita, ofereça-lhe tam-
bém a outra;
40 e, se alguém quiser processar você e tirar-lhe a túnica,
deixe que leve também a capa;
41 e, se alguém obrigar você a caminhar uma milha, vá
com ele duas.
42 Dê a quem lhe pede e não volte as costas a quem dese-
ja lhe pedir algo emprestado.

Sobre Amar os Inimigos

43 Vocês ouviram o que foi dito: 'Ame o seu próximo e
odeie o seu inimigo.'
44 Eu, porém, lhes digo: Amem os seus inimigos, aben-
çoem os que os maldizem, façam o bem aos que os
odeiam e orem pelos que os maltratam e os perseguem.
45 Para que sejam filhos do Pai de vocês que está nos
céus; porque ele faz o sol se levantar sobre os maus e os
bons, e a chuva cair sobre os justos e os injustos.
46 Pois, se vocês amarem os que os amam, que recom-
pensa terão? Os publicanos também não fazem o mesmo?
47 E, se vocês saudarem somente os seus irmãos, o que é
que estão fazendo de mais? Os gentios também não fazem
o mesmo?
48 Portanto, sejam perfeitos como é perfeito o Pai de vo-
cês que está nos céus.

Socorro aos Necessitados

6 Evitem praticar as suas obras de justiça diante dos
outros para serem vistos por eles; porque, se fizerem
isso, não terão recompensa junto do Pai de vocês, que
está nos céus.
2 Quando você der esmola, não fique tocando trombeta
diante de você, como fazem os hipócritas nas sinagogas e
nas ruas, para serem glorificados pelos outros. Em verdade
lhes digo que eles já receberam a sua recompensa.
3 Mas, quando você der esmola, que a sua mão esquerda
não saiba o que a direita está fazendo,
4 para que a sua esmola seja dada em segredo, e o seu Pai,
que vê em segredo, o recompensará.

Sobre a Oração

5 E, quando vocês orarem, não sejam como os hipócritas;
pois eles gostam de orar em pé nas sinagogas e nas esqui-
nas das ruas, para serem vistos pelos outros. Em verdade
lhes digo que eles já receberam a sua recompensa.
6 Mas você, quando for orar, entre no seu quarto e feche a

porta, ore ao seu Pai que está em secreto, e o seu Pai, que
vê secretamente, o recompensará.
7 E, orando, não usem de vãs repetições como os gentios;
porque eles pensam que por muito falarem serão ouvidos.
8 Não sejam iguais a eles; porque o Pai de vocês sabe do
que vocês precisam, antes mesmo de lhe pedirem.
9 Portanto, orem assim: Pai nosso, que estás nos céus,
santificado seja o teu nome;
10 venha o teu Reino, seja feita a tua vontade, assim na
terra como no céu;
11 o pão nosso de cada dia nos dá hoje;
12 e perdoa-nos as nossas dívidas, assim como nós perdoa-
mos aos nossos devedores;
13 e não nos deixes cair em tentação; mas livra-nos do
mal; porque teu é o Reino, o poder e a glória para sempre.
Amém.
14 Porque, se vocês perdoarem aos outros as suas ofensas,
o Pai celestial também perdoará vocês;
15 se, porém, vocês não perdoarem aos outros as ofensas
deles, o Pai celestial também não perdoará as ofensas de
vocês.

Sobre o Jejum

16 E, quando jejuarem, não mostrem uma aparência triste
como os hipócritas; porque desfiguram os seus rostos para
que os outros vejam que estão jejuando. Em verdade lhes
digo que eles já receberam a sua recompensa.
17 Porém você, quando jejuar, unja a sua cabeça e lave
o seu rosto,
18 para não parecer aos outros que você está jejuando,
mas ao seu Pai, que está em secreto, e o seu Pai, que vê
em secreto, o recompensará.

Sobre as Riquezas

19 Não ajuntem tesouros na terra, onde a traça e a fer-
rugem tudo consomem, e onde os ladrões escavam e
roubam;
20 mas ajuntem tesouros no céu, onde nem a traça nem
a ferrugem consomem, e onde os ladrões não escavam
nem roubam.
21 Porque onde estiver o seu tesouro, aí também estará
o seu coração.
22 A lâmpada do corpo são os olhos, e, se os seus olhos
forem bons, todo o seu corpo terá luz;
23 se, porém, os seus olhos forem maus, o seu corpo esta-
rá cheio de trevas. Se, portanto, a luz que há em você são
trevas, que grandes serão essas trevas!
24 Ninguém pode servir a dois senhores; porque ou irá
odiar um e amar o outro, ou se dedicará a um e desprezará
o outro. Vocês não podem servir a Deus e às riquezas.

Sobre os Cuidados da Vida

25 Por isso lhes digo: Não andem preocupados com a vida
de vocês, pelo que irão comer ou pelo que irão beber;
nem com o corpo, quanto ao que irão vestir. Não é a vida
mais do que o alimento, e o corpo mais do que as roupas?
26 Olhem para as aves do céu, que não semeiam, nem
colhem, nem ajuntam em celeiros, contudo, o Pai celestial
de vocês as alimenta. Será que vocês não têm muito mais
valor do que elas?
27 E quem de vocês poderá, por mais que se preocupe,
acrescentar uma hora à sua vida?
28 E, quanto às roupas, por que vocês andam preocupa-
dos? Olhem para os lírios do campo, como eles crescem;
não trabalham nem fiam;
29 e eu lhes digo que nem mesmo Salomão, em toda a sua
glória, se vestiu como um deles.
30 Pois, se Deus veste assim a erva do campo, que hoje
existe e amanhã é lançada no forno, não fará muito mais a
vocês, homens de pequena fé?
31 Não andem inquietos, dizendo: 'O que comeremos, ou
o que beberemos, ou com que nos vestiremos?'
32 Porque os gentios é que procuram todas essas coisas.
Pois o Pai celestial de vocês sabe que vocês necessitam de
todas essas coisas;
33 mas busquem em primeiro lugar o Reino de Deus e a
sua justiça, e todas estas coisas lhes serão acrescentadas.
34 Portanto, não se preocupem com o dia de amanhã,
pois o dia de amanhã se preocupará com si mesmo. Basta
a cada dia o seu próprio mal.

Sobre o Julgar o Próximo

7 Não julguem, para que não sejam julgados.
2 Pois, da mesma forma como julgarem, vocês serão
julgados, e a medida com que tiverem medido será usada
para medir vocês.
3 E por que você repara no cisco que está no olho do seu
irmão e não vê a trave que está no seu próprio olho?
4 Ou como dirá a seu irmão: 'Deixe-me tirar o cisco do
seu olho', enquanto você está com uma trave no seu?
5 Hipócrita, tire primeiro a trave do seu olho e, então,
verá claramente para tirar o cisco do olho do seu irmão.
6 Não deem aos cães as coisas santas, nem joguem aos
porcos as suas pérolas, para que estes não as pisem, e
aqueles, voltando-se, despedacem vocês.

Sobre a Oração

7 Peçam e lhes será dado; busquem e encontrarão; batam
e a porta lhes será aberta.
8 Porque aquele que pede, recebe; quem busca, encontra;
e, a quem bate, a porta será aberta.
9 E qual dentre vocês é o homem que, se o seu filho lhe
pedir pão, lhe dará uma pedra?
10 Ou, se lhe pedir peixe, lhe dará uma serpente?
11 Se vocês, sendo maus, sabem dar boas coisas aos seus

filhos, quanto mais o Pai de vocês, que está nos céus, dará
coisas boas aos que lhe pedirem?
12 Portanto, tudo o que vocês querem que os outros fa-
çam a vocês, façam vocês também a eles, porque esta é a
Lei e os Profetas.

A Porta Estreita e a Porta Larga

13 Entrem pela porta estreita; porque larga é a porta e
espaçoso é o caminho que conduz à perdição, e muitos
são os que entram por ela;
14 porque a porta é estreita e apertado é o caminho que
leva à vida, e poucos são os que o encontram.

Cuidados Com os Falsos Ensinadores

15 Porém, cuidado com os falsos profetas, que vêm até
vocês vestidos como ovelhas, mas, por dentro, são lobos
devoradores.
16 Por seus frutos vocês os conhecerão. Pode alguém
colher uvas dos espinheiros, ou figos de ervas daninhas?
17 Assim, toda árvore boa produz bons frutos e toda árvo-
re má produz maus frutos.
18 Não pode a árvore boa dar maus frutos; nem a árvore
má dar frutos bons.
19 Toda árvore que não produz bom fruto é cortada e
lançada no fogo.
20 E, assim, pelos seus frutos vocês os conhecerão.
21 Nem todos que me dizem: 'Senhor, Senhor!' entrarão
no Reino dos Céus, mas aquele que faz a vontade de meu
Pai, que está nos céus, entrará.
22 Muitos me dirão naquele dia: 'Senhor, Senhor, nós
não profetizamos em teu nome? E em teu nome não ex-
pulsamos demônios? E em teu nome não fizemos muitas
maravilhas?'
23 E então lhes direi abertamente: Nunca os conheci;
afastem-se de mim, vocês que praticam a iniquidade.

A Casa na Rocha e a Casa na Areia

24 Todos que ouvem estas minhas palavras e as praticam
serão como um homem prudente, que construiu a sua
casa sobre a rocha;
25 e caiu a chuva, correram rios, sopraram ventos e ba-
teram contra aquela casa, e ela não caiu, porque estava
construída sobre a rocha.
26 E todos que ouvem estas minhas palavras e não as
praticam são como um homem insensato, que construiu a
sua casa sobre a areia;
27 e caiu a chuva, correram rios, sopraram ventos e ba-
teram contra aquela casa, e ela caiu, e foi grande a sua
queda."
28 Então, quando Jesus acabou de dizer estas coisas, a
multidão ficou maravilhada com a sua doutrina;
29 porque os ensinava como quem tem autoridade e não
como os escribas.

A Cura de Um Leproso

8 E, quando Jesus desceu do monte, uma grande multi-
dão o seguiu.
2 E veio um leproso e o adorou, dizendo: "Senhor, se qui-
seres, podes purificar-me."
3 E Jesus, estendendo a mão, tocou nele, dizendo: "Quero
sim; fique limpo." E logo ele ficou purificado da lepra.
4 Então Jesus disse: "Olhe, não conte isso a ninguém, mas
vá apresentar-se ao sacerdote e faça a oferta que Moisés
determinou, para servir de testemunho ao povo."

A Cura do Servo do Centurião

5 E, quando Jesus entrou em Cafarnaum, um centurião
aproximou-se dele, implorando:
6 "Senhor, o meu servo está em casa, paralítico e violenta-
mente atormentado."
7 E Jesus lhe disse: "Eu vou lá curá-lo."
8 E o centurião respondeu: "Senhor, não sou digno de que
entres em minha casa, mas dize somente uma palavra e o
meu servo será curado.
9 Pois eu também sou homem sujeito à autoridade, e te-
nho soldados às minhas ordens; e digo a este: Vá, e ele
vai; e a outro: Venha, e ele vem; e ao meu servo: Faça
isto, e ele o faz."
10 E Jesus admirou-se, ouvindo isto, e disse aos que o se-
guiam: "Em verdade lhes digo que nem mesmo em Israel
encontrei tanta fé.
11 Mas eu lhes digo que muitos virão do Oriente e do
Ocidente e se assentarão à mesa com Abraão, Isaque e
Jacó, no Reino dos Céus;
12 e os filhos do Reino serão lançados nas trevas exterio-
res; ali haverá pranto e ranger de dentes."
13 Então Jesus disse ao centurião: "Vá, e seja feito como
você crê." E naquela mesma hora o seu servo ficou
curado.

A Cura da Sogra de Pedro

14 E Jesus, entrando na casa de Pedro, viu a sogra deste
na cama com febre.
15 E lhe tocou na mão e a febre a deixou; então ela se
levantou e começou a servi-lo.

Poder Sobre os Demônios

16 E, à tarde, lhe trouxeram muitos endemoniados, e ele
com a sua palavra expulsou deles os espíritos malignos e
curou todos os que estavam enfermos;
17 para que se cumprisse o que foi dito pelo profeta Isaías:
"Ele levou sobre si as nossas enfermidades e levou as nos-
sas doenças."

As Dificuldades do Discipulado

18 E Jesus, vendo ao seu redor uma grande multidão, or-
denou que passassem para o outro lado;

19 e um escriba, aproximando-se dele, lhe disse: "Mestre,
eu te seguirei por onde quer que fores."
20 E Jesus disse: "As raposas têm seus covis e as aves do
céu têm seus ninhos, mas o Filho do Homem não tem
onde reclinar a cabeça."
21 E outro de seus discípulos lhe disse: "Senhor, deixa-me
ir primeiro sepultar o meu pai."
22 Jesus, porém, lhe disse: "Siga-me e deixe os mortos
sepultarem os seus mortos."

Jesus Acalma a Tempestade

23 E Jesus entrou no barco, e seus discípulos o seguiram;
24 e eis que se levantou no mar uma grande tempestade,
tão grande que o barco era coberto pelas ondas. Jesus, porém, estava dormindo.
25 E os seus discípulos, aproximando-se, o despertaram,
dizendo: "Senhor, salva-nos! Vamos morrer."
26 E Jesus lhes disse: "Por que vocês estão com tanto
medo, homens de pequena fé?" Então, levantando-se,
repreendeu os ventos e o mar, e tudo ficou bem calmo.
27 E aqueles homens se maravilharam, dizendo: "Quem é
este, que até os ventos e o mar lhe obedecem?"

A Cura dos Dois Endemoniados

28 E, tendo chegado ao outro lado, à região dos gadarenos, lhe saíram ao encontro dois endemoniados, vindos
dos sepulcros; eram tão ferozes que ninguém podia passar
por aquele caminho.
29 E eis que gritaram, dizendo: "O que queres conosco,
Jesus, Filho de Deus? Vieste aqui atormentar-nos antes do
tempo?"
30 A certa distância deles, estava pastando uma grande
manada de porcos.
31 E os demônios lhe imploraram, dizendo: "Se vais nos
expulsar, manda-nos entrar naquela manada de porcos."
32 E Jesus lhes disse: "Vão!" E eles, saindo, entraram nos
porcos; e eis que toda aquela manada de porcos se precipitou no mar por um despenhadeiro, e morreram nas águas.
33 E os que cuidavam dos porcos fugiram e, chegando à
cidade, divulgaram todas aquelas coisas e o que aconteceu
aos endemoniados.
34 E eis que toda aquela cidade saiu ao encontro de Jesus
e, vendo-o, suplicaram-lhe que se retirasse do território
deles.

A Cura de Um Paralítico

9 E, entrando num barco, Jesus passou para o outro lado
do mar e chegou à sua cidade. E eis que lhe trouxeram
um paralítico deitado numa cama.
2 E Jesus, vendo a fé deles, disse ao paralítico: "Filho,
tenha bom ânimo, os seus pecados estão perdoados."
3 Mas alguns dos escribas diziam entre si: "Ele está
blasfemando."
4 Jesus, porém, conhecendo os seus pensamentos, disse:
"Por que vocês pensam o mal em seus corações?
5 Pois, o que é mais fácil dizer: Os seus pecados estão
perdoados, ou dizer: Levante-se e ande?
6 Isto é para que saibam que o Filho do Homem tem na
terra autoridade para perdoar pecados." Então disse ao
paralítico: "Levante-se, pegue a sua cama e vá para a sua
casa."
7 E o homem se levantou e voltou para a sua casa.
8 E a multidão, vendo isto, ficou cheia de temor, e deram
glória a Deus, que tinha dado tal autoridade aos homens.

O Chamado de Mateus

9 E, quando Jesus saiu dali, viu um homem sentado na
coletoria, chamado Mateus, e lhe disse: "Siga-me." E ele,
levantando-se, o seguiu.
10 Então, estando Jesus sentado à mesa, na casa de Mateus, chegaram muitos publicanos e pecadores, e sentaram-se juntamente com Jesus e seus discípulos.
11 E os fariseus, vendo isto, disseram aos seus discípulos:
"Por que o Mestre de vocês come com os publicanos e
pecadores?"
12 Jesus, porém, ouvindo, lhes disse: "Os sãos não necessitam de médico, mas, sim, os doentes.
13 Vão, porém, e aprendam o que significa: 'Quero misericórdia, e não sacrifício.' Porque eu não vim chamar os
justos, mas os pecadores, ao arrependimento."

Jesus é Interrogado Sobre o Jejum

14 Então, os discípulos de João chegaram junto dele, dizendo: "Por que nós e os fariseus jejuamos muitas vezes,
e os teus discípulos não jejuam?"
15 E Jesus lhes disse: "Podem os convidados do casamento ficarem tristes, enquanto o noivo está com eles? Porém,
virão dias em que o noivo lhes será tirado, então jejuarão.
16 E ninguém põe remendo de pano novo em roupa velha, porque o remendo rompe a roupa, tornando o rasgo
ainda maior.
17 Nem se põe vinho novo em odres velhos; se o fizer,
os odres se rompem, o vinho se derrama, e os odres se
estragam; mas põe-se vinho novo em odres novos, e assim
ambos se conservam."

O Poder Sobre a Doença e a Morte

18 Jesus lhes dizia ainda essas coisas, quando chegou
um chefe da sinagoga, e o adorou, dizendo: "Minha filha
morreu agora mesmo; mas vem, lhe impõe a tua mão, e
ela viverá."
19 E Jesus, levantando-se, seguiu-o, ele e os seus
discípulos.
20 E eis que uma mulher, que havia doze anos vinha sofrendo de uma hemorragia, chegando por trás dele, tocou
a borda de sua roupa;

21 porque dizia consigo mesma: "Se eu apenas tocar em
sua roupa, ficarei curada."
22 E Jesus, voltando-se, e vendo-a, disse: "Ânimo, filha, a
sua fé a salvou." E imediatamente a mulher ficou curada.
23 E Jesus, chegando à casa do chefe da sinagoga e vendo
os instrumentistas e o povo em alvoroço,
24 lhes disse: "Saiam, que a menina não está morta, mas
dorme." E riam-se dele.
25 E, logo que o povo foi posto para fora, Jesus entrou,
pegou a menina pela mão, e ela se levantou.
26 E a notícia deste acontecimento se espalhou por toda
aquela região.

A Cura de Dois Cegos

27 E, partindo Jesus dali, dois cegos o seguiram, gritando
e dizendo: "Tenha compaixão de nós, Filho de Davi."
28 E, quando ele entrou na casa, os cegos se aproximaram
e Jesus lhes disse: "Vocês creem que eu posso fazer isto?"
Eles responderam: "Sim, Senhor."
29 Então Jesus tocou nos olhos deles, dizendo: "Seja feito
a vocês segundo a sua fé."
30 E os olhos deles se abriram. E Jesus advertiu-os, dizen-
do: "Cuidem para que ninguém saiba disso."
31 Mas, tendo eles saído, espalharam a sua fama por toda
aquela terra.

A Cura de Um Mudo

32 Quando eles partiram, lhe trouxeram um homem
mudo e endemoniado.
33 E, quando o demônio foi expulso, o mudo falou; e a
multidão ficou admirada, dizendo: "Nunca se viu tal coisa
em Israel."
34 Mas os fariseus diziam: "Ele expulsa os demônios pelo
príncipe dos demônios."

A Seara e os Trabalhadores

35 E Jesus percorria todas as cidades e aldeias, ensinan-
do nas sinagogas deles, pregando o evangelho do Reino
e curando todas as enfermidades e doenças entre o povo.
36 E, ao ver as multidões, Jesus teve grande compaixão
delas, porque andavam aflitas e desamparadas como ove-
lhas que não têm pastor.
37 Então Jesus disse aos seus discípulos: "A seara é real-
mente grande, mas os trabalhadores são poucos.
38 Peçam ao Senhor da seara que mande trabalhadores
para a sua seara."

A Missão dos Doze Apóstolos

10 E, chamando os seus doze discípulos, deu-lhes au-
toridade sobre os espíritos imundos para os expulsa-
rem e para curarem toda enfermidade e todo mal.
2 Os nomes dos doze apóstolos são estes: O primeiro, Si-
mão, chamado Pedro, e André, seu irmão; Tiago, filho de
Zebedeu, e João, seu irmão;
3 Filipe e Bartolomeu; Tomé e Mateus, o publicano; Tia-
go, filho de Alfeu, e Lebeu, apelidado Tadeu;
4 Simão, o zelote, e Judas Iscariotes, que o traiu.
5 Jesus enviou esses doze e lhes ordenou, dizendo: "Não
vão pelo caminho que leva aos gentios, nem entrem nas
cidades dos samaritanos;
6 mas vão antes às ovelhas perdidas da casa de Israel;
7 e, pelo caminho, preguem que está próximo o Reino
dos Céus.
8 Curem os enfermos, purifiquem os leprosos, ressusci-
tem os mortos, expulsem os demônios; de graça recebe-
ram, de graça deem.
9 Não levem nem ouro, nem prata, nem cobre em seus
cintos,
10 nem saco para viagem, nem duas túnicas, nem san-
dálias, nem bordão; porque digno é o trabalhador do seu
alimento.
11 E, em qualquer cidade ou aldeia em que entrarem,
procurem saber quem nela seja digno, e hospedem-se ali
até partirem.
12 E, quando entrarem na casa, saúdem-na;
13 e, se a casa for digna, que a paz de vocês repouse sobre
ela; porém, se não for digna, a paz voltará para vocês.
14 E, se ninguém os receber, nem escutar as suas palavras,
saindo daquela casa ou cidade, sacudam o pó dos seus pés.
15 Em verdade lhes digo que, no dia do juízo, haverá
menos rigor para Sodoma e Gomorra do que para aquela
cidade.
16 Eis que os envio como ovelhas ao meio de lobos; por-
tanto, sejam prudentes como as serpentes e simples como
as pombas.
17 Tenham cuidado, porém, com os homens; porque
eles os entregarão aos tribunais e os açoitarão nas suas
sinagogas;
18 e até serão conduzidos à presença dos governadores e
dos reis, por minha causa, para lhes servir de testemunho
a eles e aos gentios.
19 Mas, quando entregarem vocês, não se preocupem
como, ou o que dizer, porque naquela mesma hora lhes
será ministrado o que irão dizer.
20 Porque não são vocês quem falará, mas o Espírito do
Pai falará por intermédio de vocês.
21 E o irmão entregará à morte o seu irmão, e o pai en-
tregará o seu filho; os filhos se levantarão contra os seus
pais, e os matarão.
22 E serão odiados por todos por causa do meu nome;
mas aquele que perseverar até o fim será salvo.
23 Quando os perseguirem nesta cidade, fujam para ou-
tra; porque em verdade lhes digo que não terminarão de

percorrer as cidades de Israel sem que venha o Filho do
Homem.
24 Não é o discípulo mais do que o mestre, nem o servo
mais do que o seu senhor.
25 Basta ao discípulo ser como o seu mestre, e ao servo
ser como o seu senhor. Se chamaram o pai da família de
Belzebu, quanto mais os membros da sua família.
26 Portanto, não tenham medo deles; porque nada há en-
coberto que não venha a ser revelado, nem oculto que não
venha a tornar-se conhecido.
27 O que lhes digo na escuridão, falem à luz do dia; o
que escutam ao pé do ouvido, preguem sobre os telhados.
28 E não tenham medo dos que matam o corpo, pois não
podem matar a alma; temam antes aquele que pode fazer
perecerem no inferno a alma e o corpo.
29 Não se vendem dois passarinhos por uma moedinha?
Contudo, nenhum deles cairá em terra sem o consenti-
mento do Pai de vocês.
30 E até mesmo os cabelos da cabeça de vocês estão todos
contados.
31 Não tenham medo, pois vocês valem mais do que mui-
tos passarinhos.
32 Portanto, qualquer um que me confessar diante dos
outros, eu o confessarei diante de meu Pai, que está nos
céus.
33 Mas qualquer um que me negar diante das pessoas, eu
também o negarei diante de meu Pai, que está nos céus.
34 Não pensem que vim trazer a paz à terra; não vim
trazer paz, mas espada;
35 porque eu vim causar divisão entre o homem e o seu
pai, a filha contra sua mãe e a nora contra sua sogra;
36 e assim os inimigos do homem serão os seus familiares.
37 Quem ama o pai ou a mãe mais do que a mim não é
digno de mim; e quem ama o filho ou a filha mais do que
a mim não é digno de mim.
38 E quem não toma a sua cruz, e não segue após mim,
não é digno de mim.
39 Quem acha a sua vida a perderá; e quem perde a sua
vida, por amor de mim, a achará.
40 Quem os recebe, a mim me recebe; e quem me rece-
be, recebe aquele que me enviou.
41 Quem recebe um profeta na qualidade de profeta, re-
ceberá recompensa de profeta; e quem recebe um justo na
qualidade de justo, receberá recompensa de justo.
42 E se alguém der mesmo que seja apenas um copo de
água fria a um desses pequenos, por ser este meu discípu-
lo, em verdade lhes digo que de modo algum perderá a
sua recompensa."

A Mensagem de João Batista a Jesus

11 Quando Jesus acabou de instruir os seus doze dis-
cípulos, partiu dali para ensinar e para pregar nas
cidades deles.
2 E João, ouvindo no cárcere falar dos feitos de Cristo,
enviou dois dos seus discípulos,
3 para lhe perguntarem: "És tu aquele que haveria de vir,
ou esperamos outro?"
4 Então Jesus lhes respondeu: "Vão e anunciem a João as
coisas que estão vendo e ouvindo:
5 Os cegos veem, os aleijados andam, os leprosos são pu-
rificados, os surdos ouvem, os mortos são ressuscitados e
o evangelho é anunciado aos pobres.
6 E bem-aventurado é quem não se escandalizar por mi-
nha causa."

Jesus Testemunha de João

7 E, quando os discípulos de João partiram, Jesus come-
çou a dizer à multidão a respeito de João: "O que vocês
foram ver no deserto? Uma cana agitada pelo vento?
8 Ou o que foram ver? Um homem vestido de roupas
finas? Os que usam roupas finais estão nos palácios reais.
9 Ou, então, o que foram ver? Um profeta? Sim, eu lhes
digo, e muito mais do que um profeta;
10 porque é esse de quem está escrito: 'Eis que envio o
meu anjo diante da sua face, que preparará diante de você
o seu caminho.'
11 Em verdade lhes digo: Entre os nascidos de mulher,
não apareceu ninguém maior do que João Batista; mas
aquele que é o menor no Reino dos Céus é maior do que
ele.
12 E, desde os dias de João Batista, até agora, se faz vio-
lência ao Reino dos Céus, e pela força se apoderam dele.
13 Porque todos os Profetas e a Lei profetizaram até João.
14 E, se querem dar crédito, esse é Elias que estava para
vir.
15 Quem tem ouvidos para ouvir, ouça.
16 Mas, a quem compararei esta geração? É semelhante
aos meninos que se assentam nas praças, gritam aos seus
companheiros,
17 e dizem: 'Nós lhes tocamos flauta, mas vocês não dan-
çaram; cantamos lamentações, mas vocês não choraram.'
18 Pois veio João, que nem comia nem bebia, e dizem:
'Ele tem demônio.'
19 Veio o Filho do Homem, comendo e bebendo, e di-
zem: 'Eis aí um homem comilão e beberrão, amigo dos
publicanos e pecadores.' Mas a sabedoria é justificada por
suas obras."

Ai das Cidades Impenitentes

20 Então Jesus começou a denunciar as cidades onde ele

tinha feito a maior parte dos seus milagres, pelo fato de
não terem se arrependido, dizendo:
21 "Ai de você, Corazim! Ai de você, Betsaida! Porque, se
em Tiro e em Sidom tivessem sido realizados os milagres
que foram feitos em vocês, há muito que teriam se arre-
pendido com saco e com cinza.
22 Porém, eu lhes digo que haverá menos rigor para Tiro
e Sidom no dia do juízo, do que para vocês.
23 E você, Cafarnaum, que se eleva até os céus, será
abatida até ao inferno; porque, se em Sodoma tivessem
sido feitos os milagres que foram feitos em você, ela teria
permanecido até hoje.
24 Eu, porém, lhe digo que haverá menos rigor para os de
Sodoma, no dia do juízo, do que para você."

O Jugo de Jesus

25 Naquele tempo, Jesus disse: "Graças te dou, ó Pai,
Senhor do céu e da terra, que ocultaste essas coisas aos
sábios e inteligentes, e as revelaste aos pequeninos.
26 Sim, ó Pai, porque assim foi do teu agrado.
27 Todas as coisas me foram entregues por meu Pai, e
ninguém conhece o Filho, senão o Pai; e ninguém conhe-
ce o Pai, senão o Filho, e aquele a quem o Filho o quiser
revelar.
28 Venham a mim todos os que estão cansados e oprimi-
dos, e eu os aliviarei.
29 Tomem sobre vocês o meu jugo e aprendam de mim,
que sou manso e humilde de coração, e encontrarão des-
canso para as suas almas.
30 Porque o meu jugo é suave e o meu fardo é leve."

Jesus, o Senhor do Sábado

12 Naquele tempo Jesus passou pelas searas, em um
sábado; então os seus discípulos, tendo fome, come-
çaram a colher espigas e a comer.
2 E os fariseus, vendo isso, lhe disseram: "Os seus discípu-
los fazem o que não é lícito fazer no sábado."
3 Jesus, porém, lhes disse: "Vocês não leram o que Davi
fez, quando teve fome, ele e os que estavam com ele?
4 Como entrou na casa de Deus e comeu os pães da pro-
posição, que não lhe era lícito comer, nem aos que esta-
vam com ele, mas somente aos sacerdotes?
5 Ou não leram na lei que, aos sábados, os sacerdotes no
templo violam o sábado e ficam sem culpa?
6 Pois eu lhes digo que aqui está quem é maior do que
o templo.
7 Mas, se vocês soubessem o que significa: 'Quero mise-
ricórdia e não sacrifício', não condenariam os inocentes.
8 Porque o Filho do Homem é Senhor do sábado."
9 E, partindo dali, chegou à sinagoga deles.
10 E estava ali um homem que tinha uma das mãos mir-
rada; e eles, para o acusarem, o interrogaram, dizendo: "É
lícito curar nos sábados?"
11 E Jesus lhes disse: "Quem dentre vocês será o homem
que, tendo uma ovelha, se num sábado ela cair numa
cova, não irá pegá-la e tirá-la de lá?
12 Mais vale um homem do que uma ovelha! Portanto,
por consequência, é lícito fazer bem nos sábados."
13 Então disse àquele homem: "Estenda a sua mão." E ele
a estendeu e ela ficou curada como a outra.
14 E os fariseus, tendo saído, começaram a conspirar con-
tra ele, para o matarem.

Jesus, o Servo Escolhido

15 Mas Jesus, sabendo disto, retirou-se dali e grandes mul-
tidões o seguiram, e ele curou todos.
16 E lhes advertiu rigorosamente que não dissessem
quem ele era,
17 para que se cumprisse o que foi dito pelo profeta Isaías,
que diz:
18 "Eis aqui o meu servo, que escolhi, o meu amado,
em quem a minha alma se agrada; porei sobre ele o meu
Espírito e ele anunciará o juízo aos gentios.
19 Não discutirá, nem gritará, ninguém ouvirá a sua voz
pelas ruas;
20 não esmagará a cana quebrada e não apagará o pavio
que fumega, até que faça triunfar o juízo;
21 e no seu nome os gentios esperarão."

Contenda Com os Fariseus

22 Então lhe trouxeram um endemoniado cego e mudo; e
Jesus o curou, e ele passou a falar e a enxergar.
23 E toda a multidão se admirava e dizia: "Não é esse o
Filho de Davi?"
24 Mas os fariseus, ouvindo isto, diziam: "Este não expul-
sa demônios senão pelo poder de Belzebu, príncipe dos
demônios."
25 Jesus, porém, conhecendo os seus pensamentos, lhes
disse: "Todo reino dividido contra si mesmo será arruina-
do; e toda cidade, ou casa, dividida contra si mesma não
subsistirá.
26 E, se Satanás expulsa Satanás, está dividido contra si
mesmo; como subsistirá o seu reino?
27 E, se eu expulso os demônios por Belzebu, por quem
os expulsam então seus filhos? Portanto, eles mesmos se-
rão os seus juízes.
28 Mas, se eu expulso os demônios pelo Espírito de Deus,
logo é chegado a vocês o Reino de Deus.
29 Ou, como pode alguém entrar na casa do homem va-
lente e roubar os seus bens, se primeiro não amarrar o
valente, para depois, então, saquear a sua casa?
30 Quem não está comigo é contra mim; quem comigo
não ajunta, espalha.

O Pecado Contra o Espírito Santo

31 Por isso, eu falo a vocês: Todo pecado e blasfêmia serão
perdoados aos homens, porém, a blasfêmia contra o Espíri-
to não será perdoada aos homens.
32 E, quem disser alguma palavra contra o Filho do Ho-
mem, isso lhe será perdoado, mas, se alguém falar contra
o Espírito Santo, isso não lhe será perdoado, nem neste
século nem no futuro.
33 Ou façam como a árvore boa, e o seu fruto será bom,
ou façam como a árvore má, e o seu fruto será mau; por-
que pelo fruto se conhece a árvore.
34 Raça de víboras, como vocês podem dizer boas coisas,
sendo maus? Pois a boca fala do que há em abundância
no coração.
35 O homem bom tira boas coisas do bom tesouro do seu
coração, e o homem mau do mau tesouro tira coisas más.
36 Mas eu lhes digo que, no dia do juízo, as pessoas darão
conta de toda palavra inútil que falarem.
37 Porque por suas palavras você será justificado, e por
suas palavras você será condenado."

O Sinal do Profeta Jonas

38 Então alguns dos escribas e fariseus disseram a Jesus:
"Mestre, queremos ver da sua parte algum sinal."
39 Mas Jesus lhes respondeu: "Uma geração má e adúl-
tera pede um sinal, porém, nenhum sinal lhe será dado,
senão o do profeta Jonas;
40 pois, como Jonas esteve três dias e três noites no ven-
tre do grande peixe, assim o Filho do Homem estará três
dias e três noites no coração da terra.
41 Os ninivitas ressurgirão no juízo com esta geração e a
condenarão, porque eles se arrependeram com a pregação
de Jonas. E aqui está quem é maior do que Jonas.
42 A rainha do Sul se levantará no dia do juízo com esta
geração e a condenará; porque veio dos confins da terra
para ouvir a sabedoria de Salomão. E aqui está quem é
maior do que Salomão.
43 E, quando o espírito imundo sai de uma pessoa, anda
por lugares áridos buscando repouso, mas não o encontra.
44 Então diz: 'Voltarei para a minha casa de onde saí.' E,
voltando, encontra a casa desocupada, varrida e adornada.
45 Então vai e leva com ele outros sete espíritos piores do
que ele, e, entrando, habitam ali; e os últimos atos desse
homem são piores do que os primeiros. Assim acontecerá
também a essa geração má."

A Mãe e os Irmãos de Jesus

46 Enquanto Jesus ainda falava à multidão, eis que sua
mãe e seus irmãos estavam do lado de fora, querendo falar
com ele.
47 E alguém disse: "Sua mãe e seus irmãos estão lá fora e
querem falar com o senhor."
48 Jesus, porém, respondendo, disse a quem lhe avisou:
"Quem é minha mãe? E quem são meus irmãos?"
49 E, estendendo a sua mão para os seus discípulos, disse:
"Eis aqui minha mãe e meus irmãos;
50 porque, quem fizer a vontade de meu Pai que está nos
céus, esse é meu irmão, irmã e minha mãe."

A Parábola do Semeador

13 Tendo Jesus saído de casa naquele dia, estava assen-
tado junto ao mar;
2 e ajuntou-se muita gente em volta dele, e, entrando
num barco, se assentou; e toda a multidão estava em pé
na praia.
3 Então lhes falou de muitas coisas por parábolas, dizen-
do: "Eis que o semeador saiu a semear.
4 Enquanto semeava, uma parte da semente caiu à beira
do caminho, então as aves vieram e a comeram;
5 e outra parte caiu em um terreno pedregoso, onde não
havia muita terra, e logo nasceu, porque não tinha terra
funda;
6 mas, saindo o sol, a queimou e, porque não tinha raiz,
secou-se.
7 E outra parte caiu entre os espinhos; e os espinhos cres-
ceram e a sufocaram.
8 E outra caiu em boa terra e deu fruto; um grão produziu
cem, outro sessenta e outro trinta por um.
9 Quem tem ouvidos para ouvir, ouça."
10 E, aproximando-se dele os seus discípulos, lhe disse-
ram: "Por que o senhor fala com eles por parábolas?"
11 Jesus, respondendo, lhes disse: "Porque a vocês é dado
a conhecer os mistérios do Reino dos Céus, mas a eles
não lhes é dado;
12 pois ao que tem, será dado, e terá em abundância; mas
ao que não tem, até o que tem lhe será tirado.
13 Por isso lhes falo por parábolas; porque eles, vendo,
não veem; e, ouvindo, não ouvem nem compreendem.
14 E neles se cumpre a profecia de Isaías, que diz: 'Ou-
vindo, ouvirão, mas não compreenderão, e, vendo, verão,
mas não perceberão.
15 Porque o coração deste povo está endurecido e de
má vontade ouviram com seus ouvidos, e fecharam seus
olhos; para que não vejam com os olhos, ouçam com os
ouvidos, compreendam com o coração, se convertam e
sejam por mim curados.'
16 Mas, bem-aventurados os olhos de vocês, porque
veem, e os seus ouvidos, porque ouvem.
17 Porque em verdade lhes digo que muitos profetas e
justos desejaram ver o que vocês estão vendo, mas não vi-
ram, e ouvir o que vocês estão ouvindo, mas não ouviram.
18 Escutem, vocês, a parábola do semeador:
19 Alguém ouvindo a palavra do Reino e não a entenden-

do, vem o maligno e arrebata o que foi semeado no seu
coração; esse é o que foi semeado à beira do caminho.
20 Porém, o que foi semeado em terreno pedregoso é o
que ouve a palavra e logo a recebe com alegria;
21 mas não tem raiz em si mesmo, permanece pouco tem-
po; então, quando chegam a angústia e a perseguição por
causa da palavra, logo a abandona.
22 E o que foi semeado entre espinhos é o que ouve a
palavra, mas a preocupação deste mundo e a sedução das
riquezas sufocam a palavra e fica infrutífera.
23 Mas, o que foi semeado em boa terra é o que ouve e
compreende a palavra; então dá fruto, e um produz cem,
outro sessenta e outro trinta por um."

A Parábola do Joio

24 Jesus lhes propôs outra parábola, dizendo: "O Reino
dos Céus é semelhante a um homem que semeou a boa
semente no seu campo;
25 mas, enquanto os homens dormiam, veio o seu inimi-
go, semeou joio no meio do trigo e retirou-se.
26 E, quando a erva cresceu e frutificou, apareceu tam-
bém o joio.
27 Então os servos do pai de família foram falar com ele e
lhe disseram: 'O senhor não semeou boa semente no seu
campo? De onde, então, veio o joio?'
28 E ele lhes disse: 'Um inimigo é quem fez isso.' E os ser-
vos lhe disseram: 'O senhor quer que vamos arrancá-lo?'
29 Ele, porém, lhes respondeu: 'Não; para que, ao colher
o joio, não arranquem também o trigo com ele.
30 Deixem que cresçam juntos até à colheita; então, por
ocasião da colheita, direi aos trabalhadores: Colham pri-
meiro o joio e amarrem-no em molhos para ser queimado;
mas, o trigo, guardem no meu celeiro.'"

A Parábola do Grão de Mostarda

31 Então Jesus lhes propôs outra parábola, dizendo: "O
Reino dos Céus é semelhante ao grão de mostarda que um
homem pegou e semeou no seu campo.
32 Esse grão é, realmente, a menor entre todas as semen-
tes; mas, crescendo, torna-se a maior das plantas, e vira
uma árvore, de modo que vêm as aves do céu e se ani-
nham nos seus ramos."

A Parábola do Fermento

33 E contou-lhes ainda outra parábola, dizendo: "O Reino
dos Céus é semelhante ao fermento que uma mulher pega
e mistura em três medidas de farinha, até que tudo esteja
levedado.
34 Tudo isso Jesus disse por parábolas à multidão, e nada
lhes falava sem parábolas;
35 para que se cumprisse o que foi dito pelo profeta, que
disse: 'Abrirei a minha boca em parábolas; publicarei coi-
sas ocultas desde a fundação do mundo.'"

A Explicação da Parábola do Joio

36 Então, tendo despedido a multidão, Jesus foi para casa.
E os seus discípulos chegaram junto dele, dizendo: "Expli-
que-nos a parábola do joio do campo."
37 E ele, respondendo, lhes disse: "O que semeia a boa
semente é o Filho do Homem;
38 o campo é o mundo e a boa semente são os filhos do
Reino; o joio são os filhos do maligno;
39 o inimigo que o semeou é o diabo; a colheita é o fim
do mundo, e os ceifeiros são os anjos.
40 Assim como o joio é colhido e queimado no fogo, as-
sim será no fim desta era.
41 O Filho do Homem mandará os seus anjos, e eles tira-
rão do seu Reino todos os que servem de causa de tropeço,
e os que praticam o mal,
42 e os lançarão na fornalha de fogo; ali haverá pranto e
ranger de dentes.
43 Então os justos resplandecerão como o sol, no Reino
de seu Pai. Quem tem ouvidos para ouvir, ouça.

Parábola do Tesouro Escondido e da Pérola de Grande Valor

44 O Reino dos Céus também é semelhante a um tesouro
escondido no campo, que um homem achou e escondeu;
então, pela alegria dele, vai, vende tudo o que tem e com-
pra aquele campo.
45 O Reino dos Céus é semelhante a um homem nego-
ciante que busca boas pérolas;
46 e, encontrando uma pérola de grande valor, foi, ven-
deu tudo o que tinha e a comprou.

Parábola da Rede

47 Igualmente o Reino dos Céus é semelhante a uma rede
lançada ao mar que apanha toda espécie de peixes.
48 E, quando está cheia, os pescadores a puxam para a
praia; então, assentando-se, separam os bons para os ces-
tos; os ruins, porém, lançam fora.
49 Assim será no fim desta era: Os anjos virão e separarão
os maus de entre os justos,
50 e os lançarão na fornalha de fogo; ali haverá pranto e
ranger de dentes."
51 E Jesus lhes disse: "Entenderam todas estas coisas?"
Eles lhe responderam: "Sim, Senhor."
52 Então Jesus lhes disse: "Por isso, todo escriba instruído
a respeito do Reino dos Céus é semelhante a um pai de
família que tira do seu tesouro coisas novas e velhas."
53 Então Jesus, concluindo essas parábolas, se retirou dali.
54 E, chegando à sua cidade, ensinava-os na sinagoga de-
les, de modo que se maravilhavam e diziam: "De onde lhe
vêm esta sabedoria e estes poderes miraculosos?
55 Não é este o filho do carpinteiro? E sua mãe não se
chama Maria, e seus irmãos Tiago, José, Simão e Judas?

56 E todas as suas irmãs não estão entre nós? De onde
lhe veio tudo isto?"
57 E ficavam escandalizados por causa dele. Jesus, porém,
lhes disse: "Não há profeta sem honra, a não ser na sua
terra e na sua casa."
58 E não fez ali muitos milagres, por causa da incredu-
lidade deles.

A Morte de João Batista

14 Naquele tempo, Herodes, o tetrarca, ouviu a fama
de Jesus,
2 e disse aos seus servos: "Esse é João Batista; ele ressusci-
tou dos mortos e por isso essas maravilhas operam nele."
3 Porque Herodes havia prendido João, o amarrou e colo-
cou na prisão por causa de Herodias, mulher de seu irmão
Filipe;
4 porque João lhe dizia: "Você não tem o direito de viver
com ela."
5 Embora Herodes quisesse matá-lo, tinha medo do povo;
porque consideravam João como profeta.
6 Porém, no aniversário de Herodes, a filha de Herodias
dançou diante de todos e agradou a Herodes.
7 Por isso ele prometeu, com juramento, lhe dar tudo o
que ela pedisse;
8 e ela, influenciada por sua mãe, disse: "Dê-me aqui,
num prato, a cabeça de João Batista."
9 O rei ficou aflito, mas, por causa do juramento e dos
que estavam à mesa com ele, ordenou que lhe fosse dado
o que ela pedia.
10 E mandou degolar João na prisão.
11 E a sua cabeça foi trazida num prato e dada à menina,
que a levou a sua mãe.
12 E os seus discípulos chegaram, levaram o corpo e o
sepultaram; e foram anunciar isso a Jesus.

A Primeira Multiplicação dos Pães

13 E Jesus, ouvindo isto, retirou-se dali num barco para
um lugar deserto, apartado; e a multidão, sabendo disso, o
seguiu a pé desde as cidades.
14 E Jesus, saindo, viu uma grande multidão, compade-
ceu-se dela e curou os seus enfermos.
15 Ao entardecer, os seus discípulos aproximaram-se dele,
dizendo: "O lugar é deserto, e já é tarde; despeça a multi-
dão para que vão pelas aldeias e comprem comida para si."
16 Jesus, porém, lhes disse: "Não é necessário que vão;
deem-lhes vocês mesmos de comer a eles."
17 Então eles lhe disseram: "Temos aqui apenas cinco
pães e dois peixes."
18 E Jesus disse: "Tragam-nos aqui."
19 E, tendo mandado que a multidão se assentasse sobre
a relva, pegou os cinco pães e os dois peixes, e, erguendo
os olhos ao céu, os abençoou, e, então, partindo os pães,
deu-os aos discípulos, e os discípulos deram à multidão.
20 E todos comeram e saciaram-se; e ainda recolheram
doze cestos cheios dos pedaços que sobraram.
21 E os que comeram foram quase cinco mil homens,
além das mulheres e crianças.

Jesus Anda Sobre as Águas

22 E logo Jesus ordenou que os seus discípulos entrassem
no barco e fossem para o outro lado, enquanto despedia
a multidão.
23 E, despedida a multidão, subiu ao monte para orar. E,
ao entardecer, estava ali só.
24 E o barco já estava no meio do mar, açoitado pelas
ondas; porque o vento era contrário;
25 mas, de madrugada, Jesus dirigiu-se a eles, andando
sobre o mar.
26 E os discípulos, vendo-o andando sobre o mar, ficaram
aterrorizados, dizendo: "É um fantasma." E gritaram com
medo.
27 Jesus, porém, lhes falou logo, dizendo: "Coragem, sou
eu, não tenham medo."
28 E Pedro lhe respondeu e disse: "Senhor, se és tu, man-
da-me ir ter contigo sobre as águas."
29 E Jesus disse: "Venha!" E Pedro, descendo do barco,
andou sobre as águas para ir ter com Jesus.
30 Mas, sentindo o vento forte, teve medo; e, afundando,
gritou: "Senhor, salva-me!"
31 E imediatamente Jesus, estendendo a mão, segurou-o
e lhe disse: "Homem de pequena fé, por que duvidou?"
32 E, quando subiram no barco, o vento cessou.
33 Então os que estavam no barco aproximaram-se, e
adoraram-no, dizendo: "Verdadeiramente tu és o Filho
de Deus."
34 E, tendo passado para o outro lado, chegaram à terra
de Genesaré.
35 E, quando os homens daquele lugar o reconheceram,
mandaram avisar em todas aquelas terras e ao redor, e lhe
trouxeram todos os que estavam enfermos.
36 E suplicavam-lhe que ao menos eles pudessem tocar
na borda da sua roupa, e todos os que a tocavam ficavam
curados.

Jesus e a Tradição dos Fariseus

15 Então alguns escribas e fariseus vieram de Jerusalém
até Jesus e perguntaram:
2 "Por que os seus discípulos transgridem a tradição dos
anciãos? Pois não lavam as mãos quando comem pão."
3 Jesus, porém, respondendo, lhes disse: "Por que vocês
transgridem, também, o mandamento de Deus pela tradi-
ção de vocês?
4 Porque Deus ordenou, dizendo: 'Honre o seu pai e a

sua mãe.' E: 'Quem maldisser o seu pai ou a sua mãe,
certamente morrerá.'
5 Mas vocês dizem: 'Qualquer um que disser ao seu pai
ou a sua mãe: A ajuda que vocês poderiam receber de
mim é oferta ao Senhor', esse fica desobrigado de honrar
os seus pais.
6 E assim invalidam, pela tradição de vocês, o mandamento de Deus.
7 Hipócritas, bem profetizou Isaías a respeito de vocês,
dizendo:
8 'Este povo me honra com os seus lábios, mas o seu coração está longe de mim.
9 E, em vão me adoram, ensinando doutrinas que são
preceitos humanos.'"
10 E, chamando a si a multidão, Jesus disse: "Ouçam e
entendam:
11 O que contamina a pessoa não é o que entra pela boca,
mas o que sai da boca, isso é o que contamina a pessoa."
12 Então, aproximando-se dele os seus discípulos, lhe disseram: "Sabias que os fariseus, ouvindo essas palavras, se
escandalizaram?"
13 Jesus, porém, respondendo, disse: "Toda planta que
meu Pai celestial não plantou, será arrancada.
14 Deixem os fariseus: são cegos condutores de cegos;
ora, se um cego guiar outro cego, ambos cairão num
buraco."
15 E Pedro, tomando a palavra, lhe disse: "Explica-nos
essa parábola."
16 Jesus, porém, disse: "Até vocês mesmos estão ainda
sem entender?
17 Ainda não compreendem que tudo o que entra pela
boca desce para o estômago e depois é eliminado?
18 Mas, o que sai da boca procede do coração, e isso contamina a pessoa.
19 Porque do coração procedem os maus pensamentos,
os homicídios, os adultérios, a imoralidade sexual, os furtos, os falsos testemunhos e as blasfêmias.
20 São estas coisas que contaminam as pessoas; mas comer sem lavar as mãos, isso não contamina."

A Mulher Cananeia

21 E, Jesus partindo dali, foi para a região de Tiro e de
Sidom.
22 E eis que uma mulher cananeia, que tinha vindo
daquela região, gritou, dizendo: "Senhor, Filho de Davi,
tenha misericórdia de mim; minha filha está miseravelmente endemoniada."
23 Mas Jesus não lhe respondeu. E os seus discípulos,
chegando perto dele, lhe pediram, dizendo: "Mande-a
embora, pois vem gritando atrás de nós."
24 E Jesus, respondendo, disse: "Eu não fui enviado senão
às ovelhas perdidas da casa de Israel."
25 Então ela chegou e o adorou, dizendo: "Senhor,
socorre-me!"
26 Jesus, porém, respondendo, disse: "Não é certo pegar
do pão dos filhos e jogá-lo aos cachorrinhos."
27 E ela disse: "Sim, Senhor, mas os cachorrinhos também comem das migalhas que caem da mesa dos seus
senhores."
28 Então Jesus respondeu e lhe disse: "Ó mulher, grande
é a sua fé! Que seja feito conforme você deseja." E desde
aquele momento a sua filha ficou curada.
29 Jesus, partindo dali, chegou à beira do mar da Galileia;
então, subindo a um monte, assentou-se lá.
30 E dirigiram-se a ele grandes multidões que traziam
coxos, cegos, mudos, aleijados e outros muitos, e os puseram aos pés de Jesus e ele os curou,
31 e a multidão se maravilhava vendo os mudos falando,
os aleijados curados, os coxos andando e os cegos vendo;
e glorificava o Deus de Israel.

A Segunda Multiplicação dos Pães

32 E Jesus, chamando os seus discípulos, disse: "Tenho
compaixão da multidão, porque eles já estão comigo há
três dias e não têm o que comer; não quero despedi-los em
jejum, para que não desfaleçam no caminho."
33 E os seus discípulos lhe disseram: "De onde nos viriam, num deserto, tantos pães para saciar tal multidão?"
34 E Jesus lhes disse: "Quantos pães vocês têm?" E eles
disseram: "Sete e alguns peixinhos."
35 Então mandou à multidão que se sentasse no chão;
36 pegou os sete pães e os peixes e, dando graças, partiu-os, e deu aos seus discípulos, e os discípulos distribuíram
à multidão.
37 E todos comeram e se saciaram; ainda recolheram, do
que sobrou, sete cestos cheios de pedaços.
38 Os que tinham comido eram quatro mil homens, além
de mulheres e crianças.
39 E, tendo despedido a multidão, Jesus entrou no barco
e dirigiu-se ao território de Magadã.

Os Fariseus e os Saduceus Pedem Um Sinal

16 E os fariseus e os saduceus aproximaram-se de Jesus
para o tentarem, lhe pediram que lhes mostrasse
algum sinal do céu.
2 Mas Jesus, respondendo, lhes disse: "Quando a tarde
chega, vocês dizem: 'Haverá bom tempo, porque o céu
está vermelho.'
3 E, pela manhã: 'Hoje haverá tempestade, porque o céu
está de um vermelho sombrio.' Hipócritas, vocês sabem
diferenciar a aparência do céu e não sabem diferenciar os
sinais dos tempos?

4 Uma geração má e adúltera pede um sinal, porém, nenhum sinal lhe será dado, senão o sinal do profeta Jonas." E, deixando-os, Jesus se retirou.

O Fermento dos Fariseus e dos Saduceus

5 E seus discípulos, passando para o outro lado do lago, tinham se esquecido de levar pão.

6 E Jesus lhes disse: "Tenham cuidado e fiquem atentos com o fermento dos fariseus e saduceus."

7 E eles discutiam entre si, dizendo: "É porque não trouxemos pão."

8 E Jesus, percebendo isso, disse: "Por que estão discutindo entre vocês, homens de pouca fé, sobre não terem pão?

9 Vocês ainda não compreendem, nem se lembram dos cinco pães para cinco mil homens, e de quantos cestos recolheram?

10 Nem dos sete pães para quatro mil e de quantos cestos recolheram?

11 Como vocês não entenderam que não lhes falei a respeito do pão, mas que tivessem cuidado com o fermento dos fariseus e saduceus?"

12 Então entenderam que não estava lhes dizendo que tivessem cuidado com o fermento do pão, mas com a doutrina dos fariseus e saduceus.

A Confissão de Pedro

13 E Jesus, chegando à região de Cesareia de Filipo, interrogou os seus discípulos, dizendo: "Quem os outros dizem ser o Filho do Homem?"

14 E eles responderam: "Uns dizem, João Batista; outros, Elias; e outros, Jeremias, ou um dos profetas."

15 E Jesus lhes disse: "E vocês, quem dizem que eu sou?"

16 E Simão Pedro, respondendo, disse: "Tu és o Cristo, o Filho do Deus vivo."

17 E Jesus, respondendo, lhe disse: "Bem-aventurado é você, Simão Barjonas, porque isto não lhe foi revelado por carne e sangue, mas por meu Pai, que está nos céus.

18 Pois também eu lhe digo que você é Pedro, e sobre essa pedra edificarei a minha Igreja, e as portas do inferno não prevalecerão contra ela;

19 e eu lhe darei as chaves do Reino dos Céus, e tudo o que você ligar na terra será ligado nos céus, e tudo o que você desligar na terra será desligado nos céus."

20 Então ordenou aos seus discípulos que não contassem a ninguém que ele era Jesus, o Cristo.

Jesus Prediz Sua Morte e Ressurreição

21 Desde então Jesus começou a mostrar aos seus discípulos que era necessário que ele fosse a Jerusalém, e sofresse muitas coisas nas mãos dos anciãos, dos principais sacerdotes e dos escribas, e fosse morto e ressuscitasse ao terceiro dia.

22 E Pedro, chamando-o à parte, começou a repreendê-lo, dizendo: "Senhor, tem compaixão de ti; de modo nenhum te acontecerá isso."

23 Jesus, porém, voltando-se, disse a Pedro: "Para trás de mim, Satanás; você é uma pedra de tropeço para mim; porque não compreende as coisas que são de Deus, mas só as que são dos homens."

24 Então Jesus disse aos seus discípulos: "Se alguém quiser vir após mim, renuncie-se a si mesmo, tome sobre si a sua cruz e siga-me;

25 porque aquele que quiser salvar a sua vida, a perderá, e quem perder a sua vida por amor de mim, a achará.

26 Pois, de que adianta uma pessoa ganhar o mundo inteiro, se perder a sua alma? Ou, o que a pessoa poderá dar em troca de sua alma?

27 Porque o Filho do Homem virá na glória de seu Pai, com os seus anjos; então dará a cada um conforme as suas obras.

28 Em verdade lhes digo que existem alguns, dos que aqui estão, que não experimentarão a morte até que vejam o Filho do Homem vir no seu Reino."

A Transfiguração de Jesus

17 Seis dias depois, Jesus levou consigo Pedro, Tiago e João, seu irmão, e os conduziu em particular a um alto monte,

2 e Jesus transfigurou-se diante deles; o seu rosto resplandeceu como o sol e as suas roupas se tornaram brancas como a luz.

3 E eis que lhes apareceram Moisés e Elias, falando com Jesus.

4 Então Pedro, tomando a palavra, disse a Jesus: "Senhor, bom é estarmos aqui; se quiseres, farei aqui três tendas, uma para ti, uma para Moisés e outra para Elias."

5 E, enquanto ele ainda estava falando, eis que uma nuvem luminosa os cobriu. E da nuvem saiu uma voz que dizia: "Este é o meu amado Filho, em quem me agrado; escutem-no."

6 E os discípulos, ouvindo isto, caíram sobre os seus rostos e sentiram grande medo.

7 E Jesus, aproximando-se, lhes tocou e disse: "Levantem-se e não tenham medo."

8 E eles, erguendo os olhos, não viram mais ninguém, a não ser Jesus.

9 E, descendo do monte, Jesus lhes ordenou, dizendo: "Não contem a ninguém a visão, até que o Filho do Homem seja ressuscitado dentre os mortos."

10 E os seus discípulos o interrogaram, dizendo: "Por que, então, os escribas dizem que é necessário que Elias venha primeiro?"

11 E Jesus, respondendo, lhes disse: "Na verdade, Elias virá primeiro e restaurará todas as coisas;

12 mas lhes digo que Elias já veio e eles não o reconhe-
ceram, mas fizeram com ele tudo o que quiseram. Assim
também o Filho do Homem será maltratado por eles."
13 Então os discípulos entenderam que ele estava falando
de João Batista.

Cura do Menino Endemoniado

14 E, quando chegaram à multidão, um homem se aproxi-
mou, pondo-se de joelhos diante de Jesus, e disse:
15 "Senhor, tem misericórdia do meu filho, ele tem con-
vulsões e sofre muito; pois muitas vezes cai no fogo e mui-
tas vezes na água;
16 eu o trouxe aos teus discípulos e não puderam curá-lo."
17 E Jesus, respondendo, disse: "Ó geração incrédula e
perversa! Até quando eu estarei com vocês, e até quando
vocês sofrerão? Tragam-me o menino."
18 E Jesus repreendeu o demônio que saiu dele, e desde
aquela hora o menino ficou curado.
19 Então os discípulos, aproximando-se de Jesus em
particular, perguntaram: "Por que nós não pudemos
expulsá-lo?"
20 E Jesus lhes respondeu: "Porque a fé que vocês têm é
pequena; porque em verdade lhes digo que, se tiverem fé
como um grão de mostarda, dirão a este monte: 'Vá daqui
para lá', e ele irá; e nada lhes será impossível.
21 Mas esta espécie de demônios só pode ser expulsa por
meio de oração e jejum."

Predição de Sua Morte e Ressurreição

22 Reunindo-se eles na Galileia, Jesus lhes disse: "O Filho
do Homem será entregue nas mãos dos homens;
23 estes o matarão e ao terceiro dia ele ressuscitará." E
eles se entristeceram muito.

Jesus Paga Impostos

24 E, quando Jesus e os seus discípulos chegaram a Ca-
farnaum, os que cobravam os impostos das duas dracmas
aproximaram-se de Pedro e perguntaram: "O mestre de
vocês não paga as duas dracmas?"
25 E Pedro respondeu: "Sim!" E, entrando em casa, Jesus
se antecipou, dizendo: "O que acha, Simão? De quem os
reis da terra cobram os tributos, ou impostos? Dos seus
filhos, ou dos outros?"
26 Pedro respondeu: "Dos outros", e Jesus disse: "Logo,
os filhos estão isentos.
27 Mas, para que não os escandalizemos, vá ao mar, lance
o anzol, tire o primeiro peixe que fisgar, lhe abra a boca, e
você encontrará uma moeda; pegue-a e entregue-a a eles
para pagar o meu imposto e o seu."

O Maior no Reino dos Céus

18 Naquela hora os discípulos se aproximaram de Je-
sus, perguntando: "Quem é o maior no Reino dos
Céus?"
2 E Jesus, chamando uma criança, colocou-a no meio de-
les, e disse:
3 "Em verdade lhes digo que, se vocês não se converte-
rem e não se tornarem como uma criança, de modo algum
entrarão no Reino dos Céus.
4 Portanto, aquele que se humilhar como esta criança,
esse é o maior no Reino dos Céus.
5 E quem receber em meu nome uma criança, tal como
esta, a mim me recebe.
6 Mas, se alguém fizer tropeçar um destes pequeninos,
que creem em mim, melhor lhe seria que fosse amarrada
uma pedra de moinho ao pescoço e se afogasse na pro-
fundeza do mar.
7 Ai do mundo, por causa dos escândalos; porque é inevi-
tável que existam escândalos, mas ai de quem é responsá-
vel pelo escândalo!
8 Portanto, se a sua mão ou o seu pé o fizerem tropeçar,
corte-o, e jogue-o para longe de você; é melhor você en-
trar na vida manco, ou aleijado, do que, tendo duas mãos
ou dois pés, ser lançado no fogo eterno.
9 E, se o seu olho o fizer pecar, arranque-o, e jogue-o para
longe de você. É melhor você entrar na vida com um só
olho, do que, tendo dois olhos, ser lançado no fogo do
inferno.

A Parábola da Ovelha Perdida

10 Cuidado, não desprezem nenhum destes pequeninos,
porque eu lhes digo que os anjos deles nos céus estão sem-
pre vendo a face de meu Pai que está nos céus.
11 Porque o Filho do Homem veio salvar o que se havia
perdido.
12 O que vocês acham? Se algum homem tiver cem ove-
lhas e uma delas se desgarrar, não irá pelos montes, dei-
xando as noventa e nove, em busca da que se desgarrou?
13 E, se conseguir encontrá-la, em verdade lhes digo que
tem maior alegria por aquela do que pelas noventa e nove
que não se desgarraram.
14 Assim, também, não é da vontade do Pai de vocês, que
está nos céus, que um sequer destes pequeninos se perca.

Como Tratar os Que Erram

15 Se o seu irmão pecar contra você, vá e, a sós com ele,
repreenda-o; se ele o ouvir, você ganhou seu irmão;
16 mas, se ele não ouvir, leve ainda com você uma ou
duas pessoas, para que, pela boca de duas ou três testemu-
nhas, toda a palavra seja confirmada.
17 E, se ele se recusar a ouvi-los, conte à igreja; e se ele
se recusar a ouvir também a igreja, considere-o como um
gentio e publicano.
18 Em verdade lhes digo que tudo o que ligarem na terra
será ligado no céu, e tudo o que desligarem na terra será
desligado no céu.

19 Também lhes digo que, se dois de vocês concordarem
na terra a respeito de qualquer coisa que pedirem, isso
lhes será feito por meu Pai, que está nos céus.
20 Porque, onde estiverem dois ou três reunidos em meu
nome, ali estou eu no meio deles."

A Parábola do Servo Incompassível

21 Então Pedro, aproximando-se, perguntou: "Jesus, até
quantas vezes meu irmão pecará contra mim e eu o per-
doarei? Até sete vezes?"
22 Jesus respondeu: "Não digo a você que até sete, mas
até setenta vezes sete.
23 Por isso o Reino dos Céus pode ser comparado a um
certo rei que desejava acertar contas com os seus servos;
24 e, começando a fazer contas, lhe foi apresentado um
que lhe devia dez mil talentos;
25 e ele, não tendo com que pagar, o seu senhor mandou
que ele, sua mulher e seus filhos fossem vendidos, com
tudo que possuía, para que a dívida fosse paga.
26 Então aquele servo, prostrando-se, implorava, dizendo:
'Senhor, tenha paciência comigo, e eu lhe pagarei tudo.'
27 Então o senhor daquele servo compadeceu-se, soltou-o
e lhe perdoou a dívida.
28 Porém, saindo, aquele servo encontrou um dos seus
conservos, que lhe devia cem denários, e, agarrando-o,
começou a sufocá-lo, dizendo: 'Pague-me o que me deve.'
29 Então o seu conservo, prostrando-se a seus pés, lhe
implorava, dizendo: 'Tenha paciência comigo e lhe paga-
rei tudo.'
30 Ele, porém, não quis; antes, saiu e mandou lançá-lo na
prisão, até que pagasse a dívida.
31 Os seus conservos, vendo o que havia acontecido, fi-
caram muito tristes e foram contar ao seu senhor tudo o
que havia acontecido.
32 Então o seu senhor, chamando-o à sua presença, lhe
disse: 'Servo malvado, eu lhe perdoei toda aquela dívida,
porque você me implorou.
33 Você não devia, igualmente, ter compaixão do seu
companheiro, como eu também tive misericórdia de
você?'
34 E, indignado, o seu senhor o entregou aos torturado-
res, até que pagasse tudo o que devia.
35 Assim lhes fará, também, meu Pai celestial, se de cora-
ção vocês não perdoarem cada um a seu irmão."

Ensinos Sobre o Divórcio

19 Quando Jesus acabou de proferir estas palavras, saiu
da Galileia e dirigiu-se aos confins da Judeia, além
do Jordão;
2 e seguiram-no grandes multidões e ele as curou ali.
3 Então os fariseus se aproximaram de Jesus para pô-lo
à prova e perguntaram: "É lícito ao homem repudiar sua
mulher por qualquer motivo?"
4 Jesus respondeu: "Vocês não leram que o Criador, desde
o princípio, os fez homem e mulher,
5 e disse: 'Portanto, o homem deixará pai e mãe, e se
unirá a sua mulher, e serão os dois uma só carne?'
6 Assim não são mais dois, mas uma só carne. Portanto,
que ninguém separe o que Deus uniu."
7 Os fariseus perguntaram: "Então, por que Moisés man-
dou dar uma carta de divórcio e repudiar a mulher?"
8 Jesus respondeu: "Moisés, por causa da dureza do cora-
ção de vocês, lhes permitiu repudiar suas mulheres; mas
no princípio não foi assim.
9 Eu, porém, lhes digo: Quem repudiar a sua mulher, não
sendo por causa de imoralidade sexual, e se casar com
outra, comete adultério; e quem se casar com a repudiada
também comete adultério."
10 Seus discípulos lhe disseram: "Se é assim a condição
do homem em relação à mulher, não convém se casar."
11 Jesus, porém, lhes respondeu: "Nem todos podem re-
ceber esta palavra, mas só aqueles a quem foi concedido.
12 Porque há eunucos que nasceram assim do ventre da
mãe; há eunucos que foram castrados pelos homens e há
eunucos que se castraram a si mesmos, por causa do Reino
dos Céus. Quem pode aceitar isto, aceite-o."

Carinho Com as Crianças

13 Então, lhe trouxeram algumas crianças, para que Jesus
impusesse as mãos sobre elas e orasse, mas os discípulos
os repreendiam.
14 Jesus, porém, disse: "Deixem os pequeninos e não
os impeçam de vir a mim; porque dos tais é o Reino dos
Céus."
15 E, tendo-lhes imposto as mãos, partiu dali.

O Jovem Rico

16 E eis que um jovem se aproximou de Jesus e lhe per-
guntou: "Bom Mestre, o que farei de bom para conseguir
a vida eterna?"
17 E Jesus lhe respondeu: "Por que me chama bom? Não
há bom senão um só, que é Deus. Se você quer, porém,
entrar na vida, guarde os mandamentos."
18 E ele perguntou: "Quais?" E Jesus respondeu: "Não
mate, não cometa adultério, não furte, não dê falso
testemunho;
19 honre o seu pai e a sua mãe e ame o seu próximo como
a você mesmo."
20 O jovem disse: "Tudo isso tenho feito desde a minha
mocidade; o que me falta ainda?"
21 Jesus respondeu: "Se você quer ser perfeito, vá, venda
tudo o que você tem e dê o dinheiro aos pobres, e você
terá um tesouro no céu; então venha, e siga-me."

22 E o jovem, ouvindo essa palavra, retirou-se triste, por-
que possuía muitas propriedades.
23 Então Jesus disse aos seus discípulos: "Em verdade
lhes digo que é difícil um rico entrar no Reino dos Céus.
24 E outra vez lhes digo que é mais fácil um camelo passar
pelo fundo de uma agulha do que um rico entrar no Reino
de Deus."
25 Os seus discípulos, ouvindo isto, admiraram-se muito,
dizendo: "Quem poderá ser salvo?"
26 E Jesus, olhando para eles, lhes disse: "Para as pessoas
isto é impossível, mas para Deus tudo é possível."
27 Então Pedro, tomando a palavra, lhe disse: "Eis que
nós deixamos tudo e te seguimos; qual será, então, o nos-
so galardão?"
28 E Jesus lhes disse: "Em verdade lhes digo que vocês,
que me seguiram, quando, na regeneração, o Filho do Ho-
mem se assentar no trono da sua glória, vocês também se
assentarão sobre doze tronos, para julgar as doze tribos
de Israel.
29 E quem tiver deixado casas ou irmãos, ou irmãs, ou
pai, ou mãe, ou mulher, ou filhos, ou terras, por amor
de meu nome, receberá cem vezes mais e herdará a vida
eterna.
30 Porém, muitos primeiros serão os últimos e os últimos
serão primeiros.

Parábola dos Trabalhadores na Vinha

20 Porque o Reino dos Céus é semelhante a um ho-
mem, pai de família, que saiu de madrugada para
contratar trabalhadores para a sua vinha.
2 E, combinando com os trabalhadores um denário por
dia, mandou-os para a sua vinha.
3 E, saindo perto das nove horas da manhã, viu outros que
estavam ociosos na praça,
4 e lhes disse: 'Vão vocês também para a vinha e lhes
pagarei o que for justo.' E eles foram.
5 Saindo outra vez, perto do meio-dia e das três horas da
tarde, fez o mesmo.
6 E, saindo perto das cinco horas da tarde, encontrou ou-
tros que estavam ociosos e lhes perguntou: 'Por que estão
ociosos o dia todo?'
7 Eles responderam: 'Porque ninguém nos contratou.'
Então ele lhes disse: 'Vão vocês também para a vinha e
receberão o que for justo.'
8 E, aproximando-se a noite, o senhor da vinha diz ao
seu administrador: 'Chame os trabalhadores e pague-lhes
o salário, começando pelos últimos, até aos primeiros.'
9 E, chegando os que tinham ido perto das cinco horas da
tarde, receberam um denário cada um.
10 Vindo, porém, os primeiros, pensaram que receberiam
mais; mas do mesmo modo receberam um denário cada
um.
11 E, recebendo-o, murmuravam contra o pai de família,
12 dizendo: 'Esses últimos trabalharam só uma hora e o
senhor os igualou a nós que suportamos a fadiga e a calor
do dia.'
13 Mas ele, respondendo, disse a um deles: 'Amigo, não
estou sendo injusto com você; você não combinou comigo
trabalhar por um denário?
14 Pegue o que é seu e retire-se; eu quero dar a esse últi-
mo tanto quanto dei a você.
15 Ou não é lícito eu fazer o que quiser com o que é meu?
Ou você está com inveja porque eu sou bom?'
16 Assim os últimos serão primeiros e os primeiros se-
rão últimos; porque muitos são chamados, mas poucos
escolhidos."

Jesus Fala de Sua Morte e Ressurreição

17 E Jesus, subindo a Jerusalém, chamou em particular os
doze discípulos e no caminho lhes disse:
18 "Eis que vamos para Jerusalém e o Filho do Homem
será entregue aos principais sacerdotes e aos escribas, e o
condenarão à morte.
19 E o entregarão aos gentios para que zombem dele, o
açoitem e crucifiquem, mas ao terceiro dia ressuscitará."

O Pedido de Uma Mãe

20 Então se aproximou de Jesus a mãe dos filhos de Ze-
bedeu, com seus filhos, adorando-o e lhe fazendo um
pedido.
21 E Jesus lhe perguntou: "O que você quer?" Ela respon-
deu: "Mande que esses meus dois filhos se assentem, um
à sua direita e outro à sua esquerda, no seu reino."
22 Jesus, porém, respondendo, disse: "Vocês não sa-
bem o que estão pedindo; será que vocês podem beber
o cálice que eu estou para beber e ser batizados com o
batismo com que eu sou batizado?" Eles responderam:
"Podemos."
23 E Jesus lhes disse: "Na verdade vocês beberão o meu
cálice e serão batizados com o batismo com que eu sou ba-
tizado, mas quanto a sentar-se à minha direita ou à minha
esquerda, não me compete concedê-lo, pois é para aqueles
a quem meu Pai o tem preparado."
24 E, quando os outros dez discípulos ouviram isto, indig-
naram-se contra os dois irmãos.
25 Então Jesus, chamando-os para junto de si, disse: "Vo-
cês sabem que os governantes das nações as dominam,
e que as pessoas importantes exercem autoridade sobre
eles.
26 Mas não será assim entre vocês; entre vocês quem qui-
ser tornar-se grande deverá ser servo,

27 e, qualquer um que entre vocês quiser ser o primeiro,
que seja servo de vocês;
28 como o Filho do Homem que não veio para ser servi-
do, mas para servir, e para dar a sua vida em resgate de
muitos."

A Cura de Dois Cegos

29 E, saindo eles de Jericó, uma grande multidão seguia
Jesus.
30 E eis que dois cegos, sentados junto do caminho,
ouvindo que Jesus passava, então gritaram, dizendo: "Se-
nhor, Filho de Davi, tem misericórdia de nós!"
31 E a multidão os repreendia, para que se calassem; eles,
porém, gritavam cada vez mais, dizendo: "Senhor, Filho
de Davi, tem misericórdia de nós!"
32 E Jesus, parando, chamou-os e disse: "O que querem
que eu lhes faça?"
33 Eles lhe responderam: "Senhor, que os nossos olhos
sejam abertos."
34 Então Jesus, movido de íntima compaixão, tocou nos
olhos deles e imediatamente eles recuperaram a visão, e
o seguiram.

A Entrada Triunfal em Jerusalém

21 E, quando se aproximaram de Jerusalém e chega-
ram a Betfagé, ao Monte das Oliveiras, então Jesus
enviou dois discípulos, dizendo-lhes:
2 "Vão à aldeia que está à frente de vocês, e logo encon-
trarão uma jumenta presa e um jumentinho com ela; des-
prendam e tragam para mim.
3 E, se alguém perguntar alguma coisa, respondam que
o Senhor necessita deles e logo ele deixará trazer os
animais."
4 Tudo isto aconteceu para que se cumprisse o que foi dito
pelo profeta, que disse:
5 "Digam à filha de Sião: 'Eis que o seu Rei vem a você,
manso e sentado sobre uma jumenta, e sobre um jumenti-
nho, filho de animal sujeito ao jugo.'"
6 Os discípulos foram e fizeram como Jesus lhes havia
ordenado,
7 trouxeram a jumenta e o jumentinho, e sobre eles puse-
ram os seus mantos e fizeram Jesus montar.
8 E muitíssima gente estendia as suas capas pelo caminho
e outros cortavam ramos de árvores e os espalhavam pelo
caminho.
9 E a multidão que ia adiante e a que seguia clamavam,
dizendo: "Hosana ao Filho de Davi; bendito o que vem
em nome do Senhor. Hosana nas alturas!"
10 E Jesus, entrando em Jerusalém, toda a cidade se alvo-
roçou, dizendo: "Quem é este?"
11 E a multidão dizia: "Este é Jesus, o Profeta de Nazaré
da Galileia."

A Purificação do Templo

12 E Jesus entrou no templo de Deus, expulsou todos os
que vendiam e compravam no templo e derrubou as me-
sas dos cambistas e as cadeiras dos que vendiam pombas;
13 e lhes disse: "Está escrito: 'A minha casa será chamada
casa de oração'; mas vocês estão fazendo dela um covil
de ladrões."
14 E cegos e coxos foram falar com ele no templo, e ele
os curou.
15 Então, os principais sacerdotes e os escribas vendo as
maravilhas que Jesus fazia, e as crianças gritando no tem-
plo: "Hosana ao Filho de Davi", indignaram-se,
16 e lhe perguntaram: "Não estás ouvindo o que estão
dizendo?" E Jesus lhes respondeu: "Sim; nunca leram:
'Pela boca dos meninos e das criancinhas de peito tiraste
o perfeito louvor?'"
17 E, deixando-os, saiu da cidade e foi para Betânia, e ali
passou a noite.

O Secamento da Figueira

18 E, de manhã, voltando para a cidade, Jesus teve fome;
19 e, avistando uma figueira perto do caminho, dirigiu-se
a ela e não achou nada, a não ser folhas. Então Jesus disse
à figueira: "Nunca mais nasça fruto de você!" E a figueira
secou imediatamente.
20 E os discípulos, vendo isto, maravilharam-se, dizendo:
"Como secou imediatamente a figueira?"
21 Jesus, porém, respondendo, lhes disse: "Em verdade
lhes digo que, se tiverem fé e não duvidarem, não só farão
o que foi feito à figueira, mas até se disserem a este monte:
'Levante-se e atire-se no mar', assim será feito;
22 e, tudo o que pedirem em oração, crendo, vocês
receberão."

Autoridade Questionada

23 E Jesus entrou no templo e, enquanto ensinava, apro-
ximaram-se dele os principais sacerdotes e os anciãos do
povo, dizendo: "Com que autoridade fazes estas coisas? E
quem te deu tal autoridade?"
24 E Jesus, respondendo, lhes disse: "Eu também lhes fa-
rei uma pergunta; se vocês me responderem, eu lhes direi
com que autoridade faço estas coisas.
25 O batismo de João, de onde era? Do céu, ou dos ho-
mens?" E pensavam entre si, dizendo: "Se dissermos: Do
céu, ele nos dirá: 'Então por que vocês não creram nele?'
26 E, se dissermos: Dos homens, temos medo do povo,
porque todos consideram João como profeta."
27 E, respondendo a Jesus, disseram: "Não sabemos." En-
tão Jesus lhes disse: "Eu também não lhes direi com que
autoridade faço estas coisas.

Parábola dos Dois Filhos

28 Mas, o que vocês acham? Um homem tinha dois filhos

e, dirigindo-se ao primeiro, disse: 'Filho, vá trabalhar hoje na minha vinha.'

29 Ele, porém, respondendo, disse: 'Não quero.' Mas depois, arrependendo-se, foi.

30 E, dirigindo-se ao segundo, lhe falou de igual modo; então, ele, respondendo, disse: 'Eu vou, senhor', e não foi.

31 Qual dos dois fez a vontade do pai?" Eles responderam: "O primeiro." Então Jesus lhes disse: "Em verdade lhes digo que os publicanos e as prostitutas estão entrando antes de vocês no Reino de Deus.

32 Porque João veio a vocês no caminho da justiça, e vocês não creram nele, mas os publicanos e as prostitutas creram; e mesmo depois de verem isso, vocês nem se arrependeram nem creram nele.

Parábola dos Lavradores Maus

33 Ouçam, ainda, outra parábola: Houve um homem, pai de família, que plantou uma vinha, colocou uma cerca ao redor dela, construiu nela um lagar, edificou uma torre, arrendou a vinha a uns lavradores e ausentou-se para longe.

34 E, chegando o tempo dos frutos, enviou os seus servos aos lavradores, para receber a sua parte dos frutos.

35 E os lavradores agarraram seus servos, feriram um, mataram outro e apedrejaram outro.

36 Depois enviou outros servos, em maior número do que os primeiros; e eles lhes fizeram o mesmo.

37 E, por último, lhes enviou seu filho, dizendo: 'O meu filho eles respeitarão.'

38 Mas os lavradores, vendo o filho, disseram entre si: 'Este é o herdeiro; venham, vamos matá-lo e tomar a sua herança.'

39 E, agarrando-o, o arrastaram para fora da vinha e o mataram.

40 Quando o senhor da vinha vier, o que fará àqueles lavradores?

41 Eles lhe responderam: 'Matará de modo horrível esses perversos e arrendará a vinha a outros lavradores, que, no tempo certo, lhe darão os frutos.'"

42 Então Jesus perguntou: "Nunca leram nas Escrituras: 'A pedra, que os edificadores rejeitaram, tornou-se a pedra angular; isso foi feito pelo Senhor e é maravilhoso aos nossos olhos.'?

43 Portanto, eu lhes digo que o Reino de Deus será tirado de vocês e será dado a um povo que dê os frutos do Reino.

44 E, quem cair sobre essa pedra, se despedaçará; e aquele sobre quem ela cair ficará reduzido a pó."

45 E os principais sacerdotes e os fariseus, ouvindo essas palavras, entenderam que Jesus falava a respeito deles;

46 e, pretendendo prendê-lo, tinham medo do povo, porque o consideravam como profeta.

A Parábola das Bodas

22 Então Jesus, tomando a palavra, lhes falou novamente por parábolas, dizendo:

2 "O Reino dos Céus é semelhante a um certo rei que celebrou as bodas de seu filho;

3 e enviou os seus servos para chamarem os convidados para as bodas, mas estes não quiseram vir.

4 Depois, enviou outros servos, dizendo: 'Digam aos convidados: Eis que tenho o meu jantar preparado, os meus bois e cevados já mortos, e tudo já pronto; venham às bodas.'

5 Eles, porém, não fazendo caso, foram, um para o seu campo, outro para o seu comércio,

6 e os outros, agarrando os servos, os maltrataram e mataram.

7 E o rei, tendo notícia disto, ficou irado e, enviando os seus exércitos, destruiu aqueles assassinos e incendiou a sua cidade.

8 Então diz aos servos: 'As bodas, na verdade, estão preparadas, mas os convidados não eram dignos.'

9 Vão às saídas dos caminhos e convidem para as bodas todos os que vocês encontrarem.

10 E os servos, saindo pelos caminhos, reuniram todos quantos encontraram, tanto maus como bons; e a festa nupcial foi cheia de convidados.

11 E o rei, entrando para ver os convidados, viu ali um homem que não estava trajado com veste de núpcias.

12 E lhe disse: 'Amigo, como você entrou aqui, não tendo veste nupcial?' E ele emudeceu.

13 Então, o rei disse aos servos: 'Amarrem os pés e as mãos dele, levem e lancem-no nas trevas exteriores; ali haverá pranto e ranger de dentes.'

14 Porque muitos são chamados, mas poucos são escolhidos."

O Imposto Devido a César

15 Então os fariseus, retirando-se, consultaram entre si como o surpreenderiam em alguma palavra;

16 e lhe enviaram os seus discípulos, com os herodianos, dizendo: "Mestre, bem sabemos que és verdadeiro e que ensinas o caminho de Deus segundo a verdade, sem se importar com a opinião dos outros, porque não olhas a aparência das pessoas.

17 Dize-nos, o que achas? É lícito pagar o tributo a César, ou não?"

18 Jesus, porém, conhecendo a sua malícia, disse: "Por que vocês estão me pondo à prova, hipócritas?

19 Mostrem-me a moeda do tributo." E eles lhe apresentaram um denário.

20 E Jesus perguntou: "De quem é esta figura e esta inscrição?"

21 Eles lhe disseram: "De César." Então Jesus lhes disse:
"Deem, pois, a César o que é de César e a Deus o que é
de Deus."
22 E eles, ouvindo isto, maravilharam-se e, deixando-o,
se retiraram.

A Questão da Ressurreição

23 No mesmo dia se aproximaram dele os saduceus, que
dizem não haver ressurreição, e o interrogaram,
24 dizendo: "Mestre, Moisés disse: 'Se alguém morrer,
não tendo filhos, o seu irmão se casará com a mulher dele
e dará descendência a seu irmão.'
25 Houve entre nós sete irmãos; o primeiro, tendo casa-
do, morreu e, não tendo descendência, deixou sua mulher
para seu irmão.
26 Da mesma forma o segundo e o terceiro, até o sétimo;
27 por fim, depois de todos, a mulher também morreu.
28 Portanto, na ressurreição, a mulher será de qual dos
sete, visto que todos a possuíram?"
29 Jesus, porém, respondendo, lhes disse: "Vocês erram
por não conhecerem as Escrituras, nem o poder de Deus.
30 Porque na ressurreição nem se casam nem são dados
em casamento; mas serão como os anjos de Deus no céu.
31 E, quanto à ressurreição dos mortos, vocês não leram
o que Deus lhes disse:
32 'Eu sou o Deus de Abraão, o Deus de Isaque e o Deus
de Jacó?' Deus não é Deus dos mortos, mas dos vivos."
33 E as multidões, ouvindo isto, ficaram maravilhadas da
sua doutrina.

O Resumo da Lei

34 E os fariseus, ouvindo que Jesus havia deixado os sadu-
ceus sem resposta, reuniram-se no mesmo lugar.
35 E um deles, mestre da lei, querendo pôr Jesus à prova,
fez a seguinte pergunta:
36 "Mestre, qual é o grande mandamento da Lei?"
37 E Jesus lhe respondeu: "Ame o Senhor seu Deus de
todo o seu coração, de toda a sua alma e de todo o seu
entendimento.
38 Este é o primeiro e o grande mandamento.
39 E o segundo é semelhante a este: Ame o seu próximo
como a você mesmo.
40 Destes dois mandamentos dependem toda a Lei e os
profetas."

A Ignorância dos Fariseus Quanto ao Messias

41 E, estando os fariseus reunidos, Jesus lhes perguntou:
42 "O que vocês pensam a respeito do Cristo? De quem é
filho?" Eles lhe responderam: "De Davi."
43 Então Jesus lhes perguntou: "Como é então que Davi,
em espírito, o chama de Senhor, dizendo:
44 'O Senhor disse ao meu Senhor: Senta-te à minha di-
reita, até que eu ponha os teus inimigos por debaixo dos
teus pés?'
45 Se Davi o chama de Senhor, como ele pode ser filho
de Davi?"
46 E ninguém podia lhe responder uma palavra; desde
aquele dia ninguém mais ousou interrogá-lo.

A Religião de Aparências dos Fariseus

23 Então Jesus falou à multidão e aos seus discípulos:
2 "Na cadeira de Moisés estão assentados os escri-
bas e os fariseus.
3 Façam e observem tudo o que eles lhes disserem; mas
não procedam em conformidade com as suas obras, por-
que dizem e não fazem;
4 pois atam fardos pesados e difíceis de suportar, e os
põem nos ombros dos outros; eles, porém, nem com o
dedo querem movê-los;
5 e fazem todas as obras a fim de serem vistos pelos ou-
tros; pois trazem largos filactérios, e alargam as franjas das
suas vestes,
6 e amam os primeiros lugares nas ceias e as primeiras
cadeiras nas sinagogas,
7 as saudações nas praças e serem chamados pelos outros
de mestre.
8 Vocês, porém, não queiram ser chamados de mestre,
porque um só é o Mestre de vocês, e todos vocês são
irmãos.
9 E a ninguém na terra chamem de pai, porque um só é o
Pai de vocês, aquele que está nos céus.
10 Nem devem ser chamados de guias, porque um só é o
Guia de vocês, que é o Cristo.
11 O maior dentre vocês será o servo de vocês.
12 E quem a si mesmo se exaltar será humilhado, e quem
a si mesmo se humilhar será exaltado.

A Condenação da Religião Fingida

13 Ai de vocês, escribas e fariseus hipócritas! Pois fecham
o Reino dos Céus diante das pessoas; pois vocês mesmos
não entram, nem deixam entrar os que estão entrando.
14 Ai de vocês, escribas e fariseus hipócritas! Pois devo-
ram as casas das viúvas e, para justificar, fazem longas
orações; por isso sofrerão mais rigoroso juízo.
15 Ai de vocês, escribas e fariseus hipócritas! Pois percor-
rem o mar e a terra para fazer um prosélito e, depois de
o terem feito, vocês o tornam filho do inferno duas vezes
mais do que vocês.
16 Ai de vocês, guias cegos! Pois dizem: 'Se alguém jurar
pelo templo, isto nada significa; mas quem jurar pelo ouro
do templo, este é devedor.'
17 Insensatos e cegos! Pois qual é maior: O ouro, ou o
templo, que santifica o ouro?

18 E quem jurar pelo altar, isto nada significa; mas quem jurar pela oferta que está sobre o altar, este é devedor.

19 Insensatos e cegos! Pois quem é maior: A oferta, ou o altar, que santifica a oferta?

20 Portanto, quem jurar pelo altar, jura por ele e por tudo o que está sobre ele;

21 e, quem jurar pelo templo, jura por ele e por aquele que habita nele;

22 e, quem jurar pelo céu, jura pelo trono de Deus e por aquele que está sentado nele.

23 Ai de vocês, escribas e fariseus hipócritas! Pois vocês pagam o dízimo sobre a hortelã, o endro e o cominho, e desprezam o mais importante da Lei: A justiça, a misericórdia e a fidelidade; devem, porém, fazer estas coisas, sem omitir aquelas.

24 Guias cegos! Que coam um mosquito e engolem um camelo.

25 Ai de vocês, escribas e fariseus hipócritas! Pois limpam o exterior do copo e do prato, mas o interior está cheio de ganância e cobiça.

26 Fariseu cego! Limpe primeiro o interior do copo e do prato, para que também o exterior fique limpo.

27 Ai de vocês, escribas e fariseus hipócritas! Pois vocês são semelhantes aos sepulcros pintados, que por fora realmente parecem formosos, mas interiormente estão cheios de ossos de mortos e de toda a imundícia.

28 Assim também vocês exteriormente parecem justos aos homens, mas interiormente estão cheios de hipocrisia e de maldade.

29 Ai de vocês, escribas e fariseus hipócritas! Pois edificam os sepulcros dos profetas e adornam os monumentos dos justos,

30 e dizem: 'Se existíssemos no tempo de nossos pais, nunca nos associaríamos com eles para derramar o sangue dos profetas.'

31 Assim, vocês mesmos testificam que são filhos dos que mataram os profetas.

32 Acabem, pois, vocês, de encher a medida do pecado de seus pais.

33 Serpentes, raça de víboras! Como escaparão da condenação do inferno?

34 Portanto, eis que eu lhes envio profetas, sábios e escribas; a uns deles vocês matarão e crucificarão; e a outros deles açoitarão nas suas sinagogas e os perseguirão de cidade em cidade;

35 para que sobre vocês caia todo o sangue justo, que foi derramado sobre a terra, desde o sangue de Abel, o justo, até ao sangue de Zacarias, filho de Baraquias, que mataram entre o santuário e o altar.

36 Na verdade lhes digo que todas estas coisas virão sobre esta geração.

Lamentação Por Jerusalém

37 Jerusalém, Jerusalém, que mata os profetas e apedreja os que lhe são enviados! Quantas vezes eu quis reunir os seus filhos, como a galinha ajunta os seus pintinhos debaixo das asas, mas vocês não quiseram!

38 Eis que a casa de vocês irá ficar deserta;

39 porque eu lhes digo que desde agora não me verão mais, até que digam: 'Bendito o que vem em nome do Senhor.'"

Sinais da Destruição de Jerusalém e do Fim do Mundo

24 E, quando Jesus ia saindo do templo, os seus discípulos aproximaram-se dele para lhe mostrarem a estrutura do templo.

2 Jesus, porém, lhes disse: "Vocês estão vendo tudo isto? Em verdade lhes digo que não ficará aqui pedra sobre pedra que não seja derrubada."

3 E, estando sentado no Monte das Oliveiras, os seus discípulos se aproximaram dele, em particular, e lhe pediram: "Dize-nos, quando serão estas coisas, e que sinal haverá da tua vinda e do fim do mundo?"

4 E Jesus, respondendo, lhes disse: "Tenham cuidado para que ninguém os engane;

5 porque muitos virão em meu nome, dizendo: 'Eu sou o Cristo'; e enganarão a muitos.

6 E vocês ouvirão falar de guerras e de rumores de guerras; fiquem atentos, não se assustem, porque é necessário que isso tudo aconteça, mas ainda não é o fim.

7 Porque se levantará nação contra nação e reino contra reino, e haverá fomes, pestes, e terremotos em vários lugares.

8 Mas todas estas coisas são o princípio das dores.

9 Então eles os entregarão para serem maltratados e os matarão; serão odiados por todas as nações por causa do meu nome.

10 Nesse tempo muitos ficarão escandalizados, trairão e odiarão uns aos outros.

11 E surgirão muitos falsos profetas, que enganarão a muitos.

12 E, por se multiplicar a iniquidade, o amor de muitos esfriará.

13 Mas aquele que perseverar até ao fim será salvo.

14 E este evangelho do Reino será pregado em todo o mundo, em testemunho a todas as nações, então virá o fim.

15 Quando vocês virem que a abominação da desolação, de que falou o profeta Daniel, estiver no lugar santo; quem lê, entenda.

16 Então, os que estiverem na Judeia, fujam para os
montes;
17 e quem estiver sobre o telhado não desça para tirar
alguma coisa de sua casa;
18 e quem estiver no campo não volte atrás para buscar
o seu manto.
19 Mas ai das grávidas e das que amamentarem naqueles
dias!
20 E orem para que a fuga de vocês não aconteça no in-
verno nem no sábado;
21 porque haverá então grande aflição, como nunca
houve desde o princípio do mundo até agora, nem jamais
haverá.
22 E, se aqueles dias não tivessem sido abreviados, nin-
guém seria salvo; mas, por causa dos escolhidos, aqueles
dias serão abreviados.
23 Então, se alguém lhes disser: 'Eis que o Cristo está
aqui, ou ali', não acreditem;
24 porque surgirão falsos cristos e falsos profetas, e farão
tão grandes sinais e prodígios que, se possível, enganarão
até os escolhidos.
25 Eis que eu lhes tenho predito.
26 Portanto, se lhes disserem: 'Eis que ele está no deser-
to, não saiam. Eis que ele está no interior da casa'; não
acreditem.
27 Porque, assim como o relâmpago sai do Oriente e se
mostra até no Ocidente, assim também será a vinda do
Filho do Homem.
28 Pois, onde estiver o cadáver, aí se ajuntarão os abutres.

Sinais da Sua Segunda Vinda

29 E, logo depois da aflição daqueles dias, o sol escurece-
rá, a lua não dará a sua luz, as estrelas cairão do céu e as
potências dos céus serão abaladas.
30 Então aparecerá no céu o sinal do Filho do Homem,
e todos os povos da terra se lamentarão e verão o Filho
do Homem vindo sobre as nuvens do céu, com poder e
grande glória.
31 E ele enviará os seus anjos com grande som de trom-
beta, os quais ajuntarão os seus escolhidos desde os quatro
ventos, de uma à outra extremidade dos céus.
32 Aprendam com a parábola da figueira: Quando já os
seus ramos se renovam e brotam folhas, vocês sabem que
está próximo o verão.
33 Igualmente, quando virem todas estas coisas, saibam
que ele está próximo, às portas.
34 Em verdade lhes digo que não passará esta geração
sem que todas estas coisas aconteçam.
35 O céu e a terra passarão, mas as minhas palavras não
passarão.

Ninguém Sabe o Dia e a Hora

36 Mas daquele dia e hora ninguém sabe, nem os anjos do
céu, mas unicamente meu Pai.
37 E, como foi nos dias de Noé, assim será também a
vinda do Filho do Homem.
38 Pois, assim como, nos dias anteriores ao dilúvio, co-
miam, bebiam, se casavam e davam-se em casamento, até
o dia em que Noé entrou na arca,
39 e eles não perceberam, até que o dilúvio veio e levou
a todos, assim será também a vinda do Filho do Homem.
40 Então, estando dois no campo, será levado um e dei-
xado o outro;
41 estando duas moendo no moinho, será levada uma e
deixada a outra.

O Preparo Para a Sua Vinda

42 Vigiem, porque vocês não sabem a que hora virá o
seu Senhor.
43 Mas considerem isto: Se o pai de família soubesse a
que hora da noite o ladrão viria, vigiaria e não deixaria
roubar a sua casa.
44 Por isso, vocês também precisam estar preparados; por-
que o Filho do Homem virá na hora em que não esperam.
45 Quem é o servo fiel e prudente, que o seu senhor en-
carrega dos demais servos de sua casa, para lhes dar o
sustento a seu tempo?
46 Bem-aventurado aquele servo que o seu senhor, quan-
do vier, achar servindo assim.
47 Em verdade lhes digo que ele o encarregará sobre to-
dos os seus bens.
48 Mas se aquele mau servo disser no seu coração: 'O
meu senhor se demora para vir';
49 e começar a espancar os seus companheiros e a comer
e a beber com os beberrões,
50 o senhor daquele servo virá num dia em que ele não o
espera, e à hora que ele não sabe,
51 e o separará e destinará a sua parte com os hipócritas;
ali haverá pranto e ranger de dentes.

A Parábola das Dez Virgens

25 Então o Reino dos Céus será semelhante a dez vir-
gens que, pegando as suas lamparinas, saíram ao
encontro do noivo.
2 E cinco delas eram prudentes e cinco insensatas.
3 As insensatas, pegando as suas lamparinas, não levaram
azeite consigo.
4 Mas as prudentes levaram azeite em suas vasilhas, com
as suas lamparinas.
5 E o noivo demorou a chegar, todas ficaram com sono e
adormeceram.
6 Mas à meia-noite ouviu-se um grito: 'Aí vem o noivo,
saiam para encontrá-lo.'

7 Então todas aquelas virgens se levantaram e prepararam
as suas lamparinas.
8 E as insensatas disseram às prudentes: 'Deem-nos um
pouco do seu azeite, porque as nossas lamparinas estão
se apagando.'
9 Mas as prudentes responderam, dizendo: 'Não, para
que não falte para nós nem para vocês; vão aos que o ven-
dem e comprem para vocês.'
10 E, saindo elas para comprar, o noivo chegou, e as que
estavam preparadas entraram com ele para as bodas e fe-
chou-se a porta.
11 E depois chegaram também as outras virgens, dizendo:
'Senhor, Senhor, abra a porta para nós.'
12 E o noivo, respondendo, disse: 'Em verdade lhes digo
que não as conheço.'
13 Vigiem, porque vocês não sabem o dia nem a hora em
que o Filho do Homem virá.

A Parábola dos Talentos

14 Porque isto é também como um homem que, partindo
para fora da terra, chamou os seus servos e confiou-lhes
os seus bens.
15 E a um deu cinco talentos, a outro dois e a outro um,
a cada um segundo a sua capacidade, e partiu para longe.
16 E, tendo ele partido, o que tinha recebido cinco ta-
lentos saiu imediatamente a negociar com eles e ganhou
outros cinco talentos.
17 Da mesma maneira, o que tinha recebido dois, ganhou
também outros dois.
18 Mas o que tinha recebido um, foi e cavou um buraco
na terra e escondeu o dinheiro do seu senhor.
19 E muito tempo depois o senhor daqueles servos veio,
e pediu contas a eles.
20 Então aproximou-se o que tinha recebido cinco talen-
tos e lhe trouxe outros cinco talentos, dizendo: 'Senhor,
entregou-me cinco talentos; eis aqui outros cinco talentos
que ganhei com eles.'
21 E o seu senhor lhe disse: 'Muito bem, servo bom e fiel.
Sobre o pouco você foi fiel, sobre muito o colocarei, entre
e participe da alegria do seu senhor.'
22 E, chegando também o que tinha recebido dois talen-
tos, disse: 'Senhor, entregou-me dois talentos; eis que com
eles ganhei outros dois talentos.'
23 O seu senhor disse: 'Muito bem, servo bom e fiel. So-
bre o pouco você foi fiel, sobre muito o colocarei, entre e
participe da alegria do seu senhor.'
24 Mas, chegando também o que tinha recebido um ta-
lento, disse: 'Senhor, eu sabia que é um homem severo,
que colhe onde não semeou e ajunta onde não espalhou;
25 por isso, fiquei com medo, e escondi na terra o seu
talento; aqui está o que é seu.'
26 Respondendo, porém, o seu senhor, lhe disse: 'Servo
mau e negligente; você sabia que colho onde não semeei
e ajunto onde não espalhei?
27 Devia então ter dado o meu dinheiro aos banqueiros
para que, quando eu voltasse, recebesse o meu dinheiro
com os juros.
28 Tirem o talento dele e deem ao que tem os dez
talentos.
29 Porque a quem tem, mais será dado e terá em abun-
dância; mas, de quem não tem, até o que tem lhe será
tirado.
30 E lancem o servo inútil nas trevas exteriores; ali haverá
pranto e ranger de dentes.'

O Juízo Final

31 E quando o Filho do Homem vier em sua glória e todos
os santos anjos com ele, então se assentará no trono da
sua glória;
32 e todas as nações serão reunidas diante dele e ele se-
parará uma das outras, como o pastor separa as ovelhas
dos bodes;
33 e colocará as ovelhas à sua direita, mas os bodes à
esquerda.
34 Então o Rei dirá aos que estiverem à sua direita: 'Ve-
nham, benditos de meu Pai, recebam por herança o rei-
no que está preparado para vocês desde a fundação do
mundo;
35 porque tive fome e vocês me deram de comer; tive
sede e vocês me deram de beber; era estrangeiro e vocês
me hospedaram;
36 estava nu e vocês me vestiram; estive enfermo e vocês
me visitaram; estive preso e vocês foram me ver.'
37 Então os justos lhe perguntarão, dizendo: 'Senhor,
quando te vimos com fome e te demos de comer? Ou
com sede e te demos de beber?
38 E quando te vimos como estrangeiro e te hospedamos?
Ou nu e te vestimos?
39 E quando te vimos enfermo, ou na prisão, e fomos
visitar-te?'
40 E o Rei, respondendo, lhes dirá: 'Em verdade lhes digo
que quando o fizeram a um desses meus pequeninos ir-
mãos, a mim o fizeram.'
41 Então o Rei dirá também aos que estiverem à sua es-
querda: 'Apartem-se de mim, malditos, para o fogo eterno,
preparado para o diabo e seus anjos;
42 porque tive fome e não me deram de comer; tive sede
e não me deram de beber;
43 sendo estrangeiro, não me hospedaram; estando nu,
não me vestiram; enfermo e na prisão, não me visitaram.'
44 Então eles também lhe responderão, dizendo: 'Senhor,

quando te vimos com fome, ou com sede, ou estrangeiro,
ou nu, ou enfermo, ou na prisão e não te servimos?'
45 Então o Rei lhes responderá, dizendo: 'Em verdade
lhes digo que, quando deixaram de fazer a um desses pe-
queninos, não o fizeram a mim.
46 E esses irão para o tormento eterno, mas os justos para
a vida eterna.'"

Conspiração Contra Jesus

26 E aconteceu que, quando Jesus concluiu todos esses
discursos, disse aos seus discípulos:
2 "Vocês sabem que daqui a dois dias é a Páscoa, e o Filho
do Homem será entregue para ser crucificado."
3 Depois os principais sacerdotes, os escribas e os anciãos
do povo reuniram-se na sala do sumo sacerdote, cujo
nome era Caifás.
4 E consultaram-se mutuamente para prenderem Jesus à
traição e o matarem.
5 Mas diziam: "Não durante a festa, para que não haja
alvoroço entre o povo."

A Unção de Jesus na Casa de Simão

6 E, estando Jesus em Betânia, na casa de Simão, o
leproso,
7 aproximou-se dele uma mulher com um vaso de alabas-
tro, com perfume de grande valor e ela o derramou sobre
a cabeça de Jesus, quando ele estava sentado à mesa.
8 E os seus discípulos, vendo isto, indignaram-se, dizendo:
"Por que este desperdício?"
9 Pois este perfume poderia ser vendido por alto preço e o
dinheiro ser dado aos pobres.
10 Jesus, porém, percebendo isto, lhes disse: "Por que
vocês estão perturbando essa mulher? Pois ela praticou
uma boa ação para comigo.
11 Porque sempre terão os pobres com vocês, mas a mim
vocês nem sempre terão.
12 Derramando este perfume sobre o meu corpo, ela o fez
preparando-me para o meu sepultamento.
13 Em verdade lhes digo que, onde quer que esse evange-
lho for pregado em todo o mundo, também será contado
o que ela fez, para sua memória."

Judas Trama Entregar a Jesus

14 Então um dos doze, chamado Judas Iscariotes, dirigiu-
-se aos principais sacerdotes,
15 e disse: "Quanto me darão se eu o entregar a vocês?"
E eles combinaram trinta moedas de prata,
16 e, desde então, Judas buscava oportunidade para en-
tregar Jesus.

A Santa Ceia

17 E, no primeiro dia da festa dos pães sem fermento,
os discípulos se aproximaram de Jesus, dizendo: "Onde
queres que te façamos os preparativos para comeres a
Páscoa?"
18 E ele disse: "Vão à cidade, a um certo homem e lhe
digam: 'O Mestre diz: O meu tempo está próximo; em sua
casa celebrarei a Páscoa com os meus discípulos.'"
19 E os discípulos fizeram como Jesus lhes tinha ordena-
do e prepararam a Páscoa.
20 E, chegada a tarde, assentou-se à mesa com os doze
discípulos.
21 E, enquanto eles comiam, Jesus disse: "Em verdade
lhes digo que um de vocês irá me trair."
22 E eles, entristecendo-se muito, começaram, um após
outro, a lhe perguntar: "Sou eu, Senhor?"
23 E Jesus, respondendo, disse: "Quem comigo põe a mão
no prato, esse irá me trair.
24 Em verdade o Filho do Homem vai, como a respeito
dele está escrito, mas ai daquele homem por quem o Filho
do Homem é traído! Bom seria para esse homem se não
tivesse nascido."
25 E Judas, quem o traía, perguntou: "Sou eu, Mestre?" E
Jesus respondeu: "Você acabou de dizer isso."
26 E, enquanto comiam, Jesus pegou o pão e, abençoan-
do-o, o partiu, o deu aos discípulos e disse: "Tomem, co-
mam, isto é o meu corpo."
27 E pegou o cálice e, dando graças, o deu aos seus discí-
pulos, dizendo: "Bebam dele todos;
28 porque isto é o meu sangue; o sangue da nova aliança,
que é derramado em favor de muitos, para remissão dos
pecados.
29 E digo a vocês que, desde agora, não beberei deste
fruto da videira, até aquele dia em que beberei de novo
com vocês no reino de meu Pai."
30 E, tendo cantado um hino, saíram para o Monte das
Oliveiras.

Pedro é Advertido

31 Então Jesus disse aos discípulos: "Esta noite serei uma
pedra de tropeço para vocês; porque está escrito: 'Ferirei o
pastor e as ovelhas do rebanho se dispersarão.'
32 Mas, depois que eu ressuscitar, irei adiante de vocês
para a Galileia."
33 Mas Pedro, respondendo, lhe disse: "Ainda que todos
te abandonem, eu nunca te abandonarei."
34 E Jesus lhe disse: "Em verdade lhe digo que, ainda esta
noite, antes que o galo cante, você me negará três vezes."
35 Pedro disse novamente: "Ainda que me seja necessá-
rio morrer contigo, não te negarei." E todos os discípulos
disseram o mesmo.

Jesus no Getsêmani

36 Então Jesus chegou com eles a um lugar chamado

Getsêmani e disse a seus discípulos: "Sentem-se aqui, enquanto vou ali orar."
37 E, levando com ele Pedro e os dois filhos de Zebedeu, começou a entristecer-se e a angustiar-se muito.
38 Então lhes disse: "A minha alma está cheia de tristeza até a morte; fiquem aqui e vigiem comigo."
39 E, indo um pouco mais para diante, prostrou-se sobre o seu rosto, orando e dizendo: "Meu Pai, se for possível, passe de mim este cálice; contudo, não seja como eu quero, mas como tu queres."
40 E, voltando para os seus discípulos, os encontrou dormindo e disse a Pedro: "Então nem uma hora vocês puderam vigiar comigo?
41 Vigiem e orem, para que não entrem em tentação; na verdade, o espírito está pronto, mas a carne é fraca."
42 E, indo pela segunda vez, orou, dizendo: "Meu Pai, se este cálice não pode passar de mim sem que eu o beba, faça-se a tua vontade."
43 E, voltando, os encontrou outra vez dormindo; porque os seus olhos estavam pesados.
44 E, deixando-os de novo, foi orar pela terceira vez, dizendo as mesmas palavras.
45 Então se aproximou dos seus discípulos e lhes disse: "Durmam agora e descansem; eis que é chegada a hora, e o Filho do Homem será entregue nas mãos dos pecadores.
46 Levantem-se e vamos; eis que se aproxima aquele que me trai."

A Prisão de Jesus

47 E, enquanto Jesus ainda falava, eis que Judas, um dos doze, chegou e, com ele, grande multidão com espadas e varas, enviada pelos principais sacerdotes e pelos anciãos do povo.
48 E o traidor lhes tinha dado um sinal, dizendo: "Aquele que eu beijar é esse; prendam-no."
49 E logo, aproximando-se de Jesus, Judas disse: "Eu te saúdo, Mestre"; e o beijou.
50 Jesus, porém, lhe disse: "Amigo, o que você veio fazer?" Então eles, aproximando-se, agarraram Jesus e o prenderam.
51 E eis que um dos que estavam com Jesus, estendendo a mão, puxou da espada e, ferindo o servo do sumo sacerdote, lhe cortou uma orelha.
52 Então Jesus lhe disse: "Guarde a sua espada; porque todos os que lançarem mão da espada, à espada morrerão.
53 Ou você pensa que eu não poderia agora orar a meu Pai e ele não me daria imediatamente mais de doze legiões de anjos?
54 Como se cumpririam as Escrituras, que dizem que as coisas deveriam acontecer desta forma?"
55 Então Jesus disse à multidão: "Vieram como se eu fosse um salteador, com espadas e varas para me prender? Todos os dias me assentava junto de vocês, ensinando no templo e não me prenderam.
56 Mas tudo isto aconteceu para que se cumpram as Escrituras dos profetas." Então, todos os discípulos o deixaram e fugiram.

Jesus Diante do Sinédrio

57 E os que prenderam Jesus o conduziram à casa do sumo sacerdote Caifás, onde os escribas e os anciãos estavam reunidos.
58 E Pedro o seguiu de longe, até o pátio do sumo sacerdote e, entrando, assentou-se entre os servos, para ver o que aconteceria.
59 Os principais sacerdotes, os anciãos e todo o Sinédrio buscavam falso testemunho contra Jesus, para que pudessem condená-lo à morte;
60 e não o achavam; apesar de se apresentarem muitas testemunhas falsas, não o achavam. Mas, por fim chegaram duas testemunhas falsas,
61 e disseram: Este disse: "Eu posso destruir o templo de Deus e reedificá-lo em três dias."
62 E, levantando-se o sumo sacerdote, perguntou a Jesus: "Não vai dar nenhuma resposta ao que estes depõem contra você?"
63 Jesus, porém, permaneceu em silêncio. E o sumo sacerdote, insistindo, lhe disse: "Exijo pelo Deus vivo que nos diga se você é o Cristo, o Filho de Deus."
64 Jesus Respondeu: "É o senhor mesmo quem está dizendo; digo a vocês, porém, que em breve vocês verão o Filho do Homem assentado à direita do Todo-Poderoso e vindo sobre as nuvens do céu."
65 Então o sumo sacerdote rasgou as suas próprias vestes, dizendo: "Blasfemou; para que precisamos ainda de testemunhas? Eis que vocês ouviram agora mesmo a sua blasfêmia.
66 O que acham?" E eles, respondendo, disseram: "É réu de morte."
67 Então, alguns lhe cuspiram no rosto e lhe deram socos, e outros o esbofeteavam,
68 dizendo: "Profetiza-nos, Cristo, quem é que te bateu?"

Pedro Nega Jesus

69 Pedro estava assentado fora, no pátio, e uma serva, aproximando-se dele, disse: "Você também estava com Jesus, o galileu."
70 Mas ele negou diante de todos, dizendo: "Não sei do que está falando."
71 E, saindo em direção à porta, outra serva o viu, e disse aos que ali estavam: "Este também estava com Jesus, o Nazareno."

72 E ele negou outra vez com juramento: "Não conheço
esse homem."
73 E, pouco depois, aproximando-se os que ali estavam,
disseram a Pedro: "Com certeza você também é um deles,
pois o seu modo de falar o denuncia."
74 Então ele começou a praguejar e a jurar, dizendo: "Não
conheço esse homem." E imediatamente o galo cantou.
75 E Pedro lembrou-se das palavras que Jesus tinha dito:
"Antes que o galo cante, você me negará três vezes." E
Pedro, saindo dali, chorou amargamente.

O Suicídio de Judas

27 E, pela manhã bem cedo, todos os principais sa-
cerdotes e os anciãos do povo formavam conselho
contra Jesus, para o matarem;
2 e, amarrando-o, o levaram e entregaram ao governador
Pôncio Pilatos.
3 Então Judas, que o havia traído, vendo que Jesus havia
sido condenado, tomado de remorso, devolveu as trinta
moedas de prata aos principais sacerdotes e aos anciãos,
4 dizendo: "Pequei, traindo o sangue inocente." Eles,
porém, responderam: "O que nos importa? Isso é com
você."
5 Então Judas, atirando as moedas de prata para o templo,
retirou-se e foi-se enforcar.
6 E os principais sacerdotes, pegando as moedas de prata,
disseram: "Não é lícito colocá-las no cofre das ofertas, por-
que é preço de sangue."
7 E, tendo deliberado em conselho, compraram com elas
o campo de um oleiro, para sepultura dos estrangeiros.
8 Por isso aquele campo foi chamado, até ao dia de hoje,
Campo de Sangue.
9 Então se cumpriu o que foi dito pelo profeta Jeremias:
"Pegaram as trinta moedas de prata, preço do que foi ava-
liado, que certos israelitas avaliaram,
10 e deram-nas pelo campo do oleiro, segundo o que o
Senhor determinou."

Jesus é Interrogado Por Pilatos

11 E Jesus foi apresentado ao governador, e este o interro-
gou, dizendo: "Você é o Rei dos Judeus?" E Jesus respon-
deu: "O senhor está dizendo."
12 E, sendo acusado pelos principais sacerdotes e pelos
anciãos, Jesus nada respondeu.
13 Então Pilatos perguntou: "Não está ouvindo as acusa-
ções que eles estão fazendo contra você?"
14 Mas Jesus não lhe respondeu nenhuma palavra, e o
governador ficou muito impressionado.
15 Por ocasião da festa, o governador costumava soltar
um preso, escolhido pelo povo.
16 E tinham então um preso bem conhecido, chamado
Barrabás.
17 Portanto, estando eles reunidos, Pilatos lhes pergun-
tou: "Qual destes vocês querem que eu solte? Barrabás,
ou Jesus, chamado Cristo?"
18 Porque sabia que haviam entregado Jesus por inveja.

Pilatos Avisado Por Sua Mulher

19 Estando Pilatos sentado no tribunal, sua mulher man-
dou lhe dizer: "Não se envolva com esse justo, porque
hoje, num sonho, sofri muito por causa dele."
20 Mas os principais sacerdotes e os anciãos persuadiram
a multidão para que pedissem para que soltasse Barrabás
e matasse Jesus.
21 E o governador, respondendo, lhes disse: "Qual des-
tes dois vocês querem que eu solte?" E eles disseram:
"Barrabás."
22 Pilatos lhes perguntou: "O que farei então com Jesus,
chamado Cristo?" Todos lhe responderam: "Que seja
crucificado."
23 O governador, porém, disse: "Mas que mal ele fez?" E
eles gritavam mais, dizendo: "Que seja crucificado."
24 Então Pilatos, vendo que não estava obtendo nenhum
resultado, pelo contrário, o tumulto crescia, pegou água
e lavou as mãos diante da multidão, dizendo: "Estou ino-
cente do sangue deste justo. Considerem isso."
25 E todo o povo, respondendo, disse: "Que o sangue
dele caia sobre nós e sobre nossos filhos."
26 Então Pilatos lhes soltou Barrabás, e, tendo mandado
açoitar Jesus, entregou-o para ser crucificado.

A Zombaria dos Soldados

27 E logo os soldados do governador, conduzindo Jesus ao
Pretório, reuniram junto dele toda a tropa.
28 E, despindo-o, o cobriram com um manto escarlate;
29 e, tecendo uma coroa de espinhos, a colocaram em
sua cabeça, e uma vara em sua mão direita; então, ajoe-
lhando-se diante dele, zombavam, dizendo: "Salve, Rei
dos judeus."
30 E, cuspindo nele, lhe tiraram a vara e batiam-lhe com
ela na cabeça.
31 E, depois de terem zombado dele, lhe tiraram o manto
e o vestiram com as suas próprias roupas e o levaram para
ser crucificado.

A Crucificação de Jesus

32 E, quando saíam, encontraram um homem cireneu,
chamado Simão, a quem forçaram a carregar a cruz de
Jesus.
33 E, chegando ao lugar chamado Gólgota, que quer dizer
Lugar da Caveira,
34 lhe deram para beber vinho misturado com fel, mas
Jesus, provando-o, não quis beber.
35 E, depois de o crucificarem, repartiram as suas roupas,
lançando a sorte, para que se cumprisse o que foi dito pelo

profeta: "Repartiram entre si as minhas roupas e sobre a
minha túnica lançaram a sorte."
36 E, assentados, o guardavam ali.
37 E por cima da cabeça de Jesus colocaram por escrito
a acusação feita contra ele: "ESTE É JESUS, O REI DOS
JUDEUS."
38 E foram crucificados com ele dois ladrões, um à direita
e outro à esquerda.
39 E os que passavam blasfemavam dele, balançando as
cabeças,
40 e dizendo: "Você, que destrói o templo e o reedifica
em três dias, salve a si mesmo. Se é Filho de Deus, desça
da cruz."
41 E da mesma forma também os principais sacerdotes,
com os escribas, anciãos e fariseus, zombando, diziam:
42 "Salvou os outros mas não é capaz de salvar a si mes-
mo. E é o Rei de Israel! Desça agora da cruz, e creremos
nele.
43 Confiou em Deus; que Deus o livre agora, se o ama;
porque disse: Sou Filho de Deus."
44 Igualmente o insultavam os ladrões que haviam sido
crucificados com ele.
45 E desde o meio-dia houve trevas sobre toda a terra, até
as três horas da tarde.

A Morte de Jesus

46 E perto das três horas da tarde Jesus clamou em alta
voz, dizendo: "Eli, Eli, lamá sabactâni"; isto é, Deus meu,
Deus meu, por que me desamparaste?
47 E alguns dos que estavam ali, ouvindo isto, diziam:
"Ele chama por Elias,"
48 e logo um deles, correndo, pegou uma esponja, em-
bebeu-a em vinagre e, pondo-a numa vara, lhe dava de
beber.
49 Os outros, porém, diziam: "Deixem, vejamos se Elias
vem livrá-lo."
50 E Jesus, clamando outra vez em alta voz, entregou
o espírito.
51 E eis que o véu do templo se rasgou em dois, de alto a
baixo; e a terra tremeu e fenderam-se as pedras;
52 e os sepulcros abriram-se e muitos corpos de santos
que tinham morrido foram ressuscitados;
53 e, saindo dos sepulcros, depois da ressurreição de Je-
sus, entraram na cidade santa e apareceram a muitos.
54 E o centurião e os que com ele guardavam Jesus, ven-
do o terremoto e as coisas que haviam acontecido, tive-
ram grande temor e disseram: "Verdadeiramente este era
o Filho de Deus."
55 E estavam ali, olhando de longe, muitas mulheres que
tinham seguido Jesus desde a Galileia, para o servir;
56 entre elas estavam Maria Madalena, Maria, mãe de
Tiago e de José, e a mãe dos filhos de Zebedeu.

O Sepultamento de Jesus

57 E, ao cair da tarde, chegou um homem rico, de Arima-
teia, chamado José, que também era discípulo de Jesus.
58 Este foi falar com Pilatos e lhe pediu o corpo de Jesus.
Então Pilatos mandou que o corpo lhe fosse entregue.
59 E José, levando o corpo, envolveu-o num fino e limpo
lençol,
60 e o pôs no seu sepulcro novo, que havia aberto na
rocha; então, rolando uma grande pedra para a entrada do
sepulcro, retirou-se.
61 E estavam ali Maria Madalena e a outra Maria, senta-
das à frente do sepulcro.
62 E no dia seguinte, que é o dia depois da Preparação,
reuniram-se os principais sacerdotes e os fariseus na casa
de Pilatos,
63 dizendo: "Senhor, lembramos que aquele enganador,
enquanto ainda estava vivo, disse: Depois de três dias
ressuscitarei.

Guardas no Sepulcro

64 Mande, pois, que o sepulcro seja guardado com se-
gurança até o terceiro dia, para que não venham os seus
discípulos de noite e o roubem e depois digam ao povo:
'Ressuscitou dos mortos'; assim o último engano será pior
do que o primeiro."
65 E Pilatos lhes disse: "A guarda está à disposição de
vocês; vão e guardem-no como acharem melhor."
66 E, indo eles, armaram um esquema de segurança no
sepulcro com a guarda, selando a pedra.

A Ressurreição

28 E, depois do sábado, quando já despontava o pri-
meiro dia da semana, Maria Madalena e a outra
Maria foram ver o sepulcro.
2 E eis que houve um grande terremoto, porque um anjo
do Senhor, descendo do céu, chegou, removeu a pedra da
entrada e sentou-se sobre ela.
3 E o seu aspecto era como um relâmpago, as suas vestes
brancas como neve.
4 E os guardas, com medo dele, ficaram muito assombra-
dos e como se estivessem mortos.
5 Mas o anjo disse às mulheres: "Não tenham medo; pois
eu sei que vocês buscam a Jesus, que foi crucificado.
6 Ele não está aqui, porque já ressuscitou, como havia
dito. Venham, vejam o lugar onde o Senhor estava.
7 Vão imediatamente e digam aos seus discípulos que ele
já ressuscitou dentre os mortos. E eis que ele vai adiante
de vocês para a Galileia; lá o verão. Eis que eu o tenho
dito."
8 E elas, saindo com pressa do sepulcro, amedrontadas

e cheias de alegria, correram para anunciá-lo aos seus
discípulos.
9 E elas, indo para dar as novas aos seus discípulos, eis que
Jesus lhes sai ao encontro, dizendo: "Eu as saúdo." E elas,
aproximando-se, abraçaram os seus pés, e o adoraram.
10 Então Jesus lhes disse: "Não tenham medo; vão dizer
aos meus irmãos que se dirijam para a Galileia, e lá me
verão."

O Relato dos Guardas

11 E, enquanto elas iam, eis que alguns da guarda, che-
gando à cidade, anunciaram aos principais sacerdotes to-
das as coisas que haviam acontecido.
12 E eles, reunidos com os anciãos e tomando conselho
entre si, deram muito dinheiro aos soldados,
13 dizendo: "Digam: Os seus discípulos vieram de noite e
roubaram o corpo, enquanto estávamos dormindo.
14 E, se isto chegar a ser ouvido pelo governador, nós o
persuadiremos e livraremos vocês de qualquer problema."
15 E eles, recebendo o dinheiro, fizeram como estavam
instruídos. E foi divulgado esse dito entre os judeus, até
ao dia de hoje.

A Grande Comissão

16 E os onze discípulos partiram para a Galileia, para o
monte que Jesus lhes tinha designado.
17 E, quando o viram, o adoraram; mas alguns duvidaram.
18 E Jesus, aproximando-se, lhes falou, dizendo: "Toda a
autoridade me foi dada no céu e na terra.
19 Portanto, vão e façam discípulos de todas as nações,
batizando-os em nome do Pai, do Filho, e do Espírito
Santo;
20 ensinando-os a guardar todas as coisas que eu lhes te-
nho ordenado; e eis que eu estou com vocês todos os dias,
até a consumação dos séculos. Amém."

A Obra de João Batista

1 Princípio do Evangelho de Jesus Cristo, Filho de Deus;
2 como está escrito no profeta Isaías: "Eis que eu envio
o meu anjo diante da sua face, o qual preparará o seu
caminho diante de você.
3 Voz do que clama no deserto: Preparem o caminho do
Senhor, endireitem as suas veredas."
4 Assim apareceu João batizando no deserto e pregando
o batismo de arrependimento para remissão dos pecados.
5 E toda a província da Judeia e os moradores de Jeru-
salém iam até ele, e todos eram batizados por ele no rio
Jordão, confessando os seus pecados.
6 E João andava vestido com roupas feitas de pelos de
camelo, usava um cinto de couro ao redor da cintura e
comia gafanhotos e mel silvestre.
7 E pregava, dizendo: "Depois de mim vem aquele que
é mais poderoso do que eu, do qual não sou digno de,
abaixando-me, desatar a correia das suas sandálias.
8 Eu, em verdade, batizo vocês com água; ele, porém, os
batizará com o Espírito Santo."

O Batismo e a Tentação de Jesus

9 E aconteceu naqueles dias que Jesus veio de Nazaré da
Galileia e foi batizado por João no rio Jordão.
10 E, logo que saiu da água, viu os céus se abrindo e o
Espírito descendo como pomba sobre ele.
11 E veio uma voz dos céus, que dizia: "Você é o meu
Filho amado em quem me agrado."
12 E logo o Espírito o conduziu para o deserto.
13 E Jesus esteve ali no deserto por quarenta dias sendo
tentado por Satanás. Ele vivia entre as feras e os anjos o
serviam.

Os Primeiros Discípulos

14 E, depois que João foi preso, Jesus foi para a Galileia,
pregando o evangelho do Reino de Deus e dizendo:
15 "O tempo está cumprido e o Reino de Deus está próxi-
mo; arrependam-se e creiam no evangelho."
16 E, andando junto ao mar da Galileia, viu Simão e An-
dré, seu irmão, que lançavam a rede ao mar, pois eram
pescadores.
17 E Jesus lhes disse: "Sigam-me e eu farei com que vocês
sejam pescadores de pessoas."
18 E, deixando logo as suas redes, o seguiram.
19 E, um pouco mais adiante, Jesus viu Tiago, filho de
Zebedeu, e João, seu irmão, que estavam no barco con-
sertando as redes,
20 e logo os chamou. E eles, deixando o seu pai Zebedeu
no barco com os empregados, seguiram Jesus.

Jesus Expulsa Um Espírito Imundo

21 Entraram em Cafarnaum e, logo no sábado, Jesus en-
trou na sinagoga e começou a ensinar.
22 E maravilharam-se com a sua doutrina, porque os en-

sinava como alguém que tem autoridade e não como os
escribas.
23 E apareceu na sinagoga um homem com um espírito
imundo, o qual gritou:
24 "O que queres conosco, Jesus Nazareno? Vieste para
nos destruir? Sei quem tu és: O Santo de Deus."
25 E Jesus repreendeu-o, dizendo: "Cale-se e saia desse
homem."
26 Então o espírito imundo, agitando o homem violenta-
mente e gritando em alta voz, saiu dele.
27 E todos se admiraram, a ponto de perguntarem entre
si, dizendo: "O que é isto? Que nova doutrina é esta?
Pois com autoridade ordena aos espíritos imundos e eles
lhe obedecem!"
28 E a fama de Jesus se espalhou rapidamente por toda a
província da Galileia.

A Cura da Sogra de Pedro e Outros Enfermos

29 E, logo saindo da sinagoga, foram à casa de Simão e de
André com Tiago e João.
30 E a sogra de Simão estava deitada com febre, e logo
lhe falaram dela.
31 Então, aproximando-se dela, Jesus pegou-a pela mão
e levantou-a; e imediatamente a febre a deixou e ela co-
meçou a servi-los.
32 E, à tarde, ao pôr do sol, lhe trouxeram todos os enfer-
mos e os endemoniados.
33 E toda a cidade se reuniu à porta da casa.
34 E ele curou muitos enfermos de diversas enfermida-
des e expulsou muitos demônios, porém, não deixava os
demônios falarem, porque o conheciam.
35 E Jesus, levantando-se de madrugada, muito cedo,
quando ainda estava escuro, saiu e foi para um lugar de-
serto, e ali orava.
36 Simão e os que estavam com ele foram procurá-lo.
37 E, achando-o, lhe disseram: "Todos estão à tua
procura."
38 E ele lhes disse: "Vamos às aldeias vizinhas, para que
eu ali também pregue; porque para isso eu vim."
39 E pregava nas sinagogas deles, por toda a Galileia, e
expulsava os demônios.

A Cura de Um Leproso

40 E um leproso se aproximou de Jesus e, pondo-se de
joelhos diante dele, suplicou: "Se queres, bem podes me
purificar."
41 E Jesus, movido de grande compaixão, estendeu a
mão, tocou-o e lhe disse: "Quero sim, fique limpo."
42 E, tendo Jesus dito isto, imediatamente a lepra desapa-
receu, e ele ficou limpo.
43 E logo o despediu, advertindo-o severamente,
dizendo:
44 "Olhe, não diga nada a ninguém; porém vá, apresen-
te-se ao sacerdote e ofereça pela sua purificação o que
Moisés determinou, para lhes servir de testemunho."
45 Mas, tendo ele saído, começou a contar muitas coisas
e a divulgar o que havia acontecido, a ponto de Jesus já
não poder mais entrar publicamente em nenhuma cida-
de, mas ficava fora em lugares desertos, e de todas as
partes vinham ao encontro dele.

Cura do Paralítico em Cafarnaum

2 E, alguns dias depois, Jesus entrou outra vez em Ca-
farnaum, e o povo ouviu dizer que ele estava em casa.
2 E logo muitos se reuniram ali, e não havia mais lu-
gar nem mesmo junto à porta; e Jesus lhes anunciava a
palavra.
3 E vieram até ele conduzindo um paralítico, carregado
por quatro homens.
4 E, não podendo aproximar-se dele, por causa da multi-
dão, removeram o telhado onde Jesus estava e, fazendo
uma abertura, desceram o leito em que estava o paralítico.
5 E Jesus, vendo a fé deles, disse ao paralítico: "Filho, os
seus pecados estão perdoados."
6 E estavam assentados ali alguns dos escribas que pensa-
vam em seus corações:
7 "Por que ele fala assim? Isto é blasfêmia! Quem pode
perdoar pecados, senão Deus?"
8 E Jesus, conhecendo logo em seu espírito que eles pen-
savam assim entre si, lhes disse: "Por que vocês estão
pensando essas coisas em seus corações?
9 O que é mais fácil? Dizer ao paralítico: Os seus pecados
estão perdoados, ou lhe dizer: Levante-se, pegue o seu
leito e ande?
10 Para que saibam que o Filho do Homem tem na terra
poder para perdoar pecados, disse ao paralítico:
11 Eu lhe digo: Levante-se, pegue o seu leito e vá para
a sua casa."
12 Então levantou-se e, pegando logo o leito, saiu à vista
de todos, e todos se admiraram e glorificaram a Deus,
dizendo: "Nunca vimos nada igual."

O Chamado de Levi

13 Então Jesus saiu outra vez para o mar e toda a multi-
dão vinha ao encontro dele, e ele os ensinava.
14 Quando Jesus ia passando, viu Levi, filho de Alfeu,
sentado na coletoria, e lhe disse: "Siga-me!" Então, levan-
tando-se, o seguiu.
15 Jesus estava sentado à mesa na casa de Levi, também
estavam junto com ele e seus discípulos muitos publica-
nos e pecadores; eles eram muitos e o tinham seguido.
16 E os escribas e fariseus, vendo Jesus comer com os pu-
blicanos e pecadores, disseram aos seus discípulos: "Por
que ele come e bebe com os publicanos e pecadores?"

17 E Jesus, tendo ouvido isto, lhes respondeu: "Os sãos não necessitam de médico, e sim os doentes; eu não vim chamar os justos, e sim os pecadores ao arrependimento."

Jesus e o Jejum dos Fariseus

18 Os discípulos de João e os fariseus estavam jejuando; por isso, algumas pessoas vieram a Jesus e lhe perguntaram: "Por que os discípulos de João e os discípulos dos fariseus jejuam, e os seus discípulos não jejuam?"

19 E Jesus respondeu: "Podem os convidados do casamento jejuar enquanto o noivo está com eles? Enquanto o noivo estiver com eles, não podem jejuar;

20 mas virão dias em que o noivo lhes será tirado, então, jejuarão naqueles dias.

21 Ninguém põe remendo de pano novo em roupa velha; pois o remendo novo rompe a roupa velha deixando o buraco maior ainda.

22 E ninguém põe vinho novo em odres velhos; porque, se fizer isso, o vinho novo rompe os odres e entorna-se o vinho, e tanto o vinho como os odres se estragarão; pelo contrário, põe-se vinho novo em odres novos."

O Senhor do Sábado

23 E, passando Jesus num sábado pelas searas, os seus discípulos, caminhando, começaram a colher espigas.

24 E os fariseus lhe disseram: "Olhe! Por que estão fazendo o que não é lícito aos sábados?"

25 Mas Jesus lhes disse: "Nunca leram o que Davi fez, quando estava em necessidade e teve fome, ele e os que estavam com ele?

26 Como entrou na casa de Deus, no tempo do sumo sacerdote Abiatar, e comeu os pães da proposição, os quais só aos sacerdotes era lícito comer, e ainda deu esses pães aos que estavam com ele?"

27 E lhes disse mais: "O sábado foi feito por causa do homem e não o homem por causa do sábado.

28 Assim o Filho do Homem é Senhor até do sábado.

A Cura da Mão Atrofiada

3 E entrou outra vez na sinagoga, e estava ali um homem que tinha uma das mãos atrofiada.

2 E estavam observando para ver se Jesus o curaria no sábado, para o acusarem.

3 E Jesus disse ao homem que tinha a mão atrofiada: "Levante-se e venha para o meio."

4 E Jesus lhes perguntou: "É lícito no sábado fazer o bem, ou fazer mal? Salvar a vida, ou matar?" E eles calaram-se.

5 E Jesus, olhando para eles em redor com indignação e entristecido por causa da dureza do coração deles, disse ao homem: "Estenda a sua mão." E ele a estendeu, e ela lhe foi restaurada.

6 E os fariseus, tendo saído, começaram a conspirar com os herodianos contra Jesus, procurando ver como o matariam.

Uma Multidão Procura Por Jesus

7 E Jesus retirou-se com os seus discípulos para o mar, e uma grande multidão o seguia da Galileia e da Judeia,

8 de Jerusalém, da Idumeia, do outro lado do Jordão e de perto de Tiro e de Sidom, porque ouviam falar das coisas que Jesus fazia.

9 E ele disse aos seus discípulos que tivessem sempre pronto um barquinho junto dele, por causa da multidão, para que não o apertassem,

10 porque tinha curado a muitos, de tal maneira que todos quantos tinham algum mal se lançavam sobre ele, para o tocarem.

11 E os espíritos imundos, vendo-o, prostravam-se diante dele e gritavam, dizendo: "Tu és o Filho de Deus."

12 E Jesus lhes advertia severamente, para que não dissessem quem ele era.

A Escolha dos Doze Apóstolos

13 E Jesus subiu ao monte, e chamou para si os que ele quis; e vieram a ele.

14 E nomeou doze para que estivessem com ele e os mandasse a pregar,

15 e para que tivessem o poder de curar as enfermidades e expulsar os demônios:

16 Simão, a quem pôs o nome de Pedro,

17 e Tiago, filho de Zebedeu, João, irmão de Tiago, aos quais pôs o nome de Boanerges, que significa: Filhos do trovão;

18 e André, Filipe, Bartolomeu, Mateus, Tomé e Tiago, filho de Alfeu, Tadeu, e Simão, o Zelote,

19 e Judas Iscariotes, que o traiu.

20 E foram para uma casa. E outra vez uma multidão se ajuntou, de tal maneira que nem sequer podiam comer.

Acusações Contra Jesus

21 E, quando os familiares de Jesus ouviram isto, saíram para prendê-lo; porque diziam: "Está fora de si."

22 E os escribas, que tinham vindo de Jerusalém, diziam: "Ele está possuído por Belzebu, e pelo príncipe dos demônios expulsa os demônios."

23 Então, chamando-os, Jesus lhes disse por parábolas: "Como pode Satanás expulsar Satanás?

24 Se um reino se dividir contra si mesmo, tal reino não poderá subsistir;

25 se uma casa se dividir contra si mesma, tal casa não poderá subsistir.

26 E, se Satanás se levantar contra si mesmo, e for dividido, não poderá subsistir; chegou o seu fim.

27 Ninguém pode entrar na casa do valente para roubar

seus bens se primeiro amarrá-lo, e só então saqueará a
casa dele.
28 Em verdade lhes digo que todos os pecados serão per-
doados aos filhos dos homens, e todas as blasfêmias que
proferirem.
29 Porém, aquele que blasfemar contra o Espírito Santo
nunca obterá perdão, mas será réu do eterno juízo."
30 Porque diziam: "Está possuído de um espírito
imundo."

A Mãe e os Irmãos de Jesus

31 Então chegaram os seus irmãos e a sua mãe; e, tendo
ficado do lado de fora, mandaram chamá-lo.
32 E a multidão estava sentada ao redor de Jesus, e lhe
disseram: "A tua mãe e teus irmãos te procuram, e estão
lá fora."
33 Então Jesus lhes perguntou: "Quem é a minha mãe e
os meus irmãos?"
34 E, olhando ao redor para os que estavam sentados jun-
to dele, disse: "Eis aqui a minha mãe e os meus irmãos.
35 Porquanto, aquele que fizer a vontade de Deus, esse é
meu irmão, minha irmã e minha mãe."

A Parábola do Semeador

4 Outra vez Jesus começou a ensinar junto do mar, e
ajuntou-se a ele uma grande multidão, de modo que
ele entrou e sentou-se num barco, sobre o mar, porém,
toda a multidão estava em terra junto do mar.
2 E ele lhes ensinava muitas coisas por parábolas e lhes
dizia na sua doutrina:
3 "Ouçam: Eis que saiu o semeador a semear.
4 E, ao semear, uma parte da semente caiu junto do cami-
nho; então vieram as aves do céu e a comeram;
5 e outra parte caiu sobre solo pedregoso, onde não ha-
via muita terra, e logo nasceu, porque não tinha terra
profunda;
6 mas, saindo o sol, queimou-se; e, como não tinha raiz,
secou-se.
7 E outra parte caiu entre os espinhos; e os espinhos cres-
ceram e a sufocaram, e não deu fruto.
8 E outra parte caiu em boa terra e deu fruto, que vingou
e cresceu; e um produziu trinta, outro sessenta e outro
cem por um."
9 E Jesus disse-lhes: "Quem tem ouvidos para ouvir,
ouça."
10 E, quando Jesus ficou só, os que estavam junto dele
com os doze interrogaram-no a respeito das parábolas.
11 E Jesus disse a eles: "A vocês é dado conhecer os mis-
térios do Reino de Deus, mas aos que estão de fora todas
estas coisas se ensinam por parábolas,
12 para que, vendo, vejam, e não percebam; e, ouvindo,
ouçam, e não entendam; para que não se convertam e
lhes sejam perdoados os pecados."
13 E Jesus lhes perguntou: "Se não entendem esta pará-
bola, como entenderão todas as outras?
14 O que semeia, semeia a palavra;
15 e os que estão junto do caminho são aqueles em
quem a palavra é semeada, mas, tendo-a eles ouvido,
vem logo Satanás e tira a palavra que foi semeada nos
seus corações.
16 E da mesma forma os que recebem a semente sobre
solo pedregoso; os quais, ouvindo a palavra, logo com
prazer a recebem,
17 mas não têm raiz em si mesmos, antes são temporãos;
depois, sobrevindo tribulação ou perseguição, por causa
da palavra, logo se escandalizam.
18 E outros são os que recebem a semente entre espi-
nhos, os quais ouvem a palavra,
19 mas os cuidados deste mundo, os enganos das rique-
zas e as ambições de outras coisas, entrando, sufocam a
palavra e ela fica infrutífera.
20 E os que recebem a semente em boa terra são os que
ouvem a palavra e a recebem, e dão fruto, um a trinta,
outro a sessenta, outro a cem, por um."

A Parábola da Candeia

21 E Jesus lhes disse: "Será que alguém traz a lamparina
para pôr debaixo de um cesto, ou debaixo da cama? Por
acaso não a colocam antes num lugar apropriado?
22 Porque não há nada encoberto que não possa ser reve-
lado, e nada oculto, senão para ser descoberto.
23 Se alguém tem ouvidos para ouvir, ouça."
24 E Jesus lhes disse: "Prestem atenção ao que vão ouvir.
Com a medida com que medirem vocês serão medidos, e
mais ainda será acrescentado a vocês.
25 Porque, ao que tem, mais será dado; e ao que não
tem, até o que tem lhe será tirado."

A Parábola da Semente

26 E Jesus dizia: "O Reino de Deus é como um homem
que lança a semente na terra.
27 Então ele dorme e acorda de noite ou de dia, e a se-
mente brota e cresce, sem que ele saiba como.
28 Porque a terra por si mesma frutifica, primeiro a erva,
depois a espiga, por último o grão cheio de espiga.
29 E, quando o grão já está maduro, logo cortam com a
foice, porque chegou a colheita."

A Parábola do Grão de Mostarda

30 E Jesus disse: "Com que poderemos comparar o Reino
de Deus? Ou com que parábola o representaremos?
31 Ele é como um grão de mostarda, que, quando se-
meado, é a menor de todas as sementes que há na terra;
32 mas, tendo sido semeada, cresce e se torna maior do

que todas as hortaliças e cria grandes ramos, de tal maneira que as aves do céu podem aninhar-se debaixo da sua sombra."

33 E com muitas parábolas como essas Jesus lhes ensinava a palavra, conforme podiam compreendê-la.

34 E nunca lhes falava sem parábolas; porém, explicava tudo em particular aos seus discípulos.

Jesus Acalma a Tempestade

35 E, naquele dia, sendo já tarde, lhes disse: "Vamos atravessar para o outro lado."

36 E eles, deixando a multidão, o levaram com eles, assim como estava, no barco; e havia também com ele outros barquinhos.

37 E levantou-se um grande temporal de vento, e as ondas subiam por cima do barco, e ele ia se enchendo de água.

38 E Jesus estava na popa, dormindo sobre um travesseiro; então os discípulos o despertaram, dizendo: "Mestre, não te importa que pereçamos?"

39 E Jesus, despertando, repreendeu o vento e disse ao mar: "Acalme-se, aquiete-se." E o vento se aquietou e houve grande calmaria.

40 E Jesus lhes perguntou: "Por que são tão medrosos? Vocês ainda não têm fé?"

41 Então sentiram um grande temor e diziam uns aos outros: "Mas quem é este, que até o vento e o mar lhe obedecem?"

A Cura de Um Endemoniado Geraseno

5 E chegaram ao outro lado do mar, na região dos gerasenos.

2 E Jesus, deixando o barco, logo um homem com espírito imundo veio dos sepulcros ao seu encontro.

3 Esse homem vivia nos sepulcros e ninguém podia prendê-lo, nem mesmo com correntes;

4 porque, tendo sido muitas vezes preso com correntes e cadeias, as correntes foram por ele despedaçadas e as cadeias quebradas, e ninguém conseguia dominá-lo.

5 E ele andava sempre, de dia e de noite, gritando pelos montes e pelos sepulcros, ferindo-se com pedras.

6 E, quando ele de longe viu Jesus, correu e adorou-o.

7 E, gritando em alta voz, disse: "O que tenho eu contigo, Jesus, Filho do Deus Altíssimo? Peço-te, por Deus, que não me atormentes."

8 Porque Jesus lhe dizia: "Saia deste homem, espírito imundo."

9 E Jesus lhe perguntou: "Qual é o seu nome?" E ele respondeu: "Legião é o meu nome, porque somos muitos."

10 E lhe rogava muito que não os enviasse para fora daquela província.

11 E uma grande manada de porcos andava pastando ali no monte.

12 E todos aqueles demônios lhe rogaram, dizendo: "Manda-nos para aqueles porcos, para que entremos neles."

13 E Jesus o permitiu. E aqueles espíritos imundos saíram e entraram nos porcos; então a manada, quase dois mil porcos, se precipitou por um despenhadeiro, e afogaram-se no mar.

14 E os que apascentavam os porcos fugiram e o anunciaram na cidade e nos campos; por isso, muitos saíram para ver o que tinha acontecido.

15 E foram estar com Jesus e viram o endemoniado, o homem que antes estava dominado pela legião, assentado, vestido, e em perfeito juízo; e temeram.

16 E os que tinham visto aquilo lhes contaram o que tinha acontecido ao endemoniado e falaram a respeito dos porcos.

17 E começaram a pedir a Jesus para que saísse das suas terras.

18 E, entrando Jesus no barco, o homem que antes estava possuído pediu que Jesus o deixasse ir com ele.

19 Jesus, porém, não permitiu, mas lhe disse: "Vá para sua casa, para a sua família e anuncie-lhes tudo o que o Senhor fez por você, e como teve misericórdia de você."

20 E ele foi e começou a anunciar na Decápolis tudo o que Jesus tinha feito por ele; então todos se maravilharam.

A Cura de Uma Mulher e a Ressurreição da Filha de Jairo

21 E, tendo Jesus voltado de barco para o outro lado, ajuntou-se a ele uma grande multidão; e ele estava à beira do mar.

22 Então chegou um dos chefes da sinagoga, chamado Jairo, e, vendo-o, prostrou-se aos seus pés,

23 e lhe implorava muito, dizendo: "Minha filha está à beira da morte; peço-te que venhas impor as mãos sobre ela, para que ela sare e viva."

24 E Jesus foi com ele, e uma grande multidão seguia Jesus, apertando-o de todos os lados.

25 Estava ali uma mulher, que, havia doze anos, vinha sofrendo de uma hemorragia.

26 Ela havia sofrido muito sob o cuidado de vários médicos, e gastado tudo o que tinha, mas, em vez de melhorar, piorava cada vez mais.

27 Ela, tendo ouvido falar de Jesus, veio por trás dele entre a multidão, e tocou no seu manto.

28 Porque ela dizia: "Se eu apenas tocar no seu manto, ficarei curada."

29 E logo a hemorragia parou; e ela sentiu que estava curada daquele mal.

30 E Jesus, no mesmo instante, percebeu que dele havia saído poder, então virou para a multidão e perguntou: "Quem tocou no meu manto?"
31 E os seus discípulos lhe responderam: "Vês que a multidão te aperta e dizes: 'Quem me tocou?'"
32 E Jesus olhava ao redor para ver quem tinha feito aquilo.
33 Então a mulher, ciente do que lhe havia acontecido, temendo e tremendo, aproximou-se e prostrou-se diante dele, e contou-lhe toda a verdade.
34 E Jesus lhe disse: "Filha, a sua fé salvou você; vá em paz e esteja curada desse seu mal."
35 Enquanto Jesus ainda estava falando, chegaram algumas pessoas da casa do chefe da sinagoga, dizendo: "A sua filha já morreu; por que ainda incomoda o Mestre?"
36 E Jesus, ouvindo essas palavras, disse ao chefe da sinagoga: "Não tenha medo, somente creia."
37 E Jesus não permitiu que ninguém o seguisse, a não ser Pedro e os irmãos Tiago e João.
38 E, tendo chegado à casa do chefe da sinagoga, Jesus viu o alvoroço, os que choravam muito e pranteavam.
39 E, ao entrar, Jesus lhes disse: "Por que estão alvoroçados e chorando? A menina não está morta, mas dorme."
40 E riam-se dele. Jesus, porém, ordenando que eles saíssem, levou consigo o pai, a mãe da menina e os que estavam com ele, e entrou onde a menina estava deitada.
41 E, pegando a mão da menina, disse: "Talita cumi", que, traduzido, é: Menina, eu digo a você, levante-se.
42 E logo a menina se levantou e começou a andar, pois ela já tinha doze anos de idade; e todos ficaram muito admirados.
43 E Jesus ordenou-lhes expressamente que ninguém o soubesse, mas mandou que dessem alguma coisa de comer para ela.

A Incredulidade dos Nazarenos

6 E, saindo dali, Jesus chegou à sua terra, e os seus discípulos o seguiram.
2 E, chegando o sábado, começou a ensinar na sinagoga; e muitos, ouvindo-o, se admiravam, dizendo: "De onde lhe vêm essas coisas? E que sabedoria é essa que lhe foi dada? E como se fazem tais maravilhas por suas mãos?
3 Não é esse o carpinteiro, filho de Maria, irmão de Tiago, de José, de Judas e de Simão? E suas irmãs não estão aqui conosco?" E escandalizavam-se por causa dele.
4 E Jesus lhes dizia: "Não há profeta sem honra a não ser na sua terra, entre os seus parentes, e na sua casa."
5 E não pôde fazer ali nenhum milagre; somente curou alguns poucos enfermos, lhes impondo as mãos.
6 E estava admirado com a incredulidade deles. E percorreu as aldeias vizinhas, ensinando.

Jesus Envia os Doze

7 Chamou os doze e começou a enviá-los de dois em dois, e lhes deu poder sobre os espíritos imundos;
8 e ordenou-lhes que não levassem nada para o caminho, exceto um bordão; nem alforje, nem pão, nem dinheiro no cinto;
9 mas que calçassem sandálias, e que não vestissem duas túnicas.
10 E dizia-lhes: "Na casa em que entrarem, fiquem nela até partirem dali.
11 E se não os receberem, nem os ouvirem, saindo dali, sacudam o pó que estiver debaixo dos seus pés, em testemunho contra eles. Em verdade lhes digo que haverá mais tolerância no dia de juízo para Sodoma e Gomorra do que para aquela cidade."
12 E, saindo, eles pregavam ao povo que se arrependessem.
13 E expulsavam muitos demônios, ungiam muitos enfermos com óleo e os curavam.

A Morte de João Batista

14 E o rei Herodes ouviu isto, porque o nome de Jesus se tornava conhecido, e disse: "João, o que batizava, ressuscitou dentre os mortos e por isso opera estas maravilhas."
15 Outros diziam: "É Elias." E diziam outros: "É um profeta, ou como um dos antigos profetas."
16 Herodes, porém, ouvindo isto, disse: "Este é João, que mandei degolar; ressuscitou dentre os mortos."
17 Porque o mesmo Herodes havia mandado prender João e amarrá-lo no cárcere, por causa de Herodias, mulher de Filipe, seu irmão, com a qual Herodes havia se casado.
18 Pois João dizia a Herodes: "Você não tem o direito de viver com a mulher do seu irmão."
19 E Herodias o espiava e queria matá-lo, mas não podia.
20 Porque Herodes temia João, sabendo que ele era um homem justo e santo; guardava-o com segurança e fazia muitas coisas atendendo-o, e de boa mente o ouvia.
21 E, chegando uma ocasião favorável em que Herodes, no dia do seu aniversário, dava uma festa às autoridades, aos oficiais e pessoas importantes da Galileia,
22 a filha da mesma Herodias entrou no salão, dançou e agradou a Herodes e aos que estavam com ele à mesa. O rei disse então à jovem: "Peça-me o que quiser e eu lhe darei."
23 E jurou-lhe, dizendo: "Tudo o que me pedir lhe darei, até metade do meu reino."
24 E ela, saindo, perguntou a sua mãe: "O que pedirei?" E a mãe respondeu: "A cabeça de João Batista."
25 E, voltando apressadamente, pediu ao rei, dizendo:

"Quero que imediatamente me dê num prato a cabeça
de João Batista."
26 E o rei entristeceu-se muito; todavia, por causa do
juramento e dos convidados que estavam com ele à mesa,
não quis negar o pedido.
27 E, enviando logo o executor, mandou que lhe trouxes-
sem ali a cabeça de João. E ele foi, e degolou-o na prisão;
28 e trouxe a cabeça num prato e deu-a à menina, e a
menina a deu a sua mãe.
29 E os discípulos de João, tendo ouvido isto, foram, pe-
garam o seu corpo e o puseram num sepulcro.

A Primeira Multiplicação dos Pães

30 E os apóstolos ajuntaram-se a Jesus e contaram-lhe
tudo, tanto o que tinham feito como o que tinham
ensinado.
31 E Jesus lhes disse: "Venham aqui à parte, num lugar
deserto, e repousem um pouco." Porque iam e vinham e
não tinham tempo para comer.
32 Então foram num barco para um lugar deserto.
33 E a multidão viu-os partir e muitos os reconheceram;
então correram para lá, a pé, de todas as cidades e ali che-
garam primeiro do que eles, e aproximavam-se de Jesus.
34 E Jesus, saindo, viu uma grande multidão e teve com-
paixão deles, porque eram como ovelhas que não têm
pastor; então começou a ensinar-lhes muitas coisas.
35 E, como já era tarde, os seus discípulos se aproxima-
ram e lhe disseram: "Este lugar é deserto, e já é muito
tarde.
36 Despede-os, para que vão aos seus lugares e aldeias
e comprem pão para si; porque não têm o que comer."
37 Jesus, porém, respondendo, lhes disse: "Deem vocês
o que comer a eles." E eles disseram: "Iremos e compra-
remos duzentos denários de pão para lhes dar de comer?"
38 E Jesus lhes disse: "Quantos pães vocês têm? Vão
ver." E eles se informaram e disseram: "Cinco pães e dois
peixes."
39 Então Jesus ordenou que eles fizessem todos se asse-
tarem em grupos sobre a erva verde.
40 E assentaram-se em grupos de cem em cem, e de cin-
quenta em cinquenta.
41 E Jesus pegou os cinco pães e os dois peixes, e le-
vantou os olhos ao céu, abençoou os pães e os partiu, e
os deu aos seus discípulos para que os pusessem diante
deles. E repartiu os dois peixes entre todos.
42 E todos comeram e ficaram fartos;
43 e ainda recolheram doze cestos cheios de pedaços de
pão e de peixe.
44 E os que comeram os pães eram quase cinco mil
homens.

Jesus Anda Sobre o Mar

45 E logo mandou os seus discípulos subirem no barco e
irem adiante, para o outro lado, para Betsaida, enquanto
ele despedia a multidão.
46 E, tendo-os despedido, Jesus foi ao monte para orar.
47 E, chegando a tarde, o barco estava no meio do mar, e
Jesus estava sozinho em terra.
48 E vendo que eles se fatigavam para remar, porque o
vento lhes era contrário, perto da quarta vigília da noite
Jesus aproximou-se deles, andando sobre o mar, e queria
passar adiante deles.
49 Mas, quando eles o viram andar sobre o mar, pensa-
ram que era um fantasma e deram grandes gritos.
50 Porque todos o viam e ficaram apavorados; mas logo
Jesus falou com eles e disse: "Tenham coragem, sou eu,
não tenham medo."
51 E Jesus subiu no barco, para estar com eles, e o ven-
to se aquietou; e entre si ficaram muito assombrados e
maravilhados;
52 pois não tinham compreendido o milagre dos pães;
antes o coração deles estava endurecido.
53 E, quando já estavam no outro lado, dirigiram-se à
terra de Genesaré e ali atracaram.
54 E, quando eles saíram do barco, o povo logo reco-
nheceu Jesus;
55 E, eles percorrendo toda aquela região, começaram
a trazer em leitos os enfermos, para onde Jesus estava.
56 E, onde quer que ele entrasse, em cidade, aldeias, ou
no campo, apresentavam os enfermos nas praças, e roga-
vam-lhe que os deixasse tocar ao menos na borda da sua
roupa; assim todos os que o tocavam saravam.

Jesus e as Tradições dos Judeus

7 Os fariseus e alguns escribas, que tinham vindo de Je-
rusalém, ajuntaram-se a Jesus.
2 E, vendo que alguns dos seus discípulos comiam pão
com as mãos impuras, isto é, sem lavar, os repreendiam.
3 Porque os fariseus e todos os judeus, conservando a
tradição dos antigos, não comem sem lavar as mãos
cuidadosamente.
4 E, quando voltam do mercado, se não se lavarem, não
comem. E há muitas outras coisas que receberam para
observar, como lavar os copos, os jarros, os vasos de metal
e as camas.
5 Depois os fariseus e os escribas perguntaram a Jesus:
"Por que os teus discípulos não andam conforme a tra-
dição dos antigos, mas comem o pão com as mãos sem
lavar?"
6 E Jesus respondeu: "Bem profetizou Isaías a respeito de
vocês, hipócritas, como está escrito: 'Este povo honra-me
com os lábios, mas o seu coração está longe de mim;

7 em vão, porém, me honram, ensinando doutrinas que
são mandamentos de homens.'
8 Porque, deixando o mandamento de Deus, guardam a
tradição dos homens, como o lavar dos jarros e dos copos,
e fazem muitas outras coisas semelhantes a estas."
9 E disse mais: "Vocês invalidam o mandamento de Deus
para guardarem a própria tradição.
10 Porque Moisés disse: 'Honre o seu pai e a sua mãe;
e quem maldisser o seu pai ou a sua mãe, certamente
morrerá.'
11 Vocês, porém, dizem: 'Se alguém disser ao seu pai
ou à sua mãe: Aquilo que poderia aproveitar de mim é
Corbã', isto é: Oferta ao Senhor;
12 nada mais o deixam fazer por seu pai ou por sua mãe,
13 invalidando assim a palavra de Deus pela sua tradição,
que vocês ordenaram. E muitas coisas fazem semelhantes
a estas."
14 E, chamando outra vez a multidão, Jesus disse: "Ou-
çam-me todos vocês, e compreendam.
15 Nada há, nada fora da pessoa, que, entrando nela,
a possa contaminar; mas o que sai dela, isso é o que
contamina.
16 Se alguém tem ouvidos para ouvir, ouça."
17 Depois, quando deixou a multidão e entrou em
casa, os seus discípulos o interrogaram a respeito desta
parábola.
18 E Jesus lhes perguntou: "Vocês também não entende-
ram? Não compreendem que tudo o que de fora entra no
homem não o pode contaminar,
19 porque não entra no seu coração, mas no estômago, e
é lançado fora, ficando puras todas as comidas?"
20 E dizia: "O que sai da pessoa, isso contamina.
21 Porque do interior do coração das pessoas saem os
maus pensamentos, os adultérios, as prostituições, os
homicídios,
22 os furtos, a avareza, as maldades, o engano, a dissolu-
ção, a inveja, a blasfêmia, a soberba, e a loucura.
23 Todos estes males vêm de dentro e contaminam a
pessoa."

A Mulher Sírio-Fenícia

24 E, levantando-se dali, Jesus foi para a região de Tiro
e de Sidom. E, entrando numa casa, não queria que
ninguém soubesse onde ele estava, mas não pôde se
esconder;
25 porque uma mulher, cuja filha tinha um espírito imun-
do, ouvindo falar dele, foi e lançou-se aos seus pés.
26 E essa mulher era grega, sírio-fenícia de nação, e roga-
va-lhe que expulsasse o demônio de sua filha.
27 Mas Jesus lhe disse: "Deixe primeiro saciar os filhos,
porque não convém tomar o pão dos filhos e lançá-lo aos
cachorrinhos."
28 Ela, porém, respondeu: "Sim, Senhor, mas também
os cachorrinhos comem debaixo da mesa as migalhas dos
filhos."
29 Então Jesus disse a ela: "Por causa desta palavra, você
pode ir; o demônio já saiu da sua filha."
30 E ela, voltando para a sua casa, encontrou a filha dei-
tada sobre a cama, e o demônio já tinha saído dela.

A Cura de Um Surdo e Gago

31 E Jesus, tornando a sair da região de Tiro e de Sidom,
foi até o mar da Galileia, por Decápolis.
32 Então trouxeram-lhe um homem surdo e gago, e roga-
ram que Jesus pusesse as mãos sobre ele.
33 E Jesus, tirando-o à parte do meio da multidão, pôs os
dedos nos ouvidos dele, depois cuspiu e tocou-lhe com a
saliva na língua.
34 E, levantando os olhos ao céu, suspirou e disse: "Efa-
tá"; isto é: Abra-se.
35 E logo os seus ouvidos se abriram, a prisão da língua
se desfez e ele falava perfeitamente.
36 E Jesus ordenou-lhes que não dissessem a ninguém;
mas, quanto mais lhes proibia, mais eles o divulgavam.
37 E, admirando-se muito, eles diziam: "Tudo Jesus faz
bem; faz os surdos ouvirem e os mudos falarem."

A Segunda Multiplicação dos Pães

8 Naqueles dias, se reuniu uma grande multidão e, não
tendo o que comer, Jesus chamou os seus discípulos
e lhes disse:
2 "Tenho compaixão da multidão, porque já faz três dias
que eles estão comigo e não têm o que comer.
3 Se eu os deixar irem em jejum para suas casas, desfale-
cerão no caminho, porque alguns deles vieram de longe."
4 E os seus discípulos lhe responderam: "Como alguém
poderá satisfazê-los de pão aqui no deserto?"
5 E Jesus lhes perguntou: "Quantos pães vocês têm?" E
eles responderam: "Sete."
6 Então Jesus ordenou à multidão que se assentasse no
chão. Então, pegou os sete pães e, após ter dado graças,
partiu-os, e deu-os aos seus discípulos, para que os puses-
sem diante deles, e puseram os pães diante da multidão.
7 Tinham também alguns peixinhos; e, depois de ter dado
graças, ordenou que também lhes fossem distribuídos.
8 Então comeram e se saciaram; e, dos pedaços que so-
braram, recolheram sete cestos.
9 E os que comeram eram quase quatro mil; então Jesus
os despediu.
10 E, entrando logo no barco com os seus discípulos, foi
para a região de Dalmanuta.

Os Fariseus Pedem Um Sinal

11 E os fariseus saíram e começaram a disputar com ele,
pedindo-lhe, para o tentarem, um sinal do céu.
12 E, suspirando profundamente em seu espírito, Jesus
disse: "Por que esta geração pede um sinal? Em verda-
de lhes digo que a esta geração não será dado nenhum
sinal."
13 E, deixando-os, tornou a entrar no barco e foi para o
outro lado.

O Fermento dos Fariseus

14 E os discípulos se esqueceram de levar pão, e, no bar-
co, não tinham com eles senão um só pão.
15 E Jesus ordenou-lhes, dizendo: "Olhem, guardem-se
do fermento dos fariseus e do fermento de Herodes."
16 E discutiam entre si, dizendo: "É porque não temos
pão."
17 E Jesus percebeu isto e perguntou: "Por que discutem
por não terem pão? Não consideraram, nem compreen-
deram ainda? Vocês ainda têm o seu coração endurecido?
18 Tendo olhos, não veem? E tendo ouvidos, não ou-
vem? E não se lembram,
19 quando parti os cinco pães entre os cinco mil, de
quantas cestas cheias de pedaços recolheram?" Disseram-
-lhe: "Doze."
20 "E, quando parti os sete pães entre os quatro mil,
quantos cestos cheios de pedaços vocês recolheram?" E
responderam: "Sete."
21 E Jesus lhes disse: "Como vocês ainda não entendem?"
22 E Jesus chegou a Betsaida, onde lhe trouxeram um
cego, e rogaram-lhe que o tocasse.
23 E, pegando o cego pela mão, Jesus levou-o para fora
da aldeia. Então, cuspiu nos seus olhos e, impondo-lhe as
mãos, perguntou se ele via alguma coisa.
24 E, levantando os olhos, ele respondeu: "Vejo pessoas,
mas as vejo como árvores que andam."
25 Depois disto, Jesus tornou a pôr-lhe as mãos sobre
os olhos e o fez olhar para cima; então o homem ficou
restaurado e viu cada pessoa claramente.
26 E Jesus o mandou para casa, dizendo: "Não entre na
aldeia, nem diga a ninguém na aldeia o que aconteceu."

A Confissão de Pedro

27 Então Jesus e os seus discípulos foram para as aldeias
de Cesareia de Filipo; no caminho Jesus perguntou aos
seus discípulos: "Quem as pessoas dizem que eu sou?"
28 E eles responderam: "João Batista"; e outros: "Elias";
mas outros: "Um dos profetas."
29 Então Jesus lhes perguntou: "Mas vocês, quem dizem
que eu sou?" E Pedro respondeu: "Tu és o Cristo."
30 E Jesus os advertiu para que a ninguém dissessem
aquilo dele.

Jesus Prediz Sua Morte e Ressurreição

31 Então Jesus começou a ensinar-lhes que era necessá-
rio que o Filho do Homem sofresse muito, e que fosse
rejeitado pelos anciãos, pelos príncipes dos sacerdotes e
pelos escribas, e que fosse morto, mas que depois de três
dias ressuscitasse.
32 E dizia abertamente estas palavras. Então Pedro o cha-
mou à parte e começou a repreendê-lo.
33 Mas Jesus, virando-se e olhando para os seus discí-
pulos, repreendeu a Pedro: "Retire-se da minha frente,
Satanás, porque você não compreende as coisas que são
de Deus, mas as que são dos homens."
34 E chamando a multidão com os seus discípulos, Jesus
lhes disse: "Se alguém quiser vir após mim, negue a si
mesmo, tome a sua cruz e me siga.
35 Pois qualquer um que quiser salvar a sua vida, a per-
derá; mas quem perder a sua vida por amor de mim e por
causa do evangelho, esse a salvará.
36 Pois, o que adianta a pessoa ganhar todo o mundo e
perder a sua alma?
37 Ou, o que daria uma pessoa pelo resgate da sua alma?
38 Porque, qualquer pessoa que, entre esta geração adúl-
tera e pecadora, se envergonhar de mim e das minhas pa-
lavras, também o Filho do Homem se envergonhará dela,
quando vier na glória de seu Pai, com os santos anjos."

9 Dizia-lhes também: "Em verdade lhes digo que, dos
que aqui estão, alguns não provarão a morte sem que
vejam ter chegado o Reino de Deus com poder."

A Transfiguração

2 E seis dias depois Jesus tomou consigo Pedro, Tiago e
João, e os levou a sós, em particular, a um alto monte; e
Jesus transfigurou-se diante deles;
3 e as suas vestes tornaram-se resplandecentes, extrema-
mente brancas como a neve, tais como nenhum lavandei-
ro sobre a terra as poderia branquear.
4 E apareceu-lhes Elias, com Moisés, e falavam com
Jesus.
5 E Pedro, tomando a palavra, disse a Jesus: "Mestre, é
bom que estejamos aqui; façamos três tendas: uma para
ti, outra para Moisés e outra para Elias."
6 Pois não sabia o que dizia, porque estavam assombrados.
7 E desceu uma nuvem que os cobriu com a sua sombra
e saiu da nuvem uma voz que dizia: "Este é o meu filho
amado, a ele ouvi."
8 E, tendo olhado ao redor, não viram mais ninguém,
somente Jesus com eles.
9 E, quando eles desceram do monte, Jesus lhes ordenou
que a ninguém contassem o que tinham visto, até que o
Filho do Homem ressuscitasse dentre os mortos.

10 E eles guardaram o caso entre si, perguntando uns aos
outros o que seria aquilo, ressuscitar dentre os mortos.
11 Então perguntaram a Jesus: "Por que os escribas di-
zem que é necessário que Elias venha primeiro?"
12 E Jesus respondeu: "Na verdade Elias virá primeiro e
restaurará todas as coisas; como está escrito sobre o Filho
do Homem, que ele deve sofrer muito e ser desprezado.
13 Digo a vocês, porém, que Elias já veio e fizeram com
ele tudo o que quiseram, como está escrito a respeito
dele."

A Cura do Menino Endemoniado

14 E, quando Jesus se aproximou dos discípulos, viu ao
redor deles uma grande multidão e alguns escribas que
disputavam com eles.
15 E logo toda a multidão, ao vê-lo, ficou espantada e,
correndo para ele, o saudaram.
16 E Jesus perguntou aos escribas: "Que é que discutem
com eles?"
17 E uma pessoa do meio da multidão disse: "Mestre,
trouxe-te o meu filho, que tem um espírito mudo;
18 o espírito, onde quer que o apanhe, despedaça-o e
ele espuma, range os dentes e vai definhando; eu pedi
aos teus discípulos para que o expulsassem, mas eles não
puderam."
19 E Jesus, respondendo, disse: "Ó geração incrédula!
Até quando estarei com vocês? Até quando vocês ainda
sofrerão? Tragam-no."
20 E eles o trouxeram. Quando ele viu Jesus, logo o es-
pírito o agitou com violência, então, o endemoniado caiu
por terra e revolvia-se espumando.
21 E Jesus perguntou ao pai dele: "Há quanto tempo
acontece isto a ele?" E o pai respondeu: "Desde a infância.
22 E muitas vezes o tem lançado no fogo e na água para
o destruir; mas, se tu podes fazer alguma coisa, tem com-
paixão de nós e ajuda-nos."
23 E Jesus lhe disse: "Se você pode crer, tudo é possível
ao que crê."
24 E logo o pai do menino, clamando, com lágrimas, dis-
se: "Eu creio, Senhor! Ajuda na minha incredulidade."
25 E Jesus, vendo que a multidão se aglomerava, re-
preendeu o espírito imundo, dizendo-lhe: "Espírito mudo
e surdo, eu lhe ordeno: Saia dele e não entre mais nele."
26 E ele, clamando e agitando-se com violência, saiu;
então o menino ficou como se estivesse morto, de tal ma-
neira que muitos diziam que ele estava morto.
27 Mas Jesus, pegando-o pela mão, o ergueu e ele se
levantou.
28 E, quando Jesus entrou em casa, os seus discípulos
lhe perguntaram à parte: "Por que nós não pudemos
expulsá-lo?"
29 Então Jesus respondeu: "Este tipo de espírito não pode
sair com coisa alguma, a não ser com oração e jejum."

Sobre a Sua Morte e Ressurreição

30 E, tendo partido dali, caminharam pela Galileia e Jesus
não queria que ninguém soubesse,
31 porque ensinava os seus discípulos e lhes dizia: "O
Filho do Homem será entregue nas mãos dos homens e o
matarão; ele, morto, ressuscitará ao terceiro dia."
32 Mas eles não entendiam esta palavra e receavam
interrogá-lo.

Quem é o Maior

33 Chegando a Cafarnaum e entrando em casa, Jesus
perguntou a eles: "O que vocês estavam discutindo pelo
caminho?"
34 Mas eles calaram-se, porque pelo caminho tinham
disputado entre si quem era o maior.
35 E Jesus, assentando-se, chamou os doze e lhes disse:
"Se alguém quiser ser o primeiro, será o último e o servo
de todos."
36 E Jesus pegou um menino e pôs no meio deles e, to-
mando-o nos seus braços, disse-lhes:
37 "Quem receber um destes meninos em meu nome, a
mim recebe, e quem recebe a mim, recebe não a mim,
mas recebe a quem me enviou."
38 E João lhe respondeu, dizendo: "Mestre, vimos um
homem que em teu nome expulsava demônios, o qual
não nos segue, e nós o proibimos, porque não nos segue."
39 Jesus, porém, disse: "Não o proíbam, porque não há
ninguém que faça milagre em meu nome e logo possa
falar mal de mim.
40 Porque quem não é contra nós, é por nós.
41 Porque, qualquer um de vocês que der para beber um
copo de água em meu nome, porque vocês são discípulos
de Cristo, em verdade lhes digo que não perderá o seu
galardão.
42 E qualquer um que escandalizar um destes pequeni-
nos que creem em mim, melhor lhe seria que lhe puses-
sem ao pescoço uma grande pedra de moinho e que fosse
lançado no mar.
43 E, se a sua mão o escandalizar, corte-a; pois é melhor
para você entrar aleijado na vida, do que, tendo duas
mãos, ir para o inferno, para o fogo que nunca se apaga,
44 onde o seu verme não morre e o fogo nunca se apaga.
45 E, se o seu pé o escandalizar, corte-o; melhor é para
você entrar na vida aleijado, do que, tendo dois pés, ser
lançado no inferno, no fogo que nunca se apaga,
46 onde o seu verme não morre e o fogo nunca se apaga.
47 E, se o seu olho o escandalizar, tire-o fora; melhor é
para você entrar no Reino de Deus com um só olho do
que, tendo dois olhos, ser lançado no fogo do inferno,

48 onde o seu verme não morre e o fogo nunca se apaga.
49 Porque cada um será salgado com fogo, e cada sacrifí-
cio será salgado com sal.
50 Bom é o sal; mas, se o sal se tornar insípido, com que
o temperarão? Tenham sal em vocês mesmos, e paz uns
com os outros."

Sobre o Divórcio

10 E, levantando-se dali, Jesus foi para o território da
Judeia, além do Jordão, e a multidão se reuniu em
torno dele; ali Jesus tornou a ensiná-los, como tinha por
costume.
2 E, aproximando-se dele alguns fariseus, lhe pergun-
taram tentando-o: "É lícito ao homem repudiar sua
mulher?"
3 Mas Jesus, respondendo, lhes disse: "O que Moisés or-
denou a vocês?"
4 E eles disseram: "Moisés permitiu escrever carta de di-
vórcio e repudiar."
5 Então Jesus lhes disse: "Pela dureza dos seus corações,
Moisés deixou escrito esse mandamento;
6 porém, desde o princípio da criação, Deus os fez ho-
mem e mulher.
7 Por isso o homem deixará o seu pai e a sua mãe e se
unirá a sua mulher,
8 e os dois serão uma só carne; assim já não serão dois,
mas uma só carne.
9 Portanto, o que Deus ajuntou, ninguém separa."
10 E em casa os discípulos voltaram a interrogá-lo sobre
este assunto.
11 E Jesus lhes disse: "Qualquer homem que deixar a sua
mulher e se casar com outra, adultera contra ela.
12 E, se a mulher deixar o seu marido e se casar com
outro, ela adultera contra ele."

Jesus e as Crianças

13 Então alguns traziam crianças para que Jesus tocasse
nelas, mas os discípulos repreendiam quem as trazia.
14 Jesus, porém, vendo isto, indignou-se e lhes disse:
"Deixem as crianças virem a mim, e não as impeçam;
porque delas é o Reino de Deus.
15 Em verdade lhes digo que quem não receber o Reino
de Deus como uma criança, de maneira nenhuma entrará
nele."
16 E, tomando-as nos seus braços e impondo-lhes as
mãos, Jesus as abençoou.

O Jovem Rico

17 E, pondo-se Jesus a caminho, um homem correu para
ele, se ajoelhou diante dele e lhe perguntou: "Bom Mes-
tre, o que farei para herdar a vida eterna?"
18 E Jesus lhe respondeu: "Por que você me chama de
bom? Ninguém é bom, senão um, que é Deus.
19 Você sabe os mandamentos: Não adultere, não mate,
não furte, não dê falso testemunho, não defraude nin-
guém, honre o seu pai e a sua mãe."
20 Então o homem respondeu: "Mestre, tudo isso guar-
dei desde a minha mocidade."
21 E Jesus, olhando para ele com amor, disse: "Falta-lhe
só uma coisa: Vá, venda tudo o que tem e dê o dinheiro
aos pobres e terá um tesouro no céu; então venha, tome
a cruz e siga-me."
22 Mas ele, contrariado com esta palavra, retirou-se tris-
te; porque possuía muitas propriedades.
23 Então Jesus, olhando ao redor, disse aos seus discípu-
los: "Como é difícil para os que têm riquezas entrarem no
Reino de Deus!"
24 E os discípulos se admiraram destas suas palavras,
mas Jesus, tornando a falar, disse-lhes: "Filhos, como é
difícil, para os que confiam nas riquezas, entrar no Reino
de Deus!
25 É mais fácil um camelo passar pelo fundo de uma agu-
lha, do que um rico entrar no Reino de Deus."
26 E eles se admiravam ainda mais, dizendo entre si: "As-
sim, quem poderá se salvar?"
27 Jesus, porém, olhando para eles, disse: "Para os seres
humanos é impossível, mas não para Deus, porque para
Deus todas as coisas são possíveis."
28 E Pedro começou a dizer-lhe: "Eis que nós deixamos
tudo e te seguimos."
29 E Jesus respondeu: "Em verdade lhes digo que não
há ninguém que tenha deixado casa, irmãos ou irmãs, ou
pai, ou mãe, ou mulher, ou filhos, ou campos, por amor
de mim e do evangelho,
30 que não receba cem vezes mais, já no presente, em
casas, irmãos, irmãs, mães, filhos e campos, com perse-
guições, e, no futuro, receberá a vida eterna.
31 Porém muitos primeiros serão os últimos e os últimos
serão os primeiros.

Jesus Fala Sobre Sua Morte e Ressurreição

32 Eles iam pelo caminho, subindo para Jerusalém, e
Jesus ia adiante deles. E eles maravilhavam-se, e seguiam-
-no atemorizados. Então, tornando a reunir consigo os
doze, Jesus começou a dizer-lhes as coisas que deviam
acontecer com ele,
33 dizendo: "Eis que nós subimos a Jerusalém e o Filho
do Homem será entregue aos principais sacerdotes e aos
escribas, que o condenarão à morte e o entregarão aos
gentios.
34 E dele escarnecerão, o açoitarão e cuspirão nele, e o
matarão; mas, ao terceiro dia, ressuscitará."

O Pedido de Thiago e João

35 E aproximaram-se dele Tiago e João, filhos de Zebe-

deu, dizendo: "Mestre, queremos que nos faças o que te
pedirmos."
36 E Jesus lhes disse: "O que querem que eu lhes faça?"
37 E eles responderam: "Concede-nos que, na tua glória,
nos assentemos um à tua direita e outro à tua esquerda."
38 Mas Jesus lhes disse: "Não sabem o que pedem; vocês
podem beber o cálice que eu bebo e serem batizados com
o batismo com que eu sou batizado?"
39 E eles responderam: "Podemos." Jesus, porém, lhes
disse: "Em verdade, vocês beberão o cálice que eu bebo e
serão batizados com o batismo com que eu sou batizado,
40 mas, assentar-se à minha direita, ou à minha esquerda,
não pertence a mim concedê-lo, mas isso é para aqueles a
quem está reservado."
41 E os dez, tendo ouvido isto, começaram a indignar-se
contra Tiago e João.
42 Mas Jesus, chamando-os a si, disse-lhes: "Sabem que
os que julgam ser governadores dos povos os dominam, e
os seus maiorais usam de autoridade sobre eles,
43 mas entre vocês não será assim; antes, qualquer um
que entre vocês quiser ser grande, seja servo dos outros;
44 e qualquer um que entre vocês quiser ser o primeiro,
que seja servo de todos.
45 Porque o Filho do Homem também não veio para ser
servido, mas para servir e dar a sua vida em resgate de
muitos."

O Cego Bartimeu

46 Depois, foram para Jericó. E, saindo ele de Jericó
com seus discípulos e uma grande multidão, Bartimeu, o
cego, filho de Timeu, estava assentado junto do caminho,
mendigando.
47 E, ouvindo que era Jesus de Nazaré, começou a cla-
mar e a dizer: "Jesus, filho de Davi, tem misericórdia de
mim."
48 E muitos o repreendiam para que se calasse, mas ele
clamava cada vez mais: "Filho de Davi! Tem misericórdia
de mim."
49 E Jesus, parando, mandou que o chamassem; então,
chamaram o cego dizendo-lhe: "Tenha bom ânimo, levan-
te-se, que Jesus o chama."
50 E ele, tirando a sua capa, levantou-se e foi até Jesus.
51 E Jesus lhe perguntou: "O que quer que eu faça a
você?" E o cego lhe respondeu: "Mestre, que eu possa
ver."
52 E Jesus lhe disse: "Vá, a sua fé o salvou." E logo ele
viu, e seguiu Jesus pelo caminho.

A Entrada Triunfal em Jerusalém

11 E, logo que se aproximaram de Jerusalém, de Betfa-
gé e de Betânia, junto ao Monte das Oliveiras, Jesus
enviou dois dos seus discípulos,
2 e disse-lhes: "Vão à aldeia que está diante de vocês;
logo que ali entrarem, encontrarão preso um jumentinho,
sobre o qual ainda ninguém montou; soltem-no e tragam-
-no aqui.
3 E, se alguém lhes perguntar: 'Por que fazem isso?' Di-
gam-lhe que o Senhor precisa dele, e logo mandará trazer
de volta."
4 Então foram e encontraram o jumentinho preso fora da
porta, entre dois caminhos, e o soltaram.
5 E alguns dos que ali estavam lhes disseram: "O que
fazem, soltando o jumentinho?"
6 Eles, porém, responderam como Jesus lhes tinha man-
dado, então os deixaram irem.
7 Eles levaram o jumentinho a Jesus e lançaram sobre ele
as suas vestes, e Jesus montou nele.
8 Muitos estendiam as suas vestes pelo caminho e ou-
tros cortavam ramos das árvores e os espalhavam pelo
caminho.
9 E aqueles que iam adiante, e os que o seguiam, cla-
mavam, dizendo: "Hosana, bendito o que vem em nome
do Senhor.
10 Bendito o reino do nosso pai Davi, que vem em nome
do Senhor. Hosana nas alturas."
11 Então Jesus entrou em Jerusalém, no templo, e, tendo
visto tudo ao redor, como já era tarde, saiu para Betânia
com os doze.

Jesus Purifica o Templo

12 No dia seguinte, quando saíram de Betânia, Jesus teve
fome.
13 E, vendo de longe uma figueira que tinha folhas, foi
ver se nela acharia alguma coisa. Mas, chegando a ela,
achou somente folhas, porque não era tempo de figos.
14 E Jesus, falando, disse à figueira: "Nunca mais nin-
guém comerá dos seus frutos." E os seus discípulos ou-
viram isto.
15 Então vieram a Jerusalém; e Jesus, entrando no tem-
plo, começou a expulsar os que vendiam e compravam
no templo; derrubou as mesas dos cambistas e as cadeiras
dos que vendiam pombas.
16 E não permitia que ninguém carregasse mercadorias
pelo templo.
17 E os ensinava, dizendo: "Não está escrito: 'A minha
casa será chamada por todas as nações casa de oração?'
Mas vocês a têm feito um covil de ladrões."
18 E os escribas e os principais dos sacerdotes, tendo ou-
vido isto, procuravam uma razão para o matar, pois eles
o temiam, porque toda a multidão estava admirada com
a sua doutrina.
19 E, sendo já tarde, Jesus e os discípulos saíram para
fora da cidade.

A Figueira Que Jesus Secou

20 E eles, passando pela manhã, viram que a figueira ti-
nha secado desde as raízes.
21 Então Pedro, lembrando-se, disse: "Mestre, eis que a
figueira, que tu amaldiçoaste, secou."
22 E Jesus, respondendo, disse-lhe: "Tenham fé em Deus;
23 porque em verdade lhes digo que qualquer um que
disser a este monte: 'Erga-se e se lance no mar,' e não
duvidar em seu coração, mas crer que se fará aquilo que
diz, tudo o que disser lhe será feito.
24 Por isso digo a vocês que todas as coisas que pedirem,
orando, creiam que já receberam, e as terão.
25 E, quando estiverem orando, perdoem, se tiverem algu-
ma coisa contra alguém, para que o seu Pai, que está nos
céus, perdoe as suas ofensas.
26 Mas, se vocês não perdoarem, também o seu Pai, que
está nos céus, não perdoará as suas ofensas."

Autoridade Questionada

27 Então voltaram para Jerusalém. Enquanto Jesus anda-
va pelo templo, os principais sacerdotes, os escribas e os
anciãos se aproximaram dele.
28 E lhe perguntaram: "Com que autoridade tu fazes es-
tas coisas? Ou quem te deu tal autoridade para fazeres
estas coisas?"
29 Mas Jesus, respondendo, disse-lhes: "Eu também lhes
perguntarei uma coisa e me respondam; e então direi a
vocês com que autoridade faço estas coisas:
30 O batismo de João era do céu ou dos homens?
Respondam-me."
31 E eles discutiam entre si, dizendo: "Se dissermos: Do
céu, ele nos dirá: Então por que não acreditaram nele?
32 Se, porém, dissermos: Dos homens, tememos o povo.
Porque todos sustentavam que João verdadeiramente era
profeta."
33 E, respondendo, disseram a Jesus: "Não sabemos." E
Jesus lhes replicou: "Eu também não direi a vocês com
que autoridade faço estas coisas."

A Parábola dos Lavradores Maus

12 E Jesus começou a falar-lhes por parábolas: "Um ho-
mem plantou uma vinha, cercou-a com um valado,
construiu um lagar, edificou uma torre, arrendou-a a uns
lavradores e partiu para fora da terra.
2 E, chegado o tempo da colheita, mandou um servo aos
lavradores para que recebesse a sua parte dos frutos da
vinha.
3 Mas os lavradores o agarraram, o feriram e o mandaram
embora de mãos vazias.
4 E tornou a enviar-lhes outro servo, mas eles o apedre-
jaram, o feriram na cabeça e o mandaram embora depois
de afrontá-lo.
5 E tornou a enviar-lhes outro e eles o mataram; e lhes
enviou outros muitos; uns foram feridos e outros mortos.
6 Restava-lhe ainda um para ser enviado: o seu filho
amado. O homem enviou-o também aos lavradores por
último, pensando: 'O meu filho eles respeitarão.'
7 Mas aqueles lavradores disseram entre si: 'Este é o her-
deiro; vamos matá-lo, e a herança será nossa.'
8 Então o agarraram, o mataram e o lançaram fora da
vinha.
9 O que fará então o dono da vinha? Virá e destruirá os
lavradores, e dará a vinha a outros.
10 Vocês ainda não leram esta Escritura: 'A pedra que os
edificadores rejeitaram, esta foi posta por pedra angular';
11 isto foi feito pelo Senhor e é maravilhoso para nós?"
12 E procuravam prender Jesus, mas temiam a multidão;
porque entendiam que dizia esta parábola contra eles; en-
tão o deixaram e foram embora.

O Imposto Devido a César

13 E enviaram a Jesus alguns dos fariseus e dos herodia-
nos, para que o apanhassem em alguma palavra.
14 Então eles chegaram e lhe disseram: "Mestre, sabe-
mos que és homem de verdade e por ninguém te deixas
influenciar, porque não olhas para a aparência dos outros,
antes com verdade ensinas o caminho de Deus; é lícito
dar o tributo a César ou não? Daremos, ou não daremos?"
15 Então Jesus, conhecendo a hipocrisia deles, disse:
"Por que me tentam? Tragam-me uma moeda, para que
a veja."
16 E eles trouxeram. E Jesus lhes perguntou: "De quem
é esta imagem e inscrição?" E eles responderam: "De
César."
17 Então Jesus disse: "Deem a César o que é de César, e a
Deus o que é de Deus". E maravilharam-se dele.

Sobre a Ressurreição

18 Então os saduceus, que dizem que não há ressurrei-
ção, aproximaram-se de Jesus e lhe perguntaram:
19 "Mestre, Moisés nos escreveu que, se morrer o irmão
de alguém e deixar a mulher sem filhos, o irmão deve se
casar com a viúva e gerar descendentes para o seu irmão
falecido.
20 Havia sete irmãos, e o primeiro se casou com a mulher
e morreu sem deixar filhos.
21 O segundo se casou com a viúva e morreu, também
sem deixar descendentes; e o terceiro da mesma maneira.
22 E assim foi com os sete, sem terem deixado descen-
dência. Finalmente, depois de todos, a mulher também
morreu.
23 Na ressurreição, quando eles ressuscitarem, de qual
deles a mulher será esposa? Porque os sete se casaram
com ela."

24 E Jesus respondeu: "Por acaso vocês não erram em
razão de não saberem as Escrituras nem o poder de Deus?
25 Porque, quando ressuscitarem dentre os mortos, nem
casarão, nem se darão em casamento, mas serão como os
anjos que estão nos céus.
26 E, quanto aos mortos que ressuscitarão, vocês não
leram no livro de Moisés como Deus lhe falou na sarça:
'Eu sou o Deus de Abraão, o Deus de Isaque e o Deus
de Jacó?'
27 Ora, Deus não é de mortos, mas sim, é Deus de vivos.
Por isso vocês erram muito."

O Resumo da Lei

28 Aproximou-se dele um dos escribas que tinha ouvido a discussão e, vendo que Jesus tinha respondido bem, perguntou-lhe: "Qual é o principal de todos os mandamentos?"
29 E Jesus respondeu: "O principal de todos os mandamentos é: 'Ouça, ó Israel, o Senhor nosso Deus é o único Senhor.
30 Amem o Senhor seu Deus de todo o seu coração, de toda a sua alma, de todo o seu entendimento e de todas as suas forças'; este é o principal mandamento.
31 E o segundo é semelhante a este: 'Ame o seu próximo como a você mesmo.' Não há outro mandamento maior do que estes."
32 E o escriba lhe disse: "Muito bem, Mestre, com verdade disseste que há um só Deus e que não há outro além dele;
33 e que amá-lo de todo o coração, de todo o entendimento, de toda a alma e de todas as forças, e amar o próximo como a si mesmo, é mais do que todos os holocaustos e sacrifícios."
34 E Jesus, vendo que havia respondido sabiamente, disse-lhe: "Você não está longe do Reino de Deus." E ninguém mais ousava perguntar-lhe mais nada.

A Ignorância dos Judeus Quanto ao Messias

35 E Jesus, ensinando no templo, perguntou: "Como dizem os escribas que o Cristo é filho de Davi?
36 O próprio Davi disse pelo Espírito Santo: 'O Senhor disse ao meu Senhor: Assenta-te à minha direita, até que eu ponha os teus inimigos por escabelo dos teus pés.'
37 Pois, se Davi mesmo chama o Cristo de Senhor, então como pode o Cristo ser o filho de Davi?" E a grande multidão o ouvia com atenção.
38 E, ensinando, Jesus lhes dizia: "Cuidado com os escribas, que gostam de andar com vestes compridas e das saudações nas praças,
39 e das primeiras cadeiras nas sinagogas e dos primeiros assentos nas ceias;
40 que devoram as casas das viúvas e isso com pretexto de longas orações. Estes receberão mais grave condenação."

A Oferta da Viúva Pobre

41 E, sentado diante da caixa de ofertas, Jesus observava a maneira como a multidão lançava o dinheiro na caixa de ofertas, e muitos ricos depositavam muito.
42 Vindo, porém, uma pobre viúva, ela lançou duas pequenas moedas que valiam muito pouco.
43 E, chamando os seus discípulos, Jesus disse: "Em verdade lhes digo que esta pobre viúva lançou mais do que todos os outros.
44 Porque todos eles deram do que lhes sobrava; mas ela, da sua pobreza, deu tudo o que tinha, todo o seu sustento."

Sinais do Fim dos Tempos

13 E, saindo Jesus do templo, um dos seus discípulos lhe disse: "Mestre, olha que pedras e que edifícios!"
2 E Jesus respondeu: "Você vê estes grandes edifícios? Não ficará pedra sobre pedra que não seja derrubada."
3 E Jesus estava sentado no Monte das Oliveiras, diante do templo, quando Pedro, Tiago, João e André lhe perguntaram em particular:
4 "Dize-nos, quando acontecerão essas coisas, e que sinal haverá quando todas elas estiverem para se cumprirem."
5 E Jesus começou a lhes dizer: "Cuidem para que ninguém os engane;
6 porque muitos virão em meu nome, dizendo: 'Eu sou o Cristo'; e enganarão a muitos.
7 E, quando ouvirem falar de guerras e de rumores de guerras, não se perturbem; porque assim deve acontecer; mas ainda não será o fim.
8 Porque nação se levantará contra nação e reino contra reino; haverá terremotos em diversos lugares e haverá fomes e tribulações. Estas coisas são os princípios das dores.
9 Mas fiquem atentos, pois vocês serão entregues aos tribunais e às sinagogas; vocês serão açoitados e serão apresentados perante presidentes e reis, por minha causa, para lhes servir de testemunho.
10 Mas é necessário que primeiro o evangelho seja pregado entre todas as nações.
11 Quando levarem vocês para os entregarem, não se preocupem pelo que irão dizer, mas digam o que lhes for concedido naquela hora, isso falarão, porque não serão vocês os que estarão falando, mas sim o Espírito Santo.
12 E um irmão entregará à morte outro irmão, e o pai entregará o filho; os filhos se levantarão contra os pais e os farão morrer.
13 E vocês serão odiados por todos, por minha causa; mas quem perseverar até o fim, esse será salvo.
14 Quando vocês virem a abominação do assolamento,

que foi predito por Daniel, o profeta, estando onde não
deve estar (quem lê, entenda), então os que estiverem na
Judeia fujam para os montes.
15 E quem estiver no telhado de sua casa não desça nem
entre para pegar coisa alguma dela;
16 e quem estiver no campo não volte atrás para pegar
as suas vestes.
17 Mas ai das grávidas e das que amamentam naqueles
dias!
18 Orem para que essas coisas não aconteçam no inverno.
19 Porque naqueles dias haverá uma aflição como nunca
houve desde o princípio da criação, que Deus criou, até
agora, nem jamais haverá.
20 E, se o Senhor não tivesse abreviado aqueles dias, nenhuma
pessoa se salvaria; mas, por causa dos eleitos que
escolheu, Deus abreviou aqueles dias.
21 Então, se alguém lhes disser: 'Aqui está o Cristo'; ou:
'Ali está ele'; não acreditem.
22 Porque surgirão falsos cristos e falsos profetas, e eles
farão sinais e prodígios para enganarem, se possível, os
eleitos.
23 Por isso fiquem atentos; eis que antecipadamente tenho
dito tudo isso a vocês.

Sinais da Segunda Vinda

24 Mas, naqueles dias, depois daquela aflição, o sol se
escurecerá e a lua não dará a sua luz.
25 As estrelas cairão do céu e as forças que estão nos céus
serão abaladas.
26 E então verão o Filho do Homem vindo nas nuvens,
com grande poder e glória.
27 E ele enviará os seus anjos e ajuntará os seus escolhidos
dos quatro ventos, da extremidade da terra até a
extremidade do céu.
28 Aprendam, pois, a parábola da figueira: Quando já os
seus ramos se renovam e as folhas brotam, vocês sabem
que o verão já está próximo.
29 Assim também quando vocês virem acontecerem estas
coisas, saibam que já está perto, às portas.
30 Em verdade lhes digo que não passará esta geração
sem que todas estas coisas aconteçam.
31 Passarão o céu e a terra, mas as minhas palavras não
passarão.

Exortação à Vigilância

32 Mas daquele dia e hora ninguém sabe, nem os anjos
que estão no céu, nem o Filho, senão o Pai.
33 Olhem, vigiem e orem; porque não sabem quando
chegará o tempo.
34 É como se um homem, partindo para fora da terra,
deixasse a sua casa, e desse ordem aos seus servos para
cada um fazer a sua obrigação, e mandasse ao porteiro
que vigiasse.
35 Vigiem, porque não sabem quando virá o dono da
casa; se à tarde, se à meia-noite, se ao cantar do galo, se
pela manhã,
36 para que, chegando ele inesperadamente, não os encontre
dormindo.
37 E as coisas que digo a vocês, digo para todos: Vigiem."

A Unção em Betânia

14 E dois dias depois seria celebrada a Páscoa e a festa
dos pães sem fermento. Os principais sacerdotes e
os escribas buscavam um meio de prendê-lo, caso ele cometesse
algum erro, para matá-lo.
2 Mas eles diziam: "Não durante a festa, para não fazer
alvoroço entre o povo."
3 E, quando Jesus estava em Betânia, sentado à mesa, na
casa de Simão, o leproso, veio uma mulher, que trazia um
frasco de perfume de nardo puro, muito valioso; então ela
quebrou o frasco e derramou o perfume sobre a cabeça
de Jesus.
4 Então alguns dos presentes se indignaram e disseram:
"Para que este desperdício de perfume?"
5 Porque ele poderia ser vendido por mais de trezentos
denários, e o dinheiro ser dado aos pobres. E ficaram
contra ela.
6 Jesus, porém, disse: "Deixem-na, por que a molestam?
Ela me fez uma boa ação.
7 Porque sempre terão os pobres com vocês, e poderão
lhes fazer o bem quando quiserem; mas a mim nem sempre
terão.
8 Ela fez o que podia; antecipou-se a ungir o meu corpo
para a sepultura.
9 Em verdade lhes digo que, em todas as partes do mundo
onde este evangelho for pregado, também o que ela
fez será contado para a sua memória.
10 E Judas Iscariotes, um dos doze, foi falar com os principais
sacerdotes para entregar Jesus a eles.
11 E eles, ouvindo isto, se alegraram e prometeram lhe
dar dinheiro; e assim ele procurava uma oportunidade
para entregá-lo.

A Ceia do Senhor

12 E, no primeiro dia da festa dos pães sem fermento,
quando se costumava sacrificar o cordeiro para a Páscoa,
os discípulos de Jesus lhe perguntaram: "Onde queres
que façamos os preparativos para comer na Páscoa?"
13 E Jesus enviou dois dos seus discípulos e disse-lhes:
"Vão à cidade e um homem que leva um cântaro de água
os encontrará; sigam este homem.
14 E, onde ele entrar, digam ao dono da casa: 'O Mestre

pergunta: Onde está o aposento em que comerei a Páscoa
com os meus discípulos?'
15 E ele lhes mostrará um grande cenáculo mobiliado e
pronto; façam os preparativos para nós ali."
16 Os discípulos se retiraram, foram à cidade e encon-
traram tudo como Jesus lhes tinha dito, e prepararam a
Páscoa.
17 E, à tarde, Jesus foi com os doze.
18 E, quando estavam sentados para comer, Jesus disse:
"Em verdade lhes digo que um de vocês, que come co-
migo, me trairá."
19 Então eles começaram a entristecer-se e a perguntar
um após o outro: "Sou eu?" E outro discípulo pergunta:
"Sou eu?"
20 E Jesus respondeu: "É um dos doze que põe comigo
a mão no prato.
21 Pois o Filho do Homem vai, como dele está escrito,
mas ai daquele por quem o Filho do Homem é traído!
Bom seria para o tal homem não haver nascido."
22 Enquanto eles comiam, Jesus pegou o pão, o aben-
çoou, o partiu e lhes deu dizendo: "Tomem, comam, isto
é o meu corpo."
23 E Jesus pegou o cálice, deu graças, e deu aos discípu-
los, e todos beberam dele.
24 Então Jesus lhes disse: "Isto é o meu sangue, o sangue
da aliança que é derramado em favor de muitos.
25 Em verdade lhes digo que não beberei mais do fruto
da videira, até o dia em que beberei o vinho novo no
Reino de Deus."
26 E, tendo cantado um hino, saíram para o Monte das
Oliveiras.

Pedro é Advertido

27 E Jesus disse aos discípulos: "Todos vocês me aban-
donarão, pois está escrito: 'Ferirei o pastor e as ovelhas
se dispersarão.'
28 Mas, depois de ressuscitar, irei adiante de vocês para
a Galileia."
29 Então Pedro disse a Jesus: "Ainda que todos te aban-
donem, eu nunca te abandonarei."
30 E Jesus disse: "Em verdade lhe digo que hoje, nesta
noite, antes que o galo cante duas vezes, você me negará
três vezes."
31 Mas Pedro disse com mais veemência: "Ainda que
me seja necessário morrer contigo, de modo nenhum te
negarei." E da mesma maneira todos também disseram.

Jesus no Getsêmani

32 Então foram para um lugar chamado Getsêmani, e
Jesus disse aos seus discípulos: "Assentem-se aqui, en-
quanto eu oro."
33 E Jesus levou consigo Pedro, Tiago e João, e começou
a sentir pavor e angústia.
34 E lhes disse: "A minha alma está profundamente triste
até a morte; fiquem aqui e vigiem."
35 E, indo um pouco mais adiante, prostrou-se em terra
e orou para que, se fosse possível, passasse dele aquela
hora.
36 E disse: "Aba, Pai, todas as coisas te são possíveis; afas-
ta de mim este cálice; não seja, porém, o que eu quero,
mas o que tu queres."
37 E, voltando, achou os discípulos dormindo; então dis-
se a Pedro: "Simão, você está dormindo? Não pode vigiar
nem por uma hora?
38 Vigiem e orem, para que não caiam em tentação; o
espírito, na verdade, está pronto, mas a carne é fraca."
39 Então Jesus foi outra vez e orou, dizendo as mesmas
palavras.
40 E, voltando, achou-os outra vez dormindo, porque
os seus olhos estavam pesados e não sabiam o que lhe
responder.
41 E voltou pela terceira vez e lhes disse: "Vocês ainda
dormem e descansam. Basta; chegou a hora. Eis que o Fi-
lho do Homem vai ser entregue nas mãos dos pecadores.
42 Levantem-se, vamos; eis que chegou aquele que me
trai."

Jesus é Preso

43 E logo, enquanto Jesus ainda falava, chegou Judas, que
era um dos doze, e com ele os principais sacerdotes, escri-
bas, anciãos, e uma grande multidão com espadas e varas.
44 O traidor tinha combinado um sinal com eles, dizen-
do: "Aquele que eu beijar, é esse; prendam e levem-no
com segurança."
45 E, logo que Judas chegou, aproximou-se de Jesus e lhe
disse: "Mestre", e o beijou.
46 Então eles agarraram Jesus e o prenderam.
47 Nisto, um dos que estavam ali puxou uma espada e
feriu o servo do sumo sacerdote e cortou-lhe a orelha.
48 Então Jesus lhes disse: "Vieram com espadas e varas
para me prenderem como se eu fosse um salteador?
49 Todos os dias eu estava com vocês ensinando no tem-
plo e não me prenderam; mas isto é para que as Escrituras
se cumpram."
50 Então, deixando-o, todos fugiram.
51 E um certo jovem o seguia, envolto em um lençol
sobre o corpo nu. E tentaram agarrá-lo.
52 Mas ele, largando o lençol, fugiu nu.

Julgado Pelo Sinédrio

53 E levaram Jesus ao sumo sacerdote, e ajuntaram-se
todos os principais sacerdotes, os anciãos e os escribas.
54 E Pedro o seguiu de longe, até dentro do pátio do

sumo sacerdote, e estava assentado com os servidores, aquentando-se ao fogo.

55 E os principais sacerdotes e todo o concílio buscavam algum testemunho contra Jesus, para o matarem, mas não achavam nada.

56 Porque muitos testemunhavam falsamente contra ele, mas os testemunhos não eram coerentes.

57 E alguns se levantavam e testemunhavam falsamente contra ele, dizendo:

58 “Nós o ouvimos dizer: Eu derrubarei este templo, construído por mãos de homens, e em três dias edificarei outro, não feito por mãos de homens.”

59 E nem assim o seu testemunho era coerente.

60 E, levantando-se o sumo sacerdote no Sinédrio, perguntou a Jesus: “Tu não dizes nada em resposta à acusação que fazem contra ti?”

61 Mas Jesus se calou e nada respondeu. Então o sumo sacerdote lhe tornou a perguntar: “És tu o Cristo, Filho do Deus Bendito?”

62 E Jesus respondeu: “Eu sou, e vocês verão o Filho do Homem assentado à direita do Todo-Poderoso vindo sobre as nuvens do céu.”

63 E o sumo sacerdote, rasgando as suas vestes, disse: “Para que necessitamos de mais testemunhas?

64 Vocês ouviram a blasfêmia; o que parece a vocês?” E todos o consideraram culpado de morte.

65 E alguns começaram a cuspir nele, a cobrir-lhe o rosto, dar murros e a dizer-lhe: “Profetize.” E os guardas davam-lhe bofetadas.

Pedro Nega Jesus

66 E, estando Pedro embaixo, no pátio, chegou uma das criadas do sumo sacerdote,

67 e, vendo Pedro, que estava se aquecendo, olhou para ele e disse: “Você também estava com Jesus, o Nazareno.”

68 Mas ele negou, dizendo: “Não o conheço, nem sei o que diz.” E saiu para o alpendre, e o galo cantou.

69 E a criada, vendo-o outra vez, começou a dizer aos que ali estavam: “Este é um deles.”

70 Mas ele negou outra vez. E pouco depois os que ali estavam disseram outra vez a Pedro: “Verdadeiramente você é um deles, porque também é galileu, e sua fala é semelhante.”

71 E ele começou a praguejar e a jurar: “Não conheço esse homem de quem falam.”

72 E o galo cantou pela segunda vez. E Pedro lembrou-se da palavra que Jesus lhe tinha dito: “Antes que o galo cante duas vezes, você me negará três vezes.” E, retirando-se dali, chorou.

Jesus Diante de Pilatos

15 Logo ao amanhecer, os principais sacerdotes, com os anciãos, os escribas e todo o Sinédrio, entraram em conselho; então, amarrando Jesus, levaram-no e o entregaram a Pilatos.

2 E Pilatos lhe perguntou: “Tu és o Rei dos Judeus?” E Jesus respondeu: “Tu o dizes.”

3 E os principais sacerdotes o acusavam de muitas coisas; porém ele nada respondia.

4 E Pilatos o interrogou outra vez, dizendo: “Nada respondes? Vê quantas coisas testificam contra ti.”

5 Mas Jesus nada mais respondeu, a ponto de Pilatos ficar impressionado.

6 Por ocasião da festa era costume soltar um preso, qualquer um que eles pedissem.

7 E havia um preso chamado Barrabás, que estava preso com outros rebeldes, que tinham em um tumulto cometido uma morte.

8 E a multidão, dando gritos, começou a pedir que fizesse como sempre lhes tinha feito.

9 E Pilatos lhes respondeu, dizendo: “Querem que eu lhes solte o Rei dos Judeus?”

10 Porque ele bem sabia que por inveja os principais sacerdotes o tinham entregado.

11 Mas os principais sacerdotes incitaram a multidão para que fosse solto Barrabás.

12 E Pilatos lhes perguntou outra vez: “O que querem que eu faça com aquele que vocês chamam de Rei dos Judeus?”

13 E eles tornaram a gritar: “Crucifique-o.”

14 Mas Pilatos lhes disse: “Mas que mal ele fez?” E eles cada vez gritavam mais: “Crucifique-o.”

15 Então Pilatos, querendo satisfazer a multidão, soltou Barrabás e, açoitado Jesus, o entregou para ser crucificado.

Os Soldados Afrontam Jesus

16 E os soldados levaram Jesus para dentro do palácio, ao pretório, e reuniram toda a tropa.

17 E vestiram Jesus com um manto de púrpura e, tecendo uma coroa de espinhos, lhe puseram na cabeça.

18 E começaram a saudá-lo, dizendo: “Salve, Rei dos Judeus!”

19 E feriram-no na cabeça com uma vara, cuspiram nele e, postos de joelhos, o adoravam.

20 E, depois de zombarem dele, tiraram-lhe o manto púrpura e o vestiram com as suas próprias vestes, e o levaram para fora a fim e o crucificarem.

A Crucificação de Jesus

21 E obrigaram Simão, cireneu, pai de Alexandre e de

Rufo, que por ali passava, vindo do campo, que levasse
a cruz.
22 E levaram Jesus para o Gólgota, que quer dizer lugar
da Caveira.
23 E lhe deram para beber vinho com mirra, mas ele não
tomou.
24 E, havendo-o crucificado, repartiram as suas vestes, fa-
zendo sorteio delas, para saberem o que cada um levaria.
25 E eram nove horas da manhã quando o crucificaram.
26 E por cima dele estava escrita a sua acusação: "O REI
DOS JUDEUS."
27 E crucificaram com ele dois ladrões, um à sua direita
e outro à esquerda.
28 E cumpriu-se a Escritura que diz: "E com os malfeito-
res foi contado."
29 Os que passavam blasfemavam contra ele, balançando
as suas cabeças e dizendo: "Ah! Tu que derrubas o templo
e em três dias o edificas,
30 salva-te a ti mesmo e desce da cruz."
31 E da mesma maneira também os principais sacerdotes,
com os escribas, diziam uns para os outros, zombando:
"Salvou os outros e não pode salvar-se a si mesmo.
32 O Cristo, o Rei de Israel, desça agora da cruz, para que
o vejamos e acreditemos." Também os que com ele foram
crucificados o insultavam.

A Morte de Jesus

33 E, chegado o meio-dia, houve trevas sobre toda a terra
até as três horas da tarde.
34 E, às três horas, Jesus exclamou em alta voz, dizen-
do: "Eloí, Eloí, lamá sabactâni?" Que, traduzido, é: Deus
meu, Deus meu, por que me desamparaste?
35 E alguns dos que ali estavam, ouvindo isto, diziam:
"Ouçam! Ele chama por Elias."
36 E um deles correu para embeber uma esponja em
vinagre e, pondo-a na ponta de uma vara, deu-lhe para
beber, dizendo: "Deixem, vamos ver se Elias virá tirá-lo."
37 E Jesus, dando um forte brado, expirou.
38 E o véu do templo se rasgou em dois, de alto a baixo.
39 E o centurião, que estava de frente de Jesus, ouvindo
o seu brado, vendo como ele morreu, disse: "Verdadeira-
mente este homem era o Filho de Deus."
40 E ali também estavam algumas mulheres, olhando de
longe, entre as quais também estavam Maria Madalena e
Maria, mãe de Tiago, o menor, e de José e Salomé,
41 as quais também o seguiam, e o serviam, quando Jesus
estava na Galileia; e muitas outras que tinham ido com
ele para Jerusalém.

O Sepultamento de Jesus

42 E, chegada a tarde, por ser o dia da preparação, isto é,
a véspera do sábado,
43 chegou José de Arimateia, senador honrado, que
também esperava o Reino de Deus, e ousadamente foi a
Pilatos e pediu o corpo de Jesus.
44 E Pilatos admirou-se de que ele já estivesse morto. E,
chamando o centurião, perguntou-lhe se já havia muito
que Jesus tinha morrido.
45 E, após ter sido certificado pelo centurião, deu o corpo
a José.
46 Este tinha comprado um lençol fino e, tirando Jesus
da cruz, o envolveu com ele, e o depositou num sepulcro
lavrado numa rocha; então, rolou uma pedra para a porta
do sepulcro.
47 E Maria Madalena e Maria, mãe de José, observavam
onde ele foi posto.

A Ressurreição de Jesus

16 E, passado o sábado, Maria Madalena, Maria, mãe
de Tiago, e Salomé, compraram aromas para irem
ungir o corpo de Jesus.
2 E, no primeiro dia da semana, foram ao sepulcro, de
manhã cedo, ao nascer do sol.
3 E diziam umas às outras: "Quem nos removerá a pedra
da porta do sepulcro?"
4 E, olhando, viram que a pedra já estava removida; a
pedra era muito grande.
5 E, entrando no sepulcro, viram um jovem assentado à
direita, vestido de uma roupa comprida, branca; e ficaram
espantadas.
6 Ele, porém, disse-lhes: "Não se assustem; procuram Je-
sus Nazareno, que foi crucificado; ele já ressuscitou, não
está aqui; eis aqui o lugar onde o puseram.
7 Mas vão, digam a seus discípulos, e a Pedro, que ele
vai adiante de vocês para a Galileia; ali o verão, como
ele lhes disse."
8 E, saindo elas apressadamente, fugiram do sepulcro,
porque estavam possuídas de temor e assombro, e nada
diziam a ninguém, porque estavam com medo.
9 E Jesus, tendo ressuscitado na manhã do primeiro dia
da semana, apareceu primeiramente a Maria Madalena,
da qual tinha expulsado sete demônios.
10 E, ela partindo, foi anunciá-lo para aqueles que tinham
estado com ele, os quais estavam tristes e chorando.
11 E, eles ouvindo que Jesus vivia, e que tinha sido visto
por ela, não acreditaram.
12 E, depois disso, Jesus manifestou-se de outra forma a
dois deles, que estavam a caminho do campo.
13 E, indo estes, anunciaram-no aos outros, mas eles tam-
bém não acreditaram.
14 Finalmente Jesus apareceu aos onze quando eles esta-
vam assentados à mesa, e censurou-lhes a incredulidade e

dureza de coração, por não haverem acreditado nos que o
tinham visto já ressuscitado.
15 E disse-lhes: "Vão por todo o mundo, preguem o evan-
gelho a todas as pessoas.
16 Quem crer e for batizado será salvo; mas quem não
crer será condenado.
17 E estes sinais acompanharão os que crerem: Em meu
nome expulsarão os demônios, falarão novas línguas,
18 pegarão nas serpentes e, se beberem alguma coisa
mortífera, não lhes fará dano algum; e porão as mãos so-
bre os enfermos e os curarão."
19 O Senhor, depois de lhes ter falado, foi recebido no
céu e assentou-se à direita de Deus.
20 E eles, tendo partido, pregaram por todas as partes,
cooperando com eles o Senhor e confirmando a palavra
com os sinais que a acompanhavam. Amém.

O SANTO EVANGELHO SEGUNDO LUCAS

1 Tendo muitos empreendido narrar os fatos que entre
nós se cumpriram,
2 conforme nos transmitiram os mesmos que os presen-
ciaram desde o princípio, e foram ministros da palavra,
3 pareceu a mim ser conveniente descrevê-los a você, ó
excelentíssimo Teófilo, por sua ordem, havendo-me já in-
formado minuciosamente de tudo desde o princípio;
4 para que tenha a certeza das coisas de que já está
informado.

Predição Sobre o Nascimento de João Batista

5 Existiu, no tempo de Herodes, rei da Judeia, um sacer-
dote chamado Zacarias, que pertencia ao grupo de Abias;
a sua mulher era das filhas de Arão e se chamava Isabel.
6 E ambos eram justos perante Deus, andando de modo
irrepreensível em todos os mandamentos e preceitos do
Senhor.
7 Eles não tinham filhos, porque Isabel era estéril, e am-
bos já tinham idade avançada.
8 E aconteceu que, enquanto Zacarias exercia o sacerdó-
cio diante de Deus, na ordem do seu grupo,
9 segundo o costume sacerdotal, ele foi escolhido por
sorteio para entrar no templo do Senhor para oferecer o
incenso.
10 E toda a multidão do povo estava orando do lado de
fora na hora de oferecer o incenso.
11 E um anjo do Senhor lhe apareceu, em pé, à direita do
altar do incenso.
12 E Zacarias, vendo-o, ficou assustado, e o temor caiu
sobre ele.
13 Mas o anjo lhe disse: "Zacarias, não tema, porque a
sua oração foi ouvida, e Isabel, sua mulher, dará à luz um
filho, a quem você dará o nome de João.
14 Você terá prazer e alegria, e muitos se alegrarão com
o nascimento dele,
15 porque ele será grande diante do Senhor, e não beberá
vinho nem bebida forte, e será cheio do Espírito Santo, já
desde o ventre de sua mãe.
16 Ele converterá muitos dos filhos de Israel ao Senhor
seu Deus,
17 e irá adiante do Senhor no espírito e virtude de Elias,
para converter os corações dos pais aos filhos, e os rebel-
des à prudência dos justos, para preparar ao Senhor um
povo bem disposto."
18 Então Zacarias perguntou ao anjo: "Como posso ter
certeza disso? Pois eu já sou velho e minha mulher tam-
bém já tem idade avançada."
19 Então o anjo respondeu: "Eu sou Gabriel, que estou a
serviço de Deus, e fui enviado para falar com você e lhe
dar estas alegres notícias.
20 Eis que você ficará mudo e não poderá falar até o dia
em que estas coisas acontecerem, porque você não acredi-
tou nas minhas palavras, que a seu tempo se cumprirão."
21 E o povo estava esperando Zacarias, e estranhavam o
tanto que ele demorava no templo.
22 E, quando Zacarias saiu, não podia falar; então o povo
percebeu que ele havia tido uma visão no templo. Ele se
comunicava por sinais e ficou mudo.
23 E, quando terminaram os dias do seu ministério, Zaca-
rias voltou para a sua casa.
24 E, depois daqueles dias, Isabel, sua mulher, ficou grávi-
da, e por cinco meses não saiu de casa, dizendo:
25 "O Senhor me fez isto, ele olhou para mim, para aca-
bar com a minha vergonha entre o povo."

Predição Sobre o Nascimento de Jesus

26 E, no sexto mês, o anjo Gabriel foi enviado por Deus a
uma cidade da Galileia, chamada Nazaré,
27 a uma virgem comprometida em casamento com um
homem, cujo nome era José, da casa de Davi; e o nome
da virgem era Maria.
28 Então, o anjo aproximou-se dela e disse: "Salve, agra-

ciada! O Senhor está com você! Bendita é você entre as
mulheres."
29 E, ela se perturbou muito com aquelas palavras, pen-
sando o que significaria esta saudação.
30 Então o anjo lhe disse: "Maria, não tema, porque você
foi agraciada por de Deus.
31 E eis que em seu ventre conceberá e dará à luz um
filho, e lhe dará o nome de Jesus.
32 Ele será grande e será chamado filho do Altíssimo; e o
Senhor Deus lhe dará o trono de Davi, seu pai;
33 e ele reinará eternamente na casa de Jacó, e o seu reino
não terá fim."
34 Então Maria perguntou ao anjo: "Como acontecerá
isso, se sou virgem?"
35 E o anjo respondeu: "O Espírito Santo descerá sobre
você, e a virtude do Altíssimo a cobrirá com a sua sombra;
por isso também o Santo, que de você nascerá, será cha-
mado Filho de Deus.
36 E eis que Isabel, sua prima, também está grávida apesar
de sua idade avançada; este é o sexto mês para aquela que
era chamada de estéril;
37 porque para Deus nada é impossível."
38 Então Maria disse: "Aqui está a serva do Senhor; cum-
pra-se em mim a tua palavra." Então o anjo a deixou.

Maria Visita Isabel

39 Naqueles dias, Maria se aprontou e foi apressada às
montanhas, para uma cidade de Judá,
40 entrou na casa de Zacarias e saudou Isabel.
41 E Isabel, ao ouvir a saudação de Maria, a criança agi-
tou-se no seu ventre; e Isabel ficou cheia do Espírito Santo.
42 E exclamou em alta voz: "Bendita é você entre as mu-
lheres, e bendito é o fruto do seu ventre.
43 É uma grande honra para mim receber a visita da mãe
do meu Senhor.
44 Pois ao chegar aos meus ouvidos a voz da sua sauda-
ção, a criança saltou de alegria no meu ventre.
45 Bem-aventurada a que creu, pois as coisas que da parte
do Senhor lhe foram ditas se cumprirão."

O Cântico de Maria

46 Então Maria disse: "A minha alma engrandece o
Senhor,
47 e o meu espírito se alegra em Deus meu Salvador;
48 porque atentou na humildade da sua serva; pois
eis que desde agora todas as gerações me chamarão
bem-aventurada,
49 porque o Poderoso me fez grandes coisas; santo é seu
nome.
50 E a sua misericórdia é de geração em geração sobre os
que o temem.
51 Com o seu braço agiu valorosamente; dissipou os so-
berbos no pensamento de seus corações.
52 Depôs dos tronos os poderosos e elevou os humildes.
53 Encheu de bens os famintos e despediu vazios os ricos.
54 Auxiliou Israel, seu servo, recordando-se da sua
misericórdia;
55 como falou a nossos pais, a Abraão e a sua posteridade,
para sempre."
56 E Maria ficou com Isabel por quase três meses e depois
voltou para sua casa.
57 E completou-se para Isabel o tempo de dar à luz e ela
teve um filho.
58 E os seus vizinhos e parentes ouviram que Deus tinha
usado de grande misericórdia com ela, e alegraram-se com
ela.
59 E, no oitavo dia, vieram circuncidar o menino e o cha-
mavam de Zacarias, o nome de seu pai.
60 Mas a mãe do menino disse: "Não, ele será chamado
de João."
61 Então lhe disseram: "Mas você não tem nenhum pa-
rente com esse nome."
62 Então perguntaram por sinais ao pai do menino como
queria que o chamassem.
63 E ele, pedindo uma tabuinha de escrever, escreveu,
dizendo: "O seu nome é João." E todos se maravilharam.
64 E imediatamente a sua boca se abriu e a sua língua se
soltou; e ele começou a falar, louvando a Deus.
65 E veio um temor sobre todos os seus vizinhos, e em
todas as montanhas da Judeia foram divulgadas todas estas
coisas.
66 E todos os que as ouviam as guardavam em seus cora-
ções, dizendo: "Quem vai ser este menino?" E a mão do
Senhor estava com ele.

O Cântico de Zacarias

67 E Zacarias, seu pai, ficou cheio do Espírito Santo e
profetizou, dizendo:
68 "Bendito o Senhor Deus de Israel, porque visitou e
remiu o seu povo,
69 e nos levantou uma salvação poderosa na casa de Davi,
seu servo,
70 como falou pela boca dos seus santos profetas, desde o
princípio do mundo;
71 para nos livrar dos nossos inimigos e da mão de todos
os que nos odeiam;
72 para manifestar misericórdia a nossos pais e lembrar-se
da sua santa aliança,
73 e do juramento que fez a Abraão nosso pai,
74 de conceder-nos que, libertados da mão de nossos ini-
migos, o serviríamos sem temor,

75 em santidade e justiça perante ele, todos os dias da nossa vida.

76 E você, ó menino, será chamado profeta do Altíssimo, porque irá diante do Senhor, para lhe preparar os caminhos;

77 para dar ao seu povo conhecimento da salvação, na remissão dos seus pecados;

78 pelas misericórdias do nosso Deus, pelas quais o sol nascente das alturas nos visitará;

79 para iluminar aos que estão assentados em trevas e na sombra da morte; a fim de dirigir os nossos pés pelo caminho da paz."

80 E o menino crescia e se fortalecia em espírito. E esteve nos desertos até ao dia em que havia de mostrar-se a Israel.

O Nascimento de Jesus

2 Naqueles dias, César Augusto publicou um decreto ordenando o recenseamento de toda a população do império.

2 Este primeiro recenseamento foi feito quando Quirino era governador da Síria.

3 E todos iam alistar-se, cada um à sua própria cidade.

4 Assim, José também saiu da Galileia, da cidade de Nazaré, para a Judeia, à cidade de Davi, chamada Belém, porque pertencia à casa e família de Davi,

5 para alistar-se com Maria, sua esposa, que estava grávida.

6 E, quando eles estavam ali, chegou o dia em que ela haveria de dar à luz.

7 E deu à luz ao seu filho primogênito, e envolveu-o em panos, e deitou-o numa manjedoura, porque não havia lugar para eles na hospedaria.

Os Anjos e os Pastores

8 Havia naquela mesma região pastores que estavam no campo, e guardavam, durante as vigílias da noite, o seu rebanho.

9 E o anjo do Senhor veio sobre eles e a glória do Senhor os cercou de resplendor, e tiveram grande temor.

10 E o anjo lhes disse: "Não temam, porque estou aqui para lhes trazer notícias de grande alegria, que será para todo o povo:

11 Pois, na cidade de Davi, lhes nasceu hoje o Salvador, que é Cristo, o Senhor.

12 E isto servirá de sinal para vocês: Acharão o menino envolto em panos e deitado numa manjedoura."

13 E, no mesmo instante, apareceu com o anjo uma multidão dos exércitos celestiais, louvando a Deus e dizendo:

14 "Glória a Deus nas alturas, paz na terra às pessoas que recebem a sua graça."

15 Então, quando os anjos voltaram para o céu, os pastores disseram uns aos outros: "Vamos até Belém, e veremos isso que aconteceu, e que o Senhor nos fez saber."

16 Então, foram apressadamente e encontraram Maria, José e o menino deitado na manjedoura.

17 E, vendo-o, divulgaram a palavra que lhes foi dita a respeito do menino,

18 e todos os que a ouviram se maravilharam do que os pastores lhes diziam.

19 Mas Maria guardava todas estas coisas, conferindo-as em seu coração.

20 E os pastores voltaram, glorificando e louvando a Deus por tudo o que tinham ouvido e visto, como lhes havia sido dito.

A Apresentação de Jesus

21 E, quando os oito dias foram completados para circuncidar o menino, lhe deram o nome de Jesus, que foi dado pelo anjo antes de ele ser concebido.

22 E, cumprindo-se os dias da purificação dela, segundo a lei de Moisés, o levaram a Jerusalém, para o apresentarem ao Senhor,

23 segundo o que está escrito na lei do Senhor: "Todo macho primogênito será consagrado ao Senhor;"

24 e para darem a oferta segundo o disposto na lei do Senhor: Um par de rolinhas ou dois pombinhos.

25 Havia em Jerusalém um homem chamado Simeão; este homem era justo e temente a Deus, esperando a consolação de Israel, e o Espírito Santo estava sobre ele.

26 E fora-lhe revelado, pelo Espírito Santo, que ele não morreria antes de ver o Cristo do Senhor.

27 E pelo Espírito ele foi ao templo, e, quando os pais trouxeram o menino Jesus, para fazerem com ele o que a lei ordenava,

28 Simeão, então, o tomou em seus braços, louvou a Deus e disse:

29 "Agora, Senhor, despede em paz o teu servo, segundo a tua palavra;

30 pois os meus olhos já viram a tua salvação,

31 a qual tu preparaste perante a face de todos os povos;

32 Luz para iluminar as nações e para glória do teu povo Israel."

33 E José e sua mãe se maravilharam das coisas que dele se diziam.

34 Então, Simeão os abençoou e disse a Maria, mãe de Jesus: "Eis que este menino é posto para causar a queda e elevação de muitos em Israel, e para ser um sinal de contradição,

35 e quanto a você, Maria, uma espada atravessará a sua alma; para que se manifestem os pensamentos de muitos corações."

36 E estava ali a profetisa Ana, filha de Fanuel, da tribo de Aser. Ela já era muito idosa, e tinha vivido com o marido sete anos, desde que se casou;

37 e era viúva, há quase oitenta e quatro anos, e não se
afastava do templo, servindo a Deus com jejuns e orações,
de noite e de dia.
38 E chegando, na mesma hora, ela dava graças a Deus
e falava dele a todos os que esperavam a redenção em
Jerusalém.
39 E, quando acabaram de cumprir tudo segundo a lei do
Senhor, voltaram à Galileia, para a sua cidade de Nazaré.
40 E o menino crescia e se fortalecia em espírito, cheio de
sabedoria; e a graça de Deus estava sobre ele.

O Menino Jesus é Levado ao Templo

41 Todos os anos os pais de Jesus iam a Jerusalém para a
festa da Páscoa.
42 E, quando ele fez doze anos, subiram a Jerusalém, se-
gundo o costume do dia da festa.
43 E, terminados aqueles dias, eles regressaram e o
menino Jesus ficou em Jerusalém, sem que os seus pais
soubessem.
44 Eles, porém, pensando que o menino vinha em com-
panhia deles pelo caminho, andaram um dia inteiro, então
começaram a procurá-lo entre os parentes e conhecidos;
45 e, como não o encontraram, voltaram a Jerusalém em
busca dele.
46 E, passados três dias, o acharam no templo, assentado
no meio dos doutores, ouvindo-os e interrogando-os.
47 E todos os que o ouviam admiravam a sua inteligência
e respostas.
48 E, quando o encontraram, se surpreenderam, e sua
mãe lhe disse: "Filho, por que você fez isso conosco? O
seu pai e eu estávamos ansiosos procurando você."
49 E ele lhes respondeu: "Por que me procuravam? Não
sabiam que eu devia estar na casa de meu Pai?"
50 E eles não compreenderam as palavras que o menino
lhes dizia.
51 Então Jesus voltou com eles para Nazaré, e era sub-
misso a eles. E sua mãe guardava no seu coração todas
estas coisas.
52 E Jesus crescia em sabedoria, em estatura e em graça
diante de Deus e dos homens.

João Batista, o Precursor do Messias

3 E no décimo quinto ano do reinado de Tibério César,
quando Pôncio Pilatos era governador da Judeia, He-
rodes era tetrarca da Galileia, seu irmão Filipe tetrarca da
Itureia e da província de Traconites e Lisânias tetrarca de
Abilene,
2 sendo Anás e Caifás sumos sacerdotes, a palavra de
Deus veio a João, filho de Zacarias, no deserto.
3 Ele percorreu toda a terra ao redor do Jordão, pregando
o batismo de arrependimento, para o perdão dos pecados;
4 segundo o que está escrito no livro das palavras do profe-
ta Isaías, que diz: "Voz do que clama no deserto: Preparem
o caminho do Senhor; endireitem as suas veredas.
5 Todo vale será aterrado e todos os montes e colinas se-
rão nivelados; os caminhos tortuosos serão endireitados, e
os caminhos irregulares serão aplanados;
6 e toda a humanidade verá a salvação que vem de Deus."
7 João dizia à multidão que saía para ser batizada por ele:
"Raça de víboras, quem os ensinou a fugir da ira que está
para vir?
8 Produzam frutos dignos de arrependimento e não co-
mecem a dizer a vocês mesmos: Temos Abraão por pai;
porque eu lhes digo que até destas pedras Deus pode sus-
citar filhos a Abraão.
9 E também já está posto o machado à raiz das árvores;
toda árvore que não dá bom fruto será cortada e lançada
no fogo."
10 E a multidão o interrogava, dizendo: "O que faremos,
então?"
11 E ele respondeu: "Quem tiver duas túnicas, reparta
com quem não tem e quem tiver alimentos, faça da mes-
ma maneira."
12 E chegaram também uns publicanos para serem ba-
tizados e perguntaram a João: "Mestre, o que devemos
fazer?"
13 E ele respondeu: "Não cobrem mais do que está esti-
pulado a vocês."
14 E uns soldados o interrogaram também perguntando:
"E nós, o que faremos?" E ele lhes disse: "A ninguém tra-
tem mal nem acusem ninguém falsamente, e se conten-
tem com o salário de vocês."
15 E, estando o povo na expectativa e pensando todos
em seus corações a respeito de João, se por acaso ele seria
o Cristo,
16 João esclareceu todos, dizendo: "Eu, na verdade, ba-
tizo vocês com água, mas eis que vem aquele que é mais
poderoso do que eu, do qual não sou digno de desatar a
correia das sandálias; ele os batizará com o Espírito Santo
e com fogo.
17 Ele tem a pá em suas mãos e limpará a sua eira, e
ajuntará o trigo no seu celeiro, mas queimará a palha com
fogo que nunca se apaga."
18 E assim, com exortações, também anunciava muitas
outras coisas ao povo.
19 Sendo, porém, o tetrarca Herodes repreendido por
João por causa de Herodias, mulher de seu irmão Filipe, e
por todas as maldades que Herodes tinha feito,
20 este acrescentou a todas as outras ainda esta, a de pren-
der João num cárcere.

O Batismo de Jesus

21 E como todo o povo se batizava, Jesus também foi ba-
tizado, e enquanto ele orava, o céu se abriu,
22 e o Espírito Santo desceu sobre ele em forma corpórea,
como pomba; e veio uma voz do céu, que dizia: "Tu és o
meu Filho amado, em ti me agrado."

A Genealogia de Jesus

23 E Jesus tinha cerca de quase trinta anos de idade quan-
do começou o seu ministério, sendo considerado filho de
José, e José, filho de Eli,
24 e Eli, filho de Matate, e Matate, filho de Levi, e Levi,
filho de Melqui, e Melqui, filho de Janai, e Janai, filho
de José,
25 e José de Matatias, Matatias de Amós, Amós de Naum,
Naum de Esli e Esli de Nagaí,
26 e Nagaí de Máate, Máate de Matatias, Matatias de Se-
mei, Semei de José e José de Jodá,
27 e Jodá de Joanã, Joanã de Resá, Resá de Zorobabel,
Zorobabel de Salatiel e Salatiel de Neri,
28 e Neri de Melqui, Melqui de Adi, Adi de Cosã, Cosã de
Elmadã e Elmadã de Er,
29 e Er de Josué, Josué de Eliézer, Eliézer de Jorim, Jorim
de Matate e Matate de Levi,
30 e Levi de Simeão, Simeão de Judá, Judá de José, José
de Jonã e Jonã de Eliaquim,
31 e Eliaquim de Meleá, Meleá de Mená, Mená de Mata-
tá, Matatá de Natã e Natã de Davi,
32 e Davi de Jessé, Jessé de Obede, Obede de Boaz, Boaz
de Salá e Salá de Naassom,
33 e Naassom de Aminadabe, Aminadabe de Arão, Arão
de Esrom, Esrom de Perez, e Perez de Judá,
34 e Judá de Jacó, Jacó de Isaque, Isaque de Abraão,
Abraão de Terá, e Terá de Naor,
35 e Naor de Seruque, Seruque de Ragaú, Ragaú de Fale-
que, Faleque de Éber, e Éber de Salá,
36 e Salá de Cainã, Cainã de Arfaxade, Arfaxade de Sem,
Sem de Noé e Noé de Lameque,
37 e Lameque de Metusalém, Metusalém de Enoque,
Enoque de Jarete, Jarete de Maalalel e Maalalel de Cainã,
38 e Cainã era filho de Enos, Enos de Sete, Sete de Adão
e Adão era filho de Deus.

A Tentação no Deserto

4 E Jesus, cheio do Espírito Santo, voltou do Jordão e foi
levado pelo Espírito ao deserto;
2 e durante quarenta dias foi tentado pelo diabo; e não
comeu nada naqueles dias, ao fim dos quais teve fome.
3 E o diabo disse a Jesus: "Se tu és o Filho de Deus, diz a
esta pedra que se transforme em pão."
4 E Jesus lhe respondeu: "Está escrito que nem só de pão
viverá o homem, mas de toda a palavra de Deus."
5 E o diabo, levando-o a um alto monte, mostrou-lhe num
instante todos os reinos do mundo.
6 E o diabo disse: "Eu te darei todo este poder e a glória
destes reinos; porque isso me foi entregue e dou a quem
quero.
7 Portanto, se tu me adorares, tudo será teu."
8 E Jesus respondeu: "Vá para trás de mim, Satanás; por-
que está escrito: Adore o Senhor seu Deus e sirva só a
ele."
9 Então o Diabo Levou Jesus a Jerusalém, ao pináculo do
templo, e disse: "Se tu és o Filho de Deus, lança-te daqui
para baixo;
10 porque está escrito: 'Ele dará ordens aos seus anjos, a
teu respeito, para que te guardem,
11 e que te sustentem nas suas mãos, para que nunca
tropeces com o teu pé em alguma pedra.'"
12 E Jesus respondeu ao Diabo: "Dito está: 'Não tente o
Senhor, o seu Deus.'"
13 E, acabando todas as tentações, o Diabo se ausentou
de Jesus por algum tempo.

Nazaré Rejeita a Jesus

14 Então, no poder do Espírito, Jesus voltou para a Gali-
leia, e a sua fama correu por toda aquela região.
15 Ele ensinava nas sinagogas e por todos era louvado.
16 E Jesus chegou a Nazaré, onde havia sido criado, en-
trou na sinagoga num dia de sábado, segundo o seu costu-
me, e levantou-se para ler.
17 E foi-lhe dado o livro do profeta Isaías; então, quando
abriu o livro, achou o lugar em que estava escrito:
18 "O Espírito do Senhor está sobre mim, porque me un-
giu para evangelizar os pobres. Enviou-me para curar os
contritos do coração,
19 para proclamar liberdade aos cativos, conceder a res-
tauração da vista aos cegos, pôr em liberdade os oprimi-
dos, e anunciar o ano aceitável do Senhor."
20 E, fechando o livro, devolveu-o ao ministro e assentou-
-se; e os olhos de todos na sinagoga estavam fixos nele.
21 Então Jesus começou a dizer: "Hoje se cumpriu a Es-
critura que vocês acabaram de ouvir."
22 E todos lhe davam testemunho, se maravilhavam das
palavras cheias de graça que saíam da sua boca e pergun-
tavam: "Não é este o filho de José?"
23 Então Jesus disse: "Sem dúvida me dirão este provér-
bio: 'Médico, cure-se a si mesmo'; faça também aqui na
sua terra tudo que ouvimos ter sido feito em Cafarnaum."
24 E Jesus disse: "Em verdade lhes digo que nenhum pro-
feta é bem recebido na sua terra.
25 Em verdade lhes digo que muitas viúvas existiam em
Israel nos dias de Elias, quando o céu se fechou por três
anos e seis meses, e em toda a terra houve grande fome;

26 e Elias não foi enviado a nenhuma delas, a não ser a
uma viúva de Sarepta de Sidom.
27 E muitos leprosos havia em Israel no tempo do profeta
Eliseu, mas nenhum deles foi purificado, a não ser Naamã,
o sírio."
28 E todos, na sinagoga, ouvindo estas coisas, se enche-
ram de ira.
29 E, levantando-se, expulsaram Jesus da cidade, e o le-
varam até o cume do monte em que a cidade deles estava
edificada, para dali o jogarem.
30 Jesus, porém, passando pelo meio deles, retirou-se.

Jesus Expulsa um Demônio

31 E Jesus foi a Cafarnaum, cidade da Galileia, e os ensi-
nava nos sábados.
32 E se admiravam de sua doutrina porque a sua palavra
era com autoridade.
33 E estava na sinagoga um homem que tinha o espírito
de um demônio imundo, o qual exclamou em alta voz,
34 dizendo: "Ah! O que queres conosco, Jesus Nazareno?
Vieste para nos destruir? Bem sei quem tu és: O Santo
de Deus."
35 E Jesus o repreendeu, dizendo: "Cale-se e saia dele." E
o demônio, lançando-o por terra no meio do povo, saiu do
homem sem lhe fazer mal.
36 E veio espanto sobre todos, e falavam uns com os ou-
tros, dizendo: "Que palavra é esta, que até aos espíritos
imundos manda com autoridade e poder, e eles saem?"
37 E a fama de Jesus se espalhava por todos os lugares
daquela região.

A Cura da Sogra de Pedro e Outros Milagres

38 Jesus saiu da sinagoga e entrou na casa de Simão; a
sogra de Simão estava enferma com muita febre e pediram
a Jesus que fizesse algo por ela.
39 E Jesus, inclinando-se para ela, repreendeu a febre e
esta a deixou. E ela, levantando-se imediatamente, come-
çou a servi-los.
40 E, ao pôr do sol, todos os que tinham enfermos de
várias doenças lhe traziam; então Jesus, pondo as mãos
sobre cada um deles, os curava.
41 E de muitos saíam demônios, clamando e dizendo: "Tu
és o Cristo, o Filho de Deus." E Jesus, repreendendo-os,
não os deixava falar, pois sabiam que ele era o Cristo.
42 E, quando amanheceu, Jesus saiu e foi para um lugar
deserto, mas a multidão o procurava e chegaram junto
dele; eles o detinham, para que não se ausentasse deles.
43 Jesus, porém, lhes disse: "Também é necessário que eu
anuncie nas outras cidades o evangelho do Reino de Deus,
porque para isso fui enviado."
44 E pregava nas sinagogas da Judeia.

O Chamado aos Primeiros Discípulos

5 E aconteceu que Jesus estava junto ao lago de Gene-
saré, e a multidão o apertava para ouvir a palavra de
Deus.
2 Então Jesus viu dois barcos junto à praia do lago, onde
os pescadores tinham descido deles, e estavam lavando
as redes.
3 E, entrando num dos barcos, que era o de Simão, Jesus
pediu-lhe que o afastasse um pouco da praia; então, assen-
tando-se no barco, ensinava a multidão.
4 E Jesus, quando acabou de falar, disse a Simão: "Vá para
o alto mar e lance as suas redes para pescar."
5 E Simão respondeu: "Mestre, trabalhamos toda a noite
e nada pegamos; mas, sob a tua palavra, lançarei a rede."
6 Então, fazendo isso, pegaram uma grande quantidade de
peixes, que rompia a rede.
7 E fizeram sinal aos companheiros que estavam no outro
barco, para que fossem ajudá-los. Eles foram e encheram
ambos os barcos, a ponto de quase afundarem.
8 E Simão Pedro, vendo isto, prostrou-se aos pés de Je-
sus, dizendo: "Senhor, afasta-te de mim, porque sou um
homem pecador."
9 Pois o espanto se apoderou dele e de todos os que com
ele estavam, por causa da pesca de peixe que haviam feito,
10 como também Tiago e João, filhos de Zebedeu, que
eram companheiros de Simão. E disse Jesus a Simão: "Não
tema, de agora em diante será pescador de pessoas."
11 Eles então levaram os barcos para a praia, deixaram
tudo e seguiram Jesus.

A Cura de Um Leproso

12 E, quando Jesus estava numa daquelas cidades, eis que
um homem coberto de lepra, ao vê-lo, prostrou-se sobre
o rosto e rogou-lhe, dizendo: "Senhor, se quiseres, bem
podes purificar-me."
13 E Jesus, estendendo a mão, tocou-o, dizendo: "Quero,
fique limpo." E logo a lepra desapareceu do homem.
14 E Jesus ordenou-lhe que não contasse isso a ninguém,
e acrescentou: Mas vá, mostre-se ao sacerdote, e ofereça
pela sua purificação o que Moisés determinou, para que
lhes sirva de testemunho.
15 A sua fama, porém, se propagava mais e mais, por isso,
se ajuntava muita gente para ouvi-lo e para serem por ele
curados das suas enfermidades.
16 Jesus, porém, retirava-se para os desertos e ali orava.

A Cura de Um Paralítico

17 E aconteceu que, num daqueles dias, Jesus estava en-
sinando, e estavam ali assentados fariseus e doutores da
lei, que tinham vindo de todas as aldeias da Galileia, da
Judeia e de Jerusalém. E o poder do Senhor estava com
ele para curar.

18 E eis que uns homens transportavam numa cama um
homem que estava paralítico; eles procuravam levá-lo para
dentro e colocá-lo diante de Jesus.
19 E, não achando por onde o pudessem levar, por causa
da multidão, subiram ao telhado, e por entre as telhas o
baixaram com a cama, até ao meio das pessoas, diante
de Jesus.
20 E, vendo a fé deles, Jesus disse: "Homem, os seus pe-
cados estão perdoados."
21 E os escribas e os fariseus começaram a pensar, dizen-
do: "Quem é este que diz blasfêmias? Quem pode perdoar
pecados, a não ser somente Deus?"
22 Jesus, porém, conhecendo os seus pensamentos, res-
pondeu: "O que pensam em seus corações?
23 Qual é mais fácil? Dizer: Os seus pecados estão perdoa-
dos, ou dizer: Levante-se e ande?
24 Mas isto é para que vocês saibam que o Filho do Ho-
mem tem sobre a terra poder de perdoar pecados", e disse
ao paralítico: "A você eu digo: Levante-se, pegue a sua
cama e vá para a sua casa."
25 Então, imediatamente ele se levantou diante de todos,
pegou a cama em que estava deitado e foi para a sua casa
glorificando a Deus.
26 E todos ficaram maravilhados, glorificaram a Deus
e ficaram cheios de temor, dizendo: "Hoje vimos coisas
extraordinárias."

O Chamado do Publicano Levi

27 E, depois disto, Jesus saiu e viu um publicano, cha-
mado Levi, assentado na coletoria, e lhe disse: "Siga-me."
28 E ele, deixando tudo, se levantou e o seguiu.
29 Então Levi lhe fez um grande banquete em sua casa; e
havia ali uma multidão de publicanos e outras pessoas que
estavam com eles à mesa.
30 E os escribas e os fariseus murmuravam contra os dis-
cípulos de Jesus, perguntando: "Por que comem e bebem
com publicanos e pecadores?"
31 E Jesus respondeu: "Os sãos não necessitam de médi-
co, mas, sim, os que estão doentes.
32 Eu não vim chamar os justos, mas, sim, os pecadores,
ao arrependimento."

Jesus e o Jejum dos Fariseus

33 Então eles disseram a Jesus: "Por que os discípulos de
João muitas vezes jejuam e fazem orações, como também
os fariseus, mas os teus comem e bebem?"
34 E Jesus lhes disse: "Vocês podem fazer com que os
convidados para o casamento jejuem, enquanto o noivo
está com eles?
35 Porém virão dias em que o noivo lhes será tirado, en-
tão, naqueles dias, jejuarão."
36 E Jesus também lhes contou uma parábola: "Ninguém
tira um pedaço de uma roupa nova para a costurar em
uma roupa velha, pois rasgará a nova, e o remendo não
combinará com a velha.
37 E ninguém põe vinho novo em odres velhos, porque o
vinho novo romperá os odres, se derramará o vinho e os
odres se estragarão,
38 mas o vinho novo deve ser posto em odres novos, as-
sim ambos juntamente se conservarão.
39 E ninguém, tendo bebido o vinho velho, prefere o
novo, porque diz: 'Melhor é o vinho velho.'"

Jesus, o Senhor do Sábado

6 E aconteceu que, num sábado, Jesus passou pelas sea-
ras, e os seus discípulos iam arrancando espigas e, de-
bulhando-as com as mãos, comiam os grãos.
2 E alguns dos fariseus lhes disseram: "Por que fazem o
que não é lícito fazer nos sábados?"
3 E Jesus respondeu: "Nunca leram o que Davi fez quan-
do teve fome, ele e os que com ele estavam?
4 Como entrou na casa de Deus e pegou os pães da propo-
sição, os comeu e deu também aos que estavam com ele,
pães que não era lícito comer, mas somente os sacerdotes
poderiam comer?"
5 E lhes dizia: "O Filho do Homem é Senhor até do
sábado."
6 E aconteceu, também em outro sábado, que Jesus en-
trou na sinagoga e estava ensinando; havia ali um homem
que tinha a mão direita atrofiada.
7 E os escribas e fariseus observavam Jesus, se ele curaria
no sábado, para acharem de que o acusar.
8 Mas Jesus bem conhecia os seus pensamentos, por isso,
disse ao homem que tinha a mão atrofiada: "Levante-se e
fique em pé no meio." E ele, levantando-se, ficou em pé.
9 Então Jesus lhes disse: "Vou perguntar uma coisa a
vocês: É lícito nos sábados fazer o bem, ou fazer o mal?
Salvar a vida, ou matar?"
10 E Jesus, olhando para todos ao redor, disse ao homem:
"Estenda a sua mão." Ele assim o fez, e a sua mão foi
restaurada e ficou como a outra.
11 Então eles ficaram cheios de furor, por isso, discutiam
uns com os outros sobre o que fariam a Jesus.

A Nomeação dos Doze Apóstolos

12 E aconteceu que naqueles dias Jesus subiu ao monte
para orar, e passou a noite em oração a Deus.
13 E, quando já era dia, chamou a si os seus discípulos
e escolheu doze deles, a quem também deu o nome de
apóstolos:
14 Simão, a quem também chamou de Pedro, e André,
seu irmão; Tiago e João, Filipe e Bartolomeu,
15 Mateus e Tomé, Tiago, filho de Alfeu, e Simão, cha-
mado Zelote;

16 e Judas, irmão de Tiago, e Judas Iscariotes, que foi o
traidor.

Bênçãos e Ais

17 E, descendo com eles, Jesus parou num lugar plano,
com um grande número de seus discípulos, e uma grande
multidão de toda a Judeia, de Jerusalém e da costa ma-
rítima de Tiro e de Sidom, os que tinham vindo para o
ouvirem e serem curados das suas enfermidades,
18 como também os atormentados por espíritos imundos,
os quais eram curados.
19 E toda a multidão procurava tocar em Jesus, porque
dele saía poder, e curava todos.
20 E Jesus, olhando para os seus discípulos, dizia: "Bem-a-
venturados são vocês, os pobres, porque o Reino de Deus
é de vocês.
21 Bem-aventurados são vocês, que agora têm fome, por-
que serão fartos. Bem-aventurados são vocês, que agora
choram, porque haverão de rir.
22 Bem-aventurados serão quando as pessoas os odiarem,
quando os separarem, os injuriarem e rejeitarem o nome
de vocês como mau, por causa do Filho do Homem.
23 Folguem nesse dia e exultem; porque eis que é grande
o seu galardão no céu, pois assim faziam os seus pais aos
profetas.
24 Mas ai de vocês, ricos! Porque já receberam a sua
consolação.
25 Ai de vocês, os que estão fartos, porque terão fome. Ai
de vocês, os que agora estão rindo, porque se lamentarão
e chorarão.
26 Ai de vocês quando todos falarem bem de vocês, por-
que assim seus pais faziam aos falsos profetas.

Amor Pelos Inimigos

27 Mas a vocês, que ouvem isto, digo: Amem os seus
inimigos, façam o bem aos que odeiam vocês,
28 abençoem os que os amaldiçoam, e orem pelos que
os maltratam.
29 A quem lhe ferir numa face, ofereça-lhe também a
outra; a quem lhe tirar a capa, deixe que leve também
a túnica;
30 e dê a quem lhe pedir; e se alguém tirar o que é seu,
não lhe exija que o devolva.
31 E como vocês querem que os outros lhes façam, da
mesma maneira, façam vocês também a eles.
32 E se amarem aqueles que os amam, que recompensa
terão? Porque até os pecadores amam os que os amam.
33 E se fizerem o bem aos que lhes fazem o bem, que re-
compensa terão? Também os pecadores fazem o mesmo.
34 E se emprestarem àqueles de quem esperam tornar
a receber, que recompensa terão? Também os pecadores
emprestam aos pecadores, para receberem outro tanto.
35 Amem os seus inimigos, façam o bem e emprestem,
sem nada esperarem em troca, então, será grande o seu
galardão e serão filhos do Altíssimo; porque ele é bondoso
até para os ingratos e maus.
36 Sejam misericordiosos, como também o Pai de vocês
é misericordioso.

Sobre Julgar o Próximo

37 Não julguem e não serão julgados; não condenem e
não serão condenados; perdoem e serão perdoados;
38 deem e lhes será dado; boa medida, prensada, sacu-
dida e transbordando, será dada a vocês; porque com a
mesma medida com que medirem também vocês serão
medidos."
39 E Jesus lhes contou uma parábola: "Será que um cego
pode guiar outro cego? Não cairão ambos no buraco?
40 O discípulo não é superior a seu mestre, mas todo
aquele que for instruído será como o seu mestre.
41 E por que você vê o cisco que está no olho do seu
irmão, e não repara na trave que está no seu próprio olho?
42 Ou como pode dizer ao seu irmão: Irmão, deixe-me
tirar o cisco que está no seu olho, se você mesmo não
tira a trave que está no seu próprio olho? Hipócrita, tire
primeiro a trave do seu olho, e então verá bem para tirar o
cisco que está no olho do seu irmão.

A Árvore e Seu Fruto

43 Porque não há boa árvore que dê mau fruto, nem má
árvore que dê bom fruto.
44 Porque cada árvore se conhece pelo seu próprio fruto;
pois não se colhem figos dos espinheiros, nem se colhem
uvas dos espinheiros.
45 A pessoa boa, do bom tesouro do seu coração tira o
bem; o homem mau, do mau tesouro do seu coração tira
o mal, porque a boca fala do que está cheio o coração.

A Casa Sobre a Rocha e a Casa Sobre a Areia

46 E por que vocês me chamam Senhor, Senhor, e não
fazem o que eu digo?
47 Eu vou mostrar a vocês a quem é semelhante qualquer
pessoa que vem a mim e ouve as minhas palavras e as
pratica:
48 Esse é semelhante a um homem que edificou uma
casa, cavou e abriu bem fundo, e pôs os alicerces sobre
a rocha; então, vindo a enchente, bateu com ímpeto a
corrente naquela casa e não a pôde abalar, porque estava
fundada sobre a rocha.
49 Mas quem ouve e não pratica é semelhante ao homem
que edificou uma casa sobre a areia, sem alicerces, na qual
bateu com ímpeto a corrente e logo ela caiu; e foi grande
a ruína daquela casa."

A Cura do Servo do Centurião

7 E, depois de concluir todos estes discursos perante o
povo, Jesus entrou em Cafarnaum.
2 E o servo de um certo centurião, a quem este muito
estimava, estava doente, quase morrendo.
3 E, quando ele ouviu falar de Jesus, enviou-lhe uns
anciãos dos judeus, pedindo-lhe que viesse curar o seu
servo.
4 E, quando eles chegaram junto de Jesus, lhe pediram
com insistência, dizendo: "Este homem merece a tua
ajuda,
5 porque ama a nossa nação e ele mesmo nos edificou
a sinagoga."
6 Então Jesus foi com eles; mas, quando já estava perto
da casa, o centurião enviou-lhe alguns amigos, dizendo:
"Senhor, não te incomodes, porque não sou digno de que
entres debaixo do meu telhado.
7 E por isso nem ainda me julguei digno de ir falar contigo;
dize, porém, uma palavra, e o meu criado sarará.
8 Porque também eu sou homem sujeito à autoridade e
tenho soldados sob o meu poder, e digo a este: 'Vá, e ele
vai'; e a outro: 'Venha, e ele vem'; e ao meu servo: 'Faça
isto', e ele o faz."
9 Jesus, ouvindo isto, admirou-se dele; então, voltando-se,
disse à multidão que o seguia: "Digo a vocês que nem
mesmo em Israel encontrei tanta fé como esta."
10 E, quando os que foram enviados voltaram para casa,
acharam o servo curado.

Jesus Ressuscita o Filho da Viúva de Naim

11 E, no dia seguinte, Jesus foi à cidade chamada Naim,
e com ele iam muitos dos seus discípulos e uma grande
multidão.
12 E, quando Jesus chegou perto da porta da cidade, eis
que levavam um defunto, filho único de sua mãe, que
era viúva; e com ela ia uma grande multidão da cidade.
13 E, vendo-a, o Senhor moveu-se de íntima compaixão
por ela e lhe disse: "Não chore."
14 E, chegando-se, tocou no caixão, e os que o levavam
pararam; então Jesus disse: "Jovem, a você lhe digo:
Levante-se!"
15 E o jovem que estava morto assentou-se e começou a
falar, e Jesus o entregou a sua mãe.
16 E todos ficaram cheios de temor e glorificavam a
Deus, dizendo: "Um grande profeta se levantou entre
nós, e Deus visitou o seu povo."
17 E esta notícia a respeito de Jesus se espalhou por toda
a Judeia e por toda a região.

João Envia Mensageiros a Jesus

18 E os discípulos de João anunciaram-lhe todas estas
coisas.
19 E João, chamando dois dos seus discípulos, enviou-os
a Jesus, dizendo: "És tu aquele que havia de vir, ou esperamos
outro?"
20 E, quando aqueles homens chegaram junto dele, disseram:
"João Batista nos enviou para te perguntar: 'És tu
aquele que havia de vir, ou esperamos outro?'"
21 E, na mesma hora, Jesus curou muitos de enfermidades,
de males, de espíritos maus, e deu vista a muitos
cegos.
22 Então Jesus respondeu: "Vão, e anunciem a João o
que vocês viram e ouviram: Que os cegos veem, os coxos
andam, os leprosos são purificados, os surdos ouvem, os
mortos ressuscitam e aos pobres anuncia-se o evangelho.
23 E bem-aventurado é aquele que em mim não se
escandalizar."
24 E, quando os mensageiros de João se retiraram, Jesus
começou a dizer à multidão a respeito de João: "O que vocês
foram ver no deserto? Um caniço agitado pelo vento?
25 Mas o que foram ver? Um homem trajando roupas
finas? Eis que os que andam com preciosas vestimentas e
vivem no luxo estão nos palácios reais.
26 Mas o que foram ver? Um profeta? Sim, eu lhes digo,
é muito mais do que profeta.
27 Este é aquele de quem está escrito: Eis que envio o
meu anjo diante da tua face; ele preparará o teu caminho
diante de ti.
28 E eu lhes digo que, entre os nascidos de mulher, não
há profeta maior do que João Batista, mas o menor no
Reino de Deus é maior do que ele."
29 E todo o povo que o ouviu, e até os publicanos, tendo
sido batizados com o batismo de João, reconheceram a
justiça de Deus.
30 Mas os fariseus e os doutores da lei rejeitaram o conselho
de Deus contra si mesmos, não tendo sido batizados
por ele.
31 E Jesus continuou: "A quem, pois, compararei as pessoas
desta geração, e a quem são semelhantes?
32 São semelhantes aos meninos que, assentados nas
praças, clamam uns aos outros e dizem: 'Nós tocamos
flauta, mas vocês não dançam; cantamos lamentações e
vocês não choram.'
33 Pois veio João Batista, que não comia pão nem bebia
vinho, e vocês dizem: 'Ele tem demônio.'
34 Veio o Filho do Homem, que come e bebe, e vocês
dizem: 'Eis aí um homem comilão e bebedor de vinho,
amigo dos publicanos e pecadores.'
35 Mas a sabedoria é justificada por todos os seus filhos."

A Unção de Jesus Pela Mulher Pecadora

36 E um dos fariseus convidou Jesus para jantar com ele;

então Jesus, entrando na casa do fariseu, assentou-se à
mesa.
37 E eis que uma mulher da cidade, uma pecadora, sa-
bendo que ele estava à mesa na casa do fariseu, levou um
vaso de alabastro com perfume.
38 E, estando por detrás, aos pés de Jesus, chorando,
começou a molhar os pés de Jesus com lágrimas, e os
enxugava com os próprios cabelos; ela beijava-lhe os pés
e os ungia com o perfume.
39 Quando viu isto, o fariseu que o tinha convidado fa-
lava consigo mesmo, dizendo: "Se ele fosse profeta, bem
saberia quem está tocando nele e que tipo de mulher ela
é, pois é uma pecadora."
40 E Jesus disse: "Simão, tenho uma coisa para lhe dizer."
E ele respondeu: "Diz, Mestre."
41 "Um certo credor tinha dois devedores: Um devia-lhe
quinhentos denários e o outro cinquenta.
42 E, não tendo eles com que pagar, o credor perdoou a
dívida de ambos. Diga, pois, qual deles o amará mais?"
43 E Simão respondeu: "Suponho que é aquele a quem
mais perdoou." E Jesus lhe disse: "Julgou bem."
44 E, voltando-se para a mulher, Jesus disse a Simão:
"Você vê esta mulher? Entrei em sua casa e não me deu
água para lavar os pés; mas esta regou-me os pés com
lágrimas e os enxugou com os seus cabelos.
45 Você não me deu um beijo na face; mas ela, desde que
entrou, não parou de me beijar os pés.
46 Você não ungiu a minha cabeça com óleo, mas esta
ungiu os meus pés com perfume.
47 Por isso eu lhe digo que os muitos pecados dela fo-
ram-lhe perdoados, porque ela amou muito; mas aquele a
quem pouco é perdoado, pouco ama."
48 Então Jesus disse a ela: "Os seus pecados estão
perdoados."
49 E os que estavam com Jesus à mesa começaram a
dizer entre si: "Quem é este, que até perdoa pecados?"
50 Mas Jesus disse à mulher: "A sua fé a salvou; vá em
paz."

A Parábola do Semeador

8 E, depois disso, Jesus andava de cidade em cidade e de
aldeia em aldeia, pregando e anunciando o evangelho
do Reino de Deus; e os doze discípulos iam com ele,
2 e também algumas mulheres que haviam sido curadas
de espíritos malignos e de enfermidades: Maria, chamada
Madalena, da qual saíram sete demônios,
3 e Joana, mulher de Cuza, procurador de Herodes, Suza-
na e muitas outras, que o serviam com seus bens.
4 Então, ajuntando-se uma grande multidão, que de todas
as cidades vinham até Jesus, ele disse por parábola:
5 "Um semeador saiu para semear a sua semente e, quan-
do semeava, caiu uma parte junto do caminho, foi pisada
e as aves do céu a comeram;
6 e outra parte caiu sobre pedra e, nascida, secou-se, pois
não tinha umidade;
7 e outra parte caiu entre espinhos, e os espinhos, cres-
cendo com ela, a sufocaram;
8 e outra caiu em boa terra e, e nascida, produziu fruto,
a cento por um." Jesus, dizendo estas coisas, clamava:
"Quem tem ouvidos para ouvir, ouça."
9 E os seus discípulos o interrogaram, dizendo: "Que pa-
rábola é esta?"
10 E Jesus respondeu: "A vocês é dado conhecer os misté-
rios do Reino de Deus, mas aos outros falo por parábolas,
para que, vendo, não vejam, e, ouvindo, não entendam.
11 Este é o significado da parábola: A semente é a palavra
de Deus.
12 Os que estão junto do caminho, estes são os que ou-
vem; depois vem o diabo e tira-lhes do coração a palavra,
para que não creiam e não sejam salvos.
13 E os que estão sobre a pedra, estes são os que, ou-
vindo a palavra, a recebem com alegria, mas, como não
têm raiz, apenas creem por algum tempo e no tempo da
tentação se desviam.
14 E a parte que caiu entre espinhos, estes são os que
ouviram e, no decorrer dos dias, são sufocados pelas preo-
cupações, pelas riquezas e pelos prazeres desta vida, e os
seus frutos não amadurecem.
15 E a parte que caiu em terra boa, estes são os que,
ouvindo a palavra, a conservam num coração honesto e
bom, e dão fruto com perseverança.

A Parábola da Candeia

16 E ninguém, acendendo uma candeia, a cobre com
algum vaso, ou a põe debaixo da cama, mas a põe no
velador, para que os que entram vejam a luz.
17 Porque não há nada oculto que não possa ser reve-
lado, e nada escondido que não venha a ser conhecido
e trazido à luz.
18 Portanto, vejam como vocês ouvem; porque a quem
tiver, mais lhe será dado; e a quem não tiver, até o que
pensa que tem lhe será tirado."

A Mãe e os Irmãos de Jesus

19 A mãe e irmãos de Jesus foram vê-lo, porém não po-
diam aproximar-se dele, por causa da multidão.
20 E alguém disse a Jesus: "A tua mãe e teus irmãos estão
lá fora e querem ver-te."
21 Mas Jesus lhe respondeu: "Minha mãe e meus irmãos
são aqueles que ouvem a palavra de Deus e a praticam."

Jesus Acalma a Tempestade

22 E, num daqueles dias, Jesus entrou num barco com os

seus discípulos e lhes disse: "Vamos para o outro lado do
lago." E partiram.
23 E, enquanto eles navegavam, Jesus adormeceu; então
veio uma tempestade de vento no lago, o barco estava se
enchendo de água, e eles corriam perigo.
24 Então os discípulos foram acordá-lo, dizendo: "Mestre, Mestre, vamos morrer!" E Jesus, levantando-se, repreendeu o vento e a fúria da água; então tudo cessou e ficou bem calmo.
25 Então Jesus lhes perguntou: "Onde está a fé de vocês?" E eles, temendo, maravilharam-se, dizendo uns aos outros: "Quem é este, que manda até nos ventos e nas águas, e eles lhe obedecem?"

A Cura do Endemoniado Geraseno

26 E navegaram para a terra dos gerasenos, que fica de frente para a Galileia.
27 E, quando Jesus pisou em terra, foi ao encontro dele um homem que há muito tempo estava possuído de demônios, vindo da cidade; ele não andava vestido, nem habitava em qualquer casa, mas nos sepulcros.
28 E, quando ele viu Jesus, prostrou-se diante dele, exclamando e dizendo com alta voz: "O que queres comigo, Jesus, Filho do Deus Altíssimo? Peço-te que não me atormentes."
29 Porque Jesus havia ordenado ao espírito imundo que saísse daquele homem, pois o espírito havia se apoderado dele muitas vezes. E mantinha-o preso, com grilhões e correntes; mas ele quebrava as correntes, e era impelido pelo demônio para o deserto.
30 E Jesus perguntou: "Qual é o seu nome?" E ele disse:
"Legião"; porque tinham entrado nele muitos demônios.
31 E imploravam que não os mandasse para o abismo.
32 E uma grande quantidade de porcos andava ali pastando no monte; e imploraram a Jesus que lhes permitisse entrar neles; e Jesus lhes deu permissão.
33 E, tendo saído os demônios do homem, entraram nos porcos, então a manada precipitou-se de um despenhadeiro no lago e afogou-se.
34 E os que cuidavam dos porcos, vendo o que tinha acontecido, fugiram e foram anunciá-lo na cidade e nos campos.
35 Então, o povo saiu para ver o que tinha acontecido e vieram até Jesus, encontraram, então, o homem de quem haviam saído os demônios, vestido, e em perfeito juízo, assentado aos pés de Jesus; e temeram.
36 E os que tinham presenciado o acontecido contaram-lhes também como aquele endemoniado tinha sido salvo.
37 E todo o povo da região dos gerasenos suplicou a Jesus para que se retirasse deles, porque estavam possuídos de grande temor. Então Jesus entrou no barco e voltou.
38 E aquele homem, de quem haviam saído os demônios, lhe pediu que o deixasse ir com ele, mas Jesus o despediu, dizendo:
39 "Volte para a sua casa e conte quantas grandes coisas Deus lhe fez." Então ele foi anunciando por toda a cidade quantas grandes coisas Jesus lhe tinha feito.

A Filha de Jairo e a Mulher Enferma

40 E aconteceu que, quando Jesus voltou, a multidão o recebeu com alegria, porque todos o estavam esperando.
41 E eis que chegou um homem chamado Jairo, que era chefe da sinagoga; e, prostrando-se aos pés de Jesus, suplicou-lhe que fosse a sua casa;
42 porque tinha uma única filha, com quase doze anos, que estava morrendo. E, quando Jesus caminhava, a multidão o apertava.
43 E uma mulher que estava há doze anos sofrendo de hemorragia, e que havia gastado todos os seus bens com os médicos, e por nenhum pôde ser curada,
44 chegou por detrás de Jesus, tocou na borda da sua capa e logo a hemorragia dela estancou.
45 E Jesus perguntou: "Quem me tocou?" E todos negaram; então Pedro disse: "Mestre, a multidão te aperta e te oprime e tu dizes: 'Quem é que me tocou'?"
46 E disse Jesus: "Alguém me tocou, porque bem senti que de mim saiu poder."
47 Então, a mulher, vendo que não conseguiria passar despercebida, aproximou-se tremendo e, prostrando-se diante de Jesus, declarou diante de todo o povo o motivo por que o havia tocado, e como logo sarou.
48 Então Jesus lhe disse: "Filha, a sua fé a salvou; vá em paz."
49 Enquanto Jesus ainda falava, chegou alguém da casa de Jairo, dizendo: "A sua filha já está morta, não incomode mais o Mestre."
50 Jesus, porém, ouvindo isto, lhe disse: "Não tema; somente creia, e ela será salva."
51 E, quando chegou à casa de Jairo, Jesus não deixou ninguém entrar com ele, exceto Pedro, Tiago, João, e o pai e a mãe da menina.
52 E todos choravam e pranteavam; mas Jesus disse:
"Não chorem; ela não está morta, mas dorme."
53 E riam-se dele, porque sabiam que ela estava morta.
54 Mas Jesus pegou-a pela mão e clamou, dizendo: "Menina, levante-se."
55 E o espírito dela voltou, e ela logo se levantou, então Jesus mandou que lhe dessem de comer.
56 E seus pais ficaram maravilhados, porém, Jesus lhes ordenou que não contassem a ninguém o que havia acontecido.

A Comissão dos Doze

9 E, convocando os seus doze discípulos, Jesus lhes deu
poder e autoridade sobre todos os demônios, e para
curarem enfermidades.
2 E enviou-os para pregarem o Reino de Deus e para cura-
rem os enfermos.
3 E disse-lhes: "Não levem nada com vocês para o ca-
minho, nem bordão, nem saco, nem pão, nem dinheiro;
nem túnica extra.
4 E, em qualquer casa em que entrarem, fiquem ali, até
partirem.
5 E, se em qualquer cidade não receberem vocês, ao saí-
rem de lá, sacudam o pó dos seus pés, em testemunho
contra eles."
6 Então, eles saíram, percorreram todas as aldeias anun-
ciando o evangelho e fazendo curas por toda parte.
7 E o tetrarca Herodes ouviu todas as coisas que por Jesus
foram feitas, e estava em dúvida, porque alguns diziam
que João ressuscitou dentre os mortos, outros, que Elias
tinha aparecido;
8 e outros, que um profeta dos antigos havia ressuscitado.
9 E Herodes disse: "Eu mandei decapitar João; quem, en-
tão, é este de quem ouço dizer estas coisas?" E procurava
vê-lo.

A Primeira Multiplicação dos Pães

10 Ao regressarem, os apóstolos contaram a Jesus tudo
o que tinham feito. E, levando-os consigo, retirou-se para
um lugar deserto de uma cidade chamada Betsaida.
11 Mas as multidões ficaram sabendo e o seguiram; ele os
recebeu e falava-lhes do Reino de Deus, e curava os que
necessitavam de cura.
12 E o dia já começava a declinar; então, chegando-se a
ele os doze, disseram-lhe: "Despede a multidão, para que,
indo aos lugares e aldeias em redor, se hospedem e achem
o que comer; porque aqui estamos em lugar deserto."
13 Mas Jesus lhes disse: "Deem vocês mesmos de comer
a eles." E os discípulos responderam: "Temos somente
cinco pães e dois peixes, a menos que nós mesmos formos
comprar comida para todo este povo."
14 Porque estavam ali quase cinco mil pessoas. Então
Jesus disse aos seus discípulos: "Façam-nos se assentarem
em grupos de cinquenta em cinquenta."
15 E assim o fizeram, fazendo com que todos se
assentassem.
16 Então, Jesus pegou os cinco pães e os dois peixes, e,
olhando para o céu, abençoou-os, partiu-os e deu aos seus
discípulos para distribuírem ao povo.
17 E todos comeram e se saciaram; e recolheram, do que
lhes sobrou, doze cestos.

A Confissão de Pedro

18 E aconteceu que Jesus estava orando e estavam com
ele os discípulos, e Jesus lhes perguntou: "Quem as mul-
tidões dizem que eu sou?"
19 Eles responderam: "Alguns dizem que és João Batista;
outros dizem que és Elias, e outros que és um dos antigos
profetas que ressuscitou."
20 Então Jesus perguntou: "E vocês, quem dizem que eu
sou?" E Pedro respondeu: "O Cristo de Deus."
21 E, advertindo-os, Jesus mandou que não contassem
isso a ninguém, dizendo:
22 "É necessário que o Filho do Homem sofra muitas
coisas e seja rejeitado pelos anciãos e pelos escribas, seja
morto e ressuscite no terceiro dia."
23 E Jesus dizia a todos: "Se alguém quiser me acom-
panhar, negue-se a si mesmo, tome cada dia a sua cruz
e siga-me.
24 Pois, quem quiser salvar a sua vida a perderá; mas
quem, por minha causa, perder a sua vida, esse a salvará.
25 Pois, de que adianta a uma pessoa ganhar o mundo
todo e perder-se ou prejudicar a si mesma?
26 Porque, quem se envergonhar de mim e das minhas
palavras, dele se envergonhará o Filho do Homem, quan-
do vier na sua glória e na glória do Pai e dos santos anjos.
27 E em verdade lhes digo que, dos que aqui estão, alguns
não provarão a morte até que vejam o Reino de Deus."

A Transfiguração

28 E aconteceu que, quase oito dias depois destas pala-
vras, levou consigo Pedro, João e Tiago, e subiu ao monte
para orar.
29 E, quando ele estava orando, a aparência do seu ros-
to se transfigurou, e a sua roupa ficou branca e muito
resplandecente.
30 E eis que dois homens estavam falando com ele: eram
Moisés e Elias,
31 que apareceram com glória e falavam da morte de
Jesus, que estava para se cumprir em Jerusalém.
32 Pedro e os seus companheiros estavam com ele, esta-
vam dominados pelo sono, e, quando despertaram, viram
a glória de Jesus e os dois homens que estavam com ele.
33 E quando eles se afastaram dele, Pedro disse: "Mestre,
é bom nós estarmos aqui. Façamos três tendas: uma para
ti, uma para Moisés e uma para Elias." Porém, Pedro não
sabia o que dizia.
34 E, enquanto ele dizia isto, veio uma nuvem que os
cobriu com a sua sombra; então, eles entraram na nuvem
e ficaram com medo.
35 E saiu da nuvem uma voz que dizia: "Este é o meu
amado Filho, o escolhido; ouçam-no."
36 E, depois daquela voz, Jesus ficou só; eles calaram-se,

e por aqueles dias não contaram a ninguém nada do que
tinham visto.

O Menino Endemoniado

37 No dia seguinte, quando eles desceram do monte,
uma grande multidão veio ao encontro de Jesus.
38 E eis que um homem do meio da multidão clamou, di-
zendo: "Mestre, peço-te que olhes para meu filho, porque
é o único que eu tenho.
39 Eis que um espírito se apodera do menino, e de repen-
te ele grita, convulsionando-se e espumando, e o espírito
só o larga depois de o ter maltratado.
40 E roguei aos teus discípulos que o expulsassem, mas
eles não puderam."
41 E Jesus disse: "Ó geração incrédula e perversa! Até
quando estarei ainda com vocês e os suportarei? Traga
aqui o seu filho."
42 E, quando o menino vinha chegando, o demônio o
derrubou e o convulsionou; porém, Jesus repreendeu o
espírito imundo, curou o menino e o entregou a seu pai.
43 E todos pasmavam com a majestade de Deus. E todos
estavam maravilhados com todas as coisas que Jesus fazia,
então ele disse aos seus discípulos:
44 "Ouçam atentamente estas palavras: o Filho do Ho-
mem será entregue nas mãos dos homens."
45 Mas eles não entendiam estas palavras, que lhes foram
encobertas, para que não compreendessem; e temiam
perguntar a Jesus a respeito destas palavras.

Quem é o Maior

46 E surgiu entre os discípulos uma discussão sobre qual
deles seria o maior.
47 Mas Jesus, conhecendo o que se passava em seus co-
rações, pegou um menino e pôs junto de si,
48 e lhes disse: "Quem receber este menino em meu
nome, recebe a mim, e quem recebe a mim, recebe aque-
le que me enviou; porque aquele que entre vocês todos
for o menor, esse é grande."
49 E João disse: "Mestre, vimos um homem que em teu
nome expulsava os demônios, e o proibimos, porque não
te segue conosco."
50 E Jesus lhes disse: "Não o proíbam, porque quem não
é contra nós é por nós."
51 E aconteceu que, completando-se o tempo em que
seria elevado ao céu, Jesus manifestou o firme propósito
de ir a Jerusalém.

Os Samaritanos Não Recebem Jesus

52 E Jesus enviou mensageiros adiante de si; indo eles,
entraram numa aldeia de samaritanos, para lhe prepara-
rem pousada,
53 mas não o receberam, porque o aspecto dele era como
de quem ia para Jerusalém.
54 E os seus discípulos, Tiago e João, vendo isto, disse-
ram: "Senhor, queres que digamos que desça fogo do céu
e os consuma, como Elias também fez?"
55 Mas Jesus, voltando-se, os repreendeu e disse: "Vocês
não sabem de que espírito vocês são.
56 Porque o Filho do Homem não veio para destruir as
vidas das pessoas, mas para salvá-las." E foram para outra
aldeia.

Condições Para o Discipulado

57 E, enquanto eles seguiam pelo caminho, alguém disse
a Jesus: "Senhor, te seguirei para onde quer que fores."
58 Mas Jesus lhe respondeu: "As raposas têm covis e as
aves do céu, ninhos, mas o Filho do Homem não tem
onde reclinar a cabeça."
59 E disse a outro: "Siga-me!" Mas ele respondeu: "Se-
nhor, deixa que primeiro eu vá enterrar meu pai."
60 Mas Jesus insistiu: "Deixe que os mortos sepultem
os seus mortos; você, porém, vá e anuncie o Reino de
Deus."
61 Outro também lhe disse: "Senhor, eu te seguirei, mas
deixa-me despedir primeiro dos que estão em minha
casa."
62 E Jesus lhe respondeu: "Ninguém que põe a mão no
arado e olha para trás é apto para o Reino de Deus."

A Missão dos Setenta Discípulos

10 E depois disso o Senhor designou outros setenta, e
os enviou de dois em dois, para que fossem diante
dele a todas as cidades e lugares aonde ele haveria de ir.
2 E Jesus lhes dizia: "Grande é a seara, mas os obreiros
são poucos; peçam ao Senhor da seara que envie obreiros
para a sua seara.
3 Vão! Eis que os envio como cordeiros para o meio de
lobos.
4 Não levem bolsa, nem sacola, nem sandálias, e não saú-
dem ninguém pelo caminho.
5 E, em qualquer casa onde entrarem, digam primeiro:
'Paz seja nesta casa.'
6 E, se houver ali uma pessoa de paz, sobre ela repousará
a paz de vocês; se não, a paz voltará para vocês.
7 E fiquem na mesma casa, comendo e bebendo do que
eles tiverem, pois digno o trabalhador é de seu salário.
Não fiquem mudando de casa em casa.
8 E, em qualquer cidade em que entrarem e os recebe-
rem, comam do que lhes for oferecido.
9 Curem os enfermos que nela houver e digam-lhes: 'É
chegado a vocês o Reino de Deus.'
10 Mas, em qualquer cidade em que entrarem e não rece-
berem vocês, saiam por suas ruas, dizendo:
11 'Até o pó que da cidade de vocês se apegou em nossos

pés, sacudimos contra vocês. Saibam disto: Que o Reino
de Deus está próximo.'
12 Eu digo a vocês que, naquele dia, haverá mais tolerân-
cia para Sodoma do que para aquela cidade.
13 Ai de você, Corazim, ai de você, Betsaida! Porque, se
em Tiro e em Sidom se fizessem as maravilhas que em
vocês foram feitas, já há muito elas teriam se arrependido,
assentadas em saco e cinza.
14 Portanto, para Tiro e Sidom haverá menos rigor no
juízo do que para vocês.
15 E você, Cafarnaum, que pensa que será elevada até ao
céu; será jogada no inferno.
16 Quem ouve vocês ouve a mim; e quem rejeita vocês
a mim rejeita; quem a mim rejeita, rejeita aquele que me
enviou."
17 E os setenta voltaram com alegria, dizendo: "Senhor,
pelo teu nome, até os demônios se submetem a nós."
18 E Jesus lhes disse: "Eu via Satanás cair do céu como
um relâmpago.
19 Eis que dou a vocês poder para pisar sobre cobras e
escorpiões e sobre todo o poder do inimigo, e nada lhes
fará dano.
20 Mas não se alegrem porque os espíritos se submetem a
vocês; antes, se alegrem por seus nomes estarem escritos
nos céus."
21 Naquela mesma hora Jesus se alegrou no Espírito San-
to e disse: "Graças te dou, ó Pai, Senhor do céu e da terra,
que escondeste estas coisas aos sábios e inteligentes e as
revelaste às criancinhas; assim é, ó Pai, porque assim foi
do teu agrado.
22 Tudo me foi entregue por meu Pai, ninguém sabe
quem é o Filho a não ser o Pai, e ninguém sabe quem é
o Pai a não ser o Filho, e aquele a quem o Filho o quiser
revelar."
23 E, voltando-se para os discípulos, lhes disse em parti-
cular: "Bem-aventurados os olhos que veem as coisas que
vocês estão vendo.
24 Pois lhes digo que muitos profetas e reis desejaram ver
o que vocês estão vendo, mas não viram; e ouvir o que
ouvem e não ouviram."

O Bom Samaritano

25 E eis que um certo doutor da lei se levantou para pôr
Jesus à prova e lhe perguntou: "Mestre, o que farei para
herdar a vida eterna?"
26 Então Jesus lhe perguntou: "O que está escrito na Lei?
Como você a entende?"
27 E ele respondeu: "Amarás ao Senhor teu Deus de todo
o teu coração, de toda a tua alma, de todas as tuas forças,
de todo o teu entendimento e ao teu próximo como a ti
mesmo."
28 E Jesus lhe disse: "Respondeu bem; faça isso e viverá."
29 Ele, porém, querendo justificar-se a si mesmo, pergun-
tou a Jesus: "E quem é o meu próximo?"
30 E Jesus disse: "Um homem de Jerusalém descia para
Jericó, e ele caiu nas mãos de assaltantes, que o assal-
taram e o espancaram, então se retiraram e o deixaram
quase morto.
31 E, ocasionalmente, um sacerdote descia pelo mesmo
caminho, e, ao vê-lo, passou longe.
32 E de igual modo também um levita, chegando àquele
lugar, ao vê-lo, também passou longe.
33 Mas um samaritano, que ia de viagem, chegou perto
dele e, vendo-o, sentiu piedade dele.
34 E, aproximando-se, atou-lhe as feridas, aplicando-lhes
azeite e vinho; então o pôs sobre o seu cavalo e o levou
para uma hospedaria e cuidou dele;
35 e, no dia seguinte, tirou dois denários e deu ao hospe-
deiro, e lhe disse: 'Cuide dele, e, tudo o que gastar a mais,
eu lhe pagarei quando voltar.'"
36 Então Jesus perguntou: "Qual destes três lhe parece
que foi o próximo do homem que caiu nas mãos dos
assaltantes?"
37 E ele, o doutor da lei, respondeu: "O que usou de
misericórdia para com ele." Então Jesus lhe disse: "Vá e
faça da mesma maneira."

Na Casa de Maria e Marta

38 E, quando eles seguiam viagem, Jesus entrou numa
aldeia, e certa mulher, chamada Marta, o recebeu em sua
casa.
39 E ela tinha uma irmã chamada Maria, que, assentada
aos pés de Jesus, ouvia a sua palavra.
40 Marta, porém andava ocupada com muitos serviços;
então, se aproximou de Jesus e disse: "Senhor, não te im-
porta que minha irmã me deixe servir só? Diz-lhe que
me ajude."
41 Mas Jesus respondeu: "Marta! Marta! Está ansio-
sa e preocupada com muitas coisas, mas apenas uma é
necessária;
42 Maria escolheu a boa parte, e esta não lhe será tirada."

A Oração do Pai Nosso

11 Jesus estava orando num certo lugar e, quando
acabou, um dos seus discípulos lhe pediu: "Senhor,
ensina-nos a orar, como também João ensinou aos discí-
pulos dele."
2 Então Jesus disse: "Quando orarem, digam: 'Pai nosso
que estás nos céus, santificado seja o teu nome; venha o
teu reino; seja feita a tua vontade, assim na terra, como
no céu.
3 Dá-nos cada dia o nosso pão cotidiano;
4 e perdoa-nos os nossos pecados, pois também nós per-

doamos a todos que nos devem, e não nos deixes cair em
tentação, mas livra-nos do mal.'"
5 Jesus lhes disse também: "Se um de vocês tiver um
amigo, e for procurá-lo à meia-noite, dizendo: 'Amigo, me
empreste três pães,
6 porque outro amigo meu chegou na minha casa, vindo
de viagem, e não tenho nada para lhe oferecer;'
7 e se o outro lhe responder lá de dentro: 'Não me importune, a porta já está fechada, e os meus filhos estão comigo na cama; não posso me levantar para lhe dar os pães;'
8 digo a vocês que, ainda que não se levante para dar os
pães por ser seu amigo, ele se levantará por causa da sua
importunação, e lhe dará tudo o que precisar.
9 E eu digo a vocês: Peçam e lhes será dado; busquem e
acharão; batam e a porta será aberta para vocês;
10 porque quem pede recebe, quem busca acha, e a
quem bate, a porta se abrirá.
11 E qual é o pai entre vocês que, se o filho lhe pedir pão,
lhe dará uma pedra? Ou, também, se lhe pedir peixe, lhe
dará por peixe uma serpente?
12 Ou, também, se lhe pedir um ovo, lhe dará um
escorpião?
13 Pois se vocês, que são maus, sabem dar boas coisas
aos seus filhos, quanto mais o Pai celestial dará o Espírito
Santo àqueles que lhe pedirem!"

Os Judeus Acusam Jesus

14 E Jesus estava expulsando um demônio, que era
mudo. E aconteceu que, quando o demônio saiu, o mudo
falou; e a multidão se maravilhou.
15 Mas alguns deles diziam: "Ele expulsa os demônios
pelo poder de Belzebu, príncipe dos demônios."
16 E outros, tentando-o, pediam-lhe um sinal do céu.
17 Mas Jesus, conhecendo os seus pensamentos, lhes disse: "Todo reino dividido contra si mesmo será assolado, e
a casa, dividida contra si mesma, cairá.
18 E, se também Satanás estiver dividido contra si mesmo, como o seu reino subsistirá? Pois dizem que eu expulso os demônios por Belzebu.
19 E, se eu expulso os demônios por Belzebu, por quem
os seus filhos expulsam? Eles, pois, serão os seus juízes.
20 Mas, se eu expulso os demônios pelo dedo de Deus,
certamente a vocês é chegado o Reino de Deus.
21 Quando o valente guarda, armado, a sua casa, tudo o
que ele tem está em segurança;
22 mas, chegando alguém mais valente do que ele, e o
vence, tira-lhe toda a sua armadura em que confiava, e
reparte os seus despojos.
23 Quem não é comigo é contra mim, e quem comigo
não ajunta, espalha.
24 Quando o espírito imundo sai de uma pessoa, anda
por lugares secos, buscando repouso; não o achando, diz:
'Voltarei para a minha casa, de onde saí.'
25 E, voltando, a encontra varrida e arrumada.
26 Então vai e leva consigo outros sete espíritos piores do
que ele, e, entrando, habitam ali; assim o último estado
dessa pessoa é pior do que o primeiro."
27 E aconteceu que, ao dizer Jesus estas palavras, uma
mulher do meio da multidão levantou a voz e lhe disse:
"Bem-aventurado o ventre que te trouxe e os seios em
que mamaste."
28 Mas Jesus disse: "Antes, bem-aventurados os que ouvem a palavra de Deus e a guardam."

O Sinal do Profeta Jonas

29 E, aumentando a multidão, Jesus começou a dizer:
"Maligna é esta geração; ela pede um sinal, mas não lhe
será dado outro sinal, senão o sinal do profeta Jonas;
30 porquanto, assim como Jonas foi sinal para os ninivitas, assim o Filho do Homem o será também para esta
geração.
31 A rainha do Sul se levantará no juízo com os homens
desta geração e os condenará; pois até dos confins da terra veio ouvir a sabedoria de Salomão; mas aqui está quem
é maior do que Salomão.
32 Os homens de Nínive se levantarão no juízo com esta
geração e a condenarão; pois se converteram com a pregação de Jonas; mas aqui está quem é maior do que Jonas.

A Parábola da Candeia do Corpo

33 E ninguém, acendendo uma candeia, a põe em oculto,
nem debaixo de um cesto, mas no velador, para que os
que entram vejam a luz.
34 A candeia do corpo é o olho. Se o seu olho for bom,
também todo o seu corpo será luminoso; mas, se for mau,
também o seu corpo será tenebroso.
35 Veja, pois, que a luz que há em você não sejam trevas.
36 Se todo o seu corpo for luminoso, não tendo em trevas parte alguma, todo ele será luminoso, como quando a
candeia ilumina você com o seu resplendor."

Jesus Condena a Religião de Aparências

37 Enquanto Jesus ainda falava, um fariseu lhe pediu que
fosse jantar com ele; então, entrando na casa, Jesus assentou-se à mesa.
38 Mas o fariseu admirou-se, vendo que Jesus não se lavou antes de jantar.
39 E o Senhor lhe disse: "Agora vocês, os fariseus, limpam o exterior do copo e do prato, mas o interior de vocês
está cheio de roubo e maldade.
40 Loucos! Quem fez o exterior não fez também o
interior?
41 Antes deem esmola do que tiverem, e eis que tudo
lhes será limpo.

42 Mas ai de vocês, fariseus, que dão o dízimo da hor-
telã, da arruda e de toda hortaliça, contudo desprezam a
justiça e o amor de Deus. Importa fazer estas coisas e não
deixar as outras.
43 Ai de vocês, fariseus, que amam os primeiros assentos
nas sinagogas e as saudações nas praças.
44 Ai de vocês, escribas e fariseus, hipócritas! Que são
como as sepulturas que não aparecem, e os homens que
sobre elas andam não o sabem."
45 E, respondendo um dos doutores da lei, disse a Jesus:
"Mestre, quando dizes isso, também afrontas a nós."
46 Mas Jesus respondeu: "Ai de vocês também, doutores
da lei, que carregam os homens com fardos difíceis de car-
regar, mas vocês mesmos nem sequer com um dos seus
dedos tocam esses fardos.
47 Ai de vocês que edificam os sepulcros dos profetas,
que os seus pais mataram.
48 Assim testemunham, pois, que consentem nas obras
de seus pais; porque eles os mataram, e vocês edificam
os seus sepulcros.
49 Por isso diz também a sabedoria de Deus: 'Profetas
e apóstolos lhes mandarei; contudo, eles matarão uns, e
perseguirão outros;
50 para que desta geração seja requerido o sangue de
todos os profetas que, desde a fundação do mundo, foi
derramado;
51 desde o sangue de Abel até o sangue de Zacarias, que
foi morto entre o altar e o santuário; assim, lhes digo, será
requerido desta geração.'
52 Ai de vocês, doutores da lei, que tiraram a chave da
ciência; vocês mesmos não entraram, e impediram os que
estavam entrando."
53 E, dizendo-lhes ele isto, os escribas e os fariseus come-
çaram a contestá-lo fortemente, e a fazê-lo falar a respeito
de muitas coisas,
54 armando-lhe ciladas e procurando apanhar da sua
boca alguma coisa para o acusarem.

O Fermento dos Fariseus

12 Milhares de pessoas se ajuntaram a ponto de se
atropelarem umas às outras, e Jesus começou a di-
zer aos seus discípulos: "Cuidado com o fermento dos
fariseus, que é a hipocrisia.
2 Mas não há nada encoberto que não venha a ser desco-
berto; nem oculto, que não venha a ser revelado.
3 Porque tudo o que vocês disserem às escuras, à luz será
ouvido; e o que falaram ao ouvido dentro da casa, sobre
os telhados será proclamado.
4 E digo a vocês, meus amigos: Não temam os que matam
o corpo e, depois disso, nada mais podem fazer.
5 Mas eu lhes mostrarei a quem devem temer; temam
aquele que, depois de matar, tem poder para lançar no
inferno; sim, lhes digo, a esse devem tremer.
6 Não se vendem cinco pardais por duas moedinhas? E
nenhum deles será esquecido por Deus.
7 E até os cabelos da sua cabeça estão todos contados.
Não temam, pois; vocês valem mais do que muitos
pardais.
8 E digo a vocês: Quem me confessar diante dos homens,
também o Filho do Homem o confessará diante dos anjos
de Deus.
9 Mas quem me negar diante das pessoas, será negado
diante dos anjos de Deus.
10 E quem disser uma palavra contra o Filho do Homem,
isso lhe será perdoado, mas quem blasfemar contra o Es-
pírito Santo não será perdoado.
11 E, quando conduzirem vocês às sinagogas, aos magis-
trados e autoridades, não se preocupem de como ou do
que haverão de responder, nem do que haverão de dizer.
12 Porque na mesma hora o Espírito Santo lhes ensinará
o que falar."

A Parábola do Rico Insensato

13 E alguém da multidão lhe disse: "Mestre, diz ao meu
irmão que reparta a herança comigo."
14 Mas Jesus lhe disse: "Homem, quem me nomeou juiz
ou repartidor entre vocês?"
15 E Jesus lhes disse: "Cuidado, e se guardem da avareza,
porque a vida de uma pessoa não consiste na abundância
do que possui."
16 E Jesus lhes contou uma parábola, dizendo: "O campo
de um homem rico tinha produzido com abundância;
17 e ele pensava consigo mesmo, dizendo: 'O que farei?
Não tenho onde guardar os meus frutos.'
18 Então disse: 'Farei isto: Derrubarei os meus celeiros,
edificarei outros maiores e ali guardarei todas as minhas
safras e os meus bens;
19 e direi a mim mesmo: Você tem no depósito muitos
bens para muitos anos; descanse, coma, beba e aproveite.'
20 Mas Deus lhe disse: Louco! 'Esta noite lhe pedirão a
sua alma; e o que tem preparado, para quem será?'
21 Assim é aquele que para si ajunta tesouros e não é rico
para com Deus."

As Preocupações da Vida

22 E Jesus disse aos seus discípulos: "Portanto, lhes digo:
Não fiquem preocupados com a sua vida, sobre o que
comer, nem pelo corpo, sobre o que vestir.
23 Porque a vida é mais do que o alimento, e o corpo
mais do que as roupas.
24 Observem os corvos, que nem semeiam, nem colhem,
nem têm despensa nem celeiro, e Deus os alimenta; vo-
cês valem muito mais do que as aves!

25 E quem de vocês, sendo ansioso, pode acrescentar
quarenta e cinco centímetros à sua estatura?
26 Pois, se não podem fazer nada quanto às coisas míni-
mas, por que se preocupam pelas outras?
27 Observem os lírios, como eles crescem; não trabalham
e nem fiam, contudo, digo a vocês que nem Salomão, em
toda a sua glória, se vestiu como um deles.
28 E, se Deus assim veste a erva que hoje está no campo
e amanhã é lançada no forno, muito mais fará por vocês,
homens de pequena fé!
29 Portanto, não perguntem o que irão comer ou beber, e
não fiquem preocupados com isto.
30 Porque os gentios de todo o mundo buscam todas es-
sas coisas; mas o Pai de vocês sabe que vocês precisam
delas.
31 Busquem, antes, o Reino de Deus e todas estas coisas
lhes serão acrescentadas.
32 Não temam, ó pequeno rebanho, porque o Pai de vo-
cês se agradou em dar-lhes o seu reino.
33 Vendam o que têm e deem esmolas; façam para vocês
bolsas que não envelheçam; tesouro nos céus que nunca
acaba, aonde não chega ladrão e a traça não rói.
34 Porque, onde estiver o seu tesouro, ali estará também
o seu coração.

O Servo Vigilante

35 Estejam prontos para servir e conservem acesas as
suas candeias.
36 E sejam vocês semelhantes aos homens que esperam
o seu senhor, quando ele voltar das festas de casamento,
para que, quando ele bater à porta, logo lhe possam abrir.
37 Bem-aventurados aqueles servos que, quando o Se-
nhor vier, os encontrar vigiando! Em verdade lhes digo
que ele se vestirá, e os fará assentar à mesa e, aproximan-
do-se, os servirá.
38 E, se ele vier à noite, ou de madrugada, e os encontrar
assim, bem-aventurados são esses servos.
39 Saibam, porém, isto: Se o pai de família soubesse a que
hora viria o ladrão, vigiaria, e não o deixaria arrombar a
sua casa.
40 Portanto, estejam vocês também preparados; porque
o Filho do Homem virá quando vocês menos esperam."
41 E Pedro perguntou: "Senhor, dizes essa parábola só
para nós, ou também a todos?"
42 E o Senhor respondeu: "Quem é o mordomo fiel e
prudente, a quem o senhor pôs sobre os seus servos, para
lhes dar o alimento no tempo devido?
43 Bem-aventurado aquele servo a quem o seu senhor,
quando vier, achar fazendo assim.
44 Em verdade lhes digo que sobre todos os seus bens
o porá.
45 Mas, se aquele servo disser em seu coração: 'O meu
senhor demora para vir', e começar a espancar os criados
e criadas, a comer, a beber e a embriagar-se,
46 o senhor daquele servo virá no dia em que ele não
espera, e numa hora que ele não sabe, então o punirá e
lhe dará um lugar com os infiéis.
47 E o servo que conhecia a vontade do seu senhor, mas
não se aprontou, nem fez conforme a sua vontade, será
castigado com muitos açoites;
48 mas aquele que não conhecia a vontade do seu senhor,
e fez coisas dignas de açoites, com poucos açoites será
castigado. E, a quem muito for dado, muito se lhe pedirá,
e a quem muito se confiou, muito mais será pedido.

Dificuldades do Seguidor de Jesus

49 Eu vim lançar fogo sobre a terra; e como gostaria que
já estivesse aceso!
50 Mas tenho que passar por um batismo; e como me
angustio até que ele se cumpra!
51 Vocês pensam que eu vim trazer paz à terra? Não; e
lhes digo, vim para trazer divisão;
52 porque daqui em diante estarão cinco divididos numa
casa: três contra dois, e dois contra três.
53 O pai estará dividido contra o filho, e o filho contra o
pai; a mãe contra a filha, e a filha contra a mãe; a sogra
contra sua nora, e a nora contra sua sogra."

A Interpretação dos Tempos

54 E Jesus dizia também à multidão: "Quando veem a
nuvem que vem do ocidente, logo dizem: 'Lá vem chu-
va', e assim acontece.
55 E, quando assopra o vento sul, dizem: 'Haverá calor',
e assim acontece.
56 Hipócritas, se vocês sabem distinguir a face da terra e
do céu, como não sabem distinguir este tempo?
57 E por que não julgam também por vocês mesmos o
que é justo?
58 E quando você for com o seu adversário ao magistra-
do, procure se reconciliar com ele no caminho; para que
não aconteça que ele o conduza ao juiz, o juiz entregue
você ao oficial de justiça e o oficial ponha você na prisão.
59 Eu digo que você não sairá dali enquanto não pagar o
último centavo."

A Importância do Arrependimento

13 E, naquele mesmo tempo, estavam presentes ali
alguns que lhe falavam dos galileus, cujo sangue
Pilatos misturava com os seus sacrifícios.
2 Então Jesus lhes disse: "Vocês pensam que esses galileus
foram mais pecadores do que todos os galileus, por terem
sofrido essas coisas?
3 Não, lhes digo; antes, se vocês não se arrependerem,
todos de igual modo perecerão.

4 E aqueles dezoito, sobre os quais caiu a torre de Siloé e os matou, vocês pensam que eram mais culpados do que todos os outros habitantes de Jerusalém?

5 Não, lhes digo; antes, se não se arrependerem, todos de igual modo perecerão."

6 E Jesus contava esta parábola: "Um certo homem tinha uma figueira plantada na sua vinha, e foi procurar nela fruto, mas não achou;

7 então disse ao homem que cuidava da vinha: 'Há três anos venho procurar fruto nesta figueira e não encontro nada; corte-a; por que ela ocupa inutilmente a terra?'

8 E o homem respondeu: 'Senhor, deixe-a este ano, até que eu escave ao redor dela e a esterque;

9 e, se der fruto, ela ficará, e se não der, depois o senhor mandará cortá-la.'"

A Mulher Curada no Sábado

10 E Jesus ensinava no sábado, numa das sinagogas.

11 E eis que ali estava uma mulher que tinha um espírito de enfermidade há dezoito anos; e ela andava encurvada e não podia de modo algum endireitar-se.

12 E, ao vê-la, Jesus a chamou e lhe disse: "Mulher, está livre da sua enfermidade."

13 E pôs as mãos sobre ela, e logo ela se endireitou e glorificava a Deus.

14 Então, o chefe da sinagoga, indignado porque Jesus curava no sábado, disse à multidão: "Há seis dias em que é lícito trabalhar; nestes, pois, venham para serem curados, mas não no dia de sábado."

15 Então o Senhor lhe respondeu: "Hipócrita, no sábado cada um de vocês não desamarra do estábulo o seu boi, ou jumento, e não o leva para beber?

16 E por que eu não deveria soltar desta prisão, no dia de sábado, esta filha de Abraão, que há dezoito anos Satanás mantinha presa?"

17 E, dizendo Jesus estas coisas, todos os seus adversários ficaram envergonhados, mas todo o povo se alegrava por todas as coisas gloriosas que eram feitas por ele.

A Parábola do Grão de Mostarda e do Fermento

18 E Jesus disse: "A que é semelhante o Reino de Deus, e a que o compararei?

19 É semelhante ao grão de mostarda que um homem plantou na sua horta; ele cresceu e virou uma grande árvore, e em seus ramos se aninharam as aves do céu."

20 E Jesus disse outra vez: "A que compararei o Reino de Deus?

21 Ele é semelhante ao fermento que uma mulher misturou em três medidas de farinha, até que tudo levedou."

A Porta Estreita

22 E Jesus percorria as cidades e as aldeias, ensinando e caminhando para Jerusalém.

23 E alguém lhe perguntou: "Senhor, são poucos os que se salvam?" E Jesus respondeu:

24 "Esforcem-se para entrar pela porta estreita; porque eu lhes digo que muitos procurarão entrar e não poderão.

25 Quando o pai de família se levantar e fechar a porta, e começarem, de fora, a bater na porta, dizendo: 'Senhor, Senhor, abre a porta', e ele responder e disser: 'Não sei de onde vocês são';

26 então comecem a dizer: 'Temos comido e bebido na tua presença, e tu tens ensinado nas nossas ruas.'

27 E ele responderá: 'Digo a vocês que não sei de onde vocês são; afastem-se de mim, vocês todos que praticam o mal.'

28 Ali haverá choro e ranger de dentes, quando virem Abraão, Isaque, Jacó e todos os profetas no Reino de Deus, e vocês serão lançados fora.

29 E muitos virão do oriente, do ocidente, do norte e do sul, e se assentarão à mesa no Reino de Deus.

30 E eis que os últimos serão os primeiros, e os primeiros serão os últimos."

Lamentação Por Jerusalém

31 Naquela mesma hora chegaram uns fariseus, dizendo-lhe: "Sai e retira-te daqui, porque Herodes quer matar-te."

32 E Jesus lhes respondeu: "Vão e digam àquela raposa: Eis que eu expulso demônios e efetuo curas, hoje e amanhã, e no terceiro dia estarei pronto.

33 Mas preciso caminhar hoje, amanhã e no dia seguinte, para que não aconteça que morra um profeta fora de Jerusalém.

34 Jerusalém, Jerusalém, que mata os profetas e apedreja os que lhe são enviados! Quantas vezes eu quis ajuntar os seus filhos, como a galinha ajunta os seus pintos debaixo das suas asas, mas vocês não quiseram?

35 Eis que a casa de vocês ficará deserta. E em verdade lhes digo que não me verão mais até que venha o tempo em que digam: 'Bendito aquele que vem em nome do Senhor.'"

A Cura de Um Hidrópico no Sábado

14 Aconteceu num sábado que, ao entrar Jesus na casa de um dos chefes dos fariseus para comer pão, eles o estavam observando.

2 E eis que estava ali diante dele um certo homem hidrópico.

3 E Jesus, tomando a palavra, falou aos doutores da lei e aos fariseus, dizendo: "É lícito curar no sábado?"

4 Eles, porém, calaram-se. Então Jesus pegou na mão daquele homem, o curou e o mandou embora.

5 Então Jesus lhes perguntou: "Quem de vocês que, em

um dia de sábado, caindo o jumento ou o boi num poço,
não o tiraria logo?"
6 E nada eles podiam responder sobre estas coisas.
7 E Jesus contou aos convidados uma parábola, reparando
como escolhiam os primeiros assentos, dizendo-lhes:
8 "Quando por alguém forem convidados para um casa-
mento, não se assentem no primeiro lugar; para que não
aconteça que esteja convidado outro mais importante do
que você,
9 e, vindo quem convidou a você e a ele, lhe diga: 'Dê
o lugar a este aqui', e, então, com vergonha, tenha que
ocupar o último lugar.
10 Mas, quando for convidado, vá e assente-se no último
lugar, para que, quando vier quem o convidou, lhe diga:
'Amigo, suba mais para cima.' Então terá honra diante
dos que estiverem com você à mesa.
11 Porque quem a si mesmo se exaltar, será humilhado, e
quem a si mesmo se humilhar, será exaltado."
12 Então Jesus disse ao que o tinha convidado: "Quando
der um jantar, ou uma ceia, não chame os seus amigos,
nem os seus irmãos, nem os seus parentes, nem vizinhos
ricos, para que não aconteça que também eles retribuam
o convite a você, e seja recompensado.
13 Mas, quando fizer convite, chame os pobres, aleija-
dos, mancos e cegos,
14 e você será bem-aventurado; porque eles não têm com
que o recompensar, mas você será recompensado na res-
surreição dos justos."

A Parábola da Grande Ceia

15 E, ao ouvir isto, um dos que estavam com ele à mesa
lhe disse: "Bem-aventurado aquele que comer pão no
Reino de Deus."
16 Porém, Jesus lhe respondeu: "Um certo homem pre-
parou uma grande ceia e convidou muitos.
17 E na hora da ceia mandou o seu servo dizer aos convi-
dados: 'Venham, porque tudo já está preparado.'
18 Mas todos, um por um, começaram a apresentar des-
culpas. O primeiro disse: 'Comprei um campo e preciso ir
vê-lo; peço que me desculpe.'
19 E outro disse: 'Comprei cinco juntas de bois e vou
experimentá-los; peço que me desculpe.'
20 E outro disse: 'Casei, por isso não posso ir.'
21 Então, o servo voltou e contou estas coisas ao seu
senhor. E aquele pai de família, indignado, disse ao seu
servo: 'Saia depressa pelas ruas e bairros da cidade e traga
aqui os pobres, aleijados, mancos e cegos.'
22 E o servo disse: 'Senhor, está feito como mandou, po-
rém, ainda há lugar.'
23 E o senhor disse ao servo: 'Saia pelos caminhos e ata-
lhos e obrigue todos a entrarem, para que a minha casa
se encha.
24 Porque eu lhes digo que nenhum daqueles homens
que foram convidados provará a minha ceia.'"

O Preço do Discipulado

25 Uma grande multidão ia acompanhando Jesus; então,
voltando-se para ela, Jesus disse:
26 "Se alguém vier a mim, e ama o seu pai, a sua mãe,
a sua mulher, os seus filhos, os seus irmãos e irmãs, e a
sua própria vida, mais do que a mim, não pode ser meu
discípulo.
27 E quem não levar a sua cruz, e não vier após mim, não
pode ser meu discípulo.
28 Pois qual de vocês, se quiser construir uma torre, não
se assenta primeiro para fazer as contas dos gastos, para
ver se tem meios para terminar de construí-la?
29 Para que não aconteça que, depois de haver posto os
alicerces, e não podendo terminá-la, todos os que a virem
comecem a zombar dele,
30 dizendo: 'Este homem começou a edificar e não pôde
acabar.'
31 Ou qual é o rei que, indo à guerra para lutar contra
outro rei, não se assenta primeiro para tomar conselho
sobre se com dez mil pode sair ao encontro de quem vem
contra ele com vinte mil?
32 Caso contrário, estando o outro ainda longe, manda-
-lhe embaixadores e pede condições de paz.
33 Assim, qualquer de vocês, que não renuncia a tudo
quanto tem, não pode ser meu discípulo.
34 Bom é o sal; mas, se o sal for insípido, com que se
há de salgar?
35 Nem presta para a terra, nem para o lixo; lançam-no
fora. Quem tem ouvidos para ouvir, ouça."

A Parábola da Ovelha Perdida

15 E todos os publicanos e pecadores chegavam a Jesus
para o ouvir.
2 E os fariseus e os escribas murmuravam, dizendo: "Este
recebe pecadores e come com eles."
3 Então Jesus lhes contou esta parábola, dizendo:
4 "Que homem dentre vocês, tendo cem ovelhas e per-
dendo uma delas, não deixa no deserto as noventa e nove
e vai atrás da perdida até encontrá-la?
5 E, achando-a, a põe sobre os seus ombros, cheio de
alegria.
6 Então, chegando em casa, convoca os amigos e vizi-
nhos, dizendo-lhes: 'Alegrem-se comigo, porque já achei
a minha ovelha perdida.'
7 Digo a vocês que assim haverá mais alegria no céu por
um pecador que se arrepende do que por noventa e nove
justos que não necessitam de arrependimento.

A Dracma Perdida

8 Ou qual a mulher que, tendo dez dracmas, se perder
uma, não acende a candeia, varre a casa e procura com
empenho até encontrá-la?
9 E, quando a encontra, reúne as amigas e vizinhas, di-
zendo: 'Alegrem-se comigo, porque já encontrei a dracma
perdida.'
10 Assim lhes digo que há alegria diante dos anjos de
Deus por um pecador que se arrepende."

O Filho Pródigo

11 E Jesus disse: "Um certo homem tinha dois filhos,
12 e o mais novo deles disse ao pai: 'Pai, me dê a parte
dos bens que me pertence.' E o pai repartiu a fazenda
entre eles.
13 E, poucos dias depois, o filho mais novo, ajuntando
tudo o que tinha, partiu para uma terra longínqua e ali
desperdiçou os seus bens, vivendo de forma irresponsável.
14 E, depois de ele ter gastado tudo, houve naquela terra
uma grande fome, e ele começou a passar necessidades.
15 Então ele foi pedir trabalho a um dos cidadãos daquela
terra, que o mandou para os seus campos, para cuidar
dos porcos.
16 Ele desejava saciar o seu estômago com alfarrobas que
os porcos comiam, porém, ninguém lhe dava nada.
17 Então, caindo em si, disse: 'Muitos trabalhadores de
meu pai têm abundância de pão e eu aqui passando fome!
18 Eu me levantarei e irei falar com meu pai, e lhe direi:
Pai, pequei contra o céu e perante ti;
19 já não sou digno de ser chamado teu filho; faz-me
como um dos teus empregados.'
20 E, levantando-se, foi para seu pai. Quando ainda esta-
va longe, seu pai o viu, e se moveu de íntima compaixão
e, correndo, lançou-se-lhe ao pescoço e o beijou.
21 E o filho lhe disse: 'Pai, pequei contra o céu e perante
ti, já não sou digno de ser chamado teu filho.'
22 Então o pai disse aos seus servos: 'Tragam depressa a
melhor roupa e vistam nele, e ponham um anel no dedo
dele e sandálias em seus pés.
23 Tragam o bezerro gordo e matem-no; então, comere-
mos e nos alegraremos;
24 porque este meu filho estava morto e reviveu, estava
perdido, e foi achado. E começaram a festejar.
25 E o seu filho mais velho estava no campo; porém,
quando voltava, chegou perto de casa e ouviu a música
e as danças.
26 Então chamou um dos servos, e lhe perguntou o que
era aquilo.
27 E ele lhe disse: 'O seu irmão voltou; e o seu pai matou
o bezerro gordo, porque o recebeu são e salvo.'
28 Mas o filho mais velho se indignou e não queria en-
trar. Então o pai saiu e procurava convencê-lo a entrar.
29 Mas ele respondeu ao seu pai: 'Eu te sirvo há tantos
anos, sem nunca transgredir o teu mandamento e nun-
ca me deste um cabrito para alegrar-me com os meus
amigos;
30 mas quando veio este teu filho, que desperdiçou os
teus bens com as prostitutas, matas o bezerro gordo para
ele.'
31 Então o pai lhe respondeu: 'Filho, você sempre está
comigo e todas as minhas coisas são suas,
32 mas era justo alegrarmo-nos e celebrar, porque este
seu irmão estava morto e reviveu; tinha-se perdido e foi
achado.'"

Parábola do administrador Infiel

16 E Jesus disse também aos seus discípulos: "Havia
um certo homem rico, que tinha um administrador
que foi acusado de desperdiçar os seus bens.
2 Então, chamando-o, lhe disse: 'O que é isto que ouço de
você? Preste contas da sua administração, porque já não
poderá mais ser o meu administrador.'
3 E o administrador pensou: 'O que farei? Pois o meu
senhor está me demitindo! Cavar, não posso; mendigar,
tenho vergonha.
4 Eu sei o que farei, para que, quando for demitido, as
pessoas me recebam em suas casas.'
5 E, chamando cada um dos devedores do seu senhor,
perguntou ao primeiro: 'Quanto deve ao meu senhor?'
6 E ele respondeu: 'Cem potes de azeite.' Então o admi-
nistrador disse: 'Tome a sua conta e sente-se depressa e
escreva cinquenta.'
7 E depois perguntou a outro: 'E você, quanto deve?' E
ele respondeu: 'Cem tonéis de trigo.' E o administrador
lhe disse: 'Tome a sua conta e escreva oitenta.'
8 E aquele senhor elogiou o injusto administrador por sua
esperteza, porque os filhos deste mundo são mais esper-
tos no trato uns com os outros do que os filhos da luz.
9 E eu digo a vocês: Façam para vocês amigos com as ri-
quezas da injustiça; para que, quando estas lhes faltarem,
eles os recebam nos tabernáculos eternos.
10 Quem é fiel no pouco, também é fiel no muito; quem
é injusto no pouco, também é injusto no muito.
11 Pois, se nas riquezas injustas não forem fiéis, quem
lhes confiará as verdadeiras riquezas?
12 E, se no que é alheio não forem fiéis, quem lhes dará
o que é seu?
13 Nenhum servo pode servir a dois senhores; porque irá
odiar um e amar o outro, ou irá se dedicar a um e des-
prezar o outro. Não podem servir a Deus e ao dinheiro."

Jesus Repreende os Fariseus

14 E os fariseus, que eram avarentos, ouviam todas estas
coisas e zombavam de Jesus.
15 Mas Jesus lhes disse: "Vocês são os que se justificam
a si mesmos diante dos homens, mas Deus conhece os
seus corações, porque o que entre os homens é elevado,
perante Deus é abominação.
16 A lei e os profetas duraram até João, desde então é
anunciado o Reino de Deus, e todos se esforçam para
entrar nele.
17 E é mais fácil passarem o céu e a terra do que cair um
til sequer da lei.
18 Quem deixa a sua mulher e casa com outra, adultera;
e aquele que casa com a repudiada pelo marido, também
adultera.

Parábola do Rico e Lázaro

19 Havia um homem rico que se vestia de púrpura e de
linho finíssimo, e vivia todos os dias no luxo.
20 Havia também um certo mendigo, chamado Lázaro,
que ficava cheio de chagas à porta da casa do rico,
21 e desejava saciar-se com as migalhas que caíam da
mesa do rico; e até os cães vinham lamber-lhe as chagas.
22 E aconteceu que o mendigo morreu e foi levado pelos
anjos para junto de Abraão; morreu também o rico e foi
sepultado.
23 E no inferno, estando em tormentos, o rico ergueu os
olhos e viu ao longe Abraão e Lázaro junto dele.
24 Então clamando, disse: 'Pai Abraão, tenha misericór-
dia de mim, e mande que Lázaro molhe na água a ponta
do seu dedo e me refresque a língua, porque estou ator-
mentado nesta chama.'
25 Mas Abraão respondeu: 'Filho, lembre-se de que rece-
beu os seus bens durante sua vida, e Lázaro recebeu so-
mente males; agora ele é consolado e você atormentado.
26 E, além disso, há um grande abismo entre nós e você,
de modo que os que quiserem passar daqui para você não
poderiam, nem tampouco os daí passarem para cá.'
27 Então o rico disse: 'Ó pai, peço-lhe que mande Lázaro
à casa de meu pai,
28 pois tenho cinco irmãos, para que lhes dê testemu-
nho, a fim de que não venham também para este lugar
de tormento.'
29 Abraão respondeu: 'Eles têm Moisés e os profetas;
ouçam-nos.'
30 Mas ele disse: 'Não, pai Abraão, mas se alguém dentre
os mortos fosse falar com eles, eles se arrependeriam.'
31 Porém, Abraão lhe disse: 'Se não ouvem Moisés e
os profetas, tampouco acreditarão, ainda que algum dos
mortos ressuscite.'"

Sobre os Tropeços

17 E Jesus disse aos seus discípulos: "É impossível que
não venham tropeços, mas ai daquele por quem
vierem!
2 Melhor seria que lhe pusessem ao pescoço uma pedra
de moinho, e fosse lançado ao mar, do que fazer tropeçar
um destes pequenos.

Sobre o Perdão

3 Tomem cuidado, se o seu irmão pecar contra você, re-
preenda-o e, se ele se arrepender, perdoe-o.
4 E, se ele pecar contra você sete vezes no dia, e sete ve-
zes no dia ele vier lhe dizendo: Arrependo-me; perdoe-o."
5 Então os apóstolos pediram ao Senhor: "Aumenta a
nossa fé."

Sobre a Fé

6 E o Senhor respondeu: "Se vocês tivessem fé como um
grão de mostarda, diriam a esta amoreira: 'Arranque-se
daqui e plante-se no mar', ela lhes obedeceria.
7 E qual de vocês, tendo um servo lavrando ou apascen-
tando, lhe dirá quando ele voltar do campo: 'Venha agora
e sente-se à mesa?'
8 Mas, ao contrário, não dirá antes: 'Prepare-me a ceia,
apronte-se e sirva-me até que eu tenha comido e bebido,
e depois você pode comer e beber?'
9 Será que ele agradecerá ao tal servo, por ter feito o que
lhe foi ordenado? Creio que não.
10 Assim também vocês, quando fizerem tudo o que lhes
for mandado, digam: 'Somos servos inúteis, porque fize-
mos somente o que devíamos fazer.'"

A Cura dos Dez Leprosos

11 Quando Jesus estava indo para Jerusalém, passou pelo
meio da Samaria e da Galileia;
12 e, ao entrar numa certa aldeia, dez homens leprosos
lhe saíram ao encontro; eles ficaram de longe
13 e levantaram a voz, dizendo: "Jesus, Mestre, tem mi-
sericórdia de nós."
14 E Jesus, vendo-os, lhes disse: "Vão e se mostrem aos
sacerdotes." E aconteceu que, enquanto eles iam, foram
curados.
15 E um deles, vendo que estava curado, voltou glorifi-
cando a Deus em alta voz;
16 e caiu aos pés de Jesus, com o rosto em terra, dando-
-lhe graças; e este homem era samaritano.
17 Então Jesus perguntou: "Não foram dez os curados? E
onde estão os outros nove?
18 Não houve quem voltasse para dar glória a Deus a não
ser este estrangeiro?"
19 Então lhe disse: "Levante-se e vá; a sua fé o salvou."

A Vinda do Reino de Deus

20 E, interrogado pelos fariseus sobre quando viria o Rei-

no de Deus, Jesus lhes respondeu: "O Reino de Deus não
vem de modo visível.
21 Nem dirão: 'Ele está aqui', ou: 'Lá está'; porque o Rei-
no de Deus está entre vocês."
22 E Jesus disse aos seus discípulos: "Virá o tempo em
que desejarão ver um dos dias do Filho do Homem, mas
não verão.
23 E dirão a vocês: 'Ele está aqui', ou: 'Lá está ele'; não
saiam, nem os sigam;
24 porque, como o relâmpago ilumina desde uma extre-
midade do céu à outra, assim será também o Filho do
Homem no seu dia.
25 Mas primeiro é necessário que ele sofra muito e seja
reprovado por esta geração.
26 E, como aconteceu nos dias de Noé, assim será tam-
bém nos dias do Filho do Homem.
27 Comiam, bebiam, casavam-se e davam-se em casa-
mento, até ao dia em que Noé entrou na arca, e veio o
dilúvio e destruiu todos.
28 Como também aconteceu nos dias de Ló: Comiam,
bebiam, compravam, vendiam, plantavam e edificavam;
29 mas no dia em que Ló saiu de Sodoma, choveu do céu
fogo e enxofre e destruiu todos.
30 Assim será no dia em que o Filho do Homem se
manifestar.
31 Naquele dia, quem estiver no telhado, e tiver os seus
bens em casa, não desça para pegá-los; da mesma forma,
quem estiver no campo, não volte para trás.
32 Lembrem-se da mulher de Ló.
33 Quem tentar salvar a sua vida, a perderá, e quem a
perder, a salvará.
34 Digo a vocês que naquela noite duas pessoas estarão
numa cama; uma será levada e a outra será deixada.
35 Duas mulheres estarão juntas, moendo trigo; uma será
tomada e outra será deixada.
36 Dois estarão no campo; um será tomado e o outro
será deixado."
37 Então perguntaram a Jesus: "Onde, Senhor?" E jesus
lhes respondeu: "Onde estiver o corpo, aí se ajuntarão
os abutres."

A Parábola da Viúva Persistente

18 Jesus lhes contou também uma parábola sobre o
dever de orar sempre e nunca desanimar,
2 dizendo: "Havia numa cidade um certo juiz, que nem a
Deus temia, nem respeitava os homens.
3 Havia também, naquela mesma cidade, uma certa viú-
va, que sempre ia até ele, dizendo: 'Faça-me justiça con-
tra o meu adversário.'
4 E por algum tempo ele não quis atendê-la, mas depois
pensou: 'Ainda que eu não tema a Deus, nem respeite
os homens,
5 porém, como esta viúva me incomoda, vou lhe fazer
a justiça, para que ela não venha mais me importunar.'"
6 Então o Senhor disse: "Ouçam o que diz o injusto juiz.
7 E Deus não fará justiça aos seus escolhidos, que cla-
mam a ele de dia e de noite, embora pareça demorado
em atendê-los?
8 Digo a vocês que depressa lhes fará justiça. Quando
vier o Filho do Homem, porventura achará fé na terra?"
9 E disse também esta parábola a uns que confiavam em
si mesmos, crendo que eram justos, e desprezavam os
outros:
10 "Dois homens subiram ao templo, para orar; um era
fariseu, e o outro era publicano.
11 O fariseu ficou em pé e orava consigo mesmo desta
maneira: 'Ó Deus, graças te dou porque não sou como os
demais homens, ladrões, injustos e adúlteros; nem ainda
como este publicano.
12 Jejuo duas vezes na semana e dou os dízimos de tudo
o que ganho.'
13 O publicano, porém, estando em pé, de longe, nem
mesmo queria levantar os olhos ao céu, mas batia no pei-
to, dizendo: 'Ó Deus, tem misericórdia de mim, que sou
pecador!'
14 Digo a vocês que este desceu justificado para a sua
casa, e não aquele; porque quem a si mesmo se exalta
será humilhado e quem a si mesmo se humilha será
exaltado."

O Carinho Pelas Crianças

15 E traziam-lhe também crianças, para que ele as tocas-
se; mas os discípulos, vendo isto, os repreendiam.
16 Mas Jesus, chamando para si as crianças, disse: "Dei-
xem vir a mim os pequeninos, e não os impeçam, porque
dos tais é o Reino de Deus.
17 Em verdade lhes digo que, quem não receber o Reino
de Deus como uma criança, não entrará nele.

O Homem Rico

18 E um certo homem importante lhe perguntou: "Bom
Mestre, o que farei para herdar a vida eterna?"
19 E Jesus lhe disse: "Por que me chama de bom? Nin-
guém é bom, a não ser um, que é Deus.
20 Você conhece os mandamentos: 'Não adultere, não
mate, não furte, não dê falso testemunho, honre o seu
pai e a sua mãe.'"
21 Então o homem disse: "Todas essas coisas tenho feito
desde a minha mocidade."
22 E, quando Jesus ouviu isto, lhe disse: "Ainda lhe falta
uma coisa: Venda tudo o que tem, reparta o dinheiro en-
tre os pobres, e terá um tesouro no céu; venha e siga-me."

23 E ele, ouvindo isto, ficou muito triste, porque era muito rico.

24 E Jesus, vendo que ele ficou muito triste, disse: "Como é difícil aos ricos entrarem no Reino de Deus!

25 Porque é mais fácil um camelo entrar pelo fundo de uma agulha, do que um rico entrar no Reino de Deus."

26 E os que ouviram isto perguntaram: "Então quem pode ser salvo?"

27 E Jesus respondeu: "O que é impossível para os seres humanos é possível para Deus."

28 E Pedro disse: "Nós deixamos tudo e te seguimos."

29 E Jesus lhes disse: "Em verdade lhes digo que não há ninguém que tenha deixado casa, ou pais, ou irmãos, ou mulher, ou filhos, por causa do Reino de Deus,

30 que não receba muito mais neste tempo, e no futuro a vida eterna."

Sobre Sua Morte e Ressurreição

31 E Jesus chamou os doze discípulos e lhes disse: "Eis que subimos para Jerusalém, e se cumprirá ao Filho do Homem tudo o que pelos profetas foi escrito;

32 pois ele será entregue aos gentios, e escarnecido, injuriado e cuspido;

33 o açoitarão e o matarão; mas, ao terceiro dia, ele ressuscitará."

34 E os discípulos não entendiam nada disto, pois o significado destas palavras lhes era encoberto, eles não entendiam o que Jesus lhes dizia.

A Cura de Um Cego Mendigo

35 E aconteceu que, quando Jesus se aproximava de Jericó, um cego estava sentado junto do caminho, mendigando.

36 E, ouvindo a multidão passar, perguntou o que era aquilo.

37 E lhe disseram que Jesus de Nazaré estava passando.

38 Então ele clamou, dizendo: "Jesus, Filho de Davi, tem misericórdia de mim."

39 E os que iam passando repreendiam-no para que ele se calasse, mas ele clamava ainda mais: "Filho de Davi, tem misericórdia de mim!"

40 Então Jesus, parando, mandou que o trouxessem; e, chegando ele, Jesus lhe perguntou:

41 "O que você quer que eu lhe faça?" E ele respondeu: "Senhor, que eu veja."

42 E Jesus lhe disse: "Recupere a visão, a sua fé o salvou!"

43 E imediatamente ele recuperou a visão e seguia Jesus, glorificando a Deus. E todo o povo, vendo isto, dava louvores a Deus.

Zaqueu, o Publicano

19 Jesus entrou em Jericó e atravessava a cidade.

2 E havia ali um homem chamado Zaqueu; ele era chefe dos publicanos e era rico.

3 E procurava ver quem era Jesus, mas não podia, por causa da multidão, pois ele era de pequena estatura.

4 E, correndo adiante, subiu em uma figueira brava para o ver, porque Jesus passaria por ali.

5 E quando Jesus chegou àquele lugar olhou para cima e lhe disse: "Zaqueu, desça depressa, porque hoje quero ficar na sua casa."

6 Então Zaqueu desceu depressa e o recebeu com alegria.

7 E o povo, vendo isto, murmurava, dizendo que Jesus entrou para ser hóspede de um homem pecador.

8 Mas Zaqueu se levantou e disse ao Senhor: "Senhor, eis que eu dou aos pobres metade dos meus bens; e, se em alguma coisa tenho roubado alguém, vou restituir quatro vezes mais."

9 Então Jesus lhe disse: "Hoje houve salvação nesta casa, pois também este é filho de Abraão.

10 Porque o Filho do Homem veio buscar e salvar o que estava perdido."

A Parábola das Dez Minas

11 E, ouvindo eles estas coisas, Jesus prosseguiu e contou-lhes uma parábola; porque ele estava perto de Jerusalém e o povo pensava que logo o Reino de Deus havia de se manifestar.

12 Então Jesus disse: "Um certo homem nobre partiu para uma terra remota, a fim de tomar posse de um reino e voltar.

13 Chamando dez dos seus servos, lhes deu dez minas e lhes disse: 'Negociem até eu voltar.'

14 Mas os seus súditos o odiavam e mandaram mensageiros atrás dele, dizendo: 'Não queremos que este homem reine sobre nós.'

15 Quando ele voltou, depois de ter tomado posse do reino, mandou que chamassem aqueles servos, a quem tinha dado o dinheiro, para saber quanto cada um tinha lucrado.

16 E veio o primeiro, dizendo: 'Senhor, a sua mina rendeu dez minas.'

17 E ele lhe disse: 'Muito bem, servo bom, porque no pouco você foi fiel, sobre dez cidades terá autoridade.'

18 E veio o segundo, dizendo: 'Senhor, a sua mina rendeu cinco minas.'

19 E a este o senhor disse: 'Você também terá autoridade sobre cinco cidades.'

20 E veio outro, dizendo: 'Senhor, aqui está a sua mina, que guardei num lenço;

21 porque tive medo do senhor, que é homem rigoroso,
que tira o que não pôs e colhe o que não semeou.'
22 Porém, ele lhe disse: 'Servo mau, pela sua boca o jul-
garei; sabia que eu sou homem rigoroso, que tomo o que
não pus e colho o que não semeei;
23 por que não pôs o meu dinheiro no banco, para que,
quando eu viesse, o recebesse com os juros?'
24 E disse aos que estavam com ele: 'Tirem-lhe a mina e
a deem ao que tem dez minas.'
25 E eles disseram ao senhor: 'Senhor, ele já tem dez
minas.'
26 Pois eu digo a vocês que a quem tem, mais lhe será
dado, mas a quem não tem, até o que tem lhe será tirado.
27 E quanto àqueles meus inimigos que não queriam
que eu reinasse sobre eles, tragam-nos aqui, e os matem
diante de mim."

A Entrada Triunfal em Jerusalém

28 E, depois de dizer isto, Jesus ia caminhando adiante,
subindo para Jerusalém.
29 E, chegando perto de Betfagé e de Betânia, no monte
chamado das Oliveiras, Jesus mandou dois dos seus discí-
pulos, dizendo-lhes:
30 "Vão para a aldeia que fica ali na frente, e, ao entra-
rem, encontrarão um jumentinho amarrado, no qual nin-
guém ainda montou; desamarrem-no e tragam-no aqui.
31 E se alguém perguntar: 'Por que o soltaram?' Respon-
dam assim: 'Porque o Senhor precisa dele.'"
32 E, indo os que haviam sido mandados, acharam tudo
como Jesus lhes tinha dito.
33 E, quando soltaram o jumentinho, seus donos lhes
disseram: "Por que soltaram o jumentinho?"
34 E eles responderam: "O Senhor precisa dele."
35 E trouxeram-no a Jesus; então, lançaram sobre o ju-
mentinho as suas vestes e puseram Jesus em cima dele.
36 E, enquanto Jesus prosseguia, o povo estendia os seus
mantos pelo caminho.
37 E, quando Jesus se aproximava da descida do Monte
das Oliveiras, toda a multidão dos discípulos começou a
dar louvores a Deus com muita alegria e com a voz alta,
por todos os milagres que tinham visto,
38 dizendo: "Bendito o Rei que vem em nome do Se-
nhor; paz no céu, e glória nas alturas."
39 E alguns dos fariseus lhe disseram do meio da multi-
dão: "Mestre, repreende os teus discípulos."
40 Mas Jesus respondeu: "Eu digo a vocês que, se eles se
calarem, as próprias pedras clamarão."

Lamentação Por Jerusalém

41 E, quando Jesus ia chegando, vendo a cidade de Jeru-
salém, chorou por ela,
42 dizendo: "Ah! Se você soubesse também, ao menos
neste dia, o que traz a paz! Mas agora isto está encoberto
aos seus olhos.
43 Porque dias virão sobre você, em que os seus inimigos
construirão trincheiras contra você, a rodearão e a cerca-
rão de todos os lados;
44 e a destruirão, a você e aos seus filhos que dentro de
você estiverem, e não deixarão em você pedra sobre pe-
dra, porque você não reconheceu o tempo em que Deus
veio visitá-la."

A Purificação do Templo

45 Então Jesus entrou no templo e começou a expulsar
todos os que nele vendiam e compravam,
46 dizendo-lhes: "Está escrito: A minha casa será casa
de oração, mas vocês fizeram dela covil de salteadores."
47 E todos os dias Jesus ensinava no templo; mas os
principais sacerdotes, os escribas e os maiorais do povo
procuravam matá-lo,
48 mas não achavam uma forma de fazer isso, porque
todo o povo estava dominado pelas suas palavras.

A Autoridade de Jesus é Questionada

20 E aconteceu que, num daqueles dias, Jesus esta-
va ensinando o povo no templo e anunciando o
evangelho; então chegaram os principais sacerdotes e os
escribas com os anciãos,
2 e lhe perguntaram: "Diz-nos, com que autoridade fazes
estas coisas? Ou, quem é que te deu esta autoridade?"
3 E Jesus respondeu: "Eu também lhes farei uma
pergunta:
4 'O batismo de João era do céu ou dos homens?'"
5 Então eles discutiam entre si, dizendo: "Se dissermos:
Do céu, ele nos dirá: Então por que não acreditaram nele?
6 E se dissermos: Dos homens; todo o povo nos apedreja-
rá, pois têm certeza de que João era profeta."
7 E eles responderam que não sabiam de onde era.
8 E Jesus lhes disse: "Tampouco lhes direi com que auto-
ridade faço estas coisas."

Parábola dos Lavradores Maus

9 E Jesus começou a dizer ao povo esta parábola: "Certo
homem plantou uma vinha, arrendou-a a uns lavradores,
e partiu para fora da terra por muito tempo;
10 e no devido tempo mandou um servo aos lavradores,
para que lhe dessem dos frutos da vinha, mas os lavrado-
res o espancaram e o mandaram embora de mãos vazias.
11 E ele tornou a mandar outro servo, mas eles o es-
pancaram e o afrontaram mandando-o de volta com as
mãos vazias.
12 E o homem tornou a mandar um terceiro servo, mas
eles também o feriram e o expulsaram.
13 Então o dono da vinha disse: 'O que farei? Mandarei
o meu filho amado; talvez o respeitem.'

14 Mas quando os lavradores viram o filho, começaram a
discutir entre si, dizendo: Este é o herdeiro; vamos matá-
-lo, para que a herança seja nossa.
15 E, lançando-o fora da vinha, o mataram. O que lhes
fará o dono da vinha?
16 Virá e destruirá estes lavradores, e entregará a vinha
a outros." Ao ouvirem isto, disseram: "Que isto nunca
aconteça!"
17 Mas Jesus, olhando para eles, disse: "O que quer dizer
isto que está escrito? 'A pedra que os construtores rejeita-
ram, esta tornou-se a pedra angular.'
18 Quem cair sobre esta pedra ficará em pedaços, e aque-
le sobre quem ela cair será reduzido a pó."
19 E, naquela mesma hora, os principais sacerdotes e os
escribas procuravam prender Jesus, mas temeram o povo;
porque entenderam que havia dito esta parábola contra
eles.

O Imposto Devido a César

20 Então eles o vigiavam, mandando espiões fingindo-se
de justos para o apanharem em alguma palavra, e entregá-
-lo à jurisdição e à autoridade do governador.
21 Então perguntaram a Jesus: "Mestre, nós sabemos que
falas e ensinas bem e retamente, e que não consideras a
aparência das pessoas, mas ensinas com verdade o cami-
nho de Deus.
22 É lícito dar tributos a César ou não?"
23 Mas, percebendo a astúcia deles, Jesus lhes disse: "Por
que me tentam?
24 Mostrem-me um denário. De quem é a imagem e a
inscrição?" E eles responderam: "De César."
25 Então Jesus lhes disse: "Deem a César o que é de
César, e a Deus o que é de Deus."
26 E não puderam apanhá-lo em palavra alguma diante
do povo; assim, maravilhados da sua resposta, calaram-se.

Sobre a Ressurreição

27 Então chegaram alguns dos saduceus, que dizem não
haver ressurreição, e lhe perguntaram:
28 "Mestre, Moisés nos deixou escrito que, se o irmão de
alguém for casado e falecer, e não deixar filhos, o irmão
dele deve se casar com a viúva, e gerar descendentes a
seu irmão falecido.
29 Houve sete irmãos, e o primeiro se casou, mas morreu
sem filhos;
30 e o segundo se casou com a viúva, e ele morreu sem
filhos.
31 E o terceiro se casou com ela, e igualmente todos os
sete morreram e não deixaram filhos.
32 E por último, depois de todos, a mulher também
morreu.
33 Portanto, na ressurreição, de qual deles a mulher será
esposa, pois os sete se casaram com ela?"
34 E Jesus lhes respondeu: "Os filhos deste mundo se
casam e se dão em casamento;
35 mas os que forem dignos de alcançar a era que virá e
a ressurreição dentre os mortos nem se casarão nem se
darão em casamento,
36 porque já não podem mais morrer, pois são iguais aos
anjos, e são filhos de Deus, sendo filhos da ressurreição.
37 E que os mortos ressuscitarão, também mostrou Moi-
sés junto da sarça, quando chamava o Senhor de Deus de
Abraão, Deus de Isaque e Deus de Jacó.
38 Deus não é Deus de mortos, mas de vivos; porque
todos vivem para ele."
39 E alguns dos escribas disseram: "Mestre, disseste
bem."
40 E não ousavam perguntar-lhe mais nada.

A Ignorância dos Judeus Sobre o Cristo

41 E Jesus lhes perguntou: "Como podem dizer que o
Cristo é filho de Davi?
42 Pois o mesmo Davi diz no livro dos Salmos: 'Disse o
Senhor ao meu Senhor: Assenta-te à minha direita,
43 até que eu ponha os teus inimigos como estrado para
os teus pés.'
44 Portanto Davi o chamava de Senhor; então, como ele
pode ser seu filho?"
45 E, enquanto todo o povo o ouvia, Jesus disse aos seus
discípulos:
46 "Cuidado com os escribas que gostam de andar com
vestes compridas e amam as saudações nas praças, as
principais cadeiras nas sinagogas e os primeiros lugares
nos banquetes;
47 eles devoram as casas das viúvas, fazendo, por pretex-
to, longas orações. Estes receberão a maior condenação."

A Oferta da Viúva Pobre

21 Jesus estava olhando e viu os ricos lançarem as suas
contribuições nas caixas de oferta;
2 e viu também uma pobre viúva lançar ali duas pequenas
moedas.
3 Então Jesus disse: "Em verdade lhes digo que esta pobre
viúva deu mais do que todos;
4 porque todos eles depositaram para as ofertas de Deus
o que lhes sobrava, mas esta, da sua pobreza, depositou
todo o sustento que tinha."

Predições Sobre a Destruição de Jerusalém e o Fim

5 E alguns comentavam a respeito do templo, que estava
adornado de formosas pedras e dádivas; então Jesus disse:
6 "Quanto a estas coisas que veem, dias virão em que não
ficará pedra sobre pedra que não seja derrubada."
7 Então perguntaram a Jesus: "Mestre, quando aconte-

cerão estas coisas? E que sinal haverá quando isto estiver para acontecer?”

8 Jesus respondeu: “Cuidado para não serem enganados, porque muitos virão em meu nome, dizendo: ‘Sou eu, e o tempo está próximo.’ Portanto não vão atrás deles.

9 E, quando ouvirem falar de guerras e rebeliões, não se assustem, porque é necessário que estas coisas aconteçam primeiro, mas o fim não será logo.”

10 Então Jesus lhes disse: “Nação se levantará contra nação, e reino contra reino;

11 e haverá em vários lugares grandes terremotos, fomes e pestes; haverá também coisas espantosas e grandes sinais do céu.

12 Mas, antes de todas estas coisas, prenderão vocês e os perseguirão; vocês serão entregues às sinagogas e às prisões, e serão levados à presença de reis e governadores, por causa do meu nome.

13 E isto acontecerá a vocês para que deem testemunho.

14 Procurem não premeditar como haverão de responder,

15 porque eu lhes darei palavras e sabedoria, e todos os que se opuserem a vocês não poderão resistir nem contradizer.

16 E até pelos pais, irmãos, parentes e amigos serão entregues; eles matarão alguns de vocês.

17 E de todos serão odiados por causa do meu nome.

18 Mas não se perderá um único fio de cabelo da cabeça de vocês.

19 Na sua paciência vocês ganharão a sua vida.

20 Mas, quando virem Jerusalém cercada de exércitos, saibam então que chegou a sua assolação.

21 Então, os que estiverem na Judeia fujam para os montes; os que estiverem no meio da cidade, saiam; os que estiverem nos campos, não entrem nela.

22 Porque estes são dias de vingança, para que se cumpram todas as coisas que estão escritas.

23 Mas ai das grávidas e das que amamentarem naqueles dias! Porque haverá grande aperto na terra, e ira sobre este povo.

24 E cairão ao fio da espada, e para todas as nações serão levados cativos; Jerusalém será pisada pelos gentios, até que os tempos dos gentios se completem.

Sinais do Tempo do Fim

25 Então, haverá sinais no sol, na lua e nas estrelas; e na terra, aflição das nações, em perplexidade pelo bramido do mar e das ondas.

26 Homens desmaiando de terror, pela expectativa das coisas que sobrevirão ao mundo; porque os poderes do céu serão abalados.

27 E então verão o Filho do Homem vindo numa nuvem, com poder e grande glória.

28 Quando estas coisas começarem a acontecer, olhem para cima e levantem as suas cabeças, porque a sua redenção está próxima.”

29 E Jesus lhes disse uma parábola: “Olhem para a figueira e para todas as árvores;

30 quando elas brotam, vocês mesmos sabem que o verão já está próximo.

31 Assim também vocês, quando virem acontecer estas coisas, saibam que o Reino de Deus está perto.

32 Em verdade lhes digo que não passará esta geração sem que tudo isto aconteça.

33 Passarão o céu e a terra, mas as minhas palavras não passarão.

Sobre Estar Vigilante

34 E tenham cuidado, para que não aconteça que os seus corações se sobrecarreguem com as consequências da libertinagem, da embriaguez e das preocupações desta vida, e aquele dia venha sobre vocês inesperadamente.

35 Porque virá como um laço sobre todos os habitantes da face de toda a terra.

36 Vigiem o tempo todo, orando, para que vocês possam escapar de todas estas coisas que acontecerão, e estar em pé diante do Filho do Homem.”

37 E Jesus durante o dia ensinava no templo, e à noite, quando saía, ficava no Monte das Oliveiras.

38 E todo o povo ia ao encontro dele no templo, de manhã cedo, para ouvi-lo.

Planos Para Matar Jesus

22 Estava perto a festa dos pães sem fermento, chamada Páscoa.

2 Os principais sacerdotes e os escribas andavam planejando como matariam Jesus; porque temiam o povo.

3 Porém, Satanás entrou em Judas Iscariotes, que era um dos doze.

4 Assim, Judas foi e falou com os principais sacerdotes e com os capitães, sobre como lhes entregaria Jesus.

5 Então eles se alegraram e combinaram em lhe dar dinheiro.

6 E Judas concordou; assim, buscava oportunidade para entregar Jesus sem alvoroço.

A Santa Ceia

7 Chegou o dia dos pães sem fermento, em que era necessário sacrificar o cordeiro para a Páscoa.

8 E Jesus mandou Pedro e João, dizendo: “Vão, preparem para nós a Páscoa, para que a comamos.”

9 E eles lhe perguntaram: “Onde queres que a preparemos?”

10 E Jesus lhes disse: “Quando entrarem na cidade, encontrarão um homem levando um cântaro de água; sigam-no até à casa em que ele entrar.

11 E digam ao dono da casa: O Mestre pergunta: Onde está o aposento em que comerei a Páscoa com os meus discípulos?

12 Então ele lhes mostrará um grande cenáculo mobilado; ali façam os preparativos."

13 E, quando eles foram, acharam tudo como Jesus lhes havia dito; assim prepararam a Páscoa.

14 E, quando chegou a hora, Jesus se pôs à mesa, e com ele os doze apóstolos.

15 E Jesus lhes disse: "Desejei muito comer com vocês esta Páscoa, antes que eu sofra;

16 porque lhes digo que nunca mais a comerei, até que ela se cumpra no Reino de Deus."

17 Então, pegou o cálice, deu graças e disse: "Peguem e repartam entre vocês;

18 porque lhes digo que não mais beberei do fruto da videira, até que venha o Reino de Deus."

19 Então, pegou o pão e deu graças, o partiu e lhes deu, dizendo: "Isto é o meu corpo, que por vocês é dado; façam isto em memória de mim."

20 Da mesma forma, depois da ceia, pegou o cálice e disse: "Este cálice é a nova aliança no meu sangue, que é derramado por vocês.

21 Mas eis que a mão de quem me trai está comigo à mesa.

22 E, na verdade, o Filho do Homem vai segundo o que está determinado, mas ai daquele homem por quem ele é traído!

23 Então começaram a perguntar entre si, qual deles seria quem faria isso.

24 E houve também entre eles uma discussão sobre qual deles parecia ser o maior.

25 Mas Jesus lhes disse: "Os reis dos gentios dominam sobre eles, e os que têm autoridade sobre eles são chamados benfeitores.

26 Mas vocês não serão assim; ao contrário, o maior entre vocês será como o menor, e quem governa será como quem serve.

27 Pois quem é maior? Quem está à mesa, ou quem serve? Não é quem está à mesa? Eu, porém, entre vocês sou como quem serve.

28 E vocês são os que têm permanecido comigo nas minhas tentações.

29 E eu lhes confio o reino, como o meu Pai me confiou,

30 para que comam e bebam à minha mesa no meu reino, e se assentem sobre tronos, para julgarem as doze tribos de Israel."

31 O Senhor disse: "Simão, Simão, eis que Satanás pediu para peneirá-los como trigo,

32 mas eu orei por você, para que a sua fé não desfaleça; quando você se converter, fortaleça os seus irmãos.

33 E Pedro disse: "Senhor, estou pronto par ir contigo até à prisão e à morte."

34 Mas Jesus disse: "Digo a você, Pedro, que hoje, antes que o galo cante, você negará três vezes que me conhece."

35 E Jesus perguntou aos discípulos: "Quando eu os enviei sem bolsa, sem sacola e sem sandálias, porventura faltou a vocês alguma coisa?" Eles responderam: "Nada."

36 E Jesus lhes disse: "Mas agora, quem tiver bolsa, pegue-a, como também a sacola; e quem não tem espada, venda a sua capa e compre uma;

37 porque digo a vocês que importa que em mim se cumpra aquilo que está escrito: 'E com os malfeitores ele foi contado'. Porque o que está escrito de mim será cumprido."

38 E os discípulos disseram: "Senhor, aqui estão duas espadas." E Jesus lhes disse: "Basta."

No Monte das Oliveiras

39 Então Jesus saiu e foi como costumava para o Monte das Oliveiras; e os seus discípulos o seguiram.

40 E quando chegou àquele lugar, Jesus lhes disse: "Orem, para que não caiam em tentação."

41 E afastou-se deles a uma pequena distância; ali se pôs de joelhos e orava,

42 dizendo: "Pai, se queres, passa de mim este cálice; contudo, não se faça a minha vontade, mas a tua."

43 E apareceu-lhe um anjo do céu, que o confortava.

44 E, em agonia, orava mais intensamente. E o seu suor se tornou em gotas de sangue, que corriam até o chão.

45 E, quando se levantou da oração, Jesus veio até os seus discípulos, mas os encontrou dormindo de tristeza.

46 Então Jesus lhes disse: "Por que estão dormindo? Levantem-se e orem, para que não caiam em tentação."

Jesus é Preso

47 E, enquanto Jesus ainda falava, surgiu uma multidão; e um dos doze, que se chamava Judas, ia à frente dela; então chegou a Jesus para o beijar.

48 E Jesus lhe disse: "Judas, com um beijo trai o Filho do Homem?"

49 E os que estavam com Jesus, vendo o que ia acontecer, lhe perguntaram: "Senhor, atacaremos com as espadas?"

50 E um deles feriu o servo do sumo sacerdote, e lhe cortou a orelha direita.

51 Mas Jesus disse: "Deixem, basta!" E, tocando na orelha do homem, o curou.

52 Então Jesus disse aos principais sacerdotes, capitães do templo e anciãos, que tinham vindo contra ele: "Vieram como a um salteador, com espadas e varas?

53 Eu estive todos os dias com vocês no templo, e não
estenderam as mãos contra mim; mas esta é a hora de
vocês e a hora do poder das trevas."

Pedro Nega Jesus

54 Então, prenderam Jesus, o levaram e o conduziram à
casa do sumo sacerdote. E Pedro o seguia de longe.
55 E acenderam um fogo no meio do pátio e assentaram-
-se juntos; Pedro assentou-se entre eles.
56 E uma criada, vendo-o assentado perto do fogo, pôs os
olhos nele e disse: "Este também estava com ele."
57 Porém, Pedro negou, dizendo: "Mulher, não o
conheço."
58 E, um pouco depois, um homem o viu e disse: "Você
também é deles." Mas Pedro disse: "Homem, eu não sou
um deles."
59 E, depois de quase uma hora, um outro afirmou: "Este
verdadeiramente estava com ele, pois também é galileu."
60 E Pedro disse: "Homem, não sei o que diz." E logo,
enquanto Pedro ainda falava, o galo cantou.
61 Então, o Senhor se virou e olhou para Pedro; e Pedro
lembrou-se da palavra do Senhor, como lhe tinha dito:
"Hoje, antes que o galo cante, me negará três vezes."
62 Então Pedro saiu para fora e chorou amargamente.

Os Soldados Zombam de Jesus

63 E os homens que detinham Jesus zombavam dele, e
batiam nele.
64 Vedaram-lhe os olhos, batiam no seu rosto e lhe per-
guntavam: "Profetiza, quem foi que te bateu?"
65 E muitas outras coisas diziam contra ele, blasfemando.

Julgado Pelo Sinédrio

66 E, logo que amanheceu, os anciãos do povo, os princi-
pais sacerdotes e os escribas se ajuntaram e o conduziram
ao sinédrio e lhe perguntaram:
67 "Se tu és o Cristo, dize-nos?" Então Jesus lhes disse:
"Se eu disser, vocês não acreditarão;
68 e, se eu perguntar a vocês, não me responderão, nem
me soltarão.
69 Desde agora, o Filho do Homem se assentará à direita
do Deus Todo-Poderoso."
70 E todos perguntaram: "Tu és o Filho de Deus?" E Je-
sus respondeu: "Vocês dizem que eu sou."
71 Então eles disseram: "De que provas mais precisamos?
Pois nós mesmos ouvimos da sua boca."

O Julgamento de Jesus por Pilatos

23 Então, todo o conselho se levantou, e levaram Je-
sus a Pilatos.
2 E começaram a acusá-lo, dizendo: "Encontramos este
homem pervertendo a nossa nação, proibindo dar o tri-
buto a César e dizendo que ele mesmo é Cristo, o rei."
3 E Pilatos perguntou-lhe: "Tu és o Rei dos Judeus?" E
Jesus respondeu: "Tu o dizes."
4 Então Pilatos disse aos principais sacerdotes e à multi-
dão: "Não acho culpa alguma neste homem."
5 Mas eles insistiam cada vez mais, dizendo: "Ele alvoro-
ça o povo ensinando por toda a Judeia, desde a Galileia
até aqui."

Jesus Perante Herodes

6 Então Pilatos, ouvindo falar da Galileia, perguntou se
aquele homem era galileu.
7 E, ao saber que Jesus era da região governada por He-
rodes, que também naqueles dias estava em Jerusalém,
então Pilotos enviou Jesus a Herodes.
8 E Herodes, quando viu Jesus, alegrou-se muito, por-
que há muito tempo desejava vê-lo, por ter ouvido falar
muitas coisas dele; assim, esperava ver Jesus fazer algum
milagre.
9 E interrogava-o com muitas palavras, mas Jesus nada
lhe respondia.
10 E os principais sacerdotes e os escribas estavam acu-
sando-o com veemência.
11 E Herodes, com os seus soldados, tratou Jesus com
desprezo; então vestiu-o com uma roupa resplandecente
para zombar dele, e tornou a enviá-lo a Pilatos.
12 E, no mesmo dia, Pilatos e Herodes se reconciliaram,
pois antes eram inimigos.

Novamente Perante Pilatos

13 Então, Pilatos convocou os principais sacerdotes, os
magistrados e o povo,
14 e lhes disse: "Apresentaram-me este homem como
pervertedor do povo; porém, examinando-o na presença
de vocês, não achei nenhuma culpa neste homem, das
que o acusam.
15 Nem mesmo Herodes, pois ele o mandou de volta
para nós, e ele não fez coisa alguma digna de morte.
16 Então o castigarei e o soltarei."
17 E era necessário Pilatos soltar um preso por causa da
festa.
18 Porém, toda a multidão gritava: "Fora daqui com este,
e solte-nos Barrabás!"
19 O qual tinha sido preso por causa de uma revolta feita
na cidade, e de um homicídio.
20 Então Pilatos falou outra vez, querendo soltar Jesus.
21 Mas eles clamavam ao contrário, dizendo: "Crucifi-
que-o, crucifique-o!"
22 Então Pilatos, pela terceira vez, lhes perguntou: "Mas
que mal ele fez? Não acho nele culpa alguma de morte.
Eu o castigarei e o soltarei."
23 Mas eles insistiam com grandes gritos, pedindo que

Jesus fosse crucificado. E os gritos do povo e os dos sacer-
dotes redobravam.
24 Então Pilatos julgou que deveria fazer o que eles
pediam.
25 E lhes soltou o preso por revolta e homicídio, que era
o que pediam, porém, entregou Jesus à vontade deles.

A Crucificação

26 E, enquanto o levavam, agarraram um certo cireneu,
chamado Simão, que vinha do campo, e puseram-lhe a
cruz às costas, para que a levasse após Jesus.
27 E uma grande multidão o seguia, e as mulheres batiam
no peito, e lamentavam.
28 Jesus, porém, virou-se para elas e disse: "Filhas de
Jerusalém, não chorem por mim, chorem antes por vocês
mesmas e por seus filhos.
29 Porque virão dias em que dirão: 'Bem-aventuradas as
estéreis, os ventres que não geraram e os seios que não
amamentaram!'
30 Então começarão a dizer aos montes: 'Caiam sobre
nós, e às colinas: Cubram-nos.'
31 Pois, se fazem isto com a madeira verde, então, o que
acontecerá quando ela estiver seca?"
32 E também levavam outros dois que também estavam
presos, por que eram malfeitores, para serem mortos com
Jesus.
33 E, quando chegaram ao lugar chamado Caveira, ali
o crucificaram com os malfeitores, um à direita e outro
à esquerda.
34 E Jesus dizia: "Pai, perdoa-lhes, porque não sabem o
que fazem." Então, fizeram um sorteio para repartirem
as suas roupas.
35 E o povo estava olhando; e, junto com eles, também
estavam as autoridades zombando de Jesus, dizendo:
"Salvou os outros, salve-se a si mesmo, se é o Cristo, o
escolhido de Deus."
36 E os soldados também zombavam dele, aproximando-
-se dele e oferecendo-lhe vinagre.
37 E dizendo: "Se tu és o Rei dos Judeus, salva-te a ti
mesmo."
38 E, acima de Jesus, havia uma inscrição que dizia:
"ESTE É O REI DOS JUDEUS."
39 E um dos malfeitores que estavam pendurados blasfe-
mava contra Jesus, dizendo: "Se tu és o Cristo, salva-te a
ti mesmo, e a nós."
40 Porém, o outro, repreendia-o, dizendo: "Você nem ao
menos teme a Deus, estando em igual condenação?
41 Nós, na verdade, com justiça recebemos o que os nos-
sos feitos merecem, mas este homem não fez nenhum
mal."
42 E disse a Jesus: "Senhor, lembra-te de mim, quando
entrares no teu reino."
43 E Jesus lhe disse: "Em verdade lhe digo que hoje esta-
rá comigo no Paraíso."

A Morte de Jesus

44 E já era quase meio-dia, e houve trevas em toda a terra
até as três horas da tarde.
45 E o sol escureceu, e o véu do templo rasgou-se ao
meio.
46 Então Jesus clamou em alta voz: "Pai, nas tuas mãos
entrego o meu espírito." E, dito isto, expirou.
47 E o centurião, vendo o que tinha acontecido, deu gló-
ria a Deus, dizendo: "Na verdade, este homem era justo."
48 E toda a multidão que se ajuntou a este espetácu-
lo, vendo o que havia acontecido, batendo no peito,
retirou-se.
49 E todos os conhecidos de Jesus, e as mulheres que o
haviam seguido desde a Galileia, ficaram de longe vendo
estas coisas.

O Sepultamento

50 E eis que havia um homem chamado José, membro do
conselho, homem de bem e justo,
51 que não tinha consentido na decisão, nem nos atos
dos outros, natural de Arimateia, cidade dos judeus, e que
também esperava o Reino de Deus,
52 chegando a Pilatos, pediu o corpo de Jesus.
53 Então, tirou-o da cruz e o envolveu num lençol de
linho, e o colocou num sepulcro escavado numa rocha,
onde ninguém ainda havia sido colocado.
54 Era o dia da preparação, e estava para começar o
sábado.
55 E as mulheres, que tinham vindo com Jesus da Gali-
leia, seguiram José e viram o sepulcro e como o corpo de
Jesus foi colocado ali.
56 Então, elas voltaram e prepararam especiarias e perfu-
mes; e no sábado descansaram, conforme o mandamento.

A Ressurreição

24 E no primeiro dia da semana, de madrugada, elas
foram ao sepulcro, levando as especiarias que ti-
nham preparado.
2 E encontraram a pedra do sepulcro removida,
3 mas, quando entraram, não acharam o corpo do Senhor
Jesus.
4 Elas ficaram muito perplexas a esse respeito, e aparece-
ram junto delas dois homens, com vestes resplandecentes.
5 Elas ficaram com muito medo e abaixaram os olhos
para o chão, então eles lhes disseram: "Por que estão pro-
curando entre os mortos aquele que vive?
6 Ele não está aqui, porém já ressuscitou. Lembrem-se do
que ele falou, quando ainda estava na Galileia,

7 dizendo: 'É necessário que o Filho do homem seja en-
tregue nas mãos de homens pecadores, seja crucificado e
ao terceiro dia ressuscite.'"
8 E elas se lembraram das palavras de Jesus.
9 Então, voltaram do sepulcro e anunciaram todas estas
coisas aos onze e a todos os que estavam com eles.
10 Elas eram Maria Madalena, Joana, Maria, mãe de Tia-
go, e outras que com elas estavam, e confirmaram estas
coisas aos apóstolos.
11 As suas palavras, porém, lhes pareciam loucura, e não
acreditaram nelas.
12 Mas Pedro, levantando-se, correu ao sepulcro. E, abai-
xando-se, viu somente os lençóis de linho e nada mais; e
retirou-se, admirado com o que tinha acontecido.

No Caminho de Emaús

13 E, no mesmo dia, dois deles iam para uma aldeia, que
ficava a onze quilômetros de Jerusalém, chamada Emaús.
14 E iam no caminho conversando sobre tudo o que ha-
via acontecido.
15 Enquanto conversavam e discutiam, o próprio Jesus se
aproximou e começou a caminhar com eles,
16 mas os olhos deles estavam impedidos de reconhecê-lo.
17 E ele lhes perguntou: "Sobre o que vocês estão discu-
tindo enquanto caminham, e por que estão tristes?"
18 E um deles, chamado Cleopas, perguntou: "Você é o
único visitante em Jerusalém que não sabe das coisas que
nela aconteceram nestes dias?"
19 E ele lhes perguntou: "Que coisas?" E eles explicaram
as coisas que aconteceram com Jesus, o Nazareno, que
era profeta, poderoso em obras e palavras diante de Deus
e de todo o povo,
20 e como os principais sacerdotes e as nossas autoridades
o entregaram à condenação de morte, e o crucificaram.
21 "E nós esperávamos que fosse ele quem ia remir
Israel; mas, depois de tudo isso, faz três dias que essas
coisas aconteceram.
22 Algumas mulheres entre nós nos surpreenderam hoje;
elas foram de madrugada ao sepulcro,
23 e não acharam o corpo de Jesus, então voltaram di-
zendo que tiveram uma visão com anjos, que afirmaram
que ele está vivo.
24 Então alguns dos nossos foram ao sepulcro e encon-
traram tudo como as mulheres haviam dito, mas não o
viram."
25 Então ele lhes disse: "Como vocês demoram a enten-
der e a crer em tudo o que os profetas disseram!
26 Não é verdade que o Cristo devia sofrer estas coisas
para entrar na sua glória?"
27 E, começando por Moisés e por todos os profetas, Je-
sus explicou para eles o que estava escrito sobre ele em
todas as Escrituras.
28 Então chegaram à aldeia para onde iam, e Jesus fez
como quem ia para mais longe.
29 Mas eles o convenceram a ficar, dizendo: "Fique co-
nosco, porque já é tarde, e o dia já declinou." E entrou
para ficar com eles.
30 E, quando estavam à mesa, Jesus pegou o pão, o aben-
çoou, depois o partiu e deu a eles.
31 Então os olhos deles se abriram para eles reconhece-
rem Jesus, mas ele desapareceu da presença deles.
32 E disseram um ao outro: "Não é verdade que o nosso
coração ardia no peito quando, pelo caminho, ele nos fa-
lava, e quando nos explicava as Escrituras?"
33 E na mesma hora eles se levantaram e voltaram para
Jerusalém, e acharam os onze reunidos, e os outros que
estavam com eles,
34 que diziam: "Verdadeiramente o Senhor ressuscitou e
já apareceu para Simão."
35 E eles lhes contaram o que lhes havia acontecido no
caminho e como Jesus foi reconhecido no partir do pão.

Jesus Aparece aos Discípulos

36 Enquanto eles falavam sobre isso, Jesus apareceu no
meio deles e lhes disse: "Que a paz esteja com vocês."
37 E eles ficaram assustados e com medo, pensando que
estavam vendo algum espírito.
38 E Jesus lhes disse: "Por que estão assustados e por que
surgem dúvidas no coração de vocês?
39 Vejam as minhas mãos e os meus pés, sou eu mesmo;
me apalpem e vejam, pois um espírito não tem carne nem
ossos, como veem que eu tenho."
40 E, tendo dito isto, mostrou-lhes as mãos e os pés.
41 E, eles ainda não acreditando, por causa da alegria, e
como estavam maravilhados, Jesus lhes disse: "Têm aqui
alguma coisa para comer?"
42 Então eles lhe deram um pedaço de peixe assado;
43 e ele pegou e comeu na presença deles.
44 E Jesus lhes disse: "Estas são as palavras que eu lhes
falei quando ainda estava com vocês: Era necessário que
se cumprisse tudo o que de mim estava escrito na lei de
Moisés, nos profetas e nos Salmos."
45 Então abriu-lhes o entendimento para compreende-
rem as Escrituras.
46 E lhes disse: "Assim está escrito, que o Cristo tinha
de sofrer, e, ao terceiro dia, ressuscitar dentre os mortos,
47 e que em seu nome se pregasse o arrependimento e
a remissão dos pecados, em todas as nações, começando
por Jerusalém.
48 E destas coisas vocês são testemunhas.
49 E eis que sobre vocês envio a promessa de meu Pai;

fiquem, porém, na cidade de Jerusalém, até que do alto
sejam revestidos de poder."

A Ascensão

50 Então Jesus os levou para fora, até Betânia; e levantou
as suas mãos e os abençoou.
51 E enquanto os abençoava, se afastou deles e foi ele-
vado ao céu.
52 Então eles, adorando-o, retornaram com grande ale-
gria para Jerusalém.
53 E estavam sempre no templo, louvando a Deus.

O SANTO EVANGELHO SEGUNDO JOÃO

O Verbo Encarnado

1 No princípio era o Verbo, e o Verbo estava com Deus, e
o Verbo era Deus.
2 Ele estava no princípio com Deus.
3 Todas as coisas foram feitas por ele, e sem ele nada do
que foi feito se fez.
4 Nele estava a vida, e a vida era a luz dos homens.
5 E a luz resplandece nas trevas, e as trevas não prevale-
ceram contra ela.
6 Houve um homem enviado de Deus; o nome dele era
João.
7 Este veio para testemunho, para testificar a respeito da
luz, para que todos cressem por meio dele.
8 Ele não era a luz, mas veio como testemunha da luz.
9 Ali estava a verdadeira luz, que ilumina toda a humani-
dade que vem ao mundo.
10 Ele estava no mundo, e o mundo foi feito por ele, e o
mundo não o conheceu.
11 Veio para quem era seu, e os seus não o receberam.
12 Mas, a todos que o receberam, deu-lhes o poder de
serem feitos filhos de Deus, aos que creem no seu nome;
13 os quais não nasceram do sangue, nem da vontade da
carne, nem da vontade do homem, mas de Deus.
14 E o Verbo se fez carne e habitou entre nós, e vimos
a sua glória, como a glória do unigênito do Pai, cheio de
graça e de verdade.
15 João dá testemunho dele: "Este era aquele de quem
eu dizia: O que vem após mim é antes de mim, porque já
existia antes de mim."
16 E todos nós recebemos também da sua plenitude, e
graça sobre graça.
17 Porque a lei foi dada por meio de Moisés; a graça e a
verdade vieram por meio de Jesus Cristo.
18 Deus nunca foi visto por ninguém. O Filho unigênito,
que está no seio do Pai, é quem o revelou.

O Testemunho de João

19 E este é o testemunho de João, quando os judeus man-
daram de Jerusalém sacerdotes e levitas para lhe pergun-
tarem quem ele era.
20 Ele confessou e não negou; confessou: "Eu não sou
o Cristo."
21 E perguntaram-lhe: "Então, quem é você? É Elias?" E
ele disse: "Não sou." Você é o profeta? E ele respondeu:
"Não."
22 Então perguntaram: "Quem você é? Para darmos uma
resposta aos que nos enviaram; o que diz de você mesmo?"
23 João respondeu: "Eu sou a voz do que clama no deser-
to: Endireitai o caminho do Senhor, como disse o profeta
Isaías."
24 E os que tinham sido enviados eram fariseus.
25 Então, perguntaram a João: "Por que você batiza, se
você não é o Cristo, nem Elias, nem o profeta?"
26 João respondeu: "Eu batizo com água, mas no meio de
vocês está alguém que vocês não conhecem.
27 Este é aquele que vem após mim, que é antes de mim,
do qual eu não sou digno de desatar a correia das suas
sandálias."
28 Estas coisas aconteceram em Betânia, do outro lado do
Jordão, onde João estava batizando.
29 No dia seguinte, João viu que Jesus vinha em sua di-
reção, então disse: "Eis o Cordeiro de Deus, que tira o
pecado do mundo.
30 Este é aquele do qual eu disse: Depois mim vem um
homem que é mais importante do que eu, porque já existia
antes de mim.
31 E eu não o conhecia; mas, para que ele fosse manifesta-
do a Israel, eu vim batizando com água."
32 E João testemunhou dizendo: "Eu vi o Espírito descer
do céu como pomba e repousar sobre ele.
33 E eu não o conhecia, mas quem me mandou batizar
com água, esse me disse: 'Sobre aquele que você vir descer
o Espírito Santo, e sobre ele repousar, esse é quem batiza
com o Espírito Santo.'
34 E eu vi e testemunho que este é o Filho de Deus."

Os Primeiros Discípulos

35 No dia seguinte, João estava outra vez ali, com dois dos
seus discípulos,
36 e, quando viu Jesus passar por ali, disse: "Eis aqui o
Cordeiro de Deus."
37 E os dois discípulos o ouviram dizer isto, e seguiram
Jesus.
38 E Jesus, voltando-se e vendo que eles o seguiam, lhes
disse: "O que vocês procuram?" E eles responderam:
"Mestre, onde moras?"
39 E Jesus respondeu: "Venham e verão." Então eles fo-
ram e viram onde Jesus morava e ficaram com ele aquele
dia; e já eram quase quatro horas da tarde.
40 André, irmão de Simão Pedro, era um dos dois que
ouviram aquilo de João, e o haviam seguido.
41 Ele encontrou primeiro o seu próprio irmão Simão, e
lhe disse: "Já achamos o Messias" (que significa Cristo).
42 E o levou a Jesus. E, quando Jesus olhou para ele, disse:
"Você é Simão, filho de João; você será chamado Cefas"
(que quer dizer Pedro).

Filipe e Natanael

43 No dia seguinte, Jesus decidiu ir à Galileia e encontrou
Filipe, e lhe disse: "Siga-me!"
44 E Filipe era de Betsaida, cidade de André e de Pedro.
45 Filipe encontrou Natanael e lhe disse: "Achamos aque-
le de quem Moisés escreveu na lei, a quem os profetas se
referem: Jesus de Nazaré, filho de José."
46 Então Natanael perguntou: "Pode vir alguma coisa boa
de Nazaré?" E Filipe respondeu: "Venha e veja."
47 Jesus viu Natanael chegar e disse a respeito dele: "Eis
aqui um verdadeiro israelita, em quem não há falsidade."
48 Natanael perguntou a Jesus: "De onde tu me conhe-
ces?" Jesus respondeu: "Antes que Filipe o chamasse, eu
já tinha visto você debaixo da figueira."
49 Então Natanael declarou: "Mestre, tu és o Filho de
Deus; tu és o Rei de Israel."
50 Jesus disse: "Você crê porque eu disse que o vi debaixo
da figueira. Você verá coisas maiores do que estas."
51 E disse mais: "Em verdade, em verdade lhes digo que
daqui em diante verão o céu aberto e os anjos de Deus
subindo e descendo sobre o Filho do Homem."

Jesus Transforma Água em Vinho

2 E, no terceiro dia, houve um casamento em Caná da
Galileia; e a mãe de Jesus estava ali.
2 E Jesus e os seus discípulos também foram convidados
para o casamento.
3 Então acabou o vinho, e a mãe de Jesus lhe disse: "Não
têm mais vinho."
4 E Jesus respondeu: "Mulher, o que eu tenho contigo?
Ainda não é chegada a minha hora."
5 Sua mãe disse aos serventes: "Façam tudo o que ele lhes
disser."
6 E estavam ali postas seis talhas de pedra para as purifi-
cações dos judeus, e em cada uma cabiam cerca de cem
litros.
7 E Jesus lhes disse: "Encham de água essas talhas." E as
encheram até em cima.
8 Então lhes disse: "Agora tirem um pouco e levem ao
responsável pela festa." E eles levaram.
9 Quando o responsável pela festa provou a água trans-
formada em vinho, ele, não sabendo de onde tinha vindo,
por mais que os serventes que haviam tirado a água sou-
bessem, chamou o noivo,
10 e lhe disse: "Todos servem primeiro o vinho bom e,
quando já beberam bastante, então servem o vinho infe-
rior, mas você guardou o melhor vinho até agora."
11 Jesus iniciou assim os seus sinais em Caná da Galileia
e manifestou a sua glória; e os seus discípulos creram nele.

Jesus Purifica o Templo

12 Depois disto, Jesus foi a Cafarnaum, ele, sua mãe, seus
irmãos e seus discípulos; e ficaram ali durante alguns dias.
13 E a Páscoa dos judeus estava próxima, então Jesus su-
biu a Jerusalém.
14 E encontrou no templo os que vendiam bois, ovelhas,
pombos e os cambistas assentados.
15 Então fez um chicote de cordas e expulsou todos do
templo, também expulsou os bois e ovelhas; e espalhou o
dinheiro dos cambistas pelo chão e virou as mesas;
16 e disse aos que vendiam pombos: "Tirem daqui es-
tas coisas, e não façam da casa de meu Pai uma casa de
negócios."
17 E os seus discípulos lembraram-se do que está escrito:
"O zelo da tua casa me consumirá."
18 Então os judeus lhe perguntaram: "Que sinal tu nos
mostras para fazeres estas coisas?"
19 E Jesus respondeu: "Destruam este templo e em três
dias o levantarei."
20 Os judeus responderam: "Este templo foi edificado em
quarenta e seis anos, e tu o levantarás em três dias?"
21 Porém ele falava do templo do seu corpo.
22 Quando, pois, Jesus ressuscitou dentre os mortos, os
seus discípulos se lembraram de que ele tinha dito isto; por
isso, creram na Escritura e na palavra que Jesus tinha dito.
23 Enquanto ele estava em Jerusalém durante a Páscoa,
no dia da festa, muitos, vendo os sinais que fazia, creram
no seu nome.
24 Mas o próprio Jesus não confiava neles, porque conhe-
cia todos,
25 e não precisava que alguém lhe desse testemunho a

respeito das pessoas, pois ele bem sabia o que havia no homem.

O Encontro Com Nicodemos

3 E havia entre os fariseus um homem chamado Nicodemos, uma autoridade entre os judeus.

2 Ele foi à noite falar com Jesus e lhe disse: "Bem sabemos que és Mestre vindo de Deus; porque ninguém pode fazer estes sinais que tu fazes, se Deus não estiver com ele."

3 Jesus respondeu: "Em verdade, em verdade lhe digo que, se alguém não nascer de novo, não poderá ver o Reino de Deus."

4 Nicodemos perguntou: "Como pode um homem nascer, sendo velho? Pode, porventura, tornar a entrar no ventre de sua mãe e nascer?"

5 Jesus respondeu: "Em verdade, em verdade lhe digo: Quem não nascer da água e do Espírito, não poderá entrar no Reino de Deus.

6 O que é nascido da carne é carne, e o que é nascido do Espírito é espírito.

7 Não se surpreenda pelo fato de eu ter dito: É necessário que vocês nasçam de novo.

8 O vento sopra onde quer e você ouve o barulho que ele faz, porém, não sabe de onde ele vem, nem para onde vai; assim acontece com todos os nascidos do Espírito.

9 Então Nicodemos perguntou: "Como pode ser isso?"

10 Jesus respondeu: "Você é mestre de Israel e não entende estas coisas?

11 Em verdade, em verdade lhe digo que nós falamos o que sabemos, e testemunhamos o que vimos, porém, não aceitam o nosso testemunho.

12 Se falo a vocês de coisas terrestres e não creem, como crerão, se eu lhes falar das coisas celestiais?

13 E ninguém subiu ao céu, a não ser aquele que veio do céu, o Filho do Homem.

14 E, como Moisés levantou a serpente no deserto, assim também é necessário que o Filho do Homem seja levantado,

15 para que toda pessoa que nele crê não pereça, mas tenha a vida eterna.

16 Porque Deus amou o mundo de tal maneira que deu o seu Filho unigênito, para que toda pessoa que nele crê não pereça, mas tenha a vida eterna.

17 Porque Deus enviou o seu Filho ao mundo, não para que condenasse o mundo, mas para que o mundo fosse salvo por ele.

18 Quem crê nele não é condenado; mas quem não crê já está condenado, porque não crê no nome do unigênito Filho de Deus.

19 E a condenação é esta: A luz veio ao mundo, mas os homens amaram mais as trevas do que a luz, porque as suas obras eram más.

20 Quem faz o mal aborrece a luz e não vem para a luz, para que as suas obras não sejam reprovadas.

21 Mas quem pratica a verdade vem para a luz, a fim de que as suas obras sejam manifestas, porque são feitas em Deus."

João Testemunha de Jesus

22 Depois disto, Jesus foi com os seus discípulos para a terra da Judeia. Permaneceu ali com eles e batizava.

23 João batizava também em Enom, perto de Salim, porque havia ali muitas águas; e o povo vinha e ali era batizado.

24 Porque João ainda não tinha sido lançado na prisão.

25 Houve então uma questão entre os discípulos de João e os judeus a respeito da purificação.

26 E foram até João e lhe disseram: "Mestre, aquele que estava com o senhor do outro lado do Jordão, do qual o senhor deu testemunho, está batizando, e todos vão até ele."

27 João respondeu: "Ninguém pode receber coisa alguma se não lhe for dada do céu.

28 Vocês mesmos são testemunhas de que eu disse: Eu não sou o Cristo, mas fui enviado adiante dele.

29 A noiva pertence ao noivo, mas o amigo do noivo, que está presente e o ouve, se alegra muito com a voz do noivo. Assim, esta é minha alegria.

30 É necessário que ele cresça e eu diminua.

31 Aquele que vem de cima está sobre todos; aquele que vem da terra é da terra e fala da terra. Aquele que vem do céu está acima de todos.

32 E dá testemunho daquilo que ele viu e ouviu, mas ninguém aceita o seu testemunho.

33 Quem aceitou o seu testemunho, esse confirmou que Deus é verdadeiro.

34 Porque aquele que Deus enviou fala as palavras de Deus; pois Deus não dá o Espírito por medida.

35 O Pai ama o Filho e todas as coisas entregou nas suas mãos.

36 Quem crê no Filho tem a vida eterna, mas quem não crê no Filho não verá a vida, mas a ira de Deus sobre ele permanece."

Jesus e a Samaritana

4 E quando Jesus entendeu que os fariseus tinham ouvido que ele fazia mais discípulos e batizava mais do que João,

2 ainda que Jesus mesmo não batizasse, mas os seus discípulos,

3 deixou a Judeia e foi outra vez para a Galileia.

4 E lhe era necessário passar por Samaria.

5 E chegou a uma cidade de Samaria, chamada Sicar, perto
das terras que Jacó tinha dado ao seu filho José.
6 E ali ficava o poço de Jacó. Jesus, cansado da viagem,
assentou-se então junto do poço. Era por volta do meio-dia.
7 Então uma mulher de Samaria veio tirar água do poço; e
Jesus lhe pediu: "Dê-me um pouco de água."
8 Porque os seus discípulos tinham ido à cidade comprar
comida.
9 Então, a mulher samaritana perguntou: "Como o senhor,
sendo judeu, pede água a mim, que sou mulher samarita-
na?" Ela disse isso porque os judeus não se dão com os
samaritanos.
10 Jesus lhe respondeu: "Se você conhecesse o dom de
Deus, e quem é que está lhe pedindo água, você lhe pedi-
ria e ele lhe daria água viva."
11 E a mulher disse: "O senhor não tem com que tirar
água e o poço é fundo. Onde vai conseguir essa água viva?
12 Por acaso o senhor é maior do que o nosso pai Jacó, que
nos deu o poço do qual ele próprio bebeu, e os seus filhos
e o seu gado beberam?"
13 Jesus respondeu: "Quem beber desta água tornará a
ter sede;
14 mas aquele que beber da água que eu lhe der, nunca
terá sede, porque a água que eu lhe der se fará nele uma
fonte de água que jorra para a vida eterna."
15 A mulher disse: "Senhor, me dê dessa água, para que
eu não tenha mais sede e não mais precise vir aqui tirá-la."
16 Jesus Disse: "Vá, chame o seu marido e volte aqui."
17 Então a mulher respondeu: "Não tenho marido." E
Jesus disse: "Você falou corretamente, dizendo que não
tem marido;
18 porque já teve cinco maridos, e esse que agora tem não
é seu marido; o que você disse é verdade."
19 Então a mulher lhe disse: "Senhor, vejo que é profeta.
20 Nossos pais adoraram neste monte, e vocês dizem que
é em Jerusalém o lugar onde se deve adorar."
21 Jesus respondeu: "Mulher, acredite em mim; chegará
a hora em que nem neste monte nem em Jerusalém vocês
adorarão o Pai.
22 Vocês adoram o que não conhecem; nós adoramos o
que conhecemos, porque a salvação vem dos judeus.
23 Porém chegou a hora em que os verdadeiros adorado-
res adorarão o Pai em espírito e em verdade; porque são
esses que o Pai procura para serem seus adoradores.
24 Deus é Espírito e é necessário que os seus adoradores o
adorem em espírito e em verdade."
25 A mulher respondeu: "Eu sei que o Messias, chama-
do Cristo, virá; quando ele vier, nos anunciará todas as
coisas."
26 Então Jesus disse: "Eu sou o Messias, eu que estou
falando com você."
27 E naquele momento chegaram os seus discípulos e se
admiraram de que Jesus estivesse falando com uma mu-
lher; mas nenhum deles perguntou: "O que queres?" Ou,
"Por que falas com ela?"
28 Então a mulher deixou o seu cântaro, foi à cidade e
disse ao povo:
29 "Venham comigo e vejam um homem que me disse
tudo o que eu já fiz. Por acaso não seria ele o Cristo?"
30 Então saíram da cidade e foram até ele.
31 Entretanto, os seus discípulos lhe rogaram, dizendo:
"Mestre, come alguma coisa."
32 Porém Jesus lhes disse: "Tenho algo para comer que
vocês não conhecem."
33 Então os discípulos diziam uns aos outros: "Será que
alguém trouxe algo para ele comer?"
34 Jesus lhes disse: "A minha comida é fazer a vontade
daquele que me enviou e realizar a sua obra.
35 Vocês não dizem que ainda faltam quatro meses para
a colheita? Eis que eu lhes digo: Levantem os seus olhos
e vejam os campos, pois já estão maduros para a colheita.
36 E quem colhe recebe a recompensa e ajunta fruto para
a vida eterna; para que, assim, quem semeia, como quem
colhe, ambos se alegrem.
37 Porque é verdadeiro o ditado: 'Um semeia e o outro
colhe.'
38 Eu os enviei para colherem onde vocês não semea-
ram; outros trabalharam, e vocês aproveitaram o trabalho
deles."

Os Samaritanos Creem em Jesus

39 E muitos samaritanos daquela cidade creram nele, por
causa do testemunho daquela mulher, que tinha dito: "Ele
me disse tudo o que eu já fiz."
40 Quando os samaritanos foram até Jesus, pediram que
Jesus ficasse com eles; então Jesus ficou ali por dois dias.
41 E muitos outros creram em Jesus por causa da sua
palavra.
42 E diziam à mulher: "Já não é mais pelo seu testemunho
que nós cremos; porque nós mesmos o ouvimos e sabe-
mos que ele é verdadeiramente o Cristo, o Salvador do
mundo."

A Cura do Filho de Um Oficial

43 E dois dias depois Jesus partiu dali e foi para a Galileia.
44 Porque Jesus mesmo testemunhou que um profeta não
tem honra na sua própria terra.
45 Assim, quando chegou à Galileia, os galileus o recebe-
ram, porque viram todas as coisas que Jesus fez em Jerusa-
lém no dia da festa; pois eles também tinham ido.
46 Jesus foi pela segunda vez a Caná da Galileia, onde da

água fez vinho. E havia ali um oficial, cujo filho estava
doente em Cafarnaum.
47 Quando ele ouviu que Jesus vinha da Judeia para a
Galileia, foi até ele e pediu que ele fosse curar o seu filho
que estava morrendo.
48 Então Jesus lhe disse: "Se não virem sinais e milagres,
não crerão."
49 Disse-lhe o oficial: "Senhor, venha, antes que meu filho
morra."
50 E Jesus respondeu: "Vá, o seu filho vai viver." E o ho-
mem creu na palavra que Jesus lhe disse e partiu.
51 E, quando ele estava a caminho, os seus servos foram
ao seu encontro e lhe disseram: "O seu filho está vivo."
52 Então o oficial perguntou: "A que hora ele melhorou?"
E lhe responderam: "Ontem à uma hora da tarde a febre
o deixou."
53 Então o pai reconheceu que aquela hora era a mesma
hora em que Jesus lhe disse: "O seu filho vai viver"; assim,
ele e toda a sua casa creram.
54 Jesus fez este segundo milagre quando ia da Judeia para
a Galileia.

O Paralítico de Betesda

5 Depois disto, havia uma festa entre os judeus, e Jesus
foi para Jerusalém.
2 Existe um tanque em Jerusalém, próximo à porta das
ovelhas, chamado em hebraico de Betesda, e que tem cin-
co entradas.
3 Nestas entradas ficava uma grande multidão de enfer-
mos, cegos, mancos e paralíticos, esperando o movimento
da água.
4 Porque um anjo descia de tempos em tempos ao tanque
e agitava a água; assim, o primeiro que entrava no tanque,
depois do movimento da água, sarava de qualquer enfer-
midade que tivesse.
5 E estava ali um homem que há trinta e oito anos estava
enfermo.
6 E Jesus, vendo-o deitado, e sabendo que ele estava neste
estado havia muito tempo, lhe perguntou: "Você quer ser
curado?"
7 O enfermo respondeu: "Senhor, não tenho ninguém
que, quando a água é agitada, me ponha no tanque; mas,
quando eu vou, desce outro antes de mim."
8 Jesus lhe disse: "Levante-se, pegue o seu leito e ande."
9 Logo aquele homem ficou curado; pegou o seu leito e
andou. E aquele dia era sábado.
10 Depois os judeus disseram ao homem que tinha sido
curado: "É sábado, não é lícito você carregar o seu leito."
11 Mas ele respondeu: "Aquele que me curou, ele próprio
disse: 'Pegue o seu leito e ande.'"
12 Então lhe perguntaram: "Quem é o homem que lhe
disse: 'Pegue o seu leito e ande'?"
13 E o homem que foi curado não sabia quem era, porque
Jesus havia se retirado, em razão de naquele lugar haver
uma grande multidão.
14 Depois Jesus encontrou-o no templo e lhe disse: "Eis
que já está curado; não peque mais, para que não lhe acon-
teça alguma coisa pior."
15 E o homem se retirou e anunciou aos judeus que foi
Jesus que o curou.

Jesus Defende Sua Igualdade Com o Pai

16 E por esta causa os judeus perseguiram Jesus e pro-
curavam matá-lo; porque ele fazia estas coisas no sábado.
17 E Jesus lhes respondeu: "Meu Pai trabalha até agora e
eu trabalho também."
18 Por isso os judeus queriam matá-lo ainda mais, porque
desrespeitava o sábado, e também dizia que Deus era seu
próprio Pai, fazendo-se igual a Deus.
19 Então Jesus lhes disse: "Em verdade, em verdade lhes
digo que o Filho por si mesmo não pode fazer coisa algu-
ma, senão somente o que vir o Pai fazer; porque tudo o
que ele faz, o Filho também faz.
20 Porque o Pai ama o Filho e lhe mostra todas as coisas
que faz; e ele lhe mostrará maiores obras do que estas, para
que se maravilhem.
21 Porque, como o Pai ressuscita os mortos e lhes dá vida,
assim o Filho também dá vida a quem ele quer.
22 Porque o Pai a ninguém julga, mas confiou todo o jul-
gamento ao Filho;
23 para que todos honrem o Filho, como honram o Pai.
Quem não honra o Filho, não honra o Pai que o enviou.
24 Em verdade, em verdade lhes digo: Quem ouve a mi-
nha palavra e crê naquele que me enviou tem a vida eterna
e não entrará em condenação, mas passou da morte para
a vida.
25 Em verdade, em verdade lhes digo que já chegou a
hora em que os mortos ouvirão a voz do Filho de Deus; e
os que a ouvirem viverão.
26 Porque, como o Pai tem a vida em si mesmo, assim
concedeu também ao Filho ter a vida em si mesmo.
27 E deu-lhe o poder de julgar, porque é o Filho do
Homem.
28 Não se maravilhem disto; porque vem a hora em que
todos os que estão nos sepulcros ouvirão a sua voz.
29 E os que fizeram o bem, sairão para a ressurreição da
vida, mas os que fizeram o mal, para a ressurreição da
condenação.
30 Eu nada posso fazer por mim mesmo; assim como
ouço, julgo; e o meu juízo é justo, porque não busco a
minha vontade, mas a vontade do Pai que me enviou.

31 Se eu dou testemunho de mim mesmo, o meu testemu-
nho não é verdadeiro.
32 Há outro que dá testemunho de mim, e sei que o teste-
munho que ele dá de mim é verdadeiro.
33 Vocês mandaram mensageiros a João e ele deu teste-
munho da verdade.
34 Eu, porém, não recebo testemunho de homem, mas
digo isto para que se salvem.
35 João era a candeia ardente e resplandecente, e vocês
quiseram se alegrar por um pouco de tempo com a sua luz.
36 Mas eu tenho maior testemunho do que o de João;
porque as obras que o Pai me deu para realizar, as mesmas
obras que eu faço, testemunham de mim, de que o Pai
me enviou.
37 E o Pai, que me enviou, ele mesmo testemunha de
mim. Vocês nunca ouviram a sua voz, nem viram a sua
forma.
38 E a sua palavra não permanece em vocês, porque não
creem naquele que ele enviou.
39 Examinem as Escrituras, porque vocês pensam ter ne-
las a vida eterna, e são elas que de mim testemunham;
40 e não querem vir a mim para terem vida.
41 Eu não recebo a honra dos homens;
42 mas bem os conheço, sei que não têm em vocês o amor
de Deus.
43 Eu vim em nome do meu Pai e não me aceitam; se
outro vier em seu próprio nome, a esse aceitam.
44 Como podem crer vocês, recebendo honra uns dos ou-
tros, e não buscando a honra que vem só de Deus?
45 Não pensem que eu os acusarei perante o Pai. Há um
que os acusa, Moisés, em quem vocês esperam.
46 Porque, se vocês cressem em Moisés, também creriam
em mim; porque ele escreveu a meu respeito.
47 Porém, se não creem nos seus escritos, como crerão
nas minhas palavras?"

A Primeira Multiplicação dos Pães

6 Depois disto, Jesus partiu para o outro lado do mar da
Galileia, que é o mesmo de Tiberíades.
2 E uma grande multidão o seguia, porque via os sinais que
ele fazia sobre os enfermos.
3 Então, Jesus subiu ao monte e assentou-se ali com os
seus discípulos.
4 E a Páscoa, a festa dos judeus, estava próxima.
5 Então Jesus, levantando os olhos e vendo que uma
grande multidão vinha falar com ele, disse a Filipe: "Onde
compraremos pão para eles comerem?"
6 Mas Jesus dizia isto para testá-lo, porque ele bem sabia
o que fazer.
7 Filipe respondeu-lhe: "Duzentos denários de pão não
bastarão para que cada um deles pegue um pouco."
8 E um dos seus discípulos, André, irmão de Simão Pedro,
disse a Jesus:
9 "Está aqui um rapaz que tem cinco pães de cevada e dois
peixinhos, mas o que é isto para tanta gente?"
10 E Jesus disse: "Mandem os homens se sentarem." E
havia muita relva naquele lugar. Os homens se assentaram
e eram quase cinco mil.
11 Então Jesus pegou os pães e, tendo dado graças, repar-
tiu-os entre os discípulos, e os discípulos repartiu aos que
estavam assentados; igualmente também os peixes, tanto
quanto eles queriam.
12 E, quando já estavam saciados, Jesus disse aos seus
discípulos: "Recolham os pedaços que sobraram, para que
nada se perca."
13 Então recolheram e encheram doze cestos de pedaços
dos cinco pães de cevada, que sobraram depois que todos
haviam comido.
14 Quando aqueles homens viram o milagre que Jesus ti-
nha feito, disseram: "Este é verdadeiramente o profeta que
devia vir ao mundo."
15 Jesus ficou sabendo que viriam para fazê-lo rei, então
ele retirou-se sozinho para o monte.

Jesus Anda Sobre as Águas

16 E, à tarde, os seus discípulos desceram para o mar.
17 Entraram no barco e atravessaram o mar em direção
a Cafarnaum. Já estava escuro e Jesus ainda não tinha ido
até eles.
18 E o mar se agitou, porque um forte vento soprava.
19 E os discípulos já tinham navegado uns cinco ou seis
quilômetros, quando viram Jesus andando sobre o mar;
então, quando Jesus se aproximou do barco, eles ficaram
com medo.
20 Porém Jesus lhes disse: "Sou eu, não tenham medo."
21 Então eles com alegria o receberam no barco, e logo o
barco chegou à terra para onde iam.
22 No dia seguinte, a multidão que estava do outro lado
do mar viu que não havia ali mais do que um barquinho,
aquele no qual os discípulos haviam entrado, e que Jesus
não tinha entrado com os seus discípulos naquele barqui-
nho, mas que os seus discípulos tinham ido sozinhos.
23 Contudo, outros barquinhos tinham chegado de Tibe-
ríades, perto do lugar onde comeram o pão depois que o
Senhor deu graças.
24 Quando a multidão viu que Jesus não estava ali nem os
seus discípulos, eles entraram também nos barcos e foram
para Cafarnaum, em busca de Jesus.

Jesus, o Pão da Vida

25 E, quando o encontraram no outro lado do mar, lhe
perguntaram: "Mestre, quando chegaste aqui?"
26 Jesus respondeu-lhes e disse: "Em verdade, em verdade

lhes digo que me buscam, não pelos sinais que viram, mas
porque comeram do pão e se saciaram.
27 Trabalhem não pela comida que perece, mas pela co-
mida que permanece para a vida eterna, a qual o Filho do
Homem lhes dará; porque a este o Pai, Deus, o selou."
28 Então lhe perguntaram: "O que faremos para realizar-
mos as obras de Deus?"
29 E Jesus lhes respondeu: "A obra de Deus é esta: Que
creiam naquele que ele enviou."
30 Então eles disseram: "Que sinal tu fazes, para que o
vejamos e creiamos em ti? O que tu podes fazer?
31 Nossos pais comeram o maná no deserto, como está
escrito: 'Deu-lhes a comer o pão do céu.'"
32 Jesus lhes disse: "Em verdade, em verdade lhes digo:
Moisés não lhes deu o pão do céu, mas meu Pai lhes dá o
verdadeiro pão do céu.
33 Porque o pão de Deus é aquele que desce do céu e dá
vida ao mundo."
34 Então lhe disseram: "Senhor, dá-nos sempre desse
pão."
35 E Jesus lhes disse: "Eu sou o pão da vida; quem vem a
mim não terá fome, e quem crê em mim nunca terá sede.
36 Mas já disse a vocês que também me viram e, contudo,
não creram.
37 Quem o Pai me dá, virá a mim; e o que vem a mim, de
maneira nenhuma o lançarei fora.
38 Porque eu desci do céu não para fazer a minha vonta-
de, mas a vontade de quem me enviou.
39 E a vontade do Pai que me enviou é esta: De todos os
que ele me deu, que eu não perca nenhum, mas que eu o
ressuscite no último dia.
40 E a vontade daquele que me enviou é esta: Que todo
aquele que vê o Filho, e crê nele, tenha a vida eterna; e eu
o ressuscitarei no último dia."
41 Então os judeus murmuraram contra Jesus, porque ele
tinha dito: "Eu sou o pão que desceu do céu."
42 E diziam: "Este não é Jesus, o filho de José, cujo pai
e mãe nós conhecemos? Como ele diz: 'Desci do céu'?"
43 Jesus então respondeu: "Não murmurem entre vocês.
44 Ninguém pode vir a mim, se o Pai que me enviou não
o trouxer; e eu o ressuscitarei no último dia.
45 Está escrito nos profetas: 'E serão todos ensinados por
Deus. De modo que todo aquele que do Pai ouviu e apren-
deu vem a mim.'
46 Não que alguém tenha visto o Pai, a não ser aquele que
vem de Deus; este já viu o Pai.
47 Em verdade, em verdade lhes digo que aquele que crê
em mim tem a vida eterna.
48 Eu sou o pão da vida.
49 Seus pais comeram o maná no deserto e morreram.
50 Este é o pão que desce do céu, para que quem dele
comer não morra.
51 Eu sou o pão vivo que desceu do céu; se alguém comer
deste pão, viverá para sempre; o pão que eu der é a minha
carne, que eu darei pela vida do mundo."
52 Os judeus discutiam entre si, dizendo: "Como este
pode nos dar a sua carne para comer?"
53 Então Jesus respondeu: "Em verdade, em verdade lhes
digo que, se não comerem a carne do Filho do Homem,
e não beberem o seu sangue, não terão vida em vocês
mesmos.
54 Quem come a minha carne e bebe o meu sangue tem a
vida eterna, e eu o ressuscitarei no último dia.
55 Porque a minha carne verdadeiramente é comida, e o
meu sangue verdadeiramente é bebida.
56 Quem come a minha carne e bebe o meu sangue per-
manece em mim, e eu nele.
57 Como o Pai, que vive, me enviou, e eu vivo pelo Pai,
assim, quem de mim se alimenta também viverá por mim.
58 Este é o pão que desceu do céu; não é o caso de seus
pais, que comeram o maná e morreram. Quem comer este
pão viverá para sempre."
59 Ele disse estas coisas na sinagoga, ensinando em
Cafarnaum.

A Deserção de Muitos Discípulos

60 Muitos dos seus discípulos, tendo ouvido isto, disse-
ram: "Duro é este discurso, quem pode suportá-lo?"
61 Jesus, sabendo por si mesmo que os seus discípulos
murmuravam disto, lhes disse: "Isto escandaliza vocês?
62 O que seria se virem o Filho do Homem subir para
onde primeiro estava?
63 O espírito é o que vivifica, a carne para nada aproveita;
as palavras que eu lhes disse são espírito e vida.
64 Mas há alguns de vocês que não creem." Porque bem
sabia Jesus, desde o princípio, quem eram os que não
criam, e quem haveria de traí-lo.
65 E dizia: "Por isso eu lhes disse que ninguém pode vir a
mim, se não lhe for concedido por meu Pai."
66 Desde então muitos dos seus discípulos ficaram para
trás e já não andavam com ele.
67 Então Jesus perguntou aos doze: "Vocês também que-
rem se retirar?"
68 Simão Pedro respondeu: "Senhor, para quem iremos?
Tu tens as palavras da vida eterna.
69 E nós temos crido e conhecido que tu és o Cristo, o
Filho de Deus."
70 Então Jesus lhe disse: "Não é verdade que escolhi vo-
cês, os doze? E um de vocês é um diabo."
71 E isto ele dizia de Judas Iscariotes, filho de Simão; por-
que este era quem o trairia, sendo um dos doze.

A Incredulidade dos Irmãos de Jesus

7 E, depois disto, Jesus andava pela Galileia, e já não queria andar pela Judeia, pois os judeus procuravam matá-lo.
2 E estava próxima a festa dos judeus, a dos tabernáculos.
3 Então seus irmãos disseram: "Sai daqui, e vai para a Judeia, para que os teus discípulos também vejam as obras que fazes.
4 Porque não há ninguém que procure ser conhecido que faça coisa alguma em oculto. Se fazes estas coisas, manifesta-te ao mundo."
5 Porque nem mesmo seus irmãos criam nele.
6 Então Jesus lhes disse: "O meu tempo ainda não chegou, mas para vocês qualquer tempo é certo.
7 O mundo não pode odiar vocês, mas ele me odeia, porque dele testifico que as suas obras são más.
8 Vão vocês a esta festa; eu não vou a esta festa, porque o meu tempo ainda não está cumprido."
9 E, havendo-lhes dito estas coisas, ficou na Galileia.
10 Mas, quando os seus irmãos já tinham ido à festa, então Jesus também foi, não publicamente, mas em segredo.
11 Os judeus procuravam Jesus na festa e diziam: "Onde está ele?"
12 E havia grande murmuração entre a multidão a respeito dele. Alguns diziam: "Ele é bom." E outros diziam: "Não, ele engana o povo."
13 Porém ninguém falava dele abertamente, por medo dos judeus.

Jesus Ensina no Templo

14 Porém, no meio da festa, Jesus foi ao templo, e ensinava.
15 E os judeus maravilhavam-se, dizendo: "Como ele sabe estas coisas, não as tendo aprendido?"
16 Jesus lhes respondeu: "A minha doutrina não é minha, mas daquele que me enviou.
17 Se alguém quiser fazer a vontade dele, pela mesma doutrina conhecerá se ela é de Deus, ou se eu falo de mim mesmo.
18 Quem fala de si mesmo busca a sua própria glória, mas quem busca a glória daquele que o enviou, este é verdadeiro, e não há nele injustiça.
19 Moisés não lhes deu a lei? E nenhum de vocês obedece à lei. Por que procuram matar-me?"
20 A multidão respondeu: "Tens demônio; quem procura matar-te?"
21 Jesus respondeu: "Fiz uma só obra, e todos vocês se admiram.
22 Por isso Moisés lhes deu a circuncisão, não que fosse de Moisés, mas dos pais, e no sábado circuncidam um menino.
23 Se o menino recebe a circuncisão no sábado, para que a lei de Moisés não seja desrespeitada, se indignam contra mim, porque no sábado curei um homem?
24 Não julguem segundo a aparência, mas julguem segundo a reta justiça."
25 Então alguns de Jerusalém diziam: "Não é este o homem que procuram matar?"
26 Ele está aí falando abertamente e nada lhe dizem: "Será que as autoridades sabem que de fato este é o Cristo?
27 Mas bem sabemos de onde este homem vem; porém, quando vier o Cristo, ninguém saberá de onde ele é."
28 Jesus ensinava no templo e dizia: "Vocês me conhecem e sabem de onde sou; eu não vim de mim mesmo, mas quem me enviou é verdadeiro, o qual vocês não conhecem.
29 Porém eu o conheço, porque sou parte dele e ele me enviou."
30 Então quiseram prendê-lo, mas ninguém pôs as mãos nele, porque a sua hora ainda não havia chegado.
31 E muitos entre a multidão creram nele e diziam: "Quando o Cristo vier, será que fará mais sinais do que este homem tem feito?"

Os Fariseus Mandam Prender Jesus

32 Então os fariseus ouviram que falavam estas coisas a respeito de Jesus, e juntamente com os principais sacerdotes mandaram guardas para o prenderem.
33 Jesus disse: "Por mais um pouco de tempo estou convosco, e depois vou para aquele que me enviou.
34 Vocês me procurarão e não me acharão; vocês não podem ir para onde estarei."
35 Então os judeus disseram uns para os outros: "Para onde ele irá, que não o possamos encontrar? Será que pretende ir para os dispersos entre os gregos e ensiná-los?
36 Que palavra é esta que ele disse: 'Vocês me procurarão e não me acharão; vocês não podem ir para onde estarei'?"
37 E, no último dia, o grande dia da festa, Jesus pôs-se em pé e falou: "Se alguém tem sede, venha a mim e beba.
38 Quem crê em mim, como diz a Escritura, do seu interior jorrarão rios de água viva."
39 E isto ele disse a respeito do Espírito que os que nele cressem haviam de receber; porque o Espírito Santo ainda não tinha sido dado, por Jesus ainda não ter sido glorificado.

Opiniões Divergentes Sobre Jesus

40 Então, alguns da multidão, ouvindo estas palavras, diziam: "Este verdadeiramente é o profeta."
41 E outros diziam: "Este é o Cristo"; mas outros perguntavam: "Por acaso o Cristo virá da Galileia?
42 A Escritura não diz que o Cristo vem da descendência de Davi e de Belém, da aldeia de onde era Davi?"

43 Assim havia divisão entre o povo por causa dele.

Nicodemos Defende Jesus

44 E alguns deles queriam prendê-lo, mas ninguém lhe
pôs as mãos.
45 Então, os guardas foram falar com os principais sa-
cerdotes e fariseus, e lhes perguntaram: "Por que não o
trouxeram?"
46 E os guardas responderam: "Jamais alguém falou como
este homem."
47 Os fariseus disseram aos guardas: "Vocês também fo-
ram enganados?
48 Por acaso algumas autoridades ou alguns dos fariseus
acreditaram nele?
49 Mas esta multidão, que não sabe a lei, é maldita."
50 Nicodemos, que era um deles, que de noite foi falar
com Jesus, lhes perguntou:
51 "Por acaso a nossa lei condena um homem sem primei-
ro ouvi-lo e saber o que ele fez?"
52 Eles responderam: "Você também é da Galileia? Exa-
mine e verá que não surgiu nenhum profeta da Galileia."
53 E cada um foi para a sua casa.

A Mulher Adúltera

8 Porém, Jesus foi para o Monte das Oliveiras.
2 E pela manhã voltou para o templo, e todo o povo
vinha falar com ele; então, assentando-se, os ensinava.
3 E os escribas e fariseus trouxeram-lhe uma mulher apa-
nhada em adultério,
4 e, pondo-a no meio de todos, disseram: "Mestre, esta
mulher foi apanhada no próprio ato adulterando.
5 E, na lei, Moisés nos ordenou que as tais mulheres sejam
apedrejadas. Tu, pois, o que dizes?"
6 Eles diziam isto tentando-o, para que tivessem de que
o acusar. Mas Jesus, inclinando-se, escrevia com o dedo
na terra.
7 E, como insistiam na pergunta, Jesus se levantou e lhes
disse: "Quem de vocês estiver sem pecado, que seja o pri-
meiro a atirar uma pedra nela."
8 E, inclinando-se novamente, continuou a escrever na
terra.
9 Porém eles, ouvindo isto, acusados pela consciência,
saíram um a um, começando pelos mais velhos até os últi-
mos, ficando somente Jesus e a mulher em pé diante dele.
10 E, levantando-se, Jesus perguntou a ela: "Mulher, onde
estão aqueles seus acusadores? Ninguém a condenou?"
11 E ela disse: "Ninguém, Senhor." E Jesus lhe disse: "Eu
também não a condeno; vá e não peque mais."

Jesus, a Luz do Mundo

12 Jesus lhes falou outra vez: "Eu sou a luz do mundo;
quem me segue não andará em trevas, mas terá a luz da
vida."
13 Então os fariseus lhe disseram: "Tu dás testemunho de
ti mesmo; o teu testemunho não é verdadeiro."
14 E Jesus respondeu: "Ainda que eu testemunhe de mim
mesmo, o meu testemunho é verdadeiro, porque eu sei de
onde vim e para onde eu vou; mas vocês não sabem de
onde venho, nem para onde eu vou.
15 Vocês julgam segundo a carne; eu não julgo ninguém.
16 E, se na verdade julgo, o meu juízo é verdadeiro,
porque não sou só eu que julgo, mas eu e o Pai que me
enviou.
17 E na lei de vocês também está escrito que o testemu-
nho de duas pessoas é verdadeiro.
18 Eu testemunho de mim mesmo, e o Pai, que me en-
viou, também dá testemunho de mim."
19 Então lhe perguntaram: "Onde está o teu Pai?" Jesus
respondeu: "Vocês não conhecem a mim, e nem conhe-
cem o meu Pai; se vocês me conhecessem, também co-
nheceriam o meu Pai."
20 Jesus disse estas palavras enquanto ensinava no templo,
perto do lugar onde se colocavam as ofertas, e ninguém
o prendeu, porque ainda não havia chegado a sua hora.
21 Outra vez Jesus lhes disse: "Eu vou embora; então, me
buscarão e morrerão no seu pecado. Para onde eu vou,
vocês não poderão ir."
22 Então os judeus perguntaram: "Por acaso ele pretende
se matar? Porque diz: 'Para onde eu vou não poderão ir.'"
23 E Jesus lhes disse: "Vocês são de baixo, eu sou de cima;
vocês são deste mundo, eu não sou deste mundo.
24 Por isso disse a vocês que morrerão em seus pecados,
porque se não crerem que eu sou, morrerão em seus
pecados."
25 Então lhe perguntaram: "Quem és tu?" E Jesus lhes
respondeu: "O mesmo que desde o princípio lhes disse.
26 Muitas coisas tenho que dizer e julgar a respeito de
vocês, mas quem me enviou é verdadeiro, e as coisas que
dele ouvi, essas digo ao mundo."
27 Mas não entenderam que ele lhes falava do Pai.
28 Então Jesus lhes disse: "Quando levantarem o Filho
do Homem, então conhecerão quem eu sou, e que nada
faço por mim mesmo; mas falo como meu Pai me ensinou.
29 E quem me enviou está comigo; o Pai não me deixou
só, porque eu faço sempre o que lhe agrada."

Jesus, Maior Que Abraão

30 Quando Jesus falou estas coisas, muitos creram nele.
31 Jesus dizia aos judeus que haviam crido nele: "Se vocês
permanecerem na minha palavra, verdadeiramente serão
meus discípulos;
32 conhecerão a verdade e a verdade os libertará."
33 Eles responderam: "Somos descendência de Abraão e
nunca servimos a ninguém; como dizes tu: Serão livres?"

34 Jesus lhes respondeu: "Em verdade, em verdade lhes
digo: Quem comete pecado é escravo do pecado.
35 Ora, o servo não fica para sempre em casa; o Filho fica
para sempre.
36 Se, pois, o Filho os libertar, verdadeiramente serão
livres.
37 Bem sei que são descendência de Abraão, contudo,
procuram me matar, porque a minha palavra não está em
vocês.
38 Eu falo do que vi junto de meu Pai, e vocês fazem o que
ouviram do pai de vocês."
39 Então lhe disseram: "Nosso pai é Abraão." Jesus res-
pondeu: "Se fossem filhos de Abraão, fariam as obras de
Abraão.
40 Mas agora procuram me matar, a mim que lhes disse a
verdade que ouvi de Deus; Abraão não fez isto.
41 Vocês fazem as obras do pai de vocês." Eles responde-
ram: "Nós não somos nascidos da fornicação; temos um
Pai, que é Deus."
42 E Jesus disse: "Se Deus fosse o Pai de vocês, certamen-
te me amariam, porque eu vim de Deus; não vim de mim
mesmo, mas ele me enviou.
43 Por que não entendem a minha linguagem? É porque
não podem ouvir a minha palavra.
44 Vocês têm por pai o diabo e querem satisfazer os dese-
jos dele. Ele foi homicida desde o princípio e não se firmou
na verdade, porque não há verdade nele. Quando ele pro-
fere mentira, fala do que lhe é próprio, porque é mentiroso
e pai da mentira.
45 Mas, porque lhes digo a verdade, não creem em mim.
46 Quem dentre vocês pode me acusar de algum pecado?
E se digo a verdade, por que não creem em mim?
47 Quem é de Deus escuta as palavras de Deus; por isso
vocês não as escutam, porque não são de Deus."
48 Os judeus perguntam a Jesus: "Será que não temos ra-
zão em dizer que tu és samaritano, e que tens demônio?"
49 Jesus respondeu: "Eu não tenho demônio, antes honro
o meu Pai e vocês me desonram.
50 Eu não busco a minha glória; há quem a busque e
julgue.
51 Em verdade, em verdade lhes digo que, se alguém
guardar a minha palavra, nunca verá a morte."
52 Então os judeus disseram: "Agora sabemos que tu tens
demônio. Abraão morreu, e os profetas, e tu dizes: 'Se al-
guém guardar a minha palavra nunca provará a morte.'
53 Tu és maior do que o nosso pai Abraão, que morreu?
E também os profetas que morreram? Quem pensas que
tu és?"
54 Jesus respondeu: "Se eu me glorifico a mim mesmo, a
minha glória não é nada; quem me glorifica é meu Pai, o
qual dizem que é o Deus de vocês.
55 E vocês não o conhecem, mas eu o conheço: Se disser
que o não conheço, serei mentiroso como vocês; mas eu o
conheço e guardo a sua palavra.
56 Abraão, o pai de vocês, alegrou-se por ver o meu dia,
ele viu esse dia, e se alegrou."
57 Então os judeus lhe perguntaram: "Ainda não tens cin-
quenta anos e viste Abraão?"
58 E Jesus respondeu: "Em verdade, em verdade lhes digo
que antes que Abraão existisse, Eu Sou."
59 Então pegaram pedras para atirar nele; porém Jesus se
ocultou, e saiu do templo.

A Cura de Um Cego de Nascença

9 Enquanto Jesus caminhava, viu um homem cego de
nascença.
2 E os seus discípulos lhe perguntaram: "Mestre, quem
pecou, ele ou os pais dele, para que nascesse cego?"
3 Jesus respondeu: "Nem ele pecou nem os pais dele; mas
isto aconteceu para que se manifestem nele as obras de
Deus.
4 É necessário que eu faça as obras daquele que me en-
viou, enquanto é dia; a noite vem, quando ninguém pode
trabalhar.
5 Enquanto estou no mundo, sou a luz do mundo."
6 Depois de dizer isto, Jesus cuspiu na terra e fez lama com
a saliva, e untou com a lama os olhos do cego.
7 Então disse ao cego: "Vá, lave-se no tanque de Siloé."
Siloé quer dizer enviado. O cego foi, lavou-se e voltou
vendo.
8 Então os vizinhos, e aqueles que antes tinham visto que
ele era cego, diziam: "Não é este que ficava sentado pe-
dindo esmola?"
9 Uns diziam: "É ele." E outros: "Não, mas se parece com
ele." Ele dizia: "Sou eu."
10 Então lhe perguntaram: "Como foram abertos os seus
olhos?"
11 Ele respondeu: "O homem chamado Jesus fez lama,
passou nos meus olhos e me disse: 'Vá ao tanque de Siloé
e lave-se.' Então fui, lavei-me e vi."
12 Eles perguntaram: "Onde está ele?" E ele respondeu:
"Não sei."

Os Fariseus Duvidam da Cura

13 Os fariseus levaram aquele que antes era cego.
14 E era sábado quando Jesus fez a lama e lhe abriu os
olhos.
15 Então os fariseus lhe perguntaram outra vez como po-
dia ver, e ele respondeu: "Jesus pôs lama sobre os meus
olhos, lavei-me e estou vendo."
16 Por isso alguns dos fariseus diziam: "Este homem não

é de Deus, pois não guarda o sábado." E outros diziam:
"Como pode um homem pecador fazer estes sinais?" E
havia uma divisão entre eles.
17 Então perguntaram novamente ao cego: "O que você
diz daquele que abriu os seus olhos?" E ele respondeu: "É
um profeta."
18 Os judeus não acreditaram que ele tinha sido cego e
que agora podia ver, enquanto não chamaram os pais dele.
19 E lhes perguntaram: "É este o filho de vocês, que di-
zem ter nascido cego? Como é que agora ele está vendo?"
20 Então os pais responderam: "Sabemos que este é o nos-
so filho, e que nasceu cego,
21 mas não sabemos como agora ele vê; e não sabemos
quem lhe abriu os olhos. Perguntem a ele mesmo, pois ele
já tem idade e poderá falar por si mesmo."
22 Seus pais disseram isto porque estavam com medo dos
judeus. Porque os judeus já tinham resolvido que, se al-
guém confessasse que Jesus era o Cristo, seria expulso da
sinagoga.
23 Por isso é que seus pais disseram: "Ele já tem idade e
poderá falar por si mesmo."
24 Então chamaram pela segunda vez o homem que tinha
sido cego e lhe disseram: "Para a glória de Deus, diga a
verdade; nós sabemos que esse homem é pecador."
25 Ele respondeu: "Se é pecador não sei; uma coisa sei: Eu
era cego e agora vejo."
26 E tornaram a lhe perguntar: "O que ele fez a você?
Como lhe abriu os olhos?"
27 Ele respondeu: "Já lhes disse e não ouviram, por que
querem ouvir outra vez? Por acaso vocês também querem
se tornar seus discípulos?"
28 Então o insultaram e lhe disseram: "Discípulo dele é
você; nós, porém, somos discípulos de Moisés.
29 Nós sabemos que Deus falou a Moisés, porém este não
sabemos de onde é."
30 O homem respondeu: "É estranho que vocês não sai-
bam de onde ele é, mas ele me abriu os olhos.
31 Nós sabemos que Deus não ouve os pecadores; mas,
se alguém é temente a Deus e faz a sua vontade, a esse
ele ouve.
32 Desde todos os séculos nunca se ouviu que alguém
abrisse os olhos de um cego de nascença.
33 Se este homem não fosse de Deus, ele nada poderia
fazer."
34 E eles disseram: "Você nasceu cheio de pecado, e quer
nos ensinar?" E o expulsaram.

A Cegueira Espiritual

35 Jesus ouviu que eles o tinham expulsado, e, ao encon-
trá-lo, perguntou: "Você crê no Filho do Homem?"
36 Ele respondeu: "Quem é ele, Senhor, para que eu nele
creia?"
37 E Jesus lhe disse: "Você já o tem visto, e é aquele que
está falando com você."
38 Então ele disse: "Creio, Senhor." E o adorou.
39 E Jesus disse: "Eu vim a este mundo para juízo, para
que os que não veem vejam, e os que veem se tornem
cegos."
40 Alguns dos fariseus que estavam com ele, ouvindo isto,
lhe perguntaram: "Por acaso nós também somos cegos?"
41 E Jesus respondeu: "Se fossem cegos, não teriam peca-
do algum, mas, como agora dizem: 'Nós vemos, por isso, o
pecado de vocês permanece.'

O Bom Pastor

10 Em verdade, em verdade lhes digo: Quem não entra
pela porta no curral das ovelhas, mas sobe por outro
lugar, é ladrão e salteador.
2 Mas quem entra pela porta, este é o pastor das ovelhas.
3 Para este o porteiro abre, e as ovelhas ouvem a sua voz;
ele chama as suas ovelhas pelo nome e as conduz para
fora.
4 E, quando leva para fora as suas ovelhas, vai adiante
delas e as ovelhas o seguem, porque conhecem a sua voz.
5 Mas de modo nenhum seguirão o estranho, antes fugirão
dele, porque não conhecem a voz dos estranhos."
6 Jesus lhes disse esta parábola, mas eles não entenderam
o que ele falava.
7 Então Jesus disse: "Em verdade, em verdade lhes digo
que eu sou a porta das ovelhas.
8 Todos que vieram antes de mim são ladrões e salteado-
res; e as ovelhas não os ouviram.
9 Eu sou a porta; se alguém entrar por mim, se salvará,
entrará, sairá, e achará pasto.
10 O ladrão vem somente para roubar, matar e destruir; eu
vim para que tenham vida, e a tenham com abundância.
11 Eu sou o bom Pastor; o bom Pastor dá a sua vida pelas
ovelhas.
12 Mas o mercenário, que não é pastor, a quem não per-
tencem as ovelhas, vê o lobo chegando, abandona as ove-
lhas e foge; e o lobo as arrebata e as dispersa.
13 O mercenário foge porque é mercenário e não se im-
porta com as ovelhas.
14 Eu sou o bom Pastor e conheço as minhas ovelhas, e
das minhas ovelhas sou conhecido.
15 Assim como o Pai me conhece, eu também conheço o
Pai, e dou a minha vida pelas ovelhas.
16 Ainda tenho outras ovelhas que não são deste curral;
eu também preciso trazer estas, elas ouvirão a minha voz,
e haverá um só rebanho e um só pastor.

17 Por isto o Pai me ama, porque dou a minha vida para
retomá-la.
18 Ninguém a tira de mim, mas eu a dou por minha es-
pontânea vontade; tenho autoridade para dá-la e para reto-
má-la. Este mandamento eu recebi do meu Pai."
19 E houve nova divisão entre os judeus por causa destas
palavras.
20 E muitos deles diziam: "Ele tem demônio e está fora de
si; por que vocês o ouvem?"
21 Outros diziam: "Estas palavras não são de endemo-
niado; pode, porventura, um demônio abrir os olhos dos
cegos?"

A Incredulidade dos Judeus

22 E em Jerusalém era celebrada a festa da dedicação e
era inverno.
23 E Jesus passeava no templo, no Pórtico de Salomão.
24 Então os judeus o rodearam e lhe disseram: "Até quan-
do tu nos deixarás em suspense? Se tu és o Cristo, dize-nos
francamente."
25 Jesus respondeu: "Já falei e não acreditaram. As obras
que eu faço, em nome do meu Pai, essas testemunham
de mim.
26 Mas vocês não acreditam porque não são das minhas
ovelhas.
27 As minhas ovelhas ouvem a minha voz, eu as conheço,
e elas me seguem;
28 e dou-lhes a vida eterna e nunca perecerão, e ninguém
as arrebatará da minha mão.
29 Meu Pai, que as deu para mim, é maior do que todos;
ninguém pode arrancá-las da mão de meu Pai.
30 Eu e o Pai somos um."
31 Os judeus pegaram então outra vez pedras para o
apedrejarem.
32 Mas Jesus lhes disse: "Tenho mostrado a vocês muitas
obras boas, vindas de meu Pai; por qual destas obras me
apedrejam?"
33 Os judeus responderam: "Não te apedrejamos por al-
guma obra boa, mas pela blasfêmia; porque, sendo tu ho-
mem, te fazes Deus a ti mesmo."
34 Jesus disse: "Não está escrito na lei de vocês: Eu disse:
Vocês são deuses?
35 Pois, se a lei chamou deuses àqueles a quem a palavra
de Deus foi dirigida, e a Escritura não pode ser anulada,
36 a mim, a quem o Pai santificou e enviou ao mundo,
vocês dizem: 'Blasfema', porque eu disse: Sou Filho de
Deus?
37 Se eu não faço as obras do meu Pai, não acreditem
em mim.
38 Porém, se as faço, e não creem em mim, creiam nas
obras; para que conheçam e acreditem que o Pai está em
mim e eu nele."
39 Então tentaram prendê-lo outra vez, mas ele escapou
das mãos deles,
40 e retirou-se outra vez para além do Jordão, para o lugar
onde João batizava no início; e ali ficou.
41 E muitos iam até ele e diziam: "Na verdade João não
fez sinal algum, mas tudo o que João disse deste homem
era verdade."
42 E muitos ali creram nele.

A Morte de Lázaro

11 Um homem chamado Lázaro estava doente, ele era
de Betânia, aldeia de Maria e de sua irmã Marta.
2 E Maria, cujo irmão Lázaro estava doente, era a mesma
que tinha ungido o Senhor com perfume, e lhe enxugado
os pés com os seus cabelos.
3 Por isso, suas irmãs mandaram dizer a Jesus: "Senhor, eis
que está doente aquele que tu amas."
4 E Jesus, ouvindo isto, disse: "Esta doença não é para
morte, mas para a glória de Deus, para que o Filho de Deus
seja glorificado por ela."
5 Ora, Jesus amava Marta, a irmã dela e Lázaro.
6 Quando soube que Lázaro estava doente, Jesus ficou
ainda por mais dois dias no lugar onde estava.
7 Depois disto, disse aos seus discípulos: "Vamos outra vez
para a Judeia."
8 Os discípulos disseram: "Mestre, ainda há pouco os ju-
deus queriam apedrejar-te e queres voltar para lá?"
9 Jesus respondeu: "Não é verdade que o dia tem doze
horas? Se alguém andar de dia, não tropeça, porque vê a
luz deste mundo,
10 mas, se andar de noite, tropeça, porque nele não há
luz."
11 Assim falou, e depois disse-lhes: "Lázaro, o nosso ami-
go, dorme, mas vou despertá-lo do sono."
12 Então os seus discípulos disseram: "Senhor, se dorme,
estará salvo."
13 Jesus dizia isto da morte de Lázaro; mas eles, porém,
pensavam que Jesus falava do repouso do sono.
14 Então Jesus lhes disse claramente: "Lázaro está morto.
15 Por causa de vocês, eu me alegro de que eu não estives-
se lá para que acreditem; mas vamos até ele."
16 Então Tomé, chamado Dídimo, disse aos discípulos:
"Nós vamos também para morrermos com o Mestre."

Jesus Consola Marta e Maria

17 Quando Jesus chegou, Lázaro já estava sepultado havia
quatro dias.
18 Betânia ficava a uma distância de três quilômetros de
Jerusalém.

19 E muitos dos judeus vieram consolar Marta e Maria por
causa de seu irmão.
20 Quando Marta soube que Jesus estava chegando, lhe
saiu ao encontro; Maria, porém, ficou sentada em casa.
21 Então Marta disse a Jesus: "Senhor, se tu estivesses
aqui, meu irmão não teria morrido.
22 Mas também agora sei que tudo que pedires a Deus,
Deus te dará."
23 E Jesus disse: "Seu irmão vai ressuscitar."
24 Então Marta respondeu: "Eu sei que ressuscitará na
ressurreição do último dia."
25 E Jesus disse: "Eu sou a ressurreição e a vida, quem crê
em mim, ainda que esteja morto, viverá.
26 E toda pessoa que vive e crê em mim nunca morrerá.
Você crê nisto?"
27 Então Marta respondeu: "Sim, Senhor, creio que tu és o
Cristo, o Filho de Deus que devia vir ao mundo."
28 E, depois de dizer isto, Marta foi para casa e chamou
discretamente Maria, sua irmã, e lhe disse: "O Mestre está
aqui e chama você."
29 Quando Maria ouviu isto, levantou-se depressa e foi
até ele,
30 pois Jesus ainda não tinha entrado na aldeia, mas estava
no lugar onde Marta o tinha encontrado.
31 Os judeus que estavam com Maria em casa e a con-
solavam, vendo que Maria apressadamente se levantou e
saiu, seguiram-na, supondo que ela ia ao sepulcro para ali
chorar.
32 Quando Maria chegou aonde Jesus estava, ao vê-lo,
lançou-se aos seus pés, dizendo: "Senhor, se tu estivesses
aqui, meu irmão não teria morrido."
33 Quando Jesus viu que ela chorava, e que os judeus que
a acompanhavam também choravam, Jesus agitou-se no
espírito e perturbou-se.
34 E Jesus perguntou: "Onde o puseram?" Eles responde-
ram: "Senhor, vem e vê."
35 Jesus chorou.
36 Então os judeus disseram: "Vejam como ele o amava."
37 Mas alguns deles disseram: "Ele, que abriu os olhos
do cego, não podia fazer também com que Lázaro não
morresse?"

A Ressurreição de Lázaro

38 Jesus, agitando-se outra vez muito em si mesmo, foi
ao sepulcro que era uma caverna e tinha uma pedra posta
sobre sua entrada.
39 Disse Jesus: "Tirem a pedra." Marta, irmã do falecido,
disse a Jesus: "Senhor, já cheira mal, porque está morto
há quatro dias."
40 Jesus respondeu: "Eu não disse a você que, se cresse,
veria a glória de Deus?"
41 Então tiraram a pedra; e Jesus, levantando os olhos para
cima, disse: "Pai, eu te agradeço, porque me ouviste.
42 Pois eu sei que sempre me ouves, mas eu disse isto
por causa da multidão presente, para que creiam que tu
me enviaste."
43 E, depois de dizer isto, clamou em alta voz: "Lázaro,
venha para fora!"
44 E Lázaro, que estava morto, saiu, tendo as mãos e os
pés amarrados com faixas, e o rosto envolto num lenço.
Então Jesus lhes ordenou: "Desamarrem-no e o deixem ir."

Conspiração Para Matar Jesus

45 Muitos dentre os judeus que tinham vindo visitar Ma-
ria, vendo o que Jesus havia feito, creram nele.
46 Mas outros foram até os fariseus e lhes contaram o que
Jesus havia feito.
47 Então os principais sacerdotes e os fariseus convoca-
ram uma reunião e disseram: "O que faremos? Pois este
homem realiza muitos sinais.
48 Se o deixamos assim, todos crerão nele, então, virão os
romanos e tirarão o nosso lugar e a nação."
49 E um deles, chamado Caifás, que era sumo sacerdote
naquele ano, lhes disse: "Vocês não sabem nada,
50 nem consideram que é melhor que um homem morra
pelo povo, e que não pereça toda a nação."
51 Ora, Caifás não disse isto por si mesmo, mas, sendo o
sumo sacerdote naquele ano, profetizou que Jesus devia
morrer pela nação.
52 E não somente pela nação, mas também para reunir
em um só corpo os filhos de Deus que andavam dispersos.
53 Desde aquele dia, resolveram tirar-lhe a vida.
54 Jesus, porém, já não andava publicamente entre os ju-
deus, mas retirou-se dali para uma região junto ao deserto,
para uma cidade chamada Efraim; e ali ficou com os seus
discípulos.
55 Estava próxima a Páscoa dos judeus, e muitos da-
quela região foram a Jerusalém antes da Páscoa, para se
purificarem.
56 Lá procuravam Jesus e, estando no templo, diziam uns
aos outros: "O que vocês acham? Ele não virá à festa?"
57 Os principais sacerdotes e os fariseus haviam ordenado
que, se alguém soubesse onde ele estava, o denunciasse,
para o prenderem.

A Unção em Betânia

12 E Jesus foi seis dias antes da Páscoa para Betânia,
onde estava Lázaro, o que tinha falecido, e a quem
Jesus tinha ressuscitado dentre os mortos.
2 Prepararam-lhe ali uma ceia; Marta servia, e Lázaro era
um dos que estavam à mesa com Jesus.
3 Então Maria pegou um frasco de perfume de nardo puro,

de muito valor, ungiu os pés de Jesus, e os enxugou com os
seus cabelos; e a casa se encheu com o cheiro do perfume.
4 Então, um dos seus discípulos, Judas Iscariotes, filho de
Simão, aquele que o trairia, disse:
5 "Por que não vendeu este perfume por trezentos dená-
rios e deu aos pobres?"
6 Ele disse isto, não pelo cuidado que tivesse com pobres,
mas porque era ladrão e tinha a bolsa do dinheiro, e tirava
o que ali se colocava.
7 Mas Jesus disse: "Deixem-na em paz; pois para o dia da
minha sepultura foi que ela guardou isto;
8 porque pobres sempre os terão com vocês, mas a mim
vocês nem sempre terão."
9 E uma grande multidão de judeus ficou sabendo que
Jesus estava ali, então vieram, não só por causa de Jesus,
mas também para ver Lázaro, a quem ele ressuscitou dos
mortos.
10 Mas os principais sacerdotes resolveram também matar
Lázaro;
11 porque muitos judeus, por causa dele, voltavam crendo
em Jesus.

A Entrada Triunfal em Jerusalém

12 No dia seguinte, uma grande multidão que tinha vindo
à festa ouviu que Jesus vinha a Jerusalém,
13 então pegaram ramos de palmeiras e lhe saíram ao en-
contro, clamando: "Hosana! Bendito o Rei de Israel que
vem em nome do Senhor."
14 E Jesus achou um jumentinho e sentou-se sobre ele,
como está escrito:
15 "Não tema, ó filha de Sião; eis que o seu Rei vem sen-
tado sobre o filho de uma jumenta."
16 Os seus discípulos, porém, não entenderam isto no
princípio; mas, quando Jesus foi glorificado, então se lem-
braram de que isto estava escrito dele, e que fizeram isto
com ele.
17 A multidão que estava com Jesus quando Lázaro foi
chamado da sepultura testemunhava que Jesus o ressusci-
tou dentre os mortos.
18 Por isso a multidão lhe saiu ao encontro, porque ti-
nham ouvido que ele tinha feito este sinal.
19 Então os fariseus disseram entre si: "Vejam que não
conseguimos nada. Toda a multidão vai atrás dele."

Jesus Anuncia a Sua Morte

20 Entre os que tinham subido para adorar no dia da festa,
havia alguns gregos.
21 Estes se dirigiram a Filipe, que era de Betsaida da Gali-
leia, e lhe pediram: "Senhor, queremos ver Jesus."
22 Filipe foi falar com André, então André e Filipe disse-
ram a Jesus.
23 E Jesus lhes respondeu: "É chegada a hora em que o
Filho do Homem será glorificado.
24 Em verdade, em verdade lhes digo que: Se o grão de
trigo, caindo na terra, não morrer, fica ele só, mas, se mor-
rer, dá muito fruto.
25 Quem ama a sua vida a perderá e quem neste mundo
odeia a sua vida a preservará para a vida eterna.
26 Se alguém me serve, siga-me, e, onde eu estiver, ali
estará também o meu servo. E, se alguém me servir, meu
Pai o honrará.
27 Agora a minha alma está angustiada, e o que direi? Pai,
salva-me desta hora? Não, pois foi precisamente com este
propósito que eu vim para esta hora.
28 Pai, glorifica o teu nome." Então veio uma voz do céu:
"Eu já o glorifiquei e novamente o glorificarei."
29 A multidão que ali estava, e que ouviu aquela voz, dizia
que havia sido um trovão. Outros diziam: "Foi um anjo
que lhe falou."
30 Então Jesus explicou: "Esta voz não veio por minha
causa, mas veio por causa de vocês.
31 Chegou a hora deste mundo ser julgado; agora será
expulso o príncipe deste mundo.
32 E eu, quando for levantado da terra, todos atrairei a
mim."
33 Ele dizia isto revelando com que tipo de morte haveria
de morrer.
34 Então a multidão perguntou: "Nós temos ouvido da lei
que o Cristo permanece para sempre; como tu dizes que é
necessário que o Filho do Homem seja levantado? Quem é
esse Filho do Homem?"
35 Então Jesus respondeu: "A luz ainda estará com vocês
por um pouco mais de tempo; andem enquanto vocês têm
a luz, para que as trevas não os surpreendam. E quem anda
nas trevas não sabe para onde vai.
36 Enquanto vocês têm a luz, creiam na luz, para que
sejam filhos da luz." Jesus disse estas coisas e retirou-se,
escondendo-se deles.

A Incredulidade dos Judeus

37 E, ainda que ele tivesse feito tantos sinais diante deles,
não creram nele,
38 para que se cumprisse a palavra do profeta Isaías, que
diz: "Senhor, quem creu em nossa pregação? E a quem foi
revelado o braço do Senhor?"
39 Por isso não podiam crer, porque, como disse Isaías
em outro lugar:
40 "Cegou os olhos deles e endureceu-lhes o coração, para
que não vejam com os olhos, nem compreendam com o
coração, nem se convertam, e eu os cure."
41 Isaías disse isto quando viu a glória de Jesus, e falou
sobre ele.

42 Contudo, muitas autoridades creram em Jesus; mas não confessavam a sua fé, por causa dos fariseus, para não serem expulsos da sinagoga;

43 porque amavam mais a glória dos homens do que a glória de Deus.

44 E Jesus clamou: "Quem crê em mim, crê não em mim, mas crê naquele que me enviou.

45 E quem vê a mim, vê aquele que me enviou.

46 Eu vim como luz para o mundo, para que todos que creem em mim não permaneçam nas trevas.

47 E, se alguém ouvir as minhas palavras e não crer, eu não o julgo; porque eu vim não para julgar o mundo, mas para salvar o mundo.

48 Quem me rejeitar e não receber as minhas palavras já tem quem o julgue; a palavra que falo, esta o julgará no último dia.

49 Porque eu não falei de mim mesmo; mas o Pai, que me enviou, ele me ordenou sobre o que dizer e sobre o que falar.

50 E sei que o seu mandamento é a vida eterna. Portanto, o que eu falo, falo exatamente como o Pai me falou."

Jesus Lava os Pés dos Discípulos

13 Antes da festa da Páscoa, Jesus, sabendo que já era chegada a sua hora de passar deste mundo para o Pai, tendo amado os seus, que estavam no mundo, amou-os até o fim.

2 E, no final da ceia, já tendo o diabo insinuado no coração de Judas Iscariotes, filho de Simão, que traísse Jesus,

3 e Jesus, sabendo que o Pai tinha depositado nas suas mãos todas as coisas, e que ele tinha vindo de Deus e voltava para Deus,

4 levantou-se da ceia, tirou as vestes, e, pegando uma toalha, cingiu-se com ela.

5 Depois pôs água numa bacia e começou a lavar os pés dos discípulos e a enxugá-los com a toalha com que estava cingido.

6 Então se aproximou de Simão Pedro, que lhe perguntou: "Senhor, vais me lavar os pés?"

7 E Jesus respondeu: "O que eu faço, você não compreende agora, mas vai entender depois."

8 Então Pedro disse: "O senhor jamais me lavará os pés!" E Jesus respondeu: "Se eu não lavar, você não terá parte comigo."

9 Então Simão Pedro lhe pediu: "Senhor, lava não só os meus pés, mas também as mãos e a cabeça."

10 Jesus respondeu: "Quem já se banhou precisa apenas lavar os pés, pois todo o corpo está limpo. Vocês estão limpos, mas não todos."

11 Porque ele sabia quem iria traí-lo; por isso disse: "Nem todos estão limpos."

12 Depois que lhes lavou os pés, Jesus pegou as suas vestes, se assentou outra vez à mesa e lhes perguntou: "Vocês compreendem o que eu lhes fiz?

13 Vocês me chamam de Mestre e Senhor, e fazem bem, porque eu o sou.

14 Ora, se eu, sendo Senhor e Mestre, lhes lavei os pés, vocês devem também lavar os pés uns dos outros.

15 Porque eu lhes dei o exemplo, para que, como eu lhes fiz, vocês façam também.

16 Em verdade, em verdade lhes digo: Que o servo não é maior do que o seu senhor, nem o enviado é maior do que aquele que o enviou.

17 Se vocês sabem estas coisas, bem-aventurados serão se as fizerem.

Jesus Prediz a Traição de Judas

18 Não falo de todos vocês; eu bem conheço aqueles que escolhi; mas é para que se cumpra a Escritura, que diz: 'Quem come o pão comigo, levantou contra mim o seu calcanhar.'

19 Desde agora lhes digo, antes que aconteça, para que, quando acontecer, acreditem que eu sou.

20 Em verdade, em verdade lhes digo que, se alguém receber quem eu enviar, recebe a mim, e quem me recebe, recebe aquele que me enviou."

21 Depois de dizer isto, Jesus perturbou-se em espírito, então declarou: "Em verdade, em verdade lhes digo que um de vocês me trairá."

22 Então os discípulos olharam uns para os outros, duvidando de quem ele falava.

23 Um de seus discípulos, aquele a quem Jesus amava, estava reclinado no peito de Jesus.

24 Então Simão Pedro fez sinal a este, para que perguntasse quem era aquele de quem ele falava.

25 E, inclinando-se ele sobre o peito de Jesus, perguntou: "Senhor, quem é?"

26 Jesus respondeu: "É aquele a quem eu der este pedaço de pão molhado." Então Jesus pegou um pedaço de pão, molhou e deu a Judas Iscariotes, filho de Simão.

27 E, após receber o pão, Satanás entrou nele. Então Jesus disse: "O que tem para fazer, faça-o depressa."

28 E nenhum dos que estavam à mesa compreenderam por que Jesus tinha dito isto.

29 Porque, como Judas era encarregado do dinheiro, alguns pensaram que Jesus lhe tinha dito: "Compre o que nos é necessário para a festa"; ou que desse alguma coisa aos pobres.

30 E, tendo Judas recebido o pedaço de pão, logo saiu. E já era noite.

31 Depois que ele saiu, Jesus disse: "Agora é glorificado o Filho do Homem, e Deus é glorificado nele.

32 Se Deus é glorificado nele, também Deus glorificará o
filho nele mesmo, e logo o glorificará.
33 Filhinhos, ainda por um pouco de tempo estou com
vocês. Vocês me buscarão, mas, como disse aos judeus,
também digo a vocês agora: Para onde eu vou vocês não
podem ir.
34 Eu lhes dou um novo mandamento: Que vocês se
amem uns aos outros; assim como eu os amei, que tam-
bém vocês se amem uns aos outros.
35 Nisto todos conhecerão que vocês são meus discípulos,
se vocês se amarem uns aos outros."
36 Simão Pedro perguntou: "Senhor, para onde vais?" Je-
sus respondeu: "Para onde eu vou, vocês não podem me
seguir agora, porém depois me seguirão."
37 Pedro disse: "Por que não posso te seguir agora? Por ti
darei a minha vida."
38 Jesus respondeu: "Você dará a sua vida por mim? Em
verdade, em verdade lhe digo que antes que o galo cante,
você me negará três vezes.

Jesus Encoraja Seus Discípulos

14 Não se perturbe o coração de vocês; creiam em
Deus, creiam também em mim.
2 Na casa de meu Pai há muitas moradas; se não fosse as-
sim, eu já lhes teria dito. Vou preparar um lugar para vocês.
3 E quando eu for e lhes preparar lugar, virei outra vez, e
levarei vocês para mim, para que, onde eu estiver, vocês
também estejam.
4 E já sabem para onde eu vou, e conhecem o caminho."

Jesus, o Caminho

5 Então Tomé disse: "Senhor, nós não sabemos para onde
vais; como podemos saber o caminho?"
6 Jesus respondeu: "Eu sou o caminho, a verdade e a vida.
Ninguém vem ao Pai, senão por mim.
7 Se vocês me conhecessem, também conheceriam o meu
Pai; já desde agora o conhecem e o têm visto."
8 Filipe disse a Jesus: "Senhor, mostra-nos o Pai, o que
nos basta."
9 Jesus respondeu: "Estou há tanto tempo com vocês, Fi-
lipe, e ainda não me conheceu? Quem vê a mim vê o Pai;
como você diz: 'Mostra-nos o Pai'?
10 Você não crê que eu estou no Pai e que o Pai está em
mim? As palavras que eu lhes digo não as digo de mim
mesmo, mas o Pai, que está em mim, é quem faz as obras.
11 Creiam que eu estou no Pai e que o Pai está em mim;
creiam, pelo menos por causa das mesmas obras.
12 Em verdade, em verdade lhes digo que aquele que crê
em mim também fará as obras que eu faço, e as fará maio-
res do que estas, porque eu vou para o meu Pai.
13 E tudo que pedirem em meu nome eu o farei, para que
o Pai seja glorificado no Filho.
14 Se pedirem alguma coisa em meu nome, eu o farei.
15 Se vocês me amam, obedecerão aos meus
mandamentos.

Promessa do Espírito Santo

16 E eu pedirei ao Pai e ele lhes dará outro Consolador,
para que fique com vocês para sempre:
17 o Espírito de verdade, que o mundo não pode receber,
porque não o vê nem o conhece; mas vocês o conhecem,
porque ele habita com vocês e estará em vocês.
18 Não os deixarei órfãos; voltarei para vocês.
19 Mais um pouco e o mundo não me verá mais; mas
vocês me verão; porque eu vivo, e vocês também viverão.
20 Naquele dia saberão que estou em meu Pai, vocês em
mim e eu em vocês.
21 Aquele que tem os meus mandamentos e os guarda,
esse é o que me ama; e aquele que me ama será amado
por meu Pai, e eu também o amarei e me revelarei a ele."
22 Então Judas, não o Iscariotes, disse a Jesus: "Senhor,
por que te revelarás a nós e não ao mundo?"
23 Jesus respondeu: "Se alguém me ama, guardará a mi-
nha palavra, e o meu Pai o amará e viremos para ele e
faremos nele morada.
24 Quem não me ama não guarda as minhas palavras; a
palavra que estão ouvindo não é minha, mas do Pai que
me enviou.
25 Tenho dito isto enquanto estou com vocês.
26 Mas o Consolador, o Espírito Santo, que o Pai enviará
em meu nome, esse ensinará a vocês todas as coisas e fará
vocês se lembrarem de tudo o que eu lhes disse.
27 Deixo com vocês a paz, a minha paz lhes dou; não lhes
dou a paz como o mundo a dá. Não se perturbe o coração
de vocês, nem tenham medo.
28 Ouviram o que eu lhes disse: Vou e volto para vocês. Se
me amassem, certamente ficariam alegres porque eu vou
para o Pai, porque o meu Pai é maior do que eu.
29 Isso eu disse agora antes que aconteça, para que, quan-
do acontecer, vocês acreditem.
30 Já não falarei muito com vocês, porque se aproxima
o príncipe deste mundo, e ele não tem poder sobre mim;
31 mas é para que o mundo saiba que eu amo o Pai, e
que faço como o Pai me mandou. Levantem-se, vamos sair
daqui.

A Videira e os Ramos

15 Eu sou a videira verdadeira e meu Pai é o lavrador.
2 Todo ramo em mim que não dá fruto, ele corta; e
todo que dá fruto ele limpa, para que dê mais fruto.
3 Vocês já estão limpos, por causa da palavra que lhes te-
nho falado.
4 Permaneçam em mim, e eu permanecerei em vocês;
como o ramo não pode dar fruto de si mesmo, se não esti-

ver na videira, assim vocês também não podem dar frutos,
se não permanecerem em mim.
5 Eu sou a videira, vocês são os ramos; quem permanece
em mim, e eu nele, esse dá muito fruto; porque sem mim
nada podem fazer.
6 Se alguém não permanecer em mim, será lançado fora,
como o ramo, e secará; tais ramos são apanhados, lançados
ao fogo e queimados.
7 Se vocês permanecerem em mim, e as minhas palavras
permanecerem em vocês, pedirão tudo o que quiserem, e
lhes será feito.
8 Nisto é glorificado o meu Pai, que vocês deem muito
fruto; assim serão meus discípulos.
9 Como o Pai me amou, também eu amei vocês; perma-
neçam no meu amor.
10 Se guardarem os meus mandamentos, permanecerão
no meu amor; assim como eu tenho guardado os manda-
mentos de meu Pai e permaneço no seu amor.
11 Tenho-lhes dito estas palavras para que a minha alegria
permaneça em vocês, e a alegria de vocês seja completa.
12 O meu mandamento é este: Que vocês se amem uns
aos outros, assim como eu os amei.
13 Ninguém tem amor maior do que este, de alguém dar
a sua vida pelos seus amigos.
14 Vocês serão meus amigos, se fizerem o que eu lhes
ordeno.
15 Já não chamo vocês de servos, porque o servo não
sabe o que o seu senhor faz; mas tenho chamado vocês
de amigos, porque tudo o que ouvi de meu Pai lhes dei
a conhecer.
16 Não foram vocês que me escolheram; pelo contrário,
eu os escolhi para irem e darem fruto, e o seu fruto perma-
neça; para que tudo o que em meu nome pedirem ao Pai,
ele lhes conceda.
17 Isto lhes ordeno: Que vocês se amem uns aos outros.

O Preço do Discipulado

18 Se o mundo os odeia, saibam que, primeiro do que a
vocês, odiou a mim.
19 Se vocês fossem do mundo, o mundo amaria o que era
seu, mas porque não são do mundo, por isso eu dele os
escolhi, por isso é que o mundo odeia vocês.
20 Lembrem-se da palavra que lhes disse: O servo não é
maior do que o seu senhor. Se a mim perseguiram, tam-
bém perseguirão vocês; se guardaram a minha palavra,
também guardarão a de vocês.
21 Mas tudo isto farão a vocês por causa do meu nome,
porque não conhecem aquele que me enviou.
22 Se eu não tivesse vindo, nem lhes falado, não teriam
pecado, mas agora não têm desculpa do seu pecado.
23 Quem me odeia, odeia também o meu Pai.
24 Se eu no meio deles não tivesse feito tais obras, que
nenhum outro fez, eles não teriam pecado; mas, agora,
viram as obras e odeiam a mim e ao meu Pai.
25 Mas isto é para que se cumpra a palavra que está escrita
na lei deles: 'Odiaram-me sem motivo'.
26 Mas, quando vier o Consolador, que eu, da parte do
Pai, enviarei a vocês, o Espírito de verdade que procede do
Pai, ele dará testemunho de mim.
27 E vocês também testemunharão, porque estiveram co-
migo desde o princípio.

16 Tenho-lhes dito estas coisas para que vocês não se
escandalizem.
2 Eles os expulsarão das sinagogas; e chegará a hora em
que qualquer um que os matar, pensará que está prestando
culto a Deus.
3 E farão isto porque não conheceram o Pai nem a mim.
4 Mas estou dizendo isto para que, quando chegar a hora,
vocês se lembrem de que eu já tinha dito isto para vocês.
E eu não lhes disse isto desde o princípio porque estava
com vocês.
5 Agora vou para aquele que me enviou e nenhum de
vocês me pergunta: 'Para onde vais?'
6 Pelo contrário, porque eu lhes disse isto, o coração de
vocês se encheu de tristeza.

A Obra do Consolador

7 Porém eu lhes digo a verdade: É melhor para vocês que
eu vá, porque, se eu não for, o Consolador não virá a vocês;
mas, quando eu for, eu o enviarei a vocês.
8 E, quando ele vier, convencerá o mundo do pecado, da
justiça e do juízo.
9 Do pecado, porque não creem em mim;
10 da justiça, porque vou para o meu Pai e não me verão
mais;
11 e do juízo, porque o príncipe deste mundo já está
julgado.
12 Ainda tenho muito que lhes dizer, mas vocês não po-
dem suportar agora.
13 Mas, quando vier o Espírito de verdade, ele os guiará
em toda a verdade; porque não falará de si mesmo, mas
dirá tudo o que tiver ouvido e anunciará a vocês o que virá.
14 Ele me glorificará, porque vai receber do que é meu, e
anunciará isso a vocês.
15 Tudo o que o Pai tem é meu; por isso eu disse a vocês
que o Espírito receberá do que é meu e anunciará a vocês.
16 Um pouco e vocês não me verão; e outra vez um pouco
mais, e me verão de novo."
17 Então alguns dos seus discípulos disseram uns aos ou-
tros: "O que é isto que nos diz? Um pouco, e não me verão
mais; e outra vez um pouco mais, me verão de novo; e por
que vou para o Pai?"

18 E perguntavam: "O que quer dizer isto: Um pouco?
Não sabemos o que ele está dizendo."
19 Jesus percebeu que eles o queriam interrogar e lhes
disse: "Discutem entre vocês a respeito disto que eu disse:
Um pouco e não me verão mais, e outra vez um pouco, e
me verão de novo?
20 Em verdade, em verdade lhes digo que vocês chorarão
e se lamentarão, mas o mundo se alegrará, e vocês estarão
tristes, mas a tristeza de vocês se transformará em alegria.
21 A mulher, quando está para dar à luz, sente tristeza,
porque é chegada a sua hora; mas, depois de ter dado à luz
a criança, já não se lembra da aflição, pelo prazer de ter
trazido uma pessoa ao mundo.
22 Assim também vocês agora estão tristes; mas os verei
outra vez, então, o coração de vocês se alegrará e a alegria
de vocês ninguém poderá tirar.

As Orações em Nome de Jesus

23 E naquele dia vocês nada me perguntarão. Em verda-
de, em verdade lhes digo que tudo o que pedirem ao meu
Pai em meu nome, ele lhes dará.
24 Até agora nada pediram em meu nome; peçam e rece-
berão, para que a alegria de vocês seja completa.
25 Disse isto a vocês por parábolas; vem a hora em que
não lhes falarei mais por parábolas, mas abertamente lhes
falarei a respeito do Pai.
26 Naquele dia pedirão em meu nome, e não lhes digo
que eu pedirei por vocês ao Pai,
27 pois o próprio Pai ama vocês, visto como vocês me
amaram, e creram que eu vim de Deus.
28 Vim do Pai e vim ao mundo; outra vez deixo o mundo
e vou para o Pai."
29 Então os seus discípulos disseram: "Eis que agora falas
abertamente e não dizes parábola alguma.
30 Agora sabemos que sabes tudo e não precisas de que
alguém te pergunte. Por isso cremos que vieste de Deus."
31 E Jesus respondeu: "Vocês creem agora?
32 Eis que chega a hora e já se aproxima, em que vocês
serão dispersos cada um para a sua casa, e me deixarão
sozinho; mas não estou só, porque o Pai está comigo.
33 Falei isto a vocês para que em mim tenham paz; no
mundo terão aflições, mas tenham bom ânimo, eu venci
o mundo."

Jesus Ora Por Si Mesmo

17 Depois de Jesus falar essas coisas, levantou os olhos
ao céu e disse: "Pai, é chegada a hora; glorifica o teu
Filho, para que o teu Filho te glorifique;
2 assim como lhe deste poder sobre toda a carne, para que
dê a vida eterna a todos os que lhe deste.
3 E a vida eterna é esta: Que conheçam a ti, único Deus
verdadeiro, e a Jesus Cristo, a quem enviaste.
4 Eu te glorifiquei na terra, tendo realizado a obra que me
deste para fazer.
5 E agora, ó Pai, glorifica-me junto de ti, com a glória que
eu tinha contigo antes que o mundo existisse.

Jesus Ora Por Seus Discípulos

6 Manifestei o teu nome às pessoas que me deste do
mundo; eram teus, tu os deste a mim e eles guardaram
a tua palavra.
7 Agora eles sabem que tudo que me deste vem de ti;
8 porque eu lhes transmiti as palavras que tu me deste; e
eles as receberam, e verdadeiramente reconheceram que
saí de ti e creram que tu me enviaste.
9 Eu rogo por eles; não rogo pelo mundo, mas por aqueles
que me deste, pois são teus.
10 Todas as minhas coisas são tuas e as tuas coisas são
minhas; nisso sou glorificado.
11 E eu já não estou mais no mundo, mas eles estão no
mundo, e eu vou para ti. Pai santo, guarda em teu nome
aqueles que me deste, para que sejam um, assim como
nós.
12 Quando eu estava com eles no mundo, guardava-os
no teu nome. Tenho guardado aqueles que tu me deste e
nenhum deles se perdeu, exceto o filho da perdição, para
que a Escritura se cumprisse.
13 Mas agora vou para ti e digo isto no mundo, para que
tenham a minha alegria completa em si mesmos.
14 Dei-lhes a tua palavra e o mundo os odiou, porque eles
não são do mundo, assim como eu não sou.
15 Não peço que os tires do mundo, mas que os livres
do mal.
16 Não são do mundo, como eu do mundo não sou.
17 Santifica-os na tua verdade; a tua palavra é a verdade.
18 Assim como tu me enviaste ao mundo, também eu os
enviei ao mundo.
19 E por eles me santifico a mim mesmo, para que tam-
bém eles sejam santificados na verdade.

Jesus Ora Por Todos os Crentes

20 E não rogo somente por estes, mas também por aque-
les que pelas suas palavras crerão em mim;
21 para que todos sejam um, como tu, ó Pai, estás em
mim, e eu em ti; que também eles sejam um em nós, para
que o mundo creia que tu me enviaste.
22 Dei-lhes a glória que me deste, para que eles sejam
um, assim como nós somos um.
23 Eu neles e tu em mim, para que eles sejam perfeitos
em unidade, e para que o mundo conheça que tu me
enviaste e que os tens amado, como me tens amado.
24 Pai, quero que aqueles que me deste, onde eu estiver,
também eles estejam comigo, para que vejam a minha

glória que me deste; porque tu me amaste antes da fun-
dação do mundo.
25 Pai justo, o mundo não te conheceu, mas eu te conhe-
ci, e estes conheceram que tu me enviaste.
26 E eu lhes fiz conhecer o teu nome e lhes farei conhe-
cer mais, para que o amor com que me tens amado esteja
neles e eu neles esteja."

Jesus é Preso

18 Depois de dizer isto, Jesus saiu com os seus discí-
pulos para o outro lado do ribeiro do Cedrom, onde
havia um jardim, no qual Jesus entrou com eles.
2 E Judas, que o trairia, também conhecia aquele lugar,
porque Jesus muitas vezes se reunia ali com os seus
discípulos.
3 Tendo Judas recebido uma escolta de soldados e alguns
criados dos principais sacerdotes e fariseus, chegou a esse
lugar com lanternas, tochas e armas.
4 Então Jesus, sabendo de tudo o que ia acontecer com
ele, adiantou-se e perguntou-lhes: "A quem procuram?"
5 E eles responderam: "A Jesus, o Nazareno." Então Jesus
lhes disse: "Sou eu." E Judas, que o traía, estava com eles.
6 Quando Jesus lhes disse: "Sou eu", recuaram e caíram
por terra.
7 E Jesus tornou-lhes a perguntar: "A quem procuram?"
E eles responderam: "A Jesus, o Nazareno."
8 Então Jesus disse: "Já lhes disse que sou eu; se é a mim
que estão procurando, deixem estes irem."
9 Jesus disse isso para que se cumprisse a palavra que
tinha dito: "Dos que me deste, nenhum deles perdi."
10 Então Simão Pedro, que tinha uma espada, desembai-
nhou-a e feriu o servo do sumo sacerdote, cortando-lhe a
orelha direita. E o nome do servo era Malco.
11 Porém Jesus disse a Pedro: "Guarde a sua espada na
bainha; por acaso não beberei o cálice que o Pai me deu?"
12 Então a escolta, o comandante e os guardas dos judeus
prenderam Jesus e o amarraram.

Jesus Perante Anás e Caifás

13 E conduziram-no primeiramente a Anás, sogro de Cai-
fás, que era o sumo sacerdote daquele ano.
14 Caifás era quem tinha aconselhado aos judeus que
convinha que um homem morresse pelo povo.

Pedro Nega Jesus

15 Simão Pedro e outro discípulo seguiam Jesus. E este
discípulo era conhecido do sumo sacerdote, e entrou com
Jesus na sala do sumo sacerdote.
16 E Pedro ficou de fora, à porta. Saiu então o outro dis-
cípulo que era conhecido do sumo sacerdote e falou com
a porteira, e levou Pedro para dentro.
17 Então a porteira disse a Pedro: "Não é você também
um dos discípulos deste homem?" Ele respondeu: "Não
sou."
18 Estavam ali os servos e os criados que tinham feito
uma fogueira e se aqueciam, porque fazia frio; e com eles
estava Pedro, aquecendo-se também.
19 E o sumo sacerdote interrogou Jesus a respeito dos
seus discípulos e da sua doutrina.
20 Jesus lhe respondeu: "Eu falei abertamente ao mundo;
eu sempre ensinei na sinagoga e no templo, onde os ju-
deus sempre se ajuntam e nada disse em segredo.
21 Por que pergunta para mim? Pergunte aos que ouvi-
ram o que é que lhes falei; eles sabem o que eu lhes disse.
22 E, quando disse isto, um dos guardas que ali estavam
deu uma bofetada em Jesus, dizendo: "É assim que res-
ponde ao sumo sacerdote?"
23 E Jesus lhe respondeu: "Se falei mal, dê testemunho
do mal; mas, se falei bem, por que me bateu?"
24 Então Anás o enviou amarrado ao sumo sacerdote
Caifás.
25 Simão Pedro estava ali se aquecendo, então lhe per-
guntaram: "Você também não é um dos discípulos dele?"
Ele negou e disse: "Não sou."
26 E um dos servos do sumo sacerdote, parente daquele a
quem Pedro cortou a orelha, perguntou: "Eu não vi você
no jardim com ele?"
27 E Pedro negou outra vez, e logo o galo cantou.

Jesus Julgado Pelo Governador Pilatos

28 Depois os judeus levaram Jesus da casa de Caifás
para a audiência. E era de manhã cedo. E os judeus não
entraram na audiência para não se contaminarem, pois
queriam participar da Páscoa.
29 Então Pilatos saiu para fora e lhes perguntou: "Que
acusação trazem contra este homem?"
30 Eles responderam: "Se ele não fosse malfeitor, não o
teríamos entregado ao senhor."
31 Então Pilatos disse: "Levem-no daqui e julguem-no se-
gundo a lei de vocês." Mas os judeus responderam: "Não
nos é lícito matar ninguém."
32 Isso aconteceu para que se cumprisse a palavra que
Jesus tinha dito, indicando com que tipo de morte ele
estava para morrer.
33 Pilatos entrou novamente na audiência, chamou Jesus
e lhe perguntou: "Você é o Rei dos Judeus?"
34 E Jesus respondeu: "Essa pergunta é sua, ou outros lhe
falaram a meu respeito?"
35 Pilatos respondeu: "Por acaso eu sou judeu? A sua
nação e os seus principais sacerdotes o entregaram a mim.
O que você fez?"
36 Jesus respondeu: "O meu reino não é deste mundo; se
o meu reino fosse deste mundo, os meus servos lutariam

para que eu não fosse entregue aos judeus; mas agora o
meu reino não é daqui."
37 E Pilatos perguntou: "Então você é rei?" Jesus respon-
deu: "O Senhor disse que eu sou rei. Eu para isso nasci e
para isso vim ao mundo, para dar testemunho da verdade.
Todos que são da verdade me ouvem."
38 Pilatos perguntou: "O que é a verdade?". E, dizendo
isto, saiu novamente para falar com os judeus, e disse:
"Não acho nele crime algum.
39 Mas vocês têm por costume que eu lhes liberte um
prisioneiro pela Páscoa. Querem que lhes solte o Rei dos
Judeus?"
40 Então todos gritavam, dizendo: "Este não, mas Barra-
bás." E Barrabás era um ladrão.

Jesus é Humilhado Pelos Soldados e Condenado

19 Então Pilatos mandou açoitar Jesus.
2 E os soldados teceram uma coroa de espinhos,
puseram sobre a cabeça de Jesus e o vestiram com uma
capa de púrpura.
3 E diziam: "Salve, Rei dos Judeus." E davam-lhe
bofetadas.
4 Então Pilatos saiu outra vez para fora e disse aos judeus:
"Eu o trago a vocês, para que saibam que não acho nele
crime algum."
5 Então Jesus saiu levando a coroa de espinhos e a capa
de púrpura. E Pilatos lhes disse: "Eis aqui o homem."
6 Ao vê-lo, os principais sacerdotes e os guardas grita-
vam: "Crucifica-o, crucifica-o." Mas Pilatos respondeu:
"Levem-no vocês e crucifiquem-no; porque eu não en-
contrei crime nele."
7 Os judeus responderam: "Nós temos uma lei e, segun-
do a nossa lei, ele deve morrer, porque se fez Filho de
Deus."
8 E Pilatos, quando ouviu esta palavra, ficou mais
atemorizado.
9 Entrou outra vez na audiência e perguntou a Jesus: "De
onde você é?" Mas Jesus não lhe deu resposta.
10 Então Pilatos o advertiu: "Você não fala comigo?
Não sabe que tenho autoridade para crucificá-lo e para
soltá-lo?"
11 Jesus respondeu: "O senhor não teria nenhuma autori-
dade sobre mim se de cima não lhe fosse dada; mas quem
me entregou ao senhor tem maior pecado."
12 Desde então Pilatos procurava libertar Jesus; mas os
judeus gritavam, dizendo: "Se soltares este homem, tu
não és amigo de César; quem se faz rei é contra César."
13 Quando Pilatos ouviu estas palavras, trouxe Jesus para
fora e sentou-se no tribunal, no lugar chamado pavimento
de pedra, e em hebraico Gabatá.
14 E era a preparação da Páscoa; por volta do meio-dia,
então, Pilatos disse aos judeus: "Eis aqui o Rei de vocês."
15 Mas eles gritavam: "Mata, mata, crucifica-o." Então
Pilatos perguntou: "Devo crucificar o rei de vocês?" Os
principais sacerdotes responderam: "Não temos rei, senão
César."

A Crucificação

16 Então Pilatos entregou Jesus para que fosse crucifica-
do, e eles o levaram.
17 E Jesus, levando a sua cruz nas costas, saiu para o lugar
chamado Caveira, que em hebraico se chama Gólgota,
18 onde o crucificaram e, com ele, outros dois, um de
cada lado, e Jesus no meio.
19 E Pilatos escreveu também um título e pôs em cima
da cruz. Estava escrito: "JESUS NAZARENO, REI DOS
JUDEUS."
20 E muitos dos judeus leram este título; porque o lugar
onde Jesus estava crucificado era próximo da cidade e
estava escrito em hebraico, grego e latim.
21 Os principais sacerdotes dos judeus disseram a Pilatos:
"Não escreva Rei dos judeus, mas sim o que ele disse:
'Sou o Rei dos judeus'."
22 Pilatos respondeu: "O que escrevi, escrevi."
23 Tendo crucificado Jesus, os soldados tomaram as suas
vestes e as dividiram em quatro partes, para cada soldado
uma parte; e também a túnica. A túnica, porém, era toda
tecida de alto a baixo, e não tinha costura.
24 Por isso os soldados disseram uns aos outros: "Não a
rasguemos, mas vamos sortear, para ver quem ficará com
ela." Isso aconteceu para que se cumprisse a Escritura
que diz: "Dividiram entre si as minhas roupas, e fizeram
sorteio pelas minhas vestes." E os soldados fizeram estas
coisas.
25 E junto à cruz de Jesus estavam sua mãe e a irmã de
sua mãe, Maria, mulher de Cléofas, e Maria Madalena.
26 Quando Jesus viu ali sua mãe, e que o discípulo a
quem ele amava estava presente, disse a sua mãe: "Mu-
lher, aí está o seu filho."
27 Depois disse ao discípulo: "Eis aí a sua mãe." E, da-
quela hora em diante, o discípulo a recebeu em sua casa.

A Morte de Jesus

28 Depois, Jesus, sabendo que todas as coisas já estavam
terminadas, para que a Escritura se cumprisse, disse: "Te-
nho sede."
29 E estava ali um vaso cheio de vinagre. Então ensopa-
ram de vinagre uma esponja, puseram-na num hissope, e
a ergueram até os lábios de Jesus.
30 E, quando Jesus tomou o vinagre, disse: "Está consu-
mado." E, inclinando a cabeça, entregou o espírito.
31 Os judeus, para que no sábado não ficassem os corpos

na cruz, como era a preparação, e o dia seguinte seria
um sábado especialmente sagrado, pediram a Pilatos que
mandasse quebrar as pernas dos crucificados e fossem
tirados os corpos.
32 Os soldados foram e quebraram as pernas do primeiro
homem que foi crucificado com Jesus, e, em seguida, as
do outro que como ele fora crucificado;
33 mas, quando chegaram a Jesus, e vendo que ele já
estava morto, não lhe quebraram as pernas.
34 Contudo, um dos soldados lhe furou o lado com uma
lança, e logo saiu sangue e água.
35 E aquele que viu testificou, e o seu testemunho é
verdadeiro; ele sabe que é verdade o que diz, para que
também vocês creiam.
36 Porque isto aconteceu para que se cumprisse a Escri-
tura, que diz: "Nenhum dos seus ossos será quebrado."
37 E outra vez diz a Escritura: "Verão aquele que
traspassaram."

O Sepultamento de Jesus

38 Depois disto, José de Arimateia, que era discípulo de
Jesus, mas oculto por medo dos judeus, pediu a Pilatos
que lhe permitisse tirar o corpo de Jesus. E Pilatos lhe
permitiu. Então ele foi e tirou o corpo.
39 E Nicodemos, aquele que anteriormente tinha visi-
tado Jesus à noite, também foi, levando quase trinta e
quatro quilos de um composto de mirra e aloés.
40 Pegaram o corpo de Jesus e o envolveram em lençóis
com as especiarias, como os judeus costumam fazer na
preparação para o sepulcro.
41 E havia um jardim naquele lugar onde Jesus foi cru-
cificado, e no jardim havia um sepulcro novo, em que
ninguém ainda havia sido posto.
42 Ali, por causa da preparação dos judeus e por estar
perto o sepulcro, puseram o corpo de Jesus.

A Ressurreição

20 E, no primeiro dia da semana, Maria Madalena foi
ao sepulcro de madrugada, quando ainda estava
escuro, e viu a pedra da entrada do sepulcro removida.
2 Então ela correu e foi até Simão Pedro, e o outro dis-
cípulo, a quem Jesus amava, e disse-lhes: "Levaram o Se-
nhor do sepulcro e não sabemos onde o puseram."
3 Então Pedro saiu com o outro discípulo e foram ao
sepulcro.
4 E os dois corriam juntos, mas o outro discípulo cor-
reu mais depressa do que Pedro e chegou primeiro ao
sepulcro.
5 E, abaixando-se, viu no chão os lençóis; mas não entrou.
6 Simão Pedro, que o seguia, chegou e entrou no sepul-
cro e viu no chão os lençóis,
7 e o lenço, que tinha sido posto sobre a cabeça de Jesus,
não estava com os lençóis, mas dobrado em um lugar à
parte.
8 Então o outro discípulo, que chegou primeiro ao sepul-
cro, também entrou, e viu e creu.
9 Eles ainda não haviam compreendido que, conforme
a Escritura, era necessário que Jesus ressuscitasse dos
mortos.

Jesus Aparece Para Maria Madalena

10 E os discípulos voltaram para casa.
11 Maria permanecia chorando junto ao sepulcro. En-
quanto ela chorava, abaixou-se e olhou para dentro do
sepulcro.
12 E viu dois anjos vestidos de branco sentados onde o
corpo de Jesus havia sido colocado, um à cabeceira e ou-
tro aos pés.
13 Então eles perguntaram: "Mulher, por que está cho-
rando?" Ela respondeu: "Porque levaram o meu Senhor e
não sei onde o puseram."
14 E, depois de dizer isso, ela se virou para trás e viu
Jesus em pé, mas não reconheceu que era Jesus.
15 Jesus lhe perguntou: "Mulher, por que você está cho-
rando? Quem você está procurando?" Ela, supondo que
ele era o jardineiro, respondeu: "Senhor, se o levou embo-
ra, diga-me onde o colocou, e eu o levarei."
16 Jesus disse: "Maria!" Ela, voltando-se, lhe disse:
"Mestre."
17 Jesus continuou: "Não me detenha, porque ainda não
subi para meu Pai, mas vá até os meus irmãos, e diga-lhes
que eu subo para meu Pai e o Pai de vocês, meu Deus e
o Deus de vocês."
18 Então Maria Madalena foi e anunciou aos discípulos
que viu o Senhor, e que ele lhe disse estas coisas.

Jesus Aparece aos Discípulos

19 Chegada a tarde daquele dia, o primeiro da semana, e
estando fechadas as portas da casa onde estavam os discí-
pulos com medo dos judeus, Jesus veio e se pôs no meio
deles, e lhes disse: "Que a paz esteja com vocês."
20 E, dizendo isto, lhes mostrou as suas mãos e o lado.
Então os discípulos se alegraram ao verem o Senhor.
21 E Jesus lhes disse outra vez: "Que a paz esteja com
vocês; assim como o Pai me enviou, eu também envio
vocês."
22 E, havendo dito isto, soprou sobre eles e lhes disse:
"Recebam o Espírito Santo.
23 Se perdoarem os pecados de alguém, estes estarão
perdoados, mas se não os perdoarem, estes não estarão
perdoados."

Jesus Aparece Para Tomé

24 Tomé, um dos doze, chamado Dídimo, não estava
com eles quando Jesus veio.

25 Então os outros discípulos disseram a Tomé: "Vimos
o Senhor." Mas ele respondeu: "Se eu não vir o sinal dos
cravos em suas mãos, e não puser o dedo no lugar dos
cravos, e não puser a minha mão no seu lado, de maneira
nenhuma acreditarei."
26 E, oito dias depois, os seus discípulos estavam outra
vez reunidos, e Tomé estava com eles. Estando as portas
fechadas, Jesus veio, ficou no meio deles e disse: "Que a
paz esteja com vocês."
27 E logo disse a Tomé: "Ponha aqui o seu dedo e veja as
minhas mãos; estenda a sua mão e ponha no meu lado; e
não seja incrédulo, mas crente."
28 E Tomé respondeu: "Senhor Deus meu!"
29 Jesus lhe disse: "Tomé, porque me viu, creu; bem-a-
venturados os que não viram e creram."
30 Jesus fez muitos outros sinais na presença de seus dis-
cípulos, que não estão escritos neste livro.
31 Porém estes foram escritos para que creiam que Jesus
é o Cristo, o Filho de Deus, e para que, crendo, tenham
vida em seu nome.

A Pesca Maravilhosa

21 Depois disto Jesus se manifestou outra vez aos dis-
cípulos junto do mar de Tiberíades; e manifestou-se
assim:
2 Estavam juntos Simão Pedro e Tomé, chamado Dídimo,
e Natanael, que era de Caná da Galileia, os filhos de Ze-
bedeu e outros dois dos seus discípulos.
3 E Simão Pedro disse: "Vou pescar." Os outros respon-
deram: "Nós também vamos com você." Então foram e
subiram no barco, mas naquela noite não pegaram nada.
4 E, já de manhã, Jesus estava na praia, mas os discípulos
não reconheceram que era ele.
5 E Jesus lhes perguntou: "Filhos, vocês têm alguma coisa
para comer?" E eles responderam: "Não."
6 Então Jesus disse: "Lancem a rede para o lado direito do
barco e acharão." Eles lançaram e não podiam tirar pela
grande quantidade de peixes.
7 Então o discípulo, a quem Jesus amava, disse a Pedro:
"É o Senhor." E, quando Simão Pedro ouviu que era o
Senhor, cingiu-se com a sua túnica, porque estava nu, e
lançou-se ao mar.
8 E os outros discípulos foram com o barco puxando a
rede com os peixes, porque estavam somente a uns no-
venta metros da margem.
9 Logo que desceram do barco, viram ali umas brasas
com um peixe por cima e pão.
10 Então Jesus lhes disse: "Tragam os peixes que apa-
nharam agora."
11 Simão Pedro subiu no barco e puxou a rede com cento
e cinquenta e três grandes peixes para a terra; mesmo
sendo muitos peixes, a rede não se rompeu.
12 Jesus disse a eles: "Venham, comam." E nenhum dos
discípulos ousava lhe perguntar: "Quem és tu?" Porque
sabiam que ele era o Senhor.
13 Jesus, então, pegou o pão e o peixe e lhes deu.
14 E já era a terceira vez que Jesus se manifestava aos
seus discípulos depois de ter ressuscitado dentre os
mortos.

A Restauração de Pedro

15 E, depois de terem jantado, disse Jesus a Simão Pedro:
"Simão, filho de João, você me ama mais do que estes
outros me amam?" E ele respondeu: "Sim, Senhor, tu sa-
bes que te amo." Jesus lhe disse: "Apascente as minhas
ovelhas."
16 E Jesus perguntou pela segunda vez: "Simão, filho
de João, você me ama?" Ele respondeu: "Sim, Senhor, tu
sabes que te amo." Então Jesus lhe disse: "Apascente as
minhas ovelhas."
17 Pela terceira vez, Jesus lhe perguntou: "Simão, filho
de João, você me ama?" Simão entristeceu-se por ter Je-
sus lhe perguntado pela terceira vez: "Você me ama?" E
respondeu: "Senhor, tu sabes tudo; tu sabes que eu te
amo." Jesus lhe disse: "Apascente as minhas ovelhas.
18 Em verdade, em verdade lhe digo que, quando era
mais moço, você se arrumava, e andava por onde queria;
mas, quando já for velho, estenderá as suas mãos e outra
pessoa o vestirá e o levará para onde você não deseja ir."
19 Jesus disse isto para indicar com que tipo de morte
Pedro iria glorificar a Deus. E depois de dizer isto, Jesus
disse: "Siga-me!"
20 E Pedro, voltando-se, viu que o discípulo a quem Jesus
amava o seguia; este era o mesmo que na ceia se recostou
sobre o peito de Jesus, e que tinha dito: "Senhor, quem é
que irá te trair?"
21 E, ao vê-lo, Pedro perguntou a Jesus: "Senhor, e quan-
to a este?"
22 Jesus respondeu: "Se eu quero que ele fique vivo até
que eu volte, o que lhe importa? Quanto a você, siga-me!
23 Foi por isso que se espalhou entre os irmãos a notícia
de que aquele discípulo não morreria. Jesus, porém, não
disse que tal discípulo não morreria, mas: "Se eu quero
que ele permaneça até que eu venha, o que lhe importa?"
24 Este é o discípulo que dá testemunho destas coisas
e que as escreveu; e sabemos que o seu testemunho é
verdadeiro.
25 Há, porém, ainda muitas outras coisas que Jesus fez; e,
se cada uma delas fosse escrita, penso que nem no mundo
todo poderiam caber os livros que seriam escritos. Amém.

ATOS DOS APÓSTOLOS

A Ascensão de Jesus

1 Escrevi o primeiro livro, ó Teófilo, a respeito de tudo o
que Jesus começou a fazer e a ensinar,
2 até o dia em que foi elevado aos céus, depois de haver
dado mandamentos pelo Espírito Santo aos apóstolos que
havia escolhido.
3 Depois de ter padecido, Jesus se apresentou vivo aos
seus apóstolos, com muitas e infalíveis provas, aparecendo
para eles por quarenta dias e falando das coisas relaciona-
das ao Reino de Deus.
4 E, em uma ocasião, enquanto comia com eles, determi-
nou-lhes que não se ausentassem de Jerusalém, mas que
esperassem a promessa do Pai, da qual eu falei para vocês.
5 "Porque, na verdade, João batizou com água, mas vocês
serão batizados com o Espírito Santo, dentro de poucos
dias."
6 Aqueles, que estavam reunidos com Jesus, lhe pergun-
taram: Senhor, tu restaurarás o reino a Israel neste tempo?
7 E Jesus respondeu: "Não lhes pertence saber os tem-
pos ou as estações que o Pai estabeleceu pelo seu próprio
poder.
8 Mas vocês receberão o poder do Espírito Santo que virá
sobre vocês e serão minhas testemunhas, tanto em Jeru-
salém como em toda a Judeia e Samaria, e até os confins
da terra.
9 E, depois de ter dito isto, Jesus foi elevado às alturas à
vista deles, e uma nuvem o encobriu da vista deles.
10 E, estando eles com os olhos fixos no céu, enquanto
Jesus subia, eis que junto deles se puseram dois homens
vestidos de branco.
11 E lhes disseram: "Homens galileus, por que estão
olhando para o céu? Esse Jesus, que dentre vocês foi re-
cebido em cima no céu, voltará do mesmo modo como
o viram subir."

O Substituto de Judas

12 Então os apóstolos voltaram do Monte das Oliveiras
para Jerusalém; a distância até Jerusalém é de cerca de
um quilômetro.
13 E, quando entraram na cidade, subiram para o cená-
culo, onde Pedro, Tiago, João, André, Filipe, Tomé, Bar-
tolomeu, Mateus, Tiago, filho de Alfeu, Simão, o zelote, e
Judas, irmão de Tiago estavam hospedados.
14 Todos perseveravam unanimemente em oração e sú-
plicas com as mulheres, com Maria, mãe de Jesus, e com
seus irmãos.
15 E, naqueles dias, Pedro se levantou no meio dos discí-
pulos, o grupo reunido era de quase cento e vinte pessoas,
e disse:
16 "Irmãos, era necessário que se cumprisse a Escritura
que o Espírito Santo predisse pela boca de Davi, a respeito
de Judas, que foi o guia daqueles que prenderam Jesus;
17 ele era um dos nossos, e teve parte neste ministério.
18 Ele adquiriu um campo com a recompensa da iniqui-
dade; ele caiu e partiu-se ao meio, e todas as suas vísceras
se derramaram.
19 E todos os habitantes de Jerusalém ficaram sabendo
disso, de maneira que, na língua deles, esse campo se cha-
ma Acéldama, isto é, Campo de Sangue.
20 Porque no livro dos Salmos está escrito: 'Fique deserta
a sua habitação, e não haja quem nela habite, e que outro
tome o seu lugar.'
21 É necessário, então, que, dos homens que conviveram
conosco por todo o tempo em que o Senhor Jesus viveu
entre nós,
22 desde o batismo de João até o dia em que Jesus foi
elevado dentre nós às alturas, um destes seja conosco tes-
temunha da sua ressurreição."
23 Então apresentaram dois nomes: José, chamado Barsa-
bás, também conhecido como Justo, e Matias.
24 E, orando, disseram: "Tu, Senhor, conhecedor dos
corações de todos, mostra qual destes dois tens escolhido,
25 para que tome parte neste ministério e apostolado, de
que Judas se desviou, indo para o seu próprio lugar."
26 E, por sorteio, Matias foi o escolhido, e foi acrescenta-
do aos onze apóstolos.

A Descida do Espírito Santo

2 E, chegando o dia de Pentecostes, estavam todos reuni-
dos no mesmo lugar,
2 e, de repente, veio do céu um som, como de um ven-
to muito forte, e encheu toda a casa em que estavam
assentados.
3 E apareceram entre eles línguas como que de fogo, que
pousaram sobre cada um deles.
4 Então todos ficaram cheios do Espírito Santo, e começa-
ram a falar em outras línguas, conforme o Espírito Santo
lhes concedia que falassem.
5 E havia em Jerusalém judeus devotos a Deus, vindos de
todas as nações do mundo.
6 E, quando aquele som ocorreu, ajuntou-se uma multi-
dão que ficou perplexa, porque cada um os ouvia falar em
sua própria língua.
7 E todos pasmavam e se maravilhavam, dizendo uns aos

outros: "Por acaso todos esses homens que estão falando
não são galileus?
8 Como os ouvimos, cada um na nossa própria língua em
que somos nascidos?
9 Partos, medos, elamitas, habitantes da Mesopotâmia,
Judeia, Capadócia, Ponto e Ásia,
10 e Frígia, Panfília, Egito e partes da Líbia, junto a Cirene,
e forasteiros romanos, tanto judeus como convertidos ao
judaísmo,
11 cretenses e árabes, todos nós temos ouvido em nossas
próprias línguas falarem das grandezas de Deus."
12 E todos se maravilhavam e estavam perplexos, dizendo
uns para os outros: "O que isto quer dizer?"
13 E outros, zombando, diziam: "Estão cheios de vinho."

O Sermão de Pedro

14 Pedro, porém, pondo-se em pé com os onze, levantou
a sua voz e lhes disse: "Homens judeus e todos os que
habitam em Jerusalém, deixem-me explicar isto a vocês,
escutem as minhas palavras.
15 Estes homens não estão embriagados como vocês pen-
sam, sendo ainda nove da manhã.
16 Mas isto é o que foi dito pelo profeta Joel:
17 'E nos últimos dias acontecerá, diz Deus, que derrama-
rei do meu Espírito sobre todos os povos; e os seus filhos e
as suas filhas profetizarão, os seus jovens terão visões e os
seus velhos terão sonhos;
18 e também derramarei do meu Espírito sobre os meus
servos e as minhas servas naqueles dias, e profetizarão;
19 e farei aparecerem maravilhas em cima no céu, e sinais
em baixo na terra: Sangue, fogo e vapor de fumaça.
20 O sol se converterá em trevas e a lua em sangue, antes
de chegar o grande e glorioso dia do Senhor;
21 e acontecerá que todos que invocarem o nome do Se-
nhor serão salvos.'
22 Homens israelitas, escutem estas palavras: Jesus, o
Nazareno, homem aprovado por Deus entre vocês com
maravilhas, milagres e sinais, que Deus por ele fez no meio
de vocês, como vocês mesmos sabem,
23 este homem que foi entregue a vocês pelo determina-
do conselho e presciência de Deus, prenderam, crucifica-
ram e mataram pelas mãos de injustos;
24 o qual Deus ressuscitou, rompendo os laços da morte,
pois não era possível que fosse retido por ela;
25 porque, a respeito dele, disse Davi: 'Sempre via diante
de mim o Senhor, porque está à minha direita, para que eu
não seja abalado;
26 por isso o meu coração se alegrou e a minha língua
exultou; e ainda o meu corpo repousará em esperança;
27 porque tu não deixarás a minha alma no inferno, nem
permitirás que o teu Santo veja a corrupção;
28 tu me fizeste conhecer os caminhos da vida; com a tua
face me encherás de júbilo.'
29 Irmãos, posso dizer a vocês com certeza que o patriar-
ca Davi morreu e foi sepultado, a sua sepultura está até
hoje entre nós.
30 Ele era profeta, e sabia que Deus lhe havia prometido
com juramento que, da sua descendência, levantaria o
Cristo, para o assentar sobre o seu trono.
31 Nessa previsão, ele disse da ressurreição de Cristo que
a sua alma não foi deixada no sepulcro, nem o seu corpo
sofreu decomposição.
32 Deus ressuscitou este Jesus, e todos nós somos
testemunhas.
33 Exaltado à direita de Deus, e tendo recebido do Pai a
promessa do Espírito Santo, derramou isto que vocês ago-
ra veem e ouvem.
34 Porque Davi não subiu aos céus, mas ele próprio diz:
'O Senhor disse ao meu Senhor: Senta-te à minha direita,
35 até que eu ponha os teus inimigos por estrado de teus
pés.'
36 Portanto, toda a casa de Israel saiba com certeza que
esse Jesus, a quem vocês crucificaram, Deus o fez Senhor
e Cristo."

A Conversão de Três Mil Almas

37 E eles, ouvindo isto, ficaram aflitos em seu coração e
perguntaram a Pedro e aos demais apóstolos: "Irmãos, o
que faremos?"
38 E Pedro respondeu: "Arrependam-se, e cada um de
vocês seja batizado em nome de Jesus Cristo, para perdão
dos pecados; e receberão o dom do Espírito Santo;
39 porque a promessa é para vocês, para os seus filhos,
para todos os que estão longe, e para todos que Deus nosso
Senhor chamar."
40 E com muitas outras palavras os advertia e insistia, di-
zendo: "Salvem-se desta geração perversa."
41 Os que aceitaram as palavras de Pedro foram batiza-
dos; e naquele dia houve um acréscimo de quase três mil
pessoas.

A União dos Cristãos

42 E perseveravam na doutrina dos apóstolos, na comu-
nhão, no partir do pão e nas orações.
43 Em cada alma havia temor, e muitas maravilhas e sinais
se faziam pelos apóstolos.
44 Todos os que criam estavam juntos e tinham tudo em
comum.
45 Vendiam suas propriedades e bens e repartiam com
todos, segundo as necessidades de cada um.
46 Perseverando unânimes todos os dias no templo, e
partindo o pão em casa, comiam juntos com alegria e sin-
ceridade de coração,

47 louvando a Deus e caindo na graça de todo o povo.
E todos os dias o Senhor lhes acrescentava os que iam
sendo salvos.

A Cura do Aleijado

3 E Pedro e João subiam juntos ao templo na hora da
oração, às três horas da tarde.
2 E era trazido todo dia para a porta do templo, chamada
Formosa, um homem que, desde o ventre de sua mãe, era
aleijado, para pedir esmola aos que entravam.
3 Ele, vendo Pedro e João que iam entrando no templo,
pediu-lhes esmola.
4 Pedro e João olharam bem para ele e disseram: "Olhe
para nós."
5 O homem olhou para eles, esperando receber deles al-
guma coisa.
6 E Pedro lhe disse: "Não tenho prata nem ouro, mas,
o que tenho, isto lhe dou. Em nome de Jesus Cristo, o
Nazareno, levante-se e ande."
7 E, segurando-o pela mão direita, o levantou, e logo os
seus pés e tornozelos se afirmaram.
8 Ele saltou, ficou em pé e andou e entrou com eles no
templo andando, saltando e louvando a Deus.
9 E todo o povo o viu andar e louvar a Deus;
10 e reconheceram que era ele quem se assentava para
pedir esmolas na porta Formosa do templo; e todos fica-
ram perplexos e admirados pelo que lhe tinha acontecido.

O Testemunho de Pedro

11 E o homem que foi curado ainda se mantinha ao lado
de Pedro e João, e todo o povo, maravilhado, correu para
junto deles, ao lugar chamado Pórtico de Salomão.
12 E quando Pedro viu isto, disse ao povo: "Israelitas, por
que se maravilham com isto? Ou, por que olham tanto
para nós, como se tivéssemos feito este homem andar pelo
nosso próprio poder?
13 O Deus de Abraão, de Isaque e de Jacó, o Deus de nos-
sos pais, glorificou o seu filho Jesus, a quem vocês entre-
garam para ser morto, e perante a face de Pilatos negaram,
tendo este determinado que fosse solto.
14 Vocês negaram o Santo e o Justo, e pediram que fosse
libertado um homem assassino.
15 E mataram o autor da vida, o qual Deus ressuscitou
dentre os mortos, e nós somos testemunhas disto.
16 E pela fé no nome de Jesus é que este nome fortaleceu
este homem que estão vendo e conhecem; sim, a fé que
vem por Jesus deu a este homem, na presença de todos
vocês, esta saúde perfeita.
17 E agora, irmãos, eu sei que fizeram isso por ignorância,
como também as suas autoridades.
18 Mas foi assim que Deus cumpriu o que já desde antes
havia anunciado pela boca de todos os seus profetas que o
Cristo haveria de sofrer.
19 Arrependam-se e se convertam, para que os seus peca-
dos sejam apagados, e venham assim os tempos de descan-
so pela presença do Senhor,
20 e ele envie Jesus Cristo, que foi designado para vocês.
21 É necessário que ele permaneça no céu até que chegue
o tempo da restauração de tudo, do qual Deus falou pela
boca de todos os seus santos profetas, desde o princípio.
22 Porque Moisés disse aos pais: 'O Senhor Deus levanta-
rá dentre seus irmãos um profeta semelhante a mim; vocês
o ouvirão em tudo o que disser.
23 E quem não escutar esse profeta será exterminado do
meio do seu povo.'
24 E todos os profetas, desde Samuel, todos que falaram,
também predisseram estes dias.
25 Vocês são os filhos dos profetas e da aliança que Deus
fez com nossos pais, dizendo a Abraão: 'Na sua descen-
dência serão benditas todas as famílias da terra.'
26 Tendo Deus ressuscitado o seu Filho Jesus, primeiro o
enviou a vocês, para abençoá-los e, para tirar de cada um
de vocês as suas maldades."

Pedro e João Diante do Sinédrio

4 Enquanto Pedro falava ao povo, chegaram os sacerdo-
tes, o capitão do templo e os saduceus,
2 muito incomodados por eles estarem ensinando o povo
e anunciando em Jesus a ressurreição dos mortos.
3 E enviaram Pedro e João para a prisão até o dia seguinte,
pois já era tarde.
4 Muitos, porém, que ouviram a palavra, creram, e o nú-
mero desses homens chegou a quase cinco mil.
5 E, no dia seguinte, congregaram-se as autoridades, os
líderes religiosos, os escribas,
6 e Anás, o sumo sacerdote, Caifás, João e Alexandre, e
todos os que eram da família do sumo sacerdote.
7 E, pondo Pedro e João no meio deles, perguntaram:
"Com que poder ou em nome de quem fizeram isto?"
8 Então Pedro, cheio do Espírito Santo, lhes disse: "Autori-
dades, líderes do povo e vocês, anciãos de Israel,
9 visto que hoje somos interrogados a respeito do bene-
fício feito a um homem enfermo, e do modo como foi
curado,
10 saibam, vocês todos, e todo o povo de Israel, que em
nome de Jesus Cristo, o Nazareno, aquele a quem vocês
crucificaram, e a quem Deus ressuscitou dentre os mortos,
em nome desse é que este homem está curado diante de
vocês.
11 Jesus Cristo é a pedra que foi rejeitada por vocês, os
edificadores, o qual foi posto como pedra angular.
12 E em nenhum outro há salvação, porque também de-

baixo do céu não há nenhum outro nome dado aos ho-
mens, pelo qual devemos ser salvos."
13 Então eles, vendo a ousadia de Pedro e João, e informa-
dos de que eram homens simples e iletrados, maravilha-
ram-se e reconheceram que eles haviam estado com Jesus.
14 E, vendo que o homem que havia sido curado estava
com eles, nada podiam dizer contra.
15 Assim, mandaram-nos se retirarem do Sinédrio, e co-
meçaram a discutir entre si,
16 perguntando: "O que faremos com estes homens? Por-
que todos os que moram em Jerusalém sabem que eles
fizeram um milagre notório que não podemos negar;
17 mas, para que não se divulgue mais isto entre o povo,
vamos ameaçá-los para não falarem mais nesse nome a
ninguém."
18 Então os chamaram e lhes disseram que não falassem
nem ensinassem em nome de Jesus.
19 Mas Pedro e João responderam: "Julguem vocês se é
justo, diante de Deus, ouvirmos antes os senhores do que
a Deus;
20 porque não podemos deixar de falar do que temos visto
e ouvido."
21 Mas eles ainda os ameaçaram mais e, não achando
motivo para os castigarem, deixaram-nos irem, por causa
do povo; porque todos glorificavam a Deus pelo que tinha
acontecido;
22 pois o homem que foi curado com aquele milagre tinha
mais de quarenta anos.
23 Quando foram soltos, Pedro e João voltaram para os
seus companheiros e contaram tudo o que os principais
sacerdotes e os anciãos haviam dito.
24 E, ouvindo isto, levantaram juntos a voz a Deus, dizen-
do: "Senhor, tu és o Deus que fizeste o céu, a terra, o mar
e tudo o que neles há,
25 que disseste, pela boca de Davi, teu servo: 'Por que se
enfureceram os gentios, e os povos pensaram coisas vãs?
26 Os reis da terra se levantaram, e os governantes se
reúnem contra o Senhor e contra o seu Ungido.'
27 Porque verdadeiramente contra o teu santo Filho Je-
sus, que tu ungiste, se ajuntaram, não só Herodes, mas
Pôncio Pilatos, com os gentios e os povos de Israel,
28 para fazerem tudo o que a tua mão e o teu conselho
tinham anteriormente determinado que se fizesse.
29 Agora, ó Senhor, olha para as suas ameaças e conce-
de aos teus servos que falem com toda a ousadia a tua
palavra;
30 enquanto estendes a tua mão para curar e para que
se façam sinais e prodígios pelo nome de teu santo Filho
Jesus."
31 E, tendo orado, moveu-se o lugar em que estavam reu-
nidos; e todos ficaram cheios do Espírito Santo, e anuncia-
vam com ousadia a palavra de Deus.

A Solidariedade dos Cristãos

32 Da multidão dos que creram, era um só sentimento e
maneira de pensar, e ninguém considerava que as coisas
que possuíam eram suas, mas todas as coisas eram comuns
para todos.
33 E os apóstolos, com grande poder, davam testemunho
da ressurreição do Senhor Jesus e em todos eles havia
abundante graça.
34 Não havia entre eles nenhum necessitado, porque
todos os que possuíam terras ou casas as vendiam, e tra-
ziam o dinheiro da venda e o depositavam aos pés dos
apóstolos.
35 E repartia-se a cada um segundo a necessidade que
cada um tinha.
36 Então José, que recebeu pelos apóstolos o nome de
Barnabé, que traduzido significa filho da consolação, levi-
ta, natural de Chipre,
37 vendeu um campo que possuía, trouxe o dinheiro, e o
depositou aos pés dos apóstolos.

Ananias e Safira

5 Mas um certo homem chamado Ananias, com Safira,
sua mulher, vendeu uma propriedade,
2 e reteve parte do dinheiro, sabendo disso também sua
mulher; então, levou uma parte e depositou aos pés dos
apóstolos.
3 Então Pedro perguntou: "Ananias, por que permitiu
que Satanás enchesse o seu coração, para que mentisse
ao Espírito Santo e retivesse parte do dinheiro da venda
da propriedade?
4 Ela não pertencia a você? E, depois de vendida, o di-
nheiro não estava em seu poder? Por que decidiu fazer
uma coisa dessas? Não mentiu aos homens, mas a Deus."
5 E, ouvindo estas palavras, Ananias caiu morto. E um
grande temor veio sobre todos os que ouviram isto.
6 Então os moços se levantaram, cobriram o morto, leva-
ram-no para fora, e o sepultaram.
7 E, quase três horas mais tarde, entrou sua mulher, sem
saber o que havia acontecido.
8 E Pedro lhe perguntou: "Diga-me: Foi por este valor que
vendeu aquela propriedade?" E ela respondeu: "Sim, por
este mesmo."
9 Então Pedro lhe disse: "Por que é que vocês entraram
em acordo para tentarem o Espírito do Senhor? Eis aí à
porta os pés dos que sepultaram o seu marido, e eles leva-
rão você também."
10 E logo ela caiu morta aos seus pés. Então os moços
entraram e viram que ela estava morta, e a sepultaram
junto do seu marido.

11 E houve um grande temor em toda a igreja e em todos
os que ouviram estas coisas.

Milagres dos Apóstolos

12 E muitos sinais e maravilhas eram feitos entre o povo
pelas mãos dos apóstolos. E estavam todos reunidos no
Pórtico de Salomão.
13 Dos outros, porém, ninguém ousava ajuntar-se a eles;
mas o povo tinha-os em grande estima.
14 E a multidão dos que criam no Senhor, tanto homens
como mulheres, crescia cada vez mais.
15 De modo que o povo levava os doentes para as ruas
e os colocava em leitos e em macas para que pelo menos
a sombra de Pedro, quando ele passasse, cobrisse alguns
deles.
16 E até das cidades vizinhas vinha muita gente a Jeru-
salém, trazendo enfermos e atormentados por espíritos
imundos; e eram todos curados.

A Perseguição Imposta Pelos Judeus

17 Então, o sumo sacerdote e todos os que estavam com
ele, e eles eram da seita dos saduceus, se levantaram e
ficaram cheios de inveja,
18 mandaram prender os apóstolos e os puseram na prisão
pública.
19 Mas durante a noite um anjo do Senhor abriu as portas
da prisão, os levou para fora, e disse:
20 "Vão, se apresentem no templo e digam ao povo todas
as palavras desta vida."
21 E eles, ouvindo isto, entraram no templo ao amanhe-
cer e começaram a ensinar o povo. Quando o sumo sacer-
dote e os que estavam com ele chegaram, convocaram o
conselho e todos os anciãos dos filhos de Israel, e manda-
ram buscar os apóstolos na prisão.
22 Mas, quando os guardas chegaram na prisão, não os
encontraram, então voltaram e relataram,
23 dizendo: "Encontramos a prisão trancada com toda a
segurança, e os guardas estavam fora, diante das portas,
mas, quando abrimos, não havia ninguém."
24 Então o sumo sacerdote, o capitão do templo e os che-
fes dos sacerdotes, ouvindo estas palavras, ficaram perple-
xos a respeito deles e do que viria a ser isto.
25 E nisto chegou alguém dizendo: "Os homens que puse-
ram na prisão estão no templo ensinando o povo."
26 Então o capitão foi com os guardas e os trouxeram
sem o uso de força, porque temiam serem apedrejados
pelo povo.
27 E os apresentaram ao conselho. E o sumo sacerdote
os interrogou,
28 dizendo: "Nós não demos ordens expressas a vocês
para que não ensinassem nesse nome? E vocês encheram
Jerusalém dessa doutrina de vocês, e querem lançar sobre
nós o sangue desse homem."
29 Porém, Pedro e os outros apóstolos responderam: "É
mais importante obedecer a Deus do que aos homens.
30 O Deus de nossos pais ressuscitou Jesus, a quem vocês
mataram, suspendendo-o no madeiro.
31 Deus com a sua mão direita o elevou a Príncipe e Sal-
vador, para dar a Israel o arrependimento e a remissão dos
pecados.
32 E nós somos testemunhas destas palavras, nós e
também o Espírito Santo, que Deus deu aos que lhe
obedecem."
33 E, ouvindo eles isto, se enfureceram e queriam
matá-los.

O Conselho de Gamaliel

34 Mas, um certo fariseu, chamado Gamaliel, doutor da
lei, venerado por todo o povo, levantando-se no conselho
mandou que levassem os apóstolos para fora;
35 e lhes disse: "Israelitas, tenham cuidado com o que vão
fazer com estes homens,
36 porque, algum tempo atrás, apareceu Teudas dizendo
ser alguém; a ele se ajuntaram quatrocentos homens; ele
foi morto, e todos os que lhe deram ouvidos foram disper-
sos e reduzidos a nada.
37 Depois dele, apareceu Judas, o galileu, nos dias do
recenseamento, e levou muitos com ele; mas também
este foi morto, e todos os que lhe deram ouvidos foram
dispersos.
38 E agora digo a vocês: deixem estes homens em paz,
e os soltem; se este plano ou esta obra vem de homens,
ele se desfará,
39 mas, se é de Deus, não poderão desfazê-lo; para que
não aconteça de serem também achados lutando contra
Deus."
40 E concordaram com ele. Então chamaram os apósto-
los e os açoitaram, e mandaram que eles não falassem no
nome de Jesus e os deixaram ir.
41 Então os apóstolos se retiraram da presença do conse-
lho alegres por terem sido julgados dignos de sofrer afronta
pelo nome de Jesus.
42 E todos os dias, no templo e nas casas, não deixaram
de ensinar e de anunciar Jesus Cristo.

A Escolha dos Sete Diáconos

6 Naqueles dias, crescendo o número dos discípulos,
houve uma queixa dos gregos contra os hebreus, por-
que as suas viúvas estavam sendo esquecidas na distribui-
ção diária de alimentos.
2 Por isso os doze apóstolos se reuniram e convocaram
todos os discípulos e disseram: "Não é correto que nós
deixemos a palavra de Deus para servir às mesas.

3 Irmãos, escolham entre vocês sete homens de boa reputação, cheios do Espírito Santo e de sabedoria, aos quais passaremos esta tarefa.
4 E nós nos dedicaremos à oração e ao ministério da palavra."
5 E esta proposta agradou a toda multidão, e escolheram Estêvão, homem cheio de fé e do Espírito Santo, e Filipe, Prócoro, Nicanor, Timão, Parmenas e Nicolau, convertido ao judaísmo, proveniente de Antioquia.
6 E os apresentaram aos apóstolos, e estes, orando, lhes impuseram as mãos.
7 E crescia a palavra de Deus, e em Jerusalém se multiplicava muito o número dos discípulos e grande parte dos sacerdotes obedecia à fé.

A Prisão de Estêvão

8 E Estêvão, cheio de fé e de poder, fazia maravilhas e grandes sinais entre o povo.
9 E alguns dos que eram da sinagoga chamada dos libertos, dos cireneus e dos alexandrinos, dos que eram da Cilícia e da Ásia, se levantaram e discutiam com Estêvão.
10 E não podiam resistir à sabedoria e ao Espírito com que ele falava.
11 Então subornaram alguns homens para que dissessem: "Ouvimos Estêvão proferir palavras blasfemas contra Moisés e contra Deus."
12 E atiçaram o povo, os anciãos e os escribas; assim, investindo contra Estêvão, o pegaram e o levaram ao Sinédrio.
13 E apresentaram falsas testemunhas, que diziam: "Este homem não para de proferir palavras blasfemas contra este santo lugar e a lei,
14 porque nós o ouvimos dizer que esse Jesus Nazareno destruirá este lugar e mudará os costumes que Moisés nos deu."
15 Então todos os que estavam assentados no Sinédrio, fixando os olhos nele, viram o seu rosto como o rosto de um anjo.

A Defesa de Estêvão no Sinédrio

7 Então o sumo sacerdote perguntou a Estêvão: "Estas acusações são verdadeiras?"
2 E ele disse: "Homens, irmãos e pais, ouçam. O Deus da glória apareceu ao nosso pai Abraão, quando ainda estava na Mesopotâmia, antes de habitar em Harã,
3 e disse-lhe: 'Saia da sua terra e do meio dos seus parentes, e vá para a terra que eu lhe mostrarei.'
4 Então ele saiu da terra dos caldeus e habitou em Harã. E dali, depois que seu pai faleceu, Deus o trouxe para esta terra em que habitam agora.
5 Nela não lhe deu herança, nem sequer o espaço de um pé; mas prometeu que lhe daria a posse dela e, depois dele, à sua descendência, não tendo Abraão ainda filhos.
6 E Deus lhe falou assim: Que a sua descendência seria peregrina em terra estrangeira, e os sujeitariam à escravidão, e os maltratariam por quatrocentos anos.
7 E Deus disse ainda: 'E eu julgarei a nação que os tiver escravizado. E, depois disto, sairão e me servirão neste lugar.'
8 Então lhe deu a aliança da circuncisão; assim Abraão gerou Isaque e o circuncidou no oitavo dia; Isaque gerou Jacó; e Jacó gerou os doze patriarcas.
9 E os patriarcas, movidos de inveja, venderam José para o Egito; mas Deus estava com ele.
10 E o livrou de todas as suas tribulações, e lhe deu graça e sabedoria diante do Faraó, rei do Egito, que o constituiu governador sobre o Egito e toda a sua casa.
11 Então houve fome e grande tribulação em todo o Egito e em Canaã; e nossos pais não achavam alimentos.
12 Mas quando Jacó ouviu que no Egito havia trigo, enviou para lá nossos pais pela primeira vez.
13 E, na segunda vez, José foi reconhecido por seus irmãos, e o Faraó conheceu a família de José.
14 E José mandou chamar o seu pai Jacó, e todos os seus parentes, que eram setenta e cinco pessoas.
15 E Jacó foi para o Egito onde morreu, ele e os nossos pais.
16 Depois eles foram transportados para Siquém e postos no túmulo que Abraão tinha comprado dos filhos de Emor, pai de Siquém.
17 E, quando já estava próximo o tempo em que Deus cumpriria a promessa que tinha feito a Abraão, o povo cresceu e se multiplicou no Egito,
18 até que se levantou outro rei, que não conhecia José.
19 Este outro rei, usando de astúcia contra a nossa gente, maltratou nossos pais, a ponto de os fazer enjeitarem as suas crianças, para que não se multiplicassem.
20 Nesse tempo nasceu Moisés, ele era formoso, e foi mantido somente por três meses na casa de seu pai.
21 E, sendo abandonado, a filha do Faraó o recolheu e o criou como seu próprio filho.
22 E Moisés foi educado em toda a ciência dos egípcios; ele era poderoso em suas palavras e obras.
23 E, quando completou quarenta anos de idade, Moisés resolveu ir visitar os seus irmãos, os filhos de Israel.
24 E, ao ver um homem israelita ser maltratado por um egípcio, o defendeu, e vingou o ofendido, matando o egípcio.
25 E Moisés pensava que seus irmãos entenderiam que Deus lhes daria a liberdade pela sua mão; mas eles não entenderam.

26 E, no dia seguinte, Moisés aproximou-se de uns que
brigavam, e quis levá-los à paz, dizendo: 'Homens, vocês
são irmãos; por que vocês ferem um ao outro?'
27 Mas o que agredia o seu próximo o repeliu, dizendo:
'Quem o constituiu chefe e juiz sobre nós?
28 Será que quer me matar, como ontem matou o
egípcio?'
29 E, ao ouvir esta palavra, Moisés fugiu e se tornou pere-
grino na terra de Midiã, onde gerou dois filhos.
30 E, passados quarenta anos, apareceu-lhe o anjo do Se-
nhor no deserto do monte Sinai, numa chama de fogo no
meio de uma sarça.
31 Então Moisés, quando viu isto, se maravilhou da vi-
são; então, aproximando-se para observar, ouviu a voz do
Senhor,
32 dizendo: 'Eu sou o Deus de seus pais, o Deus de
Abraão, o Deus de Isaque e o Deus de Jacó.' E Moisés,
todo trêmulo, não ousava olhar.
33 Então o Senhor disse: 'Tire as sandálias dos seus pés,
porque o lugar em que está é terra santa.
34 Vi atentamente a aflição do meu povo que está no Egi-
to, ouvi os seus gemidos e desci para livrá-los. Agora venha
e eu o enviarei ao Egito.'
35 A este Moisés, a quem haviam rejeitado, dizendo:
'Quem o constituiu chefe e juiz?' Deus enviou como chefe
e libertador pelas mãos do anjo que lhe apareceu na sarça.
36 Foi Moisés quem os tirou de lá, fazendo maravilhas e
sinais na terra do Egito, no Mar Vermelho e no deserto,
por quarenta anos.
37 Este é aquele Moisés que disse aos filhos de Israel:
'Deus levantará do meio dos seus irmãos um profeta como
eu.'
38 É este Moisés que esteve entre a congregação no deser-
to, com o anjo que lhe falava no monte Sinai e com nossos
pais, o qual recebeu as palavras vivas para transmiti-las a
nós.
39 Mas nossos pais não quiseram obedecer, antes o rejei-
taram e, em seu coração, voltaram ao Egito,
40 dizendo a Arão: 'Faça para nós deuses que vão adiante
de nós; porque a Moisés, que nos tirou da terra do Egito,
não sabemos o que lhe aconteceu.'
41 E naqueles dias fizeram o bezerro e ofereceram sacri-
fícios ao ídolo, e se alegraram nas obras das suas mãos.
42 Mas Deus se afastou e os abandonou para que servis-
sem ao exército do céu, como está escrito no livro dos
profetas: 'Ó casa de Israel, será que foi para mim que ofere-
ceram vítimas e sacrifícios no deserto por quarenta anos?
43 Antes levantaram o tabernáculo de Moloque e a estrela
de Renfã, o deus de vocês, imagens que vocês fizeram
para as adorar. Por isso vou mandar vocês ao exílio para
além da Babilônia.'
44 O tabernáculo do testemunho estava entre nossos pais
no deserto, como ordenou aquele que disse a Moisés que
o fizesse segundo o modelo que tinha visto.
45 O qual, nossos pais, recebendo-o também, o levaram
com Josué quando entraram na posse das nações que Deus
lançou para fora da presença de nossos pais, até aos dias
de Davi,
46 que encontrou graça diante de Deus e pediu que pu-
desse construir uma habitação para o Deus de Jacó.
47 E Salomão lhe edificou a casa;
48 mas o Altíssimo não habita em templos feitos por mãos
de homens, como diz o profeta:
49 'O céu é o meu trono e a terra o estrado dos meus pés.
Que casa me edificarão? diz o Senhor, ou qual é o lugar
do meu repouso?
50 Porventura a minha mão não fez todas estas coisas?'
51 Homens de dura cerviz, e incircuncisos de coração e
ouvido, vocês sempre resistem ao Espírito Santo; assim
vocês são como seus pais.
52 Qual dos profetas os pais de vocês não perseguiram?
Até mataram os que anteriormente anunciaram a vinda
do Justo, do qual vocês agora se tornaram traidores e
assassinos;
53 vocês, que receberam a lei por ordenação dos anjos e
não a guardaram."

A Morte de Estêvão

54 E, ao ouvirem isto, ficaram furiosos e rangiam os den-
tes contra ele.
55 Mas Estêvão, estando cheio do Espírito Santo, fixando
os olhos no céu, viu a glória de Deus, e Jesus, que estava
à direita de Deus;
56 e disse: "Eis que vejo os céus abertos e o Filho do
Homem, que está em pé à direita de Deus."
57 Mas eles gritaram com grande voz, taparam os seus
ouvidos e juntos avançaram contra ele.
58 Então, o expulsaram da cidade e o apedrejaram. E as
testemunhas puseram as suas capas aos pés de um jovem
chamado Saulo.
59 E apedrejaram Estêvão que em oração dizia: "Senhor
Jesus, recebe o meu espírito."
60 E, pondo-se de joelhos, clamou com grande voz: "Se-
nhor, não lhes imputes este pecado." E, tendo dito isto,
morreu.

A Perseguição e a Dispersão dos Cristãos

8 E Saulo também consentiu na morte de Estêvão. E sur-
giu naquele dia uma grande perseguição contra a igreja
em Jerusalém; assim, todos foram dispersos pelas regiões
da Judeia e de Samaria, exceto os apóstolos.

2 E alguns homens piedosos foram enterrar Estêvão e fize-
ram grande lamentação por ele.
3 E Saulo assolava a igreja, entrando pelas casas e arrastan-
do homens e mulheres, e os lançava na prisão.

Filipe em Samaria

4 Mas os que andavam dispersos iam por toda a parte,
anunciando a palavra.
5 E Filipe foi à cidade de Samaria, e ali lhes pregava o
Cristo.
6 E as multidões unânimes prestavam atenção no que Fi-
lipe dizia, porque ouviam e viam os sinais que ele fazia;
7 porque os espíritos imundos saíam de muitos, clamando
em alta voz, e muitos paralíticos e mancos eram curados.
8 E houve grande alegria naquela cidade.

Simão, o Mágico

9 E estava ali um homem chamado Simão, que anterior-
mente praticava naquela cidade artes mágicas, e tinha
iludido o povo de Samaria, dizendo que era um grande
personagem.
10 E todos lhe davam atenção, desde o menor até o maior,
dizendo: "Este homem tem um grande poder de Deus."
11 E eles o atendiam, porque já desde muito tempo os
havia iludido com artes mágicas.
12 Mas creram em Filipe, que lhes pregava a respeito do
Reino de Deus, e em nome de Jesus Cristo se batizavam,
tanto homens como mulheres.
13 E até o próprio Simão creu, o qual, sendo batizado, se-
guia Filipe; então, vendo os sinais e as grandes maravilhas
que se faziam, estava atônito.
14 Os apóstolos, que estavam em Jerusalém, ouvindo que
o povo de Samaria tinha recebido a palavra de Deus, en-
viaram para lá Pedro e João.
15 Quando chegaram ali, oraram por eles para que rece-
bessem o Espírito Santo,
16 porque o Espírito Santo ainda não tinha descido sobre
nenhum deles; mas somente eram batizados em nome do
Senhor Jesus.
17 Então lhes impuseram as mãos e receberam o Espírito
Santo.
18 E Simão, vendo que pela imposição das mãos dos após-
tolos era dado o Espírito Santo, lhes ofereceu dinheiro,
19 dizendo: "Deem também a mim esse poder, para que
a pessoa sobre quem eu puser as mãos receba o Espírito
Santo."
20 Mas disse-lhe Pedro: "Que o seu dinheiro pereça com
você, pois pensou que o dom de Deus se alcança por
dinheiro.
21 Você não tem parte nem direito neste ministério, por-
que o seu coração não é reto diante de Deus.
22 Arrependa-se dessa sua iniquidade e ore a Deus; talvez
o pensamento do seu coração seja perdoado,
23 pois vejo que está cheio de amargura e preso pelo
pecado."
24 Simão respondeu: "Orem vocês por mim ao Senhor,
para que nada do que disseram venha sobre mim."
25 Tendo eles testemunhado e pregado a palavra do Se-
nhor, voltaram para Jerusalém e em muitas aldeias dos
samaritanos anunciaram o evangelho.

Filipe e o Etíope

26 E o anjo do Senhor falou a Filipe, dizendo: "Levante-se
e vá para o sul, pelo caminho deserto que desce de Jeru-
salém para Gaza."
27 Filipe levantou-se e foi; e eis que um homem etíope,
eunuco, oficial importante de Candace, rainha dos etío-
pes, o qual era superintendente de todos os seus tesouros,
e tinha ido a Jerusalém para adoração,
28 regressava e, assentado no seu carro, lia o profeta
Isaías.
29 Então o Espírito disse a Filipe: "Aproxime-se dessa car-
ruagem e acompanhe-a."
30 E, correndo para lá, Filipe ouviu que o homem estava
lendo o profeta Isaías, então perguntou: "O senhor enten-
de o que está lendo?"
31 E ele respondeu: "Como poderei entender, se alguém
não me ensinar?" E pediu a Filipe que subisse e com ele
se assentasse.
32 E a passagem da Escritura que estava lendo era esta:
"Como um cordeiro foi levado para o matadouro, e, como
a ovelha muda perante os seus tosquiadores, assim ele não
abriu a boca.
33 Da opressão e do juízo foi tirado, e quem contará o
tempo da sua vida? Porque ele foi cortado da terra dos
viventes; pela transgressão do meu povo ele foi atingido."
34 E o eunuco perguntou a Filipe: "De quem o profeta
está falando? De si mesmo, ou de outro?"
35 Então Filipe começou a explicar a partir desta passa-
gem da Escritura, e anunciou-lhe a mensagem de Jesus.
36 E, indo pelo caminho, chegaram a um lugar em que
havia água, e o eunuco disse: "Eis aqui água; o que impede
que eu seja batizado?"
37 E Filipe respondeu: "É lícito, se você crê de todo o
coração." Então ele disse: "Creio que Jesus Cristo é o Fi-
lho de Deus."
38 Então mandou parar a carruagem e ambos desceram à
água, e Filipe batizou o eunuco.
39 E, quando saíram da água, o Espírito do Senhor arre-
batou Filipe, e o eunuco não o viu mais; então, alegre,
continuou o seu caminho.
40 E Filipe foi visto em Azoto e, seguindo viagem, anun-

ciava o evangelho em todas as cidades, até que chegou a
Cesareia.

A Conversão de Saulo

9 E Saulo, respirando ainda ameaças e morte contra os
discípulos do Senhor, dirigiu-se ao sumo sacerdote.
2 E lhe pediu cartas para as sinagogas de Damasco, a fim
de, se encontrasse alguns daquela seita do Caminho, ho-
mens ou mulheres, os levar presos para Jerusalém.
3 E, enquanto Saulo seguia pelo caminho, quando chega-
va perto de Damasco, subitamente uma intensa luz vinda
do céu brilhou ao seu redor.
4 Então ele caiu por terra e ouviu uma voz que lhe dizia:
"Saulo, Saulo, por que me persegue?"
5 E Saulo perguntou: "Quem és tu, Senhor?" E o Senhor
respondeu: "Eu sou Jesus, a quem você persegue. Duro é
para você chutar contra o aguilhão."
6 E Saulo, tremendo e atônito, disse: "Senhor, o que que-
res que eu faça?" E o Senhor lhe disse: "Levante-se, entre
na cidade e lá será dito o que você deve fazer."
7 E os homens que iam com ele pararam espantados, ou-
viram a voz, mas não viram ninguém.
8 E Saulo levantou-se do chão e, abrindo os olhos, não via
nada. E, guiando-o pela mão, o conduziram a Damasco.
9 E esteve três dias sem ver, e não comeu nem bebeu.
10 E havia em Damasco um certo discípulo chamado Ana-
nias, ao qual o Senhor disse em visão: "Ananias!" E ele
respondeu: "Eis-me aqui, Senhor."
11 E o Senhor lhe disse: "Levante-se e vá à rua chamada
Direita, e pergunte na casa de Judas por um homem de
Tarso chamado Saulo; ele está orando,
12 e, numa visão, ele viu que entrava um homem chama-
do Ananias, e punha as mãos sobre ele, para que tornasse
a ver."
13 E Ananias respondeu: "Senhor, ouvi de muitos a respei-
to desse homem, quanto mal ele tem feito aos teus santos
em Jerusalém;
14 e aqui em Damasco ele tem autorização dos princi-
pais sacerdotes para prender a todos os que invocam o
teu nome."
15 Mas o Senhor disse a Ananias: "Vá, porque este é para
mim um vaso escolhido, para levar o meu nome diante
dos gentios, dos reis e dos filhos de Israel.
16 E eu lhe mostrarei quanto deve sofrer pelo meu nome."
17 Então Ananias foi, entrou na casa e, impondo-lhe as
mãos, disse: "Irmão Saulo, o Senhor Jesus, que lhe apare-
ceu no caminho por onde vinha, me enviou para que você
volte a ver e fique cheio do Espírito Santo."
18 E logo lhe caíram dos olhos umas coisas parecidas com
escamas, e ele recuperou a vista; então levantou-se e foi
batizado.

Saulo em Damasco e em Jerusalém

19 E, depois de comer, sentiu-se fortalecido. E Saulo fi-
cou por alguns dias com os discípulos que estavam em
Damasco.
20 E logo, nas sinagogas, pregava Cristo, afirmando que
ele é o Filho de Deus.
21 E todos os que o ouviam ficavam atônitos e diziam:
"Não é este o homem que em Jerusalém perseguia os que
invocavam o nome de Jesus, e para isto veio aqui, para
levá-los presos aos principais sacerdotes?"
22 Saulo, porém, se esforçava muito mais e confundia os
judeus que habitavam em Damasco, demonstrando que
Jesus é o Cristo.
23 E, depois de muitos dias, os judeus resolveram matar
Saulo,
24 mas os planos deles chegaram ao conhecimento de
Saulo, e os judeus guardavam as portas da cidade dia e
noite, para poderem tirar-lhe a vida,
25 mas os discípulos de Saulo o pegaram à noite e o des-
ceram dentro de um cesto pelo muro.
26 E, quando Saulo chegou a Jerusalém, procurava ajun-
tar-se aos discípulos de Jesus, mas todos o temiam, não
acreditando que ele fosse discípulo.
27 Então Barnabé, tomando-o consigo, o trouxe aos após-
tolos e lhes contou como no caminho ele viu o Senhor que
falou com ele, e que em Damasco Saulo pregou ousada-
mente em nome de Jesus.
28 E Saulo andava com eles em Jerusalém, entrando e
saindo,
29 e pregava ousadamente em nome do Senhor Jesus. Fa-
lava e discutia também com os judeus que falavam grego,
mas estes procuravam matá-lo.
30 Sabendo disso, os irmãos o levaram até Cesareia e o
enviaram para Tarso.
31 Assim, as igrejas em toda a Judeia, Galileia e Samaria
tinham paz, eram edificadas e se multiplicavam andando
no temor do Senhor e consolação do Espírito Santo.

A Cura de Eneias

32 Passando Pedro por toda parte, foi também visitar os
santos que habitavam em Lida.
33 E achou ali um homem chamado Eneias, que estava
acamado havia oito anos, que era paralítico.
34 E Pedro lhe disse: "Eneias, Jesus Cristo cura você; le-
vante-se e arrume a sua cama." E logo ele se levantou.
35 E todos os habitantes de Lida e Sarona e da região de
Sarom viram Eneias e se converteram ao Senhor.

A História de Dorcas

36 E havia em Jope uma discípula chamada Tabita, que
traduzido é Dorcas. Ela se dedicava a fazer boas obras e
dar esmolas.

37 E aconteceu que, naqueles dias, ela adoeceu e morreu;
então lavaram e puseram o corpo num quarto do andar
superior.
38 E, como Lida ficava perto de Jope, os discípulos, ouvin-
do que Pedro estava ali, lhe enviaram dois homens pedin-
do para ele não se demorar em vir falar com eles.
39 E Pedro se levantou e foi com eles; e, quando chegou,
o levaram ao quarto do andar superior, e todas as viúvas o
rodearam, chorando e mostrando as túnicas e roupas que
Dorcas tinha feito enquanto estava com elas.
40 Mas Pedro pediu que todos saíssem, pôs-se de joelhos
e orou: Então, voltando-se para o corpo, disse: "Tabita, le-
vante-se." Ela abriu os olhos, viu Pedro e sentou-se.
41 Então ele lhe deu a mão, levantou-a e chamou os san-
tos e as viúvas, e apresentou-a viva.
42 E isto ficou conhecido por toda a cidade de Jope, e
muitos creram no Senhor.
43 Pedro ficou por muitos dias em Jope na casa de um
curtidor chamado Simão.

O Centurião Cornélio

10 E havia em Cesareia um homem chamado Cornélio,
centurião do regimento chamado italiano;
2 ele era piedoso e temente a Deus com toda a sua casa,
ele dava muitas esmolas ao povo e orava continuamente
a Deus.
3 Certo dia, por volta das três horas da tarde, ele teve uma
visão na qual um anjo de Deus, que se dirigia para ele,
dizia: "Cornélio."
4 Este, fixando os olhos nele e muito atemorizado, per-
guntou: "O que é, Senhor?" E o anjo respondeu: "As suas
orações e as suas esmolas subiram para memória diante
de Deus.
5 Agora, envie mensageiros a Jope e mande chamar Si-
mão, também conhecido como Pedro.
6 Ele está com um curtidor chamado Simão, cuja casa fica
junto do mar, e ele lhe dirá o que deve fazer."
7 E, depois que o anjo que lhe falou, se retirou. Cornélio
chamou dois dos seus criados e um soldado religioso que
estava a seu serviço.
8 Então lhes explicou tudo e os enviou a Jope.

A Visão do Lençol

9 E, no dia seguinte, enquanto eles iam pelo caminho e
estando já perto da cidade de Jope, Pedro subiu ao terraço
para orar por volta do meio-dia.
10 Pedro sentiu fome e quis comer; então, enquanto lhe
preparavam a comida, sobreveio-lhe um arrebatamento de
sentidos;
11 ele viu o céu aberto, do qual descia algo semelhante
a um grande lençol atado pelas quatro pontas, vindo para
a terra.
12 Nele havia todos os animais quadrúpedes, répteis da
terra e aves do céu.
13 E uma voz lhe falou: "Levante-se, Pedro, mate e
coma."
14 Mas Pedro respondeu: "De modo nenhum, Senhor,
porque nunca comi nada impuro ou imundo."
15 E pela segunda vez a voz lhe falou: "Não considere
impuro aquilo que Deus purificou."
16 E aconteceu isto por três vezes; então o lençol foi re-
colhido ao céu.
17 Enquanto Pedro estava refletindo a respeito do que
seria o significado daquela visão, eis que os homens que
foram enviados por Cornélio, perguntando pela casa de
Simão, pararam junto à porta dele.
18 E, chamando, perguntaram se Simão, que também era
chamado de Pedro, estava hospedado ali.
19 Enquanto Pedro refletia a respeito daquela visão, o
Espírito lhe disse: "Eis que três homens estão aqui à sua
procura.
20 Levante-se, desça e vá com eles, não hesite; porque
eu os enviei."
21 Então Pedro desceu para junto dos homens que lhe
foram enviados por Cornélio, e disse: "Sou eu a quem pro-
curam, por que motivo estão aqui?"
22 E eles responderam: "Cornélio, o centurião, homem
justo e temente a Deus, e que tem bom testemunho de
toda a nação dos judeus, foi avisado por um santo anjo para
que o chamasse à sua casa, para ouvir as suas palavras."

Pedro Visita Cornélio

23 Então, Pedro os chamou para dentro e os recebeu em
casa. E, no dia seguinte, Pedro e alguns irmãos de Jope
foram com eles.
24 E no dia seguinte chegaram a Cesareia. E Cornélio
estava esperando por eles, já tendo convidado os seus pa-
rentes e amigos mais íntimos.
25 E, quando Pedro chegou, Cornélio saiu para recebê-lo,
e, prostrando-se aos pés dele, o adorou.
26 Mas Pedro o levantou, dizendo: "Levante-se, porque
eu também sou apenas um homem."
27 E, falando com ele, Pedro entrou e encontrou muitos
reunidos ali,
28 e lhes disse: "Vocês bem sabem que não é lícito a um
homem judeu se juntar a um estrangeiro, mas Deus me
mostrou que eu não devo chamar ninguém de impuro ou
imundo.
29 Por isso, sendo chamado, vim sem contradizer. E agora
pergunto: Por que razão mandou me chamar?"
30 E Cornélio respondeu: "Hoje faz quatro dias que eu
estava em jejum orando em minha casa, por volta desta
hora, às três horas da tarde.

31 E eis que se apresentou diante de mim um homem
com vestes resplandecentes e disse: 'Cornélio, a sua ora-
ção foi ouvida e Deus lembrou-se das suas esmolas.
32 Envie alguém a Jope e mande chamar Simão, que tam-
bém é chamado de Pedro; ele está na casa de um curtidor
chamado Simão, ela fica junto do mar.'
33 Logo mandei chamá-lo, e fez bem em vir. Agora esta-
mos todos presentes diante de Deus, para ouvir tudo que
Deus lhe ordenou."
34 Então Pedro disse: "Reconheço por verdade que Deus
não faz acepção de pessoas,
35 mas ele aceita todos de qualquer nação que o temem,
e faz o que é justo.
36 Esta é a palavra que Deus enviou aos filhos de Israel,
anunciando-lhes a paz por Jesus Cristo, Senhor de todos.
37 Vocês sabem o que aconteceu em toda a Judeia, come-
çando pela Galileia, depois do batismo que João pregou,
38 como Deus ungiu Jesus de Nazaré com o Espírito San-
to e com poder; Jesus andou fazendo o bem e curando
todos os oprimidos do diabo, porque Deus estava com ele.
39 E nós somos testemunhas de todas as coisas que ele
fez, tanto na terra da Judeia como em Jerusalém, onde o
mataram, pendurando-o num madeiro.
40 Deus, porém, o ressuscitou no terceiro dia e fez com
que ele se manifestasse,
41 não a todo o povo, mas às testemunhas que Deus an-
tes escolheu; a nós, que comemos e bebemos juntamente
com ele, depois que ele ressuscitou dentre os mortos.
42 E Jesus nos mandou pregar ao povo e testemunhar que
ele foi por Deus constituído juiz dos vivos e dos mortos.
43 Dele todos os profetas dão testemunho de que todos
os que nele creem receberão o perdão dos pecados pelo
seu nome."
44 Enquanto Pedro ainda dizia estas palavras, o Espírito
Santo caiu sobre todos os que ouviam a mensagem.
45 E os fiéis que eram da circuncisão, todos os que tinham
vindo com Pedro, maravilharam-se de que o dom do Espí-
rito Santo também se derramou sobre os gentios.
46 Porque eles os ouviam falar em línguas e engrandecer
a Deus.
47 Pedro então respondeu: "Pode alguém negar a água,
para que estes, que também receberam como nós o Espíri-
to Santo, não sejam batizados?"
48 Então ordenou que estes fossem batizados em nome
do Senhor. Então pediram que Pedro ficasse com eles por
alguns dias.

Pedro Explica-se Para a Igreja

11 Os apóstolos e os irmãos que estavam na Judeia
ouviram que os gentios também tinham recebido a
palavra de Deus.
2 E, quando Pedro voltou para Jerusalém, os que eram
circuncidados questionaram com ele, dizendo:
3 "Entrou na casa de homens incircuncisos e comeu com
eles."
4 Mas Pedro começou a fazer-lhes uma exposição por or-
dem, dizendo:
5 "Quando eu estava orando na cidade de Jope, tive, num
arrebatamento dos sentidos, uma visão; vi algo como se
fosse um grande lençol que descia do céu e vinha até junto
de mim.
6 E, olhando atentamente, vi animais da terra, quadrúpe-
des, feras, répteis e aves do céu.
7 E ouvi uma voz que me dizia: 'Levante-se, Pedro; mate
e coma.'
8 Mas eu respondi: De maneira nenhuma, Senhor, pois,
em minha boca nunca entrou nada que fosse imundo.
9 Mas pela segunda vez a voz do céu falou: 'Não conside-
re impuro aquilo que Deus purificou.'
10 E isto se repetiu por três vezes; e de novo tudo foi
recolhido para o céu.
11 E eis que, na mesma hora, pararam, junto da casa em
que estávamos, três homens que me foram enviados de
Cesareia.
12 Então o Espírito me disse que eu fosse com eles, sem
hesitar; também estes seis irmãos foram comigo e entra-
mos na casa daquele homem;
13 e ele nos contou como tinha visto um anjo em pé, em
sua casa, que lhe disse: 'Envie homens a Jope e mande
chamar Simão, que também é chamado de Pedro;
14 ele lhe dirá palavras com que se salvará, você e toda
a sua casa.'
15 E, quando comecei a falar, o Espírito Santo caiu sobre
eles, como também sobre nós no princípio.
16 Então me lembrei da palavra do Senhor, quando disse:
'João certamente batizou com água, mas vocês serão bati-
zados com o Espírito Santo.'
17 Portanto, se Deus lhes deu o mesmo dom que deu a
nós, quando cremos no Senhor Jesus Cristo, quem era eu
para que pudesse resistir a Deus?"
18 E, ouvindo estas coisas, acalmaram-se e glorificaram a
Deus, dizendo: "Na verdade até aos gentios Deus conce-
deu o arrependimento para a vida!"

A Igreja em Antioquia

19 E os que foram dispersos pela perseguição que come-
çou por causa da morte de Estêvão chegaram até à Fenícia,
Chipre e Antioquia, não anunciando a palavra a ninguém
que não fosse judeu.
20 E havia entre eles alguns homens cíprios e cirenenses,
que foram até Antioquia e falaram aos gregos, anuncian-
do-lhes o Senhor Jesus.

21 E a mão do Senhor estava com eles; assim, muitos cre-
ram e se converteram ao Senhor.
22 E esta notícia chegou aos ouvidos da igreja que estava
em Jerusalém; então, enviaram Barnabé a Antioquia.
23 Quando ele chegou e viu a graça de Deus, se alegrou
e exortou a todos que, com firmeza de coração, permane-
cessem no Senhor.
24 Porque ele era um homem de bem, cheio do Espírito
Santo e de fé. E muita gente se uniu ao Senhor.
25 E Barnabé partiu para Tarso à procura de Saulo. Então,
quando o encontrou, o levou para Antioquia.
26 E durante um ano inteiro se reuniram naquela igreja
e ensinaram muita gente; em Antioquia, os discípulos fo-
ram, pela primeira vez, chamados de cristãos.
27 E naqueles dias alguns profetas foram de Jerusalém
para Antioquia.
28 E um deles, chamado Ágabo, levantou-se, e dava a
entender, pelo Espírito, que haveria uma grande fome em
todo o mundo, e isso aconteceu no tempo do imperador
Cláudio César.
29 E os discípulos, cada um conforme as suas posses, re-
solveram mandar socorro aos irmãos que habitavam na
Judeia.
30 E eles o fizeram, enviando a ajuda aos presbíteros por
meio de Barnabé e Saulo.

Prisão e Livramento de Pedro

12 E, naquele mesmo tempo, o rei Herodes prendeu
alguns que pertenciam à igreja, para os maltratar;
2 e mandou matar Tiago, irmão de João, à espada.
3 E, vendo que isso agradou aos judeus, mandou também
prender Pedro. E eram os dias dos pães sem fermento.
4 E, depois de prendê-lo, Herodes pôs quatro escoltas de
soldados para vigiá-lo, para apresentá-lo ao povo depois da
Páscoa.
5 E assim Pedro estava preso; mas a igreja fazia contínua
oração por ele a Deus.
6 E, na noite em que Herodes ia apresentá-lo ao povo,
nessa mesma noite Pedro estava dormindo entre dois sol-
dados, preso com duas correntes, e os guardas diante da
porta guardavam a prisão.
7 E eis que veio o anjo do Senhor e resplandeceu uma luz
na prisão; então, tocou no lado de Pedro e o despertou,
dizendo: "Levante-se depressa." E as correntes caíram das
suas mãos.
8 E o anjo disse: "Vista-se e ponha as suas sandálias." E
ele assim o fez. E o anjo disse-lhe mais: "Ponha a sua capa
e siga-me."
9 E, saindo, Pedro o seguia, e não sabia que era real o que
estava sendo feito pelo anjo, mas pensava que era alguma
visão.
10 E, quando passaram a primeira e segunda guarda, che-
garam à porta de ferro, que dá para a cidade, a qual se
abriu por si mesma; assim, tendo saído, percorreram uma
rua e logo o anjo se afastou dele.
11 E Pedro, caindo em si, disse: "Agora sei verdadeira-
mente que o Senhor enviou o seu anjo e me livrou das
mãos de Herodes, e de tudo o que os judeus esperavam."
12 E, ao se dar conta disso, Pedro foi à casa de Maria,
mãe de João, que também era chamado de Marcos, onde
muitos estavam reunidos e oravam.
13 E, quando Pedro bateu à porta do pátio, uma menina
chamada Rode saiu para ver quem era.
14 E, conhecendo a voz de Pedro, de alegria não abriu a
porta imediatamente, mas correu para dentro para anun-
ciar que Pedro estava à porta.
15 E os outros disseram: "Está fora de si?" Mas ela afir-
mava que era verdade. Então disseram: "É o anjo dele."
16 E Pedro continuava batendo. Quando abriram a porta,
viram-no e ficaram espantados.
17 E Pedro lhes acenava com a mão para que eles se ca-
lassem; então lhes contou como o Senhor o tirou da prisão
e disse: "Anunciem isto a Tiago e aos irmãos." E, saindo,
foi para outro lugar.
18 E, quando amanheceu, houve grande alvoroço entre os
soldados sobre o que teria acontecido com Pedro.
19 E, quando Herodes o procurou e o não achou, inter-
rogou os guardas e ordenou que eles fossem executados.
Então Herodes partiu da Judeia para Cesareia e ficou ali.
20 E ele estava irritado com os moradores de Tiro e de
Sidom; mas estes, vindo de comum acordo falar com ele e
obtendo o apoio de Blasto, que era homem de confiança
do rei, pediram paz; porque o seu país se abastecia do país
do rei.

A Morte de Herodes

21 E, no dia marcado, Herodes, vestindo os trajes reais,
assentado no trono, lhes fez um discurso.
22 E o povo gritava: "É voz de Deus e não de homem."
23 E no mesmo instante o anjo do Senhor o feriu, porque
não deu glória a Deus, e morreu comido por vermes.
24 E a palavra de Deus crescia e se multiplicava.
25 Barnabé e Saulo, havendo terminado aquele serviço,
voltaram de Jerusalém, levando também consigo João, que
também era chamado de Marcos.

Primeira Viagem Missionária de Barnabé e Saulo

13 E na igreja de Antioquia havia alguns profetas e
doutores: Barnabé e Simeão, chamado Níger, Lúcio,
cireneu, e Manaém, que tinha sido criado com Herodes,
o tetrarca, e Saulo.
2 E, enquanto eles estavam adorando o Senhor e jejuando,

o Espírito Santo disse: "Separem-me Barnabé e Saulo para a obra a que os tenho chamado."

3 Então, jejuando, orando e pondo sobre eles as mãos, os despediram.

4 E assim eles, enviados pelo Espírito Santo, foram até Selêucia, e dali navegaram para Chipre.

Elimas, o Mágico

5 E, quando chegaram a Salamina, anunciaram a palavra de Deus nas sinagogas dos judeus; e tinham também João como auxiliar.

6 E, depois de atravessarem a ilha até Pafos, encontraram um certo judeu mágico, falso profeta, chamado Barjesus.

7 Ele estava com o procônsul Sérgio Paulo, homem culto. Este chamou Barnabé e Saulo, pois queria muito ouvir a palavra de Deus.

8 Porém Elimas, o encantador, porque assim se traduz o seu nome, opôs-se a eles, procurando afastar da fé o procônsul.

9 Mas Saulo, que também se chama Paulo, cheio do Espírito Santo, fixou os olhos em Elimas

10 e disse: "Ó filho do diabo, cheio de todo o engano e de toda a malícia, inimigo de toda a justiça, por que você não para de perturbar os retos caminhos do Senhor?

11 Eis aqui agora, contra você, a mão do Senhor. Você ficará cego, sem ver o sol por algum tempo." E no mesmo instante a escuridão e as trevas caíram sobre ele, e, andando em círculo, procurava quem o guiasse pela mão.

12 Então o procônsul, vendo o que havia acontecido, creu, maravilhado da doutrina do Senhor.

Pregação em Antioquia da Pisídia

13 E, partindo de Pafos, Paulo e os que estavam com ele chegaram a Perge da Panfília. Mas João separou-se deles e voltou para Jerusalém.

14 Então eles saíram de Perge e chegaram a Antioquia da Pisídia, e, num dia de sábado, entraram na sinagoga e sentaram-se.

15 E, depois da leitura da lei e dos profetas, os chefes da sinagoga mandaram lhes dizer: "Homens irmãos, se vocês têm alguma palavra de consolo para o povo, falem."

16 Então Paulo se levantou, pedindo silêncio com a mão, e disse: "Homens israelitas e os que temem a Deus, ouçam:

17 O Deus deste povo de Israel escolheu os nossos pais e exaltou o povo, quando eles eram estrangeiros na terra do Egito, com braço poderoso os tirou dela

18 e suportou os seus costumes no deserto por quase quarenta anos.

19 Deus destruiu sete nações na terra de Canaã e deu a terra delas como herança ao seu povo.

20 E, depois disto, por quase quatrocentos e cinquenta anos, lhes deu juízes, até o profeta Samuel.

21 Depois pediram um rei, e Deus lhes deu Saul, filho de Quis, homem da tribo de Benjamim, por quarenta anos.

22 E, quando Saul foi retirado, levantou-lhes o rei Davi, de quem Deus deu testemunho dizendo: 'Achei Davi, filho de Jessé, homem segundo o meu coração, que fará toda a minha vontade.'

23 Da descendência deste, conforme a promessa, Deus levantou Jesus como Salvador de Israel;

24 tendo primeiramente João, antes da vinda de Jesus, pregado a todo o povo de Israel o batismo do arrependimento.

25 Mas João, quando estava completando a sua carreira, disse: 'Quem vocês pensam que eu sou? Eu não sou o Cristo; mas eis que após mim vem aquele a quem não sou digno de desatar as sandálias dos pés.'

26 Irmãos, descendência de Abraão e os que dentre vocês temem a Deus, a nós foi enviada esta palavra de salvação.

27 Os habitantes de Jerusalém e as suas autoridades, por não terem reconhecido Jesus, condenaram-no, cumprindo-se as palavras dos profetas que são lidas todos os sábados.

28 E, embora não achassem nele nenhuma causa de morte, pediram a Pilatos que ele fosse morto.

29 E, depois de eles cumprirem todas as coisas que dele estavam escritas, tirando-o do madeiro, o puseram em uma sepultura.

30 Mas Deus o ressuscitou dentre os mortos,

31 e ele por muitos dias foi visto pelos que o tinham acompanhado da Galileia a Jerusalém, e agora são suas testemunhas diante do povo.

32 E nós anunciamos a vocês que a promessa que foi feita aos nossos pais,

33 Deus cumpriu a nós, seus filhos, ressuscitando Jesus, como também está escrito no salmo número dois: 'Você é meu filho, eu hoje gerei você.'

34 E o ressuscitou dentre os mortos, para que o seu corpo nunca mais sofresse decomposição. Deus disse assim: 'As santas e fiéis bênçãos de Davi eu lhes darei.'

35 Por isso também em outro salmo diz: 'Não permitirás que o teu santo veja corrupção.'

36 Porque, na verdade, tendo Davi no seu tempo servido conforme a vontade de Deus, morreu, foi posto junto de seus pais e viu a corrupção.

37 Mas aquele a quem Deus ressuscitou não viu corrupção.

38 Portanto, irmãos, saibam que é por meio de Jesus que a remissão dos pecados é anunciada a vocês;

39 e, por meio dele, todos os que creem são justificados de todas as coisas que, pela lei de Moisés, não puderam ser justificados.

40 Portanto, tenham cuidado para que não lhes aconteça
o que os profetas disseram:
41 'Vejam, ó desprezadores, fiquem espantados e desapa-
reçam; porque opero uma obra em seus dias, obra tal na
qual não acreditarão se alguém lhes contar.'"
42 E, quando Paulo e Barnabé estavam saindo da sinago-
ga, as pessoas pediram que no sábado seguinte lhes fossem
ditas as mesmas coisas.
43 E, depois da reunião na sinagoga, muitos dos judeus e
dos prosélitos religiosos seguiram Paulo e Barnabé, que,
falando com eles, os exortavam a permanecerem na graça
de Deus.

O Evangelho Levado aos Gentios

44 E, no sábado seguinte, quase toda a cidade se reuniu
para ouvir a palavra de Deus.
45 Então os judeus, vendo a multidão, encheram-se de
inveja e, blasfemando, contradiziam o que Paulo falava.
46 Mas Paulo e Barnabé, usando de ousadia, disseram:
"Era necessário que pregasse a palavra de Deus primeiro a
vocês; mas, visto que a rejeitam e não se julgam dignos da
vida eterna, eis que nos voltamos para os gentios;
47 porque o Senhor assim nos determinou: 'Eu pus você
para luz dos gentios, a fim de que seja para salvação até os
confins da terra.'"
48 E os gentios, ouvindo isto, se alegraram e glorificavam
a palavra do Senhor; e creram todos os que haviam sido
designados para a vida eterna.
49 E a palavra do Senhor se espalhava por toda aquela
região.
50 Mas os judeus incitaram algumas mulheres religiosas
e honestas e os principais da cidade e levantaram perse-
guição contra Paulo e Barnabé, e os expulsaram do seu
território.
51 E, sacudindo contra eles o pó dos seus pés, partiram
para Icônio.
52 E os discípulos estavam cheios de alegria e do Espírito
Santo.

Paulo e Barnabé em Icônio

14 E, em Icônio, Paulo e Barnabé entraram juntos na
sinagoga dos judeus e falaram de tal modo que uma
grande multidão de judeus e de gregos creram.
2 Mas os judeus incrédulos incitaram e irritaram os âni-
mos dos gentios contra os irmãos.
3 Paulo e Barnabé ficaram muito tempo em Icônio falando
ousadamente a respeito do Senhor, que dava testemunho
à palavra da sua graça, permitindo que pelas mãos deles se
fizessem sinais e prodígios.
4 E a multidão da cidade se dividiu; uns eram pelos judeus
e outros pelos apóstolos.
5 Então houve um motim tanto dos judeus como dos gen-
tios com apoio das suas autoridades, para os insultarem e
os apedrejarem.
6 Quando Paulo e Barnabé ficaram sabendo, fugiram para
Listra e Derbe, cidades de Licaônia, e para a província
vizinha,
7 e ali pregavam o evangelho.

A Cura de Um Paralítico em Listra

8 Em Listra estava sentado um certo homem paralítico,
aleijado dos pés desde o ventre de sua mãe, e que nunca
tinha andado.
9 Esse homem ouviu Paulo falar. Quando Paulo fixou os
olhos nele, viu que ele tinha fé para ser curado,
10 então disse em voz alta: "Levante-se direito sobre os
seus pés." E ele saltou e andou.
11 E as multidões, vendo o que Paulo tinha feito, levan-
taram a voz dizendo em língua licaônica: "Os deuses em
forma de homens desceram até nós."
12 Barnabé chamavam de Júpiter e Paulo chamavam de
Mercúrio, porque este era quem falava.
13 E o sacerdote de Júpiter, cujo templo estava em frente
da cidade, trazendo para a entrada da porta touros e grinal-
das, queria com a multidão oferecer um sacrifício.
14 Quando os apóstolos Barnabé e Paulo ouviram isso,
rasgaram as suas vestes e saltaram para o meio da multidão
gritando:
15 "Senhores, por que fazem estas coisas? Nós também
somos homens como vocês, sujeitos às mesmas paixões,
e anunciamos a vocês que se convertam dessas vaidades
ao Deus vivo, que fez o céu, a terra, o mar e tudo o que
há neles;
16 o qual, nos tempos passados, permitiu todos os povos
andarem em seus próprios caminhos.
17 E, contudo, não deixou de dar testemunho de si mes-
mo, beneficiando vocês lá do céu, dando a vocês chuvas
e tempos frutíferos, enchendo de mantimento e de alegria
os seus corações."
18 E, dizendo isto, com dificuldade impediram que a mul-
tidão lhes oferecesse sacrifícios.
19 Então chegaram uns judeus de Antioquia e de Icônio
que convenceram a multidão e apedrejaram Paulo e o
arrastaram para fora da cidade, achando que ele estava
morto.
20 Mas, quando os discípulos o rodearam, ele se levantou
e entrou na cidade, e no dia seguinte saiu com Barnabé
para Derbe.

O Retorno Para Antioquia da Síria

21 E, tendo anunciado o evangelho naquela cidade e feito
muitos discípulos, Paulo e Barnabé voltaram para Listra,
Icônio e Antioquia,
22 fortalecendo os ânimos dos discípulos, exortando-os a

permanecerem na fé, mostrando que por muitas tribula-
ções nos importa entrar no Reino de Deus.
23 Então Paulo e Barnabé, em comum acordo, designa-
ram presbíteros em cada igreja e, orando com jejuns, os
encomendaram ao Senhor em quem haviam crido.
24 Paulo e Barnabé, passando depois por Pisídia, dirigi-
ram-se à Panfília.
25 E, tendo anunciado a palavra em Perge, desceram para
Atália.
26 E dali navegaram para Antioquia, de onde tinham sido
recomendados à graça de Deus para a obra que já haviam
completado.
27 E, quando chegaram a Antioquia, reuniram a igreja,
relataram quantas grandes coisas Deus tinha feito por eles,
e como Deus abriu aos gentios a porta da fé.
28 E ficaram ali por muito tempo com os discípulos.

O Concílio de Jerusalém

15 Então alguns que tinham vindo da Judeia ensinavam
os irmãos: "Se vocês não se circuncidarem conforme
o costume de Moisés, não poderão se salvar."
2 Tendo surgido uma grande discussão de Paulo e Barnabé
com eles, foi resolvido que Paulo e Barnabé, e alguns de-
les, subissem a Jerusalém, aos apóstolos e aos presbíteros,
para tratar aquela questão.
3 E eles, sendo acompanhados pela igreja, passaram pela
Fenícia e por Samaria, contando a conversão dos gentios,
e davam grande alegria a todos os irmãos.
4 E, quando chegaram a Jerusalém, foram recebidos pela
igreja e pelos apóstolos e presbíteros, e lhes anunciaram
quantas grandes coisas Deus tinha feito com eles.
5 Alguns, porém, da seita dos fariseus, que tinham crido,
se levantaram, dizendo que era necessário circuncidá-los e
mandar-lhes que guardassem a lei de Moisés.
6 Então os apóstolos e os presbíteros se reuniram para exa-
minarem esta questão.
7 E, havendo grande discussão, Pedro se levantou e lhes
disse: "Irmãos, bem sabem que há muito tempo Deus me
escolheu dentre vocês, para que os gentios ouvissem da
minha boca a palavra do evangelho e cressem.
8 E Deus, que conhece os corações, lhes deu testemunho,
dando-lhes o Espírito Santo, assim como também a nós;
9 e não fez diferença alguma entre eles e nós, purificando
os seus corações pela fé.
10 Agora, por que tentam a Deus, pondo sobre o pescoço
dos discípulos um jugo que nem nós, nem nossos pais,
pudemos suportar?
11 Mas cremos que seremos salvos pela graça do Senhor
Jesus Cristo, assim como eles."
12 Então toda a multidão se calou e escutava Barnabé e
Paulo, que contavam quantos grandes sinais e prodígios
Deus havia feito por meio deles entre os gentios.
13 E, havendo eles se calado, Tiago tomou a palavra, di-
zendo: "Irmãos, ouçam-me:
14 Simão relatou como primeiramente Deus visitou os
gentios, para fazer deles um povo para o seu nome.
15 E com isto concordam as palavras dos profetas, como
está escrito:
16 'Depois disto voltarei e reedificarei o tabernáculo de
Davi, que está caído, o levantarei das suas ruínas e tornarei
a edificá-lo.
17 Para que o restante da humanidade busque o Senhor,
juntamente com todos os gentios sobre os quais o meu
nome é invocado,
18 diz o Senhor, que faz todas estas coisas conhecidas,
desde os tempos antigos.'
19 Por isso julgo que não se deve perturbar aqueles que,
entre os gentios, se convertem a Deus,
20 mas escrever-lhes que se abstenham das contamina-
ções dos ídolos, da prostituição, da carne de animais sufo-
cados e do sangue.
21 Porque Moisés, desde os tempos antigos, tem em cada
cidade quem o pregue, e cada sábado é lido nas sinagogas."

A Carta aos Cristãos Gentios

22 Então pareceu bem aos apóstolos e aos presbíteros,
com toda a igreja, eleger alguns homens dentre eles e en-
viá-los com Paulo e Barnabé a Antioquia. E foram eleitos
Judas, chamado Barsabás, e Silas, homens distintos entre
os irmãos.
23 E por intermédio deles escreveram o seguinte: "Os
apóstolos, os presbíteros e os irmãos, aos irmãos dentre os
gentios que estão em Antioquia, Síria e Cilícia, saudações.
24 Ouvimos que alguns que saíram dentre nós sem auto-
rização perturbaram vocês com palavras, e transtornaram
as suas mentes, dizendo que devem se circuncidarem e
guardarem a lei, sem termos dado este mandamento.
25 Pareceu-nos bem, em pleno acordo, eleger alguns ho-
mens e enviá-los com os nossos amados Barnabé e Paulo,
26 homens que já expuseram as suas vidas pelo nome de
nosso Senhor Jesus Cristo.
27 Enviaremos, portanto, Judas e Silas, os quais pessoal-
mente lhes anunciarão as mesmas coisas.
28 Na verdade pareceu bem ao Espírito Santo e a nós
não lhes impor mais encargo algum, senão estas coisas
necessárias:
29 Que se abstenham das coisas sacrificadas aos ídolos, do
sangue, da carne sufocada e da prostituição, coisas que, se
vocês evitarem, farão bem. Que tudo lhes vá bem."
30 Assim, eles se despediram e partiram para Antioquia.

MAR NEGRO
BITÍNIA
MAR
EGEU
PSÍDIA
Antioquia da Psídia
Icônio
Listra
PANFÍLIA
Derbe
CILÍCIA
Atália
Perge
Antioquia
Selêucia
SÍRIA
CHIPRE
Salamina
Pafos
MAR MEDITERRÂNEO
Damasco
Primeira Viagem
Missionária de Paulo
Cesareia
Jerusalém

Então, ao chegarem, reuniram a igreja e entregaram a
carta.
31 E, quando a leram, se alegraram pela sua mensagem.
32 Depois Judas e Silas, que também eram profetas, en-
corajaram e fortaleceram os irmãos com muitas palavras.
33 E, ficando ali por algum tempo, os irmãos os deixaram
voltar em paz para os apóstolos;
34 mas pareceu bem a Silas permanecer ali.
35 Paulo e Barnabé ficaram em Antioquia, ensinando e
pregando, com muitos outros, a palavra do Senhor.

Divergência Entre Paulo e Barnabé (2ª Viagem)

36 E, alguns dias depois, Paulo disse a Barnabé: "Vamos
voltar a visitar nossos irmãos por todas as cidades em que
já anunciamos a palavra do Senhor, para ver como estão."
37 E Barnabé queria que levassem também João, chama-
do Marcos.
38 Mas Paulo não achava justo levarem aquele que desde
a Panfília tinha se afastado deles, e não os acompanhou
naquela obra.
39 E houve um grande desentendimento entre eles, que
se separaram um do outro. Então Barnabé, levando Mar-
cos consigo, navegou para Chipre.
40 E Paulo, tendo escolhido Silas, partiu, encomendado
pelos irmãos à graça de Deus.
41 E passou pela Síria e Cilícia, fortalecendo as igrejas.

Paulo, Silas e Timóteo

16 Paulo chegou a Derbe e Listra, e havia ali um certo
discípulo chamado Timóteo, filho de uma judia que
era crente, mas de pai grego.
2 Os irmãos que estavam em Listra e em Icônio davam
bom testemunho de Timóteo.
3 Paulo queria que Timóteo fosse com ele e, por isso, o
circuncidou, por causa dos judeus que estavam naqueles
lugares; porque todos sabiam que seu pai era grego.
4 E, quando iam passando pelas cidades, lhes entregavam
os decretos que haviam sido estabelecidos pelos apóstolos
e anciãos em Jerusalém para serem observados.
5 Assim, as igrejas eram fortalecidas na fé, e cada dia cres-
ciam em número.

A Visão de Paulo

6 E, passando pela região da Frígia e da Galácia, foram
impedidos pelo Espírito Santo de anunciarem a palavra na
Ásia.
7 E, quando chegaram a Mísia, tentaram ir para Bitínia,
mas o Espírito de Jesus não lhes permitiu.
8 E, tendo passado por Mísia, desceram a Trôade.
9 E Paulo teve à noite uma visão na qual um homem da
Macedônia estava em pé e lhe suplicava, dizendo: "Passe
à Macedônia e ajude-nos."
10 E, logo depois desta visão, procuramos partir para a
Macedônia, concluindo que o Senhor nos chamava para
lhes anunciar o evangelho.

A Conversão de Lídia em Filipos

11 E, navegando de Trôade, fomos direto para a Samotrá-
cia e, no dia seguinte, para Neápolis,
12 e dali para Filipos, que é a primeira cidade desta parte
da Macedônia e é uma colônia; e estivemos alguns dias
nessa cidade.
13 E no sábado saímos fora das portas, para a beira do rio,
onde se costumava fazer oração; então, assentando-nos,
falamos às mulheres que ali se ajuntaram.
14 E uma certa mulher, chamada Lídia, vendedora de púr-
pura, da cidade de Tiatira, e que servia a Deus, nos ouvia,
e o Senhor lhe abriu o coração para que estivesse atenta
ao que Paulo dizia.
15 E, depois que foi batizada, ela e a sua casa, nos pediu:
"Se julgam que eu sou fiel ao Senhor, entrem e fiquem na
minha casa." E isso nos constrangeu.

Paulo e Silas São Presos

16 E aconteceu que, indo nós para o lugar de oração,
uma jovem, que tinha espírito de adivinhação, nos saiu
ao encontro, a qual, adivinhando, dava grande lucro aos
seus donos.
17 Ela, seguindo Paulo e a nós, gritava dizendo: "Estes
homens, que nos anunciam o caminho da salvação, são
servos do Deus Altíssimo."
18 E ela fez isto por muitos dias. Mas Paulo, indignado,
voltou-se e disse ao espírito: "Em nome de Jesus Cristo,
eu lhe ordeno que saia dela." E na mesma hora o espírito
saiu.
19 E quando os donos da jovem viram que a esperança
do seu lucro estava perdida, prenderam Paulo e Silas, e os
levaram à praça, à presença dos magistrados.
20 E, apresentando-os aos magistrados, disseram: "Estes
homens, sendo judeus, perturbaram a nossa cidade,
21 e nos expõem costumes que não nos é lícito receber
nem praticar, porque somos romanos."
22 E a multidão se levantou unida contra eles, então os
magistrados, rasgando-lhes as roupas, mandaram açoitá-
-los com varas.
23 E depois de dar-lhes muitos açoites, os lançaram na
prisão, ordenando ao carcereiro que os guardasse com
segurança.
24 Este, tendo recebido tal ordem, os lançou no cárcere
interior e prendeu os pés deles no tronco.

A Conversão do Carcereiro

25 E, perto da meia-noite, Paulo e Silas oravam e canta-
vam hinos a Deus, e os outros presos os escutavam.
26 De repente veio um grande terremoto, e os alicerces

MAR NEGRO
N
MACEDÔNIA
Filipos
Neápolis
Bereia
Samotrácia
Tessalônica
MAR EGEU
Adramito
Trôade
PSÍDIA
Antioquia da Psídia
Atenas
Éfeso
Icônio
Corinto
Listra
Derbe
CILÍCIA
Tarso
Antioquia
CHIPRE
MAR MEDITERRÂNEO
Segunda Viagem
Missionária de Paulo
Cesareia
Jerusalém

do cárcere se moveram, e logo todas as portas se abriram
e as correntes de todos se soltaram.
27 Então, o carcereiro acordou e viu que as portas da pri-
são estavam abertas, ele tirou a espada e quis se matar,
pensando que os presos já tinham fugido.
28 Mas Paulo gritou bem alto, dizendo: "Não faça ne-
nhum mal a você, porque estamos todos aqui."
29 Então o carcereiro, pedindo uma luz, entrou todo trê-
mulo e se prostrou diante de Paulo e Silas.
30 Depois tirou-os para fora e disse: "Senhores, o que é
necessário que eu faça para me salvar?"
31 E eles responderam: "Creia no Senhor Jesus Cristo e
será salvo, você e a sua casa."
32 E pregavam a palavra do Senhor a todos os que esta-
vam em sua casa.
33 E, naquela mesma hora da noite, cuidou deles e lavou-
-lhes as feridas, e, logo, ele e todos os seus foram batizados.
34 E, levando-os à sua casa, lhes pôs a mesa; então, na sua
crença em Deus, alegrou-se com toda a sua casa.
35 E, quando amanheceu, os magistrados enviaram solda-
dos, dizendo: "Soltem aqueles homens."
36 E o carcereiro disse a Paulo: "Os magistrados manda-
ram soltar vocês; agora, saiam e vão em paz."
37 Mas Paulo disse: "Açoitaram-nos publicamente, sem
sermos condenados, sendo nós cidadãos romanos, nos
lançaram na prisão, e agora secretamente querem nos li-
bertar? Não será assim, mas venham eles pessoalmente e
nos ponham em liberdade."
38 E os soldados foram dizer aos magistrados estas pala-
vras; então eles temeram quando ouviram que eles eram
romanos.
39 Então, foram até eles, lhes pediram desculpas e que
saíssem da cidade.
40 E, saindo da prisão, entraram na casa de Lídia e, vendo
os irmãos, os confortaram, e depois partiram.

O Evangelho em Tessalônica

17 E, passando por Anfípolis e Apolônia, chegaram a
Tessalônica, onde havia uma sinagoga de judeus.
2 E Paulo, como tinha por costume, foi falar com eles,
e por três sábados discutiu com eles sobre as Escrituras,
3 expondo e demonstrando que convinha que o Cristo
padecesse e ressuscitasse dentre os mortos. "E este Jesus,
que anuncio a vocês, dizia ele, é o Cristo."
4 E alguns deles creram; e uma grande multidão de gre-
gos religiosos e muitas mulheres importantes se juntaram
a Paulo e Silas.
5 Mas os judeus desobedientes, movidos de inveja, tra-
zendo junto alguns homens perversos, dentre os vadios,
reuniram o povo, alvoroçaram a cidade e, atacando a casa
de Jasom, procuravam trazer Paulo e Silas para o meio
do povo.
6 E, não os achando, trouxeram Jasom e alguns irmãos à
presença dos magistrados da cidade, gritando: "Estes que
promovem tumulto em todo o mundo, chegaram também
aqui,
7 e Jasom os recebeu na casa dele; e todos eles procedem
contra os decretos de César, dizendo que há outro rei,
chamado Jesus."
8 Então toda a multidão e as autoridades que ouviram es-
tas coisas ficaram apreensivas.
9 Então receberam de Jasom e dos demais a fiança estipu-
lada e os soltaram.

Paulo e Silas Em Bereia

10 E logo, durante a noite, os irmãos enviaram Paulo e
Silas a Bereia; e eles, chegando lá, foram à sinagoga dos
judeus.
11 Ora, estes de Bereia foram mais nobres do que os que
estavam em Tessalônica, porque de bom grado receberam
a palavra, examinando cada dia nas Escrituras se estas coi-
sas eram assim.
12 Por isso muitos deles creram, juntamente com mulhe-
res gregas da classe nobre, e muitos homens.
13 Mas, logo que os judeus de Tessalônica souberam que
a palavra de Deus também era anunciada por Paulo em
Bereia, foram lá e excitaram as multidões.
14 No mesmo instante os irmãos fizeram com que Paulo
fosse até o mar, mas Silas e Timóteo ficaram ali.
15 E os homens que foram com Paulo o levaram até Ate-
nas; então, recebendo ordem para que Silas e Timóteo
fossem falar com ele o mais depressa possível, partiram.

Em Atenas

16 E, enquanto Paulo os esperava em Atenas, o seu espíri-
to se comovia em si mesmo, vendo a cidade tão entregue
à idolatria.
17 Por isso disputava na sinagoga com os judeus e religio-
sos, e todos os dias na praça, com os que se apresentavam.
18 E alguns dos filósofos epicureus e estoicos discutiam
com ele. Uns diziam: "O que quer dizer este tagarela?"
E outros diziam: "Parece que é pregador de deuses es-
tranhos", porque lhes pregava a respeito de Jesus e da
ressurreição.
19 Então o levaram ao Areópago, perguntando: "Nós po-
deremos saber que nova doutrina é essa de que fala?
20 Pois nos traz aos ouvidos coisas estranhas, e queremos
saber o que vem a ser isto."
21 Pois todos os atenienses e estrangeiros residentes só se
ocupavam em ouvir alguma novidade.
22 E quando Paulo estava no meio do Areópago, disse:

"Atenienses, vejo que em todos os aspectos vocês são mui-
to religiosos,
23 porque, andando pela cidade, vi os seus santuários, vi
também um altar em que estava escrito: AO DEUS DES-
CONHECIDO. Esse que vocês adoram, sem conhecer, é
quem eu lhes anuncio.
24 O Deus que fez o mundo e tudo que nele existe; sendo
ele Senhor do céu e da terra, não habita em templos feitos
por mãos humanas;
25 nem tampouco é servido por mãos humanas, como se
necessitasse de alguma coisa; pois ele mesmo é quem dá a
todos a vida, a respiração e todas as coisas;
26 e de um só homem fez todas as nações para habitarem
sobre toda a face da terra, tendo determinado os tempos
antes estabelecidos e os limites da sua habitação;
27 para que buscassem ao Senhor, se porventura, tatean-
do, o pudessem achar; ainda que não esteja longe de cada
um de nós;
28 porque nele vivemos, nos movemos e existimos; como
também alguns dos vossos poetas disseram: 'Também so-
mos sua descendência.'
29 Assim, se nós somos descendência de Deus, não de-
vemos pensar que a divindade seja semelhante ao ouro,
à prata, ou à pedra esculpida por artifício e imaginação
dos homens.
30 Mas Deus não levou em conta os tempos da ignorân-
cia, mas anuncia agora a todos os homens, e em todo lu-
gar, que se arrependam;
31 porque Deus estabeleceu um dia em que com justiça
julgará o mundo por meio do homem que destinou; e dis-
so deu certeza a todos, ressuscitando-o dentre os mortos."
32 E, como ouviram falar da ressurreição dos mortos, uns
zombavam e outros diziam: "A respeito disso ouviremos
você outra vez."
33 E assim Paulo saiu do meio deles.
34 Porém chegaram alguns homens a ele e creram; entre
eles estava Dionísio, areopagita, e uma mulher chamada
Dâmaris e outras pessoas.

Paulo Em Corinto

18 E depois disto Paulo partiu de Atenas e chegou a
Corinto.
2 E encontrou um judeu chamado Áquila, natural do
Ponto, que havia chegado da Itália recentemente, com
Priscila, sua mulher, porque o imperador Cláudio tinha
decretado que todos os judeus deveriam sair de Roma.
3 E, como tinham o mesmo ofício, Paulo ficou com eles e
ali trabalhava, pois tinham por ofício fazer tendas.
4 E todos os sábados Paulo falava na sinagoga e convencia
judeus e gregos.
5 E, quando Silas e Timóteo chegaram da Macedônia, Pau-
lo se dedicou exclusivamente à pregação, testemunhando
aos judeus que Jesus era o Cristo.
6 Mas eles resistiam e blasfemavam, então Paulo sacudiu
as suas vestes e disse: "Que o sangue de vocês caia sobre
a cabeça de vocês; eu estou limpo dele e, a partir de agora
vou para os gentios."
7 E, saindo dali, entrou na casa de um homem chamado
Tício Justo, que servia a Deus, e a casa dele ficava ao lado
da sinagoga.
8 E Crispo, o chefe da sinagoga, creu no Senhor com toda
a sua casa; também muitos dos coríntios, ouvindo-o, cre-
ram e foram batizados.
9 E certa noite o Senhor falou em visão a Paulo: "Não
tenha medo, mas fale e não se cale;
10 porque eu estou com você, e ninguém lhe fará mal,
pois tenho muita gente nesta cidade."
11 E Paulo ficou ali por um ano e seis meses, ensinando
entre eles a palavra de Deus.
12 Mas, sendo Gálio procônsul da Acaia, os judeus em
comum acordo se levantaram contra Paulo, e o levaram
ao tribunal,
13 dizendo: "Este homem persuade as pessoas para servi-
rem a Deus contra a lei."
14 E, quando Paulo ia abrir a boca, Gálio disse aos judeus:
"Se vocês, ó judeus, tivessem apresentado queixa de al-
gum delito ou crime grave, eu, com certeza, os ouviria.
15 Mas, como é uma questão de palavras, de nomes e da
própria lei de vocês, resolvam isso vocês mesmos; porque
eu não quero ser juiz dessas coisas."
16 E expulsou-os do tribunal.
17 Então todos os gregos agarraram Sóstenes, chefe da
sinagoga, e o feriram diante do tribunal; porém a Gálio
nada destas coisas o incomodava.

Áquila e Priscila

18 E Paulo, ficou ainda por muitos dias em Corinto, então
se despediu dos irmãos e navegou para a Síria, levando
com ele Priscila e Áquila. Paulo rapou a cabeça em Cen-
creia, porque tinha feito um voto.
19 Então, chegou a Éfeso e deixou-os ali; mas Paulo, en-
trando na sinagoga, começou a debater com os judeus.
20 E eles pediram a Paulo que ficasse por mais algum tem-
po, mas ele não quis.
21 Então se despediu deles e disse: "Se Deus quiser, volta-
rei para vocês outra vez." E partiu de Éfeso.
22 E, chegando a Cesareia, foi para Jerusalém e, saudando
a igreja, seguiu para Antioquia.

A Terceira Viagem Missionária

23 E, ficando ali algum tempo, partiu, passando sucessiva-
mente pela província da Galácia e da Frígia, fortalecendo
todos os discípulos.

24 E chegou a Éfeso um certo judeu chamado Apolo, natural de Alexandria, homem eloquente e poderoso nas Escrituras.

25 Ele era instruído no caminho do Senhor e fervoroso de espírito, falava e ensinava diligentemente as coisas do Senhor, conhecendo somente o batismo de João.

26 Apolo começou a falar ousadamente na sinagoga; então, quando Priscila e Áquila ouviram-no falar, o levaram consigo e lhe expuseram com mais exatidão o caminho de Deus.

27 Quando ele resolveu ir para a Acaia, os irmãos o encorajaram, e escreveram aos discípulos que o recebessem; e, ao chegar, ele auxiliou muito os que pela graça haviam crido,

28 porque, com grande veemência, convencia publicamente os judeus, mostrando pelas Escrituras que Jesus era o Cristo.

Paulo em Éfeso

19 Enquanto Apolo estava em Corinto, Paulo, tendo passado por todas as regiões superiores, chegou a Éfeso; encontrando ali alguns discípulos,

2 perguntou-lhes: "Vocês já receberam o Espírito Santo quando creram?" E eles responderam: "Nós nem ainda ouvimos que existe o Espírito Santo."

3 Assim Paulo lhes perguntou: "Então que batismo vocês receberam?" E eles responderam: "O batismo de João."

4 Mas Paulo explicou: "Certamente João batizou com o batismo do arrependimento, dizendo ao povo que cresse naquele que viria depois dele, isto é, em Jesus Cristo."

5 E os que ouviram foram batizados em nome do Senhor Jesus.

6 E, quando Paulo lhes impôs as mãos, o Espírito Santo veio sobre eles; então, falavam línguas e profetizavam.

7 Eram, ao todo, uns doze homens.

8 E, entrando na sinagoga, Paulo falou ousadamente por três meses, disputando e persuadindo-os a respeito do Reino de Deus.

9 Mas, como alguns deles se endureceram e não obedeceram, falando mal do Caminho perante a multidão, Paulo se retirou deles com os discípulos, e passou a falar todos os dias na escola de Tirano.

10 E isto durou cerca de dois anos, de tal maneira que todos os que habitavam na Ásia ouviram a palavra do Senhor Jesus, tanto judeus como gregos.

11 E Deus pelas mãos de Paulo fazia maravilhas extraordinárias.

12 A ponto de levarem aos enfermos lenços e aventais que Paulo usava, e as enfermidades fugiam deles e os espíritos malignos saíam.

13 E alguns exorcistas judeus ambulantes tentavam invocar o nome do Senhor Jesus sobre os que tinham espíritos malignos, dizendo: "Ordeno que saiam em nome de Jesus a quem Paulo prega."

14 E quem fazia isto eram os sete filhos de Ceva, judeu, sumo sacerdote.

15 E o espírito maligno respondeu: "Conheço Jesus e bem sei quem é Paulo; mas vocês quem são?"

16 E o homem que tinha o espírito maligno saltou sobre eles e, dominando a todos, prevaleceu contra eles, de tal maneira que, nus e feridos, fugiram daquela casa.

17 E todos os que habitavam em Éfeso, tanto judeus como gregos, ficaram sabendo disso; assim, caiu um temor sobre todos eles e o nome do Senhor Jesus era engrandecido.

18 E muitos dos que tinham crido vinham, confessando e publicando os seus feitos.

19 Também muitos dos que seguiam artes mágicas trouxeram os seus livros e os queimaram na presença de todos e, calculando o valor dos livros, chegaram a um montante de cinquenta mil moedas de prata.

20 Assim a palavra do Senhor crescia poderosamente e prevalecia.

21 E, depois destas coisas, Paulo propôs, em espírito, ir a Jerusalém, passando pela Macedônia e pela Acaia, dizendo: "Depois que houver passado por Jerusalém, é necessário que eu vá também a Roma."

22 E, enviando à Macedônia dois daqueles que o ajudavam, Timóteo e Erasto, Paulo ficou por algum tempo na Ásia.

O Motim de Demétrio

23 E, naquele mesmo tempo, houve um grande alvoroço em Éfeso por causa do Caminho.

24 Porque um certo ourives, chamado Demétrio, que fazia miniaturas de prata de Diana, e que dava muito lucro aos artífices,

25 convocou os outros artesãos que faziam obras semelhantes e disse: "Senhores, vocês bem sabem que deste ofício vem a nossa prosperidade;

26 e agora vocês veem e ouvem que não só em Éfeso, mas até quase em toda a Ásia, este Paulo tem convencido e afastado uma grande multidão, dizendo que não são deuses os que se fazem com as mãos.

27 E não somente há o perigo de que a nossa profissão caia em descrédito, mas também de que o próprio templo da grande deusa Diana seja transformado em nada, vindo a ser destruída a majestade daquela que toda a Ásia e o mundo veneram."

28 E, ouvindo-o, encheram-se de ira e clamaram, dizendo: "Grande é a Diana dos efésios."

29 E encheu-se de confusão toda a cidade e, unânimes,

correram ao teatro, arrastando os macedônios Gaio e Aris-
tarco, companheiros de Paulo na viagem.
30 E, quando Paulo quis apresentar-se ao povo, os discípu-
los não lhe permitiram.
31 E algumas autoridades da Ásia, que eram seus amigos,
lhe pediram que ele não se apresentasse no teatro.
32 Uns gritavam de uma maneira, outros de outra, porque
a assembleia era uma confusão; e a maioria deles não sabia
por que motivo estavam reunidos.
33 Então tiraram Alexandre do meio da multidão, e os
judeus o empurravam para a frente; Alexandre, acenando
com a mão, queria falar ao povo.
34 Mas quando reconheceram que ele era judeu, todos
unanimemente levantaram a voz, gritando por quase duas
horas: "Grande é a Diana dos efésios."
35 Então o escrivão da cidade, tendo acalmado a multi-
dão, disse: "Homens de Éfeso, qual é o homem que não
sabe que a cidade dos efésios é a guardiã do templo da
grande deusa Diana, e da imagem que desceu de Júpiter?
36 Ora, não podendo isto ser contestado, convém que vo-
cês se acalmem e não façam nada precipitadamente;
37 porque estes homens que aqui trouxeram não profa-
naram o templo, nem blasfemam contra a nossa deusa.
38 Mas, se Demétrio e os artífices que estão com ele têm
alguma coisa contra alguém, existem os tribunais e os pro-
cônsules; que se acusem uns aos outros ali;
39 e, se demandam alguma outra coisa, isso se averiguará
em legítima assembleia.
40 Na verdade até corremos perigo de que, hoje, sejamos
acusados de revolta, não havendo causa alguma com que
possamos justificar este ajuntamento."
41 E, havendo dito isto, dissolveu a assembleia.

O Evangelho na Macedônia e na Grécia

20 E, depois que acabou o alvoroço, Paulo chamou os
discípulos e, abraçando-os, saiu para a Macedônia.
2 E, havendo andado por aquelas terras, exortando-os
com muitas palavras, foi para a Grécia.
3 E ficou ali por três meses. Quando estava para embarcar
para a Síria, houve uma conspiração por parte dos judeus
contra ele, então Paulo decidiu voltar para a Macedônia.
4 E acompanharam-no Sópatro, da Bereia, filho de Pirro;
Aristarco e Secundo, de Tessalônica; Gaio, de Derbe; Ti-
móteo, Tíquico e Trófimo, da província da Ásia.
5 Estes homens foram na frente e nos esperaram em
Trôade.
6 E, depois dos dias dos pães sem fermento, navegamos
de Filipos, e em cinco dias nos encontramos com eles em
Trôade, onde ficamos por sete dias.

A Ressurreição de Eutico

7 E, no primeiro dia da semana, nos reunimos para partir o
pão. Paulo, que iria partir no dia seguinte, falava com eles,
e prolongou a mensagem até à meia-noite.
8 Havia muitas luzes no cenáculo onde estávamos
reunidos.
9 Então, um jovem chamado Eutico estava assentado
numa janela. Tomado de um sono profundo durante o ex-
tenso discurso de Paulo, caiu do terceiro andar e, quando
o levantaram, estava morto.
10 Mas Paulo desceu, inclinou-se sobre ele e, abraçando-
-o, disse: "Não fiquem preocupados, ele está vivo."
11 Então Paulo subiu, e partiu o pão e comeu, e ainda lhes
falou até o amanhecer; e assim ele partiu.
12 E levaram vivo o jovem e ficaram muito consolados.
13 Nós, porém, subimos no navio e navegamos até Assôs,
onde devíamos receber Paulo, porque assim nos ordenou,
devendo ele ir por terra.
14 E, logo que ele se reuniu conosco em Assôs, nós o
recebemos a bordo e fomos a Mitilene.
15 E dali navegamos e no dia seguinte chegamos diante
de Quios e, no outro dia, atravessamos para Samos e che-
gamos no dia seguinte a Mileto.
16 Porque Paulo já tinha decidido não aportar em Éfeso,
para não perder tempo na Ásia. Ele tinha pressa para estar,
se fosse possível, em Jerusalém no dia de Pentecostes.
17 E, de Mileto, Paulo mandou chamar os presbíteros da
igreja de Éfeso.
18 E, quando chegaram, Paulo lhes disse: "Vocês sabem,
desde o primeiro dia em que entrei na Ásia, como em todo
esse tempo me portei no meio de vocês,
19 servindo ao Senhor com toda a humildade e com mui-
tas lágrimas e provações, que pelas ciladas dos judeus me
sobrevieram;
20 não deixei de pregar a vocês nada que fosse proveitoso,
mas ensinei tudo publicamente e de casa em casa,
21 testemunhando tanto a judeus como a gregos a conver-
são a Deus e a fé em nosso Senhor Jesus Cristo.
22 E agora, impulsionado pelo espírito, vou para Jerusa-
lém, não sabendo o que ali vai me acontecer,
23 exceto o que o Espírito Santo de cidade em cidade me
revela, dizendo que prisões e tribulações estão à minha
espera.
24 Mas não considero a minha vida preciosa, contanto
que eu cumpra com alegria a minha carreira e o ministério
que recebi do Senhor Jesus, para dar testemunho do evan-
gelho da graça de Deus.
25 E agora eu sei que todos vocês, por quem passei pre-
gando o Reino de Deus, não verão mais o meu rosto.
26 Portanto, no dia de hoje, testifico que estou limpo do
sangue de todos.

Terceira Viagem Missionária de Paulo

27 Porque nunca deixei de lhes anunciar todo o plano de Deus.

28 Cuidem de vocês mesmos e de todo o rebanho no qual o Espírito Santo os constituiu como bispos, para pastorearem a igreja de Deus, que ele resgatou com o seu próprio sangue.

29 Porque eu sei que, depois da minha partida, entrarão no meio de vocês lobos cruéis, que não pouparão o rebanho;

30 e que entre vocês mesmos se levantarão homens que falarão coisas perversas, para atraírem os discípulos.

31 Portanto, vigiem, lembrando que, durante três anos, não cessei, noite e dia, de admoestar, com lágrimas, cada um de vocês.

32 Agora, pois, entrego vocês aos cuidados de Deus e à palavra da sua graça; a ele que é poderoso para edificá-los e dar herança entre todos os santificados.

33 De ninguém cobicei prata, nem o ouro, nem o vestuário.

34 Sim, vocês sabem que para o que era necessário a mim, e aos que estão comigo, estas mãos me serviram.

35 Em tudo que fiz, tenho mostrado a vocês que, diante do trabalho árduo, é necessário auxiliar os necessitados, e recordar as palavras do Senhor Jesus, que disse: Mais bem-aventurado é dar do que receber."

36 E, havendo dito isto, Paulo pôs-se de joelhos e orou com todos eles.

37 E houve um grande pranto entre todos e, abraçando Paulo, o beijavam,

38 entristecidos pela palavra que ele tinha dito: Que não veriam mais o seu rosto. E acompanharam Paulo até o navio.

O Caminho Para Jerusalém

21 Depois de nos separarmos deles, navegamos e fomos diretamente para a ilha de Cós, e no dia seguinte chegamos a Rodes, de onde fomos à Pátara.

2 Encontramos um navio que ia para a Fenícia, embarcamos nele e partimos.

3 Quando Chipre já estava à vista, deixando-a à esquerda, navegamos para a Síria e chegamos a Tiro; porque o navio seria descarregado ali.

4 E, encontrando os discípulos, ficamos ali por sete dias; e eles pelo Espírito diziam a Paulo que não fosse a Jerusalém.

5 E, passando ali aqueles dias, saímos e seguimos nosso caminho, e todos os discípulos, com suas mulheres e filhos, nos acompanharam até fora da cidade; então, de joelhos na praia, oramos.

6 E, despedindo-nos uns dos outros, subimos ao navio, mas eles voltaram para suas casas.

7 E nós, concluída a viajem de Tiro, chegamos a Ptolemaida; ali saudamos os irmãos e ficamos com eles um dia.

8 E, no dia seguinte, Paulo e nós partimos dali e chegamos a Cesareia; então entramos na casa de Filipe, o evangelista, que era um dos sete, e ficamos com ele.

9 Ele tinha quatro filhas virgens, que profetizavam.

10 Ficamos ali por muitos dias, e chegou da Judeia um profeta chamado Ágabo,

11 que, vindo falar conosco, pegou o cinto de Paulo, amarrou com ele os seus próprios pés e mãos, e disse: "Assim diz o Espírito Santo: 'Desta maneira os judeus amarrarão o dono deste cinto em Jerusalém, e o entregarão nas mãos dos gentios.'"

12 E quando ouvimos isto, tanto nós como os que eram daquele lugar, rogamos a Paulo que não fosse a Jerusalém.

13 Mas Paulo respondeu: "O que vocês estão fazendo, chorando e magoando o meu coração? Porque eu estou pronto não só para ser preso, mas até para morrer em Jerusalém pelo nome do Senhor Jesus."

14 E, como não podíamos convencê-lo, nos aquietamos e dissemos: "Seja feita a vontade do Senhor."

15 E depois daqueles dias fizemos os nossos preparativos e fomos para Jerusalém.

16 E também alguns discípulos de Cesareia foram conosco, e nos levaram à casa de Mnasom, onde iríamos nos hospedar; ele era natural de Chipre, um dos primeiros discípulos.

A Chegada a Jerusalém

17 E, logo que chegamos a Jerusalém, os irmãos nos receberam com alegria.

18 E, no dia seguinte, Paulo foi conosco encontrar-se com Tiago, e todos os presbíteros se reuniram ali.

19 E, havendo-os saudado, contou a eles em detalhes o que Deus, por seu ministério, tinha feito aos gentios.

20 E, ouvindo isso, eles deram glória ao Senhor e lhe disseram: "Veja, irmão, quantos milhares de judeus creram, e todos eles são zelosos da lei.

21 Eles foram informados de que você ensina todos os judeus que estão entre os gentios a se afastarem de Moisés, dizendo que não devem circuncidar seus filhos, nem andar segundo o costume da lei.

22 O que faremos, então? É necessário que a multidão se ajunte, porque saberão que você já chegou.

23 Faça, portanto, o que vamos dizer: Temos quatro homens que fizeram um voto.

24 Leve esses homens e santifique-se com eles, e pague os gastos para que eles rapem a cabeça, e todos ficarão sabendo que não procede a informação a respeito de você, mas que você mesmo guarda a lei.

25 Quanto aos gentios que creem, já lhes escrevemos a

nossa decisão de que eles devem se abster de comida sa-
crificada aos ídolos, do sangue, da carne de animais sufo-
cados e da imoralidade sexual."
26 Então Paulo, levando aqueles homens, entrou no dia
seguinte no templo, já purificado com eles, para declarar o
prazo do cumprimento dos dias da purificação e da oferta
que seria feita por cada um deles.

Paulo é Preso

27 E, quando os sete dias estavam quase para terminar, os
judeus da Ásia, vendo Paulo no templo, alvoroçaram todo
o povo e o agarraram,
28 gritando: "Israelitas, ajudem-nos; este é o homem que
por toda a parte ensina todos a serem contra o nosso povo,
contra a nossa lei e contra este lugar; além disto, introdu-
ziu também no templo os gregos e profanou este santo
lugar."
29 Porque tinham visto com ele Trófimo de Éfeso na cida-
de, e pensavam que Paulo o havia introduzido no templo.
30 Então, toda a cidade ficou alvoroçada e houve grande
ajuntamento do povo; então, pegaram Paulo e o arrasta-
ram para fora do templo; e logo as portas se fecharam.
31 E, procurando eles matá-lo, chegou ao conhecimento
do comandante das tropas romanas o aviso de que Jerusa-
lém estava em tumulto.
32 Ele, levando soldados e centuriões, correu para o meio
da multidão. E, quando viram o comandante e os solda-
dos, pararam de ferir Paulo.
33 Então, o comandante se aproximou, o prendeu e o
mandou amarrar com duas correntes. E lhe perguntou
quem era ele e o que tinha feito.
34 E na multidão uns gritavam uma coisa, e outros grita-
vam outra; não podendo o comandante saber a verdade,
por causa do alvoroço, então mandou conduzir Paulo para
a fortaleza.
35 E, ao chegar às escadas, os soldados tiveram que carre-
gá-lo por causa da violência da multidão,
36 porque a multidão o seguia gritando: "Mate-o!"
37 E, quando Paulo ia sendo recolhido à fortaleza, per-
guntou ao comandante: "Posso dizer alguma coisa para
o senhor?" E o comandante respondeu: "Você fala grego?
38 Você não é por acaso aquele egípcio que algum tempo
atrás começou uma revolta e levou quatro mil criminosos
ao deserto?"
39 Mas Paulo respondeu: "Na verdade eu sou judeu, cida-
dão de Tarso, cidade importante da Cilícia; peço, porém,
que me permita falar ao povo."
40 Então, sendo-lhe permitido, Paulo, pondo-se em pé nas
escadas, fez sinal com a mão ao povo; e, feito grande silên-
cio, falou-lhes em língua hebraica, dizendo:

O Discurso de Paulo

22 "Irmãos e pais, ouçam agora a minha defesa perante
vocês."
2 E, quando ouviram que Paulo lhes falava na língua he-
braica, fizeram maior silêncio ainda. E Paulo disse:
3 "Quanto a mim, sou judeu, nascido em Tarso da Cilícia
e nessa cidade fui instruído aos pés de Gamaliel, conforme
a verdade da lei de nossos pais, zeloso de Deus, como to-
dos vocês hoje são.
4 E persegui este Caminho até à morte, prendendo, em
prisões, tanto homens como mulheres.
5 Disto são testemunhas o sumo sacerdote e todos os an-
ciãos. Deles eu recebi cartas para os irmãos, fui a Damas-
co, para trazer amarrados para Jerusalém aqueles que ali
estivessem, para serem castigados.
6 Aconteceu que, quando eu ia chegando perto de Da-
masco, quase ao meio-dia, de repente uma grande luz do
céu me rodeou.
7 Então caí por terra e ouvi uma voz que me dizia: 'Saulo,
Saulo, por que me persegue?'
8 E eu perguntei: 'Quem és tu, Senhor?' E disse-me: "Eu
sou Jesus, o Nazareno, a quem você persegue."
9 E os que estavam comigo viram a luz, e se atemorizaram
muito, mas não ouviram a voz daquele que falava comigo.
10 Então eu disse: "Senhor, o que devo fazer?" E o Senhor
me disse: "Levante-se e vá a Damasco, e ali lhe dirão o que
você deve fazer."
11 E, como eu não via, por causa do esplendor daquela
luz, fui levado pela mão dos que estavam comigo e che-
guei a Damasco.
12 E um homem chamado Ananias, homem piedoso con-
forme a lei, que tinha bom testemunho de todos os judeus
que ali moravam,
13 veio me procurar e, apresentando-se, me disse: 'Irmão
Saulo, recupere a visão.' E nessa mesma hora recuperei a
visão e olhei para ele.
14 E ele disse: 'O Deus de nossos pais de antemão es-
colheu você para conhecer a vontade dele, ver o Justo e
ouvir a voz dele.
15 Porque você será sua testemunha diante de todos,
anunciando as coisas que você tem visto e ouvido.
16 E agora por que se detém? Levante-se, seja batizado e
lave os seus pecados, invocando o nome do Senhor.'
17 Quando eu retornei para Jerusalém, enquanto orava no
templo, fui arrebatado para fora de mim,
18 e vi o Senhor que me dizia: 'Saia depressa de Jeru-
salém, porque não aceitarão o seu testemunho a meu
respeito.'
19 E eu respondi: Senhor, eles sabem que eu lançava na
prisão e açoitava nas sinagogas os que criam em ti.

20 E quando o sangue de Estêvão, tua testemunha, se
derramava, também eu estava presente, consentia na sua
morte e guardava as capas dos que o matavam.
21 Então o Senhor me disse: 'Vá, porque eu o enviarei aos
gentios de longe.'"

Paulo e Sua Cidadania Romana

22 E ouviram Paulo até que ele disse isto; então todos
levantaram a voz e gritaram: "Tire este homem da face da
terra, porque ele não merece viver."
23 E, enquanto eles gritavam e tiravam as suas capas e
jogavam poeira para o ar,
24 o comandante ordenou que o levassem para a fortaleza,
dizendo que o interrogassem sob açoites, para saber
por que motivo gritavam contra ele.
25 Quando o estavam amarrando com correias, Paulo perguntou
ao centurião que estava ali: "É lícito a vocês açoitar
um romano, sem ele ser condenado?"
26 E, ouvindo isto, o centurião foi e disse ao comandante:
"Veja o que vai fazer, porque este homem é romano."
27 Então o comandante perguntou a Paulo: "Diga-me,
você é cidadão romano?" E Paulo respondeu: "Sim."
28 E o comandante disse: "Eu com grande soma de dinheiro
alcancei este direito de cidadão." Paulo disse: "Mas
eu o sou de nascimento."
29 E logo os que o interrogariam se afastaram, e até o
comandante ficou com medo quando soube que Paulo era
cidadão romano, porque o tinha prendido.

Paulo Perante o Sinédrio

30 E, no dia seguinte, querendo saber por que Paulo era
acusado pelos judeus, o comandante mandou soltá-lo.
Então mandou virem os principais sacerdotes e todo o
seu Sinédrio; depois mandou trazer Paulo e o apresentou
diante deles.

23 E, pondo os olhos no Sinédrio, Paulo disse: "Irmãos,
até ao dia de hoje tenho andado diante de Deus
com consciência limpa."
2 Mas o sumo sacerdote, Ananias, mandou os que estavam
perto de Paulo que o ferissem na boca.
3 Então Paulo lhe disse: "Deus ferirá você, parede branqueada!
Você está aqui sentado para me julgar conforme a
lei e, contra a lei, manda me ferir?"
4 E os que estavam ali disseram: "Você ousa insultar o
sumo sacerdote de Deus?"
5 E Paulo respondeu: "Eu não sabia, irmãos, que ele é o
sumo sacerdote; porque está escrito: 'Não fale mal de uma
autoridade do seu povo.'"
6 E como Paulo sabia que uma parte do Sinédrio era de
saduceus e outra de fariseus, disse: "Irmãos, eu sou fariseu,
filho de fariseu; estou sendo julgado por causa da
esperança e da ressurreição dos mortos."
7 E, dito isto, houve uma grande discussão entre os fariseus
e saduceus, e o Sinédrio se dividiu.
8 Porque os saduceus dizem que não há ressurreição, nem
anjo, nem espírito; mas os fariseus admitem todas estas
coisas.
9 E houve um grande alvoroço no Sinédrio, então os escribas
da parte dos fariseus se levantaram e disseram: "Não
achamos nenhum mal neste homem e se, de fato, algum
espírito ou anjo falou com ele?"
10 Como a discussão ficou muito intensa, o comandante,
temendo que Paulo fosse despedaçado por eles, mandou
descer a guarda para que o tirassem do meio deles e o
levassem para a fortaleza.
11 E, na noite seguinte, o Senhor, pondo-se ao lado de
Paulo, disse: "Coragem, pois, assim como você testemunhou
a meu respeito em Jerusalém, você deverá testemunhar
também em Roma."

A Conspiração Para Matar Paulo

12 E, quando amanheceu, alguns judeus se reuniram e
juraram que não comeriam nem beberiam enquanto não
matassem Paulo.
13 E eram mais de quarenta os que fizeram esta
conspiração.
14 E eles foram falar com os principais sacerdotes e anciãos
e disseram: "Juramos, sob pena de maldição, que não
comeremos nada enquanto não matarmos Paulo.
15 Agora, portanto, vocês e o Sinédrio peçam ao comandante
que o traga amanhã a vocês, com o pretexto de
querer saber mais sobre o caso, e, antes que ele chegue,
estaremos prontos para matá-lo."
16 Mas o filho da irmã de Paulo, tendo ouvido esta trama,
foi, entrou na fortaleza e contou a Paulo.
17 Então Paulo chamou um dos centuriões e disse: "Leve
este jovem ao comandante, porque ele tem algo para lhe
dizer."
18 Então o centurião levou o jovem ao comandante e
disse: "O prisioneiro Paulo me chamou e me pediu que
trouxesse este jovem ao senhor, pois ele tem alguma coisa
para lhe dizer."
19 Então o comandante pegou o jovem pela mão e levou-o
para o lado e perguntou-lhe em particular: "O que você
tem para me dizer?"
20 E ele disse: "Os judeus decidiram pedir ao senhor que
amanhã leve Paulo ao Sinédrio, sob o pretexto de buscar
alguma informação mais exata a respeito dele.
21 Mas não acredite, porque mais de quarenta deles armaram
uma cilada; eles fizeram um pacto, sob pena de
maldição, de não comerem nem beberem enquanto não
matarem Paulo; e já estão prontos, esperando que o senhor
prometa atender o pedido deles."

22 Então o comandante despediu o jovem, recomendan-
do que ele não dissesse a ninguém que havia lhe contado
aquilo.

Paulo é Enviado a Félix

23 Então ele chamou dois centuriões e lhes disse: "Apron-
tem para as nove horas da noite duzentos soldados, seten-
ta cavaleiros e duzentos arqueiros para irem até Cesareia;
24 preparem montarias para Paulo, e o levem a salvo ao
governador Félix."
25 E o comandante escreveu uma carta, nestes termos:
26 "Cláudio Lísias, ao excelentíssimo governador Félix,
saudações.
27 Esse homem foi preso pelos judeus, e já estava a ponto
de ser morto por eles, quando eu com a minha tropa o
livrei e fui informado de que ele é romano.
28 E, querendo saber a causa por que o acusavam, o levei
ao sinédrio deles.
29 E descobri que ele estava sendo acusado de algumas
questões da lei deles; mas que nenhum crime havia nele
digno de morte ou de prisão.
30 E, quando fui informado de que os judeus haviam ar-
mado uma cilada para esse homem, logo o enviei ao se-
nhor; também ordenei que os acusadores perante o senhor
digam o que têm contra ele. Passe bem."
31 Então os soldados pegaram Paulo, como lhes foi orde-
nado, e o levaram durante a noite para Antipátride.
32 E no dia seguinte retornaram à fortaleza, deixando os
cavaleiros irem com ele.
33 Quando eles chegaram a Cesareia e entregaram a carta
ao governador, também apresentaram Paulo.
34 E o governador, depois de ter lido a carta, perguntou
de que província Paulo era; então, quando soube que ele
era da Cilícia,
35 disse: "Ouvirei você quando os seus acusadores che-
garem aqui." E mandou que o prendessem no pretório de
Herodes.

A Defesa Perante Félix

24 E, cinco dias depois, o sumo sacerdote Ananias foi
com os anciãos e um certo orador chamado Tértulo
à presença do governador contra Paulo.
2 E, sendo chamado, Tértulo começou a acusá-lo, di-
zendo: "Visto como pelo senhor temos tanta paz, e por
sua prudência se fazem a este povo muitos e louváveis
serviços,
3 sempre e em todo o lugar, ó excelentíssimo Félix, com
todo o agradecimento o queremos reconhecer.
4 Mas, para não deter o senhor por muito tempo, peço
que, conforme a sua equidade, nos ouça por pouco tempo.
5 Achamos que este homem é uma peste e promotor de
desordens entre todos os judeus, por todo o mundo, e o
principal defensor da seita dos nazarenos,
6 o qual também tentou profanar o templo; por isso, nós o
prendemos para julgá-lo conforme a nossa lei.
7 Mas, chegando o comandante Lísias, nos tirou de nossas
mãos com grande violência,
8 ordenando que os seus acusadores viessem ao senhor;
e, se o interrogar, o senhor mesmo poderá conhecer todas
as nossas acusações."
9 E os judeus também o acusavam, afirmando que essas
coisas eram assim.
10 Então o governador fez um sinal para que Paulo fa-
lasse, e ele disse: "Sei que já há muitos anos o senhor é
juiz desta nação, por isso, sinto-me motivado para falar
em minha defesa.
11 Pois facilmente poderá verificar que há menos de doze
dias subi a Jerusalém para adorar a Deus;
12 e não me acharam no templo falando com alguém,
nem amotinando o povo nas sinagogas, nem na cidade.
13 Nem tampouco podem provar as coisas de que agora
me acusam.
14 Mas confesso ao senhor que, conforme aquele Cami-
nho que chamam seita, assim sirvo ao Deus de nossos pais,
crendo em tudo que está escrito na lei e nos profetas,
15 tendo esperança em Deus, como estes também têm, de
que haverá ressurreição de mortos, tanto dos justos como
dos injustos.
16 E por isso sempre procuro ter uma consciência limpa
diante de Deus e dos homens.
17 Depois de muitos anos ausente, vim trazer esmolas e
ofertas ao meu povo.
18 Nisto, uns certos judeus da Ásia me acharam já pu-
rificado no templo, não em ajuntamentos, nem com
alvoroços,
19 e os judeus da Ásia deveriam estar presentes peran-
te o senhor para me acusarem, se tivessem alguma coisa
contra mim.
20 Ou então que estes mesmos que estão aqui digam se
acharam em mim algum crime, quando compareci peran-
te o Sinédrio,
21 a não serem estas palavras que, estando entre eles, cla-
mei: Hoje sou julgado por vocês por causa da ressurreição
dos mortos."
22 Então Félix, que tinha bastante conhecimento do Ca-
minho, adiou a causa e disse: "Quando chegar o coman-
dante Lísias, decidirei o caso de vocês."
23 E ordenou ao centurião que guardasse Paulo na prisão,
tratando-o com tolerância, e que não proibisse nenhum
dos seus amigos de servi-lo, ou de falar com ele.
24 E, alguns dias depois, Félix chegou com sua mulher

Drusila, que era judia, então mandou chamar Paulo para
ouvi-lo a respeito da fé em Cristo.
25 E quando Paulo começou a falar sobre a justiça, sobre
domínio próprio e do juízo vindouro, Félix ficou apavorado e disse: "Agora pode ir, e, quando eu tiver oportunidade, o chamarei."
26 Ao mesmo tempo esperando que Paulo lhe desse dinheiro; por isso que também o chamava frequentemente
para falar com ele.
27 E, passados dois anos, Félix teve Pórcio Festo como
sucessor, mas, como Félix queria agradar aos judeus, deixou Paulo preso.

Paulo Perante Festo

25 Três dias depois de chegar à província, Festo foi de
Cesareia para Jerusalém.
2 Então os principais sacerdotes e os principais dos judeus
compareceram perante ele e apresentaram queixa contra Paulo,
3 pedindo a Festo o favor de trazer Paulo para Jerusalém,
pois armariam uma cilada para matá-lo no caminho.
4 Mas Festo respondeu que Paulo estava preso em Cesareia e que ele brevemente partiria para lá.
5 Então disse: "Quem dentre vocês puder, desça comigo
e, se nesse homem houver algum crime, acusem-no."
6 E Festo, depois de dez dias, foi para Cesareia; no dia
seguinte, assentando-se no tribunal, mandou que trouxessem Paulo.
7 E, quando Paulo chegou, os judeus que tinham vindo de
Jerusalém ficaram em volta dele, e fizeram contra Paulo muitas e graves acusações, que não podiam provar.

Paulo Apela Para Ser Julgado por César

8 Mas ele, em sua defesa, disse: "Eu não pequei em nada
contra a lei dos judeus, nem contra o templo, nem contra César."
9 Então Festo, querendo prestar um favor aos judeus, perguntou a Paulo: "Você quer ir para Jerusalém e ser ali por mim julgado a respeito destas coisas?"
10 Mas Paulo disse: "Estou perante o tribunal de César,
onde convém que seja julgado; não fiz agravo algum aos judeus, como bem sabe.
11 Se fiz algum mal, ou cometi alguma coisa digna de
morte, não recuso morrer; mas, se as acusações que fazem não são verdadeiras, ninguém pode me entregar a eles; apelo para César."
12 Então Festo, tendo falado com o conselho, respondeu:
"Apelou para César? Para César irá."

Paulo Perante o Rei Agripa

13 E, alguns dias depois, o rei Agripa e Berenice vieram
para Cesareia, para saudar Festo.
14 E, como ali ficariam por muitos dias, Festo contou ao
rei o caso de Paulo, dizendo: "Um certo homem foi deixado aqui preso por Félix,
15 então os principais dos sacerdotes e os anciãos dos judeus que estavam em Jerusalém compareceram perante mim, pedindo condenação contra ele.
16 Eu lhes disse que não é costume dos romanos entregar
algum homem à morte sem que o acusado tenha presentes os seus acusadores e possa defender-se da acusação.
17 E quando eles chegaram aqui juntos, no dia seguinte,
sem demora, assentado no tribunal, mandei que trouxessem o homem.
18 E os acusadores que estavam presentes não apontaram
nenhuma coisa daquelas que eu suspeitava.
19 Tinham, porém, contra ele, algumas questões referentes a sua própria religião, e de um tal Jesus, morto, que Paulo afirmava estar vivo.
20 E estando eu perplexo quanto à investigação desta causa, perguntei se ele queria ir a Jerusalém e lá ser julgado a respeito destas coisas.
21 Mas Paulo apelou para que fosse levado a César, então
mandei que o prendessem até que o enviasse a César."
22 Então Agripa disse a Festo: "Eu também gostaria de ouvir esse homem." E Festo respondeu: "Amanhã o ouvirá."
23 E, no dia seguinte, Agripa e Berenice vieram com
grande pompa, entraram no auditório com os oficiais e os homens importantes da cidade, e Paulo foi trazido por ordem de Festo.
24 E Festo disse: "Rei Agripa e todos os senhores aqui
presentes: Vejam este homem, por causa de quem toda a multidão dos judeus me tem reclamado, tanto em Jerusalém como aqui, gritando que ele não deveria mais viver.
25 Mas eu achei que ele não tinha feito nenhuma coisa
digna de morte, e ele mesmo apelou para o imperador, então resolvi enviá-lo para lá.
26 No entanto, não tenho nada para escrever ao imperador a respeito dele, e por isso o trouxe perante os senhores, principalmente à sua presença, ó rei Agripa, para que, depois de interrogado, eu tenha alguma coisa que escrever.
27 Porque não me parece razoável enviar um preso e não
mencionar as acusações contra ele."
26 Então Agripa disse a Paulo: "É permitido que se defenda." E Paulo, estendendo a mão em sua defesa, respondeu:
2 "Sinto-me feliz, ó rei Agripa, de que hoje, perante o senhor, possa me defender de todas as acusações dos judeus,
3 especialmente porque sei que o senhor tem conhecimento de todos os costumes e questões que há entre os judeus; por isso peço que o senhor me ouça com paciência.
4 Quanto à minha vida, desde a mocidade, como decor-

O Mundo do Novo Testamento

reu desde o princípio entre o meu povo, em Jerusalém,
todos os judeus a conhecem,
5 pois eles me conhecem há muito tempo, e podem teste-
munhar, se quiserem, que, como fariseu, vivi conforme a
seita mais severa da nossa religião.
6 E agora sou julgado por causa da esperança da promessa
feita por Deus a nossos pais,
7 a qual as nossas doze tribos, servindo a Deus continua-
mente, noite e dia, esperam que se cumpra. Por causa des-
ta esperança, ó rei Agripa, eu sou acusado pelos judeus.
8 Por que se julga incrível entre vocês que Deus ressuscite
os mortos?
9 Na verdade, eu pensava que devia fazer muitas coisas
contra o nome de Jesus, o Nazareno;
10 e foi o que também fiz em Jerusalém. E, havendo rece-
bido autorização dos principais sacerdotes, lancei muitos
dos santos nas prisões; e, quando os condenavam à morte,
eu dava o meu voto contra eles.
11 Muitas vezes eu os castiguei por todas as sinagogas, os
obriguei a blasfemar. E, enfurecido demasiadamente con-
tra eles, até nas cidades estrangeiras os persegui.
12 E, quando eu estava indo para Damasco, com permis-
são dos principais sacerdotes,
13 ao meio-dia, ó rei, vi no caminho uma luz no céu que
excedia o esplendor do sol, e sua claridade envolveu a
mim e aos que iam comigo.
14 Então todos nós caímos por terra, e ouvi uma voz que
me falava em língua hebraica: 'Saulo, Saulo, por que me
persegue? Duro é para você chutar contra o aguilhão.'
15 E eu disse: Quem és tu, Senhor? E ele respondeu: 'Eu
sou Jesus, a quem você persegue;
16 mas levante-se e fique em pé, porque eu apareci por
isto, para o fazer ministro e testemunha tanto das coi-
sas que tem visto, como daquelas pelas quais ainda lhe
aparecerei;
17 livrando você deste povo e dos gentios, a quem agora
o envio,
18 para abrir os olhos deles e convertê-los das trevas para
a luz, e do poder de Satanás para Deus, a fim de que re-
cebam a remissão de pecados e herança entre os que são
santificados pela fé em mim.'
19 Por isso, ó rei Agripa, não fui desobediente à visão
celestial.
20 Eu anunciei primeiramente aos que estão em Damasco
e em Jerusalém, e por toda a terra da Judeia e aos gentios,
que se arrependessem e se convertessem a Deus, fazendo
obras dignas de arrependimento.
21 Por causa disto, os judeus me prenderam quando eu
estava no templo, e tentaram me matar.
22 Mas, com a ajuda de Deus, permaneço até hoje dan-
do testemunho tanto a pequenos como a grandes, dizen-
do somente o que os profetas e Moisés disseram que ia
acontecer,
23 isto é, que o Cristo haveria de sofrer e, sendo o primei-
ro a ressuscitar dentre os mortos, deveria anunciar a luz a
este povo e aos gentios."
24 E, quando Paulo estava dizendo isto em sua defesa,
Festo disse em alta voz: "Está louco, Paulo, as muitas le-
tras o fazem delirar."
25 Mas Paulo respondeu: "Não deliro, ó excelentíssimo
Festo, pelo contrário, digo palavras de verdade e de bom
senso.
26 Porque o rei sabe estas coisas, pois creio que nada disto
escapou do seu conhecimento, porque isto não se passou
em qualquer lugar.
27 Rei Agripa, o senhor acredita nos profetas? Eu sei que
acredita."
28 E Agripa se dirigiu a Paulo: "Por pouco você me con-
venceu a me tornar cristão!"
29 E Paulo disse: "Peço a Deus que por pouco ou por
muito, não somente o senhor, mas todos os que hoje
me ouvem se tornem alguém como eu, mas sem estas
correntes."
30 E, dizendo isto Paulo, levantaram-se o rei, o governa-
dor, Berenice e os que com eles estavam assentados.
31 E afastando-se dali falavam uns com os outros, dizen-
do: "Este homem não fez nada que mereça morte ou
prisão."
32 E Agripa disse a Festo: "Este homem poderia ser posto
em liberdade se não tivesse apelado para César."

A Viagem de Paulo Para Roma

27 E, quando ficou decidido que deveríamos navegar
para a Itália, entregaram Paulo e alguns outros pre-
sos a um centurião chamado Júlio, do regimento imperial.
2 Então nós embarcamos em um navio adramitino, parti-
mos navegando pelos lugares da costa da Ásia, e Aristarco,
macedônio, de Tessalônica, estava conosco.
3 E chegamos no dia seguinte a Sidom, e Júlio, tratando
Paulo humanamente, lhe permitiu ir ver os amigos, para
que cuidassem dele.
4 E, partindo dali, fomos navegando abaixo de Chipre,
porque os ventos eram contrários.
5 E tendo atravessado o mar, ao longo da Cilícia e Panfília,
chegamos a Mirra, na Lícia.
6 E o centurião encontrou ali um navio de Alexandria que
navegava para a Itália e nos fez embarcar nele.
7 E, como navegamos vagarosamente por muitos dias,
chegamos apenas às imediações de Cnido e o vento não
nos permitiu ir mais adiante, então navegamos abaixo de
Creta, junto de Salmone.

Viagem de Paulo para Roma

8 E, navegando pela costa com dificuldade, chegamos a
um lugar chamado Bons Portos, perto do qual estava a
cidade de Laseia.
9 E depois de muito tempo a navegação se tornou peri-
gosa, pois também o dia do jejum já tinha passado, então
Paulo os aconselhou,
10 dizendo: "Senhores, vejo que a viagem vai ser perigo-
sa, com muito dano, não só para o navio e a carga, mas
também para as nossas vidas."
11 Mas o centurião acreditava mais no piloto e no mestre
do que no que Paulo dizia.
12 E, como aquele porto não era próprio para passar o
inverno, a maioria decidiu que partíssemos dali para ver
se poderíamos chegar a Fenice, que é um porto de Creta,
que dava para sudoeste e noroeste, e passar o inverno ali.

A Tempestade

13 E, soprando suavemente o vento sul, eles pensaram
que já tinham o que desejavam, então levantaram as velas
e foram navegando pela costa de Creta.
14 Pouco tempo depois, veio um vento muito forte, cha-
mado Euroaquilão.
15 O navio foi sendo arrastado e, não podendo navegar
contra o vento, desistimos de lutar e nos deixamos ir à
deriva.
16 E, passando ao sul e bem perto de uma pequena
ilha chamada Clauda, apenas pudemos segurar o bote
salva-vidas.
17 E, levado o bote para cima, usaram de todos os meios
para reforçarem o navio com cordas, temendo encalha-
rem na costa de Sirte, desceram as velas, e assim foram
à deriva.
18 E, no dia seguinte, fomos castigados por uma grande
tempestade, e lançaram a carga do navio no mar.
19 E, no terceiro dia, nós mesmos, com as nossas próprias
mãos, lançamos ao mar a armação do navio.
20 E não aparecendo, havia já muitos dias, nem sol nem
estrelas, e caindo sobre nós uma grande tempestade, toda
a esperança de nos salvarmos desapareceu.
21 E todos estando já há muito tempo sem comer, então
Paulo, pondo-se em pé no meio deles, disse: "Senhores,
na verdade era preciso terem me ouvido e não partido de
Creta, assim evitariam este incômodo e esta perda.
22 Mas agora lhes aconselho que tenham coragem, por-
que nenhum de vocês perderá a vida, mas somente o
navio.
23 Porque, nesta mesma noite, o anjo de Deus a quem
pertenço, e a quem sirvo, esteve comigo,
24 dizendo: 'Paulo, não tema; é preciso que se apresente
a César, e eis que Deus lhe deu todos os que navegam
com você.'
25 Portanto, ó senhores, tenham coragem, pois creio em
Deus, e tudo acontecerá conforme me foi dito.
26 Porém, é preciso que sejamos arrastados para alguma
ilha."

O Naufrágio

27 E, quando chegou a décima quarta noite, sendo sa-
cudidos de um lado para outro do mar Adriático, lá pela
meia-noite, os marinheiros suspeitaram que estavam pró-
ximos de alguma terra.
28 E, lançando uma sonda, viram que a profundidade era
de trinta e seis metros; então, indo um pouco mais adian-
te, tornando a lançar a sonda, viram que a profundidade
era de vinte e sete metros.
29 E, temendo bater em alguns rochedos, lançaram da
popa quatro âncoras, orando para que chegasse o dia.
30 Porém, os marinheiros tentaram fugir do navio, tendo
já lançado o bote salva-vidas ao mar, a pretexto de que iam
lançar as âncoras pela proa.
31 Paulo disse ao centurião e aos soldados: "Se estes não
ficarem no navio, vocês não poderão se salvar."
32 Então os soldados cortaram os cabos do bote e o dei-
xaram cair.
33 E, enquanto o dia não vinha, Paulo pedia a todos que
comessem alguma coisa, dizendo: "Hoje é o décimo quar-
to dia que esperam e permanecem sem comer, não tendo
provado nada.
34 Portanto, peço a vocês que comam alguma coisa, pois
é para a sobrevivência de vocês; porque nem um fio de
cabelo cairá da cabeça de qualquer um de vocês."
35 E, tendo dito isto, pegou o pão, deu graças a Deus na
presença de todos e, partindo-o, começou a comer.
36 E todos, já animados, se puseram também a comer.
37 E éramos ao todo, no navio, duzentas e setenta e seis
pessoas.
38 Então, refeitos com a comida, aliviaram o navio, lan-
çando o trigo ao mar.
39 E, quando amanheceu o dia, não reconheceram a ter-
ra; porém, avistaram uma enseada que tinha uma praia e
consultaram entre si se deveriam encalhar nela o navio.
40 Assim, levantando as âncoras, deixaram-nas no mar,
desataram também as amarras do leme e, alçando a vela
maior ao vento, dirigiram-se para a praia.
41 Assim, encalharam ali o navio; estando fixa a proa,
ficou imóvel, mas a popa se partiu com a força das ondas.
42 Então os soldados resolveram matar os presos para que
nenhum fugisse nadando.
43 Mas o centurião, querendo salvar Paulo, impediu-os
de fazerem isso e ordenou que os que soubessem nadar
se lançassem primeiro ao mar, e se salvassem em terra;
44 e ordenou aos demais que se salvassem uns em tábuas

e outros em destroços do navio. E assim todos chegaram à terra a salvo.

Na Ilha de Malta

28 E, estando em terra, então souberam que a ilha se chamava Malta.

2 E os habitantes da ilha nos trataram com muita humanidade; porque, acendendo uma grande fogueira, acolheram a todos nós por causa da chuva que caía e por causa do frio.

3 E havendo Paulo ajuntado uma quantidade de gravetos, e pondo-os no fogo, uma víbora, fugindo do calor, lhe mordeu a mão.

4 E quando os habitantes viram a víbora pendurada na mão de Paulo, disseram uns aos outros: "Certamente este homem é assassino, porque, escapando do mar, a justiça não o deixa viver."

5 Mas Paulo, sacudindo a víbora no fogo, não sofreu nenhum mal.

6 E eles esperavam que Paulo viesse a inchar e a cair morto de repente; mas, depois de muita espera, e vendo que nada lhe acontecia, mudando de opinião, diziam que ele era um deus.

7 E ali, próximo daquele lugar, havia umas terras que pertenciam ao homem principal da ilha, chamado Públio, que nos recebeu e nos hospedou com muita bondade por três dias.

8 E aconteceu que o pai de Públio estava de cama enfermo, com febre e disenteria. Paulo foi visitá-lo e, orando, pôs as mãos sobre ele e o curou.

9 Depois disto, os demais que na ilha tinham enfermidades vieram também e foram curados,

10 os quais nos prestaram também muitas honras; assim, quando embarcamos, nos proveram das coisas necessárias.

A Chegada a Roma

11 E três meses depois partimos num navio de Alexandria que tinha passado o inverno na ilha; o navio tinha o nome dos deuses gêmeos Castor e Pólux.

12 E, chegando a Siracusa, ficamos ali três dias.

13 Dali, navegando pela costa, chegamos a Régio; então, no dia seguinte começou a soprar um vento do sul, e no segundo dia chegamos a Potéoli,

14 onde encontramos alguns irmãos que nos pediram que ficássemos com eles por sete dias, e depois nos dirigimos a Roma.

15 E, de lá, os irmãos ouviram notícias de nós e vieram ao nosso encontro na Praça de Ápio e nas Três Vendas, e, Paulo, vendo-os, deu graças a Deus e ficou animado.

16 E, logo que chegamos a Roma, o centurião entregou os presos ao capitão da guarda, mas permitiu que Paulo morasse por sua conta com os soldados que o guardavam.

A Pregação em Roma

17 E, três dias depois, Paulo convocou os principais dos judeus, e, quando se reuniram, Paulo disse: "Irmãos, apesar de eu não ter feito nada contra o povo, ou contra os costumes paternos, vim preso desde Jerusalém, entregue nas mãos dos romanos;

18 os quais, havendo-me interrogado, queriam me soltar, porque não encontraram em mim nenhum crime passível de morte.

19 Mas, diante da oposição dos judeus, fui obrigado a apelar para César, não tendo eu, contudo, nada de que acusar a minha nação.

20 Por isto os chamei, para vê-los e falar com vocês; porque é pela esperança de Israel que estou com esta corrente."

21 Então eles lhe disseram: "Nós não recebemos nenhuma carta da Judeia que falasse a respeito de você, também não veio aqui nenhum dos irmãos, que falasse algo de mal a seu respeito.

22 No entanto, gostaríamos de ouvir de você o que pensa, porque sabemos que esta seita é contestada em toda a parte onde se fala dela."

23 E, tendo eles marcado um dia, muitos foram falar com ele onde ele estava, desde a manhã até à tarde, aos quais declarava com bom testemunho o Reino de Deus e procurava convencê-los a respeito de Jesus, tanto pela lei de Moisés como pelos profetas.

24 E alguns acreditavam no que Paulo dizia, mas outros não.

25 E havendo discordância entre eles, começaram a ir embora, e, antes que saíssem, Paulo disse esta palavra: "Bem falou o Espírito Santo a nossos pais por meio do profeta Isaías,

26 dizendo: 'Vá e diga a este povo: Ouvem, mas não entendem, enxergam, mas não percebem.

27 Torne sensível o coração deste povo, torne surdos os seus ouvidos, e feche-lhe os olhos; para que não veja com os seus olhos e não ouça com os seus ouvidos, nem entenda com o seu coração, nem se converta e seja curado.

28 Portanto, fiquem sabendo que esta salvação de Deus foi enviada aos gentios, e eles a ouvirão.'"

29 E, havendo ele dito estas palavras, os judeus partiram, discutindo entre si.

30 E Paulo ficou dois anos inteiros na sua própria casa que tinha alugado, e recebia todos os que vinham vê-lo,

31 pregando o Reino de Deus e ensinando com toda a liberdade as coisas referentes ao Senhor Jesus Cristo, sem impedimento algum.

ROMANOS

Paulo Defende Seu Apostolado

1 Paulo, servo de Jesus Cristo, chamado para ser apóstolo,
separado para o evangelho de Deus,
2 que no passado prometeu através dos seus profetas nas
santas Escrituras,
3 a respeito de seu Filho, que nasceu da descendência de
Davi como humano,
4 declarado Filho de Deus com poder, segundo o Espírito
de santificação, pela ressurreição dos mortos: Jesus Cristo,
nosso Senhor.
5 Por meio dele recebemos a graça e o apostolado, para
a obediência da fé entre todas as nações pelo seu nome.
6 E vocês também estão entre os chamados para serem
de Jesus Cristo.
7 A todos os que estão em Roma, amados de Deus, cha-
mados santos: Graça e paz de Deus nosso Pai e do Senhor
Jesus Cristo.

O Desejo de Visitar os Cristãos Romanos

8 Primeiramente dou graças ao meu Deus por Jesus Cris-
to, a respeito de todos vocês, porque em todo o mundo é
anunciada a fé de vocês.
9 Porque Deus, a quem sirvo em meu espírito, no evange-
lho de seu Filho, é minha testemunha de como incessan-
temente faço menção de vocês,
10 pedindo sempre em minhas orações que em algum
tempo, pela vontade de Deus, eu tenha a oportunidade
de visitá-los.
11 Porque desejo vê-los, para compartilhar com vocês
algum dom espiritual, para que sejam fortalecidos,
12 isto é, para que, juntamente com vocês, eu seja conso-
lado pela fé mútua, a de vocês e a minha.
13 Não quero, porém, irmãos, que ignorem que muitas
vezes propus ir visitá-los, mas até agora tenho sido impedi-
do; meu propósito é colher entre vocês algum fruto, como
também tenho conseguido entre os gentios.
14 Eu sou devedor, tanto de gregos como de bárbaros,
tanto de sábios como de ignorantes.
15 E assim, quanto a mim, estou pronto para também lhes
anunciar o evangelho, a vocês que estão em Roma.
16 Porque não me envergonho do evangelho de Cristo,
pois é o poder de Deus para a salvação de todos que
creem; primeiro do judeu e também do grego.
17 Porque no evangelho se descobre a justiça de Deus,
de fé em fé, como está escrito: "Mas o justo viverá da fé."

A Ira de Deus Contra o Pecado

18 Porque do céu se manifesta a ira de Deus sobre toda a
impiedade e injustiça dos seres humanos, que suprimem a
verdade pela injustiça.
19 Pois o que de Deus se pode conhecer a respeito de
Deus é manifesto entre eles, porque Deus lhes manifestou.
20 Porque as suas coisas invisíveis, desde a criação do
mundo, tanto o seu eterno poder como a sua divindade,
se conhecem e claramente se veem pelas coisas que estão
criadas, para que eles fiquem indesculpáveis;
21 porque, tendo conhecido a Deus, não o glorificaram
como Deus, nem lhe deram graças, antes, em seus dis-
cursos, tornaram-se fúteis e o seu coração insensato se
obscureceu.
22 Dizendo-se sábios, tornaram-se loucos.
23 E mudaram a glória do Deus incorruptível por imagens
semelhantes ao ser humano corruptível, de aves, de qua-
drúpedes e de répteis.
24 Por isso Deus também os entregou à impureza pelos
desejos de seus corações, para desonrarem seus corpos
entre si,
25 pois trocaram a verdade de Deus pela mentira e hon-
raram e serviram mais à criatura do que ao Criador, que é
bendito eternamente. Amém.
26 Por isso Deus os abandonou às paixões infames. Por-
que até as suas mulheres mudaram as suas relações se-
xuais naturais por outras contrárias à natureza.
27 Da mesma forma também os homens, deixando as
relações naturais com as mulheres, e se inflamaram mu-
tuamente em sua sensualidade, homens com homens, co-
metendo indecência e recebendo em si mesmos a punição
merecida pelo seu erro.
28 E como eles não se importaram de ter conhecimento
de Deus, assim Deus os entregou a um sentimento perver-
so, para fazerem coisas que não convêm,
29 estando cheios de toda a iniquidade, fornicação, ma-
lícia, avareza, maldade; cheios de inveja, homicídio, con-
tenda, engano, malignidade;
30 sendo murmuradores, detratores, aborrecedores de
Deus, injuriadores, soberbos, presunçosos, inventores de
males, desobedientes aos pais e às mães;
31 insensatos, infiéis nos contratos, sem afeição natural,
irreconciliáveis, sem misericórdia;
32 os quais, conhecendo a justiça de Deus, de que são
dignos de morte os que tais coisas praticam, não somente
as fazem, mas também consentem com os que as fazem.

O Julgamento Justo de Deus

2 Por isso, você é indesculpável quando julga os outros,
porque condena a si mesmo naquilo em que julga os
outros, pois você que julga faz o mesmo.
2 E bem sabemos que o juízo de Deus é segundo a verda-
de contra os que fazem essas coisas.
3 E você, que julga os que fazem tais coisas, pensa que
você, fazendo também estas coisas, escapará do juízo de
Deus?
4 Ou será que você despreza as riquezas da bondade, pa-
ciência e tolerância de Deus, ignorando que a bondade de
Deus o leva ao arrependimento?
5 Mas, segundo a sua dureza e seu coração impenitente,
acumula ira para si mesmo no dia da ira e da manifestação
do juízo de Deus;
6 que recompensará a cada um segundo as suas obras;
7 dando a vida eterna aos que, com perseverança em fazer
bem, procuram glória, honra e imortalidade,
8 mas haverá a indignação e a ira aos que são contencio-
sos, desobedientes à verdade e obedientes à iniquidade.
9 Haverá tribulação e angústia para todo ser humano que
faz o mal; primeiramente para judeu e também para grego;
10 e haverá glória, honra e paz para quem pratica o bem;
primeiramente para judeu e também para grego;
11 porque Deus não faz acepção de pessoas.
12 Todos os que sem lei pecaram, sem lei também pe-
recerão; e todos os que sob a lei pecaram, pela lei serão
julgados.
13 Porque os que ouvem a lei não são justos diante de
Deus, mas os que praticam a lei serão justificados.
14 Porque, quando os gentios que não têm a lei praticam
naturalmente o que a lei ordena, embora eles não pos-
suam a lei, tornam-se lei para si mesmos;
15 pois mostram a obra da lei escrita em seus corações,
testificando juntamente a sua consciência e os seus pensa-
mentos, ora acusando-os, ora defendendo-os,
16 no dia em que Deus julgar os segredos dos homens por
meio de Jesus Cristo, segundo o meu evangelho.

Os Judeus e a Lei

17 Eis que você que leva o nome de judeu, e apoia-se na
lei, e se gloria em Deus;
18 e sabe a sua vontade e aprova as coisas excelentes,
sendo instruído na lei;
19 e confia que é guia dos cegos, e luz dos que estão em
trevas,
20 instrutor dos insensatos, mestre de crianças, que tem a
forma da sabedoria e da verdade na lei;
21 você que ensina aos outros, não ensina a si mesmo?
Você que prega que não se deve furtar, mas furta?
22 Você que diz que não se deve adulterar, mas adultera?
Você que detesta os ídolos, mas comete sacrilégio?
23 Você que se gloria na lei, mas desonra a Deus pela
transgressão da lei?
24 Porque, como está escrito, o nome de Deus é blasfema-
do entre os gentios por causa de vocês.
25 Porque a circuncisão é, na verdade, proveitosa, se você
guardar a lei; mas, se você é transgressor da lei, a sua cir-
cuncisão se torna incircuncisão.
26 Se a incircuncisão guardar os preceitos da lei, porven-
tura a incircuncisão não será reputada como circuncisão?
27 E se o incircunciso fisicamente cumpre a lei, certa-
mente ele julgará você, que, embora tenha a letra da lei e
a circuncisão, é transgressor da lei.
28 Porque não é judeu quem é apenas exteriormente,
nem é circunciso quem é somente na carne.
29 Mas é judeu quem o é no interior, e circuncisão é a
do coração, no espírito, e não na letra; cujo louvor não
provém dos homens, mas de Deus.

Todos Condenados Pela Lei

3 Qual é, então, a vantagem do judeu? Ou qual a utilida-
de da circuncisão?
2 Muita, em todo o sentido, porque primeiramente as pa-
lavras de Deus foram confiadas aos judeus.
3 E, se alguns foram incrédulos, a sua incredulidade anu-
lará a fidelidade de Deus?
4 De maneira nenhuma; Deus é verdadeiro e todo homem
é mentiroso, como está escrito: "Para que seja justificado
em suas palavras e seja vitorioso quando for julgado."
5 E se a nossa injustiça evidencia a justiça de Deus, o que
diremos? Será que Deus é injusto por aplicar a sua ira?
Falo isso como humano.
6 De maneira nenhuma! De outro modo, como Deus jul-
gará o mundo?
7 Mas, se a minha mentira aumenta mais a verdade de
Deus para sua glória, por que sou ainda condenado como
pecador?
8 E por que não dizemos, como alguns caluniosamente
afirmam que dizemos: "Façamos o mal, para que nos ve-
nha o bem"? A condenação desses é justa.
9 Qual a conclusão? Estamos em posição de vantagem?
De maneira nenhuma, pois já demonstramos que, tanto
judeus como gregos, todos estão debaixo do pecado,
10 como está escrito: "Não há um justo, nem um sequer.
11 Não há ninguém que entenda, não há ninguém que
busque a Deus.
12 Todos se desviaram, e, juntamente, se tornaram inú-
teis. Não há quem faça o bem, não há um sequer.
13 A sua garganta é um sepulcro aberto; com a língua
enganam, e veneno de víbora está em seus lábios,

14 sua boca está cheia de maldição e amargura.
15 Os seus pés são ligeiros para derramarem sangue.
16 Em seus caminhos há destruição e miséria,
17 e não conheceram o caminho da paz.
18 Não há temor de Deus diante de seus olhos."
19 Ora, nós sabemos que tudo o que a lei diz, o diz para os
que estão debaixo dela, para que toda boca se cale, e todo
o mundo seja condenável diante de Deus.
20 Por isso ninguém será justificado diante de Deus pe-
las obras da lei, porque pela lei vem o conhecimento do
pecado.

A Justiça Imputada

21 Mas agora, sem a lei, a justiça de Deus se manifestou,
sendo testemunhada pela lei e pelos profetas.
22 É a justiça de Deus pela fé em Jesus Cristo para todos e
sobre todos os que creem; pois não há distinção,
23 porque todos pecaram e estão destituídos da glória de
Deus;
24 sendo justificados gratuitamente pela sua graça, pela
redenção que há em Cristo Jesus.
25 Deus o ofereceu como sacrifício para propiciação por
meio da fé, pelo seu sangue, para demonstrar a sua justiça
pela remissão dos pecados antes cometidos, sob a miseri-
córdia de Deus;
26 mas, no presente, demonstrou a sua justiça, para que
ele seja justo e justificador daquele que tem fé em Jesus.
27 Onde está, então, o orgulho? Foi excluído. Por qual
lei? A lei das obras? Não, mas pela lei da fé.
28 Concluímos, pois, que o homem é justificado pela fé,
sem as obras da lei.
29 Deus é apenas Deus dos judeus? Ele não é também o
Deus dos gentios? Sim, também dos gentios.
30 Deus é um só, ele justificará o circunciso e o incircun-
ciso pela fé.
31 Anulamos, então, a lei pela fé? De maneira nenhuma,
pelo contrário, confirmamos a lei.

Abraão Justificado Pela Fé

4 O que diremos então sobre Abraão, nosso pai segundo
a carne?
2 Porque, se Abraão foi justificado pelas obras, tem do que
se gloriar, mas não diante de Deus.
3 Pois, o que diz a Escritura? "Abraão creu em Deus e isso
lhe foi imputado como justiça."
4 Ora, o salário daquele que trabalha não é considerado
como favor, mas como dívida.
5 Mas para quem não trabalha, mas crê em Deus, que
justifica o ímpio, a sua fé lhe é atribuída como justiça.
6 Assim também Davi declara ser bem-aventurado o ho-
mem a quem Deus atribui a justiça, independentemente
de obras,
7 dizendo: "Bem-aventurados aqueles cujas maldades são
perdoadas e cujos pecados são cobertos.
8 Bem-aventurado aquele a quem o Senhor não imputa
pecado."
9 Esta bem-aventurança vem somente sobre a circuncisão
ou também sobre a incircuncisão? Porque dizemos que a
fé foi imputada como justiça a Abraão.
10 Como lhe foi imputada? Na circuncisão ou na incircun-
cisão? Não na circuncisão, mas na incircuncisão.
11 E Abraão recebeu o sinal da circuncisão como selo da
justiça da fé, quando ainda não havia sido circuncidado, a
fim de que fosse pai de todos os que creem, que também
não eram circuncidados, para que a justiça também lhes
fosse atribuída.
12 Ele é pai da circuncisão, daqueles que não somente
são circuncidados, mas que também andam nas pisa-
das daquela fé que teve nosso pai Abraão, antes de ser
circuncidado.

Seus Descendentes Receberam a Promessa Pela Fé

13 Porque a promessa de que seria herdeiro do mundo
não foi feita pela lei a Abraão, ou à sua posteridade, mas
pela justiça da fé.
14 Porque, se os que são da lei são herdeiros, logo a fé é
vã e a promessa é aniquilada.
15 Pois a lei opera a ira, já que onde não há lei também
não há transgressão.
16 Portanto, a promessa vem pela fé, para que seja de
acordo com a graça, a fim de que a promessa seja garanti-
da a toda a descendência, não somente para aqueles que
estão sob o regime da lei, mas também para os que têm a
fé de Abraão, pai de todos nós,
17 como está escrito: "Eu o constituí pai de muitas nações
perante aquele no qual Abrão creu, o Deus que vivifica os
mortos e chama à existência as coisas que não existem."
18 Abraão, contra toda esperança, creu; tanto que ele se
tornou o pai de muitas nações, conforme o que lhe foi
dito: "Assim será a sua descendência."
19 E, sem enfraquecer na fé, não atentou para o seu pró-
prio corpo já amortecido, pois tinha quase cem anos, nem
tampouco para a esterilidade do ventre de Sara.
20 Ele não duvidou da promessa de Deus por incredulida-
de, mas foi fortificado na fé, dando glória a Deus;
21 ele estava convencido de que Deus era poderoso para
cumprir o que havia prometido.
22 Assim, isso também lhe foi atribuído como justiça.
23 As palavras "lhe foi atribuído" não foram escritas so-
mente para ele,
24 mas também serão atribuídas para nós, que cremos
naquele que dentre os mortos ressuscitou a Jesus, nosso
Senhor,

25 que por nossos pecados foi entregue à morte e ressus-
citou para nossa justificação.

Justificação Pela Fé Traz Paz

5 Tendo sido justificados pela fé, temos paz com Deus,
por nosso Senhor Jesus Cristo;
2 pelo qual também temos acesso pela fé a esta graça, na
qual estamos firmes, e nos gloriamos na esperança da gló-
ria de Deus.
3 E não somente isto, mas também nos gloriamos nas tri-
bulações, sabendo que a tribulação produz a perseverança,
4 e a perseverança produz a experiência, e a experiência
produz a esperança.
5 E a esperança não traz confusão, porque o amor de Deus
está derramado em nossos corações pelo Espírito Santo
que nos foi dado.
6 Porque Cristo, quando nós ainda éramos fracos, morreu
a seu tempo pelos ímpios.
7 Porque dificilmente alguém morreria por um justo, pois
por uma pessoa boa, alguém ousaria morrer.
8 Mas Deus prova o seu amor por nós, porque Cristo mor-
reu por nós, sendo nós ainda pecadores.
9 Ainda mais agora, tendo sido justificados pelo seu san-
gue, seremos por ele salvos da ira.
10 Porque se nós, sendo inimigos, fomos reconciliados
com Deus pela morte de seu Filho, ainda mais agora,
tendo sido já reconciliados, seremos salvos pela sua vida.
11 E não somente isto, mas também nos gloriamos em
Deus por nosso Senhor Jesus Cristo, pelo qual agora alcan-
çamos a reconciliação.

A Morte Veio Por Adão, a Vida Por Meio de Cristo

12 Portanto, da mesma forma como o pecado entrou no
mundo por um homem, e pelo pecado a morte, assim tam-
bém a morte veio a todos os homens, por isso que todos
pecaram.
13 Pois antes de ser dada a lei, o pecado já estava no mun-
do, mas o pecado não é imputado quando não existe lei.
14 No entanto, a morte reinou desde Adão até Moisés,
até sobre aqueles que não tinham cometido pecado seme-
lhante à transgressão de Adão, o qual é a figura daquele
que havia de vir.
15 Mas não é assim o dom gratuito como a ofensa. Por-
que, se pela ofensa de um morreram muitos, muito mais a
graça de Deus e o dom pela graça, que é de um só homem,
Jesus Cristo, foram abundantes sobre muitos.
16 E não foi assim o dom como a ofensa por um só que
pecou. Porque o juízo veio de uma só ofensa, na verdade,
para condenação, mas o dom gratuito veio de muitas ofen-
sas para a justificação.
17 Porque se, pela ofensa de um só, a morte reinou por
esse, muito mais os que recebem a abundância da graça e
o dom da justiça reinarão em vida por um só, Jesus Cristo.
18 Pois assim como por uma só ofensa veio o juízo sobre
todos os homens para condenação, assim também por um
só ato de justiça veio a graça sobre todos os homens para
justificação da vida.
19 Porque, como pela desobediência de um só homem
muitos foram feitos pecadores, assim também, pela obe-
diência de um, muitos serão feitos justos.
20 A lei veio para que ressaltasse a ofensa; mas, onde au-
mentou o pecado, aumentou ainda mais a graça,
21 para que, assim como o pecado reinou na morte, tam-
bém a graça reinasse pela justiça que conduz à vida eterna,
por Jesus Cristo nosso Senhor.

Mortos Para o Pecado, Nascidos Para Uma Nova Vida

6 O que diremos então? Permaneceremos no pecado,
para que a graça aumente?
2 De modo nenhum. Nós que estamos mortos para o pe-
cado, como viveremos ainda nele?
3 Ou não sabem que todos nós que fomos batizados em
Jesus Cristo fomos batizados na sua morte?
4 Fomos sepultados com ele pelo batismo na morte, para
que, como Cristo foi ressuscitado dentre os mortos, pela
glória do Pai, assim também nós andemos em novidade
de vida.
5 Porque, se fomos unidos com ele na semelhança da
sua morte, também o seremos na semelhança da sua
ressurreição;
6 sabendo isto, que o nosso homem velho foi crucificado
com ele, para que o corpo do pecado seja destruído, para
que não sirvamos mais ao pecado.
7 Pois quem morreu está justificado do pecado.
8 Ora, se já morremos com Cristo, cremos que também
com ele viveremos,
9 pois sabemos que, tendo Cristo sido ressuscitado dos
mortos, não pode morrer outra vez; a morte não tem mais
domínio sobre ele.
10 Pois, quanto a ter morrido, de uma vez para sempre
morreu para o pecado; mas, quanto a viver, vive para
Deus.
11 Assim também vocês se considerem mortos para o pe-
cado, mas vivos para Deus em Cristo Jesus.
12 Portanto, não deixem que o pecado reine em seu corpo
mortal, fazendo com que obedeçam aos seus desejos,
13 nem tampouco ofereçam os membros do seu corpo
ao pecado como instrumentos de injustiça, mas apresen-
tem-se a Deus como quem voltou da morte para a vida, e
ofereçam os membros do seu corpo a Deus, como instru-
mentos de justiça.

14 Porque o pecado não terá domínio sobre vocês, pois
vocês não estão debaixo da lei, e sim debaixo da graça.

Podemos Pecar Livremente?

15 E então? Pecaremos porque não estamos debaixo da
lei, mas debaixo da graça? De modo nenhum.
16 Vocês não sabem que quando vocês se apresentarem
a alguém como servos para lhe obedecerem, são servos
daquele a quem obedecem, ou servos do pecado para a
morte, ou da obediência para a justiça?
17 Mas graças a Deus que, tendo sido servos do pecado,
vocês obedeceram de coração à forma de doutrina a que
foram entregues.
18 E, libertados do pecado, foram feitos servos da justiça.
19 Falo como humano, por causa das suas limitações e
fraqueza; pois assim como ofereceram os seus membros
para servirem à imundícia, e à maldade que leva à malda-
de, assim ofereçam agora os seus membros para servirem
à justiça para santificação.
20 Porque, quando eram servos do pecado, estavam livres
da justiça.
21 E que fruto tinham então das coisas de que agora se
envergonham? Porque o fim delas é a morte.
22 Mas agora, libertados do pecado e feitos servos de
Deus, têm o seu fruto para santificação, e por fim a vida
eterna.
23 Porque o salário do pecado é a morte, mas o dom
gratuito de Deus é a vida eterna, por Cristo Jesus nosso
Senhor.

Ilustração do Casamento

7 Vocês não sabem, irmãos, pois falo aos que conhecem a
lei, que a lei tem domínio sobre o ser humano por todo
o tempo em que ela estiver viva?
2 Porque a mulher que está sujeita ao marido, enquanto
ele viver, lhe estará ligada pela lei, mas, se o marido mor-
rer, ela estará livre da lei do casamento.
3 De modo que, enquanto o marido estiver vivo, ela será
adúltera se for de outro homem; mas, se o marido estiver
morto, ela estará livre da lei, e assim não será adúltera, se
for de outro homem.
4 Assim, meus irmãos, também vocês estão mortos para a
lei pelo corpo de Cristo, para que sejam de outro, daque-
le que ressuscitou dentre os mortos, a fim de que demos
fruto para Deus.
5 Porque, quando éramos controlados pela carne, as pai-
xões dos pecados despertadas pela lei operavam em nossos
membros para darem fruto para a morte.
6 Mas agora estamos livres da lei, pois morremos para
aquilo a que estávamos sujeitos; para que sirvamos de ma-
neira nova, segundo o espírito, e não na maneira antiga,
segundo a lei.

A Luta Contra o Pecado

7 O que diremos então? É a lei pecado? De modo ne-
nhum. Mas eu não conheci o pecado a não ser por meio
da lei; porque eu não saberia que cobiçar é pecado se a lei
não tivesse dito.
8 Mas o pecado, aproveitando a oportunidade dada pelo
mandamento, produz em mim todo tipo de cobiça; pois
sem a lei o pecado estaria morto.
9 E eu, em algum tempo, vivia sem lei, mas, quando veio
o mandamento, o pecado reviveu, e eu morri.
10 E o mandamento que era para vida, na verdade, era
para morte.
11 Porque o pecado, aproveitando a ocasião dada pelo
mandamento, me enganou, e por ele me matou.
12 E assim a lei é santa, e o mandamento santo, justo
e bom.
13 Então o que é bom se tornou em morte para mim?
De maneira nenhuma; mas o pecado, para que o pecado
se mostrasse como pecado, produziu morte em mim por
meio do que era bom, a fim de que, pelo mandamento, o
pecado se mostrasse excessivamente maligno.

A Natureza Pecaminosa

14 Porque bem sabemos que a lei é espiritual; mas eu sou
carnal, vendido como escravo ao pecado.
15 Assim o que faço nem eu mesmo aprovo; pois não faço
o que desejo, mas o que odeio, isso faço.
16 E, se faço o que não quero, consinto com a lei, que
é boa.
17 Nesse caso, não sou eu quem o faz, mas o pecado que
habita em mim.
18 Porque eu sei que nada de bom habita em mim, pois na
minha carne não habita bem nenhum; isto é, quero fazer o
que é bom, mas não consigo realizá-lo.
19 Porque não faço o bem que eu quero, mas o mal que
não quero, este faço.
20 Ora, se eu faço o que não quero, já não sou eu quem o
faz, e sim o pecado que habita em mim.
21 Assim encontro esta lei que atua em mim; quando que-
ro fazer o bem, o mal está comigo.
22 Porque, no meu íntimo, tenho prazer na lei de Deus;
23 mas vejo nos meus membros outra lei, que batalha
contra a lei do meu entendimento e me prende debaixo
da lei do pecado que está nos meus membros.
24 Miserável homem que eu sou! Quem me livrará do
corpo desta morte?
25 Dou graças a Deus por Jesus Cristo nosso Senhor. As-
sim, com o entendimento, eu mesmo sirvo à lei de Deus,
mas, com a carne, sirvo à lei do pecado.

Estar em Cristo Para Não Pecar

8 Portanto, agora não há nenhuma condenação para os
que estão em Cristo Jesus.
2 Porque a lei do Espírito de vida, em Cristo Jesus, me
livrou da lei do pecado e da morte.
3 Porque o que era impossível à lei, por estar enfraquecida
pela carne, Deus o fez, enviando o seu Filho em semelhan-
ça do homem pecador, como oferta pelo pecado, e assim
condenou o pecado na carne,
4 para que a justiça da lei se cumprisse em nós, que não
vivemos segundo a carne, mas segundo o Espírito.
5 Pois quem vive segundo a carne se inclina para as coisas
da carne; mas quem vive segundo o Espírito, se inclina
para as coisas do Espírito.
6 Porque a inclinação da carne é morte; mas a inclinação
do Espírito é vida e paz.
7 Porquanto a inclinação da carne é inimizade contra
Deus, pois não é sujeita à lei de Deus, nem mesmo pode
estar.
8 Portanto, os que estão na carne não podem agradar a
Deus.
9 Vocês, porém, não estão na carne, mas no Espírito, se é
que o Espírito de Deus habita em vocês. Mas, se alguém
não tem o Espírito de Cristo, esse tal não é dele.
10 E se Cristo está em vocês, o corpo na verdade está
morto por causa do pecado, mas o espírito vive por causa
da justiça.
11 E se o Espírito daquele que dentre os mortos ressus-
citou Jesus habita em vocês, esse mesmo que dentre os
mortos ressuscitou Cristo também vivificará os seus cor-
pos mortais, pelo seu Espírito que em vocês habita.

Guiados Pelo Espírito

12 Portanto, irmãos, somos devedores, não para com a
carne, como se estivéssemos obrigados a viver segundo
a carne.
13 Porque, se viverem segundo a carne, morrerão; mas,
se pelo Espírito mortificarem as obras do corpo, viverão.
14 Pois todos os que são guiados pelo Espírito de Deus,
esses são filhos de Deus.
15 Porque não receberam o espírito de escravidão, para
outra vez estarem em temor, mas receberam o Espírito de
adoção de filhos, pelo qual clamamos: "Aba, Pai."
16 O mesmo Espírito testifica com o nosso espírito que
somos filhos de Deus.
17 E se nós somos filhos, logo somos herdeiros tam-
bém, herdeiros de Deus, e co-herdeiros com Cristo; se
é certo que com ele sofremos, com ele também seremos
glorificados.

Uma Vida Com Esperança

18 Porque, para mim, tenho por certo que as aflições des-
te tempo presente não podem ser comparadas com a glória
que em nós será revelada.
19 Pois a ardente expectativa da criação aguarda a revela-
ção dos filhos de Deus.
20 Porque a criação ficou sujeita à vaidade, não por sua
vontade, mas por causa daquele que a sujeitou,
21 na esperança de que a própria criação será libertada
da servidão da corrupção, para a liberdade da glória dos
filhos de Deus.
22 Pois sabemos que toda a criação geme e está com dores
de parto até agora.
23 E não só ela, mas nós mesmos, que temos as primícias
do Espírito, também gememos interiormente, esperando a
adoção como filhos, a redenção do nosso corpo.
24 Porque na esperança fomos salvos. Ora, a esperança
que se vê não é esperança; quem espera por aquilo que
está vendo?
25 Mas, se esperamos o que não vemos, com paciência
o esperamos.
26 E da mesma maneira também o Espírito nos ajuda em
nossas fraquezas; porque não sabemos o que havemos de
pedir como convém, mas o mesmo Espírito intercede por
nós com gemidos inexprimíveis.
27 E aquele que examina os corações sabe qual é a inten-
ção do Espírito; porque é o espírito que, de acordo com a
vontade de Deus, intercede pelos santos.
28 E sabemos que todas as coisas contribuem juntamente
para o bem daqueles que amam a Deus, daqueles que são
chamados segundo o seu propósito.
29 Pois aqueles que de antemão conheceu, também os
predestinou para serem conformes à imagem de seu Filho,
a fim de que ele seja o primogênito entre muitos irmãos.
30 E aos que predestinou, a estes também chamou; aos
que chamou, a estes também justificou; e aos que justifi-
cou, a estes também glorificou.

Vida Vitoriosa em Cristo

31 O que diremos, então, à vista destas coisas? Se Deus é
por nós, quem será contra nós?
32 Aquele que nem mesmo a seu próprio Filho poupou,
antes o entregou por todos nós, como não nos dará tam-
bém com ele todas as coisas?
33 Quem intentará acusação contra os escolhidos de
Deus? É Deus quem os justifica.
34 Quem é que condena? Pois é Cristo quem morreu, ou
melhor, quem ressuscitou dentre os mortos, o qual está à
direita de Deus e também intercede por nós.
35 Quem nos separará do amor de Cristo? A tribulação,
a angústia, a perseguição, a fome, a nudez, o perigo, ou
a espada?
36 Como está escrito: "Por amor de ti somos entregues à

morte todo dia; somos considerados como ovelhas para o
matadouro."
37 Mas em todas estas coisas somos mais do que vencedo-
res, por aquele que nos amou.
38 Porque estou certo de que nem a morte, nem a vida,
nem os anjos, nem os principados, nem as potestades,
nem o presente, nem o porvir,
39 nem a altura, nem a profundidade, nem alguma outra
criatura nos poderá separar do amor de Deus, que está em
Cristo Jesus nosso Senhor.

A Tristeza do Apóstolo

9 Em Cristo digo a verdade, não minto; minha consciên-
cia o confirma no Espírito Santo:
2 Tenho grande tristeza e contínua dor no meu coração.
3 Porque eu mesmo poderia desejar ser amaldiçoado e se-
parado de Cristo, por amor de meus irmãos, que são meus
parentes segundo a carne,
4 que são israelitas, aos quais pertencem a adoção de fi-
lhos, a glória, as alianças, a lei, o culto e as promessas.
5 Deles são os patriarcas, dos quais descende o Cristo,
segundo a carne, o qual é sobre todos Deus bendito eter-
namente. Amém.
6 Não pensemos que a palavra de Deus falhou, porque
nem todos os de Israel são israelitas;
7 nem por serem descendentes de Abraão são todos filhos;
mas: "Em Isaque será chamada a sua descendência."
8 Isto é, não são os filhos da carne que são os filhos de
Deus, mas os filhos da promessa são contados como
descendência.
9 Porque a palavra da promessa é esta: "Por este tempo
voltarei, e Sara terá um filho."
10 E isto não aconteceu somente com ela, mas também
com Rebeca, quando concebeu filhos de um só pai, de
Isaque, nosso pai;
11 porque, quando eles ainda não tinham nascido, nem
tinham feito o bem ou mal para que o propósito de Deus,
segundo a eleição, ficasse firme, não por causa das obras,
mas por aquele que chama,
12 quando foi dito a Rebeca: "O mais velho servirá o mais
novo."
13 Como está escrito: "Amei Jacó e desprezei Esaú."
14 O que diremos, então? Que há injustiça da parte de
Deus? De maneira nenhuma.
15 Pois ele diz a Moisés: "Terei misericórdia de quem eu
quiser ter misericórdia, e terei compaixão de quem eu qui-
ser ter compaixão."
16 Assim, isto não depende de quem quer, ou de quem
corre, mas de Deus, que tem misericórdia.
17 Porque a Escritura diz ao Faraó: "Foi para isto mesmo
que o levantei, para mostrar em você o meu poder, e para
que o meu nome seja anunciado em toda a terra."
18 Logo, Deus tem misericórdia de quem ele quer, e endu-
rece com quem ele quer.
19 Mas então me diga: "Por que Deus ainda se queixa?
Pois, quem pode resistir à sua vontade?"
20 Mas, ó homem, quem é você que questiona a Deus?
Por acaso a coisa formada perguntará ao que a formou:
"Por que me fez assim?"
21 Ou o oleiro não tem poder sobre o barro, para da mes-
ma massa fazer um vaso para honra e outro para desonra?
22 E o que diremos se Deus, querendo mostrar a sua ira e
dar a conhecer o seu poder, suportou com muita paciência
os vasos da ira, preparados para a perdição,
23 para que também desse a conhecer as riquezas da sua
glória nos vasos de misericórdia, que para glória já antes
preparou,
24 os quais somos nós, a quem também chamou, não só
dentre os judeus, mas também dentre os gentios?

O Chamado aos Gentios

25 Como ele também diz em Oseias: "Chamarei de meu
povo a quem não é meu povo, e de amada a quem não
era amada."
26 E no lugar em que lhes foi dito: "Vocês não são meu
povo, ali serão chamados filhos do Deus vivo."
27 Também Isaías clama a respeito de Israel: "Ainda que
o número dos filhos de Israel seja como a areia do mar, o
remanescente é que será salvo.
28 Porque o Senhor executará sobre a terra a sua senten-
ça, de forma rápida e definitiva."
29 E como antes disse Isaías: "Se o Senhor dos Exércitos
não nos tivesse deixado descendência, nós teríamos nos
tornado como Sodoma, e teríamos sido feitos semelhantes
a Gomorra."

A Pedra de Tropeço

30 O que diremos, então? Que os gentios, que não bus-
cavam a justiça, alcançaram a justiça? Sim, mas a justiça
que é pela fé.
31 Mas Israel, que buscava a lei da justiça, não alcançou
essa lei.
32 Por quê? Porque não foi pela fé, mas pelas obras da lei;
assim tropeçaram na pedra de tropeço,
33 como está escrito: "Eis que eu ponho em Sião uma
pedra de tropeço, uma rocha que faz cair, e todo aquele
que nela crê, não será envergonhado."
10 Irmãos, o desejo do meu coração e a oração a Deus
por Israel são para sua salvação.
2 Porque dou testemunho de que eles têm zelo por Deus,
mas não com entendimento.
3 Porque, não conhecendo a justiça de Deus e procurando

estabelecer a sua própria justiça, não se sujeitaram à justiça de Deus.

4 Pois o fim da lei é Cristo, para justiça de todo aquele que crê.

Diferença Entre a Justificação Pela Lei e Pela Fé

5 Moisés descreve a justiça que é pela lei, dizendo: "O homem que fizer estas coisas viverá por elas."

6 Mas a justiça que é pela fé diz assim: Não diga em seu coração: "Quem subirá ao céu?" Isto é, para trazer Cristo lá do alto;

7 ou: "Quem descerá ao abismo?" Isto é, para fazer Cristo subir dentre os mortos.

8 Mas o que diz a Escritura? "A palavra está perto de você, na sua boca e no seu coração." Esta é a palavra da fé que pregamos.

9 A saber: Se com a sua boca você confessar ao Senhor Jesus, e em seu coração crer que Deus o ressuscitou dentre os mortos, será salvo.

10 Porque com o coração se crê para a justiça e com a boca se faz confissão para a salvação.

11 Pois a Escritura diz: "Todo aquele que nele crer não será envergonhado."

12 Porque não há diferença entre judeu e grego; pois um mesmo é o Senhor de todos, rico para com todos os que o invocam.

13 Porque todos que invocarem o nome do Senhor serão salvos.

14 Como invocarão aquele em quem não creram? E como crerão naquele de quem não ouviram? E como ouvirão, se não há quem pregue?

15 E como pregarão, se não forem enviados? Como está escrito: "Como são formosos os pés dos que anunciam boas novas."

16 Mas nem todos obedeceram ao evangelho, pois Isaías diz: "Senhor, quem creu na nossa pregação?"

17 A fé vem por se ouvir, e o ouvir pela palavra de Cristo.

18 Mas pergunto: Eles não a ouviram? Sim, com certeza, pois a voz deles se espalhou por toda a terra, e as suas palavras até os confins do mundo.

19 Mas pergunto: Será que Israel não ficou sabendo? Primeiramente diz Moisés: "Eu farei com que tenham ciúmes de quem não é meu povo, por meio de gente insensata eu os provocarei à ira."

20 E Isaías ousadamente diz: "Fui achado pelos que não me buscavam, fui manifestado aos que por mim não perguntavam."

21 Mas para Israel diz: "Todo dia estendi as minhas mãos a um povo desobediente e rebelde."

O Remanescente de Israel

11 Então eu pergunto: Será que Deus rejeitou o seu povo? De modo nenhum; porque eu também sou israelita, da descendência de Abraão, da tribo de Benjamim.

2 Deus não rejeitou o seu povo, que antes conheceu. Vocês não sabem o que a Escritura diz a respeito de Elias? Como pediu a Deus contra Israel, dizendo:

3 "Senhor, mataram os teus profetas e derrubaram os teus altares; sou o único que sobrou, e agora estão procurando me matar."

4 Mas qual foi a resposta divina? "Reservei para mim sete mil homens, que não dobraram os joelhos a Baal."

5 Assim também agora neste tempo ficou um remanescente, segundo a eleição da graça.

6 Mas, se é por graça, já não é pelas obras; de outra maneira, a graça já não é graça. Se, porém, é pelas obras, já não é mais graça; de outra maneira a obra já não é obra.

7 Pois o que diremos, então? O que Israel buscava, não alcançou, mas os eleitos o alcançaram e os outros foram endurecidos,

8 como está escrito: "Deus lhes deu espírito de profundo sono, olhos para não verem e ouvidos para não ouvirem, até ao dia de hoje."

9 E Davi diz: "Que a mesa deles se transforme em laço e armadilha, pedra de tropeço e retribuição para eles.

10 Que os seus olhos se escureçam para não verem e suas costas fiquem encurvadas para sempre."

Ramos Enxertados

11 Então eu pergunto: Será que eles tropeçaram para que caíssem? De modo nenhum, mas pela sua transgressão veio a salvação para os gentios, para provocar ciúme em Israel.

12 E se a transgressão de Israel significa riqueza para o mundo, e a sua diminuição resultou em riqueza para os gentios, quanto mais a sua plenitude!

13 Porque falo a vocês, gentios, que, enquanto for apóstolo dos gentios, exalto o meu ministério,

14 para ver se de alguma maneira posso incitar o ciúme aos da minha carne e salvar alguns deles.

15 Porque, se a rejeição deles é a reconciliação do mundo, qual será a sua admissão, senão a vida dentre os mortos?

16 E, se as primícias são santas, também a massa é; se a raiz é santa, os ramos também são.

17 E se alguns dos ramos foram quebrados, e você, sendo oliveira brava, foi enxertado no meio deles e se tornou participante da raiz e da seiva da oliveira,

18 não se glorie contra os ramos; pois, se contra eles se gloriar, saiba que não é você que sustenta a raiz, mas é a raiz que sustenta você.

19 Então você dirá: "Os ramos foram quebrados para que eu fosse enxertado."
20 Está certo; eles foram quebrados pela sua incredulidade e você está em pé pela fé. Então não se orgulhe, mas tema.
21 Porque, se Deus não poupou os ramos naturais, também não poupará você.
22 Considere a bondade e a severidade de Deus: Para com os que caíram, severidade; mas para com você, a bondade de Deus, desde que você permaneça na bondade dele; de outra maneira você também será cortado.
23 Eles também, se não permanecerem na incredulidade, serão enxertados; porque Deus é poderoso para os enxertar novamente.
24 Porque, se você fosse cortado daquela que por natureza era oliveira brava, contra a natureza, foi enxertado numa oliveira boa, quanto mais esses, que são ramos naturais, serão enxertados na sua própria oliveira!
25 Porque não quero, irmãos, que ignorem este mistério, para que não se tornem presunçosos: O endurecimento veio em parte sobre Israel, até que tenha entrado a plenitude dos gentios.
26 E assim, todo o Israel será salvo, como está escrito: "De Sião virá o Libertador, e desviará de Jacó as impiedades.
27 E esta será a minha aliança com eles, quando eu tirar os seus pecados."
28 Quanto ao evangelho, eles são inimigos por causa de vocês; mas, quanto à eleição, amados por causa dos patriarcas.
29 Porque os dons e a vocação de Deus são irrevogáveis.
30 Assim como vocês que antigamente foram desobedientes a Deus, mas agora alcançaram misericórdia pela desobediência deles,
31 assim também eles agora foram desobedientes, para também alcançarem misericórdia, graças à misericórdia de Deus concedida a vocês.
32 Porque Deus sujeitou todos à desobediência, para usar de misericórdia com todos.

Exaltação da Sabedoria de Deus

33 Ó profundidade das riquezas, tanto da sabedoria como do conhecimento de Deus! Quão insondáveis são os seus juízos e quão inescrutáveis são os seus caminhos!
34 Pois quem conheceu a mente do Senhor? Ou quem foi seu conselheiro?
35 Quem primeiro lhe deu, para que ele lho recompensasse?
36 Pois dele, por ele e para ele são todas as coisas; a ele seja a glória, para sempre. Amém.

A Prática da Justiça Pela Renovação do Entendimento

12 Portanto, irmãos, pela misericórdia de Deus, peço que ofereçam os seus corpos como sacrifício vivo, santo e agradável a Deus, que é o culto racional de vocês.
2 E não vivam conforme os padrões deste mundo, mas sejam transformados pela renovação da sua mente, para que experimentem qual é a boa, agradável e perfeita vontade de Deus.
3 Porque, pela graça que me foi dada, digo a cada um de vocês que não pense de si mesmo além do que convém; antes, pense com moderação segundo a medida da fé que Deus repartiu a cada um.
4 Porque assim como em um só corpo temos muitos membros, e nem todos os membros têm a mesma função,
5 assim nós, que somos muitos, somos um só corpo em Cristo, mas individualmente somos membros uns dos outros.
6 Tendo diferentes dons segundo a graça que nos foi dada: Se é profecia, seja ela segundo a medida da fé;
7 se o seu dom é ministério, ministre; se é ensinar, se dedique ao ensino;
8 o que exorta, use este dom em exortar; o que está para contribuir, que contribua generosamente; quem preside, presida com cuidado; quem exerce misericórdia, exerça com alegria.

O Amor Cristão

9 O amor deve ser sincero. Odeiem o mal e apeguem-se ao bem.
10 Amem-se cordialmente uns aos outros com amor fraternal, preferindo dar honra a outros mais do que a si mesmos.
11 Não sejam vagarosos no cuidado, mas sejam fervorosos no espírito, servindo ao Senhor;
12 alegrem-se na esperança, sejam pacientes na tribulação, perseverem na oração.
13 Cooperem com os santos nas suas necessidades, pratiquem a hospitalidade;
14 abençoem aos que perseguem vocês, abençoem e não amaldiçoem.
15 Alegrem-se com os que se alegram; chorem com os que choram.
16 Sejam unânimes entre vocês; não ambicionem coisas altas, mas acomodem-se com os humildes; não sejam sábios aos seus próprios olhos;
17 não retribuam a ninguém mal por mal; procurem fazer o bem diante de todos.
18 Se for possível, quanto no que depender de vocês, vivam em paz com todas as pessoas.
19 Amados, não se vinguem com as próprias mãos, mas

deem lugar à ira de Deus, porque está escrito: "Minha é a
vingança; eu retribuirei", diz o Senhor.
20 Portanto, se o seu inimigo tiver fome, dê-lhe de comer;
se tiver sede, dê-lhe de beber; porque, fazendo isto, amon-
toará brasas de fogo sobre a cabeça dele.
21 Não se deixe vencer pelo mal, mas vença o mal com
o bem.

Submissão às Autoridades

13 Todos devem se sujeitar a autoridades superiores,
porque não há autoridade que não venha de Deus; e
as autoridades que há foram ordenadas por Deus.
2 Por isso, quem resiste à autoridade resiste à ordena-
ção de Deus; e os que resistem trarão sobre si mesmos
a condenação.
3 Porque os governantes não podem ser motivo de temor
para os que praticam o bem, mas para os que fazem o mal.
Você quer viver sem temer a autoridade? Faça o bem, e
terá louvor dela.
4 Porque ela é ministro de Deus para o seu bem. Mas,
se você fizer o mal, tema, pois não é sem motivo que a
autoridade traz a espada; porque é ministro de Deus e vin-
gadora para castigar quem faz o mal.
5 Portanto, é necessário que vocês estejam sujeitos à
autoridade, não somente pelo castigo, mas também pela
consciência.
6 Por esta razão vocês também pagam impostos, por-
que eles são ministros de Deus, sempre dedicados a este
trabalho.
7 Portanto, deem a cada um o que lhe é devido: Se impos-
to, imposto; se tributo, tributo; se temor, temor; se honra,
honra.

O Amor ao Próximo

8 Não devam nada a ninguém, a não ser o amor com que
vocês amam uns aos outros; porque quem ama aos outros
cumpriu a lei.
9 Não adultere, não mate, não furte, não dê falso teste-
munho, não cobice; e, se há algum outro mandamento,
todos se resumem nestas palavras: "Ame ao seu próximo
como a si mesmo."
10 O amor não faz mal ao próximo. Portanto, o cumpri-
mento da lei é o amor.
11 Eu digo isto a vocês que conhecem o tempo: Já é hora
de despertarmos do sono, porque a nossa salvação está
agora mais perto de nós do que quando aceitamos a fé.
12 A noite já passou e o dia já chegou. Deixemos, pois, as
obras das trevas e vistamo-nos das armas da luz.
13 Andemos honestamente, como de dia; não em orgias,
nem em bebedeiras, nem em desonestidades, nem em dis-
soluções, nem em contendas e inveja.
14 Mas revistam-se do Senhor Jesus Cristo e não façam
nada que venha satisfazer os desejos da carne.

Fracos e Fortes na Fé

14 Ora, recebam os que estão fracos na fé, sem discu-
tirem opiniões.
2 Porque um crê que se pode comer de tudo, e outro, que
é fraco na fé, come legumes.
3 Quem come de tudo não deve desprezar quem não
come; e quem não, não deve julgar quem come de tudo,
porque Deus o aceitou.
4 Quem é você para julgar o servo alheio? Para o seu pró-
prio senhor é que ele está em pé ou cai. Mas estará firme,
porque o Senhor é poderoso para o sustentar.
5 Há quem considere um dia mais sagrado do que outro;
mas outros consideram iguais todos os dias. Cada um deve
estar plenamente convicto em sua própria mente.
6 Quem considera um dia especial para o Senhor assim o
faz. Quem come carne, para o Senhor come, pois dá gra-
ças a Deus, e, quem não come, para o Senhor não come,
e dá graças a Deus.
7 Porque nenhum de nós vive para si, e nenhum morre
para si.
8 Porque, se vivemos, vivemos para o Senhor; se mor-
remos, morremos para o Senhor. Pois, quer vivamos ou
morramos, somos do Senhor.
9 Porque foi para isto que Cristo morreu e tornou a viver:
Para ser Senhor tanto dos mortos como dos vivos.
10 Mas você, por que julga o seu irmão? Ou você, tam-
bém, por que despreza o seu irmão? Pois todos compare-
ceremos diante do tribunal de Cristo.
11 Porque está escrito: "Juro por minha vida, diz o Se-
nhor, que todo joelho se dobrará a mim e toda língua con-
fessará que eu sou Deus."

Não Julgar o Irmão

12 Assim, cada um de nós prestará conta de si mesmo
a Deus.
13 Então, não julguemos mais uns aos outros, e não po-
nham tropeço ou escândalo ao irmão.
14 Eu sei, e estou certo no Senhor Jesus, que nada é em
si mesmo impuro, a não ser para aquele que o tem por
impuro; para esse é.
15 Mas, se o seu irmão se entristece por causa do que você
come, você já não anda conforme o amor. Não destrua por
causa da sua comida aquele por quem Cristo morreu.
16 Não seja difamado aquilo que você considera bom;
17 pois o Reino de Deus não é comida nem bebida, mas
justiça, paz e alegria no Espírito Santo.
18 Porque quem nisto serve a Cristo é agradável a Deus e
aceito pelas pessoas.

19 Sigamos, pois, as coisas que servem para a paz e para a
edificação de uns para com os outros.
20 Não destrua a obra de Deus por causa da comida. É
verdade que tudo é puro, mas não é bom quando alguém
come algo que causa escândalo.
21 É bom não comer carne, nem beber vinho, nem fazer
outras coisas que levem seu irmão ao tropeço.
22 Assim, seja qual for a sua doutrina a respeito destes as-
suntos, guarde-a entre si mesmo e Deus. Bem-aventurado
aquele que não se condena naquilo que aprova.
23 Mas aquele que tem dúvidas, se comer está condena-
do, porque não come com fé; e tudo o que não provém
da fé é pecado.

Suportar os Fracos

15 Mas nós, que somos fortes na fé, devemos suportar
as fraquezas dos fracos, e não agradar a nós mesmos.
2 Portanto cada um de nós agrade ao seu próximo no que
é bom para edificação.
3 Porque também Cristo não agradou a si mesmo, mas,
como está escrito: "Sobre mim caíram as injúrias dos que
te injuriavam."
4 Porque tudo o que antes foi escrito, para nosso ensino
foi escrito, para que pela paciência e consolação das Escri-
turas tenhamos esperança.
5 Ora, o Deus de paciência e consolação lhes conceda o
mesmo sentimento uns para com os outros, segundo Cris-
to Jesus,
6 para que concordem e, a uma só voz, glorifiquem o
Deus e Pai de nosso Senhor Jesus Cristo.

Judeus e Gentios Devem Se Aceitar Mutuamente

7 Portanto, acolham vocês uns aos outros, como também
Cristo nos acolheu para glória de Deus.
8 Pois Jesus Cristo foi ministro da circuncisão, por causa
da verdade de Deus, para que se confirmassem as promes-
sas feitas aos nossos pais,
9 e para que os gentios glorifiquem a Deus pela sua mise-
ricórdia, como está escrito: "Portanto eu te louvarei entre
os gentios e cantarei louvores ao teu nome."
10 E outra vez diz: "Alegrem-se, gentios, com o povo de
Deus."
11 E outra vez: "Louvem o Senhor, todos os gentios e
todos os povos o louvem."
12 E Isaías também diz: "Brotará da raiz de Jessé aquele
que se levanta para reinar sobre os gentios, nele os gentios
esperarão."
13 Que o Deus da esperança os encha de toda a alegria
e paz na sua fé, para que sejam abundantes em esperança
pelo poder do Espírito Santo.
14 Eu mesmo, meus irmãos, estou certo de que vocês
estão cheios de bondade, cheios de todo o conhecimento,
podendo vocês aconselharem uns aos outros.

A Razão de Sua Maneira de Escrever

15 Mas, irmãos, em parte lhes escrevi mais ousadamente,
como para lhes trazer outra vez isto à memória, pela graça
que por Deus me foi dada;
16 para que eu seja ministro de Jesus Cristo para os gen-
tios, ministrando o evangelho de Deus, para que seja agra-
dável a oferta dos gentios, santificada pelo Espírito Santo.
17 Eu me glorio em Jesus Cristo nas coisas que pertencem
a Deus.
18 Porque não ousarei dizer coisa alguma que Cristo por
mim não tenha feito, para fazer obedientes os gentios, por
palavra e por obras,
19 pelo poder dos sinais e prodígios, na virtude do Espírito
de Deus; de maneira que, desde Jerusalém e arredores até
o Ilírico, tenho pregado o evangelho de Jesus Cristo.
20 E desta maneira me esforcei por anunciar o evangelho,
onde Cristo não foi anunciado, para não edificar sobre
fundamento alheio.
21 Pelo contrário, como está escrito: "Aqueles a quem
não foi anunciado, o verão, e os que não ouviram o
entenderão."
22 Por isso também muitas vezes tenho sido impedido
de ir visitá-los.

O Desejo de Visitar os Romanos

23 Mas agora, que não tenho mais nestas regiões onde
trabalhar, e tendo já há muitos anos um grande desejo de
ir visitá-los,
24 quando eu partir para a Espanha irei visitá-los; pois
espero que de passagem os verei, e que para lá seja enca-
minhado por vocês, depois de ter desfrutado um pouco da
companhia de vocês.
25 Mas agora vou a Jerusalém para ministrar aos santos.
26 Porque pareceu bem à Macedônia e à Acaia fazerem
uma coleta para os pobres que estão entre os santos em
Jerusalém.
27 Isto lhes pareceu bem, como devedores que são para
com eles. Porque, se os gentios foram participantes dos
bens espirituais dos judeus, devem também servir aos ju-
deus com seus bens materiais.
28 Assim, concluído isto, e havendo-lhes consignado este
fruto, de lá, passando por vocês, irei à Espanha.
29 E bem sei que, ao visitá-los, irei com a plenitude da
bênção do evangelho de Cristo.
30 Irmãos, por nosso Senhor Jesus Cristo e pelo amor do
Espírito, peço a vocês que lutem comigo nas suas orações
por mim a Deus;
31 para que eu seja livre dos rebeldes que estão na Judeia,

e que esta minha administração, que em Jerusalém faço,
seja bem aceita pelos santos;
32 a fim de que, pela vontade de Deus, eu chegue a vocês
com alegria, e possa recrear-me com vocês.
33 E que o Deus de paz esteja com todos vocês. Amém.

Saudações Diversas

16 Recomendo a vocês nossa irmã Febe, a que serve na
igreja que está em Cencreia,
2 para que a recebam no Senhor, como convém aos santos,
e a ajudem em qualquer coisa que ela necessitar; porque
tem hospedado a muitos, como também a mim mesmo.
3 Saúdem Priscila e Áquila, meus cooperadores em Cristo
Jesus,
4 os quais pela minha vida expuseram as suas cabeças;
e não só eu lhes agradeço, mas também todas as igrejas
dos gentios.
5 Saúdem também a igreja que está em sua casa. Saúdem
Epêneto, meu amado irmão, que foi o primeiro convertido
a Cristo na província da Ásia.
6 Saúdem Maria, que trabalhou muito por nós.
7 Saúdem Andrônico e Júnias, meus parentes e meus
companheiros na prisão, os quais se distinguiram entre os
apóstolos e que estavam antes de mim em Cristo.
8 Saúdem Amplíato, meu amado irmão no Senhor.
9 Saúdem Urbano, nosso cooperador em Cristo, e Está-
quis, meu amado irmão.
10 Saúdem Apeles, aprovado em Cristo. Saúdem os fami-
liares de Aristóbulo.
11 Saúdem Herodião, meu parente. Saúdem os familiares
de Narciso, que estão no Senhor.
12 Saúdem Trifena e Trifosa, as quais trabalham no Se-
nhor. Saúdem a amada Pérside, que muito trabalhou no
Senhor.
13 Saúdem Rufo, eleito no Senhor, e a sua mãe, que tam-
bém tem sido mãe para mim.
14 Saúdem Asíncrito, Flegonte, Hermes, Pátrobas, Her-
mas, e os irmãos que estão com eles.
15 Saúdem Filólogo e Júlia, Nereu e a sua irmã, Olimpas
e a todos os santos que com eles estão.
16 Saúdem vocês uns aos outros com um beijo santo. As
igrejas de Cristo lhes mandam saudações.
17 E peço a vocês, irmãos, que notem os que promovem
divisões e escândalos contra a doutrina que vocês apren-
deram; desviem-se deles.
18 Porque eles não servem ao nosso Senhor Jesus Cristo,
mas ao seu ventre, e com suaves palavras e lisonjas enga-
nam os corações dos simples.
19 Quanto à obediência de vocês, ela é conhecida de
todos. Alegro-me por causa de vocês; e quero que sejam
sábios no bem, mas simples no mal.
20 E o Deus de paz esmagará em breve Satanás debaixo
dos seus pés. A graça de nosso Senhor Jesus Cristo esteja
com vocês.
21 Timóteo, meu cooperador, e Lúcio, Jasom e Sosípatro,
meus parentes, mandam saudações.
22 Eu, Tércio, que escrevi esta carta, os saúdo no Senhor.
23 Gaio, meu hospedeiro, e toda a igreja manda sauda-
ções. Erasto, procurador da cidade, assim como o irmão
Quarto, também mandam saudações.

Bênção e Louvor

24 Que a graça de nosso Senhor Jesus Cristo esteja com
todos vocês. Amém.
25 Àquele que é poderoso para confirmar vocês segundo
o meu evangelho e a pregação de Jesus Cristo, conforme
a revelação do mistério que desde tempos eternos esteve
oculto,
26 mas que se manifestou agora, e se notificou pelas Es-
crituras dos profetas, segundo o mandamento do Deus
eterno, a todas as nações para obediência da fé;
27 ao único Deus, sábio, seja dada glória por Jesus Cristo
para todo o sempre. Amém.

PRIMEIRA EPÍSTOLA DE PAULO APÓSTOLO AOS CORÍNTIOS

Saudação

1 Paulo, chamado apóstolo de Jesus Cristo, pela vontade
de Deus, e o irmão Sóstenes,
2 à igreja de Deus que está em Corinto, aos santificados
em Cristo Jesus, chamados para serem santos, com todos
os que em todo lugar invocam o nome do nosso Senhor
Jesus Cristo, Senhor deles e nosso:
3 Graça e paz da parte de Deus nosso Pai, e do Senhor
Jesus Cristo.

A Gratidão de Paulo

4 Sempre dou graças ao meu Deus por vocês, pela graça
de Deus que foi dada a vocês em Jesus Cristo.
5 Porque em tudo vocês foram enriquecidos nele, em toda
a palavra e em todo o conhecimento,

6 assim como o testemunho de Cristo foi mesmo confir-
mado entre vocês,
7 de maneira que nenhum dom lhes falta, esperando a
manifestação do nosso Senhor Jesus Cristo,
8 que os confirmará também até o fim, para serem irre-
preensíveis no dia de nosso Senhor Jesus Cristo.
9 Fiel é Deus, pelo qual foram chamados para a comunhão
de seu Filho Jesus Cristo nosso Senhor.

Igreja Dividida

10 Peço a vocês, porém, irmãos, pelo nome de nosso Se-
nhor Jesus Cristo, que digam todos uma mesma coisa, e
que não haja entre vocês divisões; antes estejam unidos
em um mesmo pensamento e em um mesmo propósito.
11 Porque a respeito de vocês, meus irmãos, fui informa-
do pelos da família de Cloé que há brigas entre vocês.
12 Quero dizer, com isto, que cada um de vocês diz: Eu
sou de Paulo, eu de Apolo, eu de Cefas e eu de Cristo.
13 Será que Cristo está dividido? Será que Paulo foi cru-
cificado por vocês? Ou vocês foram batizados em nome
de Paulo?
14 Dou graças a Deus, porque não batizei nenhum de
vocês, exceto Crispo e Gaio,
15 para que ninguém diga que foram batizados em meu
nome.
16 E batizei também a família de Estéfanas; além destes,
não sei se batizei algum outro.
17 Porque Cristo não me enviou para batizar, mas para
evangelizar; não em sabedoria de palavras, para que a cruz
de Cristo não se faça vã.
18 Porque a palavra da cruz é loucura para os que pere-
cem, mas para nós, que somos salvos, é o poder de Deus.
19 Porque está escrito: "Destruirei a sabedoria dos sábios
e aniquilarei a inteligência dos inteligentes."
20 Onde está o sábio? Onde está o escriba? Onde está o
inquiridor deste século? Porventura não tornou Deus lou-
ca a sabedoria deste mundo?

Aqueles a Quem Deus Chama

21 Visto que, na sabedoria de Deus, o mundo não conhe-
ceu a Deus pela sua sabedoria, agradou a Deus salvar os
crentes pela loucura da pregação.
22 Porque os judeus pedem sinais e os gregos buscam
sabedoria;
23 mas nós pregamos o Cristo crucificado, que é escânda-
lo para os judeus e loucura para os gregos.
24 Mas para os que são chamados, tanto judeus como
gregos, lhes pregamos Cristo, poder de Deus e sabedoria
de Deus.
25 Porque a loucura de Deus é mais sábia do que os ho-
mens, e a fraqueza de Deus é mais forte do que os homens.
26 Porque considerem, irmãos, a sua vocação, que não
são muitos os sábios segundo a carne, nem muitos os po-
derosos, nem muitos os nobres que são chamados.
27 Mas Deus escolheu as coisas loucas deste mundo para
confundir as sábias, e Deus escolheu as coisas fracas deste
mundo para confundir as fortes,
28 e Deus escolheu as coisas vis deste mundo, as desprezí-
veis e as que não são, para aniquilar as que são,
29 para que ninguém se glorie perante ele.
30 Mas vocês são dele, em Jesus Cristo, o qual para nós foi
feito por Deus sabedoria, justiça, santificação e redenção,
31 para que, como está escrito: "Aquele que se gloria glo-
rie-se no Senhor."

A Sabedoria de Paulo Procedente do Espírito

2 E eu, irmãos, quando estive com vocês, anunciando-
-lhes o mistério de Deus, não fui com sublimidade de
palavras ou de sabedoria.
2 Porque nada me propus saber entre vocês, a não ser
Jesus Cristo, e este, crucificado.
3 E eu estive com vocês em fraqueza, em temor e em
grande tremor.
4 A minha palavra e a minha pregação não consistiram
em palavras persuasivas de sabedoria humana, mas em
demonstração de Espírito e de poder;
5 para que a fé de vocês não se apoiasse em sabedoria
humana, mas no poder de Deus.
6 Todavia falamos de sabedoria entre os que já têm ma-
turidade; mas não da sabedoria deste mundo, nem dos
príncipes deste mundo, que se aniquilam,
7 mas falamos da sabedoria de Deus, oculta em mistério,
a qual Deus ordenou antes dos séculos para nossa glória,
8 que nenhum dos príncipes deste mundo conheceu; por-
que, se a conhecessem, nunca crucificariam o Senhor da
glória.
9 Mas, como está escrito: "As coisas que o olho não viu, o
ouvido não ouviu e não subiram ao coração humano, são
as que Deus preparou para os que o amam."
10 Mas Deus nos revelou isso pelo seu Espírito; porque o
Espírito penetra todas as coisas, até mesmo as profundezas
de Deus.
11 Pois, quem conhece sobre as coisas do ser humano, a
não ser o próprio espírito do ser humano, que nele está?
Assim também ninguém sabe as coisas de Deus, senão o
Espírito de Deus.
12 Mas nós não recebemos o espírito do mundo, mas o
Espírito que provém de Deus, para que pudéssemos co-
nhecer o que nos é dado gratuitamente por ele.
13 Disto também falamos, não com palavras de sabedoria
humana, mas com as que o Espírito Santo ensina, compa-
rando as coisas espirituais com as espirituais.
14 Ora, o homem natural não compreende as coisas do

Espírito de Deus, porque lhe parecem loucura, e não pode
entendê-las, porque elas se discernem espiritualmente.
15 Mas quem é espiritual discerne todas as coisas, e ele
mesmo por ninguém é discernido;
16 pois, "quem conheceu a mente do Senhor, para que
possa instruí-lo?" Mas nós temos a mente de Cristo.

As Divisões e Contendas na Igreja

3 E eu, irmãos, não lhes pude falar como a pessoas espi-
rituais, mas como a pessoas carnais, como a crianças
em Cristo.
2 Com leite os criei e não com carne, porque ainda não
podiam suportar, nem tampouco ainda agora podem,
3 porque ainda são carnais; porque, havendo entre vocês
inveja, brigas e divisões, não são porventura carnais e an-
dam segundo os humanos?
4 Porque, quando um diz: "Eu sou de Paulo", e outro
diz: "Eu de Apolo", por acaso não é evidente que andam
segundo os humanos?
5 Pois, quem é Paulo, e quem é Apolo, senão ministros
pelos quais creram, e isto conforme o que o Senhor deu
a cada um?
6 Eu plantei, Apolo regou; mas Deus deu o crescimento.
7 Por isso, nem o que planta é alguma coisa, nem o que
rega, mas Deus, que dá o crescimento.
8 Ora, o que planta e o que rega são um; mas cada um
receberá o seu galardão segundo o seu trabalho.
9 Porque nós somos cooperadores de Deus; vocês são la-
voura e edifício de Deus.
10 Segundo a graça de Deus que me foi dada, eu pus,
como sábio arquiteto, o fundamento, e outro edifica sobre
ele; mas veja cada um como edifica.
11 Porque ninguém pode pôr outro fundamento além do
que já está posto, o qual é Jesus Cristo.
12 E se alguém sobre este fundamento formar um edifício
de ouro, prata, pedras preciosas, madeira, feno, palha,
13 a obra de cada um se manifestará; na verdade o dia a
declarará, porque pelo fogo será descoberta e o fogo prova-
rá qual seja a obra de cada um.
14 Se a obra que alguém edificou nessa parte permanecer,
esse receberá galardão.
15 Se a obra de alguém se queimar, sofrerá perda; mas o
tal será salvo, todavia como pelo fogo.
16 Vocês não sabem que são o templo de Deus e que o
Espírito de Deus habita em vocês?
17 Se alguém destruir o santuário de Deus, ele o destruirá;
porque o santuário de Deus, que são vocês, é sagrado.
18 Ninguém se engane a si mesmo. Se alguém entre vo-
cês pensa que é sábio neste mundo, faça-se louco para se
tornar sábio.
19 Porque a sabedoria deste mundo é loucura diante de
Deus; pois está escrito: "Ele apanha os sábios na sua pró-
pria astúcia."
20 E outra vez: "O Senhor conhece os pensamentos dos
sábios, e sabe que são pensamentos vãos."
21 Portanto, ninguém se glorie nos homens, porque tudo
é de vocês.
22 Seja Paulo, seja Apolo, seja Cefas, seja o mundo, seja
a vida, seja a morte, seja o presente, seja o futuro, tudo
é de vocês,
23 e vocês são de Cristo, e Cristo é de Deus.

Ministros de Cristo

4 Que os homens nos considerem como ministros de
Cristo e encarregados dos mistérios de Deus.
2 Além disso, o que se requer destes encarregados é que
cada um deles seja fiel.
3 Quanto a mim, pouco importa ser julgado por vocês,
ou por algum juízo humano; nem eu tampouco julgo a
mim mesmo.
4 Porque em nada me sinto culpado, mas nem por isso
me considero justificado, pois quem me julga é o Senhor.
5 Portanto, não julguem nada antes do tempo, até que o
Senhor venha, o qual também trará à luz as coisas ocultas
das trevas, e manifestará os desígnios dos corações; então
cada um receberá de Deus o louvor.
6 E eu, irmãos, apliquei estas coisas a mim e a Apolo, por
amor de vocês, para que por nós aprendam a não ir além
do que está escrito, não se orgulhando a favor de um e
contra o outro.
7 Pois quem é que faz você diferente de outras pessoas? E
o que você tem que não tenha recebido? E, se o recebeu,
por que se gloria, como se não o tivesse recebido?
8 Já estão fartos! Já estão ricos! Reinaram sem nós! Quem
dera reinassem para que também nós viéssemos a reinar
com vocês!
9 Pois tenho para mim que Deus pôs a nós, apóstolos,
em último lugar, como se fôssemos condenados à morte;
porque nos tornamos espetáculo para o mundo, tanto para
os anjos como para os humanos.
10 Nós somos loucos por amor de Cristo e vocês são sá-
bios em Cristo; nós somos fracos, e vocês são fortes; vocês
são ilustres, e nós somos desprezados.
11 Até esta presente hora sofremos fome e sede, estamos
nus, recebemos bofetadas e não temos pousada certa,
12 e nos afadigamos, trabalhando com nossas próprias
mãos. Somos injuriados e bendizemos; somos perseguidos
e suportamos;
13 quando somos caluniados, respondemos fraternalmen-
te; até agora temos chegado a ser como o lixo deste mun-
do, e como a escória de todos.

14 Não escrevo estas coisas para envergonhar vocês, mas
para adverti-los como meus filhos amados.
15 Porque, ainda que tivessem dez mil tutores em Cristo,
não teriam, contudo, muitos pais, porque eu pelo evange-
lho os gerei em Jesus Cristo.
16 Portanto, peço a vocês que sejam meus imitadores.
17 Por esta causa, eu enviei a vocês Timóteo, que é meu
filho amado, e fiel no Senhor, o qual fará com que vocês
se lembrem dos meus caminhos em Cristo, como por toda
a parte ensino em cada igreja.
18 Mas alguns de vocês andam orgulhosos, como se eu
não fosse mais visitá-los.
19 Mas em breve irei visitá-los, se o Senhor quiser, e então
conhecerei, não as palavras dos que andam orgulhosos,
mas o poder.
20 Porque o Reino de Deus não consiste em palavras, mas
em poder.
21 O que vocês querem? Que eu vá até vocês com vara ou
com amor e espírito de mansidão?

Imoralidade na Igreja

5 Geralmente se ouve que há imoralidade entre vocês,
imoralidade que não existe nem mesmo entre os gen-
tios, a ponto de um de vocês possuir a mulher de seu pai.
2 Vocês estão cheios de orgulho, e nem ao menos se en-
tristecem por não terem tirado do meio de vocês quem
fez isso.
3 Eu, na verdade, ainda que fisicamente ausente, mas
presente em espírito, já determinei, como se estivesse pre-
sente, que o autor deste ato,
4 em nome de nosso Senhor Jesus Cristo, juntos vocês e
o meu espírito, pelo poder de nosso Senhor Jesus Cristo,
5 seja entregue a Satanás para destruição da carne, para
que o espírito seja salvo no dia do Senhor Jesus.
6 Não é bom o orgulho de vocês. Vocês não sabem que
um pouco de fermento faz levedar toda a massa?
7 Livrem-se do fermento velho, para que sejam uma nova
massa, assim como estão sem fermento. Porque Cristo,
nossa Páscoa, foi sacrificado por nós.
8 Por isso façamos a festa, não com o fermento velho, nem
com o fermento da maldade e da malícia, mas com os pães
sem fermento da sinceridade e da verdade.
9 Por carta lhes escrevi, para que não se associem com
imorais;
10 com isto não me refiro aos imorais deste mundo, aos
avarentos, ladrões ou idólatras; porque então seria neces-
sário vocês saírem do mundo.
11 Mas agora lhes escrevo para que não se associem com
alguém que, dizendo-se irmão, for devasso, avarento,
idólatra, maldizente, beberrão ou ladrão; com eles nem
mesmo comam.
12 Porque, que direito eu tenho em julgar os que estão
de fora da igreja? Mas será que vocês não devem julgar os
que estão dentro?
13 Deus julga os que estão de fora. Tirem do meio de
vocês esse perverso.

Litígios Entre os Irmãos

6 Algum de vocês, tendo alguma queixa contra outro,
ousa ir a juízo perante os injustos, e não perante os
santos?
2 Vocês não sabem que os santos hão de julgar o mundo?
Ora, se o mundo deve ser julgado por vocês, será que são
indignos de julgar as mínimas coisas?
3 Vocês não sabem que haveremos de julgar os anjos?
Quanto mais as coisas pertencentes a esta vida!
4 Então, quando precisam julgar negócios pertencentes a
esta vida, por que vocês põem para julgá-los aqueles que
não têm relevância na igreja?
5 Digo isso para se envergonharem. Não há entre vocês
nem mesmo um sábio, que possa julgar entre seus irmãos?
6 Mas o irmão vai a juízo contra outro irmão, e isto peran-
te pessoas não crentes.
7 Na verdade já é realmente uma falta entre vocês terem
demandas uns contra os outros. Por que não preferem so-
frer a injustiça? Por que não preferem sofrer o prejuízo?
8 Mas vocês mesmos fazem a injustiça e causam o dano, e
isto aos próprios irmãos.
9 Não sabem que os injustos não herdarão o Reino de
Deus?
10 Não se enganem: Nem os devassos, nem os idólatras,
nem os adúlteros, nem os afeminados, nem os sodomitas,
nem os ladrões, nem os avarentos, nem os bêbados, nem
os maldizentes, nem os roubadores herdarão o Reino de
Deus.
11 E é o que alguns têm sido; mas vocês foram lavados, fo-
ram santificados e justificados em nome do Senhor Jesus,
e pelo Espírito do nosso Deus.
12 Todas as coisas me são lícitas, mas nem todas as coisas
convêm. Todas as coisas me são lícitas, mas eu não me
deixarei dominar por nenhuma.
13 Os alimentos são para o estômago e o estômago para
os alimentos; Deus, porém, aniquilará tanto um como o
outro. Mas o corpo não é para a imoralidade, mas para o
Senhor, e o Senhor para o corpo.
14 Ora, Deus, que também ressuscitou o Senhor, também
nos ressuscitará pelo seu poder.
15 Vocês não sabem que os seus corpos são membros de
Cristo? Será que eu tomaria os membros de Cristo e os
faria membros de uma prostituta? De maneira nenhuma.
16 Ou não sabem que o homem que se une com prostitu-

ta torna-se um só corpo com ela? Porque se diz: "Os dois
são numa só carne."
17 Mas quem se une com o Senhor é um só espírito.
18 Fujam da fornicação. Todo pecado que o homem co-
mete é fora do corpo, mas quem se prostitui peca contra
o seu próprio corpo.
19 Ou não sabem que o corpo de vocês é o santuário do
Espírito Santo, que habita em vocês, proveniente de Deus,
e que vocês não são de vocês mesmos?
20 Porque vocês foram comprados por bom preço; glorifi-
quem a Deus no corpo de vocês e no seu espírito, os quais
pertencem a Deus.

Questões Sobre o Matrimônio

7 Quanto às coisas que me escreveram, seria bom que o
homem não tocasse em mulher,
2 mas, por causa da fornicação, que cada um tenha a sua
própria mulher, e cada uma tenha o seu próprio marido.
3 O marido deve cumprir seus deveres conjugais para com
a sua esposa, e, da mesma forma, a mulher com o seu
marido.
4 A mulher não tem poder sobre o seu próprio corpo, mas
sim o marido; e, da mesma forma, o marido não tem poder
sobre o seu próprio corpo, mas sim a mulher.
5 Não se privem um do outro, senão por consentimento
mútuo por algum tempo, para se dedicarem ao jejum e à
oração; depois unam-se outra vez, para que Satanás não
tente vocês por causa da falta de controle de vocês.
6 Digo isto como concessão e não como mandamento.
7 Gostaria que todos os homens fossem como eu, mas
cada um tem de Deus o seu próprio dom, um de uma
maneira e outro de outra.
8 Aos solteiros e às viúvas, digo que seria bom se perma-
necessem como eu.
9 Mas, se não podem conter-se, melhor que se casem; por-
que é melhor se casar do que arder em desejos.
10 Aos casados ordeno, não eu, mas o Senhor, que a mu-
lher não se separe do marido.
11 Mas, se ela se separar, que não se case de novo, ou
que se reconcilie com o marido; e que o marido não deixe
a mulher.
12 Mas aos outros digo eu, não o Senhor: Se algum irmão
estiver casado com uma mulher que não é crente, e ela
concorda em morar com ele, não se separe dela.
13 E se alguma mulher tiver marido não crente, e ele
concorda em morar com ela, que ela não se separe dele.
14 Porque o marido não crente é santificado pela mulher,
e a mulher não crente é santificada pelo marido; se não
fosse assim, os seus filhos seriam impuros; mas agora são
santos.
15 Mas, se o não crente quiser se separar, que se separe;
porque neste caso o irmão, ou a irmã, não ficam sujeitos à
servidão; mas Deus chamou vocês para viverem em paz.
16 Porque, ó mulher, como sabe se salvará o seu marido?
Ou você, ó marido, como sabe se salvará a sua mulher?
17 E, assim, que cada um ande como Deus lhe concedeu,
cada um conforme o Senhor o chamou. É isto o que orde-
no em todas as igrejas.
18 Foi alguém chamado, estando circuncidado? Fique
circuncidado. É alguém chamado estando incircuncidado?
Não se circuncide.
19 A circuncisão não significa nada e a incircuncisão
também não é nada; mas o que importa é obedecer aos
mandamentos de Deus.
20 Cada um permaneça na vocação em que foi chamado.
21 Você foi chamado sendo escravo? Não se preocu-
pe com isso; mas, se ainda pode ser livre, aproveite a
oportunidade.
22 Porque quem é chamado pelo Senhor, sendo escravo, é
liberto que pertence ao Senhor; da mesma maneira, quem
é chamado, sendo livre, é escravo de Cristo.
23 Vocês foram comprados por bom preço; não se tornem
escravos dos homens.
24 Irmãos, cada um fique diante de Deus no estado em
que foi chamado.
25 Quanto às pessoas virgens, não tenho mandamento do
Senhor; mas dou a minha opinião, como quem tem alcan-
çado misericórdia do Senhor para ser fiel.
26 Penso ser bom para o homem, devido aos problemas
deste momento, estar assim.
27 Você está casado? Não procure separar-se. Você está
solteiro? Não procure esposa.
28 Mas, se você se casar, não estará pecando; e se a vir-
gem se casar, não estará pecando. Mas, aqueles que se ca-
sarem, terão dificuldades na vida, e eu gostaria de poupar
vocês disso.
29 Isto, porém, digo a vocês, irmãos, que o tempo é curto;
os que têm mulheres vivam como se não as tivessem,
30 e os que choram, como se não chorassem; os que estão
felizes, como se não estivessem; e os que compram, como
se nada possuíssem;
31 e os que usam deste mundo, como se dele não fizes-
sem uso, porque a aparência deste mundo passa.
32 E eu queria que estivessem sem preocupações. O
solteiro cuida das coisas do Senhor, em como agradar ao
Senhor.
33 Mas quem é casado cuida das coisas do mundo, em
como agradar à mulher.
34 Há diferença entre a mulher casada e a virgem. A sol-
teira cuida das coisas do Senhor para ser santa, tanto no

corpo como no espírito; porém, a casada cuida das coisas
do mundo, em como agradar ao marido.
35 Digo isto para o bem de vocês, não para os restringir,
mas para fazer o que é decente e conveniente, em plena
consagração ao Senhor, sem distração alguma.
36 Mas, se alguém julga que trata de forma indevida a sua
noiva, se ele tiver passado a flor da idade, e se for necessá-
rio, faça o que quiser; não peca; casem-se.
37 Todavia, aquele que está firme em seu coração, não
tendo necessidade, mas com domínio sobre a sua própria
vontade, e resolveu em seu coração não se casar com a
sua noiva, faz bem.
38 Assim, aquele que se casa faz bem, mas quem não se
casa, faz melhor.
39 A mulher está ligada pela lei ao seu marido por todo
o tempo em que ele viver; mas, se o marido falecer, ela
ficará livre para se casar com quem quiser, contanto que
seja no Senhor.
40 Porém, ela será mais feliz se permanecer como está,
segundo a minha opinião; e penso que também tenho o
Espírito de Deus.

Alimentos Sacrificados aos Ídolos

8 No que se refere às coisas sacrificadas aos ídolos, sabe-
mos que todos temos conhecimento. O conhecimento
traz orgulho, mas o amor edifica.
2 E se alguém pensa conhecer alguma coisa, ainda não
conhece como deveria.
3 Mas, se alguém ama a Deus, esse é conhecido dele.
4 Quanto a comer alimentos sacrificados aos ídolos, sabe-
mos que o ídolo não significa nada no mundo, e que não
há outro Deus, senão um só.
5 Porque, ainda que haja também alguns que são chama-
dos deuses, quer no céu quer na terra, como há muitos
deuses e muitos senhores,
6 para nós há um único Deus, o Pai, de quem vêm todas
as coisas, e para quem nós vivemos; e um só Senhor, Jesus
Cristo, pelo qual todas as coisas existem e por meio de
quem vivemos.
7 Mas nem todos têm esse conhecimento; porque alguns
ainda comem desses alimentos no seu costume com os
ídolos, coisas sacrificadas ao ídolo, e a sua consciência,
sendo fraca, fica contaminada.
8 A comida não nos torna aceitáveis diante de Deus;
não seremos piores se não comermos, nem melhores se
comermos.
9 Mas tenham cuidado para que essa liberdade não seja de
alguma maneira tropeço para os fracos.
10 Porque, se alguém que tem a consciência fraca vir
você que tem esse conhecimento comer, sentado à mesa
no templo dos ídolos, não será induzido a comer das coisas
sacrificadas aos ídolos?
11 Assim, por causa do conhecimento que você tem, esse
irmão fraco por quem Cristo morreu é destruído.
12 Quando você peca desta maneira contra os seus ir-
mãos, ferindo a fraca consciência deles, peca contra Cristo.
13 Por isso, se a comida escandalizar ao meu irmão, nun-
ca mais comerei carne, para que ele não se escandalize.

Direitos Apostólicos

9 Não sou livre? Não sou apóstolo? Não vi Jesus Cristo
nosso Senhor? Não são vocês a minha obra no Senhor?
2 Se eu não sou apóstolo para os outros, ao menos sou
para vocês; porque vocês são o selo do meu apostolado
no Senhor.
3 Esta é minha defesa para os que me julgam.
4 Não temos nós o direito de comer e beber?
5 Não temos nós o direito de levar conosco uma esposa
crente, como fazem os demais apóstolos, e os irmãos do
Senhor e Cefas?
6 Ou só eu e Barnabé não temos o direito de deixar de
trabalhar?
7 Quem serve no exército às suas próprias custas? Quem
planta a vinha e não come do seu fruto? Ou quem apas-
centa o rebanho e não se alimenta do leite?
8 Será que digo isto apenas como homem? A lei não diz
a mesma coisa?
9 Pois na lei de Moisés está escrito: “Não amarre a boca
do boi que trilha o grão.” Pois Deus está preocupado com
bois?
10 Não é certamente por nossa causa que ele o diz? Sim,
é certamente por nós que está escrito: “Tanto quem lavra
como quem debulha devem fazê-lo com esperança de re-
ceberem a parte que lhes é devida.”
11 Se nós semeamos entre vocês as coisas espirituais, seria
muito colhermos de vocês coisas materiais?
12 Se outros têm o direito de serem sustentados por
vocês, não temos nós e em maior medida? Mas nós não
usamos deste direito, antes suportamos tudo, para não
pormos impedimento algum ao evangelho de Cristo.
13 Vocês não sabem que os que prestam serviços sagrados
se alimentam das coisas do templo? E que os que servem
diante do altar participam do que é oferecido no altar?
14 Assim também o Senhor ordenou aos que anunciam o
evangelho, que vivam do evangelho.

As Renúncias do Apóstolo

15 Mas eu não usei nenhuma destas coisas, e não escrevi
isto para que assim se faça comigo; porque é melhor eu
morrer do que alguém me tirar esta glória.
16 Porque, se anuncio o evangelho, não tenho de que

me gloriar, pois esta é minha obrigação; ai de mim, se não
anunciar o evangelho!
17 E, por isso, se o faço de boa vontade, terei recompensa;
mas, se faço de má vontade, estou apenas cumprindo uma
tarefa a mim confiada.
18 Qual é, portanto, a minha recompensa? É somente
esta, que eu apresente de graça o evangelho de Cristo para
não abusar do direito que ele me dá.
19 Porque, sendo livre de todos, fiz-me escravo de todos
para ganhar o maior número possível de pessoas.
20 E fiz-me como judeu para os judeus, para ganhar os
judeus; para os que estão debaixo da lei, me fiz como se
estivesse debaixo da lei, para ganhar os que estão debaixo
da lei.
21 Para os que estão sem lei, me fiz como se estivesse
sem lei, embora não estivesse sem lei para com Deus, mas
debaixo da lei de Cristo, para ganhar os que estão sem lei.
22 Fiz-me como fraco para os fracos, para ganhar os fra-
cos. Fiz-me tudo para todos, para, por todos os meios,
chegar a salvar alguns.
23 E eu faço isto por causa do evangelho, para ser também
participante dele.
24 Vocês não sabem que os que correm no estádio, todos,
na verdade, correm, mas um só leva o prêmio? Corram de
tal maneira que ganhem o prêmio.
25 E todos os que competem nos jogos se submetem a
um treinamento rigoroso; eles o fazem para alcançar uma
coroa corruptível, nós, porém, uma incorruptível.
26 Pois eu assim corro, não sem meta; assim luto, não
como batendo no ar.
27 Mas esmurro o meu corpo, e faço dele meu escravo,
para que, pregando aos outros, eu mesmo não venha a
ser reprovado.

Exemplos da História de Israel

10 Ora, irmãos, não quero que ignorem que nossos pais
estiveram todos debaixo da nuvem, e todos passa-
ram pelo mar.
2 E todos foram batizados em Moisés, na nuvem e no mar,
3 e todos comeram de uma mesma comida espiritual,
4 e beberam todos de uma mesma bebida espiritual, por-
que bebiam da pedra espiritual que os seguia; e a pedra
era Cristo.
5 Mas Deus não se agradou da maior parte deles, por isso
foram prostrados no deserto.
6 E estas coisas ocorreram como exemplos para nós, para
que não cobicemos as coisas más, como eles cobiçaram.
7 Não sejam idólatras, como alguns deles foram, conforme
está escrito: "O povo assentou-se para comer e para beber,
e levantou-se para se divertir."
8 E não nos prostituamos, como alguns deles fizeram; e
caíram mortos num dia vinte e três mil.
9 E não devemos pôr Cristo à prova, como alguns deles
também fizeram e foram mortos pelas serpentes.
10 E não fiquem murmurando, como alguns deles mur-
muraram, e foram mortos pelo destruidor.
11 Ora, essas coisas aconteceram a eles como exemplos,
e foram escritas como aviso para nós, para quem tem che-
gado o fim dos tempos.
12 Assim, aquele que pensa estar em pé, cuidado para
que não caia.
13 Não veio sobre vocês nenhuma tentação que não fosse
humana, mas Deus é fiel, e não deixará que vocês sejam
tentados além do que podem suportar; pelo contrário, jun-
tamente com a tentação dará também o livramento, para
que vocês possam suportar.

Fugir da Idolatria

14 Portanto, meus amados, fujam da idolatria.
15 Falo como a pessoas sensatas; julguem vocês mesmos
o que digo.
16 Não é verdade que o cálice de bênção, que abençoa-
mos, é a comunhão do sangue de Cristo? O pão que parti-
mos não é de fato a comunhão do corpo de Cristo?
17 Porque nós, sendo muitos, somos um só pão e um só
corpo, porque todos participamos do mesmo pão.
18 Considerem a Israel segundo a carne; os que comem os
sacrifícios não são participantes do altar?
19 Mas o que eu quero dizer? Que o ídolo é alguma coisa?
Ou que o sacrificado ao ídolo é alguma coisa?
20 Não! As coisas que os gentios sacrificam, as sacrificam
aos demônios, e não a Deus. E não quero que vocês este-
jam em comunhão com os demônios.
21 Não podem beber o cálice do Senhor e o cálice dos de-
mônios; não podem ser participantes da mesa do Senhor e
da mesa dos demônios.
22 Ou irritaremos o Senhor? Nós somos mais fortes do
que ele?

A Liberdade do Cristão

23 Todas as coisas me são lícitas, mas nem todas as coisas
convêm; todas as coisas me são lícitas, mas nem todas as
coisas edificam.
24 Ninguém deve buscar o seu próprio bem, mas sim o
dos outros.
25 Comam de tudo que se vende no mercado, sem per-
guntar nada, por causa da consciência.
26 Porque a terra é do Senhor e toda a sua plenitude.
27 E se algum não crente o convidar para comer, e você
quiser ir, coma de tudo o que for posto diante de você, sem
nada perguntar, por causa da consciência.
28 Mas, se alguém disser: "Isto foi sacrificado aos ídolos",

não comam, por causa daquele que o advertiu e por causa
da consciência; porque a terra é do Senhor e toda a sua
plenitude.
29 Digo a consciência, não a sua, mas a do outro. Por
que a minha liberdade deve ser julgada pela consciência
de outra pessoa?
30 Se eu participo com graça, por que sou criticado por
causa daquilo pelo qual dou graças?
31 Portanto, se querem comer ou beber, ou fazer qualquer
outra coisa, façam tudo para a glória de Deus.
32 Não se tornem motivo de tropeço nem para judeus,
nem para gregos, nem para a igreja de Deus,
33 assim como eu também procuro em tudo ser agradável
a todos, não buscando o meu próprio bem, mas o de muitos, para que assim possam se salvar.

As Mulheres na Igreja

11 Sejam meus imitadores, como também eu sou de
Cristo.
2 Eu elogio vocês, irmãos, porque em tudo vocês se lembram de mim, e retêm as tradições como eu as transmiti
a vocês.
3 Mas quero que saibam que Cristo é a cabeça de todo
homem, e o homem a cabeça da mulher, e Deus a cabeça
de Cristo.
4 Todo homem que ora ou profetiza, tendo a cabeça coberta, desonra a sua própria cabeça.
5 Mas toda mulher que ora ou profetiza com a cabeça
descoberta, desonra a sua própria cabeça, porque é como
se estivesse rapada.
6 Portanto, se a mulher não se cobre com véu, corte o cabelo. Mas, se para a mulher é vergonhoso cortar ou rapar
o cabelo, que ponha o véu.
7 O homem não deve cobrir a cabeça, porque é a imagem
e glória de Deus, mas a mulher é a glória do homem.
8 Porque o homem não foi feito da mulher, mas a mulher
do homem.
9 E também o homem não foi criado por causa da mulher,
mas a mulher por causa do homem.
10 Por esta razão, e por causa dos anjos, a mulher deve ter
sobre a cabeça um sinal de autoridade.
11 No Senhor, todavia, a mulher não é independente do
homem, nem o homem independente da mulher.
12 Pois, como a mulher provém do homem, assim também o homem provém da mulher, mas tudo vem de Deus.
13 Julguem entre vocês mesmos: É apropriado que a mulher ore a Deus com a cabeça descoberta?
14 Ou a própria natureza não ensina a vocês que é uma
desonra para o homem ter cabelo comprido?
15 Mas a mulher ter cabelo comprido é uma glória, porque o cabelo lhe foi dado em lugar de véu.
16 Mas, se alguém quiser discutir essa questão, saiba que
nós não temos tal costume, nem as igrejas de Deus.

A Ceia do Senhor

17 Nisto, porém, que vou dizer, não posso elogiá-los; porque se reúnem não para melhor, mas para pior.
18 Porque antes de tudo ouço que, quando vocês se
reúnem na igreja, há divisões entre vocês, e em parte eu
acredito.
19 E é necessário que haja divergência entre vocês, para
que os aprovados se tornem conhecidos entre vocês.
20 Quando vocês se reúnem num lugar, não é para comer
a ceia do Senhor.
21 Porque cada um come antecipadamente a sua própria
ceia sem esperar pelos outros; assim, enquanto um fica
com fome, o outro fica embriagado.
22 Será que vocês não têm casas para comer e beber? Ou
desprezam a igreja de Deus e envergonham os que nada
têm? O que posso dizer a vocês? Eu os louvarei por isso?
Certamente não.
23 Porque eu recebi do Senhor o que também lhes ensinei: Que o Senhor Jesus, na noite em que foi traído, pegou
um pão,
24 e, tendo dado graças, o partiu e disse: "Isto é o meu
corpo que é dado em favor de vocês; façam isto em memória de mim."
25 Do mesmo modo, depois da ceia, pegou o cálice, dizendo: "Este cálice é a nova aliança no meu sangue; façam
isto, todas as vezes que o beberem, em memória de mim."
26 Porque, todas as vezes que comerem este pão e beberem este cálice, anunciam a morte do Senhor, até que
ele venha.
27 Por isso, aquele que comer este pão, ou beber o cálice
do Senhor indignamente, será culpado do corpo e do sangue do Senhor.
28 Examine-se cada um a si mesmo, e então coma do pão
e beba do cálice.
29 Pois quem come e bebe indignamente, come e bebe
para a sua própria condenação, sem discernir o corpo do
Senhor.
30 Por causa disto há entre vocês muitos fracos e doentes,
e muitos que dormem.
31 Porque, se julgássemos a nós mesmos, não seríamos
julgados.
32 Mas, quando somos julgados, somos repreendidos pelo
Senhor, para não sermos condenados com o mundo.
33 Portanto, meus irmãos, quando vocês se reúnem para
comer, esperem uns pelos outros.
34 Mas, se algum tiver fome, coma em casa, para que não
se reúnam para condenação. Quanto às demais coisas, eu
as ordenarei quando for aí.

Os Dons do Espírito Santo

12 A respeito dos dons espirituais, não quero, irmãos,
que sejam ignorantes.
2 Vocês bem sabem que, quando eram gentios, eram leva-
dos aos ídolos mudos, conforme éramos guiados.
3 Portanto, quero fazer vocês compreenderem que nin-
guém que fala pelo Espírito de Deus diz: "Jesus é anáte-
ma", e ninguém pode dizer que "Jesus é o Senhor", senão
pelo Espírito Santo.
4 Ora, há diversidade de dons, mas o Espírito é o mesmo.
5 E há diversidade de ministérios, mas o Senhor é o
mesmo.
6 E há diversidade de operações, mas é o mesmo Deus
que opera tudo em todos.
7 Mas a manifestação do Espírito é dada a cada um, para
o que for útil.
8 Porque a um pelo Espírito é dada a palavra da sa-
bedoria, e a outro, pelo mesmo Espírito, a palavra do
conhecimento,
9 e a outro, pelo mesmo Espírito, a fé; a outro, pelo mes-
mo Espírito, é dado o dom de curar;
10 e a outro, a operação de milagres; a outro, a profecia; a
outro, o dom de discernir os espíritos; a outro, a variedade
de línguas, e a outro, a interpretação das línguas.
11 Mas um só e o mesmo Espírito opera todas estas coisas,
repartindo particularmente a cada um como ele quer.

Unidade na Diversidade

12 Porque, assim como o corpo é um, e tem muitos mem-
bros, e todos os membros, sendo muitos, são um só corpo,
assim é Cristo também.
13 Pois todos nós fomos batizados em um Espírito, for-
mando um corpo, quer judeus, quer gregos, quer servos,
quer livres, e todos temos bebido de um só Espírito.
14 Porque também o corpo não é um só membro, mas
muitos.
15 Se o pé disser: "Porque não sou mão, não sou do cor-
po"; não será por isso do corpo?
16 E se a orelha disser: "Porque não sou olho, não sou do
corpo"; não será por isso do corpo?
17 Se todo o corpo fosse olho, onde estaria o ouvido? Se
todo ele fosse ouvido, onde estaria o olfato?
18 Mas agora Deus colocou os membros no corpo, cada
um deles como quis.
19 E se todos fossem um só membro, onde estaria o
corpo?
20 Assim, há muitos membros, mas um só corpo.
21 E o olho não pode dizer à mão: "Não tenho necessida-
de de você"; nem ainda a cabeça pode dizer aos pés: "Não
tenho necessidade de vocês."
22 Pelo contrário, os membros do corpo que parecem ser
os mais fracos são necessários,
23 e os que parecem ser menos honrosos no corpo, a esses
honramos muito mais, e aos que em nós são menos deco-
rosos damos muito mais honra,
24 porque os que em nós são mais nobres não têm ne-
cessidade disso, mas Deus assim formou o corpo, dando
muito mais honra ao que tinha falta dela,
25 para que não haja divisão no corpo, mas para que os
membros tenham igual cuidado uns dos outros.
26 De maneira que, se um membro sofre, todos os mem-
bros sofrem com ele; e, se um membro é honrado, todos
os membros se alegram com ele.
27 Ora, vocês são o corpo de Cristo e cada um de vocês,
individualmente, é membro deste corpo.
28 E a uns Deus estabeleceu na igreja, primeiramente
apóstolos, em segundo lugar profetas, em terceiro lugar
mestres, depois os que realizam milagres, os que têm dons
de curar, dons de ajudar, dons de administrar e os que fa-
lam várias línguas.
29 Será que são todos apóstolos? São todos profetas? São
todos mestres? São todos operadores de milagres?
30 Todos têm o dom de curar? Todos falam em línguas?
Todos as interpretam?
31 Portanto, procurem com zelo os melhores dons, e eu
lhes mostrarei um caminho mais excelente.

O Amor

13 Ainda que eu falasse as línguas dos homens e dos
anjos e não tivesse amor, seria como o metal que soa
ou como o sino que tine.
2 E ainda que tivesse o dom de profecia, e conhecesse
todos os mistérios e toda a ciência, e ainda que tivesse
toda a fé, capaz de mover os montes, e não tivesse amor,
nada seria.
3 E ainda que distribuísse toda a minha fortuna para
sustento dos pobres, e ainda que entregasse o meu cor-
po para ser queimado, e não tivesse amor, nada disso me
aproveitaria.
4 O amor é paciente, é bondoso; o amor não é invejoso; o
amor não trata com leviandade, não é orgulhoso.
5 Não se porta com indecência, não busca os seus interes-
ses, não se irrita, não suspeita mal.
6 O amor não se alegra com a injustiça, mas se alegra
com a verdade.
7 O amor tudo sofre, tudo crê, tudo espera, tudo suporta.
8 O amor nunca falha; mas, havendo profecias, serão
aniquiladas; havendo línguas, cessarão; havendo ciência,
desaparecerá.
9 Porque, em parte, conhecemos e, em parte,
profetizamos.

10 Mas, quando vier o que é perfeito, então o que é imperfeito será aniquilado.

11 Quando eu era menino, falava como menino, sentia como menino, pensava como menino, mas, quando cheguei a ser homem, acabei com as coisas de menino.

12 Porque agora vemos como num espelho de forma obscura, mas então veremos face a face. Agora conheço em parte, mas depois conhecerei como também sou conhecido.

13 Agora, pois, permanecem a fé, a esperança e o amor, estes três; mas o maior destes é o amor.

O Dom de Línguas na Igreja

14 Sigam o caminho do amor e procurem com zelo os dons espirituais, mas principalmente o de profetizar.

2 Pois quem fala em língua desconhecida não fala aos homens, senão a Deus; porque ninguém o entende, e em espírito fala mistérios.

3 Mas quem profetiza fala para as pessoas, para edificação, exortação e consolação.

4 Quem fala em língua desconhecida edifica a si mesmo, mas quem profetiza edifica a igreja.

5 E eu quero que todos vocês falem em línguas, mas muito mais que profetizem; pois quem profetiza é maior do que quem fala em línguas, a não ser que também interprete para que a igreja receba edificação.

6 E agora, irmãos, se eu for aí falar com vocês falando em línguas, que proveito teria, se não falar a vocês por meio de revelação, ou de conhecimento, ou de profecia, ou de ensino?

7 Da mesma maneira, se as coisas inanimadas, que fazem som, seja flauta, seja cítara, não formarem sons distintos, como se poderá conhecer o que se toca com a flauta ou com a cítara?

8 Porque, se a trombeta der som incerto, quem se preparará para a batalha?

9 Assim vocês também, se com a língua não pronunciarem palavras bem compreensíveis, como se entenderá o que é dito? Porque estarão como que falando ao ar.

10 Há, por exemplo, tantos tipos de vozes no mundo, e nenhuma delas é sem sentido.

11 Mas, se eu ignorar o sentido da voz, serei estrangeiro para aquele a quem falo, e ele será estrangeiro para mim.

12 Assim também vocês, como desejam dons espirituais, procurem progredir neles, para a edificação da igreja.

13 Por isso, quem fala em línguas, ore para que as possa interpretar.

14 Porque, se eu orar em língua, o meu espírito ora bem, mas o meu entendimento fica sem fruto.

15 O que farei, então? Orarei com o espírito, mas também orarei com o entendimento; cantarei com o espírito, mas também cantarei com o entendimento.

16 De outra maneira, se você louvar com o espírito, sobre a sua ação de graças, como o não instruído poderá dizer o Amém? Pois ele não sabe o que você diz.

17 Pode ser que você esteja dando graças muito bem, mas o outro não é edificado.

18 Dou graças ao meu Deus, porque falo mais línguas do que vocês todos.

19 Todavia, na igreja, eu prefiro falar cinco palavras compreensíveis, para que possa também instruir os outros, a falar dez mil palavras em língua desconhecida.

20 Irmãos, não sejam meninos no entendimento, mas sejam meninos na malícia e adultos no entendimento.

21 Está escrito na lei: "Falarei a este povo por meio de homens de outras línguas e por meio de lábios de outros povos, e nem assim me ouvirão", diz o Senhor.

22 Portanto, as línguas constituem um sinal, não para os crentes, mas para os que não creem; e a profecia não é um sinal para os que não creem, mas para os que creem.

23 Assim, se toda a igreja se reunir no mesmo lugar, e todos falarem em línguas, e entrarem pessoas não instruídas ou não crentes, não dirão porventura que estão loucos?

24 Mas, se todos profetizarem, e algum não instruído ou não crente entrar, ele será convencido por todos, e julgado por todos.

25 E os segredos do seu coração serão manifestados, e assim, prostrando-se com o seu rosto em terra, adorará a Deus, testemunhando que Deus está verdadeiramente entre vocês.

Ordem e Reverência no Culto

26 O que farão, então, irmãos? Quando se reunirem, cada um de vocês tem um salmo, ou uma mensagem de ensino, uma revelação, ou ainda uma palavra em determinada língua, e outro, interpretação. Façam tudo para edificação da igreja.

27 E se alguém falar em língua, façam isso no máximo dois, ou quando muito três, cada um por sua vez, e que haja intérprete.

28 Mas, se não houver intérprete, fique calado na igreja, fale consigo mesmo e com Deus.

29 Tratando-se de profetas, falem dois ou três, e os outros julguem.

30 Mas, se a outro, que estiver assentado, for revelada alguma coisa, cale-se o primeiro.

31 Porque todos poderão profetizar, uns depois dos outros; para que todos aprendam e todos sejam consolados.

32 E os espíritos dos profetas estão sujeitos aos profetas.

33 Porque Deus não é Deus de confusão e sim de paz, como em todas as igrejas dos santos.

34 As mulheres devem permanecer caladas nas igrejas,
porque não lhes é permitido falar; mas permaneçam sub-
missas, como a lei ordena.
35 E, se querem aprender alguma coisa, perguntem em
casa aos seus próprios maridos, porque é vergonhoso que
as mulheres falem na igreja.
36 Por acaso a palavra de Deus se originou entre vocês?
Ou ela veio somente para vocês?
37 Se alguém pensa ser profeta, ou espiritual, reconheça
que as coisas que escrevo a vocês são mandamentos do
Senhor.
38 Mas, se alguém ignora isto, ele mesmo será ignorado.
39 Portanto, irmãos, procurem com zelo profetizar, e não
proíbam falar em línguas.
40 Mas faça-se tudo com decência e com ordem.

A Ressurreição de Jesus

15 Irmãos, quero lembrá-los do evangelho que preguei
a vocês, o qual vocês receberam e no qual também
permanecem.
2 Pelo qual também vocês são salvos se retiverem a pa-
lavra como anunciei a vocês; a menos que tenham crido
em vão.
3 Porque primeiramente entreguei a vocês o que também
recebi: Que Cristo morreu por nossos pecados, segundo
as Escrituras,
4 e que foi sepultado e ressuscitou no terceiro dia, segun-
do as Escrituras.
5 Ele apareceu a Cefas, e depois aos doze.
6 Depois foi visto por mais de quinhentos irmãos de uma
só vez, dos quais vive ainda a maior parte, mas alguns já
dormem.
7 Depois foi visto por Tiago e, mais tarde, por todos os
apóstolos.
8 E por último, depois de todos, apareceu também a mim,
como a um que nasceu fora de tempo.
9 Porque eu sou o menor dos apóstolos, e não sou digno
de ser chamado apóstolo, pois persegui a igreja de Deus.
10 Mas, pela graça de Deus, sou o que sou; e a sua graça
para comigo não foi vã, antes trabalhei muito mais do que
todos eles; todavia, não eu, mas a graça de Deus, que está
comigo.
11 Então, seja eu ou sejam eles, assim pregamos e assim
vocês creram.

A Ressurreição dos Mortos

12 Ora, se o que se prega é que Cristo ressuscitou dentre
os mortos, como alguns de vocês podem dizer que não há
ressurreição de mortos?
13 E se não há ressurreição de mortos, então Cristo não
ressuscitou.
14 E se Cristo não ressuscitou, logo é vã a nossa pregação,
e é vã a fé de vocês.
15 E assim somos considerados como falsas testemunhas
de Deus, porque temos testemunhado contra Deus, que
ele ressuscitou a Cristo, ao qual, porém, ele não ressusci-
tou, se, na verdade, os mortos não ressuscitam.
16 Porque, se os mortos não ressuscitam, também Cristo
não ressuscitou.
17 E se Cristo não ressuscitou, é vã a fé de vocês, e ainda
permanecem nos seus pecados.
18 E os que dormiram em Cristo estão perdidos.
19 Se esperamos em Cristo só nesta vida, somos os mais
miseráveis de todos os homens.
20 Mas de fato Cristo ressuscitou dentre os mortos, e foi
feito as primícias dos que dormem.
21 Porque, assim como a morte veio por um homem,
também a ressurreição dos mortos veio por um homem.
22 Porque, assim como todos morrem em Adão, assim
também todos serão vivificados em Cristo.
23 Mas cada um por sua ordem: Cristo as primícias, de-
pois os que são de Cristo, na sua vinda.
24 Depois virá o fim, quando ele tiver entregado o Reino
a Deus ao Pai, e quando houver aniquilado todo império e
toda potestade e poder.
25 Porque é necessário que ele reine até que tenha posto
todos os inimigos debaixo dos seus pés.
26 O último inimigo a ser aniquilado é a morte.
27 Porque ele sujeitou todas as coisas debaixo dos seus
pés. Mas, quando diz que todas as coisas lhe estão sujei-
tas, fica claro que isto não inclui o próprio Deus, que lhe
sujeitou todas as coisas.
28 E quando todas as coisas lhe estiverem sujeitas, então
o próprio Filho se sujeitará àquele que todas as coisas lhe
sujeitou, para que Deus seja tudo em todos.
29 De outra maneira, o que farão os que se batizam pelos
mortos, se absolutamente os mortos não ressuscitam? Por
que então eles se batizam pelos mortos?
30 Por que também nós estamos em perigo a toda hora?
31 Eu afirmo que a cada dia morro, gloriando-me em vo-
cês, irmãos, por Cristo Jesus nosso Senhor.
32 Se, como homem, combati em Éfeso contra as feras,
o que eu ganhei com isso, se os mortos não ressuscitam?
"Comamos e bebamos, porque amanhã morreremos."
33 Não se enganem: "As más companhias corrompem os
bons costumes."
34 Cuidado para não pecarem, porque alguns ainda não
têm o conhecimento de Deus. Digo isto para vergonha
de vocês.

A Ressurreição do Corpo

35 Mas alguém dirá: "Como os mortos ressuscitarão? E
com que corpo virão?"
36 Insensato! O que você semeia não nasce, se primeiro
não morrer.
37 E, quando semeia, você não semeia o corpo que há
de nascer, mas o simples grão, como de trigo, ou de outra
semente qualquer.
38 Mas Deus lhe dá o corpo como ele quer dar, e a cada
uma das sementes dá o corpo apropriado.
39 Nem toda carne é uma mesma carne, mas uma é a
carne dos homens, outra a carne dos animais, outra a dos
peixes e outra a das aves.
40 E há corpos celestes e corpos terrestres, mas uma é a
glória dos celestes e outra a dos terrestres.
41 Uma é a glória do sol, outra a glória da lua, e outra a
glória das estrelas; porque uma estrela difere em glória de
outra estrela.
42 Assim também é a ressurreição dos mortos. Semeia-se
o corpo na corrupção, ressuscita na incorrupção.
43 Semeia-se em desonra, ressuscita em glória. Semeia-se
em fraqueza, ressuscita com vigor.
44 Semeia-se corpo natural, ressuscita corpo espiritual. Se
há corpo natural, há também corpo espiritual.
45 Assim está escrito: "O primeiro homem, Adão, foi feito
alma vivente; o último Adão, espírito vivificante."
46 Mas não veio primeiro o espiritual, e sim o natural;
depois vem o espiritual.
47 O primeiro homem foi formado do pó da terra; o se-
gundo homem, o Senhor, é do céu.
48 Os que são da terra são semelhantes ao homem terre-
no; os que são dos céus são semelhantes ao celestial.
49 E, assim como tivemos a imagem do homem terreno,
assim traremos também a imagem do celestial.
50 E agora digo isto, irmãos: Que a carne e o sangue não
podem herdar o Reino de Deus, nem a corrupção herdar
a incorrupção.

A Glorificação

51 Eis que eu digo um mistério: Na verdade, nem todos
dormiremos, mas todos seremos transformados,
52 num momento, num abrir e fechar de olhos, ao som
da última trombeta; porque a trombeta soará e os mortos
ressuscitarão incorruptíveis, e nós seremos transformados.
53 Porque convém que este corpo que é corruptível se re-
vista da incorruptibilidade, e que o corpo mortal se revista
da imortalidade.
54 E quando este corpo corruptível se revestir da incor-
ruptibilidade, e o que é mortal se revestir da imortalidade,
então se cumprirá a palavra que está escrita: "Tragada foi
a morte pela vitória."
55 "Onde está, ó morte, a sua vitória? Onde está, ó morte,
o seu aguilhão?"
56 Ora, o aguilhão da morte é o pecado, e a força do pe-
cado é a lei.
57 Mas graças a Deus que nos dá a vitória por nosso Se-
nhor Jesus Cristo.
58 Portanto, meus amados irmãos, sejam firmes e cons-
tantes, sempre abundantes na obra do Senhor, sabendo
que o trabalho de vocês no Senhor não é em vão.

As Ofertas Para os Pobres de Jerusalém

16 Quanto à coleta que se faz para os santos, façam
também vocês o mesmo que ordenei às igrejas da
Galácia.
2 No primeiro dia da semana cada um de vocês separe
uma quantia, de acordo com a sua renda, para que não
seja preciso fazer as coletas quando eu chegar.
3 E, quando eu tiver chegado, mandarei os que por car-
tas vocês aprovarem, para levarem a oferta de vocês a
Jerusalém.
4 E, se me parecer conveniente que eu também vá, eles
irão comigo.
5 Irei visitar vocês depois de ter passado pela Macedônia,
porque tenho de passar pela Macedônia.
6 E pode ser que fique com vocês e passe também o inver-
no, para que me ajudem na viagem, onde quer que eu vá.
7 Porque não quero agora ver vocês apenas de passagem,
mas espero ficar com vocês por algum tempo, se o Senhor
permitir.
8 Mas ficarei em Éfeso até o Pentecostes,
9 porque uma porta grande e eficaz se abriu para mim; e
há muitos adversários.
10 E se Timóteo for, façam tudo para que ele não tenha
nada a temer entre vocês, porque trabalha na obra do Se-
nhor, como eu também.
11 Portanto, que ninguém o despreze, mas ajudem-no a
prosseguir a viagem em paz, para que venha até aqui, pois
o espero com os irmãos.
12 E, quanto ao irmão Apolo, pedi muito para que ele
fosse com os irmãos visitar vocês, mas ele quis ir agora; ele
irá, porém, quando tiver oportunidade.
13 Vigiem e estejam firmes na fé; sejam corajosos e fortes.
14 Façam todas as coisas com amor.
15 Agora, irmãos, peço a vocês: Saibam que a família de
Estéfanas é as primícias da Acaia, e que se tem dedicado
ao serviço dos santos,
16 e que também se submetam a eles e a pessoas como
eles, e a todos os que cooperam na obra e trabalham
conosco.
17 Alegro-me, porém, com a vinda de Estéfanas, de For-

tunato e de Acaico, porque eles supriram o que faltava da
parte de vocês.
18 Porque aliviaram o meu espírito e o de vocês. Reconhe-
çam a homens como eles.

Exortações, Saudações e Bênçãos

19 As igrejas da província da Ásia enviam saudações.
Também Áquila e Priscila enviam saudações afetuosamen-
te no Senhor, juntamente com a igreja que se reúne na
casa deles.
20 Todos os irmãos saúdam vocês. Saúdem uns aos outros
com um beijo santo.
21 Eu, Paulo, escrevi esta Saudação com minhas próprias
mãos.
22 Se alguém não ama o Senhor Jesus Cristo, seja anáte-
ma. Maranata!
23 A graça do Senhor Jesus Cristo esteja com vocês.
24 O meu amor esteja com todos vocês em Cristo Jesus.
Amém.

SEGUNDA CARTA DE PAULO AOS CORÍNTIOS

1 Paulo, apóstolo de Jesus Cristo, pela vontade de Deus, e
o irmão Timóteo, à igreja de Deus que está em Corinto,
com todos os santos que estão em toda a Acaia.
2 A vocês graça e paz da parte de Deus nosso Pai e do
Senhor Jesus Cristo.

Deus Consolador

3 Bendito seja o Deus e Pai de nosso Senhor Jesus Cristo,
o Pai das misericórdias e o Deus de toda a consolação,
4 que nos consola em toda a nossa tribulação, para que
também possamos consolar os que estiverem em alguma
tribulação, com a consolação com que nós mesmos somos
consolados por Deus.
5 Porque, assim como os sofrimentos de Cristo transbor-
dam sobre nós, também por meio de Cristo transborda a
nossa consolação.
6 Mas, se somos atribulados, é para a consolação e salva-
ção de vocês; e, se somos consolados, é para o consolo de
vocês; ela dá paciência para suportarem os mesmos sofri-
mentos que nós estamos padecendo.
7 E a nossa esperança em relação a vocês é firme, sabendo
que, como vocês são participantes dos sofrimentos, assim
também serão da consolação.
8 Porque não queremos, irmãos, que ignorem a tribulação
que nos sobreveio na Ásia, pois que foi muito além do que
podíamos suportar, a ponto de perdermos a esperança da
própria vida.
9 Mas já em nós mesmos tínhamos a sentença de morte,
para que não confiássemos em nós mesmos, mas em Deus,
que ressuscita os mortos,
10 o qual nos livrou de tão grande morte, e em quem
esperamos que ainda nos livrará.
11 Enquanto vocês nos ajudam com as suas orações por
nós, assim muitos darão graças por nossa causa, pelo favor
que nos foi concedido em resposta às orações de muitos.

A Mudança de Planos

12 Porque a nossa glória é esta: O testemunho da nossa
consciência, de que com simplicidade e sinceridade de
Deus, não com sabedoria humana, mas na graça de Deus,
temos vivido no mundo, especialmente em nosso relacio-
namento com vocês.
13 Porque outras coisas não escrevemos para vocês, a não
ser aquilo que vocês leem e entendem; e espero que as
compreendam completamente.
14 Assim como já nos entenderam em parte, que somos a
glória de vocês, assim também serão a nossa glória no dia
do Senhor Jesus.
15 E com esta confiança eu queria primeiro ir visitá-los,
para que tivessem uma segunda graça:
16 Em minha ida à Macedônia, da Macedônia voltar outra
vez a encontrá-los, e ser encaminhado por vocês à Judeia.
17 Quando planejei isto, será que agi com leviandade? Ou,
ao planejar isto, será que o planejo segundo a carne, com-
prometendo-me ao mesmo tempo com o "sim" e o "não"?
18 Entretanto, como Deus é fiel, a nossa palavra em re-
lação a vocês certamente não é "sim" e "não" ao mesmo
tempo.
19 Porque o Filho de Deus, Jesus Cristo, que entre vocês
foi pregado por mim, Silvano e Timóteo, não foi "sim" e
"não"; mas nele sempre existiu o "sim".
20 Porque todas as promessas de Deus têm nele "sim";
por isso, por meio dele existe o Amém, para glória de Deus
por nós.
21 Mas quem nos confirma juntamente com vocês em
Cristo, e que nos ungiu, é Deus,
22 que também pôs o seu selo em nós, e nos deu o penhor
do Espírito em nossos corações.
23 Eu invoco, porém, a Deus por testemunha por minha
vida: Foi para poupar vocês que ainda não voltei a Corinto.

24 Não que tenhamos domínio sobre a fé de vocês, mas
porque somos cooperadores da alegria de vocês; porque,
pela fé, vocês estão firmes.

2 Mas decidi isto por mim mesmo: Não ir mais visitar
vocês com tristeza.
2 Porque, se eu entristeço vocês, quem é que me alegrará,
senão aquele que por mim foi entristecido?
3 E escrevi a vocês isto mesmo, para que, quando eu for,
não seja entristecido por aqueles que deveriam me alegrar;
confiando em todos vocês, que a minha alegria é a alegria
de todos.
4 Porque lhes escrevi em meio de muito sofrimento e angústia de coração, com muitas lágrimas, não para entristecê-los, mas para que conhecessem o amor que abundantemente tenho por vocês.

Perdão Para o Arrependido

5 Porque, se alguém causou tristeza, não foi somente a
mim, mas em parte para não ser severo demais a todos
vocês.
6 Basta a punição feita pela maioria a esta pessoa.
7 Agora, vocês devem perdoá-la e consolá-la, para que esta
pessoa não seja devorada por excessiva tristeza.
8 Por isso peço que vocês confirmem o amor de vocês
para com ela.
9 E foi por isso também que lhes escrevi, para ter prova de
que são obedientes em tudo.
10 E a quem vocês perdoam alguma coisa, eu também perdoo; pois, quem eu também perdoei, se é que tenho alguma coisa para perdoar, perdoei na presença de Cristo, por
amor a vocês; para que não sejamos vencidos por Satanás;
11 pois não ignoramos as intenções dele.
12 Quando cheguei a Trôade para pregar o evangelho de
Cristo, uma porta no Senhor se abriu para mim,
13 e não tive descanso no meu espírito, porque não encontrei ali o meu irmão Tito; por isso, despedindo-me deles,
parti para a Macedônia.

O Bom Perfume de Cristo

14 E graças a Deus, que sempre nos faz triunfar em Cristo
e, por meio de nós, manifesta em todo lugar a fragrância
do seu conhecimento.
15 Porque para Deus somos o bom perfume de Cristo, nos
que se salvam e nos que se perdem.
16 Para estes, certamente cheiro de morte para morte;
mas para aqueles, cheiro de vida para vida. Quem, porém,
é capaz de fazer estas coisas?
17 Porque nós não somos, como muitos, falsificadores da
palavra de Deus, antes falamos de Cristo com sinceridade,
como de Deus na presença de Deus.

A Superioridade da Nova Aliança

3 Porventura começamos outra vez a nos recomendarmos a nós mesmos? Ou precisamos, como alguns, de
cartas de recomendação para vocês ou da parte de vocês?
2 Vocês mesmos são a nossa carta, escrita em nossos corações, conhecida e lida por todos.
3 Porque já é conhecido que vocês são a carta de Cristo,
ministrada por nós, e escrita, não com tinta, mas com o
Espírito do Deus vivo, não em tábuas de pedra, mas nas
tábuas de carne do coração.
4 E é por Cristo que temos tal confiança em Deus;
5 não que sejamos capazes, por nós, de pensar alguma
coisa, como de nós mesmos, mas a nossa capacidade vem
de Deus,
6 o qual nos fez também capazes de sermos ministros de
um novo testamento, não da letra, mas do espírito; porque
a letra mata e o espírito vivifica.
7 E, se o ministério da morte, gravado com letras em pedras, veio em glória, de maneira que os filhos de Israel não
podiam fitar os olhos na face de Moisés, por causa da glória
do seu rosto, a qual era transitória,
8 não será o ministério do Espírito muito mais glorioso?
9 Porque, se o ministério da condenação foi glorioso, muito mais excederá em glória o ministério da justiça.
10 Pois, nisso, o que foi glorioso já não tem mais glória, por
causa da glória atual, que é muito maior.
11 Porque, se o que estava desaparecendo teve a sua glória, quanto mais é em glória o que permanece.
12 Tendo, pois, tal esperança, agimos com muita ousadia.
13 E não somos como Moisés, que punha um véu sobre a
sua face, para que os filhos de Israel não olhassem firmemente para o fim daquilo que estava desaparecendo.
14 Mas as mentes deles foram endurecidas; pois até hoje
o mesmo véu permanece sobre a leitura da antiga aliança,
porque somente em Cristo ele é removido;
15 e até hoje, quando Moisés é lido, o véu está posto sobre
o coração deles.
16 Mas, quando se converterem ao Senhor, então o véu
será retirado.
17 Ora, o Senhor é Espírito; e, onde está o Espírito do
Senhor, aí há liberdade.
18 Mas todos nós, com rosto descoberto, contemplamos
a glória do Senhor, refletida como um espelho, e somos
transformados de glória em glória na mesma imagem,
como pelo Espírito do Senhor.

Tesouros em Vasos de Barro

4 Por isso, tendo este ministério, segundo a misericórdia
que nos foi dada, não desanimamos.
2 Pelo contrário, rejeitamos as coisas ocultas que nos trazem vergonha, não andando com astúcia nem falsificando

a palavra de Deus; assim, pela manifestação da verdade,
nos recomendamos à consciência de todos, na presença
de Deus.
3 Mas, se ainda o nosso evangelho está encoberto, é para
os que se perdem que ele está encoberto,
4 nos quais o deus desta era cegou os entendimentos dos
incrédulos, para que não vejam a luz do evangelho da gló-
ria de Cristo, que é a imagem de Deus.
5 Porque não pregamos a nós mesmos, mas a Cristo Jesus
como o Senhor, e a nós mesmos como servos de vocês por
amor de Jesus.
6 Porque Deus, que disse que das trevas resplandecesse
a luz, é quem resplandeceu em nossos corações, para ilu-
minação do conhecimento da glória de Deus, na face de
Jesus Cristo.
7 Temos, porém, este tesouro em vasos de barro, para que
a excelência do poder seja de Deus, e não de nós.
8 Em tudo somos atribulados, mas não angustiados; fica-
mos perplexos, mas não desanimados;
9 somos perseguidos, mas não desamparados; somos der-
rubados, mas não destruídos;
10 trazendo sempre por toda a parte a mortificação do
Senhor Jesus no nosso corpo, para que também a vida de
Jesus se manifeste em nossos corpos;
11 e assim nós, que vivemos, estamos sempre entregues
à morte por amor de Jesus, para que a vida de Jesus se
manifeste também na nossa carne mortal.
12 De maneira que em nós atua a morte, mas em vocês,
a vida.
13 E temos, portanto, o mesmo espírito de fé, como está
escrito: "Cri, por isso falei"; também nós cremos, por isso
também falamos,
14 sabendo que quem ressuscitou o Senhor Jesus também
nos ressuscitará por Jesus e nos apresentará com vocês.
15 Porque tudo isto é para o bem de vocês, para que a
graça, multiplicada por meio de muitos, torne abundantes
as ações de graças para glória de Deus.
16 Por isso não desanimamos; mas, ainda que o nosso ser
exterior se desgaste, o interior, contudo, se renova dia após
dia.
17 Porque a nossa leve e momentânea tribulação produz
para nós um peso eterno de glória muito excelente;
18 sendo assim fixamos nossos olhos não naquilo que se
pode enxergar, mas nas coisas que não são vistas; porque
as que se veem são temporais, e as que não se veem são
eternas.

Nossa Habitação Celestial

5 Porque sabemos que, se a nossa casa terrestre deste ta-
bernáculo se desfizer, temos de Deus um edifício, uma
casa não feita por mãos humanas, eterna, nos céus.
2 E por isso também gememos, desejando ser revestidos
da nossa habitação, que é do céu;
3 se, todavia, estando vestidos, não formos achados nus.
4 Pois nós, os que estamos neste tabernáculo, gememos
angustiados; não porque queremos ser despidos, mas re-
vestidos, para que o mortal seja absorvido pela vida.
5 Foi Deus quem nos preparou para isto mesmo, ele nos
deu também o penhor do Espírito.
6 Por isso estamos sempre de bom ânimo, sabendo que,
enquanto estamos no corpo, vivemos ausentes do Senhor.
7 Porque andamos por fé, e não pelo que vemos.
8 Mas temos confiança e desejamos antes deixar este cor-
po, para habitar com o Senhor.
9 É por isso que queremos também lhe agradar, quer este-
jamos no corpo, quer o deixemos.
10 Porque todos devemos comparecer diante do tribunal
de Cristo, para que cada um receba segundo o que tiver
feito por meio do corpo, segundo o bem ou o mal que
fizemos.
11 Assim, conhecendo o temor do Senhor, procuramos
persuadir as pessoas, mas somos conhecidos por Deus; e
espero que nas consciências de vocês sejamos também
conhecidos.
12 Porque não nos recomendamos outra vez a vocês; mas
damos a vocês uma oportunidade de se orgulharem de
nós, para que tenham o que responder aos que se gloriam
na aparência e não no coração.
13 Porque, se enlouquecemos, é para Deus; se conserva-
mos o juízo, é para vocês.
14 Pois o amor de Cristo nos constrange, reconhecemos
isto: Que, se um morreu por todos, logo todos morreram.
15 E ele morreu por todos, para que os que vivem não
vivam mais para si, mas para aquele que por eles morreu
e ressuscitou.
16 Assim que, daqui por diante, a ninguém conhecemos
segundo a carne; e, ainda que também tivéssemos conhe-
cido Cristo segundo a carne, contudo, agora já não o co-
nhecemos deste modo.
17 Assim, se alguém está em Cristo, é nova criatura; as
coisas antigas já passaram; eis que tudo se fez novo.

O Ministério da Reconciliação

18 E tudo isto provém de Deus, que nos reconciliou con-
sigo mesmo por Jesus Cristo, e nos deu o ministério da
reconciliação,
19 isto é, Deus estava em Cristo reconciliando consigo o
mundo, não levando em conta os pecados dos homens, e
nos confiou a palavra da reconciliação.
20 Portanto, somos embaixadores de Cristo, como se
Deus por nós pedisse. Pois pedimos que vocês, em nome
de Cristo, se reconciliem com Deus.

21 Aquele que não conheceu pecado, Deus o fez pecado
por nós, para que, nele, fôssemos feitos justiça de Deus.

A Conduta de Paulo em Seu Ministério

6 E nós, como cooperadores de Deus, exortamos a vocês
que não recebam a graça de Deus em vão,
2 porque ele diz: "Eu ouvi você no tempo aceitável e o so-
corri no dia da salvação; eis aqui agora o tempo favorável,
eis agora o dia da salvação."
3 Não damos motivo de escândalo em coisa alguma, para
que o nosso ministério não seja censurado;
4 antes, como ministros de Deus, em tudo nos recomen-
damos nós mesmos: Na muita paciência, nas aflições, nas
necessidades, nas angústias,
5 nos açoites, nas prisões, nos tumultos, nos trabalhos, nas
vigílias, nos jejuns,
6 na pureza, na ciência, na paciência, na bondade, no Es-
pírito Santo, no amor não fingido,
7 na palavra da verdade, no poder de Deus; com as armas
da justiça, tanto para atacar como para defender;
8 por honra e por desonra, por infâmia e por boa fama;
como enganadores, porém sendo verdadeiros;
9 como desconhecidos, mas sendo bem conhecidos; como
se estivéssemos morrendo, mas estando vivos; como casti-
gados, mas não mortos;
10 como entristecidos, mas sempre alegres; como pobres,
mas enriquecendo a muitos; como nada tendo, mas pos-
suindo tudo.
11 Ó coríntios, falamos abertamente a vocês e abrimos o
nosso coração.
12 Nosso afeto por vocês não tem limites; vocês é que
estão limitados em seu afeto por nós.
13 Ora, em recompensa disto, falo com vocês como se
fossem filhos; abram também o seu coração para nós.

Associação Com os Descrentes

14 Não se prendam a um jugo desigual com descrentes;
pois, o que há de comum entre a justiça e a injustiça? E
que comunhão tem a luz com as trevas?
15 E que harmonia há entre Cristo e Belial? Ou que parte
tem o fiel com o infiel?
16 E que acordo há entre o templo de Deus e os ídolos?
Porque vocês são o templo do Deus vivo, como Deus disse:
"Neles habitarei, e entre eles andarei; eu serei o seu Deus
e eles serão o meu povo."
17 Por isso, "saiam do meio deles e separem-se deles", diz
o Senhor; "não toquem em nada impuro, e eu os receberei;
18 e eu serei o Pai de vocês, e vocês serão os meus filhos
e filhas", diz o Senhor Todo-Poderoso.
7 Ora, meus amados, temos tais promessas, purifiquemo-
-nos de toda a impureza da carne e do espírito, aperfei-
çoando a santificação no temor de Deus.

O Arrependimento Deles é a Alegria de Paulo

2 Recebam-nos em seus corações; a ninguém tratamos
com injustiça, a ninguém prejudicamos, de ninguém ja-
mais nos aproveitamos.
3 Não digo isto para condenação de vocês, porque eu já
disse que vocês estão em nossos corações para juntamente
morrermos e vivermos.
4 Tenho grande confiança e grande orgulho por vocês; es-
tou cheio de conforto e transbordo de alegria em todas as
nossas tribulações.
5 Porque, mesmo quando chegamos à Macedônia, não
tivemos repouso algum; pelo contrário, em tudo fomos
atribulados; por fora combates, temores por dentro.
6 Mas Deus, que consola os abatidos, nos consolou com
a vinda de Tito.
7 E não somente com a sua vinda, mas também pela con-
solação que recebeu de vocês; ele nos falou das saudades,
do choro, do zelo que vocês têm por mim, e eu fiquei
muito alegre.
8 Porque, ainda que vocês se tenham entristecido com a
minha carta, não me arrependo, embora já me tenha arre-
pendido por ver que aquela carta os entristeceu, ainda que
por pouco tempo.
9 Agora me alegro, não porque ficaram entristecidos, mas
porque esta tristeza os trouxe ao arrependimento, pois fo-
ram entristecidos segundo Deus, para que, de nossa parte,
não sofressem nenhum dano.
10 Ora, a tristeza segundo Deus opera arrependimento
para a salvação, da qual ninguém se arrepende; mas a tris-
teza do mundo produz a morte.
11 Porque, quanto cuidado produziu em vocês o fato de
serem entristecidos, segundo Deus! Que defesa, que indig-
nação, que temor, que saudades, que zelo, que desejo de
vingança! Em tudo se mostraram inocentes neste assunto.
12 Portanto, ainda que eu tenha escrito aquela carta, não
foi por causa daquele que fez o mal, nem por causa daque-
le que sofreu o agravo, mas para que o grande cuidado de
vocês por nós fosse manifesto diante de Deus.
13 Foi por isso que nos sentimos consolados por vocês, e
muito mais nos alegramos pela alegria de Tito, porque o
espírito dele foi alegrado por vocês todos.
14 Porque, se em alguma coisa me gloriei a respeito de
vocês para com ele, não fiquei envergonhado, mas como
o que dissemos a vocês era verdade, também era verdade
tudo o que dissemos e o orgulho que sentia de vocês dian-
te de Tito era verdadeiro.
15 E o grande afeto dele por vocês fica maior ainda, quan-
do lembra a obediência de vocês todos, e como o recebe-
ram com temor e tremor.
16 Alegro-me de poder confiar em vocês em tudo.

Coleta em Favor da Judeia

8 Também, irmãos, queremos que vocês venham a co-
nhecer a graça de Deus dada às igrejas da Macedônia,
2 como em muita prova de tribulação houve grande
alegria, e a extrema pobreza deles transbordou em rica
generosidade.
3 Porque eu mesmo testemunho que, na medida de
suas posses, e ainda acima delas, eles contribuíram
voluntariamente,
4 pedindo-nos com muita insistência que aceitássemos a
assistência que faziam aos santos.
5 E não somente fizeram como nós esperávamos, mas a
si mesmos se deram primeiramente ao Senhor, e depois a
nós, pela vontade de Deus.
6 De maneira que recomendamos a Tito que, assim como
antes havia começado, assim também completasse esta
graça entre vocês.
7 Mas como em tudo vocês manifestaram abundância na
fé, na palavra, no conhecimento, em toda a dedicação e
em nosso amor por vocês, assim também esperamos que
nesta graça vocês manifestem abundância.
8 Não digo isto como uma ordem, mas para provar, com-
parando com a dedicação dos outros, a sinceridade do
amor de vocês.
9 Porque vocês conhecem a graça de nosso Senhor Jesus
Cristo que, sendo rico, por amor de vocês se fez pobre,
para que pela sua pobreza vocês se tornassem ricos.
10 E nisto dou a minha opinião, pois convém que vocês
façam isto, vocês que, desde o ano passado, começaram
não só a praticar mas também a querer.
11 Agora, porém, completem também o que já começa-
ram, para que, assim como mostraram boa vontade no
querer, assim também completem esta obra, dando de
acordo com o que vocês têm.
12 Porque, se há boa vontade, será aceita conforme o que
a pessoa tem, e não segundo o que ela não tem.
13 Porém, não digo isto para que os outros tenham alívio
e vocês opressão, mas para igualdade.
14 Neste tempo presente, a abundância de vocês supre
a necessidade deles, para que também a abundância de-
les supra as necessidades que vocês vierem a ter. Assim
haverá igualdade,
15 como está escrito: "Quem colheu muito não teve de-
mais; e quem colheu pouco não teve falta."

A Recomendação de Tito

16 Mas, graças a Deus, que pôs no coração de Tito a
mesma dedicação que temos por vocês,
17 pois ele atendeu ao nosso pedido e, com muita dedica-
ção, partiu voluntariamente para encontrar-se com vocês.
18 E, com ele, enviamos aquele irmão cujo louvor no
evangelho está espalhado por todas as igrejas.
19 E não só isto, mas ele foi também escolhido pelas
igrejas para ser nosso companheiro nesta graça que por
nós é ministrada para a glória do nosso Senhor, e para
demonstrar a nossa boa vontade.
20 Queremos evitar, assim, que alguém nos acuse
por causa desta generosa contribuição, que por nós é
administrada,
21 pois zelamos para fazer o que é correto, não só diante
do Senhor, mas também diante das pessoas.
22 Com eles estamos enviando também outro nosso ir-
mão, que por muitas vezes, e em muitas coisas, já puse-
mos à prova, e agora se mostra muito mais zeloso pela
grande confiança que tem em vocês.
23 Quanto a Tito, é meu companheiro e cooperador en-
tre vocês; quanto aos nossos irmãos, eles são representan-
tes das igrejas e glória de Cristo.
24 Portanto, diante das igrejas, mostrem para eles a pro-
va do amor de vocês e a razão do orgulho que temos
por vocês.
9 Quanto à assistência a favor dos santos, não é necessá-
rio que eu escreva a vocês.
2 Porque conheço a boa vontade de vocês, da qual me
orgulho diante dos macedônios, que vocês da Acaia estão
preparados desde o ano passado, e o zelo de vocês tem
estimulado muitos deles.
3 Mas enviei estes irmãos para que o orgulho que temos
de vocês, a esse respeito, não seja em vão, mas que este-
jam preparados como eu disse que estariam,
4 pois, se alguns macedônios forem comigo e descobri-
rem que vocês não estão preparados, isto será uma vergo-
nha para nós, para não dizer que será para vocês também,
por tanta confiança que tivemos em vocês.
5 Portanto, julguei necessário recomendar aos irmãos
que primeiro fossem falar com vocês e preparassem de
antemão a oferta que vocês prometeram, para que esteja
pronta como bênção e não como avareza.

Estímulo à Fidelidade

6 E digo isto: Quem semeia pouco, também colherá pou-
co; e quem semeia em abundância, também colherá com
abundância.
7 Cada um contribua segundo o que propôs no seu cora-
ção, não com tristeza, ou por necessidade, porque Deus
ama a quem dá com alegria.
8 E Deus é poderoso para tornar abundante em vocês
toda a graça, a fim de que tendo sempre, em tudo, ampla
suficiência, vocês sejam abundantes em toda a boa obra,
9 como está escrito: "Distribuiu, deu aos pobres; a sua
justiça permanece para sempre."

10 Aquele que dá a semente ao que semeia e pão ao que come também suprirá e multiplicará as sementes, e fará crescerem os frutos da sua justiça.

11 Assim vocês serão enriquecidos de todas as formas, para que possam ser generosos em qualquer ocasião e, por nosso intermédio, a sua generosidade resulte em ação de graças a Deus.

12 Porque o serviço desta assistência não só supre as necessidades dos santos, como também transborda em muitas expressões de gratidão a Deus.

13 Na prova deste serviço, eles glorificam a Deus pela obediência da confissão que vocês fazem ao evangelho de Cristo, e pela generosidade com que vocês contribuem para eles e para todos,

14 e pela sua oração por vocês, cheios de amor, por causa da excelente graça de Deus que há em vocês.

15 Graças a Deus, por seu dom indescritível.

A Defesa de Seu Ministério

10 Eu, Paulo, peço a vocês, pela mansidão e bondade de Cristo, eu que, na verdade, quando estou com vocês, sou humilde, mas quando estou ausente, sou ousado para com vocês;

2 peço que, quando estiver com vocês, não me obriguem a ser ousado e audacioso, tal como penso que ousarei agir para com alguns que acham que agimos por padrões meramente humanos.

3 Porque, embora vivendo como seres humanos, não lutamos segundo os padrões deste mundo.

4 Pois as armas da nossa luta não são humanas, mas sim poderosas em Deus para destruição das fortalezas.

5 Destruímos argumentos e toda pretensão que se levanta contra o conhecimento de Deus, e levamos cativo todo pensamento para torná-lo obediente a Cristo,

6 e estaremos prontos para punir toda desobediência, quando estiver cumprida a obediência de vocês.

7 Vocês observam apenas a aparência das coisas. Se alguém está convencido de que pertence a Cristo, deveria considerar novamente consigo mesmo que, assim como ele, nós também pertencemos a Cristo.

8 Pois, ainda que eu me tenha orgulhado um pouco mais da autoridade que o Senhor nos deu, não me envergonho disso, pois essa autoridade é para edificá-los, não para destruí-los.

9 Para que não pareça que estou tentando intimidá-los por cartas.

10 Pois alguns dizem: "As suas cartas são graves e fortes, mas a aparência do corpo é fraca e a sua palavra desprezível."

11 Saibam tais pessoas que aquilo que somos em cartas, quando estamos ausentes, seremos também em ações, quando presentes.

12 Porque não ousamos nos classificar ou nos comparar com alguns que louvam a si mesmos, mas eles, que se medem a si mesmos, e se comparam consigo mesmos, estão sem entendimento.

13 Porém, não nos gloriaremos fora da medida, mas conforme a reta medida que Deus nos deu, para chegarmos até vocês;

14 porque não ultrapassamos os nossos limites, como se não devêssemos chegar até vocês, pois já chegamos até vocês com o evangelho de Cristo.

15 Não nos gloriamos além da medida nos trabalhos alheios, antes temos a esperança de que, à medida que cresce a fé que vocês têm, seremos cada vez mais engrandecidos entre vocês, conforme a nossa regra,

16 para anunciar o evangelho nos lugares que estão além de vocês, sem nos vangloriarmos de trabalhos já realizados em território de outro.

17 Aquele, porém, que se gloria, glorie-se no Senhor.

18 Porque não é aprovado quem a si mesmo se recomenda, mas, sim, aquele a quem o Senhor recomenda.

Paulo Explica a Sua Conduta

11 Espero que vocês suportem um pouco da minha loucura. Portanto, suportem-me.

2 Tenho zelo por vocês com zelo que vem de Deus; porque eu preparei vocês para apresentá-los como uma virgem pura a um marido, que é Cristo.

3 Mas temo que, assim como a serpente enganou Eva com a sua astúcia, assim também a mente de vocês seja corrompida, e se afastem da sincera e pura devoção a Cristo.

4 Porque, se alguém for pregar a vocês outro Jesus diferente daquele que nós temos pregado, ou se vocês receberem outro espírito diferente daquele que vocês já receberam, ou um evangelho diferente do que já aceitaram, vocês o toleram com facilidade.

5 Porque penso que em nada fui inferior aos mais excelentes apóstolos.

6 E se não sou bom com as palavras, contudo sou excelente no conhecimento; de fato, já manifestamos isto a vocês em todo tipo de situação.

7 Será que cometi algum pecado ao viver humildemente, para que vocês fossem exaltados, ou porque lhes anunciei o evangelho de Deus sem cobrar nada?

8 Eu tirei de outras igrejas para poder servir a vocês, recebendo delas salário. E, quando estava com vocês e tinha necessidade, não me fiz pesado a ninguém,

9 pois os irmãos que vieram da Macedônia supriram a

minha necessidade, e em tudo me guardei de ser pesado
a vocês, e ainda me guardarei.
10 Pela verdade de Cristo que está em mim, esta glória
não me será tirada nas regiões da Acaia.
11 Por quê? Porque não amo vocês? Deus o sabe.
12 Mas, o que eu faço, continuarei a fazer, para não dar
oportunidade aos que a buscam com objetivo de serem
considerados iguais a nós, naquilo em que se gloriam.
13 Porque tais falsos apóstolos são obreiros fraudulentos,
disfarçando-se em apóstolos de Cristo.
14 E não é de admirar, porque o próprio Satanás se dis-
farça de anjo de luz.
15 Portanto, não é surpresa que os seus ministros se dis-
farcem em ministros da justiça; o fim deles será conforme
as suas obras.

Os Sofrimentos de Paulo

16 Outra vez digo: Ninguém me julgue insensato, mas,
se vocês assim me consideram, recebam-me como rece-
beriam um insensato, para que eu também me glorie um
pouco.
17 O que falo nesta confiança de gloriar-me, não o falo
segundo o Senhor, mas como por loucura.
18 Pois que muitos se gloriam segundo a carne, eu tam-
bém me gloriarei.
19 Porque, sendo vocês sábios, de boa vontade toleram
os insensatos.
20 Pois vocês toleram quem os escraviza, ou quem os
explora, quem os engana, quem se exalta, quem lhes fere
o rosto.
21 Para minha vergonha, admito que fomos fracos de-
mais para isso! Mas, naquilo em que os outros têm ousa-
dia, falo com insensatez, eu também a tenho.
22 São eles hebreus? Eu também. São israelitas? Eu tam-
bém. São descendentes de Abraão? Eu também.
23 São ministros de Cristo? Falo como se estivesse fora
de mim, eu afirmo que sou ainda mais: Em trabalhos,
muito mais; em açoites, mais do que eles; em prisões,
muito mais; em perigo de morte, muitas vezes.
24 Por cinco vezes recebi dos judeus trinta e nove
açoites.
25 Por três vezes fui açoitado com varas, uma vez fui
apedrejado, três vezes sofri naufrágio, fiquei uma noite e
um dia boiando na fúria do mar;
26 em viagens, muitas vezes em perigos de rios, em pe-
rigos de assaltantes, em perigos dos meus compatriotas,
em perigos dos gentios, em perigos na cidade, em perigos
no deserto, em perigos no mar, em perigos entre os falsos
irmãos;
27 em trabalhos e fadiga, em vigílias muitas vezes, em
fome e sede, em jejum muitas vezes, em frio e nudez.
28 Além das coisas exteriores, enfrento a cada dia preo-
cupação com todas as igrejas.
29 Quem enfraquece, que eu também não enfraqueça?
Quem não se escandaliza, que eu não fique indignado?
30 Se tenho de me gloriar, vou me gloriar no que diz
respeito à minha fraqueza.
31 O Deus e Pai de nosso Senhor Jesus Cristo, que é
eternamente bendito, sabe que não minto.
32 Em Damasco, o governador nomeado pelo rei Aretas
pôs guardas às portas da cidade dos damascenos, para me
prenderem.
33 Mas fui descido num cesto por uma janela da mura-
lha, e assim escapei das suas mãos.

A Visão de Paulo

12 É verdade que não convém gloriar-me, mas vou
falar a respeito das visões e revelações do Senhor.
2 Conheço um homem em Cristo que há catorze anos foi
arrebatado até o terceiro céu. Se isso foi no corpo, ou fora
do corpo, não sei; Deus o sabe.
3 Mas sei que esse homem, se isso ocorreu no corpo ou
fora do corpo, não sei, Deus o sabe,
4 foi arrebatado ao paraíso e ouviu palavras indizíveis,
que ao homem não é permitido falar.
5 Desse homem eu me gloriarei, mas de mim mesmo não
me gloriarei, a não ser nas minhas fraquezas.
6 Pois, se eu quiser gloriar-me, não serei louco, porque
direi a verdade; mas evito isto, para que ninguém se preo-
cupe comigo, mais do que vê em mim ou do que ouve
de mim.
7 E, para que eu não me exaltasse pela excelência das
revelações, foi-me posto um espinho na carne, um men-
sageiro de Satanás, para me esbofetear, a fim de que eu
não me exalte.
8 Três vezes orei ao Senhor para que o tirasse de mim.
9 Então ele me disse: "A minha graça basta para você,
porque o meu poder se aperfeiçoa na fraqueza." De boa
vontade, pois, me gloriarei nas minhas fraquezas, para
que em mim habite o poder de Cristo.
10 Por isso, sinto prazer nas fraquezas, nas injúrias, nas
necessidades, nas perseguições, nas angústias por amor
de Cristo. Porque quando estou fraco então sou forte.

A Preocupação Com os Coríntios

11 Fui louco em gloriar-me, mas vocês me obrigaram a
isso. Eu devia ter sido recomendado por vocês, pois em
nada fui inferior aos mais excelentes apóstolos, ainda que
nada eu seja.
12 Os sinais do meu apostolado foram manifestados en-
tre vocês, com toda a paciência, por sinais, prodígios e
maravilhas.
13 Pois em que vocês foram inferiores às outras igrejas,

exceto no fato de eu nunca ter sido um peso para vocês?
Perdoem-me este agravo.
14 Eis que, pela terceira vez, estou pronto para ir visi-
tá-los e não serei um peso para vocês, pois não busco os
seus bens, mas sim a vocês. Porque os filhos não devem
juntar riquezas para os pais, mas os pais para os filhos.
15 Eu, de muito boa vontade, gastarei e me deixarei gas-
tar em favor de vocês, ainda que, amando vocês cada vez
mais, seja menos amado.
16 Mas admito isto: Eu não fui um peso para vocês; e,
sendo astuto, eu os prendi com astúcia.
17 Por acaso aproveitei-me de vocês por algum daqueles
que lhes enviei?
18 Pedi a Tito e enviei com ele um irmão. Por acaso
Tito se aproveitou de vocês? Por acaso não andamos no
mesmo espírito, sobre as mesmas pisadas?
19 Vocês pensam que queremos nos desculpar com vo-
cês? Falamos em Cristo perante Deus, e tudo isto, ó ama-
dos, é para edificação de vocês.
20 Pois receio que, quando chegar aí, eu não os encontre
como eu queria, e que vocês não me encontrem como es-
peravam; temo que de alguma maneira haja entre vocês
brigas, invejas, iras, divisões, calúnias, intrigas, orgulho
e tumultos.
21 Receio que, quando for visitá-los outra vez, o meu
Deus me humilhe diante de vocês, e eu chore por muitos
daqueles que antes pecaram e não se arrependeram da
impureza, da imoralidade sexual e da libertinagem que
praticaram.

Exortações Finais

13 Esta é a terceira vez que vou visitá-los. Toda ques-
tão precisa ser confirmada pelo depoimento de
duas ou três testemunhas.
2 Já disse anteriormente e digo de novo, como fiz quando
estive presente pela segunda vez; mas agora, estando au-
sente, escrevo aos que antes pecaram e a todos os demais
que, se eu for outra vez, não os perdoarei;
3 visto que vocês buscam uma prova de que Cristo fala
em mim; ele não é fraco ao tratar com vocês, mas é po-
deroso entre vocês.
4 Porque, ainda que tenha sido crucificado por fraqueza,
ele vive pelo poder de Deus. Porque nós também somos
fracos nele, mas viveremos com ele pelo poder de Deus,
para o bem de vocês.
5 Examinem-se a vocês mesmos para saberem se perma-
necem na fé; provem a vocês mesmos. Ou não sabem
que Jesus Cristo está em vocês? A não ser que já tenham
sido reprovados.
6 Mas espero que entendam que nós não fomos
reprovados.
7 Agora, eu oro a Deus para que vocês não façam mal
algum, não para que pareça que fomos aprovados, mas
para que vocês façam o bem, embora pareça que nós fo-
mos reprovados.
8 Porque nada podemos contra a verdade, senão pela
verdade.
9 Porque nos alegramos de estar fracos, quando vocês
estão fortes, e o que desejamos é a perfeição de vocês.
10 Portanto, escrevo estas coisas estando ausente para
que, quando eu estiver presente, não use de rigor, segun-
do a autoridade que o Senhor me deu para edificação e
não para destruição.
11 Quanto ao mais, irmãos, alegrem-se, sejam perfeitos,
sejam consolados, sejam de um mesmo parecer, vivam
em paz; e o Deus de amor e de paz estará com vocês.

Saudações Finais

12 Saúdem uns aos outros com um beijo santo. Todos os
santos saúdam vocês.
13 A graça do Senhor Jesus Cristo, o amor de Deus e a
comunhão do Espírito Santo estejam com todos vocês.
Amém.

CARTA DE PAULO AOS GÁLATAS

1 Paulo, apóstolo, não da parte de homens, nem por pes-
soa alguma, mas por Jesus Cristo, e por Deus Pai, que o
ressuscitou dentre os mortos,
2 e todos os irmãos que estão comigo, às igrejas da Galácia:
3 Graça e paz da parte de Deus Pai e do nosso Senhor
Jesus Cristo,
4 que se entregou a si mesmo por nossos pecados, para
nos livrar deste presente século mau, segundo a vontade
de Deus nosso Pai,
5 a quem seja a glória para todo o sempre. Amém.

O Evangelho é Único

6 Admiro-me de que vocês estejam abandonando tão rapi-
damente aquele que os chamou pela graça de Cristo para
seguirem outro evangelho;

7 que na verdade não é outro, mas há alguns que estão
perturbando vocês e querem perverter o evangelho de
Cristo.
8 Mas, ainda que nós mesmos ou um anjo do céu lhes
anunciemos outro evangelho diferente daquele que tenho
anunciado a vocês, que seja amaldiçoado.
9 Assim, como já dissemos e agora, de novo, digo a vocês:
Se alguém anunciar outro evangelho além do que já rece-
beram, que seja amaldiçoado.
10 Por acaso busco agora o favor dos homens ou de Deus?
Ou procuro agradar pessoas? Se ainda estivesse procuran-
do agradar pessoas, eu não seria servo de Cristo.

A Defesa do Seu Apostolado

11 Mas informo a vocês, irmãos, que o evangelho por
mim anunciado não é de origem humana.
12 Porque não o recebi nem aprendi de homem algum,
mas eu o recebi pela revelação de Jesus Cristo.
13 Pois já ouviram qual foi no passado a minha conduta
no judaísmo, como perseguia com violência a igreja de
Deus, procurando destruí-la.
14 E na minha nação, quanto ao judaísmo, levava vanta-
gem sobre muitos da minha idade, sendo extremamente
zeloso das tradições de meus pais.
15 Mas Deus me separou desde o ventre de minha mãe e
me chamou pela sua graça, quando achou por bem
16 revelar seu Filho em mim, para que eu o anunciasse
entre os gentios; não consultei pessoa alguma,
17 nem voltei a Jerusalém, para me encontrar com os que
já eram apóstolos antes de mim, mas parti para a Arábia, e
voltei outra vez para Damasco.
18 Depois, passados três anos, fui a Jerusalém para me
encontrar com Pedro, e fiquei com ele por quinze dias.
19 E não vi nenhum dos outros apóstolos, a não ser Tiago,
irmão do Senhor.
20 Quanto ao que escrevo a vocês, afirmo diante de Deus
que não minto.
21 Depois fui para as regiões da Síria e da Cilícia.
22 Eu não era conhecido pessoalmente pelas igrejas da
Judeia, que estavam em Cristo,
23 mas somente tinham ouvido dizer: "Aquele que antes
nos perseguiu, agora anuncia a fé que antes destruía."
24 E glorificavam a Deus a meu respeito.

Seu Apostolado Reconhecido Pelos Demais Apóstolos

2 Catorze anos depois, fui outra vez a Jerusalém com
Barnabé, levando também Tito.
2 Fui por uma revelação, e lhes expus o evangelho que
prego entre os gentios, e particularmente aos que pare-
ciam mais influentes, para não correr ou ter corrido em
vão.
3 Mas nem mesmo Tito, que estava comigo, sendo grego,
foi obrigado a circuncidar-se.
4 E isso surgiu por causa dos falsos irmãos que se infil-
traram em nosso meio secretamente para espionarem a
liberdade que temos em Cristo Jesus, para nos porem em
escravidão.
5 Não nos submetemos a eles nem por um instante, para
que a verdade do evangelho permanecesse com vocês.
6 E quanto aos que pareciam influentes, o que eles foram
no passado não me interessa; Deus não aceita a aparência
do homem, desses, digo, que pareciam ser alguma coisa,
mas nada me acrescentaram.
7 Pelo contrário, quando viram que o evangelho da incir-
cuncisão estava confiado a mim, assim como a Pedro foi
confiado o evangelho da circuncisão,
8 pois, aquele que operou eficazmente em Pedro para o
apostolado da circuncisão, esse operou também em mim
com eficácia para com os gentios.
9 E, conhecendo Tiago, Cefas e João, que eram conside-
rados como as colunas, a graça que me havia sido dada,
deram-nos a mão direita, em comunhão comigo e com
Barnabé, para que nós fôssemos aos gentios e eles à
circuncisão.
10 E recomendaram a nós somente que nos lembrássemos
dos pobres, o que também me esforcei para fazer.

O Comportamento Repreensível de Pedro

11 E quando Pedro chegou a Antioquia, enfrentei-o face a
face, porque ele era repreensível.
12 Porque, antes que alguns tivessem chegado da parte
de Tiago, ele comia com os gentios, mas, depois que che-
garam, começou a se afastar deles, temendo os que eram
da circuncisão.
13 E os outros judeus também dissimulavam com ele, e
até Barnabé se deixou levar pela sua dissimulação.
14 Mas quando vi que não andavam conforme a verdade
do evangelho, disse a Pedro na presença de todos: Se você,
sendo judeu, vive como os gentios e não como judeu, por
que obriga os gentios a viverem como judeus?
15 Nós somos judeus por natureza e não pecadores dentre
os gentios.
16 Sabemos que ninguém é justificado pelas obras da lei,
mas pela fé em Jesus Cristo; temos também crido em Jesus
Cristo para sermos justificados pela fé em Cristo, e não
pelas obras da lei; porque pelas obras da lei ninguém será
justificado.
17 Pois, se nós, que procuramos ser justificados em Cris-
to, nós mesmos também somos achados pecadores, será
que Cristo é ministro do pecado? De maneira nenhuma.
18 Porque, se torno a edificar aquilo que destruí, provo
que sou transgressor.

19 Porque eu, pela lei, estou morto para a lei, para viver
para Deus.
20 Fui crucificado com Cristo, assim já não sou eu quem
vive, mas Cristo vive em mim. A vida que agora vivo no
corpo, vivo-a pela fé no Filho de Deus, que me amou e se
entregou por mim.
21 Não anulo a graça de Deus; pois, se a justiça vem da
lei, Cristo morreu em vão.

A Justificação é Pela Fé

3 Ó insensatos gálatas! Quem os enfeitiçou? Não foi dian-
te dos olhos de vocês que Jesus Cristo foi exposto como
crucificado?
2 Só queria saber isto de vocês: Vocês receberam o Espírito
pelas obras da lei ou pela pregação da fé?
3 Será que vocês são tão insensatos que, tendo começado
pelo Espírito, querem agora se aperfeiçoarem pelo mero
esforço humano?
4 Será que vocês sofreram tantas coisas em vão? Se é que
isso também foi em vão.
5 Aquele que dá o seu Espírito e que opera maravilhas
entre vocês, por acaso o faz pelas obras da lei, ou pela
pregação da fé?
6 Assim como Abraão creu em Deus, e isso lhe foi impu-
tado como justiça.
7 Saibam, pois, que os que são da fé são filhos de Abraão.
8 Ora, tendo a Escritura previsto que Deus justificaria os
gentios pela fé, anunciou primeiro o evangelho a Abraão,
dizendo: "Todas as nações serão benditas em você."
9 De modo que os que têm fé são abençoados com o cren-
te Abraão.
10 Pois todos os que são das obras da lei estão debaixo da
maldição, porque está escrito: "Maldito todo aquele que
não permanecer em todas as coisas que estão escritas no
livro da lei, para praticá-las."
11 E é evidente que pela lei ninguém será justificado dian-
te de Deus, porque o justo viverá da fé.
12 Ora, a lei não é baseada na fé; mas quem pratica estas
coisas, por elas viverá.
13 Cristo nos resgatou da maldição da lei, fazendo-se mal-
dição por nós, porque está escrito: "Maldito todo aquele
que for pendurado no madeiro."
14 Para que a bênção de Abraão chegasse aos gentios por
Jesus Cristo e para que pela fé nós recebamos a promessa
do Espírito.
15 Irmãos, falo como humano: Se um testamento feito
por um homem for ratificado, ninguém poderá anular
nem acrescentar algo.
16 Ora, as promessas foram feitas a Abraão e ao seu des-
cendente. A Escritura diz: "E aos seus descendentes",
como se falasse de muitos, mas fala de um só: "Ao seu
descendente", que é Cristo.
17 Mas digo isto: A lei que veio quatrocentos e trinta anos
depois, não invalida a aliança já anteriormente confirmada
por Deus, de modo que venha a abolir a promessa.
18 Porque, se a herança provém da lei, já não provém da
promessa; mas foi pela promessa que Deus a concedeu
gratuitamente a Abraão.
19 Logo, para que é a lei? Ela foi ordenada por causa das
transgressões, até que viesse o descendente a quem a pro-
messa tinha sido feita; e foi posta pelos anjos na mão de
um mediador.
20 Ora, o mediador representa mais de um, mas Deus
é um só.
21 Então a lei é contrária às promessas de Deus? De ma-
neira nenhuma; porque, se fosse dada uma lei que pudesse
dar vida, certamente a justiça viria da lei.
22 Mas a Escritura encerrou tudo debaixo do pecado,
para que a promessa pela fé em Jesus Cristo fosse dada
aos crentes.
23 Mas, antes que viesse a fé, estávamos guardados de-
baixo da lei, e nela encerrados para essa fé que no futuro
haveria de ser revelada.
24 Assim, a lei foi nosso tutor, para nos conduzir a Cristo,
para que pela fé fôssemos justificados.
25 Mas, depois que veio a fé, já não estamos debaixo do
tutor.
26 Porque todos vocês são filhos de Deus pela fé em Cris-
to Jesus,
27 pois todos que foram batizados em Cristo já se reves-
tiram de Cristo.
28 Nisto não há judeu nem grego; não há servo nem livre;
não há homem nem mulher; porque todos vocês são um
em Cristo Jesus.
29 E se vocês são de Cristo, então são também descenden-
tes de Abraão e herdeiros segundo a promessa.

A Adoção na Família de Deus

4 Digo, porém, que, enquanto o herdeiro é menor de ida-
de, em nada difere de um escravo, embora seja dono
de tudo.
2 Mas está sob tutores e curadores até o tempo determi-
nado pelo pai.
3 Assim, também nós, quando éramos menores, estáva-
mos escravizados aos princípios rudimentares do mundo.
4 Mas, quando chegou a plenitude dos tempos, Deus en-
viou seu Filho, nascido de mulher, nascido sob a lei,
5 para remir os que estavam sob a lei, a fim de recebermos
a adoção de filhos.
6 E, porque são filhos, Deus enviou aos corações de vocês
o Espírito de seu Filho, que clama: "Aba, Pai."

7 Assim você já não é mais servo, mas filho; então, se é
filho, é também herdeiro de Deus por Cristo.

A Preocupação Com os Gálatas

8 Mas, no passado, quando não conheciam a Deus, eram
escravos daqueles que, por natureza, não são deuses.
9 Mas agora que conhecem a Deus, ou melhor, agora que
vocês são conhecidos por Deus, como é que estão voltan-
do outra vez aos rudimentos fracos e pobres, aos quais de
novo querem servir como escravos?
10 Vocês guardam dias, meses, tempos e anos.
11 Receio que o meu trabalho por vocês tenha sido em
vão.
12 Irmãos, peço a vocês que sejam como eu, porque tam-
bém eu sou como vocês; vocês não me ofenderam em
nada.
13 E vocês sabem que primeiro anunciei o evangelho a
vocês, por causa de uma enfermidade.
14 Embora a minha enfermidade tenha sido uma prova-
ção, vocês não me rejeitaram, nem desprezaram; antes,
me receberam como se eu fosse um anjo de Deus, como o
próprio Jesus Cristo.
15 O que então aconteceu com a felicidade que vocês ti-
nham? Porque dou testemunho a vocês de que, se fosse
possível, vocês teriam arrancado os próprios olhos para
me dar.
16 Será que, por dizer a verdade, me tornei inimigo de
vocês?
17 Esses que se mostram zelosos por vocês não estão sen-
do sinceros; mas querem afastar vocês de mim, para que
vocês tenham zelo por eles.
18 É bom ser zeloso, mas sempre pelo bem, e não apenas
quando estou com vocês.
19 Meus filhos, por quem de novo sinto as dores de parto,
até que Cristo seja formado em vocês,
20 eu bem que gostaria de estar agora aí com vocês e
mudar a minha voz, porque estou perplexo com vocês.
21 Digam-me os que querem estar debaixo da lei: Será
que vocês não ouvem o que a lei diz?

Filhos da Promessa

22 Porque está escrito que Abraão teve dois filhos, um da
escrava e outro da livre.
23 O filho que era da escrava nasceu segundo a carne; mas
o que era da mulher livre nasceu mediante a promessa.
24 Uso esta história aqui como ilustração; pois essas mu-
lheres prefiguram duas alianças: Uma aliança procede do
monte Sinai, gerando filhos para a servidão, que é Agar.
25 Ora, Agar é Sinai, um monte da Arábia, que corres-
ponde à Jerusalém atual, pois é escrava com seus filhos.
26 Mas a Jerusalém lá de cima é livre, e ela é a nossa mãe.
27 Porque está escrito: "Alegre-se estéril, você que não dá
à luz; exulte e grite, você que não está de parto, porque os
filhos da mulher abandonada são mais numerosos do que
os filhos da que tem marido."
28 Mas vocês, irmãos, são filhos da promessa como
Isaque.
29 Porém, como no passado aquele que nasceu segundo
a carne perseguia o que nasceu segundo o Espírito, assim
é também agora.
30 Mas o que diz a Escritura? "Mande embora a escrava
e seu filho, porque de modo algum o filho da escrava será
herdeiro com o filho da mulher livre."
31 Portanto, irmãos, somos filhos não da escrava, mas da
livre.

A Liberdade em Cristo

5 Estejam firmes na liberdade com que Cristo nos li-
bertou, e não tornem a se colocar debaixo do jugo da
escravidão.
2 Eu, Paulo, lhes digo que, se vocês se deixam circuncidar,
Cristo de nada lhes servirá.
3 E de novo declaro a todo homem que se deixa circunci-
dar que ele está obrigado a guardar toda a lei.
4 Vocês que se justificam pela lei estão separados de Cris-
to, vocês caíram da graça.
5 Porque nós, pelo Espírito da fé, aguardamos a esperança
da justiça.
6 Porque, em Jesus Cristo, nem a circuncisão nem a in-
circuncisão têm valor algum; mas sim a fé que opera pelo
amor.
7 Vocês vinham correndo bem; quem impediu vocês de
não obedecerem à verdade?
8 Esta persuasão não vem daquele que os chamou.
9 Um pouco de fermento leveda toda a massa.
10 Tenho confiança no Senhor de que vocês não pensarão
de nenhum outro modo; mas aquele que os perturba, seja
ele quem for, sofrerá a condenação.
11 Irmãos, se ainda estou pregando a circuncisão, por que
ainda continuo sendo perseguido? Neste caso o escândalo
da cruz foi removido.
12 Eu gostaria que fossem cortados aqueles que andam
perturbando vocês.
13 Porque vocês, irmãos, foram chamados à liberdade.
Não usem, então, da liberdade para darem ocasião à car-
ne, mas sirvam vocês uns aos outros pelo amor.
14 Porque toda a lei se resume em um só mandamento,
neste: "Ame ao seu próximo como a si mesmo."
15 Se vocês, porém, se mordem e devoram uns aos ou-
tros, cuidado para não se destruírem mutuamente.

A Vida Pelo Espírito

16 Por isso digo: Vivam no Espírito, e jamais satisfarão o
desejo da carne.

17 Porque a carne luta contra o Espírito e o Espírito contra
a carne; e estes se opõem um ao outro, para que vocês não
façam o que querem.
18 Mas, se são guiados pelo Espírito, vocês não estão de-
baixo da lei.
19 Porque as obras da carne são conhecidas, as quais são:
Adultério, prostituição, impureza, lascívia,
20 idolatria, feitiçaria, inimizades, rixas, emulações, iras,
facções, dissensões, heresias,
21 invejas, homicídios, embriaguez, glutonarias e coisas
semelhantes a estas. Declaro a vocês, como antes já os
preveni, que os que cometem tais coisas não herdarão o
Reino de Deus.
22 Mas os frutos do Espírito são: Amor, alegria, paz,
paciência, benignidade, bondade, fidelidade, mansidão,
domínio próprio.
23 Contra estas coisas não há lei.
24 E os que são de Cristo crucificaram a carne com as suas
paixões e os seus desejos.
25 Se vivemos em Espírito, andemos também no Espírito.
26 Não sejamos presunçosos, provocando uns aos outros
e tendo inveja uns dos outros.

Solidariedade Cristã

6 Irmãos, se alguém for surpreendido em algum pecado,
vocês, que são espirituais, deverão restaurá-lo com
mansidão; e cuide-se, você mesmo, para que não seja tam-
bém tentado.
2 Levem as cargas uns dos outros e assim cumprirão a
lei de Cristo.
3 Porque, se alguém se considera ser alguma coisa, não
sendo nada, engana-se a si mesmo.
4 Mas cada um examine suas próprias atitudes e então
terá glória só em si mesmo, e não no outro.
5 Porque cada um levará a sua própria carga.
6 E aquele que é instruído na palavra compartilhe todas as
coisas boas com aquele que o instrui.
7 Não se enganem: De Deus não se zomba; porque tudo
aquilo que a pessoa semear, isso também colherá.
8 Porque quem semeia para sua carne, da carne colherá
destruição; mas quem semeia para o Espírito, do Espírito
colherá a vida eterna.
9 E não nos cansemos de fazer o bem, porque no tempo
certo colheremos, se não desanimarmos.
10 Portanto, enquanto temos oportunidade, façamos o
bem a todos, mas principalmente aos da família da fé.

A Circuncisão Não Tem Valor Para o Cristão

11 Vejam com que letras grandes escrevi a vocês de pró-
prio punho.
12 Todos os que querem mostrar boa aparência exterior-
mente, esses querem obrigar vocês a circuncidarem-se; as-
sim agem somente para não serem perseguidos por causa
da cruz de Cristo.
13 Pois nem mesmo esses que se circuncidam guardam a
lei, mas querem que vocês se circuncidem, para se gloria-
rem na carne de vocês.
14 Mas longe de mim gloriar-me, a não ser na cruz de nos-
so Senhor Jesus Cristo, pela qual o mundo está crucificado
para mim, e eu estou crucificado para o mundo.
15 Porque em Cristo Jesus nem a circuncisão, nem a incir-
cuncisão têm algum valor, mas sim ser uma nova criatura.
16 E a todos os que andarem conforme esta regra, paz e
misericórdia estejam sobre eles e sobre o Israel de Deus.
17 Desde agora ninguém me perturbe; porque trago no
meu corpo as marcas do Senhor Jesus.
18 A graça de nosso Senhor Jesus Cristo esteja com o espí-
rito de vocês, irmãos! Amém.

CARTA DE PAULO AOS EFÉSIOS

Bênçãos em Cristo

1 Paulo, apóstolo de Jesus Cristo, pela vontade de Deus,
aos santos que estão em Éfeso, e fiéis em Cristo Jesus:
2 A vocês graça e paz da parte de Deus nosso Pai e do
Senhor Jesus Cristo.
3 Bendito seja o Deus e Pai de nosso Senhor Jesus Cristo,
que nos abençoou com todas as bênçãos espirituais nos
lugares celestiais em Cristo.
4 Porque nos escolheu nele antes da fundação do mundo,
para sermos santos e irrepreensíveis diante dele em amor,
5 e nos predestinou para sermos adotados como filhos
por meio de Jesus Cristo, segundo o bom propósito da sua
vontade,
6 para louvor e glória da sua graça, a qual nos deu gratui-
tamente no Amado.
7 Nele temos a redenção por meio de seu sangue, a remis-
são dos pecados, segundo as riquezas da sua graça,
8 que Deus derramou abundantemente sobre nós em toda
a sabedoria e entendimento.

9 Ele nos revelou o mistério da sua vontade, segundo o
seu propósito, que ele estabeleceu em Cristo,
10 de fazer convergirem em Cristo todas as coisas, na dis-
pensação da plenitude dos tempos, tanto as que estão nos
céus como as que estão na terra.
11 Nele também fomos escolhidos, tendo sido predestina-
dos, conforme o propósito daquele que faz todas as coisas,
conforme o conselho da sua vontade;
12 a fim de sermos para louvor da sua glória, nós, os que
primeiro esperamos em Cristo,
13 em quem também vocês estão, depois que ouviram
a palavra da verdade, o evangelho salvação; e tendo nele
também crido, foram selados com o Espírito Santo da
promessa.
14 O qual é o penhor da nossa herança, até o resgate da
sua propriedade, para louvor da sua glória.

As Orações em Favor dos Efésios

15 Por isso, também eu tendo ouvido a respeito da fé que
vocês têm no Senhor Jesus, e do amor de vocês para com
todos os santos;
16 não cesso de dar graças a Deus por vocês, lembrando-
-me de vocês nas minhas orações:
17 Para que o Deus de nosso Senhor Jesus Cristo, o Pai
da glória, dê a vocês em seu conhecimento o espírito de
sabedoria e de revelação.
18 Oro, ainda, para que os olhos do coração de vocês se-
jam iluminados, para que saibam qual é a esperança do
chamado que ele fez a vocês, e quais são as riquezas da
glória da sua herança nos santos;
19 e qual é a suprema grandeza do seu poder sobre nós, os
que cremos, conforme a força do seu poder,
20 que manifestou em Cristo, ressuscitando-o dentre os
mortos e pondo-o à sua direita nos céus,
21 acima de todo o principado, poder, potestade, domínio
e de todo o nome que se possa mencionar, não só neste
século, mas também no vindouro.
22 Deus sujeitou todas as coisas debaixo de seus pés, e
sobre todas as coisas o constituiu como cabeça da Igreja,
23 que é o seu corpo, a plenitude daquele que cumpre
tudo em todos.

Nova Vida em Cristo

2 Ele lhes deu vida, quando vocês estavam mortos em
ofensas e pecados,
2 e que, em outro tempo, andaram segundo o curso deste
mundo, segundo o príncipe das potestades do ar, do espíri-
to que agora opera nos filhos da desobediência.
3 Entre eles, todos nós também antes andávamos nos de-
sejos da nossa carne, fazendo a vontade da carne e dos
pensamentos, e éramos por natureza filhos da ira, como
os outros também.
4 Mas Deus, que é riquíssimo em misericórdia, por causa
do seu grande amor com que nos amou,
5 quando nós ainda estávamos mortos em nossas trans-
gressões, nos deu vida juntamente com Cristo, e pela graça
vocês são salvos.
6 Deus nos ressuscitou juntamente com ele e nos fez as-
sentar nos lugares celestiais, em Cristo Jesus;
7 para mostrar nos séculos vindouros as abundantes ri-
quezas da sua graça pela sua bondade para nós em Cristo
Jesus.
8 Porque pela graça vocês são salvos, por meio da fé, e isto
não vem de vocês, é dom de Deus;
9 ela não vem das obras, para que ninguém se glorie,
10 porque somos feitura sua, criados em Cristo Jesus para
as boas obras, as quais Deus preparou para que andásse-
mos nelas.

A União dos Judeus e Gentios em Cristo

11 Portanto, lembrem-se de que vocês em outros tempos
eram gentios na carne, e chamados incircuncisão pelos
que na carne se chamam circuncisão feita pela mão dos
homens,
12 e, naquele tempo, estavam sem Cristo, separados da
comunidade de Israel, e estranhos às alianças da promessa,
não tendo esperança, e sem Deus no mundo.
13 Mas agora em Cristo Jesus, vocês, que antes estavam
longe, já pelo sangue de Cristo chegaram perto.
14 Porque ele é a nossa paz, de dois povos ele fez um; e
derrubou a parede de separação que estava no meio.
15 Na sua carne desfez a inimizade, isto é, a lei dos man-
damentos, que consistia em ordenanças, para dos dois
povos criar em si mesmo um novo homem, fazendo a paz,
16 e pela cruz reconciliar ambos com Deus em um corpo,
matando com ela as inimizades.
17 E, quando veio, Cristo anunciou as boas-novas da paz a
vocês que estavam longe, e aos que estavam perto,
18 porque por ele ambos temos acesso ao Pai em um mes-
mo Espírito.
19 Assim vocês já não são mais estrangeiros, nem foras-
teiros, mas concidadãos dos santos, e membros da família
de Deus,
20 edificados sobre o fundamento dos apóstolos e dos pro-
fetas, e Jesus Cristo é a pedra angular;
21 nele, todo o edifício, bem ajustado, cresce para ser um
templo santo no Senhor.
22 No qual também vocês juntamente são edificados para
morada de Deus em Espírito.

O Apóstolo dos Gentios

3 Por esta causa eu, Paulo, sou o prisioneiro de Jesus
Cristo por vocês, os gentios,

2 se é que vocês têm ouvido falar da dispensação da graça
de Deus, que para vocês me foi dada.
3 Como este mistério me foi manifestado pela revelação,
como antes lhes escrevi,
4 por isso, quando lerem, poderão perceber a minha com-
preensão do mistério de Cristo,
5 o qual, em outros tempos não foi manifestado aos filhos
dos homens, como agora tem sido revelado pelo Espírito
aos seus santos apóstolos e profetas;
6 os gentios são coerdeiros, membros de um mesmo cor-
po, e participantes da promessa em Cristo pelo evangelho,
7 do qual fui feito ministro, pelo dom da graça de Deus,
que me foi dado segundo a operação do seu poder.
8 A mim, o menor de todos os santos, me foi dada esta
graça de anunciar entre os gentios, por meio do evangelho,
as insondáveis riquezas de Cristo,
9 e demonstrar a todos qual é a dispensação do mistério
que desde os séculos esteve oculto em Deus, que tudo
criou por meio de Jesus Cristo,
10 para que agora, pela igreja, a multiforme sabedoria
de Deus seja conhecida dos principados e potestades nos
céus,
11 segundo o eterno propósito que Deus estabeleceu em
Cristo Jesus, nosso Senhor,
12 pelo qual temos ousadia e acesso a Deus com confian-
ça, pela nossa fé nele.
13 Portanto, peço a vocês que não desanimem por cau-
sa das minhas tribulações por vocês, que são a glória de
vocês.

A Oração de Paulo Pelos Efésios

14 Por causa disto me ponho de joelhos perante o Pai de
nosso Senhor Jesus Cristo,
15 do qual toda a família nos céus e na terra recebe o
nome,
16 para que, segundo as riquezas da sua glória, lhes con-
ceda que sejam fortalecidos com poder pelo seu Espírito
no íntimo;
17 a fim de que Cristo habite pela fé nos corações de vo-
cês; para que, estando arraigados e fundados em amor,
18 possam perfeitamente compreender, com todos os
santos, qual é a largura, o comprimento, a altura e a
profundidade,
19 e conhecer o amor de Cristo, que excede todo o en-
tendimento, para que sejam cheios de toda a plenitude de
Deus.
20 Ora, àquele que é poderoso para fazer tudo muito mais
abundantemente além daquilo que pedimos ou pensamos,
segundo o poder que em nós opera,
21 a ele seja a glória na Igreja, por Jesus Cristo, em todas
as gerações, para todo o sempre. Amém.

Exortação à Unidade

4 Como prisioneiro no Senhor, peço que andem de ma-
neira digna na vocação com que foram chamados,
2 com toda a humildade e mansidão, com longanimidade,
suportando vocês uns aos outros em amor,
3 procurando guardar a unidade do Espírito pelo vínculo
da paz.
4 Há um só corpo e um só Espírito, como também foram
chamados em uma só esperança da vocação de vocês,
5 há um só Senhor, uma só fé, um só batismo,
6 um só Deus e Pai de todos, que é sobre todos, por todos
e em todos vocês.
7 Mas a graça foi dada a cada um de nós segundo a medida
do dom de Cristo.
8 Por isso diz: "Subindo ao alto, levou cativo o cativeiro, e
deu dons aos homens."
9 O que significa "subindo", senão que também antes ti-
nha descido às partes mais baixas da terra?
10 Aquele que desceu é também o mesmo que subiu aci-
ma de todos os céus, para cumprir todas as coisas.
11 E ele mesmo deu uns para apóstolos, outros para
profetas, outros para evangelistas e outros para pastores
e mestres,
12 querendo o aperfeiçoamento dos santos, para a obra do
ministério, para edificação do corpo de Cristo;
13 até que todos cheguemos à unidade da fé e ao conhe-
cimento do Filho de Deus, e cheguemos à maturidade,
atingindo a medida da plenitude de Cristo,
14 para que não sejamos mais como crianças, levados
de um lado para o outro por qualquer vento de doutri-
na, pelo engano dos homens que com astúcia enganam
fraudulosamente.
15 Antes, seguindo a verdade em amor, cresçamos em
tudo naquele que é a cabeça, Cristo,
16 do qual todo o corpo, bem ajustado, e ligado pelo
auxílio de todas as juntas, segundo a justa operação de
cada parte, faz o aumento do corpo, para a edificação de
si mesmo em amor.

A Nova Vida em Cristo

17 Digo isto e testifico no Senhor, para que não andem
mais como andam os outros gentios, na vaidade da sua
mente.
18 Eles estão obscurecidos no entendimento, separados
da vida de Deus pela ignorância que há neles, pela dureza
do seu coração;
19 os quais, havendo perdido todo o sentimento, se en-
tregaram à depravação, para com avidez cometerem toda
impureza.
20 Mas vocês não aprenderam assim de Cristo,

21 se é que de fato ouviram falar dele e nele foram ensina-
dos, de acordo com a verdade que está em Jesus.
22 E, quanto à antiga maneira de viver, vocês foram ins-
truídos a se despirem do velho homem, que se corrompe
por desejos enganosos,
23 e a se renovarem no espírito do entendimento de
vocês,
24 e a se revestirem do novo homem, que segundo Deus
é criado em verdadeira justiça e santidade.
25 Por isso deixem a mentira e falem a verdade cada um
com o seu próximo; porque somos membros do mesmo
corpo.
26 Fiquem irados e não pequem; não deixem que o sol se
ponha sobre a ira de vocês.
27 Não deem lugar ao diabo.
28 Aquele que furtava, não furte mais; antes, trabalhe,
fazendo com as mãos o que é bom, para que tenha o que
repartir com o que tiver necessidade.
29 Não saia da boca de vocês nenhuma palavra torpe, mas
só a que for boa para promover a edificação, para que dê
graça aos que a ouvem.
30 E não entristeçam o Espírito Santo de Deus, no qual
estão selados para o dia da redenção.
31 Toda a amargura, ira, cólera, gritaria, blasfêmia e toda
a malícia sejam tiradas do meio de vocês.
32 Antes, uns com os outros, sejam bondosos, misericor-
diosos, perdoem-se uns aos outros, como também Deus
perdoou vocês em Cristo.

Andar na Luz

5 Sejam imitadores de Deus, como filhos amados,
2 e andem em amor, como também Cristo nos amou e
se entregou por nós, em oferta e sacrifício de aroma agra-
dável a Deus.
3 Que a imoralidade sexual e toda a impureza ou avareza
nem sequer sejam mencionadas entre vocês, como con-
vém a santos.
4 Não haja obscenidades nem conversas tolas, nem gra-
cejos imorais, que são inconvenientes; mas, antes, ações
de graças.
5 Porque fiquem sabendo disto: Nenhum imoral, ou impu-
ro, ou avarento, ou que é idólatra, têm herança no Reino
de Cristo e de Deus.
6 Ninguém os engane com palavras tolas; porque por essas
coisas vem a ira de Deus sobre os filhos da desobediência.
7 Portanto, não participem com eles dessas coisas.
8 Porque no passado vocês eram trevas, mas agora vocês
são luz no Senhor; andem como filhos da luz,
9 porque o fruto da luz está em toda a bondade, justiça
e verdade.
10 Aprendam o que é agradável ao Senhor.
11 E não participem das obras infrutíferas das trevas, mas
antes as condenem.
12 Porque o que eles fazem em oculto até mencionar é
vergonhoso.
13 Mas todas estas coisas se manifestam, quando conde-
nadas pela luz, porque a luz tudo manifesta.
14 Por isso se diz: "Desperte, você que dorme, e levante-
-se dentre os mortos, e Cristo o iluminará."
15 Portanto, tenham cuidado com a maneira como vocês
vivem; não vivam como insensatos, mas como sábios,
16 aproveitando bem o tempo, porque os dias são maus.
17 Por isso não sejam insensatos, mas entendam qual é a
vontade do Senhor.
18 E não se embriaguem com vinho, pois isso leva à devas-
sidão, mas encham-se do Espírito,
19 falando entre vocês com salmos, hinos e cânticos espi-
rituais; cantando e louvando de coração ao Senhor,
20 dando sempre graças por tudo a nosso Deus e Pai, em
nome de nosso Senhor Jesus Cristo.
21 Sujeitem-se uns aos outros no temor de Cristo.

Deveres Conjugais

22 Vocês, esposas, sujeitem-se a seus maridos, como ao
Senhor;
23 porque o marido é a cabeça da mulher, como também
Cristo é a cabeça da Igreja, sendo ele próprio o salvador
do corpo.
24 Assim como a Igreja está sujeita a Cristo, assim tam-
bém as esposas sejam em tudo sujeitas a seus maridos.
25 Vocês, maridos, amem suas esposas, como também
Cristo amou a Igreja, e se entregou por ela,
26 para a santificar, purificando-a com a lavagem de água,
pela palavra,
27 para a apresentar a si mesmo como Igreja gloriosa, sem
mácula, nem ruga, nem coisa semelhante, mas santa e
irrepreensível.
28 Assim também os maridos devem amar as suas próprias
esposas, como amam seus próprios corpos. Quem ama a
sua esposa, ama a si mesmo.
29 Porque nunca ninguém odiou o seu próprio corpo; ao
contrário, o alimenta e cuida dele, como também Cristo
faz com a Igreja,
30 porque somos membros do seu corpo, da sua carne e
dos seus ossos.
31 Por isso o homem deixará o seu pai e sua mãe, e se
unirá a sua mulher; e serão os dois uma só carne.
32 Grande é este mistério, mas eu me refiro a Cristo e
à Igreja.
33 Assim também vocês, cada um em particular ame a sua
própria esposa como a si mesmo, e que a esposa respeite
o marido.

Conselhos aos Filhos e aos Pais

6 Vocês, filhos, sejam obedientes a seus pais no Senhor,
porque isto é justo.
2 Honre o seu pai e a sua mãe, que é o primeiro manda-
mento com promessa,
3 para que tudo vá bem com você, e viverá muito tempo
sobre a terra.
4 E vocês, pais, não provoquem a ira de seus filhos, mas os
criem na disciplina e no conselho do Senhor.
5 E vocês, servos, obedeçam a seus senhores aqui na terra,
com temor e tremor, na sinceridade de coração de vocês,
como a Cristo,
6 não servindo apenas quando estão sendo vigiados,
somente para agradar aos homens, mas como servos de
Cristo, fazendo de coração a vontade de Deus;
7 sirvam de boa vontade, como se estivessem servindo ao
Senhor, e não aos homens.
8 Sabendo que cada um receberá do Senhor todo o bem
que fizer, seja servo, seja livre.
9 E vocês, senhores, façam o mesmo com eles, deixando
as ameaças, sabendo também que o Senhor deles e de
vocês está no céu, e que ele não faz diferença entre as
pessoas.

A Armadura de Deus

10 Quanto ao mais, meus irmãos, fortaleçam-se no Senhor
e na força do seu poder.
11 Revistam-se de toda a armadura de Deus, para que pos-
sam estar firmes contra as astutas ciladas do diabo.
12 Porque não temos que lutar contra a carne e o sangue,
mas, sim, contra os principados, contra as potestades, con-
tra os príncipes das trevas deste século, contra as hostes
espirituais da maldade, nos lugares celestiais.
13 Portanto, peguem toda a armadura de Deus, para que
possam resistir no dia mau e, havendo feito tudo, ficarem
firmes.
14 Estejam firmes, cingindo-se com a verdade e vestindo
a couraça da justiça,
15 e tenham os pés calçados com a preparação do evan-
gelho da paz;
16 segurando sobretudo o escudo da fé, com o qual pode-
rão apagar todos os dardos inflamados do maligno.
17 Usem também o capacete da salvação e a espada do
Espírito, que é a palavra de Deus,
18 orando em todo o tempo com toda a oração e súplica
no Espírito, e vigiando nisto com toda a perseverança e
súplica por todos os santos.
19 E orem também por mim, para que me seja dada, no
abrir da minha boca, a palavra com confiança, para tornar
conhecido o mistério do evangelho,
20 pelo qual sou embaixador em cadeias, para que eu pos-
sa falar dele livremente, como me convém falar.

Saudações Finais

21 E, para que vocês também possam saber como estou
e o que eu estou fazendo, Tíquico, irmão amado e fiel
ministro do Senhor, informará vocês de tudo.
22 Eu o enviei a vocês com esta finalidade, que saibam do
nosso estado, e para que ele console o coração de vocês.
23 Paz seja com os irmãos, e o amor com fé da parte de
Deus Pai e do Senhor Jesus Cristo.
24 A graça esteja com todos os que amam sinceramente o
nosso Senhor Jesus Cristo. Amém.

CARTA DE PAULO AOS FILIPENSES

1 Paulo e Timóteo, servos de Jesus Cristo, a todos os san-
tos em Cristo Jesus, que estão em Filipos, com os bispos
e diáconos:
2 Graça a vocês e paz da parte de Deus nosso Pai e do
Senhor Jesus Cristo.

O Amor do Apóstolo Pelos Filipenses

3 Dou graças ao meu Deus todas as vezes que me lembro
de vocês,
4 fazendo sempre com alegria oração por vocês em todas
as minhas súplicas,
5 pela cooperação de vocês no evangelho desde o primeiro
dia até agora.
6 Tendo por certo isto mesmo, que aquele que em vo-
cês começou a boa obra a aperfeiçoará até o dia de Jesus
Cristo.
7 É justo eu sentir isto de vocês todos, porque retenho vo-
cês em meu coração, pois todos vocês foram participantes
da minha graça, tanto nas minhas prisões como na minha
defesa e confirmação do evangelho.
8 Porque Deus é minha testemunha das saudades que
tenho de todos vocês, com a profunda afeição de Jesus
Cristo.
9 E esta é minha oração: Que o amor de vocês cresça mais
e mais em conhecimento e em toda a percepção,

10 para que aprovem as coisas excelentes e sejam sinceros
e sem escândalo algum até o dia de Cristo;
11 cheios dos frutos de justiça, que vêm por meio de Jesus
Cristo, para glória e louvor de Deus.

Os Benefícios de Sua Prisão

12 E quero, irmãos, que saibam que as coisas que me
aconteceram contribuíram para o progresso do evangelho;
13 de maneira que as minhas prisões em Cristo foram ma-
nifestas por toda a guarda pretoriana e por todos os demais
lugares.
14 E muitos dos irmãos no Senhor, tomando ânimo com
as minhas prisões, ousam falar a palavra com mais con-
fiança, sem temor.
15 É verdade que também alguns pregam a Cristo por
inveja e rivalidade, mas outros o fazem de boa vontade;
16 uns por amor, sabendo que fui posto para defesa do
evangelho.
17 Mas outros, na verdade, anunciam a Cristo por am-
bição egoísta, sem sinceridade, pensando que podem au-
mentar o meu sofrimento nas minhas prisões.
18 Mas o que importa? O importante é que Cristo seja
anunciado de qualquer forma, seja com fingimento ou em
verdade, Cristo está sendo anunciado, e nisto me alegro e
me alegrarei ainda mais.
19 Porque sei que isto resultará na minha libertação, gra-
ças à oração de vocês, e pelo socorro do Espírito de Jesus
Cristo,
20 segundo a minha grande expectativa e esperança de
que em nada serei envergonhado, mas que, com toda a
confiança, Cristo será, tanto agora como sempre, engran-
decido no meu corpo, seja pela vida, seja pela morte.
21 Porque para mim o viver é Cristo, e o morrer é lucro.
22 Mas, se o viver na carne me der fruto da minha obra,
não sei então o que devo escolher.
23 Mas de ambos os lados estou em aperto, tendo desejo
de partir e estar com Cristo, porque isto é ainda muito
melhor.
24 Mas julgo mais necessário, por amor de vocês, ficar
vivo.
25 E, convencido disto, sei que ficarei e permanecerei
com todos vocês para que progridam e tenham alegria na
fé,
26 para que a glória de vocês cresça por mim em Cristo
Jesus, pela minha nova ida a vocês.

Exortação à Unidade

27 Somente devem se portarem dignamente conforme o
evangelho de Cristo, para que, indo eu aí para vê-los, ou
estando ausente, eu ouça a respeito de vocês que estão
firmes em um só espírito, lutando juntos com o mesmo
ânimo pela fé do evangelho.
28 E em nada se intimidarão por causa dos que resistem, o
que para eles, na verdade, é indício de perdição, mas para
vocês é sinal de salvação, e isto da parte de Deus.
29 Porque a vocês lhes foi concedido, em relação a Cristo,
não somente crer nele, como também sofrer por ele,
30 pois vocês têm o mesmo combate que já viram em
mim, e agora ouvem que continuo a ter.

A Humildade Cristã

2 Portanto, se há algum conforto em Cristo, alguma con-
solação de amor, alguma comunhão no Espírito, se há
profundo afeto e compaixão,
2 completem a minha alegria, para que sintam o mesmo,
tendo o mesmo amor, o mesmo ânimo, sentindo uma
mesma coisa.
3 Nada façam por rivalidade ou por vaidade, mas por
humildade; cada um considere os outros superiores a si
mesmo.
4 Não faça cada um o que é somente do seu próprio inte-
resse, mas faça também o que é do interesse dos outros.
5 De modo que haja em vocês o mesmo sentimento que
houve também em Cristo Jesus,
6 que, mesmo sendo Deus, não considerou ser igual a
Deus,
7 mas esvaziou-se a si mesmo, tomando a forma de servo,
fazendo-se semelhante aos homens.
8 E, estando na forma de homem, humilhou-se a si mes-
mo, sendo obediente até à morte, e morte de cruz.
9 Por isso, também Deus o exaltou soberanamente, e lhe
deu um nome que está acima de todo nome;
10 para que ao nome de Jesus se dobre todo o joelho dos
que estão nos céus, e na terra, e debaixo da terra,
11 e toda língua confesse que Jesus Cristo é o Senhor, para
glória de Deus Pai.
12 Meus amados, assim como vocês sempre obedeceram,
não só na minha presença, mas muito mais agora na mi-
nha ausência, assim também coloquem em prática a salva-
ção de vocês com temor e tremor;
13 porque Deus é quem opera em vocês tanto o querer
como o efetuar, segundo a sua boa vontade.
14 Façam todas as coisas sem murmurações nem
discussões,
15 para que sejam irrepreensíveis e sinceros, filhos de
Deus inculpáveis, no meio de uma geração corrompida
e perversa, entre a qual resplandecem como astros no
mundo;
16 retendo a palavra da vida, para que no dia de Cristo
eu possa gloriar-me de não ter corrido nem trabalhado em
vão.
17 E, ainda que seja oferecido por libação sobre o sacrifício

a serviço da fé de vocês, fico contente e me alegro com
todos vocês.
18 E vocês também fiquem contentes e se alegrem co-
migo por isto.

A Recomendação de Timóteo

19 E espero no Senhor Jesus que em breve mandarei Ti-
móteo a vocês, para que também me sinta animado, ao
receber notícias de vocês.
20 Porque não tenho ninguém com esse mesmo senti-
mento, que se preocupe tão sinceramente por vocês,
21 porque todos buscam o que é seu, e não o que é de
Cristo Jesus.
22 Mas bem sabem que Timóteo foi aprovado, porque
serviu comigo no trabalho do evangelho, como um filho
ao lado de seu pai.
23 E espero enviá-lo tão logo eu saiba como vai ficar a
minha situação.
24 Mas confio no Senhor que também eu mesmo em bre-
ve irei até vocês.

A Recomendação de Epafrodito

25 Contudo, julguei, necessário enviar-lhes Epafrodito,
meu irmão e cooperador, e companheiro nos combates,
e enviado de vocês para prover às minhas necessidades.
26 Porque ele tinha muitas saudades de vocês todos, e
estava muito angustiado de que tivessem ouvido que ele
esteve doente.
27 E de fato ele esteve doente e quase morreu; mas Deus
teve piedade dele, e não somente dele, mas também de
mim, para que eu não tivesse tristeza sobre tristeza.
28 Por isso o enviarei mais depressa, para que, vendo-o
outra vez, vocês se alegrem, e eu tenha menos tristeza.
29 Recebam-no no Senhor com toda a alegria, e honrem
sempre pessoas como ele,
30 porque, pela obra de Cristo, chegou bem próximo da
morte, não fazendo caso da vida para suprir a ajuda que
vocês não puderam me dar pessoalmente.

Cuidado Com as Falsas Doutrinas

3 Resta, irmãos meus, que se alegrem no Senhor. Não
me aborreço de escrever a vocês as mesmas coisas, e é
segurança para vocês.
2 Cuidado com os cães, cuidado com os maus obreiros,
cuidado com a falsa circuncisão;
3 porque a circuncisão somos nós que servimos a Deus em
espírito, nos gloriamos em Jesus Cristo e não confiamos
na carne.
4 Bem que eu também podia confiar na carne; se algum
outro pensa que pode confiar na carne, ainda mais eu:
5 Fui circuncidado no oitavo dia, sou da linhagem de Is-
rael, da tribo de Benjamim, hebreu de hebreus, segundo
a lei, fui fariseu;
6 quanto ao zelo, perseguidor da igreja; segundo a justiça
que há na lei, irrepreensível.
7 Mas o que para mim era lucro, considerei como perda
por causa de Cristo.
8 E, na verdade, considero também como perda todas as
coisas, pela excelência do conhecimento de Cristo Jesus,
meu Senhor, pelo qual sofri a perda de todas estas coisas, e
as considero como escória, para que possa ganhar a Cristo,
9 e seja achado nele, não tendo a minha justiça que vem
da lei, mas a que vem pela fé em Cristo, a saber, a justiça
que vem de Deus pela fé;
10 para conhecer a Cristo e o poder da sua ressurreição,
e a participação em seu sofrimento, e me tornar como ele
em sua morte,
11 para, de alguma forma, alcançar a ressurreição dentre
os mortos.
12 Não que já a tenha alcançado, ou que seja perfeito,
mas prossigo para alcançar aquilo para o qual também fui
alcançado por Cristo Jesus.

A Vocação de Paulo

13 Irmãos, quanto a mim, não julgo que tenha alcançado;
mas uma coisa faço: esqueço-me das coisas que ficam para
trás e avanço para as que estão diante de mim;
14 prossigo para o alvo, para o prêmio da soberana voca-
ção de Deus em Cristo Jesus.
15 Por isso, todos que já somos maduros devemos ver as
coisas desta forma; e, se em alguma coisa vocês pensam
de outra maneira, isto também Deus revelará para vocês.
16 Então viveremos e andaremos de acordo com o que
já alcançamos.
17 Sejam também meus imitadores, irmãos, tenham cui-
dado, e vivam segundo o exemplo que vocês têm em nós.
18 Porque, como muitas vezes lhes disse, e agora também
repito chorando, há muitos que vivem como inimigos da
cruz de Cristo,
19 cujo fim é a perdição, cujo Deus é o ventre e cuja glória
é para confusão deles, que só pensam nas coisas terrenas.
20 Mas a nossa pátria está nos céus, de onde também
esperamos o Salvador, o Senhor Jesus Cristo,
21 que transformará o nosso corpo abatido, para ser igual
a seu corpo glorioso, segundo o seu eficaz poder de sujei-
tar também a si todas as coisas.

Conselhos Particulares

4 Portanto, meus amados e queridos irmãos, minha ale-
gria e coroa, estejam firmes no Senhor.
2 Peço a Evódia e a Síntique que sintam o mesmo no
Senhor.
3 E peço também a você, meu verdadeiro companheiro,
que ajude essas mulheres que trabalharam comigo no

evangelho, juntamente com Clemente e com os outros
cooperadores, cujos nomes estão no livro da vida.

Conselhos Gerais

4 Alegrem-se sempre no Senhor; outra vez digo,
alegrem-se.
5 Seja a amabilidade de vocês conhecida por todos. Perto
está o Senhor.
6 Não andem ansiosos por coisa alguma; antes, as suas
petições sejam em tudo conhecidas diante de Deus pela
oração e súplica, com ação de graças.
7 E a paz de Deus, que excede todo o entendimento,
guardará os seus corações e os seus sentimentos em Cristo
Jesus.
8 Quanto ao mais, irmãos, tudo o que é verdadeiro, tudo o
que é honesto, tudo o que é justo, tudo o que é puro, tudo
o que é amável, tudo o que é de boa fama, se há alguma
virtude e se há algum louvor, pensem nisso.
9 O que também aprenderam, receberam, ouviram e
viram em mim, isso façam; e o Deus de paz estará com
vocês.

Agradecimentos

10 Muito me alegro no Senhor por finalmente terem reno-
vado o cuidado de vocês comigo; sobre o qual já estavam
atentos, mas faltava a vocês oportunidade.
11 Não digo isto como por necessidade, porque já aprendi
a contentar-me com o que tenho.
12 Sei estar abatido e sei também ter abundância; em toda
a maneira e em todas as coisas estou instruído tanto a ter
fartura como a ter fome; tanto a ter abundância, como a
passar necessidade.
13 Tudo posso naquele que me fortalece.
14 Apesar disto vocês fizeram bem em participar de mi-
nhas aflições.
15 E bem sabem, ó filipenses, que, no princípio do evan-
gelho, quando parti da Macedônia, nenhuma igreja se
associou comigo nessa questão de dar e receber, somente
vocês,
16 porque, quando eu estava em Tessalônica, por mais de
uma vez me mandaram ajuda para minhas necessidades.
17 Não que eu esteja à procura de ofertas, mas procuro o
fruto que pode ser creditado na conta de vocês.
18 Mas bastante tenho recebido, e tenho recursos em
abundância, depois que recebi de Epafrodito os donativos
que vocês me enviaram, como oferta de aroma suave e
como sacrifício agradável a Deus.

Oração e Saudação

19 O meu Deus, segundo as suas riquezas, suprirá todas
as necessidades de vocês em glória, por Cristo Jesus.
20 A nosso Deus e Pai seja a glória para todo o sempre.
Amém.
21 Saúdem a todos os santos em Cristo Jesus. Os irmãos
que estão comigo mandam saudações.
22 Todos os santos mandam saudações, mas principal-
mente os que estão na casa de César.
23 A graça de nosso Senhor Jesus Cristo esteja com o es-
pírito de vocês. Amém.

Saudação e Graças

1 Paulo, apóstolo de Jesus Cristo, pela vontade de Deus,
e o irmão Timóteo,
2 aos santos e irmãos fiéis em Cristo, que estão em Colos-
sos: Graça a vocês e paz da parte de Deus nosso Pai e do
Senhor Jesus Cristo.
3 Graças damos a Deus, Pai de nosso Senhor Jesus Cristo,
orando sempre por vocês,
4 porque ouvimos da fé de vocês em Cristo Jesus e do
amor que vocês têm com todos os santos;
5 por causa da esperança que está reservada para vocês
nos céus, da qual já antes ouviram pela palavra da verda-
de do evangelho,
6 que já chegou a vocês, como também está em todo o
mundo, e já está frutificando, entre vocês, desde o dia em
que ouviram e conheceram a graça de Deus em verdade,
7 como aprenderam com Epafras, nosso amado conservo,
que para vocês é um fiel ministro de Cristo,
8 que nos contou também o amor de vocês no Espírito.
9 Por esta razão, nós também, desde o dia em que o ou-
vimos, não paramos de orar por vocês, e de pedir que
estejam cheios do conhecimento da sua vontade, em toda
a sabedoria e inteligência espiritual,
10 para que possam andar dignamente diante do Senhor,
agradando-lhe em tudo, frutificando em toda boa obra e
crescendo no conhecimento de Deus;
11 fortalecidos segundo a força da sua glória, em toda a
paciência e perseverança com alegria,

12 dando graças ao Pai que nos fez idôneos para partici-
par da herança dos santos na luz,
13 o qual nos libertou da potestade das trevas, e nos
transportou para o reino do Filho do seu amor,

A Excelência de Cristo

14 em quem temos a redenção pelo seu sangue, a remis-
são dos pecados,
15 o qual é imagem do Deus invisível, o primogênito de
toda a criação,
16 porque nele foram criadas todas as coisas que há nos
céus e na terra, visíveis e invisíveis, sejam tronos, sejam
dominações, sejam principados, sejam potestades. Tudo
foi criado por ele e para ele.
17 E ele é antes de todas as coisas, e todas as coisas sub-
sistem por ele.
18 E ele é a cabeça do corpo, que é a Igreja; é o princípio
e o primogênito dentre os mortos, para que em tudo te-
nha a supremacia.
19 Porque foi do agrado do Pai que toda a plenitude nele
habitasse,
20 e que, havendo por ele feito a paz pelo sangue da sua
cruz, por meio dele reconciliasse consigo mesmo todas
as coisas, tanto as que estão na terra como as que estão
nos céus.
21 A vocês também, que no passado eram estranhos e
inimigos no entendimento pelas suas obras más, agora ele
os reconciliou,
22 no corpo da sua carne, pela morte, para apresentá-los
diante dele santos, irrepreensíveis e inculpáveis,
23 se permanecerem fundados e firmes na fé, e não se
afastarem da esperança do evangelho que vocês têm ou-
vido, o qual foi pregado a toda criatura debaixo do céu, e
do qual eu, Paulo, me tornei ministro.

O Ministério de Paulo

24 Alegro-me agora no que sofro por vocês, e na minha
carne cumpro o resto das aflições de Cristo, pelo seu cor-
po, que é a Igreja,
25 da qual me tornei ministro segundo a dispensação de
Deus, que me foi concedida em favor de vocês, para cum-
prir a palavra de Deus:
26 O mistério que esteve oculto desde todos os séculos,
e em todas as gerações, e que agora foi manifestado aos
seus santos,
27 aos quais Deus quis fazer conhecer quais são as rique-
zas da glória deste mistério entre os gentios, que é Cristo
em vocês, esperança da glória.
28 A quem anunciamos, advertindo a todos e ensinando
a todos em toda a sabedoria, para que apresentemos cada
pessoa perfeita em Jesus Cristo;
29 e para isto também trabalho, combatendo segundo o
poder de Cristo que opera em mim poderosamente.

Permanecer em Cristo

2 Porque quero que saibam que mantenho uma gran-
de luta por vocês, pelos que estão em Laodiceia e por
muitos outros que não me viram pessoalmente.
2 Para que os seus corações sejam consolados, estejam
unidos em amor e enriquecidos da plenitude do enten-
dimento, para conhecimento do mistério de Deus e Pai,
e de Cristo,
3 em quem estão ocultos todos os tesouros da sabedoria
e do conhecimento.
4 E digo isto para que ninguém os engane com palavras
persuasivas.
5 Porque, ainda que esteja ausente em pessoa, contudo,
em espírito estou com vocês, alegrando-me e vendo a boa
ordem e a firmeza da fé de vocês em Cristo.
6 Portanto, assim como receberam o Senhor Jesus Cristo,
assim também vivam nele,
7 arraigados e edificados nele, e confirmados na fé, as-
sim como foram ensinados, nela crescendo em ação de
graças.

Cuidado Com Falsos Ensinos

8 Tenham cuidado para que ninguém venha prendê-los
por meio de filosofias vãs e sutilezas, segundo a tradição
dos homens, segundo os rudimentos do mundo, e não
segundo Cristo;
9 porque nele habita corporalmente toda a plenitude da
divindade.
10 E estejam perfeitos nele, que é a cabeça de todo o
principado e potestade,
11 no qual também foram circuncidados, não por mãos
humanas, mas pela remoção do corpo da carne, que é a
circuncisão de Cristo;
12 sepultados com ele no batismo, nele também foram
ressuscitados pela fé no poder de Deus, que o ressuscitou
dentre os mortos.
13 E, quando vocês estavam mortos nos pecados e na
incircuncisão da carne, ele lhes deu vida juntamente com
Cristo, perdoando todos os nossos pecados,
14 e cancelando a dívida que era contra nós nas suas
ordenanças, a qual de alguma maneira nos era contrária;
tirou-a do meio de nós, cravando-a na cruz.
15 E, despojando os poderes e autoridades, os expôs pu-
blicamente triunfando sobre eles na cruz.
16 Portanto, que ninguém julgue vocês pelo que comem,
ou pelo que bebem, ou por causa dos dias de festa, ou da
lua nova, ou dos sábados,
17 que são sombras das coisas futuras, mas o corpo é
de Cristo.

18 Que ninguém domine vocês a seu bel-prazer com pre-
texto de humildade e culto dos anjos, envolvendo-se em
coisas que não viu, estando cheio de orgulho, sem motivo
algum, na sua mente carnal,
19 e não ligado à cabeça, da qual todo o corpo, provido
e organizado pelas juntas e ligaduras, vai crescendo com
o aumento de Deus.
20 Se, pois, estão mortos com Cristo quanto aos rudimen-
tos do mundo, por que vocês se sujeitam a regras, como
se ainda vivessem no mundo,
21 tais como: "Não toquem", "não provem", "não po-
nham a mão naquilo"?
22 Todas essas coisas se destroem pelo uso, são preceitos
e doutrinas dos homens;
23 as quais têm, na verdade, alguma aparência de sabedo-
ria, em devoção voluntária, humildade, e em disciplina do
corpo, mas não têm valor algum senão para a satisfação
da carne.

Instruções Para Uma Vida Santa

3 Portanto, se já ressuscitaram com Cristo, busquem as
coisas que são de cima, onde Cristo está assentado à
direita de Deus.
2 Pensem nas coisas que são de cima e não nas que são
da terra,
3 porque já estão mortos, e a vida de vocês está escondida
com Cristo em Deus.
4 Quando Cristo, que é a nossa vida, se manifestar, então
também vocês se manifestarão com ele em glória.
5 Matem então os seus membros que estão sobre a terra:
A fornicação, a impureza, a afeição desordenada, os maus
desejos e a avareza, que é idolatria;
6 por causa dessas coisas vem a ira de Deus sobre os filhos
da desobediência,
7 nas quais também no passado andaram, quando viviam
nelas.
8 Mas, agora, abandonem tudo: a ira, a cólera, a malícia,
a linguagem indecente no falar.
9 Não mintam uns aos outros, porque já se despiram do
velho homem com os seus feitos,
10 e se vestiram do novo, que se renova para o conheci-
mento, segundo a imagem daquele que o criou;
11 onde não há grego nem judeu, circuncisão nem incir-
cuncisão, bárbaro, cita, servo ou livre; mas Cristo é tudo
em todos.
12 Revistam-se como eleitos de Deus, santos e amados,
de profunda compaixão, de bondade, humildade, mansi-
dão e paciência;
13 suportando e perdoando uns aos outros, se alguém
tiver queixa contra outro; assim como Cristo os perdoou,
assim façam vocês também.
14 E, sobre tudo isto, revistam-se de amor, que é o vín-
culo da perfeição.
15 Que a paz de Deus, para a qual também foram cha-
mados em um corpo, domine em seus corações, e sejam
agradecidos.
16 Que a palavra de Cristo habite em vocês abundante-
mente, em toda a sabedoria, ensinando e aconselhando-se
uns aos outros, com salmos, hinos e cânticos espirituais,
cantando ao Senhor com graça em seus corações.
17 E tudo que fizerem, seja em palavra, seja em ação,
façam tudo em nome do Senhor Jesus, dando por meio
dele graças a Deus Pai.

Instruções Matrimoniais e Familiares

18 Vocês, esposas, estejam sujeitas a seus próprios mari-
dos, como convém no Senhor.
19 Vocês, maridos, amem suas esposas e não se irritem
contra elas.
20 Vocês, filhos, obedeçam em tudo a seus pais, porque
isto é agradável ao Senhor.
21 Vocês, pais, não irritem seus filhos, para que não per-
cam o ânimo.
22 Vocês, servos, obedeçam em tudo a seus senhores
aqui na terra, não servindo só de aparência, como para
agradar aos homens, mas em simplicidade de coração,
temendo a Deus.
23 E, tudo que fizerem, façam de todo o coração, como
ao Senhor, e não aos homens,
24 sabendo que receberão do Senhor o galardão da he-
rança, porque a Cristo, o Senhor, servem.
25 Mas quem fizer injustiça receberá a injustiça, pois não
haverá exceção para ninguém.

Outras Instruções

4 Vocês, senhores, tratem os seus servos com justiça e
igualdade, sabendo que vocês também têm um Senhor
nos céus.
2 Perseverem em oração, vigiando nela com ação de
graças,
3 orando também juntamente por nós, para que Deus nos
abra a porta da palavra, a fim de falarmos do mistério de
Cristo, pelo qual estou também preso,
4 para que o manifeste, como me convém falar.
5 Andem com sabedoria para os que são de fora e apro-
veitem bem o tempo.
6 Que a palavra de vocês seja sempre agradável, tempe-
rada com sal, para que saibam como devem responder a
cada um.

Saudações Finais

7 Tíquico, irmão amado e fiel ministro, e conservo no
Senhor, lhes dirá como eu estou.

8 Eu o envio para que saibam da nossa situação e console
os corações de vocês,
9 juntamente com Onésimo, amado e fiel irmão, que é
da igreja de vocês; eles lhes contarão tudo o que se passa
por aqui.
10 Aristarco, que está preso comigo, manda saudações, e
Marcos, primo de Barnabé, do qual já receberam instru-
ções, se ele for falar com vocês, recebam-no.
11 E Jesus, chamado Justo, também envia saudações.
Esses são os únicos da circuncisão que cooperam pessoal-
mente comigo pelo Reino de Deus. Eles têm sido o meu
consolo.
12 Epafras, que é um de vocês, manda saudações; ele é
um servo de Cristo, combatendo sempre por vocês em
orações, para que se conservem firmes, perfeitos e con-
victos em toda a vontade de Deus.
13 Pois eu testemunho que ele tem um grande zelo por
vocês e pelos que estão em Laodiceia e em Hierápolis.
14 Lucas, o médico amado, e Demas mandam saudações.
15 Saúdem os irmãos que estão em Laodiceia, Ninfa e a
igreja que está em sua casa.
16 E, quando esta carta tiver sido lida entre vocês, façam
com que ela seja lida também na igreja dos laodicenses, e
leiam também a carta que veio de Laodiceia.
17 E digam a Arquipo: Cumpra o ministério que você
recebeu no Senhor.
18 Eu, Paulo, escrevo esta saudação de próprio punho.
Lembrem-se das minhas algemas. A graça esteja com
vocês. Amém.

PRIMEIRA CARTA DE PAULO AOS TESSALONICENSES

Ação de Graças Pela Fidelidade dos Irmãos

1 Paulo, Silvano e Timóteo, à igreja dos tessalonicenses
em Deus, o Pai, e no Senhor Jesus Cristo: Graça e paz
tenham de Deus nosso Pai e do Senhor Jesus Cristo.
2 Sempre damos graças a Deus por vocês todos, fazendo
menção de vocês em nossas orações,
3 lembrando-nos sem cessar da obra da fé de vocês, do
trabalho, do amor, e da paciência, da esperança em nosso
Senhor Jesus Cristo, diante de nosso Deus e Pai,
4 sabendo, amados irmãos, que Deus os escolheu.
5 Porque o nosso evangelho não foi para vocês somente
em palavras, mas também em poder, no Espírito Santo, e
em plena convicção; vocês sabem como procedemos entre
vocês, para o bem de vocês.
6 E vocês se tornaram nossos imitadores, e do Senhor,
recebendo a palavra em meio de muito sofrimento, mas
com alegria que vem do Espírito Santo.
7 Assim vocês se tornaram exemplo para todos os fiéis na
Macedônia e Acaia.
8 Porque por meio de vocês repercutiu a palavra do Se-
nhor, não somente na Macedônia e Acaia, mas também
em todos os lugares a fé de vocês em Deus se espalhou,
a ponto de não termos necessidade de falar dela coisa
alguma.
9 Porque eles falam como foi a nossa chegada no meio
de vocês, e como deixaram os ídolos e se converteram a
Deus, para servirem o Deus vivo e verdadeiro,
10 e esperarem dos céus o seu Filho, a quem ressuscitou
dentre os mortos, a saber, Jesus, que nos livra da ira futura.

O Ministério em Tessalônica

2 Porque vocês mesmos, irmãos, bem sabem que a nossa
chegada no meio de vocês não foi em vão.
2 Mas, mesmo depois de termos antes sofrido e sido insul-
tados em Filipos, como sabem, tivemos grande confiança
em nosso Deus, para lhes anunciar o evangelho de Deus
com grande luta.
3 Porque a nossa exortação não teve origem no erro, nem
em motivos impuros, nem se baseia no engano,
4 mas, como fomos aprovados por Deus para que o evan-
gelho nos fosse confiado, assim falamos, não para agradar
as pessoas, mas a Deus, que prova os nossos corações.
5 Porque, como sabem, nossa palavra nunca foi de bajula-
ção, nem de pretexto para ganância; Deus é testemunha
disso.
6 E não buscamos reconhecimento humano, nem de vo-
cês, nem de outros,
7 ainda que pudéssemos, como apóstolos de Cristo, ter so-
licitado de vocês o nosso sustento. Antes fomos bondosos
quando estávamos entre vocês, como uma mãe que cuida
de seus filhos.
8 Assim nós, com grande afeto, de boa vontade quisemos
lhes oferecer não somente o evangelho de Deus, mas tam-
bém as nossas próprias vidas, porque se tornaram muito
queridos para nós.
9 Pois vocês bem se lembram, irmãos, do nosso trabalho

e fadiga; trabalhamos noite e dia, para não sermos pesados
a ninguém, enquanto pregávamos o evangelho de Deus
a vocês.
10 Vocês e Deus são testemunhas de como nos portamos
de maneira santa, justa e irrepreensível entre vocês, os que
creem.
11 Pois vocês sabem que tratamos a cada um de vocês
como um pai trata seus filhos;
12 exortando e consolando para que sejam conduzidos
dignamente para Deus, que os chama para o seu Reino
e glória.
13 Por isso também damos, sem cessar, graças a Deus,
pois, ao receberem de nós a palavra da pregação de Deus,
vocês a receberam, não como palavra de homens, mas
como ela verdadeiramente é, como palavra de Deus, a
qual também opera em vocês, os que creem.
14 Porque vocês, irmãos, tornaram-se imitadores das igre-
jas de Deus que na Judeia estão em Jesus Cristo; porque
também sofreram dos seus próprios conterrâneos o mes-
mo que os judeus fizeram àquelas igrejas,
15 os quais também mataram o Senhor Jesus e os seus
próprios profetas, e nos têm perseguido; eles não agradam
a Deus e são contrários a todos os homens,
16 e nos impedem de pregar aos gentios as palavras da
salvação, a fim de encherem sempre a medida de seus pe-
cados; mas a ira de Deus caiu sobre eles definitivamente.
17 Nós, porém, irmãos, sendo privados da companhia de
vocês por um tempo, em pessoa, mas não no coração, nos
esforçamos ainda mais para vê-los pessoalmente.
18 Por isso quisemos ir até vocês, pelo menos eu, Paulo,
porém Satanás nos impediu.
19 Pois quem é a nossa esperança, ou alegria, ou coroa de
glória? Porventura vocês não são a glória também diante
de nosso Senhor Jesus Cristo em sua vinda?
20 Na verdade vocês são a nossa glória e alegria.

A Apresentação de Timóteo

3 Por isso, não podendo esperar mais, achamos por bem
ficar sozinhos em Atenas,
2 e enviamos Timóteo, nosso irmão, ministro de Deus no
evangelho de Cristo, para fortalecê-los e animá-los na fé,
3 para que ninguém seja abalado por estas tribulações,
porque vocês mesmos sabem que fomos designados para
isto,
4 pois, quando ainda estávamos com vocês, já dizíamos
que seríamos perseguidos, o que realmente aconteceu,
como vocês sabem.
5 Por essa razão, não posso esperar mais; mandei Timóteo
perguntar a respeito da fé que vocês têm, temendo que o
tentador os seduzisse, e o nosso trabalho se tornasse inútil.
6 Agora Timóteo chegou vindo de vocês para nós, trazen-
do-nos boas notícias da fé e do amor que vocês têm, e de
como sempre vocês têm boas lembranças de nós, desejan-
do muito nos ver, como nós também a vocês.
7 Por esta razão, irmãos, ficamos animados a respeito de
vocês, em toda a nossa aflição e necessidade, pela fé que
vocês têm,
8 porque agora vivemos, visto que estão firmes no Senhor.
9 Pois, que ação de graças poderemos dar a Deus por vo-
cês, por toda a alegria com que nos alegramos por causa
de vocês diante do nosso Deus,
10 orando abundantemente dia e noite, para que possa-
mos vê-los pessoalmente, e suprir o que ainda falta à fé
de vocês?
11 Ora, o nosso mesmo Deus e Pai e nosso Senhor Jesus
Cristo encaminhem a nossa viagem até vocês.
12 E o Senhor faça com que cresça e aumente o amor que
vocês têm uns com os outros, e com todos, como também
temos com vocês.
13 Que ele fortaleça o coração de vocês, para que sejam
irrepreensíveis em santidade diante do nosso Deus e Pai,
na vinda de nosso Senhor Jesus Cristo com todos os seus
santos.

Exortações à Santificação

4 Finalmente, irmãos, pedimos a vocês e exortamos no
Senhor Jesus que, assim como aprenderam de nós a
maneira como devem andar e agradar a Deus, assim an-
dem, para que possam progredir cada vez mais.
2 Porque vocês sabem os mandamentos que demos a vo-
cês pela parte do Senhor Jesus.
3 Porque a vontade de Deus é a santificação de vocês; que
se abstenham da imoralidade sexual;
4 que cada um de vocês saiba controlar o seu próprio cor-
po de maneira santa e honrosa,
5 não com desejos imorais, como os gentios, que não co-
nhecem a Deus.
6 E que ninguém oprima ou engane o seu irmão em ne-
gócio algum, porque o Senhor é vingador de todas estas
coisas, como também antes já avisamos e testificamos,
7 porque Deus não nos chamou para a impureza, mas para
a santificação.
8 Portanto, quem despreza isto não despreza ao homem,
mas sim a Deus, que nos deu também o seu Espírito Santo.
9 Quanto, porém, ao amor fraternal, não necessitam de
que eu lhes escreva, visto que vocês mesmos estão instruí-
dos por Deus a amarem uns aos outros;
10 porque também assim já o fazem com todos os irmãos
que estão por toda a Macedônia. Exortamos vocês, porém,
para que nisto progridam cada vez mais.
11 E procurem viver tranquilamente, cuidar dos seus

próprios negócios e trabalhar com as suas próprias mãos,
como nós instruímos,
12 para que andem honestamente à vista dos que estão de
fora e não necessitem de coisa alguma.

A Vinda do Senhor e a Ressurreição

13 Não quero, porém, irmãos, que sejam ignorantes a
respeito dos que já dormem, para que não se entristeçam
como os demais, que não têm esperança.
14 Porque, se cremos que Jesus morreu e ressuscitou, as-
sim também os que em Jesus dormem Deus os tornará a
trazer com ele.
15 Dizemos a vocês pela palavra do Senhor que nós, os
que ficarmos vivos para a vinda do Senhor, não precedere-
mos os que dormem.
16 Porque o mesmo Senhor descerá do céu com alarido,
com voz de arcanjo e com a trombeta de Deus; e os que
morreram em Cristo ressuscitarão primeiro.
17 Depois nós, os que ficamos vivos, seremos arrebatados
juntamente com eles nas nuvens, para encontrar o Senhor
nos ares e assim estaremos para sempre com o Senhor.
18 Portanto, consolem-se uns aos outros com estas
palavras.

5 Mas, irmãos, quanto aos tempos e épocas, não necessi-
tam que escreva a vocês,
2 porque vocês mesmos sabem muito bem que o dia do
Senhor virá como o ladrão à noite.
3 Assim, quando disserem: “Há paz e segurança”, então
lhes sobrevirá repentina destruição, como as dores de par-
to à mulher que está para dar à luz, de modo que nenhum
escapará.
4 Mas vocês, irmãos, já não estão em trevas, para que esse
dia os apanhe de surpresa como um ladrão,
5 porque todos vocês são filhos da luz e filhos do dia; nós
não somos da noite nem das trevas.
6 Portanto, não durmamos como os demais, mas vigiemos
e sejamos sóbrios,
7 porque os que dormem, dormem de noite, e os que se
embriagam, é de noite que se embriagam.
8 Mas nós, que somos do dia, sejamos sóbrios, nos ves-
tindo da couraça da fé e do amor, e tendo por capacete a
esperança da salvação.
9 Porque Deus não nos destinou para a ira, mas para a
aquisição da salvação, por nosso Senhor Jesus Cristo,
10 que morreu por nós, para que, quer vigiemos quer dur-
mamos, vivamos unidos a ele.
11 Por isso aconselhem e edifiquem uns aos outros, como
vocês estão fazendo.
12 Irmãos, pedimos a vocês que reconheçam os que tra-
balham entre vocês e os que lideram vocês no Senhor e
os aconselham,
13 e que tenham essas pessoas em grande consideração e
amor, por causa da obra que realizam. Vivam em paz uns
com os outros.
14 Também pedimos a vocês, irmãos, que aconselhem os
que vivem ociosos, consolem os desanimados, auxiliem os
fracos e sejam pacientes com todos.
15 Que ninguém retribua o mal com o mal, mas sejam
sempre bondosos uns com os outros, e com todos.

Recomendações Gerais

16 Alegrem-se sempre.
17 Orem sem cessar.
18 Em tudo deem graças, porque esta é a vontade de Deus
em Cristo Jesus para vocês.
19 Não apaguem o Espírito.
20 Não desprezem as profecias.
21 Examinem tudo. Retenham o que é bom.
22 Abstenham-se de toda forma do mal.

Saudação e Bênção

23 Que o próprio Deus de paz os santifique em tudo; e
que o espírito, a alma e o corpo de vocês sejam plena-
mente conservados irrepreensíveis para a vinda de nosso
Senhor Jesus Cristo.
24 Fiel é aquele que os chama, o qual também fará isso.
25 Irmãos, orem também por nós.
26 Saúdem todos os irmãos com um beijo santo.
27 Pelo Senhor peço a vocês que esta carta seja lida para
todos os santos irmãos.
28 A graça de nosso Senhor Jesus Cristo esteja com vocês.
Amém.

SEGUNDA CARTA DE PAULO AOS TESSALONICENSES

Ação de Graças e Oração

1 Paulo, Silvano e Timóteo, à igreja dos tessalonicenses,
em Deus nosso Pai e no nosso Senhor Jesus Cristo:
2 Graça e paz a vocês da parte de Deus nosso Pai e da
parte do Senhor Jesus Cristo.
3 Sempre devemos, irmãos, dar graças a Deus por vocês,

como é justo, porque a fé de vocês cresce cada vez mais,
e o amor que cada um de vocês tem com os outros vai
aumentando,
4 de maneira que nós mesmos nos gloriamos de vocês nas
igrejas de Deus por causa da paciência e fé de vocês, e de
todas as perseguições e aflições que suportam;
5 prova clara do justo juízo de Deus, para que sejam dig-
nos do Reino de Deus, pelo qual também sofrem,
6 se de fato é justo diante de Deus que ele retribua com
tribulação aos que causam tribulação a vocês,
7 e que dê a vocês, que estão sendo atribulados, descanso
conosco, quando o Senhor Jesus se manifestar dos céus
com os anjos do seu poder,
8 em chamas de fogo, tomando vingança dos que não co-
nhecem a Deus e dos que não obedecem ao evangelho de
nosso Senhor Jesus Cristo,
9 os quais, por castigo, sofrerão eterna perdição, banidos
da face do Senhor e da glória do seu poder,
10 quando ele vier para ser glorificado nos seus santos
e para se fazer admirável naquele dia em todos os que
creram, inclusive vocês que creram em nosso testemunho.
11 Por isso também pedimos sempre por vocês, para que o
nosso Deus os torne dignos da sua vocação e cumpra todo
o desejo da sua bondade e a obra da fé com poder;
12 para que o nome de nosso Senhor Jesus Cristo seja em
vocês glorificado, e vocês nele, segundo a graça de nosso
Deus e do Senhor Jesus Cristo.

O Anticristo

2 Irmãos, quanto à vinda de nosso Senhor Jesus Cristo e
a nossa reunião com ele, peço a vocês
2 que não se deixem abalar facilmente no entendimen-
to de vocês, nem fiquem perturbados, quer por espírito,
quer por palavra, quer por carta, como se isso procedesse
de nós, dando a entender que o dia de Cristo já tivesse
chegado.
3 Ninguém de maneira alguma os engane; porque não
será assim sem que antes venha a apostasia e se manifeste
o homem do pecado, o filho da perdição,
4 o qual se opõe e se levanta contra tudo o que se chama
Deus ou é objeto de adoração; se assentando, como Deus,
no templo de Deus, querendo parecer Deus.
5 Vocês não se lembram de que eu lhes dizia estas coisas
quando ainda estava com vocês?
6 E agora vocês sabem o que o detém, para que a seu
próprio tempo ele seja revelado.
7 Porque o mistério da iniquidade já opera; há somente
um que agora resiste até que do meio seja tirado,
8 e então será revelado o iníquo, a quem o Senhor desfará
pelo assopro da sua boca e aniquilará pelo esplendor da
sua vinda.
9 Esse cuja vinda é segundo a ação de Satanás, com todo
o poder, sinais e prodígios de mentira,
10 e com todo o engano da injustiça para os que pere-
cem, porque não receberam o amor da verdade para se
salvarem.
11 E, por isso, Deus lhes enviará a operação do erro, para
que creiam na mentira,
12 para que sejam julgados todos os que não creram na
verdade, antes tiveram prazer na injustiça.
13 Mas devemos sempre dar graças a Deus por vocês,
irmãos amados do Senhor, porque Deus os escolheu desde
o princípio para a salvação, pela santificação do Espírito,
e fé na verdade.
14 Ele os chamou para isso, por meio de nosso evangelho,
para alcançarem a glória de nosso Senhor Jesus Cristo.
15 Então, irmãos, estejam firmes e guardem as tradições
que lhes foram ensinadas, seja por palavra, seja por carta
nossa.
16 E o próprio nosso Senhor Jesus Cristo e nosso Deus e
Pai, que nos amou, e em graça nos deu uma eterna conso-
lação e boa esperança,
17 console os corações de vocês e os fortaleça em toda a
boa palavra e obra.

Pedido de Oração

3 Finalmente, irmãos, orem por nós, para que a palavra
do Senhor tenha livre curso e seja glorificada, como é
entre vocês,
2 e para que sejamos livres de homens perversos e maus,
porque a fé não é de todos.
3 Mas fiel é o Senhor, que os fortalecerá e os guardará
do maligno.
4 E confiamos quanto a vocês no Senhor, que não só fa-
zem como farão o que lhes ordenamos.
5 Que o Senhor encaminhe os corações de vocês no amor
de Deus e na perseverança de Cristo.

Advertências

6 Irmãos, em nome de nosso Senhor Jesus Cristo, ordena-
mos que se afastem de todo irmão que vive ociosamente
e não conforme a tradição que vocês receberam de nós.
7 Porque vocês mesmos sabem como devem nos imitar,
pois nunca vivemos ociosamente quando estivemos entre
vocês,
8 nem jamais comemos à custa de ninguém, mas com tra-
balho e fadiga, trabalhando noite e dia, para não sermos
pesados a nenhum de vocês.
9 Não porque não tivéssemos esse direito, mas para nos
tornarmos um exemplo, para nos imitarem.
10 Porque, quando ainda estávamos com vocês, nós orde-
namos isto: Se alguém não quiser trabalhar, também não
coma.

11 Pois ouvimos que alguns entre vocês estão ociosos,
não trabalham, mas andam se intrometendo na vida dos
outros.
12 A essas pessoas determinamos e exortamos no nosso
Senhor Jesus Cristo que, trabalhando com sossego, co-
mam o seu próprio pão.
13 E vocês, irmãos, não se cansem de fazer o bem.
14 Mas, se alguém não obedecer à nossa palavra contida
nesta carta, marquem a pessoa e não se misturem com ela,
para que ela se sinta envergonhada.
15 Contudo, não a tenham como inimigo, mas chamem a
atenção dela como irmão.

Saudação Final

16 Que o Senhor da paz lhes dê sempre paz de todas as
maneiras. O Senhor esteja com todos vocês.
17 Eu, Paulo escrevo esta saudação a vocês de próprio
punho, que é um sinal em todas as minhas cartas; é desta
forma que escrevo.
18 A graça de nosso Senhor Jesus Cristo esteja com todos
vocês. Amém.

PRIMEIRA CARTA DE PAULO A TIMÓTEO

Saudação e Advertência

1 Paulo, apóstolo de Jesus Cristo, segundo o manda-
do de Deus, nosso Salvador, e de Cristo Jesus, nossa
esperança,
2 a Timóteo, meu verdadeiro filho na fé: Graça, miseri-
córdia e paz da parte de Deus nosso Pai, e de Cristo Jesus,
nosso Senhor.
3 Quando parti para a Macedônia, pedi a você que ficasse
em Éfeso, para advertir a alguns que não ensinem outra
doutrina,
4 nem se deem a fábulas ou a genealogias intermináveis,
que mais produzem discussões do que a obra de Deus,
que é pela fé.
5 O objetivo desta instrução é o amor que procede de
um coração puro, de uma boa consciência e de uma fé
sincera.
6 Alguns se desviaram e se entregaram a discussões
inúteis;
7 querendo ser mestres da lei mas não entendendo nem
o que dizem nem o que afirmam.
8 Sabemos que a lei é boa, se alguém usa dela
legitimamente.
9 A lei não é feita para o justo, mas para os injustos e
obstinados, para os ímpios e pecadores, para os profanos
e iníquos, para os que matam o pai ou a mãe, para os
homicidas,
10 para os que praticam a imoralidade, para os que se en-
tregam a práticas homossexuais, para os sequestradores,
para os mentirosos, para os que fazem juramento falso e
para quem se opõe à sã doutrina,
11 segundo o evangelho da glória do Deus bendito, que
me foi confiado.
12 Dou graças a Cristo Jesus nosso Senhor, que me
deu forças e me considerou fiel, designando-me para o
ministério.
13 A mim, que antes fui blasfemo, perseguidor e injurio-
so, mas alcancei misericórdia, porque fiz isso na ignorân-
cia, na incredulidade.
14 E a graça de nosso Senhor transbordou com a fé e o
amor que há em Jesus Cristo.
15 Esta é uma palavra fiel e digna de toda a aceitação:
que Cristo Jesus veio ao mundo para salvar os pecadores,
dos quais eu sou o principal.
16 Mas por isso alcancei misericórdia, para que em mim,
que sou o principal pecador, Jesus Cristo mostrasse toda
a sua paciência, usando-me como exemplo dos que have-
riam de crer nele para a vida eterna.
17 Ao Rei eterno, imortal, invisível, ao único Deus sábio,
sejam honra e glória para todo o sempre. Amém.
18 Timóteo, meu filho, esta instrução dou a você, segun-
do as profecias que houve a respeito de você que, seguin-
do-as, combata o bom combate;
19 conservando a fé e a boa consciência, a qual alguns,
rejeitando-a, naufragaram na fé.
20 E entre esses estão Himeneu e Alexandre, os quais
entreguei a Satanás, para que aprendam a não blasfemar.

Instruções Sobre a Adoração

2 Antes de tudo, recomendo que se façam súplicas,
orações, intercessões e ações de graças, por todas as
pessoas;
2 pelos reis e por todos os que exerçam autoridade, para
que tenhamos uma vida quieta e sossegada, com toda a
piedade e honestidade;
3 porque isto é bom e agradável diante de Deus nosso
Salvador,

4 que deseja que todos sejam salvos e cheguem ao pleno
conhecimento da verdade.
5 Porque há um só Deus e um só Mediador entre Deus e
a humanidade, Jesus Cristo, homem,
6 que deu a si mesmo em resgate por todos, para servir de
testemunho a seu próprio tempo.
7 Para isto fui designado pregador, apóstolo e doutor dos
gentios na fé e na verdade; digo a verdade em Cristo,
não minto.
8 Quero que os homens orem em todos os lugares, levan-
tando mãos santas, sem ira nem discussões.

Orientações Para as Mulheres

9 Da mesma forma, quero que as mulheres se vistam
decentemente, com pudor e modéstia, não com tranças,
com ouro, pérolas, ou com vestidos preciosos,
10 mas como convém às mulheres que fazem a profissão
de servir a Deus, com boas obras.
11 A mulher deve aprender em silêncio, com toda a
sujeição.
12 Não permito que a mulher ensine, nem exerça autori-
dade sobre o marido, mas que esteja em silêncio.
13 Porque primeiro foi formado Adão, depois Eva.
14 E Adão não foi enganado, mas a mulher, sendo enga-
nada, caiu em transgressão.
15 Mas ela será salva dando à luz filhos, se permanecer
com modéstia na fé, no amor e na santificação.

Bispos e Diáconos

3 Esta é uma palavra fiel: Se alguém deseja o episcopa-
do, excelente obra almeja.
2 É necessário que o bispo seja irrepreensível, marido de
uma só mulher, vigilante, sóbrio, honesto, hospitaleiro,
apto para ensinar;
3 não deve ser apegado ao vinho, nem violento, nem
contencioso, não avarento, mas sim amável, pacífico,
moderado,
4 e que governe bem a sua própria casa, criando seus
filhos sob disciplina, com todo o respeito,
5 pois, se alguém não sabe governar a sua própria casa,
como cuidará da igreja de Deus?
6 Não pode ser recém-convertido, para que não se enso-
berbeça e caia na condenação do diabo.
7 Convém também que tenha bom testemunho dos de
fora, para que não caia em descrédito e no laço do diabo.
8 Do mesmo modo, os diáconos devem ser honestos,
de uma só palavra, não apegados a muito vinho, e não
gananciosos,
9 guardando o mistério da fé numa consciência limpa.
10 Também estes devem ser primeiro experimentados,
para depois servirem, se forem irrepreensíveis.
11 Da mesma maneira as esposas devem ser honestas,
não maldizentes, sóbrias e fiéis em tudo.
12 Os diáconos devem ser maridos de uma só mulher, e
governem bem os seus filhos e sua própria casa.
13 Porque os que servirem bem como diáconos alcança-
rão para si uma boa posição e muita confiança na fé que
há em Cristo Jesus.
14 Escrevo estas coisas a você, esperando ir vê-lo em
breve.
15 Mas, se eu demorar, você saberá como devem se com-
portar na casa de Deus, que é a igreja do Deus vivo, a
coluna e fundamento da verdade.
16 E, sem dúvida alguma, grande é o mistério da piedade:
Deus se manifestou em carne, foi justificado no Espírito,
visto pelos anjos, pregado entre os gentios, crido no mun-
do, recebido acima na glória.

Instruções a Timóteo

4 Mas o Espírito expressamente diz que nos últimos
tempos alguns abandonarão a fé, dando ouvidos a es-
píritos enganadores e a doutrinas de demônios,
2 pela hipocrisia de homens que falam mentiras, tendo a
sua própria consciência cauterizada,
3 que proíbem o casamento e exigem a abstinência de
alimentos que Deus criou para os fiéis e para os que co-
nhecem a verdade, a fim de usarem deles com ações de
graças,
4 porque tudo que Deus criou é bom e nada deve ser
rejeitado, se for recebido com ações de graças.
5 Porque é santificado pela palavra de Deus e pela oração.
6 Expondo estas coisas aos irmãos, você será um bom
ministro de Jesus Cristo, nutrido com as palavras da fé e
da boa doutrina que você tem seguido.
7 Mas rejeite as fábulas profanas e tolas e exercite-se na
piedade,
8 porque o exercício físico é de pouco proveito, mas a
piedade para tudo é proveitosa, porque tem a promessa
da vida presente e da futura.
9 Esta palavra é fiel e digna de toda a aceitação,
10 porque para isto trabalhamos e lutamos, pois espera-
mos no Deus vivo, que é o Salvador de todos, principal-
mente dos que creem.
11 Ordene e ensine estas coisas.
12 Ninguém o despreze por ser jovem; mas seja o exem-
plo para os fiéis, na palavra, na conduta, no amor, no es-
pírito, na fé, na pureza.
13 Até a minha chegada, dedique-se à leitura pública das
Escrituras, à exortação e ao ensino.
14 Não despreze o dom que há em você, o qual lhe foi
dado mediante profecia, com a imposição de mãos do
presbitério.

15 Medite estas coisas e dedique-se a elas, para que o seu progresso seja visto por todos.
16 Cuide de você mesmo e da doutrina. Persevere nestas coisas; porque, fazendo isto, salvará tanto a você mesmo como aos que o ouvem.

Regras Para as Viúvas e os Presbíteros

5 Não repreenda asperamente o homem idoso, mas exorte-o como se ele fosse seu pai; trate os jovens como irmãos;
2 as mulheres idosas, como a mães, e as moças, como a irmãs, com toda a pureza.
3 Honre as viúvas que não têm ninguém para cuidar delas.
4 Mas, se alguma viúva tiver filhos, ou netos, que estes aprendam primeiro a exercer piedade com a sua própria família e a recompensar seus pais; porque isto é bom e agradável diante de Deus.
5 A viúva e desamparada espere em Deus e persevere de noite e de dia com súplicas e orações,
6 mas a viúva que vive para os prazeres, ainda que esteja viva, está morta.
7 Ordene estas coisas, para que elas sejam irrepreensíveis.
8 Mas, se alguém não tem cuidado dos seus e principalmente dos membros da sua família, esse negou a fé e é pior do que o descrente.
9 Nunca seja inscrita na lista de viúva uma com menos de sessenta anos, e só se inscreva a que tiver sido mulher de um só marido,
10 e que seja recomendada pelas suas boas obras: Se criou os filhos, se exercitou hospitalidade, se lavou os pés dos santos, se socorreu os aflitos, se praticou toda boa obra.
11 Não inclua nesta lista as viúvas mais novas, pois, quando seus desejos fazem com que se afastem de Cristo, querem se casar;
12 assim elas trazem condenação sobre si, por haverem rompido seu primeiro compromisso.
13 E, além disto, elas aprendem também a andar ociosas de casa em casa, sendo não só ociosas, mas também fofoqueiras e curiosas, falando o que não devem.
14 Por isso, quero que as viúvas mais novas se casem, gerem filhos, governem a casa e não deem ao adversário motivo algum para falar mal de nós,
15 porque algumas já se desviaram, seguindo Satanás.
16 Se alguma mulher crente tem viúvas em sua família, socorra-as, para que a igreja não fique sobrecarregada, e possa socorrer as viúvas que não têm ninguém.
17 Os presbíteros que lideram bem a igreja são dignos de duplicada honra, principalmente os que trabalham na palavra e na doutrina.
18 Porque a Escritura diz: "Não amordace o boi enquanto ele debulha o cereal". E ainda "O trabalhador é digno do seu salário".
19 Não aceite acusação contra o presbítero, se não for apoiada por duas ou três testemunhas.
20 Quanto aos que pecarem, repreenda-os na presença de todos, para que também os outros tenham temor.
21 Eu exorto solenemente diante de Deus, do Senhor Jesus Cristo e dos anjos eleitos, que você guarde estas coisas, nada fazendo com parcialidade.
22 Não ponha as mãos precipitadamente em ninguém, nem seja cúmplice dos pecados dos outros; conserve-se puro.
23 Não beba somente água, mas beba também um pouco de vinho, por causa do seu estômago e das suas frequentes enfermidades.
24 Os pecados de alguns são notórios, mesmo antes do juízo, mas de outros só se manifestam posteriormente.
25 Da mesma forma, as boas obras são evidentes, e as que não são não podem permanecer ocultas.

Considerações Para os Escravos

6 Todos os servos que estão debaixo do jugo devem considerar os seus senhores dignos de toda a honra, para que o nome de Deus e a doutrina não sejam blasfemados.
2 E os que têm senhores crentes não os desprezem, por serem irmãos; antes os sirvam melhor, porque eles, que participam do benefício, são crentes e amados. Ensine e recomende estas coisas.

Sobre as Falsas Doutrinas

3 Se alguém ensina alguma outra doutrina e não concorda com as sãs palavras do nosso Senhor Jesus Cristo, e com a doutrina que é segundo a piedade,
4 esse é orgulhoso e nada sabe, mas delira por discussões e brigas a respeito de palavras. É daí que nascem a inveja, a provocação, as blasfêmias, as suspeitas malignas,
5 e atritos constantes de pessoas que têm a mente corrompida e são privadas da verdade, que pensam que a piedade é fonte de lucro.
6 De fato a piedade com contentamento é grande fonte de lucro.
7 Porque nada trouxemos para este mundo, e nada podemos levar dele.
8 Tendo sustento e com que nos vestir, estamos contentes.
9 Mas os que querem ficar ricos caem em tentação, em armadilhas e em muitos desejos insensatos e nocivos, que levam as pessoas à perdição e ruína.
10 Porque o amor ao dinheiro é a raiz de todos os males e, nesta cobiça, alguns se desviaram da fé e se atormentarão com muitas dores.

Conselhos a Timóteo

11 Mas você, homem de Deus, fuja destas coisas e siga a
justiça, a piedade, a fé, o amor, a paciência e a mansidão.
12 Combata o bom combate da fé e tome posse da vida
eterna, para a qual você também foi chamado, tendo já
feito boa confissão diante de muitas testemunhas.
13 Diante de Deus, que a tudo dá vida, e de Cristo Jesus,
que diante de Pôncio Pilatos deu o testemunho de boa
confissão, eu exorto você,
14 que guarde este mandamento sem mácula e repreen-
são, até à aparição do nosso Senhor Jesus Cristo,
15 a qual, no tempo certo, há de ser revelada pelo bendi-
to e único Soberano, o Rei dos reis e Senhor dos senhores,
16 o único que é imortal e habita em luz inacessível; a
quem ninguém viu nem pode ver, a ele seja honra e poder
para sempre. Amém.
17 Ordene aos ricos deste mundo que não sejam arrogan-
tes, nem ponham suas esperanças na incerteza das rique-
zas, mas em Deus, que abundantemente nos dá todas as
coisas para nossa satisfação,
18 que eles façam o bem, se enriqueçam em boas obras,
generosos e prontos a repartir;
19 que acumulem para si um bom fundamento para o
futuro, para que possam alcançar a vida eterna.
20 Timóteo, guarde o que foi confiado a você, evitando
conversas inúteis e profanas e as ideias contraditórias do
que é falsamente chamado de conhecimento.
21 Professando-o, alguns se desviaram da fé. A graça es-
teja com vocês. Amém.

SEGUNDA CARTA DE PAULO A TIMÓTEO

O Carinho de Paulo por Timóteo

1 Paulo, apóstolo de Jesus Cristo, pela vontade de Deus,
segundo a promessa da vida que está em Cristo Jesus,
2 a Timóteo, meu amado filho: Graça, misericórdia e
paz da parte de Deus Pai e de Cristo Jesus, nosso Senhor.
3 Dou graças a Deus, a quem desde os meus antepassa-
dos sirvo com uma consciência pura, porque sem cessar
lembro de você nas minhas orações noite e dia,
4 desejando muito vê-lo, lembrando-me das suas lágri-
mas, para eu me encher de alegria,
5 trazendo à memória a fé não fingida que há em você,
que primeiro habitou em sua avó Loide e em sua mãe
Eunice, e estou certo de que também habita em você.

Exortação à Fidelidade no Ministério

6 Por esse motivo, venho lembrar-lhe que desperte
o dom de Deus que está em você pela imposição das
minhas mãos.
7 Porque Deus não nos deu o espírito de covardia, mas
de poder, de amor e de moderação.
8 Portanto, não se envergonhe do testemunho de nos-
so Senhor, nem de mim, que sou prisioneiro dele; pelo
contrário, participe comigo das aflições a favor do evan-
gelho, segundo o poder de Deus,
9 que nos salvou e nos chamou com uma santa vocação,
não segundo as nossas obras, mas segundo o seu próprio
propósito e graça que nos foi dada em Cristo Jesus antes
dos tempos eternos,
10 e que é manifesta agora pela aparição de nosso Salva-
dor Jesus Cristo, que destruiu a morte e trouxe à luz a
vida e a imortalidade pelo evangelho,
11 para o qual fui constituído pregador, apóstolo e mes-
tre dos gentios.
12 Por isso estou sofrendo estas coisas, mas não me
envergonho, porque eu sei em quem tenho crido e es-
tou certo de que ele é poderoso para guardar o que nele
confiei até àquele dia.
13 Conserve as sãs palavras que de mim você ouviu com
fé e com o amor que há em Cristo Jesus.
14 Guarde o bom tesouro com a ajuda do Espírito Santo
que habita em nós.
15 Você sabe que todos os da província da Ásia me aban-
donaram, inclusive Figelo e Hermógenes.
16 Que o Senhor conceda misericórdia à casa de Onesí-
foro, porque muitas vezes ele me animou e não se enver-
gonhou das minhas algemas.
17 Pelo contrário, quando ele chegou a Roma, com mui-
ta persistência me procurou até me encontrar.
18 O Senhor lhe conceda que naquele dia ache miseri-
córdia diante do Senhor. E você sabe, melhor do que eu,
o quanto ele me ajudou em Éfeso.

Encorajamento e Conselhos

2 Quanto a você, meu filho, fortifique-se na graça que
há em Cristo Jesus.
2 E o que você ouviu de mim, na presença de muitas
testemunhas, transmita a homens fiéis e idôneos para
também ensinarem a outros.

3 Suporte comigo os meus sofrimentos como bom solda-
do de Jesus Cristo.
4 Nenhum soldado se deixa envolver com negócios des-
ta vida, para agradar àquele que o alistou para a guerra.
5 E, semelhantemente, ninguém é coroado como vence-
dor se não competir de acordo com as regras.
6 O lavrador que trabalha deve ser o primeiro a partici-
par dos frutos.
7 Considere o que digo, porque o Senhor dará a você
entendimento em tudo.
8 Lembre-se de que Jesus Cristo, que é da descendência
de Davi, ressuscitou dentre os mortos, segundo o meu
evangelho.
9 Por isso sofro e até estou preso como um criminoso;
mas a palavra de Deus não está presa.
10 Por isso, suporto tudo por amor aos escolhidos, para
que eles também alcancem a salvação que está em Cristo
Jesus com glória eterna.
11 Fiel é esta palavra: Se morremos com ele, também
com ele viveremos;
12 se perseveramos, com ele também reinaremos; se o
negamos, ele também nos negará;
13 se somos infiéis, ele permanece fiel; ele não pode
negar a si mesmo.
14 Traga estas coisas na memória, advertindo-os diante
de Deus para que evitem brigas a respeito de palavras,
pois isso não serve para nada, a não ser para prejudicar
os ouvintes.
15 Procure apresentar-se a Deus aprovado, como obreiro
que não tem de que se envergonhar, que maneja bem a
palavra da verdade.
16 Evite os falatórios profanos, porque produzirão mais
impiedade.
17 A palavra deles alastra-se como câncer; entre esses
estão Himeneu e Fileto,
18 que se desviaram da verdade, dizendo que a ressur-
reição já aconteceu, e perverteram a fé de alguns.
19 Entretanto, o fundamento de Deus permanece inaba-
lável e selado com esta inscrição: "O Senhor conhece os
que são seus" e "Afaste-se da iniquidade todo aquele que
confessa o nome do Senhor."
20 Numa grande casa há vasos não apenas de ouro e
de prata, mas também de madeira e barro; alguns para
honra, outros, porém, para desonra.
21 Se alguém se purificar destas coisas, será vaso para
honra, santificado e idôneo para uso do Senhor e prepa-
rado para toda a boa obra.
22 Fuja também das paixões da mocidade; siga a justiça,
a fé, o amor e a paz com os que, de coração puro, invo-
cam o Senhor.
23 E evite as questões insensatas e inúteis, pois sabe que
provocam brigas.
24 E o servo do Senhor não deve se envolver em brigas,
mas, sim, ser amável para com todos, apto para ensinar,
paciente,
25 corrigindo com mansidão os que se opõem a ele, na
esperança de que Deus lhes conceda o arrependimento
para que conheçam a verdade,
26 para que assim voltem à sobriedade, desprendendo-
-se dos laços do diabo, com que os aprisionou para faze-
rem a sua vontade.

A Impiedade dos Últimos Dias

3 Saiba, porém que nos últimos dias sobrevirão tempos
difíceis.
2 Porque haverá homens amantes de si mesmos, avaren-
tos, presunçosos, soberbos, blasfemos, desobedientes a
pais e mães, ingratos, profanos,
3 sem afeto natural, irreconciliáveis, caluniadores, sem
domínio próprio, cruéis, inimigos do bem,
4 traidores, obstinados, orgulhosos, mais amigos dos pra-
zeres do que amigos de Deus,
5 tendo aparência de piedade mas negando a eficácia
dela. Afaste-se desses.
6 Porque são esses os que se introduzem pelas casas e
cativam mulheres tolas sobrecarregadas de pecados, que
são levadas por todo tipo de desejo,
7 que estão sempre aprendendo e jamais chegaram ao
conhecimento da verdade.
8 E do mesmo modo como Janes e Jambres resistiram a
Moisés, assim estes também resistem à verdade, são ho-
mens que têm a mente corrompida e reprovados quanto
à fé.
9 Esses não irão longe, porque a insensatez deles ficará
evidente a todos, como também aconteceu com Janes
e Jambres.

Exortação

10 Você, porém, tem seguido o meu ensino, a minha
conduta, o meu propósito, a minha fé, a minha paciên-
cia, o meu amor, a minha perseverança,
11 as minhas perseguições e os meus sofrimentos, os
quais me aconteceram em Antioquia, em Icônio e em
Listra; quantas perseguições sofri, e o Senhor me livrou
de todas elas.
12 Todos os que querem viver piedosamente em Cristo
Jesus sofrerão perseguições.
13 Mas os homens maus e impostores irão de mal a pior,
enganando e sendo enganados.
14 Você, porém, permaneça naquilo que aprendeu e do
qual tem convicção, sabendo de quem você aprendeu.
15 Pois desde a sua infância conhece as sagradas Escri-

turas, que podem torná-lo sábio para a salvação, pela fé
em Cristo Jesus.
16 Toda a Escritura é inspirada por Deus e proveitosa
para o ensino, para repreensão, para a correção e para a
instrução na justiça,
17 para que o homem de Deus seja perfeito e perfeita-
mente instruído para toda a boa obra.

Conjuração à Fidelidade e Diligência

4 Peço, diante de Deus e do Senhor Jesus Cristo, que
há de julgar os vivos e os mortos, na sua vinda e no
seu reino,
2 que pregue a palavra, que esteja preparado a tempo e
fora de tempo, repreenda, corrija e exorte com toda a
paciência e doutrina.
3 Porque virá tempo em que não suportarão a sã doutri-
na; ao contrário, sentindo coceira nos ouvidos, reunirão
mestres para si mesmos segundo os seus próprios desejos
4 e desviarão os ouvidos da verdade, entregando-se às
fábulas.
5 Mas você, seja sóbrio em tudo, suporte as aflições, faça
a obra de um evangelista, cumpra o seu ministério.

A Convicção da Morte Próxima

6 Porque eu já estou sendo oferecido por libação de sa-
crifício, e o tempo da minha partida está próximo.
7 Combati o bom combate, acabei a carreira, guardei
a fé.
8 Desde agora, a coroa da justiça está guardada para
mim, a qual o Senhor, justo juiz, me dará naquele dia; e
não somente a mim, mas também a todos os que ama-
rem a sua vinda.
9 Procure vir logo ao meu encontro,
10 pois Demas me desamparou, amando este mundo, e
foi para Tessalônica. Crescente foi para a Galácia e Tito
para Dalmácia.
11 Somente Lucas está comigo. Encontre Marcos e tra-
ga junto com você, porque ele me é muito útil para o
ministério.
12 Também enviei Tíquico para Éfeso.
13 Quando vier, traga a capa que deixei em Trôa-
de, na casa de Carpo, e os livros, principalmente os
pergaminhos.
14 Alexandre, o ferreiro, causou-me muitos males; o Se-
nhor lhe dará a retribuição pelo que ele fez.
15 Tome cuidado com ele também, porque resistiu mui-
to às nossas palavras.
16 Ninguém me apareceu para me apoiar na minha
primeira defesa, antes todos me abandonaram. Que isto
não lhes seja cobrado.
17 Mas o Senhor permaneceu ao meu lado e me deu
forças para que por mim fosse cumprida a pregação e to-
dos os gentios a ouvissem; e fiquei livre da boca do leão.
18 E o Senhor me livrará de toda obra maligna e me
levará salvo para o seu Reino celestial; a ele seja a glória
para todo o sempre. Amém.

Saudações Finais

19 Saudações a Prisca e a Áquila, e à casa de Onesíforo.
20 Erasto ficou em Corinto e deixei Trófimo doente em
Mileto.
21 Procure vir antes do inverno. Êubulo, Pudente, Lino,
Cláudia e todos os irmãos mandam saudações.
22 O Senhor Jesus Cristo esteja com o seu espírito. A
graça esteja com vocês. Amém.

CARTA DE PAULO A TITO

O Carinho por Tito e Sua Missão em Creta

1 Paulo, servo de Deus e apóstolo de Jesus Cristo segundo
a fé dos eleitos de Deus e o conhecimento da verdade,
que é segundo a piedade,
2 na esperança da vida eterna, a qual Deus, que não pode
mentir, prometeu antes dos tempos eternos,
3 mas a seu tempo manifestou a sua palavra pela prega-
ção que me foi confiada segundo o mandamento de Deus,
nosso Salvador;
4 a Tito, meu verdadeiro filho segundo a fé comum: Gra-
ça, misericórdia e paz da parte de Deus Pai e do Senhor
Jesus Cristo, nosso Salvador.
5 Foi por esta causa que deixei você em Creta, para que
pusesse em ordem as coisas que ainda restam, e de cidade
em cidade estabelecesse presbíteros, como já lhe mandei:

Qualidades de Pastor

6 Alguém que seja irrepreensível, marido de uma só mu-
lher, que tenha filhos fiéis, que não possam ser acusados
de devassidão, nem desobedientes.
7 Porque convém que o bispo seja irrepreensível como
encarregado da casa de Deus, não arrogante, alguém que
não se irrita facilmente, nem seja apegado ao vinho, nem
violento, nem ganancioso;

8 mas hospitaleiro, amigo do bem, moderado, justo, pie-
doso e que tenha domínio próprio,
9 apegado firmemente à fiel palavra, que é conforme a
doutrina, para que seja capaz tanto para encorajar outros
com a sã doutrina, como para convencer os que contradi-
zem este ensino.

Combater os Falsos Mestres

10 Pois há muitos insubordinados, faladores e enganado-
res, principalmente os da circuncisão.
11 É necessário que eles sejam calados, pois estão arrui-
nando famílias inteiras, ensinando o que não devem por
ganância.
12 Um dos seus próprios profetas disse: "Os creten-
ses são sempre mentirosos, feras malignas, comilões e
preguiçosos."
13 Este testemunho é verdadeiro. Portanto, repreenda-os
severamente, para que sejam sadios na fé,
14 não dando ouvidos às fábulas judaicas, nem aos man-
damentos de homens que se desviam da verdade.
15 Todas as coisas são puras para os puros, mas nada é
puro para os impuros e descrentes; a mente e a consciên-
cia deles estão corrompidas.
16 Afirmam que conhecem a Deus mas o negam com
seus atos, sendo abomináveis, desobedientes e reprovados
para toda a boa obra.

Instruções Para o Ministério de Tito

2 Você, porém, ensine o que está de acordo com a sã
doutrina.
2 Ensine os homens mais velhos a serem moderados, pru-
dentes, sadios na fé, no amor e na perseverança.
3 Semelhantemente ensine as mulheres mais velhas, para
que sejam reverentes em sua maneira de viver, para não
serem caluniadoras, nem dadas a muito vinho, mas a se-
rem capazes de ensinar o bem;
4 para que elas ensinem as mulheres mais jovens a serem
prudentes, a amarem seus maridos e seus filhos,
5 a serem sensatas, puras, boas donas de casa, sujeitas a
seus maridos, a fim de que a palavra de Deus não seja
difamada.
6 Do mesmo modo, ensine os mais jovens a serem em
todas as coisas moderados.
7 Seja você mesmo um exemplo de boas obras; no ensino
mostre integridade, seriedade,
8 e linguagem sadia e irrepreensível, para que o adversário
seja envergonhado, não tendo nada de mal a dizer a nosso
respeito.
9 Ensine os servos para que sejam obedientes em tudo
ao seu senhor, que procurem agradá-los e que não sejam
respondões,
10 para não roubá-los, mas mostrarem toda a sua lealdade,
para que em todas as coisas manifestem a beleza da doutri-
na de Deus, nosso Salvador.
11 Porque a graça de Deus se manifestou, trazendo salva-
ção a todos os homens,
12 ensinando-nos que, renunciando à impiedade e às pai-
xões mundanas, vivamos neste mundo de forma sensata,
justa e piedosa,
13 aguardando a bendita esperança e a manifestação da
glória do nosso grande Deus e Salvador Jesus Cristo.
14 Ele deu a si mesmo por nós, para nos remir de toda a
iniquidade, e purificar para si mesmo um povo exclusiva-
mente seu, dedicado à prática de boas obras.
15 Ensine estas coisas, exorte e repreenda com toda a au-
toridade. Que ninguém o despreze.

Mais Instruções Sobre a Conduta Cristã

3 Lembre a todos que se sujeitem aos governantes e às
autoridades, que sejam obedientes e estejam prepara-
dos para toda a boa obra.
2 Que não difamem ninguém, que sejam pacíficos, cor-
diais, mostrando verdadeira mansidão para com todos os
homens.
3 Pois nós também no passado éramos insensatos, deso-
bedientes, extraviados, servindo a todas as espécies de
paixões e prazeres, vivendo em maldade e inveja, sendo
odiados e odiando uns aos outros.
4 Mas quando se manifestaram a bondade e o amor de
Deus, nosso Salvador, pelos homens,
5 não pelas obras de justiça que houvéssemos feito, mas
segundo a sua misericórdia, ele nos salvou pela lavagem
da regeneração e da renovação do Espírito Santo,
6 que ele derramou sobre nós generosamente por meio de
Jesus Cristo nosso Salvador,
7 para que, sendo justificados pela sua graça, nos torne-
mos seus herdeiros, segundo a esperança da vida eterna.
8 Fiel é a palavra, e quero que você fale com firmeza a
respeito destas coisas, para que os que creem em Deus
procurem praticar boas obras; estas coisas são excelentes e
proveitosas aos homens.
9 Evitem disfunções tolas, genealogias e contendas a res-
peito da lei, porque essas coisas são inúteis e sem valor.
10 Evitem a pessoa que provoca divisões, depois de adver-
ti-la uma ou duas vezes,
11 pois você sabe que tal pessoa está pervertida, vive pe-
cando e por si mesma está condenada.

Palavras Finais

12 Quando eu lhe enviar Artemas, ou Tíquico, procure
vir ao meu encontro em Nicópolis, porque decidi passar
o inverno ali.
13 Ajude com tudo o que for necessário Zenas, doutor da
lei, e Apolo, para que nada lhes falte.

14 Quanto aos nossos, que aprendam também a aplicar as boas obras nas coisas necessárias, para que não se tornem infrutíferos.

15 Todos os que estão comigo mandam saudações a você. Dê saudações a todos os que nos amam na fé. A graça esteja com todos vocês.

CARTA DE PAULO A FILEMOM

O Carinho por Filemom

1 Paulo, prisioneiro de Jesus Cristo, e o irmão Timóteo, ao amado Filemom, nosso cooperador,

2 e à nossa amada Afia, a Arquipo, nosso companheiro de lutas, e à igreja que se reúne em sua casa:

3 A vocês, graça e paz da parte de Deus nosso Pai e do Senhor Jesus Cristo.

4 Dou graças ao meu Deus, lembrando-me sempre de você nas minhas orações,

5 porque ouço falar da sua fé e do seu amor pelo Senhor Jesus Cristo e por todos os santos.

6 Oro para que a comunhão da sua fé seja eficaz no conhecimento de todo o bem que há em nós por Cristo Jesus.

7 Tive grande alegria e consolo no seu amor, porque por você, ó irmão, tem sido reanimado o coração dos santos.

8 Por isso, ainda que eu tenha em Cristo uma grande confiança para ordenar a você o que convém ser feito,

9 no entanto, prefiro pedir em nome do amor, sendo o que sou, Paulo, o velho, e também agora prisioneiro de Jesus Cristo.

Intercessão Por Onésimo

10 Faço um pedido em favor do meu filho Onésimo, que gerei nas minhas prisões.

11 Antes ele era inútil para você, mas agora ele é muito útil para você e para mim.

12 Eu o estou mandando de volta para você, como se fosse o meu próprio coração.

13 Eu queria conservá-lo comigo, para que ele me servisse em seu lugar nas prisões por causa do evangelho,

14 mas não quis fazer nada sem o seu consentimento, para que a sua bondade não venha a ser como uma obrigação, mas espontânea e não forçada.

15 Talvez ele tenha sido separado de você por algum tempo, para que você o tivesse de volta para sempre,

16 não mais como escravo, mas como irmão amado por mim, e ainda mais por você, tanto como ser humano ou como irmão no Senhor.

17 Portanto, se você me considera como companheiro, receba-o como receberia a mim.

18 E, se ele causou algum dano a você ou lhe deve alguma coisa, ponha tudo na minha conta.

19 Eu, Paulo, de próprio punho escrevi isto; eu pagarei, para não dizer que você me deve a própria vida.

20 Sim, irmão, eu me alegro de você no Senhor; reanime o meu coração em Cristo.

21 Escrevi a você confiando na sua obediência, sabendo que fará ainda mais do que lhe peço.

22 E ao mesmo tempo prepare-me também pousada, porque espero que, pelas orações de vocês, eu seja libertado.

Saudações Finais

23 Epafras, meu companheiro de prisão por Cristo Jesus,

24 Marcos, Aristarco, Demas e Lucas, meus cooperadores, mandam saudações a você.

25 A graça de nosso Senhor Jesus Cristo esteja com o espírito de todos vocês. Amém.

CARTA AOS HEBREUS

Cristo Enviado Pelo Pai é Superior aos Anjos

1 Tempos atrás, Deus falou por muitas vezes, e de muitas maneiras, aos nossos pais, pelos profetas e, nestes últimos dias, ele nos falou pelo Filho,

2 a quem constituiu herdeiro de tudo, por quem fez também o universo.

3 O filho, que é o resplendor da sua glória e a expressão exata do seu ser, sustentando todas as coisas pela sua palavra poderosa, depois de ter feito a purificação dos pecados, ele se assentou à direita da majestade nas alturas,

4 tornando-se tão superior aos anjos quanto o nome que herdou é superior ao deles.

5 Pois, a qual dos anjos Deus alguma vez disse: "Você é
o meu Filho, hoje eu gerei você"? E ainda: "Eu lhe serei
Pai, e ele me será Filho"?
6 E, novamente, quando Deus introduziu o primogênito
no mundo, diz: "E todos os anjos de Deus o adorem".
7 E, quanto aos anjos, ele diz: "Ele faz dos seus anjos
ventos, e de seus ministros labareda de fogo".
8 Mas do Filho, diz: "Ó Deus, o teu trono é para todo o
sempre; cetro de equidade é o cetro do teu reino.
9 Amas a justiça e odeias a iniquidade; por isso Deus, o
teu Deus, te ungiu com o óleo de alegria mais do que a
teus companheiros".
10 E diz ainda: "No princípio, Senhor, fundaste a terra, e
os céus são obra das tuas mãos.
11 Eles perecerão, mas tu permanecerás; e todos eles,
como roupas, envelhecerão;
12 como um manto tu os enrolarás e como roupas serão
mudados. Mas tu és o mesmo, e os teus anos jamais terão
fim".
13 E a qual dos anjos Deus em algum momento disse:
"Assente-se à minha direita, até que eu ponha os seus ini-
migos por estrado dos seus pés"?
14 Não são porventura todos os anjos espíritos ministra-
dores, enviados para servirem a favor daqueles que hão de
herdar a salvação?

A Importância da Diligência

2 Portanto, é preciso que prestemos mais atenção nas
coisas que já temos ouvido, para que jamais nos des-
viemos delas.
2 Porque, se a palavra falada pelos anjos permaneceu
firme, e toda transgressão e desobediência receberam a
justa punição,
3 como nós escaparemos, se não atentarmos para tão
grande salvação anunciada pelo Senhor, e que depois nos
foi confirmada pelos que a ouviram?
4 Deus também deu testemunho dela por meio de sinais,
milagres, várias maravilhas e dons do Espírito Santo, dis-
tribuídos de acordo com a sua vontade.

Cristo é feito à Nossa Semelhança

5 Porque não foi aos anjos que Deus sujeitou o mundo
que há de vir, a respeito do qual estamos falando.
6 Mas alguém em certo lugar testemunhou, dizendo: "O
que é o homem mortal para que te lembres dele? E o filho
do homem, para que o visites?
7 Pois pouco menor o fizeste do que os anjos, e de glória
e de honra o coroaste. Fazes com que ele tenha domínio
sobre as obras das tuas mãos;
8 tudo puseste debaixo de seus pés". Ora, ao lhe sujeitar
todas as coisas, nada deixou fora do seu domínio. Mas
agora não vemos todas as coisas a ele sujeitas.
9 Vemos, porém, coroado de glória e de honra aquele Je-
sus que fora feito um pouco menor do que os anjos, por
ter sofrido a morte, para que, pela graça de Deus, provasse
a morte por todos.
10 Porque convinha que Deus, para quem são todas as
coisas, e por meio de quem tudo existe, conduzindo mui-
tos filhos à glória, aperfeiçoasse, por meio de sofrimento,
o autor da salvação deles.
11 Porque, tanto o que santifica como os que são santi-
ficados, todos vêm de um só. É por isso que Jesus não se
envergonha de chamá-los de irmãos,
12 dizendo: "Anunciarei o teu nome a meus irmãos, no
meio da congregação eu te louvarei".
13 E, outra vez: "Eu porei nele a minha confiança." E ou-
tra vez: "Aqui estou eu com os filhos que Deus me deu".
14 E, visto como os filhos têm participação comum de
carne e sangue, também Jesus igualmente participou das
mesmas coisas, para que pela sua morte destruísse aquele
que tem o poder da morte, isto é, o diabo,
15 e livrasse todos os que, com medo da morte, estavam
por toda a vida sujeitos à escravidão.
16 Porque, na verdade, ele não socorre os anjos, mas so-
corre a descendência de Abraão.
17 Por isso era necessário que em tudo fosse semelhante
aos irmãos, para ser misericordioso e fiel sumo sacerdote
naquilo que se refere a Deus, para fazer propiciação pelos
pecados do povo.
18 Porque naquilo que ele mesmo sofreu quando tentado,
ele é capaz de socorrer aos que também são tentados.

Jesus é Superior a Moisés

3 Por isso, irmãos santos, participantes da vocação celes-
tial, considerem Jesus Cristo apóstolo e sumo sacerdo-
te da nossa confissão,
2 o qual é fiel àquele que o constituiu, como também
Moisés foi fiel em toda a casa de Deus.
3 Porque Jesus é digno de maior glória do que Moisés, da
mesma forma que o construtor tem mais honra do que a
casa que ele edificou.
4 Porque toda casa é edificada por alguém, mas quem
edificou todas as coisas é Deus.
5 E, na verdade, Moisés foi fiel em toda a casa de Deus,
como servo, dando testemunho das coisas que haviam de
ser anunciadas;
6 mas Cristo é fiel como Filho sobre a casa de Deus; esta
casa somos nós, se tão somente guardarmos firmes a con-
fiança e a glória da esperança até o fim.

Advertência Quanto à Incredulidade

7 Portanto, como diz o Espírito Santo: "Se ouvirem hoje
a sua voz,

8 não endureçam os seus corações, como foi na rebelião,
no dia da tentação no deserto.
9 Onde os pais de vocês me tentaram pondo-me à prova,
e viram as minhas obras por quarenta anos.
10 Por isso me indignei contra esta geração e disse: O
coração deles sempre se afasta de mim, e eles não reco-
nheceram os meus caminhos.
11 Assim jurei na minha ira que não entrarão no meu
descanso".
12 Cuidado, irmãos, que nenhum de vocês tenha um co-
ração mau e descrente, que o leve a se afastar do Deus
vivo.
13 Antes, encorajem-se uns aos outros todos os dias, du-
rante o tempo que se chama hoje, para que nenhum de
vocês seja endurecido pelo engano do pecado.
14 Porque nos tornamos participantes de Cristo, se guar-
darmos firmemente até o fim a confiança que desde o
princípio tivemos.
15 Como se diz: "Hoje, se ouvirem a sua voz, não endure-
çam os corações de vocês, como foi na rebelião".
16 Porque alguns ouviram e se rebelaram; mas não todos
os que saíram do Egito por meio de Moisés.
17 Mas com quem Deus se indignou durante quarenta
anos? Não foi contra os que pecaram, cujos corpos caíram
no deserto?
18 E a quem jurou que não entraria no seu descanso,
senão aos que foram desobedientes?
19 E vimos que eles não puderam entrar por causa da sua
incredulidade.

O Descanso Sabático Por Meio da Fé

4 Portanto, visto que nos foi deixada a promessa de en-
trar no descanso de Deus, que nenhum de vocês pense
que falhou.
2 Porque também a nós foram pregadas as boas novas,
como a eles, mas a palavra da pregação de nada lhes va-
leu, porque não foram unidos por meio da fé com aqueles
que a ouviram.
3 Porque nós, os que cremos, entramos no descanso, con-
forme Deus disse: "Assim jurei na minha ira: não entrarão
no meu descanso"; embora as suas obras estivessem con-
cluídas desde a fundação do mundo.
4 Porque em certo lugar assim disse a respeito do sétimo
dia: "No sétimo dia, Deus descansou de todas as obras
que tinha feito".
5 E outra vez neste lugar: "Não entrarão no meu
descanso".
6 Visto que resta que alguns entrem naquele descanso e
que, por causa da desobediência, aqueles a quem primeiro
foram pregadas as boas novas não entraram.
7 Por isso, Deus estabeleceu outra vez um determinado
dia, chamando-o "hoje", ao declarar muito tempo, por
meio de Davi, como foi dito: "Hoje, se ouvirem a sua voz,
não endureçam o coração".
8 Porque, se Josué lhes tivesse dado descanso, Deus não
teria falado posteriormente a respeito de outro dia.
9 Portanto, resta ainda um descanso sabático para o povo
de Deus.
10 Porque aquele que entrou no descanso de Deus, tam-
bém ele mesmo descansou de suas obras, como Deus des-
cansou das suas obras.
11 Portanto, esforcemo-nos por entrar naquele des-
canso, para que ninguém caia no mesmo exemplo de
desobediência.
12 Porque a palavra de Deus é viva e eficaz, e mais pene-
trante do que qualquer espada de dois gumes, e penetra
até à divisão da alma e do espírito, das juntas e medulas, e
é apta para julgar os pensamentos e intenções do coração.
13 E não há criatura alguma encoberta aos olhos de Deus;
todas as coisas estão descobertas e expostas aos olhos da-
quele com quem temos de prestar contas.

Jesus, o Nosso Sumo Sacerdote

14 Visto que temos um grande sumo sacerdote que é Je-
sus, Filho de Deus, que adentrou os céus, conservemos
firmemente a nossa confissão.
15 Porque não temos um sumo sacerdote que não possa
compadecer-se das nossas fraquezas; porém, temos um
que, como nós, em tudo foi tentado, mas sem pecado.
16 Assim aproximemo-nos com confiança do trono da
graça, para que possamos receber misericórdia e encon-
trarmos graça, que nos ajude em momento oportuno.
5 Porque cada sumo sacerdote, escolhido dentre os ho-
mens, é constituído a favor dos homens nas coisas re-
lacionadas com Deus, para que ofereça dons e sacrifícios
pelos pecados.
2 Ele é capaz de se compadecer dos ignorantes e dos que
se desviam do caminho; pois também ele mesmo está ro-
deado de fraqueza.
3 E por esta razão deve oferecer sacrifícios pelos pecados
tanto pelo povo como também por si mesmo.
4 E ninguém toma esta honra para si, a não ser quando é
chamado por Deus, como aconteceu com Arão.
5 Assim, também Cristo não glorificou a si mesmo, para
se tornar sumo sacerdote, mas quem o glorificou foi aque-
le que lhe disse: "Você é meu Filho, hoje eu gerei você".
6 E em outro lugar também diz: "Você é sacerdote para
sempre, segundo a ordem de Melquisedeque".
7 Durante os seus dias de vida na terra, Jesus ofereceu,
com grande clamor e lágrimas, orações e súplicas àquele
que o podia salvar da morte; foi ouvido por causa da sua
reverência.

8 Embora fosse Filho, aprendeu a obediência por aquilo
que sofreu.
9 E, tendo sido aperfeiçoado, tornou-se a fonte da salva-
ção eterna para todos os que lhe obedecem,
10 sendo designado por Deus sumo sacerdote, segundo a
ordem de Melquisedeque.
11 Quanto a isso temos muito que dizer, coisas difíceis
de explicar; porque vocês foram negligentes para ouvir.
12 Pois já deviam ser mestres pelo tempo, e ainda neces-
sitam de alguém que lhes ensine novamente os princípios
elementares da palavra de Deus; estão precisando de leite,
e não de alimento sólido.
13 Porque todo aquele que ainda se alimenta de leite é
inexperiente na palavra da justiça, porque é criança.
14 Mas o alimento sólido é para os adultos, os quais, pelo
exercício constante, tornaram-se aptos para discernir tan-
to o bem como o mal.

Exortação a Permanecer na Fé

6 Por isso, deixando os princípios elementares da dou-
trina de Cristo, avancemos para a maturidade, sem
lançar novamente o fundamento do arrependimento de
obras mortas e da fé em Deus,
2 e da doutrina dos batismos, da imposição das mãos, da
ressurreição dos mortos e do juízo eterno.
3 E isto faremos, se Deus o permitir.
4 Porque é impossível para aqueles que uma vez foram
iluminados e provaram o dom celestial, se tornaram parti-
cipantes do Espírito Santo,
5 provaram a boa palavra de Deus, os poderes do mundo
vindouro,
6 e recaíram, que sejam outra vez renovados para ar-
rependimento; pois eles de novo crucificam o Filho de
Deus, expondo-o à zombaria.
7 Porque a terra que absorve a chuva, que muitas vezes
cai sobre ela, e produz plantas úteis para aqueles que a
cultivam, recebe a bênção de Deus;
8 mas a que produz espinhos e ervas daninhas é repro-
vada e está perto da maldição; o seu fim é ser queimada.
9 Quanto a vocês, ó amados, mesmo falando dessa forma,
esperamos coisas melhores de vocês, coisas próprias da
salvação.
10 Porque Deus não é injusto para se esquecer da obra
de vocês e do amor que mostraram para com o seu nome,
enquanto serviram aos santos, e ainda servem.
11 Mas desejamos que cada um de vocês mostre o mesmo
cuidado até ao fim, para completa certeza da esperança;
12 para que vocês não se tornem negligentes, mas se-
jam imitadores dos que pela fé e paciência herdam as
promessas.

A Certeza das Promessas de Deus

13 Quando Deus fez a promessa a Abraão, como não ha-
via outro maior por quem jurar, jurou por si mesmo,
14 dizendo: "Certamente eu o abençoarei e multiplicarei
os seus descendentes".
15 E assim, depois de esperar com paciência, Abraão al-
cançou a promessa.
16 Porque os homens certamente juram por alguém su-
perior a eles, e o juramento para confirmação é, para eles,
o fim de toda discussão.
17 Por isso, Deus, quando quis mostrar de forma bem
clara a natureza imutável do seu propósito aos herdeiros
da promessa, se interpôs com juramento,
18 para que por meio de duas coisas imutáveis, nas quais
é impossível que Deus minta, sejamos firmemente enco-
rajados, nós, que nos refugiamos nele para tomar posse da
esperança a nós proposta.
19 Temos essa esperança como âncora da alma, segura e
firme, a qual adentra o santuário por trás do véu,
20 onde Jesus, que nos precedeu, entrou por nós, tornan-
do-se sumo sacerdote para sempre, segundo a ordem de
Melquisedeque.

O Sacerdote Melquisedeque

7 Porque esse Melquisedeque, que era rei de Salém, sa-
cerdote do Deus Altíssimo, e que saiu ao encontro de
Abraão quando ele regressava da matança dos reis, e o
abençoou,
2 foi para ele que Abraão deu o dízimo de tudo; e primei-
ramente o nome dele significa "rei da justiça", e depois
também "rei de Salém", que quer dizer "rei de paz".
3 Sem pai, sem mãe, sem genealogia, não tendo princípio
de dias nem fim de vida, mas sendo feito semelhante ao
Filho de Deus, ele permanece sacerdote para sempre.
4 Considerem a grandeza desse homem, a quem até o
patriarca Abraão deu os dízimos dos despojos.
5 E os que dentre os filhos de Levi recebem o sacerdó-
cio têm ordem, segundo a lei, de recolher os dízimos do
povo, ou seja, de seus irmãos, ainda que eles sejam des-
cendentes de Abraão.
6 Esse homem, que não pertencia à linhagem de Levi, re-
cebeu os dízimos de Abraão e abençoou aquele que tinha
as promessas.
7 Sem dúvida alguma, o inferior é abençoado pelo
superior.
8 E certamente quem recebe dízimos são homens mor-
tais; porém, ali, o dízimo foi recebido por aquele de quem
se testifica que vive.
9 E, por assim dizer, por meio de Abraão até Levi, que
recebe dízimos, pagou dízimos.

10 Porque Levi estava no corpo de seu pai Abraão quando Melquisedeque lhe saiu ao encontro.

O Sacerdócio de Jesus Semelhante ao de Melquisedeque

11 Portanto, se a perfeição fosse possível por meio do sacerdócio levítico, porque sob ele o povo recebeu a lei, que necessidade haveria ainda de que se levantasse outro sacerdote, segundo a ordem de Melquisedeque, e não segundo a ordem de Arão?

12 Porque, se muda o sacerdócio, necessariamente se faz também mudança da lei.

13 Porque aquele de quem são ditas estas coisas pertence a outra tribo, da qual ninguém serviu diante do altar,

14 pois é evidente que nosso Senhor procedeu de Judá, tribo à qual Moisés nunca falou a respeito de sacerdócio.

15 E isto é ainda muito mais evidente quando, à semelhança de Melquisedeque, se levantar outro sacerdote,

16 não conforme a lei de mandamento carnal, mas segundo o poder de vida eterna.

17 Porque dele assim se testifica: "Você é sacerdote eternamente, segundo a ordem de Melquisedeque".

18 Portanto, o mandamento anterior é revogado por causa da sua fraqueza e inutilidade,

19 pois a lei não aperfeiçoou coisa alguma, e por isso é introduzida uma esperança superior, pela qual nós chegamos a Deus.

20 E isto não aconteceu sem juramento, porque certamente outros se tornaram sacerdotes sem juramento,

21 mas este foi feito sacerdote com juramento por aquele que lhe disse: "O senhor jurou, e não se arrependerá: Você é sacerdote eternamente".

22 Jesus se tornou, por isso mesmo, a garantia de uma aliança superior.

23 Daqueles sacerdotes houve muitos, porque pela morte foram impedidos de continuar,

24 mas Jesus, porque permanece eternamente, tem um sacerdócio perpétuo.

25 Portanto, também pode salvar perfeitamente os que por ele se aproximam de Deus, vivendo sempre para interceder por eles.

26 Porque nos convinha um sumo sacerdote como ele, santo, inocente, imaculado, separado dos pecadores, exaltado acima dos céus,

27 que não tem necessidade, como os outros sumos sacerdotes, de oferecer sacrifícios todos os dias, primeiro por seus próprios pecados, e depois pelos do povo; porque ele fez isto uma vez por todas, quando ofereceu a si mesmo.

28 Porque a lei constitui homens fracos como sumos sacerdotes, mas a palavra do juramento, que veio depois da lei, constitui o Filho, perfeito para sempre.

O Sacerdócio de Cristo Superior ao de Arão

8 O mais importante que estamos dizendo é que temos um sumo sacerdote como este, o qual está assentado nos céus à direita do trono da majestade,

2 como ministro do santuário e do verdadeiro tabernáculo, o qual o Senhor fundou, e não o homem.

3 Porque todo sumo sacerdote é constituído para oferecer dons e sacrifícios; por isso era necessário que este também tivesse alguma coisa a oferecer.

4 Ora, se ele estivesse na terra, nem mesmo sacerdote seria, porque ainda há sacerdotes que oferecem dons segundo a lei,

5 que servem de exemplo e sombra das coisas celestiais, assim como Moisés divinamente foi instruído, quando estava para construir o tabernáculo; pois Deus disse: "Tenha cuidado para fazer tudo conforme o modelo que foi mostrado a você no monte".

A Nova Aliança

6 Agora, porém, o ministério que Jesus recebeu é superior ao deles, assim como também a aliança da qual ele é mediador é superior à antiga, sendo baseada em promessas superiores.

7 Pois, se aquela primeira aliança fosse perfeita, não seria necessário procurar lugar para outra.

8 Pois, repreendendo-os, diz: "Eis que virão dias, diz o Senhor, em que estabelecerei uma nova aliança com a casa de Israel e com a casa de Judá,

9 não segundo a aliança que fiz com seus pais no dia em que os tomei pela mão, para os tirar da terra do Egito; pois eles não continuaram na minha aliança, eu não dei atenção para eles", diz o Senhor.

10 "Porque esta é a aliança que farei com a casa de Israel, depois daqueles dias", diz o Senhor: "Porei as minhas leis na mente deles, e as escreverei em seu coração; e eu serei o seu Deus, e eles serão o meu povo.

11 E não ensinará cada um a seu próximo, nem cada um ao seu irmão, dizendo: 'Conheça o Senhor'; porque todos me conhecerão, desde o menor deles até o maior deles.

12 Porque serei misericordioso com as suas maldades, e dos seus pecados jamais me lembrarei".

13 Quando ele diz "nova aliança", torna antiquada a primeira. Ora, aquilo que se tornou antiquado e envelhecido está prestes a desaparecer.

Os Sacrifícios no Santuário Terrestre

9 Ora, a primeira aliança também tinha ordenanças para culto divino e um santuário terrestre.

2 Porque foi levantado um tabernáculo; na parte da frente, chamado lugar santo, estavam o candelabro, a mesa e os pães da proposição.

3 Por trás do segundo véu havia o tabernáculo chamado santo dos santos,

4 onde ficavam o incensário de ouro e a arca da aliança toda coberta de ouro, na qual estavam um vaso de ouro que continha o maná e a vara de Arão, que tinha florescido, e as tábuas da aliança;

5 e sobre a arca estavam os querubins da glória que faziam sombra no propiciatório. Dessas coisas não falaremos agora com mais detalhes.

6 Quando estava tudo assim preparado, os sacerdotes entravam regularmente no primeiro tabernáculo, para realizar os serviços sagrados;

7 mas, no segundo, só o sumo sacerdote entrava uma vez por ano, não sem sangue, que oferecia por si mesmo e pelos pecados do povo;

8 assim o Espírito Santo estava mostrando que o caminho do santuário ainda não havia sido manifestado porque o primeiro tabernáculo continuava em pé.

9 Isso é uma ilustração para os nossos dias, indicando que as ofertas e sacrifícios oferecidos não podiam dar ao adorador uma consciência perfeitamente limpa.

10 Eram apenas ordenanças que tratavam de comida e bebida e de várias cerimônias de purificação com água, impostas até a chegada do tempo da nova ordem.

O Verdadeiro Sacrifício

11 Quando Cristo veio como sumo sacerdote dos benefícios agora presentes, ele adentrou o maior e mais perfeito tabernáculo, não feito por mãos humanas, isto é, não pertencente a esta criação,

12 nem por sangue de bodes e bezerros, mas por seu próprio sangue, ele entrou de uma vez por todas no santuário, conquistando uma eterna redenção.

13 Porque, se o sangue de touros e bodes e a cinza de uma novilha espalhados sobre os imundos os santificam, com a purificação da carne,

14 muito mais o sangue de Cristo, que, pelo Espírito eterno, se ofereceu a si mesmo imaculado a Deus, purificará as nossas consciências de obras mortas, para servirmos ao Deus vivo!

15 E por isso ele é o Mediador de uma nova aliança, para que os chamados recebam a promessa da herança eterna, pois Jesus morreu para remissão das transgressões que foram cometidas debaixo da primeira aliança.

16 Porque onde há testamento é necessário que se comprove a morte de quem o fez,

17 pois um testamento só é válido depois da morte, pois ele não terá nenhum valor enquanto quem o fez estiver vivo.

18 Por isso nem a primeira aliança foi estabelecida sem sangue;

19 porque, havendo Moisés anunciado a todo o povo todos os mandamentos conforme a lei, pegou o sangue dos bezerros e dos bodes, com água, lã purpúrea e hissopo, e aspergiu tanto o livro como todo o povo,

20 dizendo: "Este é o sangue da aliança que Deus ordenou para que vocês obedeçam".

21 E igualmente aspergiu com sangue o tabernáculo e todos os utensílios das suas cerimônias.

22 E, segundo a lei, quase todas as coisas se purificam com sangue; e sem derramamento de sangue não há remissão.

A Purificação do Santuário Celestial

23 Era necessário que as figuras das coisas que estão nos céus assim fossem purificadas; mas as próprias coisas celestiais requerem sacrifícios superiores.

24 Porque Cristo não entrou em santuário feito por mãos humanas, figura do verdadeiro santuário, porém no mesmo céu, para agora se apresentar diante de Deus em nosso favor;

25 não para se oferecer repetidas vezes, como fazia o sumo sacerdote a cada ano entrando no santuário com sangue alheio.

26 Se fosse assim, ele precisaria ter sofrido muitas vezes desde a fundação do mundo. Mas agora, no fim dos tempos, ele se manifestou de uma vez por todas para aniquilar o pecado pelo sacrifício de si mesmo.

27 E, como o homem está destinado a morrer uma só vez, vindo depois disso o juízo,

28 assim também Cristo, tendo-se oferecido uma só vez para tirar os pecados de muitos, aparecerá pela segunda vez, não para tirar o pecado, mas para trazer salvação aos que esperam por ele.

O Sacrifício de Cristo é Pleno e Definitivo

10 A lei traz apenas uma sombra dos benefícios futuros e não a imagem real das coisas; nunca consegue aperfeiçoar os que se aproximam de Deus com os mesmos sacrifícios que, anos após anos, continuamente oferecem.

2 Se não fosse assim, não teriam deixado de ser oferecidos? Porque, se os adoradores tivessem sido purificados de uma vez por todas, nunca mais se sentiriam culpados de seus pecados.

3 Nesses sacrifícios, porém, cada ano se faz recordação dos pecados,

4 porque é impossível que o sangue de touros e bodes tire os pecados.

5 Por isso, quando Cristo veio ao mundo, disse: "Sacrifício e oferta não quiseste, mas um corpo me preparaste;

6 de holocaustos e ofertas pelo pecado não te agradaste.

7 Então eu disse: Eis, aqui estou, no livro está escrito a meu respeito: Vim para fazer, ó Deus, a tua vontade".

8 Como acima diz: “Sacrifícios, ofertas, holocaustos e
ofertas pelo pecado não quiseste, nem deles te agradaste”.
Eles eram feitos segundo a lei.
9 Então acrescentou: “Eis, aqui estou, para fazer, ó Deus,
a tua vontade”. Ele remove o primeiro, para estabelecer
o segundo.
10 Nessa vontade temos sido santificados pela oferta do
corpo de Jesus Cristo, feita uma vez.
11 E assim todo sacerdote se apresenta dia após dia, mi-
nistrando e oferecendo muitas vezes os mesmos sacrifí-
cios, que nunca podem tirar os pecados.
12 Mas Jesus, tendo oferecido para sempre um único sa-
crifício pelos pecados, está assentado à direita de Deus.
13 Daí em diante ele está esperando até que os seus inimi-
gos sejam postos como estrado de seus pés.
14 Porque, com uma única oferta, ele aperfeiçoou para
sempre os que são santificados.
15 O Espírito Santo também nos testifica a esse respeito,
porque, depois de haver dito:
16 “Esta é a aliança que farei com eles, depois daqueles
dias, diz o Senhor: Porei as minhas leis em seus corações,
e as escreverei em suas mentes”, ele acrescenta:
17 “E jamais me lembrarei dos seus pecados e das suas
iniquidades”.
18 Onde esses pecados foram perdoados, não há mais
necessidade de sacrifícios por eles.
19 Portanto, irmãos, temos plena confiança para entrar
no santuário, pelo sangue de Jesus,
20 pelo novo e vivo caminho que ele nos abriu, por meio
do véu, isto é, pela sua carne,
21 e, tendo um grande sacerdote sobre a casa de Deus,
22 aproximemo-nos de Deus com coração sincero e com
plena convicção de fé, tendo o coração purificado da má
consciência e o corpo lavado com água pura.
23 Guardemos firme a confissão da nossa esperança, pois
aquele que prometeu é fiel.
24 E consideremo-nos uns aos outros, para nos incenti-
varmos ao amor e às boas obras.
25 Não deixando a nossa congregação, como é costume
de alguns, antes admoestando-nos uns aos outros; ainda
mais agora que vocês veem que aquele Dia se aproxima.
26 Porque, se continuarmos a pecar deliberadamente,
depois de termos recebido o conhecimento da verdade, já
não resta mais sacrifício pelos pecados,
27 mas uma terrível expectativa de juízo e de fogo inten-
so, que consumirá todos os inimigos de Deus.
28 Quem rejeitasse a lei de Moisés morreria sem miseri-
córdia, só pela palavra de duas ou três testemunhas.
29 Julguem vocês: Maior castigo merecerá quem pisar o
Filho de Deus e profanar o sangue da aliança com que foi
santificado, e insultar o Espírito da graça!
30 Porque bem conhecemos aquele que disse: “A mim
pertence a vingança; eu retribuirei”. E outra vez: “O Se-
nhor julgará o seu povo”.
31 Horrível coisa é cair nas mãos do Deus vivo.
32 Lembrem-se dos dias passados, em que, depois de
serem iluminados, vocês suportaram muita luta e muito
sofrimento.
33 Algumas vezes vocês foram expostos a insultos e tribu-
lações; em outras foram solidários com aqueles que assim
foram tratados.
34 Porque também vocês se compadeceram dos encarce-
rados, e com alegria permitiram o confisco dos seus bens,
pois sabiam que possuíam bens superiores e permanentes.
35 Não percam a confiança que vocês têm, porque ela
tem grande recompensa.
36 Vocês precisam perseverar, para que, depois de have-
rem feito a vontade de Deus, possam alcançar a promessa.
37 Porque dentro de pouco tempo, “aquele que vem virá,
e não irá demorar;
38 mas o justo viverá da fé; e, se ele recuar, não me agra-
darei dele”.
39 Nós, porém, não somos daqueles que retrocedem para
a perdição, mas dos que creem e são salvos.

Justificados Pela Fé

11 Ora, a fé é a certeza daquilo que esperamos, e a
prova das coisas que não vemos.
2 Porque por meio dela os antigos receberam testemunho.
3 Pela fé entendemos que o universo foi criado pela pala-
vra de Deus, de maneira que aquilo que se vê não foi feito
do que é visível.
4 Pela fé Abel ofereceu a Deus um sacrifício maior do que
o de Caim, pelo qual alcançou testemunho de ser justo,
quando Deus aprovou as suas ofertas, e, por meio da fé,
mesmo depois de morto, ainda fala.
5 Pela fé Enoque foi arrebatado para não passar pela mor-
te, e não foi achado, porque Deus o levou; pois, antes de
ser levado, obteve testemunho de que havia agradado a
Deus.
6 Sem fé é impossível agradar a Deus; porque é necessário
que aquele que se aproxima de Deus creia que ele existe,
e que recompensa os que o buscam.
7 Pela fé Noé, divinamente avisado das coisas que ainda
não se viam, temeu e, para salvação da sua família, pre-
parou a arca, pela qual condenou o mundo, e foi feito
herdeiro da justiça que vem da fé.
8 Pela fé Abraão, quando chamado, obedeceu, indo para
um lugar que receberia como herança, e partiu sem saber
para onde ia.

9 Pela fé peregrinou na terra da promessa, como em terra
alheia, morando em tendas com Isaque e Jacó, herdeiros
com ele da mesma promessa.
10 Porque esperava a cidade que tem fundamentos, da
qual o arquiteto e construtor é Deus.
11 Pela fé, também a própria Sara recebeu o poder para
ser mãe, e deu à luz já idosa, pois considerou fiel aquele
que lhe havia prometido.
12 Por isso também de um só homem, e esse já sem vitalidade,
descendeu grande multidão, como as estrelas dos
céus, e inumerável como a areia que está na praia do mar.
13 Todos esses viveram pela fé e morreram sem terem
recebido as promessas; mas viram-nas de longe, e de longe
as saudaram, reconhecendo que eram estrangeiros e
peregrinos sobre a terra.
14 Porque, os que assim falam, claramente mostram que
buscam uma pátria.
15 E se, na verdade, se lembrassem daquela de onde haviam
saído, teriam oportunidade de voltar.
16 Mas agora desejam uma pátria melhor, isto é, a pátria
celestial. Por isso também Deus não se envergonha deles,
de se chamar seu Deus, porque lhes preparou uma cidade.
17 Pela fé, quando foi provado, Abraão ofereceu Isaque
em sacrifício; sim, aquele que havia recebido as promessas
ofereceu o seu único filho.
18 Embora Deus lhe tivesse dito: "De Isaque sairá a sua
descendência", Abraão considerou que Deus era poderoso
até para ressuscitar Isaque dentre os mortos;
19 e figuradamente recebeu Isaque dentre os mortos.
20 Pela fé, Isaque abençoou Jacó e Esaú, com respeito
ao futuro deles.
21 Pela fé Jacó, quando estava próximo da morte, abençoou
cada um dos filhos de José, e adorou a Deus apoiado
na extremidade do seu bordão.
22 Pela fé José, próximo da morte, fez menção do êxodo
dos israelitas, e deu ordem a respeito de seus próprios
ossos.
23 Pela fé Moisés, já nascido, foi escondido durante três
meses por seus pais, porque viram que ele era um menino
bonito; e não temeram o decreto do rei.
24 Pela fé, Moisés, sendo já adulto, recusou ser chamado
filho da filha do Faraó,
25 preferindo ser maltratado junto com o povo de Deus
a desfrutar os prazeres do pecado durante algum tempo;
26 e, por amor de Cristo, considerou sua desonra maior
do que os tesouros do Egito; porque contemplava a sua
recompensa.
27 Pela fé deixou o Egito, não temendo a ira do rei, pois
ficou firme, porque via aquele que é invisível.
28 Pela fé, celebrou a Páscoa e a aspersão do sangue,
para que o destruidor não tocasse nos primogênitos dos
israelitas.
29 Pela fé, os israelitas atravessaram o Mar Vermelho,
como por terra seca; quando os egípcios tentaram fazer o
mesmo, se afogaram.
30 Pela fé, caíram os muros de Jericó, depois de serem
rodeados durante sete dias.
31 Pela fé, Raabe, a prostituta, não foi morta com os desobedientes,
porque acolheu os espias com paz.
32 E o que mais direi? Não tenho tempo para falar de Gideão,
Baraque, Sansão, Jefté, Davi, Samuel e dos profetas,
33 os quais, pela fé, conquistaram reinos, praticaram a
justiça, alcançaram promessas, fecharam a boca de leões,
34 apagaram o poder do fogo, escaparam do fio da espada,
da fraqueza tiraram forças, na batalha se tornaram
poderosos, puseram em fuga exércitos estrangeiros.
35 Mulheres receberam pela ressurreição os seus mortos;
alguns foram torturados, não aceitando o seu livramento,
para alcançarem uma ressurreição superior;
36 e outros enfrentaram zombarias e açoites, e até algemas
e prisões.
37 Foram apedrejados, serrados ao meio, tentados,
mortos ao fio da espada; andaram sem rumo vestidos
de peles de ovelhas e de cabras, desamparados, aflitos e
maltratados.
38 O mundo não era digno deles. Andaram sem rumo pelos
desertos e montes, pelas covas, pelas cavernas da terra.
39 E todos estes receberam bom testemunho por meio da
fé, mas não receberam a promessa.
40 Deus havia planejado algo melhor para nós, para que
eles, sem nós, não fossem aperfeiçoados.

Exortação a Permanecer na Fé e na Santificação

12 Portanto, também nós, que estamos rodeados por
uma tão grande nuvem de testemunhas, livremo-nos
de tudo o que atrapalha, e do pecado que tão de perto
nos rodeia, e corramos com perseverança a carreira que
nos está proposta,
2 olhando para Jesus, o autor e consumador da nossa fé,
o qual, pela alegria que lhe estava proposta, suportou a
cruz, desprezando a vergonha, e assentou-se à direita do
trono de Deus.
3 Portanto, pensem naquele que suportou tal oposição
dos pecadores contra si mesmo, para que vocês não se
cansem nem desanimem.
4 Na luta contra o pecado, vocês ainda não resistiram até
o sangue.
5 E vocês já se esqueceram da palavra de ânimo que ele
dirige a vocês como filhos: "Filho meu, não despreze a
correção do Senhor, e não desanime quando for repreendido
por ele;

6 porque o Senhor corrige o que ama, e castiga todo filho
que aceita".
7 Suportem a disciplina. Deus trata vocês como filhos;
que filho não é corrigido pelo seu pai?
8 Mas, se estão sem disciplina, da qual todos se tornaram
participantes, então vocês são bastardos, e não filhos.
9 Além disso, tínhamos nossos pais humanos, para nos
corrigirem, e nós os respeitávamos; será que não deve-
mos nos sujeitarmos muito mais ao Pai dos espíritos, para
vivermos?
10 Pois eles nos corrigiam por pouco tempo, como bem
lhes parecia; mas Deus nos disciplina para o nosso bem,
para sermos participantes da sua santidade.
11 Na verdade, nenhuma disciplina parece ser motivo de
alegria no momento, mas sim de tristeza; porém, depois
produz um fruto de justiça e paz para aqueles que por ela
foram exercitados.
12 Portanto, fortaleçam as mãos cansadas e os joelhos
vacilantes.
13 E façam caminhos retos para os seus pés, para que o
manco não se desvie, mas seja curado.
14 Vivam em paz com todos e busquem a santificação,
sem a qual ninguém verá o Senhor.
15 Cuidem para que ninguém se prive da graça de Deus,
e que nenhuma raiz de amargura, brotando, perturbe vo-
cês, e por ela muitos se contaminem.
16 Que ninguém seja imoral ou profano, como Esaú,
que por uma única refeição vendeu o seu direito de
primogenitura.
17 Porque sabem que, posteriormente, querendo ele ain-
da herdar a bênção, foi rejeitado, pois não achou lugar
de arrependimento, ainda que com lágrimas o buscasse.
18 Vocês não chegaram ao monte que se podia tocar, que
estava em chamas, nem à escuridão, nem às trevas, nem
à tempestade,
19 nem ao soar da trombeta e à voz das palavras, de modo
que os ouvintes pediram que nada mais lhes fosse dito;
20 pois não podiam suportar o que lhes estava sen-
do ordenado: "Até um animal, se tocar o monte, será
apedrejado".
21 E tão terrível era a visão, que Moisés disse: "Estou
apavorado e trêmulo".
22 Mas vocês chegaram ao Monte Sião e à cidade do
Deus vivo, à Jerusalém celestial, e a milhares de anjos, à
assembleia festiva,
23 à igreja dos primogênitos, que estão inscritos nos
céus, e a Deus, o juiz de todos, e aos espíritos dos justos
aperfeiçoados,
24 e a Jesus, o Mediador da nova aliança, e ao sangue da
aspersão, que fala melhor do que o sangue de Abel.
25 Cuidado, não rejeitem aquele que fala; pois os que se
recusaram a ouvir quem os advertia na terra não escapa-
ram, muito menos escaparemos nós, se nos desviarmos
daquele que dos céus nos adverte.
26 Aquele cuja voz naquele tempo abalou a terra, mas
agora ele promete, dizendo: "Ainda uma vez abalarei não
apenas a terra, mas também o céu".
27 E estas palavras "ainda uma vez" significam a remoção
dessas coisas abaladas, coisas criadas, para que permane-
çam as coisas que não podem ser abaladas.
28 Por isso, tendo nós recebido um Reino inabalável, rete-
nhamos a graça, pela qual sirvamos a Deus agradavelmen-
te, com reverência e temor.
29 Porque o nosso Deus é fogo consumidor.

Exortações Finais

13 Seja constante o amor fraternal.
2 Não se esqueçam da hospitalidade, porque alguns,
praticando-a, sem saber hospedaram anjos.
3 Lembrem-se dos presos, como se estivessem presos com
eles, e dos maltratados, como sendo vocês mesmos os
maltratados.
4 O matrimônio deve ser honrado por todos e o leito con-
jugal sem mácula; porque Deus julgará os imorais e os
adúlteros.
5 Não sejam avarentos, contentando-se com o que
têm; porque Deus disse: "Nunca o deixarei, nem o
abandonarei".
6 E assim, com confiança, podemos dizer: "O Senhor é
o meu ajudador, e não temerei o que me podem fazer
os homens".
7 Lembrem-se dos seus líderes, que transmitem a palavra
de Deus a vocês, atentando para a sua maneira de viver,
imitem a fé deles.
8 Jesus Cristo é o mesmo ontem, hoje e eternamente.
9 Não se deixem levar por doutrinas diferentes e estra-
nhas, porque é bom que o nosso coração se fortifique pela
graça, e não com alimentos que de nada aproveitaram os
que a eles se entregaram.
10 Temos um altar, do qual os que ministram no taberná-
culo não têm o direito de comer.
11 Porque os animais, trazidos pelo sumo sacerdote para
o santuário, cujo sangue é sacrifício pelo pecado, são quei-
mados fora do acampamento.
12 E por isso também Jesus, para santificar o povo pelo
seu próprio sangue, sofreu fora da cidade.
13 Saiamos, pois, a ele, fora do acampamento, suportan-
do a mesma desonra que ele suportou.
14 Porque não temos aqui cidade permanente, mas bus-
camos a futura.
15 Por meio de Jesus, ofereçamos sempre sacrifício de

louvor a Deus, isto é, o fruto dos lábios que confessam
o seu nome.
16 E não se esqueçam de fazer o bem e da mútua coope-
ração, porque de tais sacrifícios Deus se agrada.
17 Obedeçam aos seus líderes e submetam-se a eles; pois
eles cuidam de vocês, como quem deve prestar contas;
porém façam isso com alegria e não gemendo, porque isso
não será proveitoso para vocês.
18 Orem por nós, porque confiamos que temos a cons-
ciência limpa, queremos sempre fazer o que é correto.
19 E peço a vocês com insistência que façam isto, para
que eu, o mais depressa, lhes seja restituído.
20 Ora, o Deus de paz, que pelo sangue da aliança eter-
na trouxe dentre os mortos o nosso Senhor Jesus Cristo,
grande pastor das ovelhas,
21 aperfeiçoe vocês em todo o bem, para fazerem a sua
vontade, operando em vocês o que perante ele é agradá-
vel por meio de Cristo Jesus, a quem seja a glória para
todo o sempre. Amém.
22 Peço a vocês, porém, irmãos, que escutem esta palavra
desta exortação, porque escrevi de forma resumida.
23 Saibam que o irmão Timóteo foi posto em liberdade; se
ele chegar logo, irei vê-los com ele.
24 Saúdem todos os seus líderes e todos os santos. Os da
Itália mandam saudações.
25 A graça esteja com todos vocês. Amém.

CARTA DE TIAGO

Regozijo nas Provações

1 Tiago, servo de Deus e do Senhor Jesus Cristo, às doze
tribos que andam dispersas, saudações.
2 Meus irmãos, tenham grande alegria por terem passado
por grandes provações,
3 sabendo que a prova da fé de vocês produz a
perseverança.
4 E a perseverança deve ter ação completa, para que se-
jam perfeitos e completos, sem que falte a vocês coisa
alguma.
5 E, se algum de vocês tem falta de sabedoria, peça-a a
Deus, que a todos dá livremente, de boa vontade, e lhe
será concedida.
6 Peça-a, porém, com fé, em nada duvidando, porque
quem duvida é semelhante à onda do mar, que é levada
e agitada pelo vento.
7 Não pense tal pessoa que receberá do Senhor alguma
coisa,
8 sendo indecisa e inconstante em todos os seus
caminhos.
9 Mas o irmão de coração humilde glorie-se na sua
exaltação,
10 e o rico na sua humilhação, porque ele passará como
a flor do campo.
11 Porque o sol se levanta com ardor e seca a erva, a sua
flor cai e a formosa aparência do seu aspecto desaparece;
assim também o rico murchará em seus caminhos.
12 Bem-aventurado o homem que suporta a tentação,
porque, quando for provado, receberá a coroa da vida, a
qual o Senhor prometeu aos que o amam.
13 Ninguém, ao ser tentado, diga: "Sou tentado por
Deus"; porque Deus não pode ser tentado pelo mal, e ele
não tenta ninguém.
14 Mas cada um é tentado pela sua cobiça, quando é
arrastado e seduzido pelo seu próprio desejo.
15 Então esse desejo, tendo concebido, dá à luz o peca-
do; e o pecado, sendo consumado, gera a morte.
16 Não errem, meus amados irmãos.
17 Toda boa dádiva e todo dom perfeito vêm do alto,
descendo do Pai das luzes, em quem não há mudança
nem variação.
18 Segundo a sua vontade, ele nos gerou pela palavra
da verdade, para que fôssemos como primícias das suas
criaturas.

A Prática da Palavra

19 Portanto, meus amados irmãos, estejam todos prontos
para ouvir e tardios para falar, tardios para irar-se.
20 Pois a ira do homem não produz a justiça de Deus.
21 Por isso, deixem toda a impureza e a maldade, rece-
bam com mansidão a palavra em vocês implantada, a qual
é poderosa para salvá-los.
22 E sejam praticantes da palavra e não somente ouvin-
tes, enganando a vocês mesmos.
23 Porque, se alguém é ouvinte da palavra e não prati-
cante, é semelhante a um homem que contempla o seu
rosto no espelho;
24 porque contempla a si mesmo, então retira-se e logo
esquece como era a sua aparência.
25 Mas aquele que atenta bem para a lei perfeita da li-
berdade e nisso persevera, não sendo ouvinte, logo se es-

quece, mas fazedor da obra, este tal será bem-aventurado
naquilo que fizer.
26 Se alguém entre vocês se considera religioso, mas não
refreia a sua língua, engana a si mesmo, a sua religião
é vã.
27 A religião pura e imaculada para com Deus, o Pai, é
esta: Visitar os órfãos e as viúvas nas suas tribulações e
guardar-se da corrupção do mundo.

Não Fazer Acepção de Pessoas

2 Meus irmãos, como crentes em nosso glorioso Senhor
Jesus Cristo, não façam diferença entre as pessoas, tra-
tando-as com parcialidade.
2 Porque, se na reunião de vocês entrar algum homem
com anel de ouro no dedo, com roupas finas, e também
entrar algum pobre com roupas velhas e sujas,
3 e derem atenção especial para o homem com roupas fi-
nas, e lhe disserem: "Sente-se aqui num lugar de honra",
e disserem ao pobre: "Você, fique aí em pé", ou "Sente-se
no chão junto ao estrado dos meus pés",
4 não estarão fazendo distinção entre vocês mesmos, jul-
gando as pessoas com critérios errados?
5 Ouçam, meus amados irmãos: Deus não escolheu os
pobres deste mundo para serem ricos na fé, e herdeiros
do Reino que prometeu aos que o amam?
6 Mas vocês desprezam os pobres. Por acaso não são os
ricos que oprimem vocês, e não são eles que os arrastam
para os tribunais?
7 Não são eles que blasfemam o nome que sobre vocês
foi invocado?
8 Se vocês de fato cumprirem a lei do Reino, conforme
a Escritura que diz: "Ame o seu próximo como a você
mesmo", fazem bem.
9 Mas, se fazem acepção de pessoas, cometem pecado,
serão condenados pela lei como transgressores.
10 Porque qualquer pessoa que guardar toda a lei, mas
tropeçar em um só ponto, se torna culpada de todos.
11 Porque aquele que disse: "Não cometa adultério",
também disse: "Não mate". Se você não comete adulté-
rio, mas mata, torna-se transgressor da lei.
12 Assim, falem e ajam como quem vai ser julgado pela
lei da liberdade;
13 porque o juízo será sem misericórdia sobre quem não
fez misericórdia; a misericórdia triunfa sobre o juízo.

Fé e Obras

14 Meus irmãos, de que adianta alguém dizer que tem fé,
se não tiver obras? Por acaso só a fé pode salvá-lo?
15 E se o irmão ou a irmã estiverem necessitados de rou-
pas, do alimento diário,
16 e algum de vocês lhes disser: "Vão em paz, aqueçam-
-se e se fartem", mas não lhes der as coisas necessárias
para o corpo, de que adianta isso?
17 Assim também a fé, se não tiver obras, por si só está
morta.
18 Mas alguém dirá: "Você tem fé e eu tenho obras";
mostre-me a sua fé sem as suas obras, e eu mostrarei a
minha fé pelas obras.
19 Você crê que existe um só Deus? Faz bem. Até os
demônios creem e estremecem.
20 Mas, ó homem insensato, você quer ter certeza de
que a fé sem as obras é inútil?
21 Por acaso o nosso pai Abraão não foi justificado pelas
obras, quando ofereceu sobre o altar o seu filho Isaque?
22 Perceba que a fé cooperou com as suas obras, e que
pelas obras a fé foi aperfeiçoada.
23 E cumpriu-se assim a Escritura, que diz: "E Abraão
creu em Deus, e isso lhe foi creditado como justiça", e ele
foi chamado amigo de Deus.
24 Vejam então que o homem é justificado pelas obras, e
não somente pela fé.
25 E, de igual modo, a prostituta Raabe não foi também
justificada pelas obras, quando acolheu os emissários e os
fez sairem por outro caminho?
26 Porque, assim como o corpo sem o espírito é morto,
assim também a fé sem obras é morta.

O Domínio da Língua

3 Meus irmãos, muitos de vocês não sejam mestres, sa-
bendo que seremos julgados com mais rigor.
2 Porque todos tropeçamos em muitas coisas. Se alguém
não tropeça em palavra, tal homem é perfeito e poderoso
para também dominar todo o seu corpo.
3 Quando colocamos freios na boca dos cavalos, para que
nos obedeçam, podemos controlar todo o seu corpo.
4 Vejam também os navios que, sendo tão grandes, e le-
vados por fortes ventos, são dirigidos por um pequeno
leme, conforme a vontade do piloto.
5 Assim também a língua é um pequeno órgão, e se van-
gloria de grandes coisas. Vejam como um grande bosque
é incendiado por uma pequena fagulha.
6 A língua também é um fogo; um mundo de iniquidade
colocada entre os nossos membros, e contamina todo o
corpo, incendeia todo o curso de nossa vida, e é ela mes-
ma incendiada pelo inferno.
7 Porque toda espécie de animais, de aves, de répteis e
de animais marinhos, se doma e tem sido domada pela
natureza humana,
8 mas nenhum homem pode domar a língua. É um mal
que não se pode controlar; está cheia de veneno mortal.
9 Com ela bendizemos ao Senhor e Pai, e com ela amaldi-
çoamos os homens, feitos à semelhança de Deus.

10 De uma mesma boca procedem bênção e maldição.
Meus irmãos, isto não pode ser assim.
11 Por acaso de uma mesma fonte podem jorrar água
doce e água amarga?
12 Meus irmãos, será que a figueira pode produzir azeito-
nas, ou a videira figos? Assim também uma fonte de água
salgada não pode dar água doce.

As Atitudes Revelam a Pessoa

13 Quem entre vocês é sábio e tem entendimento? Mos-
tre pela sua boa conduta as suas obras em mansidão de
sabedoria.
14 Mas, se têm em seus corações inveja amarga e ambi-
ção egoísta, não se orgulhem disto, nem procurem negar
a verdade.
15 Essa não é a sabedoria que vem do alto, mas é terrena,
animal e demoníaca.
16 Porque onde há inveja e rivalidade aí há confusão e
toda espécie de coisas ruins.
17 Mas a sabedoria que vem do alto é primeiramente
pura, depois pacífica, moderada, gentil, cheia de miseri-
córdia e de bons frutos, sem parcialidade e sem hipocrisia.
18 Ora, o fruto da justiça semeia-se na paz, para os que
promovem a paz.

Devemos Lutar Contra o Pecado

4 De onde vêm as guerras e contendas entre vocês? Não
vêm das paixões que guerreiam dentro de vocês?
2 Vocês cobiçam e nada têm; matam e sentem inveja,
mas nada podem alcançar; combatem, guerreiam e nada
têm, porque não pedem.
3 Pedem e não recebem, porque pedem mal, para gasta-
rem em seus prazéres.
4 Adúlteros e adúlteras, vocês não sabem que a amizade
do mundo é inimizade contra Deus? Portanto, qualquer
um que quiser ser amigo do mundo se torna inimigo de
Deus.
5 Ou vocês pensam que em vão diz a Escritura: "O Espí-
rito que em nós habita tem ciúmes"?
6 Mas ele nos dá graça maior. Por isso se diz: "Deus resis-
te aos soberbos, mas dá graça aos humildes".
7 Portanto, sujeitem-se a Deus e resistam ao diabo, e ele
fugirá de vocês.
8 Cheguem-se a Deus e ele se chegará a vocês. Lavem
as mãos, pecadores; e vocês, indecisos, purifiquem os
corações.
9 Reconheçam as suas misérias, lamentem e chorem;
convertam os seus risos em pranto e a alegria em tristeza.
10 Humilhem-se perante o Senhor e ele os exaltará.

O Hábito da Crítica

11 Irmãos, não falem mal uns dos outros. Quem fala mal
de um irmão e julga a seu irmão, fala mal da lei e julga
a lei; e se você julga a lei, já não é observador da lei,
mas juiz.
12 Há um só legislador que pode salvar e destruir. Quem
é você para julgar os outros?

A Incerteza do Amanhã

13 Ouçam agora, vocês que dizem: "Hoje ou amanhã
iremos para a cidade tal, e lá passaremos um ano, faremos
negócios e ganharemos dinheiro".
14 Vocês não sabem o que acontecerá amanhã. Porque,
o que é a vida de vocês? É um vapor que aparece por um
instante e depois se dissipa.
15 Em lugar disso, deveriam dizer: "Se o Senhor quiser,
viveremos e faremos isto ou aquilo".
16 Mas agora vocês se gloriam das suas presunções; toda
vanglória como esta é maligna.
17 Aquele que sabe fazer o bem e não o faz, comete
pecado.

Advertência aos Ricos e Opressores

5 Agora vocês, ricos, chorem e lamentem por causa das
desgraças que virão sobre vocês.
2 As suas riquezas estão apodrecidas, e as suas vestes es-
tão comidas pelas traças.
3 O seu ouro e a sua prata se enferrujaram, e a sua ferru-
gem dará testemunho contra vocês, e como fogo devorará
a sua carne. Acumularam bens para os últimos dias.
4 Eis que o salário dos trabalhadores que ceifaram as suas
terras, e que por vocês foi diminuído, clama; e os cla-
mores dos que ceifaram entraram nos ouvidos do Senhor
dos exércitos.
5 Luxuosamente viveram sobre a terra e se deleitaram;
engordaram como num dia de matança.
6 Vocês condenaram e mataram o justo; ele não resistiu
a vocês.

Cultivar a Paciência

7 Sejam então pacientes, irmãos, até à vinda do Senhor.
Eis que o lavrador espera o precioso fruto da terra, aguar-
dando-o com paciência, até que receba a chuva de outono
e da primavera.
8 Sejam vocês também pacientes, fortaleçam os seus co-
rações; porque a vinda do Senhor já está próxima.
9 Irmãos, não se queixem uns contra os outros, para que
não sejam condenados. Eis que o juiz está à porta.
10 Meus irmãos, tomem como exemplo de aflição e pa-
ciência os profetas que falaram em nome do Senhor.
11 Eis que consideramos felizes aqueles que mostraram
perseverança. Vocês ouviram sobre a paciência de Jó, e
viram o fim que o Senhor lhe deu; porque o Senhor é
muito misericordioso e piedoso.
12 Mas, sobretudo, meus irmãos, não jurem, nem pelo
céu, nem pela terra, nem façam qualquer outro juramen-

to; mas que o sim de vocês seja "sim", e que o não de vocês seja "não", para que vocês não caiam em condenação.

A Oração de Fé

13 Alguém entre vocês está sofrendo? Ore. Alguém está contente? Cante louvores.

14 Alguém entre vocês está doente? Chame os presbíteros da igreja para orarem sobre ele, ungindo-o com azeite em nome do Senhor,

15 e a oração da fé salvará o doente, e o Senhor o levantará; e se houver cometido pecados, estes lhe serão perdoados.

16 Confessem os seus pecados uns aos outros e orem uns pelos outros, para que sejam curados. A oração feita por um justo é poderosa e eficaz.

17 Elias era um homem sujeito às mesmas paixões que nós, e, orando, pediu que não chovesse sobre a terra durante três anos e seis meses, e não choveu sobre a terra.

18 E orou outra vez, e o céu deu chuva, e a terra produziu o seu fruto.

19 Irmãos, se alguém entre vocês tiver se desviado da verdade e alguém o converter,

20 saibam que aquele que fizer o pecador se converter do seu caminho errado salvará da morte uma alma e cobrirá uma multidão de pecados.

PRIMEIRA CARTA DE PEDRO

1 Pedro, apóstolo de Jesus Cristo, aos eleitos de Deus, peregrinos dispersos no Ponto, Galácia, Capadócia, Ásia e Bitínia,

2 escolhidos de acordo com o pré-conhecimento de Deus Pai, em santificação do Espírito, para a obediência e aspersão do sangue de Jesus Cristo: Graça e paz lhes sejam multiplicadas.

3 Bendito seja o Deus e Pai de nosso Senhor Jesus Cristo que, segundo a sua grande misericórdia, nos gerou para uma viva esperança, pela ressurreição de Jesus Cristo dentre os mortos,

4 para uma herança incorruptível, incontaminável, e que não pode murchar, guardada nos céus para vocês,

5 que, mediante a fé, estão guardados pelo poder de Deus para a salvação, prestes a se revelar no último tempo.

6 Nisso vocês se alegram, ainda que, por um pouco de tempo, se necessário, sejam afligidos por várias provações,

7 para que fique comprovado o valor da fé que vocês têm, muito mais preciosa do que o ouro que se corrompe, mesmo apurado pelo fogo, o que resultará em louvor, honra e glória, na revelação de Jesus Cristo;

8 que, mesmo não o tendo visto, vocês o amam; e, mesmo não o vendo agora, mas crendo nele, se alegram com uma alegria indescritível e gloriosa,

9 alcançando o alvo da sua fé, a salvação das suas almas.

10 Foi a respeito dessa salvação que os profetas que profetizaram da graça destinada a vocês investigaram e examinaram,

11 procurando saber o tempo e as circunstâncias para os quais apontava o Espírito de Cristo que neles estavam ao comunicarem-lhes de antemão os sofrimentos que Cristo haveria de passar, e as glórias que se seguiriam àqueles sofrimentos.

12 A eles foi revelado que, não para si mesmos, mas para vocês, eles ministravam coisas que agora foram anunciadas a vocês por aqueles que, pelo Espírito Santo enviado do céu, lhes pregaram o evangelho; coisas que até os anjos desejam ver.

Exortação à Santidade

13 Portanto, estejam com a mente preparada, sejam sóbrios e esperem inteiramente na graça que será dada a vocês na revelação de Jesus Cristo.

14 Como filhos obedientes, não vivam conforme as paixões que vocês tinham, quando ainda estavam na ignorância,

15 mas, assim como é santo aquele que os chamou, sejam santos vocês também em tudo o que fizerem,

16 porque está escrito: "Sejam santos, porque eu sou santo".

17 E, se invocarem como Pai aquele que, sem parcialidade, julga segundo as obras de cada um, andem em temor durante o tempo da peregrinação de vocês,

18 sabendo que não foi com coisas perecíveis, como prata ou ouro, que vocês foram resgatados da sua vã maneira de viver que por tradição receberam dos seus pais,

19 mas pelo precioso sangue de Cristo, como de um cordeiro imaculado e sem defeito,

20 conhecido antes da fundação do mundo, revelado nestes últimos tempos por amor de vocês.

21 Por meio dele, vocês creem em Deus, que o ressuscitou dentre os mortos, e lhe deu glória, para que a fé e a esperança de vocês estivessem em Deus.

22 Purificando a alma de vocês pela obediência à verdade,
para o amor fraternal não fingido, amem sinceramente uns
aos outros com um coração puro.
23 Vocês foram regenerados, não de uma semente perecível, mas imperecível, por meio da palavra de Deus, viva
e permanente.
24 Porque "Toda carne é como a erva, e toda sua glória é
como a flor da erva. A erva seca e a flor cai,
25 mas a palavra do Senhor permanece para sempre". E
esta é a palavra que foi anunciada a vocês.

2 Portanto, livrem-se de toda maldade e de todo engano,
hipocrisia, inveja e de todo tipo de maledicência.
2 Como crianças recém-nascidas, desejem de coração o
leite espiritual puro, para que por meio dele cresçam para
a salvação,
3 se é que já provaram que o Senhor é bom.

Cristo, o Fundamento da Igreja

4 E, chegando vocês para ele, a pedra viva, rejeitada pelos
homens, mas escolhida por Deus e preciosa para ele,
5 vocês também, como pedras vivas, são edificados como
casa espiritual e sacerdócio santo, para oferecerem sacrifícios espirituais agradáveis a Deus por meio de Jesus Cristo.
6 Pois assim está na Escritura: "Eis que ponho em Sião
uma pedra angular, eleita e preciosa; e quem nela crer não
será envergonhado".
7 Portanto, para vocês, os que creem, esta pedra é preciosa; mas, para os que não creem, "a pedra que os construtores rejeitaram, essa tornou-se a pedra angular".
8 E: "Pedra de tropeço e rocha que faz cair". São estes os
que tropeçam na palavra, sendo desobedientes, para o que
também foram destinados.
9 Mas vocês são geração eleita, sacerdócio real, nação santa, povo exclusivo de Deus, para anunciarem as grandezas
daquele que os chamou das trevas para a sua maravilhosa
luz.
10 Antes vocês nem eram povo, mas agora são povo de
Deus; antes não tinham alcançado misericórdia, mas agora
alcançaram.

Deveres Cristãos

11 Amados, peço a vocês, peregrinos e forasteiros, que se
abstenham das paixões carnais que fazem guerra contra
a alma,
12 tendo conduta exemplar entre os gentios, para que,
quando eles acusarem vocês de praticarem o mal, observando as boas obras que vocês praticam, glorifiquem a
Deus no dia da visitação.
13 Por causa do Senhor, sujeitem-se a toda autoridade
constituída entre os homens; seja ao rei, como autoridade
suprema,
14 seja aos governadores, como por ele enviados para
punir os malfeitores, e para louvor dos que fazem o bem.
15 Porque assim é a vontade de Deus, que, praticando o
bem, silenciem a ignorância dos insensatos.
16 Vivam como pessoas livres, mas não usem a liberdade
como desculpa para fazerem o mal; vivam como servos
de Deus.
17 Tratem a todos com respeito: Amem os irmãos, temam
a Deus e honrem o rei.
18 Vocês, servos, sujeitem-se com todo o respeito aos seus
senhores, não somente aos bons e amáveis, mas também
aos maus.
19 Porque é louvável que alguém, por causa da sua
consciência para com Deus, suporte aflições sofrendo
injustamente.
20 Pois, que vantagem será esta, que, fazendo o mal, são
açoitados e sofrem? Mas, se são afligidos fazendo o bem e
sofrem, isto é louvável diante de Deus.
21 Porque para isto vocês foram chamados; pois Cristo
também sofreu por vocês, deixando o exemplo para que
sigam os seus passos.
22 Ele não cometeu pecado, e nenhum engano foi encontrado em sua boca.
23 Quando insultado, ele não revidava e, quando sofria,
ele não fazia ameaças, mas entregava-se àquele que julga
com justiça.
24 Ele mesmo levou em seu corpo os nossos pecados
sobre o madeiro, para que morrêssemos para os pecados
e vivêssemos para a justiça; pelas feridas de Jesus vocês
foram curados.
25 Pois vocês eram como ovelhas desgarradas, mas agora
se converteram ao Pastor e Bispo de suas almas.

Conselhos Conjugais

3 Da mesma maneira, vocês, mulheres, sujeitem-se cada
uma ao seu próprio marido, para que, se ele não obedece à palavra, seja ganho sem palavra, pela conduta de
sua mulher,
2 observando a conduta honesta e respeitosa de vocês.
3 A beleza de vocês não deve ser exterior, no trançado
dos cabelos, no uso de joias de ouro, ou nos vestidos finos,
4 mas beleza interior, que não perece, beleza que aparece
num espírito manso e tranquilo, que é de grande valor
diante de Deus.
5 Pois foi assim também que antigamente as santas mulheres que esperavam em Deus se enfeitavam, e se sujeitavam
cada uma a seu próprio marido,
6 como Sara obedecia a Abraão, chamando-o de senhor,
da qual vocês serão filhas, se praticarem o bem e não temerem nenhuma ameaça.
7 Igualmente vocês, maridos, vivam com ela com enten-

dimento, dando honra à esposa, como parte mais frágil; e
por serem juntamente com elas herdeiros da graça da vida,
para que não sejam interrompidas as suas orações.

Exortação à Unidade e ao Amor

8 E, finalmente, tenham todos o mesmo modo de pensar, compassivos, amando os irmãos, misericordiosos e humildes.
9 Não retribuam mal com mal, nem injúria com injúria;
pelo contrário, bendigam, sabendo que para isto foram
chamados, para que recebam a bênção por herança.
10 Pois: "Quem quiser amar a vida e ver os dias felizes,
refreie a sua língua do mal, e os seus lábios de palavras
enganosas.
11 Afaste-se do mal e faça o bem; busque a paz com
perseverança.
12 Porque os olhos do Senhor estão sobre os justos e os
seus ouvidos atentos às suas orações; mas o rosto do Senhor é contra os que fazem o mal".
13 E quem lhes fará mal, se forem zelosos na prática do
bem?

Suportar as Perseguições

14 Mesmo que venham a sofrer por amor da justiça, vocês
são bem-aventurados. E não temam com medo deles, nem
fiquem angustiados;
15 antes, santifiquem a Cristo como Senhor em seus corações, e estejam sempre preparados para responder com
mansidão e temor a qualquer um que pedir a razão da
esperança que há em vocês.
16 Façam isso com mansidão e respeito, conservando boa
consciência, para que, naquilo em que falam mal de vocês,
como de malfeitores, os que difamam a boa conduta que
vocês têm em Cristo fiquem envergonhados.
17 Porque melhor é sofrerem fazendo bem, se for da vontade de Deus, do que fazendo mal.
18 Pois também Cristo sofreu de uma vez por todas pelos
pecados, o justo pelos injustos, para conduzir-nos a Deus;
ele foi morto na carne, mas vivificado no Espírito;
19 no qual também foi e pregou aos espíritos em prisão,
20 os quais antigamente desobedeceram, quando Deus
esperava pacientemente nos dias de Noé, enquanto preparava a arca, na qual poucas pessoas, isto é, oito pessoas,
se salvaram pela água.
21 E isto é representado pelo batismo que agora também
salva vocês, não pela remoção das impurezas do corpo,
mas do compromisso de uma boa consciência para com
Deus, pela ressurreição de Jesus Cristo,
22 o qual, tendo subido ao céu, está à direita de Deus, e
a ele os anjos, as autoridades e as potências estão sujeitas.

Viver Para Deus

4 Cristo sofreu por nós na carne; armem-se também do
mesmo pensamento, pois aquele que sofreu na carne
rompeu com o pecado,
2 para que, no tempo que lhes resta na carne, não vivam
mais pelos desejos humanos, mas segundo a vontade de
Deus.
3 Porque basta que no passado fizeram a vontade dos gentios, andando em libertinagem, nos desejos carnais, orgias,
bebedeiras e abomináveis idolatrias.
4 Eles acham estranho que não se ajuntem com eles na
mesma imoralidade, falando mal de vocês.
5 Eles terão de prestar contas àquele que está pronto para
julgar os vivos e os mortos.
6 Por isto o evangelho também foi pregado aos mortos,
para que, na verdade, fossem julgados na carne segundo
os homens, mas vivessem segundo Deus em espírito;
7 e o fim de todas as coisas já está próximo; portanto,
sejam sóbrios e vigiem em oração.
8 Sobretudo, tenham muito amor uns aos outros, porque
o amor cobre uma multidão de pecados.
9 Sejam hospitaleiros uns com os outros, sem reclamação,
10 cada um exerça com outros o dom que recebeu, administrando fielmente a graça de Deus em suas múltiplas
formas.
11 Se alguém falar, fale segundo as palavras de Deus; se
alguém administrar, administre segundo o poder que Deus
dá; para que em tudo Deus seja glorificado por meio de
Jesus Cristo, a quem pertencem a glória e o poder para
todo o sempre. Amém.

Os Sofrimentos dos Cristãos

12 Amados, não estranhem a ardente prova que vem sobre vocês para os provar, como se algo estranho estivesse
acontecendo.
13 Mas alegrem-se no fato de serem participantes das
aflições de Cristo, para que também na revelação da sua
glória se alegrem exultando.
14 Se pelo nome de Cristo são insultados, vocês são bem-aventurados, porque sobre vocês repousa o Espírito da
glória e de Deus.
15 Que nenhum de vocês sofra como assassino, ladrão,
criminoso ou como quem se intromete em negócios
alheios,
16 mas, se alguém sofrer como cristão, não se envergonhe, glorifique a Deus por causa disso.
17 Porque chegou o tempo de começar o julgamento pela
casa de Deus; e se primeiro começa por nós, qual será
o fim daqueles que são desobedientes ao evangelho de
Deus?

18 E se é com dificuldade que o justo é salvo, o que será
do ímpio e do pecador?
19 Portanto, também os que sofrem segundo a vontade
de Deus entreguem a sua alma ao fiel Criador, fazendo
o bem.

Conselhos aos Presbíteros e aos Jovens

5 Eu peço aos presbíteros que estão entre vocês, e o faço
na qualidade de presbítero como eles e testemunha das
aflições de Cristo, e como alguém que participará da glória
a ser revelada:
2 Pastoreiem o rebanho de Deus que está entre vocês ten-
do cuidado dele, não por obrigação, mas voluntariamente;
nem por torpe ganância, mas de boa vontade;
3 nem como tendo domínio sobre a herança de Deus, mas
servindo de exemplo ao rebanho.
4 E, quando se manifestar o Supremo Pastor, vocês recebe-
rão a imperecível coroa da glória.
5 Semelhantemente vocês, jovens, estejam sujeitos aos
mais velhos e estejam todos sujeitos uns aos outros, e re-
vistam-se de humildade, porque Deus resiste aos soberbos,
mas dá graça aos humildes.
6 Portanto, humilhem-se debaixo da poderosa mão de
Deus, para que no tempo devido ele os exalte;
7 lancem sobre ele toda a sua ansiedade, porque ele tem
cuidado de vocês.
8 Sejam sóbrios e vigilantes, porque o diabo, o inimigo de
vocês, anda ao redor rugindo como um leão, procurando
a quem possa devorar.
9 Resistam-lhe permanecendo firmes na fé, e saibam que
os seus irmãos espalhados pelo mundo estão passando pe-
las mesmas aflições que vocês.

Saudações e Bênção

10 O Deus de toda a graça, que em Cristo Jesus nos
chamou à sua eterna glória, depois de terem sofrido um
pouco, ele mesmo os aperfeiçoará, confirmará, fortificará
e os estabelecerá.
11 A ele sejam a glória e o poder para todo o sempre.
Amém.
12 Por meio de Silvano, a quem considero irmão fiel, eu
lhes escrevi resumidamente, exortando e testemunhando
que esta é a verdadeira graça de Deus; permaneçam fir-
mes nela.
13 A igreja eleita, que está na Babilônia, manda sauda-
ções, e também meu filho Marcos.
14 Saúdem uns aos outros com o beijo santo de amor
fraterno. Que a paz esteja com todos vocês que estão em
Cristo Jesus. Amém.

SEGUNDA CARTA DE PEDRO

Deus nos Chamou

1 Simão Pedro, servo e apóstolo de Jesus Cristo, aos que
conosco alcançaram fé igualmente preciosa pela justi-
ça do nosso Deus e Salvador Jesus Cristo:
2 Graça e paz lhes sejam multiplicadas, pelo conheci-
mento de Deus e de Jesus nosso Senhor;
3 com o seu divino poder nos deu tudo o que diz respei-
to à vida e piedade, pelo conhecimento daquele que nos
chamou pela sua glória e virtude,
4 pelas quais ele nos tem dado grandíssimas e preciosas
promessas, para que por elas sejamos participantes da
natureza divina, havendo escapado da corrupção das
paixões que há no mundo.

A Busca da Santidade

5 Por isto mesmo, aplicando todo seu esforço, acres-
centem à fé que vocês têm a virtude, à virtude o
conhecimento,
6 e, ao conhecimento, o domínio próprio, ao domínio
próprio a perseverança, à perseverança a piedade,
7 à piedade a fraternidade, à fraternidade o amor.
8 Porque, se em vocês houver estas qualidades, vocês
não estarão improdutivos nem infrutíferos no conheci-
mento do nosso Senhor Jesus Cristo.
9 Pois aquele em quem não há estas coisas é cego, só vê
o que está perto, esquecendo-se da purificação dos seus
antigos pecados.
10 Portanto, irmãos, procurem fazer cada vez mais fir-
me a sua vocação e eleição; porque, fazendo isto, nunca
mais tropeçarão.
11 Porque assim lhes será amplamente concedida a en-
trada no Reino eterno de nosso Senhor e Salvador Jesus
Cristo.
12 Por isso não deixarei de lembrá-los destas coisas,
ainda que as saibam e estejam confirmados na presente
verdade que receberam.
13 Também considero justo, enquanto estou neste taber-
náculo, despertar a memória de vocês,

14 sabendo que em breve deixarei este meu tabernácu-
lo, como nosso Senhor Jesus Cristo já me revelou.
15 Mas eu me emprenharei para que, também depois da
minha morte, vocês se lembrem destas coisas.

Testemunho da Glória de Cristo

16 Porque não lhes demos a conhecer o poder e a vin-
da de nosso Senhor Jesus Cristo seguindo fábulas enge-
nhosamente inventadas; mas nós mesmos vimos a sua
majestade.
17 Porque ele recebeu de Deus Pai honra e glória, quan-
do da magnífica glória lhe foi dirigida a seguinte voz:
"Este é o meu Filho amado, em quem me agrado".
18 E nós mesmos ouvimos esta voz vinda dos céus,
quando estávamos com ele no monte santo.
19 Assim temos, ainda mais firme, a palavra dos profe-
tas, à qual fazem bem em estar atentos, como uma luz
que ilumina um lugar escuro, até que o dia amanheça e
a estrela da alva apareça em seus corações.
20 Primeiramente saibam que nenhuma profecia da Es-
critura é de particular interpretação.
21 Porque a profecia nunca foi produzida por vontade
humana, mas os homens santos de Deus falaram inspira-
dos pelo Espírito Santo.

Falsos Mestres e Falsas Doutrinas

2 E também houve entre o povo falsos profetas, como
entre vocês haverá também falsos mestres, que intro-
duzirão secretamente heresias de perdição e negarão o
Senhor que os resgatou, trazendo sobre si mesmos re-
pentina destruição.
2 E muitos seguirão os seus falsos ensinos e práticas liber-
tinas, pelos quais será difamado o caminho da verdade.
3 E por avareza explorarão vocês com palavras que in-
ventaram; para eles, a condenação já há muito tempo
decretada não tarda, e a sua destruição não tarda.
4 Porque Deus não perdoou aos anjos que pecaram,
mas, havendo-os lançado no inferno, os entregou às
correntes da escuridão, ficando reservados para o juízo.
5 E ele não perdoou o mundo antigo, mas preservou
Noé, pregador da justiça, com mais sete pessoas, ao tra-
zer o dilúvio sobre o mundo dos ímpios.
6 E condenou à destruição as cidades de Sodoma e Go-
morra, reduzindo-as a cinza e pondo-as para exemplo
aos que vivessem impiamente;
7 e livrou o justo Ló, que vivia oprimido com a vida
corrupta e libertina dos homens incrédulos.
8 Porque este justo, habitando entre eles, afligia todos
os dias a sua alma justa, vendo e ouvindo sobre as suas
obras injustas.
9 Assim, o Senhor sabe livrar da tentação os piedosos
e reservar os injustos para o dia do juízo, para serem
castigados,
10 mas principalmente aqueles que seguem os desejos
impuros da carne e desprezam qualquer autoridade; atre-
vidos, arrogantes, não temem difamar os seres celestiais,
11 enquanto os anjos, sendo maiores em força e poder,
não fazem acusações injuriosas diante do Senhor.
12 Mas esses, como animais irracionais, que seguem
a natureza, feitos para serem presos e mortos, falando
mal daquilo que não entendem, sofrerão a sua própria
destruição,
13 recebendo a justa retribuição de sua injustiça, pois
essas pessoas têm prazer nos deleites quotidianos; eles
são nódoas e máculas, deleitando-se em seus enganos,
quando se banqueteiam com vocês.
14 Eles têm os olhos cheios de adultério e não param de
pecar, enganando as almas inconstantes, tendo o coração
exercitado na avareza, filhos de maldição.
15 Eles deixaram o caminho direito e erraram seguindo
o caminho de Balaão, filho de Beor, que amou o galardão
da injustiça,
16 mas teve a repreensão da sua transgressão, pois uma
mula, falando com voz humana, impediu a loucura do
profeta.
17 Esses são fontes sem água, nuvens levadas pela força
do vento para os quais a escuridão das trevas eternamen-
te se reserva.
18 Porque, falando com muita arrogância e vaidade,
seduzem com desejos libertinos da carne aqueles que
estavam se afastando dos que andam em erro,
19 prometendo-lhes liberdade, sendo eles mesmos es-
cravos da corrupção. Pois aquele que é vencido, fica
escravo do vencedor.
20 Porque se, depois de terem escapado das corrupções
do mundo, pelo conhecimento do Senhor e Salvador Je-
sus Cristo, forem outra vez envolvidos nelas e vencidos,
o seu último estado tornou-se pior do que o primeiro.
21 Porque seria melhor se eles não tivessem conhecido o
caminho da justiça do que, conhecendo-o, desviarem-se
do santo mandamento que lhes foi dado.
22 Porém, confirma-se neles um provérbio verdadeiro
que diz: "O cão volta ao seu próprio vômito" e "A porca
lavada volta a rolar na lama".

A Segunda Vinda de Jesus

3 Amados, esta é agora a segunda carta que escrevo a
vocês; em ambas quero despertar com estas lembran-
ças as suas mentes sinceras.
2 Para que se lembrem das palavras que antes foram di-
tas pelos santos profetas, e do nosso mandamento, como
apóstolos do Senhor e Salvador.

3 Antes de tudo saibam que, nos últimos dias, virão es-
carnecedores andando segundo as suas próprias paixões,
4 e dizendo: "Onde está a promessa da sua vinda? Por-
que, desde que os pais morreram, todas as coisas perma-
necem como desde o princípio da criação."
5 Porque voluntariamente ignoram isto: que desde a
antiguidade, pela palavra de Deus, foram criados os céus
e a terra, ela foi formada da água e por meio da água.
6 E pela água o mundo daquele tempo foi destruído co-
berto com as águas,
7 mas os céus e a terra que agora existem pela mesma
palavra estão reservados para o fogo, guardados para o
dia do juízo, e para destruição dos ímpios.
8 Não se esqueçam disto, amados, que um dia para o
Senhor é como mil anos, e mil anos são como um dia.
9 O Senhor não demora em cumprir a sua promessa,
ainda que alguns a julguem demorada, mas ele é pacien-
te com vocês, não querendo que ninguém se perca, mas
que todos venham a se arrepender.
10 Mas o dia do Senhor virá como um ladrão; naquele
dia os céus passarão com grande estrondo, e os elemen-
tos, ardendo, se desfarão. A terra e as obras que nela há
se queimarão.
11 Tudo será assim desfeito, e vocês devem ser pessoas
que vivem de maneira santa e piedosa,
12 aguardando e se apressando para a vinda do dia de
Deus, em que os céus em fogo se desfarão, e os elemen-
tos, ardendo, se fundirão.
13 Porém, segundo a sua promessa, aguardamos novos
céus e nova terra em que habita a justiça.
14 Portanto, amados, enquanto aguardam estas coisas,
empenhem-se para serem encontrados por ele imacula-
dos, irrepreensíveis e em paz.
15 E considerem que a longanimidade de nosso Senhor
é uma oportunidade para que possam receber a salvação;
assim como o nosso amado irmão Paulo também lhes
escreveu, segundo a sabedoria que lhe foi dada;
16 falando nelas destes assuntos, como também entre
todas as suas cartas, há algumas difíceis de entender,
que os sem instrução e inconstantes distorcem, como
também distorcem as outras Escrituras, para sua própria
perdição.

Conselhos Finais

17 Portanto, vocês, amados, sabendo disso, tenham cui-
dado para que não sejam juntamente conduzidos pelo
erro das pessoas que não têm princípios morais, e caiam
da sua firmeza.
18 Antes, cresçam na graça e no conhecimento de nosso
Senhor e Salvador, Jesus Cristo. A ele seja a glória, tanto
agora como no dia da eternidade. Amém.

PRIMEIRA CARTA DE
JOÃO

A Palavra da Vida

1 O que era desde o princípio, o que ouvimos, o que
vimos com os nossos próprios olhos, o que contem-
plamos e as nossas mãos tocaram, isso proclamamos a
respeito da Palavra da vida.
2 A vida se manifestou, nós a vimos, e dela damos tes-
temunho e anunciamos a vocês a vida eterna que estava
com o Pai e nos foi manifestada;
3 o que vimos e ouvimos anunciamos a vocês, para que
também tenham comunhão conosco, e a nossa comu-
nhão é com o Pai e com seu Filho Jesus Cristo.
4 Escrevemos a vocês estas coisas para que a nossa ale-
gria seja completa.

Andar na Luz

5 Esta é a mensagem que dele ouvimos e que anuncia-
mos a vocês: Deus é luz, e não há nele treva nenhuma.
6 Se dissermos que temos comunhão com ele e andar-
mos em trevas, mentimos, e não praticamos a verdade.
7 Porém, se andarmos na luz, como ele na luz está, te-
mos comunhão uns com os outros, e o sangue de Jesus
Cristo, seu Filho, nos purifica de todo o pecado.
8 Se dissermos que não temos pecado, enganamos a nós
mesmos, e não há verdade em nós.
9 Se confessarmos os nossos pecados, ele é fiel e justo
para nos perdoar os pecados e nos purificar de toda a
injustiça.
10 Se dissermos que não pecamos, fazemos dele menti-
roso, e a sua palavra não está em nós.

A Pessoa de Jesus

2 Meus filhinhos, escrevo a vocês estas coisas para que
não pequem, mas se alguém pecar, temos um Advo-
gado junto ao Pai, Jesus Cristo, o Justo.
2 E ele é a propiciação pelos nossos pecados, e não
somente pelos nossos, mas também pelos de todo o
mundo.

Quem Ama, Obedece

3 E nisto sabemos que o conhecemos, se guardarmos os
seus mandamentos.
4 Quem diz: "Eu o conheço", mas não guarda os seus
mandamentos, é mentiroso, e nele não está a verdade.
5 Mas quem guarda a sua palavra, o amor de Deus está
nele verdadeiramente aperfeiçoado; nisto conhecemos
que estamos nele.
6 Quem diz que está nele, também deve andar como
ele andou.
7 Irmãos, não lhes escrevo um mandamento novo, mas
o mandamento antigo que vocês tiveram desde o prin-
cípio. Este mandamento antigo é a palavra que desde o
princípio ouviram.
8 Outra vez lhes escrevo um mandamento novo, que
é verdadeiro nele e em vocês; porque vão passando as
trevas e a verdadeira luz já ilumina.
9 Quem diz que está na luz e odeia o seu irmão, até
agora está nas trevas.
10 Quem ama o seu irmão está na luz, e nele não há
tropeço.
11 Mas quem odeia o seu irmão está nas trevas, anda
nas trevas e não sabe para onde vai, porque as trevas lhe
cegaram os olhos.
12 Filhinhos, escrevo a vocês, porque pelo nome de Je-
sus os seus pecados são perdoados.
13 Pais, escrevo a vocês, porque conhecem aquele que
existe desde o princípio. Jovens, escrevo a vocês, porque
venceram o maligno. Filhinhos, escrevi a vocês, porque
conhecem o Pai.
14 Pais, escrevi a vocês, porque conhecem aquele que
existe desde o princípio. Jovens, escrevi a vocês, porque
são fortes e a palavra de Deus está em vocês, e já ven-
ceram o maligno.

O Amor Pelo Mundo

15 Não amem o mundo, nem o que há no mundo. Se
alguém ama o mundo, o amor do Pai não está nele.
16 Porque tudo o que há no mundo, os desejos da carne,
os desejos dos olhos e a soberba da vida, não são do Pai,
mas do mundo.
17 O mundo passa, e também os seus desejos; mas
quem faz a vontade de Deus permanece para sempre.

A Vinda do Anticristo

18 Filhinhos, esta é a última hora; e como vocês ouvi-
ram que o anticristo vem, também agora muitos anticris-
tos têm surgido; por isso sabemos que já é a última hora.
19 Eles saíram do nosso meio, mas não eram dos nossos;
porque, se fossem dos nossos, ficariam conosco; mas eles
se foram para que se soubesse que nenhum deles são
dos nossos.
20 Mas vocês têm a unção que vem do Santo, e todos
vocês sabem.
21 Não escrevi a vocês porque não conhecem a verdade,
mas porque vocês conhecem, e porque nenhuma menti-
ra vem da verdade.
22 Quem é o mentiroso, senão quem nega que Jesus
é o Cristo? Esse mesmo que nega o Pai e o Filho é o
anticristo.
23 Qualquer pessoa que nega o Filho, também não tem
o Pai; mas quem confessa o Filho, tem também o Pai.
24 Portanto, o que desde o princípio ouviram, perma-
neça em vocês. Se em vocês permanecer o que desde
o princípio ouviram, também permanecerão no Filho e
no Pai.
25 E esta é a promessa que ele nos fez: A vida eterna.
26 Estas coisas lhes escrevi a respeito dos que enganam
vocês.
27 E a unção que vocês receberam dele permaneça em
vocês, e não precisa que alguém lhes ensine; mas, como
a sua unção lhes ensina todas as coisas, e é verdadeira
e não é falsa, como ela ensinou a vocês, assim perma-
neçam nele.

Permanecer em Cristo

28 E agora, filhinhos, permaneçam nele, para que, quan-
do ele se manifestar, tenhamos confiança, e não sejamos
confundidos por ele na sua vinda.
29 Se sabem que ele é justo, sabem que quem pratica a
justiça é nascido dele.

O Amor do Pai

3 Vejam que grande amor o Pai nos tem concedido, a
ponto de sermos chamados de filhos de Deus. Por
isso o mundo não nos conhece, porque não o conhecem.
2 Amados, agora somos filhos de Deus e ainda não sa-
bemos o que seremos. Mas sabemos que, quando ele se
manifestar, seremos semelhantes a ele; porque o vere-
mos como ele é.

A Busca da Santidade

3 E quem nele tem esta esperança purifica-se a si mes-
mo, como também ele é puro.
4 Quem comete pecado também comete iniquidade;
porque o pecado é iniquidade.
5 E vocês sabem que ele se manifestou para tirar os nos-
sos pecados; e nele não há pecado.
6 Quem permanece nele não peca; quem peca não o viu
nem o conheceu.
7 Filhinhos, não deixem que ninguém os engane. Quem
pratica justiça é justo, assim como ele é justo.
8 Quem comete o pecado é do diabo, porque o diabo
peca desde o princípio. Para isto o Filho de Deus se ma-
nifestou: Para desfazer as obras do diabo.

9 Quem é nascido de Deus não comete pecado, porque
a sua semente permanece nele e não pode pecar, porque
é nascido de Deus.
10 Nisto são manifestos os filhos de Deus e os filhos do
diabo: Quem não pratica a justiça e não ama o seu irmão,
não é de Deus.

A Busca do Amor Fraterno

11 Porque esta é a mensagem que ouviram desde o princípio:
Que nos amemos uns aos outros.
12 Não como Caim, que era do maligno, e matou o seu
irmão. E por que o matou? Porque as suas obras eram
más e as do seu irmão eram justas.
13 Meus irmãos, não se admirem, se o mundo os odeia.
14 Nós sabemos que já passamos da morte para a vida,
porque amamos os irmãos. Quem não ama o seu irmão
permanece na morte.
15 Quem odeia o seu irmão é homicida. E vocês sabem
que nenhum homicida tem a vida eterna em si mesmo.
16 Conhecemos o amor nisto: Que ele deu a sua vida
por nós, e nós devemos dar a nossa vida pelos irmãos.
17 Quem tiver bens deste mundo, e vir o seu irmão necessitado,
mas fechar o coração para esta pessoa, como
estará nele o amor de Deus?
18 Meus filhinhos, não amemos de palavra, nem de língua,
mas por obra e em verdade.
19 E nisto conhecemos que somos da verdade, e diante
dele tranquilizaremos os nossos corações;
20 se o nosso coração nos condena, maior é Deus do que
o nosso coração, e ele conhece todas as coisas.
21 Amados, se o nosso coração não nos condena, temos
confiança em Deus;
22 e qualquer coisa que lhe pedirmos, dele a receberemos,
porque guardamos os seus mandamentos e fazemos
as coisas agradáveis a ele.
23 E o seu mandamento é este: Que creiamos no nome
de seu Filho Jesus Cristo e nos amemos uns aos outros,
segundo o seu mandamento.
24 E quem guarda os seus mandamentos, permanece
em Deus, e Deus permanece nele. E nisto conhecemos
que ele está em nós, pelo Espírito que nos deu.

O Dom do Discernimento

4 Amados, não creiam em qualquer espírito, mas provem
se os espíritos são de Deus, porque muitos falsos
profetas têm saído pelo mundo.
2 Nisto conhecerão o Espírito de Deus: Todo espírito que
confessa que Jesus Cristo veio em carne é de Deus,
3 e todo espírito que não confessa que Jesus Cristo veio
em carne não é de Deus; mas este é o espírito do anticristo,
do qual já ouviram dizer que viria, e que já está
no mundo.
4 Filhinhos, vocês são de Deus, e já o venceram; porque
quem está em vocês é maior do que aquele que está no
mundo.
5 Eles são do mundo, por isso falam do mundo, e o mundo
os ouve.
6 Nós somos de Deus; quem conhece a Deus nos ouve;
quem não é de Deus, não nos ouve. Nisto nós reconhecemos
o espírito da verdade e o espírito do erro.

O Amor de Deus

7 Amados, amemo-nos uns aos outros, porque o amor
é de Deus; e quem ama é nascido de Deus e conhece
a Deus.
8 Quem não ama não conhece a Deus, porque Deus é
amor.
9 Nisto se manifesta o amor de Deus em nós: Deus enviou
o seu Filho unigênito ao mundo para que por ele
vivamos.
10 Nisto está o amor: Não em que nós tenhamos amado
a Deus, mas em que ele nos amou e enviou o seu Filho
para propiciação pelos nossos pecados.
11 Amados, se Deus assim nos amou, nós também devemos
amar-nos uns aos outros.
12 Ninguém jamais viu Deus; se nos amarmos uns aos
outros, Deus está em nós, e em nós é perfeito o seu amor.
13 Nisto conhecemos que estamos nele e ele em nós,
pois ele nos deu do seu Espírito.
14 Nós vimos e testemunhamos que o Pai enviou o seu
Filho como Salvador do mundo.
15 Quem confessar que Jesus é o Filho de Deus, Deus
está nele, e ele em Deus.
16 E nós conhecemos e cremos no amor que Deus tem
por nós. Deus é amor; quem está no amor, está em Deus,
e Deus nele.
17 Nisto o amor está aperfeiçoado em nós, para que no
dia do juízo tenhamos confiança; porque, assim como
ele é, nós também somos neste mundo.
18 No amor não há medo, pelo contrário, o perfeito
amor lança fora o medo; porque o medo traz consigo o
tormento, e quem teme não é perfeito em amor.
19 Nós amamos a ele porque ele nos amou primeiro.
20 Se alguém diz: "Eu amo a Deus" e odeia o seu irmão,
é mentiroso. Pois quem não ama o seu irmão, a quem vê,
como pode amar a Deus, que não vê?
21 E dele temos este mandamento: Quem ama a Deus,
ame também o seu irmão.

A Fé em Cristo

5 Todo aquele que crê que Jesus é o Cristo, é nascido de
Deus; e quem ama aquele que o gerou também ama
quem dele é nascido.
2 Nisto conhecemos que amamos os filhos de

Deus, quando amamos a Deus e guardamos os seus mandamentos.

3 Porque este é o amor de Deus: Que guardemos os seus mandamentos; e os seus mandamentos não são pesados.

4 Porque todo o que é nascido de Deus vence o mundo; esta é a vitória que vence o mundo, a nossa fé.

5 Quem é que vence o mundo, senão aquele que crê que Jesus é o Filho de Deus?

6 Este é aquele que veio por água e sangue, isto é, Jesus Cristo; não só por água, mas por água e por sangue. E o Espírito é o que dá testemunho, porque o Espírito é a verdade.

7 Porque há três que dão testemunho:

8 O Espírito, a água e o sangue; e estes três são unânimes.

9 Se aceitamos o testemunho dos homens, o testemunho de Deus é maior; e este é o testemunho de Deus, que ele dá a respeito de seu Filho.

10 Quem crê no Filho de Deus, em si mesmo tem o testemunho; quem em Deus não crê, mentiroso se fez, porque não creu no testemunho que Deus deu de seu Filho.

11 E o testemunho é este: Que Deus nos deu a vida eterna, e esta vida está no seu Filho.

12 Quem tem o Filho tem a vida; quem não tem o Filho de Deus não tem a vida.

Recomendações Finais

13 Estas coisas escrevi a vocês que creem no nome do Filho de Deus, para que saibam que têm a vida eterna.

14 E esta é a confiança que temos nele, que se pedirmos alguma coisa, segundo a sua vontade, ele nos ouve.

15 E se sabemos que ele nos ouve em tudo o que lhe pedimos, sabemos que receberemos os pedidos que lhe fizemos.

16 Se alguém vir o seu irmão pecar, pecado que não leva à morte, ore, e Deus dará a vida ao que pecou; isso aos que cometeram pecados que não levam à morte. Há pecado que leva à morte, e por este não digo que ore.

17 Toda injustiça é pecado, e há pecado que não leva à morte.

18 Sabemos que todo aquele que é nascido de Deus não peca, porque quem é nascido de Deus guarda a si mesmo e o maligno não pode tocar nele.

19 Sabemos que somos de Deus, e que todo o mundo está no maligno.

20 E sabemos que o Filho de Deus já veio, e nos deu entendimento para reconhecermos aquele que é o verdadeiro; e nós estamos naquele que é o verdadeiro, em seu Filho Jesus Cristo. Este é o verdadeiro Deus e a vida eterna.

21 Filhinhos, guardem-se dos ídolos. Amém.

SEGUNDA CARTA DE JOÃO

Perseverar no Amor e na Fé

1 O presbítero, à senhora eleita e aos seus filhos, aos quais amo na verdade, e não somente eu, mas também todos os que conhecem a verdade,

2 por causa da verdade que está em nós e para sempre estará conosco:

3 Que a Graça, misericórdia e paz, da parte de Deus Pai e do Senhor Jesus Cristo, o Filho do Pai, estejam conosco em verdade e amor.

4 Muito me alegrei por achar que alguns de seus filhos andam na verdade, assim como temos recebido o mandamento do Pai.

5 E agora, senhora, peço-lhe, não como se escrevesse um novo mandamento, mas o mesmo que temos dito desde o princípio: Que nos amemos uns aos outros.

6 E o amor é este: Que andemos segundo os seus mandamentos. Este é o mandamento, como já desde o princípio ouviram, que vocês andem em amor.

7 Porque muitos enganadores têm surgido pelo mundo, os quais não confessam que Jesus Cristo veio em carne. Este é o enganador e o anticristo.

8 Tenham cuidado para que não percam aquilo que temos realizado, antes recebam plena recompensa.

9 Quem não permanece na doutrina de Cristo, mas acredita estar indo além dele, não tem Deus. Quem permanece na doutrina de Cristo, esse tem tanto o Pai como o Filho.

10 Se alguém chegar a vocês e não trouxer esta doutrina, não o recebam em casa, nem tampouco o saúdem.

11 Pois quem o saúda torna-se participante das suas obras más.

12 Tenho muito o que escrever a vocês, mas não quis fazê-lo com papel e tinta, pois espero ir visitá-los e falar com vocês face a face, para que a nossa alegria seja completa.

13 Os filhos de sua irmã eleita enviam saudações. Amém.

TERCEIRA CARTA DE JOÃO

Saudação

1 O presbítero ao amado Gaio, a quem eu amo em verdade.
2 Amado, desejo que seja bem sucedido em todas as coisas e que tenha boa saúde, assim como vai bem a sua alma.
3 Porque muito me alegrei quando os irmãos vieram e deram testemunho da sua fidelidade, e como você anda na verdade.
4 Não tenho maior alegria do que esta: A de ouvir que os meus filhos andam na verdade.

Elogios

5 Amado, você é fiel em tudo o que faz pelos irmãos e pelos estranhos.
6 Eles testemunharam na igreja a respeito do seu amor, aos quais você fará bem se os encaminhar em sua viagem de modo agradável a Deus,
7 porque foi por causa do Nome que eles saíram, sem receber ajuda alguma dos gentios.
8 Portanto, devemos receber esses irmãos, para que sejamos cooperadores da verdade.

O Mau Exemplo de Diótrefes

9 Tenho escrito à igreja, mas Diótrefes, que procura ser o mais importante entre eles, não nos recebe.
10 Por isso, se eu for aí, farei com que se lembre das obras que ele faz, proferindo contra nós palavras maliciosas; e, não contente com isto, não recebe os irmãos, impede os que querem recebê-los e os expulsa da igreja.

O Bom Exemplo de Demétrio

11 Amado, não sigam o mal, mas o bem. Quem faz o bem é de Deus, mas quem faz o mal não viu a Deus.
12 Todos dão testemunho de Demétrio, até a própria verdade; e nós também testemunhamos, e vocês sabem que o nosso testemunho é verdadeiro.

Saudação Final

13 Tinha muito que escrever, mas não quero escrever com tinta e pena.
14 Espero, porém, vê-lo em breve, então conversaremos face a face.
15 Que a paz esteja com você. Os amigos enviam saudações. Saúde os amigos daí, um por um.

EPÍSTOLA UNIVERSAL DO APÓSTOLO JUDAS

1 Judas, servo de Jesus Cristo e irmão de Tiago, aos chamados, santificados em Deus Pai, e guardados em Jesus Cristo:
2 A misericórdia, paz e amor sejam multiplicados a vocês.

Os Falsos Mestres

3 Amados, quando eu procurava escrever a vocês com todo empenho a respeito da salvação que temos em comum, senti que era necessário escrever para incentivá-los a batalhar pela fé que de uma vez por todas foi dada aos santos.
4 Porque alguns homens, cuja condenação há muito tempo já estava sentenciada, se infiltraram no meio de vocês. São homens ímpios, que transformam em libertinagem a graça de Deus e negam a Deus, nosso único soberano e Senhor, Jesus Cristo.
5 Mas quero lembrar a vocês, embora vocês já saibam de tudo isto, que, havendo o Senhor salvo um povo, tirando-o da terra do Egito, destruiu os que não creram,
6 e, quanto aos anjos que não guardaram a sua autoridade original, mas deixaram a sua própria habitação, ele os guardou na escuridão e em correntes eternas, até ao juízo do grande dia.
7 Assim como Sodoma e Gomorra e as cidades vizinhas que, havendo se entregado à imoralidade como elas e a relações contrárias à natureza, foram postas como exemplo, sofrendo castigo do fogo eterno.
8 Da mesma forma, estes sonhadores contaminam o próprio corpo, rejeitam as autoridades e difamam os seres celestiais.
9 Contudo, nem mesmo o arcanjo Miguel, quando discutia com o diabo e disputava a respeito do corpo de Moisés, ousou fazer qualquer acusação injuriosa contra ele; mas disse: “O Senhor o repreenda”.
10 Estes, porém, difamam tudo o que não entendem; e as coisas que entendem por instinto, como animais irracionais, os corrompem.
11 Ai deles! Porque seguiram o mesmo caminho de Caim

e, movidos por ganância, caíram no erro de Balaão, e fo-
ram destruídos na rebelião de Corá.
12 Estas pessoas são manchas nas festas de fraternidade
que vocês fazem, banqueteando-se com vocês e apascen-
tando-se a si mesmas sem qualquer receio; são nuvens sem
água, levadas pelo vento; são como árvores murchas, in-
frutíferas, duas vezes mortas, arrancadas pela raiz.
13 São como ondas impetuosas do mar, que espumam as
suas próprias abominações; são estrelas errantes, para as
quais está eternamente reservada a escuridão das trevas.
14 Enoque, o sétimo depois de Adão, profetizou a respeito
destes, dizendo: "Eis que o Senhor vem com milhares de
seus santos,
15 para julgar todos e convencer todos os ímpios, por
todas as suas obras de impiedade que cometeram, e por
todas as duras palavras que ímpios pecadores disseram
contra ele".
16 Essas pessoas vivem se queixando da sua sorte, andam
segundo as suas paixões e sua boca diz coisas muito arro-
gantes, adulam as pessoas por causa do interesse.

Advertências e Conselhos

17 Mas vocês, amados, lembrem-se das palavras que fo-
ram anteriormente ditas a vocês pelos apóstolos do nosso
Senhor Jesus Cristo.
18 Eles diziam a vocês que nos últimos tempos haveria
zombadores que andariam segundo as suas ímpias paixões.
19 Estes são os que causam divisões entre vocês, seguem
os seus próprios instintos e não têm o Espírito.
20 Mas vocês, amados, edifiquem-se na santíssima fé que
vocês têm, orando no Espírito Santo.
21 Mantenham-se no amor de Deus, esperando a mise-
ricórdia de nosso Senhor Jesus Cristo, para a vida eterna.
22 E tenham compaixão de alguns que estão em dúvida,
23 e salvem outros, arrebatando-os do fogo; quanto a ou-
tros, tenham misericórdia com temor, odiando até a roupa
contaminada pela carne.

Bênção

24 Àquele que é poderoso para evitar que vocês tropecem
e apresentar vocês irrepreensíveis, com alegria, perante a
sua glória,
25 ao único Deus, nosso Salvador, seja glória, majestade,
poder e autoridade, por intermédio de Jesus Cristo, nosso
Senhor, antes de todas as eras, agora, e para todo o sem-
pre. Amém.

APOCALIPSE DE JOÃO

1 Revelação de Jesus Cristo, a qual Deus lhe deu para
mostrar aos seus servos as coisas que em breve devem
acontecer, e pelo seu anjo as enviou ao seu servo João,
para torná-las conhecidas.
2 Ele dá testemunho de tudo o que viu, da palavra de
Deus e o testemunho de Jesus Cristo.
3 Bem-aventurado aquele que lê, e bem-aventurados os
que ouvem as palavras desta profecia e guardam as coisas
que nela estão escritas, porque o tempo está próximo.

Saudação às Sete Igrejas

4 João, às sete igrejas que estão na Ásia: Graça e paz
estejam com vocês da parte daquele que é, que era e que
há de vir, e da parte dos sete espíritos que estão diante
do seu trono,
5 e da parte de Jesus Cristo, que é a fiel testemunha, o
primogênito dentre os mortos e o soberano dos reis da
terra. Aquele que nos amou e em seu sangue nos lavou
dos nossos pecados,
6 e nos fez reis e sacerdotes para servir a seu Deus e Pai;
a ele glória e poder para todo o sempre. Amém.
7 Eis que ele vem com as nuvens, e todo olho o verá, até
os mesmos que o traspassaram; e todas as tribos da terra
se lamentarão por causa dele. Assim será. Amém.
8 "Eu sou o Alfa e o Ômega", diz o Senhor, "aquele que
é, que era e que há de vir, o Todo-Poderoso".

A Visão de Cristo

9 Eu, João, irmão e companheiro de vocês na aflição, no
reino e na perseverança em Jesus Cristo, estava na ilha
chamada Patmos, por causa da palavra de Deus e pelo
testemunho de Jesus Cristo.
10 Achei-me no Espírito no dia do Senhor, e ouvi atrás de
mim uma grande voz, como de trombeta,
11 que dizia: "Escreva num livro o que você vê, e o envie
às sete igrejas que estão na Ásia: A Éfeso, a Esmirna, a
Pérgamo, a Tiatira, a Sardes, a Filadélfia e a Laodiceia."
12 E virei-me para ver quem falava comigo. E, virando-
-me, vi sete candelabros de ouro;
13 e no meio dos sete candelabros, um semelhante a
um Filho de homem, vestido até aos pés com uma roupa
comprida e cingido pelos peitos com um cinto de ouro.
14 A cabeça e os cabelos dele eram brancos como lã

branca, como neve, e os seus olhos eram como chama
de fogo.
15 Os seus pés eram semelhantes ao bronze reluzente,
como se tivessem sido refinados numa fornalha, e a sua
voz era como o som de muitas águas.
16 Ele tinha na sua mão direita sete estrelas, e da sua
boca saía uma afiada espada de dois fios; o seu rosto era
como o sol, quando na sua força resplandece.
17 E eu, quando o vi, caí a seus pés como morto; então
ele pôs sobre mim a sua mão direita, dizendo: "Não tenha
medo. Eu sou o primeiro e o último.
18 E aquele que vive. Estive morto, mas agora estou
vivo para todo o sempre e tenho as chaves da morte e
do inferno.
19 Escreva as coisas que você viu, as que são e as que
depois destas hão de acontecer.
20 Este é o mistério das sete estrelas que viu na minha
mão direita e dos sete candelabros de ouro. As sete estre-
las são os anjos das sete igrejas, e os sete candelabros, que
viu, são as sete igrejas.

Mensagem à Igreja de Éfeso

2 Escreva ao anjo da igreja que está em Éfeso: Assim diz
aquele que tem na sua não direita as sete estrelas e
que anda no meio dos sete candelabros de ouro.
2 Eu conheço as suas obras, o seu trabalho e a sua per-
severança, e que não pode suportar os maus; que pôs à
prova os que dizem ser apóstolos e não são, e descobriu
que eles eram mentirosos.
3 Você tem paciência e suportado sofrimento pelo meu
nome e não se cansou.
4 Tenho, porém, isto contra você: deixou o seu primeiro
amor.
5 Lembre-se de onde você caiu, arrependa-se e pratique
as obras que praticava no começo; se você não se arre-
pender, virei até você e tirarei o seu candelabro do lugar
dele.
6 Você tem a seu favor odiar as obras dos nicolaítas, que
eu também odeio.
7 Quem tem ouvidos, ouça o que o Espírito diz às igrejas:
Ao vencedor, darei o direito de comer da árvore da vida,
que está no meio do paraíso de Deus.

Mensagem à Igreja de Esmirna

8 E, ao anjo da igreja que está em Esmirna, escreva: As-
sim diz aquele que é o primeiro e o último, que morreu
e tornou a viver:
9 Eu conheço as suas obras, sua tribulação e sua pobreza;
mas você é rico! Conheço a blasfêmia dos que se dizem
judeus, e não o são, mas são a sinagoga de Satanás.
10 Não tenha medo das coisas que você vai sofrer. O
diabo lançará alguns de vocês na prisão, para que sejam
tentados; e terão uma tribulação de dez dias. Seja fiel até
à morte e eu lhe darei a coroa da vida.
11 Quem tem ouvidos, ouça o que o Espírito diz às igre-
jas: O vencedor não sofrerá a segunda morte.

Mensagem à Igreja de Pérgamo

12 E ao anjo da igreja que está em Pérgamo escreva: As-
sim diz aquele que tem a espada aguda de dois fios:
13 Conheço as suas obras e onde habita, que é onde
está o trono de Satanás; mas você permanece fiel ao meu
nome e não nega a fé que tem em mim, mesmo nos dias
de Antipas, minha fiel testemunha, que foi morto entre
vocês, aí onde Satanás habita.
14 Mas algumas poucas coisas tenho contra você; tem
aí pessoas que seguem a doutrina de Balaão, que ensi-
nou Balaque armar ciladas contra os israelitas, para
que comessem alimentos sacrificados a ídolos, e se
prostituíssem.
15 Assim vocês têm também os que seguem a doutrina
dos nicolaítas, o que eu odeio.
16 Portanto, arrependa-se, senão virei em breve até você,
e lutarei contra eles com a espada da minha boca.
17 Quem tem ouvidos, ouça o que o Espírito diz às igre-
jas: Ao vencedor, darei do maná escondido, e também lhe
darei uma pedra branca, e na pedra um novo nome escri-
to, o qual ninguém conhece exceto aquele que o recebe.

Mensagem à Igreja de Tiatira

18 Ao anjo da igreja de Tiatira escreva: Assim diz aquele
que é o Filho de Deus, que tem seus olhos como chama
de fogo e os pés semelhantes ao bronze reluzente:
19 Eu conheço as suas obras, o seu amor, o seu serviço,
a sua fé e a sua paciência, e sei que as suas últimas obras
são mais do que as primeiras.
20 Mas tenho contra você isto: Você tolera Jezabel, a
mulher que se diz profetisa; com seus ensinos ela engana
os meus servos, para que se prostituam e comam dos sa-
crifícios da idolatria.
21 E dei-lhe tempo para que se arrependesse da sua for-
nicação, mas não se arrependeu.
22 Eis que a porei numa cama, e sobre os que adulteram
com ela virá uma grande tribulação, se não se arrepende-
rem das suas obras.
23 Matarei os seus filhos, e todas as igrejas saberão que
eu sou aquele que sonda as mentes e corações. E retribui-
rei a cada um de vocês segundo as suas obras.
24 Mas eu digo a vocês e aos que estão em Tiatira, a
todos que não seguem esta doutrina, e que não conhece-
ram, como dizem, as profundezas de Satanás: Não porei
outra carga sobre vocês.
25 Mas conservem o que vocês têm, até que eu venha.

26 Ao vencedor, que guardar até o fim as minhas obras,
eu lhe darei poder sobre as nações,
27 e com cetro de ferro as governará e serão quebradas
como se fossem vasos de barro.
28 Eu lhe darei a mesma autoridade que recebi de meu
pai. Também lhe darei a estrela da manhã.
29 Quem tem ouvidos, ouça o que o Espírito diz às
igrejas.

Mensagem à Igreja de Sardes

3 Ao anjo da igreja que está em Sardes escreva: Assim
diz aquele que tem os sete espíritos de Deus e as sete
estrelas: Conheço as suas obras, que você tem fama de
estar vivo, mas está morto.
2 Esteja atento e fortaleça o restante que estava para
morrer; porque não achei as suas obras perfeitas diante
de Deus.
3 Lembre-se do que você recebeu e ouviu; obedeça e ar-
rependa-se. E se não estiver atento, virei sobre você como
um ladrão, e não saberá a que hora virei sobre você.
4 Mas você tem em Sardes algumas pessoas que não
contaminaram suas vestes, e comigo andarão de branco,
porque são dignas disso.
5 O vencedor será vestido de branco e de maneira nenhu-
ma apagarei o seu nome do livro da vida, e confessarei
o seu nome diante de meu Pai e diante dos seus anjos.
6 Quem tem ouvidos, ouça o que o Espírito diz às igrejas.

Mensagem à Igreja de Filadélfia

7 E ao anjo da igreja que está em Filadélfia escreve: As-
sim diz aquele que é santo e verdadeiro, que tem a chave
de Davi; o que ele abre, ninguém pode fechar, e o que ele
fecha, ninguém pode abrir:
8 Eu conheço as suas obras; eis que diante de você pus
uma porta aberta que ninguém pode fechar; você tem
pouca força, mas guardou a minha palavra e não negou
o meu nome.
9 Eis que eu farei aos da sinagoga de Satanás, aos que se
dizem judeus e não são, mas mentem: Eis que eu farei
com que venham e adorem prostrados aos seus pés, e
saibam que eu o amo.
10 Porque guardou a palavra da minha paciência, eu tam-
bém o guardarei da hora da tentação que virá sobre todo
o mundo, para tentar os que habitam na terra.
11 Eis que venho em breve; guarde o que tem, para que
ninguém tome a sua coroa.
12 Ao vencedor, farei dele uma coluna no templo do meu
Deus e dele nunca sairá; escreverei sobre ele o nome do
meu Deus e o nome da cidade do meu Deus, a nova
Jerusalém, que desce do céu, do meu Deus, e também
escreverei nele o meu novo nome.
13 Quem tem ouvidos, ouça o que o Espírito diz às
igrejas.

Mensagem à Igreja de Laodiceia

14 E ao anjo da igreja que está em Laodiceia escreva: Isto
diz o Amém, a testemunha fiel e verdadeira, o princípio
da criação de Deus:
15 Eu conheço as suas obras, e que nem é frio nem quen-
te; quem dera fosse frio ou quente!
16 Assim, porque é morno, e não é nem frio nem quente,
o vomitarei da minha boca.
17 Como você diz: Sou rico, estou enriquecido e de nada
tenho falta, mas não sabe que é um desgraçado, miserá-
vel, pobre, cego e nu,
18 aconselho você que compre de mim ouro refinado no
fogo, para que enriqueça, e roupas brancas, para que se
vista, e não apareça a vergonha da sua nudez, e que unja
os seus olhos com colírio, para que veja.
19 Eu repreendo e disciplino a todos que amo; seja zeloso
e se arrependa.
20 Eis que estou à porta e bato; se alguém ouvir a minha
voz e abrir a porta, entrarei em sua casa e cearei com ele,
e ele comigo.
21 Ao vencedor lhe concederei que se assente comigo no
meu trono; assim como eu venci e me assentei com meu
Pai no seu trono.
22 Quem tem ouvidos, ouça o que o Espírito diz às
igrejas."

Visão do Trono no Céu

4 Depois destas coisas, olhei, e eis que diante de mim
estava uma porta aberta no céu; e a voz que eu tinha
ouvido no princípio, falando comigo como de trombeta,
disse: "Suba aqui e mostrarei a você o que deve acontecer
depois destas coisas."
2 E logo fui arrebatado no Espírito, e eis que um trono
estava posto no céu, e alguém estava assentado sobre ele.
3 E aquele que estava assentado era de aparência seme-
lhante à pedra jaspe e sardônica; o arco celeste, parecen-
do uma esmeralda, estava ao redor do trono.
4 E ao redor do trono havia outros vinte e quatro tronos;
e vi assentados sobre os tronos vinte e quatro anciãos
vestidos de branco; eles tinham sobre suas cabeças coroas
de ouro.
5 E do trono saíam relâmpagos, trovões e vozes; e diante
do trono estavam acesas sete lâmpadas de fogo, que são
os sete Espíritos de Deus.
6 E havia diante do trono algo como um mar de vidro,
semelhante a cristal. E no meio do trono, e ao redor do
trono, quatro seres viventes cheios de olhos, tanto na
frente como atrás.
7 E o primeiro ser era semelhante a um leão, o segundo

ser semelhante a um bezerro, o terceiro ser tinha o rosto
como de homem, e o quarto ser era semelhante a uma
águia voando.
8 E os quatro seres tinham, cada um, seis asas, e, ao redor
e por dentro, estavam cheios de olhos; e não descansa-
vam nem de dia nem de noite, dizendo: "Santo, Santo,
Santo é o Senhor Deus, o Todo-Poderoso, que era, que é,
e que há de vir".
9 E quando os seres viventes davam glória, honra e ações
de graças àquele que estava assentado sobre o trono,
àquele que vive para todo o sempre,
10 os vinte e quatro anciãos prostravam-se diante daque-
le que estava assentado sobre o trono e adoravam aquele
que vive para todo o sempre. Eles lançavam as suas co-
roas diante do trono, dizendo:
11 "Digno és tu, Senhor, de receber glória, honra e po-
der; porque tu criaste todas as coisas, e por tua vontade
são e foram criadas".

O Livro e o Cordeiro

5 E vi na mão direita daquele que estava assentado sobre
o trono um livro escrito por dentro e por fora, selado
com sete selos.
2 E vi um anjo forte, proclamando em alta voz: "Quem é
digno de abrir o livro e de desatar os seus selos?"
3 E ninguém no céu, nem na terra, nem debaixo da terra,
podia abrir o livro, nem olhar para ele.
4 E eu chorava muito, porque ninguém era digno de abrir
o livro, nem de olhar para ele.
5 Então um dos anciãos me disse: "Não chore; eis aqui
o Leão da tribo de Judá, a raiz de Davi, que venceu, para
abrir o livro e desatar os seus sete selos".
6 Eu olhei, e vi que estava no meio do trono e dos quatro
seres viventes e entre os anciãos um Cordeiro, que pare-
cia estar morto; ele tinha sete chifres e sete olhos, que são
os sete Espíritos de Deus enviados a toda a terra.
7 Ele veio e recebeu o livro da mão direita daquele que
estava assentado no trono.
8 E, ao receber o livro, os quatro seres viventes e os vinte
e quatro anciãos prostraram-se diante do Cordeiro. Todos
eles tinham harpas e taças de ouro cheias de incenso, que
são as orações dos santos.
9 E cantavam um cântico novo, dizendo: "Tu és Digno de
receber o livro e de abrir os seus selos; porque foste morto
e com o teu sangue compraste para Deus homens de toda
tribo, língua, povo e nação.
10 Tu os fizeste reis e sacerdotes para o nosso Deus; e
eles reinarão sobre a terra".
11 Então olhei e ouvi a voz de muitos anjos, eles eram
milhares de milhares e milhões de milhões, e estavam ao
redor do trono com os seres viventes, e os anciãos,
12 que proclamavam em alta voz: "Digno é o Cordeiro
que foi morto de receber poder, riquezas, sabedoria, for-
ça, honra, glória e louvor."
13 Depois ouvi todas as criaturas que existem no céu, na
terra, debaixo da terra, no mar, e todas as coisas que neles
há, que diziam: "Ao que está assentado sobre o trono e
ao Cordeiro, sejam o louvor, a honra, a glória e o poder
para todo o sempre".
14 E os quatro seres viventes diziam: "Amém." E os vin-
te e quatro anciãos prostraram-se e o adoraram.

Os Selos

6 E observei quando o Cordeiro abriu o primeiro dos
sete selos, então ouvi um dos quatro seres viventes
dizer com voz de trovão: "Venha!"
2 Olhei, e vi um cavalo branco; e o seu cavaleiro tinha
um arco, e lhe foi dada uma coroa; ele cavalgava como
vitorioso, determinado a vencer.
3 Quando o Cordeiro abriu o segundo selo, ouvi o segun-
do ser vivente dizer: "Venha!"
4 Então saiu outro cavalo, e ele era vermelho. O seu ca-
valeiro recebeu poder para tirar a paz da terra e fazer com
que os homens se matassem uns aos outros; e lhe foi dada
uma grande espada.
5 Quando o Cordeiro abriu o terceiro selo, ouvi o terceiro
ser vivente dizer: "Venha!" Olhei, e vi um cavalo preto, e
o seu cavaleiro tinha uma balança na mão.
6 E ouvi uma voz no meio dos quatro seres viventes,
que dizia: "Uma medida de trigo por um denário, e três
medidas de cevada por um denário; mas não danifique o
azeite e o vinho!"
7 Quando o Cordeiro abriu o quarto selo, ouvi a voz do
quarto ser vivente, que dizia: "Venha!"
8 Olhei, e vi um cavalo amarelo, e o cavaleiro que estava
assentado sobre ele chamava-se Morte; e o inferno o se-
guia; e lhe foi dado poder para matar um quarto da terra,
com espada, com fome, com peste e com as feras da terra.
9 Quando o Cordeiro abriu o quinto selo, vi debaixo do
altar as almas dos que foram mortos por amor da palavra
de Deus e por amor do testemunho que deram.
10 Eles clamavam com alta voz, dizendo: "Até quando,
ó soberano, santo e verdadeiro, esperarás para julgar os
habitantes da terra e vingar o nosso sangue?"
11 E foi dada a cada um deles uma veste branca, e lhes
foi dito para que esperassem ainda um pouco mais de
tempo, até que também se completasse o número de seus
conservos e seus irmãos, que haviam de ser mortos como
eles.
12 E, quando o Cordeiro abriu o sexto selo, olhei, e vi
que houve um grande tremor de terra; o sol tornou-se
negro e a lua tornou-se como sangue;

13 as estrelas do céu caíram sobre a terra, como quando
a figueira lança de si os seus figos verdes, abalada por
um vento forte.
14 E o céu retirou-se como um pergaminho quando se
enrola; e todos os montes e ilhas foram removidos dos
seus lugares.
15 E os reis da terra, os grandes, os ricos, os tribunos,
os poderosos, e todos, servos e livres, se esconderam nas
cavernas e nas rochas das montanhas.
16 E diziam aos montes e aos rochedos: "Caiam sobre
nós e escondam-nos do rosto daquele que está assentado
sobre o trono, e da ira do Cordeiro!
17 Porque chegou o grande dia da ira deles; quem poderá
sobreviver?"

Os 144.000 do Povo de Deus

7 E depois destas coisas vi quatro anjos que estavam so-
bre os quatro cantos da terra, retendo os quatro ventos
da terra, para que nenhum vento soprasse sobre ela, nem
sobre o mar, nem contra alguma árvore.
2 E vi outro anjo subir do lado do sol nascente, que ti-
nha o selo do Deus vivo; e clamou com grande voz aos
quatro anjos, a quem fora dado o poder de danificar a
terra e o mar,
3 dizendo: "Não danifiquem a terra, nem o mar, nem as
árvores, até que tenhamos marcado com selo as testas
dos servos do nosso Deus".
4 E ouvi o número dos que foram marcados com selo,
e eram cento e quarenta e quatro mil, de todas as tribos
de Israel.
5 Da tribo de Judá, foram marcados com selo doze mil;
da tribo de Rúben, doze mil; da tribo de Gade, doze mil;
6 da tribo de Aser, doze mil; da tribo de Naftali, doze mil;
da tribo de Manassés, doze mil;
7 da tribo de Simeão, doze mil; da tribo de Levi, doze
mil; da tribo de Issacar, doze mil;
8 da tribo de Zebulom, doze mil; da tribo de José, doze
mil; da tribo de Benjamim, doze mil.

A Grande Multidão

9 Depois destas coisas olhei e vi aqui uma multidão que
ninguém podia contar, de todas as nações, tribos, povos
e línguas, que estavam diante do trono e do Cordeiro,
trajando vestes brancas e com palmas nas suas mãos.
10 E clamavam em alta voz, dizendo: "A salvação per-
tence ao nosso Deus que está assentado no trono, e ao
Cordeiro".
11 E todos os anjos estavam ao redor do trono, dos an-
ciãos e dos quatro seres viventes; e prostraram-se diante
do trono sobre seus rostos e adoraram a Deus,
12 dizendo: "Amém! Louvor, glória, sabedoria, ação de
graças, honra, poder e força sejam ao nosso Deus, para
todo o sempre. Amém".
13 E um dos anciãos me perguntou: "Quem são estes
que estão vestidos de vestes brancas, e de onde vieram?"
14 E eu respondi: "Senhor, tu sabes." E ele me disse: "Es-
tes são os que vieram da grande tribulação, que lavaram
as suas vestes e as branquearam no sangue do Cordeiro.
15 Por isso estão diante do trono de Deus e o servem dia
e noite no seu templo; e aquele que está assentado sobre
o trono estenderá sobre eles o seu tabernáculo.
16 Nunca mais terão fome nem sede, nem sol nem calor
algum cairão sobre eles,
17 porque o Cordeiro que está no meio do trono será o
seu pastor; ele os guiará para as fontes das águas da vida;
e Deus enxugará de seus olhos toda a lágrima".

O Sétimo Selo

8 E quando ele abriu o sétimo selo, fez-se silêncio no
céu por quase meia hora.
2 E vi os sete anjos que estavam diante de Deus, e foram
dadas a eles sete trombetas.
3 E veio outro anjo, trazendo um incensário de ouro e
pôs-se junto ao altar, e foi-lhe dado muito incenso, para
oferecer com as orações de todos os santos sobre o altar
de ouro, que está diante do trono.
4 E da mão do anjo diante de Deus subiu a fumaça do
incenso com as orações dos santos.
5 E o anjo pegou o incensário, o encheu do fogo do altar
e o lançou sobre a terra; e houve depois vozes, trovões,
relâmpagos e terremotos.

As Sete Trombetas

6 E os sete anjos que tinham as sete trombetas prepara-
ram-se para tocá-las.
7 O primeiro anjo tocou a sua trombeta, e houve granizo
e fogo misturado com sangue que foram lançados na ter-
ra, a qual foi queimada na sua terça parte; queimou-se a
terça parte das árvores e toda a erva verde foi queimada.
8 O segundo anjo tocou a trombeta, e foi lançado no mar
algo como um grande monte ardendo em fogo e tornou-
-se em sangue a terça parte do mar.
9 E morreu a terça parte das criaturas que tinham vida no
mar; e perdeu-se a terça parte das embarcações.
10 O terceiro anjo tocou a sua trombeta, e caiu do céu
uma grande estrela ardendo como uma tocha, e caiu so-
bre a terça parte dos rios, e sobre as fontes das águas.
11 O nome da estrela era Absinto, e a terça parte das
águas tornou-se em absinto; e muitos homens morreram
devido às águas, porque se tornaram amargas.
12 O quarto anjo tocou a sua trombeta, e foi ferida a
terça parte do sol, a terça parte da lua e a terça parte das
estrelas, para que a terça parte deles se escurecesse; a

terça parte do dia ficou sem luz, e também a terça parte
da noite.
13 Então olhei e ouvi uma águia voando pelo meio do
céu, dizendo em alta voz: "Ai! Ai! Ai dos que habitam
na terra! Por causa do som das outras trombetas dos três
anjos que ainda tocarão".
9 O quinto anjo tocou a sua trombeta, e vi uma estrela
que do céu caiu na terra; e foi-lhe dada a chave do
poço do abismo.
2 Quando ela abriu o poço do abismo, subiu dele fumaça
como a fumaça de uma grande fornalha, o sol e o ar escu-
receram com a fumaça que saía do poço.
3 E da fumaça vieram gafanhotos sobre a terra; e foi-lhes
dado poder, como o poder que têm os escorpiões da terra.
4 E foi-lhes dito que não fizessem dano à erva da terra,
nem a planta ou árvore alguma, mas somente aos ho-
mens que não têm nas suas testas o selo de Deus.
5 E não lhes foi permitido que os matassem, mas que por
cinco meses os atormentassem; e o seu tormento era se-
melhante ao tormento do escorpião quando fere alguém.
6 E naqueles dias os homens buscarão a morte, mas não
a acharão; e desejarão morrer, mas a morte fugirá deles.
7 E os gafanhotos eram semelhantes a cavalos preparados
para a guerra; sobre as suas cabeças havia algo como co-
roas de ouro, e os seus rostos eram como rostos humanos.
8 E tinham cabelos como cabelos de mulheres e os seus
dentes eram como de leões.
9 E tinham couraças como couraças de ferro, e o ruído
das suas asas era como o ruído de carros, quando muitos
cavalos correm para a batalha.
10 E tinham caudas semelhantes às dos escorpiões, e fer-
rões nas suas caudas; o seu poder era para danificar os
homens por cinco meses.
11 E tinham um rei sobre eles, o anjo do abismo, cujo
nome em hebreu é Abadom, e em grego é Apoliom.
12 O primeiro ai já passou; depois disso vêm ainda outros
dois ais.
13 E o sexto anjo tocou a sua trombeta, e ouvi uma voz
que vinha das quatro pontas do altar de ouro que estava
diante de Deus,
14 dizendo ao sexto anjo que tinha a trombeta: "Solte
os quatro anjos que estão presos junto ao grande rio
Eufrates."
15 Então foram soltos os quatro anjos que estavam pre-
parados para a hora, dia, mês e ano, para matarem a terça
parte da humanidade.
16 E o número dos cavaleiros dos exércitos era de duzen-
tos milhões; eu ouvi o número deles.
17 E assim vi os cavalos nesta visão; os que sobre eles ca-
valgavam tinham couraças de fogo, de jacinto e enxofre;
as cabeças dos cavalos eram como cabeças de leões, e de
suas bocas saíam fogo, fumaça e enxofre.
18 Um terço da humanidade foi morta por estas três pra-
gas: de fogo, fumaça e enxofre que saíam da boca dos
cavalos.
19 Porque o poder dos cavalos estava na boca e na cauda,
pois as caudas deles eram semelhantes a serpentes com
cabeças, e com elas causavam danos.
20 E os restantes da humanidade que não foram mortos
por estas pragas, não se arrependeram das obras de suas
mãos, e não pararam de adorar os demônios e os ídolos
de ouro, de prata, de bronze, de pedra e de madeira, que
nem podem ver, nem ouvir, nem andar.
21 E não se arrependeram dos seus homicídios, nem das
suas feitiçarias, nem da sua imoralidade sexual, nem dos
seus furtos.

O Anjo e o Livrinho

10 Vi outro anjo forte que descia do céu envolto em
uma nuvem, e por cima da sua cabeça estava o arco
celeste; o seu rosto era como o sol e os seus pés eram
como colunas de fogo.
2 Ele tinha na sua mão um livrinho aberto, e pôs o seu pé
direito sobre o mar e o esquerdo sobre a terra,
3 e gritou bem alto, como um rugido de leão; e quando
ele gritou, os sete trovões emitiram as suas vozes.
4 E quando os sete trovões acabaram de emitir as suas
vozes eu ia escrever, mas ouvi uma voz do céu que me
dizia: "Sele o que os sete trovões disseram, mas não o
escreva."
5 Então o anjo que vi sobre o mar e sobre a terra levantou
a sua mão ao céu,
6 e jurou por aquele que vive para todo o sempre, o mes-
mo que criou o céu e o que nele há, a terra e o que nela
há, o mar e o que nele há, e disse que não haveria mais
demora;
7 mas nos dias da voz do sétimo anjo, quando ele tocar
a sua trombeta, se cumprirá o mistério de Deus como
anunciou aos profetas, seus servos.
8 E a voz que do céu eu tinha ouvido tornou a falar comi-
go e disse: "Vá e pegue o livrinho aberto da mão do anjo
que está em pé sobre o mar e sobre a terra."
9 Então eu fui ao anjo, dizendo-lhe: Dê-me o livrinho. E
ele me disse: "Pegue-o e coma-o, e ele será amargo no seu
estômago, mas na sua boca será doce como mel."
10 Eu peguei o livrinho da mão do anjo e o comi; e na
minha boca era doce como mel, mas, havendo-o comido,
o meu estômago ficou amargo.
11 Então ele me disse: "É necessário que você profetize
outra vez a muitos povos, nações, línguas e reis."

As Duas Testemunhas

11 E ne deram uma cana semelhante a uma vara; en-
tão chegou o anjo e disse: "Levante-se e meça o
templo de Deus, o altar e os que nele adoram.
2 E deixe o átrio que está fora do templo, não o meça;
porque foi dado aos gentios, eles pisarão a cidade santa
por quarenta e dois meses.
3 Darei poder às minhas duas testemunhas para que pro-
fetizem durante mil duzentos e sessenta dias vestidas de
saco."
4 Estas são as duas oliveiras e os dois candelabros que
estão diante do Senhor da terra.
5 E, se alguém quiser lhes fazer mal, um fogo sairá da
boca das testemunhas e devorará os seus inimigos; e se
alguém quiser lhes fazer mal certamente será morto.
6 Elas têm poder para fechar o céu, para que não chova
nos dias da sua profecia; elas têm poder sobre as águas
para convertê-las em sangue e para ferir a terra com todo
tipo de pragas, quantas vezes quiserem.
7 E, quando acabarem o seu testemunho, a besta que
sobe do abismo lhes fará guerra, vencerá e matará as
testemunhas.
8 E os seus corpos mortos ficarão na praça da grande ci-
dade que espiritualmente se chama Sodoma e Egito, onde
o seu Senhor também foi crucificado.
9 E homens de vários povos, tribos, línguas e nações
verão seus corpos mortos por três dias e meio, e não
permitirão que os seus corpos mortos sejam postos em
sepulcros.
10 E os que habitam na terra se alegrarão pela morte
das testemunhas, e mandarão presentes uns aos outros;
porque estes dois profetas tinham atormentado os habi-
tantes da terra.
11 E depois daqueles três dias e meio o espírito de vida,
vindo de Deus, entrou neles, e puseram-se sobre seus
pés, e caiu um grande temor sobre os que os viram.
12 E ouviram uma grande voz do céu que lhes dizia:
"Subam para cá." Então as duas testemunhas subiram ao
céu em uma nuvem; e os seus inimigos as viram.
13 E naquela mesma hora houve um grande terremoto,
e caiu a décima parte da cidade, e no terremoto foram
mortas sete mil pessoas; e os demais ficaram muito ate-
morizados e deram glória ao Deus do céu.
14 Passou o segundo ai e eis que o terceiro ai logo virá.

A Sétima Trombeta

15 O sétimo anjo tocou a sua trombeta e houve no céu
grandes vozes, que diziam: "O reino do mundo se tornou
de nosso Senhor e do seu Cristo, e ele reinará para todo
o sempre".
16 E os vinte e quatro anciãos que estavam assentados
em seus tronos diante de Deus prostraram-se sobre seus
rostos e adoraram a Deus,
17 dizendo: "Graças te damos, Senhor Deus Todo-Pode-
roso, que és, que eras e que hás de vir, que tomaste o teu
grande poder, e reinaste.
18 E iraram-se as nações, e vieram a tua ira e o tempo
dos mortos, para que sejam julgados, e o tempo de dares
o galardão aos profetas, teus servos, aos santos e aos que
temem o teu nome, a pequenos e a grandes, e o tempo
de destruíres os que destroem a terra".
19 E abriu-se no céu o templo de Deus, e a arca da sua
aliança foi vista no seu templo; e houve relâmpagos, vo-
zes, trovões, terremotos e grande chuva de granizo.

A Mulher e o Dragão

12 E viu-se um grande sinal no céu: Uma mulher ves-
tida do sol, tendo a lua debaixo dos seus pés e uma
coroa de doze estrelas sobre a sua cabeça.
2 Ela estava grávida e com dores de parto, ela gritava de
dor para dar à luz.
3 E viu-se outro sinal no céu: Eis que era um grande
dragão vermelho, que tinha sete cabeças e dez chifres, e
sobre as suas cabeças sete diademas.
4 E a sua cauda levou após si a terça parte das estrelas do
céu e lançou-as sobre a terra; e o dragão parou diante da
mulher que daria à luz, para devorar o filho dela quando
nascesse.
5 Ela deu à luz um filho homem que há de governar
todas as nações com cetro de ferro; e o filho da mulher
foi arrebatado para Deus e para o seu trono.
6 E a mulher fugiu para o deserto, onde já tinha lugar pre-
parado por Deus, para que ali fosse alimentada durante
mil duzentos e sessenta dias.
7 Então houve uma batalha no céu: Miguel e os seus
anjos lutaram contra o dragão, o dragão e os seus anjos
também lutaram,
8 mas não prevaleceram, e não havia mais lugar para eles
no céu.
9 E foi expulso o grande dragão, a antiga serpente, cha-
mada Diabo e Satanás, que engana todo o mundo; ele
foi lançado para a terra, e os seus anjos foram lançados
com ele.
10 Eu ouvi uma grande voz no céu, que dizia: "Agora
vieram a salvação, o poder, o reino do nosso Deus e a
autoridade do seu Cristo, pois foi expulso o acusador de
nossos irmãos, que diante do nosso Deus os acusava de
dia e de noite.
11 Eles o venceram pelo sangue do Cordeiro e pela pa-
lavra do seu testemunho; e não amaram as suas vidas
até à morte.
12 Por isso alegrem-se, ó céus, e vocês que neles habi-

tam. Ai dos que habitam na terra e no mar; porque o
diabo desceu a vocês e tem grande ira, sabendo que já
tem pouco tempo".
13 E quando o dragão viu que tinha sido lançado na
terra, perseguiu a mulher que tinha dado à luz o filho
homem.
14 E foram dadas à mulher duas asas de grande águia,
para que voasse para o deserto, ao seu lugar, onde é sus-
tentada por um tempo, e tempos, e metade de um tempo,
fora da vista da serpente.
15 E a serpente lançou da sua boca atrás da mulher água
como um rio, para que pelas águas ela fosse arrastada.
16 E a terra ajudou a mulher; a terra abriu a sua boca e
tragou o rio que o dragão lançou da sua boca.
17 E o dragão irou-se contra a mulher, e foi fazer guerra
contra o restante da sua descendência, os que guardam
os mandamentos de Deus e têm o testemunho de Jesus
Cristo.
18 Então o dragão se pôs em pé sobre a areia do mar.

A Besta Que Saiu do Mar

13 E vi uma besta que saía do mar; ela tinha sete ca-
beças e dez chifres, e sobre os seus chifres dez dia-
demas, e sobre as suas cabeças um nome de blasfêmia.
2 E a besta que vi era semelhante ao leopardo, os seus
pés eram como os pés de urso, a sua boca como a boca
de leão; e o dragão deu-lhe o seu poder, o seu trono e
grande autoridade.
3 E vi uma das suas cabeças sendo ferida de morte, e a
sua ferida mortal foi curada; e toda a terra se maravilhou,
e seguiu a besta.
4 E adoraram o dragão que deu à besta o seu poder; e
adoraram a besta, dizendo: Quem é semelhante à besta?
Quem poderá lutar contra ela?"
5 E foi-lhe dada uma boca para falar palavras arrogantes
e blasfêmias; e foi-lhe dado poder para agir por quarenta
e dois meses.
6 Ela abriu a sua boca para blasfemar contra Deus, para
blasfemar do seu nome, do seu tabernáculo e dos que
habitam nos céus.
7 E foi-lhe permitido fazer guerra contra os santos e ven-
cê-los; e foi-lhe dada autoridade sobre toda tribo, língua
e nação.
8 E todos os que habitam sobre a terra adoraram a besta,
esses cujos nomes não estão escritos no livro da vida do
Cordeiro que foi morto desde a fundação do mundo.
9 Se alguém tem ouvidos, ouça.
10 Se alguém tem de ir para o cativeiro, para o cativeiro
irá; se alguém matar à espada, é necessário que à espada
seja morto. Aqui está a perseverança e a fidelidade dos
santos.

A Besta Que Saiu da Terra

11 Vi ainda outra besta subir da terra; ela tinha dois
chifres semelhantes aos chifres de um cordeiro e falava
como dragão.
12 Ela exerce todo a autoridade da primeira besta na sua
presença, e faz com que a terra e os que nela habitam
adorem a primeira besta, cuja ferida mortal foi curada.
13 Ela faz grandes sinais, e até fogo ela faz descer do céu
sobre a terra, à vista das pessoas.
14 E engana os que habitam na terra com sinais que lhe
foi permitido que fizesse diante da presença da besta,
dizendo aos que habitam na terra que fizessem uma ima-
gem à besta que foi ferida a espada e sobreviveu.
15 E foi-lhe concedido poder para dar vida à imagem da
besta, para que ela pudesse falar e fizesse com que fossem
mortos todos os que não a adorassem.
16 E faz com que a todos, pequenos e grandes, ricos e
pobres, livres e servos, lhes seja posto um sinal na sua
mão direita, ou na sua testa,
17 para que ninguém possa comprar ou vender, senão
aquele que tiver o sinal, ou o nome da besta, ou o núme-
ro do seu nome.
18 Aqui há sabedoria. Aquele que tem entendimento
calcule o número da besta; porque é o número de um
homem, e o seu número é seiscentos e sessenta e seis.

O Cordeiro e os Cento e Quarenta e Quatro Mil

14 Então olhei, e vi que o Cordeiro estava sobre o
monte Sião, e com ele cento e quarenta e quatro
mil, que em suas testas tinham escrito o nome dele e
de seu Pai.
2 E ouvi uma voz do céu, como a voz de muitas águas,
e como a voz de um grande trovão; e ouvi uma voz de
harpistas que tocavam com as suas harpas.
3 E cantavam um cântico novo diante do trono, e diante
dos quatro seres viventes e dos anciãos; e ninguém podia
aprender aquele cântico, senão os cento e quarenta e qua-
tro mil que foram comprados da terra.
4 Estes são os que não estão contaminados com mulhe-
res; porque são virgens. Estes são os que seguem o Cor-
deiro para onde quer que ele vá. Estes são os que dentre
os homens foram comprados como primícias para Deus
e para o Cordeiro.
5 E na sua boca não se achou mentira, porque são irre-
preensíveis diante do trono de Deus.

Os Três Anjos

6 E vi outro anjo voar pelo meio do céu, que tinha o
evangelho eterno para o proclamar aos que habitam sobre
a terra, e a toda nação, tribo, língua e povo,

7 dizendo com grande voz: "Temam a Deus e deem gló-
ria a ele, porque chegou a hora do seu juízo. E adorem
aquele que fez o céu, a terra, o mar e as fontes das águas."
8 E outro anjo seguiu, dizendo: "Caiu, caiu Babilônia,
aquela grande cidade, que a todas as nações deu a beber
do vinho da ira da sua prostituição."
9 E seguiu-os o terceiro anjo, dizendo com grande voz:
"Se alguém adorar a besta e a sua imagem, e receber o
sinal na sua testa, ou na sua mão,
10 também este beberá do vinho da ira de Deus, prepara-
do sem mistura, no cálice da sua ira; e será atormentado
com fogo e enxofre diante dos santos anjos e diante do
Cordeiro.
11 E a fumaça do seu tormento sobe para todo o sempre;
e não têm repouso nem de dia nem de noite os que ado-
ram a besta e a sua imagem, e aquele que receber o sinal
do seu nome."
12 Aqui está a perseverança dos santos; aqui estão os
que guardam os mandamentos de Deus e a fé em Jesus.
13 E ouvi uma voz do céu que me dizia: Escreva: "Bem-
-aventurados os mortos que desde agora morrem no Se-
nhor." "Sim", diz o Espírito, "para que descansem dos
seus trabalhos, e as suas obras os seguem."

A Colheita da Terra

14 E olhei, e vi uma nuvem branca, e assentado sobre
a nuvem um semelhante ao Filho do homem, que tinha
sobre a sua cabeça uma coroa de ouro, e na sua mão uma
foice afiada.
15 E outro anjo saiu do santuário, clamando com gran-
de voz para aquele que estava assentado sobre a nuvem:
"Lance a sua foice e colha; a hora de colher chegou, por-
que a safra da terra já está madura."
16 E aquele que estava assentado sobre a nuvem passou
a sua foice sobre a terra, e a terra foi ceifada.
17 Então outro anjo saiu do santuário que está no céu;
ele também tinha uma foice afiada.
18 E outro anjo saiu do altar, ele tinha poder sobre o fogo,
e clamou com grande voz ao anjo que tinha a foice afiada,
dizendo: "Lance a sua foice afiada e colha os cachos da
vinha da terra, porque as suas uvas já estão maduras."
19 E o anjo lançou a sua foice na terra e colheu as uvas da
vinha da terra, e atirou-as no grande lagar da ira de Deus.
20 E o lagar foi pisado fora da cidade, e saiu sangue do
lagar até a altura dos freios dos cavalos, numa distância
de cerca de trezentos quilômetros.

Os Sete Anjos

15 E vi outro grande e maravilhoso sinal no céu: Sete
anjos que tinham as sete últimas pragas; porque ne-
las é consumada a ira de Deus.
2 E vi algo como um mar de vidro misturado com fogo,
e também os que saíram vitoriosos da besta, e da sua
imagem, do seu sinal e do número do seu nome, eles
estavam junto ao mar de vidro e tinham as harpas que
haviam sido dadas por Deus.
3 E cantavam o cântico de Moisés, servo de Deus, e o
cântico do Cordeiro, dizendo: "Grandes e maravilhosas
são as tuas obras, Senhor Deus Todo-Poderoso! Justos e
verdadeiros são os teus caminhos, ó Rei das nações.
4 Quem não temerá e não glorificará o teu nome, ó
Senhor? Porque só tu és santo; por isso todas as nações
virão e se prostrarão diante de ti, porque os teus juízos
são manifestos".
5 E depois disto olhei, e eis que o santuário do tabernácu-
lo do testemunho se abriu no céu.
6 E os sete anjos que tinham as sete pragas saíram do
templo, vestidos de linho puro e resplandecente, e cingi-
dos com cintos de ouro à altura do peito.
7 E um dos quatro seres viventes deu aos sete anjos sete
taças de ouro cheias da ira de Deus, que vive para todo
o sempre.
8 E o santuário encheu-se com a fumaça da glória de
Deus e do seu poder; e ninguém podia entrar no santuá-
rio até que se cumprissem as sete pragas dos sete anjos.

As Sete Pragas

16 E ouvi uma forte voz vinda do santuário que dizia
aos sete anjos: "Vão e derramem sobre a terra as
sete taças da ira de Deus."
2 E o primeiro foi e derramou a sua taça sobre a terra, e
trouxe úlceras malignas às pessoas que tinham o sinal da
besta e que adoravam a sua imagem.
3 E o segundo anjo derramou a sua taça no mar que se
tornou sangue como de um morto, e todo ser vivo que
havia no mar, morreu.
4 E o terceiro anjo derramou a sua taça nos rios e nas
fontes de águas, que se transformaram em sangue.
5 E ouvi o anjo das águas que dizia: "Tu és justo, ó Se-
nhor, que és, que eras e és santo, porque julgaste estas
coisas.
6 Visto como derramaram o sangue dos santos e dos pro-
fetas, também tu lhes deste o sangue para beber; porque
disto são merecedores".
7 E ouvi uma voz do altar, que dizia: "Certamente, ó
Senhor Deus Todo-Poderoso, verdadeiros e justos são os
teus juízos".
8 E o quarto anjo derramou a sua taça sobre o sol, e foi-
-lhe permitido que queimasse os humanos com fogo.
9 E as pessoas foram queimadas com grandes calores e
blasfemaram contra o nome de Deus que tem poder so-
bre estas pragas, e não se arrependeram para lhe darem
glória.

10 E o quinto anjo derramou a sua taça sobre o trono da
besta, e o seu reino se fez tenebroso, e as pessoas mor-
diam as suas línguas de dor.
11 E por causa das suas dores e por causa das suas cha-
gas, blasfemaram contra o Deus do céu, e não se arrepen-
deram das suas obras.
12 E o sexto anjo derramou a sua taça sobre o grande
rio Eufrates; e a sua água secou, para que se preparasse o
caminho dos reis que vêm do Oriente.
13 E da boca do dragão, da boca da besta e da boca do
falso profeta vi saírem três espíritos imundos, semelhan-
tes a rãs.
14 Porque são espíritos de demônios, que fazem sinais, e
vão ao encontro dos reis da terra e de todo o mundo, para
os ajuntar para a batalha, naquele grande dia do Deus
Todo-Poderoso.
15 "Eis que venho como ladrão. Bem-aventurado aquele
que vigia e guarda as suas roupas, para que não ande nu
e não se vejam as suas vergonhas".
16 Então os reuniram no lugar que em hebreu se chama
Armagedom.
17 O sétimo anjo derramou a sua taça no ar e saiu uma
grande voz do santuário do céu, do trono, dizendo: "Está
feito".
18 E houve vozes, trovões, relâmpagos e um grande ter-
remoto, como nunca tinha havido desde que há homens
sobre a terra; tal foi este tão grande terremoto.
19 E a grande cidade se dividiu em três partes, as cidades
das nações caíram; e Deus se lembrou da grande Babi-
lônia, para lhe dar o cálice do vinho do furor da sua ira.
20 E todas as ilhas fugiram, e os montes não foram
achados.
21 E sobre os homens caiu do céu uma grande chuva de
granizo, com pedras que pesavam cerca de trinta quilos;
e as pessoas blasfemaram de Deus por causa da praga da
chuva de granizo; porque a praga era muito grande.

A Mulher Montada na Besta

17 E um dos sete anjos que tinham as sete taças veio
e falou comigo, dizendo: "Venha e lhe mostrarei a
condenação da grande prostituta que está assentada sobre
muitas águas,
2 com a qual se prostituíram os reis da terra; e os que
habitam na terra se embebedaram com o vinho da sua
prostituição".
3 E o anjo me levou em espírito a um deserto, e vi uma
mulher assentada sobre uma besta vermelha, que estava
cheia de nomes de blasfêmia, ela tinha sete cabeças e
dez chifres.
4 E a mulher estava vestida de púrpura e vermelho, e
adornada com ouro, pedras preciosas e pérolas; e tinha
na sua mão um cálice de ouro cheio das abominações e
da imundícia da sua prostituição;
5 e na sua testa havia uma inscrição enigmática: "A gran-
de Babilônia, a mãe das prostitutas e das abominações
da terra".
6 E vi que a mulher estava embriagada com o sangue dos
santos, e com o sangue das testemunhas de Jesus. E quan-
do a vi, fiquei muito admirado e com grande espanto.
7 E o anjo me disse: "Por que ficou admirado? Eu lhe
explicarei o mistério da mulher e da besta que a leva, a
qual tem sete cabeças e dez chifres.
8 A besta, que você viu, era e já não é, e está para subir
do abismo e ir para a perdição, e os habitantes da terra,
cujos nomes não estão escritos no livro da vida, desde
a criação do mundo, ficarão admirados quando virem a
besta, porque ela era, e já não é, mas ela virá.
9 Isto é para a mente que tem sabedoria. As sete cabeças
são sete montes, sobre os quais a mulher está assentada.
10 E são também sete reis; cinco já caíram, um existe,
e o outro ainda não chegou; e, quando chegar, deverá
durar pouco tempo.
11 E a besta, que era e não é mais, ela é também o oitavo
rei, e faz parte dos sete, e caminha para a perdição.
12 E os dez chifres que você viu são dez reis que ainda
não receberam o reino, mas receberão poder como reis
por uma hora, juntamente com a besta.
13 Estes têm um mesmo propósito e entregarão o seu
poder e autoridade à besta.
14 Estes combaterão contra o Cordeiro, mas o Cordeiro
os vencerá, porque é o Senhor dos senhores e o Rei dos
reis; os que estão com ele, os chamados, os eleitos e fiéis
vencerão".
15 E o anjo me disse: "As águas que você viu, onde se as-
senta a prostituta, são povos, multidões, nações e línguas.
16 E os dez chifres que você viu na besta são os que
odiarão a prostituta e a deixarão desolada e nua, comerão
a sua carne e a queimarão no fogo.
17 Porque Deus tem posto em seus corações que cum-
pram o seu propósito e tenham um mesmo propósito;
deem à besta o seu reino, até que se cumpram as palavras
de Deus.
18 E a mulher que você viu é a grande cidade que reina
sobre os reis da terra".

A Queda da Babilônia

18 E, depois destas coisas, vi descer do céu outro anjo,
que tinha um grande poder, e a terra foi iluminada
com a sua glória.
2 E ele exclamou com grande voz, dizendo: "Caiu, caiu
a grande Babilônia e se tornou morada de demônios, e

covil de todo espírito imundo, e esconderijo de toda ave
imunda e detestável.
3 Porque todas as nações beberam do vinho do furor da
sua prostituição, e os reis da terra se prostituíram com
ela; e os mercadores da terra se enriqueceram com a
abundância de suas delícias."
4 E ouvi outra voz do céu, que dizia: "Saiam dela, povo
meu, para que não sejam participantes dos seus pecados,
e para que não incorram nas suas pragas.
5 Porque os pecados dela se acumularam até o céu, e
Deus se lembrou das iniquidades dela.
6 Retribuam-lhe como ela retribuiu, retribuam-lhe em
dobro conforme as suas obras; no cálice em que ela deu a
vocês de beber, deem a ela em dobro.
7 Quanto ela se glorificou, e em delícias esteve, foi-lhe
outro tanto de tormento e pranto; porque diz em seu co-
ração: 'Estou assentada como rainha, não sou viúva, e
não verei o pranto.'
8 Portanto, num só dia virão as suas pragas, a morte, o
pranto e a fome; e será queimada no fogo, porque pode-
roso é o Senhor Deus que a julga.
9 E os reis da terra, que se prostituíram com ela e viveram
em luxúria, chorarão e lamentarão por causa dela, quan-
do virem a fumaça do seu incêndio.
10 Ficarão de longe amedrontados por causa do tormen-
to dela, dizendo: 'Ai! Ai daquela grande Babilônia, aquela
forte cidade! Pois numa só hora chegou o seu juízo.'
11 E sobre ela choram e lamentam os mercadores da
terra; porque ninguém mais compra as suas mercadorias,
12 mercadorias de ouro, de prata, de pedras preciosas, de
pérolas, de linho fino, de púrpura, de seda e de escarlate;
e toda espécie de madeira odorífera, todo tipo de objeto
de marfim e de madeira preciosíssima, de bronze, de fer-
ro e de mármore;
13 e canela, perfume, mirra, incenso, vinho, azeite, flor
de farinha, trigo, gado e ovelhas; e cavalos, carruagens,
corpos e almas de seres humanos.
14 Eles dirão: 'Também desapareceram todas as frutas
que tanto lhe davam prazer ao paladar; e todas as coisas
gostosas e excelentes desapareceram e não mais serão
achadas.'
15 Os mercadores destas coisas, que com elas se enri-
queceram, estarão de longe, pelo temor do seu tormento,
chorando e lamentando,
16 dizendo: 'Ai! Ai daquela grande cidade, que estava
vestida de linho fino, de púrpura, de escarlate, e adorna-
da com ouro, pedras preciosas e pérolas, porque em uma
hora foram assoladas tantas riquezas.'
17 E todos os pilotos, todos os que navegam em navios,
todos os marinheiros e todos os que negociam no mar
ficaram de longe.
18 E, vendo a fumaça do seu incêndio, clamaram, di-
zendo: 'Que outra cidade é semelhante a esta grande
cidade?'
19 E lançaram pó sobre as suas cabeças e clamaram,
chorando, lamentando e dizendo: 'Ai! Ai daquela grande
cidade, na qual todos os que tinham navios no mar se en-
riqueceram em razão da sua opulência; porque em uma
só hora foi assolada!
20 Alegrem-se por causa dela, ó céus, e vocês, santos
apóstolos e profetas, porque Deus já julgou a causa de
vocês contra ela.'"
21 E um anjo forte levantou uma pedra do tamanho de
uma grande pedra de moinho, e lançou-a no mar, dizen-
do: "Com igual violência a Babilônia será lançada, aquela
grande cidade, e jamais será achada.
22 E em você não se ouvirá mais a voz de harpistas, de
músicos, de flautistas e de trombeteiros, e artífice algum
se achará mais em você, e ruído de moinho em você não
se ouvirá mais,
23 e luz de lamparina não mais brilhará em você, e voz
de noivo e de noiva não mais se ouvirá em você; porque
os seus mercadores foram os grandes da terra; porque
todas as nações foram enganadas pelas suas feitiçarias.
24 E nela se achou o sangue dos profetas, dos santos e de
todos os que foram mortos sobre a terra".

As Bodas do Cordeiro

19 E, depois destas coisas, ouvi no céu um barulho que
parecia vozes de uma grande multidão, que dizia:
"Aleluia! A salvação, a glória, a honra e o poder perten-
cem ao Senhor nosso Deus,
2 porque verdadeiros e justos são os seus juízos, pois jul-
gou a grande prostituta que havia corrompido a terra com
a sua prostituição, e das mãos dela vingou o sangue dos
seus servos".
3 E outra vez disseram: "Aleluia! E a fumaça dela sobe
para todo o sempre".
4 Os vinte e quatro anciãos e os quatro seres viventes
prostraram-se e adoraram a Deus que estava assentado
no trono, dizendo: "Amém! Aleluia!"
5 E do trono saiu uma voz, que dizia: "Louvem o nosso
Deus, vocês, todos os seus servos, e vocês que o temem,
tanto os pequenos como os grandes!"
6 Então ouvi o que parecia ser a voz de uma grande
multidão, uma voz como de muitas águas e como a de
grandes trovões, que dizia: "Aleluia! Pois o Senhor Deus
Todo-Poderoso reina.
7 Alegremo-nos, exultemos e demos-lhe glória; porque

chegou a hora das bodas do Cordeiro, e a sua noiva já
se aprontou.
8 E foi-lhe dado linho fino para se vestir, puro e resplan-
decente". Porque o linho fino são os atos de justiça dos
santos.
9 Então o anjo me disse: Escreva: "Bem-aventurados
aqueles que são chamados à ceia das bodas do Cordei-
ro." E acrescentou: "Estas são as verdadeiras palavras de
Deus".
10 E eu me lancei a seus pés para o adorar, mas o anjo
me disse: "Não faça isso! Sou servo como você e como
seus irmãos que guardam o testemunho de Jesus. Ado-
re a Deus! Pois o testemunho de Jesus é o espírito de
profecia".

O Cavaleiro no Cavalo Branco

11 E vi o céu aberto, e eis um cavalo branco. E o seu
cavaleiro se chama Fiel e Verdadeiro; julga e combate
com justiça.
12 Os seus olhos eram como chama de fogo, e sobre a
sua cabeça havia muitos diademas; e tinha um nome es-
crito que ninguém conhecia, somente ele mesmo.
13 Ele estava vestido com um manto salpicado de san-
gue, e o seu nome é Palavra de Deus.
14 Os exércitos do céu o seguiam em cavalos brancos,
vestidos de linho fino, branco e puro.
15 E da sua boca saía uma espada afiada, para ferir com
ela as nações; ele as regerá com cetro de ferro, e ele mes-
mo é o que pisa o lagar do vinho do furor e da ira do Deus
Todo-Poderoso.
16 No seu manto e sobre a sua coxa estava escrito este
nome: REI DOS REIS E SENHOR DOS SENHORES.
17 Então vi um anjo que estava em pé no sol, ele gritou
com grande voz, dizendo a todas as aves que voavam
pelo meio do céu: "Venham e reúnam-se para a grande
ceia de Deus;
18 para que comam a carne de reis, a carne de coman-
dantes, a carne de poderosos e a carne de cavalos e de
seus cavaleiros; e a carne de todos os homens, livres e
servos, pequenos e grandes."
19 Eu vi a besta e os reis da terra, e os seus exércitos
reunidos para fazerem guerra contra o cavaleiro e contra
o seu exército.
20 A besta foi presa e, com ela, o falso profeta que havia
feito sinais milagrosos em nome dela, com os quais ele
enganou os que receberam o sinal da besta e adoraram a
imagem dela. Estes dois foram lançados vivos no lago de
fogo que arde com enxofre.
21 E os demais foram mortos com a espada que saía da
boca do cavaleiro, e todas as aves se fartaram das suas
carnes.

Os Mil Anos

20 E vi descer do céu um anjo que tinha a chave do
abismo, e uma grande corrente na sua mão.
2 Ele prendeu o dragão, a antiga serpente que é o Diabo
e Satanás e o acorrentou por mil anos.
3 E lançou-o no abismo, ali o fechou e pôs selo sobre ele,
para que não mais enganasse as nações, até que se com-
pletassem os mil anos. E depois disso é necessário que ele
seja solto por um pouco de tempo.
4 E vi também tronos, e aos que se assentaram sobre eles
foi dado o poder de julgar; e vi as almas daqueles que
foram decapitados por terem dado testemunho de Jesus
e proclamado a palavra de Deus; estes são os que não
adoraram a besta, nem a sua imagem, e não receberam
o sinal em suas testas nem em suas mãos; eles viveram e
reinaram com Cristo durante mil anos.
5 Mas os demais mortos não reviveram até que se com-
pletassem os mil anos. Esta é a primeira ressurreição.
6 Bem-aventurado e santo é aquele que tem parte na
primeira ressurreição; sobre estes a segunda morte não
tem poder, mas serão sacerdotes de Deus e de Cristo, e
reinarão com ele os mil anos.

A Destruição de Satanás

7 Quando se completarem os mil anos, Satanás será solto
da sua prisão,
8 e sairá para enganar as nações que estão sobre os quatro
cantos da terra, Gogue e Magogue, cujo número é como
a areia do mar, para reuni-las para a batalha.
9 Elas marcharam sobre a superfície da terra, e cercaram
o acampamento dos santos e a cidade amada; então des-
ceu fogo do céu e as devorou.
10 E o diabo, que os enganava, foi lançado no lago de
fogo e enxofre, onde já estavam a besta e o falso profeta; e
serão atormentados de dia e de noite, para todo o sempre.

O Julgamento dos Mortos

11 Vi um grande trono branco e o que estava assentado
sobre ele. A terra e o céu fugiram da presença dele, e não
se achou lugar para eles.
12 E vi os mortos, grandes e pequenos, que estavam
diante do trono, e então abriram-se os livros; e abriu-se
outro livro, que é o livro da vida. Então os mortos foram
julgados pelas coisas que estavam escritas nos livros, se-
gundo as suas obras.
13 E o mar entregou os mortos que estavam nele. A mor-
te e o inferno entregaram os mortos que neles havia, e
foram julgados cada um segundo as suas obras.
14 Então a morte e o inferno foram lançados no lago de
fogo. Esta é a segunda morte.
15 E quem não foi achado inscrito no livro da vida, foi
lançado no lago de fogo.

O Novo Céu e a Nova Terra

21 Eu vi um novo céu e uma nova terra, pois o primeiro céu e a primeira terra já passaram, e o mar já não existe.
2 E eu, João, vi a santa cidade, a nova Jerusalém, que descia do céu da parte de Deus, preparada como uma noiva enfeitada para o seu noivo.
3 E ouvi uma grande voz do céu, que dizia: "Eis aqui o tabernáculo de Deus com os humanos, pois Deus habitará com eles, e eles serão o seu povo, e o mesmo Deus estará com eles e será o seu Deus.
4 E Deus enxugará dos seus olhos toda lágrima; não haverá mais morte, nem pranto, nem clamor, nem dor; porque as primeiras coisas passaram."
5 E aquele que estava assentado sobre o trono disse: "Eis que faço novas todas as coisas. Escreva isto, porque estas palavras são verdadeiras e fiéis."
6 E disse-me ainda: "Está feito! Eu sou o Alfa e o Ômega, o princípio e o fim, e a quem tiver sede, darei de beber de graça da fonte da água da vida.
7 Quem vencer, herdará todas estas coisas; eu serei seu Deus, e ele será meu filho.
8 Mas, quanto aos covardes, aos incrédulos, aos abomináveis, aos assassinos, aos imorais, aos feiticeiros, aos idólatras e a todos os mentirosos, a sua parte será no lago que arde com fogo e enxofre, que é a segunda morte."
9 Então veio a mim um dos sete anjos que tinham as sete taças cheias das últimas sete pragas e falou comigo, dizendo: "Venha, lhe mostrarei a noiva, a esposa do Cordeiro".
10 E ele me levou em espírito a um grande e alto monte e mostrou-me a grande cidade, a santa Jerusalém, que de Deus descia do céu.
11 Ela tinha a glória de Deus; a sua luz era semelhante a uma pedra preciosíssima, como a pedra de jaspe, como o cristal resplandecente.
12 Ela tinha um grande e alto muro com doze portas, e, junto às portas, doze anjos, e nomes escritos sobre elas, que são os nomes das doze tribos dos filhos de Israel.
13 Do lado oriente havia três portas, do lado norte, três portas, do lado sul, três portas, do lado ocidente, três portas.
14 E o muro da cidade tinha doze fundamentos, e neles os nomes dos doze apóstolos do Cordeiro.
15 E aquele que falava comigo tinha uma vara de ouro para medir a cidade, as suas portas e o seu muro.
16 A cidade tinha a forma de um quadrado; o seu comprimento e a sua largura eram iguais. Ele mediu a cidade com a vara; ela tinha dois mil e duzentos quilômetros de comprimento; o seu comprimento, a largura e altura eram iguais.
17 E mediu o seu muro, que tinha sessenta e cinco metros, conforme a medida humana que o anjo estava usando.
18 O muro era feito de jaspe, e a cidade de ouro puro, semelhante a vidro puro.
19 E os fundamentos do muro da cidade estavam adornados de todo tipo de pedras preciosas. O primeiro fundamento era de jaspe; o segundo, de safira; o terceiro, de calcedônia; o quarto, de esmeralda;
20 o quinto, de sardônica; o sexto, de sárdio; o sétimo, de crisólito; o oitavo, de berilo; o nono, de topázio; o décimo, de crisópraso; o décimo primeiro, de jacinto, e o décimo segundo, de ametista.
21 E as doze portas eram doze pérolas; cada uma das portas era uma pérola; e a praça da cidade era de ouro puro, como vidro transparente.
22 E nela não vi templo algum, porque o seu templo é o Senhor Deus Todo-Poderoso, e o Cordeiro.
23 E a cidade não necessita de sol nem de lua para iluminá-la, porque a glória de Deus a ilumina, e o Cordeiro é a sua lâmpada.
24 E as nações andarão na sua luz; e os reis da terra trarão para ela a sua glória e honra.
25 E as suas portas não se fecharão de dia, porque ali não haverá noite.
26 E a ela trarão a glória e honra das nações.
27 E nela não entrará coisa alguma que a contamine, nem o que cometa abominação e mentira, mas somente os inscritos no livro da vida do Cordeiro.

O Rio da Água da Vida

22 Então o anjo me mostrou o rio da água da vida, claro como cristal, que saía do trono de Deus e do Cordeiro.
2 No meio da praça da cidade, de um lado e de outro do rio estava a árvore da vida que produz doze frutos, dando seu fruto de mês em mês; e as folhas da árvore são para a cura das nações.
3 E nunca mais haverá maldição; nela estará o trono de Deus e do Cordeiro, e os seus servos o servirão.
4 E verão a sua face, e o seu nome estará na testa deles.
5 Ali não haverá mais noite e não necessitarão de lâmpada nem de luz do sol, porque o Senhor Deus os ilumina; e reinarão para todo o sempre.
6 Então o anjo me disse: "Estas palavras são fiéis e verdadeiras; e o Senhor, o Deus dos profetas, enviou o seu anjo para mostrar aos seus servos as coisas que em breve devem acontecer."

Jesus Breve Virá

7 "Eis que venho em breve: Bem-aventurado aquele que guarda as palavras da profecia deste livro".

8 E eu, João, sou quem vi e ouvi estas coisas. E, tendo-as
ouvido e visto, prostrei-me aos pés do anjo que me mos-
trou estas coisas para adorá-lo.
9 Mas ele me disse: "Não faça isso! Sou servo como você
e seus irmãos, os profetas, e como são os que guardam as
palavras deste livro. Adore a Deus."
10 E disse ainda: "Não sele as palavras da profecia deste
livro, porque o tempo está próximo.
11 Quem é injusto, continue na injustiça; e quem é sujo,
seja sujo ainda; e quem é justo, faça justiça ainda; e quem
é santo, seja santificado ainda."
12 "E eis que venho em breve! A minha recompensa está
comigo, para dar a cada um segundo as suas obras.
13 Eu sou o Alfa e o Ômega, o primeiro e o último, o
princípio e o fim."
14 "Bem-aventurados aqueles que lavam as suas vestes,
para que tenham direito à árvore da vida e entrem na
cidade pelas portas.
15 Ficarão de fora os cães e os feiticeiros, os que come-
tem imoralidades sexuais, os assassinos, os idólatras e
todos os que amam e praticam a mentira."
16 "Eu, Jesus, enviei o meu anjo para dar testemunho
destas coisas a vocês nas igrejas. Eu sou a raiz e a geração
de Davi, a resplandecente estrela da manhã."
17 O Espírito e a noiva dizem: "Vem!" E quem ouve,
diga: "Vem!" E quem tem sede, venha, e, quem quiser,
tome de graça da água da vida."
18 Porque eu testifico a todo aquele que ouvir as palavras
da profecia deste livro que, se alguém lhes acrescentar
alguma coisa, Deus fará vir sobre ele as pragas que estão
escritas neste livro;
19 E, se alguém tirar alguma palavra deste livro de pro-
fecia, Deus tirará dele a sua parte na árvore da vida e na
cidade santa, que estão escritas neste livro.
20 Aquele que dá testemunho destas coisas diz: "Cer-
tamente venho em breve!" Amém. Vem, Senhor Jesus!
21 A graça de nosso Senhor Jesus Cristo esteja com to-
dos. Amém.

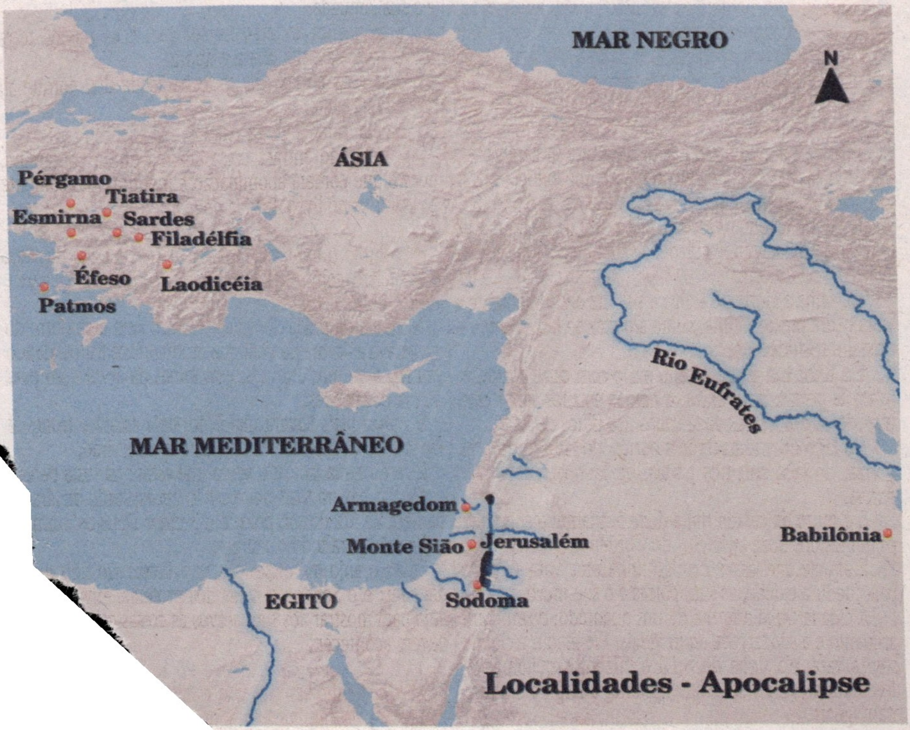